P9-CET-098

COLLECTION LANGUE ET CULTURE

DIRIGÉE PAR JEAN-CLAUDE CORBEIL

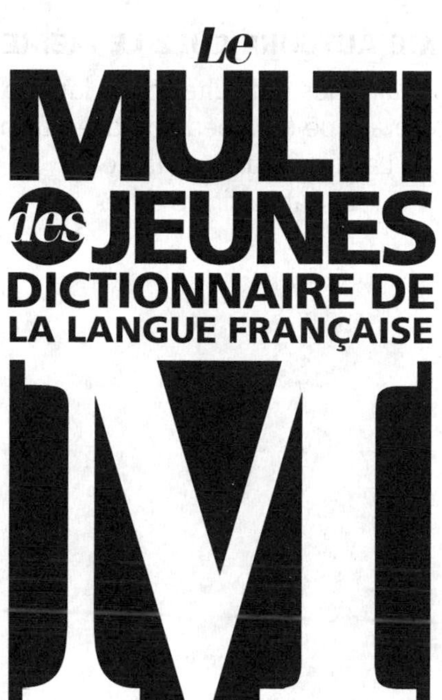
Le
MULTI
des JEUNES
DICTIONNAIRE DE
LA LANGUE FRANÇAISE

DE LA MÊME AUTEURE CHEZ LE MÊME ÉDITEUR

Multidictionnaire des difficultés de la langue française
Le Dico pratique (en coédition avec Larousse)
La Grammaire en tableaux
Le Vif Désir de durer

MARIE-ÉVA DE VILLERS

Le MULTI *des* JEUNES

DICTIONNAIRE DE LA LANGUE FRANÇAISE

- UN DICTIONNAIRE DE LANGUE
- LES DIFFICULTÉS DU FRANÇAIS
- LES MODÈLES DE CONJUGAISON

QUÉBEC AMÉRIQUE
329, O. de la Commune, Montréal (Québec) H2Y 2E1•Téléphone : (514) 499-3000

CATALOGAGE AVANT PUBLICATION DE BIBLIOTHÈQUE ET ARCHIVES NATIONALES DU QUÉBEC ET BIBLIOTHÈQUE ET ARCHIVES CANADA

de Villers, Marie-Éva

Le Multi des jeunes : Dictionnaire de la langue française

ISBN-13 : 978-2-8903-7886-5
ISBN-10 : 2-89037-886-1

1. Français (Langue) - Dictionnaires. 2. Français (Langue) - Canada - Dictionnaires.
3. Français (Langue) - Canada - Idiotismes - Dictionnaires. I. Titre.

PC2625.V53 1996 443'.1 C96-940681-9

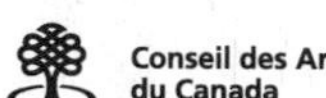

Nous reconnaissons l'aide financière du gouvernement du Canada par l'entremise du Programme d'aide au développement de l'industrie de l'édition (PADIÉ) pour nos activités d'édition.

Gouvernement du Québec – Programme de crédit d'impôt pour l'édition de livres – Gestion SODEC.

Les Éditions Québec Amérique bénéficient du programme de subvention globale du Conseil des Arts du Canada. Elles tiennent également à remercier la SODEC pour son appui financier.

Québec Amérique
329, rue de la Commune Ouest, 3e étage
Montréal (Québec) Canada H2Y 2E1
Téléphone : 514 499-3000, télécopieur : 514 499-3010

Dépôt légal : 1er trimestre 1997
Bibliothèque nationale du Québec
Bibliothèque nationale du Canada

Réimpression : juin 2007

Imprimé au Canada

Pour mes enfants,
Étienne et Marie-Ève,
dans l'espoir que le français
sera la langue de leurs enfants.

DIRECTION

Jacques Fortin – éditeur
Jean-Claude Corbeil – directeur linguistique
François Fortin – directeur infographique

CONCEPTION ET RÉDACTION

Marie-Éva de Villers

COORDINATION ET RECHERCHE

Liliane Michaud

CORRECTION RÉDACTIONNELLE

Monique Héroux
Serge-Pierre Noël

RÉVISION

Roger Magini

CORRECTION

Agnès Guitard

CONCEPTION DE LA BANQUE DE DONNÉES

Daniel Beaulieu
avec la collaboration de Nathalie Daneau

CONCEPTION GRAPHIQUE ET MISE EN PAGES

A Capella Design Communication (couverture)
Anne Tremblay (conception graphique)
Pascal Goyette (conception graphique et mise en pages)
Lucie Mc Brearty (mise en pages)

TABLE DES MATIÈRES

INTRODUCTION

L'objet du *Multi des jeunes* : *Dictionnaire de la langue française* est de décrire de façon claire et actuelle **le français de tous les francophones** ainsi que **le bon usage québécois** pour les élèves de la 4e année du primaire jusqu'à la fin du secondaire. Afin de faciliter la recherche et de limiter le recours à de multiples ouvrages de référence, le *Multi des jeunes* a la particularité de réunir un dictionnaire de langue, une grammaire en tableaux, un recueil des difficultés du français et les modèles de conjugaison.

UN DICTIONNAIRE DE LANGUE

Ouvrage de référence à la langue simple et directe, le *Multi des jeunes* est un **mode d'emploi de la langue française** pour les jeunes d'ici. Il est d'abord un dictionnaire de langue qui définit les mots courants et en illustre les emplois de manière adaptée à la tranche d'âge visée. L'ouvrage explicite les locutions figées, fait état des synonymes, antonymes, homonymes et précise les distinctions sémantiques entre les mots dont la ressemblance peut être source de confusion (paronymes). Il met en évidence les catégories grammaticales des mots, les pluriels difficiles, les féminins des noms de profession, les marques d'usage (niveaux de langue, domaines d'utilisation, emplois figés, régionalismes, etc.) et note les recommandations de l'Office de la langue française. Il signale les formes fautives pour renvoyer aux formes correctes.

La nomenclature

La nomenclature du *Multi des jeunes* comprend 16 000 entrées ; elle est constituée de la plupart des mots courants du français contemporain qui composent le **vocabulaire des élèves du primaire et du secondaire**. Ces entrées comprennent plus de 5 000 locutions qui sont traitées de façon complète : catégorie grammaticale, définition, exemple et note, s'il y a lieu.

Les définitions

Les définitions exposent de façon simplifiée les principales acceptions de l'entrée, en fonction de l'usage habituel du mot, de l'expression ou de la locution. Pour distinguer clairement les divers sens de chaque entrée, les définitions sont numérotées et toujours disposées en début de ligne.

Les exemples

La majorité des entrées sont illustrées d'exemples inspirés de la réalité des jeunes ; ils comprennent des noms de lieux, des titres d'œuvres, des noms propres qui sont fréquemment du Québec afin que les élèves y retrouvent leur univers. Ces exemples sont conçus afin de faciliter la compréhension des définitions ou d'insister sur les difficultés liées à un mot : pluriel des noms composés, construction syntaxique, choix des modes du verbe, emploi des majuscules et minuscules...

Les marques d'usage

Les niveaux de langue précisent les registres divers en fonction des locuteurs et des contextes d'utilisation. Ils sont indiqués par des mentions en toutes lettres qui précèdent les définitions. En l'absence d'une indication, le niveau de langue est neutre. Les domaines d'utilisation, les emplois figurés, etc., sont précisés.

Les québécismes

Alors que les nouvelles technologies de l'information abolissent les frontières et les distances, il importe de préciser qu'un mot donné, qu'un sens ne s'emploie qu'au Québec. Le *Multi des jeunes* marque donc clairement les québécismes : les mots ou sens propres au français du Québec sont signalés par une icône symbolisant l'usage québécois. L'ouvrage mentionne le terme correspondant en usage dans l'ensemble de la francophonie, s'il y a lieu.

Cependant, les désignations de réalités qui nous appartiennent, mais qui sont ainsi dénommées dans l'ensemble de la francophonie ne sont pas précédées de cette icône. Seuls les termes et significations conformes au bon usage québécois ont été retenus, qu'ils soient de niveau neutre, familier ou plus rarement, littéraire.

Les anglicismes

La connaissance et la proximité de la langue anglaise créent des interférences avec la langue française. Bon nombre de mots sont employés dans un sens qu'ils ne possèdent pas, sous l'influence de mots anglais qui ont une forme semblable. Ces faux amis, ces calques sont plus difficiles à déceler que les emprunts directs à l'anglais parce qu'ils ont une apparence française. Il apparaît donc important de répertorier ces anglicismes, de les intégrer à la nomenclature en les marquant d'un astérisque (forme fautive) et de renvoyer à la forme correcte.

UNE GRAMMAIRE EN TABLEAUX

Le *Multi des jeunes* comprend 125 tableaux portant sur l'ensemble des notions fondamentales de la grammaire et de la syntaxe. Sans avoir à recourir à un index, sans se perdre dans un classement systématique, l'élève peut avoir accès facilement et rapidement à ces synthèses qui sont intégrées à la nomenclature du dictionnaire et figurent à l'ordre alphabétique du mot clé. On trouvera la liste de ces tableaux à la suite de l'introduction et de l'alphabet phonétique.

À titre d'exemples de tableaux, citons l'accord des adjectifs de couleur, l'écriture des adjectifs numéraux, le pluriel des noms composés, les règles de la ponctuation, la syntaxe des modes et des temps du verbe, l'accord du participe passé, des pronominaux, les emplois des conjonctions et des prépositions, les mots complexes *quelque, tel, tout*...

Des notes grammaticales ainsi que des notes sur la construction viennent également compléter de nombreux articles du dictionnaire et attirent l'attention des jeunes usagers du dictionnaire sur les problèmes grammaticaux et syntaxiques.

Grâce à ces tableaux et à ces notes, les élèves ont **l'essentiel de la grammaire** à portée de la main et sous une forme très accessible.

UN RECUEIL DES DIFFICULTÉS DU FRANÇAIS

Aux questions portant sur l'orthographe, la prononciation, les règles grammaticales, les constructions syntaxiques, les québécismes, la typographie, les anglicismes, les abréviations et symboles, le *Multi des jeunes : Dictionnaire de la langue française* apporte des réponses précises et adaptées aux jeunes.

L'ouvrage innove par l'ensemble des informations linguistiques qu'il réunit. Il propose une organisation des données très pratique, la plus simple possible. Afin de faciliter le repérage des renseignements recherchés, le dictionnaire intègre dans un seul ordre alphabétique tous les éléments utiles aux jeunes usagers de la langue.

Les icônes

Une signalisation à l'aide d'icônes dont la légende apparaît au bas de chaque page du dictionnaire balise de façon concrète l'information et simplifie la recherche.

prononciation

Les mots difficiles à prononcer ou les mots d'origine étrangère sont accompagnés d'une indication en toutes lettres ainsi que de leur transcription entre crochets selon les critères de l'Association phonétique internationale (API). Les principes de la transcription phonétique sont donnés à la suite de l'introduction.

usage québécois

Les mots, expressions ou sens propres au français du Québec (québécismes) sont précédés de la fleur de lys. S'il y a lieu, le terme correspondant de la francophonie est mentionné [exemple : **babillard** n. m. ⚜ (FAMILIER) Tableau d'affichage]. Les mots qui désignent, pour l'ensemble des francophones, des réalités qui nous sont propres sont également répertoriés, mais ils ne sont pas précédés de la fleur de lys [exemple : **acériculture** n. f. Exploitation et culture de l'érable à sucre].

Les critères de choix de ces mots respectent l'*Énoncé d'une politique linguistique relative aux québécismes* publié par l'Office de la langue française en 1985.

note sur la construction

La syntaxe des modes et des temps du verbe, le choix des prépositions sont précisés dans les notes sur la construction.

note

- Les **notes grammaticales** rappellent les particularités des accords du verbe, du participe passé et de l'adjectif, le genre du nom, la formation du pluriel et de certains féminins, le choix de l'auxiliaire, etc.
- Les **notes typographiques** donnent l'emploi des signes de ponctuation, précisent la graphie des abréviations, l'usage particulier des symboles, l'utilisation des majuscules et des minuscules.
- Les **notes sémantiques** apportent des distinctions de sens entre des mots dont la ressemblance peut être source d'erreurs, signalent les homonymes, les nuances (valeurs favorable ou défavorable) des mots ou précisent les modalités d'utilisation d'un mot. Afin d'éviter les renvois d'une entrée à l'autre, ces renseignements sont répétés toutes les fois qu'il est nécessaire, de manière à rendre chaque article complet en lui-même.

orthographe

Les pièges orthographiques sont signalés à l'aide de cette icône qui apparaît à la fin de l'article. Les lettres sur lesquelles porte la difficulté sont mises en évidence par des caractères gras.

*** forme fautive**

Précédées d'un astérisque, les formes fautives (anglicismes, calques, impropriétés, etc.) renvoient aux emplois corrects. À l'entrée du mot exact, les formes à éviter sont également citées.

LES MODÈLES DE CONJUGAISON ET LE TRAITEMENT DES VERBES

Le verbe joue un rôle de premier plan dans la langue française. Suscitant de nombreuses interrogations de la part des élèves, il est toujours la source d'erreurs, notamment en ce qui a trait à ses accords, à sa conjugaison et à ses constructions. En vue d'apporter des réponses à ces questions, le *Multi des jeunes* propose un traitement très détaillé du verbe.

En premier lieu, le dictionnaire énumère **les acceptions** du verbe et en illustre **les emplois** de la même manière que pour tous les autres mots : définitions numérotées, exemples, synonymes, antonymes et notes, s'il y a lieu.

En deuxième lieu, l'ouvrage définit **les modalités de construction** du verbe à la voix active : construction directe (verbe transitif direct), construction indirecte introduite par une préposition (verbe transitif indirect), construction sans complément (verbe intransitif) ; il décrit également la forme pronominale, s'il y a lieu, et donne des indications sur l'accord des participes passés des pronominaux. Enfin une note sur la construction précise les prépositions à employer avec un verbe donné.

En troisième lieu, le *Multi des jeunes* vise à faciliter **la conjugaison** en incluant 70 modèles complets à l'ordre alphabétique du verbe type et en précisant le modèle à imiter pour chacun des verbes. Le dictionnaire signale également les particularités de formes de tous les verbes irréguliers de la nomenclature et précise l'auxiliaire à employer, s'il y a lieu.

Marie-Éva de Villers

ABRÉVIATIONS ET SYMBOLES UTILISÉS DANS L'OUVRAGE

adj.	adjectif
adv.	adverbe
ant.	antonyme
art.	article
CC	complément circonstanciel
COD	complément d'objet direct
COI	complément d'objet indirect
conj.	conjonction
déf.	défini
dém.	démonstratif
ex.	exemple
f.	féminin
hom.	homonyme
impers.	impersonnel
ind.	indirect
indéf.	indéfini
interr.	interrogatif
intr.	intransitif
inv.	invariable
loc.	locution
loc. adj.	locution adjective
loc. adv.	locution adverbiale
loc. conj.	locution conjonctive
loc. prép.	locution prépositive
m.	masculin
n.	nom
onomat.	onomatopée
pers.	personnel
pl.	pluriel
poss.	possessif
p. passé	participe passé
p. présent	participe présent
préf.	préfixe
prép.	préposition
pron.	pronom
pronom.	pronominal
s.	siècle
sing.	singulier
suff.	suffixe
syn.	synonyme
tr.	transitif
v.	verbe
var.	variable

[ ] Les crochets encadrent les transcriptions phonétiques.

( ) Les parenthèses indiquent une possibilité de double lecture ou l'inversion d'un mot.

La bouche précède une note sur la prononciation.

La fleur de lys précède un usage québécois.

La chaîne précède une note sur la construction.

La punaise précède une note grammaticale, typographique ou technique.

Le crayon précède une note orthographique.

* L'astérisque précède une forme fautive.

➤ La flèche indique qu'un tableau se poursuit sur la page suivante.

ALPHABET PHONÉTIQUE
(ASSOCIATION PHONÉTIQUE INTERNATIONALE)

VOYELLES

[i] l**y**re, r**i**z
[e] jou**er**, cl**é**
[ɛ] l**ai**d, m**è**re
[a] n**a**tte, l**a**
[ɑ] l**â**che, l**as**
[ɔ] d**o**nner, p**o**rt
[o] d**ô**me, **eau**
[u] gen**ou**, r**ou**ler
[y] n**u**, pl**u**tôt
[ø] p**eu**, m**eu**te
[œ] p**eu**r, fl**eu**r
[ə] r**e**gard, c**e**
[ɛ̃] mat**in**, f**ein**te
[ɑ̃] d**an**s, mom**en**t
[ɔ̃] p**om**pe, l**on**g
[œ̃] parf**um**, **un**

CONSONNES

[p] **p**oivre, lou**p**e
[t] vi**t**e, **t**rop
[k] **c**ri, **q**uitter
[b] **b**onbon
[d] ai**d**e, **d**rap
[g] ba**g**ue, **g**ant
[f] **ph**oto, en**f**ant
[s] **s**el, de**sc**endre
[ʃ] **ch**at, man**ch**e
[v] **v**oler, fau**v**e
[z] **z**éro, mai**s**on
[ʒ] **j**e, ti**g**e
[l] so**l**eil, **l**umière
[r] **r**oute, aveni**r**
[m] **m**aison, fe**mm**e
[n] **n**œud, to**nn**erre
[ɲ] vi**gn**e, campa**gn**e
['] **h**aricot (pas de liaison)
[ŋ] (emprunts à l'anglais) campi**ng**

SEMI-CONSONNES

[j] **y**eux, trav**ail**
[w] jo**ue**r, **oie**
[ɥ] h**u**it, br**u**it

LISTE DES TABLEAUX

LISTE DES MODÈLES DE CONJUGAISON

Accroître
Acquérir
Aimer
Aller
Aller, s'en
Apercevoir
Appeler
Apprendre
Asseoir
Avancer
Avoir

Boire
Bouillir

Changer
Clore
Combattre
Conduire
Congeler
Coudre
Courir
Craindre
Créer
Croire
Cueillir

Devoir
Dire
Dormir

Écrire
Émouvoir
Employer
Envoyer
Éteindre
Être
Étudier

Faillir
Faire
Falloir
Fendre
Finir
Frire
Fuir

Haïr

Inclure

Joindre

Lever
Lire

Moudre
Mourir

Naître

Ouvrir

Paître
Paraître
Partir
Payer
Plaire
Pleuvoir
Posséder
Pourvoir
Pouvoir
Protéger

Recevoir
Remettre
Rendre
Résoudre

Savoir
Servir
Sortir
Sourire
Soustraire
Suivre

Tressaillir

Vaincre
Valoir
Venir
Vêtir
Vivre
Voir
Vouloir

MODE D'EMPLOI

abaisser v. tr., pronom.
Verbe transitif
1. Faire descendre. *Elle abaissa la manette.* **ANT.** élever, relever, remonter.
2. Réduire. *Abaisser les prix.* **ANT.** élever, relever, remonter.
Alors que le verbe ***abaisser*** signifie surtout «amener à un point plus bas», le verbe ***baisser*** signifie plutôt «amener à son point le plus bas».
Verbe pronominal
(FIGURÉ) S'humilier. *Il a dû s'abaisser à demander l'aumône.*
À la forme pronominale, le verbe se construit avec la préposition **à** suivie de l'infinitif. *Ils se sont abaissés à laisser gagner l'autre équipe.*
À la forme pronominale, le participe passé s'accorde toujours en genre et en nombre avec le sujet.
Conjugaison [VOIR MODÈLE – **AIMER**]

abandon n. m.
1. Action de délaisser. *L'abandon de petits chiens par leur maître ne peut être toléré.*
2. Action de cesser d'occuper. *Abandon de poste.* **SYN.** désertion.
Locutions
Abandon scolaire. Fait, pour un élève ou une élève, de quitter l'école avant la fin de la période de l'obligation scolaire. (Recomm. off. OLF)
À l'abandon. En désordre. *Un terrain à l'abandon.* **SYN.** négligé.
ab**an**don.

abandonner v. tr., pronom.
Verbe transitif
1. Cesser d'occuper. *Abandonner son poste.* **SYN.** déserter.
2. Délaisser. *Martin a recueilli un chaton que le voisin avait abandonné.* **ANT.** conserver, garder, recueillir.
3. Ne pas continuer (quelque chose de difficile). *Les joueurs ont abandonné la partie. On abandonne les recherches.* **SYN.** céder, (FAMILIER) laisser tomber, renoncer à.
Verbe pronominal
Se laisser aller à. *Elle s'abandonne à la joie de les retrouver. Ils se sont abandonnés à la gourmandise.* **SYN.** se livrer à.
À la forme pronominale, le participe passé s'accorde toujours en genre et en nombre avec le sujet.
À la forme pronominale, le verbe se construit avec la préposition **à** suivie d'un complément.
Conjugaison [VOIR MODÈLE – **AIMER**]
ab**an**donner.

abat-jour n. m. inv. (pl. *abat-jour*)
Dispositif servant à rabattre la lumière d'une lampe. *Des abat-jour multicolores.*

abénaquis, ise adj. et n. m. et f.
Relatif aux Amérindiens abénaquis. *La culture abénaquise, des projets abénaquis. Un Abénaquis, une Abénaquise.*
L'adjectif s'écrit avec une minuscule; le nom, avec une majuscule.

abîme n. m.
1. (LITTÉRAIRE) Gouffre sans fond. **SYN.** précipice.
2. (FIGURÉ) Grande différence entre deux choses. *Il y a un abîme entre ce qu'il dit et ce qu'il fait.* **SYN.** fossé.

Annotations :

NOTE SÉMANTIQUE — distinction de sens
NOTE SUR LA CONSTRUCTION — choix de la préposition
NOTE GRAMMATICALE
ORTHOGRAPHE — piège orthographique
NOTE GRAMMATICALE — accord du participe passé
NOTE TYPOGRAPHIQUE — majuscule et minuscule
MARQUES D'USAGE — niveau de langue, emploi figuré
RECOMMANDATION OFFICIELLE
SYNONYMES ANTONYMES
NOTE GRAMMATICALE — pluriel difficile

LÉGENDE DES ICÔNES

- prononciation
- usage québécois
- note sur la construction
- note
- orthographe
- * forme fautive

MODE D'EMPLOI

NOTE GRAMMATICALE
genre difficile

PRONONCIATION
explication et notation API entre crochets

Ne pas confondre avec le nom ***abysse,*** fosse sous-marine très profonde.
Attention au genre masculin de ce nom : ***un*** abîme.
abîme, un accent circonflexe sur le ***i.***

abonnement n. m.
Le premier **e** ne se prononce pas [abɔnmɑ̃].
Paiement à l'avance pour la livraison régulière d'un journal, d'une revue, etc., pour une série de spectacles, de compétitions sportives, etc. *Papa a un abonnement au hockey* (et non un *billet de saison).
abo**nn**ement.

***ANGLICISME**
forme correcte et forme fautive

abréger v. tr.
1. Rendre plus court. *Le professeur abrégeait les exercices.*
2. Résumer. *Abrégez votre introduction, elle est un peu trop longue.*
3. Supprimer une partie des lettres d'un mot. *Le nom **téléphone** s'abrège **tél.** Abréger* (et non *abrévier) *un mot.*
Conjugaison [VOIR MODÈLE – **PROTÉGER**]
Le **é** se change en **è** devant une syllabe muette, sauf à l'indicatif futur et au conditionnel présent. *J'abrège,* mais *j'abrégerai.*
Le ***g*** est suivi d'un **e** devant les lettres ***a*** et ***o.*** *Il abrégea, nous abrégeons.*

***FORME FAUTIVE**
exemple de forme correcte et indication de l'impropriété

***FORME FAUTIVE**
renvoi à la forme correcte

***abrévier**
Impropriété pour ***abréger.***

accroître v. tr., pronom.
Verbe transitif
Rendre plus grand. *Accroître ses connaissances.* **SYN.** augmenter, enrichir.
Verbe pronominal
Devenir plus important, plus étendu. *Sa fortune s'est accrue.* **SYN.** croître, se développer, grandir, grossir. **ANT.** diminuer.
Le verbe se conjugue généralement avec l'auxiliaire ***avoir.***
Conjugaison [VOIR MODÈLE – **ACCROÎTRE**]
À la différence du verbe ***croître***, le verbe ***accroître*** ne prend un accent circonflexe qu'à l'infinitif, à la troisième personne du singulier de l'indicatif présent ainsi qu'à toutes les personnes de l'indicatif futur et du conditionnel.

NOTE DE CONJUGAISON
choix de l'auxiliaire

CONJUGAISON
remarques sur les particularités

CONJUGAISON
verbe irrégulier

acériculteur n. m.
acéricultrice n. f.
Personne qui exploite une érablière.

acériculture n. f.
Exploitation et culture de l'érable à sucre.

FÉMINISATION
désignation écrite au long

RÉALITÉ QUÉBÉCOISE

achigan n. m.
Variété de perche. *Ils ont pêché trois beaux achigans.*
Ce nom d'origine algonquine signifie «celui qui se débat».
achig**an**.

QUÉBÉCISME

aiguisoir n. m.
Outil qui sert à aiguiser (le métal).
Forme fautive
*aiguisoir. Au sens de ***taille-crayon,*** ce nom est ancien.

IMPROPRIÉTÉ
mot ancien

***FORME FAUTIVE**
renvoi à la forme courante

MODÈLES D'ARTICLES

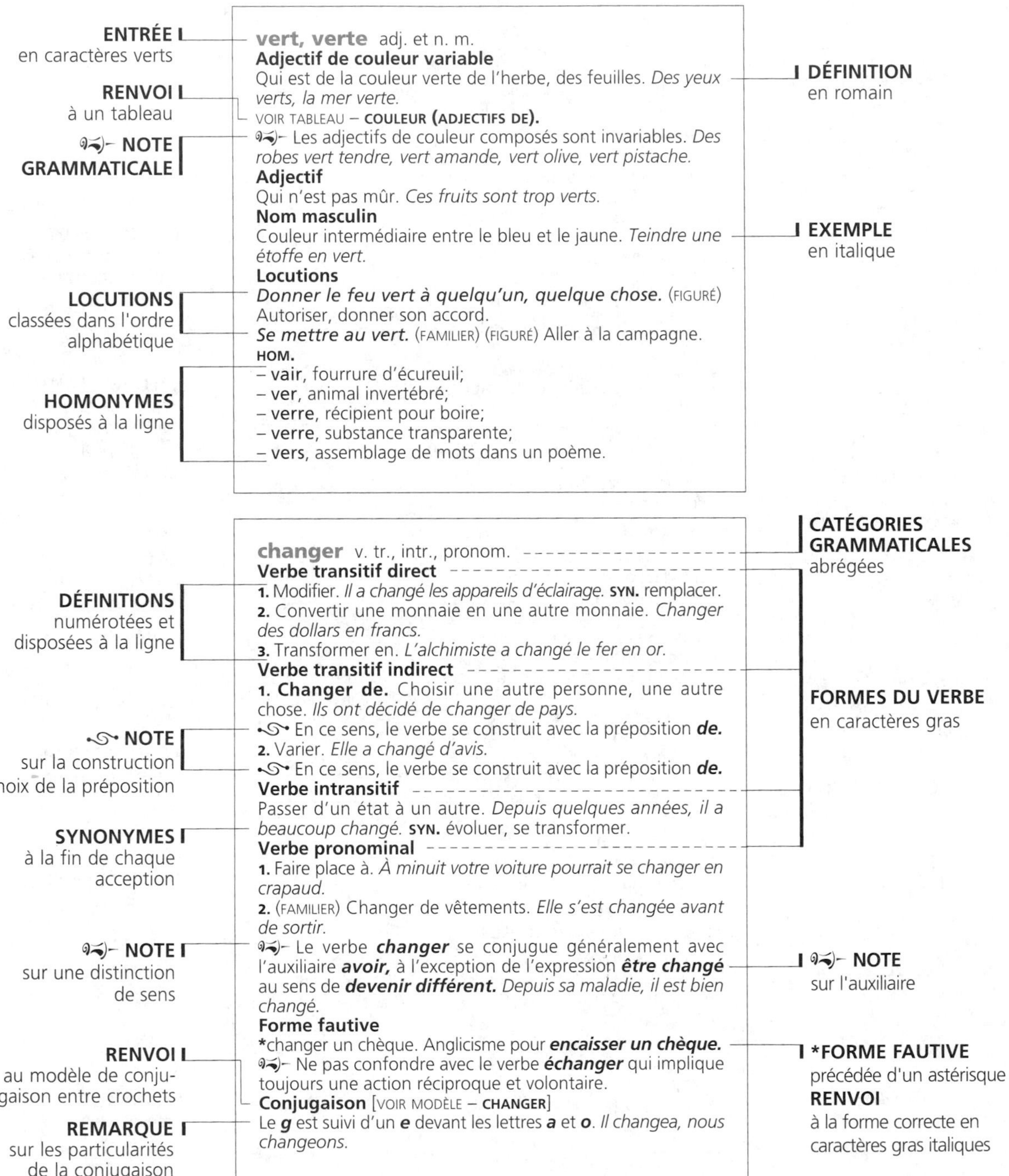

note orthographe *forme fautive

a n. m. inv.
Première lettre de l'alphabet. *Tracer un* **a** *minuscule et des* **a** *majuscules.*
Locution
De a à z. Du début à la fin. *Apprendre un texte de a à z.*

a
Symbole de ***année.***

à prép.
La préposition introduit un **complément d'objet indirect.** *Annie parle à son amie.*
On répète généralement la préposition **à** devant chaque complément. *Nous avons à boire et à manger.*
La préposition marque :
1. le lieu. *Ils sont en vacances à la mer ou à la montagne.*
2. le temps. *La cloche sonne à midi.*
3. l'appartenance. *Cette calculatrice est à moi.*
4. le moyen. *Les enfants rentreront à cheval ou à pied.*
5. la manière. *Ce bonnet est tricoté à la main.*
6. la matière. *Un sorbet à l'orange, un bonbon à l'érable.*
Ne pas confondre la préposition **à** qui s'écrit avec un accent grave avec la troisième personne du singulier du présent de l'indicatif du verbe ***avoir, a*** (que l'on peut remplacer par ***avait***). *Elle a (avait) un travail à terminer.*
HOM. a, as, formes du verbe ***avoir***. *Elle a un devoir à faire. Tu as une maison à la campagne.*

@
Symbole de ***a commercial.***

abaisser v. tr., pronom.
Verbe transitif
1. Faire descendre. *Elle abaissa la manette.* **ANT.** élever, relever, remonter.
2. Réduire. *Abaisser les prix.* **ANT.** élever, relever, remonter.
Alors que le verbe ***abaisser*** signifie surtout « amener à un point plus bas », le verbe ***baisser*** signifie plutôt « amener à son point le plus bas ».
Verbe pronominal
(FIGURÉ) S'humilier. *Il a dû s'abaisser à demander l'aumône.*
À la forme pronominale, le verbe se construit avec la préposition **à** suivie de l'infinitif. *Ils se sont abaissés à laisser gagner l'autre équipe.*
À la forme pronominale, le participe passé s'accorde toujours en genre et en nombre avec le sujet.
Conjugaison [VOIR MODÈLE – **AIMER**]

abajoue n. f.
Joue de certains animaux (singes, rongeurs) servant à mettre des aliments en réserve. *L'écureuil a mis des glands dans ses abajoues.*
Ne pas confondre avec **bajoue**, joue pendante.

abandon n. m.
1. Action de délaisser. *L'abandon de petits chiens par leur maître ne peut être toléré.*
2. Action de cesser d'occuper. *Abandon de poste.* **SYN.** désertion.
Locutions
Abandon scolaire. Fait, pour un élève ou une élève, de quitter l'école avant la fin de la période de l'obligation scolaire. (Recomm. off. OLF)
À l'abandon. En désordre. *Un terrain à l'abandon.* **SYN.** négligé.
ab**an**don.

abandonner v. tr., pronom.
Verbe transitif
1. Cesser d'occuper. *Abandonner son poste.* **SYN.** déserter.
2. Délaisser. *Martin a recueilli un chaton que le voisin avait abandonné.* **ANT.** conserver, garder, recueillir.
3. Ne pas continuer (quelque chose de difficile). *Les joueurs ont abandonné la partie. On abandonne les recherches.* **SYN.** céder, (FAMILIER) laisser tomber, renoncer à.
Verbe pronominal
Se laisser aller à. *Elle s'abandonne à la joie de les retrouver. Ils se sont abandonnés à la gourmandise.* **SYN.** se livrer à.
À la forme pronominale, le participe passé s'accorde toujours en genre et en nombre avec le sujet.
À la forme pronominale, le verbe se construit avec la préposition **à** suivie d'un complément.
Conjugaison [VOIR MODÈLE – **AIMER**]
ab**an**donner.

abasourdir v. tr.
Le ***s*** se prononce ***z*** [abazurdir].
Ahurir, étonner. *L'arrivée inattendue du directeur les a abasourdis.* **SYN.** ébahir, éberluer, surprendre.
Conjugaison [VOIR MODÈLE – **FINIR**]

abasourdissant, ante adj.
Le **s** se prononce **z** [abazurdisɑ̃, ɑ̃t].
Stupéfiant. *Des résultats abasourdissants.*
Ne pas confondre avec le participe présent invariable **abasourdissant.** *Ses réponses abasourdissant le professeur, l'étudiant reçut la plus haute note.*

abat-jour n. m. inv. (pl. *abat-jour*)
Dispositif servant à rabattre la lumière d'une lampe. *Des abat-jour multicolores.*

abattant n. m.
Partie d'un meuble qui s'abaisse et se relève. *L'abattant d'un piano, d'une table.*
aba**tt**ant.

abattoir n. m.
Lieu où l'on abat les animaux de boucherie.
aba**tt**oir.

abattre v. tr., pronom.
Verbe transitif
1. Faire tomber, renverser quelque chose de vertical. *Ils ont dû abattre des arbres pour bâtir la maison.*
2. Tuer, blesser avec une arme à feu. *Le gardien a abattu le cambrioleur.* **SYN.** (FAMILIER) descendre.
3. Épuiser, décourager. *Il ne faut pas se laisser abattre.* **SYN.** accabler, démoraliser, déprimer, désespérer.
Verbe pronominal
1. Tomber subitement. *Les avions se sont abattus au sol.*
En ce sens, le verbe se construit avec les prépositions ***à*** ou ***sur.***
2. Se jeter sur. *Le vautour s'abat sur sa proie.*
Conjugaison [VOIR MODÈLE – **COMBATTRE**]
INDICATIF PRÉSENT *J'abats, tu abats, il abat, nous abattons, vous abattez, ils abattent.* IMPARFAIT *J'abattais.* PASSÉ SIMPLE *J'abattis.* FUTUR *J'abattrai.* **IMPÉRATIF** PRÉSENT *Abats, abattons, abattez.* **SUBJONCTIF** PRÉSENT *Que j'abatte.* **PARTICIPE** PRÉSENT *Abattant.* PASSÉ *Abattu, ue.*

abbaye n. f.
La deuxième syllabe se prononce ***bé-i*** [abei].
1. Communauté religieuse dirigée par un abbé, une abbesse. *Une abbaye bénédictine.*
2. Bâtiments de cette communauté. *L'abbaye d'Oka* ou *l'abbaye bénédictine de Saint-Benoît-du-Lac.*
Dans les désignations d'édifices religieux, le nom générique (***basilique, cathédrale, chapelle, église, oratoire,*** etc.) s'écrit avec une minuscule.
Attention au genre féminin de ce nom : ***une*** abbaye.
abba**ye**.

abbé n. m.
Prêtre séculier. *L'abbé Dubois.*

abbesse n. f.
Supérieure d'une abbaye.
a**bb**esse.

abc ou **a b c** n. m. inv.
Rudiments d'un art, d'une science. *Elle connaît l'a b c de son métier. Il maîtrise l'abc de la biologie.*

abcès n. m.
Le ***b*** se prononce ***p*** [apsɛ].
Amas de pus. *L'abcès qu'il a au talon le fait souffrir.*
Locution
Crever, vider l'abcès. (FIGURÉ) Régler une situation critique.
Ne pas confondre avec le nom ***accès,*** entrée.
ab**c**ès.

abdomen n. m.
Le ***n*** se prononce [abdɔmɛn]; le mot rime avec ***domaine.***
Ventre. *Des abdomens douloureux.*

abdominal, ale, aux adj.
De l'abdomen. *Des muscles abdominaux.*

abdominaux n. m. pl.
1. Les muscles abdominaux.
2. (PAR EXTENSION) Exercices de développement de ces muscles. *Faire des abdominaux tous les matins.*

abécédaire n. m.
Livre d'apprentissage de l'alphabet. *Elle a reçu un abécédaire très joliment illustré.*

abeille n. f.
Insecte qui produit le miel. *Elle a été piquée par une abeille. Une colonie d'abeilles habite dans la ruche.*
L'élevage des abeilles se nomme l'***apiculture*** et la personne qui élève des abeilles est une ***apicultrice*** ou un ***apiculteur.***
VOIR TABLEAU – **ANIMAUX.**

abénaquis, ise adj. et n. m. et f.
Relatif aux Amérindiens abénaquis. *La culture abénaquise, des projets abénaquis. Un Abénaquis, une Abénaquise.*
L'adjectif s'écrit avec une minuscule ; le nom, avec une majuscule.

aberrant, ante adj.
Qui n'a pas de sens. *Des projets aberrants, une décision aberrante.* **SYN.** absurde, insensé.
a**b**e**rr**ant, un seul ***b,*** deux ***r.***

aberration n. f.
Manque de bon sens. *Dans un moment d'aberration, il s'est enfui.*
a**b**e**rr**ation, un seul ***b,*** deux ***r.***

abîme n. m.
1. (LITTÉRAIRE) Gouffre sans fond. **SYN.** précipice.
2. (FIGURÉ) Grande différence entre deux choses. *Il y a un abîme entre ce qu'il dit et ce qu'il fait.* **SYN.** fossé.
Ne pas confondre avec le nom ***abysse,*** fosse sous-marine très profonde.
Attention au genre masculin de ce nom : ***un*** abîme.
ab**î**me, un accent circonflexe sur le ***i.***

abîmer v. tr., pronom.
Verbe transitif
Détériorer. *Il a abîmé son cartable.* **SYN.** (FAMILIER) amocher, (FAMILIER) bousiller, casser, endommager.
Verbe pronominal
Se gâter. *La soie s'est abîmée.* **SYN.** se détériorer.
Conjugaison [VOIR MODÈLE – **AIMER**]
ab**î**mer, un accent circonflexe sur le ***i.***

-able suff.
Élément signifiant « qui peut être ». *Transformable, lavable.*

aboiement n. m.
Cri du gros chien.
Pour les chiens de petite taille, on emploiera plutôt ***jappement.***
aboi**e**ment.

abolir v. tr.
Supprimer, faire disparaître. *Abolir la peine de mort.*
Conjugaison [VOIR MODÈLE – **FINIR**]
abo**l**ir.

abolition n. f.
Annulation, suppression. *L'abolition de la peine de mort, de l'esclavage.*
abo**l**ition.

abominable adj.
1. Qui inspire de l'horreur. *L'abominable homme des neiges !*
Ne pas confondre avec les mots suivants :
– ***détestable,*** désagréable, odieux ;
– ***effroyable,*** qui cause une grande frayeur.
2. Très mauvais. *Des résultats abominables.*

abominablement adv.
1. De façon abominable. *Il écrit abominablement mal.*
2. Extrêmement. *Des honoraires abominablement élevés.* **SYN.** affreusement.

abondamment adv.
De manière abondante. *Il pleut abondamment.* **SYN.** beaucoup, largement.
abonda**mm**ent.

abondance n. f.
1. Grande quantité. *Une abondance de desserts.*
2. Aisance, luxe. *Ils vivent dans l'abondance.* **SYN.** richesse.
abond**an**ce.

abondant, ante adj.
En grand nombre, en grande quantité, copieux. *Des mets abondants, une récolte abondante.* **SYN.** nombreux.
Ne pas confondre avec le participe présent invariable ***abondant.*** *Les touristes affluaient, les merveilles abondant dans la région.*

abonder v. intr.
1. Exister en grande quantité. *Cet automne, les perdrix abondent. Les visiteurs abondent à cette foire. Les livres abondent dans cette maison. Le gibier abonde en forêt.*
Le verbe peut se construire absolument ou avec les prépositions ***à, dans*** ou ***en.***
2. Produire en abondance. *La région abonde en fruits.*
Conjugaison [VOIR MODÈLE – **AIMER**]

abonné, ée adj. et n. m. et f.
Qui a un abonnement. *Un lecteur abonné. Le catalogue est envoyé à tous les abonnés.*
abo**nn**é.

abonnement n. m.
Le premier **e** ne se prononce pas [abɔnmɑ̃].
Paiement à l'avance pour la livraison régulière d'un journal, d'une revue, etc., pour une série de spectacles, de compétitions sportives, etc. *Papa a un abonnement au hockey* (et non un *billet de saison).
abo**nn**ement.

abonner v. tr., pronom.
Verbe transitif
Prendre un abonnement pour (quelqu'un). *Abonner sa famille à une série de concerts.*
Verbe pronominal
Souscrire un abonnement pour soi-même. *S'abonner à un journal.*
Conjugaison [VOIR MODÈLE – **AIMER**]
abo**nn**er.

abord n. m.
Nom masculin singulier
Approche. *Il est d'un abord facile.*
Nom masculin pluriel
Environs. *Les abords de la ville sont jolis.*
Locutions
Au premier abord, de prime abord (et non *à prime abord). À première vue.
D'abord, tout d'abord. En premier lieu. **ANT.** après, ensuite.
D'abord. (FAMILIER) En ce cas, puisqu'il en est ainsi. *Tu t'en vas ? Moi aussi d'abord.* **SYN.** alors.
D'abord que, locution conjonctive. (FAMILIER) Pourvu que. *D'abord que tu as fait tes devoirs, tu peux aller jouer dehors.* **SYN.** puisque, si.

abordable adj.
D'un prix accessible. *Un livre à prix abordable.* **SYN.** bon marché. **ANT.** cher, inabordable.

abordage n. m.
1. Assaut donné d'un navire à un autre. *« À l'abordage ! », hurlèrent les pirates.*
2. Collision de deux navires.
3. Action d'atteindre le rivage.

aborder v. tr., intr.
Verbe transitif
1. Adresser la parole à quelqu'un. *Aborder quelqu'un dans la rue.*
Par rapport au verbe ***accoster*** qui comporte une nuance défavorable, le verbe ***aborder*** est neutre. *Aborder quelqu'un dans la rue pour lui demander un renseignement.*
2. Commencer à parler de. *Aborder un sujet.*
Verbe intransitif
Atteindre le rivage. *Le voilier a abordé au port.*
Le verbe se conjugue avec l'auxiliaire ***avoir.***
Conjugaison [VOIR MODÈLE – **AIMER**]

aboutir v. tr. ind., intr.
Verbe transitif indirect
1. Se terminer, toucher par une extrémité à. *Le chemin aboutit à une forêt de pins.*
En ce sens, le verbe se construit avec les prépositions ***à*** ou ***dans***. *Un couloir qui aboutit dans la cuisine.*
2. (FIGURÉ) Conduire, mener à. *Cette enquête aboutira-t-elle à quelque chose ?*
En ce sens, le verbe se construit avec la préposition ***à.***
Verbe intransitif
Réussir. *Les recherches aboutiront bientôt.* **ANT.** échouer.
Conjugaison [VOIR MODÈLE – **FINIR**]

aboutissement n. m.
Résultat. *Cette réussite est l'aboutissement de nos efforts.*

aboyer v. intr.
Crier, en parlant du chien. *Les bergers allemands aboyaient. Les chiens aboient, la caravane passe.* (Proverbe qui signifie qu'il ne faut pas s'occuper des personnes jalouses qui critiquent, mais accomplir plutôt ce qu'on doit faire.)
Le verbe se construit avec les prépositions ***après*** ou ***contre.*** *Ces chiens aboient après ou contre les passants.*
Les chiens de petite taille jappent.
Conjugaison [VOIR MODÈLE – **EMPLOYER**]
Le ***y*** se change en ***i*** devant un ***e*** muet. *Il aboie, il aboiera.* Le ***y*** est suivi d'un ***i*** à la première et à la deuxième personne du pluriel de l'indicatif imparfait et du subjonctif présent. *(Que) nous aboyions, (que) vous aboyiez.*

abracadabrant, ante adj.
Incroyable, bizarre. *Une histoire abracadabrante.*
Note – Cet adjectif est formé d'après la formule magique « abracadabra ».

abrégé (en) loc. adv.
En peu de mots.

abréger v. tr.
1. Rendre plus court. *Le professeur abrégeait les exercices.*
2. Résumer. *Abrégez votre introduction, elle est un peu trop longue.*
3. Supprimer une partie des lettres d'un mot. *Le nom **téléphone** s'abrège **tél.** Abréger* (et non *abrévier) *un mot.*
Conjugaison [VOIR MODÈLE – **PROTÉGER**]
Le ***é*** se change en ***è*** devant une syllabe muette, sauf à l'indicatif futur et au conditionnel présent. *J'abrège,* mais *j'abrégerai.*
Le ***g*** est suivi d'un ***e*** devant les lettres ***a*** et ***o.*** *Il abrégea, nous abrégeons.*

abreuver (s') v. pronom.
Boire, en parlant d'un animal. *Les chevaux se sont abreuvés à la rivière, les vaches, à l'abreuvoir.*
Note – À la forme pronominale, le participe passé s'accorde toujours en genre et en nombre avec le sujet du verbe.
Conjugaison [VOIR MODÈLE – **AIMER**]

abreuvoir n. m.
Lieu aménagé pour faire boire les animaux.
Forme fautive
*abreuvoir. Impropriété au sens de ***fontaine*** (pour les personnes).

abréviatif, ive adj.
Qui sert à abréger. *Un point abréviatif.*

abréviation n. f.
1. Retranchement des lettres dans un mot pour le rendre plus court.
2. Mot abrégé. *L'abréviation de **page** est **p.** Quand on dit « télé » au lieu de **télévision,** on emploie une abréviation.*
VOIR TABLEAU – **ABRÉVIATION (RÈGLES DE L').**
VOIR TABLEAU – **ACRONYME.**
VOIR TABLEAU – **SIGLE.**
VOIR TABLEAU – **SYMBOLE.**

***abrévier**
Impropriété pour ***abréger.***

abri n. m.
Lieu où l'on est protégé (d'un danger, du mauvais temps, etc.). *Un abri contre le vent. S'il y a un orage, les arbres sont des abris dangereux.*
Locution
À l'abri de, locution prépositive. Protégé contre. *Restons ici à l'abri de la pluie.*
Note – Attention au genre masculin de ce nom : ***un*** abri.

abribus n. m.
Prononciation – Le ***s*** se prononce [abribys] comme dans ***autobus***.
Abri pour les voyageurs d'une ligne d'autobus. *J'attends l'autobus dans l'abribus parce qu'il pleut.*

abricot adj. inv. et n. m.
Nom masculin
Fruit de l'abricotier, à noyau lisse, à peau et à chair jaune orangé. *Une tarte aux abricots.*
Adjectif de couleur invariable
De la couleur orangée de l'abricot. *Des gants abricot.*
VOIR TABLEAU – **COULEUR (ADJECTIFS DE).**

abricotier n. m.
Arbre cultivé pour son fruit, l'abricot.

abrier v. tr., pronom.
Prononciation – La deuxième syllabe se prononce comme dans le verbe ***briller*** [abrije].
Verbe transitif
⚜ (FAMILIER) Couvrir, border. *La maman abria le petit avec une couverture.*
Verbe pronominal
⚜ (FAMILIER) Se couvrir, s'habiller chaudement. *Abriez-vous bien les enfants, il fait très froid !*
Note – L'emploi de ce verbe est courant au Québec dans la langue familière, mais il est vieilli dans l'ensemble de la francophonie.
Conjugaison [VOIR MODÈLE – **ÉTUDIER**]
Redoublement du ***i*** à la première et à la deuxième personne du pluriel de l'indicatif imparfait et du subjonctif présent. *(Que) nous abriions, (que) vous abriiez.*
Orthographe – abr**ier**.

abriter v. tr., pronom.
Verbe transitif
Mettre à l'abri. *Un muret abrite le bosquet du vent* ou *contre le vent.*
Verbe pronominal
Se protéger. *Ils se sont abrités sous un arbre.*
Conjugaison [VOIR MODÈLE – **AIMER**]

abrupt, e adj.
Prononciation – Les lettres ***p*** et ***t*** se prononcent [abrypt].
1. À pic. *La paroi est très abrupte.* **SYN.** raide.
2. (FIGURÉ) Rude, trop direct (en parlant d'une personne). **SYN.** brutal.

abruptement adv.
Prononciation – Le ***p*** se prononce [abryptəmɑ̃].
De façon brutale, rude.

abruti, ie adj. et n. m. et f.
(FAMILIER) Stupide. *Un air abruti. Taisez-vous, espèce d'abruti !*
SYN. idiot.

abrutir v. tr., pronom.
Verbe transitif
Rendre stupide, fatiguer. *Cette musique assourdissante nous abrutit.*
Verbe pronominal
Devenir stupide. *Tu t'abrutis à regarder cette émission : prends plutôt un livre.*
Conjugaison [VOIR MODÈLE – **FINIR**]

abrutissant, ante adj.
Qui abrutit, qui fatigue et finit par rendre stupide. *Des travaux abrutissants.*

abscisse n. f.
(MATHÉMATIQUES) Coordonnée horizontale qui sert à définir un point.
Note – Ne pas confondre avec le nom ***ordonnée,*** coordonnée verticale qui sert à définir un point.
Orthographe – ab**sc**is**se**.

absence n. f.
1. Fait de n'être pas présent. *Son absence a été remarquée.* **ANT.** présence.
2. Manque. *Une absence totale de goût.*
Orthographe – ab**s**en**c**e.

absent, ente adj. et n. m. et f.
Qui n'est pas présent. *Plusieurs élèves sont absents en raison de la tempête de neige. Il y a plusieurs absents dans la classe.* **ANT.** présent.

absenter (s') v. pronom.
Quitter momentanément un lieu. *Ils se sont absentés quelques minutes.* **ANT.** demeurer.
Le participe passé de ce verbe qui n'existe qu'à la forme pronominale s'accorde toujours en genre et en nombre avec le sujet du verbe.
Conjugaison [VOIR MODÈLE – **AIMER**]

absolu, ue adj. et n. m.
Adjectif
1. Total. *Un silence absolu.*
2. Sans nuances. *Un caractère absolu.*
3. Considéré en lui-même (par opposition à ***relatif***).
4. (GRAMMAIRE) Mot employé en l'absence des autres mots qui l'entourent généralement.
VOIR TABLEAU – **ABSOLU (EMPLOI).**
Nom masculin
Ce qui existe indépendamment de toute autre chose. *Une soif d'absolu.*

absolument adv.
1. Nécessairement. *Il faut y aller absolument.* **SYN.** obligatoirement, à tout prix.
2. Tout à fait. *Je suis absolument d'accord.* **SYN.** complètement, entièrement.
3. (GRAMMAIRE) En construction absolue. *Un verbe employé absolument.*
VOIR TABLEAU – **ABSOLU (EMPLOI).**

absorbant, ante adj.
1. Qui absorbe. *Des papiers absorbants.*
2. Qui occupe l'esprit entièrement. *Une tâche absorbante.*
Ne pas confondre avec le participe présent invariable ***absorbant.*** *Ces serviettes absorbant l'eau, tout sera sec dans quelques minutes.*

absorber v. tr., pronom.
Verbe transitif
1. Faire disparaître un liquide en aspirant. *Cette éponge absorbera le jus renversé.*
2. Prendre une boisson, un aliment, un médicament. *Absorber un sirop.*
Verbe pronominal
Être entièrement pris par une réflexion. *S'absorber dans l'étude de ses leçons.* **SYN.** se plonger.
Conjugaison [VOIR MODÈLE – **AIMER**]

abstenir (s') v. pronom.
1. Éviter de. *Ils se sont abstenus de répondre.*
2. Se priver de. *Elle s'est abstenue de dessert pour maigrir.*
Le participe passé de ce verbe qui n'existe qu'à la forme pronominale s'accorde toujours en genre et en nombre avec le sujet du verbe.
Le verbe se construit avec la préposition ***de.***
Conjugaison [VOIR MODÈLE – **VENIR**]

abstraction n. f.
Idée abstraite, concept.
Locution
Faire abstraction de ou ***abstraction faite de.*** Ne pas tenir compte. *Nous devons faire abstraction* ou *abstraction faite de son âge, il satisfait à toutes les conditions.*

abstrait, aite adj.
1. Privé de réalité concrète. *Une explication trop abstraite.* **ANT.** concret.
2. Qui ne représente pas fidèlement ce que l'on voit. *L'art abstrait.* **ANT.** figuratif.

absurde adj.
Contraire au bon sens. *Un comportement absurde.* **SYN.** aberrant, fou, stupide. **ANT.** raisonnable.

absurdité n. f.
1. Caractère de ce qui est contraire à la raison. *L'absurdité de l'existence.*
2. Chose absurde. *Cette démonstration fourmille d'absurdités.*

abus n. m.
1. Usage injustifié de quelque chose. *Un abus d'autorité.*
2. Excès. *Un abus de chocolats et de gâteaux fait grossir.*
Locution
Abus sexuel. Viol.
abu**s**.

***abusée (personne)**
Anglicisme au sens de (personne) ***violentée, maltraitée, violée.***

abuser v. tr.
Verbe transitif direct
Tromper, duper. *Tenter d'abuser quelqu'un.* **SYN.** berner, leurrer.
En français, le verbe n'a pas le sens de ***violer.***
Verbe transitif indirect
Faire mauvais usage de. *Il abuse de son pouvoir. N'abusez pas de la situation.*
En ce sens, le verbe se construit avec la préposition ***de.***
Conjugaison [VOIR MODÈLE – **AIMER**]

abysse n. m.
Fosse sous-marine très profonde.
Ne pas confondre avec le nom ***abîme,*** gouffre sans fond.
Attention au genre masculin de ce nom : ***un*** abysse.
ab**y**sse.

académicien n. m.
académicienne n. f.
1. Membre d'une académie.
2. Membre de l'Académie française.

académie n. f.
Groupe d'écrivains, de savants, d'artistes. *L'Académie des sciences, l'Académie française.*
À l'origine ce nom désignait une école, mais il n'a plus ce sens aujourd'hui.

académique adj.
1. D'une académie. *Un discours académique.*
2. (PÉJORATIF) Conventionnel. *Un texte académique.*
Forme fautive
*académique. Anglicisme au sens de ***scolaire, universitaire.*** *L'année universitaire, scolaire* (et non *académique).

acadien, ienne adj. et n. m. et f.
Adjectif et nom masculin et féminin
D'Acadie. *L'histoire acadienne. Un Acadien, une Acadienne.*
L'adjectif s'écrit avec une minuscule ; le nom, avec une majuscule.
Nom masculin
Langue parlée en Acadie. *La Sagouine d'Antonine Maillet parle l'acadien.*
Le nom de la langue s'écrit avec une minuscule.

L'**abréviation** est la suppression de lettres dans un mot à des fins d'économie de place ou de temps.

ABRÉVIATION

Mot dont on a supprimé des lettres.

*Mme* est l'abréviation de *madame.*

☞ Lors d'une première mention dans un texte, il importe d'écrire au long toute abréviation non usuelle, tout sigle, acronyme ou symbole non courant.

SIGLE

Abréviation constituée par les initiales de plusieurs mots et qui s'épelle lettre par lettre.

GRC est le sigle de *Gendarmerie royale du Canada.*

ACRONYME

Abréviation composée des initiales ou des premières lettres d'une désignation et qui se prononce comme un seul mot.

Cégep est l'acronyme de *collège d'enseignement général et professionnel.*

SYMBOLE

Signe conventionnel constitué par une lettre, un groupe de lettres, etc. Par exemple, les symboles des unités de mesure, les symboles chimiques et mathématiques.

Le symbole de *mètre* est ***m,*** celui de *kilogramme,* ***kg,*** celui de *dollar,* ***$.***

☞ Les symboles appartiennent au système de notation des sciences et des techniques et s'écrivent sans point abréviatif.

Pluriel des abréviations

Les abréviations, les sigles et les symboles ne prennent pas la marque du pluriel, à l'exception de certaines abréviations consacrées par l'usage.

*Mme* ***Mmes*** *n^o^* ***n^os^*** *M.* ***MM.***

Accents et traits d'union

Les accents et les traits d'union du mot abrégé sont conservés dans l'abréviation.

c'est-à-dire ***c.-à-d.*** *États-Unis* ***É.-U.***

Point abréviatif en fin de phrase

En fin de phrase, le point abréviatif se confond avec le point final.

Absence de point abréviatif pour les symboles

Les symboles ne comportent pas de point abréviatif.

année ***a***	*centimètre* ***cm***	*mercure* ***Hg***
cent (monnaie) ***¢***	*heure* ***h***	*watt* ***W***

Espacement

Les symboles d'unités de mesure et les symboles d'unités monétaires sont séparés par un espace simple du nombre entier ou fractionnaire obligatoirement exprimé en chiffres.

15 ¢ *10,5 cm*

suite ►

En l'absence d'une abréviation consacrée par l'usage, on abrégera selon les modes suivants :

- SUPPRESSION DES LETTRES FINALES (après une consonne et avant une voyelle)
  La dernière lettre de l'abréviation est suivie du point abréviatif. On abrège généralement devant la voyelle de l'avant-dernière syllabe.

environ	*env.*
introduction	*introd.*
traduction	*trad.*
exemple	*ex.*

S'il n'y a pas de risque de confusion, il est possible de supprimer un plus grand nombre de lettres.

quelque chose	*qqch.*
téléphone	*tél.*

- SUPPRESSION DES LETTRES MÉDIANES
  La lettre finale n'est pas suivie du point abréviatif, puisque la lettre finale de l'abréviation correspond à la dernière lettre du mot.

boulevard	*b^{d}*
compagnie	*Cie*
maître	*M^{e}*
madame	*Mme*
vieux	*vx*

L'abréviation des adjectifs numéraux ordinaux obéit à cette règle

premier	*1er*
deuxième	*2e*

- SUPPRESSION DE TOUTES LES LETTRES, À L'EXCEPTION DE L'INITIALE
  L'initiale est suivie du point abréviatif.

monsieur	*M.*
page	*p.*
siècle	*s.*
verbe	*v.*

- SUPPRESSION DES LETTRES DE PLUSIEURS MOTS, À L'EXCEPTION DES INITIALES
  Ces abréviations constituent des sigles où les initiales sont suivies ou non d'un point. Par souci de simplification, on observe une tendance à omettre les points abréviatifs.

Organisation des Nations Unies	*ONU*
Communauté urbaine de Montréal	*CUM*

VOIR TABLEAU – **ACRONYME.**
VOIR TABLEAU – **SIGLE.**
VOIR TABLEAU – **SYMBOLE.**

acajou adj. inv. et n. m.
Nom masculin
1. Arbre d'Amérique à bois dur. *Des acajous.*
Le fruit de l'acajou est le ***cajou*** (et non le *cachou).
2. Bois de cet arbre. *Ces meubles sont en acajou.*
Adjectif de couleur invariable
De la couleur orangée de l'acajou. *Des cheveux acajou.*
VOIR TABLEAU – **COULEUR (ADJECTIFS DE).**

acariâtre adj.
Insupportable par son mauvais caractère. *Cette personne est sympathique : elle n'est pas acariâtre.* **SYN.** agressif, désagréable, grincheux.
acari**â**tre.

***à cause que**
Locution ancienne pour ***parce que.***

accablant, ante adj.
Lourd, pénible. *Une humidité accablante.*

accablement n. m.
Abattement.

accabler v. tr.
1. Épuiser, écraser de fatigue. *Ils sont accablés par la chaleur tropicale.*
2. Imposer à quelqu'un une chose très pénible, très dure pour le moral. **SYN.** décourager.
Conjugaison [VOIR MODÈLE – **AIMER**]

accaparer v. tr.
Prendre uniquement pour soi, sans partager avec les autres. *Oh ! là ! là ! Josiane accapare encore la salle de bains ce matin ; j'aimerais bien me brosser les dents, moi aussi.*
La forme pronominale est à éviter. *Elle a accaparé tous les honneurs* (et non elle *s'est accaparé tous les honneurs).
Conjugaison [VOIR MODÈLE – **AIMER**]
acca**p**arer.

accéder v. tr. ind.
1. Donner accès à un lieu. *Ce couloir accède à la terrasse.* **SYN.** mener.
2. Parvenir. *Elle accéda au sommet de la montagne.* **SYN.** arriver, atteindre.
3. Accepter. *Il accéda à sa demande.*
Le verbe se construit avec la préposition ***à.***
Conjugaison [VOIR MODÈLE – **POSSÉDER**]
Le ***é*** se change en ***è*** devant une syllabe muette, sauf à l'indicatif futur et au conditionnel présent. *J'accède,* mais *j'accéderai.*

accélérateur n. m.
Organe qui commande l'admission du mélange gazeux dans le moteur d'un véhicule. *Appuyer sur l'accélérateur* (et non sur le *gaz).

accélération n. f.
Augmentation de la vitesse. *Cette moto puissante a de bonnes accélérations.*

accélérer v. tr., intr., pronom.
Verbe transitif
Accroître la vitesse de. *Il accélère le pas et court presque.* **ANT.** ralentir.
Verbe intransitif
Aller plus vite, en parlant d'un véhicule. *N'accélérez pas trop : vous risqueriez une contravention.*
Verbe pronominal
Devenir plus rapide. *Les battements de son cœur se sont accélérés.*
Conjugaison [VOIR MODÈLE – **POSSÉDER**]
Le deuxième ***é*** se change en ***è*** devant une syllabe muette, sauf à l'indicatif futur et au conditionnel présent. *J'accélère,* mais *j'accélérerai.*

accent n. m.
1. Façon de parler. *Elle a un charmant accent italien.*
2. Signe graphique qui se place sur une voyelle pour la définir. *Un accent grave, un accent circonflexe, un accent aigu.*
VOIR TABLEAU – **ACCENTS.**
VOIR TABLEAU – **ACCENTS PIÈGES.**
Locution
Mettre l'accent sur. Insister. *Mettre l'accent* (et non l'*emphase) *sur les verbes irréguliers.* **SYN.** souligner.

EMPLOI **ABSOLU**

L'emploi absolu, ou la construction absolue, désigne l'utilisation d'un mot en l'absence des autres mots qui l'entourent généralement. Ainsi, un verbe transitif employé absolument est sans complément d'objet.

Quelques exemples de mots employés absolument :

- **Verbe sans complément d'objet**

  L'objectif de ce traitement est de guérir (le malade), *ou à tout le moins, de soulager. Madame reçoit* (ses invités) *tous les jeudis. Le chirurgien opère* (un patient) *depuis deux heures.*

- **Nom sans complément déterminatif**

  Le Gouvernement (du Québec) *a effectué des compressions budgétaires.*

- **Nom sans adjectif qualificatif**

  Cette orthographe est préconisée par l'Académie (française). *Ce dossier est du ressort de l'Administration* (publique).

accentuer v. tr., pronom.
Verbe transitif
1. Tracer un accent. *Accentuer une lettre.*
2. Rendre plus apparent. *Ses cheveux noirs accentuent sa pâleur.* **SYN.** souligner.
3. Augmenter. *Les taux d'intérêt ont accentué l'inflation.*
Verbe pronominal
Devenir plus fort. *Sa douleur s'est accentuée.*
Conjugaison [VOIR MODÈLE – **AIMER**]

acceptable adj.
1. Qui peut être accepté. *Un compromis acceptable.*
2. Assez bon. *Une dissertation acceptable.*

acceptation n. f.
Accord. *L'acceptation d'une offre.*

accepter v. tr.
Donner son accord à. *Les amis ont accepté notre invitation.*
Conjugaison [VOIR MODÈLE – **AIMER**]

accès n. m.
1. Entrée. *Accès interdit. L'accès des laboratoires est réservé aux chercheurs.*
2. Poussée. *Un accès de fièvre, des accès de colère.*
Ne pas confondre avec le nom ***abcès,*** amas de pus.
accè**s.**

accessible adj.
1. Dont on peut facilement approcher. *Le sommet du mont Royal est accessible aux marcheurs.* **ANT.** inaccessible.
2. (FIGURÉ) Compréhensible, sans difficulté. *Un livre accessible aux adolescents.* **SYN.** à la portée de.
3. Raisonnable, en parlant d'un prix. **SYN.** abordable.
acce**ss**ible.

accessoire n. m.
Le nom se prononce [akseswar].
Pièce qui complète un élément principal. *Luc a ajouté quelques accessoires sur son vélo : un cadenas et une sacoche.*
access**oire**.

accident n. m.
1. Évènement imprévisible, désagréable. *Oh ! Un petit accident : Claude a sali la nappe.*
2. Évènement malheureux qui cause des dégâts, des blessures, la mort. *Un accident d'avion.*
Locution
Par accident. Par hasard. *Je les ai rencontrés par accident.*

ACCENTS

Les accents sont des signes qui se placent sur certaines voyelles afin d'en préciser la prononciation.

´ Accent aigu

Éléphant, école, accéléré, cinéma.

` Accent grave

Règle, grève, lèvre, complètement.

^ Accent circonflexe

Tâche, forêt, abîme, plutôt.

¨ Tréma

Signe orthographique que l'on met sur les voyelles ***e, i, u*** pour indiquer que la voyelle qui précède ou qui suit doit être prononcée séparément.

Noël, héroïsme, capharnaüm.

SENS ET PRONONCIATION

En plus d'indiquer la prononciation, les accents permettent de distinguer certains mots dont le sens varie en fonction de leur accentuation :

acre	(surface)	et	***âcre***	(irritant)
cote	(mesure)	et	***côte***	(pente)
sur	(aigre)	et	***sûr***	(certain)
tache	(marque)	et	***tâche***	(travail)

Majuscules accentuées

Parce que les accents permettent de préciser la prononciation et le sens des mots, il importe d'accentuer les majuscules aussi bien que les minuscules. En effet, l'absence d'accents peut modifier complètement le sens d'une phrase. Ainsi, les mots ***SALE*** et ***SALÉ, MEUBLE*** et ***MEUBLÉ*** ne se distinguent que par l'accent. Autre exemple : seul l'accent permet de différencier les phrases *UN ASSASSIN TUÉ* et *UN ASSASSIN TUE.*

Les abréviations, les sigles et les acronymes n'échappent pas à cette règle. ***É.-U.*** (abréviation de ***États-Unis***).

ACCENTS PIÈGES

La langue française comporte de nombreuses anomalies qui peuvent être la cause d'erreurs. Voici, à titre d'exemples, une liste des mots pour lesquels les fautes d'accent sont fréquentes.

MOTS DE MÊME ORIGINE AVEC OU SANS ACCENT ?

ar**ô**me	et	aromatique	imp**ô**t	et	imposer
bin**ô**me	et	binomial	je**û**ner	et	déjeuner
c**ô**te	et	coteau	p**ô**le	et	polaire
dipl**ô**me	et	diplomatique	r**â**teau	et	ratisser
gr**â**ce	et	gracieux	s**û**r	et	assurer

MOTS AVEC OU SANS ACCENT CIRCONFLEXE ?

Les participes passés des verbes ***devoir, mouvoir*** et ***croître :***

dû, mais ***due, dus, dues***
mû, mais ***mue, mus, mues***
crû, mais ***crue, crus, crues.***

Avec un accent circonflexe		**Sans** accent circonflexe	
ab**î**me	fra**î**che	barème	cyclone
a**î**né	g**î**te	bateau	égout
b**â**bord	hu**î**tre	boiter	flèche
bl**ê**me	ma**î**tre	chalet	guépard
c**â**ble	m**â**t	chapitre	pédiatre
cha**î**ne	piq**û**re	cime	racler
dég**â**t	vo**û**te	crèche	toit

MOTS AVEC UN ACCENT AIGU OU UN ACCENT GRAVE ?

Avec un accent **aigu**		Avec un accent **grave**	
ass**é**cher	extr**é**mité	ass**è**chement	p**è**lerinage
boh**é**mien	po**é**sie	bri**è**vement	r**è**glement
c**é**leri	r**é**glementaire	compl**è**tement	s**è**chement
cr**é**merie	s**é**cheresse	espi**è**glerie	secr**è**tement

MOTS AVEC OU SANS TRÉMA ?

Avec un tréma		**Sans** tréma
a**ï**eul	ha**ï**r	coefficient
archa**ï**que	héro**ï**sme	goéland
ca**ï**d	inou**ï**	goélette
ca**ï**man	ma**ï**s	homogénéiser
cano**ë**	mosa**ï**que	israélien
co**ï**ncidence	na**ï**f	kaléidoscope
égo**ï**ste	ou**ï**e	moelle
fa**ï**ence	pa**ï**en	poème
gla**ï**eul	tro**ï**ka	protéine

Ne pas confondre avec **incident**, évènement imprévu d'importance.

– En ce sens, l'expression n'a pas une signification défavorable.

accidenté, ée adj.
1. Qui a subi un accident. *Une personne accidentée, un véhicule accidenté.*
2. Qui n'est pas uniforme. *Une surface accidentée.* **ANT.** plat, uni.

accidentel, elle adj.
Produit par accident. *Une rupture accidentelle de câbles.*

accidentellement adv.
De façon accidentelle.

acclamation n. f.
Cri d'enthousiasme collectif. *Des acclamations de joie saluèrent leur arrivée.*

acclamer v. tr.
Saluer par des cris d'enthousiasme. *Les élèves ont acclamé les vainqueurs de la partie de hockey.* **SYN.** applaudir. **ANT.** huer.
Conjugaison [VOIR MODÈLE – **AIMER**]

accolade n. f.
1. Action de serrer quelqu'un entre ses bras. *Recevoir l'accolade.*
2. Trait en forme d'arc qui sert à réunir les éléments d'une énumération, des mots, des lignes.
– Il faut veiller à diriger la pointe centrale de l'accolade vers l'indication unique.

Articles { définis, indéfinis, partitifs

accolade, deux **c,** un ***l.***

accommodant, ante adj.
Facile à contenter. *Des personnes accommodantes.*
– Ne pas confondre avec le participe présent invariable ***accommodant***. *Des cuisinières accommodant du poulet.*
accommodant.

accommoder v. tr., pronom.
Verbe transitif
Apprêter des aliments pour la consommation. *Elle accommoda des grillades.*
Verbe pronominal
1. Se satisfaire de. *Elle s'accommode d'une petite voiture.* **SYN.** se contenter.
En ce sens, le verbe se construit avec la préposition ***de.***
2. S'adapter. *S'accommoder à de nouvelles conditions de travail.*
En ce sens, le verbe se construit avec la préposition ***à.***
Conjugaison [VOIR MODÈLE – **AIMER**]
accommoder, deux **c,** deux ***m.***

accompagnateur n. m.
accompagnatrice n. f.
1. Personne qui accompagne et guide un groupe ou une autre personne. *L'enseignant et deux accompagnateurs voyageront avec les enfants.*
2. (MUSIQUE) Personne qui accompagne un chanteur, un musicien, avec un instrument ou avec la voix.

accompagnement n. m.
1. Ce qui vient s'ajouter. *Comme accompagnement, je vous suggère des haricots verts.*
2. (MUSIQUE) Ensemble des parties vocales ou instrumentales secondaires qui soutiennent la partie principale. *Un accompagnement de guitare.*

accompagner v. tr., pronom.
Verbe transitif
1. Aller avec. *On l'accompagnera à l'aéroport. Une carte accompagne ce bouquet.*
À la forme passive, le verbe se construit avec les prépositions ***de*** ou ***par***. *Elle est accompagnée par* ou *de son copain.*
2. Soutenir par un accompagnement musical. *Alain accompagne la chanteuse au piano.*
Verbe pronominal
Avoir pour conséquence. *Le verglas s'accompagne souvent d'accidents.*
Conjugaison [VOIR MODÈLE – **AIMER**]

accomplir v. tr., pronom.
Verbe transitif
Exécuter, faire. *Accomplir une œuvre.* **SYN.** achever, réaliser.
Verbe pronominal
Se réaliser. *Ses vœux se sont accomplis.* **SYN.** arriver, avoir lieu.
Conjugaison [VOIR MODÈLE – **FINIR**]

accomplissement n. m.
Réalisation. *L'accomplissement de ses rêves les plus fous.*

accord n. m.
1. Entente entre plusieurs personnes. *C'est l'accord parfait entre Geneviève et Jean.* **SYN.** complicité, sympathie. **ANT.** désaccord, mésentente.
2. Fait de s'entendre sur quelque chose pour des personnes, des groupes. *Nous avons leur accord pour aller explorer le petit bois. Le Canada et les pays européens ont signé un accord pour la pêche au flétan.* **SYN.** autorisation, entente.
3. Harmonie, correspondance. *Ces sons, ces couleurs forment un bel accord.*
4. (GRAMMAIRE) Fait pour un mot de prendre le genre, le nombre ou la personne d'un autre mot. *L'accord de l'adjectif avec le nom. On fait l'accord du verbe en personne et en nombre avec le sujet.*
Locutions
D'accord, locution adverbiale. Oui, je veux bien. *Viens-tu à la pêche avec nous ? D'accord !*
– L'expression « O.K. » empruntée à l'anglais s'emploie familièrement dans la langue parlée. À l'écrit, on emploiera plutôt ***d'accord, oui, entendu.***
D'un commun accord. Avec l'accord de tous.
Être d'accord, tomber, se mettre d'accord. S'entendre, s'accorder. *Ils sont d'accord.*
– Dans ces expressions, le nom ***accord*** est invariable.

accordéon n. m.
Instrument de musique portatif à soufflet. *Le soir du 14 juillet, on entend des airs d'accordéon.*
Locution
En accordéon. Plissé comme le soufflet de l'instrument. *Son pantalon est en accordéon.*

accordéoniste n. m. et f.
Personne qui joue de l'accordéon.
accordéoniste, un seul **n** comme ***violoniste.***

accorder v. tr., pronom.
Verbe transitif
1. Mettre en accord (un instrument de musique). *Accorder un piano.*
2. Autoriser. *Accorder un congé.* **ANT.** refuser.
3. Mettre en harmonie. *Accorder des couleurs, des sons.*
4. (GRAMMAIRE) Faire l'accord grammatical. *Accorder un participe passé.*

Verbe pronominal
1. Bien s'entendre, aller bien ensemble. *Ces deux-là, ils s'accordent à merveille; ils se sont toujours bien accordés.* **ANT.** se brouiller.
2. Être en harmonie.
En ce sens, le verbe se construit avec la préposition ***avec.*** *Elle s'accorde bien avec son frère.*
3. Se donner. *Ils s'accordent un moment de détente.*
4. (GRAMMAIRE) Être en accord grammatical avec un autre mot. *L'adjectif s'accorde en genre et en nombre avec le nom ou le pronom auquel il se rapporte.*
Locution
Accorder ses flûtes, ses violons. Se mettre d'accord.
Conjugaison [VOIR MODÈLE – **AIMER**]

accordeur n. m.
accordeuse n. f.
Personne qui accorde les instruments de musique. *Un accordeur de pianos.*

accoster v. tr.
1. S'approcher bord à bord en parlant d'un navire. *Le canot automobile de la brigade côtière accosta le chalutier espagnol.*
Dans ce sens, le verbe ***accoster*** se construit également avec la préposition ***à*** ou absolument. *Le bateau accosta à l'extrémité du quai. Le paquebot vient d'accoster.*
2. Aborder quelqu'un avec sans-gêne, avec brusquerie. *Il l'accosta à la porte de l'école.*
Par rapport au verbe ***aborder*** qui a un sens neutre, le verbe ***accoster*** a un sens défavorable.
Conjugaison [VOIR MODÈLE – **AIMER**]

accoter v. tr., pronom.
Verbe transitif
Appuyer d'un côté. *Accoter une échelle contre un mur.*
Verbe pronominal
S'appuyer. *Elle s'est accotée à un arbre, contre un arbre.*
À la forme pronominale, le verbe se construit avec les prépositions ***à*** ou ***contre***.
Conjugaison [VOIR MODÈLE – **AIMER**]
a**cc**o**t**er.

accotoir n. m.
Appui pour les bras. **SYN.** accoudoir, bras.
On emploie surtout le nom ***accoudoir.***
a**cc**o**t**oir.

accouchement n. m.
Action de mettre un enfant au monde. *Un accouchement rapide.* **SYN.** naissance.

accoucher v. tr.
Verbe transitif direct
Aider à accoucher. *C'est un gynécologue qui m'a accouchée; toi, c'est une sage-femme.*
Verbe transitif indirect
Donner naissance (à un enfant). *Elle a accouché d'un garçon.*
En ce sens, le verbe se construit avec la préposition ***de.***
Le verbe se conjugue avec l'auxiliaire ***être*** pour insister sur l'état, alors que la construction avec l'auxiliaire ***avoir*** exprime l'acte. *Elle est accouchée d'hier.*
Locution
C'est une montagne qui accouche d'une souris. (FIGURÉ) Se donner beaucoup de mal pour peu de résultats.
Le verbe ***accoucher*** ne s'utilise que pour parler des humains. Pour les autres mammifères, on consultera le tableau – **ANIMAUX.**
Conjugaison [VOIR MODÈLE – **AIMER**]

accouder (s') v. pronom.
S'appuyer sur un coude, sur les coudes. *Ils se sont accoudés à la rampe, sur l'appui de la fenêtre.*
Le verbe se construit avec les prépositions ***à*** ou ***sur.***
Le participe passé de ce verbe qui n'existe qu'à la forme pronominale s'accorde toujours avec le sujet du verbe.
Conjugaison [VOIR MODÈLE – **AIMER**]

accoudoir n. m.
Appui pour les coudes. *Les accoudoirs d'un fauteuil.* **SYN.** accotoir, bras.

accouplement n. m.
Union sexuelle du mâle et de la femelle, en parlant surtout des animaux.
VOIR TABLEAU – **ANIMAUX.**

accoupler v. tr., pronom.
Verbe transitif
1. Réunir des choses, des animaux par deux. *Accoupler des chevaux.*
2. Unir pour la reproduction. *Accoupler des chiens de race.*
Verbe pronominal
S'unir pour la reproduction, en parlant des animaux.
Conjugaison [VOIR MODÈLE – **AIMER**]

accourir v. intr.
Venir très rapidement à un lieu donné. *Elle a accouru vers son amie.* **SYN.** se précipiter.
Le verbe se conjugue généralement avec l'auxiliaire ***avoir,*** mais il peut se conjuguer aussi avec l'auxiliaire ***être*** pour marquer l'état qui résulte de l'action. *Il est accouru auprès d'elle.*
Le verbe se construit avec les prépositions ***dans, vers, jusqu'à.***
Ne pas confondre avec **courir**, se déplacer rapidement, dans n'importe quelle direction, sans but précis.
Conjugaison [VOIR MODÈLE – **COURIR**]
INDICATIF PRÉSENT *J'accours, tu accours, il accourt, nous accourons, vous accourez, ils accourent.* IMPARFAIT *J'accourais.* PASSÉ SIMPLE *J'accourus.* FUTUR *J'accourrai.* **CONDITIONNEL** PRÉSENT *J'accourrais.* **IMPÉRATIF** PRÉSENT *Accours, accourons, accourez.* **SUBJONCTIF** PRÉSENT *Que j'accoure.* **PARTICIPE** PRÉSENT *Accourant.* PASSÉ *Accouru, ue.*
a**cc**ou**r**ir, deux ***c,*** un ***r.***

accoutrement n. m.
Tenue ridicule.

accoutrer v. tr., pronom.
Verbe transitif
Habiller d'une manière ridicule.
Verbe pronominal
S'habiller bizarrement. *Regardez comment ils se sont accoutrés.*
À la forme pronominale, le participe passé s'accorde toujours avec le sujet du verbe.
Conjugaison [VOIR MODÈLE – **AIMER**]

accoutumance n. f.
1. Habitude. *Une accoutumance au bruit.*
2. Dépendance. *L'accoutumance aux somnifères.*
a**cc**outum**an**ce.

accoutumé, ée adj.
Habituel. *Le facteur passe à l'heure accoutumée.*
Locution
À l'accoutumée, locution adverbiale. À l'ordinaire. *Ils sont venus dimanche comme à l'accoutumée.*

accoutumer v. tr., pronom.
Verbe transitif
Habituer. *Accoutumer son chien à ne pas japper.*
Verbe pronominal
S'habituer à. *Ils se sont accoutumés à ne pas trop manger.*
À la forme pronominale, le participe passé du verbe s'accorde toujours en genre et en nombre avec le sujet.
Le verbe se construit avec la préposition ***à*** à la forme transitive ou pronominale.
Conjugaison [VOIR MODÈLE – **AIMER**]

accroc n. m.
Le **c** final ne se prononce pas [akro].
1. Déchirure. *Il a fait un accroc dans son pantalon.*
2. (FIGURÉ) Incident fâcheux. *Une mission sans accroc.*
accro**c**.

accrochage n. m.
1. Action d'accrocher. *L'accrochage d'un tableau.*
2. Accident mineur (entre deux véhicules). *Il a eu un accrochage, mais sa voiture n'est pas très endommagée.*
3. Dispute.

accrocher v. tr., pronom.
Verbe transitif
1. Suspendre. *Accrocher des rideaux.* **ANT.** décrocher.
2. Heurter légèrement un véhicule.
Verbe pronominal
1. Persévérer, se cramponner. *Ils se sont accrochés à la vie.* **SYN.** tenir bon.
2. (FAMILIER) Se disputer avec. *S'accrocher avec quelqu'un.* **SYN.** se quereller.
Locution
Accrocher ses patins. (FIGURÉ) Cesser une activité, prendre sa retraite.
Conjugaison [VOIR MODÈLE – **AIMER**]

accroire v. tr.
Faire accroire, laisser accroire. (FAMILIER) Faire croire une chose fausse, tromper. *Cet individu veut nous faire accroire qu'il habite ici.*
1° Ce verbe ne s'emploie qu'à l'infinitif avec les verbes ***faire*** ou ***laisser.***
2° Contrairement à la locution ***faire accroire*** qui a un sens défavorable, l'expression ***faire croire*** qui signifie « persuader » peut avoir un sens favorable ou défavorable.
3° Au Québec, l'emploi de ce verbe est courant. Dans la francophonie, l'emploi est vieilli ou littéraire.
Conjugaison [VOIR MODÈLE – **CROIRE**]

accroissement n. m.
Augmentation. *L'accroissement du nombre d'ordinateurs dans les écoles.* **SYN.** hausse.

accroître v. tr., pronom.
Verbe transitif
Rendre plus grand. *Accroître ses connaissances.* **SYN.** augmenter, enrichir.
Verbe pronominal
Devenir plus important, plus étendu. *Sa fortune s'est accrue.* **SYN.** croître, se développer, grandir, grossir. **ANT.** diminuer.
Le verbe se conjugue généralement avec l'auxiliaire ***avoir.***
Conjugaison [VOIR MODÈLE – **ACCROÎTRE**]
À la différence du verbe ***croître***, le verbe ***accroître*** ne prend un accent circonflexe qu'à l'infinitif, à la troisième personne du singulier de l'indicatif présent ainsi qu'à toutes les personnes de l'indicatif futur et du conditionnel.

accroupir (s') v. pronom.
S'asseoir sur ses talons. *Ils se sont accroupis pour passer sous la clôture.*
Le participe passé de ce verbe qui n'existe qu'à la forme pronominale s'accorde toujours en genre et en nombre avec le sujet du verbe.
Conjugaison [VOIR MODÈLE – **FINIR**]

accueil n. m.
Manière de recevoir quelqu'un. *Il nous a réservé un excellent accueil. Faites-lui bon accueil. Des centres d'accueil.*
Ne pas confondre avec l'orthographe en ***-euil*** de ***cerfeuil, fauteuil,*** etc.
acc**uei**l.

accueillant, ante adj.
Qui fait bon accueil. *Ces voisins sont très accueillants.*

accueillir v. tr.
1. Recevoir bien ou mal. *Ils les ont accueillis à bras ouverts.*
2. Donner l'hospitalité. *Cette résidence accueille les personnes âgées.*
Conjugaison [VOIR MODÈLE – **CUEILLIR**]
INDICATIF PRÉSENT *J'accueille, tu accueilles, il accueille, nous accueillons, vous accueillez, ils accueillent.* IMPARFAIT *J'accueillais, nous accueillions, vous accueilliez.* PASSÉ SIMPLE *J'accueillis.* FUTUR *J'accueillerai.* **CONDITIONNEL** PRÉSENT *J'accueillerais.* **IMPÉRATIF** PRÉSENT *Accueille, accueillons, accueillez.* **SUBJONCTIF** PRÉSENT *Que j'accueille, que nous accueillions, que vous accueilliez.* **PARTICIPE** PRÉSENT *Accueillant.* PASSÉ *Accueilli, ie.*
acc**uei**llir.

accumulation n. f.
Action d'augmenter, d'entasser.
a**cc**u**m**ulation, deux ***c***, un ***m.***

accumuler v. tr., pronom.
Verbe transitif
Entasser, amasser peu à peu. *Accumuler des biens.*
Verbe pronominal
Augmenter. *La neige s'est accumulée au cours de la nuit.*
Conjugaison [VOIR MODÈLE – **AIMER**]
a**cc**u**m**uler, deux ***c***, un ***m.***

accusateur, trice adj. et n. m. et f.
Adjectif
Qui accuse. *Des propos accusateurs.*
Nom masculin et féminin
Personne qui affirme que quelqu'un est coupable.

accusation n. f.
Action d'affirmer que quelqu'un est coupable. *Une fausse accusation.*

accusé, ée n. m. et f.
Personne que l'on présente comme coupable.

accuser v. tr., pronom.
Verbe transitif
1. Présenter quelqu'un comme coupable. *On les a accusés de vol.*
2. Accentuer, faire ressortir. *Une coiffure qui accuse les traits.*
3. Révéler. *Ses yeux accusent la colère.*

CONJUGAISON DU VERBE **ACCROÎTRE**

Indicatif

Présent

j' accrois
tu accrois
elle accroît
il accroît
nous accroissons
vous accroissez
elles accroissent
ils accroissent

Passé composé

j' ai accru
tu as accru
elle a accru
il a accru
nous avons accru
vous avez accru
elles ont accru
ils ont accru

Imparfait

j' accroissais
tu accroissais
elle accroissait
il accroissait
nous accroissions
vous accroissiez
elles accroissaient
ils accroissaient

Plus-que-parfait

j' avais accru
tu avais accru
elle avait accru
il avait accru
nous avions accru
vous aviez accru
elles avaient accru
ils avaient accru

Passé simple

j' accrus
tu accrus
elle accrut
il accrut
nous accrûmes
vous accrûtes
elles accrurent
ils accrurent

Passé antérieur

j' eus accru
tu eus accru
elle eut accru
il eut accru
nous eûmes accru
vous eûtes accru
elles eurent accru
ils eurent accru

Futur simple

j' accroîtrai
tu accroîtras
elle accroîtra
il accroîtra
nous accroîtrons
vous accroîtrez
elles accroîtront
ils accroîtront

Futur antérieur

j' aurai accru
tu auras accru
elle aura accru
il aura accru
nous aurons accru
vous aurez accru
elles auront accru
ils auront accru

Infinitif

Présent

accroître

Passé

avoir accru

Subjonctif

Présent

que j' accroisse
que tu accroisses
qu' elle accroisse
qu' il accroisse
que nous accroissions
que vous accroissiez
qu' elles accroissent
qu' ils accroissent

Passé

que j' aie accru
que tu aies accru
qu' elle ait accru
qu' il ait accru
que nous ayons accru
que vous ayez accru
qu' elles aient accru
qu' ils aient accru

Imparfait

que j' accrusse
que tu accrusses
qu' elle accrût
qu' il accrût
que nous accrussions
que vous accrussiez
qu' elles accrussent
qu' ils accrussent

Plus-que-parfait

que j' eusse accru
que tu eusses accru
qu' elle eût accru
qu' il eût accru
que nous eussions accru
que vous eussiez accru
qu' elles eussent accru
qu' ils eussent accru

Conditionnel

Présent

j' accroîtrais
tu accroîtrais
elle accroîtrait
il accroîtrait
nous accroîtrions
vous accroîtriez
elles accroîtraient
ils accroîtraient

Passé

j' aurais accru
tu aurais accru
elle aurait accru
il aurait accru
nous aurions accru
vous auriez accru
elles auraient accru
ils auraient accru

Impératif

Présent

accrois
accroissons
accroissez

Passé

aie accru
ayons accru
ayez accru

Participe

Présent

accroissant

Passé

accru, ue
ayant accru

Verbe pronominal
Avouer, se dire coupable. *Ils se sont accusés de tous les crimes.*
Locution
Accuser réception. Signaler à l'expéditeur qu'une chose a été reçue. *Elles ont accusé réception du colis.*
Conjugaison [VOIR MODÈLE – **AIMER**]

-acé suff.
Élément du latin ***-aceus*** utilisé surtout par les naturalistes pour désigner des familles d'animaux ou de plantes. *Gallinacé, herbacé.*

acéricole adj.
Relatif à l'exploitation de l'érable à sucre.

acériculteur n. m.
acéricultrice n. f.
Personne qui exploite une érablière.

acériculture n. f.
Exploitation et culture de l'érable à sucre.

***acétate**
Impropriété au sens de ***transparent.*** *Le diagramme a été reproduit sur un transparent* (et non un *acétate) *pour le rétroprojecteur.*

achalander v. tr.
Établissement, magasin bien achalandé. ⚜ Où il y a beaucoup de clients.
L'emploi du participe passé est courant au Québec, mais il est vieilli en ce sens dans l'ensemble de la francophonie.
Le verbe ne s'emploie qu'au participe passé.

achalant, ante adj. et n. m. et f.
⚜ (FAMILIER) Se dit de quelqu'un, de quelque chose qui agace, fatigue, embarrasse. *Ce chien est achalant : il ne cesse de japper. Des achalants.* **SYN.** agaçant, embarrassant, fatigant, importun.

achaler v. tr.
⚜ (FAMILIER) Agacer, embarrasser, incommoder. **SYN.** embêter, fatiguer, impatienter, importuner.
Conjugaison [VOIR MODÈLE – **AIMER**]

***à chaque fois**
Au sens de ***chaque fois,*** cette expression est ancienne.

acharnement n. m.
Détermination, obstination. **SYN.** ténacité.

acharner (s') v. pronom.
1. Continuer avec obstination. *Ils se sont acharnés à défricher ce sol.*
En ce sens, le verbe se construit avec la préposition ***à*** suivie de l'infinitif.
2. Poursuivre de façon cruelle. *Le sort s'acharne contre* ou *après eux. Les critiques se sont acharnés sur cet auteur.*
En ce sens, le verbe se construit avec les prépositions ***après, contre*** ou ***sur.***
Le participe passé de ce verbe qui n'existe qu'à la forme pronominale s'accorde toujours en genre et en nombre avec le sujet du verbe.
Conjugaison [VOIR MODÈLE – **AIMER**]

achat n. m.
1. Action d'acheter. *L'achat d'une voiture.* **SYN.** acquisition.
2. Ce qui est acheté. *Elle a fait de nombreux achats.* **SYN.** course, emplette.

acheminement n. m.
Action de diriger vers un point, un lieu défini. *L'acheminement des colis.*

acheminer v. tr., pronom.
Verbe transitif
Diriger (quelqu'un, quelque chose) vers un lieu. *Acheminer des livres par bateau.*
Verbe pronominal
Progresser vers un but. *Ils se sont acheminés vers le quai.*
Conjugaison [VOIR MODÈLE – **AIMER**]

acheter v. tr.
Se procurer quelque chose contre paiement. *Elle achète tous ses livres au même endroit, chez le même libraire. Acheter (au) comptant, à crédit, au détail, en gros.* **ANT.** vendre.
Conjugaison [VOIR MODÈLE – **CONGELER**]
Le **e** se change en **è** devant une syllabe muette. *Il achète, il achetait.*

acheteur n. m.
acheteuse n. f.
1. Personne qui achète. *Ces nouvelles boutiques ont attiré de nombreux acheteurs.*
2. Personne chargée de l'approvisionnement d'une entreprise, d'un organisme.

achèvement n. m.
Action d'achever. *L'achèvement des travaux.* **SYN.** fin. **ANT.** inachèvement.

achever v. tr., pronom.
Le **e** central est muet [aʃve].
Verbe transitif
1. Terminer ce qui est commencé. *Elle achève son tableau.*
2. Terminer l'action de. *Il achève de relire le contrat.*
Suivi d'un infinitif, le verbe s'emploie avec la préposition ***de.***
3. Accabler, tuer. *Ce nouvel échec l'a achevé.*
Verbe pronominal
Prendre fin. *L'hiver s'achève.*
Conjugaison [VOIR MODÈLE – **LEVER**]
Le **e** se change en **è** devant une syllabe muette. *Il achève, il achevait.*

achigan n. m.
⚜ Variété de perche. *Ils ont pêché trois beaux achigans.*
Ce nom d'origine algonquine signifie « celui qui se débat ».
achig**an**.

acide adj. et n. m.
Adjectif
1. Qui a une saveur piquante. *Cette pomme verte est un peu acide.*
2. (CHIMIE) Qui a les propriétés d'un acide.
Nom masculin
1. (CHIMIE) Corps susceptible de libérer des ions d'hydrogène. *L'acide sulfurique est un produit toxique.*
2. (FAMILIER) L.S.D. (acide lysergique diéthylamide), drogue hallucinogène.

acidité n. f.
1. Saveur acide. *L'acidité d'un citron.*
2. Caractère acide d'un corps.

acier adj. inv. et n. m.
Nom masculin
Alliage de fer et de carbone. *Des aciers très résistants. Acier inoxydable.*
Adjectif de couleur invariable
De la couleur grise de l'acier. *Des costumes acier.*
VOIR TABLEAU – **COULEUR (ADJECTIFS DE).**

aciérie n. f.
Usine où l'on fabrique l'acier.
aci**é**rie, un accent aigu, contrairement à ***acier.***

acné n. f.
Lésion de la peau. *Une acné rebelle.*
Attention au genre féminin de ce nom : ***une*** acné.

acolyte n. m. et f.
(PÉJORATIF) Complice. *Le pirate Maboule et ses acolytes.*
a**c**ol**y**te.

a commercial n. m.
Symbole **@.**
1. Au prix de. *Douze règles @ 2,50 $.*
2. (INFORMATIQUE) Séparateur utilisé dans les adresses Internet. *Mon adresse électronique est : Marie-Eva.de-Villers @hec.ca.*
L'utilisation du a commercial doit se limiter aux documents commerciaux et administratifs ou aux adresses électroniques.

acompte n. m.
Paiement partiel fait à l'avance. *Sébastien a versé un acompte de 10 $ sur le prix de la bicyclette.*
Attention au genre masculin de ce nom : ***un*** acompte.
a**c**ompte, un seul ***c.***

acoustique adj. et n. f.
Adjectif
Relatif à la perception du son. *Un phénomène acoustique.*
Nom féminin
1. Partie de la physique qui étudie les sons.
2. Qualité d'un lieu au point de vue de la propagation du son. *La Place des Arts a une excellente acoustique.*
Attention au genre féminin de ce nom : ***une*** acoustique.
a**c**oustique, un seul ***c.***

acquérir v. tr., pronom.
Verbe transitif
1. Devenir propriétaire d'un bien, d'un droit, par achat, échange, succession. *Acquérir une propriété.*
2. Obtenir (par l'effort, par le temps) quelque chose d'intéressant. *Ils ont acquis de l'expérience. Acquérir des connaissances.* **SYN.** gagner, mériter, prendre.
Verbe pronominal
Obtenir pour soi à force d'efforts. *Elles se sont acquis une solide réputation.*
Conjugaison [VOIR MODÈLE – **ACQUÉRIR**]

acquiescer v. tr. ind., intr.
Verbe transitif indirect
(LITTÉRAIRE) Consentir sans réserve. *Il acquiesça à sa demande.* **SYN.** accepter, approuver.
Le verbe se construit avec la préposition ***à.***
Verbe intransitif
(LITTÉRAIRE) Dire oui, accepter. *Il acquiesça d'un signe de la tête.* **ANT.** s'opposer, refuser.
Conjugaison [VOIR MODÈLE – **AVANCER**]
Le ***c*** prend une cédille devant les lettres ***a*** et ***o***. *Il acquiesça, nous acquiesçons.*

acquis, ise adj. et n. m.
Adjectif
Dont on a fait l'acquisition. *Un appartement acquis par la famille. Bien mal acquis ne profite jamais.* (Proverbe)
ANT. inné, naturel.
Nom masculin
Avantage constitué par l'acquisition de connaissances ou d'expérience. *Votre formation est un bon acquis.*
Locutions
C'est un fait acquis. C'est certain.
Tenir pour acquis, considérer comme acquis. Croire que quelque chose est certain. *Ce candidat tient* (et non *prend) *son succès pour acquis.*
acqui**s**.

acquisition n. f.
1. Action d'acquérir. *Il a fait l'acquisition d'une maison. L'acquisition de connaissances est le meilleur investissement que l'on puisse faire.*
2. Bien acheté. *Elle a fait de nombreuses acquisitions.* **SYN.** achat.

acquittement n. m.
1. Paiement. *L'acquittement d'une facture, d'une dette.* **SYN.** remboursement.
2. Action de déclarer un accusé non coupable. *Un immense soupir de soulagement suivit l'annonce de son acquittement.* **ANT.** condamnation.

acquitter v. tr., pronom.
Verbe transitif
1. Payer entièrement (ce qu'on doit). *Acquitter ses dettes, une facture.* **SYN.** régler, rembourser.
2. Déclarer un accusé non coupable par décision judiciaire. *Il a été acquitté et libéré aussitôt.*
Verbe pronominal
Remplir une obligation (juridique ou morale). *S'acquitter d'un devoir. Elles se sont bien acquittées de cette mission.* **SYN.** accomplir.
À la forme pronominale, le verbe se construit avec la préposition ***de.***
Conjugaison [VOIR MODÈLE – **AIMER**]
a**cq**ui**tt**er.

acre n. f.
1. Surface (mesure agraire).
2. ⚜ Mesure agraire d'environ 40 ares.
HOM. âcre, irritant.

âcre adj.
Irritant au goût, à l'odorat. *Une épice âcre, des odeurs âcres.* **ANT.** doux.
Ne pas confondre avec l'adjectif ***aigre,*** acide.
HOM. acre, mesure agraire.
âcre.

acrobate n. m. et f.
Le ***o*** est ouvert [akʀɔbat].
Personne qui exécute des exercices d'équilibre, d'adresse, de force. *Les acrobates du Cirque du Soleil sont très habiles, ils marchent sur un fil, sautent d'un trapèze à l'autre.*

acrobatie n. f.
Le ***t*** se prononce ***s*** [akʀɔbasi]; le mot rime avec ***assis.***
Exercice d'acrobate. *Les acrobaties d'un funambule.*

acrobatique adj.
Qui tient de l'acrobatie. *Des exercices acrobatiques.*

Indicatif

Présent	*Passé composé*
j' acquiers	j' ai acquis
tu acquiers	tu as acquis
elle acquiert	elle a acquis
il acquiert	il a acquis
nous acquérons	nous avons acquis
vous acquérez	vous avez acquis
elles acquièrent	elles ont acquis
ils acquièrent	ils ont acquis

Imparfait	*Plus-que-parfait*
j' acquérais	j' avais acquis
tu acquérais	tu avais acquis
elle acquérait	elle avait acquis
il acquérait	il avait acquis
nous acquérions	nous avions acquis
vous acquériez	vous aviez acquis
elles acquéraient	elles avaient acquis
ils acquéraient	ils avaient acquis

Passé simple	*Passé antérieur*
j' acquis	j' eus acquis
tu acquis	tu eus acquis
elle acquit	elle eut acquis
il acquit	il eut acquis
nous acquîmes	nous eûmes acquis
vous acquîtes	vous eûtes acquis
elles acquirent	elles eurent acquis
ils acquirent	ils eurent acquis

Futur simple	*Futur antérieur*
j' acquerrai	j' aurai acquis
tu acquerras	tu auras acquis
elle acquerra	elle aura acquis
il acquerra	il aura acquis
nous acquerrons	nous aurons acquis
vous acquerrez	vous aurez acquis
elles acquerront	elles auront acquis
ils acquerront	ils auront acquis

Infinitif

Présent	*Passé*
acquérir	avoir acquis

Subjonctif

Présent	*Passé*
que j' acquière	que j' aie acquis
que tu acquières	que tu aies acquis
qu' elle acquière	qu' elle ait acquis
qu' il acquière	qu' il ait acquis
que nous acquérions	que nous ayons acquis
que vous acquériez	que vous ayez acquis
qu' elles acquièrent	qu' elles aient acquis
qu' ils acquièrent	qu' ils aient acquis

Imparfait	*Plus-que-parfait*
que j' acquisse	que j' eusse acquis
que tu acquisses	que tu eusses acquis
qu' elle acquît	qu' elle eût acquis
qu' il acquît	qu' il eût acquis
que nous acquissions	que nous eussions acquis
que vous acquissiez	que vous eussiez acquis
qu' elles acquissent	qu' elles eussent acquis
qu' ils acquissent	qu' ils eussent acquis

Conditionnel

Présent	*Passé*
j' acquerrais	j' aurais acquis
tu acquerrais	tu aurais acquis
elle acquerrait	elle aurait acquis
il acquerrait	il aurait acquis
nous acquerrions	nous aurions acquis
vous acquerriez	vous auriez acquis
elles acquerraient	elles auraient acquis
ils acquerraient	ils auraient acquis

Impératif

Présent	*Passé*
acquiers	aie acquis
acquérons	ayons acquis
acquérez	ayez acquis

Participe

Présent	*Passé*
acquérant	acquis, ise ayant acquis

acronyme n. m.
VOIR TABLEAU – **ACRONYME.**

acte n. m.
1. Action accomplie. *Un acte de foi, des actes de folie.*
2. Division d'une pièce de théâtre. *Une comédie en trois actes. Cette tirade est au dernier acte, pendant* ou *dans le deuxième acte.*
3. (DROIT) Écrit constatant légalement un fait. *Un acte de naissance.* **SYN.** certificat, document.
Locution
Faire acte de. Donner la preuve de. *Nous devons faire acte de bonne volonté.*

acteur n. m.
actrice n. f.
Personne dont la profession est de jouer (au cinéma, à la scène, à la télévision). **SYN.** comédien, interprète.

actif, ive adj.
Qui agit. *Cette personne est très active : elle dirige une grande entreprise.* **SYN.** dynamique, entreprenant, travailleur. **ANT.** inactif, passif.
Locution
Forme, voix active. (GRAMMAIRE) Forme dans laquelle le sujet fait l'action (par opposition à la ***forme passive*** où il la subit).

action n. f.
1. Ce que fait quelqu'un. *Elle a fait sa bonne action, sa b.a.* **SYN.** acte.
Dans les expressions où le mot ***action*** désigne le fait d'agir, il est généralement au singulier. *Des champs d'action. Une femme d'action.*
2. Manière d'agir. *L'action de ce médicament est rapide.* **SYN.** effet.
3. Part du capital d'une société. *Acheter des actions* (et non des *parts) *d'une banque.*

action de grâce(s) n. f.
1. Témoignage de reconnaissance.
2. En Amérique du Nord, jour férié. *Au Canada, nous fêtons l'Action de grâces le deuxième lundi d'octobre.*
Le nom du jour férié s'écrit avec une majuscule initiale.
VOIR **GRÂCE.**

actionnaire n. m. et f.
Personne qui possède des actions d'une entreprise.

activement adv.
D'une manière active, avec ardeur. **ANT.** passivement.

activer v. tr., pronom.
Verbe transitif
1. Accélérer. *Ils devront activer la révision.* **SYN.** hâter. **ANT.** ralentir.
2. Rendre plus actif. *Activer le feu.* **SYN.** stimuler.
Verbe pronominal
Se hâter. *Ils se sont activés pour ne pas être en retard.* **SYN.** se presser.
Conjugaison [VOIR MODÈLE – **AIMER**]

activité n. f.
1. Ensemble des actes et des travaux de l'être humain.
Employé globalement en ce sens, le terme ***activité*** est au singulier. *Des secteurs d'activité, un rapport d'activité.*
2. (PAR EXTENSION) Fonctionnement. *Une entreprise en activité.*

actualité n. f.
1. Caractère de ce qui existe au moment présent. *L'actualité d'une œuvre.*
2. Ensemble des évènements actuels. *L'actualité économique.*
3. (AU PLURIEL) Émission d'information. *Les actualités télévisées.* **SYN.** nouvelles.
Locution
D'actualité. À la mode.

actuel, elle adj.
1. Qui concerne notre époque. *Le décrochage est un problème actuel.* **SYN.** d'aujourd'hui.
2. Qui existe au moment présent. *Le niveau actuel de l'eau est élevé. La protection de l'environnement est une préoccupation actuelle.* **SYN.** présent. **ANT.** démodé, futur, passé.

actuellement adv.
En ce moment. *Il est absent actuellement.*

acupuncteur ou **acuponcteur** n. m.
acupunctrice ou **acuponctrice** n. f.
Spécialiste de l'acupuncture.

acupuncture ou **acuponcture** n. f.
Traitement médical d'origine chinoise qui consiste à piquer des aiguilles en certains points du corps.

adage n. m.
Sentence populaire, généralement ancienne. *En avril, ne te découvre pas d'un fil, dit l'adage.*
VOIR **DICTON.**

adaptateur n. m.
Dispositif permettant d'adapter un objet à un autre usage que celui qui était prévu initialement. *Un adaptateur pour prises électriques.*

adaptation n. f.
1. Action d'adapter ; son résultat. *L'adaptation cinématographique d'un roman.*
2. Fait de s'adapter. *L'adaptation de ces nouveaux venus a été facile.*

adapter v. tr., pronom.
Verbe transitif
1. Ajuster. *Adapter un conduit à un autre conduit.*
2. Mettre en harmonie. *Le ton était bien adapté aux circonstances.* **SYN.** accorder.
3. Présenter (une œuvre littéraire, musicale, etc.) sous une nouvelle forme.
Verbe pronominal
S'habituer. *Ces immigrants se sont adaptés très rapidement à leur nouveau mode de vie.*
À la forme pronominale, le verbe se construit avec la préposition ***à.***
Conjugaison [VOIR MODÈLE – **AIMER**]

addition n. f.
1. Action d'ajouter ; ce qui est ainsi ajouté.
2. (MATHÉMATIQUES) Première des quatre opérations fondamentales de l'arithmétique dont le symbole est le signe +. **ANT.** soustraction.
Le résultat de l'addition est une ***somme.***
3. Total des dépenses effectuées au restaurant. *Régler l'addition.*

additionnel, elle adj.
Qui s'ajoute. *Apporter une précision additionnelle.*
Ne pas confondre avec l'adjectif ***complémentaire,*** qui constitue un complément.

additionner v. tr.
1. Faire le total de. *Additionner 2 et 2. Additionner 25 à 100.* **ANT.** soustraire.
Le verbe peut également se construire avec la préposition **avec**. *Additionner les résultats d'aujourd'hui avec ceux d'hier.*
2. Ajouter une chose à une autre. *Le chef additionne le jus de fruit d'un peu de rhum.*
Conjugaison [VOIR MODÈLE – **AIMER**]

adepte n. m. et f.
1. Personne qui pratique une activité. *C'est une adepte de la natation.*
2. Partisan d'une doctrine, d'une théorie. *Un adepte de l'astrologie.*

adéquat, ate adj.
Au masculin, le ***t*** ne se prononce pas [adekwa, at].
Approprié. *Ce calcul est adéquat, la réponse est juste.*

adhérent, ente n. m. et f.
Membre d'un parti, d'une association. *Nous avons 500 adhérents.*
Ne pas confondre avec le participe présent invariable ***adhérant.*** *Les personnes adhérant avant la fin du mois recevront un agenda.*
ad**h**ér**ent**.

adhérer v. tr. ind.
1. Coller à. *Un revêtement qui adhère au mur.*
2. Entrer dans un parti, partager une idée, une opinion. *Ils ont adhéré à ce nouveau parti.*
Le verbe se construit avec la préposition ***à.***
Conjugaison [VOIR MODÈLE – **POSSÉDER**]
Le **é** se change en **è** devant une syllabe muette, sauf à l'indicatif futur et au conditionnel présent. *J'adhère,* mais *j'adhérerai.*
ad**h**érer.

adhésif, ive adj. et n. m.
Adjectif
Collant. *Ruban adhésif.*
Nom masculin
Substance permettant de coller des surfaces.
ad**h**ésif.

ACRONYME

Un **acronyme** est l'abréviation d'un groupe de mots constituée des premières lettres de chacun de ces mots.

L'**acronyme** se prononce comme un seul mot, à la différence du sigle qui s'épelle lettre par lettre (SRC, PME, CLSC).

Benelux	**Be**lgique-**Ne**derland-**Lux**embourg
Cégep	**C**ollège d'**e**nseignement **g**énéral **e**t **p**rofessionnel
Laser	**L**ight **a**mplification by **s**timulated **e**mission of **r**adiation
OACI	**O**rganisation de l'**a**viation **c**ivile **i**nternationale
ONU	**O**rganisation des **N**ations **U**nies
SIDA	**S**yndrome **i**mmuno-**d**éficitaire **a**cquis

À son premier emploi dans un texte, l'acronyme est généralement précédé de sa désignation au long

Points abréviatifs

La tendance actuelle est d'omettre les points abréviatifs. Dans cet ouvrage, les acronymes sont notés sans points ; cependant, la forme avec points est généralement correcte.

Genre et nombre des acronymes

Les acronymes sont du genre et du nombre du mot principal de la désignation abrégée.
La ZEC (Zone [féminin singulier] d'exploitation contrôlée), le SIDA (Syndrome [masculin singulier] immuno-déficitaire acquis).

ACFAS	Association canadienne-française pour l'avancement des sciences
CHU	Centre hospitalier universitaire
COFI	Centre d'orientation et de formation des immigrants
ÉNAP	École nationale d'administration publique (Canada)
NASA	National Aeronautics and Space Administration
OACI	Organisation de l'aviation civile internationale
OTAN	Organisation du traité de l'Atlantique Nord
OVNI	Objet volant non identifié
SIDA	Syndrome immuno-déficitaire acquis
ZAC	Zone d'aménagement et de conservation
ZEC	Zone d'exploitation contrôlée

VOIR TABLEAU – **ABRÉVIATION (RÈGLES DE L').**
VOIR TABLEAU – **SIGLE.**
VOIR TABLEAU – **SYMBOLE.**

adhésion n. f.
Action de s'inscrire à un groupe, à un parti, à une association.

adieu interj. et n. m. (pl. *adieux*)
Interjection
Formule servant à prendre congé de quelqu'un que l'on ne reverra pas avant longtemps ou que l'on ne reverra plus. *Adieu ! Je te retrouverai peut-être un jour.*
Pour saluer quelqu'un que l'on reverra, on dit ***au revoir.***
Nom masculin
Fait de prendre congé. *Faire ses adieux.*

adjacent, ente adj.
1. Qui est proche, contigu. *Des immeubles adjacents.* **SYN.** voisin.
2. (MATHÉMATIQUES) Qui ont un côté commun. *Des angles adjacents.*
ad**j**a**c**ent.

adjectif n. m.
VOIR TABLEAU – **ADJECTIF.**

adjectif, ive ou **adjectival, ale, aux** adj.
Qui a une valeur d'adjectif. *Une locution adjective* ou *adjectivale.*

adjectif de couleur n. m.
VOIR TABLEAU – **COULEUR (ADJECTIFS DE).**

adjoint n. m.
adjointe n. f.
Personne qui en seconde une autre dans son travail. *Son adjoint est compétent. Elle est adjointe au directeur.*

admettre v. tr.
1. Accepter dans une école, une classe ; considérer comme ayant satisfait aux épreuves d'un examen. *Ce collège a admis nos amis.* **SYN.** accueillir.
2. Autoriser. *Elle a été admise à présenter une demande.*
Suivi de l'infinitif, le verbe s'emploie avec la préposition ***à.***
3. Accepter dans un lieu, dans un groupe. *Les chiens ne sont pas admis à l'épicerie ni dans les magasins.*
Le verbe se construit avec les prépositions ***à*** ou ***dans*** lorsqu'il est suivi d'un complément de lieu.
4. Considérer comme vrai. *J'admets qu'il a raison. Il n'admet pas que son collègue ait raison. Admettons !* **SYN.** reconnaître, supposer.
À la forme affirmative, le verbe se construit avec l'indicatif ou le subjonctif ; à la forme négative, il se construit avec le subjonctif.
Conjugaison [VOIR MODÈLE – **REMETTRE**]
INDICATIF PRÉSENT *J'admets, tu admets, il admet, nous admettons, vous admettez, ils admettent.* IMPARFAIT *J'admettais.* PASSÉ SIMPLE *J'admis.* FUTUR *J'admettrai.* **CONDITIONNEL** PRÉSENT *J'admettrais.* **IMPÉRATIF** PRÉSENT *Admets, admettons, admettez.* **SUBJONCTIF** PRÉSENT *Que j'admette.* IMPARFAIT *Que j'admisse.* **PARTICIPE** PRÉSENT *Admettant.* PASSÉ *Admis, ise.*

administrateur n. m.
administratrice n. f.
1. Personne chargée de l'administration (de biens, d'une entreprise).
2. Membre d'un conseil d'administration. *À titre de membre du conseil d'administration, il est administrateur* (et non *directeur ou *gouverneur).

administratif, ive adj.
Relatif à l'administration. *Des règles administratives.*

administration n. f.
Action d'administrer.

administrer v. tr.
Diriger, gérer les affaires publiques ou privées.
Conjugaison [VOIR MODÈLE – **AIMER**]

admirable adj.
Digne d'admiration. *Ce dessin est admirable.*

admirablement adv.
De façon admirable.

admirateur, trice n. m. et f.
Personne qui admire quelqu'un. *Ce chanteur a de nombreux admirateurs.*

admiratif, ive adj.
Qui exprime l'admiration. *Un regard admiratif.*

admiration n. f.
Sentiment ressenti à l'égard de ce qui est noble, beau. *Ce geste héroïque a soulevé l'admiration de tous. France a beaucoup d'admiration pour cette romancière.* **SYN.** (FAMILIER) emballement, engouement, enthousiasme.

admirativement adv.
Avec admiration.

admirer v. tr.
Éprouver de l'admiration pour (ce qui est beau, grand). *Ils admirent cette magnifique forêt.* **SYN.** s'enthousiasmer.
À la forme passive, le verbe se construit avec les prépositions ***de*** ou ***par.*** *Elle est admirée de ses collègues. Il est admiré par tous les électeurs.*
Conjugaison [VOIR MODÈLE – **AIMER**]

admission n. f.
1. Action d'admettre (quelqu'un). *Une demande d'admission.*
2. Fait d'être admis. *Liste d'admission à un concours.*
Forme fautive
*prix d'admission. Anglicisme au sens de ***entrée.***

ado n. m. et f. (pl. *ados*)
Abréviation familière de ***adolescent, adolescente.*** *C'est une ado très déterminée. Cette piste cyclable est le rendez-vous des ados.*

adolescence n. f.
Âge compris entre la puberté et l'âge adulte (environ de 12 à 20 ans).
adole**sc**ence.

adolescent, ente n. m. et f.
S'abrège familièrement en ***ado.***
Celui, celle qui a l'âge de l'adolescence.
adole**sc**ent.

adonner v. intr., impers., pronom.
Verbe intransitif
(FAMILIER) Convenir. *Est-ce que cela t'adonnerait de venir demain ?* **SYN.** être d'accord pour.
Verbe impersonnel
(FAMILIER) Arriver au bon moment, au mauvais moment, par hasard. *Ça adonne bien que tu sois là, je voulais te voir. Ça adonne mal que son examen ait lieu vendredi.* **SYN.** tomber.
L'emploi du verbe en ce sens est courant au Québec dans la langue familière, mais il est vieilli dans l'ensemble de la francophonie.

Verbe pronominal
1. Faire quelque chose avec passion, avec constance. *S'adonner à la musique. S'adonner au jeu.*
Ce verbe peut avoir un sens favorable ou défavorable.
2. (FAMILIER) Bien s'entendre. *Ils se sont adonnés avec leurs camarades.* **SYN.** s'accorder, fraterniser, sympathiser.
L'emploi du verbe en ce sens est courant au Québec dans la langue familière, mais il est vieilli dans l'ensemble de la francophonie.
Conjugaison [VOIR MODÈLE – **AIMER**]

adopter v. tr.
1. Prendre pour fils, pour fille, dans les formes reconnues par la loi. *Ils ont adopté un petit Brésilien.*
2. (FIGURÉ) Choisir. *Nous avons adopté sa façon de procéder.*
3. Approuver par un vote. *Ce règlement a été adopté récemment.*
Conjugaison [VOIR MODÈLE – **AIMER**]

adoptif, ive adj.
1. Qui a été adopté. *Un enfant adoptif.*
2. Qui a adopté légalement. *Une mère adoptive.*

adoption n. f.
1. Action d'adopter une personne. *L'adoption d'un enfant.*
2. Action d'approuver quelque chose. *L'adoption d'un règlement.*
Locution
D'adoption. Par choix. *Un pays d'adoption.*

adorable adj.
Charmant, très agréable. *La petite Fanny est adorable avec ce costume de lapin. Un adorable petit chat gris.* **SYN.** gentil, mignon, ravissant.

adorablement adv.
De façon adorable.

adoration n. f.
1. Action d'adorer. *L'adoration de Dieu.*
2. Amour très vif. *Ses parents sont en adoration devant lui.*

adorer v. tr.
1. Rendre un culte (à Dieu, à une divinité). *Les chrétiens adorent Dieu.* **SYN.** prier, vénérer.
2. Aimer beaucoup. *Ses enfants adorent leurs grands-parents.* **SYN.** chérir.
3. Apprécier vivement (quelque chose). *Elle adore les gâteaux.*
À la forme passive, au sens de « rendre un culte », le verbe se construit avec la préposition ***par.*** *Un Dieu adoré par les chrétiens.* Au sens d'« aimer, apprécier », le verbe se construit plutôt avec la préposition ***de.*** *Elle est adorée de ses élèves.*
Conjugaison [VOIR MODÈLE – **AIMER**]

adosser v. tr., pronom.
Verbe transitif
Placer une personne, une chose contre un appui. *La chaise est adossée à la cloison, contre la cloison.*
Verbe pronominal
S'appuyer. *Il s'adossa contre le mur.*
Le verbe se construit avec les prépositions ***à*** ou ***contre.***
Conjugaison [VOIR MODÈLE – **AIMER**]

adoucir v. tr., pronom.
Verbe transitif
1. Rendre plus doux, polir. *Ce produit adoucit la peau.*
2. (FIGURÉ) Rendre moins rude. *Adoucir le ton. La musique adoucit les mœurs.* (Proverbe)
Verbe pronominal
Devenir plus doux. *En vieillissant, il s'adoucit.*
Conjugaison [VOIR MODÈLE – **FINIR**]

adoucissant, ante adj.
Qui adoucit. *Une lotion adoucissante.*

adr.
Abréviation de ***adresse.***

adresse n. f.
Abréviation ***adr.*** (s'écrit avec un point).
1. Indication du nom et du domicile d'une personne, du siège d'un établissement. *Un carnet d'adresses.*
2. Habileté. *Julien a beaucoup d'adresse : c'est un bon bricoleur. Un tour d'adresse. Des jeux d'adresse.* **SYN.** savoir-faire.
Locutions
Adresse électronique. (NÉOLOGISME) (INFORMATIQUE) Adresse permettant de communiquer par courrier électronique avec un internaute (utilisateur du réseau Internet). *Mon adresse électronique* (et non adresse *E-mail) *se lit ainsi : Marie-Eva.de-Villers@hec.ca.*
À l'adresse de. À l'intention de. *Mme Dubois a fait cette remarque à l'adresse des élèves turbulents.*

adresser v. tr., pronom.
Verbe transitif
1. Faire parvenir à l'adresse de quelqu'un. *Adresser des colis à ses amis.* **SYN.** envoyer, expédier.
2. Dire à quelqu'un. *Adresser des reproches.*
Verbe pronominal
1. Prendre la parole. *Le président s'adressera aux électeurs.* **SYN.** parler.
2. Être destiné à (quelqu'un). *Ce dictionnaire s'adresse aux jeunes.* **SYN.** concerner.
Conjugaison [VOIR MODÈLE – **AIMER**]

adroit, oite adj.
1. Habile. *Martine est très adroite de ses mains.*
2. Astucieux. *Ils sont adroits, car ils ont réussi à nous convaincre.* **ANT.** gauche, maladroit, malhabile.

adroitement adv.
Avec adresse, habileté.

adulte adj. et n. m. et f.
Adjectif
Qualifie un être vivant dont la croissance est terminée. *Un chien adulte. L'âge adulte.*
Nom masculin et féminin
Personne qui a terminé sa croissance et qui est parvenue à la maturité (physique, intellectuelle et affective). **SYN.** grande personne.

adverbe n. m.
VOIR TABLEAU – **ADVERBE.**

adverbial, ale, aux adj.
Qui a le caractère de l'adverbe. *Une locution adverbiale.*

adverbialement adv.
À la manière d'un adverbe.

adversaire n. m. et f.
1. Concurrent, rival. *C'est un redoutable adversaire.* **ANT.** partenaire.
2. Personne hostile à (une idée, une doctrine, etc.). *Ce sont des adversaires du bilinguisme.* **ANT.** défenseur, partisan.

ADJECTIF

On distingue généralement deux grandes catégories d'adjectifs :

– les **adjectifs qualificatifs, adverbiaux** et **verbaux ;**

– les **déterminants :**
adjectifs démonstratifs
adjectifs possessifs
adjectifs numéraux
adjectifs relatifs
adjectifs interrogatifs et exclamatifs
adjectifs indéfinis.

Les articles sont aussi des déterminants.

VOIR TABLEAU – **DÉTERMINANT.**

ADJECTIFS QUALIFICATIFS, ADVERBIAUX ET VERBAUX

ADJECTIFS QUALIFICATIFS

Adjectifs qui expriment une qualité des êtres ou des objets désignés par le nom qu'ils accompagnent et avec lequel ils s'accordent.

*Un **beau** citron, une **grande** fille, un vélo **rouge**, des roses **odorantes**, de **jolis** dessins.*

Accord de l'adjectif qualificatif

De façon générale, l'adjectif s'accorde en genre et en nombre avec le nom qu'il accompagne.

Cas particuliers

- Avec plusieurs noms au singulier, l'adjectif se met au pluriel.
  *Un fruit et un légume **mûrs**. Une pomme et une orange **juteuses**.*

- Avec plusieurs noms de genre différent, l'adjectif se met au masculin pluriel.
  *Une mère et un fils **avisés**.*

- Avec des mots séparés par ***ou,*** l'adjectif s'accorde avec le dernier, si l'un des mots exclut l'autre.
  *Il est d'une générosité ou d'une bêtise **extraordinaire** : il donne sans compter.*

- Avec un nom complément d'un autre nom, l'adjectif s'accorde selon le sens.
  *Une coupe d'or **ciselée*** ou ***ciselé**.*

- Avec un nom collectif, l'adjectif s'accorde avec le collectif ou son complément, selon le sens.
  *La plupart des élèves sont **malades**. Ce groupe de touristes est **américain**.*

VOIR TABLEAU – **COLLECTIF.**

- Les adjectifs de couleur de forme simple s'accordent en genre et en nombre, alors que les adjectifs composés et les noms employés comme adjectifs de couleur restent invariables.
  *Des robes **bleues**, des costumes **noirs**. Une jupe **vert forêt**, des cheveux **poivre et sel**. Des écharpes **tangerine**, des foulards **turquoise** ou **kaki**.*

VOIR TABLEAU – **COULEUR (ADJECTIFS DE).**

suite ►

Degrés de signification

Les adjectifs qualificatifs peuvent s'employer :

• au **positif**	– qualité attribuée	*La rose est belle.*
• au **comparatif**	– supériorité – égalité – infériorité	*La rose est* ***plus*** *belle* ***que*** *l'iris.* *La rose est* ***aussi*** *belle* ***que*** *l'iris.* *La rose est* ***moins*** *belle* ***que*** *l'iris.*
• au **superlatif** relatif	– supériorité – infériorité	*La rose est* ***la plus*** *belle de toutes.* *La rose est* ***la moins*** *belle de toutes.*
• au **superlatif** absolu	– supériorité – infériorité	*La rose est* ***très*** *belle.* *La rose est* ***très peu*** *belle.*

Le langage de la publicité crée volontiers des superlatifs à l'aide des préfixes latins ***super, extra, ultra.*** *C'était une fête* ***super****.* Les adolescents font aussi largement usage de ces superlatifs. *Ma copine est* ***extra.*** Ces emplois doivent être réservés à la langue familière.

ADJECTIFS ADVERBIAUX

Adjectifs employés comme adverbes, ils sont invariables.

Haut *les mains ! Ces produits coûtent* ***cher.*** *Cela sonne* ***faux.*** *Ils vont* ***vite.***

ADJECTIFS VERBAUX

Adjectifs qui ont la valeur de simples qualificatifs, ils s'accordent en genre et en nombre avec le nom déterminé.

Des îles ***flottantes.*** *Une soirée* ***dansante*** *à la nuit* ***tombante.***

Il ne faut pas confondre l'adjectif verbal et le participe présent. Alors que le participe présent, toujours invariable, exprime une action qui a lieu en même temps que l'action du verbe qu'il accompagne, l'adjectif verbal traduit un état, une qualité et prend la marque du féminin et du pluriel.

Certains verbes ont un participe présent et un adjectif verbal dont l'orthographe est différente :

Participe présent	Adjectif verbal
convainquant	convaincant
différant	différent
équivalant	équivalent
excellant	excellent
fatiguant	fatigant
négligeant	négligent
précédant	précédent
provoquant	provocant
suffoquant	suffocant

Négligeant *leur rôle d'arbitres, ils ont pris parti pour nos adversaires. Ces arbitres* ***négligents*** *seront congédiés. Les articles vendus* ***équivalant*** *à plusieurs milliers, le chiffre d'affaires est excellent. Il faut acheter des quantités* ***équivalentes*** *à celles de l'an dernier.*

VOIR TABLEAU – **DÉMONSTRATIF (ADJECTIF).**
VOIR TABLEAU – **INDÉFINI (ADJECTIF).**
VOIR TABLEAU – **INTERROGATIF ET EXCLAMATIF (ADJECTIF).**
VOIR TABLEAU – **NUMÉRAL (ADJECTIF).**
VOIR TABLEAU – **PARTICIPE PRÉSENT.**
VOIR TABLEAU – **POSSESSIF (ADJECTIF).**
VOIR TABLEAU – **RELATIF (ADJECTIF).**

ADVERBE

L'adverbe est un mot invariable qui se joint à un autre mot pour en modifier ou en préciser le sens.

L'adverbe peut ainsi modifier ou préciser :

- un verbe — *Il dessine **bien.***
- un adjectif — *Une maison **trop** petite.*
- un autre adverbe — *Elle chante **tellement** mal.*
- un nom — *Un roi **vraiment** roi.*
- une phrase — ***Généralement**, tous les élèves sont présents.*

(note) L'adverbe peut parfois préciser le sens d'un pronom. *C'est **bien** lui, mon ami.*

Les adverbes peuvent exprimer :

- la manière — *tendrement*
- le lieu — *derrière*
- le temps — *demain*
- la quantité — *beaucoup*
- l'affirmation — *certainement*
- la négation — *nullement*
- le doute — *peut-être*
- l'interrogation — *où ? combien ?*

(note) La locution adverbiale est composée de plusieurs mots et joue le même rôle que l'adverbe.

LES ADVERBES ET LES LOCUTIONS ADVERBIALES DE **MANIÈRE**

COMMENT ?

ainsi
à loisir
à part
à tort
à volonté
bien
bon
beau
cher
comment
d'aplomb
exprès
faux
fort
gratis
juste
mal
pêle-mêle...
calmement
doucement
gentiment
gravement
méchamment
prudemment
sagement
la plupart des adverbes en -**ment**.

(note) Certains mots comme ***bien, bon, cher, faux, fort, juste***... ne sont des adverbes de manière que s'ils modifient le sens du mot auquel ils se rapportent. *Cela sent bon.* Sinon, ils sont adjectifs qualificatifs. *C'est un bon ami.*

DANS QUEL ORDRE ?

après
avant
auparavant
d'abord
dernièrement
de suite
ensuite
successivement...
premièrement
deuxièmement
troisièmement
quatrièmement
cinquièmement
sixièmement
septièmement
huitièmement...

LES ADVERBES ET LES LOCUTIONS ADVERBIALES DE **LIEU**

OÙ ?

à droite
à gauche
ailleurs
alentour
au-dedans
au-dehors
au-dessous
au-dessus
au-devant
autour
dedans
dehors
derrière
devant
dessous
dessus
en arrière
en avant
en bas
en dedans
en dehors
en dessous
en dessus
en haut
hors
ici
là
là-bas
loin
par-derrière
par-devant
partout
près
quelque part...

suite ►

- Certains mots comme ***autour, devant, derrière, dessous, dessus, hors, près, au-devant***... ne sont des ***adverbes*** ou des ***locutions adverbiales*** de lieu que s'ils modifient le sens du mot auquel ils se rapportent. *Elle joue derrière. Ils sont assis devant. Tourne à gauche.* S'ils sont suivis d'un complément, ils sont des ***prépositions*** ou des ***locutions prépositives.*** *Il y a un arbre derrière la maison. Ils jouent devant l'école. Prends le sentier à gauche de la maison.*

LES ADVERBES ET LOCUTIONS ADVERBIALES DE **TEMPS**

QUAND?

antérieurement, après, aujourd'hui, auparavant, autrefois, avant-hier, bientôt, demain, dernièrement, désormais, dorénavant, encore, ensuite, hier, jadis, naguère, parfois, postérieurement, puis, soudain, sous peu, souvent, tantôt, tard, tôt, toujours, tout à coup, tout à l'heure, tout de suite...

PENDANT COMBIEN DE TEMPS?

brièvement
longtemps...

DEPUIS COMBIEN DE TEMPS?

depuis longtemps
depuis peu...

LES ADVERBES ET LOCUTIONS ADVERBIALES DE **QUANTITÉ** ET **D'INTENSITÉ**

COMBIEN?

à demi, à moitié, à peine, à peu près, assez, aussi, aussi... que, autant, beaucoup, bien, comme, davantage, entièrement, le moins, le plus, moins, moins... que, pas du tout, peu, plus, plus ou moins, plus... que, presque, quasi, tant, tellement, tout, tout à fait, très, trop...

- 1° Certains mots comme ***aussi, comme...*** peuvent être également des conjonctions. *J'arrivais comme* (conjonction) *il partait. Comme* (adverbe) *il est grand! Ces produits ne sont pas biodégradables, aussi* (conjonction) *vaut-il mieux ne pas les utiliser. Il est aussi* (adverbe) *gentil qu'elle.*
  2° Les mots ***autant, bien, tant, tellement***... immédiatement suivis de la conjonction ***que*** forment des ***locutions conjonctives.*** *Je ne le changerai pas tant qu'il fonctionnera.*

LES ADVERBES ET LOCUTIONS ADVERBIALES D'**AFFIRMATION**

absolument, à la vérité, après tout, assurément, bien sûr, certainement, certes, d'accord, effectivement, en vérité, évidemment, exactement, justement, oui, parfaitement, pour, précisément, sans doute, si, sûr, volontiers, vraiment...

LES ADVERBES ET LOCUTIONS ADVERBIALES DE **NÉGATION**

aucunement, jamais, ne, ne... guère, ne... jamais, ne... pas, ne... plus, ne... point, ne... rien, non, nullement, pas du tout...

LES ADVERBES ET LOCUTIONS ADVERBIALES DE **DOUTE**

à peu près, apparemment, environ, éventuellement, par hasard, peut-être, probablement, sans doute...

LES ADVERBES ET LOCUTIONS ADVERBIALES D'**INTERROGATION**

combien ?, comment ?, est-ce que ?, et alors ?, n'est-ce pas ?, où ?, pourquoi ?, quand ?...

adverse adj.
Opposé, contraire. *L'équipe adverse.*

aération n. f.
Action d'aérer ; son résultat. *L'aération de ces locaux laisse à désirer. Des bouches d'aération.*

aéré, ée adj.
Où l'air circule facilement. *Une pièce bien aérée.*

aérer v. tr.
1. Donner de l'air frais, exposer à l'air. *Il faudrait aérer cette place qui sent le renfermé.*
2. (FIGURÉ) Rendre moins dense, moins lourd. *Aérer un texte.*
Conjugaison [VOIR MODÈLE – **POSSÉDER**]
Le **é** se change en **è** devant une syllabe muette, sauf à l'indicatif futur et au conditionnel présent. *J'aère,* mais *j'aérerai.*

aérien, ienne adj.
1. Qui se trouve dans l'air. *Remplacer des câbles électriques aériens par des câbles souterrains.*
2. Relatif à l'aviation. *Le transport aérien, des lignes aériennes.*
Locution
Espace aérien d'un pays. Espace au-dessus de son territoire.

aéro- préf.
Élément du grec signifiant « air ».
Les mots composés avec le préfixe ***aéro-*** s'écrivent sans trait d'union, à l'exception du nom ***aéro-club.*** *Aérogare. Aéroport.*

aérobique adj. et n. f.
(NÉOLOGISME) Se dit de la gymnastique qui modèle le corps et oxygène les tissus par des mouvements rapides exécutés en musique. *La danse aérobique. Pratiquer l'aérobique.*
Ce nouveau mot vient de l'anglais « aerobics ».

aérodrome n. m.
Terrain aménagé pour le décollage et l'atterrissage des avions.
Ne pas confondre avec le nom ***aérogare,*** ensemble des bâtiments d'un aéroport.

aérogare n. f.
Ensemble des bâtiments d'un aéroport.
Ne pas confondre avec le nom ***aérodrome,*** terrain aménagé pour le décollage et l'atterrissage des avions.

aéroglisseur n. m.
Véhicule de transport se déplaçant sans frottement grâce à un coussin d'air injecté sous lui (et non un *hovercraft).

aéronautique adj. et n. f.
Adjectif
Relatif à la navigation aérienne.
Nom féminin
Science et technique de la navigation aérienne. *Bombardier est un constructeur en aéronautique.*
Ne pas confondre avec l'***astronautique,*** science qui a pour objet la navigation spatiale.
aér**on**au**t**ique.

aéroport n. m.
Ensemble des installations (aérodrome, aérogare, etc.) nécessaires à la circulation aérienne d'une ville ou d'une région. *Rendez-vous à l'aéroport* (et non l'*aréoport).

aérosol adj. inv. et n. m.
Adjectif invariable
Qui pulvérise un produit en fines particules. *Des bombes aérosol.*
Nom masculin
1. Suspension de particules très fines, dans un gaz.
2. Appareil servant à pulvériser les particules d'un liquide dans l'air. *Produit insecticide vendu en aérosol.*

aérospatial, ale, aux adj.
Relatif aux domaines aéronautique et spatial. *Des engins aérospatiaux.*

affable adj.
Aimable et poli. *Une réponse affable. Être affable envers ses aînés, avec tout un chacun.* **SYN.** courtois.

affaiblir v. tr., pronom.
Verbe transitif
Rendre faible. *Il est affaibli par la maladie.* **SYN.** épuiser.
Verbe pronominal
Devenir faible. *Elles se sont affaiblies à force de jeûner.*
Conjugaison [VOIR MODÈLE – **FINIR**]

affaiblissement n. m.
Fait de s'affaiblir ; état qui en résulte.

affaire n. f.
1. Tout ce qui est à faire, occupation. *Mêlez-vous de vos affaires.*
2. Entreprise. *Gérer une affaire.*
3. (AU PLURIEL) Opérations financières, commerciales. *Un homme, une femme d'affaires.*
Locutions
Avoir affaire à quelqu'un. Avoir à discuter avec quelqu'un.
Chiffre d'affaires. Total des ventes d'un exercice financier.
Dans cette expression, le nom ***affaire*** est au pluriel.
En faire son affaire. S'en charger. *J'en fais mon affaire : vous l'aurez à temps.*
Être à son affaire. Être attentif.
Faire l'affaire. Convenir. *Ces articles feront l'affaire.*
Tirer d'affaire. Aider, secourir. *Nous l'avons tiré d'affaire.*
Dans cette expression, le nom ***affaire*** est au singulier.
Une affaire de. Une question de. *C'est une affaire de goût.*

affairer (s') v. pronom.
Être ou paraître occupé à plusieurs tâches. *Les vendeuses se sont affairées auprès des clients.* **SYN.** s'activer, travailler fort.
Le participe passé de ce verbe qui n'existe qu'à la forme pronominale s'accorde toujours en genre et en nombre avec le sujet du verbe.
Conjugaison [VOIR MODÈLE – **AIMER**]

affaissement n. m.
Écroulement. *Il y a eu un affaissement de terrain.* **SYN.** effondrement.
aff**ai**ssement.

affaisser (s') v. pronom.
S'effondrer. *Les parois se sont affaissées.*
Le participe passé de ce verbe qui n'existe qu'à la forme pronominale s'accorde toujours en genre et en nombre avec le sujet du verbe.
Conjugaison [VOIR MODÈLE – **AIMER**]
aff**ai**sser.

affaler (s') v. pronom.
Se laisser tomber lourdement. *Il s'est affalé sur le canapé.*
Le participe passé de ce verbe qui n'existe qu'à la forme pronominale s'accorde toujours en genre et en nombre avec le sujet du verbe.
Conjugaison [VOIR MODÈLE – **AIMER**]

affamé, ée adj. et n. m. et f.
Qui souffre de la faim. *Je suis affamée, mais j'attendrai l'heure du repas. Ces affamés n'ont rien à manger.* **ANT.** rassasié.
Locution
Ventre affamé n'a pas d'oreilles. Proverbe qui signifie que les personnes qui ont faim ne peuvent pas écouter attentivement.

affecter v. tr., pronom.
Verbe transitif
1. Nommer, destiner à un usage particulier. *Nous affecterons ces nouveaux employés à la plantation des arbres.*
2. Toucher de façon pénible. *Ce départ l'a beaucoup affecté.* **SYN.** chagriner, émouvoir, peiner.
Verbe pronominal
Souffrir de. *Il s'affectait de son indifférence.*
Le verbe s'emploie avec ***de*** ou ***de ce que.***
Conjugaison [VOIR MODÈLE – **AIMER**]

affection n. f.
Attachement, tendresse. **SYN.** amour.
Locution
Prendre quelqu'un en affection. S'attacher à quelqu'un.

affectionner v. tr.
Aimer avec affection quelqu'un, s'intéresser ardemment à quelque chose. *Elle affectionne ses parents. Il affectionne la musique.*
Conjugaison [VOIR MODÈLE – **AIMER**]

affectueusement adv.
De façon affectueuse, tendrement.

affectueux, euse adj.
Tendre, qui témoigne de l'affection.
affectu**eux**.

affermir v. tr.
Rendre plus ferme. *Ces exercices affermissent les bras.*
Conjugaison [VOIR MODÈLE – **FINIR**]

affichage n. m.
Action d'afficher ; son résultat. *L'affichage doit être en français. Un tableau d'affichage.*

affiche n. f.
Avis officiel, publicitaire, etc., placardé dans un lieu public. *Des affiches de cinéma.*
Ce nom remplace avantageusement le mot anglais « poster ».

afficher v. tr.
1. Annoncer au moyen d'affiches. *Les résultats des examens seront affichés demain.*
2. (FIGURÉ) Montrer avec excès. *Il affiche la plus grande surprise.*
Conjugaison [VOIR MODÈLE – **AIMER**]

affilée (d') loc. adv.
Sans interruption. *Elle a travaillé pendant trois heures d'affilée.*

affiler v. tr.
Aiguiser un instrument tranchant. *Une lame bien affilée.*
Conjugaison [VOIR MODÈLE – **AIMER**]

affirmatif, ive adj.
Qui exprime une affirmation, qui dit qu'une chose est vraie. *Une phrase affirmative.* **ANT.** négatif.

affirmation n. f.
Action de dire qu'une chose est réelle et positive. *L'affirmation d'un droit.* **ANT.** négation.

affirmativement adv.
De façon affirmative. *Répondre affirmativement.*

affirmer v. tr., pronom.
Verbe transitif
Déclarer, assurer qu'une chose est vraie. *Il affirme qu'il a vu l'assassin.* **ANT.** nier.
Verbe pronominal
Se définir. *Elle s'est affirmée comme une architecte remplie de talent.*
Conjugaison [VOIR MODÈLE – **AIMER**]

affligeant, ante adj.
Qui cause de la peine, pénible. *Une situation affligeante.* **SYN.** désolant, triste.
affli**g**eant.

affliger v. tr., pronom.
Verbe transitif
Attrister, désoler. *Sa disparition afflige tous ses proches.* **SYN.** chagriner, peiner.
Verbe pronominal
Éprouver une peine profonde. *Nous nous affligeons de le savoir blessé. Je m'afflige que vous soyez si souvent malade.*
1° Le verbe se construit avec ***de*** suivi de l'infinitif ou avec ***que*** suivi du subjonctif.
2° La construction avec ***de ce que*** est à éviter.
Conjugaison [VOIR MODÈLE – **CHANGER**]
Le ***g*** est suivi d'un **e** devant les lettres ***a*** et ***o.*** *Il affligea, nous affligeons.*

affluence n. f.
Foule. *Éviter les heures d'affluence pour prendre le métro.*
Locution
Heures d'affluence. Heures de pointe. *L'autobus passe aux sept minutes pendant les heures d'affluence.*
Ne pas confondre avec **influence**, action qu'une personne exerce sur quelqu'un.
afflu**ence**.

affluent n. m.
Cours d'eau qui se jette dans un autre. *Le Saguenay est un affluent du Saint-Laurent.*
afflu**ent**.

affluer v. intr.
Arriver en grand nombre en un lieu. *Les touristes affluent en été.*
Conjugaison [VOIR MODÈLE – **AIMER**]

affolant, ante adj.
Qui est de nature à faire perdre son sang-froid. *Ces masques sont affolants.*
affol**ant**.

affolement n. m.
Fait de s'affoler, de perdre son calme. *Dans son affolement, il a oublié de fermer la porte.* **SYN.** inquiétude.
affol**ement**.

affoler v. tr., pronom.
Verbe transitif
Bouleverser, inquiéter. *Ces cris les ont affolés.*

Verbe pronominal
Perdre son sang-froid. *Elle s'est affolée quand on lui a annoncé la nouvelle.*
Conjugaison [VOIR MODÈLE – **AIMER**]

affranchir v. tr., pronom.
Verbe transitif
1. Rendre libre. *Le gouvernement a affranchi tous les esclaves.*
2. Timbrer un envoi postal. *Affranchir une lettre.*
Verbe pronominal
Se libérer. *Elles se sont affranchies de son autorité.*
Conjugaison [VOIR MODÈLE – **FINIR**]

affranchissement n. m.
1. Émancipation. *L'affranchissement des esclaves.*
2. Paiement préalable du transport au moyen de timbres-poste. *L'affranchissement d'une lettre.*

affreusement adv.
1. D'une manière affreuse. *Ils ont souffert affreusement.* **SYN.** horriblement.
2. Extrêmement. *Des produits affreusement chers.*

affreux, euse adj.
1. Horrible. *Un crime affreux.* **SYN.** abominable, atroce, effrayant.
2. Détestable. *Un temps affreux.* **SYN.** désagréable.
3. Très laid. *Ces tatouages sont affreux.*
✎ affreu**x**.

affront n. m.
Injure, outrage. *Ce refus constitue un affront.* **SYN.** insulte, offense.

affrontement n. m.
Opposition violente de deux ou plusieurs adversaires. *Il y a eu des affrontements entre les policiers et les grévistes.*

affronter v. tr., pronom.
Verbe transitif
S'exposer résolument à. *Affronter le danger.*
Verbe pronominal
S'opposer, se combattre. *Les équipes se sont affrontées et les Canadiens ont gagné.*
Conjugaison [VOIR MODÈLE – **AIMER**]

affût n. m.
Endroit où l'on se cache pour guetter le gibier.
Locution
Être à l'affût. Être aux aguets, attendre le moment favorable.
✎ aff**û**t, accent circonflexe sur le ***u.***

afghan, ane adj. et n. m. et f.
De l'Afghanistan. *Une coutume afghane. Un Afghan, une Afghane.*
☞ L'adjectif s'écrit avec une minuscule ; le nom, avec une majuscule.
✎ afg**h**an.

afin de loc. prép.
En vue de. *Elle m'a appelé afin de m'informer de sa venue.* **SYN.** pour.
∽ Cette locution prépositive se construit avec l'infinitif.

afin que loc. conj.
Pour que. *Nous avons choisi ce quartier afin que les enfants puissent aller au collège à pied.*
∽ Cette locution conjonctive se construit avec le subjonctif.

africain, aine adj. et n. m. et f.
D'Afrique. *Une musique africaine. Un Africain, une Africaine.*
☞ L'adjectif s'écrit avec une minuscule ; le nom, avec une majuscule.

agaçant, ante adj.
Irritant. *Ces bruits sont agaçants.* **SYN.** embêtant, énervant, pénible.
✎ aga**ç**ant.

agacement n. m.
Irritation nerveuse désagréable. **SYN.** embêtement, énervement.
☞ Ne pas confondre avec ***agaceries,*** taquineries plutôt agréables.

agacer v. tr.
Énerver. *Elle m'agaçait avec ses remarques.* **SYN.** embêter.
Conjugaison [VOIR MODÈLE – **AVANCER**]
Le ***c*** prend une cédille devant les lettres ***a*** et ***o.*** *Il agaça, nous agaçons.*

agacerie n. f.
Taquinerie plutôt agréable.
☞ Ce mot s'utilise généralement au pluriel.
☞ Ne pas confondre avec ***agacement,*** irritation nerveuse désagréable.

agate n. f.
Roche aux teintes nuancées dont on fait des bijoux, des objets précieux. *En Gaspésie, on trouve des agates sur le rivage.*
☞ Ce mot ne comporte pas de ***h*** contrairement au prénom ***Agathe.***

âge n. m.
1. Temps écoulé depuis la naissance. *Quel âge avez-vous ? Nous avons le même âge.*
2. Période de l'histoire. *L'âge d'or.*

âgé, ée adj.
1. Qui a un âge déterminé. *Elle est âgée de 18 ans, elle est majeure.*
☞ Attention à l'emploi fautif de la préposition ***entre*** pour marquer un âge approximatif. *Il est âgé de 20 à 25 ans* (et non *entre 20 et 25 ans).
2. Vieux. *Il est très âgé.* **ANT.** jeune.

agence n. f.
Entreprise commerciale proposant des services d'intermédiaire. *Agence de voyages, agence de publicité.*
✎ ag**e**n**c**e.

agencer v. tr.
Disposer selon un ordre défini. *Les élèves agençaient les livres dans la bibliothèque.*
Conjugaison [VOIR MODÈLE – **AVANCER**]
Le ***c*** prend une cédille devant les lettres ***a*** et ***o.*** *Il agença, nous agençons.*

agenda n. m. (pl. *agendas*)
◉ Les lettres ***en*** se prononcent ***in*** [aʒɛ̃da].
Mot latin signifiant « ce que l'on doit faire » utilisé au sens de « carnet destiné à noter jour par jour ce que l'on doit faire ». *Note tes devoirs et tes leçons dans ton agenda.*
☞ Ce mot a été emprunté au XVIe siècle.
Forme fautive
*agenda. Anglicisme au sens de ***ordre du jour.***

agenouiller (s') v. pronom.
Se mettre à genoux. *Elle s'est agenouillée longuement pour prier.*
☞ Le participe passé de ce verbe qui n'existe qu'à la forme pronominale s'accorde toujours en genre et en nombre avec le sujet du verbe.

Conjugaison [VOIR MODÈLE – **AIMER**]
Les lettres ***ill*** sont suivies d'un ***i*** à la première et à la deuxième personne du pluriel de l'indicatif imparfait et du subjonctif présent. *(Que) nous nous agenouillions, (que) vous vous agenouilliez.*

agent n. m.
agente n. f.
Personne chargée d'administrer pour quelqu'un d'autre. *Une agente immobilière. Un agent d'affaires.*
Employé absolument, le nom désigne un ***agent de police.*** *Monsieur l'agent, où se trouve la rue Lajoie ?*

agent de bord n. m.
agente de bord n. f.
Personne qui, dans un avion, veille au confort des passagers.

agent de voyages n. m.
agente de voyages n. f.
Personne qui exploite une agence de voyages.

agglomération n. f.
Le ***o*** est ouvert [aglɔmerasjɔ̃].
Concentration d'habitations, ville entourée de ses banlieues. *L'agglomération de Montréal* (et non le *grand Montréal, le *Montréal métropolitain) *compte plus de trois millions d'habitants.*

aggloméré n. m.
Le ***o*** est ouvert [aglɔmere].
Matériau de construction composé de particules liées. *Des panneaux d'aggloméré.*

aggravant, ante adj.
Qui aggrave. *Des circonstances aggravantes.* **ANT.** atténuant.

aggravation n. f.
Action d'aggraver ; fait de s'aggraver. *L'aggravation de l'inondation menace le petit village.*

aggraver v. tr., pronom.
Verbe transitif
Rendre plus grave. *Aggraver une querelle.*
Verbe pronominal
Empirer. *Son état s'est aggravé.* **SYN.** se détériorer. **ANT.** s'améliorer.
Conjugaison [VOIR MODÈLE – **AIMER**]

agile adj.
Souple, alerte. *Cet alpiniste est très agile.*
agil**e**.

agilité n. f.
Souplesse, vivacité. *Il a grimpé sur la falaise avec agilité.*

agir v. intr., pronom. impers.
Verbe intransitif
Exercer une action. *Agissez pendant qu'il en est encore temps. Elle agit bien envers les défavorisés. Ce médicament agit contre les maux de tête.*
Verbe pronominal impersonnel
Être question de. *De quoi s'agit-il ? Il s'agit de partir à temps.*
À la forme impersonnelle, le verbe se construit avec la préposition ***de.***
Le participe passé de ce verbe est invariable.
Conjugaison [VOIR MODÈLE – **FINIR**]

agissements n. m. pl.
Procédés condamnables.

agitation n. f.
Excitation, nervosité. *La plus grande agitation règne : le spectacle va commencer.*

agité, ée adj.
Qui manifeste de l'agitation. *Un patient agité.*

agiter v. tr., pronom.
Verbe transitif
Remuer vivement en tous sens. *Agitez avant de servir. Le vent agite les drapeaux.*
Verbe pronominal
Être en mouvement, s'exciter. *Ne vous agitez pas trop les enfants, vous allez réveiller le bébé.*
Conjugaison [VOIR MODÈLE – **AIMER**]

agneau n. m. (pl. *agneaux*)
Petit de la brebis. *Un agneau et une agnelle.*
VOIR TABLEAU – **ANIMAUX.**

agonie n. f.
Moment précédant immédiatement la mort.

agonisant, ante adj. et n. m. et f.
Qui est à l'agonie. *Des personnes agonisantes.*

agoniser v. intr.
Être sur le point de mourir.
Conjugaison [VOIR MODÈLE – **AIMER**]

agrafe n. f.
1. Attache formée d'un crochet qu'on passe dans un anneau, une bride. *Les agrafes d'une jupe.*
2. Pièce métallique recourbée servant à attacher ensemble des papiers, des objets. *Des agrafes* (et non des *broches) *de bureau.*
agra**f**e.

agrafer v. tr.
1. Fixer avec des agrafes. *Elle n'arrive pas à agrafer son corsage.*
2. Assembler à l'aide d'agrafes. *Agrafer* (et non *brocher) *deux feuilles ensemble.*
Conjugaison [VOIR MODÈLE – **AIMER**]

agrafeuse n. f.
Petit appareil servant à agrafer, entre autres, des feuilles de papier. *Veuillez rassembler ces feuilles avec une agrafeuse* (et non avec une *brocheuse).
agra**f**euse.

agrandir v. tr., pronom.
Verbe transitif
Rendre plus grand, accroître. *On a agrandi l'école.*
Verbe pronominal
Devenir plus grand, s'étendre. *La ville s'est agrandie.*
Conjugaison [VOIR MODÈLE – **FINIR**]

agrandissement n. m.
1. Action d'agrandir. *L'agrandissement du jardin se fera au cours de l'été. Faites-moi un agrandissement de cette photo.*
2. Résultat de cette action. *Grâce à cet agrandissement, nous aurons un potager.*

agréable adj.
Qui fait plaisir, attrayant. *La promenade a été très agréable.*
SYN. plaisant.

agréablement adv.
De façon agréable.

agrément n. m.
Attrait. *Les agréments des vacances.*

Locution
D'agrément. Destiné au seul plaisir. *Un voyage d'agrément.*

agrémenter v. tr.
Rendre plus agréable. *Pour agrémenter ce repas, voici un beau gâteau au chocolat.*
Conjugaison [VOIR MODÈLE – **AIMER**]

agresser v. tr.
Assaillir, attaquer. *Ils ont agressé le commis.*
Locution
Être, se sentir agressé. Être l'objet d'une menace, d'une attaque.
Conjugaison [VOIR MODÈLE – **AIMER**]

agresseur n. m.
Qui commet une agression. *Il a été victime d'un agresseur qui s'est enfui.*

agressif adj.
Violent. *Ces garçons sont trop agressifs : ils se querellent constamment. Soyez polis et n'employez pas ce ton agressif.* **SYN.** batailleur, combatif.
Forme fautive
*agressif. Anglicisme au sens de ***dynamique, énergique, combatif.***

agression n. f.
Attaque brutale. *Ces malfaiteurs ont commis des vols et des agressions.*

agressivement adv.
De façon agressive. **SYN.** violemment.

agressivité n. f.
Violence.

agricole adj.
Qui est relatif à l'agriculture. *Les travaux agricoles.*

agriculteur n. m.
agricultrice n. f.
Personne qui dirige des travaux agricoles sur une grande échelle. *Les nouveaux agriculteurs sont des chefs d'entreprise.*
(note) En raison des nouvelles techniques agricoles, le nom ***agriculteur*** tend à remplacer celui de ***cultivateur***, qui désigne la personne qui cultive elle-même une terre. Ne pas confondre avec le nom ***agronome,*** celui qui enseigne l'art de l'agriculture.

agriculture n. f.
Art de cultiver la terre.
(note) L'agriculture comporte aujourd'hui de nombreuses spécialités dont :
l'***acériculture,*** exploitation d'une érablière ;
l'***apiculture,*** élevage des abeilles ;
l'***arboriculture,*** culture des arbres fruitiers ;
l'***aviculture,*** élevage des oiseaux, des volailles ;
l'***horticulture,*** culture des jardins, des fleurs ;
le ***maraîchage,*** culture des légumes ;
la ***pomiculture*** (ou ***pomoculture***), culture des arbres donnant des fruits à pépins, surtout des pommiers ;
la ***sériciculture,*** élevage des vers à soie ;
la ***sylviculture,*** exploitation des forêts ;
la ***viticulture,*** culture de la vigne et de la production du vin.

agripper v. tr., pronom.
Verbe transitif
Saisir violemment avec les doigts. *Il agrippa son manteau et partit en courant.*
Verbe pronominal
S'accrocher à. *Ils se sont agrippés au câble de secours.*
(note) Ne pas confondre avec les verbes suivants :
– ***attraper,*** prendre comme dans un piège, au passage ;
– ***happer,*** saisir brusquement.
Conjugaison [VOIR MODÈLE – **AIMER**]

agro- préf.
Élément d'origine grecque signifiant « champ ».
(note) Les noms composés avec le préfixe ***agro-*** s'écrivent sans trait d'union. *Agrochimie. Agroalimentaire.*

agronome n. m. et f.
(prononciation) Les ***o*** sont ouverts [agrɔnɔm].
Spécialiste de l'agronomie.
VOIR **AGRICULTEUR.**

agronomie n. f.
(prononciation) Les ***o*** sont ouverts [agrɔnɔmi].
Science de l'agriculture.

aguets (aux) loc. adv.
Sur ses gardes. *Soyez vigilants et tenez-vous aux aguets.*
(note) Ce mot s'emploie surtout dans les locutions ***être, se tenir, se mettre aux aguets.***

ah ! interj. et n. m. inv.
Interjection
Exclamation servant à marquer la joie, la douleur, l'admiration, le rire, etc. *Ah ! que c'est gentil d'être venu ! Ah ! vous me faites mal ! Ah ! que c'est bon !*
(note) L'interjection ***ha !*** dans sa forme redoublée ne marque plus que le rire.
Nom masculin invariable
Ils poussaient des ah ! et des oh ! émerveillés.
(note) L'interjection et le nom sont toujours suivis d'un point d'exclamation.

ahuri, ie adj.
Étonné, surpris.

ahurissant, ante adj.
Incroyable, stupéfiant. *Des résultats ahurissants.* **SYN.** étonnant.

aide n. m. et f.
Personne qui seconde quelqu'un dans une fonction. *Des aides-maçons.*

aide n. f.
Appui, assistance. *Nous avons besoin de votre aide.* **SYN.** soutien.
Locution
À l'aide de, locution prépositive. Grâce à.

aide-mémoire n. m. inv. (pl. *aide-mémoire*)
Résumé. *Des aide-mémoire utiles.*
(note) Dans ce nom composé, ***aide*** est invariable parce qu'il s'agit du verbe.

aider v. tr., pronom.
Verbe transitif direct
Assister, seconder. *Elle l'a beaucoup aidé par ses conseils.*
Verbe transitif indirect
Faciliter. *Ces fonds aideront à la recherche scientifique.*
(syntaxe) Le verbe se construit avec la préposition ***à.***
Verbe pronominal
1. S'entraider. *Ils se sont aidés les uns les autres.*
2. Se servir de. *Les élèves se sont aidés d'un dictionnaire pour corriger les textes.*
(syntaxe) En ce sens, le verbe se construit avec la préposition ***de.***
Conjugaison [VOIR MODÈLE – **AIMER**]

aide sociale n. f.
⚜ Ensemble des allocations ou aides en nature ou en espèces accordées à titre gratuit aux personnes dont les ressources sont insuffisantes. (Recomm. off. OLF) *Recevoir de l'aide sociale* (et non le *bien-être social).

aïe ! interj.
Se prononce comme ***ail*** [aj].
Interjection qui exprime la douleur, un souci, etc. *Aïe ! Je me suis blessée.*
HOM. **ail**, plante potagère.

aïeul, eule n. m. et f. pl. (pl. *aïeuls* ou *aïeux*)
Nom masculin et féminin pluriel
Grand-père, grand-mère. *«Ô Canada, terre de nos aïeux... »*
Nom masculin pluriel
Au pluriel, deux formes différentes : des ***aïeuls*** pour désigner des ***grands-pères,*** des ***aïeux*** pour désigner des ***ancêtres masculins.***
Nom féminin pluriel
Au pluriel, une seule forme : des ***aïeules*** pour désigner des ***grand-mères*** ou des ***ancêtres féminines.***

aigle n. m. et f.
Nom masculin
Oiseau de proie mâle. *L'aigle à tête chauve.*
Nom féminin
Oiseau de proie femelle. *Une aigle immense et ses petits.*
VOIR TABLEAU – **ANIMAUX.**

aiglon, onne n. m. et f.
Petit de l'aigle.
VOIR TABLEAU – **ANIMAUX.**

aigre adj.
Acide. *Ce vin est aigre.*
Ne pas confondre avec le mot ***âcre,*** irritant.

aigre-doux, -douce adj.
Dont la saveur est à la fois acide et sucrée. *Une soupe aigre-douce.*

aigu, uë adj.
Les lettres ***ai*** se prononcent ***é*** [egy].
1. Effilé. *Une lame aiguë.*
2. Haut. *Un son aigu, des cris aigus.*
3. Violent. *Des crises aiguës.*
aiguë, au féminin.

aigu n. m.
Les lettres ***ai*** se prononcent ***é*** [egy].
Son aigu. *Des aigus désagréables.*

aiguillage n. m.
Les lettres ***ai*** se prononcent ***é*** [egɥijaʒ].
Déplacement des aiguilles de chemin de fer. *Une erreur d'aiguillage.*

aiguille n. f.
Les lettres ***ai*** se prononcent ***é*** [egɥij].
1. Petite tige d'acier dont une extrémité est pointue. *Le chas d'une aiguille. Des aiguilles à tricoter. Les aiguilles de l'horloge indiquent minuit.*
2. Feuille pointue de certains conifères. *Des aiguilles de pin.*

aiguillon n. m.
Dard de certains insectes. *L'aiguillon de l'abeille.*

aiguisage n. m.
Action d'aiguiser; son résultat. *Ici, on fait l'aiguisage des patins.*

aiguiser v. tr.
Rendre tranchant ou pointu (le métal). *Elle a aiguisé ses ciseaux.*
On ***aiguise*** le métal, mais on ***taille*** le bois.
Conjugaison [VOIR MODÈLE – **AIMER**]

aiguisoir n. m.
Outil qui sert à aiguiser (le métal).
Forme fautive
*aiguisoir. Au sens de ***taille-crayon,*** ce nom est ancien.

ail n. m.
Plante potagère. *Des gousses d'ail. Des escargots à l'ail.*
HOM. **aïe !**, interjection qui exprime la douleur.

aile n. f.
1. Partie du corps de certains animaux qui sert à voler. *Les ailes de l'hirondelle.*
2. Partie latérale. *L'aile droite de cet hôpital a été rénovée.*
Locutions
Battement d'aile. Dans cette expression, les auteurs écrivent généralement le mot ***aile*** au singulier. *Un battement d'aile,* mais *des battements d'ailes.*
Battre de l'aile, tirer de l'aile. Être mal en point.
Voler à tire-d'aile, locution adverbiale. Voler aussi rapidement qu'il est possible.
La locution s'écrit avec un trait d'union et le mot ***aile*** reste au singulier.
HOM. **elle**, pronom personnel de la troisième personne.

ailé, ée adj.
Pourvu d'ailes. *La chauve-souris est ailée.*

aileron n. m.
1. Extrémité de l'aile. *L'aileron droit de l'avion est défectueux.*
2. Nageoire. *Des ailerons de requin.*

ailleurs adv.
En un autre lieu. *Allez faire du bruit ailleurs !*
Locutions
D'ailleurs, locution adverbiale. D'un autre lieu. *Ils sont venus d'ailleurs.*
D'ailleurs, locution adverbiale. Du reste, de plus. *Je ne vous ai pas entendus. D'ailleurs, êtes-vous venus ?*
Par ailleurs, locution adverbiale. D'un autre côté, d'un autre point de vue. *Ces élèves sont sympathiques; par ailleurs, ils sont très motivés.* ANT. ici.
ailleur**s**.

aimable adj.
Qui est de nature à plaire, affable. *Vous êtes très aimable de nous inviter.*

aimablement adv.
Avec amabilité.

aimant, ante adj.
Qui aime et témoigne son affection. *Des enfants aimants.*
Ne pas confondre avec le participe présent invariable ***aimant.*** *Les enfants aimant les sucreries sont nombreux.*

aimant n. m.
Corps qui attire naturellement le fer et certains autres métaux. *Le champ magnétique d'un aimant.*

aimer v. tr., pronom.
Verbe transitif
1. Éprouver de l'affection, de la tendresse, de la sympathie pour quelqu'un. *Laurence aime son frère.*
2. Être amoureux de quelqu'un. *Il l'aime à la folie.*

3. Avoir du goût pour quelque chose. *Aimer la lecture.*
4. ***Aimer (à)*** + infinitif. *Il aime dessiner. Il aime à se raconter.*
Suivi d'un infinitif, le verbe se construit sans préposition ou avec la préposition **à.**
5. ***Aimer*** + ***que***. *Elle aimerait qu'on la prévienne à temps.*
Après ***aimer que,*** le verbe se met au subjonctif. La construction ***aimer + à ce que*** est à éviter.
Verbe pronominal
Éprouver une affection, un amour mutuels. *Ils se sont beaucoup aimés. Aimez-vous les uns les autres.*
Conjugaison [VOIR MODÈLE – **AIMER**]

aine n. f.
Partie du corps entre le haut de la cuisse et le bas-ventre. *Il a une blessure à l'aine.*
HOM. **haine**, aversion, hostilité.

aîné, ée adj. et n. m. et f.
1. Premier-né. *Elle est l'aînée des trois enfants. Son frère aîné.* **ANT.** benjamin.
2. Personne plus âgée qu'une autre. *Je suis son aînée de cinq ans.*
aîné.

ainsi adv.
De cette façon. *À s'amuser ainsi, ils ont oublié l'heure.*
Locutions
Ainsi soit-il. Que cela se réalise.
Et ainsi de suite. De la même façon (jusqu'à la fin de l'énumération).
Éviter les pléonasmes *ainsi par exemple, *ainsi par conséquent.

ainsi que loc. conj.
1. De même que, comme. *Paul, ainsi que Pierre, est gentil.*
Lorsque la locution marque ***un rapport de comparaison,*** le verbe et l'attribut sont au singulier. La comparaison est généralement placée entre virgules.
2. Et. *Paul ainsi que Pierre viendront demain.*
Lorsque la locution marque ***un rapport de coordination,*** le verbe et l'attribut sont au pluriel. En ce sens, on ne met pas de virgules.

air n. m.
1. Mélange gazeux que nous respirons. *Elle manque d'air.*
2. Expression d'une personne, allure, aspect. *Un air de famille.*
3. Mélodie. *Elle fredonnait un air à la mode.*
Locutions
Avoir l'air, locution verbale. Dont le visage a l'apparence de (en parlant d'une personne). *Ces fillettes ont l'air joyeux* (ont un visage joyeux).
L'adjectif qui suit s'accorde avec le nom masculin ***air*** si le sujet désigne une personne.
Avoir l'air, locution verbale. Avoir l'allure, l'apparence de (en parlant d'une chose). *Ces pommes ont l'air mûres.*
Si le sujet du verbe est un nom de choses, l'accord se fait avec le sujet parce que les choses n'ont pas de visage.
Avoir l'air, locution verbale. *Cette voiture a l'air neuve* (elle paraît neuve).
En ce sens, l'adjectif s'accorde avec le sujet.
Prendre l'air, locution verbale. Se promener dehors.
Attention au genre masculin de ce nom : ***un*** air.
HOM.
– **aire**, surface ;
– **ère**, époque ;
– **erre**, vitesse acquise d'un navire.

air conditionné loc.
Air d'un lieu auquel on a donné une certaine température et un certain degré d'humidité, à l'aide d'un climatiseur ou d'un conditionneur d'air. *Un cinéma à air conditionné.*
Une pièce dont l'air est conditionné est dite ***climatisée.***
Forme fautive
*acheter, installer un air conditionné. Impropriété au sens de ***climatiseur, conditionneur d'air.***
VOIR **CLIMATISER.**

aire n. f.
Surface, territoire. *Aire d'atterrissage, aire de pique-nique.*
Locution
Aire de repos. **SYN.** halte routière.
HOM.
– **air**, mélange gazeux, expression, mélodie ;
– **ère**, époque ;
– **erre**, vitesse acquise d'un navire.

aisance n. f.
1. Naturel, facilité. *Converser avec aisance.* **ANT.** gaucherie.
2. Abondance. *Ils vivent dans une certaine aisance.* **SYN.** richesse. **ANT.** pauvreté.
ais**a**n**c**e.

aise n. f.
Absence de gêne. *Mettez-vous à l'aise.*
Locution
Être à l'aise, locution verbale. Se sentir bien, en confiance. **ANT.** mal à l'aise.

aisé, ée adj.
1. Facile, naturel. *Un calcul aisé à faire.* **ANT.** difficile.
2. Qui vit dans l'aisance. *Une famille aisée.* **SYN.** riche. **ANT.** pauvre.

aisément adv.
Facilement.

aisselle n. f.
Cavité située sous l'épaule, à l'endroit où le bras se joint au thorax.

ajournement n. m.
Renvoi à une date ultérieure.

ajouter v. tr., pronom.
Verbe transitif direct
1. Mettre en plus, additionner. *Ajouter du sucre.* **ANT.** enlever.
2. Dire en plus. *N'ajoutez plus rien ; j'ai compris.*
Verbe transitif indirect
Augmenter. *Ses soucis financiers ajoutent à sa tristesse.*
Le verbe se construit avec la préposition **à.**
Verbe pronominal
Se joindre à. *À ces frais, s'ajoute le coût des produits.*
Le verbe se construit avec la préposition **à.**
Locution
Ajouter foi, locution verbale. Croire. *Il ne faut pas ajouter foi à ces racontars.*
L'expression *« ajouter en plus » est un pléonasme. On ***ajoute*** une phrase au début ou à la fin d'un texte, mais on ***insère*** une phrase dans un texte.
Conjugaison [VOIR MODÈLE – **AIMER**]

ajustement n. m.
1. Action d'ajuster. *L'ajustement d'une draperie, d'un vêtement.*
2. Le fait d'être ajusté. *L'ajustement de cette jupe est impeccable.*

CONJUGAISON DU VERBE **AIMER**

Indicatif

Présent

j' aime
tu aimes
elle aime
il aime

nous aimons
vous aimez
elles aiment
ils aiment

Passé composé

j' ai aimé
tu as aimé
elle a aimé
il a aimé

nous avons aimé
vous avez aimé
elles ont aimé
ils ont aimé

Imparfait

j' aimais
tu aimais
elle aimait
il aimait

nous aimions
vous aimiez
elles aimaient
ils aimaient

Plus-que-parfait

j' avais aimé
tu avais aimé
elle avait aimé
il avait aimé

nous avions aimé
vous aviez aimé
elles avaient aimé
ils avaient aimé

Passé simple

j' aimai
tu aimas
elle aima
il aima

nous aimâmes
vous aimâtes
elles aimèrent
ils aimèrent

Passé antérieur

j' eus aimé
tu eus aimé
elle eut aimé
il eut aimé

nous eûmes aimé
vous eûtes aimé
elles eurent aimé
ils eurent aimé

Futur simple

j' aimerai
tu aimeras
elle aimera
il aimera

nous aimerons
vous aimerez
elles aimeront
ils aimeront

Futur antérieur

j' aurai aimé
tu auras aimé
elle aura aimé
il aura aimé

nous aurons aimé
vous aurez aimé
elles auront aimé
ils auront aimé

Infinitif

Présent

aimer

Passé

avoir aimé

Subjonctif

Présent

que j' aime
que tu aimes
qu' elle aime
qu' il aime

que nous aimions
que vous aimiez
qu' elles aiment
qu' ils aiment

Passé

que j' aie aimé
que tu aies aimé
qu' elle ait aimé
qu' il ait aimé

que nous ayons aimé
que vous ayez aimé
qu' elles aient aimé
qu' ils aient aimé

Imparfait

que j' aimasse
que tu aimasses
qu' elle aimât
qu' il aimât

que nous aimassions
que vous aimassiez
qu' elles aimassent
qu' ils aimassent

Plus-que-parfait

que j' eusse aimé
que tu eusses aimé
qu' elle eût aimé
qu' il eût aimé

que nous eussions aimé
que vous eussiez aimé
qu' elles eussent aimé
qu' ils eussent aimé

Conditionnel

Présent

j' aimerais
tu aimerais
elle aimerait
il aimerait

nous aimerions
vous aimeriez
elles aimeraient
ils aimeraient

Passé

j' aurais aimé
tu aurais aimé
elle aurait aimé
il aurait aimé

nous aurions aimé
vous auriez aimé
elles auraient aimé
ils auraient aimé

Impératif

Présent

aime
aimons
aimez

Passé

aie aimé
ayons aimé
ayez aimé

Participe

Présent

aimant

Passé

aimé, ée
ayant aimé

ajuster v. tr.
1. Adapter avec exactitude une chose à une autre. *Un pantalon bien ajusté, très moulant.*
2. Rendre précis. *Ajuster un mécanisme.*
3. Arranger avec soin. *Ajuster sa coiffure.*
Conjugaison [VOIR MODÈLE – **AIMER**]

ajusteur n. m.
ajusteuse n. f.
Personne qui procède à l'ajustement de pièces mécaniques.

à laquelle adj. rel. et pron. rel. et interr.
VOIR **LEQUEL.**

alarmant, ante adj.
Qui alarme, inquiète. *Des résultats alarmants.* **ANT.** rassurant.

alarme n. f.
Alerte. *Donner l'alarme.*
Locution
Sonnette d'alarme. Signal destiné à prévenir d'un danger.

alarmer v. tr., pronom.
Verbe transitif
Donner l'alarme, inquiéter.
Verbe pronominal
S'inquiéter vivement. *Ils se sont alarmés vainement.*
Conjugaison [VOIR MODÈLE – **AIMER**]

Alb.
Abréviation de ***Alberta.***

albanais, aise adj. et n. m. et f.
Adjectif et nom masculin et féminin
D'Albanie. *Des traditions albanaises. Un Albanais, une Albanaise.*
L'adjectif s'écrit avec une minuscule ; le nom, avec une majuscule.
Nom masculin
Langue parlée en Albanie. *Ismaïl parle l'albanais.*
Le nom de la langue s'écrit avec une minuscule.

albâtre n. m.
1. Matière minérale blanche. *Un chandelier en albâtre.*
2. (LITTÉRAIRE) Blancheur éclatante. *Un teint d'albâtre.*
3. Objet en albâtre. *Un albâtre joliment sculpté.*
Attention au genre masculin de ce nom : ***un*** albâtre.

albatros n. m.
Le ***o*** est fermé et le ***s*** se prononce [albatros].
Grand oiseau de mer palmipède. *« Ses ailes de géant l'empêchent de marcher ».* Baudelaire, *Les Fleurs du mal, « L'Albatros ».*

Alberta n. f.
Abréviation ***Alb.*** (s'écrit avec un point).

album n. m.
La lettre ***u*** se prononce ***o*** [albɔm].
1. Cahier destiné à recevoir des dessins, des photos, des timbres, etc. *Un vieil album de photos. Des albums à colorier* (et non à *colorer). *Un album* (et non un *scrapbook) *de collants.*
2. Recueil d'illustrations.

alchimie n. f.
Science secrète du Moyen Âge fondée sur la chimie et la magie.

alcool n. m.
On ne prononce plus qu'un seul ***o*** [alkɔl], comme dans ***col.***
1. Liquide obtenu par distillation.
2. Toute boisson comportant de l'alcool. *Un alcool de poire.*

alcoolique adj. et n. m. et f.
On prononce un seul ***o*** [alkɔlik].
Adjectif
1. Qui contient naturellement de l'alcool. *Le vin, la bière, l'eau-de-vie sont des boissons alcooliques.*
Ne pas confondre avec l'adjectif ***alcoolisé*** qui qualifie une boisson additionnée d'alcool.
2. Qui boit trop d'alcool.
Nom masculin et féminin
Personne atteinte d'alcoolisme.

alcoolisé, ée adj.
On prononce un seul ***o*** [alkɔlize].
Additionné d'alcool. *Le punch est une boisson alcoolisée à base de rhum.*
Ne pas confondre avec l'adjectif ***alcoolique*** qui qualifie une boisson qui contient naturellement de l'alcool.

alcoolisme n. m.
On prononce un seul ***o*** [alkɔlism].
Abus de boissons alcooliques ; dépendance qui en résulte.

alcootest n. m.
On prononce un seul ***o*** [alkɔtɛst].
1. Appareil qui sert à déterminer le taux d'alcool dans le sang. *Des alcootests* (et non des *ivressomètres) *précis.*
2. Détermination du taux d'alcool à l'aide d'un alcootest. *Cet automobiliste a refusé de se soumettre à l'alcootest.*

alcôve n. f.
Enfoncement dans le mur d'une chambre, destiné à recevoir un lit.
alc**ô**ve.

alentour adv.
Aux environs. *Sur la photo aérienne, on voit la ville et la campagne alentour.* **SYN.** autour.
alentour, sans **s**.

alentours n. m. pl.
Lieux qui entourent un espace. *Les alentours du château.*
Locution
Aux alentours de, locution prépositive. Locution qui indique une approximation de lieu, de temps, de quantité. *Le commerce reprend aux alentours de Pâques.* **SYN.** vers.

alerte adj., interj. et n. f.
Adjectif
Vif et agile (malgré l'âge). *Il est encore très alerte.*
Interjection
Cri d'appel pour signaler un danger. *Alerte ! Au voleur !*
Nom féminin
Signal prévenant d'un danger. *Une fausse alerte. Une alerte à la bombe.*
Locution
Être en alerte, en état d'alerte. Être sur ses gardes, sur le qui-vive.

alerter v. tr.
Donner l'alerte, avertir d'un danger. *Marc et Julien ont alerté le gardien : quelqu'un est blessé.*
Conjugaison [VOIR MODÈLE – **AIMER**]

alexandrin n. m.
Vers de douze syllabes. *Ce poème est en alexandrins.*

algèbre n. f.
Partie des mathématiques qui étudie les structures abstraites. *Une algèbre nouvelle.*
alg**è**bre.

algébrique adj.
Qui appartient à l'algèbre. *Un nombre algébrique.*
algébrique.

algérien, ienne adj. et n. m. et f.
D'Algérie. *Des villes algériennes. Un Algérien, une Algérienne.*
L'adjectif s'écrit avec une minuscule ; le nom, avec une majuscule.

algonquin, ine adj. et n. m. et f.
Relatif aux Amérindiens algonquins. *La culture algonquine, des projets algonquins. Un Algonquin, une Algonquine.*
L'adjectif s'écrit avec une minuscule ; le nom, avec une majuscule.

algue n. f.
Végétal généralement aquatique. *Catherine n'aime pas se baigner où il y a des algues.*

alias adv.
Le **s** se prononce [aljɑs].
Autrement dit. *James Bond, alias 007.*

alibi n. m.
1. Mot latin signifiant « ailleurs ».
2. (DROIT) Preuve que l'on était absent d'un lieu où a été commis un crime ou un délit. *Ils ont tous d'excellents alibis.*
3. (FIGURÉ) Prétexte, activité permettant de faire diversion. *Une maladie qui sert d'alibi à sa nonchalance.*

aliéné, ée n. m. et f.
Personne atteinte de troubles mentaux. *Nelligan a été enfermé dans un asile d'aliénés.*

alignement n. m.
1. Fait d'aligner. *L'alignement des soldats.*
2. Suite de choses alignées. *Un alignement de colonnes.*

aligner v. tr., pronom.
Verbe transitif
Ranger sur une ligne droite. *Les élèves ont aligné les pupitres.*
Verbe pronominal
Se ranger. *Les élèves se sont alignés dans la cour.*
On entend souvent à tort *enligner, qui n'existe pas.
Conjugaison [VOIR MODÈLE – **AIMER**]

aliment n. m.
Nourriture. *Ces aliments sont frais.*

alimentaire adj.
Qui se rapporte à l'alimentation. *Des produits alimentaires.*
alimen**taire**.

alimentation n. f.
1. Action d'alimenter. *Pour avoir une bonne alimentation, tu dois manger tous les jours des produits laitiers, des fruits et légumes, des viandes et substituts, du pain et des produits céréaliers qui composent les quatre groupes alimentaires.*
2. Produits servant à alimenter. *Un magasin d'alimentation.*
3. Action de fournir. *L'alimentation en électricité d'une région.*

alimenter v. tr.
1. Nourrir. *Cette cuisinière alimente bien les enfants.*
2. Fournir. *Alimenter le village en eau potable.*
Conjugaison [VOIR MODÈLE – **AIMER**]

allaitement n. m.
Action d'allaiter.

allaiter v. tr.
Nourrir de son lait un nouveau-né.
Conjugaison [VOIR MODÈLE – **AIMER**]

alléchant, ante adj.
Attrayant. *Cette invitation est bien alléchante.* **SYN.** tentant.

allécher v. tr.
Attirer par les sens, tenter. « *Maître Renard, par l'odeur alléché...* » La Fontaine, *Fables*.
Conjugaison [VOIR MODÈLE – **POSSÉDER**]
Le **é** se change en **è** devant une syllabe muette, sauf à l'indicatif futur et au conditionnel présent. *J'allèche,* mais *j'allécherai.*

allée n. f.
Chemin bordé d'arbres, de verdure. *Une allée ombragée de beaux érables.*
Locution
Allées et venues. Déplacements de personnes qui vont et viennent.
HOM.
– **aller**, se déplacer ;
– **aller**, trajet, titre de transport.

alléger v. tr.
1. Rendre plus léger. *La pente est raide, Martin allège son panier.*
2. Rendre plus supportable. *Pour alléger sa peine, elle a invité ses grandes amies.* **ANT.** alourdir.
Conjugaison [VOIR MODÈLE – **PROTÉGER**]
Le **é** se change en **è** devant une syllabe muette, sauf à l'indicatif futur et au conditionnel présent. *J'allège,* mais *j'allégerai.*

allégorique adj.
Qui raconte une histoire.
Locution
Char allégorique. ⚜ Grande voiture décorée selon des thèmes particuliers pour un défilé. *Les chars allégoriques de la Saint-Jean.*

allègre adj.
(LITTÉRAIRE) Plein d'entrain et de vivacité. *Les enfants marchaient d'un pas allègre.*

allégresse n. f.
(LITTÉRAIRE) Joie très vive. *Les enfants déballent leurs cadeaux dans l'allégresse des Fêtes.* **SYN.** enjouement, entrain, gaieté. **ANT.** chagrin, tristesse.

allemand, ande adj. et n. m. et f.
Adjectif et nom masculin et féminin
D'Allemagne. *Le drapeau allemand. Un Allemand, une Allemande.*
L'adjectif s'écrit avec une minuscule ; le nom, avec une majuscule.
Nom masculin
Langue parlée en Allemagne. *Heidi parle l'allemand.*
Le nom de la langue s'écrit avec une minuscule.

aller n. m.
1. Trajet. *À l'aller, ils ont suivi la rive nord du fleuve, au retour, la rive sud.*
2. Titre de transport. *Elle a pris deux allers pour Québec.*
HOM.
– **allée**, chemin bordé d'arbres ;
– **aller**, se déplacer.

aller v. intr.
VOIR TABLEAU – **ALLER.**

aller et retour ou **aller-retour** adj. et n. m. (pl. *allers et retours, allers-retours*)
Billet double valable pour l'aller et le retour. *Elle a pris deux allers-retours,* ou *deux allers et retours. Il a acheté deux billets d'aller-retour,* mais *faire deux voyages allers et retours.*

allergie n. f.
Réaction anormale d'un organisme à un agent extérieur. *Elle fait une allergie aux arachides.*
orthographe : allergie.

allergique adj.
1. Qui souffre d'allergie. *Une réaction allergique. Jean-Pierre est allergique aux chiens.*
2. (FIGURÉ) Opposé à quelqu'un, à quelque chose. *Es-tu allergique aux dictées ?*
orthographe : allergique.

alliage n. m.
Combinaison de métaux. *Un alliage léger à base d'aluminium.*

alliance n. f.
1. Entente entre des puissances politiques. *La France, la Grande-Bretagne, le Canada et les États-Unis sont unis par une alliance.*
2. Accord entre des personnes, des groupes. *Ce syndicat a fait une alliance avec l'association.*
3. Union par mariage. *Elle est parente avec lui par alliance.*
4. Anneau du mariage.
note : Le quatrième doigt à partir du pouce se nomme l'***annulaire*** parce que c'est lui qui porte l'anneau du mariage, l'alliance.

allié, ée adj. et n. m. et f.
Uni par traité, mariage, affinité. *Les pays alliés.* **ANT.** adversaire, ennemi.

ALLER

VERBE INTRANSITIF

1. Se déplacer en s'éloignant du lieu où l'on se trouve. **SYN.** se rendre.
Nous allons au parc. Cet été, nous irons en Gaspésie.
note : Ne pas confondre avec le verbe ***venir*** qui exprime l'idée inverse. *Ce soir, j'irai chez toi. Demain, tu viendras chez moi.*

2. *Aller* + *à.* Aller sur. *Aller à cheval, à bicyclette, à motocyclette.*

3. *Aller* + *en.* Aller dans. *Aller en voiture, en bateau, en avion.*

4. *Aller* + *chez.* *Aller chez le dentiste. Ma grand-maman allait chez Dupuis.*
Devant un nom de profession, un nom de famille, on emploiera plutôt la préposition ***chez.***

5. Aller + infinitif. Être sur le point de.
Il va neiger : on annonce une tempête. Attention ! Tu vas tomber !
Cette construction exprime l'idée d'un futur proche.

6. *Aller* + *sur* (FAMILIER) Atteindre bientôt (un certain âge).
Mes grands-parents vont sur leurs 80 ans.

7. Se sentir. **SYN.** être, se porter.
Comment ça va ? Je vais mieux depuis que je suis en vacances.

8. Convenir.
Ce vert va bien avec le jaune maïs. Sa robe lui va à ravir, elle est très jolie.

9. Marcher, fonctionner, en parlant d'une chose.
Mon nouveau vélo va très vite.

10. *S'en aller.* Quitter un lieu. **SYN.** partir.
S'en aller de Vaudreuil.

- (avec mouvement) Se rendre. *Je m'en vais à l'école, à ce soir !*
- (sans mouvement) (FAMILIER) Être sur le point de. *Je m'en vais te dire ce que je pense.*
- (FIGURÉ) Disparaître. *Les jours s'en vont, le temps passe vite.*

Forme fautive
*aller en grève. Calque de l'anglais « to go on strike » pour ***faire la grève.***

HOM.
- **allée**, chemin bordé d'arbres ;
- **aller**, trajet, billet (de train, d'avion...).

VOIR TABLEAU – **ALLER (CONJUGAISON DU VERBE)**.
VOIR TABLEAU – **ALLER, S'EN (CONJUGAISON DU VERBE)**.

Indicatif

Présent		*Passé composé*		
je	vais	je	suis	allé, ée
tu	vas	tu	es	allé, ée
elle	va	elle	est	allée
il	va	il	est	allé
nous	allons	nous	sommes	allés, ées
vous	allez	vous	êtes	allés, ées
elles	vont	elles	sont	allées
ils	vont	ils	sont	allés

Imparfait		*Plus-que-parfait*		
j'	allais	j'	étais	allé, ée
tu	allais	tu	étais	allé, ée
elle	allait	elle	était	allée
il	allait	il	était	allé
nous	allions	nous	étions	allés, ées
vous	alliez	vous	étiez	allés, ées
elles	allaient	elles	étaient	allées
ils	allaient	ils	étaient	allés

Passé simple		*Passé antérieur*		
j'	allai	je	fus	allé, ée
tu	allas	tu	fus	allé, ée
elle	alla	elle	fut	allée
il	alla	il	fut	allé
nous	allâmes	nous	fûmes	allés, ées
vous	allâtes	vous	fûtes	allés, ées
elles	allèrent	elles	furent	allées
ils	allèrent	ils	furent	allés

Futur simple		*Futur antérieur*		
j'	irai	je	serai	allé, ée
tu	iras	tu	seras	allé, ée
elle	ira	elle	sera	allée
il	ira	il	sera	allé
nous	irons	nous	serons	allés, ées
vous	irez	vous	serez	allés, ées
elles	iront	elles	seront	allées
ils	iront	ils	seront	allés

Infinitif

Présent	*Passé*
aller	être allé, ée

Subjonctif

Présent			*Passé*			
que	j'	aille	que	je	sois	allé, ée
que	tu	ailles	que	tu	sois	allé, ée
qu'	elle	aille	qu'	elle	soit	allée
qu'	il	aille	qu'	il	soit	allé
que	nous	allions	que	nous	soyons	allés, ées
que	vous	alliez	que	vous	soyez	allés, ées
qu'	elles	aillent	qu'	elles	soient	allées
qu'	ils	aillent	qu'	ils	soient	allés

Imparfait			*Plus-que-parfait*			
que	j'	allasse	que	je	fusse	allé, ée
que	tu	allasses	que	tu	fusses	allé, ée
qu'	elle	allât	qu'	elle	fût	allée
qu'	il	allât	qu'	il	fût	allé
que	nous	allassions	que	nous	fussions	allés, ées
que	vous	allassiez	que	vous	fussiez	allés, ées
qu'	elles	allassent	qu'	elles	fussent	allées
qu'	ils	allassent	qu'	ils	fussent	allés

Conditionnel

Présent		*Passé*		
j'	irais	je	serais	allé, ée
tu	irais	tu	serais	allé, ée
elle	irait	elle	serait	allée
il	irait	il	serait	allé
nous	irions	nous	serions	allés, ées
vous	iriez	vous	seriez	allés, ées
elles	iraient	elles	seraient	allées
ils	iraient	ils	seraient	allés

Impératif

Présent	*Passé*	
va	sois	allé, ée
allons	soyons	allés, ées
allez	soyez	allés, ées

Participe

Présent	*Passé*
allant	allé, ée
	étant allé, ée

Indicatif

Présent			*Passé composé*			
je	m'en	vais	je	m'en	suis	allé, ée
tu	t'en	vas	tu	t'en	es	allé, ée
elle	s'en	va	elle	s'en	est	allée
il	s'en	va	il	s'en	est	allé
ns ns	en	allons	ns ns	en	sommes	allés, ées
vs vs	en	allez	vs vs	en	êtes	allés, ées
elles	s'en	vont	elles	s'en	sont	allées
ils	s'en	vont	ils	s'en	sont	allés

Imparfait			*Plus-que-parfait*			
je	m'en	allais	je	m'en	étais	allé, ée
tu	t'en	allais	tu	t'en	étais	allé, ée
elle	s'en	allait	elle	s'en	était	allée
il	s'en	allait	il	s'en	était	allé
ns ns	en	allions	ns ns	en	étions	allés, ées
vs vs	en	alliez	vs vs	en	étiez	allés, ées
elles	s'en	allaient	elles	s'en	étaient	allées
ils	s'en	allaient	ils	s'en	étaient	allés

Passé simple			*Passé antérieur*			
je	m'en	allai	je	m'en	fus	allé, ée
tu	t'en	allas	tu	t'en	fus	allé, ée
elle	s'en	alla	elle	s'en	fut	allée
il	s'en	alla	il	s'en	fut	allé
ns ns	en	allâmes	ns ns	en	fûmes	allés, ées
vs vs	en	allâtes	vs vs	en	fûtes	allés, ées
elles	s'en	allèrent	elles	s'en	furent	allées
ils	s'en	allèrent	ils	s'en	furent	allés

Futur simple			*Futur antérieur*			
je	m'en	irai	je	m'en	serai	allé, ée
tu	t'en	iras	tu	t'en	seras	allé, ée
elle	s'en	ira	elle	s'en	sera	allée
il	s'en	ira	il	s'en	sera	allé
ns ns	en	irons	ns ns	en	serons	allés, ées
vs vs	en	irez	vs vs	en	serez	allés, ées
elles	s'en	iront	elles	s'en	seront	allées
ils	s'en	iront	ils	s'en	seront	allés

Infinitif

Présent	*Passé*
s'en aller	s'en être allé, ée

Subjonctif

Présent				*Passé*				
que	je	m'en	aille	que	je	m'en	sois	allé, ée
que	tu	t'en	ailles	que	tu	t'en	sois	allé, ée
qu'	elle	s'en	aille	qu'	elle	s'en	soit	allée
qu'	il	s'en	aille	qu'	il	s'en	soit	allé
que	ns ns	en	allions	que	ns ns	en	soyons	allés, ées
que	vs vs	en	alliez	que	vs vs	en	soyez	allés, ées
qu'	elles	s'en	aillent	qu'	elles	s'en	soient	allées
qu'	ils	s'en	aillent	qu'	ils	s'en	soient	allés

Imparfait				*Plus-que-parfait*				
que	je	m'en	allasse	que	je	m'en	fusse	allé, ée
que	tu	t'en	allasses	que	tu	t'en	fusses	allé, ée
qu'	elle	s'en	allât	qu'	elle	s'en	fût	allée
qu'	il	s'en	allât	qu'	il	s'en	fût	allé
que	ns ns	en	allassions	que	ns ns	en	fussions	allés, ées
que	vs vs	en	allassiez	que	vs vs	en	fussiez	allés, ées
qu'	elles	s'en	allassent	qu'	elles	s'en	fussent	allées
qu'	ils	s'en	allassent	qu'	ils	s'en	fussent	allés

Conditionnel

Présent			*Passé*			
je	m'en	irais	je	m'en	serais	allé, ée
tu	t'en	irais	tu	t'en	serais	allé, ée
elle	s'en	irait	elle	s'en	serait	allée
il	s'en	irait	il	s'en	serait	allé
ns ns	en	irions	ns ns	en	serions	allés, ées
vs vs	en	iriez	vs vs	en	seriez	allés, ées
elles	s'en	iraient	elles	s'en	seraient	allées
ils	s'en	iraient	ils	s'en	seraient	allés

Impératif

Présent	*Passé*
va-t'en	*(n'existe pas)*
allons-nous-en	
allez-vous-en	

Participe

Présent	*Passé*
s'en allant	en allé, ée
	s'en étant allé, ée

allier v. tr., pronom.
Verbe transitif
1. Combiner des matières, des métaux. *Allier l'or et l'argent. Allier l'or avec l'argent.* **SYN.** joindre.
2. (FIGURÉ) Associer une chose abstraite à une autre. *Allier la jeunesse à la beauté.* **SYN.** réunir.
Verbe pronominal
S'unir, s'associer. *Le Canada et les États-Unis se sont alliés au Mexique* ou *avec le Mexique pour un accord de libre-échange.*
À la forme pronominale, le verbe se construit avec les prépositions ***à*** ou ***avec.***
Conjugaison [VOIR MODÈLE – **ÉTUDIER**]
Redoublement du ***i*** à la première et à la deuxième personne du pluriel de l'indicatif imparfait et du subjonctif présent. *(Que) nous alliions, (que) vous alliiez.*

alligator n. m.
Crocodile d'Amérique pouvant atteindre cinq mètres de long. *Les mâchoires de l'alligator sont moins longues que celles du crocodile, mais tout aussi redoutables.*
alligator.

allo- préf.
Élément du grec signifiant « autre ». *Allophone.*

allô ou **allo** interj.
On ne prononce qu'un seul ***l*** [alo].
Interjection utilisée dans les communications téléphoniques. *Allô ! Comment vas-tu, Martin ?*
HOM. **halo**, cercle lumineux.
allô ou allo.

allocation n. f.
Somme accordée par le gouvernement pour faire face à un besoin. *Allocations familiales. Des allocations de chômage.*

allongement n. m.
Action d'augmenter en longueur ou en durée ; résultat de cette action. *L'allongement des jours.*

allonger v. tr., intr., pronom.
Verbe transitif
1. Rendre plus long. *Pour suivre la mode, faut il allonger ou raccourcir les jupes ?*
Ne pas confondre avec le verbe ***rallonger,*** rendre plus long en ajoutant une partie.
2. Augmenter la durée. *Nous allongeons le congé.*
Verbe intransitif
Devenir plus long. *Les cheveux et les ongles allongent sans cesse.*
Verbe pronominal
1. Devenir plus long. *Quand Pinocchio dit un mensonge, son nez s'allonge.*
2. Se coucher. *Je vais m'allonger un peu pour me reposer.*
Conjugaison [VOIR MODÈLE – **CHANGER**]
Le ***g*** est suivi d'un ***e*** devant les lettres ***a*** et ***o***. *Il allongea, nous allongeons.*

allophone adj. et n. m. et f.
Se dit d'une personne qui parle une autre langue que la ou les langues officielles du pays où elle vit. *À Montréal, les Italiens et les Grecs constituent d'importants groupes allophones. Ce sont des allophones.*

allumage n. m.
Action d'allumer ; son résultat. *L'allumage des bougies.*

allumer v. tr., pronom.
Verbe transitif
1. Enflammer. *Allumer un feu de camp.* **ANT.** éteindre.
2. Rendre lumineux. *Elle alluma les lumières du sapin. Allumer la lampe.*
3. (FAMILIER) Faire fonctionner. *Allumer la télévision.*
L'usage l'a emporté sur la logique dans les expressions ***allumer la lumière, l'électricité.***
Verbe pronominal
1. Prendre feu. *L'incendie s'alluma instantanément.*
2. Devenir lumineux. *La chambre s'allumait toujours à 7 heures.*
Conjugaison [VOIR MODÈLE – **AIMER**]

allumette n. f.
Bâtonnet dont une extrémité est destinée à s'enflammer quand on la frotte.

allure n. f.
1. Façon plus ou moins rapide de se déplacer. *Il roulait à vive allure, à toute allure.*
2. Manière de se tenir. *Une allure détendue.*
3. (FAMILIER) Apparence générale. *Ce costume a une belle allure.*
Locutions
Avoir de l'allure. Avoir un air de distinction.
Avoir de l'allure. (FAMILIER) Avoir du sens. *Cette idée a de l'allure, elle est même géniale.*

allusion n. f.
Sous-entendu, affirmation à mots couverts. *Une allusion peu sympathique. Je n'ai pas compris son allusion.* **SYN.** insinuation.
Ne pas confondre avec le nom ***illusion,*** perception erronée des sens.

almanach n. m.
Les lettres ***ch*** ne se prononcent pas [almana].
Calendrier comportant divers renseignements (astrologie, cuisine, météorologie, etc.). *L'almanach nous prédit un bel été : peut-on s'y fier ?*

à longueur de loc. prép.
Tout au long de. *Les bateaux naviguent sur le fleuve à longueur d'année* (et non à *l'année longue).

alors adv.
1. À une certaine époque. *Ils avaient alors une jolie maison à la campagne.*
2. En conséquence. *Il était toujours en retard, alors la directrice a dû le réprimander.*
Locutions
Alors que, locution conjonctive. Au moment où, pendant que. *Il est resté à la maison, alors qu'il aurait pu dîner dehors. Elle est venue, alors qu'il pleuvait.*
Cette locution est suivie de l'indicatif ou du conditionnel.
Et alors ? Et puis ? *J'ai changé d'idée, c'est vrai. Et alors ?*
Jusqu'alors. Jusqu'à ce moment. *Jusqu'alors, on s'était accommodé de la lampe à huile.*
Si l'évènement se poursuit jusqu'au moment où l'on parle, on dira : ***jusqu'à présent, jusqu'à maintenant.***
Ou alors. Sinon. *Prends ton imperméable ou alors un parapluie.*

alouette n. f.
Petit oiseau des champs au plumage brunâtre. *L'alouette turlute.*
VOIR TABLEAU – **ANIMAUX.**

alourdir v. tr.
Rendre plus lourd. *Des cadeaux alourdissent sa valise.* **ANT.** alléger.
Conjugaison [VOIR MODÈLE – **FINIR**]

alphabet n. m.
Liste des lettres servant à transcrire les sons d'une langue. *L'alphabet français compte 26 lettres.*
Le nom *alphabet* est formé à partir des deux premières lettres grecques : ***alpha*** et ***bêta.***
Locution
Alphabet phonétique. Système de signes graphiques servant à transcrire uniformément les sons de diverses langues.

alphabétique adj.
1. Qui appartient à l'alphabet. *Un caractère alphabétique.*
2. Selon l'ordre de l'alphabet. *Un classement alphabétique.*

alphabétiquement adv.
Selon l'ordre alphabétique.

alphabétisation n. f.
Action d'alphabétiser ; son résultat.

alphabétiser v. tr.
Apprendre à lire et à écrire à une personne, à un groupe.
Conjugaison [VOIR MODÈLE – **AIMER**]

alphanumérique adj.
Composé de caractères alphabétiques et de chiffres. *Au Canada, le code postal est alphanumérique.*

alpin, ine adj.
1. Des Alpes ou de la haute montagne.
2. Relatif à l'alpinisme. *Un club alpin.*
Locution
Ski alpin. Ski sur des pistes à forte dénivellation.
Le ***ski de fond*** se pratique sur des parcours à faible dénivellation.

alpinisme n. m.
Sport des ascensions en montagne.

alpiniste n. m. et f.
Personne qui pratique l'alpinisme.

altération n. f.
Détérioration.
Forme fautive
*altération. Anglicisme au sens de ***retouche*** (à un vêtement), de ***modification*** (à un projet), de ***rénovation*** (à un édifice).

altérer v. tr., pronom.
Verbe transitif
Changer l'état d'un corps, de bien en mal, détériorer. *La chaleur a altéré ces produits.*
Verbe pronominal
Se détériorer. *Les teintes de cette aquarelle se sont altérées.* **SYN.** s'abîmer, se modifier.
Conjugaison [VOIR MODÈLE – **POSSÉDER**]
Le **é** se change en **è** devant une syllabe muette, sauf à l'indicatif futur et au conditionnel présent. *J'altère,* mais *j'altérerai.*

alternance n. f.
Succession dans l'espace et le temps dans un ordre régulier. *L'alternance des saisons.*
altern**an**ce.

alternative n. f.
Situation où il n'y a que deux possibilités opposées, deux éventualités entre lesquelles il faut choisir et dont le résultat peut être heureux ou malheureux. *L'alternative est claire* (et non *voici les alternatives) *: perdre notre pari ou le gagner.*
Ne pas confondre avec le nom ***dilemme,*** situation difficile dans laquelle on doit choisir entre deux possibilités différentes, mais conduisant à un même résultat toujours regrettable.

alterner v. tr., intr.
Verbe transitif
Faire se succéder régulièrement. *Alterner les ronds et les carrés.*
Verbe intransitif
Se succéder en alternance. *Les saisons alternent.*
Conjugaison [VOIR MODÈLE – **AIMER**]

altesse n. f.
Titre des princes, des princesses. *Son Altesse Royale la reine d'Angleterre.*
Après ce titre, le nom qui suit est au masculin pour un homme, au féminin pour une femme. *Son Altesse, le prince. Son Altesse, la reine.* Cependant les adjectifs, les pronoms et les participes passés sont toujours au féminin. *Son Altesse viendra si elle se sent bien.*

altier, ière adj.
Fier. *Une allure altière.*

altitude n. f.
1. Élévation au-dessus du sol. *L'avion volait à faible altitude.*
2. Élévation verticale d'un lieu par rapport au niveau de la mer. *Cette ville est à 200 m d'altitude.*

aluminium n. m.
Symbole ***Al*** (s'écrit sans point).
Métal blanc brillant, léger, bon conducteur d'électricité. *On produit beaucoup d'aluminium au Québec.*

alunir v. intr.
Se poser sur la Lune. *Le 21 juillet 1969, les Américains alunissaient pour la première fois.*
Conjugaison [VOIR MODÈLE – **FINIR**]

alunissage n. m.
Action d'alunir.

alvéole n. f.
1. Cellule créée par l'abeille. *Une alvéole de cire.*
2. Cavité des maxillaires où sont implantées les dents. *Les alvéoles dentaires.*
Ce nom était autrefois masculin. Aujourd'hui, on dit plutôt ***une*** alvéole.

AM
(RADIO) Abréviation internationale de ***modulation d'amplitude.***

***a.m.**
Abréviation du latin « ante meridiem » servant à la notation de l'heure dans le système anglais. En français, on emploie plutôt *3 h* ou *3 h du matin* (et non *3 h a.m.).
VOIR TABLEAU – **HEURE.**

amabilité n. f.
Affabilité. *Ses parents ont eu l'amabilité de le reconduire à la maison.*

amadouer v. tr.
Flatter quelqu'un pour l'apaiser, le convaincre. **SYN.** enjôler, gagner.
Conjugaison [VOIR MODÈLE – **AIMER**]

amaigrir v. tr., pronom.
Verbe transitif
Rendre maigre. *La maladie les a amaigris.*
Verbe pronominal
Maigrir, perdre du poids. *Elle s'est un peu amaigrie.*
Conjugaison [VOIR MODÈLE – **FINIR**]

amaigrissant, ante adj.
Qui fait maigrir. *Des régimes amaigrissants.*

amaigrissement n. m.
Fait de maigrir.

amande n. f.
Fruit de l'amandier. *Un gâteau à la pâte d'amandes.*
Locution
En amande. Dont la forme oblongue rappelle celle de l'amande. *Des yeux en amande.*
HOM. amende, somme d'argent à payer en raison d'une infraction, d'une faute commise.

amandier n. m.
Arbre fruitier cultivé pour ses graines, les amandes. *Les amandiers fleurissent au printemps.*

amanite n. f.
Champignon. *Plusieurs amanites ne sont pas comestibles.*
Attention au genre féminin de ce nom : ***une*** amanite.

amant n. m.
Amoureux. *Les amants sont seuls au monde.*

amarrage n. m.
Action d'amarrer ; son résultat.
amarrage.

amarre n. f.
Ce qui sert à retenir un navire, un ballon. *« Larguez les amarres ! », crie le capitaine.*
Ne pas confondre avec les noms suivants :
- ***câble,*** gros cordage de fibres textiles ou d'acier ;
- ***cordage,*** câble d'un navire, d'une machine, etc. ;
- ***corde,*** lien fait de brins tordus ensemble ;
- ***ficelle,*** petite corde pour attacher des paquets.

amarre.

amarrer v. tr.
Attacher avec une amarre. *Il faut amarrer solidement le voilier car il vente beaucoup.* **SYN.** fixer.
Conjugaison [VOIR MODÈLE – **AIMER**]
amarrer.

amas n. m.
Le ***s*** ne se prononce pas [ama].
Accumulation de choses diverses. *Un amas de feuilles.* **SYN.** tas.

amasser v. tr., pronom.
Verbe transitif
Accumuler, entasser. *Amasser des richesses.*
Verbe pronominal
Se rassembler en grand nombre. *Les feuilles se sont amassées sur le sol.*
Conjugaison [VOIR MODÈLE – **AIMER**]

amateur, trice adj. et n. m. et f.
Adjectif
Qui pratique un sport sans recevoir de rémunération. *Un escrimeur amateur.* **ANT.** professionnel.
L'adjectif est invariable en genre. *Une nageuse amateur.*
Nom masculin et féminin
1. Personne qui a une attirance particulière pour quelque chose. *Un amateur de cuisine.*
2. Personne qui cultive un art, une science pour son plaisir, sans en faire profession. *Une amatrice de bricolage.*
3. (PÉJORATIF) Personne qui manque de compétence. *C'est un travail d'amateur.* **ANT.** expert.

amazone n. f.
Femme qui monte à cheval.
Le nom ***cavalière*** est plus courant aujourd'hui.
Locution
En amazone. Façon de monter à cheval avec les deux jambes du même côté de la selle.

amazonien, enne adj. et n. m. et f.
De l'Amazonie. *La jungle amazonienne. Un Amazonien, une Amazonienne.*
L'adjectif s'écrit avec une minuscule ; le nom, avec une majuscule.

ambassade n. f.
Bureaux de l'ambassadeur ou de l'ambassadrice.
Le nom ***ambassade*** s'écrit généralement avec une minuscule. *L'ambassade des États-Unis a été l'objet d'un attentat à la bombe.*

ambassadeur n. m.
ambassadrice n. f.
1. Personne qui représente un État de façon permanente auprès d'un État étranger.
Il est recommandé de faire suivre ce titre du nom du pays. *L'ambassadeur du Canada* (et non l'ambassadeur *canadien).
2. Personne chargée d'une mission. *Un ambassadeur de la paix.*

ambiance n. f.
Atmosphère, caractère particulier du milieu qui nous entoure. *Une ambiance chaleureuse, une mauvaise ambiance.*
Sans qualificatif, le nom a un sens favorable. *La fête a été très réussie : il y avait beaucoup d'ambiance.*
ambiance.

ambigu, uë adj.
Peu clair, difficile à comprendre. *Des phrases ambiguës.*
ANT. clair.
ambiguë, au féminin.

ambiguïté n. f.
Défaut de ce qui est peu clair, de ce qui présente plusieurs sens. **ANT.** clarté.
ambiguïté.

ambitieusement adv.
De façon ambitieuse.

ambitieux, euse adj. et n. m. et f.
Qui a de l'ambition, qui veut réussir. *Un avocat très ambitieux.*
ambitieux.

ambition n. f.
1. Désir ardent de réussite, d'honneurs, de pouvoir. *Il a trop d'ambition.*
2. Désir profond de quelque chose. *Avoir l'ambition d'être heureux.*

ambitionner v. tr., intr.
Verbe transitif
Aspirer à. *Elle ambitionne d'être nommée à la direction de l'entreprise.*
Verbe intransitif
(ABSOLUMENT) Exagérer. *Tu ambitionnes : trois pâtisseries, c'est trop !*

Locution
Ambitionner sur le pain bénit. ⚜ (FAMILIER) (FIGURÉ) Abuser de quelqu'un, de quelque chose.
Conjugaison [VOIR MODÈLE – **AIMER**]

ambre adj. inv. et n. m.
Nom masculin
Résine fossile transparente. *De l'ambre jaune.*
☞ Attention au genre masculin de ce nom : ***un*** ambre.
Adjectif de couleur invariable
De la couleur jaune doré de l'ambre. *Des soies ambre.*
VOIR TABLEAU – **COULEUR (ADJECTIFS DE).**

ambulance n. f.
Véhicule aménagé pour le transport des blessés, des malades.
✎ ambul**an**ce.

ambulancier n. m.
ambulancière n. f.
Personne qui conduit une ambulance, qui donne les premiers soins à un blessé, à un malade.
✎ ambul**an**cier.

âme n. f.
1. Principe de vie et de pensée de la personne humaine. *En mon âme et conscience. Ils se sont dévoués corps et âmes.*
2. Cœur. *Une âme sensible, délicate.*
Locution
Rendre l'âme. Mourir.
✎ **â**me.

amélioration n. f.
Changement en mieux. *L'amélioration du sol. Faire des améliorations dans un appartement.*

améliorer v. tr., pronom.
Verbe transitif
Rendre meilleur. *Il a amélioré ce moteur.* **SYN.** perfectionner.
Verbe pronominal
Devenir meilleur. *Ses notes se sont améliorées.*
Conjugaison [VOIR MODÈLE – **AIMER**]

aménagement n. m.
Action d'organiser en vue d'un usage déterminé. *L'aménagement d'un local.*

aménager v. tr.
Disposer, organiser en vue d'un usage déterminé. *Aménager un appartement.* **SYN.** arranger.
☞ Ne pas confondre avec le verbe ***emménager,*** installer un mobilier dans un lieu.
Conjugaison [VOIR MODÈLE – **CHANGER**]
Le ***g*** est suivi d'un ***e*** devant les lettres ***a*** et ***o.*** *Il aménagea, nous aménageons.*

amende n. f.
Somme d'argent à payer en raison d'une infraction, d'une faute commise. *Cette infraction m'a valu une amende.*
Locution
Faire amende honorable. Demander pardon, reconnaître ses torts.
HOM. amande, fruit de l'amandier.
✎ am**en**de.

amener v. tr.
Conduire quelqu'un vers un endroit ou vers une personne. *Je vous amènerai ma fille cet après-midi.*
☞ 1° On ***amène*** une personne, un animal, mais on ***apporte*** une chose.
2° On ***amène*** une personne vers un lieu donné, mais on ***emmène*** une personne du lieu où l'on est dans un autre.
Conjugaison [VOIR MODÈLE – **LEVER**]
Le ***e*** se change en ***è*** devant une syllabe muette. *Il amène, il amenait.*

amer, ère adj.
1. Qui a une saveur désagréable, âcre. *Ce médicament a un goût amer.*
2. Pénible. *Des regrets amers.*
3. Dur. *Des propos amers.*

amèrement adv.
Avec amertume, tristesse.

américain, aine adj. et n. m. et f.
Adjectif
1. D'Amérique du Nord. *Le continent américain.*
2. Des États-Unis. *Un citoyen américain. Le drapeau américain.*
Nom masculin et féminin
Un Américain, une Américaine.
☞ L'adjectif s'écrit avec une minuscule ; le nom, avec une majuscule.
Nom masculin
L'anglais parlé aux États-Unis. *Ce roman a été traduit de l'américain.*
☞ Le nom de la langue s'écrit avec une minuscule.

américaniser v. tr., pronom.
Verbe transitif
Donner le caractère américain à.
Verbe pronominal
Prendre les manières des Américains. *Ils se sont américanisés.*
Conjugaison [VOIR MODÈLE – **AIMER**]

amérindien, ienne adj. et n. m. et f.
Relatif aux peuples autochtones de l'Amérique du Nord (à l'exception des Inuits). *La culture amérindienne. Ce sont des Amérindiens.*
☞ L'adjectif s'écrit avec une minuscule ; le nom, avec une majuscule. Auparavant, on employait le mot ***indien*** en ce sens.

amerrir v. intr.
Se poser sur l'eau, en parlant d'un hydravion, d'un vaisseau spatial. *L'hydravion a amerri.*
☞ Sous l'influence du verbe ***atterrir***, le verbe ***amerrir*** s'écrit avec deux ***r.***
Conjugaison [VOIR MODÈLE – **FINIR**]

amerrissage n. m.
Action d'amerrir. *L'amerrissage de l'hydravion s'est fait sans difficulté.*
✎ a**merr**issage.

amertume n. f.
1. Saveur amère.
2. Mécontentement, déception.

améthyste adj. inv. et n. m. et f.
Nom féminin
Pierre, quartz teinté en violet. *Une améthyste ancienne.*
Nom masculin
Couleur violette. *Un améthyste profond voisin du violet.*
Adjectif de couleur invariable
De la couleur violette de l'améthyste. *Des lainages améthyste.*
VOIR TABLEAU – **COULEUR (ADJECTIFS DE).**
✎ amét**hy**ste.

ameublement n. m.
Ensemble des meubles, tapis, tentures qui garnissent une maison, un appartement. *Des tissus d'ameublement.*

ami, ie adj. et n. m. et f.
Adjectif
Qui éprouve de l'amitié pour quelqu'un. *Laurence et Fanny sont amies.*
La construction *« ami avec » est familière.
Nom masculin et féminin
Personne pour laquelle on éprouve de l'amitié. *Il était son ami, elle sera son amie. L'amie de Fanny s'appelle Sandrine.*
SYN. copain, copine.
Forme fautive
*ami de garçon, amie de fille. Calque de l'anglais « boy friend », « girl friend » au sens de ***ami, amie.***

amiante n. m.
Substance minérale à l'épreuve du feu.
Attention au genre masculin de ce nom : ***un*** amiante.

amical, ale, aux adj.
Qui est inspiré par l'amitié. *Des conseils amicaux.* **SYN.** d'ami. **ANT.** hostile, inamical.

amicalement adv.
De façon amicale.

amincir v. tr., pronom.
Verbe transitif
Rendre plus mince. *La cuisinière amincit sa pâte avec un rouleau à pâte.*
Verbe pronominal
Devenir plus mince. *Ils se sont amincis. La glace s'est amincie, il serait imprudent de patiner sur le lac.*
Conjugaison [VOIR MODÈLE – **FINIR**]

amitié n. f.
1. Affection, sympathie. *J'ai beaucoup d'amitié pour lui.*
2. (AU PLURIEL) Salutations amicales. *Mes amitiés à la famille !*

amnésie n. f.
Diminution ou perte de la mémoire.

amnésique adj. et n. m. et f.
Atteint d'amnésie. *Depuis son accident, il est amnésique.*

amocher v. tr.
1. (FAMILIER) Blesser. *Il a eu de la chance : il n'est pas trop amoché, malgré sa chute.*
2. (FAMILIER) Détériorer. *Sa voiture est plutôt amochée.*
Conjugaison [VOIR MODÈLE – **AIMER**]

amoindrir v. tr., pronom.
Verbe transitif
Affaiblir, diminuer la force, la valeur.
Verbe pronominal
Devenir moindre, décroître. **ANT.** accroître, augmenter.
Conjugaison [VOIR MODÈLE – **FINIR**]

amollir v. tr., pronom.
Verbe transitif
1. Rendre mou. *Il faut amollir la pâte avec un peu d'eau.*
2. (FIGURÉ) Rendre mou, sans énergie. *La chaleur nous amollit.*
Verbe pronominal
Devenir mou. *Le beurre s'est amolli.*
Le verbe ***ramollir*** est plus usité.
Conjugaison [VOIR MODÈLE – **FINIR**]

amonceler v. tr.
Le **e** central est muet [amɔ̃sle].
Entasser. *Les vêtements en désordre s'amoncellent dans sa chambre.*
Conjugaison [VOIR MODÈLE – **APPELER**]
Redoublement du ***l*** devant un **e** muet. *J'amoncelle, j'amoncellerai,* mais *j'amoncelais.*
amon**c**e**l**er.

amoncellement n. m.
Le **e** central est muet [amɔ̃sɛlmɑ̃].
Accumulation. *Un amoncellement de feuilles mortes bouche la gouttière.*
amon**c**e**ll**ement.

amont n. m.
Côté d'où descend un cours d'eau, depuis la source jusqu'à un point considéré. *En marchant vers l'amont de la rivière.*
ANT. aval.
Le nom ***amont*** signifie « vers la montagne ».
Locution
En amont de. En remontant le cours de l'eau.

amorce n. f.
1. Appât. *Les mouches servent d'amorces à la pêche à la truite.*
2. Détonateur. *L'amorce est mouillée : c'est peine perdue.*
3. Entrée en matière. *Une bonne amorce à la discussion.*
SYN. commencement, début.

amorcer v. tr., pronom.
Verbe transitif
1. Mettre un appât. *Amorcer un hameçon.*
2. Commencer quelque chose. *Les négociations sont bien amorcées.*
Verbe pronominal
Commencer. *Une baisse des taux d'intérêt s'est amorcée.*
Conjugaison [VOIR MODÈLE – **AVANCER**]
Le ***c*** prend une cédille devant les lettres **a** et **o**. *Il amorça, nous amorçons.*

amorphe adj.
Paresseux, mou. *Un chien amorphe qui ne fait que dormir.*
amor**ph**e.

amortisseur n. m.
Dispositif destiné à amortir les secousses, les vibrations, etc. *Réparer les amortisseurs* (et non les *shock absorbers).

amour n. m.
Sentiment amoureux. *Un amour heureux.* **SYN.** affection, attachement, tendresse.
Forme fautive
*être, tomber en amour. Calques de l'anglais « to be in love », « to fall in love » au sens de ***être amoureux, tomber amoureux.***

amourette n. f.
Amour passager. *Hélas ! ce n'était qu'une amourette !*

amoureusement adv.
Avec amour.

amoureux, euse adj. et n. m. et f.
1. Qui éprouve de l'amour ou qui est enclin à l'amour. *Il est follement amoureux d'elle.*
2. Passionné de. *Elle est amoureuse de la peinture.*
amoureu**x**.

amour-propre n. m. (pl. *amours-propres*)
Respect de soi-même, fierté.
amour**-**propre, avec un trait d'union.

amovible adj.
Qui peut être déplacé. *Un toit amovible.*

a

ampère n. m.
Symbole ***A*** (s'écrit sans point).
Unité de mesure d'intensité de courant électrique.

amphi- préf.
Élément du grec signifiant « en double ».
Les mots composés avec le préfixe ***amphi-*** s'écrivent sans trait d'union. *Amphibie.*

amphibie adj. et n. m.
1. Qui vit sur terre et dans l'eau. *La grenouille est amphibie.*
2. Qui peut être utilisé sur terre et dans l'eau. *Des véhicules amphibies.*
amphibi**e**.

amphibien n. m.
Animal vertébré qui vit sur terre et dans l'eau. *La grenouille est un amphibien ; elle appartient à la classe des amphibiens.*
Le nom ***batracien*** est aujourd'hui vieilli.

ample adj.
Qui a des dimensions plus que suffisantes pour l'usage envisagé. *Un vêtement ample.*

ampleur n. f.
Grandeur, largeur qui dépasse la mesure ordinaire. *L'ampleur des moyens mis à leur disposition leur a permis d'être élus. Étant donné l'ampleur des dégâts, le maire a demandé de l'aide.*

ampli n. m. (pl. *amplis*)
Forme abrégée de ***amplificateur.***

amplificateur n. m.
S'abrège familièrement en ***ampli*** (s'écrit sans point).
Élément d'une chaîne acoustique qui sert à accroître la puissance des sons.

amplifier v. tr., pronom.
Verbe transitif
Accroître le volume, l'étendue, l'importance de. *Le haut-parleur amplifie les sons.*
Verbe pronominal
Prendre plus d'amplitude. *Les tensions se sont amplifiées.*
SYN. augmenter.
Conjugaison [VOIR MODÈLE – **ÉTUDIER**]
Redoublement du ***i*** à la première et à la deuxième personne du pluriel de l'indicatif imparfait et du subjonctif présent. *(Que) nous amplifiions, (que) vous amplifiiez.*

amplitude n. f.
Étendue en largeur et en longueur. *L'amplitude d'un mouvement.*

ampoule n. f.
1. Tube de verre contenant un médicament. *Une ampoule de vitamines.*
2. Globe de verre renfermant le filament des lampes à incandescence. *L'ampoule est brûlée.*
3. Cloque de la peau. *J'ai des ampoules aux pieds.*

amputation n. f.
Action d'enlever un membre, une partie d'un membre au cours d'une opération chirurgicale.

amputé, ée n. m. et f.
Personne qui a subi une amputation. *Les amputés de guerre.*

amputer v. tr.
Sectionner un membre au cours d'une opération chirurgicale.
Conjugaison [VOIR MODÈLE – **AIMER**]

amulette n. f.
Talisman. *Ce sorcier africain porte des amulettes.* **SYN.** fétiche, porte-bonheur.

amusant, ante adj.
Divertissant. *Nous avons eu beaucoup de plaisir, c'était amusant à la Ronde.* **SYN.** drôle, (FAMILIER) rigolo.

amuse-gueule n. m. inv. (pl. *amuse-gueule* ou *amuse-gueules*)
Hors-d'œuvre. *Les enfants ont préparé des amuse-gueule ou amuse-gueules appétissants pour la fête.*

amusement n. m.
Divertissement. *Pour votre amusement, le clown fera son numéro.*

amuser v. tr., pronom.
Verbe transitif
Divertir. *Le funambule amuse les enfants.* **SYN.** égayer.
Verbe pronominal
Se distraire. *Ils se sont bien amusés.* **SYN.** se divertir, jouer.
Conjugaison [VOIR MODÈLE – **AIMER**]

amygdale n. f.
On ne prononce pas le ***g*** [amidal].
Chacun des deux organes situés sur le côté du larynx. *On l'a opéré des amygdales : depuis deux jours, il ne mange que de la crème glacée.*
Attention au genre féminin de ce nom : ***une*** amygdale.
am**yg**dale.

amygdalite n. f.
On ne prononce pas le ***g*** [amidalit].
Inflammation des amygdales. *Il a mal à la gorge : il souffre d'une amygdalite.*
am**yg**dalite.

an n. m.
Période de 12 mois. *Fanny a 9 ans tandis que Laurence en a 8. Il y a 15 ans de cela.*
Locutions
Le jour de l'An, locution figée. Le premier jour de l'année.
S'en moquer comme de l'an quarante. Ne pas prendre quelqu'un ou quelque chose au sérieux, ne pas s'en soucier.
HOM.
– **en**, de lui, d'elle, de cela ;
– **en**, marque le lieu, la manière, etc.

anabolisant, ante adj. et n. m. et f.
Se dit d'une substance stimulant l'anabolisme et favorisant l'accroissement du système musculaire. *Des stéroïdes anabolisants.*

analogie n. f.
Ressemblance entre deux ou plusieurs choses. *L'analogie entre les deux situations est amusante.*

analogique adj.
Fondé sur l'analogie. *Un dictionnaire analogique.*
Locution
Montre, pendule analogique. Montre, pendule avec aiguilles. *Je préfère les montres analogiques aux nouvelles montres numériques.*
La représentation de l'heure au moyen de chiffres mobiles est dite ***numérique*** (et non *digitale).

analphabète adj. et n. m. et f.
Qui ne sait ni lire ni écrire. *Une personne analphabète. Un analphabète.*

Le mot ***illettré*** peut être synonyme de ***analphabète***; il peut également désigner une personne qui manque de culture.
analp**h**ab**è**te.

analyse n. f.
Action de décomposer un tout en ses parties afin d'en saisir les rapports. *Une analyse chimique.*
Locutions
Analyse grammaticale. Détermination de la nature d'un mot, de son genre, de son nombre, de sa personne, s'il y a lieu, et de sa fonction.
Analyse logique. Décomposition de la phrase en propositions et détermination de la nature et de la fonction de chaque proposition.
En dernière analyse. En définitive.
anal**y**se.

analyser v. tr.
1. Soumettre à une analyse. *Analyser le sang d'un patient.*
2. (FIGURÉ) Étudier attentivement. *La situation mérite d'être analysée.*
Conjugaison [VOIR MODÈLE – **AIMER**]
anal**y**ser.

ananas n. m.
Le ***s*** ne se prononce pas [anana].
Plante tropicale cultivée pour son fruit sucré ; ce fruit. *Des jus d'ananas.*

anarchie n. f.
État généralisé de désordre et de confusion. *Tout un chacun fait ce qu'il veut : c'est l'anarchie totale !*

anatomie n. f.
Étude de la forme, de la structure d'un être vivant. *On peut étudier l'anatomie humaine, animale ou végétale.*

ancestral, ale, aux adj.
Relatif aux ancêtres. *La maison ancestrale, des droits ancestraux.*

ancêtre n. m. et f.
1. (AU PLURIEL) (LITTÉRAIRE) Ascendants d'une famille et plus généralement ceux qui ont vécu avant les grands-parents. À compter de la troisième génération (arrière-grand-père), on emploie le mot ***ancêtre.***
2. (FAMILIER) Personne âgée.
Par rapport au nom ***aïeul,*** le nom ***ancêtre*** est plus littéraire, d'un niveau de langue plus soutenu.

anchois n. m.
Petit poisson de mer. *Les anchois sont très salés. Des bouchées aux anchois.*
anchoi**s**.

ancien, ienne adj.
1. Qui existe depuis longtemps. *L'Ancien Testament.*
Ne pas confondre avec les mots suivants :
– ***antique,*** très ancien ;
– ***archaïque,*** qui n'est plus en usage.
2. Se dit d'un mot, d'une expression qui ne s'emploie plus parce qu'il est démodé.
Le nom *couverte au sens de ***couverture*** est ancien.

anciennement adv.
Autrefois. *Anciennement, on s'éclairait à la chandelle.*

ancienneté n. f.
1. État de ce qui est ancien.
2. Temps passé dans une fonction. *Elle a 15 ans d'ancienneté dans l'entreprise.*

ancre n. f.
Lourde pièce d'acier à deux crochets qu'on laisse tomber à l'aide d'un câble au fond de l'eau, afin de retenir un navire.
Attention au genre féminin de ce nom : ***une*** ancre.
HOM. encre, liquide utilisé pour écrire.

ancrer v. tr., pronom.
Verbe transitif
1. Jeter l'ancre.
2. Fixer solidement. *Ancrer un câble.*
Verbe pronominal
Se fixer, s'installer. *Les beaux voiliers se sont ancrés dans la baie pour la nuit.*
Conjugaison [VOIR MODÈLE – **AIMER**]

andalou, ouse adj. et n. m. et f.
D'Andalousie. *Des poètes andalous. Un Andalou, une Andalouse.*
L'adjectif s'écrit avec une minuscule ; le nom, avec une majuscule.

âne n. m.
1. Quadrupède du genre cheval, mais plus petit et avec des oreilles plus longues. Mâle de l'ânesse. *L'âne brait.*
VOIR TABLEAU – **ANIMAUX.**
2. (FIGURÉ) Personne bornée.
Locution
Dos d'âne. Gonflement transversal de la chaussée. *Les dos d'âne du chemin.*

anéantir v. tr., pronom.
Verbe transitif
Détruire complètement. *Un incendie a anéanti la maison et tous les biens.* **SYN.** ruiner.
Verbe pronominal
Disparaître, s'effondrer. *Nos rêves se sont anéantis.* **SYN.** s'écrouler.
Conjugaison [VOIR MODÈLE – **FINIR**]

anéantissement n. m.
Destruction totale. *Cet incendie, c'est l'anéantissement de dix années d'efforts.* **SYN.** ruine.

anecdote n. f.
Récit court d'un fait particulier. *Raconter des anecdotes amusantes.*

anémone n. f.
Plante cultivée pour ses fleurs décoratives.
anémo**n**e.

ânerie n. f.
Bêtise. *Il débite des âneries.* **SYN.** sottise.

ânesse n. f.
Femelle de l'âne. *Le petit de l'ânesse est l'ânon.*
VOIR TABLEAU – **ANIMAUX.**

anesthésie n. f.
Perte plus ou moins complète de la sensibilité provoquée par un médicament. *Pour l'opérer des amygdales, on lui a fait une anesthésie locale.*
anest**h**ésie.

anesthésier v. tr.
Rendre insensible à la douleur au moyen d'un anesthésique.

Conjugaison [VOIR MODÈLE – **ÉTUDIER**]
Redoublement du ***i*** à la première et à la deuxième personne du pluriel de l'indicatif imparfait et du subjonctif présent. *(Que) nous anesthésiions, (que) vous anesthésiiez.*
anesthésier.

ange n. m.
1. Créature spirituelle. *Mon ange gardien.*
2. (FIGURÉ) Personne parfaite. *Son amie est un ange de dévouement.*
Le nom ***ange*** est toujours masculin, même lorsqu'il désigne une femme.
Locution
Être aux anges. Être ravi. *Les enfants sont aux anges : ils sont en vacances.*

angélique adj.
Propre à l'ange, digne d'un ange. *Une douceur angélique.*

angelot n. m.
Petit ange. *Des angelots joufflus.*

anglais, aise adj. et n. m. et f.
Adjectif
1. D'Angleterre. *Une ville anglaise. De jolis jardins anglais.*
2. Propre à la langue anglaise. *Un verbe anglais.*
Nom masculin et féminin
Un Anglais, une Anglaise.
L'adjectif s'écrit avec une minuscule ; le nom, avec une majuscule.
Nom masculin
Langue parlée surtout en Grande-Bretagne, aux États-Unis et dans le Commonwealth britannique. *Elle parle l'anglais, elle parle anglais.*
Le nom de la langue s'écrit avec une minuscule.

angle n. m.
1. Figure formée par l'intersection de deux lignes. *Un angle droit.*
2. Coin. *À l'angle du boulevard Laurier et de la rue des Bouleaux.*
Locutions
Angle mort. Zone de visibilité inaccessible au conducteur lorsqu'il regarde dans le rétroviseur. *Cette voiture comporte des angles morts dangereux* (et non des *points aveugles).
Sous l'angle de, locution prépositive. Du point de vue de.

anglicisme n. m.
VOIR TABLEAU – **ANGLICISMES.**

anglo- préf.
Élément signifiant « anglais ».

anglophone adj. et n. m. et f.
De langue anglaise. *Les anglophones recevront la documentation en anglais. Un étudiant anglophone.*
L'adjectif et le nom s'écrivent avec une minuscule.

anglo-saxon, onne adj. et n. m. et f.
De civilisation britannique. *Les peuples anglo-saxons. Un Anglo-Saxon, une Anglo-Saxonne.*
L'adjectif s'écrit avec des minuscules ; le nom, avec des majuscules.

ANGLICISMES

Les anglicismes sont des mots, des expressions, des constructions, des orthographes propres à la langue anglaise.

Dans cet ouvrage, les anglicismes sont précédés d'un astérisque : ils sont considérés comme des formes fautives.

LES FAUX AMIS

Emploi de mots français dans un sens qu'ils ne possèdent pas, sous l'influence de mots anglais qui ont une forme semblable.

Ex. : *définitivement au sens de ***assurément, certainement, sans aucun doute,*** * breuvage au sens de ***boisson.***

LES CALQUES

Traduction littérale d'expressions anglaises.

Ex. : *à date pour ***jusqu'à maintenant, à ce jour,*** *parler à travers son chapeau pour ***parler à tort et à travers.***

LES EMPRUNTS INJUSTIFIÉS

Emploi de mots ou d'expressions empruntés directement à l'anglais, alors que le français dispose déjà de mots pour désigner ces notions.

Ex. : *computer pour ***ordinateur,*** *opener pour ***ouvre-bouteille,*** *bumper pour ***pare-chocs***, *refill pour ***recharge.***

On doit parfois employer des mots anglais parce que le français ne dispose pas de mots pour désigner certaines notions et que ces mots empruntés à l'anglais sont passés dans l'usage. Ces emprunts sont justifiés.

Ex. : *hot dog, rail, scout, steak, stock.*

angoissant, ante adj.
Qui cause de l'angoisse. *Une solitude angoissante.*
angoiss**ant**.

angoisse n. f.
Sensation de peur, d'inquiétude profonde.

angoisser v. tr.
Causer de l'angoisse à quelqu'un. *L'obscurité angoisse un peu cet enfant.*
Conjugaison [VOIR MODÈLE – **AIMER**]

angolais, aise adj. et n. m. et f.
De l'Angola. *Le drapeau angolais. Un Angolais, une Angolaise.*
L'adjectif s'écrit avec une minuscule ; le nom, avec une majuscule.

angora adj. inv. en genre et n. m. et f.
Adjectif invariable en genre
Se dit d'animaux à poil long et soyeux. *Des chattes angoras.*
Nom masculin et féminin
Animal à poil long et soyeux. *Ce lapin est un angora. Cette chèvre est une angora.*
L'adjectif ou le nom conserve la même forme au masculin et au féminin. *Une chatte angora, une angora.*
Nom masculin
Textile. *Un tricot en angora bleu. Des angoras.*

anguille n. f.
Le ***u*** ne se prononce pas [ɑ̃gij].
Poisson d'eau douce, de forme allongée.
Locution
Il y a anguille sous roche. Il y a une chose cachée que l'on soupçonne.
angu**ill**e.

anicroche n. f.
(FAMILIER) Difficulté. *La rencontre a eu lieu sans anicroche.*
SYN. incident.
Attention au genre féminin de ce nom : ***une*** anicroche.

animal, ale, aux adj. et n. m.
Adjectif
Propre aux animaux (par opposition à ***végétaux*** et ***minéraux***). *Le règne animal. Les fonctions animales.*
Nom masculin
Être vivant organisé. *L'homme est un animal doué de raison. Des animaux sauvages, des animaux domestiques.*
VOIR TABLEAU – **ANIMAUX.**

animalerie n. f.
Magasin se spécialisant dans la vente de petits animaux et d'articles les concernant. (Recomm. off. OLF) *Acheter un chat à l'animalerie* (et non au *pet shop).

animateur n. m.
animatrice n. f.
1. Personne qui présente une émission (radio, télévision), un spectacle, etc.
2. Spécialiste de l'animation, de l'organisation d'activités dans une collectivité.

animation n. f.
1. Action d'animer un groupe, de créer des relations entre les personnes.
2. Vivacité, entrain. *Ils discutaient avec animation.*

animé, ée adj.
1. Doué de vie. *Les animaux sont des êtres animés.* **ANT.** inanimé.
2. Plein de vivacité, d'activité. *Une réunion animée.*
Locutions
Dessin animé. Film composé de dessins qui s'enchaînent pour donner l'apparence du mouvement. *Des dessins animés amusants.*
Être animé. Être vivant. *Les animaux sont des êtres animés.*

animer v. tr., pronom.
Verbe transitif
Donner de la vie, du dynamisme (à un groupe, un lieu, etc.).
SYN. stimuler.
Verbe pronominal
Devenir vivant, s'exciter. *Quand elle l'a aperçu, elle s'est aussitôt animée.*
Conjugaison [VOIR MODÈLE – **AIMER**]

anneau n. m. (pl. *anneaux*)
1. Cercle de métal servant à attacher. *Les anneaux d'une chaîne.*
2. Bijou circulaire sans pierre qui se porte au doigt. *Un bel anneau en argent ciselé.*

année n. f.
Symbole ***a*** (s'écrit sans point).
Période de douze mois. *Quinze années se sont écoulées. L'année compte 365 jours, sauf si elle est bissextile.*
Par rapport au nom ***an*** qui marque la date, l'âge, le nom ***année*** insiste sur la durée, l'écoulement du temps.
Locutions
Année bissextile. Année qui revient tous les quatre ans et qui compte 366 jours (le mois de février a 29 jours).
Année civile. Période de 12 mois commençant le 1er janvier et se terminant le 31 décembre.
Année scolaire. Temps qui s'écoule depuis l'ouverture des classes jusqu'aux grandes vacances. (Recomm. off. OLF)
Formes fautives
*année académique. Calque de l'anglais « academic year » au sens de ***année scolaire, année universitaire.***
*à l'année longue. Calque de l'anglais « all year long » au sens de ***à longueur d'année.***

année-lumière n. f. (pl. *années-lumière*)
Symbole ***al*** (s'écrit sans point).
Unité de mesure astronomique. *Une année-lumière est la distance que parcourt la lumière en un an.*
On dit aussi ***année de lumière.***

anniversaire n. m.
Jour où l'on fête un évènement survenu le même jour, une ou plusieurs années avant. *Demain, nous fêterons son anniversaire : elle aura 12 ans. L'an 2000 marquera le 358e anniversaire de la fondation de Montréal.*
On confond souvent ***fête*** et ***anniversaire*** : la ***fête*** désigne le jour de la fête du saint dont on porte le nom.
a**nn**iver**s**aire.

annonce n. f.
1. Action de faire connaître. *L'annonce de la victoire des Canadiens a réjoui les partisans.*
2. Avis oral ou écrit. *Ils ont loué ce chalet grâce aux petites annonces du journal.*
Attention au genre féminin de ce nom : ***une*** annonce.

annoncer v. tr., pronom.
Verbe transitif
1. Communiquer, signaler. *La cloche annonce le début de la récréation.*
2. Prédire. *Cet astrologue avait annoncé le tremblement de terre.* **SYN.** prévoir.

ANIMAUX

Les animaux **domestiques** vivent à la maison, servent aux besoins de l'homme ou à son agrément, et sont nourris, logés et protégés par lui, tandis que les animaux **sauvages** vivent dans les forêts, les déserts, en liberté.

Les animaux **terrestres** vivent sur terre, les animaux **aquatiques,** dans l'eau et les **amphibies,** aussi bien sur terre que dans l'eau.

Les animaux **carnivores** se nourrissent de chair, les **herbivores,** d'herbes, les **frugivores,** de fruits ou de graines, les **granivores,** exclusivement de graines, les **insectivores,** d'insectes et les **omnivores,** à la fois de végétaux et d'animaux.

Les **ovipares** se reproduisent par des œufs, les **vivipares** mettent au monde des petits vivants.

LES NOMS ET LES BRUITS D'ANIMAUX

Le nom de l'animal désigne généralement et le mâle et la femelle.

Ainsi, on dira *une autruche mâle* pour la différencier de la femelle, *une couleuvre mâle,* ou *un gorille femelle* pour le distinguer du mâle, *une grenouille mâle* ou *femelle.*

Cependant, le vocabulaire des animaux qui nous sont plus familiers comporte parfois des désignations spécifiques du mâle, de la femelle, du petit, des cris ou des bruits, de l'accouplement ou de la mise bas.

MÂLE	FEMELLE	PETIT	BRUIT
abeille, faux bourdon	reine (mère), ouvrière	larve, nymphe	bourdonne
aigle (un)	aigle (une)	aiglon, aiglonne	glapit, trompette
alouette mâle	alouette femelle		turlute
âne	ânesse	ânon	brait
bouc	chèvre	chevreau, chevrette	bêle, chevrote
bœuf, taureau	vache, taure	veau, génisse	meugle, beugle
buffle	bufflonne	buffletin, bufflette	mugit, souffle
canard	cane	caneton	nasille
carpe	carpe	carpeau	elle est muette !
cerf	biche	faon	brame
chameau	chamelle	chamelon	blatère
chat, matou	chatte	chaton	miaule, ronronne
cheval, étalon	jument	poulain, pouliche	hennit
chevreuil	chevrette	faon, chevrotin	brame
chien	chienne	chiot	aboie, jappe, hurle, grogne
chouette mâle	chouette femelle		(h)ulule
cigale mâle	cigale femelle		chante, stridule
cigogne mâle	cigogne femelle	cigogneau	craquette
cochon, porc, verrat	truie	goret, porcelet, pourceau	grogne, grouine
colombe	colombe		roucoule
coq	poule	poussin	chante (coq), glousse (poule)
corbeau mâle	corbeau femelle	corbillat	croasse
crocodile mâle	crocodile femelle		pleure, vagit
daim	daine	faon	brame
dindon	dinde	dindonneau	glougloute
éléphant	éléphante	éléphanteau	barrit
faisan	faisane	faisandeau	criaille

suite ►

geai mâle	geai femelle		cajole
grenouille mâle	grenouille femelle	grenouillette, têtard	coasse
hibou mâle	hibou femelle		(h)ulule
hirondelle mâle	hirondelle femelle	hirondeau	gazouille, tridule
jars	oie	oison	criaille, jargonne
lapin	lapine	lapereau	clapit, glapit
lièvre	hase	levraut	vagit
lion	lionne	lionceau	rugit
loup	louve	louveteau	hurle
marmotte mâle	marmotte femelle		siffle
merle	merlette	merleau	flûte, siffle
moineau mâle	moineau femelle		pépie
mouton, bélier	brebis	agneau, agnelle, agnelet	bêle
ours	ourse	ourson	gronde, grogne
paon	paonne	paonneau	braille
perdrix mâle	perdrix femelle	perdreau	cacabe, glousse
perroquet mâle	perroquet femelle		parle, cause
perruche mâle	perruche femelle		jacasse, siffle
pie mâle	pie femelle		jacasse, jase
pigeon	pigeonne	pigeonneau	roucoule
pintade mâle	pintade femelle	pintadeau	cacabe, criaille
rat	rate	raton	chicote, couine
renard	renarde	renardeau	glapit
rhinocéros mâle	rhinocéros femelle		barète, barrit
rossignol mâle	rossignol femelle	rossignolet	chante, trille
sanglier	laie	marcassin	grumelle, grommelle
serpent mâle	serpent femelle	serpenteau	siffle
singe	guenon		crie, hurle
souris mâle	souris femelle	souriceau	chicote
tigre	tigresse		râle, feule
tourterelle mâle	tourterelle femelle	tourtereau	roucoule
zèbre mâle	zèbre femelle		hennit

Les animaux hybrides

Certains animaux proviennent du croisement de deux races, de deux espèces différentes. *Le mulet, la mule proviennent d'une jument et d'un âne.*

Reproduction des animaux

Pour se reproduire, *l'âne* ***saillit,*** *le bélier* ***lutte,*** *l'étalon et le taureau* ***montent*** *ou* ***saillissent,*** *le lapin, le lièvre* ***bouquinent,*** *l'oiseau mâle* ***côche,*** *les oiseaux* ***s'apparient,*** *le poisson* ***fraye****...*

La mise bas se nomme différemment selon les animaux : *la brebis* ***agnelle,*** *la biche et la chevrette* ***faonnent,*** *la chatte* ***chatte,*** *la chèvre* ***chevrote,*** *la chienne* ***chienne,*** *la jument* ***pouline,*** *la lapine* ***lapine,*** *la louve* ***louvette,*** *la truie* ***cochonne,*** *la vache* ***vêle****...*

3. Laisser présager. *Ces hirondelles annoncent le printemps.*
Verbe pronominal
Apparaître comme prochain. *Les vacances se sont annoncées.*
Conjugaison [VOIR MODÈLE – **AVANCER**]
Le ***c*** prend une cédille devant les lettres ***a*** et ***o***. *Il annonça, nous annonçons.*

annonceur n. m.
annonceure ou **annonceuse** n. f.
1. Personne ou entreprise qui paie un message publicitaire.
2. Personne qui présente une émission (radio, télévision), qui agit à titre de commentateur, commentatrice.

annuaire n. m.
Recueil annuel de renseignements divers. *L'annuaire du téléphone.*
Ne pas confondre avec le nom ***annulaire,*** quatrième doigt de la main.

annuel, elle adj.
1. Qui a lieu tous les ans. *Une rencontre annuelle.*
2. Qui ne dure qu'un an, qu'une saison. *Des plantes annuelles.*

annuellement adv.
Chaque année ; une fois par an. *Le prix Goncourt est décerné annuellement.*

annulaire adj. et n. m.
Le quatrième doigt de la main, celui qui porte l'anneau.
Ne pas confondre avec le nom ***annuaire,*** recueil annuel.
annu**l**aire.

annulation n. f.
Action de rendre nul ; son résultat. *L'annulation d'un record de vitesse. L'annulation* (et non la *cancellation) d'un rendez-vous.
annu**l**ation.

annuler v. tr.
1. Rendre nul. *Le comité olympique annule les records de vitesse des coureurs qui ont consommé des substances interdites.*
2. Supprimer. *Les cours ont été annulés* (et non *cancellés) *en raison de la tempête de neige.*
Conjugaison [VOIR MODÈLE – **AIMER**]
annu**l**er.

anodin, ine adj.
Insignifiant, sans danger. *Des reproches anodins, une égratignure anodine.* **ANT.** grave.

anomalie n. f.
Écart par rapport à une norme, exception à la règle.
VOIR TABLEAU – **ANOMALIES ORTHOGRAPHIQUES.**

ânon n. m.
Petit de l'âne.
VOIR TABLEAU – **ANIMAUX.**
ânon.

ânonnement n. m.
Action d'ânonner.
âno**nn**ement.

ânonner v. tr., intr.
Parler en hésitant. *Ânonner sa leçon.* **SYN.** bredouiller.
Conjugaison [VOIR MODÈLE – **AIMER**]
âno**nn**er.

anonymat n. m.
Caractère de ce qui est anonyme. *Elle préfère garder l'anonymat.*
anon**y**ma**t**.

anonyme adj. et n. m. et f.
Dont on ignore le nom de l'auteur. *Une lettre, un appel anonyme.*
Ne pas confondre avec le mot ***incognito,*** qui ne veut pas être reconnu.
anon**y**me.

anorak n. m.
Le ***k*** est sonore [anɔrak].
Veste chaude généralement à capuchon. *Ces skieurs portent des anoraks rouges.*
Ce nom qui vient de l'inuktitut signifie « vent ».

anorexie n. f.
Refus de s'alimenter ; perte maladive de l'appétit.
anore**x**ie.

anorexique adj. et n. m. et f.
Qui souffre d'anorexie. *Cette adolescente est anorexique.*
anore**x**ique.

anormal, ale, aux adj.
Qui n'est pas habituel. *Il fait un froid anormal pour cette saison. Des résultats anormaux.* **SYN.** bizarre, insolite. **ANT.** normal.

anormalement adv.
De façon anormale. *Il a fait anormalement froid cet hiver.*

anse n. f.
1. Partie saillante et recourbée par laquelle on prend certains objets. *L'anse d'une tasse. L'anse d'une corbeille de fleurs.*
2. (GÉOGRAPHIE) Petite baie peu profonde. *L'anse de Vaudreuil.*

antarctique adj. et n. m.
Le **c** se prononce [ɑ̃tarktik].
Adjectif
Relatif au pôle Sud. *Le climat antarctique est très froid.* **ANT.** arctique.
Nom masculin
Continent à l'intérieur du cercle polaire austral. *Les glaces de l'Antarctique.*

ANOMALIES ORTHOGRAPHIQUES

Certains mots d'une même origine, d'une même famille ont une orthographe distincte.

À titre indicatif, voici quelques mots dont il faut se méfier :

bonho**mm**e	et	bonho**m**ie
comba**tt**ant	et	comba**t**if
concou**r**ir	et	concu**rr**ence
excl**u**	et	incl**us**
hypo**thè**se	et	hypo**té**nuse
imbéci**l**e	et	imbéci**ll**ité
interpe**ll**er	et	appe**l**er
ma**m**elle	et	ma**mm**ifère
no**mm**er	et	no**m**ination
po**mm**e	et	po**m**iculteur
rel**ais**	et	dél**ai**
spa**c**ieux	et	spa**t**ial
to**nn**erre	et	déto**n**ation...

- Dans les dénominations géographiques où l'adjectif précise le générique, l'adjectif prend la majuscule. *L'océan Antarctique.*
antar**c**tique.

anté- préf.
Élément du latin signifiant « avant ». *Antérieur.*
- Les mots composés avec le préfixe ***anté-*** s'écrivent sans trait d'union.

antécédent n. m.
(GRAMMAIRE) Mot ou groupe de mots représentés par le pronom qui permet de ne pas les répéter. *Dans la phrase « Les enfants qui jouaient dehors... », le nom **enfants** est l'antécédent du pronom **qui.***

antenne n. f.
1. Appendice mobile de la tête de certains insectes et crustacés. *Les abeilles ont des antennes, les homards également.*
2. Appareil destiné à capter les ondes électromagnétiques. *Une antenne parabolique.*
- Attention au genre féminin de ce nom : ***une*** antenne.
Locution
Avoir des antennes. (FAMILIER) Avoir de l'intuition.
ante**nn**e.

antérieur, eure adj.
Qui est avant par rapport au temps ou au lieu. *La fondation de la ville de Québec (1608) est antérieure à celle de Montréal (1642).* **ANT.** postérieur.

antérieurement adv.
Avant, précédemment. *La ville de Québec a été fondée antérieurement à celle de Montréal.*

anti- préf.
Élément du grec signifiant « contre ». *Antibruit, antigel.*
- Les mots composés avec le préfixe ***anti-*** s'écrivent généralement sans trait d'union. *Antiaérien, un produit antibuée.*
Trait d'union
Les mots composés avec le préfixe ***anti-*** s'écrivent avec un trait d'union :
– lorsque le deuxième mot commence par un ***i*** : *anti-inflammatoire, anti-infectieux ;*
– lorsqu'ils sont formés pour la circonstance : *anti-tout, anti-cinéma ;*
– lorsqu'ils comportent trois éléments : *anti-sous-marin ;*
– lorsqu'ils sont constitués d'un nom propre : *un mouvement anti-Québec.*
Pluriel
Pluriel des mots composés avec le préfixe ***anti-*** :
• ***Anti*** + adjectif.
– L'adjectif composé du préfixe ***anti-*** suivi d'un adjectif s'accorde en genre et en nombre avec le nom auquel il se rapporte. *Des surfaces antidérapantes.*
– Le nom composé du préfixe ***anti-*** suivi d'un adjectif prend la marque du pluriel. *Des antibiotiques.*
• ***Anti*** + nom au pluriel (par le sens).
– L'adjectif et le nom composés du préfixe ***anti-*** suivis d'un nom pluriel (par le sens) sont invariables. Plusieurs de ces mots composés ont une orthographe flottante selon que l'on a considéré l'unité ou la pluralité lors de la composition du mot. *Un produit antimite ou antimites.*
• ***Anti*** + nom d'un inconvénient (contre quoi on lutte).
– L'adjectif composé du préfixe ***anti-*** suivi d'un nom désignant un inconvénient contre lequel on lutte est invariable. *Des campagnes antitabac. Des écrans antibruit.*
– Le nom composé du préfixe ***anti-*** suivi d'un nom désignant un inconvénient contre lequel on lutte prend la marque du pluriel. *Des antigels, des antivols.*

antiallergique adj.
Propre à prévenir, à traiter les allergies. *Un médicament antiallergique.*

antibiotique adj. et n. m.
Produit chimique destiné à lutter contre les infections. *Des médicaments antibiotiques. Des antibiotiques.*

antibrouillard adj. inv. et n. m.
Qui éclaire malgré le brouillard. *Des phares antibrouillard. Des antibrouillards.*
- L'adjectif est invariable, alors que le nom prend la marque du pluriel.

antichambre n. f.
Vestibule, salle d'attente. *Des antichambres désertes.*

anticipation n. f.
1. Action d'anticiper, d'imaginer le futur. *Un film d'anticipation.* **SYN.** science-fiction.
2. Prévision.
Locution
Par anticipation. Par avance.

anticorps n. m.
Substance de défense qui est fabriquée par le corps pour lutter contre les microbes.

anticyclone n. m.
Zone de hautes pressions atmosphériques. *On annonce un anticyclone pour quelques jours : il fera beau.* **ANT.** dépression (atmosphérique).
anti**cy**clone.

antidérapant, ante adj.
Qui prévient le dérapage. *Des pneus antidérapants.*
antiderap**a**nt.

antidote n. m.
Contrepoison. *Le lait est un antidote à plusieurs produits toxiques.*
- Attention au genre masculin de ce nom : ***un*** antidote.

antigel adj. inv. et n. m.
Substance qui abaisse le point de congélation d'un liquide. *Des substances antigel. Des antigels. On met de l'antigel dans le lave-glace pour ne pas qu'il gèle.*
- L'adjectif est invariable, alors que le nom prend la marque du pluriel.

antillais, aise adj. et n. m. et f.
Des Antilles. *Une danse antillaise. Un Antillais, une Antillaise.*
- L'adjectif s'écrit avec une minuscule ; le nom, avec une majuscule.

antilope n. f.
Mammifère de l'ordre des ruminants, à cornes creuses et effilées, au corps svelte, dont la peau est recherchée pour la confection de vêtements.
- Ce nom est toujours féminin : ***une*** antilope mâle.
antilo**p**e.

antipathie n. f.
Sentiment hostile à l'égard de quelqu'un. **ANT.** sympathie.
antipat**h**ie.

a

antipathique adj.
Qui ne plaît pas, désagréable. *Des paroles antipathiques.*
SYN. déplaisant. ANT. sympathique.
✎ antipat**h**ique.

antipode n. m.
1. Lieu de la terre diamétralement opposé au point où l'on se trouve. *L'Australie est à l'antipode, aux antipodes du Québec.*
2. Région très éloignée. *Mais c'est aux antipodes !*
☞ Attention au genre masculin de ce nom : ***un*** antipode.
Locution
À l'antipode de ou ***aux antipodes de,*** locution prépositive. À l'opposé.

antipoison adj. inv. et n. m.
Adjectif invariable
Se dit d'un établissement spécialisé dans le traitement des empoisonnements. *Des centres antipoison.*
Nom masculin
Antidote. *Des antipoisons.*
☞ L'adjectif est invariable, alors que le nom prend la marque du pluriel.

antipollution adj. inv.
Destiné à réduire la pollution. *Des filtres antipollution.*
☞ Cet adjectif est invariable.

antiquaire n. m. et f.
Personne qui fait le commerce des objets, des meubles anciens. *Mme Fougère est antiquaire.*
✎ antiqu**aire**.

antique adj. et n. m.
Adjectif
1. Qui appartient à l'Antiquité. *Les antiques coutumes grecques.*
2. Très ancien. *Un vase antique.*
☞ Ne pas confondre avec les mots suivants :
– ***ancien,*** qui existe depuis longtemps ;
– ***archaïque,*** qui n'est plus en usage.
Nom masculin
Art antique. *Imiter l'antique.*

antiquité n. f.
1. Époque des civilisations les plus anciennes. *Les pharaons appartiennent à l'Antiquité.*
☞ Lorsqu'il désigne une période historique précise, le mot ***antiquité*** prend la majuscule.
2. Objets, meubles anciens. *Ces amphores sont des antiquités.*
☞ En ce sens, le nom s'écrit avec une minuscule.

antiraciste adj. et n. m. et f.
Hostile au racisme. *Une manifestation antiraciste. Des antiracistes.*

antireflet(s) adj. inv.
Qui limite la réflexion de la lumière. *Des lunettes antireflet* ou *antireflets.*

antirouille adj. inv.
Se dit d'une substance propre à prévenir l'apparition de la rouille. *Des produits antirouille.*

antivol adj. et n. m. inv.
Se dit d'un dispositif de sécurité destiné à empêcher les vols. *Des systèmes antivol. Installer des antivols.*
☞ L'adjectif est invariable, alors que le nom prend la marque du pluriel.

antonyme n. m.
Mot qui a un sens opposé au sens d'un autre. *Les adjectifs **petit** et **grand** sont des antonymes.*
VOIR TABLEAU – **ANTONYMES.**

antre n. m.
Excavation naturelle, souvent occupée par des animaux. *L'antre du lion.*
☞ Contrairement aux synonymes féminins ***caverne*** et ***grotte,*** le nom ***antre*** est masculin : ***un*** antre.
HOM. **entre**, dans l'intervalle de.

ANTONYMES

Les antonymes ou contraires sont des mots de même nature qui ont une signification opposée :

beauté	et	laideur
chaud	et	froid
allumer	et	éteindre
rapidement	et	lentement

☞ Ne pas confondre avec les mots suivants :

– ***homonymes,*** mots qui s'écrivent ou se prononcent de façon identique sans avoir la même signification :

air (expression)
air (mélange gazeux)
air (mélodie)
aire (surface)
ère (époque)
erre (vitesse acquise d'un navire) ;

– ***paronymes,*** mots qui présentent une ressemblance d'orthographe ou de prononciation sans avoir la même signification :

abajoue (joue de certains animaux)
bajoue (joue pendante) ;

– ***synonymes,*** mots qui ont la même signification ou une signification très voisine :

gravement, grièvement.

Voici quelques exemples d'antonymes :

ancien	et	moderne
antipathique	et	sympathique
baisser	et	monter
calmer	et	exciter
clair	et	sombre
court	et	long
difficilement	et	facilement
force	et	faiblesse
grand	et	petit
malheur	et	bonheur
minimal	et	maximal
public	et	privé
sec	et	humide
visibilité	et	invisibilité

VOIR TABLEAU – **HOMONYMES.**
VOIR TABLEAU – **PARONYMES.**
VOIR TABLEAU – **SYNONYMES.**

anus n. m.
Le ***s*** se prononce [anys].
Orifice extérieur du rectum.

anxiété n. f.
Inquiétude extrême. *François attend ses résultats avec anxiété, car il craint un échec.* **SYN.** angoisse.

anxieusement adv.
Avec anxiété.

anxieux, euse adj. et n. m. et f.
Qui éprouve de l'angoisse, de l'anxiété. **SYN.** angoissé, inquiet, tourmenté.
Forme fautive
*être anxieux de. Anglicisme au sens de ***avoir hâte de.***

aorte n. f.
Artère qui part du ventricule gauche du cœur. *L'aorte a été touchée.*
Attention au genre féminin de ce nom : ***une*** aorte.

août n. m.
Les lettres ***aoû*** se prononcent ***ou***, en une syllabe, et le ***t*** est muet [u].
Huitième mois de l'année. *Le 10 août.*
Les noms de mois s'écrivent avec une minuscule.
Locution
À la mi-août. Le 15 août.
HOM.
– **houx**, arbrisseau ;
– **ou**, conjonction ;
– **où**, adverbe et pronom relatif.
VOIR TABLEAU – **DATE.**
a**o**û**t**.

apaisant, ante adj.
Qui apporte le calme et la sérénité. *Des paroles apaisantes.* **SYN.** calmant, rassurant.

apaisement n. m.
Action d'apaiser ; résultat de cette action.

apaiser v. tr., pronom.
Verbe transitif
1. Calmer. *Elle réussit à apaiser ses élèves turbulents.* **ANT.** exciter, inquiéter.
2. Satisfaire un sentiment, un désir. *Apaiser sa soif.*
Verbe pronominal
Devenir calme. *Les flots se sont apaisés.*
Conjugaison [VOIR MODÈLE – **AIMER**]

apercevoir v. tr., pronom.
Verbe transitif
Découvrir au loin. *Il apercevait la lune très clairement.* **SYN.** entrevoir.
Verbe pronominal
Se rendre compte. *Elles se sont aperçues trop tard de leur erreur. Ils se sont aperçus que vous n'étiez pas là.* **SYN.** remarquer.
Le participe passé du verbe pronominal s'accorde toujours en genre et en nombre avec le sujet.
Conjugaison [VOIR MODÈLE – **APERCEVOIR**]
Le ***c*** prend une cédille devant les lettres ***o*** et ***u***. *Il aperçoit, il aperçut.*
a**p**ercevoir.

aperçu n. m.
Explication de base. *J'ai eu un aperçu du problème.*

apéritif n. m.
Boisson alcoolique ou alcoolisée que l'on prend avant le repas.
Après le repas, on prend un ***digestif.***
a**p**éritif, un seul ***p,*** contrairement à ***appétit.***

apesanteur n. f.
État dans lequel les effets de la pesanteur sont supprimés. *Les astronautes flottent dans l'espace : ils sont en état d'apesanteur.*

à peu près loc. adv.
Environ. *Il était à peu près 10 heures.*
La locution adverbiale s'écrit sans traits d'union : à peu près dix dollars.

apeurer v. tr.
Rendre craintif, effrayer.
Conjugaison [VOIR MODÈLE – **AIMER**]

aphone adj.
Le ***o*** est ouvert [afɔn].
Qui est sans voix. *Il a une extinction de voix : il est aphone.*

à pic loc. adv.
1. Abrupt. *Une falaise à pic.*
2. (FIGURÉ) Au bon moment. *Vous tombez à pic.* **SYN.** à propos.

apiculteur n. m.
apicultrice n. f.
Personne qui élève des abeilles.

apiculture n. f.
Élevage des abeilles.
Ne pas confondre avec ***aviculture,*** élevage des oiseaux, des volailles.
VOIR **AGRICULTURE.**

apitoyer v. tr., pronom.
Verbe transitif
Exciter la pitié, la compassion de. *Elle essaie d'apitoyer son amie en exagérant ses problèmes.*
Verbe pronominal
Éprouver de la pitié. *Ils se sont apitoyés sur le sort de ces réfugiés.*
Conjugaison [VOIR MODÈLE – **EMPLOYER**]
Le ***y*** se change en ***i*** devant un ***e*** muet. *Il apitoie, il apitoiera.* Le ***y*** est suivi d'un ***i*** à la première et à la deuxième personne du pluriel de l'indicatif imparfait et du subjonctif présent. *(Que) nous apitoyions, (que) vous apitoyiez.*

aplatir v. tr., pronom.
Verbe transitif
Rendre plat ce qui avait une forme ronde, pointue, etc. *Aplatir ses cheveux.*
Verbe pronominal
S'écraser, prendre une forme plate. *La boîte s'est aplatie. Cette boîte s'aplatit complètement.*
Conjugaison [VOIR MODÈLE – **FINIR**]

aplomb n. m.
1. Direction verticale. *Cette cloison a perdu son aplomb.*
2. Équilibre. *Il a sauté et retrouvé son aplomb.*
3. Assurance, parfois excessive. *Elle répondit avec aplomb.*
Locution
D'aplomb, locution adverbiale. En équilibre. *Cette table est bien d'aplomb.*
aplom**b**.

apogée n. m.
1. Point où un astre est à sa plus grande distance de la Terre.

Indicatif

Présent
j' aperçois
tu aperçois
elle aperçoit
il aperçoit
nous apercevons
vous apercevez
elles aperçoivent
ils aperçoivent

Passé composé
j' ai aperçu
tu as aperçu
elle a aperçu
il a aperçu
nous avons aperçu
vous avez aperçu
elles ont aperçu
ils ont aperçu

Imparfait
j' apercevais
tu apercevais
elle apercevait
il apercevait
nous apercevions
vous aperceviez
elles apercevaient
ils apercevaient

Plus-que-parfait
j' avais aperçu
tu avais aperçu
elle avait aperçu
il avait aperçu
nous avions aperçu
vous aviez aperçu
elles avaient aperçu
ils avaient aperçu

Passé simple
j' aperçus
tu aperçus
elle aperçut
il aperçut
nous aperçûmes
vous aperçûtes
elles aperçurent
ils aperçurent

Passé antérieur
j' eus aperçu
tu eus aperçu
elle eut aperçu
il eut aperçu
nous eûmes aperçu
vous eûtes aperçu
elles eurent aperçu
ils eurent aperçu

Futur simple
j' apercevrai
tu apercevras
elle apercevra
il apercevra
nous apercevrons
vous apercevrez
elles apercevront
ils apercevront

Futur antérieur
j' aurai aperçu
tu auras aperçu
elle aura aperçu
il aura aperçu
nous aurons aperçu
vous aurez aperçu
elles auront aperçu
ils auront aperçu

Infinitif

Présent
apercevoir

Passé
avoir aperçu

Subjonctif

Présent
que j' aperçoive
que tu aperçoives
qu' elle aperçoive
qu' il aperçoive
que nous apercevions
que vous aperceviez
qu' elles aperçoivent
qu' ils aperçoivent

Passé
que j' aie aperçu
que tu aies aperçu
qu' elle ait aperçu
qu' il ait aperçu
que nous ayons aperçu
que vous ayez aperçu
qu' elles aient aperçu
qu' ils aient aperçu

Imparfait
que j' aperçusse
que tu aperçusses
qu' elle aperçût
qu' il aperçût
que nous aperçussions
que vous aperçussiez
qu' elles aperçussent
qu' ils aperçussent

Plus-que-parfait
que j' eusse aperçu
que tu eusses aperçu
qu' elle eût aperçu
qu' il eût aperçu
que nous eussions aperçu
que vous eussiez aperçu
qu' elles eussent aperçu
qu' ils eussent aperçu

Conditionnel

Présent
j' apercevrais
tu apercevrais
elle apercevrait
il apercevrait
nous apercevrions
vous apercevriez
elles apercevraient
ils apercevraient

Passé
j' aurais aperçu
tu aurais aperçu
elle aurait aperçu
il aurait aperçu
nous aurions aperçu
vous auriez aperçu
elles auraient aperçu
ils auraient aperçu

Impératif

Présent
aperçois
apercevons
apercevez

Passé
aie aperçu
ayons aperçu
ayez aperçu

Participe

Présent
apercevant

Passé
aperçu, ue
ayant aperçu

2. Le plus haut point d'élévation. *Il est à l'apogée de son art.*
Attention au genre masculin de ce nom : ***un*** apogée.
apogé**e**.

apostrophe n. f.
1. Parole brusque. *Une apostrophe désagréable.*
2. (GRAMMAIRE) Mots au moyen desquels on s'adresse directement à des personnes ou à des choses personnifiées. *Mélanie, viens ici.* Dans cette phrase, le nom « Mélanie » est mis en apostrophe.
Ne pas confondre avec les mots mis en ***apposition*** qui ajoutent une qualification à un nom ou à un pronom.
3. Signe orthographique qui marque l'élision d'une voyelle. *Il y a deux apostrophes dans cette définition.*
VOIR TABLEAU – **APOSTROPHE.**

apostropher v. tr.
Adresser des paroles désagréables à quelqu'un. *Le voyou l'a apostrophée de façon agressive.*
Conjugaison [VOIR MODÈLE – **AIMER**]

app.
Abréviation de ***appartement.***
L'abréviation « apt. » est anglaise.

apparaître v. intr., impers.
Verbe intransitif
1. Devenir brusquement visible, évident. *Après la longue traversée, la côte apparaissait enfin. La vérité apparut clairement.* **SYN.** paraître, surgir. **ANT.** disparaître.
Ce verbe peut se conjuguer avec les auxiliaires ***être*** ou, moins fréquemment, avec ***avoir.*** *Le soleil était apparu* ou *avait apparu dans l'après-midi.*
2. Sembler. *Le succès lui apparaissait probable.*
L'attribut du sujet est introduit par ***comme*** ou ***tel*** ou se construit directement. *Le film lui est apparu comme un chef-d'œuvre. Déjà, la danseuse apparaissait, tel un cygne gracieux.*
3. Commencer à exister. *L'électricité est apparue au début du siècle.*
Verbe impersonnel
Il semble que. *Il apparaît que la contestation ira en s'amplifiant. Il n'apparaît pas qu'il y ait des possibilités de faire autrement.*
À la forme affirmative, le verbe est suivi de l'indicatif ou du conditionnel ; à la forme interrogative ou négative, le verbe est suivi du subjonctif.
Ne pas confondre avec le verbe ***paraître,*** sembler, avoir l'air. *Elle paraît contente.*
Conjugaison [VOIR MODÈLE – **PARAÎTRE**]
a**pp**ar**a**î**t**re, avec un accent circonflexe.

apparat n. m.
Éclat, faste. *Un costume d'apparat.*
appara**t**.

appareil n. m.
1. Instrument qui permet d'exécuter une opération matérielle. *Un appareil téléphonique.*
Ne pas confondre avec le nom ***machine,*** appareil utilisant l'énergie.
2. (ANATOMIE) Ensemble d'organes accomplissant une fonction. *L'appareil digestif.*
3. Dispositif. *Un appareil de levage.*
4. Dispositif qui sert à redresser les dents. *Catherine porte un appareil.*
5. Agrès, dans la langue des gymnastes.

APOSTROPHE

Signe orthographique en forme de virgule qui se place en haut et à droite d'une lettre ; l'apostrophe remplace la voyelle finale (***a, e, i***) qu'un mot perd devant un mot qui commence par une voyelle ou un ***h*** muet. Cette suppression de la voyelle finale, appelée ***élision,*** n'a pas lieu devant un mot commençant par un ***h*** aspiré.

D'abord, je prendrai l'orange, s'il vous plaît, puis le haricot

Les mots qui peuvent s'élider sont :

le **la** **je** **me** **te**	**se** **ne** **de** **que** **ce**	devant une voyelle ou un ***h*** muet. *J'aurai ce qui convient.*
si		devant ***il.*** *S'il fait beau.*
lorsque **puisque** **quoique**		devant ***il, elle, en, on, un, une, ainsi.*** *Puisqu'il est arrivé.*
presque		devant ***île.*** *Une presqu'île,* mais *un bâtiment presque achevé.*
jusque		devant une voyelle. *Jusqu'au matin.*

VOIR TABLEAU – **ÉLISION.**

a

appareil photographique n. m.
S'abrège en ***appareil photo, appareil de photo***. *Des appareils photo, des appareils de photo d'excellente qualité.*
Dans ces expressions, le mot ***photo*** est invariable.
Instrument destiné à prendre des images photographiques.
Ne pas confondre avec le nom ***caméra***, appareil de prises de vues.

apparemment adv.
La troisième syllabe se prononce ***ra*** [aparamɑ̃].
Vraisemblablement. *Apparemment, il fera beau pour le week-end.*
a**pp**ar**emm**ent.

apparence n. f.
Ce qui paraît au dehors et peut ne pas correspondre à la réalité. *Les apparences sont trompeuses : il ne faut pas s'y fier.*
Locution
En apparence. D'après ce qui paraît ; extérieurement.
appar**en**ce.

apparent, ente adj.
1. Qui est visible. *La différence entre ces deux tissus est apparente.* **SYN.** clair, évident. **ANT.** invisible.
2. Qui n'est qu'une apparence, illusoire. *Malgré son apparente bonne humeur, elle est triste.* **ANT.** réel.
appar**ent**.

apparenté, ée adj.
Qui a des liens de parenté. *Elle est apparentée à ma cousine.*
L'adjectif se construit avec la préposition ***à.***

apparenter (s') v. pronom.
Avoir des affinités, une ressemblance avec quelque chose. *Peu à peu, leurs exercices se sont apparentés, sont devenus semblables.* **SYN.** ressembler.
À la forme pronominale, le participe passé du verbe s'accorde toujours en genre et en nombre avec le sujet.
Conjugaison [VOIR MODÈLE – **AIMER**]

apparition n. f.
Manifestation subite d'un être, d'un phénomène qui devient visible. *L'apparition d'une étoile filante.*

appartement n. m.
Abréviation ***app.*** (s'écrit avec un point).
Ensemble de pièces destinées à l'habitation. *Un appartement bien ensoleillé de six pièces.*
Forme fautive
*appartement. Mot ancien au sens de ***pièce*** (d'une maison, d'un logement). *Elle a loué un appartement de quatre pièces* (et non un *quatre appartements).
a**pp**artement.

appartenance n. f.
Le fait d'appartenir à une collectivité, à un ensemble. *Dans cette entreprise, il y a un fort sentiment d'appartenance.*
a**pp**arten**an**ce.

appartenir v. tr. ind., impers., pronom.
Verbe transitif indirect
1. Être la propriété de. *Ce vélo appartient à Julie.*
2. Faire partie d'un tout. *Le renard appartient à la famille des canidés.* **SYN.** se rattacher à.
Le verbe se construit avec la préposition ***à.***
Verbe impersonnel
Être le rôle de. *Il appartient aux parents de décider où la famille ira en vacances.* **SYN.** convenir, être à.
Verbe pronominal
Ne plus s'appartenir. Ne plus être libre. *Avec tout ce travail, tous ces invités, nos amis ne s'appartiennent plus.*
À la forme pronominale, le verbe s'emploie surtout dans des phrases négatives et le participe passé est invariable.
Conjugaison [VOIR MODÈLE – **VENIR**]
INDICATIF PRÉSENT *J'appartiens, nous appartenons.* IMPARFAIT *J'appartenais.* FUTUR *J'appartiendrai.* **SUBJONCTIF** PRÉSENT *Que j'appartienne, que nous appartenions.*

appât n. m.
Le ***t*** ne se prononce pas [apɑ].
1. Pâture pour attirer le gibier, le poisson. *Préparer les appâts pour la pêche.*
2. (FIGURÉ) Ce qui attire. *L'appât du gain.*
app**â**t.

appâter v. tr.
1. Attirer au moyen d'un appât. *Appâter des truites avec une mouche.*
2. (FIGURÉ) Attirer une personne à l'aide d'une récompense. *Ils ont été appâtés par la promesse d'un bon salaire.* **SYN.** attirer, séduire.
Conjugaison [VOIR MODÈLE – **AIMER**]

appauvrir v. tr., pronom.
Verbe transitif
Rendre pauvre. *La sécheresse les a appauvris.* **SYN.** ruiner. **ANT.** enrichir.
Verbe pronominal
Devenir pauvre. *Ils se sont appauvris peu à peu et ont fait faillite.* **ANT.** enrichir.
Conjugaison [VOIR MODÈLE – **FINIR**]
a**pp**auvrir.

appel n. m.
Action d'appeler. *Un appel téléphonique. Un appel à l'aide.*
Locution
Faire appel à. Demander l'aide de. *Ses parents ont fait appel au plombier.*
Dans cette expression, le nom ***appel*** est toujours au singulier.

appeler v. tr., pronom.
Verbe transitif
1. Donner un nom. *Elle appellera sa fille Raphaëlle.* **SYN.** nommer.
2. Faire venir une personne, un animal. *Appelle ton chien : il s'est encore enfui !*
3. Téléphoner à quelqu'un. *Je dois appeler mon amie.*
4. Entraîner. *Cette décision appelle des frais considérables.*
Verbe pronominal
Se nommer. *Je m'appelle Julien. Comment t'appelles-tu ? Laurence.*
Locution
Appeler l'ascenseur. Faire venir l'ascenseur.
Conjugaison [VOIR MODÈLE – **APPELER**]
Redoublement du ***l*** devant un ***e*** muet. *J'appelle, j'appellerai*, mais *j'appelais.*

appendice n. m.
Les lettres ***en*** se prononcent ***in*** [apɛ̃dis].
Petit prolongement de l'intestin. *Une inflammation de l'appendice* (et non de l'*appendicite).

appendicite n. f.
Les lettres ***en*** se prononcent ***in*** [apɛ̃disit].
Inflammation de l'appendice. *Elle a été opérée de l'appendice, car elle avait une appendicite, une crise d'appendicite.*

Indicatif

Présent		*Passé composé*		
j'	appelle	j'	ai	appelé
tu	appelles	tu	as	appelé
elle	appelle	elle	a	appelé
il	appelle	il	a	appelé
nous	appelons	nous	avons	appelé
vous	appelez	vous	avez	appelé
elles	appellent	elles	ont	appelé
ils	appellent	ils	ont	appelé

Imparfait		*Plus-que-parfait*		
j'	appelais	j'	avais	appelé
tu	appelais	tu	avais	appelé
elle	appelait	elle	avait	appelé
il	appelait	il	avait	appelé
nous	appelions	nous	avions	appelé
vous	appeliez	vous	aviez	appelé
elles	appelaient	elles	avaient	appelé
ils	appelaient	ils	avaient	appelé

Passé simple		*Passé antérieur*		
j'	appelai	j'	eus	appelé
tu	appelas	tu	eus	appelé
elle	appela	elle	eut	appelé
il	appela	il	eut	appelé
nous	appelâmes	nous	eûmes	appelé
vous	appelâtes	vous	eûtes	appelé
elles	appelèrent	elles	eurent	appelé
ils	appelèrent	ils	eurent	appelé

Futur simple		*Futur antérieur*		
j'	appellerai	j'	aurai	appelé
tu	appelleras	tu	auras	appelé
elle	appellera	elle	aura	appelé
il	appellera	il	aura	appelé
nous	appellerons	nous	aurons	appelé
vous	appellerez	vous	aurez	appelé
elles	appelleront	elles	auront	appelé
ils	appelleront	ils	auront	appelé

Infinitif

Présent	*Passé*
appeler	avoir appelé

Subjonctif

Présent			*Passé*			
que	j'	appelle	que	j'	aie	appelé
que	tu	appelles	que	tu	aies	appelé
qu'	elle	appelle	qu'	elle	ait	appelé
qu'	il	appelle	qu'	il	ait	appelé
que	nous	appelions	que	nous	ayons	appelé
que	vous	appeliez	que	vous	ayez	appelé
qu'	elles	appellent	qu'	elles	aient	appelé
qu'	ils	appellent	qu'	ils	aient	appelé

Imparfait			*Plus-que-parfait*			
que	j'	appelasse	que	j'	eusse	appelé
que	tu	appelasses	que	tu	eusses	appelé
qu'	elle	appelât	qu'	elle	eût	appelé
qu'	il	appelât	qu'	il	eût	appelé
que	nous	appelassions	que	nous	eussions	appelé
que	vous	appelassiez	que	vous	eussiez	appelé
qu'	elles	appelassent	qu'	elles	eussent	appelé
qu'	ils	appelassent	qu'	ils	eussent	appelé

Conditionnel

Présent		*Passé*		
j'	appellerais	j'	aurais	appelé
tu	appellerais	tu	aurais	appelé
elle	appellerait	elle	aurait	appelé
il	appellerait	il	aurait	appelé
nous	appellerions	nous	aurions	appelé
vous	appelleriez	vous	auriez	appelé
elles	appelleraient	elles	auraient	appelé
ils	appelleraient	ils	auraient	appelé

Impératif

Présent	*Passé*	
appelle	aie	appelé
appelons	ayons	appelé
appelez	ayez	appelé

Participe

Présent	*Passé*
appelant	appelé, ée

a

appétissant, ante adj.
Qui excite l'appétit. *Cette tarte est appétissante.*

appétit n. m.
Besoin de manger. *Il a un bon appétit, un appétit d'ogre. L'appétit vient en mangeant.* (Proverbe)
✎ appéti**t**.

applaudir v. tr., intr.
Verbe transitif
Battre des mains pour marquer son plaisir, son intérêt. *Applaudir un bon chanteur.*
Verbe intransitif
Témoigner son accord, son admiration, son intérêt. *À la fin du spectacle, les spectateurs ont applaudi très longtemps.*
Conjugaison [VOIR MODÈLE – **FINIR**]

applaudissement n. m.
Action de battre des mains en témoignage d'approbation, de plaisir. *Des applaudissements enthousiastes ont éclaté quand les musiciens ont salué.*
☞ En ce sens, le nom s'emploie généralement au pluriel.

application n. f.
1. Action d'appliquer une chose sur une autre. *L'application d'une peinture sur une surface.* **SYN.** pose.
2. Attention, soin. *Elle étudie avec application.* **ANT.** distraction.
Formes fautives
*application. Anglicisme au sens de ***demande.***
*faire application. Calque de l'anglais « to make application » au sens de ***poser sa candidature, faire une demande d'emploi.***
*formule d'application. Calque de l'anglais « application form » au sens de ***demande d'emploi.***

appliqué, ée adj.
Studieux. *Une élève appliquée.* **SYN.** attentif.

appliquer v. tr., pronom.
Verbe transitif
1. Apposer. *Appliquer une couche de peinture.*
2. Diriger son attention. *Appliquer son esprit à.*
Verbe pronominal
Donner toute son attention. *Elle s'applique à étudier la chimie.*
Forme fautive
*appliquer pour. Calque de l'anglais « to apply for » pour ***présenter une demande, poser sa candidature.***
Conjugaison [VOIR MODÈLE – **AIMER**]

***appointement**
Anglicisme au sens de ***rendez-vous.***

apporter v. tr.
Prendre avec soi et porter au lieu où est quelqu'un, quelque chose. *Jeannot apportera ses disques à la fête.*
☞ 1° Le verbe ***apporter*** comporte l'idée de point d'arrivée, d'aboutissement, alors que le verbe ***emporter*** comprend l'idée de point de départ. *Elle a emporté des pommes du jardin de son amie.*
2° On ***apporte*** une chose, on ***amène*** une personne, un animal.
Conjugaison [VOIR MODÈLE – **AIMER**]

apposer v. tr.
Poser sur. *Ils ont apposé des affiches sur le mur. Apposer sa signature au bas d'une lettre.*
Conjugaison [VOIR MODÈLE – **AIMER**]

apposition n. f.
(GRAMMAIRE) Emploi d'un nom, d'un adjectif placé à la suite d'un autre nom, ou d'un pronom, pour le situer, en préciser le sens ou pour y ajouter une qualification.
☞ 1° L'apposition est généralement encadrée par des virgules et pourrait être omise sans compromettre la clarté de la phrase. *M. Chapdelaine,* ***entrepreneur,*** *coordonna les travaux de construction. La maison,* ***claire et accueillante,*** *l'attendait. Elle rêvait,* ***seule.***
2° Le nom mis en apposition peut précéder immédiatement le nom déterminé. *J'ai été examiné par le* ***docteur*** *Desjardins. Il a rencontré* ***M^e^*** *Fougère. C'est un* ***apprenti*** *cuisinier.*
3° L'apposition peut être jointe au nom déterminé par un ***de*** explétif ou parfois par un trait d'union. *La ville de Montréal. Une classe pilote.*
☞ Ne pas confondre avec les mots mis en ***apostrophe*** au moyen desquels on s'adresse directement à des personnes ou à des choses personnifiées. «*Anne, ma sœur Anne, ne vois-tu rien venir ?*» (Perrault). *Mélanie, viens ici !*

appréciable adj.
1. Qui peut être apprécié. *C'est un atout appréciable.*
2. Assez considérable, notable. *Des progrès appréciables.*

appréciation n. f.
1. Évaluation, avis. *L'appréciation de la valeur de ce contrat.*
2. Jugement. *Je laisse cette décision à votre appréciation.*

apprécier v. tr., pronom.
Verbe transitif
1. Estimer, évaluer. *La valeur de ce tableau est difficile à apprécier.*
2. Aimer. *Il a beaucoup apprécié le concert.*
Verbe pronominal
Prendre de la valeur. *En trois ans, cette maison s'est beaucoup appréciée.*
Conjugaison [VOIR MODÈLE – **ÉTUDIER**]
Redoublement du ***i*** à la première et à la deuxième personne du pluriel de l'indicatif imparfait et du subjonctif présent. *(Que) nous appréciions, (que) vous appréciiez.*

appréhender v. tr.
1. (DROIT) Arrêter. *Le suspect a été appréhendé.*
2. Craindre. *Elle appréhende qu'il se mette à pleuvoir.* **SYN.** avoir peur, redouter.
~ Ce verbe ainsi que tous ceux qui expriment une idée de crainte (***redouter, craindre, avoir peur, trembler,*** etc.) sont suivis d'un verbe au subjonctif.
Conjugaison [VOIR MODÈLE – **AIMER**]

appréhension n. f.
Inquiétude vague, crainte indéfinie. *Ils attendent les résultats avec appréhension.*
✎ appré**h**ension.

apprendre v. tr.
1. Acquérir la connaissance de. *Apprendre l'anglais et l'espagnol.*
2. Enseigner. *C'est sa marraine qui lui a appris à lire.*
3. Informer. *Avez-vous appris la nouvelle ?* **SYN.** annoncer.
Conjugaison [VOIR MODÈLE – **APPRENDRE**]

apprenti, ie n. m. et f.
Celui, celle qui apprend un métier, surtout manuel. *Une apprentie cuisinière. Des apprentis menuisiers.*

CONJUGAISON DU VERBE **APPRENDRE**

Indicatif

Présent

j'	apprends
tu	apprends
elle	apprend
il	apprend
nous	apprenons
vous	apprenez
elles	apprennent
ils	apprennent

Passé composé

j'	ai	appris
tu	as	appris
elle	a	appris
il	a	appris
nous	avons	appris
vous	avez	appris
elles	ont	appris
ils	ont	appris

Imparfait

j'	apprenais
tu	apprenais
elle	apprenait
il	apprenait
nous	apprenions
vous	appreniez
elles	apprenaient
ils	apprenaient

Plus-que-parfait

j'	avais	appris
tu	avais	appris
elle	avait	appris
il	avait	appris
nous	avions	appris
vous	aviez	appris
elles	avaient	appris
ils	avaient	appris

Passé simple

j'	appris
tu	appris
elle	apprit
il	apprit
nous	apprîmes
vous	apprîtes
elles	apprirent
ils	apprirent

Passé antérieur

j'	eus	appris
tu	eus	appris
elle	eut	appris
il	eut	appris
nous	eûmes	appris
vous	eûtes	appris
elles	eurent	appris
ils	eurent	appris

Futur simple

j'	apprendrai
tu	apprendras
elle	apprendra
il	apprendra
nous	apprendrons
vous	apprendrez
elles	apprendront
ils	apprendront

Futur antérieur

j'	aurai	appris
tu	auras	appris
elle	aura	appris
il	aura	appris
nous	aurons	appris
vous	aurez	appris
elles	auront	appris
ils	auront	appris

Infinitif

Présent

apprendre

Passé

avoir appris

Subjonctif

Présent

que	j'	apprenne
que	tu	apprennes
qu'	elle	apprenne
qu'	il	apprenne
que	nous	apprenions
que	vous	appreniez
qu'	elles	apprennent
qu'	ils	apprennent

Passé

que	j'	aie	appris
que	tu	aies	appris
qu'	elle	ait	appris
qu'	il	ait	appris
que	nous	ayons	appris
que	vous	ayez	appris
qu'	elles	aient	appris
qu'	ils	aient	appris

Imparfait

que	j'	apprisse
que	tu	apprisses
qu'	elle	apprît
qu'	il	apprît
que	nous	apprissions
que	vous	apprissiez
qu'	elles	apprissent
qu'	ils	apprissent

Plus-que-parfait

que	j'	eusse	appris
que	tu	eusses	appris
qu'	elle	eût	appris
qu'	il	eût	appris
que	nous	eussions	appris
que	vous	eussiez	appris
qu'	elles	eussent	appris
qu'	ils	eussent	appris

Conditionnel

Présent

j'	apprendrais
tu	apprendrais
elle	apprendrait
il	apprendrait
nous	apprendrions
vous	apprendriez
elles	apprendraient
ils	apprendraient

Passé

j'	aurais	appris
tu	aurais	appris
elle	aurait	appris
il	aurait	appris
nous	aurions	appris
vous	auriez	appris
elles	auraient	appris
ils	auraient	appris

Impératif

Présent

apprends
apprenons
apprenez

Passé

aie appris
ayons appris
ayez appris

Participe

Présent

apprenant

Passé

appris, ise
ayant appris

Le nom ***apprenti*** est apposé au nom de métier, sans trait d'union, et prend la marque du féminin et du pluriel.
appren**ti**.

apprentissage n. m.
1. Action d'apprendre un métier manuel. *Un centre d'apprentissage.*
2. Première expérience, premiers essais. *Faire l'apprentissage du tennis.*

apprêter v. tr., pronom.
Verbe transitif
Préparer (un repas). *Annie a apprêté un beau pique-nique.*
Verbe pronominal
Se préparer à. *Ils s'apprêtent à partir. Elles s'apprêtent pour la fête.*
Conjugaison [VOIR MODÈLE – **AIMER**]

apprivoiser v. tr., pronom.
Verbe transitif
Rendre moins sauvage. *Apprivoiser un oiseau.*
Verbe pronominal
Devenir moins farouche. *Ces ours se sont apprivoisés.*
Conjugaison [VOIR MODÈLE – **AIMER**]

approbation n. f.
Accord. *La directrice a donné son approbation au projet.* **SYN.** consentement.

approche n. f.
1. Action d'approcher. *L'oiseau s'est enfui à mon approche.*
2. (AU PLURIEL) Abords, parages. *Les approches d'une grande ville.*
3. Angle sous lequel une question, un problème est abordé. *Il faut adopter une nouvelle approche pour étudier cette question.*
Locution
À l'approche de. À l'arrivée de. *Les écureuils cachent des glands à l'approche de l'hiver.*

approcher v. tr., intr., pronom.
Verbe transitif direct
1. Mettre plus près de quelque chose. *Approcher un fauteuil de la cheminée.* **SYN.** rapprocher.
2. Avoir accès à (une personne connue difficilement accessible). *Vous avez pu approcher cette vedette !*
Verbe transitif indirect
Être sur le point d'atteindre. *Le gros lot approche de 6 000 000 $.*
En ce sens, le verbe se construit avec la préposition ***de.***
Verbe intransitif
Devenir proche. *L'heure approche, il criera avec nous : surprise !* **SYN.** arriver.
Verbe pronominal
S'avancer, venir près de quelqu'un, de quelque chose. *Ils se sont approchés de la fenêtre.* **SYN.** se rapprocher.
L'expression *« s'approcher près de » est un pléonasme.
Conjugaison [VOIR MODÈLE – **AIMER**]

approfondir v. tr.
1. Rendre plus profond. *Approfondir une tranchée.* **SYN.** creuser.
2. Étudier à fond. *Approfondir une question.*
Conjugaison [VOIR MODÈLE – **FINIR**]

approfondissement n. m.
Action d'approfondir ; résultat de cette action.

approprié, ée adj.
Qui convient, pertinent. *C'est une réponse appropriée.* **SYN.** convenable.
a**pp**ro**p**rié.

approuver v. tr.
Donner raison à quelqu'un. *J'approuve votre décision.* **SYN.** être d'accord avec. **ANT.** désapprouver.
Conjugaison [VOIR MODÈLE – **AIMER**]

approvisionnement n. m.
1. Action de fournir ce qui est nécessaire. *L'approvisionnement de la ville en eau potable.*
2. Les provisions, les fournitures.
approvisio**nn**ement.

approvisionner v. tr.
Fournir de provisions, de matières premières, de produits.
Conjugaison [VOIR MODÈLE – **AIMER**]
approvisio**nn**er.

appui n. m.
1. Support. *Un appui pour le bras.*
2. Soutien, protection. *Nous avons besoin de votre appui.* **SYN.** aide, recommandation, secours.
Locution
À l'appui de, locution prépositive. Pour appuyer. *À l'appui de sa demande, il nous donna toutes les explications nécessaires.*

appui- ou **appuie-**
Le composé provient soit du nom ***appui-*** qui prend la marque du pluriel, soit du verbe ***appuie*** qui ne la prend pas.

appui-bras ou **appuie-bras** n. m. (pl. *appuis-bras* ou *appuie-bras*)
Accoudoir.

appui-livres ou **appuie-livres** n. m. (pl. *appuis-livres* ou *appuie-livres*)
Accessoire qui sert à retenir des livres placés debout les uns contre les autres. **SYN.** serre-livres.

appui-main ou **appuie-main** n. m. (pl. *appuis-main* ou *appuis-mains, appuie-main* ou *appuie-mains*)
Dispositif destiné à soutenir la main.

appui-nuque ou **appuie-nuque** n. m. (pl. *appuis-nuque* ou *appuie-nuque*)
Support pour appuyer la nuque.

appui-tête ou **appuie-tête** n. m. (pl. *appuis-tête* ou *appuie-tête*)
Dispositif destiné à soutenir la tête.

appuyer v. tr., intr., pronom.
Verbe transitif
1. Poser quelque chose contre. *Il appuya son parapluie contre le mur.*
2. (FIGURÉ) Soutenir, encourager. *J'appuie cette demande.* **SYN.** aider, épauler.
Verbe intransitif
Presser sur. *Appuyez sur ce bouton pour aller au 34e étage.* **SYN.** peser.
Verbe pronominal
1. Prendre appui sur quelqu'un, quelque chose. *Elle s'est appuyée sur une canne.*
2. Chercher un appui de côté. *Il s'appuie contre le mur, à la balustrade.*
En ce sens, le verbe se construit avec les prépositions ***contre*** ou ***à.***

Conjugaison [VOIR MODÈLE – **EMPLOYER**]
INDICATIF PRÉSENT *J'appuie, il appuie, nous appuyons, ils appuient.* IMPARFAIT *J'appuyais, nous appuyions.* FUTUR *J'appuierai.* **SUBJONCTIF** PRÉSENT *Que j'appuie, que nous appuyions.* **PARTICIPE** PRÉSENT *Appuyant.* PASSÉ *Appuyé, ée.*
Le ***y*** se change en ***i*** devant un ***e*** muet. *J'appuie, j'appuierai.*

après adv. et prép.
Adverbe
Ensuite. *Et puis après ? Elle ne viendra que longtemps après.*
ANT. avant.
Préposition
1. Ensuite. *Après la pluie, le beau temps.*
2. Plus loin. *Après la chambre, il y a le salon.*
L'emploi de la préposition ***après*** au sens de ***à, sur, contre*** est de niveau familier. *Grimper après un arbre.*
Locutions
Après cela. Ensuite. *Après cela, il n'y avait plus qu'à accepter.*
Après coup, locution adverbiale. Une fois la chose faite. *Il ne l'a su qu'après coup.*
Après que, locution conjonctive. Cette locution conjonctive est suivie de l'indicatif, alors que la locution ***avant que*** exige le subjonctif. *Après que la marchandise aura été livrée.*
Après tout, locution adverbiale. Tout bien considéré. *Après tout, on ne pouvait faire autrement.*
D'après, locution prépositive. De l'avis de. *D'après moi, les jeunes adoreront ce jeu.*
Attention au mauvais emploi des locutions familières suivantes :
*Être en colère après quelqu'un (pour *être en colère contre quelqu'un*).
*La clef est après la porte (pour *est sur la porte*).
*Chercher après quelqu'un (pour *chercher quelqu'un*).

après-demain loc. adv.
Dans deux jours. *Après-demain, ils seront en vacances.*
après-demain, avec un trait d'union.

après-midi n. m. ou f. inv. (pl. *après-midi*)
Partie de la journée, de midi au soir. *Des après-midi de congé.*
Le nom peut être masculin ou féminin, mais l'usage du masculin est plus répandu.

à-propos n. m.
Pertinence. *Elle répondit avec beaucoup d'à-propos.*
Ne pas confondre avec la locution adverbiale ***à propos*** qui s'écrit sans trait d'union et signifie « au bon moment ». *Tu arrives à propos.*
à-propos, avec un trait d'union.

apte adj.
Qui a les qualités nécessaires. *Elle est apte à organiser ces activités.* **SYN.** capable.

aptitude n. f.
Habileté. *Elle a beaucoup d'aptitude pour l'informatique. Il a de l'aptitude à organiser des évènements.*
Le nom se construit avec les prépositions ***pour*** ou ***à.***
Ne pas confondre avec le nom ***attitude,*** manière de se comporter.

aqua- préf.
Le ***u*** se prononce ***ou*** [akwa].
Élément du latin signifiant « eau ».
Les mots composés du préfixe ***aqua-*** s'écrivent sans trait d'union. *Aquarelle, aquatique.*

aquaplane n. m.
Ski nautique sur une seule planche.
Attention au genre masculin de ce nom, ***un*** aquaplane.

aquarelle n. f.
Peinture à l'aide de couleurs transparentes délayées dans l'eau. *Aimer faire de l'aquarelle. Cette aquarelle décore joliment la pièce.*

aquarium n. m.
Attention à la prononciation [akwarjɔm] ; le ***u*** se prononce comme un ***o.***
Réservoir transparent dans lequel on entretient des plantes et des animaux aquatiques. *Des aquariums remplis de poissons tropicaux.*

aquatique adj.
1. Qui se rapporte à l'eau. *Un centre aquatique.*
2. Qui vit dans l'eau. *La faune aquatique.*

aqueduc n. m.
Canalisation destinée à conduire l'eau d'un lieu à un autre.
SYN. canal.
Le ***gazoduc*** est une canalisation destinée à conduire le gaz d'un lieu à un autre ; l'***oléoduc,*** le pétrole.

ara n. m.
Grand perroquet au plumage vivement coloré. *Des aras multicolores.*

arabe adj. et n. m. et f.
Adjectif
Se dit du peuple sémite originaire d'Arabie. *Le peuple arabe, la poésie arabe.*
Nom masculin et féminin
Originaire d'un pays où l'on parle arabe. *Un Arabe, une Arabe. Les Libanais et les Égyptiens sont des Arabes.*
L'adjectif s'écrit avec une minuscule ; le nom, avec la majuscule.
Nom masculin
La langue arabe. *L'arabe littéraire. L'arabe s'écrit de droite à gauche.*
Le nom de la langue s'écrit avec une minuscule.
Locution
Chiffres arabes. Caractères qui représentent les nombres (par opposition aux ***chiffres romains***).
VOIR TABLEAU – **ARABE (EMPRUNTS À L').**
VOIR TABLEAU – **CHIFFRES ARABES.**

arabophone adj. et n. m. et f.
Qui parle arabe.

arachide n. f.
1. Plante dont les graines, qui se développent sous terre, sont les cacahuètes.
2. La graine de cette plante. *Beurre d'arachide.*

araignée n. f.
Animal articulé qui a huit pattes et des crochets venimeux. *L'araignée tisse une toile pour prendre des insectes.*
Au pluriel, on peut écrire ***des toiles d'araignée*** (si on pense à une araignée) ou ***des toiles d'araignées*** (si on pense à plusieurs araignées).

arbalète n. f.
Arme en forme d'arc comprenant une poulie et une manivelle pour bander la corde.
arbal**è**te.

arbitrage n. m.
1. Action de juger. *Une erreur d'arbitrage.*

2. Jugement rendu par un arbitre auquel les parties ont décidé de s'en remettre.

arbitraire adj.
Qui dépend de la volonté seule de la personne qui décide. *Un choix arbitraire.*
arbitr**aire**.

arbitre n. m. et f.
1. (SPORTS) Personne chargée de diriger un jeu et de juger des coups et des fautes. *Les arbitres ont eu fort à faire à cette partie de hockey. Une arbitre impartiale.*
2. Personne désignée par les parties pour trancher une mésentente. *S'en remettre à un arbitre.*

arbitrer v. tr.
Décider en qualité d'arbitre. *Jules a bien arbitré la partie de tennis.* **SYN.** juger.
Conjugaison [VOIR MODÈLE – **AIMER**]

EMPRUNTS À L'**ARABE**

La langue arabe a donné au français quelques centaines de mots, directement (***jasmin***) ou par l'entremise de l'espagnol (***guitare***), du portugais (***marabout***), de l'italien (***mosquée***), du provençal (***orange***), du latin (***nuque***) ou du grec (***élixir***).

Orthographe

Les mots empruntés à l'arabe sont généralement francisés et prennent la marque du pluriel.

Voici quelques exemples de mots provenant de l'arabe :

abricot	lilas
alcool	luth
alcôve	magasin
algèbre	marabout
ambre	massepain
assassin	matelas
bédouin	matraque
caïd	méchoui
carrousel	moka
chiffre	momie
coran	mosquée
coton	nacre
couscous	nénuphar
douane	nuque
échec	orange
élixir	pastèque
épinard	raquette
estragon	récif
fakir	sofa
fanfaron	sorbet
girafe	sultan
goudron	talisman
guitare	tasse
jasmin	zénith
laque	zéro

arboriculteur n. m.
arboricultrice n. f.
Agriculteur, agricultrice qui cultive les arbres fruitiers.

arboriculture n. f.
Culture des arbres fruitiers.
VOIR **AGRICULTURE.**

arbre n. m.
Grand végétal dont la tige, appelée ***tronc,*** ne commence à se séparer en branches qu'à une certaine hauteur. *Les conifères sont des arbres à aiguilles qui restent verts toute l'année alors que les feuillus perdent leurs feuilles à l'automne.*
Locution
Arbre de Noël. Sapin ou pin décoré d'ampoules lumineuses, de boules colorées, de guirlandes à l'occasion des Fêtes.

arbuste n. m.
Petit arbre (moins de trois mètres). *Des arbustes en fleurs.*

arc n. m.
1. Arme avec laquelle on lance des flèches. *Guillaume Tell était très habile au tir à l'arc : il réussissait à traverser d'une flèche la pomme placée sur la tête de son fils.*
2. Portion d'une ligne courbe. *Un arc de cercle.*

arcade n. f.
Ouverture qui présente un arc à sa partie supérieure.
Locutions
Arcade sourcilière. Partie du visage en forme d'arc, audessus de l'œil, sur laquelle poussent les sourcils.
Jeu d'arcade. ⚜ Jeu vidéo payant installé dans un lieu public.

arc-en-ciel adj. inv. et n. m. (pl. *arcs-en-ciel*)
Nom masculin
Arc lumineux, offrant les couleurs du prisme (violet, indigo, bleu, vert, jaune, orangé, rouge), qui apparaît parfois à l'opposé du Soleil pendant une averse. *De beaux arcs-en-ciel.*
Attention au genre masculin de ce nom : ***un*** arc-en-ciel.
Adjectif de couleur invariable
Qui présente les couleurs de l'arc-en-ciel. *Des écharpes arc-en-ciel.*
VOIR TABLEAU – **COULEUR (ADJECTIFS DE).**
arc-en-ciel, avec des traits d'union.

archaïque adj.
Les lettres ***ch*** se prononcent ***k*** [arkaik].
Qui n'est plus en usage, qui remonte à une époque très reculée.
Ne pas confondre avec les mots suivants :
– ***ancien,*** qui existe depuis longtemps;
– ***antique,*** très ancien.
archa**ï**que.

archaïsme n. m.
Les lettres ***ch*** se prononcent ***k*** [arkaism].
1. Caractère de ce qui ne s'emploie plus aujourd'hui, de ce qui est dépassé.
2. Mot, construction qui est ancienne et démodée : elle ne s'emploie plus. *Au sens de* ***poste,*** *le nom *malle est un archaïsme.*
Dans cet ouvrage, les archaïsmes sont indiqués à l'aide de la mention ***mot ancien*** ou ***expression ancienne.***

archange n. m.
Les lettres ***ch*** se prononcent ***k*** [arkɑ̃ʒ].
Ange qui se situe tout en haut dans le classement des anges. *L'archange Gabriel. Saint-Michel archange.*

arche n. f.
1. Construction courbée en forme d'arc. *L'arche d'un pont.*

note | orthographe | *forme fautive

2. Bateau fermé.
Locution
Arche de Noé. Vaisseau qui permit à Noé, à sa famille et aux espèces animales d'échapper au Déluge.
Le nom s'écrit avec une minuscule.
Forme fautive
*arche du pied. Calque de l'anglais « arch of the foot » pour ***cambrure du pied.***

archéo- préf.
Les lettres ***ch*** se prononcent ***k*** [arkeo]
Élément du grec signifiant « ancien ». *Archéologie.*

archéologie n. f.
Les lettres ***ch*** se prononcent ***k*** [arkeɔlɔʒi].
Étude des choses anciennes. *Grâce à l'archéologie, on découvre comment nos ancêtres vivaient.*
ar**ch**éologie.

archéologique adj.
Les lettres ***ch*** se prononcent ***k*** [arkeɔlɔʒik].
Propre à l'archéologie. *Des recherches archéologiques ont lieu à la place Royale à Québec.*
ar**ch**éologique.

archéologue n. m. et f.
Les lettres ***ch*** se prononcent ***k*** [arkeɔlɔg].
Spécialiste de l'archéologie. *Dans l'aventure de Tintin intitulée* Les Cigares du pharaon, *les archéologues ont pénétré dans une pyramide égyptienne.*
ar**ch**éologue.

archer n. m.
Celui qui pratique le tir à l'arc.
Ne pas confondre avec le nom ***archet,*** baguette servant à jouer d'un instrument à cordes.

archet n. m.
Baguette servant à jouer d'un instrument à cordes.
Ne pas confondre avec le nom ***archer,*** celui qui pratique le tir à l'arc.

archevêché n. m.
Diocèse d'un archevêque.

archevêque n. m.
Évêque qui dirige plusieurs évêques. *Son Éminence, l'archevêque Grégoire.*

archi- préf.
Élément du grec signifiant « degré extrême ».
Les mots composés avec le préfixe ***archi-*** s'écrivent sans trait d'union à l'exception des mots formés pour la circonstance où ***archi-*** a le sens de ***très, au plus haut point, énormément.*** *C'est archi-ennuyeux, archi-fou.*

archipel n. m.
Groupe d'îles. *L'archipel des Mille-Îles.*
Dans les dénominations géographiques, le mot ***archipel*** suivi d'un déterminant s'écrit avec une minuscule.
Attention au genre masculin de ce nom, ***un*** archipel.

architecte n. m. et f.
Personne qui conçoit la création d'un édifice et qui peut en diriger la construction. *Paule est une architecte de talent.*

architecture n. f.
Art de construire des édifices selon des proportions et des règles déterminées par leur caractère et leur objet. *L'architecture moderne.*

archives n. f. pl.
1. Ensemble de titres, de documents courants et anciens qui sont classés et conservés. *Les archives du ministère de la Culture.*
2. Lieu où on les conserve.
Ce nom s'emploie toujours au pluriel.

arçon n. m.
Pièce de bois cintrée constituant l'armature d'une selle.
Locution
Cheval d'arçons. Appareil de gymnastique qui sert à des exercices de saut.
Dans cette expression, le nom s'écrit toujours au pluriel.
ar**ç**on.

arctique adj. et n. m.
Le ***c*** se prononce [arktik].
Du pôle Nord. *Les Inuits habitent les régions arctiques. Se rendre dans l'Arctique.* **ANT.** antarctique.
Dans les dénominations géographiques où l'adjectif précise le générique, ce mot prend la majuscule. *L'océan Arctique.*
ar**c**tique.

ardemment adv.
Le premier ***e*** se prononce ***a*** [ardamɑ̃].
Avec ardeur. *Antoine désire ardemment avoir un vélo de montagne.*
ard**emm**ent.

ardent, ente adj.
1. Qui est en feu. *Des braises ardentes.* **SYN.** enflammé.
2. Très chaud. *Un soleil ardent.* **SYN.** brûlant, torride.
3. Passionné, enthousiaste. *Une ardente curiosité.* **SYN.** vif.
Locution
Être ou ***marcher sur des charbons ardents.*** Être inquiet et impatient.

ardeur n. f.
Enthousiasme, empressement. *Ils se préparent avec ardeur à partir en voyage.* **SYN.** énergie, entrain, fougue.

ardoise adj. inv. et n. f.
Nom féminin
Roche bleuâtre et feuilletée. *Un toit d'ardoises.*
Adjectif de couleur invariable
De la couleur bleu-gris de l'ardoise. *Des gants ardoise.*
VOIR TABLEAU – **COULEUR (ADJECTIFS DE).**

ardu, ue adj.
Difficile. *Un problème ardu.* **SYN.** compliqué. **ANT.** facile.

are n. m.
Symbole **a** (s'écrit sans point).
Unité de mesure d'une surface (100 mètres carrés).
HOM. art, expression d'un idéal artistique.

aréna n. f.
Centre sportif couvert comprenant une patinoire. *Il y a une partie de hockey ce soir à l'aréna.*
Attention au genre féminin de ce mot : **une** aréna.

arène n. f.
Partie sablée d'un amphithéâtre destinée aux jeux, aux combats. *Le torero affronte le taureau dans l'arène.*

***aréoport**
Impropriété pour ***aéroport.***

arête n. f.
1. Os long et mince qui forme la charpente des poissons. *Attention, il a une arête dans la gorge.*
2. Ligne de rencontre de deux faces planes. *Cette boîte a six faces et douze arêtes.*
Attention au genre féminin de ce nom : ***une*** arête.

argent n. m.
1. Métal blanc. *Une bague en argent.*
2. Monnaie (billets de banque, pièces, etc.). *Il faut beaucoup d'argent pour acheter une maison. L'argent ne fait pas le bonheur.* (Proverbe)
Locution
Argent de poche. Petite somme donnée aux enfants pour leurs dépenses personnelles.

argenterie n. f.
Vaisselle, ustensiles d'argent.

argentin, ine adj. et n. m. et f.
1. D'Argentine. *Les plaines argentines. Un Argentin, une Argentine.*
L'adjectif s'écrit avec une minuscule ; le nom, avec une majuscule.
2. Dont le son clair évoque celui de l'argent. *Un tintement argentin.*

argile n. f.
Glaise. *Une argile grasse. C'est avec de l'argile, appelée « terre glaise », que les potiers façonnent des vases, des objets en céramique.*
Attention au genre féminin de ce nom : ***une*** argile.

argileux, euse adj.
Qui est formé d'argile. *Un sol argileux.*
argileu**x**.

argot n. m.
1. Langage très familier de certains milieux. *Ce roman policier est écrit en argot.*
2. Langage propre à une profession, à un groupe. *Dans l'argot des étudiants, un* ***bolé,*** *c'est quelqu'un de très intelligent.*

argument n. m.
Raisonnement destiné à convaincre, à faire partager son avis par quelqu'un. *Tu as employé de bons arguments, des arguments valables : je suis d'accord avec toi.* **SYN.** raison.
Forme fautive
*argument. Anglicisme au sens de ***discussion.***

argumentation n. f.
Ensemble d'arguments. *Une argumentation habile et convaincante.*

argumenter v. tr., intr.
Verbe transitif
Justifier, appuyer par des arguments. *Une recherche solidement argumentée.*
Verbe intransitif
Présenter des arguments. *Il ne cesse d'argumenter sur cette question.*
On peut aussi argumenter en faveur de quelqu'un ou de quelque chose, contre quelqu'un ou quelque chose.
Conjugaison [VOIR MODÈLE – **AIMER**]

aride adj.
1. Desséché par le soleil. *Il ne pleut jamais dans cette région : elle est aride.* **ANT.** humide.
2. Peu attrayant, sans intérêt. *Un sujet aride.* **ANT.** intéressant.

aridité n. f.
État de ce qui est aride. *L'aridité des régions où il ne pleut que rarement.* **SYN.** sécheresse.

aristocrate adj. et n. m. et f.
Adjectif
Qui a le caractère d'un noble. *Il a des allures aristocrates.*
Nom masculin et féminin
Personne noble. *Le prince Charles est un aristocrate.*

aristocratie n. f.
L'ensemble des nobles. *Le prince et les princesses de Monaco font partie de l'aristocratie.*

aristocratique adj.
1. Qui appartient à la noblesse.
2. Digne d'un noble. *Des manières aristocratiques.* **SYN.** chic, distingué, raffiné.

arithmétique adj. et n. f.
Adjectif
Relatif à l'arithmétique. *L'addition et la soustraction sont des opérations arithmétiques.*
Nom féminin
Science des nombres. *Une arithmétique nouvelle.*
arit**h**métique.

arlequin, ine n. m. et f.
Bouffon de l'ancienne comédie italienne. *Des arlequins talentueux.*

armature n. f.
Charpente de métal ou de bois qui soutient les parties d'une construction.

arme n. f.
Ce qui sert à attaquer, à se défendre. *Les armes sont interdites à l'école. Pour chasser avec une arme à feu, il faut avoir un permis de chasse. L'arme du crime n'a pas été retrouvée.*

armée n. f.
Ensemble des soldats d'un État. *Elle étudie au Collège militaire pour faire partie de l'armée du Canada.*
Attention au genre féminin de ce nom : ***une*** armée.

armement n. m.
1. Action d'armer.
2. (AU PLURIEL) Ensemble des moyens d'attaque ou de défense dont dispose un État. *La course aux armements.*

arménien, ienne adj. et n. m. et f.
Adjectif et nom masculin et féminin
De l'Arménie. *Le peuple arménien. Un Arménien, une Arménienne.*
L'adjectif s'écrit avec une minuscule ; le nom, avec une majuscule.
Nom masculin
Langue parlée en Arménie. *Il parle l'arménien.*
Le nom de la langue s'écrit avec une minuscule.

armer v. tr., pronom.
Verbe transitif
Donner des armes à quelqu'un. *Armer un policier.*
Verbe pronominal
1. Prendre des armes. *Ils se sont armés de bâtons.*
2. (FIGURÉ) Faire preuve de. *S'armer de patience, de courage.*
Conjugaison [VOIR MODÈLE – **AIMER**]

armoire n. f.
Grand meuble de rangement plus haut que large. *Une armoire québécoise.*
Locution
Armoire (de cuisine). ⚜ Assemblage de menuiserie fermé par une porte et fixé à un mur. *Ranger la vaisselle dans les armoires.*
☞ Dans la francophonie, on emploie ***placard (de cuisine)*** en ce sens. L'***armoire*** est un meuble de rangement qui par définition est amovible, tandis que le ***placard*** est fixe.

armoiries n. f. pl.
Ensemble des emblèmes d'une famille, d'une collectivité. *Les armoiries d'Outremont.*

armure n. f.
Ensemble de plaques métalliques recouvrant entièrement le corps d'un guerrier, au Moyen Âge. *Les chevaliers portaient des armures.*

armurerie n. f.
Lieu où l'on fabrique, conserve, répare ou vend des armes.

armurier n. m.
Fabricant ou marchand d'armes.

aromate n. m.
Substance végétale répandant une odeur forte et agréable. *L'estragon, la marjolaine, le poivre sont des aromates.*
☞ Attention au genre masculin de ce nom : ***un*** aromate.

aromatique adj.
Qui est de la nature des aromates, qui sent bon. *Les herbes aromatiques donnent un bon goût aux plats que prépare grand-maman.*

aromatiser v. tr.
Parfumer avec des aromates.
Conjugaison [VOIR MODÈLE – **AIMER**]

arôme n. m.
Parfum, odeur. *Le bon arôme du pain qui cuit.*
✎ ar**ô**me, contrairement aux dérivés qui n'ont pas d'accent : aromate, aromatique, aromatiser.

arpent n. m.
Ancienne mesure des terrains. *Quelques arpents de neige.*

arpentage n. m.
Mesure de la superficie des terrains (autrefois en arpents, aujourd'hui en ares).

arpenter v. tr.
1. Faire l'arpentage, mesurer la superficie des terrains. *Avant de construire la maison, il faut arpenter le terrain pour en connaître les limites.*
2. (FIGURÉ) Parcourir à grands pas. *Arpenter un corridor.*
Conjugaison [VOIR MODÈLE – **AIMER**]

arpenteur n. m.
arpenteuse n. f.
Spécialiste de la mesure des superficies.

arrache-pied (d') loc. adv.
Sans arrêt, avec beaucoup d'efforts. *Étudier d'arrache-pied.*
☞ La locution est invariable.
✎ **arrache-pied**, avec un trait d'union.

arracher v. tr., pronom.
Verbe transitif
Détacher avec effort, enlever de force. *On lui arracha son sac. Arracher des mauvaises herbes.*
Verbe pronominal
S'éloigner à regret. *S'arracher de sa maison natale.*
Locution
S'arracher quelqu'un. Se disputer sa présence, son amitié.
Conjugaison [VOIR MODÈLE – **AIMER**]

arrangement n. m.
1. Action d'arranger, de disposer. *L'arrangement des tableaux de l'exposition est agréable à regarder.* **SYN.** agencement, aménagement.
2. Accord, entente. *Parvenir à un arrangement.*

arranger v. tr., pronom.
Verbe transitif
1. Disposer selon un plan, un ordre. *Elle arrangeait la table pour le déjeuner.* **SYN.** agencer, placer.
☞ Ne pas confondre avec le verbe ***ranger,*** mettre de l'ordre.
2. Organiser. *Arranger une rencontre.*
Verbe pronominal
1. S'entendre. *S'arranger facilement avec tout le monde.*
2. Finir bien. *Tout s'est arrangé pour le mieux.*
3. Faire en sorte que. *Elle s'est arrangée pour prévenir ses amis.*
Conjugaison [VOIR MODÈLE – **CHANGER**]
INDICATIF PRÉSENT *J'arrange, nous arrangeons.* IMPARFAIT *J'arrangeais, nous arrangions.*
Le ***g*** est suivi d'un ***e*** devant les lettres ***a*** et ***o***. *Il arrangea, nous arrangeons.*

arrestation n. f.
Action d'arrêter une personne ; état d'une personne arrêtée. *L'arrestation du cambrioleur a été faite grâce au flair du chien Filou.* **SYN.** capture.

arrêt n. m.
1. Action d'arrêter, de s'arrêter. *L'arrêt des véhicules au passage pour piétons.*
2. Endroit où doit s'arrêter un véhicule. *Arrêt obligatoire, arrêt facultatif au coin d'une rue.*
3. ⚜ Panneau de signalisation exigeant un arrêt. **SYN.** stop.
4. Fin du fonctionnement, immobilisation complète. *Attendez l'arrêt complet de l'avion.*
Locution
Sans arrêt. Continuellement, sans cesse. *Il pleut sans arrêt depuis trois jours.*

arrêter v. tr., intr., pronom.
Verbe transitif
1. Interrompre le déroulement de. *Arrête de courir, je veux me reposer un peu.*
2. Procéder à l'arrestation de quelqu'un. *On a arrêté le voleur.* **SYN.** capturer.
Verbe intransitif
Cesser. *Arrête ! Tu vas tomber.*
Verbe pronominal
1. Cesser d'avancer, de fonctionner. *La voiture s'est arrêtée : le réservoir d'essence était vide.*
2. Faire un arrêt. *L'autobus s'arrête en face de l'école. Les voyageurs se sont arrêtés ici.*
3. Se terminer. *La route s'arrête ici.* **ANT.** continuer.
Conjugaison [VOIR MODÈLE – **AIMER**]

arriéré, ée adj.
1. Démodé. *Il a des idées arriérées.* **SYN.** ancien. **ANT.** moderne.
☞ Cet adjectif a un sens défavorable.
2. Dont l'esprit est lent. *Cette personne est un peu arriérée.* **SYN.** débile.

a

arrière- préf.
Qui vient derrière. *Des arrière-boutiques.*
Les mots composés avec ***arrière-*** prennent un trait d'union. Alors que l'adverbe reste invariable, le deuxième (ou troisième) élément prend la marque du pluriel. *Des arrière-goûts. Des arrière-grands-pères.*

arrière adj. inv. et n. m.
Adjectif invariable
Du côté opposé, en sens contraire. *Les pneus arrière sont usés.* ANT. avant.
L'adjectif ***arrière*** s'écrit sans ***s*** au pluriel : il est invariable. Attention cependant, le nom est variable.
Nom masculin
1. Partie d'une chose qui est derrière. *L'arrière de la maison est à repeindre.* ANT. avant.
2. (SPORTS) Joueur situé près de son but afin d'assurer sa défense. ANT. avant.
Le nom prend la marque du pluriel. *Des arrières énergiques.*
Locutions
À l'arrière, locution adverbiale. Derrière. *Il y a un jardin à l'arrière.*
À l'arrière de, locution prépositive. Derrière. *À l'arrière de l'autobus, il y a des places libres.*
En arrière, locution adverbiale. Dans une direction opposée. *Regarde en arrière, ton copain s'en vient.*
En arrière de, locution prépositive. Derrière. *En arrière de l'école, il y a la cour de récréation.*

arrière-boutique n. f. (pl. *arrière-boutiques*)
Pièce placée derrière une boutique.

arrière-fond n. m. (pl. *arrière-fonds*)
Ce qu'on voit à l'arrière. *L'arrière-fond de la photo est un château fort.*

arrière-goût n. m. (pl. *arrière-goûts*)
1. Goût que laisse dans la bouche un aliment, une boisson. *Le lait a un arrière-goût; je crois qu'il n'est pas frais.*
2. (FIGURÉ) Sentiment qui reste après ce qui l'a causé. *Des arrière-goûts de déception.*

arrière-grand-mère n. f. (pl. *arrière-grands-mères*)
Mère de la grand-mère ou du grand-père. *Son arrière-grand-mère a 100 ans et elle a 13 arrière-petits-enfants.*
Dans ce nom, le mot ***arrière*** est invariable alors que les mots ***grand*** et ***mère*** prennent un ***s*** au pluriel.
arrière-grand-mère, avec des traits d'union.

arrière-grand-père n. m. (pl. *arrière-grands-pères*)
Père de la grand-mère ou du grand-père. *Son arrière-grand-père est encore très alerte et il adore ses arrière-petits-enfants.*
Dans ce nom, le mot ***arrière*** est invariable alors que les mots ***grand*** et ***père*** prennent un ***s*** au pluriel.
arrière-grand-père, avec des traits d'union.

arrière-grands-parents n. m. pl.
Parents des grands-parents. *Ses arrière-grands-parents habitent à la campagne.*
1° Dans ce nom, le mot ***arrière*** est invariable alors que les mots ***grand*** et ***parent*** prennent un ***s.***
2° Ce nom ne s'emploie pas au singulier.
arrière-grands-parents, avec des traits d'union.

arrière-pensée n. f. (pl. *arrière-pensées*)
Pensée que l'on cache.

arrière-petite-fille n. f. (pl. *arrière-petites-filles*)
Fille du petit-fils, de la petite-fille.
Dans ce nom, le mot ***arrière*** est invariable alors que les mots ***petite*** et ***fille*** prennent un ***s*** au pluriel.

arrière-petit-fils n. m. (pl. *arrière-petits-fils*)
Fils du petit-fils, de la petite-fille.
Dans ce nom, le mot ***arrière*** est invariable alors que les mots ***petit*** et ***fils*** prennent un ***s*** au pluriel.

arrière-petits-enfants n. m. pl.
Enfants du petit-fils, de la petite-fille.
1° Dans ce nom, le mot ***arrière*** est invariable alors que les mots ***petit*** et ***enfant*** prennent un ***s*** au pluriel.
2° Ce nom ne s'emploie pas au singulier.

arrière-plan n. m. (pl. *arrière-plans*)
Le plan le plus éloigné (par opposition à ***premier plan***), ce que l'on voit au fond. *À l'arrière-plan de la photo, on distingue les manèges de la Ronde.*
Locution
À l'arrière-plan, locution adverbiale. (FIGURÉ) Dans une position secondaire.
arrière-plan, avec un trait d'union.

arrière-train n. m. (pl. *arrière-trains*)
Partie postérieure d'un animal. *L'arrière-train du faon est tacheté de blanc.*

arrivage n. m.
Arrivée de marchandises. *Nous avons reçu un arrivage de légumes ce matin.*

arrivant, ante n. m. et f.
Personne qui arrive. *Les nouveaux arrivants du quartier ont été très bien accueillis.*

arrivée n. f.
1. Action d'arriver. *L'arrivée des voyageurs a lieu au quai n°15. L'arrivée du train.*
2. Moment de l'arrivée. *L'arrivée du train se fera à 9 h.*
Ne pas confondre avec le nom ***arrivage,*** arrivée de marchandises.
3. Début. *À l'arrivée de l'hiver, on prépare les skis.* ANT. départ.
4. Canalisation. *Une arrivée d'eau.*

arriver v. intr.
1. Parvenir à destination. *Joël est arrivé à la maison.*
2. Approcher, avoir lieu bientôt. *La récréation arrive dans quelques minutes.*
3. Avoir lieu. *Un accident est arrivé. Ce problème n'est jamais arrivé auparavant.* SYN. se produire, survenir.
4. *Il arrive que.* Parfois. *Il arrive qu'il grêle au printemps.*
À la forme impersonnelle, le verbe se construit avec le subjonctif. *Il arrive qu'elle finisse en retard.*
Le verbe ***arriver*** se conjugue avec l'auxiliaire ***être.*** *Elle est arrivée à temps.*
Conjugaison [VOIR MODÈLE – **AIMER**]

arrogance n. f.
Orgueil insolent. SYN. mépris. ANT. humilité, respect.

arrogant, ante adj.
Orgueilleux et effronté. *Un ton arrogant.* SYN. insolent, méprisant. ANT. humble, respectueux.

arrondi, ie adj.
De forme ronde. *Un visage arrondi.*

arrondir v. tr., pronom.
Verbe transitif
1. Rendre rond. *Arrondir une lettre.*
2. Augmenter. *Arrondir sa fortune.*
Verbe pronominal
Devenir plus rond. *Ses joues se sont arrondies.*
Locution
Arrondir une somme. En supprimer les fractions. *Le prix est de 4,95 $, j'arrondis à 5 $.*
Conjugaison [VOIR MODÈLE – **FINIR**]

arrosage n. m.
Action d'arroser. *En été, quand il ne pleut pas, on doit faire des arrosages dans le jardin.*
Locution
Tuyau d'arrosage. Conduit flexible. *Les enfants se sont aspergés avec le tuyau d'arrosage* (et non le *boyau).

arroser v. tr.
1. Répandre un liquide sur quelque chose. *Arroser la pelouse.*
2. Couler à travers. *L'Outaouais arrose cette région.*
Conjugaison [VOIR MODÈLE – **AIMER**]

arroseur, euse n. m. et f.
Nom masculin
Appareil automatique pour arroser les pelouses.
Nom féminin
Véhicule destiné à l'arrosage des voies publiques.

arrosoir n. m.
Ustensile destiné à arroser les plantes. *Grand-maman a un bel arrosoir de cuivre.*

arsenic n. m.
Le **c** se prononce [arsənik].
Poison. *Un arsenic mortel.*

art n. m.
1. Toute œuvre humaine de création où l'on reconnaît un idéal artistique rendu avec grand talent, parfois avec génie. *Cette sculpture est une œuvre d'art.* **SYN.** chef-d'œuvre.
2. Aptitude à bien faire quelque chose. *L'art d'écrire, de bâtir une maison.* **SYN.** habileté, savoir-faire.
HOM. **are**, unité de mesure d'une surface.

art.
Abréviation de ***article.***

artère n. f.
1. Canal qui part du cœur pour distribuer le sang à tous les organes du corps. *Une artère vitale.*
2. (FIGURÉ) Grande voie de circulation à l'intérieur des villes. *Aux heures de pointe, on circule lentement sur les artères de Montréal et de Québec.*
Attention au genre féminin de ce nom : ***une*** artère.

artichaut n. m.
Plante potagère. *On mange la base des feuilles de l'artichaut ainsi que le fond, qu'on appelle aussi le cœur.*
artichau**t**.

article n. m.
1. Écrit d'un journal, d'une publication. *Cet article sur la pollution est très intéressant.*
2. Tout objet de commerce destiné à la vente. *Un grand choix d'articles* (et non d'*items) *de pêche.*
3. (GRAMMAIRE) Mot qui détermine un nom de façon définie, indéfinie ou partitive et qui sert à marquer le genre et le nombre du mot auquel il se rapporte.
VOIR TABLEAU – **ARTICLE.**

articulation n. f.
1. Union de deux ou plusieurs os. *Sa grand-maman a mal aux articulations quand le temps est humide.*
2. Lien entre les parties d'un texte, d'un discours. *Les conjonctions **car, mais, en effet** servent d'articulations entre les propositions.* **SYN.** charnière, transition.
3. Manière d'articuler les sons d'une langue. *Geneviève a une bonne articulation : on la comprend bien quand elle parle.*

articulé, ée adj.
1. Construit avec une ou des articulations de manière à permettre le mouvement. *Une lampe articulée.*
2. Prononcé distinctement. *Une consonne bien articulée.*
Forme fautive
*articulé. Anglicisme au sens de ***qui s'exprime bien.***

articuler v. tr.
1. Assembler à l'aide de charnières qui permettent le mouvement.
2. Organiser en éléments distincts dans un ensemble.
3. Prononcer distinctement. *Elle articule bien chaque syllabe.*
Conjugaison [VOIR MODÈLE – **AIMER**]

artifice n. m.
Ruse, procédé pour tromper.
Attention au genre masculin de ce nom : ***un*** artifice.
Locution
Feu d'artifice. Ensemble de petites fusées de formes et de couleurs variées que l'on fait brûler à des occasions diverses. *Le feu d'artifice de la Saint-Jean. En juin, il y a un concours de feux d'artifice à la Ronde.*

artificiel, ielle adj.
Non naturel. *Un sapin artificiel à l'épreuve du feu.* **ANT.** naturel
Locution
Respiration artificielle. Ensemble de moyens destinés à rétablir les fonctions respiratoires. *La secouriste a pratiqué la respiration artificielle sur le blessé évanoui.*

artificiellement adv.
D'une manière artificielle.

artificier n. m.
artificière n. f.
Personne qui fabrique des pièces d'artifice, qui produit des feux d'artifice.

artisan n. m.
artisane n. f.
Personne qui exerce un art manuel, en travaillant pour son propre compte. *Cette céramiste est une habile artisane ; ce serrurier est un bon artisan. Les artisans aiment le travail bien fait.*
Locution
Être l'artisan de. (FIGURÉ) Être le responsable de quelque chose. *Remercions Pierre qui a été l'artisan de cette belle fête.*
artis**an,** artisa**n**e.

artisanal, ale, aux adj.
1. Relatif à l'artisan. *Des produits artisanaux.*
2. Peu organisé, rudimentaire. *Une construction artisanale.*

artisanat n. m.
Métier de l'artisan. *Ces poteries et ces tissages sont des produits d'artisanat québécois.*
artisana**t**.

artiste n. m. et f.
1. Créateur d'une œuvre d'art. *Un artiste de génie. Léonard de Vinci était un grand artiste.*

ARTICLE

L'article est un déterminant qui est placé devant le nom pour déterminer d'une façon précise ou imprécise le nom dont on parle. L'article fournit aussi des indications sur le genre et le nombre du nom qu'il détermine. Il existe trois sortes d'articles :
- l'article défini ;
- l'article indéfini ;
- l'article partitif.

ARTICLES DÉFINIS

L'article défini désigne d'une façon précise le nom qu'il détermine. Il se rapporte à un objet particulier, il individualise le nom désigné.

Forme simple

Le (devant un nom masculin singulier). ***Le*** *chat de sa fille.*

La (devant un nom féminin singulier). ***La*** *tortue de Julien.*

L' (devant un nom masculin ou féminin singulier commençant par une voyelle ou un ***h*** muet). ***L'****avion,* ***l'****école,* ***l'****habit,* ***l'****heure.*

🕬 On dit alors qu'il s'agit d'un article élidé.

Les (devant un nom masculin ou féminin pluriel). ***Les*** *livres de la bibliothèque.*

Forme contractée

Au (combinaison de ***à*** et de ***le*** devant un nom masculin singulier). ***Au*** *printemps.*

Du (combinaison de ***de*** et de ***le*** devant un nom masculin singulier). *Je parle* ***du*** *soleil.*

Aux (combinaison de ***à*** et de ***les*** devant un nom masculin ou féminin pluriel). *J'explique* ***aux*** *garçons et* ***aux*** *filles...*

Des (combinaison de ***de*** et de ***les*** devant un nom masculin ou féminin pluriel). *Les adresses* ***des*** *cousines et* ***des*** *amis.*

ARTICLES INDÉFINIS

L'article indéfini désigne d'une façon imprécise le nom qu'il détermine.

Un (devant un nom masculin singulier). ***Un*** *garçon.*

Une (devant un nom féminin singulier). ***Une*** *fille.*

Des (devant un nom masculin ou féminin pluriel). ***Des*** *enfants.*

🕬 L'article indéfini ***des*** peut être remplacé par ***de*** quand il est immédiatement suivi d'un adjectif qualificatif ou quand il est placé après un verbe à la forme négative. *Ce sont de beaux chiens. Je n'ai pas de remarques à te faire.*

ARTICLES PARTITIFS

L'article partitif se place devant le nom des choses qui ne peuvent se compter ; il indique une quantité indéterminée de ce qui est désigné par le nom.

Du (devant un nom masculin singulier). *Je bois* ***du*** *lait.*

De la (devant un nom féminin singulier). *Je mâche* ***de la*** *gomme.*

De l' (devant un nom masculin ou féminin singulier commençant par une voyelle ou un ***h*** muet). *Je mange* ***de l'****agneau, j'avale* ***de l'****eau, elle verse* ***de l'****huile.*

Des (devant un nom masculin ou féminin pluriel). ***Des*** *cretons et* ***des*** *confitures.*

🕬 À la forme négative, les articles partitifs sont remplacés par ***de*** ou ***d'*** si le nom peut être précédé de l'expression « aucune quantité de ». *Il n'y a pas de poussière, elle n'a pas d'ennuis.*

VOIR TABLEAU – **DÉTERMINANT.**
VOIR TABLEAU – **LE, LA, LES,** ARTICLES DÉFINIS.
VOIR TABLEAU – **LE, LA, LES,** PRONOMS PERSONNELS.
VOIR TABLEAU – **UN.**

2. Interprète d'une œuvre musicale, théâtrale. *C'est une excellente artiste. Ah ! la vie d'artiste ! Les acteurs, les danseurs, les musiciens sont des artistes.*

artistique adj.
1. Relatif à l'art. *Des œuvres artistiques.*
2. Avec art. *Un agencement artistique. Une championne de patinage artistique.*

artistiquement adv.
D'une manière artistique. *Ce décor a été peint artistiquement.*

as n. m.
1. Carte à jouer. *L'as de cœur.*
2. (FIGURÉ) Personne qui tient le premier rang dans sa spécialité. *C'est un as du tennis.*
Locution
Être ficelé comme l'as de pique. Être mal habillé.

ascenseur n. m.
Appareil servant à monter et à descendre des personnes, des choses aux différents étages d'un immeuble.
Ne pas confondre avec le nom ***élévateur,*** appareil de levage pour les marchandises, les fardeaux.
a**sc**en**s**eur.

ascension n. f.
1. Action de monter, d'aller vers le haut. *L'ascension d'un hélicoptère.*
2. Action de gravir une montagne. *L'ascension de l'Everest.* **SYN.** escalade.
a**sc**en**s**ion.

asiatique adj. et n. m. et f.
D'Asie. *L'économie asiatique. Un Asiatique, une Asiatique.*
L'adjectif s'écrit avec une minuscule ; le nom, avec une majuscule.

asile n. m.
1. Refuge. *Les marcheurs épuisés ont cherché asile chez le cultivateur.* **SYN.** abri.
2. Établissement d'assistance.
Attention au genre masculin de ce nom : ***un*** asile.
Locutions
Asile de nuit. Refuge pour les sans-abri.
Asile politique. Droit d'un étranger qui s'estime persécuté dans son pays d'origine à être accueilli dans un autre pays.
asi**l**e.

aspect n. m.
Les lettres ***ct*** ne se prononcent pas [aspɛ].
1. Forme sous laquelle une personne, une chose nous apparaît. *Ces ruines ont un aspect terrifiant.* **SYN.** allure, apparence.
2. Angle, point de vue. *Il faut étudier ce problème sous tous ses aspects.*
aspe**ct**.

asperge n. f.
Plante potagère dont on mange les jeunes pousses. *Préférez-vous les asperges blanches ou vertes ? De belles bottes d'asperges bien fraîches.*

asperger v. tr., pronom.
Verbe transitif
Arroser légèrement. *Nous aspergeons les plantes d'eau fraîche.*
Verbe pronominal
S'arroser. *Maman s'asperge d'eau de toilette au jasmin.*
Conjugaison [VOIR MODÈLE – **CHANGER**]
Le ***g*** est suivi d'un ***e*** devant les lettres ***a*** et ***o.*** *Il aspergea, nous aspergeons.*

asphaltage n. m.
Action de couvrir d'asphalte. *L'asphaltage de la route a causé un embouteillage.*
as**ph**altage.

asphalte n. m.
Le ***l*** se prononce [asfalt].
Revêtement des voies de circulation. *De l'asphalte ramolli par la chaleur.*
Attention au genre masculin de ce nom : ***un*** asphalte.
as**ph**alte.

asphalter v. tr.
Couvrir d'asphalte. *On a asphalté l'entrée du garage.*
Conjugaison [VOIR MODÈLE – **AIMER**]
as**ph**alter.

asphyxie n. f.
Trouble grave d'un organisme qui manque d'oxygène en raison de l'arrêt de la respiration.
Attention au genre féminin de ce nom : ***une*** asphyxie.
as**phyx**ie.

asphyxier v. tr., pronom.
Verbe transitif
Causer l'asphyxie. *La fumée peut asphyxier.*
Verbe pronominal
Mourir par asphyxie. *Elles ont failli s'asphyxier, mais on les a secourues à temps.*
Conjugaison [VOIR MODÈLE – **ÉTUDIER**]
Redoublement du ***i*** à la première et à la deuxième personne du pluriel de l'indicatif imparfait et du subjonctif présent. *(Que) nous asphyxiions, (que) vous asphyxiiez.*
as**phyx**ier.

aspirateur n. m.
Appareil destiné à aspirer la poussière, l'air, les liquides. *Papa passe l'aspirateur électrique.*
Ne pas confondre avec le nom ***balayeuse,*** machine à brosse rotative destinée à balayer les rues.

aspiration n. f.
1. Action d'attirer l'air dans ses poumons. **SYN.** inspiration. **ANT.** expiration.
2. Prononciation d'une consonne accompagnée d'un souffle d'air. *L'aspiration du **h.***
VOIR TABLEAU – **H MUET ET H ASPIRÉ.**
3. Mouvement de l'âme vers un idéal. *Sa principale aspiration est d'être médecin.* **SYN.** désir, rêve.

aspirer v. tr.
Verbe transitif direct
1. Attirer l'air dans ses poumons. *Aspirez profondément.* **ANT.** expirer.
2. Attirer une substance, un gaz dans le nez, la bouche, etc. *Ne pas aspirer la fumée d'une cigarette. La pompe aspire l'eau de la piscine.*
Verbe transitif indirect
Désirer vivement. *Il aspire à être médecin. Elle aspire à la médaille d'or.* **SYN.** souhaiter.
Conjugaison [VOIR MODÈLE – **AIMER**]

aspirine n. f.
Médicament contre la douleur. *Avez-vous des aspirines ? J'ai mal à la tête.*

assagir v. tr., pronom.
Verbe transitif
Rendre sage. *La fatigue les assagit.* **SYN.** calmer.

Verbe pronominal
Devenir sage. *Ils se sont assagis avec le temps.*
Conjugaison [VOIR MODÈLE – **FINIR**]

assaillant, ante adj. et n. m. et f.
Personne qui attaque. *Des assaillants armés.*
assa**ill**ant.

assaillir v. tr.
1. Attaquer vivement. *Les cambrioleurs ont été assaillis par le gardien.*
2. (FIGURÉ) Harceler. *On l'assaillait de questions.*
Conjugaison [VOIR MODÈLE – **TRESSAILLIR**]
INDICATIF PRÉSENT *J'assaille, nous assaillons.* IMPARFAIT *J'assaillais, nous assaillions.* PASSÉ SIMPLE *J'assaillis.* FUTUR *J'assaillirai.* **SUBJONCTIF** PRÉSENT *Que j'assaille, que nous assaillions.* **PARTICIPE** PRÉSENT *Assaillant.* PASSÉ *Assailli, ie.*
Les lettres ***ill*** sont suivies d'un ***i*** à la première et à la deuxième personne du pluriel de l'indicatif imparfait et du subjonctif présent. *(Que) nous assaillions, (que) vous assailliez.*
assa**ill**ir.

assainir v. tr.
Rendre sain, pur. *Il faut assainir cette rivière polluée.* **SYN.** purifier.
Conjugaison [VOIR MODÈLE – **FINIR**]
assa**i**nir.

assainissement n. m.
Action de rendre sain, pur. *L'assainissement de l'eau.*
assa**i**nissement.

assaisonnement n. m.
1. Action de donner un bon goût à l'aide d'épices, de sel et de poivre. *L'assaisonnement d'une viande.*
2. Ingrédient qui sert à assaisonner. *Le thym, le basilic, le poivre, le sel sont des assaisonnements.*
ass**ai**sonnement.

assaisonner v. tr.
Relever le goût par un assaisonnement. *Tu as trop assaisonné le poulet : il est très salé.*
Conjugaison [VOIR MODÈLE – **AIMER**]
ass**ai**sonner.

assassin n. m.
Personne qui commet un meurtre volontairement. *Cette femme est un assassin.* **SYN.** criminel.
Le nom n'a pas de forme féminine.
a**ss**a**ss**in.

assassinat n. m.
Meurtre préparé à l'avance.
Ne pas confondre avec les noms suivants :
– ***homicide,*** action de tuer, volontairement ou non, un être humain ;
– ***meurtre,*** action de donner la mort de façon volontaire.
a**ss**a**ss**ina**t**.

assassiner v. tr.
Tuer de façon décidée à l'avance une autre personne.
Conjugaison [VOIR MODÈLE – **AIMER**]
a**ss**a**ss**iner.

assaut n. m.
Attaque. *« À l'assaut ! », crient les pirates.*

assécher v. tr., pronom.
Verbe transitif
Mettre à sec. *Le vent assèche la peau.*
Verbe pronominal
Devenir sec. *La rivière s'est asséchée.*
Conjugaison [VOIR MODÈLE – **POSSÉDER**]
Le ***é*** se change en ***è*** devant une syllabe muette, sauf à l'indicatif futur et au conditionnel présent. *J'assèche,* mais *j'assécherai.*

assemblage n. m.
1. Action de réunir (des éléments) pour composer un tout. *L'assemblage d'un meuble.*
2. Ensemble d'éléments assemblés. *Un assemblage d'objets anciens.*

assemblée n. f.
Réunion de personnes en un même endroit. *L'assemblée mensuelle des étudiants.*
Attention au genre féminin de ce nom : ***une*** assemblée.

assembler v. tr., pronom.
Verbe transitif
Mettre ensemble pour former un tout. *Pierre et Léa ont assemblé le meuble.*
Verbe pronominal
Se réunir. *Les élèves se sont assemblés dans la cour de l'école.*
Conjugaison [VOIR MODÈLE – **AIMER**]

assener ou **asséner** v. tr.
Le premier ***e*** de l'infinitif se prononce ***é***, quelle que soit son orthographe.
Donner avec violence. *Assener un coup de bâton.*
Conjugaison [VOIR MODÈLE – **PESER**]
Le ***e*** ou le ***é*** de la deuxième syllabe se change en ***è*** devant une syllabe muette. *Il assène, il assenait.*
Lorsque le verbe s'écrit ***asséner,*** il se conjugue comme ***posséder.***
ass**e**ner ou ass**é**ner.

asseoir v. tr., pronom.
Verbe transitif
Mettre sur un siège. *Elle assoit son bébé.*
Verbe pronominal
Se mettre sur un siège. *Assoyez-vous. Je me suis assise.*
Conjugaison [VOIR MODÈLE – **ASSEOIR**]
On emploie généralement la conjugaison courante, mais le verbe possède aussi une deuxième conjugaison de niveau littéraire :
INDICATIF PRÉSENT *J'assieds, tu assieds, il assied, nous asseyons, vous asseyez, ils asseyent.* IMPARFAIT *J'asseyais, nous asseyions.* PASSÉ SIMPLE *J'assis, nous assîmes.* PASSÉ COMPOSÉ *J'ai assis, nous avons assis.* FUTUR *J'assiérai, nous assiérons.* **CONDITIONNEL** PRÉSENT *J'assiérais, nous assiérions.* **SUBJONCTIF** PRÉSENT *Que j'asseye, que nous asseyions.* **PARTICIPE** PRÉSENT *Asseyant.* PASSÉ *Assis, ise.*

assez adv.
1. Suffisamment. *J'ai assez mangé : c'était vraiment délicieux !*
2. Plutôt. *Jules est assez content de ses résultats.* **SYN.** passablement.
3. ⚜ Très, énormément. *Julie est assez gentille : elle m'a donné ce disque !*
Locution
En avoir assez. Ne plus supporter. *J'en ai assez de tes attitudes.*
asse**z**.

assidu, ue adj.
Qui accomplit fidèlement un travail, qui est présent là où il doit être. *C'est une élève assidue.* **SYN.** appliqué.

Indicatif

Présent

j' assois
tu assois
elle assoit
il assoit

nous assoyons
vous assoyez
elles assoient
ils assoient

Passé composé

j' ai assis
tu as assis
elle a assis
il a assis

nous avons assis
vous avez assis
elles ont assis
ils ont assis

Imparfait

j' assoyais
tu assoyais
elle assoyait
il assoyait

nous assoyions
vous assoyiez
elles assoyaient
ils assoyaient

Plus-que-parfait

j' avais assis
tu avais assis
elle avait assis
il avait assis

nous avions assis
vous aviez assis
elles avaient assis
ils avaient assis

Passé simple

j' assis
tu assis
elle assit
il assit

nous assîmes
vous assîtes
elles assirent
ils assirent

Passé antérieur

j' eus assis
tu eus assis
elle eut assis
il eut assis

nous eûmes assis
vous eûtes assis
elles eurent assis
ils eurent assis

Futur simple

j' assoirai
tu assoiras
elle assoira
il assoira

nous assoirons
vous assoirez
elles assoiront
ils assoiront

Futur antérieur

j' aurai assis
tu auras assis
elle aura assis
il aura assis

nous aurons assis
vous aurez assis
elles auront assis
ils auront assis

Infinitif

Présent

asseoir

Passé

avoir assis

Subjonctif

Présent

que j' assoie
que tu assoies
qu' elle assoie
qu' il assoie

que nous assoyions
que vous assoyiez
qu' elles assoient
qu' ils assoient

Passé

que j' aie assis
que tu aies assis
qu' elle ait assis
qu' il ait assis

que nous ayons assis
que vous ayez assis
qu' elles aient assis
qu' ils aient assis

Imparfait

que j' assisse
que tu assisses
qu' elle assît
qu' il assît

que nous assissions
que vous assissiez
qu' elles assissent
qu' ils assissent

Plus-que-parfait

que j' eusse assis
que tu eusses assis
qu' elle eût assis
qu' il eût assis

que nous eussions assis
que vous eussiez assis
qu' elles eussent assis
qu' ils eussent assis

Conditionnel

Présent

j' assoirais
tu assoirais
elle assoirait
il assoirait

nous assoirions
vous assoiriez
elles assoiraient
ils assoiraient

Passé

j' aurais assis
tu aurais assis
elle aurait assis
il aurait assis

nous aurions assis
vous auriez assis
elles auraient assis
ils auraient assis

Impératif

Présent

assois
assoyons
assoyez

Passé

aie assis
ayons assis
ayez assis

Participe

Présent

assoyant

Passé

assis, ise
ayant assis

assiduité n. f.
Ponctualité. *L'assiduité de cette élève est remarquable, elle est toujours à l'heure.*

assidûment adv.
Avec assiduité. *Elle travaille assidûment.* **SYN.** continuellement, régulièrement.
✎ assid**û**ment, attention à l'accent circonflexe sur le ***u.***

assiéger v. tr.
1. Faire le siège d'une place. *Les Romains ont assiégé cette ville pendant 30 jours.* **SYN.** encercler.
2. (FIGURÉ) Entourer avec insistance. *Les photographes assiègent les vedettes du film.* **SYN.** poursuivre.
Conjugaison [VOIR MODÈLE – **PROTÉGER**]
Le ***g*** est suivi d'un ***e*** devant les lettres ***a*** et ***o***. *Il assiégea, nous assiégeons.*
Le ***é*** se change en ***è*** devant une syllabe muette, sauf à l'indicatif futur et au conditionnel présent. *J'assiège*, mais *j'assiégerai.*

assiette n. f.
1. Pièce de vaisselle à fond plat. *Une assiette de porcelaine.*
2. Contenu d'une assiette. *Mange ton assiette !*

assiettée n. f.
Contenu d'une assiette. *Une assiettée de soupe aux légumes.*
✎ assietté**e**.

assimiler v. tr., pronom.
Verbe transitif
1. Transformer, convertir en sa propre substance les matières absorbées. *Notre organisme assimile la vitamine C des fruits frais.*
2. Intégrer à un groupe. *Les Américains tentent d'assimiler tous les nouveaux venus.*
3. Comprendre et retenir. *Il n'a pas bien assimilé ces règles.*
Verbe pronominal
S'adapter, se considérer comme semblable (à quelqu'un). *Ces immigrants se sont assimilés progressivement.*
Conjugaison [VOIR MODÈLE – **AIMER**]

assis, ise adj.
Installé sur un siège. *Vous pouvez rester assis.*

assistance n. f.
1. Aide, secours. *Les blessés ont eu besoin de son assistance.*
2. Auditoire. *Une nombreuse assistance était venue entendre le pianiste.* **SYN.** public.
✎ assist**a**nce.

assistant n. m.
assistante n. f.
1. Personne qui assiste quelqu'un. *Une assistante sociale.*
2. (AU PLURIEL) Ceux qui assistent à quelque chose.
☞ Quand ce mot désigne une personne présente dans un lieu, il ne peut s'employer qu'au pluriel. *Un des assistants se mit à applaudir* (et non un *assistant).

assisté, ée adj. et n. m. et f.
Adjectif
Muni d'un système apte à répartir l'effort de l'utilisation. *Des freins assistés.*
Nom masculin et féminin
Qui reçoit l'assistance sociale.

assister v. tr.
Verbe transitif direct
Aider. *Assister un malade. L'apprenti assiste le maçon.*
Verbe transitif indirect
Être présent à quelque chose. *Assister à un spectacle.* **SYN.** participer.
☞ En ce sens, le verbe se construit avec la préposition ***à.***
Conjugaison [VOIR MODÈLE – **AIMER**]

association n. f.
Union de personnes en vue d'un but ou dans un intérêt commun. *L'Association des amis de la montagne.*

associé, ée n. m. et f.
Personne qui met en commun son activité, ses biens, dans une entreprise. *Trois associés dirigent cette entreprise.*

associer v. tr., pronom.
Verbe transitif
1. Mettre ensemble, faire participer. *Ils ont associé tous les amis à l'organisation de la fête.*
⁂ En ce sens, le verbe se construit avec la préposition ***à.***
2. Réunir. *Associer la beauté avec le goût.* **SYN.** allier.
⁂ En ce sens, le verbe se construit avec la préposition ***avec.***
Verbe pronominal
1. Prendre part à quelque chose. *Je m'associe à cette action. Ils se sont associés à notre chagrin.* **SYN.** partager.
⁂ En ce sens, le verbe est suivi de la préposition ***à.***
2. S'allier à, avec. *Il s'est associé avec ce courtier.*
⁂ En ce sens, le verbe est suivi de la préposition ***avec.***
Conjugaison [VOIR MODÈLE – **ÉTUDIER**]
Redoublement du ***i*** à la première et à la deuxième personne du pluriel de l'indicatif imparfait et du subjonctif présent. *(Que) nous associions, (que) vous associiez.*

assoiffé, ée adj. et n. m. et f.
Qui a soif. *Après cette course, elle était assoiffée.*
Locution
Être assoiffé de. (FIGURÉ) Avide de. *Être assoiffé d'argent.*

assombrir v. tr., pronom.
Verbe transitif
1. Rendre sombre. *Ces rideaux assombrissent la classe.* **ANT.** éclaircir.
2. Attrister. *Ce triste évènement a assombri ma journée.* **SYN.** chagriner, peiner.
Verbe pronominal
Devenir sombre. *Le ciel s'est assombri, nous aurons un orage.*
Conjugaison [VOIR MODÈLE – **FINIR**]

assombrissement n. m.
Fait d'assombrir, de s'assombrir.

assommant, ante adj.
(FAMILIER) Très ennuyeux. *Ces exercices sont assommants.* **SYN.** casse-pieds, fatigant.

assommer v. tr.
1. Blesser, tuer quelqu'un avec quelque chose de lourd, par un coup violent sur la tête. *Elle assomma le voleur avec une casserole.*
2. (FAMILIER) Ennuyer. *Cette conversation interminable m'assomme.* **SYN.** fatiguer.
Conjugaison [VOIR MODÈLE – **AIMER**]

assorti, ie adj.
Qui est en harmonie avec autre chose. *Des vêtements bien assortis.*

assortiment n. m.
Série de choses formant un ensemble. *Dans ce magasin, il y a un bon assortiment de bicyclettes.*

assortir v. tr., pronom.
Verbe transitif
Mettre ensemble des choses qui se conviennent. *Assortir un chemisier à une jupe, avec un pantalon.* **SYN.** agencer.
Le verbe se construit avec les prépositions **à** et **avec.**
Verbe pronominal
Être en harmonie avec. *Ces deux couleurs s'assortissent bien.*
Conjugaison [VOIR MODÈLE – **FINIR**]
Le verbe se conjugue comme ***finir*** et non comme ***sortir*** : *nous assortissons, j'assortissais, assortissant.*

assoupir v. tr., pronom.
Verbe transitif
Rendre somnolent, endormir. *Le voyage en autobus a assoupi les passagers.*
Verbe pronominal
S'endormir à moitié. *Ils se sont assoupis quelques minutes.*
Conjugaison [VOIR MODÈLE – **FINIR**]

assoupissement n. m.
Fait de s'endormir légèrement quelques minutes.

assouplir v. tr., pronom.
Verbe transitif
1. Rendre souple. *Ce produit assouplit les cheveux.*
2. Rendre moins sévère. *Assouplir les règlements.*
Verbe pronominal
Devenir plus souple. *Ces tissus se sont assouplis.*
Conjugaison [VOIR MODÈLE – **FINIR**]

assouplissement n. m.
Action de rendre plus souple. *Des exercices d'assouplissement.*

assourdir v. tr.
1. Rendre comme sourd provisoirement. *Cette musique tonitruante les a assourdis.*
2. Rendre moins bruyant. *La neige assourdit les bruits.*
Conjugaison [VOIR MODÈLE – **FINIR**]

assourdissant, ante adj.
Qui rend sourd provisoirement. *Cette musique est assourdissante.*

assouvir v. tr., pronom.
Verbe transitif
1. Calmer complètement. *Avec ce bon pain, ils assouvissaient leur faim.*
On assouvit sa faim, mais on étanche sa soif.
2. (FIGURÉ) Satisfaire un sentiment, un besoin, etc. *Assouvir sa curiosité.*
Verbe pronominal
Se rassasier. *Une faim qui s'assouvit difficilement.*
Conjugaison [VOIR MODÈLE – **FINIR**]

assurance n. f.
1. Certitude. *Nous avons l'assurance qu'il nous remettra son travail à temps.*
2. Confiance en soi. *Elle répondit avec beaucoup d'assurance : elle connaissait la réponse.* **SYN.** aplomb.
3. Contrat selon lequel une personne est garantie contre le tort que pourrait lui causer un évènement, moyennant une prime. *Une police d'assurance, une assurance-vie, un agent d'assurances, une compagnie d'assurances.*
Ce nom est au singulier quand il désigne l'action de s'assurer et le contrat qui en résulte ; quand il désigne la profession, le nom se met au pluriel.

assurance-chômage n. f.
Cotisations versées par les salariés et les employeurs au gouvernement afin de financer les allocations de chômage. *Il touche l'assurance-chômage depuis qu'il a perdu son emploi.*

assuré, ée adj. et n. m. et f.
Adjectif
Dont la réalité est sûre. *Un succès assuré.* **SYN.** certain.
Nom masculin et féminin
Personne garantie par un contrat d'assurance.

assurément adv.
Certainement. *Serez-vous présente demain ? Assurément* (et non *définitivement).

assurer v. tr., pronom.
Verbe transitif
1. Affirmer. *Je t'assure que j'étais présent hier soir.*
2. Rendre une chose sûre, garantir sa réalisation. *Ce fournisseur assure la livraison du bois.*
3. Garantir un bien par un contrat d'assurance. *Assurer sa maison.*
Verbe pronominal
1. Vérifier, avoir la certitude. *Ils se sont assurés de leur intérêt. Assurez-vous bien qu'elle sera présente à la réunion.*
2. Passer un contrat d'assurance. *Elles se sont assurées contre le vol : c'est plus prudent.*
Conjugaison [VOIR MODÈLE – **AIMER**]

assureur n. m.
assureuse n. f.
Personne qui garantit quelque chose par un contrat d'assurance.

astérisque n. m.
Les lettres ***que*** se prononcent ***k*** (et non *x) [asterisk].
Petit signe en forme d'étoile (*).
Dans cet ouvrage, l'astérisque qui précède un mot indique qu'il s'agit d'une forme fautive, d'une erreur (*aréoport pour ***aéroport).***
Attention au genre masculin de ce nom : ***un*** astérisque.
astéri**sque** (et non *astérix !).

asthmatique adj. et n. m. et f.
Les lettres ***th*** ne se prononcent pas [asmatik].
Qui souffre d'asthme. *On doit placer un humidificateur dans sa chambre parce qu'elle est asthmatique.*
as**th**matique.

asthme n. m.
Les lettres ***th*** ne se prononcent pas [asm].
Maladie caractérisée par des difficultés respiratoires occasionnelles.
Attention au genre masculin de ce nom : ***un*** asthme.
as**th**me.

astiquer v. tr.
Faire briller en frottant. *Ils ont astiqué les parquets.*
Conjugaison [VOIR MODÈLE – **AIMER**]

astral, ale, aux adj.
Qui a rapport aux astres. *Une carte astrale.*

astre n. m.
Corps céleste. *Un astre merveilleux. L'astronomie est l'étude des astres.*

1° Les mots ***lune, soleil, terre*** s'écrivent avec une majuscule lorsqu'ils désignent la planète, l'astre, le satellite lui-même, notamment dans la langue de l'astronomie et dans les textes techniques ; ils s'écrivent avec une minuscule dans les autres utilisations. *La Terre tourne autour du Soleil. Un beau coucher de soleil, le clair de lune.*

2° Les noms de planètes, de constellations, d'étoiles s'écrivent avec une majuscule. *La Galaxie, Mercure, Saturne.*

Attention au genre masculin de ce nom : ***un*** astre.

astreindre v. tr., pronom.

Verbe transitif

Obliger quelqu'un à quelque chose. *Le moniteur de ski les astreint toujours à des exercices de réchauffement. Les élèves bavardes sont astreintes à quelques minutes de silence.*

Verbe pronominal

S'obliger à faire quelque chose. *Ils se sont astreints à marcher tous les jours.*

Conjugaison [VOIR MODÈLE – **ÉTEINDRE**]

INDICATIF PRÉSENT *J'astreins, tu astreins, il astreint, nous astreignons, vous astreignez, ils astreignent.* IMPARFAIT *J'astreignais, tu astreignais, il astreignait, nous astreignions, vous astreigniez, ils astreignaient.* PASSÉ SIMPLE *J'astreignis, tu astreignis, il astreignit, nous astreignîmes, vous astreignîtes, ils astreignirent.* FUTUR *J'astreindrai, tu astreindras.* **CONDITIONNEL** PRÉSENT *J'astreindrais, tu astreindrais.* **IMPÉRATIF** PRÉSENT *Astreins, astreignons, astreignez.* **SUBJONCTIF** PRÉSENT *Que j'astreigne, que tu astreignes, qu'il astreigne, que nous astreignions, que vous astreigniez, qu'ils astreignent.* **PARTICIPE** PRÉSENT *Astreignant.* PASSÉ *Astreint, einte.*

Les lettres ***gn*** sont suivies d'un ***i*** à la première et deuxième personne du pluriel de l'indicatif imparfait et du subjonctif présent. *(Que) nous astreignions, (que) vous astreigniez.*

astrologie n. f.

Les deux ***o*** sont ouverts [astrɔlɔʒi].

Art qui cherche à prévoir l'avenir par l'examen des astres.

Ne pas confondre avec le nom ***astronomie,*** science des astres.

astrologique adj.

Les deux ***o*** sont ouverts [astrɔlɔʒik].

Qui appartient à l'astrologie. *Des prédictions astrologiques.*

astrologue n. m. et f.

Les deux ***o*** sont ouverts [astrɔlɔg].

Personne qui pratique l'astrologie. *L'astrologue propose des horoscopes.*

Ne pas confondre avec le nom ***astronome,*** spécialiste de l'astronomie.

astronaute n. m. et f.

La lettre ***o*** et les lettres ***au*** se prononcent comme dans ***faute*** [astronot].

Voyageur de l'espace.

Les ***astronautes*** sont américains, les ***cosmonautes,*** russes.

astronautique n. f.

La lettre ***o*** et les lettres ***au*** se prononcent comme dans ***faute*** [astronotik].

Science qui a pour objet la navigation spatiale.

Ne pas confondre avec le nom ***aéronautique,*** science et technique de la navigation aérienne.

astronome n. m. et f.

Les deux ***o*** sont ouverts [astrɔnɔm].

Personne qui connaît et pratique l'astronomie. *L'astronome étudie le ciel avec un télescope.*

Ne pas confondre avec le nom ***astrologue,*** spécialiste de l'astrologie.

astronomie n. f.

Les deux ***o*** sont ouverts [astrɔnɔmi].

Science des astres et de l'univers.

Ne pas confondre avec le nom ***astrologie,*** art de prévoir le destin par l'examen des astres.

astronomique adj.

Qui se rapporte à l'astronomie. *Un observatoire astronomique.*

Locutions

Chiffres astronomiques. (FIGURÉ) Chiffres très grands.

Prix astronomique. (FIGURÉ) Prix exagéré.

astrophysicien n. m.
astrophysicienne n. f.

Astronome spécialiste de l'astrophysique. *Hubert Reeves est un astrophysicien.*

astrophysique n. f.

Étude des astres par la méthode de la physique.

astuce n. f.

1. Moyen ingénieux.

2. Qualité d'une personne habile. *Ariane a beaucoup d'astuce : elle arrive toujours à régler tous les problèmes.* **SYN.** finesse.

Attention au genre féminin de ce nom : ***une*** astuce.

astucieusement adv.

Avec astuce.

astucieux, ieuse adj.

Qui a de l'astuce, ingénieux. *Étienne est astucieux : il déjoue tous les pièges et trouve la solution.* **SYN.** adroit, malin.

astu**c**ieu**x**.

ataca

VOIR **ATOCA.**

atelier n. m.

1. Lieu de travail. *Les enfants font du bricolage à l'atelier.*

2. Groupe de travail. *Un atelier de micro-informatique.*

Locution

Atelier de réparation. Lieu où l'on remet en état, où l'on répare. *Des ateliers de réparation.*

Dans cette expression, le terme ***réparation*** demeure au singulier, car il désigne de façon globale l'action de remettre en bon état.

athée adj. et n. m. et f.

Qui ne croit pas à l'existence de Dieu.

athé**e**.

athlète n. m. et f.

Personne qui pratique un sport, en particulier l'athlétisme. *Myriam Bédard est une remarquable athlète.*

at**hl**è**t**e.

athlétique adj.

Qui est propre à l'athlète, qui est bien musclé. *Un corps athlétique. Des exercices athlétiques.*

at**hl**é**t**ique.

athlétisme n. m.

Ensemble des exercices auxquels se livrent les athlètes : course, gymnastique, lancer du disque, du javelot, du poids. *Des épreuves d'athlétisme.*

at**hl**é**t**isme.

atlantique adj.
Relatif à l'océan Atlantique et aux régions qui le bordent. *Les provinces atlantiques.*
Dans les dénominations géographiques où l'adjectif précise le générique, l'adjectif prend la majuscule. *L'océan Atlantique.*

atlas n. m.
Le ***s*** se prononce [atlɑs] ; le nom rime avec ***hélas.***
Recueil de cartes géographiques.
atla**s**.

atmosphère n. f.
1. Couche d'air qui entoure la Terre et d'autres corps célestes.
2. (FIGURÉ) Ambiance. *Une atmosphère chaleureuse.*
Attention au genre féminin de ce nom : ***une*** atmosphère.
atmos**ph**ère.

atmosphérique adj.
Qui a rapport à l'atmosphère. *Les conditions atmosphériques.*
atmos**ph**érique.

atoca ou **ataca** n. m.
Airelle qui, en mûrissant, devient rouge. *À Noël, on mange de la dinde avec des atocas* ou *des atacas.* **SYN.** canneberge.
Ce nom d'origine amérindienne signifie « airelle des marais ».

atome n. m.
Le ***o*** est fermé [atom] comme dans ***dôme.***
Particule d'un élément chimique.
Attention au genre masculin de ce nom : ***un*** atome.

atomique adj.
Relatif aux atomes. *La bombe atomique.*
Pour qualifier l'énergie, l'adjectif ***atomique*** tend à être remplacé par ***nucléaire.***

atomiseur n. m.
Petit vaporisateur. *Un parfum en atomiseur.*

atout n. m.
1. Carte gagnante.
2. (FIGURÉ) Moyen de réussir. *Votre formation est un atout.* **SYN.** avantage.

***à toutes fins pratiques**
Calque de « for all practical purposes » au sens de ***pratiquement, pour ainsi dire, à peu près.***

âtre n. m.
Partie de la cheminée où l'on fait le feu. *Le chat aime dormir tout près de l'âtre.*
Attention au genre masculin de ce nom : ***un*** âtre.
âtre.

atroce adj.
1. Cruel, horrible. *Un supplice atroce.* **SYN.** barbare, inhumain.
2. Très douloureux. *Une tristesse atroce.* **SYN.** insupportable.
3. (FAMILIER) Très désagréable. *Il fait un temps atroce : il pleut à boire debout depuis une semaine.* **SYN.** affreux.
atro**c**e.

atrocement adv.
De manière atroce. *Il souffrait atrocement.* **SYN.** affreusement.

atrocité n. f.
Cruauté horrible. *Ce gouvernement militaire a commis de nombreuses atrocités : plusieurs personnes ont disparu.* **SYN.** barbarie.

attabler (s') v. pronom.
Se mettre à table. *Attablez-vous les enfants, le dîner est prêt. Ils se sont attablés avec entrain.*
Le participe passé de ce verbe qui n'existe qu'à la forme pronominale s'accorde toujours en genre et en nombre avec le sujet du verbe.
Conjugaison [VOIR MODÈLE – **AIMER**]

attachant, ante adj.
Qui intéresse, qui touche. *Nous adorons Laurence : elle est très attachante.*

attachement n. m.
Vif sentiment d'affection. *Fanny a beaucoup d'attachement pour ses grands-parents.*

attacher v. tr., pronom.
Verbe transitif
1. Lier, fixer à quelque chose. *Attacher son vélo à une clôture.*
2. Accorder. *Il n'attache aucune valeur à ces remarques.*
Verbe pronominal
1. Se fixer. *Attachez-vous, nous allons démarrer.*
2. Se lier à. *Elles se sont attachées à leur nouvelle famille.*
3. S'efforcer, tenter de. *Les nouveaux voisins se sont attachés à apprendre le français.* **SYN.** s'appliquer.
Conjugaison [VOIR MODÈLE – **AIMER**]

attaquant, ante n. m. et f.
Qui attaque. *Les attaquants étaient peu nombreux.*

attaque n. f.
1. Action de faire un acte de violence contre une ou des personnes. *« À l'attaque ! », criaient les pirates.* **SYN.** assaut.
2. Accès brutal de certaines maladies. *Une attaque cardiaque.* **SYN.** crise.
Locutions
Attaque à main armée. Avec une arme.
Dans cette expression, le terme ***main*** demeure au singulier.
Être d'attaque. (FAMILIER) Être en forme. *Ils sont d'attaque ce matin pour entreprendre le travail.*

attaquer v. tr., pronom.
Verbe transitif
1. Faire un acte de violence contre une ou des personnes. *Ces personnes ont été attaquées par un cambrioleur. Le cambrioleur a attaqué les occupants de l'immeuble.* **SYN.** agresser, assaillir.
2. Entreprendre. *Il attaque la construction de sa cabane dès demain.* **SYN.** commencer.
Verbe pronominal
Affronter, s'en prendre à. *Ils se sont attaqués à de dangereux malfaiteurs.*
Conjugaison [VOIR MODÈLE – **AIMER**]

attardé, ée adj. et n. m. et f.
Qui souffre de retard mental. **SYN.** arriéré.

attarder (s') v. pronom.
Rester longtemps quelque part. *Laurence et Julien se sont attardés au parc : leur maman était inquiète.*
Le participe passé de ce verbe qui n'existe qu'à la forme pronominale s'accorde toujours en genre et en nombre avec le sujet du verbe.
Conjugaison [VOIR MODÈLE – **AIMER**]

atteindre v. tr.
1. Attraper. *Peux-tu atteindre ce verre en haut de l'armoire ?*
2. Arriver (en un lieu). *Nous atteindrons Québec dans deux heures.*

a

3. Blesser. *Des débris de verre l'ont atteinte.* SYN. frapper, toucher.
4. (FIGURÉ) Bouleverser. *Cette nouvelle l'atteignit profondément.*
5. Toucher. *Atteindre son but.* SYN. parvenir à.
Conjugaison [VOIR MODÈLE – **ÉTEINDRE**]
INDICATIF PRÉSENT *J'atteins, tu atteins, il atteint, nous atteignons, vous atteignez, ils atteignent.* IMPARFAIT *J'atteignais, tu atteignais, il atteignait, nous atteignions, vous atteigniez, ils atteignaient.* FUTUR *J'atteindrai, tu atteindras.* **CONDITIONNEL** PRÉSENT *J'atteindrais, tu atteindrais, nous atteindrions.* **IMPÉRATIF** PRÉSENT *Atteins, atteignons, atteignez.* **SUBJONCTIF** PRÉSENT *Que j'atteigne, que tu atteignes, qu'il atteigne, que nous atteignions, que vous atteigniez, qu'ils atteignent.* **PARTICIPE** PRÉSENT *Atteignant.* PASSÉ *Atteint, einte.*
Les lettres ***gn*** sont suivies d'un ***i*** à la première et à la deuxième personne du pluriel de l'indicatif imparfait et du subjonctif présent. *(Que) nous atteignions, (que) vous atteigniez.*
atte**in**dre.

atteinte n. f.
Coup dont on est frappé physiquement ou moralement.
Locutions
Hors d'atteinte. À l'abri du danger. *Ils sont maintenant hors d'atteinte.*
Porter atteinte. Causer du tort. *Ces décisions pourraient porter atteinte à l'entreprise.* SYN. nuire.
Dans ces expressions, le nom ***atteinte*** est invariable.
atte**in**te.

attelage n. m.
1. Action d'attacher des animaux à un véhicule pour le tirer.
2. Bêtes attelées ensemble. *Un attelage de chevaux tire le carrosse royal.*
atte**l**age.

atteler v. tr., pronom.
Verbe transitif
Attacher des animaux à un véhicule pour le tirer. *Les Inuits attellent des chiens à leurs traîneaux.* ANT. dételer.
Verbe pronominal
Entreprendre un travail long et difficile. *Ils se sont attelés à la tâche.*
Conjugaison [VOIR MODÈLE – **APPELER**]
Redoublement du ***l*** devant un ***e*** muet. *J'attelle, j'attellerai,* mais *j'attelais.*
atte**l**er.

attendre v. tr., pronom.
Verbe transitif direct
1. Demeurer pour la venue de quelqu'un, de quelque chose. *J'attends un ami. Elle attend l'autobus. Tout vient à point à qui sait attendre.* (Proverbe)
2. Compter sur. *Il attend un appel téléphonique.* SYN. espérer.
3. Remettre à plus tard. *Attends, réfléchis un peu avant de répondre.* SYN. patienter.
Verbe transitif indirect
1. ***Attendre après quelqu'un.*** Languir d'impatience. *J'attends après vous depuis très longtemps.*
2. ***Attendre après quelque chose.*** En avoir besoin. *Attendais-tu après ce livre ?*
Verbe pronominal
Prévoir. *Elle ne s'était pas attendue à cette fête.*
On emploie la construction ***s'attendre à ce que,*** suivie du subjonctif, aussi bien dans la phrase affirmative que négative. *Elle s'attend à ce qu'il vienne demain.*
Locutions
Attendre quelqu'un avec une brique et un fanal. (FAMILIER) Attendre quelqu'un de pied ferme, avec des intentions agressives.
Attendre un enfant. Être enceinte.
Conjugaison [VOIR MODÈLE – **FENDRE**]
INDICATIF PRÉSENT *J'attends, tu attends, il attend, nous attendons, vous attendez, ils attendent.* IMPARFAIT *J'attendais, nous attendions.* FUTUR *J'attendrai, tu attendras.* **CONDITIONNEL** PRÉSENT *J'attendrais, tu attendrais.* **IMPÉRATIF** PRÉSENT *Attends, attendons, attendez.* **SUBJONCTIF** PRÉSENT *Que j'attende, que nous attendions.* **PARTICIPE** PRÉSENT *Attendant.* PASSÉ *Attendu, ue.*

attendrir v. tr., pronom.
Verbe transitif
Toucher, émouvoir. *Ce triste spectacle les a attendris.*
Verbe pronominal
S'émouvoir. *Il s'attendrit sur lui-même.* SYN. s'apitoyer.
Conjugaison [VOIR MODÈLE – **FINIR**]

attendrissant, ante adj.
Émouvant. *Cette scène est attendrissante.* SYN. touchant.

attendrissement n. m.
État d'une personne attendrie, émue.

attentat n. m.
Attaque. *Le président a été victime d'un attentat. Un attentat contre le pape. Un attentat à la bombe.* SYN. agression.
attenta**t**.

attente n. f.
Temps pendant lequel on attend. *Deux heures d'attente.*

attentif, ive adj.
1. Qui prête attention. *Un auditoire attentif.* ANT. distrait, inattentif.
2. Qui fait attention. *Être attentif à respecter le règlement.* SYN. empressé.

attention n. f.
1. Application. *Elle écoute avec attention.* SYN. concentration. ANT. distraction, inattention.
2. Gentillesse. *Quelle délicate attention !*
Locutions
Attirer l'attention. Signaler. *J'attire votre attention sur ce point.*
Faire attention. Prendre garde. *Fais attention à ne pas trébucher.*
Prêter attention. Être attentif. *Il faut prêter attention à ces manœuvres.*

attentivement adv.
De façon attentive. *Les copains écoutent attentivement l'humoriste invité.*

atténuant, ante adj.
Qui diminue la gravité. *Des circonstances atténuantes.* ANT. aggravant.

atténuer v. tr., pronom.
Verbe transitif
Diminuer, rendre moins grave. *Les médicaments ont atténué ses souffrances.* SYN. réduire, soulager.
Verbe pronominal
Devenir moindre. *La fièvre s'est atténuée.*
Conjugaison [VOIR MODÈLE – **AIMER**]

atterrir v. intr.
Se poser sur le sol, en parlant d'un avion, d'un engin spatial. *L'avion a atterri avec trois heures de retard.*
Conjugaison [VOIR MODÈLE – **FINIR**]
atte**rr**ir.

atterrissage n. m.
Action d'atterrir ; son résultat. *Un atterrissage forcé.*
atte**rr**issage.

attestation n. f.
Document qui donne la preuve de quelque chose.
Locution
Attestation d'études. Document certifiant qu'un élève ou qu'une élève a fait des études dans un domaine déterminé et comportant généralement les résultats obtenus. (Recomm. off. OLF)

attester v. tr.
Certifier l'exactitude de. *Le document atteste que ce garçon a fréquenté l'école primaire de son village.*
Conjugaison [VOIR MODÈLE – **AIMER**]

attikamek adj. et n. m. et f.
Relatif aux Amérindiens abénaquis. *La culture attikamek, des projets attikameks. Un Attikamek, une Attikamek.*
Ce mot est invariable en genre, mais il prend la marque du pluriel.
L'adjectif s'écrit avec une minuscule ; le nom, avec une majuscule.

attirance n. f.
Goût. *Avoir de l'attirance pour la musique.* **ANT.** dégoût.

attirant, ante adj.
Qui exerce un attrait. *Des invitations attirantes.* **SYN.** attrayant, séduisant.

attirer v. tr.
1. Tirer à soi. *Le pollen des fleurs attire les abeilles.*
2. Intéresser. *La médecine l'attire beaucoup.*
3. Occasionner. *Ses retards lui attireront des ennuis.* **SYN.** causer.
Conjugaison [VOIR MODÈLE – **AIMER**]

attiser v. tr.
Activer le feu. *Luc attise le feu avec un soufflet.*
Conjugaison [VOIR MODÈLE – **AIMER**]

attitude n. f.
1. Manière de tenir le corps. *Une attitude gracieuse.* **SYN.** allure.
2. Manière de se comporter. *Son attitude envers moi était désagréable.* **SYN.** comportement.
On peut aussi prendre une attitude ***vis-à-vis de, à l'égard de, en face de.***
Ne pas confondre avec le nom ***aptitude,*** habileté.

attraction n. f.
1. Effet produit par ce qui attire. *L'attraction magnétique.*
2. Attirance. *La musique exerce une grande attraction sur lui.* **SYN.** attrait.
3. Ce qui attire le public, jeu mis à la disposition du public. *La Ronde est un grand parc d'attractions.*

attrait n. m.
1. Ce qui attire, séduit. *Les attraits des sports d'hiver.*
2. Penchant, goût.

attrape n. f.
Tromperie. *Un magasin de farces et attrapes.*
attra**p**e.

attrape-mouches n. m. inv. (pl. *attrape-mouches*)
Piège à mouches.
Le premier élément de ce nom composé provient du verbe ***attraper*** et ne prend pas la marque du pluriel.

attrape-nigaud n. m. (pl. *attrape-nigauds*)
Ruse, produit qui ne peut tromper que les nigauds, les gens naïfs. *Ces gadgets sont des attrape-nigauds.*
Le premier élément de ce nom composé provient du verbe ***attraper*** et ne prend pas la marque du pluriel.
attra**pe-**nigaud.

attraper v. tr.
1. Prendre comme dans un piège, au passage. *Le chat a attrapé la souris.* **SYN.** s'emparer.
2. Arriver à prendre. *J'ai réussi à attraper le traversier. Les policiers ont attrapé les bandits.*
3. Tromper. *Je l'ai bien attrapé : c'était une blague !*
4. (FAMILIER) Contracter. *Elle a attrapé la grippe, un coup de soleil.*
Ne pas confondre avec les verbes suivants :
– ***agripper,*** saisir violemment avec les doigts ;
– ***happer,*** saisir brusquement.
Conjugaison [VOIR MODÈLE – **AIMER**]
attraper, deux **t,** un ***p***.

attrayant, ante adj.
Qui attire par son côté agréable. *Ce spectacle est attrayant. Des sorties attrayantes.* **SYN.** agréable, plaisant.

attribuer v. tr., pronom.
Verbe transitif
1. Donner une part. *La direction nous a attribué un budget de 500 $.*
2. Donner comme cause, comme auteur. *À qui doit-on attribuer cette erreur ?*
3. Accorder un avantage. *Cette bourse leur a été attribuée.*
Verbe pronominal
Prendre pour soi. *Ils se sont attribué la meilleure part. La part qu'ils se sont attribuée.*
Conjugaison [VOIR MODÈLE – **AIMER**]

attribut n. m.
1. Caractère propre que l'on prête à un être, à une chose. *La faculté de penser est un attribut du genre humain.* **SYN.** caractéristique.
2. (GRAMMAIRE) Mot ou groupe de mots exprimant une qualité, une manière d'être par l'intermédiaire d'un verbe (le plus souvent, le verbe **être,** mais aussi : ***devenir, paraître, sembler,*** etc.).
VOIR TABLEAU – **ATTRIBUT.**
attribu**t**.

attribution n. f.
Action d'attribuer. *L'attribution d'une bourse.*

attrister v. tr., pronom.
Verbe transitif
Rendre triste. *Le départ d'André attrista ses copains.* **SYN.** affliger, chagriner, peiner.
Verbe pronominal
Devenir triste, se désoler. *Les copains se sont attristés du départ d'André.*
Conjugaison [VOIR MODÈLE – **AIMER**]

attroupement n. m.
Rassemblement de personnes dans la rue. *Un attroupement s'est formé devant l'école en feu.*
✎ attrou**p**ement.

attrouper (s') v. pronom.
Se réunir en grand nombre. *Les élèves se sont attroupés devant l'école.*
☞ Le participe passé de ce verbe qui n'existe qu'à la forme pronominale s'accorde toujours en genre et en nombre avec le sujet du verbe.
Conjugaison [VOIR MODÈLE – **AIMER**]
✎ attrou**p**er.

au, aux art. déf.
1. ***Au.*** Forme contractée de la préposition **à** et de l'article masculin ***le***. *Les pommiers fleurissent au printemps.*
☞ L'article contracté singulier ***au*** s'emploie devant les noms masculins commençant par une consonne ou un ***h*** aspiré. *Aller au cinéma, revenir au pays, au hameau.* Mais on dira : *aller à l'école, à l'hôpital, à la campagne.*
2. ***Aux.*** Forme contractée de la préposition **à** et de l'article masculin et féminin ***les.*** *Étienne a écrit aux copains de l'été.*
☞ L'article contracté pluriel ***aux*** s'emploie devant tous les noms masculins ou féminins. *Une tarte aux framboises, aux bleuets.*
HOM.
– **eau**, substance liquide et transparente, sans couleur, sans odeur, sans goût ;
– **haut**, sommet ;
– **os**, partie du squelette de l'homme et des animaux vertébrés.
VOIR TABLEAU – **ARTICLE.**

aubaine n. f.
1. Avantage inespéré. *Du soleil pendant la fin de semaine, quelle aubaine !*
2. ⚜ Article à prix réduit. *En janvier, on peut profiter des aubaines pour acheter des skis ou des patins.* **SYN.** soldes.
Locution
Prix d'aubaine. ⚜ Prix réduit.

aube n. f.
Premières lueurs qui précèdent le lever du soleil. *Se lever à l'aube.*

auberge n. f.
Petit hôtel de campagne.

ATTRIBUT

L'attribut est un mot ou un groupe de mots exprimant une qualité, une manière d'être attribuée à un nom ou à un pronom par l'intermédiaire d'un verbe, le plus souvent, le verbe ***être***.

Cependant, plusieurs verbes peuvent jouer le même rôle :

appeler	déclarer	estimer	savoir
choisir	devenir	faire	sembler
connaître	dire	paraître	trouver
croire	élire	rester	vouloir...

Attribut du sujet

La maison est grande. Il est médecin. Cet édifice constitue une réussite exemplaire de la nouvelle architecture.

Attribut du complément d'objet

Je le crois fou de toi. Le directeur la trouve compétente. On la nomma trésorière.

L'attribut peut être

- **Un nom** ou **un groupe nominal.** *Les membres l'élurent président. Elle est directrice générale.*
- **Un adjectif.** *Cette maison est accueillante. Que vous êtes gentil !*
- **Un pronom.** *Ce livre est le tien. Qui es-tu?*
- **Un participe.** *Le jardin est ombragé. Cet enfant est aimé.*
- **Un infinitif.** *Partir, c'est mourir un peu.*
- **Un adverbe.** *Elle est habillée chic. Ce texte est bien.*
- **Une proposition.** *Son objectif est de publier au cours de l'année.*

Place de l'attribut

L'attribut se place généralement **après** le verbe qui le relie au mot qu'il qualifie. *La fleur est rouge.*

Il est parfois **avant** le verbe, notamment dans les interrogations, dans les phrases où le verbe est sous-entendu, lorsque l'auteur veut mettre l'accent sur l'attribut. *Quel est ton âge ? Heureux les insouciants ! Grande était sa joie.*

aubergine adj. inv. et n. f.
Nom féminin
Plante potagère de couleur violette cultivée pour ses fruits. *Préparer les aubergines à la grecque.*
Adjectif de couleur invariable
De la couleur violette de l'aubergine. *Elle portait des vêtements aubergine.*
VOIR TABLEAU – **COULEUR (ADJECTIFS DE).**

aubergiste n. m. et f.
Personne qui tient une auberge. *L'aubergiste est particulièrement accueillante.*

auburn adj. inv.
Ce mot se prononce à l'anglaise [obrn].
D'un brun-roux, en parlant des cheveux. *Des cheveux auburn.*
Cet adjectif est invariable.
VOIR TABLEAU – **COULEUR (ADJECTIFS DE).**

aucun, une adj. indéf. et pron. indéf.
Adjectif indéfini
1. Pas un seul. *Fanny n'a mangé aucun bonbon.* **SYN.** nul, zéro.
1° L'adjectif indéfini doit toujours être accompagné des adverbes ***ne, ne... jamais*** ou ***ne... plus.*** *Je n'ai mangé aucune pomme. Il n'a jamais lu aucun ouvrage de ce type. Tu ne chantes plus aucune chanson.* Cependant, on ne peut employer les adverbes ***pas*** ou ***point***. *Je n'ai donné aucun reçu* (et non *je n'ai pas donné aucun reçu).
2° Le verbe reste au singulier après plusieurs sujets introduits par ***aucun.*** *Aucune excuse, aucun prétexte ne sera admis.*
2. *Aucun + ni.*
La conjonction de coordination est ***ni*** et non pas ***et***. *Aucun gâteau ni aucune glace ne sont permis par ce régime* (et non *aucun gâteau et aucune glace ne sont permis par ce régime).
3. *Aucuns, aucunes.*
L'adjectif ***aucun*** ne s'emploie au pluriel que devant un nom qui n'a pas de singulier ou qui a un sens particulier au pluriel. *Aucuns frais. Aucunes funérailles.*
Pronom indéfini
Personne. *Aucun n'est venu. Aucun de vous n'a songé à prévenir ses parents.*
Ce pronom qui exprime la négation s'emploie toujours avec ***ne***; le verbe s'accorde avec son sujet singulier même si ***aucun*** est suivi d'un complément au pluriel. *Aucun des invités ne sera en retard.*

audace n. f.
Bravoure. **SYN.** courage, (FAMILIER) culot, hardiesse. **ANT.** crainte, timidité.
auda**c**e.

audacieusement adv.
Avec audace.
auda**c**ieusement.

audacieux, ieuse adj. et n. m. et f.
Qui a de l'audace. *Jacques Villeneuve est un coureur automobile audacieux.* **SYN.** brave, courageux, téméraire.
auda**c**ieu**x**.

au-dedans adv.
À l'intérieur. *Les enfants jouent au-dedans* ou *au dedans.*
Locution
Au-dedans de, locution prépositive. À l'intérieur de. *Les élèves sont au-dedans* ou *au dedans de l'école.*
L'adverbe et la locution prépositive s'écrivent avec ou sans trait d'union.

au-dehors adv.
À l'extérieur. *Les enfants jouent au-dehors* ou *au dehors.*
Locution
Au-dehors de, locution prépositive. À l'extérieur de. *Les élèves sont au-dehors* ou *au dehors de l'école.*
L'adverbe et la locution prépositive s'écrivent avec ou sans trait d'union.

au-delà n. m.
L'autre monde, après la mort. *Yvan ne croit pas à l'au-delà.*
Locutions
Au-delà, locution adverbiale. Plus loin (que). *Il marcha jusqu'au village, peut-être au-delà.*
Au-delà de, locution prépositive. Ce qui est plus loin qu'un point de l'espace. *Au-delà de la rivière.*
1° La locution adverbiale et la locution prépositive s'écrivent avec ou sans trait d'union.
2° La locution prépositive ne s'emploie qu'avec un complément de lieu.

au-dessous adv.
Plus bas. *Il habite au-dessous.*
Locution
Au-dessous de, locution prépositive. Plus bas que. *Il fait 15° au-dessous de zéro* (et non *sous zéro ou *en bas de zéro).
au-dessous, avec un trait d'union.

au-dessus adv.
Plus haut. *Elle habite au-dessus.*
Locution
Au-dessus de, locution prépositive. Plus haut que. *Au-dessus de la maison, il a dessiné un beau ciel.*
au-dessus, avec un trait d'union.

au-devant adv.
À la rencontre. *Ils marchent au-devant.*
Locution
Au-devant de, locution prépositive. À la rencontre de. *Ils sont allés au-devant d'eux.*
au-devant, avec un trait d'union.

***audience**
Anglicisme au sens de ***spectateurs, assistance.***

audio adj. inv.
Qui est relatif à l'enregistrement et à la reproduction des sons. *Des bandes audio.*
L'adjectif s'oppose à ***vidéo,*** relatif à l'enregistrement et à la reproduction des images ; il est invariable.

audio- préf.
Élément du latin signifiant « j'entends ». *Audiovisuel.*

audionumérique adj.
Dont le son est saisi sous forme de signaux numériques. *Un disque audionumérique* ou *disque compact.*

audiovisuel, elle adj. et n. m.
Adjectif
Qui joint le son à l'image. *Une technique audiovisuelle.*
Nom masculin
Méthode qui intègre l'image et le son. *Le service de l'audiovisuel.*

auditeur, trice n. m. et f.
Personne qui écoute. *Les fidèles auditeurs d'une émission.*

auditif, ive adj.
Relatif à l'oreille et à la perception des sons (l'ouïe). *Des troubles auditifs.*

audition n. f.
1. Faculté d'entendre des sons. *Son audition est déficiente.*
2. Présentation à l'essai d'un artiste. *Une audition devant la directrice de la chorale.*

auditionner v. tr., intr.
Verbe transitif
Assister à une audition. *Le chef d'orchestre auditionne le pianiste.*
Verbe intransitif
Donner une audition. *Le pianiste auditionne devant le chef d'orchestre.*
Conjugaison [VOIR MODÈLE – **AIMER**]

auditoire n. m.
Ensemble d'auditeurs, de lecteurs. *Le spectacle a plu à l'auditoire* (et non à l'*audience).
Attention au genre masculin de ce nom : ***un*** auditoire.

au fur et à mesure loc. adv.
À mesure, progressivement. *Je vous apporterai le texte au fur et à mesure qu'il sera imprimé.*

auge n. f.
Bassin où mangent et boivent les animaux domestiques.
Pour désigner le contenant où mangent les animaux, on pourra également employer le nom ***mangeoire*** et celui d'***abreuvoir*** pour nommer le récipient où ils boivent.

augmentation n. f.
Accroissement. *L'augmentation du prix des produits.* **SYN.** hausse, montée. **ANT.** diminution, réduction.

augmenter v. tr., intr.
Verbe transitif
Rendre plus grand, plus nombreux. *Augmenter ses connaissances.* **SYN.** agrandir, élargir, étendre, multiplier. **ANT.** diminuer, réduire.
Verbe intransitif
Grandir. *La famille a augmenté : un petit garçon vient de naître.* **SYN.** s'accroître.
Conjugaison [VOIR MODÈLE – **AIMER**]

aujourd'hui adv.
1. Le jour où l'on est. *Il fait beau aujourd'hui.*
2. À présent. *Aujourd'hui, les enfants utilisent des micro-ordinateurs à l'école.* **SYN.** actuellement, maintenant.
Locution
Jusqu'à aujourd'hui ou ***jusqu'aujourd'hui,*** locutions adverbiales. Jusqu'à maintenant. *Jusqu'à aujourd'hui* (et non *jusqu'à date), *nos provisions étaient suffisantes.*
Les deux locutions sont également admises.
aujour**d'h**ui.

aumône n. f.
Somme donnée par charité. *Ces sans-abri demandent l'aumône.*
aum**ô**ne.

aumônier n. m.
Ecclésiastique attaché à un établissement. *L'aumônier du collège.*
aum**ô**nier.

auparavant adv.
D'abord, avant ce moment-là. *Si vous devez vous absenter, prévenez-nous auparavant.* **ANT.** après.

Cet adverbe indique qu'un évènement a eu lieu avant un autre, au cours d'une période donnée, et se construit sans complément.

auprès de loc. prép.
1. Tout près de. *Elle a toujours vécu auprès de nous. Auprès de ma blonde, qu'il fait bon dormir !* (Chanson)
2. Dans l'opinion de. *Il m'a aidé auprès de mon père.*
3. En comparaison. *Ma voiture est lente auprès de la sienne.*

auquel, à laquelle adj. rel et pron. rel et interr.
VOIR **LEQUEL.**

auréole n. f.
Cercle de lumière autour de la tête des saints.

auriculaire n. m.
Le cinquième doigt de la main, le ***petit doigt*** dont l'extrémité peut être introduite dans l'oreille.
Attention au genre masculin de ce nom : ***un*** auriculaire.
auricul**aire**.

aurore n. f.
Lueur rosée qui vient après l'aube juste avant le lever du soleil. *Se lever avant l'aurore.*

ausculter v. tr.
Écouter au moyen d'un stéthoscope les bruits normaux ou anormaux provenant de l'intérieur de l'organisme, surtout de la poitrine. *Ausculter le cœur et les poumons d'un malade.*
Conjugaison [VOIR MODÈLE – **AIMER**]
ausculter.

aussi adv. et conj.
Adverbe
1. Également. *Pierre vient et Jean aussi.*
Si la phrase est négative, on emploiera ***non plus***. *Pierre ne vient pas et Jean non plus.*
2. Autant. *Juliette est aussi gentille que Françoise.*
3. De plus. *Je voudrais aussi du gâteau.*
Conjonction
C'est pourquoi, pour cette raison. *Ses résultats ne sont pas très bons; aussi a-t-elle jugé bon de poursuivre son travail.*
L'emploi de cette conjonction entraîne l'inversion du sujet.
Locution
Aussi bien que, locution conjonctive.
Si deux sujets au singulier sont réunis par la locution conjonctive ***aussi bien que,*** le verbe se met au singulier s'il y a une comparaison placée entre virgules. *Pierre, aussi bien que Paul, est gentil.* S'il n'y a pas de virgules, le verbe se met au pluriel pour s'accorder avec les deux sujets. *Pierre aussi bien que Paul sont gentils.*

aussitôt adv.
Sur l'heure, immédiatement. *Il m'a répondu aussitôt.*
Locution
Aussitôt que, locution conjonctive. Dès que. *Aussitôt que la température tombe sous le point de congélation, l'eau gèle.*
Ne pas confondre avec la locution ***aussi tôt*** qui s'oppose à ***aussi tard***, et qui s'écrit en deux mots. *Elle sera là aussi tôt que lui.*

australien, enne adj. et n. m. et f.
Relatif à l'Australie. *Le continent australien. Un Australien, une Australienne.*
L'adjectif s'écrit avec une minuscule ; le nom, avec une majuscule.

autant adv.
Sert à marquer une quantité égale. *Il y a autant d'hommes que de femmes.*
Locutions
Autant comme autant, locution adverbiale. ⚜ (FAMILIER) Tant et plus. *On le lui a dit autant comme autant, il ne nous a pas écoutés.*
D'autant moins que, d'autant plus que, locutions conjonctives. Dans la mesure où.
Ces locutions sont suivies de l'indicatif ou du conditionnel. *Elle a d'autant plus de mérite qu'elle a payé ses études elle-même.*
Pour autant, locution adverbiale. Malgré cela. *Je ne l'en aime pas moins pour autant.*
Pour autant que, locution conjonctive. Dans la mesure où. *Pour autant que je sache.*

autel n. m.
Table où se célèbre la messe.
HOM. **hôtel**, immeuble aménagé pour loger les voyageurs.

auteur n. m.
auteure n. f.
1. Créateur, créatrice de quelque chose. *L'auteur d'une découverte.*
2. Personne qui a fait un ouvrage de littérature, de science, d'art, etc. *L'auteur d'un manuel d'histoire.*
3. (ABSOLUMENT) Personne qui a conçu un ouvrage littéraire. *Un bon auteur.*
HOM. **hauteur**, dimension verticale, élévation.

authenticité n. f.
Caractère de ce qui est authentique, vrai. *L'authenticité d'un fait.* SYN. véracité.
au**th**enticité.

authentique adj.
Certain. *Un fait authentique.* SYN. exact, sûr, véritable, vrai.
au**th**entique.

authentiquement adv.
D'une manière authentique. SYN. exactement.
au**th**entiquement.

auto- préf.
Élément du grec signifiant « de soi-même ». *Autobiographie.*
Les mots composés avec le préfixe ***auto-*** qui signifie « de soi-même » ou « automobile » s'écrivent sans trait d'union, à l'exception de ceux dont le deuxième élément commence par ***i*** et des mots ***auto-stop*** et ***auto-stoppeur.*** *Autodestruction, auto-immunité.*

auto n. f.
Abréviation de ***automobile.*** *Des autos en panne.*
Attention au genre féminin de ce nom : ***une*** auto.

autoadhésif, ive adj.
Autocollant.

autobiographie n. f.
Vie d'un personnage écrite par lui-même.

autobiographique adj.
Relatif à l'autobiographie. *Un récit autobiographique.*

autobus n. m.
S'abrège familièrement en ***bus.***
Véhicule aménagé pour assurer le transport en commun des voyageurs.
Par ellipse, dans la langue orale ou familière, l'autobus est souvent désigné par son numéro. Étant donné le genre masculin, on dira alors ***le 129*** pour désigner familièrement ***l'autobus nº 129*** (et non *la 129).
L'***autobus*** sert uniquement au transport urbain ; l'***autocar*** assure le service entre les villes.
Attention au genre masculin de ce nom : ***un*** autobus articulé, ***un*** bel autobus.
Locution
Autobus scolaire. ⚜ Véhicule qui sert au transport des élèves entre leur domicile et un établissement scolaire. (Recomm. off. OLF)

autocar n. m.
S'abrège familièrement en ***car.***
Véhicule aménagé pour le transport de plusieurs personnes.
L'***autocar*** assure le service entre les villes, l'***autobus*** sert uniquement au transport urbain.

autocaravane n. f.
Véhicule dont l'intérieur est aménagé de façon à servir de logement. (Recomm. off. OLF)
La caravane est tirée par un véhicule.

autochtone adj. et n. m. et f.
Les lettres ***ch*** se prononcent ***k*** [ɔtɔktɔn] ou [otɔktɔn].
Qui est originaire du pays où il habite. *Les autochtones du Canada sont les Amérindiens et les Inuits. Des peuples autochtones.*
auto**ch**tone.

autocollant, ante adj. et n. m.
Adjectif
Qui adhère à une surface sans être humecté. *Des enveloppes autocollantes.*
Nom masculin
Image, vignette autocollante. *Elles collectionnent les autocollants.*

autodéfense n. f.
Action de se défendre par soi-même. *Des techniques d'autodéfense.*

autodidacte adj. et n. m. et f.
Personne qui s'instruit seule. *Ces personnes sont autodidactes. Ce sont des autodidactes.*

autodiscipline n. f.
Discipline que s'impose une personne, un groupe. *Il faut de l'autodiscipline pour faire ces exercices.*

autographe adj. et n. m.
Adjectif
Écrit de la propre main de l'auteur. *Un manuscrit autographe.*
Nom masculin
Texte manuscrit, signature. *Un autographe précieux.*
Attention au genre masculin de ce nom : ***un*** autographe.

automate n. m.
Appareil imitant les mouvements d'un être vivant.
Attention au genre masculin de ce nom : ***un*** automate.

automatique adj. et n. m.
Adjectif
1. Qui s'exécute sans la participation de la volonté. *Un mouvement automatique.*

2. Se dit d'appareils qui exécutent d'eux-mêmes certaines opérations. *Une transmission automatique.*
Nom masculin
Pistolet automatique.

automatiquement adv.
De façon automatique. *Les portes s'ouvrent automatiquement.*

automatisation n. f.
Emploi de moyens automatiques pour accomplir une tâche, pour mener à bien un processus.

automatiser v. tr.
Rendre automatique. *Elle a automatisé la comptabilité.*
Conjugaison [VOIR MODÈLE – **AIMER**]

automnal, ale, aux adj.
Le ***m*** est généralement muet, comme dans le mot ***automne*** [ɔtɔnal].
Propre à l'automne. *Les couleurs automnales, les coloris automnaux.*

automne n. m.
Saison qui vient après l'été et avant l'hiver. *Au Québec, les automnes sont merveilleux : les érables rougissent. Nous irons en voyage à l'automne.*
Tous les noms de saisons sont masculins.
Le complément circonstanciel est introduit par les prépositions ***en*** ou ***à.***

automobile n. f.
S'abrège familièrement en ***auto.***
Véhicule qui se déplace à l'aide d'un moteur. *Une automobile très rapide.*
Aujourd'hui on emploie surtout le nom **voiture.**

automobiliste n. m. et f.
Personne qui conduit une automobile. *Ces automobilistes conduisent prudemment.*

autonettoyant, ante adj.
Qui assure son nettoyage par lui-même. *Des fours autonettoyants.*

autonome adj.
Qui se gouverne, se dirige par ses propres lois. *Julie a 18 ans et elle est maintenant autonome.* **SYN.** indépendant, libre.

autonomie n. f.
Indépendance. *Julie fait preuve d'autonomie : elle se débrouille bien toute seule.* **SYN.** liberté.

autopsie n. f.
Ouverture et examen d'un cadavre pour connaître les causes de la mort.

autorisation n. f.
Accord donné par une autorité. *Les étudiants ont obtenu l'autorisation d'utiliser les micro-ordinateurs.* **SYN.** consentement, permission.

autoriser v. tr.
Accorder le pouvoir, le droit de (faire quelque chose). *Elle les a autorisés à sortir.*
Conjugaison [VOIR MODÈLE – **AIMER**]

autoritaire adj.
1. Qui veut toujours commander. *Un ton autoritaire.*
2. Qui abuse de l'autorité. *Ce surveillant est autoritaire : il effraie toute la classe.*
autorit**aire**.

autorité n. f.
1. Pouvoir ou droit de commander.
2. Administration. *Les autorités ont fermé l'école.*
En ce sens, le nom s'emploie généralement au pluriel.
3. Qualité par laquelle une personne arrive à se faire obéir. *Avoir de l'autorité.*

autoroute n. f.
Voie de communication à chaussées séparées, exclusivement réservées à la circulation rapide, ne comportant aucun croisement à niveau et accessible seulement en des points aménagés à cet effet. (Recomm. off. OLF) *Une autoroute très bien entretenue.*
Attention au genre féminin de ce nom : ***une*** autoroute.
Locutions
Autoroute électronique. Réseau de télécommunications permettant de transmettre de manière interactive des données informatiques, des images, des sons.
Autoroute à péage. Autoroute dont l'accès est soumis au paiement d'une somme d'argent. *Au Québec, il n'y a plus d'autoroute à péage* (et non d'autoroute à *payage).
Le nom ***péage*** vient du latin et signifie « droit de mettre le pied, de passer ».

auto-stop n. m.
S'abrège familièrement en ***stop.***
Procédé consistant, pour le piéton, à arrêter un automobiliste à l'aide d'un signe du pouce pour être transporté gratuitement.
Au Québec, on dit plutôt ***faire du pouce.***

auto-stoppeur, euse n. m. et f. (pl. *auto-stoppeurs*)
Personne qui pratique l'auto-stop.

autour adv.
Dans l'espace qui fait le tour. *Il a construit une maison et il a planté des arbres autour.*
Locutions
Autour de, locution prépositive. Aux environs de. *L'enfant joue autour de la maison.*
Autour de, locution prépositive. Dans l'espace qui fait le tour de. *Un satellite en orbite autour de la Terre.*
Autour de, locution prépositive. Approximativement. *Ils sont autour de 20 personnes.* **SYN.** alentour de, à peu près, environ.

autre adj. et pron. indéf.
Adjectif
1. Qui n'est pas le même. *Cette ville est de l'autre côté du fleuve. Ce n'est pas Julie que j'ai rencontrée, c'est une autre amie.* **SYN.** différent.
2. Supplémentaire. *En plus de nos travaux habituels, nous devons faire un autre devoir de français.*
L'adjectif se place généralement avant le nom qu'il qualifie.
Pronom indéfini
La personne, la chose, le groupe opposé à la personne, à la chose, au groupe dont on parle. *Nous jouons du violon, les autres jouent du piano.*
Le pronom indéfini est toujours précédé de l'article défini (***l', les***), de l'article indéfini (***un, une, des***) ou de l'article contracté (***aux***).
Locutions
D'autre part. Par ailleurs.
De temps à autre. Quelquefois.
Et autres choses. Et le reste (abrév. ***etc.***).
L'autre jour. Un des jours passés.
Nous autres, vous autres. (FAMILIER) De notre côté, de votre côté.

Les autres. Les autres personnes, par rapport à un individu. *Il faut aussi penser aux autres.*
L'un et l'autre. Tous les deux. *L'un et l'autre se dit ou se disent.*
L'un... l'autre..., les uns... les autres. Marque l'opposition entre deux personnes, deux groupes. *L'un dit oui, l'autre dit non.*
Ni l'un ni l'autre. Aucun des deux. *Ni l'un ni l'autre n'est venu ou ne sont venus.*
Cette locution peut être suivie du singulier ou du pluriel.
Un autre. Une personne différente. *J'attendais Marc, c'est un autre qui est venu.*

autrefois adv.
Dans un temps passé. *Autrefois, on conservait les aliments dans une glacière refroidie à l'aide de blocs de glace.* **SYN.** anciennement. **ANT.** aujourd'hui, demain.
Ne pas confondre avec les mots suivants :
– ***naguère,*** il y a peu de temps ;
– ***jadis,*** il y a très longtemps.

autrement adv.
1. De façon différente. *Son nom s'écrit ainsi : Mylène ; je l'avais écrit autrement.*
2. Sinon, sans quoi. *Mange un peu, autrement tu auras faim.*

autrichien, ienne adj. et n. m. et f.
D'Autriche. *Une valse autrichienne. Un Autrichien, une Autrichienne.*
L'adjectif s'écrit avec une minuscule ; le nom, avec une majuscule.

autruche n. f.
Oiseau de grande taille qui court très vite. *En cachant sa tête dans le sable, l'autruche croit qu'elle échappera au danger.*
Attention au genre féminin de ce nom : ***une*** autruche.

autrui pron. indéf. inv.
L'autre, par rapport à soi, les autres. *Il importe de penser à autrui. La propriété d'autrui.*
Ce pronom s'emploie toujours au singulier.
Le pronom ***autrui*** s'emploie généralement comme complément, rarement comme sujet et ne se dit que des personnes.

auvent n. m.
Petit toit en saillie, au-dessus d'une porte, d'une fenêtre. *Des auvents de toile verte.*

auxiliaire adj. et n. m.
VOIR **TABLEAU - AUXILIAIRE.**

auxquels, auxquelles adj. rel. et pron. rel. et interr.
VOIR **LEQUEL.**

av.
Abréviation de ***avenue.***

aval n. m.
Côté vers lequel descend un cours d'eau. *Marcher vers l'aval de la rivière.*
Le nom ***aval*** signifie « vers la vallée ».
Locution
En aval de, locution prépositive. En descendant le cours de l'eau, au-delà. *En aval des rapides de la rivière.* **ANT.** amont.

avalanche n. f.
Masse considérable de neige qui se détache des montagnes. *Une terrible avalanche a enseveli le petit village.*

avaler v. tr.
Faire descendre dans l'estomac. *Les enfants avalèrent rapidement leur déjeuner.*
Conjugaison [VOIR MODÈLE – **AIMER**]

avaleur n. m.
Avaleur de sabres. Saltimbanque qui fait pénétrer un sabre dans son tube digestif.

avance n. f.
Espace parcouru avant quelqu'un. *Nous avons une avance de 15 minutes sur l'autre équipe.* **ANT.** retard.
Locutions
À l'avance, d'avance, en avance, locutions adverbiales. Avant le temps fixé. *Veuillez payer à l'avance, s'il vous plaît. Vous êtes en avance sur l'horaire.*
Prendre de l'avance. Aller plus vite.

avancé, ée adj.
1. En avance. *L'heure avancée.*
2. Plus moderne, en avance sur les autres. *Des idées avancées.* **SYN.** innovateur.

avancement n. m.
Le premier ***e*** ne se prononce pas [avɑ̃smɑ̃].
1. Action de progresser. *L'avancement des travaux.* **SYN.** progrès. **ANT.** recul.
2. Promotion. *Elle a eu de l'avancement, elle est maintenant chef d'équipe.*

avancer v. tr., intr., pronom.
Verbe transitif
1. Pousser en avant. *Avance un pion, c'est à ton tour de jouer.* **ANT.** reculer.
2. Effectuer avant le moment prévu. *Avancer le début des vacances.* **ANT.** retarder.
Verbe intransitif
1. Progresser. *Les recherches avancent. Les enfants avançaient dans la mer en riant.*
2. Dépasser. *Cette terrasse avance sur le mur.*
3. Être en avance. *Ma montre avance un peu.* **ANT.** retarder.
Verbe pronominal
Approcher. *Ils s'avancent vers nous à grands pas.* **SYN.** venir.
Conjugaison [VOIR MODÈLE – **AVANCER**]
Le ***c*** prend une cédille devant les lettres ***a*** et ***o.*** *Il avança, nous avançons.*

avant adj., adv., n. m. et prép.
Préposition
1. Dans un temps qui précède. *Elle a beaucoup étudié avant l'examen.*
2. Dans un ordre qui précède. *Ce mot vient avant celui-ci, dans l'ordre alphabétique.*
Adverbe
1. Par rapport au temps. *Quelques années avant.*
2. Par rapport au lieu, au rang. *Il est avant lui, dans les rangs.*
L'adverbe ***avant*** qui sert à marquer un progrès est généralement précédé des mots ou expressions ***si, bien, trop, plus, assez, fort.*** *Ils sont arrivés bien avant eux.*
Nom masculin
1. Partie antérieure d'un navire, d'une voiture. *L'avant du bateau.*
2. Joueur d'une ligne d'attaque dans certains sports d'équipe. **ANT.** arrière.

AUXILIAIRE

Verbe sans signification servant à la **formation des temps composés** pour la conjugaison des autres verbes. Les auxiliaires sont ***avoir*** et ***être***.

Auxiliaire ***avoir***			Auxiliaire ***être***		
j'	***ai***	*aimé*	*je*	***suis***	*venu, ue*
tu	***as***	*aimé*	*tu*	***es***	*venu, ue*
elle	***a***	*aimé*	*elle*	***est***	*venue*
il	***a***	*aimé*	*il*	***est***	*venu*
nous	***avons***	*aimé*	*nous*	***sommes***	*venus, ues*
vous	***avez***	*aimé*	*vous*	***êtes***	*venus, ues*
elles	***ont***	*aimé*	*elles*	***sont***	*venues*
ils	***ont***	*aimé*	*ils*	***sont***	*venus*

Le mot ***auxiliaire*** signifie « aide ».
Les lettres ***au*** se prononcent **o** ouvert ou fermé, [ɔksiljɛʀ] ou [oksiljɛʀ].

FORMATION DES TEMPS PASSÉS AVEC L'AUXILIAIRE *AVOIR*

- Les verbes ***avoir*** et ***être***. *J'ai **eu** froid, j'**ai** été malade.*
- Tous les **verbes transitifs**. *Tu **as** lu des livres.*
  Les verbes transitifs ont un complément d'objet direct.
- La plupart des **verbes intransitifs**. *Elle **a** voyagé.*
  Les verbes intransitifs s'emploient sans complément.
- Les verbes **impersonnels non pronominaux**. *Il **a** neigé.*
  Les verbes impersonnels ne s'emploient qu'à la troisième personne du singulier avec un sujet indéterminé.

FORMATION DES TEMPS PASSÉS AVEC L'AUXILIAIRE *ÊTRE*

- Certains verbes **intransitifs**. *Qu'**est**-il devenu ? Elles **sont** sorties.*

aller	mourir	retourner	provenir
arriver	naître	sortir	revenir...
devenir	partir	tomber	
échoir	rentrer	venir	
entrer	rester	parvenir	

  Les verbes intransitifs sont employés sans complément.
- Tous les verbes à la **forme pronominale**. *Elle s'**est** regardée. Nous **nous** sommes vues.*
  Les verbes pronominaux sont accompagnés d'un pronom personnel qui représente le sujet.
- Tous les verbes à la **forme passive**. *Tu **seras** apprécié par tes amis.*
  La forme passive exprime l'action à partir de l'objet qui la subit *(la pomme est mangée)* alors que la forme active exprime l'action à partir du sujet qui la fait *(je mange la pomme).*

FORMATION DES TEMPS PASSÉS AVEC L'AUXILIAIRE *AVOIR* OU *ÊTRE*

Certains verbes intransitifs se conjuguent avec l'auxiliaire ***avoir*** pour exprimer une action et avec l'auxiliaire **être** pour exprimer l'état qui résulte de l'action. *Il **a** passé ses vacances ici. L'hiver **est** enfin passé.*

accourir	crever	divorcer	stationner
apparaître	déborder	monter	tourner
atterrir	dégeler	passer	vieillir...
augmenter	déménager	pourrir	
baisser	descendre	rajeunir	
changer	disparaître	sonner	

Indicatif

Présent		*Passé composé*		
j'	avance	j'	ai	avancé
tu	avances	tu	as	avancé
elle	avance	elle	a	avancé
il	avance	il	a	avancé
nous	avançons	nous	avons	avancé
vous	avancez	vous	avez	avancé
elles	avancent	elles	ont	avancé
ils	avancent	ils	ont	avancé

Imparfait		*Plus-que-parfait*		
j'	avançais	j'	avais	avancé
tu	avançais	tu	avais	avancé
elle	avançait	elle	avait	avancé
il	avançait	il	avait	avancé
nous	avancions	nous	avions	avancé
vous	avanciez	vous	aviez	avancé
elles	avançaient	elles	avaient	avancé
ils	avançaient	ils	avaient	avancé

Passé simple		*Passé antérieur*		
j'	avançai	j'	eus	avancé
tu	avanças	tu	eus	avancé
elle	avança	elle	eut	avancé
il	avança	il	eut	avancé
nous	avançâmes	nous	eûmes	avancé
vous	avançâtes	vous	eûtes	avancé
elles	avancèrent	elles	eurent	avancé
ils	avancèrent	ils	eurent	avancé

Futur simple		*Futur antérieur*		
j'	avancerai	j'	aurai	avancé
tu	avanceras	tu	auras	avancé
elle	avancera	elle	aura	avancé
il	avancera	il	aura	avancé
nous	avancerons	nous	aurons	avancé
vous	avancerez	vous	aurez	avancé
elles	avanceront	elles	auront	avancé
ils	avanceront	ils	auront	avancé

Infinitif

Présent	*Passé*
avancer	avoir avancé

Subjonctif

Présent			*Passé*			
que	j'	avance	que	j'	aie	avancé
que	tu	avances	que	tu	aies	avancé
qu'	elle	avance	qu'	elle	ait	avancé
qu'	il	avance	qu'	il	ait	avancé
que	nous	avancions	que	nous	ayons	avancé
que	vous	avanciez	que	vous	ayez	avancé
qu'	elles	avancent	qu'	elles	aient	avancé
qu'	ils	avancent	qu'	ils	aient	avancé

Imparfait			*Plus-que-parfait*			
que	j'	avançasse	que	j'	eusse	avancé
que	tu	avançasses	que	tu	eusses	avancé
qu'	elle	avançât	qu'	elle	eût	avancé
qu'	il	avançât	qu'	il	eût	avancé
que	nous	avançassions	que	nous	eussions	avancé
que	vous	avançassiez	que	vous	eussiez	avancé
qu'	elles	avançassent	qu'	elles	eussent	avancé
qu'	ils	avançassent	qu'	ils	eussent	avancé

Conditionnel

Présent		*Passé*		
j'	avancerais	j'	aurais	avancé
tu	avancerais	tu	aurais	avancé
elle	avancerait	elle	aurait	avancé
il	avancerait	il	aurait	avancé
nous	avancerions	nous	aurions	avancé
vous	avanceriez	vous	auriez	avancé
elles	avanceraient	elles	auraient	avancé
ils	avanceraient	ils	auraient	avancé

Impératif

Présent	*Passé*	
avance	aie	avancé
avançons	ayons	avancé
avancez	ayez	avancé

Participe

Présent	*Passé*
avançant	avancé, ée

3. Aller de l'avant. Continuer à avancer.
Adjectif invariable
Les roues avant.
Locutions
Avant que, locution conjonctive. Dans un temps qui précède. *J'aimerais vous voir avant que vous partiez.*
Cette locution conjonctive est toujours suivie du subjonctif, alors que la locution ***après que*** exige l'indicatif. *Avant que la marchandise soit livrée,* mais *après que la marchandise aura été livrée.*
La particule ***ne*** n'est justifiée que dans les phrases négatives. *N'abandonnez pas avant que tout ne soit terminé.*
En avant, locution adverbiale. Devant. *Regarder en avant.* **ANT.** en arrière.
En avant de, locution prépositive. Devant et à une certaine distance de. *Il y a un jardin en avant de la maison.*
Forme fautive
*avant son temps. Calque de l'anglais « ahead of his time » au sens de ***innovateur, avant-gardiste.***

avant- préf.
Les mots composés avec le préfixe ***avant-*** s'écrivent avec un trait d'union et seul le deuxième élément prend la marque du pluriel. *Des avant-gardes.*

avantage n. m.
1. Supériorité en quelque matière, utilité. *Cette équipe a un avantage sur ses adversaires.* **SYN.** atout.
2. Bien, bénéfice. *Il y a beaucoup d'avantages à travailler en équipe.* **SYN.** intérêt. **ANT.** désavantage, inconvénient.
Ne pas confondre le nom ***avantage*** avec l'adverbe ***davantage*** qui signifie « plus ».

avantager v. tr.
1. Favoriser. *Nous avantageons les plus jeunes élèves.*
2. Mettre en valeur. *Ce costume l'avantage.* **SYN.** embellir. **ANT.** désavantager.
Conjugaison [VOIR MODÈLE – **CHANGER**]
Le ***g*** est suivi d'un ***e*** devant les lettres ***a*** et ***o***. *Il avantagea, nous avantageons.*

avantageusement adv.
De façon avantageuse. *Il se classe avantageusement.* **SYN.** bien.

avantageux, euse adj.
Favorable, qui procure un avantage. *Un contrat avantageux.*

avant-bras n. m. (pl. *avant-bras*)
Partie du bras située entre le coude et le poignet. *Antoine s'est blessé à l'avant-bras.*

avant-coureur adj. inv. en genre
Précurseur. *Les signes, les manifestations avant-coureurs du printemps.*
Cet adjectif garde la même forme au masculin et au féminin.

avant-dernier, ière adj. et n. m. et f.
Qui est immédiatement avant le dernier. *Les avant-derniers élèves. Elles se sont classées avant-dernières.*

avant-garde n. f.
Mouvement novateur. *Du théâtre d'avant-garde.*
Locution
À l'avant-garde, d'avant-garde. En avance sur son époque.

avant-gardiste adj. et n. m. et f.
Qui appartient à l'avant-garde. *Une théorie avant-gardiste. Des avant-gardistes.*

avant-goût n. m. (pl. *avant-goûts*)
Première impression, goût qu'on a par avance d'une chose. *Ce beau soleil nous donne un avant-goût de l'été.* **ANT.** arrière-goût.

avant-hier adv.
On fait la liaison [avɑ̃tjɛr].
Le jour qui a précédé hier. *Ils avaient congé avant-hier.*

avant-midi n. m. ou f. inv. (pl. *avant-midi*)
Du lever du soleil jusqu'à midi. *Il est 11 heures de l'avant-midi. Cet avant-midi* ou *cette avant-midi.* **SYN.** matin, matinée.
En ce sens, le nom s'emploie aussi dans certaines régions de la francophonie.
Ce nom est masculin ou féminin et il est invariable.

avant-veille n. f. (pl. *avant-veilles*)
Le jour qui précède la veille.

avare adj. et n. m. et f.
Qui aime l'argent avec passion et l'accumule sans l'intention d'en faire usage. *Séraphin Poudrier était l'avare des « Belles histoires des pays d'en haut », de Claude-Henri Grignon.* **SYN.** grippe-sou, radin. **ANT.** généreux.

avarice n. f.
Attachement excessif aux richesses. **ANT.** générosité.

avec prép.
La préposition marque :
1. une relation entre des personnes. *Luc parle avec ma sœur.*
2. l'accompagnement. *Elle a voyagé avec son amie.*
3. l'instrument. *Écrire avec un stylo à bille.*
4. le moyen. *Lina creuse avec une pelle.*
5. la cause. *Avec tout ce travail à faire, je ne pourrai sortir ce soir.*
6. la manière. *Je t'offre ce livre avec plaisir.*
Si le sujet d'une proposition s'accompagne d'un autre nom joint à lui par la préposition ***avec,*** le verbe se met généralement au singulier si ce sujet est isolé par des virgules ; sinon, le verbe se met au pluriel. *Paul, avec Pierre, est allé à la campagne. Paul avec Pierre sont allés à la campagne.*
Il faut se garder d'utiliser la préposition ***avec*** sans complément. *Il le connaît depuis longtemps, il est allé à l'école *avec.*
Les expressions suivantes sont fautives :
*Elle est amie avec moi au lieu de *Elle est mon amie.*
*Dîner avec un sandwich au lieu de *Dîner d'un sandwich.*

avenir n. m.
Le temps futur. **ANT.** passé.
L'expression * « avoir un bel avenir devant soi » est un pléonasme (répétition de mots ayant un même sens).

aventure n. f.
1. Évènement imprévu, extraordinaire. *Une aventure merveilleuse. Martine aime l'aventure.*
2. (AU PLURIEL) Affaires, histoire. *Un film d'aventures.*
Locutions
À l'aventure, locution adverbiale. Au hasard.
Dire la bonne aventure (à quelqu'un). Tenter de prédire son avenir.

aventurer (s') v. pronom.
Se risquer. *Ne vous aventurez pas dans ces rues. Elle s'est aventurée dans les bois.*
Le participe passé de ce verbe pronominal s'accorde toujours en genre et en nombre avec le sujet du verbe.
Conjugaison [VOIR MODÈLE – **AIMER**]

aventureux, euse adj.
1. Qui aime l'aventure. *Un garçon aventureux.* **SYN.** audacieux, hardi.
2. Plein de risques, d'aventures. *Un voyage aventureux.*
Ne pas confondre avec l'adjectif ***aventurier,*** qui aime et recherche l'aventure.
aventureu**x**.

aventurier, ière n. m. et f.
Personne qui aime et recherche l'aventure. *Les Aventuriers du timbre perdu.* (Michael Rubbo, adapté au cinéma par Rock Demers.)
Ne pas confondre avec l'adjectif ***aventureux,*** qui aime l'aventure.

avenue n. f.
Abréviation ***av.*** (s'écrit avec un point).
Voie de communication urbaine plus large que les rues, desservant un quartier ou une partie d'une ville, ou pouvant conduire à un lieu bien identifié. (Recomm. off. OLF)
Les mots génériques des noms de voies de circulation (odonymes) (***boulevard, chemin, côte, place, route, rue,*** etc.) s'écrivent en minuscules et sont suivis du nom spécifique qui s'écrit avec une ou des majuscules. *L'avenue de la Brunante, l'avenue Claude-Champagne.*
Lorsqu'il suit le verbe ***habiter***, le nom **avenue** se construit sans préposition. *Marie-Ève habite 7, avenue Antonine-Maillet.*
Le complément circonstanciel composé du mot ***avenue*** est généralement introduit par la préposition ***sur,*** mais l'emploi de la préposition ***dans*** est également possible. *Elles marchent sur l'avenue des Érables, Ils roulent dans l'avenue des Marguerites.* Par contre, le nom ***rue*** est toujours introduit par la préposition ***dans.***

averse n. f.
Pluie subite, violente et de faible durée.
Ne pas confondre avec le nom ***orage,*** perturbation atmosphérique qui se caractérise par une pluie abondante, des éclairs et du tonnerre.
Locution
Averse de neige. Précipitation solide, subite et abondante, quelquefois violente, mais de courte durée. (Recomm. off. OLF)
Ne pas confondre avec la locution ***à verse*** qui se dit de la pluie qui tombe abondamment. *Il pleut à verse.*

aversion n. f.
Antipathie profonde. *Avoir de l'aversion contre quelqu'un.* **SYN.** haine.
Le complément du nom ***aversion*** est introduit par ***pour, contre*** ou ***à l'égard de.***
Ne pas confondre avec le nom ***inversion,*** action de mettre quelque chose dans un sens opposé.

averti, ie adj.
Informé, expérimenté. *Un homme averti en vaut deux.*

avertir v. tr.
Prévenir de, informer. *Avertissez-moi avant de partir.*
Le verbe se construit avec la préposition **de** suivie d'un nom ou d'un infinitif. *Je l'avais avertie de mon départ. Les parents les ont avertis de rentrer tôt.* Suivi de ***que,*** le verbe se construit avec l'indicatif ou le conditionnel. *Elle m'avait averti qu'elle partait* ou *qu'elle partirait bientôt.*
Conjugaison [VOIR MODÈLE – **FINIR**]

avertissement n. m.
Action d'avertir, de faire savoir. *Les écoliers n'ont pas tenu compte des avertissements de la maîtresse : ils ont eu une retenue.*

avertisseur, euse adj. et n. m.
Se dit d'un dispositif destiné à avertir. *Un signal avertisseur. Un avertisseur d'automobile, un avertisseur d'incendie.*

aveu n. m. (pl. *aveux*)
Action d'avouer, de reconnaître quelque chose de difficile à révéler. *L'aveu d'une faute. J'ai un aveu à te faire.*
Locution
Faire des aveux ou ***passer aux aveux.*** Reconnaître sa culpabilité.

aveuglant, ante adj.
Qui éblouit. *Une lumière aveuglante.*

aveugle adj. et n. m. et f.
Les lettres ***eu*** se prononcent comme dans ***fleuve*** [avœgl].
Privé de l'usage de la vue. *Il est aveugle de naissance. Cet aveugle est accompagné d'un chien-guide.*
On dit aussi un ***non-voyant.***

aveuglément adv.
Sans réflexion. *Ils suivent aveuglément ses conseils.*

aveugler v. tr.
Rendre aveugle ou gêner la vue. *Le soleil l'aveuglait.*
Conjugaison [VOIR MODÈLE – **AIMER**]

aveuglette (à l') loc. adv.
À tâtons, sans y voir. *Étienne cherchait sa lampe de poche à l'aveuglette dans le grenier tout noir.*

aviateur n. m.
aviatrice n. f.
Personne qui pilote un avion. *Laure aimerait devenir une aviatrice.*

aviation n. f.
Navigation aérienne. *Une compagnie d'aviation.*

avicole adj.
Relatif à l'aviculture.

aviculteur n. m.
avicultrice n. f.
Personne qui élève des volailles, des oiseaux.

aviculture n. f.
Élevage des volailles, des oiseaux.
Ne pas confondre avec le nom ***apiculture,*** élevage des abeilles.
VOIR **AGRICULTURE.**

avide adj.
Qui désire trop quelque chose. *Il est avide de gloire et d'argent.*

avidité n. f.
Désir exagéré. *Certaines personnes recherchent le pouvoir avec avidité.*

avion n. m.
Appareil de locomotion aérienne. *Un avion supersonique. L'avion décollera à 10 h de Mirabel.*
Attention au genre masculin de ce nom : ***un*** avion.

aviron n. m.
1. Rame légère. «*C'est l'aviron qui nous mène, qui nous mène !*» (Chanson)
2. Sport du canotage. *Les enfants aiment faire de l'aviron sur ce petit lac des Laurentides.*
3. Pagaie.

avis n. m.
Le *s* ne se prononce pas [avi].
1. Ce que l'on croit. *Je suis de votre avis. Donnez-moi votre avis.* SYN. opinion, point de vue.
2. Conseil, avertissement. *Un avis officiel.*
VOIR TABLEAU – **AVIS LINGUISTIQUES ET TERMINOLOGIQUES.**

avisé, ée adj.
Prudent, réfléchi. *Une conseillère avisée.*

aviser v. tr., intr., pronom.
Verbe transitif
Informer, dans la langue administrative. SYN. avertir, informer, prévenir.
Suivi de ***que,*** le verbe se construit avec l'indicatif ou le conditionnel. *Il m'avise qu'il sera là demain. J'ai avisé le directeur que je ne pourrais faire ce travail.* Suivi de la préposition ***de,*** le verbe se construit avec un nom. *Il nous a avisés de son retour.*
Verbe intransitif
Réfléchir, juger à propos. *Nous aviserons plus tard.*
Verbe pronominal
1. Constater, prendre conscience. *Il ne s'est pas avisé de son retard.*
2. ***S'aviser de.*** Avoir l'idée de.
En ce sens, le verbe est suivi de l'infinitif. *Ne t'avise pas de recommencer !*
3. ***S'aviser que.*** Remarquer, se rendre compte.
En ce sens, le verbe est suivi de l'indicatif. *Soudain les garçons s'avisèrent qu'il faisait nuit et qu'ils étaient perdus.*
Conjugaison [VOIR MODÈLE – **AIMER**]

***avocado**
Anglicisme au sens de **avocat** (fruit et couleur).

avocat adj. inv. et n. m.
Le *o* est ouvert [avɔka].
Nom masculin
Fruit de l'avocatier dont la chair est appréciée. *Une salade d'avocats* (et non d'*avocados).
Adjectif invariable
De la couleur vert-jaune de l'avocat. *Des ceintures avocat* (et non *avocado).
VOIR TABLEAU – **COULEUR (ADJECTIFS DE).**

AVIS LINGUISTIQUES ET TERMINOLOGIQUES

Publiés par l'Office de la langue française (OLF), les avis linguistiques et terminologiques portent sur des termes qui deviennent obligatoires dans les textes et documents émanant de l'Administration, dans les ouvrages d'enseignement, de formation et de recherche, ainsi que dans l'affichage public.

La responsabilité de normaliser les diverses terminologies et d'en assurer le rayonnement a été confiée à l'OLF par la *Charte de la langue française* sanctionnée le 26 août 1977.

Dans des domaines d'application qui sont tout autant le vocabulaire général que les langues techniques, les avis portent sur des terminologies traditionnelles régionales qui entrent en conflit avec des terminologies françaises, des terminologies présentant un phénomène massif d'emprunt, des terminologies en voie d'élaboration appartenant à des domaines de pointe.

Dans ce dictionnaire, les termes qui ont fait l'objet d'un avis de recommandation ou de normalisation de l'OLF sont suivis de la mention (Recomm. off. OLF).

Voici quelques exemples d'avis :

AFFICHAGE

Depuis 1979, la signalisation des issues de secours dans les lieux et véhicules publics comporte obligatoirement le terme **sortie**.

Auparavant, on lisait surtout le mot anglais emprunté au latin « exit ».

ACCENTUATION DES MAJUSCULES

Au cours de la même année, il a été recommandé que les majuscules prennent les **accents**, le **tréma** et la **cédille** lorsque les minuscules équivalentes en ont.

FÉMINISATION DES TITRES ET FONCTIONS

Toujours en 1979, l'OLF a publié un avis qui recommandait la **féminisation des titres** dans tous les cas possibles. *Une avocate, une présidente, une architecte, une ministre, une députée, une chirurgienne...*

SIGNALISATION ROUTIÈRE

En 1980, l'OLF recommandait l'expression **halte routière** pour traduire l'expression anglaise « rest area ».

QUÉBÉCISMES

En 1985, la Commission de terminologie de l'OLF publiait un important *Énoncé d'une politique linguistique relative aux québécismes.*

Indicatif

Présent	*Passé composé*
j' ai	j' ai eu
tu as	tu as eu
elle a	elle a eu
il a	il a eu
nous avons	nous avons eu
vous avez	vous avez eu
elles ont	elles ont eu
ils ont	ils ont eu

Imparfait	*Plus-que-parfait*
j' avais	j' avais eu
tu avais	tu avais eu
elle avait	elle avait eu
il avait	il avait eu
nous avions	nous avions eu
vous aviez	vous aviez eu
elles avaient	elles avaient eu
ils avaient	ils avaient eu

Passé simple	*Passé antérieur*
j' eus	j' eus eu
tu eus	tu eus eu
elle eut	elle eut eu
il eut	il eut eu
nous eûmes	nous eûmes eu
vous eûtes	vous eûtes eu
elles eurent	elles eurent eu
ils eurent	ils eurent eu

Futur simple	*Futur antérieur*
j' aurai	j' aurai eu
tu auras	tu auras eu
elle aura	elle aura eu
il aura	il aura eu
nous aurons	nous aurons eu
vous aurez	vous aurez eu
elles auront	elles auront eu
ils auront	ils auront eu

Infinitif

Présent	*Passé*
avoir	avoir eu

Subjonctif

Présent	*Passé*
que j' aie	que j' aie eu
que tu aies	que tu aies eu
qu' elle ait	qu' elle ait eu
qu' il ait	qu' il ait eu
que nous ayons	que nous ayons eu
que vous ayez	que vous ayez eu
qu' elles aient	qu' elles aient eu
qu' ils aient	qu' ils aient eu

Imparfait	*Plus-que-parfait*
que j' eusse	que j' eusse eu
que tu eusses	que tu eusses eu
qu' elle eût	qu' elle eût eu
qu' il eût	qu' il eût eu
que nous eussions	que nous eussions eu
que vous eussiez	que vous eussiez eu
qu' elles eussent	qu' elles eussent eu
qu' ils eussent	qu' ils eussent eu

Conditionnel

Présent	*Passé*
j' aurais	j' aurais eu
tu aurais	tu aurais eu
elle aurait	elle aurait eu
il aurait	il aurait eu
nous aurions	nous aurions eu
vous auriez	vous auriez eu
elles auraient	elles auraient eu
ils auraient	ils auraient eu

Impératif

Présent	*Passé*
aie	aie eu
ayons	ayons eu
ayez	ayez eu

Participe

Présent	*Passé*
ayant	eu, eue
	ayant eu

avocat n. m.
avocate n. f.
Le ***o*** est ouvert [avɔka] [avɔkat].
Personne qui fait profession de conseiller en matière juridique et de défendre des causes en justice.

avocatier n. m.
Le ***o*** est ouvert [avɔkatje].
Arbre dont le fruit est l'avocat.

avoine n. f.
Céréale. *Les chevaux aiment l'avoine. Ces biscuits sont à la farine d'avoine et aux raisins.*

avoir v. tr.
1. Posséder. *Laurence a une bicyclette.*
2. Obtenir. *Il a eu un vélo en cadeau. Elle a eu le premier prix d'excellence.*
3. Éprouver. *Cet enfant a mal aux oreilles.*
4. Présenter une caractéristique. *Elle a les cheveux roux.*
5. Marque un rapport entre les personnes, les choses, sans impliquer nécessairement l'idée de possession ou de propriété. *Il a de bons amis. Ils ont un dentiste compétent. De sa chambre, elle a une vue sur la mer.*
Comme auxiliaire, le verbe ***avoir*** est employé dans la formation des temps composés, constitués avec le participe passé pris au sens actif du verbe et les temps de ***avoir*** à titre de simple auxiliaire. *J'ai aimé.*
Conjugaison [VOIR MODÈLE – **AVOIR**]
VOIR TABLEAU – **AUXILIAIRE.**

avoir n. m.
Ensemble des biens qu'on possède.

avortement n. m.
Arrêt spontané ou provoqué d'une grossesse avant terme.

avorter v. tr., intr.
Verbe transitif
Provoquer un avortement.
Verbe intransitif
Accoucher avant terme. *La voisine a avorté au troisième mois de sa grossesse.*
Conjugaison [VOIR MODÈLE – **AIMER**]

avouer v. tr., pronom.
Verbe transitif
1. Confesser. *Avouer sa faute.*
2. Reconnaître comme réel. *Avouer son indifférence.*
Verbe pronominal
Se reconnaître comme. *Elles se sont avouées coupables.*
Conjugaison [VOIR MODÈLE – **AIMER**]

avril n. m.
Quatrième mois de l'année. *Le 3 avril.*
Les noms de mois s'écrivent avec une minuscule.
Locution
Poisson d'avril. Farce faite à quelqu'un le 1er avril.
VOIR TABLEAU – **DATE.**

axe n. m.
Ligne droite qui passe par le centre d'un corps autour de laquelle celui-ci tourne, ou peut tourner. *Un axe de rotation.*
Locution
Axe routier. Grande voie de communication.

azalée n. f.
Arbuste cultivé pour ses fleurs. *Des azalées blanches.*
Attention au genre féminin de ce nom : ***une*** azalée.

azote n. m.
Symbole ***N*** (s'écrit sans point).
Corps gazeux qui entre dans la composition de l'air atmosphérique. *Un azote liquide.*
Attention au genre masculin de ce nom : ***un*** azote.

aztèque adj. et n. m. et f.
Le ***z*** se prononce ***s*** [astɛk].
Adjectif et nom masculin et féminin
Qui a rapport aux Aztèques, peuple de l'ancien Mexique. *De l'orfèvrerie aztèque. Les Aztèques dominèrent le Mexique jusqu'au XVIe siècle.*
L'adjectif s'écrit avec une minuscule ; le nom, avec une majuscule.
Nom masculin
Langue parlée par les Aztèques. *Il étudie l'aztèque.*
Le nom de la langue s'écrit avec une minuscule.

azur n. m.
1. Bleu clair et intense du ciel et de la mer. *L'azur de tes yeux.*
2. (FIGURÉ) L'air, le ciel.

b n. m. inv.
Deuxième lettre de l'alphabet.

baba n. m.
Pâtisserie. *Des babas au rhum.*

b-a ba n. m.
Base. *Apprendre le b-a ba de l'arithmétique.*

babiche n. f.
⚜ Lanière de peau (chevreuil, orignal, etc.). *Le siège de cette chaise est tissé en babiche.*
Ce nom est d'origine amérindienne.

babillage n. m.
Action de parler beaucoup, de bavarder à la manière des enfants. *Le babillage des élèves.*

babillard n. m.
⚜ (FAMILIER) Tableau d'affichage. *Son nom est inscrit au babillard.*

babiller v. intr.
Les deux dernières syllabes se prononcent comme dans ***habiller*** [babije].
Parler beaucoup, bavarder d'une manière agréable, enfantine.
Conjugaison [VOIR MODÈLE – **AIMER**]
Les lettres ***ill*** sont suivies d'un ***i*** à la première et à la deuxième personne du pluriel de l'indicatif imparfait et du subjonctif présent. *(Que) nous babillions, (que) vous babilliez.*

babines n. f. pl.
1. Lèvres pendantes de certains animaux. *Le chat, le chien, le singe, le chameau, entre autres, ont des babines.*
2. (FAMILIER) Lèvres. *S'essuyer les babines.*
Locution
S'en lécher les babines. (FIGURÉ) Déguster par la pensée quelque chose de délicieux. *À l'idée de manger du gâteau au chocolat, Fanny s'en lèche les babines.*

babiole n. f.
1. Petit objet sans valeur.
2. (FIGURÉ) Chose sans importance. **SYN.** niaiserie, rien.
babio**le**.

bâbord n. m.
Le côté gauche d'un navire quand on regarde vers l'avant. *Il y a des pirates à bâbord ! crie la vigie de son poste d'observation sur le mât.*
Pour se rappeler la place de bâbord et de tribord, il suffit de penser au mot ***batterie*** (***ba***, à gauche, ***tri***, à droite).
VOIR **TRIBORD.**
b**â**bord.

babouin n. m.
Singe de grande taille au museau allongé.

baby-foot n. m. inv. (pl. *baby-foot*)
Ce mot se prononce à l'anglaise [bebifut].
Jeu de football miniature que l'on actionne à l'aide de manettes. *Il y a des tables de baby-foot à l'école.*

***baby-sitter**
Anglicisme pour ***gardien, gardienne d'enfants.***

***baby-sitting**
Anglicisme pour ***garde d'enfants.***

bac n. m.
1. Petit traversier à fond plat, de forme généralement rectangulaire, mis en mouvement par la seule force du courant ou par un moyen propre de propulsion, effectuant la traversée de passagers, de marchandises, de voitures, d'une rive à l'autre d'un cours d'eau, d'un lac. (Recomm. off. OLF). *Un bac relie Oka à Hudson.*
2. Récipient. *Des bacs à légumes.*

bacille n. m.
Les deux ***l*** se prononcent comme un seul [basil].
Microbe en forme de bâtonnet.
Attention au genre masculin de ce nom : ***un*** bacille.
baci**ll**e.

bâcler v. tr.
(FAMILIER) Faire trop vite et de façon peu soignée. *Bâcler son travail.*
Ce verbe a une connotation défavorable ; on évitera les expressions « bâcler une affaire, une transaction » qui sont impropres au sens de ***conclure*** (une affaire, une transaction).
Conjugaison [VOIR MODÈLE – **AIMER**]
b**â**cler.

b

bacon n. m.
Ce nom se prononce généralement à l'anglaise [bekœn].
Filet de porc salé et fumé, découpé en tranches minces. *Des œufs et du bacon.*

bactérie n. f.
Être unicellulaire. *On peut voir les bactéries avec un microscope.*

badge n. m.
1. Insigne fixé à un vêtement. *Un badge humoristique.*
Ce nom désigne aussi l'insigne précisant le nom de la personne qui le porte.
2. Insigne des scouts.
L'insigne des scouts était du genre féminin; aujourd'hui, on emploie le masculin dans tous les sens.

badigeonner v. tr.
1. Peindre avec un enduit. *Ils ont badigeonné le mur de couleurs vives.*
2. Enduire d'un médicament. *Badigeonner d'iode une plaie.*
Conjugaison [VOIR MODÈLE – **AIMER**]
badig**e**o**nn**er.

badiner v. intr.
Plaisanter. *N'en croyez rien, je badinais.*
Conjugaison [VOIR MODÈLE – **AIMER**]

badminton n. m.
Ce mot se prononce à l'anglaise. Attention, il n'y a pas de ***g*** [badmintɔn].
Jeu de volant pratiqué avec des raquettes. *Thierry et Clara jouent au badminton.*
badmi**n**to**n.**

bafouer v. tr.
Outrager en ridiculisant.
Conjugaison [VOIR MODÈLE – **AIMER**]
ba**f**ouer.

bafouillage n. m.
Paroles décousues, embrouillées. **SYN.** balbutiement, bredouillement.

bafouiller v. tr.
Bredouiller, parler d'une manière confuse. *Quelle est la solution ? Euh..., bafouille-t-il.*
Conjugaison [VOIR MODÈLE – **AIMER**]
Les lettres ***ill*** sont suivies d'un ***i*** à la première et à la deuxième personne du pluriel de l'indicatif imparfait et du subjonctif présent. *(Que) nous bafouillions, (que) vous bafouilliez.*

bagage n. m.
1. Tout objet emporté avec soi en voyage. *Jules et Bruno n'ont pour bagages que leur sac à dos et leur vélo. Voyager sans bagages.*
Le nom s'emploie surtout au pluriel au sens d'un ensemble de valises, de sacs, d'articles qu'emportent les voyageurs.
2. (FIGURÉ) Connaissances acquises. *Elle a un bagage impressionnant. Un bagage littéraire, scientifique.*
Locutions
Avec armes et bagages. En emportant tout avec soi.
Plier bagage. Partir.
Dans cette expression, le nom s'écrit au singulier.

bagarre n. f.
(FAMILIER) Violente dispute accompagnée de coups.
Ce nom est de niveau familier. Dans un texte écrit, on emploie plutôt ***bataille.***
baga**rr**e.

bagarrer v. intr., pronom.
Verbe intransitif
(FAMILIER) Lutter. *Charles bagarre fort pour obtenir nos votes.*
Couramment, on utilise plutôt la forme pronominale.
Verbe pronominal
(FAMILIER) Se battre. *Ils se sont bagarrés un peu et se sont réconciliés.*
Ce verbe est de niveau familier. Dans un texte écrit, on emploie plutôt ***se battre.***
Conjugaison [VOIR MODÈLE – **AIMER**]

bagarreur, euse adj. et n. m. et f.
(FAMILIER) Qui aime la bagarre.
Moins familièrement, on emploie les adjectifs ***batailleur, combatif.***

bagnole n. f.
1. (FAMILIER) Vieille automobile.
2. (FAMILIER) Automobile. *Il vient de s'acheter une superbe bagnole.*

bague n. f.
Anneau que l'on porte au doigt. *Une bague en argent avec une pierre bleue.*

baguette n. f.
1. Bâton mince et flexible. *La baguette du chef d'orchestre.*
2. Ustensile des Orientaux. *Sais-tu manger le riz avec des baguettes ?*
3. Pain long et mince. *Ils ont emporté des baguettes et des fromages pour pique-niquer.*
Locutions
Baguette magique. Baguette des fées qui permet des opérations magiques.
D'un coup de baguette magique. Par enchantement.

bah ! interj.
Marque l'étonnement, l'insouciance. *Bah ! j'ai renversé mon verre. Bof ! c'est pas grave.*
ba**h !**

baie n. f.
1. Partie de la côte dont l'entrée est étroite; petit golfe. *La baie des Chaleurs à proximité de la Gaspésie a été découverte par Jacques Cartier en 1534.*
2. Petit fruit charnu à graines ou à pépins. *Les bleuets, les groseilles sont des baies, les atocas ou canneberges aussi.*
HOM. bée, ouverte d'étonnement.
bai**e.**

baignade n. f.
Action de se baigner. *La mer est agitée; la baignade aura-t-elle lieu ?*

baigner v. tr., intr., pronom.
Verbe transitif
Faire prendre un bain. *Baigner un bébé.*
Verbe intransitif
Être plongé dans un liquide. *Des fruits qui baignent dans le sirop.*
Verbe pronominal
Prendre un bain. *Elles se sont baignées dans la mer.*
Dans la baignoire, on emploie plutôt l'expression ***prendre un bain.***
Conjugaison [VOIR MODÈLE – **AIMER**]
Les lettres ***gn*** sont suivies d'un ***i*** à la première et à la deuxième personne du pluriel de l'indicatif imparfait et du subjonctif présent. *(Que) nous baignions, (que) vous baigniez.*

baigneur, euse n. m. et f.
Personne qui se baigne. *Par temps frais, il y a peu de baigneurs.*

baignoire n. f.
Grande cuve dans laquelle on prend des bains.
On dit aussi ***bain*** en ce sens.
Locution
Baignoire à remous. Baignoire munie d'une pompe qui propulse l'eau par jets à travers des orifices pratiqués dans les parois. *Des baignoires à remous* (et non *bains-tourbillon) *très spectaculaires.*

bail n. m. (pl. *baux*)
Se prononce comme ***ail*** [baj].
Contrat de location. *Des baux de cinq ans. Renouveler un bail.*
HOM. **beau**, qui crée un plaisir esthétique.

bâillement n. m.
Action de bâiller. *Alexandre s'ennuie : il étouffe un bâillement.*
b**â**illement.

bâiller v. intr.
Respirer en ouvrant largement et involontairement la bouche. *Ils étaient très fatigués et ne cessaient de bâiller.*
HOM. **bayer**, bayer aux corneilles.
Conjugaison [VOIR MODÈLE – **AIMER**]
Les lettres ***ill*** sont suivies d'un ***i*** à la première et à la deuxième personne du pluriel de l'indicatif imparfait et du subjonctif présent. *(Que) nous bâillions, (que) vous bâilliez.*
b**â**iller.

bâillon n. m.
Bandeau qu'on met sur ou dans la bouche pour empêcher de crier.
b**â**illon.

bâillonner v. tr.
Mettre un bâillon à. *L'otage avait été bâillonné.*
Conjugaison [VOIR MODÈLE – **AIMER**]
b**â**illonner.

bain n. m.
1. Immersion dans un liquide. *Prendre un bon bain chaud et parfumé, un bain de mer.*
2. Grande cuve où l'on se baigne. *Remplir le bain.* **SYN.** baignoire.
3. Exposition à l'air. *Un bain de soleil.*
On peut écrire ***salle de bain*** ou ***salle de bains.*** Dans les autres expressions composées avec le nom ***bain,*** celui-ci est au singulier si c'est l'action de se baigner qui est considérée. *Un maillot de bain, des peignoirs de bain.* S'il s'agit de l'établissement public où l'on prend des bains, le nom est au pluriel. *Des bains publics.*

***bain-tourbillon**
Calque de l'anglais « whirlpool bath » pour ***baignoire à remous.***

baiser n. m.
Action d'embrasser. *Un petit baiser sur la joue.* **SYN.** (FAMILIER) bec, (FAMILIER) bise, (FAMILIER) bisou.

baiser v. tr.
Embrasser. *La princesse tendit sa main que le chevalier s'empressa de baiser.*
Aujourd'hui, on emploie plutôt le verbe ***embrasser*** en ce sens.
Conjugaison [VOIR MODÈLE – **AIMER**]

baisoter v. tr.
Appliquer de petits baisers.
Conjugaison [VOIR MODÈLE – **AIMER**]

baisse n. f.
Action, fait de baisser. *La baisse des prix.* **SYN.** diminution.

baisser v. tr., intr., pronom.
Verbe transitif
Descendre. *Baisser les yeux, baisser le ton, baisser le prix.*
Alors que le verbe ***abaisser*** signifie surtout « amener à un point plus bas », le verbe ***baisser*** signifie plutôt « amener à son point le plus bas ».
Verbe intransitif
Aller en diminuant de hauteur, de prix. *La mer baisse.* **SYN.** descendre. **ANT.** monter.
Verbe pronominal
Se pencher. *Attention, il faut se baisser, car le plafond est bas.* **SYN.** s'incliner.
Conjugaison [VOIR MODÈLE – **AIMER**]

bajoue n. f.
Joue pendante. *Ce clown est drôle avec ses bajoues.*
Ne pas confondre avec **abajoue**, joue de certains animaux servant à mettre des aliments en réserve.

baklava n. m.
Pâtisserie orientale très sucrée. *Des baklavas succulents.*
Attention au genre masculin de ce nom : ***un*** baklava.

bal n. m. (pl. *bals*)
Réunion où l'on danse. *Des bals costumés. Une belle robe de bal.*
HOM. **balle**, sphère élastique utilisée dans divers jeux.

balade n. f.
(FAMILIER) Promenade. *Partir en balade à la montagne.* **SYN.** excursion, randonnée.
HOM. **ballade**, poème, chanson.
ba**l**ade, un seul ***l.***

balader v. tr., pronom.
Verbe transitif
(FAMILIER) Promener. *Annie balade son chien.*
Verbe pronominal
(FAMILIER) Se promener. *Ils sont allés se balader à la campagne.*
Conjugaison [VOIR MODÈLE – **AIMER**]
ba**l**ader.

baladeur n. m.
Radio ou lecteur de cassettes portatif muni d'écouteurs. *En cadeau, j'ai reçu un baladeur* (et non un *walkman).
ba**l**adeur.

balafre n. f.
Longue entaille au visage ; cicatrice. *Ce pirate a une balafre à la joue.*
bala**f**re.

balafré, ée adj.
Qui a une ou des balafres. *Un pirate balafré comme il se doit.*

balai n. m.
Instrument servant au nettoyage des sols. *Le placard à balais.*
Locution
Balai à franges. Passer le balai à franges (et non la *mop).
L'expression ***balai à franges*** désigne l'instrument utilisé à sec pour épousseter les parquets ou celui que l'on mouille pour laver les planchers.

b

Au Québec, on emploie généralement le nom ***vadrouille***.
HOM. ballet, danse.
bal**ai.**

balance n. f.
1. Terme générique utilisé surtout pour nommer l'instrument qui pèse des marchandises.
Ne pas confondre avec les noms suivants :
– ***bascule,*** appareil de pesage pour les objets lourds (camions, wagons, etc.) ;
– ***pèse-personne,*** appareil de pesage pour une personne.
2. Nom d'une constellation, d'un signe du zodiaque.
Les noms d'astres s'écrivent avec une majuscule. *Elle est (du signe de la) Balance, elle est née entre le 23 septembre et le 22 octobre.*
VOIR **ASTRE.**
Formes fautives
*balance. Anglicisme au sens de ***reste.***
*balance d'un compte. Calque de l'anglais « balance of account » pour ***solde d'un compte.***
ba**l**an**c**e.

balancer v. tr., intr., pronom.
Verbe transitif
Faire osciller d'un mouvement régulier. *Elle balançait les bras.*
Verbe intransitif
(FAMILIER) Hésiter. *Claude balance entre ce cadeau ou ce voyage.*
Verbe pronominal
Se mouvoir d'un côté et d'un autre. *Au parc, les enfants adorent se balancer.*
Conjugaison [VOIR MODÈLE – **AVANCER**]
Le ***c*** prend une cédille devant les lettres ***a*** et ***o.*** *Il balança, nous balançons.*
ba**l**an**c**er.

balancier n. m.
Tige de bois ou de métal dont les oscillations régularisent le mouvement d'une machine. *Le balancier d'une horloge.*
ba**l**an**c**ier.

balançoire n. f.
Siège suspendu permettant de se balancer. *Ce portique de jeu comprend deux balançoires, une corde à nœuds et une glissoire.*
ba**l**an**ç**oire.

balayage n. m.
1. Nettoyage avec un balai. *Le balayage de la cuisine.*
2. (FIGURÉ) Action de parcourir (une surface, un espace). *Le balayage du ciel par laser.*

balayer v. tr.
1. Nettoyer avec un balai. *Nous balayons la classe.*
2. (FIGURÉ) Parcourir un espace. *La nuit, un faisceau lumineux balaie Montréal à partir de la Place-Ville-Marie.*
Conjugaison [VOIR MODÈLE – **PAYER**]
Le ***y*** se change en ***i*** devant un ***e*** muet. *Je balaie, tu balaies,* mais *nous balayons, vous balayez. Je balaierai, tu balaieras, il balaiera, nous balaierons. Balaie, balayons, balayez. Que je balaie, que tu balaies.*
Le ***y*** est suivi d'un ***i*** à la première et à la deuxième personne du pluriel de l'indicatif imparfait et du subjonctif présent. *(Que) nous balayions, (que) vous balayiez.*

balayette n. f.
Petit balai, petite brosse.

balayeur n. m.
balayeuse n. f.
Personne qui balaie les rues.

balayeuse n. f.
Machine pour balayer les rues.
Forme fautive
*balayeuse. Impropriété au sens de ***aspirateur.***

balbutiement n. m.
Le ***t*** se prononce ***s*** [balbysimɑ̃].
Mauvaise articulation, paroles confuses. **SYN.** bafouillage, bredouillement.
balbuti**e**ment.

balbutier v. tr.
Articuler avec difficulté. *Elle balbutia quelques mots.*
Conjugaison [VOIR MODÈLE – **ÉTUDIER**]
Redoublement du ***i*** à la première et à la deuxième personne du pluriel de l'indicatif imparfait et du subjonctif présent. *(Que) nous balbutiions, (que) vous balbutiiez.*

balcon n. m.
Plateforme disposée en saillie sur la façade d'un immeuble, entourée d'un garde-fou et communiquant avec l'intérieur. *Les enfants jouent sur le balcon. Le pape est apparu au balcon, à son balcon.*
Ne pas confondre avec le nom ***galerie,*** large passage couvert aménagé à l'intérieur ou à l'extérieur d'un immeuble pour circuler.

baleine n. f.
1. Grand mammifère marin. *La baleine est le plus grand des animaux.*
2. Tige métallique flexible. *Des baleines de parapluie.*
bal**ei**ne.

baleineau n. m. (pl. *baleineaux*)
Petit de la baleine.

baleinier n. m.
Navire équipé pour la chasse à la baleine.

balise n. f.
1. Repère destiné à indiquer les endroits dangereux, le chemin, pour la navigation maritime, aérienne et terrestre.
2. (FIGURÉ) Ce qui sert à diriger, à situer.

baliser v. tr.
Munir de balises. *La piste d'atterrissage est balisée de feux de sécurité.*
Conjugaison [VOIR MODÈLE – **AIMER**]

ballade n. f.
Poème, chanson. *Elle composa de jolies ballades.*
HOM. balade, promenade.
ba**ll**ade, deux ***l.***

ballant, ante adj.
Qui se balance. *Les bras ballants.*

balle n. f.
Sphère élastique utilisée dans divers jeux. *Jouer à la balle.*
Locutions
Balle de neige. ⚜ Boule de neige. *Les enfants se lançaient des balles de neige.*
Balle molle. ⚜ Jeu de balle dérivé du baseball qui se joue avec une balle plus grosse et moins dure.
HOM. bal, réunion où l'on danse.

ballerine n. f.
1. Danseuse de ballet.
2. Chaussure féminine légère et plate. *Fanny a de jolies ballerines dorées.*

ballet n. m.
Danse. *Des corps de ballet. Elle aime le ballet classique, son amie préfère le ballet jazz.*
HOM. balai, ustensile destiné au nettoyage du sol.

ballon n. m.
Grosse balle. *Un ballon de volley-ball. Ils jouent au ballon.*
Locutions
Ballon-balai. ⚜ Jeu de hockey sur glace qui se joue avec une balle et des balais.
Ballon dirigeable. Ballon qui s'élève dans le ciel grâce à un gaz plus léger que l'air.
Ballon-panier. ⚜ **SYN.** basket-ball.

ballottement n. m.
Mouvement de ce qui ballotte. *Le ballottement d'un voilier.*
✎ ba**ll**o**tt**ement.

ballotter v. tr., intr.
Verbe transitif
Balancer. *La mer ballotte ce voilier.*
Verbe intransitif
Être secoué en tous sens. *La barque ballotte contre le quai.*
Conjugaison [VOIR MODÈLE – **AIMER**]
✎ ba**ll**o**tt**er.

balluchon ou **baluchon** n. m.
(FAMILIER) Petit paquet. *Il est parti avec son balluchon ou baluchon sur l'épaule.*

balnéaire adj.
Relatif aux bains. *Une station balnéaire.*

balsa n. m.
👄 Le ***s*** se prononce ***z*** [balza].
Bois très léger. *Étienne a construit un modèle d'avion réduit en balsa. Des balsas en bon état.*

balustrade n. f.
Rampe composée de balustres surmontées d'une tablette d'appui. *Les enfants sont appuyés à la balustrade pour regarder les chutes Montmorency.* **SYN.** garde-fou, parapet.
✎ ba**l**ustrade.

balustre n. m.
Petite colonne composant une balustrade.
☞ Attention au genre masculin de ce nom : ***un*** balustre.
✎ ba**l**ustre.

bambin n. m.
(FAMILIER) Petit enfant. *Ces bambins sont adorables.*
✎ bambi**n.**

bambou n. m. (pl. *bambous*)
Grand roseau. *Une chaise en bambou.*

banal, ale, als adj.
Ordinaire, commun, peu original. *Des commentaires banals. Une décoration banale.* **SYN.** courant.

banalité n. f.
1. Insignifiance. *La banalité d'un commentaire.*
2. (AU PLURIEL) Paroles sans originalité. *Il n'a que des banalités à dire.*
✎ bana**l**ité.

banane n. f.
Fruit comestible à peau jaune du bananier. *Les singes aiment les bananes.*
☞ Les bananes sont groupées en grappes, ce sont des ***régimes*** de bananes.
☞ On dit une ***pelure*** ou une ***peau*** de banane.

bananeraie n. f.
Plantation de bananiers.

bananier n. m.
Plante cultivée pour ses fruits, les bananes.

banc n. m.
👄 Le **c** ne se prononce pas [bɑ̃].
1. Long siège. *Des bancs de jardin.*
2. Masse de poissons. *Un banc de morues.*
3. Accumulation de quelque chose. *Un banc de sable.*
Locution
Banc de neige. ⚜ Amas de neige entassée par le vent ou par le déneigement. *D'énormes bancs de neige bordaient la route.*
✎ ban**c**, attention au **c** final.

bancaire adj.
Propre à la banque. *Des opérations bancaires, des frais bancaires.*
✎ ban**c**air**e.**

bandage n. m.
Pansement. *Antoine porte un bandage à la cheville qu'il s'est foulée.*

bande n. f.
1. Morceau plus long que large. *Une bande de tissu.*
2. Partie étroite et allongée. *Une bande de terre. De larges bandes bleues.*
3. Groupe de malfaiteurs. *Une bande armée.* **SYN.** troupe.
4. Ensemble de personnes. *Une bande de copains.* **SYN.** groupe.
Locution
Faire bande à part. Se tenir à l'écart. *Ces garçons font bande à part.*
☞ Dans cette expression, le nom ***bande*** reste au singulier.

bandeau n. m. (pl. *bandeaux*)
Bande longue et étroite qui couvre les yeux, le front, retient les cheveux, etc. *Quand elle joue au volley-ball, Annie porte un bandeau pour retenir ses cheveux.*

bande dessinée n. f. (pl. *bandes dessinées*)
Sigle ***BD*** (s'écrit avec ou sans points).
S'abrège familièrement en ***bédé*** (s'écrit sans point).
Histoire racontée par une suite de dessins. *Les jeunes adorent les bandes dessinées* (et non les *comics, les *cartoons).

bandelette n. f.
Petite bande. *Les momies étaient enroulées dans des bandelettes.*

bander v. tr.
1. Couvrir d'un bandeau. *Il lui banda les yeux.*
2. Tendre avec effort. *Bander un arc.*
Conjugaison [VOIR MODÈLE – **AIMER**]

b

banderole n. f.
Pièce d'étoffe étroite et longue attachée au bout d'un mât qui porte souvent des inscriptions. *Les musiciens de la fanfare portaient une banderole.*
banderole.

bandit n. m.
Malfaiteur. *Bonnie Parker était un bandit de grand chemin.*
SYN. brigand, malfaiteur.
Ce nom ne comporte pas de forme féminine.

bandoulière n. f.
Le ***l*** se prononce ***l,*** comme dans ***salière,*** et non ***i*** [bɑ̃duljɛr].
Bande de cuir ou d'étoffe qui soutient un sac, une arme, un parapluie, etc.
bandoulière.

bang n. m.
Le nom se prononce à l'anglaise [bɑ̃ŋ].
1. Bruit d'une explosion. *Ils ont entendu un énorme bang : c'était le réservoir d'essence qui venait d'exploser !*
2. Bruit d'un avion franchissant le mur du son. *Les bangs du Concorde.*

banjo n. m.
Le mot se prononce [bɑ̃ʒo] ou [bɑ̃dʒo].
Sorte de guitare.

banlieue n. f.
Ensemble des agglomérations qui entourent une grande ville. *Un train de banlieue.*
Le mot ***banlieue*** est un collectif qui désigne la totalité des agglomérations d'une grande ville : il est donc utilisé au singulier. *La banlieue de Québec* (et non *les banlieues). La grande banlieue de Montréal (et non le *Montréal métropolitain).
banlieue.

banlieusard, arde n. m. et f.
Personne qui habite la banlieue.

bannière n. f.
Étendard d'un groupe. *Des bannières distinguaient les scouts de toutes les régions du Canada.*
bannière.

bannir v. tr.
Supprimer. *Il doit bannir le sel.*
Conjugaison [VOIR MODÈLE – **FINIR**]
bannir.

banque n. f.
1. Entreprise spécialisée dans les opérations financières. *Les guichets automatiques des banques nous permettent de retirer de l'argent 24 heures sur 24.*
2. Lieu où il est possible de déposer de l'argent ou d'en emprunter. *Étienne dépose ses économies à cette banque.*
Locutions
Banque de données. (INFORMATIQUE) Ensemble de données structuré pour être offert en consultation à des utilisateurs. *Une banque de données terminologiques.*
Banque de sang. (FIGURÉ) Réserve de sang pour les transfusions.
Banque d'organes. (FIGURÉ) Organisme qui recueille des organes destinés aux greffes.
Banque alimentaire. (FIGURÉ) Organisme qui recueille des produits alimentaires offerts par des entreprises ou des particuliers pour les redistribuer à des personnes qui en ont besoin.
Forme fautive
*banque. Anglicisme au sens de ***tirelire.***

banquet n. m.
Grand repas d'apparat. *Un banquet de mariage.*

banquette n. f.
Banc long et souvent rembourré. *Au restaurant, Catherine préfère s'asseoir sur la banquette.*

banquier n. m.
banquière n. f.
Personne qui dirige une banque.

banquise n. f.
Amas de glaces flottantes dans les mers polaires.

baobab n. m.
Le ***b*** final est sonore [baɔbab].
Arbre des régions tropicales dont le tronc atteint des dimensions énormes. *Des baobabs dont le tronc peut atteindre 20 mètres de circonférence.*

baptême n. m.
Le ***p*** ne se prononce pas [batɛm].
1. Sacrement de l'Église qui rend chrétien celui qui le reçoit.
2. (FIGURÉ) Premier contact. *C'est son baptême de l'air.*
baptême.

baptiser v. tr.
Le ***p*** ne se prononce pas [batize].
1. Donner le baptême à. *Le bébé a été baptisé à deux mois.*
2. Donner un nom. *Ce bateau sera baptisé « La Caravelle ».*
Conjugaison [VOIR MODÈLE – **AIMER**]
baptiser.

baquet n. m.
1. Cuve de bois. *Un baquet d'eau de pluie.*
2. Siège d'une voiture de course.

bar n. m.
Lieu où l'on boit des boissons alcooliques. *Les bars sont interdits aux moins de 18 ans.*
Forme fautive
*bar à salades. Impropriété au sens de ***buffet de salades, comptoir à salades.***
Le mot ***bar*** ne peut désigner qu'un débit de boissons. *Il y a un bar à vin à deux pas d'ici.*
HOM. barre, tige d'un matériau quelconque.

baragouiner v. tr., intr.
(FAMILIER) Parler mal une langue.
Conjugaison [VOIR MODÈLE – **AIMER**]

baraque n. f.
Abri rudimentaire.
baraque.

baratte n. f.
Baril à battre le beurre.

barbare adj. et n. m. et f.
1. Qui est contraire à l'usage. *Des manières barbares.* SYN. primitif, sauvage.
2. Cruel. *Des guerriers barbares.* SYN. cruel, féroce.
barbare.

barbarie n. f.
1. Acte barbare. *La barbarie de certaines coutumes.*
2. Cruauté. *Des actes de barbarie.*
barbarie.

barbarisme n. m.
Erreur de langage par altération de mot, par modification de sens. *La prononciation *« aréoport » au lieu de **aéroport** est un barbarisme.*

barbe n. f.
Poils du menton et des joues. *Il porte la barbe.*

barbecue n. m. (pl. *barbecues*)
Ce nom se prononce à l'anglaise [barbəkju].
Appareil mobile de cuisson à l'air libre. *Marie-Ève aime faire griller son steak sur le barbecue.*
Forme fautive
*barbecue. Impropriété au sens de ***rôtisserie*** (restaurant).
barbe**cue.**

barbelé, ée adj. et n. m. pl.
Adjectif
Garni de pointes ou de dents.
Nom masculin pluriel
Clôture de fil de fer barbelé. *L'usage des barbelés est interdit.*

barber v. tr.
1. (FAMILIER) Ennuyer. *Ce film nous a barbés.*
2. (FAMILIER) Provoquer. *Ce garçon nous a barbés ; nous l'avons attaqué à coups de balles de neige.*
Ce verbe est d'emploi familier ; dans un style soigné, on écrit plutôt ***ennuyer.***
Conjugaison [VOIR MODÈLE – **AIMER**]

barbiche n. f.
Petite barbe. *Le professeur Tournesol porte une barbiche.*

***barbier**
Mot ancien au sens de ***coiffeur.***

barbotage n. m.
Action de barboter dans l'eau.

barbote ou **barbotte** n. f.
Poisson de rivière ou de lac.

barboter v. intr.
Patauger dans l'eau, la boue. *Les enfants barbotent dans la mare.*
Conjugaison [VOIR MODÈLE – **AIMER**]
barbo**t**er.

barboteuse n. f.
1. Vêtement d'enfant d'une seule pièce.
2. Piscine peu profonde destinée aux enfants.
barbo**t**euse.

barbouillage ou **barbouillis** n. m.
1. Action de barbouiller.
2. (SOUVENT AU PLURIEL) Écriture peu lisible, dessin maladroit. *Ce ne sont que des barbouillages.*

barbouiller v. tr.
Salir. *Laurence a barbouillé sa robe de jus d'orange.*
Conjugaison [VOIR MODÈLE – **AIMER**]
Les lettres ***ill*** sont suivies d'un ***i*** à la première et à la deuxième personne du pluriel de l'indicatif imparfait et du subjonctif présent. *(Que) nous barbouillions, (que) vous barbouilliez.*

barbu, ue adj. et n. m. et f.
Qui a de la barbe. *Un musicien barbu. Ce barbu est sympathique.* **ANT.** imberbe.

barde n. m.
Poète et chanteur celte. *Un barde gaulois, nommé Assurancetourix.*

bardeau n. m. (pl. *bardeaux*)
Planchette employée pour la couverture des maisons. *Un toit en bardeaux.*

barème n. m.
Recueil de tableaux numériques comportant des calculs tout faits.
bar**è**me.

barge n. f.
Grande péniche plate pour les transports en vrac. *La barge transporte du sable.*

baril n. m.
Le ***l*** ne se prononce généralement pas [bari].
Petit tonneau. *Ces barils d'eau serviront à l'arrosage des jardinets.*

bariolage n. m.
Assemblage disparate de couleurs.
bario**l**age.

barioler v. tr.
Peindre de couleurs disparates. *Ces étalages sont trop bariolés.*
Conjugaison [VOIR MODÈLE – **AIMER**]
barioler.

baromètre n. m.
Instrument qui mesure la pression atmosphérique et, de ce fait, le temps qui se prépare. *Le baromètre nous annonce du beau temps.*
barom**è**tre.

baroque adj.
1. Bizarre. *Des goûts baroques.* **SYN.** étrange, excentrique.
2. D'un style libre et orné. *Une fresque baroque.*

barque n. f.
Petit bateau. *Les enfants ont pris la barque pour aller à la pêche.* **SYN.** chaloupe.

barquette n. f.
1. Petite barque.
2. Tartelette. *Puis-je vous offrir une barquette aux framboises ?*

barracuda n. m.
Grand poisson de mer carnassier. *Des barracudas voraces.*

barrage n. m.
1. Action de barrer le passage. *Le barrage d'une rue.*
2. Ouvrage qui régularise le niveau d'un cours d'eau. *Le barrage de la Manicouagan.*

barre n. f.
Pièce rigide, étroite et longue. *Une barre de fer. Les barres parallèles.*
Locution
Code (à) barres. Code formé de lignes verticales numérotées qui est apposé sur les produits de consommation afin d'être saisi par un lecteur optique.
Forme fautive
*barre de savon. Anglicisme au sens de ***savonnette,*** de ***pain de savon.***
HOM. bar, débit de boissons.

barré, ée adj.
1. Fermé à la circulation. *Rue barrée.*
2. Fermé à l'aide d'une barre.
Une porte fermée à l'aide d'un verrou ou d'une serrure est ***verrouillée*** ou ***fermée à clé*** (et non *barrée).

b

barreau n. m. (pl. *barreaux*)
1. Barre de bois, de métal. *Une ouverture avec des barreaux.*
2. Ordre des avocats. *Être inscrit au barreau. Elle est membre du barreau du Québec.*

barre oblique n. f.
Emploi de la barre oblique ou barre inclinée (/).
1. Unités de mesure. *Cette voiture roulait à 125 km/h.*
2. Fractions. *2/3.*
3. Pourcentages. *85 %.*
4. Mentions abrégées. *N/Réf.* pour ***notre référence***; *V/Réf.* pour ***votre référence.***
1° La préposition ***par*** est remplacée par la barre oblique si les unités de mesure sont en chiffres. *L'unité de mesure* ***kilomètre par heure*** s'écrit généralement ***km/h.***
2° Si les unités de mesure sont notées en toutes lettres, on ne peut recourir à la barre oblique. *Cette voiture roulait à 125 kilomètres par heure* ou *à l'heure.*

barrer v. tr.
1. Fermer quelque chose au moyen d'un obstacle. *Barrer une voie de circulation.*
On ***ferme*** une porte ***à clé*** ou on la ***verrouille.*** En ce sens, le verbe ***barrer*** est une impropriété.
2. Biffer. *Barrer une phrase.*
Conjugaison [VOIR MODÈLE – **AIMER**]

barrette n. f.
Ornement pour les cheveux. *Une barrette retient ses cheveux.*

barricade n. f.
Obstacle constitué de matériaux improvisés. *Les manifestants ont élevé des barricades.*

barricader v. tr., pronom.
Verbe transitif
Fermer solidement. *Barricader un chalet pour la saison morte.*
Verbe pronominal
1. S'abriter derrière une barricade.
2. S'enfermer et empêcher quiconque d'entrer. *Les fuyards se sont barricadés dans le hangar.*
Conjugaison [VOIR MODÈLE – **AIMER**]

barrière n. f.
Clôture. *Une barrière de bois.*

barrir v. intr.
Crier, en parlant de l'éléphant, du rhinocéros.
Conjugaison [VOIR MODÈLE – **FINIR**]

barrissement n. m.
Cri de l'éléphant ou du rhinocéros.

baryton n. m.
Voix masculine entre le ténor et la basse.
bar**y**ton.

bas-, basse- préf.
Les mots composés avec le préfixe ***bas-*** s'écrivent avec un trait d'union et prennent la marque du pluriel aux deux éléments. *Des basses-cours.*

bas, basse adj., adv. et n. m.
Adjectif
1. Qui a peu de hauteur. *Une table basse. La mer est basse à cette heure-ci.*
2. Peu élevé. *Une enfant en bas âge. Ces prix sont très bas.*
3. Qui est grave (sons, musique). *Une belle voix basse.* **ANT.** aigu.
4. (FIGURÉ) Méprisable. *Un être bas et méchant.* **SYN.** grossier, ignoble, indigne.
Adverbe
1. À un niveau inférieur. *Cet avion vole bas.* **ANT.** haut.
2. Doucement. *Parle plus bas : on pourrait nous entendre.*
Nom masculin
1. La partie inférieure. *Un voile lui cachait le bas du visage.*
2. Vêtement souple qui couvre le pied et la jambe. *Des bas de coton.*
Ne pas confondre avec le nom ***chaussette,*** vêtement qui couvre le pied et le bas de la jambe. *Un homme qui portait des chaussettes à carreaux.*
Locutions
À bas !, locution interjective. S'emploie en signe d'hostilité. *À bas les racistes !* **ANT.** vive !
À voix basse. Sans élever la voix. **SYN.** doucement.
Des hauts et des bas. Succession de périodes heureuses et malheureuses. *Les hauts et les bas de son humeur.*
En bas, locution adverbiale. Au-dessous. *Elle habite en bas.*
En bas de, au bas de, locutions prépositive. Dans la partie inférieure. *La maison est en bas de la côte.*
Là-bas, locution adverbiale. Désigne un lieu plus ou moins éloigné. *Son amie habite là-bas.*
Mettre bas. Mettre au monde des petits, en parlant des femelles des animaux. *La brebis a mis bas ce matin : deux agneaux sont nés.*

basané, ée adj.
Hâlé. *Un teint basané.*
VOIR TABLEAU – **COULEUR (ADJECTIFS DE).**

basaner v. tr.
Brunir la peau.
Conjugaison [VOIR MODÈLE – **AIMER**]

bascule n. f.
1. Balance pour les objets lourds.
Ne pas confondre avec les noms suivants :
– ***balance,*** terme générique utilisé surtout pour nommer l'instrument qui pèse des marchandises ;
– ***pèse-personne,*** appareil de pesage pour une personne.
2. Balançoire dont une extrémité s'élève quand l'autre s'abaisse.
Locution
Donner la bascule. Saisir quelqu'un par les bras et les jambes et le soulever autant de fois qu'il compte d'années, plus une, afin de souligner son anniversaire.

basculer v. tr., intr.
Verbe transitif
Renverser. *Les enfants ont basculé leur petite voiture.*
Verbe intransitif
Perdre l'équilibre, tomber. *Ils escaladaient le rocher et ils ont basculé dans le vide.*
Conjugaison [VOIR MODÈLE – **AIMER**]

base n. f.
1. Partie inférieure sur laquelle une autre est posée. *La base d'une statue.* **ANT.** sommet.
2. Principe fondamental. *Les bases d'une science.* **SYN.** fondement.
Locutions
À base de. Avec comme principal composant. *Un médicament à base d'insuline.*
Base de plein air. Lieu aménagé en pleine nature où des adultes, des familles et des groupes peuvent, en toute saison, séjourner et pratiquer librement des activités de plein air.
De base. Fondamental. *Des principes de base. Un cours de base.*
Sur la base de. À partir de. *Formuler une hypothèse sur la base des résultats obtenus.*

baseball n. m. (pl. *baseballs*)
Jeu de balle très populaire en Amérique du Nord. *Les Expos de Montréal jouent un excellent baseball.*

baser v. tr., pronom.
Verbe transitif
Fonder. *Nous basons ces arguments sur des faits et des témoignages.*
Verbe pronominal
S'appuyer. *Ils se basent sur ces données pour définir leur campagne publicitaire.* **SYN.** se fonder.
Conjugaison [VOIR MODÈLE – **AIMER**]

basilic n. m.
Herbe aromatique. *Des tomates avec de l'huile d'olive et du basilic.*
Attention au genre masculin de ce nom : ***un*** basilic.
HOM. basilique, église.
basili**c.**

basilique n. f.
Église importante. *La basilique Notre-Dame.*
HOM. basilic, herbe aromatique.

basket-ball n. m. (pl. *basket-balls*)
Sport entre deux équipes qui doivent lancer un ballon dans le panier du camp adverse.

basque adj. et n. m. et f.
Adjectif et nom masculin et féminin
Du Pays basque. *Un béret basque. Un Basque, une Basque.*
L'adjectif s'écrit avec une minuscule ; le nom, avec une majuscule.
Nom masculin
Langue parlée au Pays basque. *Luis parle le basque.*
Le nom de la langue s'écrit avec une minuscule.

basse n. f.
1. Partie d'une pièce musicale composée dans le registre le plus grave.
2. Instrument de musique jouant dans ce registre.
Dans un orchestre symphonique, cet instrument est le ***violoncelle ;*** dans une formation de jazz, de variétés, la ***contrebasse.***
Locution
Voix de basse. La plus grave des voix d'homme.

basse-cour n. f. (pl. *basses-cours*)
1. Ensemble des bâtiments où l'on élève des volailles.
2. Ensemble des animaux de la basse-cour. *Les poules, les canards, les lapins, les oies font partie de la basse-cour.*

bassement adv.
De façon basse, méprisable. **SYN.** lâchement.

bassesse n. f.
1. Action basse. *Cet individu ferait toutes les bassesses pour parvenir à ses fins.* **SYN.** lâcheté.
2. Absence de dignité. *La bassesse d'un geste.* **SYN.** mesquinerie. **ANT.** fierté.

basset n. m.
Chien très bas sur pattes.

bassin n. m.
1. Grand récipient de forme circulaire. **SYN.** bac, cuvette.
2. Ceinture osseuse à la base du tronc, où s'attachent les os des membres inférieurs.
3. Pièce d'eau artificielle, réservoir. *Le bassin d'une fontaine, le bassin du parc Lafontaine.*
Ne pas confondre avec les noms suivants :
– ***étang,*** petite étendue d'eau peu profonde ;
– ***lac,*** grande étendue d'eau douce entourée de terre ;
– ***nappe,*** vaste étendue d'eau plane, souvent souterraine.

bassine n. f.
Grand récipient de forme circulaire à usage domestique.
bassi**ne.**

bassiste n. m. et f.
Musicien, musicienne qui joue de la basse.

bas-ventre n. m. (pl. *bas-ventres*)
Partie inférieure de l'abdomen. *Elle a une douleur au bas-ventre : c'est peut-être une appendicite.*

bataille n. f.
1. Combat. *Les Français ont perdu la bataille des Plaines d'Abraham.* **SYN.** guerre.
2. Lutte. *Les joueurs de hockey se sont engagés dans une bataille générale.* **SYN.** (FAMILIER) bagarre, combat, mêlée.
3. Jeu de cartes. *Ils adorent jouer à la bataille.*
Locution
En bataille. En désordre, de travers. *Les cheveux en bataille.*

batailler v. intr., pronom.
Verbe intransitif
Se battre. *Ils ont bataillé pour obtenir cette permission.* **SYN.** (FAMILIER) se bagarrer, lutter.
Verbe pronominal
1. Se livrer à un combat. *Ils se sont bataillés rudement.* **SYN.** (FAMILIER) se bagarrer.
2. Se chamailler. *Cessez de vous batailler, les enfants !*
Conjugaison [VOIR MODÈLE – **AIMER**]
Les lettres ***ill*** sont suivies d'un ***i*** à la première et à la deuxième personne du pluriel de l'indicatif imparfait et du subjonctif présent. *(Que) nous bataillions, (que) vous bataillиez.*

batailleur, euse adj. et n. m. et f.
Qui aime à se battre. *Ces enfants sont batailleurs.*

bataillon n. m.
Unité militaire de plusieurs compagnies. *Des chefs de bataillon.*

bâtard, arde adj. et n. m. et f.
Qui n'est pas de race pure (en parlant des végétaux, des animaux). *Un épagneul bâtard.*
bâtard.

bateau n. m. (pl. *bateaux*)
Bâtiment, grand ou petit, qui navigue sur la mer ou sur les rivières. *Un bateau à voiles, à moteur, à rames. Un bateau de pêche. Voyager en bateau.*
Le mot ***bateau*** est un terme général qui désigne toute embarcation qui flotte et navigue. Par contre, le mot ***navire*** convient pour les grands bateaux servant au transport sur la mer, tandis que le mot ***embarcation*** désigne de petits bateaux, destinés principalement au tourisme, aux loisirs nautiques (canots, chaloupes, voiliers, etc.).
Ne pas confondre avec les noms suivants :
– ***canot,*** petit bateau ;
– ***cargo,*** navire pour le transport des marchandises ;
– ***paquebot,*** grand navire pour le transport des passagers ;
– ***pétrolier,*** navire-citerne pour le transport du pétrole ;
– ***voilier,*** bateau à voiles ;
– ***yacht,*** bateau de plaisance.

bateau-citerne n. m. (pl. *bateaux-citernes*)
Bateau aménagé pour le transport des liquides en vrac.

bateau-mouche n. m. (pl. *bateaux-mouches*)
Navire très mobile, par allusion à la finesse de l'insecte.

bâti, ie adj.
1. Construit. *Cette région est peu bâtie.*
2. Robuste. *Des gaillards bien bâtis.*
✎ bâti.

bâtiment n. m.
1. Construction d'une certaine importance. *Un bâtiment ancien.* **SYN.** édifice, immeuble.
2. Ensemble des entreprises et métiers qui travaillent à la construction des immeubles. *Quand le bâtiment va, tout va. Un entrepreneur en bâtiment* (et non un *contracteur).
3. Grand navire. *Des bâtiments de mer, un bâtiment de guerre.*
✎ bâtiment.

bâtir v. tr.
1. Construire. *Bâtir une maison.* **SYN.** ériger. **ANT.** démolir.
2. (FIGURÉ) Établir. *Ce pianiste a bâti sa renommée peu à peu.* **SYN.** élever, fonder.
Locution
Bâtir des châteaux en Espagne. Avoir des projets irréalistes.
Conjugaison [VOIR MODÈLE – **FINIR**]
✎ bâtir.

bâtisse n. f.
Grand bâtiment.
☞ Ce nom a un sens parfois négatif ; on lui préférera les mots ***immeuble*** ou ***édifice.***
✎ bâtisse.

bâtisseur, euse n. m. et f.
1. (LITTÉRAIRE) Personne qui bâtit. *Un bâtisseur de cathédrales.*
2. (FIGURÉ) Fondateur. *Le bâtisseur de ce regroupement.*
✎ bâtisseur.

bâton n. m.
1. Morceau de bois mince et long qu'on peut tenir à la main. *Des coups de bâton. Un bâton de ski* (et non une *pole).
2. Objet en forme de bâton. *Un bâton de rouge à lèvres, de craie.*
Locution
Avoir le gros bout du bâton. ⚜ Avoir l'avantage.
✎ bâton.

bâtonnet n. m.
Petit bâton.
✎ bâtonnet.

batracien n. m.
Animal de la classe des amphibiens. *La grenouille, le crapaud et le ouaouaron sont des batraciens.*
☞ Le mot ***batracien*** est l'ancien nom de la classe des amphibiens, animaux vertébrés qui vivent sur terre et dans l'eau.

battage n. m.
1. Action de battre. *Le battage des tapis.*
2. (FAMILIER) Publicité bruyante. *Un grand battage médiatique.*

battant, ante adj. et n. m. et f.
Adjectif
Qui bat. *Une porte battante.*
Nom masculin
Vantail d'une porte, d'une fenêtre, marteau d'une cloche.
Nom masculin et féminin
Personne combative. *Ce PDG est un battant.*
Locutions
Avoir le cœur battant. Être ému.
Pluie battante. Pluie abondante, grosse averse.
Tambour battant. Rapidement et efficacement.

battement n. m.
1. Série de coups. *Des battements de mains.* **SYN.** coup.
2. Pulsation. *Battement de cœur.*

batterie n. f.
1. Ensemble d'ustensiles de cuisine. *Une batterie de casseroles.*
2. Instrument à percussion. *Marc est un champion de la batterie.*
3. Ensemble d'éléments qui fournissent l'énergie électrique. *La batterie de cette voiture est neuve.*
Forme fautive
*batterie. Anglicisme au sens de ***pile*** (utilisée pour les lampes de poche, les postes de radio, les montres, etc.).
☞ Par contre, le nom ***batterie*** désigne bien en français un ensemble d'éléments qui fournissent l'énergie électrique. *La batterie de cette voiture est à plat.*

batteur n. m.
1. Appareil électroménager servant à mélanger. *Un batteur à œufs.*
2. Personne qui tient la batterie dans un groupe musical. *Marc est un excellent batteur.*

batteuse n. f.
Machine à battre les grains.

battre v. tr., intr., pronom.
Verbe transitif
1. Frapper à coups redoublés. *Battre son tapis.* **SYN.** taper.
2. Triompher de, remporter la victoire. *Il a battu son adversaire à plate couture* ou *à plates coutures.* **SYN.** écraser, vaincre.
Verbe intransitif
Être agité d'un mouvement régulier. *Est-ce que son cœur bat toujours ?*
Verbe pronominal
Lutter. *Ils se sont battus en duel.* **SYN.** (FAMILIER) se bagarrer, batailler, combattre.
☞ Les dérivés de ***battre*** (combattant, débattre, etc.) s'écrivent avec deux ***t***, à l'exception de ***combatif*** et de ***combativité.***
Locution
Battre son plein. Se disait d'abord d'une cloche sonnant à la volée ou de la mer qui atteint sa plus grande hauteur en battant le rivage. L'expression signifie aujourd'hui « atteindre son point culminant ». *Les réjouissances battaient leur plein.*
Conjugaison [VOIR MODÈLE – **COMBATTRE**]
INDICATIF PRÉSENT *Je bats, nous battons.* IMPARFAIT *Je battais.* PASSÉ SIMPLE *Je battis, nous battîmes.* FUTUR *Je battrai.* **CONDITIONNEL** PRÉSENT *Je battrais.* **IMPÉRATIF** PRÉSENT *Bats, battons, battez.* **SUBJONCTIF** PRÉSENT *Que je batte, que nous battions.* **PARTICIPE** PRÉSENT *Battant.* PASSÉ *Battu, ue.*

battu, ue adj.
1. Qui a reçu des coups. *Des animaux battus.*
2. Vaincu. *Un candidat battu.*

battue n. f.
Action de fouiller un bois, un terrain à la recherche de gibier, d'une personne disparue.

batture n. f.
⚜ Partie du rivage que la marée laisse à découvert.

baume n. m.
1. Résine odoriférante utilisée pour la préparation d'onguents, de calmants. *Ce baume calmera ta douleur.*

2. (FIGURÉ) Apaisement. *Son affection, son dévouement sont un baume pour moi.*
HOM. **bôme**, pièce de bois utilisée comme mât horizontal d'un voilier, d'une planche à voile.
baume.

bauxite n. f.
Minerai d'aluminium.
bauxite.

bavard, arde adj. et n. m. et f.
1. Qui parle beaucoup. *Ces écoliers sont trop bavards.* **SYN.** volubile.
2. Qui parle trop. *Ne lui confie pas de secrets, elle est trop bavarde.* **SYN.** indiscret. **ANT.** discret.

bavardage n. m.
1. Action de bavarder. *Vos bavardages dérangent vos camarades.*
2. Propos inutiles. *Ces bavardages attristent Julie.*
En ce sens, le nom s'emploie généralement au pluriel.

bavarder v. intr.
1. Parler beaucoup. *Pour bien suivre cette explication, il vous faudrait cesser de bavarder.* **SYN.** babiller.
2. Commettre des indiscrétions. **SYN.** (FAMILIER) bavasser, jaser.
Conjugaison [VOIR MODÈLE – **AIMER**]

bavarois, oise adj. et n. m. et f.
De la Bavière. *Une chanson bavaroise. Un Bavarois, une Bavaroise.*
L'adjectif s'écrit avec une minuscule ; le nom, avec une majuscule.

bavaroise n. f. ou **bavarois** n. m.
Dessert. *Une délicieuse bavaroise au café.*

bavasser v. intr.
1. (FAMILIER) Bavarder.
2. (FAMILIER) Médire, parler à tort et à travers.
Conjugaison [VOIR MODÈLE – **AIMER**]

bave n. f.
Salive qui s'écoule de la bouche ou de la gueule d'un animal.

baver v. intr.
Laisser écouler de la bave.
Conjugaison [VOIR MODÈLE – **AIMER**]

bavette n. f.
Petite pièce d'étoffe que l'on place sous le menton des jeunes enfants. **SYN.** bavoir.

baveux, euse adj.
Qui bave.
Locution
Omelette baveuse. Omelette peu cuite.

bavoir n. m.
Bavette.

bavure n. f.
Imperfection, erreur. *Son cahier est couvert de bavures.*
Locution
Sans bavures. Impeccable.

bayer v. intr.
(VIEUX) Bâiller.
Ce verbe n'est plus employé que dans l'expression ***bayer aux corneilles.***
HOM. **bâiller**, respirer en ouvrant largement et involontairement la bouche.
Conjugaison [VOIR MODÈLE – **PAYER**]
Le ***y*** est suivi d'un ***i*** à la première et à la deuxième personne du pluriel de l'indicatif imparfait et du subjonctif présent. *(Que) nous bayions, (que) vous bayiez.*

bazar n. m.
1. Marché public.
2. (FAMILIER) Objets en désordre.
bazar, sans **d,** malgré **bazarder.**

bazarder v. tr.
(FAMILIER) Liquider.
Conjugaison [VOIR MODÈLE – **AIMER**]

bd ou **b**[d]
Abréviation de ***boulevard.***

BD
Sigle de ***bande dessinée.***

beagle n. m.
Le nom se prononce à l'anglaise. Les lettres ***ea*** se prononcent ***i*** [bigl].
Basset.

béant, ante adj.
Largement ouvert. *Une gueule béante.*

béat, ate adj.
Tranquille, envahi d'une satisfaction naïve. *Un sourire béat.*

béatement adv.
De façon béate.

béatification n. f.
Acte du pape nommant une personne au nombre des bienheureux.

béatifier v. tr.
Mettre au nombre des bienheureux.
Ne pas confondre avec le verbe ***canoniser,*** mettre au nombre des saints.
Conjugaison [VOIR MODÈLE – **ÉTUDIER**]
Redoublement du ***i*** à la première et à la deuxième personne du pluriel de l'indicatif imparfait et du subjonctif présent. *(Que) nous béatifiions, (que) vous béatifiiez.*

béatitude n. f.
Bonheur parfait. **SYN.** bien-être.

beau- adj. (pl. *beaux-*)
Les mots composés avec l'adjectif ***beau,*** qui indique un lien de parenté par alliance ou d'un second mariage, s'écrivent avec un trait d'union et prennent la marque du pluriel aux deux éléments. *Un beau-père, des beaux-fils.*
VOIR **BELLE-.**

beau, belle adj. et n. m. (pl. *beaux*)
Adjectif
1. Qui crée une impression agréable. *Un beau paysage, une belle aquarelle, de beaux enfants.*
2. Qui est réussi. *Un beau gâteau, une belle randonnée, une belle situation.*
3. Clair, calme. *Le temps est beau, la mer est belle.*
Nom masculin
1. Ce qui fait éprouver un sentiment d'admiration et de plaisir. *Avoir le goût du beau.*
2. Qui éveille un sentiment d'admiration. *Un beau caractère, une belle action.*
Locutions
Avoir beau. S'efforcer en vain.

Dans cette locution qui exprime l'inutilité de l'action énoncée par l'infinitif, l'adjectif ***beau*** demeure invariable. *Elle avait beau se lever tôt, elle arrivait toujours en retard.*
Cette locution est suivie de l'infinitif.
Bel et bien. Réellement. *Elle a bel et bien vendu la propriété.*
De plus belle. De nouveau. *Il recommence de plus belle à chanter très fort.*
Belle. Ellipse où il faut sous-entendre un mot féminin (balle, chose, occasion). *Je l'ai échappé belle.*
Faire le beau, la belle. Se tenir debout sur ses pattes arrière, en parlant d'un chien. *Princesse fait la belle à merveille.*
HOM. baux, forme plurielle de ***bail,*** contrat de location.

beauceron, onne adj. et n. m. et f.
De la Beauce. *Le dynamisme beauceron. Un Beauceron, une Beauceronne.*
L'adjectif s'écrit avec une minuscule ; le nom, avec une majuscule.

beaucoup adv.
1. En grande quantité, d'une valeur élevée, d'une certaine intensité. *Elle a planté beaucoup de fleurs. Il a beaucoup de talent. Il y a beaucoup d'appelés, mais peu d'élus.* **SYN.** plusieurs.
2. Énormément. *Elle a beaucoup aimé ce film. Il mange beaucoup trop.* **ANT.** peu.
Beaucoup suivi d'un adverbe ne s'emploie que devant ***mieux, plus, trop, moins.*** *Pierre dessine beaucoup mieux que moi,* mais on dira *le ruisseau coule très doucement* (et non *beaucoup doucement).
Locution
De beaucoup, locution adverbiale. Avec une grande différence. *Elle est de beaucoup la plus avisée. De tout son groupe, il est de beaucoup le plus innovateur.*
Accord du verbe :
Beaucoup + nom singulier. Le verbe est au singulier. *Beaucoup de monde a participé à l'exposition.*
Beaucoup + nom pluriel. Le verbe est au pluriel. *Beaucoup de personnes sont venues.*
Beaucoup + nom féminin. L'attribut ou le participe est au féminin. *Beaucoup de filles ont été admises.*
Beaucoup (sans complément). L'accord se fait au masculin pluriel. *Beaucoup sont présents.*
beaucou**p**.

beau dommage loc. adv.
Certainement, sans doute. *Viendras-tu ce soir ? Beau dommage que j'y serai !*

beau-fils n. m. (pl. *beaux-fils*)
1. Gendre.
2. Fils que le conjoint a eu d'un précédent mariage.

beau-frère n. m. (pl. *beaux-frères*)
1. Mari de la sœur.
2. Frère du conjoint.

beau-père n. m. (pl. *beaux-pères*)
1. Père du conjoint.
2. Second mari de la mère, pour les enfants issus d'un premier mariage.

beauté n. f.
Qualité de ce qui est beau, de ce qui remplit d'admiration. *La beauté d'un enfant, d'un paysage, d'une œuvre d'art.* **SYN.** harmonie. **ANT.** laideur.

beaux-parents n. m. pl.
Père et mère du conjoint.

bébé adj. et n. m.
Nom masculin
1. Petit enfant. **SYN.** nouveau-né, poupon, tout-petit.
2. Petit d'un animal. *Ce sont des bébés pingouins.*
Adjectif
Qui agit comme un petit enfant. *Elle est très bébé : elle pleurniche toujours.*
Attention à ce nom employé comme adjectif : il s'écrit de la même façon au masculin et au féminin.
Locution
Faire le bébé. Se conduire comme un très jeune enfant. *Ne faites pas les bébés ; soyez sages.*

bec n. m.
1. Partie cornée qui tient lieu de bouche et de dents aux oiseaux. *Le bec du faucon est recourbé. Le pélican a un bec en forme de poche pour garder les poissons.*
2. (FAMILIER) Petit baiser. *Un petit bec sur le front.* **SYN.** bise, (FAMILIER) bisou, bizou.
En ce sens, le nom s'emploie aussi dans certaines régions de la francophonie.
Locutions
Faire le bec fin. Faire le difficile.
Prise de bec. Querelle. **SYN.** dispute.

bec-de-lièvre n. m. (pl. *becs-de-lièvre*)
Difformité de la lèvre supérieure.

bêche n. f.
Outil de jardinage formé d'une lame carrée tranchante et servant à retourner la terre.
b**ê**che.

bêcher v. tr.
Retourner la terre avec une bêche. *Nous bêcherons le jardin.*
Conjugaison [VOIR MODÈLE – **AIMER**]
b**ê**cher.

bécot n. m.
(FAMILIER) Baiser.
En ce sens, le nom s'emploie aussi dans certaines régions de la francophonie.

bécoter v. tr., pronom.
Verbe transitif
(FAMILIER) Donner de petits baisers.
Verbe pronominal
S'embrasser. *Les enfants se sont bécotés.*
Conjugaison [VOIR MODÈLE – **AIMER**]
béco**t**er.

becquée ou **béquée** n. f.
Quantité de nourriture qu'un oiseau prend avec son bec pour donner à ses petits.

bedaine n. f.
La première syllabe se prononce ***be*** [bədɛn].
(FAMILIER) Gros ventre.

bédé n. f.
Abréviation familière de ***bande dessinée.***
S'écrit aussi ***BD.***

bedon n. m.
(FAMILIER) Ventre rebondi.

bedonnant, ante adj.
(FAMILIER) Qui a du ventre. *Des touristes bedonnants.*

bédouin, ine adj. et n. m. et f.
Adjectif
Relatif aux Bédouins. *Une caravane bédouine.*
Nom masculin et féminin
Arabe nomade du désert. *Des Bédouins, des Bédouines.*
L'adjectif s'écrit avec une minuscule ; le nom, avec une majuscule.

bée adj. f.
Bouche bée. Ouverte d'étonnement.
Cet adjectif ne s'emploie que dans l'expression citée.
HOM. **baie,** petit golfe, petit fruit charnu.

bégaiement n. m.
Trouble de la parole caractérisé par la répétition saccadée d'une syllabe.
bégai**e**ment.

bégayer v. tr., intr.
Verbe transitif
(FIGURÉ) Bredouiller. *Bégayer des remerciements.* SYN. bafouiller, balbutier.
Verbe intransitif
Parler avec difficulté en répétant certaines syllabes. *Quand Victor est intimidé, il bégaie.*
Conjugaison [VOIR MODÈLE – **PAYER**]
Le ***y*** peut être changé en ***i*** devant un ***e*** muet. *Il bégaye* ou (plus usuel) *il bégaie, il bégayera* ou (plus usuel) *il bégaiera.* Le ***y*** est suivi d'un ***i*** à la première et à la deuxième personne du pluriel de l'indicatif imparfait et du subjonctif présent. *(Que) nous bégayions, (que) vous bégayiez.*

bégayeur, euse adj. et n. m. et f.
Qui bégaie. SYN. bègue.

bégonia n. m.
Le ***o*** est ouvert [begɔnja].
Plante ornementale cultivée pour ses fleurs aux couleurs vives. *Des bégonias doubles.*

bègue adj. et n. m. et f.
Qui bégaie.

beige adj. var. et n. m.
Adjectif de couleur variable
D'un brun clair. *Des imperméables beiges.*
VOIR TABLEAU – **COULEUR (ADJECTIFS DE).**
L'adjectif de couleur composé est invariable. *Des chapeaux gris-beige.*
Nom masculin
Couleur brun clair.

beigne n. m.
Pâtisserie composée de pâte frite saupoudrée de sucre. *Des beignes croustillants.*

beignet n. m.
Pâte frite enrobant une substance alimentaire. *Des beignets de pommes, des beignets aux pommes.*

bel ou **beau, belle** adj. et n. m. et f.
Devant un nom commençant par une voyelle ou un ***h*** muet, on emploiera ***bel.*** *Un bel oiseau, un bel homme.*
VOIR **BEAU.**

bêlant, ante adj.
Qui bêle.
b**ê**lant.

bêlement n. m.
Cri des moutons et des chèvres.
b**ê**lement.

bêler v. intr.
Crier, en parlant du mouton, de la chèvre. *Le mouton bêle.*
Conjugaison [VOIR MODÈLE – **AIMER**]
b**ê**ler.

bel et bien loc. adv.
Réellement. SYN. vraiment.
Dans cette locution figée, l'adjectif ***bel*** reste invariable. *Elle est bel et bien venue hier.*

belette n. f.
Le premier ***e*** se prononce [bəlɛt].
Petit mammifère carnivore à la fourrure rousse qui s'attaque aux petits animaux de la basse-cour.

belge adj. et n. m. et f.
De Belgique. *Une bière belge. Un Belge, une Belge.*
L'adjectif s'écrit avec une minuscule ; le nom, avec une majuscule.

bélier n. m.
1. Mâle de la brebis.
2. Nom d'une constellation, d'un signe du zodiaque.
Les noms d'astres s'écrivent avec une majuscule. *Elle est (du signe du) Bélier, elle est née entre le 21 mars et le 20 avril.*
VOIR **ASTRE.**

belle- adj.
Les mots composés de l'adjectif ***belle-*** indiquant un lien de parenté par alliance ou d'un second mariage, s'écrivent avec un trait d'union et prennent la marque du pluriel aux deux éléments. *Des belles-mères.*
VOIR **BEAU-.**

belle-fille n. f. (pl. *belles-filles*)
1. Épouse du fils.
2. Fille que le conjoint a eue d'un précédent mariage.

belle-mère n. f. (pl. *belles-mères*)
1. Mère du conjoint.
2. Seconde femme du père pour les enfants issus d'un premier mariage.

belle-sœur n. f. (pl. *belles-sœurs*)
1. Sœur du conjoint.
2. Épouse du frère.

béluga ou **bélouga** n. m.
1. Mammifère marin habitant les mers arctiques, et dont l'espèce est menacée de disparition. *Des bélugas, bélougas.*
2. Se dit également ***baleine blanche.***
Ce nom vient du mot russe ***bieluga,*** qui signifie « blanc ».

belvédère n. m.
Pavillon, terrasse d'où la vue s'étend au loin. *Du belvédère du mont Royal, on aperçoit le Saint-Laurent.*
belvéd**ère.**

bémol n. m.
Signe musical qui indique que la note qui suit doit être baissée d'un demi-ton. *Des mi bémols.*
Locution
Mettre un bémol. (FIGURÉ) (FAMILIER) Atténuer la violence de ses affirmations.

bénédictin, ine adj. et n. m. et f.
Adjectif
De l'ordre de saint Benoît. *L'abbaye bénédictine de Saint-Benoît-du-Lac.*

Nom masculin et féminin
Religieux, religieuse de l'ordre de saint Benoît.
Locution
Travail de bénédictin. Travail long et fastidieux.

bénédiction n. f.
Action de bénir, de consacrer. **ANT.** malédiction.

bénéfice n. m.
Profit. *Les bénéfices de l'association ont augmenté.* **SYN.** gain. **ANT.** déficit.
Locution
Au bénéfice de. Au profit de. *Le concert est donné au bénéfice de cette œuvre.*
Dans cette locution, le mot ***bénéfice*** demeure au singulier.

bénéficier v. tr. ind.
Profiter, tirer un profit de. *Les élèves bénéficieront de son enseignement dynamique.*
Attention à la construction de ce verbe : le sujet de ce verbe est une personne qui tire profit de quelque chose. Contrairement au verbe ***bénéficier,*** le verbe ***profiter*** au sens de ***être utile à*** peut avoir pour sujet la chose qui apporte un profit. *Ces cours profiteront aux élèves,* mais *ces élèves bénéficieront de ces cours.*
Conjugaison [VOIR MODÈLE – **ÉTUDIER**]
Redoublement du ***i*** à la première et à la deuxième personne du pluriel de l'indicatif imparfait et du subjonctif présent. *(Que) nous bénéficiions, (que) vous bénéficiiez.*

bénéfique adj.
Qui fait du bien. *Ce repos nous sera bénéfique.*

bénévolat n. m.
Activité assurée par une personne bénévole.
bénévola**t.**

bénévole adj. et n. m. et f.
Adjectif
À titre gracieux. *Un service bénévole.*
Nom masculin et féminin
Personne qui fait quelque chose sans être payée. *Ces bénévoles sont très dévouées.*

bénévolement adv.
De façon bénévole, gratuitement.

bengali adj. et n. m. et f.
Les lettres ***en*** se prononcent ***in*** [bɛ̃gali].
Adjectif et nom masculin et féminin
Du Bengale. *Ces femmes bengalis sont très belles. Un Bengali, une Bengali, des Bengalis.*
Le mot ***bengali*** est invariable en genre.
L'adjectif s'écrit avec une minuscule ; le nom, avec une majuscule.
Nom masculin
Langue parlée au Bengale. *Parlez-vous le bengali ?*
Le nom de la langue s'écrit avec une minuscule.

bénin, igne adj.
Qui est sans gravité. *Une maladie bénigne.* **SYN.** inoffensif. **ANT.** grave, malin.

bénir v. tr.
1. Consacrer au culte divin. *Bénir une chapelle.*
2. Appeler la bénédiction divine sur. *Bénir ses enfants.*
3. Louer, remercier. *Il bénit le ciel des faveurs obtenues.*
1° Ce verbe a deux participes passés : ***béni, bénie*** dans le sens de « glorifié » (*c'est un jour béni*) et ***bénit, bénite*** dans le sens de « consacré par la bénédiction du prêtre ». *De l'eau bénite.*
2° Employé aux temps composés de la forme active, le participe passé est toujours ***béni, bénie.*** Cette forme a tendance à l'emporter dans tous les sens. *Le prêtre a béni le nouveau voilier.*
Conjugaison [VOIR MODÈLE – **FINIR**]

bénitier n. m.
Vase contenant de l'eau bénite.

benjamin, ine n. m. et f.
Les lettres ***en*** se prononcent ***in*** [bɛ̃ʒamɛ̃, in].
Le plus jeune des enfants d'une famille. *Claudia est la benjamine de la famille.*

béquée
VOIR **BECQUÉE.**

béquille n. f.
1. Bâton sur lequel on s'appuie pour marcher. *Antoine est blessé à la cheville, il doit marcher avec des béquilles.*
2. Pièce destinée à soutenir. *Ève appuie sa bicyclette sur la béquille* (et non le *stand).

berbère adj. et n. m. et f.
Adjectif et nom masculin et féminin
Se dit de la race autochtone de l'Afrique du Nord. *Une coutume berbère. Un Berbère, une Berbère.*
L'adjectif s'écrit avec une minuscule ; le nom, avec une majuscule.
Nom masculin
Langue berbère.
Le nom de la langue s'écrit avec une minuscule.

bercail n. m. sing.
Bergerie.
Ce nom n'a pas de pluriel.
Locution
Ramener une brebis au bercail. Ramener quelqu'un à sa famille, à une conduite honnête.
berc**ail.**

berçante n. f.
Fauteuil ou chaise à bascule. **SYN.** berceuse.
On dit aussi ***chaise berçante.***

berceau n. m. (pl. *berceaux*)
Petit lit pour bercer les nouveau-nés. *Elle agite doucement le berceau en chantant une berceuse.*

bercer v. tr., pronom.
Verbe transitif
Balancer un enfant dans son berceau. *Sa maman le berçait souvent.*
Verbe pronominal
Se balancer dans une chaise berçante. *Mes grands-parents se bercent sur le balcon.*
Conjugaison [VOIR MODÈLE – **AVANCER**]
Le ***c*** prend une cédille devant les lettres ***a*** et ***o***. *Il berça, nous berçons.*

berceuse n. f.
1. Chanson destinée à endormir les enfants.
2. Siège dans lequel on peut se balancer légèrement.
Au Québec, on dit également ***chaise berceuse, chaise berçante*** ou ***berçante.***

béret n. m.
Coiffure ronde et plate. *Les soldats de l'ONU portent des bérets bleus.*
✎ béré**t.**

berge n. f.
Bord d'un cours d'eau. *De la berge, Antoine lance des cailloux dans l'eau.*

berger n. m.
bergère n. f.
Personne qui garde les moutons.

bergerie n. f.
Enclos où vivent les moutons.

berlingot n. m.
1. Bonbon.
2. Emballage en carton pour les liquides, surtout le lait. *Du lait en berlingot.*
✎ berlin**got.**

bermuda n. m.
Short s'arrêtant au genou. *Des bermudas à fleurs.*

bernacle ou **bernache** n. f.
Sorte d'oie sauvage.
Au Québec, on dit aussi ***outarde.***

bernard-l'ermite ou **bernard-l'hermite** n. m. inv. (pl. *bernard-l'ermite, bernard-l'hermite*)
Crustacé empruntant la coquille de petits mollusques.
L'orthographe sans ***h*** est la plus courante.

berne (en) loc. adv.
À mi-mât, en signe de deuil ou de détresse. *Mettre les drapeaux en berne.*

berner v. tr.
Duper, tromper. *Alain a été berné par ce vendeur : il a payé sa voiture beaucoup trop cher.*
Conjugaison [VOIR MODÈLE – **AIMER**]

besace n. f.
Sac à deux poches avec une ouverture au milieu.

besogne n. f.
Travail pénible. *Une dure besogne l'attendait : rentrer le bois de chauffage.* **SYN.** ouvrage, tâche.

besoin n. m.
1. Chose indispensable. *Le besoin de boire, de manger. Un besoin d'air.* **SYN.** nécessité.
2. Désir très grand. *Un besoin d'affection.*
Locutions
Au besoin. S'il le faut.
Avoir besoin de, que. Ressentir la nécessité de. *Elle a besoin de ses livres. J'ai besoin de le savoir ici. Il a besoin que tu viennes. On a souvent besoin d'un plus petit que soi.* (Adage)
La locution verbale se construit avec la préposition **de** suivie d'un nom ou d'un infinitif ou avec la conjonction ***que*** suivie du subjonctif.
Être dans le besoin. Manquer de ce qui est nécessaire. *Ces réfugiés sont dans le besoin.*

bestial, ale, aux adj.
Qui a la cruauté des bêtes féroces. *Des appétits bestiaux.*
Ne pas confondre avec les mots suivants :
– ***féroce,*** qui est sauvage et cruel par nature ;
– ***inhumain,*** qui est étranger à tout sentiment de pitié.

bestiaux n. m. pl.
Gros bétail (bœufs, vaches).
✎ besti**aux.**

bestiole n. f.
Petite bête. *Qu'est-ce que cette bestiole rouge à pois noirs ? C'est une coccinelle.*
✎ bestio**l**e.

bétail n. m.
Ensemble de bêtes d'élevage (cheval, bœuf, vache, chèvre, mouton, porc).
Ce nom n'a pas de pluriel.

bête adj. et n. f.
Adjectif
1. Stupide. *Ce qu'elle est bête ; elle n'a pas songé à me prévenir !* **SYN.** étourdi, idiot.
2. ⚜ Peu aimable, sec. *Il est bête comme ses pieds.* **SYN.** désagréable, hautain.
Nom féminin
1. Tout être animé qui se meut, autre que l'homme. *Une bête féroce.*
2. (FIGURÉ) Personne ignorante. *Faire la bête.*
Locution
Bête à bon Dieu. Nom familier de la ***coccinelle.***
✎ b**ê**te.

bêtement adv.
De manière bête.
Locution
Tout bêtement. Tout simplement.
✎ b**ê**tement.

bêtise n. f.
Le **ê** se prononce **é** [betiz].
1. Manque d'intelligence, de jugement. *La bêtise de cette personne est décevante.*
2. Acte ou propos bête. *Il dit des bêtises, ne fais pas attention.*
3. ⚜ Insulte, injure. *Elle m'a dit des bêtises.*
✎ b**ê**tise.

béton n. m.
Matériau de construction composé d'un mortier de sable, de gravier. *Ces fondations sont en béton armé.*
✎ b**é**ton.

bétonneuse
VOIR **BÉTONNIÈRE.**

bétonnière n. f.
Machine servant à préparer le béton. *Il conduit une bétonnière.*
On préférera ce terme à celui de ***bétonneuse.***
✎ béto**nn**ière.

betterave n. f.
Plante à racine charnue. *Une salade de betteraves,* mais *du sucre de betterave.*

beuglement n. m.
Cri du bœuf et de la vache.

beugler v. intr.
Pousser des beuglements. *Le taureau beugle.*
Conjugaison [VOIR MODÈLE – **AIMER**]

beurre n. m.
Substance alimentaire extraite du lait. *Du pain et du beurre.*
Locutions
Œil au beurre noir. (FAMILIER) Œil poché.

b

Passer dans le beurre. ⚜ (FIGURÉ) Rater son but, manquer son coup.
Tourner dans le beurre. ⚜ (FIGURÉ) Tourner à vide.
Forme fautive
*beurre de peanuts, de pinottes. Calque de « peanut butter » pour ***beurre d'arachide.***

beurrée n. f.
⚜ Tartine de beurre ou d'une autre substance. *Une beurrée de confiture.*

beurrer v. tr.
1. Couvrir de beurre. *Beurrer un moule à gâteau.*
2. ⚜ Recouvrir une tranche de pain de quelque chose.
Conjugaison [VOIR MODÈLE – **AIMER**]

beurrier n. m.
Récipient où l'on dépose le beurre.

bévue n. f.
Erreur commise par manque de réflexion. *Elle a commis une bévue et la maîtresse lui a donné une retenue.*

bi(s)- préf.
Les mots composés avec le préfixe ***bi-,*** qui signifie « deux fois », s'écrivent sans trait d'union. *Une personne bilingue. Un avion bimoteur. Une réunion bihebdomadaire.*
Devant une voyelle, le préfixe ***bi-*** prend un ***s***. *Un bisaïeul.*
Attention à l'accord de l'adjectif qui reste singulier si le nom qu'il qualifie est singulier. *Un avion biplace.*

biafrais, aise adj. et n. m. et f.
Du Biafra. *Le drapeau biafrais. Un Biafrais, une Biafraise.*
L'adjectif s'écrit avec une minuscule ; le nom, avec une majuscule.

biais n. m.
1. Ligne oblique. *Elle a taillé la flèche en biais.*
2. Moyen détourné. *Antoine a trouvé un biais pour ne pas faire son devoir.*
Locution
De biais, locution adverbiale. Obliquement.
Forme fautive
*biais. Anglicisme au sens de ***préjugé.***

bibelot n. m.
Petit objet décoratif, généralement de peu de valeur.
bibelo**t.**

biberon n. m.
Le ***e*** est muet [bibrɔ̃].
Petite bouteille munie d'une tétine servant à l'allaitement des nouveau-nés. *Le bébé boit son biberon* (et non sa *bouteille).
bibero**n.**

bible n. f.
1. Recueil de livres sacrés (Ancien et Nouveau Testament). *Étudier la Bible.*
Quand il désigne les Saintes Écritures, le nom ***bible*** prend une majuscule.
2. Ouvrage fondamental. *Ce traité est la bible des architectes.*

biblio- préf.
Élément du grec signifiant « livre ». *Bibliothèque.*

bibliobus n. m.
Véhicule qui tient lieu de bibliothèque.

bibliogr.
Abréviation de ***bibliographie.***

bibliographie n. f.
Abréviation ***bibliogr.*** (s'écrit avec un point).
1. Liste des ouvrages cités dans un texte.
2. Ensemble des écrits relatifs à un sujet donné.
Ne pas confondre avec le nom ***biographie,*** histoire de la vie d'un individu.
VOIR TABLEAU – **RÉFÉRENCES BIBLIOGRAPHIQUES.**

bibliothécaire n. m. et f.
Personne préposée à une bibliothèque. *La bibliothécaire classe les livres.*
bibliothéc**aire.**

bibliothèque n. f.
1. Collection de livres classés dans un certain ordre.
2. Édifice, lieu où sont conservées des collections de livres offerts à la consultation des abonnés. *La Bibliothèque nationale. La bibliothèque de l'École des HEC.*
Ne pas confondre avec ***librairie,*** magasin où l'on vend des livres.
3. Meuble où l'on range des livres. *Étienne s'est construit une bibliothèque.*

biblique adj.
Relatif à la Bible.

biceps n. m.
Les lettres ***ps*** se prononcent [bisɛps].
Muscle du bras. *Avoir de beaux biceps.*
bice**ps.**

biche n. f.
Femelle du cerf.
VOIR TABLEAU – **ANIMAUX.**

bichonner v. tr., pronom.
Verbe transitif
(FAMILIER) Pomponner, entourer de bons soins. *Alain bichonne le chaton.*
Verbe pronominal
(FAMILIER) Faire sa toilette avec minutie. *Elles se sont bichonnées.*
Conjugaison [VOIR MODÈLE – **AIMER**]
bicho**nn**er.

bicolore adj.
Qui a deux couleurs. *Un drapeau bicolore.*

***bicycle**
Impropriété au sens de ***bicyclette***. Le ***bicycle*** était anciennement un véhicule à deux roues inégales.

bicyclette n. f.
Appareil de locomotion composé de deux roues dont l'une est motrice, et qui permet à une personne de se déplacer. *Elle adore aller à bicyclette, faire de la bicyclette.*
b**i**c**y**clette.

bidon adj. inv. et n. m.
Adjectif invariable
(FAMILIER) Faux. *Des manifestations bidon.*
Nom masculin
Récipient métallique. *Des bidons d'essence.*

bidule n. m.
(FAMILIER) Petit objet. **SYN.** machin, truc.

bien-
1. Les mots composés avec ***bien-*** s'écrivent avec un trait d'union. Si le mot ***bien-*** est employé comme nom, il prend la marque du pluriel. *Des biens-fonds.*

2. Dans les autres cas, seul le deuxième élément prend la marque du pluriel, sauf s'il s'agit des verbes ***dire, être.*** *Des bien-aimés, des bien-portantes.*

bien n. m.
1. Ce qui est bon, juste, conforme à un idéal. *Faire le bien.*
2. Avantage, bénéfice. *C'est pour ton bien qu'il faut travailler.*
3. Ce qu'on possède. *Ils ont des biens.*
4. (ÉCONOMIE) Chose créée par le travail en vue de satisfaire un besoin de la société. *Les biens et les services.*

bien adj. inv. et adv.
Adjectif invariable
1. Satisfaisant. *Vous avez réussi, c'est bien.*
2. Convenable. *Ce sont des filles bien.*
3. De bonne qualité. *Cette musique est bien.*
Adverbe de manière
D'une manière satisfaisante, convenable, agréable. *Ses devoirs sont bien faits. Elle conduit bien. Il chante bien.*
Adverbe de quantité
Beaucoup, pleinement. *Le malade est bien souffrant. Il y a bien des années que je l'ai vu.*
Superlatif absolu
Parfaitement. *Il est bien habillé.*
Locutions
Bel et bien, locution adverbiale. Réellement. *Elle est bel et bien partie.*
Bien entendu, bien sûr, locutions adverbiales. Assurément.
Bien que, locution conjonctive. Quoique.
Cette locution est suivie du subjonctif. *Bien qu'il y ait une grève des transports en commun, les cours ont lieu.*
Bien ! Très bien ! Cette interjection et cette locution exclamative marquent l'approbation.
Eh bien ?, locution interjective. Cette locution exprime l'attente, la surprise.

bien-aimé, ée adj. et n. m. et f. (pl. *bien-aimés*)
Adjectif
Tendrement aimé. *Ma mère bien-aimée.*
Nom masculin et féminin
Personne aimée d'amour. *Ma bien-aimée.*

bien-être n. m. inv. (pl. *bien-être*)
1. Sentiment de bonheur et de sérénité. *Quand nous allons dans la forêt, nous ressentons un grand bien-être.* **SYN.** plaisir, satisfaction.
2. Aisance financière.
Forme fautive
*bien-être social. Anglicisme au sens de ***assistance sociale.***

bienfaisance n. f.
Les lettres ***ai*** se prononcent ***e*** [bjɛ̃fəzɑ̃s].
Action de venir en aide à ceux qui en ont besoin. **SYN.** bonté, charité, générosité.
Locution
Œuvres de bienfaisance. Œuvres dont l'objet est de faire le bien.

bienfaisant, ante adj.
Les lettres ***ai*** se prononcent ***e*** [bjɛ̃fəzɑ̃, ɑ̃t].
1. Qui est salutaire. *Une averse bienfaisante.*
2. Qui fait du bien, qui est salutaire. *Une personne bienfaisante.* **SYN.** bon, charitable, généreux.

bienfait n. m.
1. Bonne action, acte de générosité.
2. Avantage. *Les bienfaits de l'électricité.*

bienfaiteur, trice n. m. et f.
Personne qui fait du bien, qui rend des services. *Un généreux bienfaiteur.*

bienheureux, euse adj. et n. m. et f.
1. Très heureux.
2. Qui a été béatifié.

bien-portant, ante adj. et n. m. et f. (pl. *bien-portants*)
En bonne santé. *Ils sont bien-portants. Des bien-portantes.*

bienséance n. f.
Respect des règles de la politesse. **SYN.** savoir-vivre.

bientôt adv.
Dans peu de temps. *À bientôt.*
Ne pas confondre avec les mots ***bien tôt*** au sens de ***très tôt.***

bienveillance n. f.
Disposition favorable envers quelqu'un. **SYN.** bonté, générosité.

bienveillant, ante adj.
Qui montre de la bienveillance. *Des personnes bienveillantes.* **SYN.** bon, généreux.

bienvenu, ue adj. et n. m. et f.
Que l'on accueille avec plaisir. *Des cadeaux bienvenus. Soyez la bienvenue chez nous.*

bienvenue n. f.
Bon accueil. *Je vous souhaite la bienvenue !*
Forme fautive
*bienvenue. Calque de l'anglais « you are welcome » au sens de ***je vous en prie*** ou ***il n'y a pas de quoi.***

bière n. f.
Boisson fermentée préparée avec de l'orge et du houblon.
Locution
Ce n'est pas de la petite bière. (FAMILIER) Ce n'est pas une chose sans importance.

biffer v. tr.
Rayer (ce qui est écrit). *Biffer un mot.*
Conjugaison [VOIR MODÈLE – **AIMER**]

bifteck n. m.
Attention à la prononciation [biftɛk].
Tranche de bœuf à griller. *Des biftecks bien tendres.*

bifurcation n. f.
Embranchement à deux voies. *Tournez à droite à la bifurcation.*
bifur**c**ation.

bifurquer v. tr. ind., intr.
Verbe transitif indirect
(FIGURÉ) Changer de direction. *Puis, la conversation a bifurqué sur un autre sujet.*
Verbe intransitif
1. Se diviser en deux branches à la façon d'une fourche. *Le chemin bifurque à cet endroit.*
2. Abandonner la voie principale. *Le cortège bifurqua et prit le petit chemin de campagne.*
Conjugaison [VOIR MODÈLE – **AIMER**]
bifur**qu**er.

bigorneau n. m. (pl. *bigorneaux*)
Petit coquillage de mer comestible. *Pierre-Luc a recueilli dans son filet une multitude de bigorneaux.*

bigoudi n. m.
Petit rouleau flexible qui sert à friser les cheveux. *Des bigoudis chauffants.*

bijou n. m. (pl. *bijoux*)
Ornement, souvent d'une matière précieuse. *Juliette n'aime pas beaucoup les bijoux : elle ne porte qu'une petite bague ornée d'une pierre violette. Des bijoux de fantaisie.*
– Le nom ***bijou*** s'écrit avec un ***x*** au pluriel.

bijouterie n. f.
1. Fabrication des bijoux.
2. Commerce des bijoux. *Ils sont dans la bijouterie depuis plusieurs générations.*

bijoutier n. m.
bijoutière n. f.
Personne qui vend des bijoux.

bikini n. m.
Maillot de bain en deux pièces réduites à l'extrême. *Des bikinis colorés.*

bilboquet n. m.
Jouet composé d'une boule attachée par une cordelette à un bâtonnet pointu. *Il y a toute une collection de bilboquets chez le glacier Bilboquet.*
bilboque**t.**

bile n. f.
Liquide amer sécrété par le foie.
bi**l**e.

biliaire adj.
Relatif à la bile. *La vésicule biliaire.*
bi**li**aire.

bilingue adj. et n. m. et f.
Adjectif
1. Qui est en deux langues. *Une affiche bilingue.*
2. Où l'on parle deux langues. *Un pays bilingue.*
Adjectif et nom masculin et féminin
Qui parle deux langues. *Un candidat bilingue. Un bilingue.*

bilinguisme n. m.
Le ***u*** se prononce ***u*** (et non *ou) [bilẽgɥism].
Qualité d'une personne qui parle deux langues.

billard n. m.
Jeu de billes pratiqué sur une table spéciale.
billar**d.**

bille n. f.
1. Petite boule. *Jouer aux billes. Un jeu de billes. Un stylo à bille.*
2. Tronçon de bois destiné à être équarri. *Une bille d'érable.*

billet n. m.
1. Petit document prouvant un paiement, un droit. *Nous avons acheté des billets pour le Cirque du Soleil. J'ai perdu mon billet de métro. Un billet de loterie.*
2. Message, petite lettre. *J'ai transmis un billet à ma copine, mais l'enseignante l'a intercepté et l'a lu devant toute la classe.*
Locution
Billet (de banque). Papier-monnaie. *Les billets de 1 $ sont maintenant disparus. Attention, ce sont de faux billets !*
Forme fautive
*billet de saison. Calque de l'anglais « season ticket » pour ***abonnement.***

billetterie n. f.
1. Ensemble des activités relatives à l'émission de billets (de spectacles, de transport, etc.).
2. Distributeur automatique de billets.
– Au Québec, le distributeur de billets de banque se nomme plutôt *guichet automatique.*

billion n. m.
Un million de millions ou un millier de milliards (10^{12}). *Trois billions.*
– Ne pas confondre avec le mot américain « billion », employé aux États-Unis et au Canada, dont l'équivalent français est aujourd'hui ***milliard.***

billot n. m.
1. Gros tronçon de bois aplani sur lequel on coupe la viande, le bois, etc.
2. ⚜ Bille de bois. *Les draveurs récupèrent les billots qui s'échappent.*
billo**t.**

bimoteur adj. et n. m.
Qui a deux moteurs. *Cette société a acheté un bimoteur.*

binaire adj.
Composé de deux éléments. *Un chiffre binaire.*

binette n. f.
1. Outil de jardinage.
2. (FAMILIER) Visage. *Ces enfants ont des binettes sympathiques.*

bingo n. m.
Jeu de hasard où des numéros tirés au sort doivent composer une ligne complète sur la carte d'un joueur. *Des bingos populaires.*

binôme n. m.
Expression algébrique composée de deux termes unis par les signes + ou -.
bin**ô**me.

binomial, ale, aux adj.
Relatif au binôme. *Loi binomiale.*
bin**o**mial, sans accent.

bio- préf.
Élément du grec signifiant « vie ».
Les mots composés avec le préfixe ***bio-*** s'écrivent sans trait d'union, à l'exception de ceux dont le deuxième élément commence par un ***i.*** *Biologie, bio-industrie.*

biochimie n. f.
Partie de la chimie qui s'intéresse aux constituants de la matière vivante.

biochimique adj.
Relatif à la biochimie.

biochimiste n. m. et f.
Spécialiste de la biochimie.

biodégradable adj.
Susceptible d'être décomposé par des organismes vivants. *Ces détergents créent de la pollution : ils ne sont pas biodégradables.*

biographe n. m. et f.
Auteur de biographies.

biographie n. f.
Histoire de la vie d'une personne.
– Ne pas confondre avec le nom ***bibliographie,*** liste d'ouvrages.

biographique adj.
Relatif à la biographie.

biologie n. f.
Science des êtres vivants. *La zoologie (étude des animaux) et la botanique (étude des plantes) font partie de la biologie.*

biologique adj.
Relatif à la biologie.

biologiste n. m. et f.
Spécialiste de la biologie. *Annie voudrait être biologiste plus tard : elle s'intéresse particulièrement aux oiseaux migrateurs.*

biosphère n. f.
Espace du globe terrestre habité par des êtres vivants.
À l'île Sainte-Hélène, on peut visiter la Biosphère qui a pour thème le Saint-Laurent.

biotechnologie n. f.
Technique qui se fonde sur l'action des micro-organismes pour produire des réactions chimiques.
biote**ch**nologie.

bipède adj. et n. m.
Qui a deux pieds. *Les humains sont bipèdes, les chevaux, quadrupèdes.*
bip**è**de.

biplace adj. et n. m.
Qui a deux places. *Un avion biplace. Un biplace.*

biréacteur adj. et n. m.
Adjectif
Qui a deux réacteurs.
Nom masculin
Avion qui comporte deux réacteurs.

birman, ane adj. et n. m. et f.
De Birmanie. *Le drapeau birman. Un Birman, une Birmane.*
L'adjectif s'écrit avec une minuscule ; le nom, avec une majuscule.

bisaïeul, eule n. m. et f. (pl. *bisaïeuls, bisaïeules*)
Arrière-grand-père, arrière-grand-mère.
VOIR **AÏEUL.**
bisa**ï**eul.

bisbille n. f.
(FAMILIER) Petite querelle.

biscornu, ue adj.
1. Qui est de forme irrégulière. *Une maison biscornue.*
2. (FAMILIER) Bizarre. *Des propositions biscornues.*

biscotte n. f.
Tranche de pain séchée au four. *Des biscottes au fromage.*

biscuit n. m.
Petit gâteau sec. *Nouni prépare ses délicieux biscuits au chocolat.*

biscuiterie n. f.
Fabrique de biscuits.

bise n. f.
1. Vent du Nord.
2. (FAMILIER) Baiser. *Belles bises de tante Lucille.*

biseau n. m. (pl. *biseaux*)
Bord coupé en biais.
Locution
En biseau. Obliquement. *Une vitre taillée en biseau.*

bison n. m.
Bœuf sauvage d'Amérique du Nord et d'Europe.

bisou ou **bizou** n. m.
(FAMILIER) Baiser. *Des bisous affectueux.*

bissextile adj. f.
Se dit de l'année qui revient tous les quatre ans et dont le mois de février a 29 jours.
bi**ss**e**x**ti**l**e.

bistouri n. m.
Instrument de chirurgie en forme de couteau. *Des bistouris électriques.*

bit n. m.
Le ***t*** se prononce [bit].
Symbole ***b*** (s'écrit sans point).
(INFORMATIQUE) Unité élémentaire d'information pouvant prendre deux valeurs distinctes, généralement 0 et 1.
Le mot ***bit*** est la forme contractée du terme anglais « binary digit » ; un ensemble de huit bits s'appelle un ***octet***.
Attention au genre masculin de ce nom : ***un*** bit.

bizarre adj.
Étonnant, curieux. *Des goûts bizarres. Un costume bizarre.*
SYN. étrange, inhabituel, insolite. **ANT.** normal.
Ne pas confondre avec les mots suivants :
- ***inconcevable,*** inimaginable ;
- ***incroyable,*** difficile à croire ;
- ***invraisemblable,*** qui ne semble pas vrai.

biza**rr**e.

bizarrement adv.
De façon bizarre
biza**rr**ement.

bizarrerie n. f.
1. Caractère de ce qui est bizarre. *La bizarrerie de son déguisement.*
2. Chose surprenante.
biza**rr**erie.

bizou
VOIR **BISOU.**

bla-bla ou **bla-bla-bla** n. m. inv.
(FAMILIER) Paroles vides. *Ce ne sont que des bla-bla.* **SYN.** verbiage.
Ce nom peut également s'écrire en un seul mot sans traits d'union. *Des blablabla, des blabla.*

blafard, arde adj.
Très pâle. *Un visage blafard.*

blague n. f.
1. Plaisanterie. *Les élèves ont fait une bonne blague à la maîtresse.* **SYN.** rigolade.
2. Petite poche pour le tabac.
Locutions
Blague à part. Sérieusement.
Pas de blague ! Un peu de sérieux, je vous prie.
Prendre tout à la blague. Ne pas s'en faire.
Sans blague ! Vous voulez rire ?

blaguer v. tr., intr.
Verbe transitif
Railler gentiment. *Elle l'a blagué sur sa nouvelle voiture.*
Verbe intransitif
Faire des blagues. *Il ne cesse de blaguer.* **SYN.** plaisanter, rigoler.
Conjugaison [VOIR MODÈLE – **AIMER**]
Ce verbe s'écrit toujours avec un ***u,*** même devant les lettres ***a*** et ***o***. *Il blagua, nous blaguons.*

blagueur, euse adj. et n. m. et f.
Qui aime blaguer.

blaireau n. m. (pl. *blaireaux*)
1. Mammifère carnivore. *Le blaireau d'Amérique est plus petit que son cousin de l'Ancien Monde.*
2. Pinceau fait avec les poils de cet animal. *Papa se savonne avec un blaireau avant de se raser.*

blâmable adj.
Qui mérite le blâme. **SYN.** condamnable, répréhensible.
✎ bl**â**mable.

blâme n. m.
1. Jugement défavorable sur quelqu'un ou quelque chose. *Cette attitude pourrait lui valoir des blâmes.* **SYN.** critique, reproche.
2. Réprimande. *Recevoir un blâme.*
✎ bl**â**me.

blâmer v. tr.
Désapprouver quelqu'un ou quelque chose. *Il a blâmé les directeurs de l'entreprise pour leur négligence.* **SYN.** critiquer, désapprouver, réprimander, reprocher.
Conjugaison [VOIR MODÈLE – **AIMER**]
✎ bl**â**mer.

blanc, blanche adj. et n. m. et f.
Adjectif
Qui est de race blanche. *Une femme blanche.*
Nom masculin et féminin
Personne de race blanche.
☞ L'adjectif s'écrit avec une minuscule ; le nom, avec une majuscule.
Locution
Nuit blanche. Nuit sans sommeil.
Forme fautive
*blanc de mémoire. Anglicisme pour ***trou de mémoire.***

blanc, blanche adj. et n. m. et f.
Adjectif de couleur variable
Qui est de la couleur de la neige. *Des robes blanches.*
VOIR TABLEAU – **COULEUR (ADJECTIFS DE).**
☞ L'adjectif de couleur composé est invariable. *Des manteaux blanc cassé.*
Nom masculin
1. La couleur blanche. *Des blancs très purs.*
2. Espace vierge sur une feuille de papier.
Nom féminin
(MUSIQUE) Note qui vaut deux noires.

blanchâtre adj.
Teinte qui s'approche du blanc.
VOIR TABLEAU – **COULEUR (ADJECTIFS DE).**
✎ blanch**â**tre.

blancheur n. f.
Caractère de ce qui est blanc. *La blancheur de sa peau.*

blanchiment n. m.
1. Action de rendre blanche une chose. *Le blanchiment du papier se fait à l'aide de produits chimiques qui polluent.*
2. (FIGURÉ) Action de faire disparaître la preuve d'une origine frauduleuse. *Le blanchiment de l'argent.*
✎ blanch**i**ment.

blanchir v. tr., intr.
Verbe transitif
1. Rendre blanc. *Blanchir du papier.*
2. (FIGURÉ) Déclarer non coupable. *On les a blanchis de toute accusation.* **SYN.** innocenter.
3. (FIGURÉ) Faire disparaître la preuve d'une origine irrégulière ou frauduleuse. *Les trafiquants ont blanchi des milliers de dollars.*
Verbe intransitif
Devenir blanc. *Ses cheveux ont blanchi.*
☞ À la forme intransitive, le verbe se conjugue avec l'auxiliaire ***avoir.***
Conjugaison [VOIR MODÈLE – **FINIR**]

blanchissage n. m.
Lavage du linge.

blanchisserie n. f.
Lieu où l'on fait le blanchissage du linge.

blanchisseur n. m.
blanchisseuse n. f.
Personne qui fait le blanchissage.

blanchon n. m.
⚜ Petit du phoque.

blasé, ée adj.
Qui ne s'intéresse plus à rien. *Il est trop blasé pour apprécier.*

blason n. m.
Ensemble des emblèmes d'une famille, d'un groupe. **SYN.** armoiries.

blasphème n. m.
Parole sacrilège, insulte à la religion.
✎ blas**ph**ème.

blasphémer v. intr.
1. Proférer des imprécations contre quelqu'un, quelque chose. *Il blasphème contre le Ciel.*
2. (ABSOLUMENT) Proférer des blasphèmes. *Il blasphème constamment.*
Conjugaison [VOIR MODÈLE – **POSSÉDER**]
Le **é** se change en **è** devant une syllabe muette, sauf à l'indicatif futur et au conditionnel présent. *Je blasphème,* mais *je blasphémerai.*
✎ blasph**é**mer.

blatérer v. intr.
Crier, en parlant du bélier, du chameau.
Conjugaison [VOIR MODÈLE – **POSSÉDER**]
Le **é** se change en **è** devant une syllabe muette, sauf à l'indicatif futur et au conditionnel présent. *Il blatère,* mais *il blatérera.*

blatte n. f.
Insecte appelé aussi ***cafard, cancrelat.***

blazer n. m.
👄 Le mot se prononce [blazœr] ou [blazɛr].
Veste en tissu bleu marine ou en flanelle grise. *Des blazers marine.*

blé n. m.
Plante qui produit le grain dont on tire la farine pour faire le pain. *Des champs de blé. Laurence est blonde comme les blés.*

blé d'Inde n. m.
⚜ Céréale dont les fruits sont des grains disposés sur des épis. *Des épis de blé d'Inde frais cueillis.* **SYN.** maïs.

blême adj.
Très pâle, livide. *Très effrayée, Sophie était blême.* **SYN.** blafard, pâle.
✎ bl**ê**me.

blêmir v. intr.
👄 Le **ê** se prononce **é** [blemir] contrairement à ***blême.***

Pâlir, devenir blême. **SYN.** blanchir.
Conjugaison [VOIR MODÈLE – **FINIR**]
(prononciation) blê**m**ir.

blessant, ante adj.
Qui offense, injurieux. *Des paroles blessantes.* **SYN.** insultant, offensant.

blessé, ée adj. et n. m. et f.
Adjectif
Qui a reçu une, des blessures. *Soigner un chien blessé.* **SYN.** accidenté.
Nom masculin et féminin
Personne qui a des blessures. *C'est une grande blessée.*

blesser v. tr., pronom.
Verbe transitif
1. Causer une blessure. *Il a blessé un piéton.*
2. (FIGURÉ) Offenser. *Votre remarque l'a blessé.* **SYN.** choquer, contrarier, déplaire, vexer.
Verbe pronominal
Se faire une blessure. *Elle s'est blessée en tombant.*
Conjugaison [VOIR MODÈLE – **AIMER**]

blessure n. f.
1. Lésion provoquée par une cause extérieure (coup, choc, arme, etc.). *Fanny a une petite blessure au genou, c'est une égratignure.*
2. Atteinte morale. **SYN.** douleur, offense.

bleu, e adj. et n. m.
Adjectif de couleur
Qui est de la couleur du ciel. *Une robe bleue. Des fauteuils bleus.*
(note sur la construction) 1° L'adjectif de couleur simple ***bleu*** s'accorde en genre et en nombre avec le nom dont il est épithète.

2° Les adjectifs composés de deux noms de couleur prennent un trait d'union et sont invariables. *Des tissus bleu-vert.*

3° Les adjectifs composés avec un nom de chose ne prennent pas de trait d'union et sont invariables. *Bleu marine, bleu roi, bleu turquoise,* etc. *Des jupes bleu marine* ou elliptiquement, *des jupes marine.*

VOIR TABLEAU – **COULEUR (ADJECTIFS DE).**

Nom masculin
1. Couleur bleue. *Des bleus profonds.*
2. (FAMILIER) Marque sur la peau à la suite d'un coup. *Elle a un bleu au bras.*

bleuâtre adj.
Qui tire sur le bleu. *Une marque bleuâtre sur la jambe.*
(prononciation) bleu**â**tre.

bleuet n. m.
(usage québécois) Variété d'airelle des bois qui devient bleue en mûrissant. *Une tarte aux bleuets.*

bleuetière n. f.
1. (usage québécois) Terrain où abonde le bleuet. (Recomm. off. OLF)
2. (usage québécois) Plantation de bleuets.

***bleus (avoir les)**
Calque de l'anglais « to have the blues » pour ***avoir le cafard, être déprimé.***

blindage n. m.
1. Action de blinder. *Le blindage de la voiture du Président.*
2. Dispositif de protection.

blindé, ée adj. et n. m.
Adjectif
Recouvert d'un blindage. *Des camions blindés pour le transport de lingots d'or.*
Nom masculin
Véhicule de combat recouvert d'un blindage.

blinder v. tr., pronom.
Verbe transitif
Entourer de plaques de métal. *Blinder une voiture.*
Verbe pronominal
(FAMILIER) (FIGURÉ) S'endurcir. *Il est difficile de se blinder contre l'injustice.*
Conjugaison [VOIR MODÈLE – **AIMER**]

blizzard n. m.
Vent d'hiver accompagné d'une tempête de neige.
(prononciation) bli**zz**ard.

bloc n. m.
1. Masse compacte. *Un bloc de marbre.*
2. Regroupement politique. *Le Bloc québécois.*
3. Ensemble d'éléments regroupés. *Le bloc opératoire.*
Locutions
Bloc (d'habitations). Pâté de maisons.
En bloc, locution adverbiale. En gros. *Les syndiqués ont accepté la convention en bloc.*
Formes fautives
*bloc. Anglicisme au sens de ***rue.*** *J'habite à deux rues* ou *à deux pâtés de maison d'ici* (et non *à deux blocs).
*bloc appartements. Anglicisme pour ***immeuble d'habitation.***
*jeu de blocs. Anglicisme au sens de ***cubes, jeu de construction.***

blocage n. m.
Action de bloquer ; son résultat. *Le blocage d'une fenêtre.*
(prononciation) blo**c**age.

bloc-moteur n. m. (pl. *blocs-moteurs*)
Ensemble du moteur, de l'embrayage et de la boîte de vitesses d'une automobile, d'un camion.

bloc-notes n. m. (pl. *blocs-notes*)
Ensemble de feuillets reliés.

blond, onde adj. et n. m. et f.
Adjectif de couleur variable
Se dit de la teinte la plus claire des cheveux. *Des tresses blondes.*

VOIR TABLEAU – **COULEUR (ADJECTIFS DE).**

(note sur la construction) L'adjectif simple prend la marque du féminin et du pluriel ; l'adjectif composé est invariable.
Nom masculin
La couleur blonde. *Des cheveux d'un beau blond doré.*
Nom masculin et féminin
Qui a les cheveux blonds. *Une jolie blonde.*
Nom féminin
Petite amie. *« Auprès de ma blonde... »*

blondeur n. f.
Caractère de ce qui est blond.

blondir v. tr., intr.
Verbe transitif
Rendre blond. *Elle a blondi ses cheveux.*
Verbe intransitif
Devenir blond. *Ses cheveux blondissent au soleil.*
Conjugaison [VOIR MODÈLE – **FINIR**]

bloquer v. tr.
Immobiliser. *Bloquer une porte.* **SYN.** coincer, immobiliser.
Conjugaison [VOIR MODÈLE – **AIMER**]

blottir (se) v. pronom.
Se cacher en se repliant sur soi. *Le chat s'est blotti au creux de ses bras.* **SYN.** se pelotonner.
Le participe passé de ce verbe qui n'existe qu'à la forme pronominale s'accorde toujours avec le sujet du verbe.
Conjugaison [VOIR MODÈLE – **FINIR**]

blouse n. f.
1. Vêtement de travail. *Les élèves mettent une blouse pour faire de la peinture.*
2. Chemisier. *Une blouse de coton.*

blouser v. intr.
Bouffer à la taille. *Cette robe blouse joliment.*
Conjugaison [VOIR MODÈLE – **AIMER**]

blouson n. m.
Veste resserrée aux hanches. *Il lui a offert un beau blouson noir en cuir.*

blue-jean ou **blue-jeans** n. m.
Pantalon de toile bleue très solide. *Des blue-jean(s), un blue-jean.*
Aujourd'hui, l'emploi du mot ***jean(s)*** est plus fréquent.

boa n. m.
1. Gros serpent non venimeux. *Des boas constricteurs.*
2. Parure en plumes. *Elle portait un boa rose qui bougeait gracieusement.*

bobard n. m.
(FAMILIER) Mensonge.
bodar**d.**

bobine n. f.
Cylindre servant à l'enroulement d'un fil, d'un ruban, etc. *Des bobines de film.*

bobinette n. f.
(VIEUX) Pièce de bois maintenue par une chevillette, qui servait autrefois à fermer les portes.

bobsleigh n. m.
Les lettres ***ei*** se prononcent ***é*** [bɔbslɛ].
Traîneau articulé avec lequel on glisse sur des pistes de glace aménagées. *Des bobsleighs très rapides.*

bocal n. m. (pl. *bocaux*)
Contenant de verre à large goulot. *Un bocal de confiture.*
Ne pas confondre avec les noms suivants :
– ***jarre,*** grand vase de terre cuite ;
– ***jatte,*** grand bol.

***body**
Anglicisme pour ***justaucorps.***

bœuf n. m. (pl. *bœufs*)
Ce mot se prononce ***beuf*** au singulier [bœf] et ***beu*** au pluriel [bø].
1. Mâle de l'espèce bovine qui a été châtré.
Pour la reproduction, on emploie un taureau qui donnera à la vache des veaux et des génisses.
VOIR TABLEAU – **ANIMAUX.**
2. Viande de cet animal. *Elle aime mieux le poulet que le bœuf.*

bohème adj. et n. m. et f.
Se dit d'une personne qui vit au jour le jour et refuse les normes de la société. *Un garçon bohème. Il mène une vie de bohème.*
Ne pas confondre avec le mot ***bohémien,*** qui se dit d'un membre d'une ethnie nomade européenne vivant dans des roulottes.
boh**è**me.

bohémien, ienne adj. et n. m. et f.
Se dit d'un membre d'une ethnie nomade européenne vivant dans des roulottes.
Ne pas confondre avec le mot ***bohème*** qui se dit d'une personne qui vit au jour le jour et qui refuse les normes de la société.
boh**é**mien.

boire v. tr., intr.
Verbe transitif
Avaler un liquide. *Boire du lait. La limonade qu'elle a bue était bien fraîche.*
Ce verbe se conjugue avec l'auxiliaire ***avoir.***
Verbe intransitif
Absorber un liquide. *Ce papier boit beaucoup.*
Locutions
Boire à la santé de quelqu'un. Porter un toast.
Ce n'est pas la mer à boire. Ce n'est pas très difficile.
Il pleut à boire debout. Pleuvoir à torrents.
Boire les paroles de quelqu'un. Écouter très attentivement.
Conjugaison [VOIR MODÈLE – **BOIRE**]

boire n. m.
Ce qu'on boit. *Le boire et le manger.*

bois n. m.
1. Lieu où poussent de nombreux arbres. *Les enfants ont fait une excursion dans le bois.* **SYN.** forêt.
2. Substance ligneuse des arbres. *Le bois du chêne et de l'érable sont des bois durs ; celui du pin est un bois mou. Un poêle à bois.*
3. (AU PLURIEL) Types de cornes du cerf, du chevreuil, de l'orignal.
Les bois tombent à certaines époques pour repousser ensuite.
Locutions
Faire flèche de tout bois. Mettre tout en œuvre pour gagner.
On n'est pas sorti du bois. Ne pas avoir réglé tous ses problèmes.
Toucher du bois. Faire un geste pour empêcher le mauvais sort.

boisé, ée adj. et n. m.
Adjectif
Garni, couvert d'arbres. *Une région boisée.*
Nom masculin
Terrain couvert d'arbres. *Le boisé du collège Brébeuf est rempli d'érables centenaires.*

boisement n. m.
Plantation d'arbres forestiers.

boiser v. tr.
Planter un lieu d'arbres.
Conjugaison [VOIR MODÈLE – **AIMER**]

boiserie n. f.
Travail de menuiserie. *Les boiseries de cet appartement ont été peintes.*

Indicatif

Présent		*Passé composé*		
je	bois	j'	ai	bu
tu	bois	tu	as	bu
elle	boit	elle	a	bu
il	boit	il	a	bu
nous	buvons	nous	avons	bu
vous	buvez	vous	avez	bu
elles	boivent	elles	ont	bu
ils	boivent	ils	ont	bu

Imparfait		*Plus-que-parfait*		
je	buvais	j'	avais	bu
tu	buvais	tu	avais	bu
elle	buvait	elle	avait	bu
il	buvait	il	avait	bu
nous	buvions	nous	avions	bu
vous	buviez	vous	aviez	bu
elles	buvaient	elles	avaient	bu
ils	buvaient	ils	avaient	bu

Passé simple		*Passé antérieur*		
je	bus	j'	eus	bu
tu	bus	tu	eus	bu
elle	but	elle	eut	bu
il	but	il	eut	bu
nous	bûmes	nous	eûmes	bu
vous	bûtes	vous	eûtes	bu
elles	burent	elles	eurent	bu
ils	burent	ils	eurent	bu

Futur simple		*Futur antérieur*		
je	boirai	j'	aurai	bu
tu	boiras	tu	auras	bu
elle	boira	elle	aura	bu
il	boira	il	aura	bu
nous	boirons	nous	aurons	bu
vous	boirez	vous	aurez	bu
elles	boiront	elles	auront	bu
ils	boiront	ils	auront	bu

Infinitif

Présent	*Passé*
boire	avoir bu

Subjonctif

Présent			*Passé*			
que	je	boive	que	j'	aie	bu
que	tu	boives	que	tu	aies	bu
qu'	elle	boive	qu'	elle	ait	bu
qu'	il	boive	qu'	il	ait	bu
que	nous	buvions	que	nous	ayons	bu
que	vous	buviez	que	vous	ayez	bu
qu'	elles	boivent	qu'	elles	aient	bu
qu'	ils	boivent	qu'	ils	aient	bu

Imparfait			*Plus-que-parfait*			
que	je	busse	que	j'	eusse	bu
que	tu	busses	que	tu	eusses	bu
qu'	elle	bût	qu'	elle	eût	bu
qu'	il	bût	qu'	il	eût	bu
que	nous	bussions	que	nous	eussions	bu
que	vous	bussiez	que	vous	eussiez	bu
qu'	elles	bussent	qu'	elles	eussent	bu
qu'	ils	bussent	qu'	ils	eussent	bu

Conditionnel

Présent		*Passé*		
je	boirais	j'	aurais	bu
tu	boirais	tu	aurais	bu
elle	boirait	elle	aurait	bu
il	boirait	il	aurait	bu
nous	boirions	nous	aurions	bu
vous	boiriez	vous	auriez	bu
elles	boiraient	elles	auraient	bu
ils	boiraient	ils	auraient	bu

Impératif

Présent	*Passé*	
bois	aie	bu
buvons	ayons	bu
buvez	ayez	bu

Participe

Présent	*Passé*
buvant	bu, ue
	ayant bu

boisson n. f.
Tout liquide que l'on peut boire. *Et comme boisson* (et non comme *breuvage)*?*
Locution
La boisson. Alcool. *S'adonner à la boisson.*

boîte n. f.
1. Contenant généralement muni d'un couvercle. *Une boîte à bijoux.*
2. Contenu d'une boîte. *Manger une boîte de biscuits.*
Locutions
Boîte aux lettres. Boîte où l'on dépose le courrier.
Boîte postale. Section d'un casier postal où le facteur dépose le courrier destiné à un particulier, à une entreprise.
La Société des postes du Canada recommande l'emploi du terme ***case postale.***
Boîte vocale. Répondeur téléphonique qui enregistre les messages des correspondants lorsque le destinataire n'est pas en mesure de répondre.
boî**t**e.

boitement n. m.
Action de boiter.
bo**i**tement, sans accent.

boiter v. intr.
Marcher en inclinant son corps plus d'un côté que de l'autre.
Conjugaison [VOIR MODÈLE – **AIMER**]
bo**i**ter, sans accent.

boiteux, euse adj. et n. m. et f.
1. Qui boite. *Une personne boiteuse.*
2. Qui n'est pas d'aplomb. *Une chaise boiteuse.*
bo**i**teux, sans accent.

boîtier n. m.
Petit coffre à compartiments. *Un boîtier qui ferme à clé.*
bo**î**tier.

boitillement n. m.
Boitement léger.
bo**i**tillement, sans accent.

boitiller v. intr.
Boiter légèrement.
Conjugaison [VOIR MODÈLE – **AIMER**]
Les lettres ***ill*** sont suivies d'un ***i*** à la première et à la deuxième personne du pluriel de l'indicatif imparfait et du subjonctif présent. *(Que) nous boitillions, (que) vous boitilliez.*
bo**i**tiller, sans accent.

bol n. m.
1. Tasse sans anse. *Un bol de café.*
2. Contenu d'un bol. *Prendre un bol de soupe.*
Locution
En avoir ras le bol. (FAMILIER) En avoir assez, être excédé.
Forme fautive
*bol de toilettes. Anglicisme pour ***cuvette.***

boléro n. m.
1. Corsage. *Des boléros colorés.*
2. Danse espagnole.

bolet n. m.
Champignon dont certaines espèces sont comestibles.

bolide n. m.
Véhicule qui va très vite.
Locution
Comme un bolide. Très vite. *Je ne lui ai pas parlé : il est passé comme un bolide.*

bolivien, ienne adj. et n. m. et f.
De Bolivie. *Le drapeau bolivien. Un Bolivien, une Bolivienne.*
L'adjectif s'écrit avec une minuscule ; le nom, avec une majuscule.

bolo n. m.
Jouet constitué d'une palette de bois à laquelle est fixée une petite balle de caoutchouc au moyen d'un élastique.

bombardement n. m.
Action de bombarder. *Il y a des bombardements terribles sur la ville assiégée.*

bombarder v. tr.
1. Faire tomber des obus, des bombes sur un objectif.
2. (FIGURÉ) Lancer de nombreux projectiles sur quelqu'un, quelque chose. *On les bombarda de tomates.*
Conjugaison [VOIR MODÈLE – **AIMER**]

bombe n. f.
1. Engin explosif. *Une bombe à retardement.*
2. Récipient métallique contenant un liquide sous pression. *Des bombes de peinture.*
3. Casquette protectrice des cavaliers. *Pour aller à cheval, Julien met sa bombe.*

bombé, ée adj.
Arrondi. *Un couvercle bombé.*

bomber v. tr., intr.
Verbe transitif
1. Rendre convexe. *Bomber la poitrine.* **SYN.** gonfler.
2. Écrire à la bombe aérosol. *Bomber un graffiti.*
Verbe intransitif
Devenir convexe. *Le mur bombe.*
Conjugaison [VOIR MODÈLE – **AIMER**]

bombyx n. m.
Le mot rime avec ***rixe,*** [bɔ̃biks].
Papillon du ver à soie.
bomb**yx.**

bôme n. f.
Mât horizontal auquel est fixé une voile. *La bôme* (et non le *boom) *d'un voilier.*
HOM. baume, résine odoriférante.
b**ô**me.

bon, bonne adj. et n. m. et f.
Devant une voyelle ou un ***h*** muet, le ***n*** final de ***bon*** se prononce, et le mot rime avec ***donne.***
Adjectif
1. Qui a les qualités nécessaires, qui est satisfaisant, en parlant d'une chose. *Un bon ordinateur, une bonne voiture, de bons livres.*
2. Qui a les qualités requises, en parlant d'une personne. *Un bon élève, une bonne pianiste.*
3. Qui aime à faire le bien, qui est conforme à la raison. *Avoir bon cœur. Une bonne conduite. Une bonne action.* **SYN.** généreux, humain.
4. Agréable. *Être de bonne humeur. Bonnes vacances !* **SYN.** plaisant.
5. Dont le goût est apprécié. *Du bon pain.* **SYN.** délicieux, savoureux, succulent.
6. Exact. *Une bonne réponse.* **SYN.** juste. **ANT.** faux.

Nom masculin
1. Ce qui est bon, valable. *Il y a du bon dans ce qu'il écrit.*
2. Autorisation écrite adressée à quelqu'un de fournir un objet ou de verser des fonds. *Un bon de caisse, un bon de commande.*
Nom féminin
Domestique.
Locutions
Allons bon !, locution interjective. Marque une surprise désagréable. *Allons bon, tout est à recommencer !*
À quoi bon. À quoi cela sert-il ? *À quoi bon partir à l'aube ?*
Bon ! Interjection qui exprime la surprise. *Bon ! Ça ne marche pas ?*
Bon premier, bonne première. Au tout premier rang.
Le comparatif est ***meilleur***. *Cette élève est meilleure* (et non *plus bonne) *que son amie en mathématiques.*
Malgré cet emploi adverbial, l'adjectif prend la marque du genre et du nombre. *Elles se sont classées bonnes premières.*
Il est bon de. Il est nécessaire de, souhaitable de. *Il est bon d'attacher sa ceinture de sécurité.*
La locution est suivie de l'infinitif.
Il est bon que. Il est nécessaire de, souhaitable de. *Il est bon que vous veniez avec un peu d'avance.*
La locution est suivie du subjonctif.
Il fait bon. Il est agréable de. *Il fait bon dormir un peu le samedi matin.*
La locution est suivie de l'infinitif.
Pour de bon. Réellement. *Il est parti pour de bon.*
Sentir bon. Avoir une bonne odeur. *Ces pains sentent bon.*
Tenir bon. Résister, ne pas céder.
Pris adverbialement, ***bon*** est invariable.
HOM. bond, saut.

bonbon n. m.
Friandise. *Antoine a offert un bonbon à Françoise.*
bon**n**bon.

bonbonne n. f.
Grosse bouteille employée pour le transport d'un liquide. *Une bonbonne d'huile.*
On emploie le nom ***bouteille*** pour désigner le récipient métallique destiné au transport d'un gaz sous pression.
bo**n**bo**nn**e.

bonbonnière n. f.
Petite boîte à bonbons.
bo**n**bo**nn**ière.

bond n. m.
Saut. *Un bond très élevé au saut à la perche.*
Locutions
Faire faux bond. (FIGURÉ) Manquer à un engagement.
Faire un bond en avant. (FIGURÉ) Progresser. *Le télescope Hubble lancé dans l'espace a permis aux astronomes de faire un bond en avant.*
Ne faire qu'un bond. (FIGURÉ) Se précipiter. *Je ne fais qu'un bond et j'arrive tout de suite.* **SYN.** accourir, courir.
HOM. bon, qui aime à faire le bien.
bon**d.**

bondé, ée adj.
Plein jusqu'au bord. *Une voiture de métro bondée.*

bondir v. intr.
1. Faire des bonds. *Le fauve bondit sur sa proie.*
2. (FIGURÉ) S'élancer, se précipiter. *Elle bondit à sa rencontre.* **SYN.** courir.
Conjugaison [VOIR MODÈLE – **FINIR**]

bonheur n. m.
1. État moral de la personne heureuse. *Le p'tit bonheur.* (Félix Leclerc) *Tous nos vœux de bonheur ! criait-on aux nouveaux mariés.* **ANT.** malheur.
Ce nom comporte une idée de durée.
Ne pas confondre avec les noms suivants :
– ***gaieté,*** bonne disposition de l'humeur ;
– ***joie,*** émotion profonde et agréable, souvent courte et passagère ;
– ***plaisir,*** sensation agréable.
2. Chance. **ANT.** malchance.
Locutions
Au petit bonheur. Au hasard. *Il a choisi ses cadeaux au petit bonheur.*
Faire le bonheur de quelqu'un. Le rendre heureux. *Étienne et Marie-Ève font le bonheur de leurs parents.*
L'argent ne fait pas le bonheur. (Proverbe) La richesse ne rend pas nécessairement heureux.
Le malheur des uns fait le bonheur des autres. (Proverbe) Ce qui est mauvais pour certains peut être bon pour d'autres.
Par bonheur. Heureusement, par chance.
Porter bonheur. Favoriser la chance. *Pour certains, le chiffre sept porte bonheur.*

bonhomie n. f.
Bonté naturelle. *On choisit les Pères Noël généralement pour leur bonhomie.* **SYN.** bonté, simplicité.
bonho**m**ie.

bonhomme n. m. (pl. *bonshommes*)
1. (FAMILIER) Homme. *Ce bonhomme est très sympathique.* **SYN.** homme, monsieur.
Le féminin est **bonne femme** en ce sens.
2. (FAMILIER) Figure humaine simple. *Un bonhomme de neige. Dessiner des bonshommes.*
Locutions
Aller son petit bonhomme de chemin. Aller tranquillement.
Bonhomme Sept Heures. Personnage imaginaire redoutable dont on menace les enfants turbulents qui ne veulent pas aller au lit.
bonho**mm**e.

boniment n. m.
(FAMILIER) Baratin. *On a eu droit à son boniment de vendeur.*

bonjour n. m.
Formule de salutation utilisée pendant la journée. *Dire bonjour. Des bonjours polis.*
La formule de salutation la plus courante au moment du départ est ***au revoir !*** Au Québec, on dit souvent ***bonjour*** quand on rencontre une personne ou quand on la quitte.
Locution
Simple comme bonjour. Très facile. *C'est simple comme bonjour, il suffit d'appeler.*
bonjour, en un seul mot.

bonnement adv.
Tout bonnement. Tout simplement.

bonnet n. m.
Coiffure sans rebord. *Un bonnet de laine.*

bonsaï n. m.
Le ***s*** se prononce ***z*** [bɔnzaj] ou [bɔ̃zaj].
Arbre nain que l'on cultive en pot. *Au Jardin botanique de Montréal, il y a une belle collection de bonsaïs.*

Ce nom japonais signifie « arbre en pot ».
bon**saï.**

bon sens n. m.
Le ***s*** final se prononce et rime avec ***danse.***
Faculté naturelle de juger ce qui est raisonnable et d'agir en conséquence. *En agissant ainsi, elle a fait preuve de bon sens.* **SYN.** jugement, raison, sagesse.

bonsoir n. m.
Formule de salutation utilisée le soir. *Dire bonsoir. Des bonsoirs polis.*
Au moment du départ, on emploie aussi l'expression ***au revoir !***
bonsoir, en un seul mot.

bonté n. f.
1. Caractère d'une personne bonne. **SYN.** bienveillance, humanité. **ANT.** méchanceté.
2. (AU PLURIEL) Actes de gentillesse, d'amabilité. *Merci de toutes vos bontés.*

***bonus**
Anglicisme au sens de ***prime***, ***gratification.***

bonze n. m.
Moine bouddhiste.

***boom**
Anglicisme pour ***bôme.***

boomerang n. m.
Les lettres ***oo*** se prononcent ***ou,*** le ***e*** est muet et le ***g*** se prononce [bumrɑ̃g].
Pièce courbée qui revient à son point de départ. *François sait lancer les boomerangs.*

bord n. m.
1. Extrémité d'une surface. *Le bord de la table.* **SYN.** contour, côté, limite, périphérie.
2. Rivage. *Le bord de mer.* **SYN.** côte, rivage.
3. Chaque côté du navire. *Il est tombé par-dessus bord. Le vent a viré de bord.*
Locutions
À bord de (un véhicule), locution adverbiale. Dans. *Les jeunes ont fait le voyage à bord d'un autocar.*
Au bord, locution adverbiale. À proximité. *Au bord de la route.*
Au bord, locution adverbiale. Sur le point de. *Être au bord des larmes.*
Être du bord de. Être de l'avis de, du parti de. *Es-tu de mon bord ou du sien ?*
Journal de bord. Registre où l'on note les faits importants d'un voyage, d'une activité.
Prendre le bord. (FAMILIER) S'enfuir.
Sur les bords, locution adverbiale. (FAMILIER) Légèrement. *Il est vantard sur les bords.*
Tableau de bord. Ensemble des appareils permettant à un conducteur de diriger son véhicule.
Virer son capot de bord. (FAMILIER) Changer d'avis, de parti.

bordée n. f.
Décharge de l'ensemble des canons d'un navire.
Locution
Bordée de neige. Chute de neige abondante.

border v. tr.
1. Garnir le bord de. *Border un col avec de la dentelle.*
2. Replier le bord des draps sous le matelas. *Border un enfant.*
Conjugaison [VOIR MODÈLE – **AIMER**]

bordure n. f.
Ce qui borde, lisière. *La bordure d'une nappe.*
Locution
En bordure de. Le long de, sur le bord. *Un terrain en bordure du lac.*

boréal, ale, als ou **aux** adj.
Du Nord. *Une aurore boréale.* **ANT.** austral.
Cet adjectif s'emploie surtout au singulier.

borgne adj. et n. m. et f.
Qui n'a qu'un œil.

borne n. f.
1. Pierre qui limite deux champs, qui sert à mesurer les distances. *Les bornes kilométriques.*
2. (AU PLURIEL) Limite. *Une volonté de dominer sans bornes.*
Locution
Dépasser les bornes. Aller au-delà de ce qui est convenable, exagérer.
Dans les expressions ***sans bornes, ne pas avoir de bornes,*** le nom ***borne*** se met au pluriel.

borné, ée adj.
1. Limité. *Un champ borné par une rivière.*
2. (FIGURÉ) Qui a l'esprit étroit. *Une personne bornée.* **ANT.** ouvert.

borne d'incendie n. f. (pl. *bornes d'incendie*)
Prise d'eau à l'usage des pompiers. **SYN.** bouche d'incendie.

borner v. tr., pronom.
Verbe transitif
Délimiter. *Borner un terrain.*
Verbe pronominal
Se limiter à. *Ils se sont bornés à une journée de congé.*
Conjugaison [VOIR MODÈLE – **AIMER**]

bosquet n. m.
Petit bois.

bosse n. f.
1. Proéminence causée par un choc. *Avoir une bosse au front.*
2. Protubérance naturelle de certains animaux. *Les bosses du chameau.*
3. (FAMILIER) Disposition naturelle. *Elle a la bosse des mathématiques.*

***bosser**
Anglicisme au sens de ***diriger, commander.***

bossu, ue adj. et n. m. et f.
Qui a une bosse au dos.

botanique adj. et n. f.
Adjectif
Relatif à la science des plantes. *Jardin botanique.*
Nom féminin
Science des végétaux. *Elle étudie la botanique.*
bota**n**ique.

botaniste n. m. et f.
Spécialiste de la botanique. *Le frère Marie-Victorin a été un grand botaniste.*
bota**n**iste.

botte n. f.
1. Chaussure qui protège le pied et la jambe. *Des bottes de caoutchouc.*
2. Assemblage. *Une botte de fleurs, de paille.*
3. Coup d'épée. *Une botte difficile à parer.*

botter v. tr.
1. Mettre des bottes à quelqu'un.
2. (FAMILIER) Donner un coup de pied.
Conjugaison [VOIR MODÈLE – **AIMER**]

bottier n. m.
bottière n. f.
Personne qui fabrique et vend des chaussures sur mesure.

bottillon n. m.
Chaussure fourrée qui couvre le pied et la cheville. *Des bottillons de ski.*
bottillon.

bottin n. m.
1. Annuaire téléphonique.
2. Recueil de noms et de numéros de téléphone d'un quartier, d'un secteur d'activité, etc.

bottine n. f.
Petite botte couvrant le pied et la cheville.
Locution
Avoir les deux pieds dans la même bottine. (FAMILIER) Être maladroit, peu débrouillard.
bottine.

bouc n. m.
Le **c** se prononce [buk].
1. Mâle de la chèvre. *Les boucs ne sentent pas bon.*
VOIR TABLEAU – **ANIMAUX.**
2. Barbiche. *Le professeur Tournesol porte un bouc.*
Locution
Bouc émissaire. Personne que l'on charge des fautes commises par autrui.

boucan n. m.
(FAMILIER) Tapage.

boucane n. f.
(FAMILIER) Fumée. *Qu'il y a beaucoup de boucane dans cette pièce ! Aérez donc !*

boucaner v. tr.
Faire sécher à la fumée de la viande, du poisson. **SYN.** fumer.
Conjugaison [VOIR MODÈLE – **AIMER**]

bouchage n. m.
Action de boucher.

bouche n. f.
1. Orifice du visage par où passent l'air, les aliments, la voix. *Ouvrir la bouche.*
On emploie le nom ***gueule*** pour désigner la bouche des carnassiers, des fauves. *La gueule d'un lion, d'un crocodile, d'un chien, d'un requin.* Pour un cheval, un chameau, un bœuf, un éléphant, un poisson et en général pour les animaux de selle, de trait, on utilise le nom ***bouche.*** Pour désigner la bouche humaine, le nom ***gueule*** est vulgaire ; dans un style soigné, on évitera de l'employer.
2. Ouverture, entrée. *Une bouche de métro. Une bouche d'aération.*
3. Embouchure. *Les bouches du Saint-Laurent.*
Locutions
Avoir l'eau à la bouche. (FIGURÉ) Se régaler à l'avance d'un bon plat.
Bouche cousue. (FIGURÉ) En promettant de garder le secret.
Bouche d'incendie. Prise d'eau à l'usage des pompiers.
De bouche à oreille. (FIGURÉ) Par la rumeur, sans publicité.

bouché, ée adj.
1. Bloqué. *Le tuyau est bouché.* **SYN.** obstrué.
2. (FIGURÉ) Borné. *Un esprit bouché.*

bouche-à-bouche n. m. inv. (pl. *bouche-à-bouche*)
Procédé de réanimation par lequel le sauveteur souffle de l'air dans la bouche de la personne asphyxiée, noyée, etc. *Tenter le bouche-à-bouche pour ranimer une personne asphyxiée.*
Ne pas confondre avec l'expression ***de bouche à oreille*** qui signifie « par la rumeur ». *Cette nouvelle s'est transmise de bouche à oreille.*

bouchée n. f.
Quantité d'aliments qu'on met dans la bouche en une seule fois. *Une bouchée de viande.*
Locutions
Mettre les bouchées doubles. (FIGURÉ) Aller plus vite.
Pour une bouchée de pain. (FIGURÉ) Pour presque rien.
HOM.
– **boucher**, fermer une ouverture ;
– **boucher**, personne qui vend de la viande.

boucher n. m.
bouchère n. f.
Personne qui vend de la viande. *Quelle aimable bouchère !*
HOM.
– **bouchée**, quantité d'aliments qu'on met dans la bouche en une seule fois ;
– **boucher**, fermer une ouverture.

boucher v. tr., pronom.
Verbe transitif
Fermer une ouverture. *Papa a bouché la fissure du mur.*
Verbe pronominal
Se bloquer. *Les conduits se sont bouchés.* **SYN.** s'obstruer.
HOM.
– **bouchée**, quantité d'aliments qu'on met dans la bouche en une seule fois ;
– **boucher**, personne qui vend de la viande.
Conjugaison [VOIR MODÈLE – **AIMER**]

boucherie n. f.
1. Commerce de la viande. *Le secteur de la boucherie est actif.*
2. Boutique du boucher. *Papa est allé à la boucherie pour acheter du foie de veau.*
3. (FIGURÉ) Massacre, tuerie. *Cette guerre est une vraie boucherie.*

bouche-trou n. m. (pl. *bouche-trous*)
Personne qui comble une place vide. *Annie n'aime pas être un bouche-trou.*

bouchon n. m.
1. Pièce servant à boucher l'orifice d'une bouteille, d'un bocal. *Un bouchon de liège.*
2. Poignée de foin, de paille. *Julien frotte son cheval avec un bouchon.*
3. (FIGURÉ) Ce qui bloque. *Bouchon de circulation.*
Ne pas confondre avec le nom ***capsule,*** couvercle de métal qui sert à fermer une bouteille.

bouchonner v. tr.
Frotter un cheval avec un bouchon de paille.
Conjugaison [VOIR MODÈLE – **AIMER**]

boucle n. f.
1. Anneau servant à tendre une courroie, une ceinture. *Une boucle de ceinture.*
2. Bijou en forme d'anneau. *Des boucles d'oreilles.*

3. Ce qui est en forme d'anneau. *Une boucle de cheveux. Elle a fait une belle boucle avec un ruban vert.*

boucler v. tr., intr.
Verbe transitif
1. Attacher avec une boucle. *Il faut boucler sa ceinture de sécurité.*
2. Équilibrer. *Boucler le budget.*
3. Entourer militairement. *Boucler une région.*
Verbe intransitif
Prendre la forme d'une boucle. *Ses cheveux bouclent naturellement.*
Conjugaison [VOIR MODÈLE – **AIMER**]

bouclette n. f.
Petite boucle. *Fanny a des bouclettes brunes.*

bouclier n. m.
Arme pour parer les coups. *Les policiers se protègent des pierres avec leur bouclier.*

bouder v. tr., intr.
Verbe transitif
Se détourner de quelqu'un, de quelque chose. *Bouder le sport.*
Verbe intransitif
Témoigner de la mauvaise humeur. *L'enfant boude dans sa chambre. Elle boude constamment contre son frère.* **SYN.** être maussade.
Conjugaison [VOIR MODÈLE – **AIMER**]

bouderie n. f.
Action de bouder. *Cesse tes bouderies ! Viens jouer avec nous.* **SYN.** caprice, mauvaise humeur.

boudeur, euse adj. et n. m. et f.
Qui a le défaut de bouder.

boudin n. m.
Charcuterie à base de sang et de gras de porc que l'on met dans un boyau.

boudoir n. m.
Petit salon. *Madame prend le thé dans son boudoir.*
À l'origine, le boudoir était une petite pièce où l'on pouvait se retirer pour bouder.

boue n. f.
Mélange d'eau et de terre. *Les enfants ont joué dans la boue.*
Au Québec, on dit aussi familièrement ***bouette.***
HOM. bout, extrémité.

bouée n. f.
1. Corps flottant destiné à prévenir la noyade. *Une bouée de sauvetage.*
2. Corps flottant servant à signaler un danger, un chenal, etc. *Une bouée lumineuse.*

boueux, euse adj.
Plein de boue. *Enlève tes bottes boueuses en entrant dans la maison.*

bouffant, ante adj.
Qui paraît gonflé. *Une jupe bouffante.*
bou**ff**ant.

bouffe n. f.
(FAMILIER) Aliments, repas.
Ce nom est familier ; dans un style soigné, on écrira plutôt ***nourriture, repas.***
bou**ff**e.

bouffée n. f.
1. Souffle qui arrive brusquement. *Une bouffée de froid.*
2. Accès passager. *Une bouffée de colère.*
bou**ff**ée.

bouffer v. tr., intr.
Verbe transitif
(FAMILIER) Manger.
Ce verbe est très familier ; dans un style soigné, on écrira plutôt ***manger, se nourrir.***
Verbe intransitif
Se gonfler. *Faire bouffer ses cheveux.*
Conjugaison [VOIR MODÈLE – **AIMER**]
bou**ff**er.

bouffi, ie adj.
Enflé. *Il est fatigué et ses traits sont bouffis.*
bou**ff**i.

bouffon, onne adj. et n. m.
Adjectif
Amusant, grotesque. *Une pièce de théâtre bouffonne.* **SYN.** cocasse, drôle.
Nom masculin
Acteur comique, personnage de farce. *Le bouffon a bien fait rire les spectateurs.* **SYN.** amuseur, clown.
bou**ff**on.

bouffonnerie n. f.
Plaisanterie assez grosse.
bou**ff**onnerie.

bougeoir n. m.
Chandelier sans pied, généralement muni d'un anneau.
boug**e**oir.

bougeotte n. f.
(FAMILIER) Manie de bouger sans cesse, de voyager souvent. *Ils ont la bougeotte : ils ne restent pas en place deux minutes.*
boug**e**o**tt**e.

bouger v. tr., intr.
Verbe transitif
Changer de place. *Tous les jeudis, elle bougeait les meubles pour nettoyer.* **SYN.** déplacer, remuer.
Verbe intransitif
Se mouvoir, remuer. *Ne bougez plus, le petit oiseau va sortir.*
Conjugaison [VOIR MODÈLE – **CHANGER**]
Le ***g*** est suivi d'un ***e*** devant les lettres ***a*** et ***o***. *Il bougea, nous bougeons.*

bougie n. f.
1. Cylindre de cire muni d'une mèche pour donner de l'éclairage. *Souffler les bougies d'un gâteau d'anniversaire.*
Le mot ***bougie*** tend à remplacer ***chandelle*** qui est vieilli en ce sens.
2. Pièce d'un moteur à explosion qui sert à l'allumage.

bougon, onne adj.
(FAMILIER) Grognon.

bougonner v. intr.
(FAMILIER) Murmurer entre ses dents. **SYN.** grogner, ronchonner.
Conjugaison [VOIR MODÈLE – **AIMER**]

bouillabaisse n. f.
Mets provençal composé de poissons cuits dans du vin blanc et fortement épicés.
bou**ill**abai**ss**e.

bouillant, ante adj.
1. En ébullition. *De l'eau bouillante.*
2. Très chaud. *La soupe est bouillante ; laisse-la refroidir un peu.*

bouilli, ie adj. et n. m.
Adjectif
Qu'on a fait bouillir. *Des pommes de terre bouillies.*
Nom masculin
Plat composé de viande et de légumes bouillis. *Viens goûter mon bon bouilli de bœuf.* SYN. pot-au-feu.
bou**ill**i.

bouillie n. f.
Purée de lait et de farine. *Le bébé ne veut plus manger sa bouillie.*
Locutions
C'est de la bouillie pour les chats. Cela n'a aucun sens, c'est absurde.
En bouillie. (FAMILIER) Complètement détruit. *Ma bicyclette est en bouillie.* SYN. démoli, écrabouillé, écrasé.
bou**ill**ie.

bouillir v. tr., intr.
Verbe transitif
Amener un liquide à ébullition. *Il faut bouillir l'eau 20 minutes avant de la boire.*
Verbe intransitif
1. Être en ébullition. *Le lait bout* (et non *bouillit, *bouille).
2. (FIGURÉ) S'impatienter, s'emporter. *Après deux heures d'attente, Alain bouillait d'impatience.*
Conjugaison [VOIR MODÈLE – **BOUILLIR**]
bou**ill**ir.

bouilloire n. f.
Récipient destiné à faire bouillir de l'eau. *Une bouilloire électrique en forme de pêche.*
bou**ill**oire.

bouillon n. m.
1. Bulles d'un liquide en ébullition. *Cuire à gros bouillons.*
2. Jus de viande, de légumes. *Ils ont pris un bon bouillon bien chaud.*
bou**ill**on.

bouillonnant, ante adj.
Qui bouillonne. *Des flots bouillonnants.*
bou**ill**o**nn**ant.

bouillonnement n. m.
Mouvement d'un liquide qui bout.
bou**ill**o**nn**ement.

bouillonner v. intr.
1. Produire des bouillons. *L'eau bouillonnait.*
2. (FIGURÉ) S'agiter violemment. *Ses parents bouillonnaient de colère, car Alain avait fait une grosse bêtise.* SYN. s'emporter.
Conjugaison [VOIR MODÈLE – **AIMER**]
bou**ill**o**nn**er.

bouillotte n. f.
Récipient que l'on remplit d'eau bouillante pour réchauffer un lit.
bou**ill**o**tt**e.

boul.
Abréviation de ***boulevard.***

boulanger n. m.
boulangère n. f.
Personne qui fait et vend le pain.

boulangerie n. f.
Boutique où l'on cuit et vend le pain. *La bonne odeur du pain chaud parfume la boulangerie.*

boule n. f.
Corps rond. *Une boule de neige. Un cornet à trois boules.*
SYN. sphère.
Locutions
Avoir les nerfs en boule. Être très énervé.
Avoir une boule dans la gorge. Avoir la gorge serrée par l'émotion.
Boule de neige. Balle formée avec de la neige. *Lancer des boules de neige.* SYN. ⚜ balle de neige.
Perdre la boule. Perdre la tête, devenir fou.

bouleau n. m. (pl. *bouleaux*)
Arbre à écorce blanche argentée. *Des bouleaux cernaient la propriété.*
HOM. **boulot**, travail.

bouledogue n. m.
Variété de chien de petite taille à museau aplati.
Ce nom est la forme francisée de l'anglais « bulldog ».

boulet n. m.
1. Projectile dont on chargeait les canons.
2. Boule de métal qu'on attachait aux pieds de certains condamnés.
3. (FIGURÉ) Obligation pénible. *Ces travaux sont un boulet pour lui.*

boulette n. f.
1. Petite boule. *Les enfants ont mangé des boulettes de steak haché.*
2. (FAMILIER) Bêtise. *Faire une boulette.*

boulevard n. m.
Abréviation ***bd***, ***b***[***d***] ou ***boul.*** (seule la dernière forme s'écrit avec un point).
Artère à grand débit de circulation reliant diverses parties d'un ensemble urbain et comportant habituellement au moins quatre voies, souvent séparées par un terre-plein. (Recomm. off. OLF) *Nous habitons boulevard des Laurentides.*

bouleversant, ante adj.
Émouvant. *Ces récits sont bouleversants.*

bouleversement n. m.
Action de bouleverser ; état qui en résulte.

bouleverser v. tr.
1. Modifier complètement de façon brutale. *L'horaire a été bouleversé par cet incident.* SYN. déranger.
2. Émouvoir violemment et péniblement. *Elle a été bouleversée par la nouvelle.* SYN. ébranler, secouer, troubler.
Conjugaison [VOIR MODÈLE – **AIMER**]

boulier n. m.
Appareil comportant des boules glissant sur des tiges et dont on se sert pour compter ou pour apprendre à compter.

boulon n. m.
Tige fixée par un écrou.
Ne pas confondre avec le nom ***vis,*** tige filetée qui se fixe sans écrou.

boulot, otte adj. et n. m.
Adjectif
(FAMILIER) Se dit d'une personne petite et rondelette. *Elle est un peu boulotte.* SYN. grassouillet, rond.

b

Indicatif

Présent	*Passé composé*
je bous	j' ai bouilli
tu bous	tu as bouilli
elle bout	elle a bouilli
il bout	il a bouilli
nous bouillons	nous avons bouilli
vous bouillez	vous avez bouilli
elles bouillent	elles ont bouilli
ils bouillent	ils ont bouilli

Imparfait	*Plus-que-parfait*
je bouillais	j' avais bouilli
tu bouillais	tu avais bouilli
elle bouillait	elle avait bouilli
il bouillait	il avait bouilli
nous bouillions	nous avions bouilli
vous bouilliez	vous aviez bouilli
elles bouillaient	elles avaient bouilli
ils bouillaient	ils avaient bouilli

Passé simple	*Passé antérieur*
je bouillis	j' eus bouilli
tu bouillis	tu eus bouilli
elle bouillit	elle eut bouilli
il bouillit	il eut bouilli
nous bouillîmes	nous eûmes bouilli
vous bouillîtes	vous eûtes bouilli
elles bouillirent	elles eurent bouilli
ils bouillirent	ils eurent bouilli

Futur simple	*Futur antérieur*
je bouillirai	j' aurai bouilli
tu bouilliras	tu auras bouilli
elle bouillira	elle aura bouilli
il bouillira	il aura bouilli
nous bouillirons	nous aurons bouilli
vous bouillirez	vous aurez bouilli
elles bouilliront	elles auront bouilli
ils bouilliront	ils auront bouilli

Infinitif

Présent	*Passé*
bouillir	avoir bouilli

Subjonctif

Présent	*Passé*
que je bouille	que j' aie bouilli
que tu bouilles	que tu aies bouilli
qu' elle bouille	qu' elle ait bouilli
qu' il bouille	qu' il ait bouilli
que nous bouillions	que nous ayons bouilli
que vous bouilliez	que vous ayez bouilli
qu' elles bouillent	qu' elles aient bouilli
qu' ils bouillent	qu' ils aient bouilli

Imparfait	*Plus-que-parfait*
que je bouillisse	que j' eusse bouilli
que tu bouillisses	que tu eusses bouilli
qu' elle bouillît	qu' elle eût bouilli
qu' il bouillît	qu' il eût bouilli
que nous bouillissions	que nous eussions bouilli
que vous bouillissiez	que vous eussiez bouilli
qu' elles bouillissent	qu' elles eussent bouilli
qu' ils bouillissent	qu' ils eussent bouilli

Conditionnel

Présent	*Passé*
je bouillirais	j' aurais bouilli
tu bouillirais	tu aurais bouilli
elle bouillirait	elle aurait bouilli
il bouillirait	il aurait bouilli
nous bouillirions	nous aurions bouilli
vous bouilliriez	vous auriez bouilli
elles bouilliraient	elles auraient bouilli
ils bouilliraient	ils auraient bouilli

Impératif

Présent	*Passé*
bous	aie bouilli
bouillons	ayons bouilli
bouillez	ayez bouilli

Participe

Présent	*Passé*
bouillant	bouilli, ie
	ayant bouilli

note | orthographe | *forme fautive

b

Nom masculin
(FAMILIER) Travail.
HOM. bouleau, arbre.

boum ! interj. et n. m.
Interjection
Onomatopée de ce qui tombe, explose.
Nom masculin
1. Bruit. *On a entendu des boums gigantesques.*
2. Développement considérable. *Le boum immobilier.*

bouquet n. m.
Assemblage de fleurs, d'herbes aromatiques. *Un bouquet de lilas.*
Locution
C'est le bouquet ! (FAMILIER) C'est le comble.

bouquin n. m.
(FAMILIER) Livre. *La bibliothécaire est toujours plongée dans ses bouquins.*
Ce nom est familier ; dans un style soigné, on écrira plutôt ***livre.***

bouquiner v. intr.
1. Consulter, rechercher de vieux livres.
2. (FAMILIER) Lire. *Elle adore bouquiner.*
3. S'accoupler, en parlant du lapin.
Conjugaison [VOIR MODÈLE – **AIMER**]

bouquiniste n. m. et f.
Marchand de vieux livres.

bourde n. f.
(FAMILIER) Bêtise, grosse erreur. **SYN.** bévue, gaffe.

bourdon n. m.
1. Insecte qui ressemble à l'abeille.
Le mâle de l'abeille est le ***faux bourdon.***
VOIR TABLEAU – **ANIMAUX.**
2. Grosse cloche d'une cathédrale, d'une basilique.
Ne pas confondre avec les noms suivants :
– ***carillon,*** groupe de petites cloches ;
– ***cloche,*** appareil sonore vibrant sous les coups d'un battant ;
– ***clochette,*** petite cloche ;
– ***sonnette,*** timbre, sonnerie électrique.

bourdonnant, ante adj.
Qui bourdonne. *L'école est bourdonnante d'activités.*

bourdonnement n. m.
Murmure sourd. *Le bourdonnement des abeilles, le bourdonnement d'un moteur.*

bourdonner v. intr.
Bruire sourdement. *L'abeille bourdonne.*
Conjugaison [VOIR MODÈLE – **AIMER**]

bourg n. m.
Gros village où se tiennent ordinairement des marchés.
bour**g.**

bourgade n. f.
Village assez étendu, mais dont les maisons sont espacées.

bourgeois, oise adj. et n. m. et f.
Adjectif
1. Qui appartient à la bourgeoisie.
2. Qui a des valeurs conservatrices. *Une mentalité bourgeoise.*
3. Simple et bon. *Cuisine bourgeoise.*
Nom masculin et féminin
Personne dont les revenus sont assez élevés et qui a une mentalité assez traditionnelle.
bourg**e**ois.

bourgeoisie n. f.
1. Classe des bourgeois.
2. Classe dominante.
bourg**e**oisie.

bourgeon n. m.
Bouton d'où sortent les feuilles, les fleurs. *Au printemps, les bourgeons sont bienvenus car ils annoncent la venue des feuilles.*
bourg**e**on.

bourgeonnement n. m.
Formation de bourgeons.
bourg**e**onnement.

bourgeonner v. intr.
Produire des bourgeons, en parlant d'une plante. *L'hiver achève, les arbres commencent à bourgeonner.*
Conjugaison [VOIR MODÈLE – **AIMER**]
bourg**e**onner.

bourrade n. f.
Coup brusque. *Une bourrade amicale.*

bourrage n. m.
1. Action de bourrer. *Le bourrage d'un coussin.*
2. Matière qui bourre.
Locution
Bourrage de crâne. Étude intensive axée uniquement sur la réussite aux examens.

bourrasque n. f.
Coup de vent violent et de courte durée. *Ces bourrasques soulèvent la neige et la visibilité est réduite.*
Ne pas confondre avec les noms suivants :
– ***cyclone,*** tempête caractérisée par un puissant tourbillon destructeur ;
– ***ouragan,*** vent très violent accompagné de pluie ;
– ***tornade,*** trombe de vent violent.

bourreau n. m. (pl. *bourreaux*)
Personne chargée d'exécuter la peine de mort. *Des bourreaux impassibles.*
Locution
Bourreau de travail. (FAMILIER) Travailleur acharné.

bourrelet n. m.
Pli arrondi de certaines parties du corps. *Un bourrelet à la taille.*

bourrer v. tr., pronom.
Verbe transitif
Remplir complètement en tassant. *Grand-papa bourre sa pipe de tabac.*
Verbe pronominal
(FAMILIER) Manger avec excès. *Les enfants se sont bourrés de chocolat.*
Conjugaison [VOIR MODÈLE – **AIMER**]

bourrique n. f.
1. Mauvais âne.
2. (FAMILIER) Personne bête et têtue.

bourru, ue adj.
D'un abord rude et renfrogné. *Merci, répondit-il d'un ton bourru.* **SYN.** désagréable, grognon. **ANT.** aimable, gentil.
bou**rr**u.

b

bourse n. f.
1. Petit sac destiné à contenir de l'argent. *Une bourse remplie de pièces d'or.*
2. Marché où se concluent des opérations sur des valeurs mobilières. *Jouer à la bourse, action cotée en bourse, à la Bourse de Montréal.*
Dans son deuxième sens, le nom ***bourse*** prend une majuscule s'il est déterminé par un nom propre.
Locution
Bourse d'études. Somme accordée à un étudiant.
Forme fautive
*bourse. Impropriété au sens de ***sac à main.***

boursier, ière adj. et n. m. et f.
Adjectif
Relatif à la bourse. *Des opérations boursières.*
Nom masculin et féminin
Personne qui jouit d'une bourse d'études.

boursouflé, ée adj.
Enflé. *À cause des médicaments qu'elle doit prendre, son visage est boursouflé.* **SYN.** bouffi, gonflé.
boursou**f**lé.

bousculade n. f.
Remous désordonnés d'une foule. *Il y a eu des bousculades quand les manifestants ont été dispersés.*

bousculer v. tr., pronom.
Verbe transitif
1. Heurter violemment (des personnes) par inadvertance. **SYN.** frapper.
2. Presser, brusquer. *Ne me bousculez pas, je ne peux travailler comme ça.*
3. Renverser. *Cette découverte a bousculé toutes les théories.* **SYN.** bouleverser, modifier, transformer.
Verbe pronominal
Se pousser, se heurter de façon désordonnée. *Ne vous bousculez pas pour monter dans l'autobus.*
Conjugaison [VOIR MODÈLE – **AIMER**]

bousiller v. tr., intr.
(FAMILIER) Démolir. *Julien a bousillé sa voiture téléguidée.*
Conjugaison [VOIR MODÈLE – **AIMER**]
Les lettres ***ill*** sont suivies d'un ***i*** à la première et à la deuxième personne du pluriel de l'indicatif imparfait et du subjonctif présent. *(Que) nous bousillions, (que) vous bousilliez.*

boussole n. f.
Cadran muni d'une aiguille aimantée et dont une des pointes indique le Nord, en vue de permettre au marin, au voyageur de s'orienter.
bou**ss**o**l**e, deux ***s***, un ***l***.

bout n. m.
1. Extrémité. *Le bout du bâton est peint en rouge. Le bout du tunnel.* **SYN.** fin.
2. Petit morceau. *Un bout de papier, des bouts de bois.* **SYN.** pièce.
Locutions
À tout bout de champ. Constamment.
Au bout du compte. Après tout.
Avoir un mot sur le bout de la langue. (FIGURÉ) Avoir un trou de mémoire à propos d'un mot tout en le connaissant.
Avoir, tenir le gros bout du bâton. (FIGURÉ) Être dans une position de force.
Être à bout. Être épuisé.
Joindre les deux bouts. (FIGURÉ) Équilibrer son budget.
Pousser à bout. Impatienter, provoquer la colère de quelqu'un. *Ne poussez pas à bout le professeur.*
Tenir le bon bout. (FIGURÉ) Être gagnant.
Venir à bout de. Triompher, l'emporter.
HOM. **boue**, mélange d'eau et de terre.
bou**t.**

boutade n. f.
Paroles dites pour s'amuser. *Rassure-toi, ce n'est qu'une boutade !* **SYN.** plaisanterie.

bout de chou n. m. (pl. *bouts de chou*)
Petit enfant.

boute-en-train n. m. inv. (pl. *boute-en-train*)
Personne enjouée qui anime une soirée, un groupe. *Elle est un vrai boute-en-train.*
Ce nom est toujours masculin.
bout**e**-en-train.

bouteille n. f.
1. Récipient destiné à contenir un liquide, un gaz sous pression. *Une bouteille de boisson gazeuse. Une bouteille consignée. Le plongeur descend sous l'eau avec sa bouteille* (et non sa *bonbonne) *d'oxygène.*
2. Contenu d'une bouteille. *Boire une bouteille de champagne.*

boutique n. f.
Lieu où un commerçant expose et vend sa marchandise. *Ce centre commercial regroupe 50 boutiques.*

bouton n. m.
1. Bourgeon. *Des boutons de rose.*
2. Petite pièce ronde qui sert à fixer un vêtement. *Des boutons de manchettes.*
3. Petite lésion de la peau. *L'herbe à puce donne des boutons.*
4. Commande d'un appareil. *Il suffit de tourner le bouton, et tout démarre.*

boutonner v. tr., intr., pronom.
Verbe transitif
Attacher au moyen de boutons. *Boutonne ton manteau, il fait froid.*
Verbe intransitif pronominal
Se fermer avec des boutons. *Cette robe boutonne* ou *se boutonne par-derrière.*
Ce verbe s'emploie à la forme intransitive ou, plus fréquemment, à la forme pronominale.
Conjugaison [VOIR MODÈLE – **AIMER**]

boutonneux, euse adj.
Qui a des boutons. *Un garçon boutonneux.*

boutonnière n. f.
Fente faite à un vêtement pour y passer un bouton.

bouton-pression n. m. (pl. *boutons-pression*)
Système de fermeture composé d'un petit bouton qui entre par pression dans un œillet métallique. *Un bouton-pression* (et non une *snap).

bouvreuil n. m.
Oiseau à gorge rose et à tête noire.

bovidés n. m. pl.
Le ***o*** est ouvert [bɔvide].
Famille de mammifères ruminants. *Le bœuf appartient à la famille des bovidés.*

bovin, ine adj. et n. m.
Le ***o*** est ouvert [bɔvɛ̃, in].

Qui se rapporte au bœuf. *Les espèces bovines. Les bovins (bœufs, vaches, veaux).*

***bowling**
Anglicisme au sens de ***jeu de quilles.***

box n. m.
Compartiment d'écurie. *Des boxes spacieux* ou *des box.*
Au pluriel, le nom s'orthographie ***box*** ou ***boxes.***

boxe n. f.
Lutte sportive à coups de poing. *C'est un champion de boxe.*

boxer v. tr., intr.
Verbe transitif
(FAMILIER) Frapper. *Il a boxé l'agresseur.*
Verbe intransitif
Pratiquer la boxe. *Il boxe depuis dix ans.*
Conjugaison [VOIR MODÈLE – **AIMER**]

boxer n. m.
Le ***r*** se prononce [bɔksɛr].
Chien de garde. *Des boxers bien dressés.*

boxeur n. m.
boxeuse n. f.
Personne qui pratique la boxe à titre d'amateur ou de professionnel.

boyau n. m. (pl. *boyaux*)
Intestin d'un animal.
Forme fautive
*boyau (d'arrosage). Au sens de ***tuyau*** (d'arrosage), ce nom est ancien.

BPC
Sigle de ***biphényles polychlorés.***

bracelet n. m.
Anneau qui se porte au bras, au poignet. *Un bracelet en argent. Le bracelet de sa montre est en cuir.*

braconner v. intr.
Chasser sans permis en temps ou en lieux interdits.
Conjugaison [VOIR MODÈLE – **AIMER**]
braco**nn**er.

braconnier, ière n. m. et f.
Personne qui braconne.
braco**nn**ier.

braguette n. f.
Ouverture verticale du pantalon, du short, sur l'avant du vêtement.

braillard, arde adj. et n. m. et f.
Qui ne cesse de pleurer, de se plaindre. *Ce bébé est braillard.* **SYN.** pleurnichard.
brai**ll**ar**d.**

braille n. m.
Système d'écriture, par points en relief, dont se servent les aveugles.
brai**ll**e.

brailler v. tr., intr.
1. Pleurer, crier bruyamment.
2. Crier, en parlant du paon.
Dans la francophonie, ce verbe s'emploie surtout en parlant d'un enfant ; au Québec, il est utilisé également en parlant d'une personne adulte.
Conjugaison [VOIR MODÈLE – **AIMER**]
Les lettres ***ill*** sont suivies d'un ***i*** à la première et à la deuxième personne du pluriel de l'indicatif imparfait et du subjonctif présent. *(Que) nous braillions, (que) vous brailliez.*
brai**ll**er.

braiment n. m.
Cri de l'âne.

braire v. intr.
Crier, en parlant de l'âne.
Conjugaison [VOIR MODÈLE – **SOUSTRAIRE**]
INDICATIF PRÉSENT *Il brait, ils braient.* IMPARFAIT *Il brayait, ils brayaient.* FUTUR *Il braira, ils brairont.* **CONDITIONNEL** PRÉSENT *Il brairait, ils brairaient.* **PARTICIPE** PASSÉ *Il a brait, ils ont brait.* PRÉSENT *Brayant.*
Ce verbe ne s'emploie qu'à l'infinitif et aux formes citées.

braise n. f.
Charbons ardents. *Catherine raffole des guimauves qu'elle fait griller sur la* ou *les braises du feu de camp.*
Locution
Des yeux de braise. Des yeux noirs et brillants.

braiser v. tr.
Faire cuire à feu doux.
Conjugaison [VOIR MODÈLE – **AIMER**]

brame ou **bramement** n. m.
Cri du cerf ou du daim.

bramer v. intr.
Crier, pour un cerf, un daim.
Conjugaison [VOIR MODÈLE – **AIMER**]

bran n. m.
1. Partie la plus grossière du son.
2. Sciure.
Locution
Bran de scie. Sciure de bois. *L'odeur du bran de scie est agréable.*
La prononciation * « brin » est fautive.

brancard n. m.
Civière à bras. *Les secouristes ont ramené le blessé sur un brancard.*

branchages n. m. pl.
Amas de branches. *Rapporte des branchages pour décorer la crèche de Noël.*

branche n. f.
1. Ramification de l'arbre. *L'oiseau est sur la branche.*
2. Division. *Les branches d'une science.*
Locution
À travers les branches. (FIGURÉ) Par des rumeurs, par ouï-dire. *Nous avons appris à travers les branches que M*[me] *Julien reviendrait enseigner en septembre.*

branché, ée adj.
(FAMILIER) À la mode. *Êtes-vous branché ?*

branchement n. m.
Action de brancher, de raccorder à un réseau. *Le branchement du téléphone.*

brancher v. tr., pronom.
Verbe transitif
Raccorder, mettre en communication. *Brancher l'appareil d'éclairage* (et non *connecter).

Verbe pronominal
1. Capter une émission d'un poste. *Ils se sont branchés sur Radio-Canada.*
2. ⚜ (FAMILIER) Se décider. *Branchez-vous les amis, nous sommes déjà en retard.*
Conjugaison [VOIR MODÈLE – **AIMER**]

branchies n. f. pl.
Organes de la respiration chez les poissons. *Les branchies d'un poisson.*

brandir v. tr.
Élever avant de lancer ou de frapper. *Brandir une arme.*
Conjugaison [VOIR MODÈLE – **FINIR**]

branlant, ante adj.
Qui manque de stabilité. *Un parapet branlant.*

branle-bas n. m. inv. (pl. *branle-bas*)
1. Préparatifs pour un combat naval. *Branle-bas de combat !*
2. Agitation générale. *Des branle-bas amusants.* **SYN.** bouleversement, remue-ménage.

branlement n. m.
Mouvement de ce qui branle.

branler v. tr., intr.
Verbe transitif
Agiter. *Il branlait la tête.* **SYN.** balancer.
Verbe intransitif
1. Commencer à osciller. *Sa dent branle.*
2. Être instable. *Cette chaise branle : il faudrait la réparer.*
Locution
Branler dans le manche. (FAMILIER) (FIGURÉ) N'être pas solide.
Conjugaison [VOIR MODÈLE – **AIMER**]

braquer v. tr., intr., pronom.
Verbe transitif
Diriger vers un point. *Braquer les yeux sur quelqu'un, braquer un revolver.*
Verbe intransitif
Faire tourner un véhicule. *Cette petite voiture braque bien.*
Verbe pronominal
(FAMILIER) Se dresser, se cabrer. *Il s'est braqué et personne n'a pu lui faire entendre raison.*
Conjugaison [VOIR MODÈLE – **AIMER**]

bras n. m.
Membre supérieur de l'être humain, qui est rattaché à l'épaule. *Ses bras sont musclés.*
Locutions
À bras. En n'employant que la force musculaire.
À bras-le-corps, locution adverbiale. En passant les deux bras autour du corps.
À bras ouverts. (FIGURÉ) Avec cordialité.
À tour de bras, à bras raccourcis. De toute sa force.
Bras dessus, bras dessous. En se donnant le bras.

brasier n. m.
Foyer d'incendie. *Les arbres en feu forment un énorme brasier.*

brasse n. f.
Nage sur le ventre où l'on étend les deux bras en avant pour les écarter ensuite simultanément.

brassée n. f.
Ce qu'on peut tenir dans les deux bras. *Une brassée de bois. Une brassée de linge.*

brasser v. tr.
Remuer. *Elle n'a pas brassé les cartes suffisamment.*
Conjugaison [VOIR MODÈLE – **AIMER**]

brasserie n. f.
1. Industrie de la fabrication de la bière.
2. Restaurant où l'on sert surtout de la bière.

brasseur n. m.
brasseuse n. f.
Personne qui fabrique et vend de la bière.

brassière n. f.
Vêtement de bébé fermé dans le dos.
Forme fautive
*brassière. Anglicisme au sens de ***soutien-gorge.***

bravade n. f.
Défi insolent. *Elle fit ce choix par bravade.*

brave adj. et n. m. et f.
1. Courageux. *Un chevalier très brave.* **SYN.** hardi, vaillant.
2. Bon, honnête. *Un brave gardien.*
Selon la place de l'adjectif, le sens varie : après le mot, il signifie « courageux », avant, il a le sens de « bon ».

bravement adv.
Avec bravoure.

braver v. tr.
Affronter sans crainte. *Ils ont bravé le danger.*
Conjugaison [VOIR MODÈLE – **AIMER**]

bravo interj. et n. m.
Interjection
Cette interjection marque l'approbation, l'admiration, l'enthousiasme.
Nom masculin
Applaudissement. *Des bravos retentissants.*
Le nom s'emploie généralement au pluriel.

bravoure n. f.
Courage. **SYN.** intrépidité.

brebis n. f.
Le ***s*** ne se prononce pas [brəbi].
Femelle du bélier.
VOIR TABLEAU – **ANIMAUX.**

brèche n. f.
Ouverture pratiquée dans un mur, une clôture.

bredouillage n. m.
Murmure. **SYN.** balbutiement, marmonnement.

bredouille adj.
Se dit d'une personne qui a échoué dans ses recherches (de gibier, à l'origine). *Elles sont revenues bredouilles.*

bredouiller v. tr., intr.
Parler rapidement en prononçant mal. *Anne a bredouillé la réponse.*
Conjugaison [VOIR MODÈLE – **AIMER**]
Les lettres ***ill*** sont suivies d'un ***i*** à la première et à la deuxième personne du pluriel de l'indicatif imparfait et du subjonctif présent. *(Que) nous bredouillions, (que) vous bredouilliez.*

bref, brève adj. et adv.
Adjectif
Court, concis. *Un texte bref.*
Adverbe
En définitive. *Bref, passons.*

breloque n. f.
Petit bijou qu'on fixe à une chaîne, à un bracelet.

brésilien, ienne adj. et n. m. et f.
Adjectif et nom masculin et féminin
Du Brésil. *La lambada est une danse brésilienne. Un Brésilien, une Brésilienne.*
L'adjectif s'écrit avec une minuscule ; le nom, avec une majuscule.
Nom masculin
Forme du portugais parlé au Brésil. *Jorge parle le brésilien.*
Le nom de la langue s'écrit avec une minuscule.

bretelle n. f.
1. (AU PLURIEL) Double bande élastique qui sert à soutenir un vêtement. *Les bretelles d'un soutien-gorge, d'un pantalon.*
2. Voie qui relie une autoroute avec le réseau routier ou avec une autre autoroute. (Recomm. off. OLF) *La voiture est tombée en panne à la sortie de la bretelle* (et non de la *rampe).

breton, onne adj. et n. m. et f.
Adjectif et nom masculin et féminin
De Bretagne. *Une crêpe bretonne. Un Breton, une Bretonne.*
L'adjectif s'écrit avec une minuscule ; le nom, avec une majuscule.
Nom masculin
Langue celtique. *Loïc parle le breton.*
Le nom de la langue s'écrit avec une minuscule.

breuvage n. m.
Médicament, philtre. *La sorcière lui a ordonné de boire un breuvage malodorant.*
Forme fautive
*breuvage. Anglicisme au sens de ***boisson.***

brevet n. m.
Titre, certificat, diplôme.
Locution
Brevet (d'invention). Document qui définit la propriété intellectuelle de l'inventeur et lui donne un droit exclusif d'exploitation d'une durée déterminée.

breveté, ée adj.
Le deuxième ***e*** est muet [brəvte].
Qui a obtenu un brevet, protégé par un brevet. *Un produit breveté.*

breveter v. tr.
Le deuxième ***e*** est muet [brəvte].
Protéger par un brevet. *Breveter une invention.*
Conjugaison [VOIR MODÈLE – **APPELER**]
Redoublement du ***t*** devant un ***e*** muet. *Je brevette, je brevetterai,* mais *je brevetais.*

bribe n. f.
Petite quantité. *Ils ont appris l'histoire par bribes.*

bric-à-brac n. m. inv. (pl. *bric-à-brac*)
Rassemblement de vieux objets.
Ce nom remplace avantageusement le calque *vente de garage.

bricolage n. m.
1. Passe-temps constitué par de petits travaux de réparation, de construction à la maison. *Le bricolage lui procure une grande détente.*
2. Travail peu soigné.

bricole n. f.
(FAMILIER) Objet sans valeur. **SYN.** babiole, machin, truc.

bricoler v. tr., intr.
Verbe transitif
Réparer sommairement. *Bricoler une serrure.*
Verbe intransitif
Exécuter des travaux manuels (aménagement, réparations). *Il adore bricoler : il a construit une belle terrasse dans son jardin.*
Conjugaison [VOIR MODÈLE – **AIMER**]

bricoleur, euse n. m. et f.
Personne qui aime exécuter de petits travaux manuels.

bride n. f.
Partie du harnais d'un cheval qui permet de le conduire.
Locutions
À bride abattue, locution adverbiale. (FIGURÉ) À toute vitesse.
À toute bride, locution adverbiale. (FIGURÉ) À toute vitesse.
Tenir la bride. (FIGURÉ) Ne pas tout permettre.

bridé, ée adj.
Locution
Yeux bridés. Yeux dont les paupières sont étirées latéralement.

bridge n. m.
Jeu de cartes qui réunit quatre joueurs.

brie n. m.
Fromage à pâte molle de Brie. *Une tartine de brie.*
Le nom qui désigne le fromage s'écrit avec une minuscule, tandis que le nom de la région de France s'écrit avec une majuscule.

brièvement adv.
Rapidement. *Veuillez nous exposer la situation le plus brièvement possible.*

brièveté n. f.
1. Courte durée. *La brièveté de l'été.*
2. Concision. *La brièveté d'un texte.*

brigade n. f.
1. Corps de police spécialisé dans un domaine particulier.
2. Petit détachement. *Une brigade de nettoyage.*

brigadier n. m.
brigadière n. f.
Officier, officière de rang supérieur.
Locution
Brigadier scolaire. Personne qui aide les enfants à traverser la rue aux intersections importantes.

brigand n. m.
Bandit.
Ce nom n'a pas de forme féminine.

brillamment adv.
D'une manière brillante, éclatante.

brillant, ante adj. et n. m.
Adjectif
1. Qui a de l'éclat. *Un fini brillant.* **SYN.** éclatant, étincelant, luisant.
2. De grande qualité. *Un esprit brillant.* **SYN.** remarquable.
Nom masculin
1. Éclat. *Le brillant de ses cheveux dorés.*
2. Diamant taillé, à facettes.

briller v. intr.
1. Projeter une lumière vive. *Le soleil brille.*
2. Se distinguer. *Il brillait par son absence.*

b

Conjugaison [VOIR MODÈLE – **AIMER**]
Les lettres ***ill*** sont suivies d'un ***i*** à la première et à la deuxième personne du pluriel de l'indicatif imparfait et du subjonctif présent. *(Que) nous brillions, (que) vous brilliez.*

brin n. m.
1. Tige menue. *Un brin d'herbe.*
2. Petite quantité. *Un brin de sel, s'il vous plaît.*

brindille n. f.
Petite branche. *Un feu de brindilles.*

brio n. m.
Entrain, vivacité. *Ils ont réussi avec brio.*

brioche n. f.
Pâtisserie. *Une brioche aux raisins.*

brique adj. inv. et n. f.
Nom féminin
Pierre rectangulaire d'argile cuite destinée à la construction.
Le nom ***brique*** est au pluriel si l'on considère les pierres cuites. *Un mur de briques rouges.* Il est au singulier s'il s'agit de la matière. *Un immeuble en brique.*
Adjectif de couleur invariable
D'un rouge foncé. *Des gants brique.*
VOIR TABLEAU – **COULEUR (ADJECTIFS DE).**

briquette n. f.
Petite brique composée de poussières de charbon et utilisée comme combustible. *Allume les briquettes du barbecue.*
brique**tt**e.

brise- préf.
Les mots composés avec le préfixe ***brise-*** s'écrivent avec un trait d'union. Au pluriel, le préfixe ***brise-,*** qui est un verbe, et le deuxième élément demeurent invariables.

brise n. f.
Vent léger. *La brise d'été fait des vaguelettes à la surface du lac.*

brisé, ée adj.
1. Mis en pièces.
2. Accablé. *Après cette journée, elle est brisée.*

brise-fer adj. et n. m. inv.
Se dit d'un enfant qui casse tout ce qu'il touche. *Ces enfants sont brise-fer. Des brise-fer insupportables.*

brise-glace ou **brise-glaces** n. m. inv. (pl. *brise-glace* ou *brise-glaces*)
Navire conçu pour la navigation dans les glaces.

briser v. tr., pronom.
Verbe transitif
Détruire, anéantir. *Briser de la vaisselle.*
Verbe pronominal
Se casser. *Le vase s'est brisé en mille morceaux.*
Conjugaison [VOIR MODÈLE – **AIMER**]

brise-tout n. m. et f. inv. (pl. *brise-tout*)
Maladroit. *Des brise-tout désagréables.*

britannique adj. et n. m. et f.
De Grande-Bretagne. *Le drapeau britannique. Un Britannique, une Britannique.*
L'adjectif s'écrit avec une minuscule ; le nom, avec une majuscule.

broche n. f.
1. Longue tige pointue. *Cuire un poulet à la broche.*
2. Bijou muni d'une épingle. *Une jolie broche avec des brillants.*
Forme fautive
*broche. Impropriété au sens de ***agrafe.***

brocher v. tr.
1. Relier un livre.
2. Tisser avec des fils d'or, d'argent.
Forme fautive
*brocher. Impropriété au sens de ***agrafer,*** assembler à l'aide d'agrafes.
Conjugaison [VOIR MODÈLE – **AIMER**]

brochet n. m.
Poisson carnivore d'eau douce. *Ils ont pêché un gros brochet dans le lac des Deux-Montagnes.*
broche**t.**

brochette n. f.
Petite broche sur laquelle on fixe des morceaux de viande, de poisson, de légumes pour les faire griller. *Une brochette d'agneau grillé.*

brocheuse n. f.
Machine qui sert au brochage des livres.
Forme fautive
*brocheuse. Impropriété au sens de ***agrafeuse.***

brochure n. f.
Court texte destiné à expliquer, à vendre. *Une brochure publicitaire* (et non un *pamphlet).

brocoli n. m.
Variété de chou-fleur. *Aimes-tu le brocoli gratiné au cheddar ?*

broder v. tr., intr.
Verbe transitif
Exécuter, avec l'aiguille, un dessin en relief sur une étoffe. *On a brodé des fleurs sur une nappe.*
Verbe intransitif
(FIGURÉ) Exagérer. *Ce récit est bien embelli : son auteur brode beaucoup.*
Conjugaison [VOIR MODÈLE – **AIMER**]

broderie n. f.
Décoration d'un tissu à l'aide de dessins tracés avec du fil. *Il y a de jolies broderies sur son col.*

brodeur n. m.
brodeuse n. f.
Personne qui exécute des travaux de broderie.

bronche n. f.
Nom des conduits qui acheminent l'air aux poumons. *Quand on a une bronchite, ce sont nos bronches qui sont malades.*

broncher v. intr.
Manifester son désaccord, réagir.
Le participe passé de ce verbe est invariable.
Locution
Sans broncher. Sans hésitation, sans manifester d'émotion.
Conjugaison [VOIR MODÈLE – **AIMER**]

bronchite n. f.
Inflammation des bronches.

broncho-pneumonie n. f. (pl. *broncho-pneumonies*)
Les lettres ***ch*** se prononcent ***k*** [brɔ̃kopnømɔni].
Inflammation des poumons et des bronches.

brontosaure n. m.
Reptile fossile de taille gigantesque, du groupe des dinosauriens.
bront**o**s**au**re.

bronzage n. m.
Action de bronzer, de brunir. *Alexandra a un beau bronzage : sa peau a été dorée par le soleil.*

bronze n. m.
1. Alliage de cuivre et d'étain. *Une statue en bronze.*
2. Œuvre d'art en bronze. *Un bronze magnifique de Rodin.*

bronzé, ée adj.
Dont le teint est cuivré par le soleil. *Ces nageurs sont très bronzés.* **SYN.** basané, hâlé.

bronzer v. tr., intr.
Verbe transitif
1. Hâler la peau. *Le soleil a bronzé son visage.* **SYN.** brunir.
2. Revêtir d'une couche de bronze.
Verbe intransitif
Se dit de la peau qui prend une teinte foncée. *En quelques jours, sa peau a beaucoup bronzé.*
Conjugaison [VOIR MODÈLE – **AIMER**]

brossage n. m.
Action de brosser. *Après un repas, un bon brossage des dents s'impose.*

brosse n. f.
Ustensile garni de poils durs qui sert au nettoyage.
Locutions
Brosse à dents. Brosse pour nettoyer les dents.
Dans ce nom composé, le nom ***dent*** s'écrit au pluriel.
Cheveux en brosse. Coupés ras, à la manière d'une brosse.

brosser v. tr.
1. Nettoyer avec une brosse. *Brosser ses souliers.*
2. Démêler à l'aide d'une brosse. *Brosser ses cheveux.*
3. Peindre. *Brosser un portrait.*
4. (FIGURÉ) Décrire d'une façon vive. *Il a brossé le tableau de son époque dans son œuvre.*
Conjugaison [VOIR MODÈLE – **AIMER**]

***broue**
Mot ancien pour ***mousse, écume.***

brouette n. f.
Petite voiture à une seule roue et à deux brancards destinée au transport. *La brouette du jardinier.*

brouhaha n. m.
Bruit confus produit par un groupe de personnes. *Des brouhahas assourdissants.*

brouillage n. m.
Action d'empêcher la réception d'un signal sonore, visuel. *Le brouillage d'une émission, d'un radar.*

brouillard n. m.
Amas de vapeurs d'eau qui flotte à proximité du sol (visibilité inférieure à 1 km). *Lorsqu'il y a du brouillard, la visibilité est réduite.*
Ne pas confondre avec les noms suivants :
– ***brume,*** brouillard léger (visibilité supérieure à 1 km); brouillard de mer;
– ***buée,*** vapeur d'eau qui se condense sur une surface froide;
– ***frimas,*** brouillard qui se congèle en tombant;
– ***nuage,*** masse vaporeuse de particules d'eau très fines qui flotte dans l'atmosphère.

brouille n. f.
Querelle. *Il y a une brouille entre eux.* **SYN.** mésentente.

brouiller v. tr., pronom.
Verbe transitif
1. Mettre pêle-mêle, mélanger. *Brouiller les pistes.*
2. Rendre imprécis. *La pluie brouille sa vue.*
3. Désunir. *Brouiller des voisins.*
Verbe pronominal
1. Devenir peu clair, confus. *La piste se brouille. Sa vue s'est brouillée.*
2. Cesser d'être amis. *Elles se sont brouillées.* **SYN.** se fâcher, se quereller.
Conjugaison [VOIR MODÈLE – **AIMER**]
Les lettres ***ill*** sont suivies d'un ***i*** à la première et à la deuxième personne du pluriel de l'indicatif imparfait et du subjonctif présent. *(Que) nous brouillions, (que) vous brouilliez.*

brouillon, onne adj. et n. m. et f.
Adjectif et nom masculin et féminin
Peu soigneux. *Un esprit brouillon. Quelle brouillonne !* **SYN.** désordonné.
Nom masculin
Premier jet d'un texte destiné à être mis au propre. *Voici le brouillon de ma rédaction.*

broussaille n. f.
Touffe de ronces, de branches. *Un feu de broussailles.*
Le nom s'emploie généralement au pluriel.
Locution
En broussaille. En désordre. *Il a la barbe en broussaille.*

broussailleux, euse adj.
Encombré de broussailles. *Des bois broussailleux.*

brousse n. f.
Savane africaine couverte de hautes herbes et de broussailles.

brouter v. tr.
Paître l'herbe, les feuilles. *La chèvre broute l'herbe tendre au printemps.*
Conjugaison [VOIR MODÈLE – **AIMER**]

broutille n. f.
Fait peu important. *Ne vous querellez pas pour si peu : ce ne sont que des broutilles !* **SYN.** détail, rien.
Ce nom s'emploie surtout au pluriel.

***brownie**
Anglicisme pour ***carré au chocolat.***

broyage n. m.
Action de broyer; son résultat. *Le broyage du minerai.*

broyer v. tr.
1. Piler, réduire en miettes. *Broyer du poivre.*
2. Écraser sous une masse très lourde. *La voiture a été broyée par ce gros camion.*
Locution
Broyer du noir. (FIGURÉ) Être déprimé.
Conjugaison [VOIR MODÈLE – **EMPLOYER**]
Le ***y*** se change en ***i*** devant un ***e*** muet. *Il broie, il broyait.*
Le ***y*** est suivi d'un ***i*** à la première et à la deuxième personne du pluriel de l'indicatif imparfait et du subjonctif présent. *(Que) nous broyions, (que) vous broyiez.*

broyeur n. m.
Instrument servant à broyer. *Un broyeur de rebuts.*

brrr ! interj.
Exprime le froid, la peur.

brugnon n. m.
Variété de pêche à peau lisse dont le noyau est adhérent.
Dans le cas de la ***nectarine,*** le noyau n'adhère pas.

bruine n. f.
Pluie fine et froide.

bruiner v. impers.
Tomber de la bruine. *En novembre, il bruine souvent dans cette région.*
Conjugaison [VOIR MODÈLE – **AIMER**]

bruissement n. m.
Frémissement. *Le bruissement des feuilles sous le vent d'été.*

bruit n. m.
1. Son. *Le bruit du tonnerre, du tambour.*
2. Tumulte, agitation. *Loin du bruit de la ville.* **SYN.** brouhaha, rumeur, tintamarre, vacarme. **ANT.** silence.
3. Rumeur. *Le bruit court.* **SYN.** nouvelle.
Locution
Faire du bruit. (FIGURÉ) Se dit de choses dont on parle beaucoup. *Le film a fait beaucoup de bruit.*

bruitage n. m.
Action de créer des bruits (au cinéma, au théâtre, etc.).

bruiteur n. m.
bruiteuse n. f.
Personne chargée du bruitage.

brûlant, ante adj.
1. Qui brûle. *Attention, l'assiette est brûlante !* **SYN.** chaud.
2. (FIGURÉ) Ardent. *Un regard brûlant de passion.* **SYN.** enflammé.
3. Actuel, qui excite les passions. *La question est brûlante d'actualité. Un problème brûlant.* **SYN.** sensible.
br**û**lant.

brûlé, ée adj. et n. m. et f.
Adjectif
Qui a flambé. **SYN.** incendié.
Nom masculin et féminin
Personne qui souffre de brûlures. *Un grand brûlé.*
Nom masculin
Odeur d'une chose brûlée. *La cuisine sent le brûlé.*
br**û**lé.

***brûlement**
Mot ancien pour ***brûlure d'estomac.***

brûle-pourpoint (à) loc. adv.
Brusquement. **SYN.** tout à coup.
br**û**le-pourpoint.

brûler v. tr., intr., pronom.
Verbe transitif
1. Détruire par le feu. *Brûler du petit bois dans la cheminée.* **SYN.** incendier.
2. Endommager par la chaleur, le feu, les produits chimiques. *Il a brûlé sa chemise en la repassant.*
Verbe intransitif
1. Être consumé par le feu. *Le bateau brûle. Le gâteau a brûlé.*
2. Causer une sensation de brûlure, piquer. *Félix a du shampoing dans les yeux : ça brûle ! hurle-t-il.*
3. (FIGURÉ) Avoir un grand désir. *Je brûle d'être en vacances.*
Verbe pronominal
Être brûlé, toucher à un objet très chaud. *Elle s'est brûlé la main.*
Attention à l'accord du participe passé du pronominal qui demeure invariable si le complément d'objet direct suit. *Elle s'est brûlé quoi ? la main.* Dans cette phrase, le complément d'objet direct est placé après le verbe. Par contre, le participe passé s'accorde avec le complément d'objet direct qui vient avant le verbe. *La main qu'elle s'est brûlée.*
Conjugaison [VOIR MODÈLE – **AIMER**]
br**û**ler.

brûlerie n. f.
Magasin où l'on grille le café.
br**û**lerie.

brûleur n. m.
Appareil assurant le mélange d'un combustible. *Le brûleur du chauffe-eau est défectueux.*
br**û**leur.

brûlot n. m.
Petit insecte dont la piqûre provoque une sensation de brûlure suivie de démangeaisons.
br**û**lot.

brûlure n. f.
1. Lésion causée par l'action du feu, d'une chaleur excessive, d'une substance corrosive. *L'explosion a provoqué des brûlures graves à plusieurs spectateurs.*
2. Douleur semblable à celle qui est causée par une brûlure. *Avoir des brûlures d'estomac* (et non des *brûlements d'estomac).
br**û**lure.

brume n. f.
1. Brouillard léger (visibilité supérieure à 1 km).
2. Brouillard de mer.
Ne pas confondre avec les noms suivants :
– ***brouillard,*** amas de vapeurs d'eau qui flotte à proximité du sol (visibilité inférieure à 1 km) ;
– ***buée,*** vapeur d'eau qui se condense sur une surface froide ;
– ***frimas,*** brouillard qui se congèle en tombant ;
– ***nuage,*** masse vaporeuse de particules d'eau très fines qui flotte dans l'atmosphère.

brumeux, euse adj.
Couvert de brume. *Un temps brumeux.*
brumeu**x.**

brun, brune adj. et n. m. et f.
Adjectif de couleur variable
D'une couleur sombre qui s'obtient par un mélange de jaune, de rouge et d'un peu de bleu.
VOIR TABLEAU – **COULEUR (ADJECTIFS DE).**
Nom masculin
La couleur brune.
Nom masculin et féminin
Personne qui a les cheveux bruns. *C'est un grand brun.*
1° L'adjectif simple s'accorde en genre et en nombre avec le nom auquel il se rapporte. *Des cheveux bruns.*
2° L'adjectif composé est invariable. *Des chevelures brun-roux.*

brunante n. f.
Tombée du jour. *C'était à la brunante, à l'heure entre chien et loup.* **SYN.** crépuscule.

brunâtre adj.
Tirant sur le brun.

brunch n. m. (pl. *brunches* ou *brunchs*)
Le nom se prononce à l'anglaise [brœnʃ].

Repas combinant le petit déjeuner et le repas du midi, et habituellement constitué d'un buffet.
Ce nom provient de la contraction des mots anglais « breakfast » et « lunch ».

brunet, ette n. m. et f.
Personne dont les cheveux sont bruns. *Une jolie brunette.*

brunir v. tr., intr.
Verbe transitif
Rendre brun. *Cet acide a bruni les ustensiles.*
Verbe intransitif
Devenir brun, bronzer. *Comme elle a bruni au cours de l'été !*
Conjugaison [VOIR MODÈLE – **FINIR**]

brusque adj.
1. Précipité et imprévu. *Un changement brusque.* **SYN.** soudain.
2. Rude et violent. *Des manières brusques.*

brusquement adv.
De façon brusque, soudaine. **SYN.** soudainement, subitement.

brusquer v. tr.
1. Heurter par des manières brusques, sans délicatesse. **SYN.** secouer.
2. Hâter une décision, terminer rapidement. *Ne brusquez pas les choses.* **SYN.** bousculer, presser.
Conjugaison [VOIR MODÈLE – **AIMER**]

brusquerie n. f.
Rudesse.

brut, brute adj., adv. et n. m.
Le ***t*** final se prononce [bryt].
Adjectif
1. Grossier, non raffiné. *Du sucre brut, de la laine brute.*
2. Avant déduction des frais, des taxes. *Le bénéfice brut.*
3. Brutal, sauvage. *Des gestes bruts.*
Adverbe
Avant déduction de frais ou de poids. *Une boîte qui pèse brut 100 kilos.*
Nom masculin
État de ce qui est naturel. *Le brut.*

brutal, ale adj. et n. m. et f. (pl. *brutaux*)
Adjectif
1. Dénué de délicatesse. *Une question brutale. Des gestes brutaux.* **SYN.** direct.
2. Rude, brusque. *Ne soyez pas brutal, vous n'en tirerez rien.* **SYN.** abrupt.
3. Soudain. *Un orage brutal.*
Nom masculin et féminin
Personne rude.

brutalement adv.
De façon brutale. **SYN.** brusquement, durement, rudement.

brutaliser v. tr.
Traiter rudement. **SYN.** malmener, maltraiter, rudoyer.
Conjugaison [VOIR MODÈLE – **AIMER**]

brutalité n. f.
1. Caractère de ce qui est brusque, soudain. *La brutalité d'une attaque.* **SYN.** violence.
2. Parole, action brutale.

brute n. f.
Homme violent, brutal. *Attention, cet homme est une vraie brute.*
Ce nom est toujours féminin.

bruxellois, oise adj. et n. m. et f.
Le ***x*** se prononce ***s*** [brysɛlwa].
De Bruxelles. *L'accent bruxellois. Un Bruxellois, une Bruxelloise.*
L'adjectif s'écrit avec une minuscule ; le nom, avec une majuscule.

bruyamment adv.
Avec bruit. *Les enfants marchaient bruyamment.*

bruyant, ante adj.
1. Qui fait du bruit. *Des élèves bruyants.*
2. Où il y a beaucoup de bruit. *Une rue bruyante.*

bruyère n. f.
1. Plante à fleurs roses ou violettes.
2. Lieu où pousse la bruyère.

buanderie n. f.
Dans une maison, local aménagé pour faire la lessive.
Pour désigner l'établissement commercial qui se charge de blanchir le linge, on emploiera le nom ***blanchisserie.***

bûche n. f.
Morceau de bois de chauffage. *Mets des bûches dans la cheminée.*
Locution
Bûche de Noël. Gâteau en forme de bûche que l'on mange au temps des Fêtes. *Une bûche à l'érable.*
b**û**che.

bûcher v. tr., intr.
Verbe transitif
(FAMILIER) Étudier avec ardeur. *Marie-Ève bûche ses mathématiques.*
Verbe intransitif
1. (FAMILIER) Travailler fort. *Cette étudiante bûche beaucoup pour réussir.*
2. Couper du bois.
Conjugaison [VOIR MODÈLE – **AIMER**]
b**û**cher.

bûcher n. m.
Amas de bois sur lequel on brûlait les morts, les personnes condamnées au feu. *Jeanne d'Arc a été condamnée au bûcher.*
b**û**cher.

bûcheron n. m.
bûcheronne n. f.
Personne qui abat du bois dans la forêt.
b**û**cheron.

bûcheur, euse adj. et n. m. et f.
(FAMILIER) Personne qui travaille fort, qui étudie avec acharnement.
b**û**cheur.

budget n. m.
Ensemble des prévisions annuelles relatives aux dépenses et aux recettes de l'État, d'une collectivité, d'un service public, d'une entreprise, d'un particulier.

budgétaire adj.
Relatif au budget. *Des prévisions budgétaires, l'année budgétaire.*
budgét**aire.**

buée n. f.
Vapeur d'eau qui se condense sur une surface froide.
Ne pas confondre avec les noms suivants :
– ***brouillard,*** amas de vapeurs d'eau qui flotte à proximité du sol (visibilité inférieure à 1 km) ;

– ***brume,*** brouillard léger (visibilité supérieure à 1 km); brouillard de mer;
– ***frimas,*** brouillard qui se congèle en tombant;
– ***nuage,*** masse vaporeuse de particules d'eau très fines qui flotte dans l'atmosphère.

buffet n. m.
1. Meuble où l'on range la vaisselle, l'argenterie, etc.
2. Table où l'on dispose des mets en abondance afin que les invités, les clients puissent se servir à leur guise. *Un buffet froid. Un buffet de salades* (et non un *bar à salades).

buffle n. m.
1. Bœuf sauvage.
2. Mâle de la bufflonne.
VOIR TABLEAU – **ANIMAUX.**

buffletin n. m.
Petit de la bufflonne.
VOIR TABLEAU – **ANIMAUX.**

bufflonne n. f.
Femelle du buffle. *Le petit de la bufflonne est le buffletin ou la bufflette.*
VOIR TABLEAU – **ANIMAUX.**

***bug**
(INFORMATIQUE) Anglicisme pour ***erreur*** (informatique).

***building**
Anglicisme pour ***gratte-ciel, édifice, tour.***

buisson n. m.
Bouquet d'arbustes sauvages.

buissonnière (faire l'école) loc.
Aller se promener au lieu de se rendre à l'école.

bulbe n. m.
1. Renflement de la tige de certaines plantes. *Un bulbe de tulipe.*
2. Partie en forme de globe. *Le bulbe d'un cheveu.*
Attention au genre masculin de ce nom : ***un*** bulbe.

bulgare adj. et n. m. et f.
Adjectif et nom masculin et féminin
De Bulgarie. *Le drapeau bulgare. Un Bulgare, une Bulgare.*
L'adjectif s'écrit avec une minuscule; le nom, avec une majuscule.
Nom masculin
Langue parlée en Bulgarie. *Notre voisin parle le bulgare.*
Le nom de la langue s'écrit avec une minuscule.

bulldozer n. m. (pl. *bulldozers*)
Attention à la prononciation [buldozœr] ou [byldɔzœr].
Engin de terrassement. *Des bulldozers géants.*

bulle n. f.
1. Sphère de gaz remontant ou se formant à la surface d'un liquide qui bout ou fermente. *Des bulles d'air.*
2. Façon de représenter les paroles des personnages des bandes dessinées. *On peut lire **BOUM !** dans la bulle.*

bulletin n. m.
1. Communiqué. *Un bulletin de santé, un bulletin météorologique.*
2. Renseignements périodiques sur les notes scolaires. *Il a eu un très bon bulletin.* **SYN.** relevé de notes.
3. Billet délivré à un usager. *Bulletin de bagages.*
4. Petit papier où l'on inscrit son vote. *Bulletin de vote.*
Locution
Bulletin d'informations. Actualités radiodiffusées ou télévisées.

***bungalow**
Anglicisme pour ***maison individuelle.***

bureau n. m. (pl. *bureaux*)
1. Meuble. *Des bureaux à tiroirs.*
Ne pas confondre avec le nom ***pupitre,*** petit meuble présentant une surface inclinée.
2. Pièce aménagée pour travailler. *Un bureau spacieux et ensoleillé.*
3. Lieu de travail des employés d'une entreprise, d'une administration. *Le lundi matin, il est difficile de retourner au bureau.*
4. Établissement ouvert au public. *Le bureau de poste.*

***bureau-chef**
Calque de l'anglais « head office » pour ***siège social.***

bureaucrate n. m. et f.
Personne qui accorde une importance excessive aux formalités, à la hiérarchie, à la routine.

bureaucratie n. f.
Excès de formalités, de paperasses.

bureaucratique adj.
Atteint de bureaucratie. *Une gestion bureaucratique.*

bureautique n. f.
Ensemble intégré de moyens et de procédures qui sont appliqués aux activités de bureau, notamment au traitement et à la communication de la parole, de l'écrit ou de l'image, et qui font appel aux techniques de l'électronique, de l'informatique, des télécommunications et de l'organisation administrative. (Recomm. off. OLF)

burin n. m.
Instrument qui sert à graver sur les métaux, le bois.

burinage n. m.
Action de buriner.

buriner v. tr.
1. Graver au burin. *As-tu fait buriner ton vélo ?*
2. (FIGURÉ) Marquer. *Les traits burinés.*
Dans son emploi figuré, ce verbe ne s'utilise qu'au participe passé.
Conjugaison [VOIR MODÈLE – **AIMER**]

***burnout**
Anglicisme au sens de ***surmenage professionnel, épuisement professionnel.***

bus n. m.
Le ***s*** final se prononce, comme dans le mot ***autobus.***
Abréviation familière de ***autobus.***

buste n. m.
1. La tête et la partie supérieure du corps humain jusqu'à la ceinture. *Veuillez tourner le buste, s'il vous plaît.*
2. Représentation de la tête et de la partie supérieure du corps humain, en peinture et en sculpture. *Un buste de Victor Hugo en plâtre.*
3. Poitrine de la femme. *Elle a un joli buste.*

bustier n. m.
Corsage avec ou sans bretelles.

but n. m.
Le ***t*** se prononce ou non [byt] ou [by].
1. Fin, objectif. *Atteindre son but. Le but de la randonnée est le belvédère.*

2. (SPORTS) Espace que doit franchir une rondelle, un ballon pour qu'un point soit accordé. *C'est le but gagnant ! Un bon gardien de but.*

Locutions

Aller droit au but. Aller directement au principal, sans détour.
Dans le but de. Cette locution, longtemps condamnée, est maintenant admise au sens de « en vue de, dans l'intention de ».
De but en blanc. Brusquement, soudainement.
Toucher au but. Parvenir au succès.
L'expression *« but final » est un pléonasme.

butane n. m.
Hydrocarbure saturé employé comme combustible. *Un réservoir de butane.* (EN APPOSITION) *Du gaz butane.*

buté, ée adj.
Entêté. *Il n'en fait qu'à sa tête : il est plutôt buté.*
HOM. buter, heurter quelque chose, s'entêter.

buter v. intr., pronom.

Verbe intransitif

Heurter quelque chose. *Elle a buté contre une racine avec le pied.* **SYN.** trébucher.

Verbe pronominal

1. S'entêter. *Ils se sont butés et refusent de collaborer*
2. Se heurter. *Elle se bute à des tracasseries administratives.*
HOM. buté, entêté.

Conjugaison [VOIR MODÈLE – **AIMER**]
bu**t**er.

butin n. m.
1. Armes, vivres, objets confisqués à l'ennemi.
2. Produit d'un pillage. *Les pirates sont repartis avec leur butin.*

Forme fautive

*butin. Mot ancien au sens de ***vêtements.***

butiner v. intr.
Recueillir le suc des fleurs, en parlant des abeilles. *L'abeille butine de fleur en fleur.*
Conjugaison [VOIR MODÈLE – **AIMER**]

butte n. f.
Petite colline. (Recomm. off. OLF)
Ne pas confondre avec les noms suivants :
– ***colline,*** relief d'élévation modérée aux versants généralement en pente douce ;
– ***massif,*** ensemble montagneux non orienté qui se dégage du relief environnant ;
– ***mont,*** importante élévation se détachant du relief environnant ;
– ***pic,*** sommet rocheux aux flancs escarpés.

buvable adj.
1. Qui peut se boire. *Une ampoule de vitamines buvable.*
2. Dont le goût n'est pas désagréable. *Ce jus est tout à fait buvable.*
Ne pas confondre avec l'adjectif ***potable*** qui qualifie une eau qui peut être bue sans danger.

buvard n. m.
Papier qui boit l'encre. *Un buvard, du papier buvard.*

buveur, euse n. m. et f.
Personne qui a l'habitude de boire.

bye-bye ou **bye** interj.
Attention à la prononciation [baj baj] [baj].
Au revoir. **SYN.** adieu, salut.
Ce mot est une abréviation de l'anglais « good bye ».

***byte**
Anglicisme pour ***octet, multiplet.***

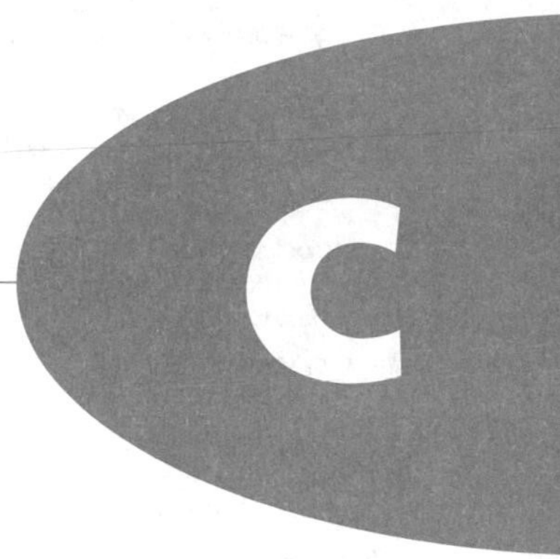

c n. m. inv.
Troisième lettre de l'alphabet.

c'
Forme élidée de ***ce.***

c
Symbole de ***centi-.***

C
Chiffre romain dont la valeur est de 100.
VOIR TABLEAU – **CHIFFRES ARABES.**
VOIR TABLEAU – **CHIFFRES ROMAINS.**

°C
Symbole de ***degré Celsius.*** *Le thermomètre indique 25,5 °C à l'ombre.*
Le symbole se place après le nombre entier ou décimal et il en est séparé par un espacement simple.

¢
Symbole de ***cent*** (monnaie).

ça pron. dém.
(FAMILIER) Cela. *Aimez-vous ça ? Comment ça va ?*
Devant une voyelle, le pronom démonstratif ne s'élide pas. *Ça ira.*
HOM. çà, adverbe.
ça, sans accent, contrairement à l'adverbe de lieu **çà.**

çà adv.
Locution
Çà et là. Ici et là. *Les branches tombaient çà et là.*
HOM. ça, de ***cela,*** pronom, emploi familier.
çà.

cabane n. f.
Maisonnette construite très simplement. *Josiane et Loïc ont construit une cabane dans l'arbre.*
Locution
Cabane à sucre. ⚜ Petit bâtiment construit dans une érablière où on traite la sève de l'érable.

cabanon n. m.
Remise pour ranger des objets, souvent au fond du jardin. *Range ta bicyclette dans le cabanon, Christian.*

cabaret n. m.
Boîte de nuit où l'on présente des spectacles. *Les enfants ne sont pas admis dans les cabarets.*
Forme fautive
*cabaret. Impropriété au sens de ***plateau*** (à servir).

cabine n. f.
1. Chambre à bord d'un navire.
2. Petit local. *Une cabine d'essayage, une cabine de pilotage.*
Locutions
Cabine spatiale. Habitacle d'une fusée.
Cabine téléphonique. Abri servant aux communications téléphoniques.

cabinet n. m.
1. Dans certaines professions libérales, bureau et clientèle. *Un cabinet d'avocat, de médecin.*
2. Personnel d'un ministre.
3. (AU PLURIEL) Toilettes. *Les cabinets.*

câblage n. m.
Ensemble des connexions d'un dispositif électrique. *Refaire le câblage électrique* (et non le *filage).
câ**b**lage.

câble n. m.
Abréviation du mot ***câblodistribution.*** *Avec le câble, je regarde des émissions qui proviennent de France, des États-Unis.*
1. Gros cordage de fibres textiles ou d'acier. *Câble de levage.*
Ne pas confondre avec les noms suivants :
- ***amarre,*** ce qui sert à retenir un navire, un ballon ;
- ***cordage,*** câble d'un navire, d'une machine, etc. ;
- ***corde,*** lien fait de brins tordus ensemble ;
- ***ficelle,*** petite corde pour attacher des paquets.

2. Ensemble de fils conducteurs. *Câble électrique, câble téléphonique, câble d'un ordinateur.*
c**â**ble.

câblé, ée adj.
Relié par câbles. *Un réseau câblé de télédistribution.*
c**â**blé.

câbler v. tr.
1. Tordre plusieurs fils pour former un câble.
2. Doter une région d'un réseau de télévision par câbles.

Conjugaison [VOIR MODÈLE – **AIMER**]
✎ câbler.

câblodistribution n. f.
Procédé de diffusion d'émissions télévisées par câbles à l'intention d'un réseau d'abonnés.
☞ On emploie surtout le nom ***câble*** qui est l'abréviation de ***câblodistribution***. Ce terme qui a été créé au Québec s'emploie maintenant dans toute la francophonie.
✎ câblodistribution.

caboche n. f.
(FAMILIER) Tête.

cabochon n. m.
1. ⚜ (FAMILIER) Tête. *Se mettre quelque chose dans le cabochon.*
2. ⚜ (FAMILIER) Niais. *Une espèce de cabochon.*

cabosser v. tr.
Faire des bosses à quelque chose. *Il a cabossé sa voiture.*
Conjugaison [VOIR MODÈLE – **AIMER**]

cabrer v. tr., pronom.
Verbe transitif
Inciter une personne à se rebeller. *Ils ont cabré le personnel contre la direction.*
Verbe pronominal
1. Se dit d'un cheval qui se dresse sur les pieds de derrière, comme une chèvre.
2. (FIGURÉ) Se dresser, se rebeller contre quelque chose. *Ils se sont cabrés et ont rejeté notre offre.* **SYN.** réagir contre, se rebiffer, résister, se révolter, ruer dans les brancards, tenir tête.
Conjugaison [VOIR MODÈLE – **AIMER**]

cabri n. m.
Petit de la chèvre. *Des cabris.* **SYN.** chevreau.
✎ cabr**i**.

cabriole n. f.
Saut léger, comme celui de la chèvre. *Le chien savant exécutait d'amusantes cabrioles.* **SYN.** culbute, pirouette.
✎ cabrio**l**e.

cabriolet n. m.
Voiture décapotable. *Un joli cabriolet rouge.*
✎ cabrio**l**et.

caca n. m.
(FAMILIER) Excréments. **SYN.** selles.

cacahuète ou **cacahouète** n. f.
👄 La finale se prononce toujours ***ouète*** [kakawɛt].
Fruit de l'arachide.

cacao n. m.
Fruit du cacaoyer, qui sert à fabriquer le chocolat. *Une tasse de cacao* (et non de *cocoa).

cacaoyer ou **cacaotier** n. m.
Arbre qui produit le cacao.

cacatoès ou **kakatoès** n. m.
Oiseau au plumage coloré de la famille des perroquets.

cachalot n. m.
👄 Le ***t*** ne se prononce pas [kaʃalo].
Grand mammifère marin de la taille de la baleine.
✎ cachalo**t**.

cache n. f.
Cachette. *Les chasseurs ont construit une cache où ils attendront le passage des canards sauvages.*

cache- préf.
Les mots composés avec le préfixe ***cache-*** s'écrivent avec un trait d'union. Au pluriel, le préfixe ***cache-,*** qui est un verbe, et le deuxième élément sont invariables. *Des cache-col.*

caché, ée adj.
1. Dissimulé, à l'abri des regards. *Une cabane cachée dans la forêt.*
2. Secret, non connu. *Des talents cachés.*

cache-cache n. m. inv. (pl. *cache-cache*)
Jeu d'enfants, dans lequel un des joueurs doit chercher à découvrir les autres qui sont cachés. *Jouer à cache-cache. Des parties de cache-cache.*
☞ Au Québec, on dit surtout ***jouer à la cachette.***

cache-col n. m. inv. (pl. *cache-col*)
Écharpe. *Des cache-col colorés.*

cachemire n. m.
1. Tricot fin en poil de chèvre du Cachemire. *Un foulard de cachemire.*
2. Dessin. *Un motif cachemire* (et non *paisley).

cache-nez n. m. inv. (pl. *cache-nez*)
Écharpe de laine. *Des cache-nez tricotés à la main.*

cache-pot n. m. inv. (pl. *cache-pot*)
Vase recouvrant un pot de fleurs. *Des cache-pot en porcelaine.*

cache-prise n. m. inv. (pl. *cache-prise*)
Dispositif de sécurité qui s'adapte à une prise. *Des cache-prise pratiques.*

cacher v. tr., pronom.
Verbe transitif
Placer à l'écart, loin de la vue. *L'écureuil a caché des glands.* **SYN.** camoufler, dissimuler.
Verbe pronominal
Se dérober aux regards. *Les petites se sont cachées sous le lit.* **SYN.** (FAMILIER) se planquer.
☞ Ne pas confondre avec le verbe ***déguiser,*** dissimuler sous une apparence trompeuse.
Conjugaison [VOIR MODÈLE – **AIMER**]

cacher, ère adj.
👄 Le ***r*** se prononce au masculin et au féminin [kaʃɛr].
Se dit d'un aliment préparé conformément à la religion juive. *Une viande cachère, des gâteaux cachers.*
☞ Cet adjectif s'orthographie également ***kasher, casher, kascher, cascher.***

cache-radiateur n. m. inv. (pl. *cache-radiateur*)
Revêtement servant à dissimuler un radiateur. *Des cache-radiateur à repeindre.*

cachet n. m.
1. Sceau. *Cette lettre est marquée d'un cachet.*
2. Médicament en poudre contenu dans une capsule que l'organisme peut digérer.
3. Rémunération que reçoit l'artiste. *Roch Voisine reçoit de gros cachets.*
Locution
Cachet de la poste. Inscription apposée par le bureau de poste pour indiquer le jour et le lieu de l'expédition. *Les formulaires doivent être expédiés avant le 1er mai, le cachet de la poste faisant foi.*

cacheter v. tr.
1. Fermer (une enveloppe). *Cette lettre n'était pas cachetée.*
2. Sceller avec un cachet.

Conjugaison [VOIR MODÈLE – **APPELER**]
Redoublement du ***t*** devant un ***e*** muet. *Je cachette, je cachetterai,* mais *je cachetais.*

cachette n. f.
Lieu propice à cacher quelqu'un, quelque chose. *Une bonne cachette.*
Locutions
En cachette, locution adverbiale. À la dérobée, secrètement.
Jouer à la cachette. ⚜ Jouer à cache-cache.

cachot n. m.
Cellule de prison étroite et sombre. *Le prisonnier a été mis au cachot.*
✎ cacho**t**.

cachotterie n. f.
(FAMILIER) Dissimulation de choses sans importance. *Cessez vos cachotteries.*
Ce nom s'emploie généralement au pluriel.
✎ cacho**tt**erie.

cachottier, ière adj. et n. m. et f.
(FAMILIER) Qui aime à faire des cachotteries. *Petit cachottier, va !*
✎ cacho**tt**ier.

cacophonie n. f.
Sons peu agréables à l'oreille. *Une véritable cacophonie.*
SYN. tintamarre.

cactus n. m.
Le ***s*** se prononce [kaktys].
Plante de la famille des cactacées. *Aïe ! aïe ! J'ai un cactus dans mon pantalon !* (J. Dutronc)

c.-à-d.
Abréviation de ***c'est-à-dire.***

cadavre n. m.
Corps d'une personne morte, d'un animal mort.

cadeau n. m. (pl. *cadeaux*)
Présent destiné à faire plaisir à quelqu'un. *Des cadeaux joliment emballés. Un cadeau d'anniversaire.*
Locution
C'est pas un cadeau ! (FAMILIER) C'est une situation désagréable.
Le nom ***cadeau*** s'emploie en apposition pour former des mots composés qui s'écrivent avec un trait d'union. *Des paquets-cadeaux, des emballages-cadeaux, des cadeaux-souvenirs, des chèques-cadeaux.*

cadenas n. m.
Le ***s*** ne se prononce pas [kadnɑ].
Serrure portative. *Ne laisse pas ton vélo sans cadenas, sinon on te le volera.*
✎ cadena**s.**

cadenasser v. tr.
Fermer avec un cadenas. *J'ai cadenassé la porte du jardin.*
Conjugaison [VOIR MODÈLE – **AIMER**]

cadence n. f.
1. Répétition de sons, de mouvements réglés selon un rythme.
2. Rythme du travail. *Une cadence trop rapide.*
✎ cad**en**ce.

cadet, ette adj. et n. m. et f.
1. Se dit de l'enfant qui vient après l'aîné. *Sa sœur cadette. Il est le cadet de cette famille.*
Le premier enfant est l'***aîné,*** tandis que le plus jeune est le ***benjamin.***
2. (SPORTS) Joueur, joueuse de 15 à 17 ans, dans certains sports d'équipe.

cadrage n. m.
Choix de l'image, en photographie, au cinéma, etc.

cadran n. m.
Surface divisée et graduée de certains appareils. *Le cadran d'une pendule, d'une boussole.*
Locution
Faire le tour du cadran. (FAMILIER) Dormir pendant douze heures.
Forme fautive
*cadran. Impropriété au sens de ***réveille-matin.***
✎ cadr**an.**

cadre n. m. et f.
Nom masculin
1. Bordure dans laquelle on place un tableau, une glace, une photographie, etc. *Un cadre ovale.*
Ce nom ne désigne pas un tableau, mais ce qui l'encadre. *Antoine a mis une photo de son amie dans un cadre doré.*
2. Décor, milieu, contexte. *Un cadre champêtre.*
Nom masculin et féminin
1. (AU PLURIEL) Ensemble des personnes qui dirigent dans une entreprise, un organisme, une armée.
2. Personne responsable dans une entreprise, un organisme. *Elle est maintenant une cadre supérieure.*
Dans la francophonie, ce nom est toujours masculin. Au Québec, le nom est féminin lorsqu'il désigne une femme.
Locution
Dans le cadre de. Dans les limites de. *Dans le cadre de ses fonctions...*
En dehors de ce sens, on préférera employer les expressions ***à l'intérieur de, à l'occasion de, dans le contexte de, conformément à.***

cadrer v. tr., intr.
Verbe transitif
Mettre en place. *L'image est bien cadrée.*
Verbe intransitif
Convenir. *Sa conception de l'administration ne cadre pas avec la mienne.*
Conjugaison [VOIR MODÈLE – **AIMER**]

cadreur n. m.
cadreuse n. f.
Opérateur, opératrice de prises de vues (de cinéma, de télévision).
Le nom ***cadreur*** a fait l'objet d'une recommandation officielle pour remplacer l'anglicisme *cameraman.

cafard n. m.
1. Blatte.
Au Québec, on dit aussi ***coquerelle.***
2. Tristesse, idées noires. *Avoir le cafard.*

café adj. inv. et n. m.
Nom masculin
1. Graine du caféier.
2. Boisson fabriquée avec des graines de café torréfiées. *Un café au lait, un café décaféiné.*
Adjectif de couleur invariable
D'un brun presque noir. *Des tricots café.*
VOIR TABLEAU – **COULEUR (ADJECTIFS DE).**

caféine n. f.
Produit contenu dans le café, le thé, les colas, qui est un tonique et un stimulant du cœur.
✎ caf**éi**ne.

C

cafétéria n. f.
Dans certains établissements, lieu où l'on peut manger après s'être servi soi-même.
Note : Le nom ***cafétéria*** qui vient de l'espagnol s'est intégré au français : il s'écrit avec des accents et prend la marque du pluriel. *Des cafétérias bien aménagées.*

cafetière n. f.
Le **e** central est muet [kaftjɛr].
Appareil servant à la préparation du café. *Une cafetière électrique.*

cafouillage n. m.
(FAMILIER) Mauvais fonctionnement. **SYN.** cafouillis, confusion.

cafouillis n. m.
Le **s** est muet [kafuji].
(FAMILIER) Désordre, grande confusion. **SYN.** cafouillage.
Orthographe : cafouilli**s.**

cage n. f.
1. Espace clos garni de barreaux, d'un grillage, où l'on enferme des animaux. *La cage des lions. La cage du serin a été renversée par le chat.*
2. Paroi entourant un escalier, un ascenseur. *La cage d'un escalier.*
Locution
Cage thoracique. Partie du squelette entourant le cœur et les poumons.

cageot n. m.
Emballage servant au transport des denrées alimentaires périssables. *J'ai acheté deux cageots de laitues* (et non deux *« crates » de framboises).
Note : Ne pas confondre avec le nom ***casseau*** ou ***cassot*** : au Québec, emballage de faible volume servant au transport des petits fruits (fraises, framboises, bleuets...).
Orthographe : cageo**t.**

cagibi n. m.
(FAMILIER) Petit local servant au rangement. *Ranger les valises dans le cagibi.* **SYN.** débarras, réduit.
Orthographe : cagib**i.**

cagnotte n. f.
1. Gains de jeu mis en réserve par tous les joueurs.
2. Caisse d'un groupe.

cagoule n. f.
1. Capuchon percé à l'endroit des yeux. *Les malfaiteurs portaient des cagoules.*
2. Passe-montagne. *Une cagoule chaude pour skier par -35 °C.*

cahier n. m.
Assemblage de feuilles de papier liées ensemble. *Des cahiers à feuilles quadrillées. Des cahiers brouillons* ou *de brouillon. Des cahiers à spirale.*

cahot n. m.
Secousse imprimée à un véhicule qui roule sur une chaussée inégale. *Antoine ne peut lire dans la voiture, car il y a trop de cahots.* **SYN.** heurt.
HOM. chaos, bouleversement, désordre important.
Orthographe : caho**t.**

cahoter v. tr., intr.
Verbe transitif
Causer des cahots, secouer un véhicule. *Cette route en mauvais état nous a bien cahotés.*
Verbe intransitif
Être secoué par des cahots. *Un vieil autobus qui cahote.*
Conjugaison [VOIR MODÈLE – **AIMER**]
Orthographe : caho**t**er.

cahoteux, euse adj.
Qui cause des cahots, qui secoue. *Un chemin cahoteux.*
Orthographe : caho**t**eux.

caïd n. m.
Le ***d*** se prononce [kaid].
(FAMILIER) Chef de bande. *On a arrêté des caïds de la contrebande de cigarettes.*
Note : Ce nom vient d'un mot arabe qui signifie « celui qui conduit ».
Orthographe : ca**ï**d.

caille n. f.
Oiseau de la famille de la perdrix. *Des cailles sur canapés.*

cailler v. tr., intr., pronom.
Verbe transitif
Faire prendre en caillots. *Le ferment fait cailler le lait pour donner du yaourt.*
Verbe intransitif pronominal
Se prendre en caillots. *Du lait qui a caillé, s'est caillé.*
Conjugaison [VOIR MODÈLE – **AIMER**]
Les lettres ***ill*** sont suivies d'un ***i*** à la première et à la deuxième personne du pluriel de l'indicatif imparfait et du subjonctif présent. *(Que) nous caillions, (que) vous cailliez.*

caillot n. m.
Attention à la prononciation de la première syllabe [kajo].
Masse formée par un liquide qui se coagule. *Des caillots de sang.*
Orthographe : caillo**t.**

caillou n. m. (pl. *cailloux*)
Fragment de pierre. *Alain lance des cailloux dans l'eau.*
Note : Le nom ***roche*** est un générique qui désigne la masse de substances minérales, tandis que la ***pierre*** est le matériau tiré de la roche dont on se sert dans la construction. Le ***caillou*** est un fragment de pierre de petite dimension.

caïman n. m.
Le ***n*** ne se prononce pas [kaimɑ̃].
Grand crocodile à museau court et large. *Des caïmans redoutables.*
Orthographe : ca**ï**m**an.**

caisse n. f.
1. Contenant. *Ces fruits se vendent à la caisse.*
2. Coffre où l'on dépose de l'argent, principalement dans un commerce. *Le voleur a réclamé l'argent de la caisse.* **SYN.** coffre-fort.
3. Guichet où s'effectuent les paiements. *Veuillez payer à la caisse.*
4. Établissement où l'on dépose des fonds. *Une caisse populaire.*

caissier n. m.
caissière n. f.
Personne préposée à une caisse dans un établissement.

cajoler v. tr.
Témoigner sa tendresse à quelqu'un. *Annie cajole sa petite sœur.* **SYN.** câliner, caresser, dorloter.
Conjugaison [VOIR MODÈLE – **AIMER**]
Orthographe : cajo**l**er.

cajolerie n. f.
Paroles, gestes tendres. **SYN.** câlinerie, caresse.
⊂⊃ cajo**l**erie.

cajou n. m.
Fruit de l'acajou. *Une boîte de cajous salés* (et non de *cachous).

cajun adj. et n. m. et f.
Adjectif invariable en genre
Relatif à la culture des Cajuns. *Des chansons cajuns.*
Nom masculin et féminin invariable en genre
Habitant de la Louisiane qui parle le français. *Ces deux chanteuses sont des Cajuns.*
L'adjectif s'écrit avec une minuscule ; le nom, avec une majuscule.
Ce mot est une déformation de ***acadien.***

cal
Symbole de ***calorie.***
HOM. cale, fond d'un navire, pièce de bois.

calamité n. f.
1. Catastrophe.
2. (FAMILIER) Chose qui dérange, ennuie. *Cet orchestre tapageur, c'est une vraie calamité !*

calcaire adj. et n. m.
Qui contient du carbonate de calcium. *Une pierre calcaire. La craie est un calcaire.*
⊂⊃ calc**aire**.

calciner v. tr.
Brûler. *J'ai oublié la dinde au four : elle est complètement calcinée.*
Conjugaison [VOIR MODÈLE – **AIMER**]

calcium n. m.
Symbole ***Ca*** (s'écrit sans point).
Métal blanc mou. *Grand-papa doit prendre du calcium, car ses os sont fragiles.*

calcul n. m.
1. Recherche du résultat d'opérations numériques. *Une erreur de calcul. Elle excelle en calcul.*
2. Évaluation. *D'après mes calculs, les coureurs arriveront dans 20 minutes.*

calculatrice n. f.
Machine à calculer. *Les calculatrices actuelles sont de merveilleux petits ordinateurs.*

calculer v. tr.
1. Compter. *Calculer le nombre d'oranges dans une caisse.* **SYN.** chiffrer.
2. Évaluer. *Nous avons calculé nos chances de succès.*
Conjugaison [VOIR MODÈLE – **AIMER**]

calculette n. f.
Calculatrice de poche.

cale n. f.
1. Fond d'un navire. *Les machines sont dans la cale.*
2. Pièce destinée à stabiliser un objet. *Mettre une cale devant la roue d'une voiture.*
HOM. cal, symbole de ***calorie.***
⊂⊃ cale.

calé, ée adj.
(FAMILIER) Fort. *Elle est calée en informatique.*

calèche n. f.
Voiture découverte à quatre roues tirée par un cheval. *Une promenade en calèche dans les rues de Québec.*

caleçon n. m.
1. Sous-vêtement masculin à jambes courtes.
Ce mot est généralement employé au singulier comme ***pantalon.*** *Se mettre en caleçon.*
2. Pantalon moulant de femme.
⊂⊃ cale**ç**on.

calembour n. m.
Jeu de mots fondé sur une similitude de sons avec une différence de sens. *Faire des calembours.* Exemple : « *C'était vraiment la francacophonie !* » (Marc Favreau, alias Sol).
⊂⊃ cal**em**bour.

calendrier n. m.
1. Tableau des divisions de l'année en mois et en jours. *Les scouts vendent de jolis calendriers.*
2. Programme. *Le calendrier des activités est établi* (et non la *cédule).
⊂⊃ cal**en**drier.

cale-pied n. m. (pl. *cale-pied* ou *cale-pieds*)
Appareil adapté à la pédale du vélo et destiné à retenir le pied du cycliste.
Les mots composés avec le préfixe ***cale-*** s'écrivent avec un trait d'union. Au pluriel, le préfixe ***cale-,*** qui est un verbe, demeure invariable, tandis que le second élément est parfois variable, parfois invariable.

calepin n. m.
Petit carnet. *Elle avait noté tous les renseignements dans son calepin.*

caler v. tr., intr.
Verbe transitif
Fixer avec une ou des cales. *Il faut caler la roue de la voiture avec cette pierre.* **SYN.** stabiliser.
Verbe intransitif
1. Enfoncer dans l'eau. *La barque a calé soudainement.*
2. S'arrêter brusquement. *Le moteur a calé.*
Conjugaison [VOIR MODÈLE – **AIMER**]

calibre n. m.
1. Diamètre intérieur d'un cylindre creux. *Le calibre d'une arme.*
2. (FIGURÉ) Importance, envergure. *Ces techniciens ne sont pas du même calibre.*

calibrer v. tr.
Mesurer le diamètre intérieur d'un cylindre.
Conjugaison [VOIR MODÈLE – **AIMER**]

calice n. m.
1. Enveloppe extérieure de la fleur.
Les pièces du calice d'une fleur sont les ***sépales.***
2. Vase sacré.
⊂⊃ cali**c**e.

californien, ienne adj. et n. m. et f.
De la Californie. *Le vin californien. Un Californien, une Californienne.*
L'adjectif s'écrit avec une minuscule ; le nom, avec une majuscule.

califourchon (à) loc. adv.
À cheval. *Ils descendent l'escalier à califourchon sur la rampe.*

câlin, ine adj. et n. m.
Adjectif
Tendre. *Un air câlin.* **SYN.** affectueux.
Nom masculin
Caresse, baiser. *Il a fait un câlin à sa sœur.*
✎ c**â**lin.

câliner v. tr.
Cajoler, faire des caresses à. **SYN.** caresser, dorloter.
Conjugaison [VOIR MODÈLE – **AIMER**]
✎ c**â**liner.

câlinerie n. f.
Caresse, cajolerie.
✎ c**â**linerie.

calmant, ante adj. et n. m.
Adjectif
Apaisant. *Cette musique est calmante.*
Nom masculin
Remède qui calme. *Elle a pris des calmants pour dormir.*

calmar ou **calamar** n. m.
Mollusque marin comestible. *Des calmars frits.*

calme adj. et n. m.
Adjectif
1. Tranquille. *La mer est calme.*
2. Paisible. *C'est une personne toujours calme.* **SYN.** décontracté, détendu, réfléchi.
Nom masculin
1. Immobilité et silence. *Le calme de la forêt.* **SYN.** paix, tranquillité.
2. Sérénité. *Il a troublé son calme. Garde ton calme !*

calmement adv.
Avec calme, de façon tranquille.

calmer v. tr., pronom.
Verbe transitif
1. Apaiser. *Elle calme son enfant effrayé par l'orage.* **SYN.** détendre, rassurer.
2. Diminuer la douleur, le désagrément. *Ce médicament calme les démangeaisons.* **SYN.** soulager.
Verbe pronominal
Retrouver son calme, son sang-froid. *Ils se sont enfin calmés.* **SYN.** se contenir.
Conjugaison [VOIR MODÈLE – **AIMER**]

calomnie n. f.
Propos mensongers qui attaquent la réputation de quelqu'un.
☞ Ne pas confondre avec le nom ***médisance,*** propos vrais qui peuvent nuire à quelqu'un.

calomnier v. tr.
Porter des accusations fausses contre quelqu'un.
Conjugaison [VOIR MODÈLE – **ÉTUDIER**]
Redoublement du ***i*** à la première et à la deuxième personne du pluriel de l'indicatif imparfait et du subjonctif présent. *(Que) nous calomniions, (que) vous calomniiez.*

calor- préf.
Élément du latin signifiant « chaleur ». *Calorifère.*

calorie n. f.
Symbole ***cal*** (s'écrit sans point).
Unité de mesure de la valeur énergétique des aliments. *Cette confiture ne contient que sept calories par cuillère à café.*

calorifère adj. et n. m.
Adjectif
Qui transmet la chaleur.
Nom masculin
Système de chauffage distribuant la chaleur d'une chaudière par air chaud.
☞ Ne pas confondre avec le nom ***radiateur,*** appareil servant à la diffusion de la chaleur d'un système de chauffage.
✎ calorif**ère.**

calotte n. f.
1. Petit bonnet couvrant le sommet de la tête. *La calotte rouge des cardinaux, la calotte blanche du pape.*
2. Voûte sphérique. *La calotte des cieux, du crâne.*
Locution
Calotte glaciaire. Masse de glace recouvrant certaines régions polaires.
✎ calo**tt**e.

calque n. m.
1. Copie à l'aide d'un papier transparent.
2. (LINGUISTIQUE) Traduction littérale. *L'expression *« sanctuaire d'oiseaux » est un calque des mots anglais « bird sanctuary ». En français, on dit plutôt une* ***réserve naturelle.***
VOIR TABLEAU – **ANGLICISMES.**
Locution
Papier-calque. Papier transparent utilisé pour la reproduction d'un dessin. *Des papiers-calques.*
VOIR TABLEAU – **ANGLICISMES.**

calquer v. tr.
1. Reproduire les traits d'un dessin au moyen d'un papier transparent.
☞ Ne pas confondre avec le verbe ***décalquer,*** reporter sur un autre papier le calque d'un dessin.
2. (FIGURÉ) Imiter. *Il calque les gestes du moniteur.*
3. Copier d'une autre langue. *Une expression calquée de l'anglais.*
Conjugaison [VOIR MODÈLE – **AIMER**]

calumet n. m.
Longue pipe des Amérindiens, qui symbolise la paix.

calvaire n. m.
1. Croix en plein air destinée à rappeler la passion du Christ.
2. (FIGURÉ) Épreuve. *Sa vie a été un véritable calvaire.*
✎ calv**ai**re.

calvitie n. f.
👄 Le ***t*** se prononce ***s*** [kalvisi] ; le nom rime avec ***si.***
Absence de cheveux. *Les personnes chauves souffrent de calvitie.*
✎ calvi**t**ie.

camarade n. m. et f.
Ami, amie, surtout chez les enfants, les adolescents.
☞ Ne pas confondre avec les noms suivants :
– ***compagnon, compagne,*** personne avec qui l'on fait un travail manuel, un voyage ;
– ***confrère, consœur,*** personne qui appartient à une même profession, à une même société ;
– ***copain, copine,*** camarade intime.

camaraderie n. f.
Entente entre camarades. *Une franche camaraderie.* **SYN.** amitié.

cambodgien, ienne adj. et n. m. et f.
Du Cambodge. *Un chant cambodgien. Un Cambodgien, une Cambodgienne.*
L'adjectif s'écrit avec une minuscule ; le nom, avec une majuscule.

cambriolage n. m.
Action de cambrioler, résultat de cette action. *Il y a eu un cambriolage chez nos voisins qui étaient en voyage.*

cambrioler v. tr.
Voler, après avoir pénétré par effraction. *Des voyous ont cambriolé nos voisins.*
Conjugaison [VOIR MODÈLE – **AIMER**]

cambrioleur, euse n. m. et f.
Personne qui cambriole. *Les cambrioleurs sont entrés par la fenêtre du sous-sol.* **SYN.** voleur.

caméléon n. m.
Reptile qui a la faculté de changer de couleur pour se camoufler.

camelot n. m. et f.
Le ***e*** et le ***t*** ne se prononcent pas [kamlo].
Personne qui livre les journaux à domicile. *Pour se faire un peu d'argent de poche, Catherine est camelot pendant l'été.*
Ce nom n'a pas de forme féminine. L'Office de la langue française propose d'employer l'article féminin : ***une*** camelot.
camelo**t.**

camelote n. f.
(FAMILIER) Article de mauvaise qualité. **SYN.** pacotille.
camelo**t**e.

camembert n. m.
Le ***t*** ne se prononce pas [kamɑ̃bɛr].
Fromage à pâte molle fabriqué principalement en Normandie. *Des camemberts bien crémeux.*
camember**t.**

caméra n. f.
Appareil de prises de vues cinématographiques. *Des caméras de télévision.*
Ne pas confondre avec le mot ***appareil photographique*** ou ***appareil-photo,*** instrument destiné à prendre des images photographiques.

***cameraman**
Anglicisme pour ***cadreur.***
Le terme ***cadreur*** a fait l'objet d'une recommandation officielle pour remplacer « cameraman ».

camerounais, aise adj. et n. m. et f.
Du Cameroun. *Le drapeau camerounais. Un Camerounais, une Camerounaise.*
L'adjectif s'écrit avec une minuscule, le nom avec une majuscule.

caméscope n. m.
Caméra vidéo portative avec magnétoscope.

camion n. m.
Gros véhicule automobile servant au transport des marchandises. *Un camion de déménagement.*

camion-citerne n. m. (pl. *camions-citernes*)
Camion servant au transport des liquides en vrac. *On transporte le lait dans des camions-citernes.*

camionnette n. f.
Petit camion. *Il a loué une camionnette pour déménager.* **SYN.** fourgonnette.

camionneur n. m.
camionneuse n. f.
1. Personne qui conduit un camion automobile.
2. Personne qui a une entreprise de transport par camion.

camisole n. f.
Maillot court à manches.
En Belgique, ce nom s'emploie toujours, comme au Québec, mais dans la francophonie, il est vieilli en ce sens.
Locution
Camisole de force. Camisole destinée à immobiliser les bras.
camiso**l**e.

camomille n. f.
1. Plante médicinale très odorante.
2. Infusion composée des fleurs de cette plante. *Marie-Ève préfère la verveine à la camomille.*
ca**m**o**m**ille.

camouflage n. m.
Dissimulation en vue de rendre méconnaissable. *Le camouflage des véhicules militaires.*
camou**f**lage, un seul ***f.***

camoufler v. tr., pronom.
Verbe transitif
Modifier les apparences afin de rendre méconnaissable une personne, une chose. **SYN.** cacher, déguiser.
Verbe pronominal
Se cacher. *Les soldats se sont camouflés.*
Conjugaison [VOIR MODÈLE – **AIMER**]
camou**f**ler, un seul ***f.***

camp n. m.
1. Espace de terrain réservé à l'armée pour des manœuvres, des exercices.
2. Lieu où l'on campe. *Les scouts ont fait un feu de camp.* **SYN.** campement.
3. Groupe opposé à un autre. *La classe est divisée en deux camps. Changer de camp.* **SYN.** équipe.
Locution
Ficher le camp. (FAMILIER) Partir, se sauver.
Forme fautive
*camp. Anglicisme au sens de ***chalet, maison de campagne.***
cam**p.**

campagnard, arde adj. et n. m. et f.
Qui est de la campagne. **ANT.** citadin.

campagne n. f.
1. Grande étendue de pays plat, peu habitée, par opposition à la ville. *Une maison de campagne. Mes grands-parents habitent à la campagne.* **ANT.** ville.
2. Opérations militaires. *Les troupes de l'ONU sont en campagne.* **SYN.** combat, guerre.
3. (FIGURÉ) Entreprise ayant un but de propagande. *Une campagne publicitaire, une campagne électorale.*
Locution
Faire campagne pour, contre. Tenter de gagner l'opinion publique à une cause. *Ils font campagne contre la chasse aux bisons.*
Dans cette locution, le nom ***campagne*** est toujours au singulier.

campement n. m.
1. Lieu où l'on campe. *Ils ont établi leur campement au bord de la rivière.* **SYN.** camp.
2. Installation rudimentaire. *Quel désordre dans cette maison : c'est un vrai campement !*

C

camper v. tr., intr., pronom.
Verbe transitif
Écrire un récit très vivant. *Il a bien campé son sujet.* **SYN.** décrire, présenter.
Verbe intransitif
Coucher sous la tente. *Ils ont campé à la belle étoile.* **SYN.** faire du camping.
Verbe pronominal
Se dresser. *Il se campa devant elle et lui dit sa façon de penser.* **SYN.** se planter.
Conjugaison [VOIR MODÈLE – **AIMER**]

campeur, euse n. m. et f.
Personne qui campe.

camping n. m.
Le nom se prononce [kɑ̃piŋ].
1. Action de dormir en plein air sous la tente, souvent dans un lieu aménagé à cet effet. *Ils pratiquent le camping même l'hiver.*
2. Terrain aménagé pour coucher sous la tente. *Des campings au bord de la mer.*
Locution
Camping sauvage. Camping en pleine nature.

campus n. m.
Le nom se prononce [kɑ̃pys].
Complexe universitaire. *Le campus de l'Université Laval est très vaste.*
L'expression *campus universitaire est un pléonasme.

***can**
Anglicisme pour ***boîte de conserve.***

canadianisme n. m.
Mot ou expression propre au français en usage au Canada. *L'expression* ***fin de semaine*** *au sens de* ***week-end,*** *le nom* ***motoneige*** sont des canadianismes.
VOIR **QUÉBÉCISME.**

canadien, ienne adj. et n. m. et f.
Du Canada. *Elle est d'origine canadienne-française. Le Bouclier canadien. Un Canadien, une Canadienne.*
1° L'adjectif s'écrit avec une minuscule ; le nom, avec une majuscule.
2° L'adjectif composé s'écrit avec un trait d'union, alors que le nom composé s'écrit sans trait d'union. *La littérature canadienne-anglaise. Les Canadiens anglais.*
3° Au sens de ***Québécois, québécois,*** les expressions ***Canadien français, canadien-français*** sont vieillies.

canadienne n. f.
Manteau court.

canaille adj. et n. f.
Adjectif
Coquin. *Un petit air canaille.*
Employé comme adjectif, le mot ***canaille*** peut rester invariable ou s'accorder. *Des airs canaille(s).*
Nom féminin
Personne malhonnête. *Cet individu est une canaille.* **SYN.** crapule, vaurien.
Le nom s'emploie toujours au féminin.

canal n. m. (pl. *canaux*)
1. Voie d'eau artificielle. *Le canal Lachine, le canal de Panama.*
2. Conduit. *Des canaux dentaires. Un traitement de canal.*
Forme fautive
*canal. Anglicisme au sens de ***chaîne*** (de télévision).

canalisation n. f.
1. Action de rendre navigable. *La canalisation du Saint-Laurent.*
2. Réseau de conduite pour le transport des fluides, de l'énergie. *Une canalisation de gaz.*

canaliser v. tr.
1. Rendre navigable. *Cette rivière a été canalisée.*
2. Empêcher la dispersion de. *Canaliser son énergie.* **SYN.** centraliser, concentrer, regrouper.
Conjugaison [VOIR MODÈLE – **AIMER**]

canapé n. m.
1. Long siège à dossier et à accoudoirs où peuvent s'asseoir plusieurs personnes, où peut s'étendre une personne. *Chez les Dubois, il y a un beau canapé de cuir vert.*
2. Petites bouchées. *Préparer des canapés au saumon fumé, au fromage et au concombre.*
Locution
Sur canapés. Sur une tranche de pain. *Des cailles sur canapés.*
Le mot ***canapé*** est toujours au pluriel dans cette locution. *Des cailles sur canapés.*

canapé-lit n. m. (pl. *canapés-lits*)
Long siège à dossier et à accoudoirs qui peut servir de lit. *Les enfants ont dormi sur le canapé-lit du sous-sol.*

canard n. m.
Oiseau aquatique domestique ou sauvage.
Le canard est le mâle de la cane.
VOIR TABLEAU – **ANIMAUX.**

canari adj. inv. et n. m.
Nom masculin
Serin de couleur jaune verdâtre, originaire des îles Canaries. *Ce canari chante très bien.*
Adjectif de couleur invariable
De la couleur jaune du canari. *Des chapeaux canari.*
VOIR TABLEAU – **COULEUR (ADJECTIFS DE).**

cancan n. m.
Paroles malveillantes. *Faire des cancans.* **SYN.** commérage, potin, racontar, ragot.
Ce nom s'emploie surtout au pluriel.

***canceller**
Anglicisme pour ***annuler, décommander, rayer.***

cancer n. m.
1. Tumeur grave formée par la multiplication anormale des cellules. *Un cancer de la peau.*
2. Maladie qui en résulte. *Le cancer des poumons.*
3. Nom d'une constellation, d'un signe du zodiaque. *Elle est (du signe du) Cancer, elle est née entre le 22 juin et le 22 juillet.*
Les noms d'astres s'écrivent avec une majuscule.

cancéreux, euse adj. et n. m. et f.
Adjectif
Du cancer. *Une tumeur cancéreuse.*
Adjectif et nom masculin et féminin
Atteint d'un cancer. *Ces malades sont des cancéreux.*
cancéreu**x.**

cancérigène ou **cancérogène** adj.
Qui peut causer un cancer. *La cigarette est cancérigène ou cancérogène.*
La forme ***cancérigène*** est la plus usitée.

cancre n. m.
(FAMILIER) Écolier paresseux et peu doué.

candélabre n. m.
Chandelier à plusieurs branches. *Un beau candélabre en argent.*

candeur n. f.
Naïveté, confiance excessive, absence de méfiance. *Dans sa candeur, elle croyait à ses belles paroles.* **SYN.** ingénuité, innocence. **ANT.** méfiance, ruse.

candidat, ate n. m. et f.
Personne qui fait une demande d'emploi, qui se présente à un examen, à une élection, etc. *Les candidats à l'élection partielle sont des inconnus.*

candidature n. f.
Action de se porter candidat. *Poser sa candidature à un poste* (et non *appliquer pour un poste).

candide adj.
Naïf et confiant. *Un regard candide.* **SYN.** ingénu, innocent. **ANT.** méfiant, rusé.

candidement adv.
D'une manière candide, sans méfiance.

cane n. f.
Femelle du canard. *La cane et ses canetons.*
HOM. canne, jonc, bambou, baguette.
VOIR TABLEAU – **ANIMAUX.**
cane, un seul ***n.***

caneton n. m.
Petit de la cane.
VOIR TABLEAU – **ANIMAUX.**
caneton, un seul ***n.***

canette ou **cannette** n. f.
Petite boîte métallique contenant une boisson. *Des canettes de jus de fruits, de boissons gazeuses.*

canevas n. m.
Le ***e*** et le ***s*** sont muets [kanva].
1. Grosse toile sur laquelle on brode, on fait une tapisserie.
2. Plan, schéma d'un texte. **SYN.** ébauche, esquisse, scénario.
Dans ce dernier sens, ne pas confondre avec les noms suivants :
– ***ébauche,*** première forme donnée à une œuvre ;
– ***esquisse,*** représentation simplifiée d'une œuvre destinée à servir d'essai ;
– ***maquette,*** représentation schématique d'une mise en pages.
canevas**s.**

canicule n. f.
Période de grande chaleur. *En juillet, la canicule a fait plusieurs victimes en Grèce.*
canicule.

canif n. m.
Petit couteau de poche à une ou plusieurs lames repliables.

canin, ine adj. et n. f.
Adjectif
Propre au chien. *La race canine.*
Nom féminin
Dents placées entre les incisives et les prémolaires.

cannage n. m.
1. Tressage de cannes.
2. Fond canné d'une chaise.
Formes fautives
*cannage. Anglicisme au sens de ***mise en conserve.***
*cannages. Anglicisme au sens de ***boîtes de conserve.***
ca**nn**age.

canne n. f.
1. Jonc, bambou.
2. Bâton sur lequel on s'appuie pour marcher. *Les aveugles ont des cannes blanches.*
Locutions
Canne (à pêche). Bâton, souvent télescopique, utilisé pour la pêche à la ligne.
Canne à sucre. Plante tropicale cultivée en vue d'en extraire le sucre.
Forme fautive
*canne. Anglicisme au sens de ***boîte de conserve, canette.***
HOM. cane, femelle du canard.
ca**nn**e.

canneberge n. f.
Airelle de saveur acidulée qui en mûrissant devient rouge. *Ils raffolent de la dinde servie avec des canneberges.* **SYN.** atoca, ataca.
ca**nn**eberge.

cannelle adj. inv. et n. f.
Nom féminin
Substance aromatique extraite de l'écorce du cannelier. *Des brioches à la cannelle.*
Adjectif de couleur invariable
De la couleur brun clair de la cannelle. *Des robes cannelle.*
VOIR TABLEAU – **COULEUR (ADJECTIFS DE).**
ca**nn**e**ll**e.

cannelloni n. m. (pl. *cannellonis*)
Pâtes alimentaires cylindriques farcies. *Des cannellonis succulents.*
ca**nn**e**ll**oni.

cannette
VOIR **CANETTE.**

cannibale adj. et n. m. et f.
Qui se nourrit de chair humaine.
Se dit également d'un animal qui se nourrit d'un animal de son espèce.
ca**nn**iba**l**e.

cannibalisme n. m.
Fait pour une personne, un animal de manger ses semblables.
ca**nn**iba**l**isme.

canoé n. m.
Le ***o*** est ouvert [kanɔe].
Embarcation légère, pontée ou non, mue à la pagaie simple, utilisée en compétition sportive.
L'embarcation utilisée à des fins récréatives est un ***canot.***
Dans la francophonie, ce nom s'orthographie ***canoë.***
VOIR **BATEAU.**
cano**é.**

canon n. m.
1. Arme offensive. *Des coups de canon.*
2. Tube d'une arme à feu. *Le canon d'un fusil.*

canonisation n. f.
Action de canoniser. *La canonisation de Marguerite Bourgeoys.*
ca**n**o**n**isation.

canoniser v. tr.
Mettre au nombre des saints. *Le pape a canonisé Marguerite d'Youville.*
Ne pas confondre avec le verbe ***béatifier,*** mettre au nombre des bienheureux.
Conjugaison [VOIR MODÈLE – **AIMER**]
canoniser.

canot n. m.
Embarcation légère de type amérindien, non pontée, mue à l'aviron et relevée aux deux extrémités, qui est utilisée à des fins récréatives. (Recomm. off. OLF)
L'embarcation semblable utilisée en compétition sportive est un ***canoé.***
Ne pas confondre avec les noms suivants :
– ***bateau,*** bâtiment, grand ou petit, qui navigue sur la mer ou sur les rivières ;
– ***cargo,*** navire pour le transport des marchandises ;
– ***paquebot,*** grand navire pour le transport des passagers ;
– ***pétrolier,*** navire-citerne pour le transport du pétrole ;
– ***voilier,*** bateau à voiles ;
– ***yacht,*** bateau de plaisance.
cano**t.**

canotable adj.
Se dit d'un cours d'eau où l'on peut pratiquer le canotage.
ca**n**otable.

canotage n. m.
Sport du canot. *Jean et Pierre adorent le canotage.*
ca**n**otage.

cantaloup n. m.
Le ***p*** ne se prononce pas [kɑ̃talu] ; le mot rime avec ***loup.***
Melon à chair orange foncé. *Des cantaloups juteux.*
Attention au genre masculin de ce nom : ***un*** cantaloup.
cantalou**p.**

cantatrice n. f.
Chanteuse d'opéra. *Cette femme est une merveilleuse cantatrice* (et non une *cantatrice d'opéra).
Ce nom n'a pas de forme masculine, on dira un ***chanteur d'opéra.***

cantine n. f.
1. Endroit où l'on sert des repas pour une collectivité (entreprise, école).
2. Malle à l'usage des militaires, des pensionnaires.

cantique n. m.
Chant religieux. *Des cantiques de Noël.*

canton n. m.
Division territoriale qui a approximativement cent milles carrés. *Les Cantons de l'Est.*

canular n. m.
(FAMILIER) Blague, nouvelle fantaisiste. *André ne peut s'empêcher de faire des canulars : il nous ferait croire n'importe quoi.* **SYN.** farce.
ca**n**u**l**a**r.**

canyon n. m.
Les lettres ***on*** se prononcent ***onne*** ou ***on*** [kaɲɔn] ou [kaɲɔ̃].
Gorge creusée par un cours d'eau dans une chaîne de montagnes. *Des canyons imposants aux parois abruptes.*
Ce mot peut aussi garder sa graphie espagnole : ***cañon.***
can**y**on.

caoutchouc n. m.
1. Substance élastique et imperméable. *Des pneus en caoutchouc.*
2. (AU PLURIEL) Couvre-chaussures de caoutchouc. *N'oublie pas tes caoutchoucs, car il va pleuvoir.* **SYN.** (FAMILIER) claques.
caoutchou**c.**

caoutchouteux, euse adj.
Qui a la consistance du caoutchouc. *Ce gâteau est un peu caoutchouteux.*
caoutchouteu**x.**

cap n. m.
1. Promontoire. *Le cap Diamant.*
2. Direction d'un navire, d'un avion. *Ils ont changé de cap. Mettre le cap sur l'Europe.*
Forme fautive
*cap (de roues). Anglicisme au sens de ***enjoliveur.***
HOM. cape, manteau d'une seule pièce.
ca**p.**

capable adj.
1. Compétent. *C'est un menuisier très capable.* **SYN.** adroit, habile.
2. Apte à bien faire quelque chose. *Cet avocat est capable de vous aider.* **ANT.** incapable.
Cet adjectif se construit avec la préposition ***de.***

capacité n. f.
1. Contenance d'un récipient. *Cette cafetière a une capacité de 12 tasses.* **SYN.** volume.
2. Habileté, aptitude d'une personne à faire quelque chose. *Une grande capacité à apprendre. La capacité de comprendre.* **SYN.** compétence, faculté.
Devant l'infinitif, ce nom se construit avec la préposition ***à*** ou ***de ;*** devant un nom, il se construit avec la préposition ***de.*** *Capacité de synthèse, capacité de production.*

cape n. f.
Manteau d'une seule pièce, sans manches, généralement avec un capuchon. *Il portait toujours une grande cape noire.*
Locutions
Film de cape et d'épée. Film mettant en vedette des mousquetaires, des chevaliers.
Sous cape. À la dérobée. *Rire sous cape.*
HOM. cap, promontoire, direction d'un navire, d'un avion.
cap**e.**

capillaire adj.
Relatif aux cheveux. *Une lotion capillaire.*
Locution
Vaisseaux capillaires. Vaisseaux extrêmes des veines ou des bronches, fins comme des cheveux.
capi**ll**aire.

capillarité n. f.
Force qui fait monter le niveau des liquides dans un tube étroit.
capi**ll**arité.

capitaine n. m. et f.
1. Chef d'armée.
2. Commandant, commandante d'un bateau. *Nous sommes invités à la table du capitaine.*
3. (SPORTS) Chef d'une équipe de joueurs, de joueuses. *Pierre-Luc est capitaine de l'équipe de hockey.*

capital, ale, aux adj.
Essentiel. *La question est capitale. Des enjeux capitaux.* **SYN.** fondamental, primordial, principal.

Locution
Peine capitale. Peine de mort.

capital n. m. (pl. *capitaux*)
1. Somme qui produit des intérêts ou des dividendes. *Intérêt et capital.*
2. Investissement. *Des capitaux étrangers.*
3. Richesse d'une personne, d'une nation, d'un pays. **SYN.** bien.

capitale n. f.
1. Ville où siège le gouvernement d'un État. *Rome est la capitale de l'Italie.*
Ne pas confondre avec le nom ***métropole,*** ville principale.
2. (TYPOGRAPHIE) Lettre majuscule. *Écris ton nom en capitales.*
VOIR TABLEAU – **MAJUSCULES ET MINUSCULES.**

capitalisme n. m.
Régime économique selon lequel des personnes possèdent des capitaux, des moyens de production.

capitaliste adj. et n. m. et f.
Adjectif
Qui se rapporte au capitalisme. *Un système capitaliste.*
Nom masculin et féminin
1. Partisan du capitalisme.
2. Personne qui investit des capitaux dans une entreprise, dans le but d'en tirer un revenu.

capituler v. intr.
1. Se rendre. *Après trois heures de combat, ils ont capitulé.*
2. (FIGURÉ) Céder, reconnaître qu'on a perdu. *Nous capitulons, vous gagnez.*
Conjugaison [VOIR MODÈLE – **AIMER**]

caporal n. m. (pl. *caporaux*)
caporale n. f.
Militaire qui a le grade le moins élevé.

capot n. m.
Le ***t*** ne se prononce pas [kapo].
Pièce de métal mobile couvrant le moteur d'une automobile. *Ouvrir le capot.*
capo**t.**

capotage n. m.
Action de se retourner, de se retrouver sur le toit. *Le capotage d'une voiture.*

capote n. f.
Toit pliant d'une voiture décapotable. *Remets la capote, il va pleuvoir !*

capoter v. intr.
1. Culbuter, se retrouver sur le toit, en parlant d'un véhicule. *La voiture a capoté.*
2. (FAMILIER) (FIGURÉ) Échouer. *Son plan a capoté.*
3. (FAMILIER) Paniquer, perdre l'esprit. *Ne capote pas ! Nous y arriverons.*
Conjugaison [VOIR MODÈLE – **AIMER**]

cappuccino n. m.
Café au lait mousseux. *Un cappuccino et un espresso, s.v.p.*
ca**pp**u**cc**ino.

caprice n. m.
1. Désir subit et passager. *Faire des caprices.* **SYN.** sautes d'humeur.
2. Cours changeant des choses. *Les caprices de la mode.*

capricieusement adv.
Par caprice.

capricieux, ieuse adj. et n. m. et f.
1. Qui a des caprices. *Des enfants capricieux.*
2. Sujet à des changements imprévus. *Un vent capricieux.*

capricorne n. m.
Nom d'une constellation, d'un signe du zodiaque. *Il est (du signe du) Capricorne, il est né entre le 21 décembre et le 20 janvier.*
Les noms d'astres s'écrivent avec une majuscule.
VOIR **ASTRE.**

capsule n. f.
Couvercle de métal qui sert à fermer une bouteille. *Une capsule de bouteille d'eau gazeuse.*
Ne pas confondre avec le mot ***bouchon,*** pièce servant à boucher l'orifice d'une bouteille.
Locution
Capsule spatiale. Habitacle d'une fusée.

capter v. tr.
1. Intercepter, recevoir (une émission). *À la maison, nous ne captons pas bien cette chaîne de télévision.*
2. Recueillir (un fluide, une énergie). *Capter les rayons du soleil.*
3. Chercher à obtenir. *Il captait si bien notre attention.*
Conjugaison [VOIR MODÈLE – **AIMER**]

capteur n. m.
Dispositif destiné à détecter un phénomène physique afin de le représenter sous la forme d'un signal.
Locution
Capteur solaire. Dispositif emmagasinant l'énergie solaire pour la transformer en énergie thermique ou électrique.

captif, ive adj. et n. m. et f.
Privé de sa liberté. *Un animal captif.* **SYN.** prisonnier.

captivant, ante adj.
Qui retient l'attention, qui charme. *Des films captivants.* **SYN.** envoûtant, fascinant, passionnant.
Ne pas confondre avec le participe présent invariable ***captivant***. *Il raconte des histoires captivant les enfants.*

captiver v. tr.
Passionner, séduire. *Cette conférence a captivé les élèves.* **SYN.** envoûter, fasciner.
Conjugaison [VOIR MODÈLE – **AIMER**]

captivité n. f.
1. État de prisonnier.
Le nom s'emploie dans un contexte historique ou pour désigner l'état de celui qui est prisonnier de guerre. Aujourd'hui, on emploie plutôt le nom ***emprisonnement.***
2. Privation de liberté. *Des animaux élevés en captivité.*

capture n. f.
1. Arrestation. *Les policiers annoncent la capture d'un dangereux bandit.*
2. Prise. *La capture d'un ours polaire.*

capturer v. tr.
S'emparer d'un être vivant. *Il a capturé un tigre. Le malfaiteur a été capturé.*
Lorsque le complément du verbe désigne une chose, on emploie plutôt ***s'emparer de, prendre.***
Forme fautive
*capturer. Anglicisme au sens de ***saisir*** (le sens de quelque chose).
Conjugaison [VOIR MODÈLE – **AIMER**]

capuchon n. m.
1. Prolongement d'un vêtement que l'on peut rabattre sur la tête. *Un imperméable à capuchon.*
2. Bouchon. *Le capuchon d'un stylo.*

caquet n. m.
Cri de la poule qui pond.
Locution
Rabattre le caquet de quelqu'un, à quelqu'un. Le faire taire.
✎ caqu**et.**

caqueter v. intr.
1. Crier, en parlant de la poule qui pond.
2. Bavarder, souvent de façon importune.
Conjugaison [VOIR MODÈLE – **APPELER**]
Redoublement du ***t*** devant un ***e*** muet. *Je caquette, je caquetterai,* mais *je caquetais.*

car conj.
Conjonction servant à présenter la raison, l'explication de ce qui vient d'être formulé. *L'enfant n'ira pas à l'école demain, car il a la rougeole.* **SYN.** parce que.
☞ Généralement précédée d'une virgule, la conjonction ***car*** est placée après la proposition principale qui énonce le fait expliqué.
☞ La juxtaposition des conjonctions ***car*** et ***en effet*** est un pléonasme à éviter.

car n. m.
Abréviation familière de ***autocar.*** *Un car de touristes américains.*

carabine n. f.
Fusil court et léger dont l'intérieur du canon est strié.

caractère n. m.
1. Signe tracé sur une surface. *Des caractères illisibles, des caractères arabes.* **SYN.** lettre, signe, symbole.
2. Personnalité, manière d'être. *Il a un bon caractère. Marie-Ève a un caractère passionné.* **SYN.** tempérament.
3. Trait essentiel, élément propre. *Les caractères d'un film, d'une culture.* **SYN.** attribut, caractéristique, qualité, trait.
Locutions
Caractère alphabétique. Caractère appartenant à un jeu comprenant les lettres de l'alphabet et certains caractères spéciaux, à l'exclusion de tout chiffre.
Caractère alphanumérique. Caractère appartenant à un jeu comprenant les lettres de l'alphabet, les chiffres, le caractère d'espacement et d'autres signes conventionnels. *Notre code postal est en caractères alphanumériques.*
Caractère d'imprimerie. (IMPRIMERIE) Lettre ou signe servant à l'impression des textes. *Veuillez remplir ce formulaire en caractères d'imprimerie* (et non en *lettres moulées).
Caractères typographiques. Lettres de divers types.

caractériser v. tr., pronom.
Verbe transitif
1. Déterminer avec précision les caractères distinctifs de. **SYN.** distinguer, marquer.
2. Constituer le caractère essentiel de. *L'intelligence et la vivacité qui le caractérisent.*
Verbe pronominal
Être défini par un ou des caractères. *Cette maladie se caractérise par des accès de fièvre.*
Conjugaison [VOIR MODÈLE – **AIMER**]

caractéristique adj. et n. f.
Adjectif
Spécifique, qui caractérise. *Des symptômes caractéristiques d'une maladie.* **SYN.** particulier, propre.
Nom féminin
Caractère distinctif, élément essentiel. *La caractéristique de ce logiciel est d'être très facile à utiliser.* **SYN.** particularité, qualité.
☞ Attention au genre féminin de ce nom : ***une*** caractéristique.

carafe n. f.
Bouteille en verre ou en cristal à base élargie et à col étroit.
✎ cara**f**e.

carafon n. m.
Petite carafe. *Des carafons de vin rouge.*
✎ cara**f**on.

carambolage n. m.
1. Coup de billard où plusieurs billes sont touchées d'un seul coup.
2. (FIGURÉ) Série d'accidents. *Un gigantesque carambolage causé par la chaussée glacée.*
✎ carambo**l**age.

caramel adj. inv. et n. m.
Nom masculin
Sucre fondu et roussi par l'action de la chaleur. *Éliane a mangé des caramels.*
Adjectif de couleur invariable
D'une couleur entre le beige et le roux. *Des sacs caramel.*
VOIR TABLEAU – **COULEUR (ADJECTIFS DE).**

caraméliser v. tr.
Réduire à l'état de caramel, enduire de caramel. *Du sucre caramélisé.*
Conjugaison [VOIR MODÈLE – **AIMER**]

carapace n. f.
1. Enveloppe dure et solide qui protège le corps de certains animaux (tortues, crustacés, etc.). *La carapace du homard.*
2. (FIGURÉ) Ce qui protège des agressions de toutes sortes. *Tu es trop sensible ; tu dois te faire une carapace.*
✎ carapa**c**e.

carat n. m.
👄 Le ***t*** ne se prononce pas [kara].
1. Unité de masse qui sert d'étalon aux joailliers pour peser les diamants, les pierres précieuses et les perles. *Un diamant de trois carats.*
2. Proportion de la masse totale d'un alliage d'or (1/24). *Un bracelet en or 14 carats.*
✎ cara**t.**

caravanage n. m.
Voyage et camping en caravane.
☞ Ce nom a fait l'objet d'une recommandation officielle en vue de remplacer l'anglicisme « caravaning ».

caravane n. f.
1. Groupe de personnes qui traversent ensemble un désert, une région peu sûre. *Les chiens aboient, la caravane passe.* (Proverbe arabe) Malgré les critiques, il faut poursuivre son chemin et atteindre son but.
2. Véhicule aménagé pour servir de logement de camping, que l'on peut tirer à l'aide d'un véhicule.
☞ L'autocaravane se déplace seule.

***caravaning**
Anglicisme pour ***caravanage.***

carbone n. m.
Symbole **C** (s'écrit sans point).
Corps simple non métallique. *Le diamant est du carbone à l'état pur.*
Locution
Papier carbone. Papier permettant d'obtenir des doubles. *Des papiers carbone, des carbones.*
carbo**n**e, un seul ***n*** comme dans tous les dérivés.

carbonique adj.
Locution
Gaz carbonique (CO_2). Gaz résultant de la combinaison du carbone et de l'oxygène.

carboniser v. tr.
1. Brûler, réduire en charbon. *Des meubles carbonisés.*
2. (FIGURÉ) Cuire trop. *Le poulet est carbonisé : encore une étourderie de Momo !*
Conjugaison [VOIR MODÈLE – **AIMER**]

carburant n. m.
Produit utilisé pour alimenter un moteur. *Mettre du carburant à haut indice d'octane.* **SYN.** combustible.

carburateur n. m.
Appareil où s'effectue le mélange combustible d'un moteur à explosion.

carcajou n. m. (pl. *carcajous*)
Mammifère carnivore de la toundra polaire qui a la taille d'un ourson. *On attribue au carcajou une force prodigieuse et une intelligence quasi humaine.*
Le carcajou se nomme aussi ***glouton.***
Le mot ***carcajou*** est un amérindianisme.

carcan n. m.
1. (ANCIENNEMENT) Collier de fer servant à retenir un criminel au poteau d'exposition.
2. (FIGURÉ) Contrainte. *Le carcan des règlements et de la discipline.*
carc**an.**

carcasse n. f.
Charpente osseuse d'un animal. **SYN.** ossements, squelette.

cardi(o)- préf.
Élément du grec signifiant « cœur ». *Cardiologie.*

cardiaque adj. et n. m. et f.
Adjectif
Relatif au cœur. *Une crise cardiaque.*
Nom masculin et féminin
Personne atteinte d'une maladie du cœur. *Cardiaques, veuillez vous abstenir de fumer.*

cardigan n. m.
Veste de laine à manches longues et boutonnée. *Des cardigans bleu marine.*
cardig**an.**

cardinal, ale, aux adj.
1. Adjectif numéral cardinal ou **nombre cardinal.** Adjectif qui détermine les êtres ou les choses par leur NOMBRE. *Une énumération de six articles : le mot **six** est un adjectif numéral cardinal ou un nombre cardinal.*
1° Les adjectifs numéraux cardinaux sont invariables à l'exception de ***un*** qui peut se mettre au féminin, de ***vingt*** et de ***cent*** qui prennent la marque du pluriel s'ils sont multipliés par un nombre et s'ils ne sont pas suivis d'un autre adjectif de nombre. *Vingt et une chemises. Six cents stylos, quatre-vingts feuilles, trois cent dix fiches.*
2° Dans les adjectifs numéraux composés, le trait d'union s'emploie seulement entre les éléments qui sont l'un et l'autre inférieurs à ***cent,*** sauf si les éléments sont joints par la conjonction ***et.*** *Trente-sept, cent dix, vingt et un.*
VOIR TABLEAU – **NUMÉRAL (ADJECTIF).**
2. Point cardinal. Les noms des points cardinaux (nord, sud, est, ouest) et leurs synonymes (midi, centre, orient, occident, levant) s'écrivent avec une majuscule lorsqu'ils désignent une entité géographique, une région, une étendue de territoire ou lorsqu'ils déterminent l'élément spécifique d'un nom de voie de communication. *Le pôle Nord. Le bureau est situé rue Saint-Paul Ouest. Pour les vacances, nous irons dans le Midi.*
1° Les noms des points cardinaux s'écrivent avec une minuscule lorsqu'ils sont utilisés au sens de l'orientation, comme une position du compas. *Une terrasse exposée au sud.*
2° On appelle ***rose des vents*** la position et la subdivision des points cardinaux sur le cadran d'une boussole ou sur une carte géographique.
VOIR TABLEAU – **POINTS CARDINAUX.**

cardinal n. m. (pl. *cardinaux*)
Prêtre de rang élevé de l'Église catholique, électeur du pape. *Le cardinal Léger.*

cardiographie n. f.
Enregistrement des mouvements du cœur.

cardiologie n. f.
Spécialité médicale qui traite le cœur.

cardiologue n. m. et f.
Médecin spécialiste du cœur.

carême n. m.
Période de 40 jours qui précède la fête de Pâques chez les catholiques. *Faire carême.*
car**ê**me.

carence n. f.
Manque. *Une carence en fer.* **SYN.** insuffisance, lacune.

caressant, ante adj.
Qui caresse, doux et tendre. *Des gestes caressants.* **SYN.** affectueux, aimant, câlin.
Ne pas confondre avec le participe présent invariable ***caressant.*** *Ses mains caressant le petit chien.*
ca**r**essant.

caresse n. f.
1. Contact tendre et affectueux. **SYN.** cajolerie, câlinerie.
2. (FIGURÉ) Effleurement. *Les caresses de la brise.*
ca**r**esse.

caresser v. tr.
1. Faire des caresses à. *Elle caressait son chien Rouki.* **SYN.** cajoler, câliner, flatter.
2. (FIGURÉ) Espérer, se complaire dans une perspective agréable. *Caresser un projet.*
Conjugaison [VOIR MODÈLE – **AIMER**]
ca**r**esser.

cargaison n. f.
Marchandises constituant la charge d'un navire, d'un avion. **SYN.** chargement.

cargo n. m.
Navire spécialement aménagé pour le transport des marchandises.
Ne pas confondre avec les noms suivants :
- ***bateau,*** bâtiment, grand ou petit, qui navigue sur la mer ou sur les rivières ;
- ***canot,*** petit bateau ;
- ***paquebot,*** grand navire pour le transport des passagers ;
- ***pétrolier,*** navire-citerne pour le transport du pétrole ;
- ***voilier,*** bateau à voiles ;
- ***yacht,*** bateau de plaisance.

Locution
Avion-cargo. Avion destiné exclusivement au transport de marchandises. *Des avions-cargos.*

cari, carry ou **curry** n. m.
Épice indienne dont on parfume notamment le riz. *Un plat au cari.*

caribou n. m. (pl. *caribous*)
Mammifère de grande taille, doté de bois. **SYN.** renne.
Ce nom est un mot d'origine algonquine qui signifie « qui creuse la neige pour se nourrir ».

caricatural, ale, aux adj.
1. Qui a le caractère de la caricature. *Des dessins caricaturaux.*
2. Exagéré. *Une charge caricaturale.*

caricature n. f.
1. Dessin qui souligne certains traits ridicules par l'exagération. *Les étudiants ont fait des caricatures des professeurs.*
2. Description qui met en valeur certains aspects ridicules de quelque chose. *Cette pièce est une caricature de la société.*

caricaturer v. tr.
Faire une caricature de. **SYN.** ridiculiser.
Conjugaison [VOIR MODÈLE – **AIMER**]

caricaturiste n. m. et f.
Personne dont le métier est de dessiner des caricatures.

carie n. f.
Lésion d'une dent. *Une carie dentaire.*

carier v. tr., pronom.
Verbe transitif
Détruire par la carie. **SYN.** gâter.
Verbe pronominal
Être attaqué par la carie. *Ses dents se sont cariées.* **SYN.** se gâter.
Conjugaison [VOIR MODÈLE – **ÉTUDIER**]

carillon n. m.
Groupe de petites cloches.
Ne pas confondre avec les noms suivants :
- ***bourdon,*** grosse cloche d'une cathédrale, d'une basilique ;
- ***cloche,*** appareil sonore vibrant sous les coups d'un battant ;
- ***clochette,*** petite cloche ;
- ***sonnette,*** timbre, sonnerie électrique.
cari**ll**on.

carillonner v. intr.
Sonner en carillon. *La porte carillonnait : nos visiteurs arrivaient enfin !*
Conjugaison [VOIR MODÈLE – **AIMER**]
cari**ll**onner.

carlingue n. f.
Habitacle d'un avion.

carnage n. m.
Massacre d'hommes ou d'animaux. **SYN.** boucherie, tuerie.

carnassier, ière adj. et n. m. et f.
Se dit des animaux qui se nourrissent de chair crue, de proies vivantes. *Le tigre est carnivore et carnassier, l'homme est carnivore.*
Ne pas confondre avec les mots suivants :
- ***carnivore,*** qui se nourrit de chair ;
- ***frugivore,*** qui se nourrit de fruits ;
- ***granivore,*** qui se nourrit de graines ;
- ***insectivore,*** qui se nourrit d'insectes ;
- ***omnivore,*** qui se nourrit de végétaux et d'animaux.

carnaval n. m. (pl. *carnavals*)
Période de divertissements qui précède le carême. *Le carnaval de Québec.*

carnet n. m.
Petit livre que l'on porte sur soi. *Un carnet d'adresses, un carnet de chèques.*
carne**t.**

carnivore adj. et n. m. et f.
Se dit des êtres vivants qui se nourrissent de chair. *L'homme est carnivore. Certaines plantes sont carnivores.*
Ne pas confondre avec les mots suivants :
- ***carnassier,*** qui se nourrit de proies vivantes ;
- ***frugivore,*** qui se nourrit de fruits ;
- ***granivore,*** qui se nourrit de graines ;
- ***insectivore,*** qui se nourrit d'insectes ;
- ***omnivore,*** qui se nourrit de végétaux et d'animaux.

carotide n. f.
Chacune des deux artères qui conduisent le sang du cœur à la tête.

carotte adj. inv. et n. f.
Nom féminin
Racine comestible d'une plante potagère. *Des carottes crues.*
Adjectif de couleur invariable
De la couleur orange de la carotte. *Des cheveux carotte.*
VOIR TABLEAU – **COULEUR (ADJECTIFS DE).**

carpe n. f.
Poisson d'eau douce. *As-tu déjà mangé de la carpe ?*
VOIR TABLEAU – **ANIMAUX.**

carpeau n. m. (pl. *carpeaux*)
Petit de la carpe.
VOIR TABLEAU – **ANIMAUX.**

carpette n. f.
Petit tapis.

carquois n. m.
Étui à flèches.
car**qu**ois.

carre n. f.
1. Lisière d'acier qui borde la semelle d'un ski. *Aiguiser les carres.*
2. Tranchant de la lame d'un patin à glace.

carré, ée adj. et n. m.
Adjectif
Se dit d'une surface plane qui a quatre côtés égaux et quatre angles droits. *Un jardin carré. Une nappe carrée.*

Nom masculin
Surface plane qui a quatre côtés égaux et quatre angles droits. *Un grand carré.*
Locution
Mètre carré. Surface dont le côté a un mètre. *Des mètres carrés (m²).*

carreau n. m. (pl. *carreaux*)
1. Plaque de terre cuite, de pierre, etc., servant à revêtir le sol. *Des carreaux de céramique.*
Ne pas confondre avec le nom ***tuile,*** plaque de terre cuite servant à couvrir un immeuble.
2. Plaque de vitre posée aux fenêtres, aux portes. *Faire les carreaux.*
3. Une des couleurs du jeu de cartes.
Locution
À carreaux. Imprimé à quadrillage. *Une jupe à carreaux* (et non une jupe *carreautée).

carré au chocolat n. m.
Gâteau au chocolat.
Ce nom a été proposé comme équivalent du mot anglais « brownie ». (Recomm. off. OLF)

***carreauté**
Impropriété pour ***à carreaux.***

carrefour n. m.
Lieu relativement large, par opposition au simple croisement, où se rencontrent plusieurs voies de communication. **SYN.** intersection.
Ne pas confondre avec le nom ***croisement,*** intersection de deux voies de circulation.
ca**rr**efour.

carrément adv.
Sans détour. *Il a répondu carrément que ça ne l'intéressait pas.* **SYN.** fermement, franchement, nettement.
ca**rr**ément.

carrière n. f.
1. Profession. *Le choix d'une carrière.*
2. Excavation d'où l'on tire de la pierre, du marbre, etc., généralement à ciel ouvert. *Une carrière d'ardoise à ciel ouvert.*
Locution
Faire carrière. Gravir les échelons hiérarchiques d'une profession.
ca**rr**ière.

carriole n. f.
Voiture d'hiver sur patins et tirée par des chevaux.
ca**rr**io**l**e.

carrossable adj.
Praticable (pour les voitures). *Un chemin carrossable.*
ca**rr**ossable.

carrosse n. m.
Voiture de luxe à quatre roues tirée par des chevaux. *La reine est arrivée dans son beau carrosse.*
Forme fautive
*carrosse. Impropriété au sens de ***landau.*** *Elle promenait tous les jours son dernier-né dans son landau.*
ca**rr**osse.

carrosserie n. f.
Caisse d'une automobile, d'un appareil électroménager.
ca**rr**osserie.

carrousel n. m.
Le ***s*** se prononce ***z*** ou ***s,*** [karuzɛl] ou [karusɛl].
1. Parade au cours de laquelle des cavaliers exécutent des courses de tous genres.
2. Manège de chevaux de bois. *Les enfants se sont amusés dans les carrousels de la Ronde.*
En France, le nom est vieilli en ce sens, mais il est encore en usage en Belgique et en Suisse.
ca**rr**ou**s**el.

cartable n. m.
Sac d'écolier à plusieurs compartiments. *Les enfants préfèrent les cartables à bretelles aux cartables à poignée.*
Le ***cartable*** est un sac d'écolier. Pour désigner le sac à compartiments qui sert à porter des livres, des documents, on emploie plutôt le nom ***serviette.*** La serviette plate ne comportant qu'une seule poche est un ***porte-documents.***
Forme fautive
*cartable. Impropriété au sens de ***reliure, cahier.*** *Une reliure à trois anneaux remplie de feuilles mobiles.*

carte n. f.
1. Petit rectangle cartonné destiné à plusieurs usages. *Des cartes d'identité, des cartes de visite, des cartes postales, des cartes de crédit.*
2. Petit carton marqué d'une figure ou d'une couleur (cœur, carreau, pique, trèfle), et servant à divers jeux. *Des jeux de cartes.*
3. Représentation à échelle réduite d'une partie de la surface de la Terre. *La carte du Québec* (et non la *map).
Le ***plan*** est une carte à grande échelle d'une ville, d'un réseau de communications. *Le plan de Montréal, le plan du métro.*
Locutions
Brouiller les cartes. Embrouiller volontairement.
Château de cartes. Chose incertaine, précaire.
Donner, avoir carte blanche. Donner, avoir plein pouvoir.
Jouer cartes sur table. Jouer franc jeu.
Jouer sa dernière carte. Effectuer une ultime tentative.
Forme fautive
*carte d'affaires. Calque de l'anglais « business card » pour ***carte professionnelle.***

cartilage n. m.
Tissu conjonctif aux extrémités des os, du pavillon de l'oreille et des ailes du nez.
carti**l**age.

cartilagineux, euse adj.
Qui tient du cartilage. *Des tissus cartilagineux.*
cartilagineu**x.**

cartographe n. m. et f.
Personne qui établit des cartes de géographie.

cartographie n. f.
Ensemble des techniques d'élaboration, de dessin et d'édition des cartes géographiques, des plans.

cartomancie n. f.
Art prétendu de prédire l'avenir par les cartes (cartes à jouer, tarot, etc.).

cartomancien n. m.
cartomancienne n. f.
Personne qui lit, ou prétend lire l'avenir dans les cartes. **SYN.** diseur de bonne aventure, tireur (de cartes), voyant.

carton n. m.
1. Carte forte faite de pâte de papier. *Un carton ondulé.*
2. Boîte de carton. *Des photos dans un carton.*

Formes fautives
*carton (de cigarettes). Anglicisme pour ***cartouche*** (de cigarettes).
*carton (d'allumettes). Anglicisme pour ***pochette*** (d'allumettes).

***cartoon**
Anglicisme pour ***bande dessinée.***

cartouche n. f.
1. Étui en métal ou en carton renfermant la charge d'une arme à feu. *Une cartouche de pistolet automatique.*
2. Emballage groupant des paquets de cigarettes. *Acheter une cartouche* (et non un *carton) *de cigarettes.*
3. Recharge d'un stylo, d'un briquet, etc. *Une cartouche d'encre.*

cartouchière n. f.
Sac à cartouches.

***car wash**
Anglicisme pour ***lave-auto.*** *Des lave-autos.*

cas n. m.
1. Circonstance, évènement. *Un cas étrange.*
2. Situation particulière de quelqu'un, de quelque chose. *C'est un cas grave.*
Locutions
Au cas où, dans le cas où, pour le cas où, locutions conjonctives. À supposer que.
Ces locutions conjonctives sont généralement suivies du conditionnel, parfois de l'indicatif. *Au cas où il y aurait une tempête de neige, l'excursion serait annulée.*
Cas de conscience. Choix difficile au point de vue moral.
Cas de force majeure. Évènement inévitable.
C'est le cas de le dire. Expression qui souligne l'exactitude de ce qui vient d'être dit.
Dans tous les cas où, locution conjonctive. Toutes les fois que.
En cas de, locution prépositive. S'il y a.
En cas de besoin, locution adverbiale. S'il est nécessaire.
En ce cas, locution adverbiale. Dans ces conditions.
En tout cas, locution adverbiale. Quoi qu'il arrive.
Faire cas de, locution verbale. Tenir compte de quelque chose.
Faire grand cas de, locution verbale. Accorder (à quelqu'un, à quelque chose) beaucoup d'importance.
Le cas échéant, locution adverbiale. Si l'occasion se présente.

casanier, ière adj. et n. m. et f.
Qui préfère rester à la maison. *Des habitudes casanières. C'est un casanier.* **SYN.** pantouflard.

cascade n. f.
1. Chute d'eau de faible débit, comportant ordinairement plusieurs paliers. (Recomm. off. OLF)
Ne pas confondre avec les noms suivants :
– ***cataracte,*** chute d'un grand cours d'eau, dont la dénivelée est importante ;
– ***chute,*** masse d'eau tombant brusquement à l'emplacement d'une rupture de pente ;
– ***rapide,*** partie d'un cours d'eau, souvent hérissée de roches, où le courant devient rapide et agité par suite d'un resserrement du lit ou d'une faible augmentation de la pente.
Les noms génériques de géographie s'écrivent avec une minuscule. *La chute Montmorency est située près de Québec.*
2. Scène risquée d'un film tournée par une doublure.

cascadeur n. m.
cascadeuse n. f.
Personne qui tourne les scènes risquées d'un film, à titre de doublure.

case n. f.
1. (FAMILIER) Maison, en Afrique. *Une case en terre séchée.* **SYN.** hutte.
2. Carré de l'échiquier, du damier, etc. *La case départ. Remplir les cases d'un mot croisé.*
3. Compartiment d'un meuble, d'une boîte. *Ce secrétaire comporte plusieurs cases.*
4. Armoire métallique où l'on peut laisser des vêtements, des objets. *J'ai oublié mes gants dans ma case.*
Locution
Case postale. Compartiment où le courrier est déposé. *Le facteur distribue les lettres dans les cases postales* (et non les *casiers postaux).

caser v. tr.
Arriver à placer (souvent dans un espace restreint). *Pourras-tu caser mes valises dans le coffre de ta voiture ?*
Conjugaison [VOIR MODÈLE – **AIMER**]

caserne n. f.
Bâtiment militaire.

***cash**
Anglicisme pour ***caisse.*** *Il a pris l'argent de la caisse* (et non du *cash).
Anglicisme pour ***comptant.*** *Payer comptant* (et non payer *cash).

casier n. m.
Ensemble de cases. *Un casier à disques.*
Forme fautive
*casier postal. Impropriété au sens de ***case postale.***

casino n. m.
Établissement où les jeux d'argent sont autorisés. *Julien aimerait bien aller jouer un jour dans un casino.*

casque n. m.
Coiffure rigide destinée à protéger la tête. *Un casque de hockey. À vélo sans casque... tu es tombé sur la tête ?*

casquette n. f.
Coiffure munie d'une visière. *Martin porte la casquette des Expos de Montréal.*

cassant, ante adj.
1. Qui se casse facilement. *Des assiettes cassantes.* **SYN.** fragile.
2. Tranchant, autoritaire. *Un ton cassant.*

casse n. f.
Action de casser, objets cassés. *Cette voiture est bonne à mettre à la casse* (et non à la *scrap). *Attention, il va y avoir de la casse !*

casse- préf.
Les mots composés avec le préfixe ***casse-*** s'écrivent avec un trait d'union. Au pluriel, le préfixe ***casse-,*** qui est un verbe, demeure invariable, tandis que le second élément est parfois variable, parfois invariable. *Des casse-cou.*

cassé, ée adj.
Brisé. *Ce jouet est cassé : il faut le réparer. Une jambe cassée.* **SYN.** endommagé.
Locutions
Blanc cassé. Adjectif de couleur invariable. D'un blanc légèrement teinté. *Des robes blanc cassé.*
Voix cassée. Enrouée.

C

casseau ou **cassot** n. m.
⚜ Emballage de faible volume servant au transport des petits fruits (fraises, framboises, bleuets...). *Un casseau* ou *un cassot de framboises.*
☞ Ne pas confondre avec le nom ***cageot,*** emballage servant au transport des denrées alimentaires périssables.

casse-cou adj. et n. m. et f. inv. (pl. *casse-cou*)
Se dit d'une personne téméraire. *Des jeunes filles casse-cou.* **SYN.** audacieux, imprudent.

casse-croûte n. m. inv. (pl. *casse-croûte*)
1. Repas léger. *Des casse-croûte appétissants.*
2. ⚜ Petit restaurant où l'on prend des repas légers. *Il lit son journal au casse-croûte* (et non au *snack-bar).

casse-noix n. m. inv. (pl. *casse-noix*)
Instrument servant à casser les noix.

casse-pieds adj. et n. m. et f. inv. (pl. *casse-pieds*)
(FAMILIER) Importun, désagréable. *De détestables casse-pieds. Une réunion casse-pieds.* **SYN.** ennuyeux.

casser v. tr., intr., pronom.
Verbe transitif
Briser, rompre. *L'enfant a cassé le verre. Cette chute lui a cassé la jambe.* **SYN.** endommager, fracturer.
Verbe intransitif
Se briser. *La tablette a cassé.*
Verbe pronominal
Se fracturer. *Elle s'est cassé le bras.*
☞ Attention à l'accord du participe : celui-ci reste invariable si le complément d'objet direct ne précède pas le verbe.
Locution
À tout casser. Extraordinaire. *C'est un spectacle à tout casser.* **SYN.** remarquable.
Conjugaison [VOIR MODÈLE – **AIMER**]

casserole n. f.
Récipient métallique muni d'un manche et parfois d'un couvercle, réservé à la cuisson des aliments.
☞ Ne pas confondre avec les noms suivants :
– ***chaudron,*** récipient assez profond à anse mobile ;
– ***poêle,*** récipient plat à longue queue.
✎ casse**r**ole.

casse-tête n. m. inv. (pl. *casse-tête*)
1. Jeu de patience. *Ces casse-tête contiennent mille pièces.*
☞ En France, on dit plutôt ***puzzle.***
2. Problème difficile à résoudre.

cassette n. f.
Boîtier amovible contenant une bande magnétique destinée à l'enregistrement et à la lecture de données. *Des cassettes vidéo amusantes.*

cassis n. m.
👄 Le ***s*** final se prononce [kasis].
Groseillier noir. *De la liqueur de cassis.*
✎ cassi**s.**

cassonade n. f.
Sucre roux qui n'a été raffiné qu'une fois. *Elle met un peu de cassonade* (et non de *sucre brun) *sur sa crêpe.*
✎ casso**n**ade.

cassot
VOIR **CASSEAU.**

cassoulet n. m.
Mets du sud de la France composé de haricots blancs et de morceaux d'oie, de porc ou de mouton.

castagnettes n. f. pl.
Instrument de percussion d'origine espagnole. *Jouer des castagnettes.*

castor n. m.
Rongeur à large queue plate. *Les castors construisent des digues.*

castration n. f.
Suppression d'un organe nécessaire à la reproduction.
☞ Le nom s'emploie plus couramment pour les individus mâles.

castrer v. tr.
Pratiquer la castration sur.
Conjugaison [VOIR MODÈLE – **AIMER**]

cata- préf.
Élément du grec signifiant « en dessous, en arrière ». *Catacombe.*

cataclysme n. m.
Désastre naturel d'une grande ampleur. *Ce raz-de-marée a été un cataclysme.*
☞ Ne pas confondre avec le nom ***catastrophe,*** accident causant la mort de plusieurs personnes.
✎ catacl**y**sme.

catacombe n. f.
Vaste cavité souterraine ayant servi de cimetière. *Les catacombes romaines.*
☞ Ce mot s'utilise surtout au pluriel.

catalogne n. f.
⚜ Étoffe faite au métier avec des retailles de tissus.

catalogue n. m.
1. Liste d'objets classés. *Le musée vend le catalogue de cette exposition.*
2. Cahier comportant la liste des produits d'une entreprise, leurs prix, leurs caractéristiques et les renseignements utiles à la vente de ces produits. *Voici le catalogue de nos articles.*

cataloguer v. tr.
1. Classer par ordre dans un catalogue. *Cataloguer des disques, des livres.*
2. (FIGURÉ) Classer (quelqu'un, quelque chose) dans une catégorie, surtout défavorable. *Elle a été cataloguée tout de suite : c'est une fausse timide.*
Conjugaison [VOIR MODÈLE – **AIMER**]

catamaran n. m.
Voilier à deux coques. *Des catamarans très rapides.*
✎ catamar**an.**

catapulte n. f.
(ANCIENNEMENT) Machine de guerre servant à lancer des pierres, des traits.
☞ Attention au genre féminin de ce nom : ***une*** catapulte.

cataracte n. f.
1. Chute d'un grand cours d'eau, où il y a une importante différence de niveau entre deux points. (Recomm. off. OLF)
☞ Ne pas confondre avec les noms suivants :
– ***cascade,*** chute d'eau de faible débit, comportant ordinairement plusieurs paliers ;
– ***chute,*** masse d'eau tombant brusquement à l'emplacement d'une rupture de pente ;

C

– ***rapide,*** partie d'un cours d'eau, souvent hérissée de roches, où le courant devient rapide et agité par suite d'un resserrement du lit ou d'une faible augmentation de la pente.
Les noms génériques de géographie s'écrivent avec une minuscule. *La chute Montmorency a 84 m de hauteur.*
2. (MÉDECINE) Affection de l'œil rendant partiellement ou totalement aveugle.

catastrophe n. f.
1. Malheur brusque très grave. *Cette explosion est une catastrophe.* **SYN.** désastre.
2. Accident causant la mort de plusieurs personnes. *Une catastrophe aérienne.* **SYN.** drame.
Locution
En catastrophe. En toute hâte. *Ils sont arrivés en catastrophe et nous ont dit qu'ils étaient très en retard.*
Ne pas confondre avec le nom ***cataclysme,*** désastre naturel d'une grande ampleur.
catastro**ph**e.

catastropher v. tr.
(FAMILIER) Bouleverser, consterner. *Leur départ l'a catastrophé.*
Conjugaison [VOIR MODÈLE – **AIMER**]
catastro**ph**er.

catastrophique adj.
1. Qui provoque une catastrophe. *Un raz-de-marée catastrophique.* **SYN.** désastreux, effroyable, épouvantable.
2. (FAMILIER) Ennuyeux. *Son absence est catastrophique.*
catastro**ph**ique.

catéchèse n. f.
Enseignement chrétien.

catéchisme n. m.
1. Enseignement chrétien.
2. Livre contenant la doctrine chrétienne.

catégorie n. f.
Classe dans laquelle on répartit des objets, des êtres de même nature. *Ces œufs sont de catégorie A.* **SYN.** famille, genre, groupe, type.

catégorique adj.
Indiscutable. *Un refus catégorique.* **SYN.** absolu, net.

cathédrale n. f.
Église principale d'un territoire placé sous la direction d'un évêque. *Une cathédrale gothique. La cathédrale Notre-Dame.*
Dans les désignations d'édifices religieux, le nom générique (***abbaye, basilique, chapelle, église, oratoire,*** etc.) s'écrit avec une minuscule.
cat**h**édrale.

catholicisme n. m.
Doctrine de l'Église catholique romaine.
Les noms de religions s'écrivent avec une minuscule.
cat**h**olicisme.

catholique adj. et n. m. et f.
Adjectif
Propre au catholicisme.
Nom masculin et féminin
Personne de religion catholique.
L'adjectif ainsi que le nom s'écrivent avec une minuscule.
Locution
Pas très catholique. (FAMILIER) Douteux, sujet à caution. **SYN.** louche.
cat**h**olique.

***catin**
Impropriété au sens de ***poupée.***

cauchemar n. m.
1. Rêve pénible. *Julien a fait un cauchemar : des cambrioleurs lui volaient son vélo.*
Ne pas confondre avec les noms suivants :
– ***rêve,*** images qui viennent à l'esprit pendant le sommeil ;
– ***rêverie,*** images, associations qui viennent à l'esprit, alors qu'on est éveillé ;
– ***songe,*** rêve dont on tire des présages.
2. (FIGURÉ) Idée, personne ou chose obsédante, insupportable. *Ces problèmes de chimie, c'est un vrai cauchemar.*
cauchema**r**.

cause n. f.
1. Ce qui fait qu'une chose est ou se fait. *La cause d'un accident.* **SYN.** motif, origine, raison.
2. Procès. *Une cause perdue.*
3. Ensemble d'intérêts que l'on veut défendre. *La cause des enfants malades me tient à cœur. Une bonne cause.* **SYN.** parti.
Locutions
À cause de, locution prépositive. En considération de. *À cause de son état de santé, je lui ai permis de partir.*
Avoir gain de cause. L'emporter sur la partie adverse. *Nous avons eu gain de cause.*
En connaissance de cause. En connaissant bien les faits.
Et pour cause. Pour des motifs évidents que l'on tait. *Le ministre a donné sa démission, et pour cause.*
Être en cause, locution verbale. Être concerné. *Ils ne sont pas en cause.*
Mettre en cause, locution verbale. Incriminer, suspecter. *Ces financiers ont été mis en cause.*
Pour cause de, locution prépositive. En raison de. *Fermé pour cause d'incendie.*
Forme fautive
*à cause que. Locution ancienne pour ***parce que.*** *Elle n'a pu venir à l'école parce qu'elle* (et non *à cause qu'elle) *était malade.*

causer v. tr., intr.
Verbe transitif
Être cause de. *La tempête a causé une panne de courant.* **SYN.** occasionner, provoquer.
Verbe intransitif
1. Parler. *Ils causent depuis un bon moment.* **SYN.** bavarder.
2. Parler avec malveillance, jaser. *Il ne faudrait pas qu'on cause.*
Conjugaison [VOIR MODÈLE – **AIMER**]

causette n. f.
Conversation familière. *Fais-moi la causette quelques minutes.*

causeuse n. f.
Petit canapé à deux places.

cavalerie n. f.
Ensemble de troupes à cheval. *La cavalerie de la gendarmerie royale.*
cava**l**erie.

cavalier, ière n. m. et f.
Personne qui monte à cheval. *Nellie est une habile cavalière.*
Le nom ***amazone*** qui désignait une femme qui monte à cheval est vieilli et n'est plus usité que pour nommer la façon de monter à cheval avec les deux jambes du même côté de la selle.

Ne pas confondre avec le nom ***chevalier,*** noble admis dans un ordre de chevalerie.
cavalier.

cavalier, ère adj.
Désinvolte, impoli. *Une réponse cavalière.* **SYN.** brusque, impertinent, insolent. **ANT.** respectueux.

cave adj. et n. m. et f.
Adjectif
(FAMILIER) Qui se laisse tromper facilement. *Elle aussi a été cave.*
Nom masculin
(FAMILIER) Personne qui se laisse berner. *C'est un cave, il a payé trop cher.*
Nom féminin
1. Lieu souterrain (où l'on met notamment du vin, des provisions, etc.). *La cave d'un chalet.*
2. (PAR EXTENSION) Les vins qui sont dans une cave. *Ce restaurant a une excellente cave.*

caveau n. m. (pl. *caveaux)*
Construction souterraine destinée à servir de sépulture. *Des caveaux secrets.*

caverne n. f.
Cavité souterraine, grotte. *Dans cette caverne, on a découvert des peintures qui datent de plus de 15 000 ans. Les hommes des cavernes ne regardaient pas la télévision.*
Locution
Âge des cavernes. La préhistoire. *À l'âge des cavernes, on habitait dans des cavités creusées dans la pierre.*

caviar n. m.
Œufs d'esturgeon. *On nous a reçus royalement au champagne et au caviar.*

cavité n. f.
Espace vide. *L'eau s'infiltre dans le mur par cette cavité.* **SYN.** creux, trou, vide.

C.-B.
Abréviation de ***Colombie-Britannique.***

CD-ROM
Abréviation de ***Compact Disc, Read Only Memory.***
En français, on emploie l'abréviation ***DOC*** (disque optique compact). *Le DOC du Visuel est très intéressant. L'Académie française propose le néologisme* ***cédérom.***

ce pron. dém. neutre
Ce pronom démonstratif invariable représente un nom, un infinitif, une proposition. Il désigne la personne ou la chose dont on parle. *Faites ce que je vous dis et non ce que je fais.*
SUJET IMPERSONNEL
Ce + consonne. *Ce sera une belle journée.*
C' + voyelle. *C'était hier. Ç'aurait pu être très agréable.*
Devant une voyelle, le pronom s'élide en ***c'*** (**ç** devant ***a*** ou ***o***).
– C'EST
C'est + nom au singulier. *C'est une jolie maison.*
C'est + pronom. Les pronoms singuliers, ***moi, toi, lui, elle*** et les pronoms pluriels ***nous, vous.*** *C'est nous.*
C'est + que. *C'est à compter de demain que les prix augmentent.*
C'est + quantité. *C'est 5 $ le kilo.*
Si ce n'est. Sauf. *Il ne rêve à rien, si ce n'est de réussir.*
– CE SONT
Ce sont + nom au pluriel. *Ce sont des tulipes.*
Ce sont + ***eux, elles.*** *Ce sont elles qui ont le mieux répondu.*
Ce ne sont pas + ***eux, elles.*** *Ce ne sont pas eux qui ont payé.*
Lorsque la phrase est négative, l'emploi de ***c'est*** ou de ***ce sont*** est flottant. *Ce ne sont pas eux ou ce n'est pas eux.*

ce, cet, cette, ces adj. dém.
Les adjectifs démonstratifs déterminent le nom en montrant l'être ou l'objet désigné par ce nom. Ils s'accordent en genre et en nombre avec le nom déterminé. *Ce livre, cet ouvrage, cet homme, cette fleur, ces garçons et ces filles.*
Devant une voyelle ou un ***h*** muet, l'adjectif démonstratif masculin singulier s'écrit avec un ***t, cet.*** *Cet enfant, cet hôpital.*
L'adjectif démonstratif est parfois renforcé par ***ci*** ou ***là*** joint au nom par un trait d'union. Alors que ***ci*** indique la proximité, ***là*** suggère l'éloignement. *Cette maison-ci, cette rivière-là.*

ceci pron. dém. inv.
Ce qui est proche dans l'espace, ce qui va suivre. *Dites-lui ceci : nous serons là demain.*
Le pronom ***cela*** désigne plutôt un objet éloigné, ou ce qui précède. *Ceci est à moi, cela est à toi.*

CÉCM
Sigle de ***Commission des écoles catholiques de Montréal.***

céder v. tr., intr.
Verbe transitif direct
Laisser, abandonner une chose à quelqu'un. *Céder sa place. Je te cède la parole : c'est à ton tour de parler.* **SYN.** donner.
Verbe transitif indirect
Ne plus résister à (quelqu'un, quelque chose). *Ils ont cédé à la gourmandise et ont dévoré toute la tarte.* **SYN.** succomber.
En ce sens, le verbe se construit avec la préposition ***à.***
Verbe intransitif
Plier, se rompre. *Le sol céda sous le poids. Le barrage a cédé.* **SYN.** s'affaisser, s'écrouler, tomber.
Conjugaison [VOIR MODÈLE – **POSSÉDER**]
Le ***é*** se change en ***è*** devant une syllabe muette, sauf à l'indicatif futur et au conditionnel présent. *Je cède,* mais *je céderai.*

cédille n. f.
Signe orthographique qui se place sous le ***c*** devant les voyelles ***a, o, u*** pour indiquer que ce ***c*** se prononce ***s*** et non ***k.*** *Les mots* ***français, glaçon, aperçu*** *s'écrivent avec une cédille.*

cèdre n. m.
1. Grand conifère. *Un cèdre du Liban. Il y a un cèdre sur le drapeau du Liban.*
2. Espèce de thuya. *Une haie de cèdres.*

***cédule**
Anglicisme pour ***horaire, programme, calendrier.***

***céduler**
Anglicisme pour ***inscrire à l'horaire, programmer.***

cégep n. m.
Établissement public d'enseignement collégial général ou professionnel. (Recomm. off. OLF) Le mot ***cégep*** est un acronyme formé des initiales de ***Collège d'enseignement général et professionnel.*** *Des cégeps.*
Généralement les sigles et acronymes ne prennent pas la marque du pluriel ; cependant le terme ***cégep*** qui a produit un dérivé (***cégépien***) est maintenant considéré comme un nom et s'accorde au pluriel. L'accent aigu sur le premier ***e*** n'a d'autre justification que celle de faciliter la prononciation du mot.

cégépien, ienne n. m. et f.
⚜ Jeune ou adulte qui poursuit des études, à temps plein ou partiel, dans un cégep. (Recomm. off. OLF)
Ce terme est dérivé de l'acronyme ***cégep.***

ceinture n. f.
1. Bande dont on s'entoure la taille. *Une ceinture de cuir.*
2. Taille. *Dans cette piscine, nous avons de l'eau jusqu'à la ceinture.*
Locutions
Ceinture (blanche, orange, noire...). Ceinture dont la couleur détermine le classement des personnes qui pratiquent le judo.
Ceinture de sauvetage. Veste qui permet de se maintenir à la surface de l'eau. *Pour faire du ski nautique, il est prudent de porter une ceinture de sauvetage.*
Ceinture de sécurité. Dispositif qui retient le passager d'une voiture, d'un avion, etc., en cas d'accident. *Boucler sa ceinture.*

cela pron. dém. inv.
Abréviation familière ***ça.***
1. Ce qui est éloigné dans l'espace, ce qui précède. *Cela est à toi, ceci est à moi.*
Le pronom ***ceci*** désigne plutôt ce qui est proche, ce qui va suivre.
2. Cette chose-là. *Antoine lui a donné cela.*
Sans opposition à ***ceci,*** le pronom ***cela*** indique un fait actuel, une chose dont on parle.
cel**a**, sans accent sur le ***a.***

célébration n. f.
Action de fêter. *La célébration d'un anniversaire.*

célèbre adj.
Très connu. *Une actrice célèbre.* **SYN.** fameux, illustre, renommé, réputé.

célébrer v. tr.
1. Marquer avec éclat un évènement heureux. *Célébrer l'anniversaire d'un ami, la victoire d'une équipe.* **SYN.** fêter.
2. Marquer une date par une cérémonie. *Célébrer l'anniversaire de la mort d'un parent.* **SYN.** souligner.
3. (LITTÉRAIRE) Dire des éloges de (quelqu'un). *Il célébra les mérites de son associé.* **SYN.** louer, vanter.
Conjugaison [VOIR MODÈLE – **POSSÉDER**]
Le deuxième **é** se change en **è** devant une syllabe muette, sauf à l'indicatif futur et au conditionnel présent. *Je célèbre,* mais *je célébrerai.*

célébrité n. f.
1. Renommée. *La célébrité de cette cathédrale, d'un poète.* **SYN.** popularité.
2. Personne célèbre. *Des célébrités de la télévision étaient présentes.* **SYN.** vedette.

céleri n. m.
Le **é** se prononce **è**, parfois **é** [sɛlri] ou [selri].
Plante potagère dont les feuilles et les racines sont comestibles. *Des cœurs de céleri. Des céleris-raves.*

céleste adj.
1. Relatif au ciel. *La voûte céleste.*
2. Divin. *Une musique céleste.*

célibat n. m.
État d'une personne non mariée.
céliba**t.**

célibataire adj. et n. m. et f.
Non marié.

celle pron. dém. f. (pl. *celles*)
Le pronom démonstratif féminin ***celle*** désigne une personne féminine, une chose féminine nommée précédemment et à laquelle on donne une nouvelle détermination. *C'est celle que je préfère.*
HOM.
– **sel**, substance blanche employée comme assaisonnement ;
– **selle**, siège du cavalier.
– **selles**, excréments.
VOIR **CELUI.**

celle-ci pron. dém. f.
Pronom démonstratif désignant une personne, une chose rapprochée ou dont on vient de parler. Il s'oppose souvent à ***celle-là.*** *J'avais une cousine, mais celle-ci ne voulait pas jouer avec moi.*

celle-là pron. dém. f.
Pronom démonstratif désignant généralement une personne, une chose éloignée. Il s'oppose souvent à ***celle-ci.*** *J'ai fait la connaissance de cette personne, mais je ne connais pas celle-là.*

cellophane n. m.
La première syllabe se prononce **cé** [selɔfan].
Pellicule transparente. *Des produits alimentaires vendus sous cellophane.*
Au Québec, le nom s'emploie généralement au masculin, mais dans la francophonie, il est de genre féminin.

cellulaire adj.
Relatif à une cellule. *Un tissu cellulaire.*
Locution
Téléphone cellulaire. Système mobile de radiotéléphonie permettant l'accès à l'ensemble du réseau téléphonique.
ce**ll**u**l**aire.

cellule n. f.
1. Élément constitutif fondamental de tout être vivant. *Une cellule sanguine.*
2. Petit local. *Une cellule de prisonnier.*
ce**ll**u**l**e.

cellulite n. f.
Gonflement du tissu cellulaire situé sous la peau.
ce**ll**u**l**ite.

Celsius adj. et n. m.
Symbole **C** (s'écrit sans point).
Le symbole **C** suit le symbole de degré **°** sans espace et s'écrit sans point abréviatif. Les deux symboles sont séparés du nombre par un espace, aussi bien pour le nombre entier que décimal. *25 °C, 23,4 °C.*
VOIR **CENTIGRADE.**

celui pron. dém. m. (pl. *ceux*)
Le pronom démonstratif masculin ***celui*** désigne une personne masculine, une chose masculine nommée précédemment et à laquelle on donne une nouvelle détermination. *Quant aux livres, j'ai acheté celui qui m'intéresse le plus.*
Au féminin singulier, ***celle***; au féminin pluriel, ***celles.***

celui-ci pron. dém. m. (pl. *ceux-ci*)
Pronom démonstratif désignant une personne, une chose rapprochée ou dont on vient de parler. Il s'oppose souvent à ***celui-là.***
Au féminin singulier, ***celle-ci***; au féminin pluriel, ***celles-ci.***

celui-là pron. dém. m. (pl. *ceux-là*)
Pronom démonstratif désignant une personne, une chose éloignée. Il s'oppose souvent à ***celui-ci.***
Au féminin singulier, ***celle-là***; au féminin pluriel, ***celles-là.***

cendre n. f.
1. Résidu des matières brûlées. *Le feu couve sous la cendre. La maison a été réduite en cendres.*
2. (AU PLURIEL) Restes d'un mort. *Une urne pour recueillir ses cendres.*
Locution
Mettre en cendres. Détruire entièrement.

cendrier n. m.
Récipient servant à recueillir la cendre des cigares, des cigarettes.

censé, ée adj.
1. Supposé. *Nul n'est censé ignorer la loi.*
2. ***Censé*** + infinitif. Qui doit faire quelque chose, en principe. *Ils sont censés venir demain.*
HOM. sensé, plein de sens, raisonnable.

censure n. f.
Contrôle exercé par une autorité sur des écrits, des spectacles avant d'en autoriser la diffusion, la représentation. *Faut-il abolir la censure ?*

censurer v. tr.
Interdire tout ou partie d'un texte, d'un spectacle, d'un film, etc. *Un article censuré, une scène censurée.*
Conjugaison [VOIR MODÈLE – **AIMER**]

cent adj. num. et n. m. inv.
Adjectif numéral cardinal
Dix fois dix.
– L'adjectif ***cent*** prend un ***s*** quand il est multiplié par un autre nombre et qu'il termine l'adjectif numéral. *J'ai lu sept cents pages.*
– Il est invariable quand il n'est pas multiplié par un autre nombre et qu'il est suivi d'un autre adjectif numéral. *Il a lu cent pages. Elle a écrit trois cent vingt-sept pages.*
– Devant ***millier, million, milliard,*** qui sont des noms et non des adjectifs numéraux, l'adjectif ***cent*** s'accorde quand il n'est pas suivi d'un nom de nombre. *Quatre cents millions de dollars,* mais *quatre cent mille personnes.*
Adjectif numéral ordinal invariable
Centième. *Page trois cent.*
Dans les adjectifs numéraux composés, le trait d'union s'emploie seulement entre les éléments qui sont l'un et l'autre inférieurs à ***cent,*** et quand les éléments ne sont pas joints par la conjonction ***et.*** *Cent dix, trente-huit, cent vingt et un, deux cent trente-deux.*
Nom masculin invariable
Le nombre cent. *Dix fois cent. Il a tracé des cent dans le sable.*
Nom masculin
POUR CENT
Abréviations ***%, p. c., p. cent, p. 100.***
Pour une quantité de cent unités. *Ils ont réussi dans une proportion de soixante-dix-huit pour cent. Le taux d'intérêt est de dix pour cent ou de 10 %.*
Pour cent + nom au singulier. Le verbe se met au singulier et l'adjectif ou le participe se met au singulier et s'accorde en genre avec le nom. *Vingt pour cent de la classe est d'accord et se montre enchantée de la décision.*
Pour cent + nom au pluriel. Le verbe se met au pluriel et l'adjectif ou le participe s'accorde en genre et en nombre avec le nom. *Soixante-cinq pour cent des personnes interrogées ont été retenues.*
Nom précédé d'un déterminant pluriel + ***pour cent.*** Le verbe se met obligatoirement au pluriel et l'adjectif ou le participe se met au masculin pluriel. *Les vingt-deux pour cent des enfants sont inscrits au cours de natation.*
VOIR **VINGT, MILLE.**
VOIR TABLEAU – **NOMBRES.**
VOIR TABLEAU – **NUMÉRAL (ADJECTIF).**

cent (monnaie) n. m.
Le ***t*** se prononce [sɛnt].
Symbole ***¢*** (s'écrit sans point).
1. Centième partie du dollar (Canada, États-Unis, etc.).
2. Pièce de monnaie d'une valeur de un cent. *Insérer vingt-cinq cents ou 25 ¢.*
En français, le symbole de l'unité monétaire est placé à la suite de l'expression numérale, après un espace.
Attention au genre masculin de ce mot : ***un*** cent.
Ne pas confondre ¢ et $: une petite somme de monnaie (inférieure à 1 $) peut être inscrite à l'aide du symbole d'un cent ou du nombre décimal suivi du symbole du dollar. La somme de 50 ¢, par exemple, peut être notée également 0,50 $. Si la somme est inférieure à l'unité, la virgule décimale doit être précédée d'un zéro.

centaine n. f.
1. Ensemble de cent unités. *Le prix de cet article est de 10 $ la centaine.*
2. Environ cent. *Une centaine de personnes. Ils sont venus par centaines.*

centenaire adj. et n. m. et f.
Adjectif et nom masculin et féminin
Qui a cent ans ou plus.
Nom masculin
Centième anniversaire.
Le deuxième centenaire est un ***bicentenaire,*** le troisième, un ***tricentenaire.*** Pour 150 ans, on dira le ***cent cinquantenaire***.

centi- préf.
Symbole ***c*** (s'écrit sans point).
Préfixe qui multiplie par 0,01 l'unité qu'il précède. *Centimètre.*
Sa notation scientifique est 10^{-2}.
VOIR TABLEAU – **MULTIPLES ET SOUS-MULTIPLES DÉCIMAUX.**

centième adj. num. et n. m. et f.
Abréviations : ***100e*** (centième), ***100es*** (centièmes).
Adjectif numéral ordinal
Nombre ordinal de cent. *La centième page.*
Nom masculin
La centième partie d'un tout. *Les dix centièmes d'une quantité.*
Nom masculin et féminin
Personne, chose qui occupe le centième rang. *Ils sont les centièmes.*
VOIR TABLEAU – **NOMBRES.**
VOIR TABLEAU – **NUMÉRAL (ADJECTIF).**

centigrade adj.
(VIEUX) Divisé en cent degrés.
Ce mot a été remplacé par ***Celsius.*** *Des degrés Celsius* (et non des degrés *centigrades).

centigramme n. m.
Symbole ***cg*** (s'écrit sans point).
Centième partie du gramme.

centilitre n. m.
Symbole ***cl*** (s'écrit sans point).
Centième partie du litre.

C

centimètre n. m.
Symbole ***cm*** (s'écrit sans point). Les symboles ***cm²*** et ***cm³*** correspondent à ***centimètre carré*** et ***centimètre cube.*** Centième partie du mètre. *Ève mesure 165 centimètres.*

centrage n. m.
Action de déterminer le centre, de disposer au centre. *Ce logiciel de traitement de texte effectue le centrage d'un titre, d'un texte, au centre défini par les marges d'un document.*

central, ale, aux adj. et n. m.
Adjectif
Qui est au centre. *Des marchés centraux.*
Nom masculin
Lieu où aboutissent les fils d'un réseau. *Un central téléphonique.*
Ne pas confondre avec le nom ***centrale,*** usine qui produit du courant électrique.

centrale n. f.
1. Usine qui produit de l'énergie électrique à partir d'une autre source d'énergie. *Une centrale nucléaire.*
2. Groupement de syndicats. *Une centrale syndicale.*
Locution
Centrale hydroélectrique. Usine dans laquelle l'énergie mécanique de l'eau est transformée en énergie électrique. (Recomm. off. OLF) *La centrale hydroélectrique de la Manicouagan.*
Ne pas confondre avec le nom ***central,*** lieu où aboutissent les fils d'un réseau.

centralisation n. f.
Action de centraliser ; son résultat.

centraliser v. tr.
Rassembler en un centre unique. *Centraliser des activités.*
Conjugaison [VOIR MODÈLE – **AIMER**]

centre n. m.
1. Point géométrique également distant de tous les points d'une circonférence. *Le centre d'un cercle.*
2. Milieu d'un espace. *Le centre de la ville.*
3. Point de rencontre. *Centre d'attraction. Des centres d'intérêt. Un centre culturel.*
Le nom ***centre*** entre dans la composition de plusieurs dénominations. Son emploi doit être limité aux entreprises, aux organismes qui font véritablement un regroupement, une centralisation de services, d'activités. *Centre national de la recherche scientifique. Centre culturel.*

centre commercial n. m. (pl. *centres commerciaux*)
Groupe de magasins de détail, qui peut comprendre généralement un ou plusieurs magasins à grande surface et divers services (notamment poste, banques), occupant un ensemble de bâtiments donnant sur un parc de stationnement dans une zone urbaine ou à proximité. (Recomm. off. OLF) *Des centres commerciaux* (et non des *centres d'achats).

centre d'accueil n. m. (pl. *centres d'accueil*)
Établissement destiné à recevoir des personnes qui, en raison de leur âge, de leur état physique ou psychosocial, ont besoin d'être traitées ou gardées en résidence protégée. (Recomm. off. OLF)

***centre d'achats**
Calque de l'anglais « shopping centre » pour ***centre commercial.***

centre de loisirs n. m.
Lieu où sont organisées diverses activités récréatives.

centre d'orientation et de formation des immigrants
Sigle ***COFI*** (s'écrit avec ou sans points).

centre local de services communautaires
Sigle ***CLSC*** (s'écrit avec ou sans points).

centrer v. tr.
1. Placer au milieu. *Centrer un titre sur une page.*
2. Orienter. *La discussion a été centrée sur la souveraineté du Québec.*
Le verbe se construit avec la préposition ***sur.***
Conjugaison [VOIR MODÈLE – **AIMER**]

centre-ville n. m. (pl. *centres-villes*)
Quartier central d'une ville. *Il est difficile de stationner dans le centre-ville.*

centuple adj. et n. m.
Adjectif
Qui vaut cent fois autant.
Nom masculin
Quantité cent fois plus grande.

centupler v. tr., intr.
Verbe transitif
Multiplier par cent. *Centupler ses revenus.*
Verbe intransitif
Être multiplié par cent. *Son investissement a centuplé.*
Conjugaison [VOIR MODÈLE – **AIMER**]

cependant adv. et conj.
Adverbe de temps
(VIEUX) Pendant ce temps-là. *Cependant qu'il neigeait à plein ciel, il eut un accident.*
Conjonction
Toutefois, néanmoins. *Les élèves ont fini leurs devoirs, cependant ont-ils étudié leurs leçons ?*

céramique n. f.
1. Art du façonnage et de la cuisson des poteries. *La céramique est très populaire aujourd'hui.*
2. Matière. *Des carreaux de céramique.*

céramiste n. m. et f.
Personne qui crée des objets en céramique.

cerceau n. m. (pl. *cerceaux*)
Cercle en bois, en métal. *Des enfants qui jouent aux cerceaux.*

cercle n. m.
1. Surface plane limitée par la circonférence, dont tous les points sont à égale distance du centre. **SYN.** rond.
2. Ligne circulaire. *Disposer les arbustes en cercle.*
3. Regroupement de personnes. *Le cercle de famille.*
Locution
Cercle vicieux. Raisonnement faux où l'on donne pour preuve, en le supposant vrai, ce qu'il faut prouver.

cercueil n. m.
Caisse où l'on dépose le corps d'un mort pour le mettre en terre.
Ne pas confondre avec le nom ***tombe,*** lieu où un mort est enseveli.
cerc**ueil**.

céréale n. f.
1. Plante dont les grains servent à l'alimentation. *Le blé, le riz, le maïs sont des céréales.*
2. (AU PLURIEL) Grains. *Manger des céréales au petit déjeuner.*

cérébral, ale, aux adj.
1. Qui se rapporte au cerveau. *Une hémorragie cérébrale. Nerfs cérébraux.*
Ne pas confondre avec l'adjectif ***cervical,*** relatif au cou, à la nuque.
2. Relatif à l'esprit, à la pensée. *Un travail cérébral.*

cérémonie n. f.
1. Fête solennelle. *La cérémonie du baptême.*
2. Formalités. *En voilà des cérémonies ! Venez, ce sera sans cérémonie.*
En ce sens, ce nom a un sens défavorable.

cerf n. m.
Le ***f*** ne se prononce pas [sɛr] ; le mot rime avec ***corsaire.***
Mammifère sauvage vivant dans les forêts et dont les mâles portent des bois sur le crâne. *Le cerf est le mâle de la biche.*
Locution
Cerf de Virginie. Se dit ***chevreuil.***
VOIR **CHEVREUIL.**
VOIR TABLEAU – **ANIMAUX.**

cerfeuil n. m.
Plante aromatique.
cerf**euil**.

cerf-volant n. m. (pl. *cerfs-volants*)
Le ***f*** ne se prononce pas [sɛrvɔlɑ̃].
Jouet composé d'un cadre tendu d'une étoffe, d'un papier et qui peut être soulevé par le vent. *Des cerfs-volants multicolores.*

cerise adj. inv. et n. f.
Nom féminin
Fruit du cerisier. *Une tarte aux cerises, des confitures de cerises.*
Adjectif de couleur invariable
De la couleur rouge franc de la cerise. *Des rubans cerise.*
VOIR TABLEAU – **COULEUR (ADJECTIFS DE).**

cerisier n. m.
Arbre fruitier qui produit les cerises. *Des cerisiers en fleurs.*

cerne n. m.
1. Trace circulaire. *L'eau sale a laissé un cerne dans la baignoire.*
2. Trace autour des yeux fatigués.

cerner v. tr.
Entourer. *Cerner un repaire de malfaiteurs.* **SYN.** encercler.
Conjugaison [VOIR MODÈLE – **AIMER**]

certain, aine adj. et pron.
Adjectif qualificatif
1. Sûr. *Julie et Marie-Ève sont des amies, j'en suis certaine.* **SYN.** assuré, indiscutable.
2. Défini, qui arrivera à coup sûr. *Une victoire certaine.* **SYN.** évident, indiscutable.
En ce sens, l'adjectif se place après le nom ; il exprime une évidence.
Adjectif indéfini
1. Indéterminé. *Un certain temps.* **SYN.** imprécis.
2. Difficile à définir. *Un certain charme, un certain sourire.* **SYN.** indéfinissable.
En ce sens, l'adjectif se place avant le nom et exprime une indétermination.
3. (AU PLURIEL) Quelques-uns parmi d'autres. *Dans certaines régions, il a neigé hier.* **SYN.** quelques.
Pronom
Certaines personnes (qu'on ne peut ou ne veut pas nommer). *Certains prétendent qu'il a beaucoup de talent.* **SYN.** quelques-uns.
Locution
Il est certain que. C'est une chose assurée que.
Dans une phrase affirmative, la locution verbale est suivie de l'indicatif ou du conditionnel. *Il est certain qu'elle acceptera.* Dans une phrase négative ou interrogative, la locution est suivie de l'indicatif, du conditionnel ou du subjonctif. *Il n'est pas certain qu'elle viendra, qu'elle viendrait* ou *qu'elle vienne.*

certainement adv.
Assurément. *Serez-vous présente demain ? Certainement* (et non *définitivement).

certificat n. m.
1. Écrit prouvant un fait, un droit. *Un certificat médical. Le certificat d'immatriculation* (et non les *enregistrements) *d'une voiture.*
2. Diplôme. *Un certificat d'informatique.*
certifica**t.**

certifier v. tr.
Attester qu'une chose est certaine. *Une copie certifiée conforme.* **SYN.** affirmer, garantir.
Conjugaison [VOIR MODÈLE – **ÉTUDIER**]
Redoublement du ***i*** à la première et à la deuxième personne du pluriel de l'indicatif imparfait et du subjonctif présent. *(Que) nous certifiions, (que) vous certifiiez.*

certitude n. f.
1. Caractère de ce qui est certain, clair. *La certitude d'un fait.* **SYN.** évidence. **ANT.** incertitude.
2. État d'esprit selon lequel on est certain de quelque chose. *J'ai la certitude qu'il acceptera.* **SYN.** conviction.

cerveau n. m. (pl. *cerveaux*)
1. Masse de substance nerveuse renfermée dans le crâne.
2. Siège de la pensée. *Un cerveau qui fonctionne bien. Il faut faire travailler son cerveau.* **SYN.** esprit, tête.
3. (FIGURÉ) Centre de direction. *C'est le cerveau de l'opération.*
Au figuré, le mot ***cervelle*** est souvent péjoratif, par rapport au mot ***cerveau*** qui est le plus souvent mélioratif.
Locution
Se creuser le cerveau. (FIGURÉ) Chercher dans sa mémoire.

cervelle n. f.
1. Substance du cerveau.
Au sens de ***jugement,*** le mot ***cervelle*** est toujours employé dans un sens défavorable. *Il n'a pas de cervelle. Elle a une cervelle d'oiseau.*
2. (FIGURÉ) Bon sens, jugement.
3. Cerveau de certains animaux, destiné à l'alimentation.

cervical, ale, aux adj.
Qui se rapporte au cou, à la nuque. *Une vertèbre cervicale. Les nerfs cervicaux.*
Ne pas confondre avec l'adjectif ***cérébral,*** relatif au cerveau.

cervidé n. m.
Mammifère ruminant qui porte des cornes, tel le cerf.

ces
VOIR **CE.**

cesse n. f.
Fin.
Locution
Sans cesse, locution adverbiale. Sans arrêt. *Il se plaint sans cesse.*

C

cesser v. tr., intr.
Verbe transitif direct
Mettre fin à. *Cesser ses activités.* **SYN.** interrompre, terminer.
Verbe transitif indirect
Arrêter. *Cesse de faire du bruit, tu effraies les oiseaux.*
Dans une phrase négative, le verbe a le sens de ***continuer.*** *Il n'a jamais cessé de rêver à elle.*
Verbe intransitif
Prendre fin, arrêter. *Le vent a cessé.* **SYN.** finir.
Dans une phrase négative, le verbe ***cesser*** suivi d'un infinitif se construit avec la seule particule de négation ***ne.*** *Tu ne cesses de manger.*
Conjugaison [VOIR MODÈLE – **AIMER**]

cessez-le-feu n. m. inv. (pl. *cessez-le-feu*)
Arrêt temporaire des combats. *Les soldats ont respecté les cessez-le-feu.* **SYN.** trêve.
cesse**z**-le-feu, le verbe est à l'impératif, donc il s'écrit avec ***z***; l'article et le nom sont liés par des traits d'union.

c'est-à-dire loc. adv.
Abréviation ***c.-à-d.*** (s'écrit avec des points).
Locution qui introduit une explication. *Un cerf de Virginie, c'est-à-dire un chevreuil.*
Locution
C'est-à-dire que, locution conjonctive. Cela a le sens de. *Notre séjour se termine le 6 juillet, c'est-à-dire que nous rentrons demain.*
La locution conjonctive introduit une proposition explicative.
Ces locutions sont toujours précédées d'une virgule.

cet, cette
VOIR **CE.**

cétacé n. m.
Grand mammifère aquatique. *La baleine, le dauphin sont des cétacés.*

ceux
VOIR **CELUI.**

ceux-ci
VOIR **CELUI–CI.**

ceux-là
VOIR **CELUI–LÀ.**

cg
Symbole de ***centigramme.***

chacal n. m. (pl. *chacals*)
Mammifère carnivore ressemblant au renard.

cha-cha-cha n. m.
Les lettres ***ch*** se prononcent ***tch*** [tʃatʃatʃa].
Danse mexicaine. *Danses-tu le cha-cha-cha ?*

chacun, une pron. indéf. sing.
1. Toute personne, qui que ce soit. *Comme chacun le sait, nous avons congé demain.*
En ce sens, le pronom ***chacun*** s'emploie absolument, et toujours au masculin singulier.
2. Toute personne prise individuellement dans un tout. *Chacune des jeunes filles avait un passe-temps différent.*
En ce sens, le pronom ***chacun*** s'accorde en genre avec le nom, cependant il peut être suivi de l'adjectif possessif au singulier ou au pluriel. *Paul et Pierre, chacun dans leur spécialité* ou *dans sa spécialité...* Par contre, le pronom ***chacun*** est suivi d'un adjectif ou d'un pronom possessif singulier lorsqu'il est construit avec un participe présent ou lorsqu'il est suivi d'un nom ou d'un pronom. *Chacun est venu accompagnant une amie de son choix* (et non de *leur choix). *Chacune d'elles avait acheté un tableau selon son budget* (et non *leur budget).
3. À l'unité. *Les cahiers coûtent 1 $ chacun* (et non *1 $ chaque). *Les robes coûtent 100 $ chacune.*

chagrin n. m.
Tristesse. *Ève a beaucoup de chagrin parce qu'elle a perdu son chat nommé Chougris. Un chagrin d'amour.*

chagriner v. tr., pronom.
Verbe transitif
Causer du chagrin. *Ton départ me chagrine.* **SYN.** attrister.
Verbe pronominal
Se couvrir, en parlant du ciel. *Il va pleuvoir, le temps se chagrine.*
Conjugaison [VOIR MODÈLE – **AIMER**]

chahut n. m.
Désordre, agitation. *Quel chahut ! On se fera gronder, c'est sûr.*
chahu**t.**

chahuter v. tr., intr.
Faire du chahut. *Les élèves ont copieusement chahuté l'enseignant. Sébastien et Clara chahutaient.*
Conjugaison [VOIR MODÈLE – **AIMER**]

chahuteur, euse adj. et n. m. et f.
Qui chahute.

chaîne n. f.
1. Lien fait d'anneaux engagés les uns dans les autres. *Une chaîne d'argent. Une chaîne de bicyclette.*
2. Ensemble d'éléments liés entre eux. *Une chaîne de montagnes, une chaîne stéréo(phonique)* (et non un *système de son). *Une mini-chaîne.*
3. Ensemble d'émetteurs. *Capter une chaîne de télévision* (et non un *canal).
4. Ensemble d'établissements commerciaux. *Une chaîne de magasins.*
Locutions
Chaîne alimentaire. Lien qui unit les espèces vivantes du point de vue de l'alimentation (herbivores, carnivores, omnivores).
Faire la chaîne. Se placer les uns à côté des autres pour transporter quelque chose.
HOM. chêne, grand arbre à bois dur.
chaîne.

chaînette n. f.
Petite chaîne. *Son bracelet a une chaînette de sécurité.*
chaînette.

chaînon n. m.
Anneau d'une chaîne. **SYN.** maillon.
chaînon.

chair n. f.
Matière du corps humain et animal qui est recouverte par la peau.

Locutions
Avoir la chair de poule. Avoir la peau hérissée par le froid, la peur. **SYN.** frisson.
Couleur chair. D'un rose très délicat. *Des collants couleur chair.*
En chair et en os. En personne. *J'ai vu mon chanteur préféré en chair et en os.*
Dans cette expression, on prononce le ***s*** final du mot ***os.***
Ni chair ni poisson. Sans caractère, imprécis. *Ce texte est ni chair ni poisson* (et non *mi-chair, mi-poisson).
HOM.
– **chaire**, tribune ;
– **cher**, chéri ou coûteux ;
– **chère**, mets, nourriture.

chaire n. f.
1. Tribune. *Elle parlait du haut d'une chaire.*
2. Poste de professeur. *Une chaire de commerce international.*
HOM.
– **chair**, soit le corps, soit de la viande ;
– **cher**, chéri ou coûteux ;
– **chère**, mets, nourriture.

chaise n. f.
Siège à dossier, sans bras. *Une chaise pliante.*
1° Ne pas confondre avec le nom ***fauteuil,*** siège à dossier et à bras.
2° On s'assoit ***sur*** une chaise, un tabouret ; par contre, on s'assoit ***dans*** un fauteuil.
Locutions
Chaise berçante. Berceuse.
Chaise longue. Chaise de repos, permettant de s'allonger les jambes.
Être assis entre deux chaises. (FIGURÉ) Hésiter entre deux possibilités, deux solutions.
Mener une vie de bâton de chaise. (FIGURÉ) Mener une vie agitée (comme les bâtons de la chaise à porteurs, qui n'étaient pas fixés).

châle n. m.
Grande pièce d'étoffe que l'on porte sur les épaules. *Des châles de laine.*
ch**â**le.

chalet n. m.
1. Maison de bois, conçue à l'origine pour la montagne. *Des chalets suisses.*
2. Maison de campagne. *Nous avons un chalet au bord de l'eau.*
chale**t.**

chaleur n. f.
1. Qualité de ce qui est chaud. *La chaleur d'un plat qui sort du four.* **ANT.** froid.
2. Température élevée. *Quelle chaleur aujourd'hui ! Il fait 33 °C.*
3. Ardeur, enthousiasme. *Les enfants ont applaudi les acteurs avec chaleur.*
4. Manifestations visibles de la réceptivité sexuelle des mammifères femelles. *Une chatte en chaleur.*

chaleureusement adv.
De façon chaleureuse. *Ils ont été accueillis chaleureusement.* **SYN.** chaudement.

chaleureux, euse adj.
Sympathique, avec chaleur. *Quel accueil chaleureux !* **SYN.** cordial, enthousiaste.

chaloupe n. f.
1. Grand canot à rames ou à moteur.
2. Petite barque. *Nous avons traversé la rivière en chaloupe.*
Locution
Chaloupe de sauvetage. Petit bâtiment embarqué sur les navires pour servir en cas de naufrage.
VOIR **BATEAU.**

chalumeau n. m. (pl. *chalumeaux*)
1. Appareil produisant un jet de gaz enflammé qu'on utilise pour découper et souder les métaux.
2. Tuyau court fixé à l'érable et permettant à la sève de couler dans un récipient. *L'acéricultrice a installé ses chalumeaux.*

chalutier n. m.
Bateau de pêche qui utilise un chalut.

chamailler (se) v. pronom.
(FAMILIER) Se disputer légèrement. *Elles se sont chamaillées toute la soirée.* **SYN.** se quereller.
Le participe passé de ce verbe qui n'existe qu'à la forme pronominale s'accorde toujours avec le sujet du verbe.
Conjugaison [VOIR MODÈLE – **AIMER**]
Les lettres ***ill*** sont suivies d'un ***i*** à la première et à la deuxième personne du pluriel de l'indicatif imparfait et du subjonctif présent. *(Que) nous nous chamaillions, (que) vous vous chamailliez.*
chama**ill**er.

chamaillerie n. f.
(FAMILIER) Petite querelle. **SYN.** dispute.
chama**ill**erie.

chambardement n. m.
(FAMILIER) Remue-ménage, bouleversement. **SYN.** désordre.

chambarder v. tr.
(FAMILIER) Bouleverser, mettre en désordre. *On a chambardé tous mes livres : qui a fouillé dans mes affaires ?*
Conjugaison [VOIR MODÈLE – **AIMER**]

chambouler v. tr.
(FAMILIER) Bouleverser.
Conjugaison [VOIR MODÈLE – **AIMER**]

chambranlant, ante adj.
(FAMILIER) Ne pas être d'aplomb. *Cette table est chambranlante.* **SYN.** branlant, instable.
L'emploi de l'adjectif est courant au Québec dans la langue familière, mais il est vieilli dans l'ensemble de la francophonie.

chambre n. f.
1. Pièce où l'on dort. *Ma chambre donne sur le jardin. Une chambre d'amis.*
2. Pièce servant à un usage particulier.
3. Assemblée parlementaire. *La Chambre des communes du Canada, l'Assemblée nationale du Québec.*
En ce sens, le nom s'écrit avec une majuscule.
Locutions
Chambre à air. Tube de caoutchouc placé à l'intérieur d'un pneu et que l'on gonfle d'air.
Chambre forte. Coffre-fort. *La chambre forte* (et non la *voûte) *du bijoutier.*
Chambre froide. Réfrigérateur très grand. *La chambre froide du boucher.*
Formes fautives
*chambre. Mot ancien au sens de ***bureau, salle.***
*chambre de bains. Calque de l'anglais « bathroom » au sens de ***salle de bain(s).***

chambrée n. f.
Ensemble de personnes qui partagent la même chambre.

chambrette n. f.
Petite chambre.

chameau n. m. (pl. *chameaux*)
1. Mammifère ruminant qui a deux bosses sur le dos.
2. Mâle de la chamelle. *Une caravane de chameaux.*
Ne pas confondre avec le nom ***dromadaire,*** mammifère proche du chameau, à une seule bosse.
VOIR TABLEAU – **ANIMAUX.**

chamelier n. m.
Personne qui conduit les chameaux.

chamelle n. f.
Femelle du chameau. *Le petit de la chamelle est le chamelon.*
VOIR TABLEAU – **ANIMAUX.**

chamelon n. m.
Petit de la chamelle.
VOIR TABLEAU – **ANIMAUX.**

chamois adj. inv. et n. m.
Nom masculin
1. Ruminant à cornes recourbées vivant dans les montagnes.
2. Peau de chamois. *Des gants de chamois.*
Adjectif de couleur invariable
Jaune clair. *Des écharpes chamois.*
VOIR TABLEAU – **COULEUR (ADJECTIFS DE).**

champ n. m.
1. Étendue de terre. *Un champ de maïs. Elle a couru à travers champs.*
2. Domaine, secteur d'activité. *Un champ d'activité, un champ de bataille. Le champ des connaissances.*
Locution
Sur-le-champ. Aussitôt, immédiatement.
HOM. **chant**, suite de sons musicaux produits par la voix.
cham**p.**

champagne n. m.
Vin de la Champagne. *Des flûtes à champagne. Des champagnes bruts.*

champêtre adj.
(LITTÉRAIRE) Qui se rapporte aux champs. *Elle aime la vie champêtre.* **SYN.** rustique. **ANT.** citadin, urbain.

champignon n. m.
Végétal formé d'un pied et surmonté d'un chapeau qui pousse dans les lieux humides. *Des champignons comestibles, vénéneux.*

champion, onne n. m. et f.
1. Défenseur d'une cause, d'une idée. *C'est un champion de la protection des animaux.*
2. Sportif qui a accompli les meilleures performances. *C'est une championne de ski.*

championnat n. m.
Compétition. *Véronique et Jean-François participeront au championnat mondial d'escrime.*
champio**nn**at.

chance n. f.
1. Éventualité heureuse ou malheureuse. *Bonne chance ! Courir la chance* (et non le *risque) *de gagner le gros lot. La mauvaise chance me poursuit.* **SYN.** hasard.
Ne pas confondre avec le mot ***risque*** qui ne s'emploie qu'en mauvaise part pour désigner un danger, un inconvénient.
2. (ABSOLUMENT) Bonne fortune. *Elle a de la chance. Un coup de chance.* **ANT.** malchance.
3. Probabilité. *Les chances de réussir sont assez grandes.*
En ce sens ce nom s'emploie surtout au pluriel.
4. Occasion. *Je n'ai pas eu la chance de venir.*
L'expression ***c'est une chance que*** se construit avec le mode subjonctif. *C'est une chance qu'elle puisse venir avec nous.*

chancelant, ante adj.
Qui vacille, qui va perdre l'équilibre. *Une démarche chancelante.*
chance**l**ant.

chanceler v. intr.
Perdre l'équilibre. *Sur son fil, le funambule chancela, mais il retrouva son équilibre.* **SYN.** vaciller.
Conjugaison [VOIR MODÈLE – **APPELER**]
Redoublement du ***l*** devant un **e** muet. *Je chancelle, je chancellerai*, mais *je chancelais.*
chance**l**er.

chanceux, euse adj.
Qui est favorisé par la chance. *Le sept est son numéro chanceux.*

chandail n. m. (pl. *chandails*)
Tricot de laine se passant par la tête. *Des chandails tricotés à la main.*

chandelier n. m.
Support destiné à recevoir les chandelles, les cierges, les bougies. *Des chandeliers à cinq branches.*
Le petit chandelier bas, généralement muni d'un anneau, se nomme un ***bougeoir.***

chandelle n. f.
(VIEUX) Bougie. *Ma chandelle est morte, je n'ai plus de feu.* (Chanson)
Dans la francophonie, ce nom est vieilli et ne s'emploie plus que dans quelques expressions. On dit plutôt ***bougie.***
Locutions
Brûler la chandelle par les deux bouts. (FIGURÉ) Gaspiller sa santé, faire des dépenses excessives.
Devoir une fière chandelle à quelqu'un. (FIGURÉ) Être redevable à quelqu'un de son aide.
Économies de bouts de chandelle(s). (FIGURÉ) Économies ridicules.
Le jeu n'en vaut pas la chandelle. (FIGURÉ) Chose qui n'en vaut pas la peine.

change n. m.
1. Échange de monnaies de pays différents. *À quel taux est le change ?*
2. Comptoir où s'effectue le change. *Un bureau de change.*
L'expression *« change étranger » est un pléonasme.
Forme fautive
*change. Anglicisme au sens de ***monnaie.***

changeant, ante adj.
Instable. *Il est d'humeur changeante.* **SYN.** incertain, variable.
chang**e**ant.

changement n. m.
Modification. *Apporter un changement à un texte. Un changement de direction.*

changer v. tr., intr., pronom.
Verbe transitif direct
1. Modifier. *Il a changé les appareils d'éclairage.* **SYN.** remplacer.

2. Convertir une monnaie en une autre monnaie. *Changer des dollars en francs.*
3. Transformer en. *L'alchimiste a changé le fer en or.*
Verbe transitif indirect
1. **Changer de.** Choisir une autre personne, une autre chose. *Ils ont décidé de changer de pays.*
En ce sens, le verbe se construit avec la préposition ***de.***
2. Varier. *Elle a changé d'avis.*
En ce sens, le verbe se construit avec la préposition ***de.***
Verbe intransitif
Passer d'un état à un autre. *Depuis quelques années, il a beaucoup changé.* SYN. évoluer, se transformer.
Verbe pronominal
1. Faire place à. *À minuit votre voiture pourrait se changer en crapaud.*
2. (FAMILIER) Changer de vêtements. *Elle s'est changée avant de sortir.*
Le verbe ***changer*** se conjugue généralement avec l'auxiliaire ***avoir,*** à l'exception de l'expression ***être changé*** au sens de ***devenir différent.*** *Depuis sa maladie, il est bien changé.*
Forme fautive
*changer un chèque. Anglicisme pour ***encaisser un chèque.***
Ne pas confondre avec le verbe ***échanger*** qui implique toujours une action réciproque et volontaire.
Conjugaison [VOIR MODÈLE – **CHANGER**]
Le ***g*** est suivi d'un ***e*** devant les lettres ***a*** et ***o***. *Il changea, nous changeons.*

chanson n. f.
Pièce de vers qui se chante. *Une belle chanson de Félix Leclerc. Des chansons de Noël.*
Forme fautive
*chanson thème (d'un film, etc.). Anglicisme pour ***indicatif musical.***

chant n. m.
Suite de sons musicaux produits par la voix. *Un chant mélodieux.*
HOM. **champ**, étendue de terre.

chantage n. m.
Action d'exiger des fonds, des avantages sous la menace de révélations non désirées.

chantant, ante adj.
Qui chante. *Un accent chantant.*

chantepleure n. f.
Entonnoir, à long tuyau, percé de plusieurs trous.
Ce nom qui décrit joliment le murmure de l'eau qui s'écoule est vieilli au sens de ***robinet*** : c'est un archaïsme.

chanter v. tr., intr.
Verbe transitif
(FAMILIER) Raconter. *Que me chantez-vous là ?*
Verbe intransitif
Former une suite de sons musicaux avec la voix. *Elle chante faux. Il chante à pleins poumons.*
Conjugaison [VOIR MODÈLE – **AIMER**]

chanteur n. m.
chanteuse n. f.
Personne dont la profession est de chanter. *C'est une chanteuse de talent. Un chanteur rock.*

chantier n. m.
1. Travaux de construction. *On ne peut pénétrer sur le chantier sans le casque et les bottes de sécurité.*
2. Exploitation forestière. *Les bûcherons travaillent au chantier.*
Locution
Mettre un ouvrage en chantier, sur le chantier. Commencer un ouvrage.

chantilly n. f.
Crème fouettée additionnée de sucre et de vanille. *Des framboises avec de la crème chantilly.*

chanvre n. m.
Plante textile.

chaos n. m.
Les lettres ***ch*** se prononcent ***k*** et le ***s*** est muet [kao].
Bouleversement, désordre important. *Après le tremblement de terre, c'est le chaos qui régnait.*
HOM. **cahot**, secousse imprimée à un véhicule qui roule sur une chaussée inégale.
cha**os.**

chap.
Abréviation de ***chapitre.***

chaparder v. tr.
(FAMILIER) Voler des choses de peu de valeur.
Conjugaison [VOIR MODÈLE – **AIMER**]

chapardeur, euse adj. et n. m. et f.
(FAMILIER) Voleur.

chapeau n. m. (pl. *chapeaux*)
Coiffure. *Des chapeaux melon.*

chapelet n. m.
1. Objet de dévotion constitué de grains enfilés.
2. (FIGURÉ) Suite. *Un chapelet d'îles.*
chapele**t.**

chapelier n. m.
chapelière n. f.
Personne qui fabrique ou vend des chapeaux d'hommes.
La personne qui fabrique ou vend des chapeaux de femme est un, une ***modiste.***
chape**l**ier.

chapelle n. f.
Petite église. *La chapelle du Sacré-Cœur.*

chapelure n. f.
Pain émietté dont on garnit certains mets. SYN. panure.

chaperon n. m.
1. (VIEUX) Capuchon. Le Petit Chaperon rouge *est un conte de Perrault qui met en scène une jeune fille portant une cape rouge à capuchon.*
2. Personne chargée d'accompagner une jeune fille.

chapiteau n. m. (pl. *chapiteaux*)
1. Partie supérieure d'une colonne. *Des chapiteaux corinthiens.*
2. Tente d'un cirque. *Dresser le chapiteau.*

chapitre n. m.
Abréviation ***chap.*** (s'écrit avec un point).
Division d'un livre, d'une loi, d'un registre. *Ce roman comprend quinze chapitres.*
chap**i**tre, sans accent.

chapon n. m.
Coq châtré. *Grand-maman fait cuire un beau chapon bien dodu.*

CONJUGAISON DU VERBE **CHANGER**

Indicatif

Présent

je	change
tu	changes
elle	change
il	change
nous	changeons
vous	changez
elles	changent
ils	changent

Passé composé

j'	ai	changé
tu	as	changé
elle	a	changé
il	a	changé
nous	avons	changé
vous	avez	changé
elles	ont	changé
ils	ont	changé

Imparfait

je	changeais
tu	changeais
elle	changeait
il	changeait
nous	changions
vous	changiez
elles	changeaient
ils	changeaient

Plus-que-parfait

j'	avais	changé
tu	avais	changé
elle	avait	changé
il	avait	changé
nous	avions	changé
vous	aviez	changé
elles	avaient	changé
ils	avaient	changé

Passé simple

je	changeai
tu	changeas
elle	changea
il	changea
nous	changeâmes
vous	changeâtes
elles	changèrent
ils	changèrent

Passé antérieur

j'	eus	changé
tu	eus	changé
elle	eut	changé
il	eut	changé
nous	eûmes	changé
vous	eûtes	changé
elles	eurent	changé
ils	eurent	changé

Futur simple

je	changerai
tu	changeras
elle	changera
il	changera
nous	changerons
vous	changerez
elles	changeront
ils	changeront

Futur antérieur

j'	aurai	changé
tu	auras	changé
elle	aura	changé
il	aura	changé
nous	aurons	changé
vous	aurez	changé
elles	auront	changé
ils	auront	changé

Infinitif

Présent

changer

Passé

avoir changé

Subjonctif

Présent

que	je	change
que	tu	changes
qu'	elle	change
qu'	il	change
que	nous	changions
que	vous	changiez
qu'	elles	changent
qu'	ils	changent

Passé

que	j'	aie	changé
que	tu	aies	changé
qu'	elle	ait	changé
qu'	il	ait	changé
que	nous	ayons	changé
que	vous	ayez	changé
qu'	elles	aient	changé
qu'	ils	aient	changé

Imparfait

que	je	changeasse
que	tu	changeasses
qu'	elle	changeât
qu'	il	changeât
que	nous	changeassions
que	vous	changeassiez
qu'	elles	changeassent
qu'	ils	changeassent

Plus-que-parfait

que	j'	eusse	changé
que	tu	eusses	changé
qu'	elle	eût	changé
qu'	il	eût	changé
que	nous	eussions	changé
que	vous	eussiez	changé
qu'	elles	eussent	changé
qu'	ils	eussent	changé

Conditionnel

Présent

je	changerais
tu	changerais
elle	changerait
il	changerait
nous	changerions
vous	changeriez
elles	changeraient
ils	changeraient

Passé

j'	aurais	changé
tu	aurais	changé
elle	aurait	changé
il	aurait	changé
nous	aurions	changé
vous	auriez	changé
elles	auraient	changé
ils	auraient	changé

Impératif

Présent

change
changeons
changez

Passé

aie changé
ayons changé
ayez changé

Participe

Présent

changeant

Passé

changé, ée

chaque adj. indéf. inv.
Se dit de tout élément particulier d'un ensemble. *Chaque matin, il part vers 7 heures.*
L'adjectif ***chaque*** ne s'emploie que devant un nom singulier. L'accord du verbe, du participe avec un sujet accompagné de l'adjectif ***chaque*** se fait au singulier. *Chaque âge a ses plaisirs.* Devant un nom pluriel, on emploiera plutôt ***tous les.*** *Elle vient tous les deux jours* (et non *chaque deux jours).
Forme fautive
*chaque. Impropriété au sens de ***chacun.*** *Ces cahiers coûtent un dollar chacun* (et non *chaque).

char n. m.
1. (ANCIENNEMENT) Voiture à deux roues tirée par un ou plusieurs chevaux. *Un char romain.*
2. Voiture décorée pour les fêtes publiques. *Char allégorique.*
Locution
Char d'assaut. Véhicule blindé monté sur chenilles. *Des chars d'assaut, des chars de combat.*
Forme fautive
*char. Impropriété au sens de ***voiture.***

charabia n. m.
(FAMILIER) Langage inintelligible. *Des charabias curieux.*

charade n. f.
Énigme où l'on doit découvrir un mot à partir de la définition de ses syllabes. *Voici une charade : Mon premier est un métal précieux, mon second est un habitant des cieux et mon tout est un fruit délicieux. Qui suis-je ? Orange (or-ange).*

charbon n. m.
(FIGURÉ) Substance combustible composée de carbone. *Au début du siècle, on se chauffait au charbon.*
Locutions
Être sur des charbons ardents. Être fou d'inquiétude.
Charbon de bois. Combustible résultant de bois partiellement brûlé à l'abri de l'air. *Des pizzas cuites sur des charbons de bois.*

charcuterie n. f.
1. Viande de porc apprêtée. *Une collation de fromages et de charcuterie.*
2. Boutique où l'on vend de la charcuterie.

charcutier n. m.
charcutière n. f.
Personne qui prépare ou vend des charcuteries.

chardon n. m.
Mauvaise herbe à feuilles épineuses.

charge n. f.
1. Fardeau. *Une charge de bois.*
2. Poids. *La charge maximale de cet ascenseur est de 500 kilos.*
3. Fonction, travail à accomplir. *C'est Geneviève qui a la charge d'organiser la fête.*
4. Dépenses. *Mes parents ont de lourdes charges.*
5. Attaque. *Une charge de cavalerie.*
Locutions
Être à la charge de. Dépendre financièrement de.
Prendre en charge quelqu'un, quelque chose. S'occuper matériellement, moralement, financièrement de quelqu'un, de quelque chose.
Formes fautives
*charge. Anglicisme au sens de ***prix, frais.***
*en charge. Calque de l'anglais « in charge of » au sens de ***responsable, chargé de.*** *Elle est chargée de l'organisation du colloque* (et non *en charge de).

chargement n. m.
1. Action de charger. *Le chargement de l'avion s'est fait rapidement.*
2. Ce que transporte un véhicule, un animal. *Le chargement de la camionnette ne doit pas être trop lourd.* **SYN.** cargaison.

charger v. tr., pronom.
Verbe transitif
1. Mettre une charge sur. *Charger un chameau.*
2. Donner une responsabilité à quelqu'un. *On l'a chargé d'une enquête.* **SYN.** confier. **ANT.** décharger.
3. Mettre dans un appareil ce qui est nécessaire à son fonctionnement. *Charger un appareil photo d'un film.*
4. Couvrir de façon exagérée. *On l'avait chargée de bijoux.* **SYN.** surcharger.
Verbe pronominal
Prendre la responsabilité de. *Il se chargera de diriger les travaux.* **SYN.** s'occuper de.
Forme fautive
*charger. Anglicisme au sens de ***demander un prix, facturer, porter à un compte.***
Conjugaison [VOIR MODÈLE – **CHANGER**]
Le ***g*** est suivi d'un ***e*** devant les lettres ***a*** et ***o.*** *Il chargea, nous chargeons.*

chariot n. m.
Voiture à quatre roues servant à la manutention. *Un chariot élévateur* (et non *lift truck).
chariot, contrairement à ***charrette*** et à ***charrier.***

charitable adj.
Qui a de la charité pour les autres, qui est généreux. *Ces jeunes portent des repas chauds à des personnes âgées : ils sont très charitables.* **ANT.** égoïste.

charitablement adv.
Avec charité. **SYN.** généreusement.

charité n. f.
Amour des autres. *Faire la charité.* **SYN.** générosité.

charivari n. m.
Bruit discordant. **SYN.** tapage.

charlatan n. m.
Escroc qui exploite la crédulité publique. *Cette cartomancienne est un charlatan.*
Ce nom n'a pas de forme féminine.

charme n. m.
1. Enchantement. *Le charme est rompu.*
2. Séduction exercée par une personne, une chose. *Le charme d'une ancienne maison de campagne. Elles ont beaucoup de charme.* **SYN.** agrément, attrait, ensorcellement.
Locution
Faire du charme. Tenter de plaire.

charmer v. tr.
1. Ensorceler. *Ulysse disait que le chant des sirènes charmait les marins.*
2. Attirer, séduire. *Votre visite nous a charmés. Les musiciens ont charmé l'auditoire.* **SYN.** faire plaisir, plaire à.
Conjugaison [VOIR MODÈLE – **AIMER**]

charmeur, euse adj. et n. m. et f.
Adjectif
Qui exerce un pouvoir de séduction. *Un sourire charmeur.*

Nom masculin et féminin
Personne qui charme, qui ensorcelle. *Ce jeune homme est un charmeur. Au Maroc, un charmeur de serpents a enroulé un serpent autour de mon cou : j'avais très peur.*

charnière n. f.
1. Assemblage qui articule deux surfaces. *Les charnières d'une porte.*
2. (FIGURÉ) Point de jonction, transition. *Dans cette histoire, les charnières sont importantes.*

charpente n. f.
Assemblage de pièces de bois ou de fer soutenant une construction. *Ériger la charpente d'une maison.*

charpentier n. m.
charpentière n. f.
Personne qui fait des travaux de charpente.

charpie n. f.
Amas de fils tirés d'une étoffe usée servant anciennement à panser les blessures.
Locution
Mettre en charpie. Réduire en miettes, déchirer.

charrette n. f.
Voiture à deux roues servant au transport des fardeaux.
✏ cha**rr**ette.

charrier v. tr., intr.
Verbe transitif
1. Transporter dans une charrette. *Charrier du foin.*
2. Entraîner, en parlant d'un cours d'eau. *Le fleuve a charrié des amas de glace.*
Verbe intransitif
(FAMILIER) Exagérer. *Tu charries !*
Locution
Charrier dans les bégonias. (FAMILIER) Exagérer.
Conjugaison [VOIR MODÈLE – **ÉTUDIER**]
Redoublement du ***i*** à la première et à la deuxième personne du pluriel de l'indicatif imparfait et du subjonctif présent. *(Que) nous charriions, (que) vous charriiez.*
✏ cha**rr**ier.

charrue n. f.
Instrument aratoire servant au labour.
Locution
Mettre la charrue devant, avant les bœufs. (FIGURÉ) Commencer par la fin.
Forme fautive
*charrue. Impropriété au sens de ***chasse-neige.***
✏ cha**rr**ue.

charte n. f.
Loi fondamentale. *La Charte de la langue française a été adoptée le 26 août 1977.*
☞ Dans un titre de loi, le nom **charte** s'écrit avec une majuscule.

***charter**
Anglicisme pour ***avion nolisé, vol nolisé.***

chas n. m.
Trou d'une aiguille où passe le fil.
HOM. **chat**, animal.
✏ cha**s,** un ***s*** final.

chasse n. f.
1. Action de poursuivre le gibier pour le tuer. *Faire bonne chasse. La chasse au lion, aux canards.*
2. Poursuite. *Les policiers doivent faire la chasse aux contrebandiers.*
Locutions
Chasse d'eau. Masse d'eau qui s'écoule tout d'un coup pour nettoyer un conduit. *Actionner la chasse* (et non *tirer la chasse).
Donner la chasse. Poursuivre. *Donner la chasse aux malfaiteurs.*
Prendre en chasse. Poursuivre. *Les fuyards ont été pris en chasse par les policiers.*

chasse- préf.
Les mots composés avec le préfixe ***chasse-*** s'écrivent avec un trait d'union. Au pluriel, le préfixe ***chasse-,*** qui est un verbe, demeure invariable, tandis que le second élément est parfois variable, parfois invariable. *Des chasse-neige.*

chasse-mouches n. m. inv. (pl. *chasse-mouches*)
Petit balai avec lequel on écarte les mouches.

chasse-neige n. m. inv. (pl. *chasse-neige*)
1. Véhicule servant au déblayage des voies de circulation obstruées par la neige. *Un chasse-neige* (et non une *gratte, une *charrue).
2. Façon de freiner, en ski. *Fanny commence à faire du chasse-neige.*

chasser v. tr.
1. Poursuivre des animaux pour les tuer. *Chasser la perdrix.*
2. Déloger, congédier. *Nous avons dû le chasser : il nous volait.* **SYN.** écarter, exclure.
3. Faire partir. *La pluie a chassé les touristes.*
Conjugaison [VOIR MODÈLE – **AIMER**]

chasseur, euse n. m. et f.
Personne qui chasse. *Un chasseur d'orignaux.*

châssis n. m.
Armature. *Le châssis de la fenêtre est en bois.* **SYN.** cadrage.
☞ Ne pas confondre avec le nom ***fenêtre,*** ouverture dans un mur.
✏ châssi**s.**

chat n. m.
1. Animal domestique carnivore appartenant à la famille des félidés. *Un chat de gouttière, des chats angoras.*
VOIR TABLEAU – **ANIMAUX.**
2. Mâle de la chatte.
Locutions
Appeler un chat un chat. Appeler les choses par leur nom.
Avoir un chat dans la gorge. (FIGURÉ) Être enroué.
Chat échaudé craint l'eau froide. Après une mauvaise expérience, on devient plus prudent.
Donner sa langue au chat. (FIGURÉ) Abandonner, capituler.
Il n'y a pas de quoi fouetter un chat. (FIGURÉ) C'est une faute insignifiante.
Il n'y a pas un chat. Il n'y a personne.
S'entendre comme chien(s) et chat(s). (FIGURÉ) Être en mauvais termes.
HOM. **chas**, trou d'une aiguille où passe le fil.

châtaignier n. m.
Arbre de grande taille dont le fruit est la châtaigne.
✏ ch**â**taign**i**er.

châtain, aine adj. et n. m. et f.
Adjectif de couleur variable
De la couleur brun clair de la châtaigne. *Des cheveux châtains.*

Attention, si l'adjectif de couleur est composé, il est invariable. *Des chevelures châtain clair.*
VOIR TABLEAU – **COULEUR (ADJECTIFS DE).**
Nom masculin et féminin
Qui a des cheveux de la couleur de la châtaigne. *Une belle châtaine* (et non *châtaigne).
châtain.

château n. m. (pl. *châteaux*)
Habitation royale ou seigneuriale généralement située à la campagne. *Les châteaux de la Loire.*
Locution
Château fort. Demeure fortifiée. *Des châteaux forts bien conservés.*

châtelain, aine n. m. et f.
Seigneur ou dame d'un château.
châtelain.

châtelet n. m.
(ANCIENNEMENT) Petit château fort.
châtele**t.**

châtier v. tr.
(LITTÉRAIRE) Punir, faire expier une faute. *Qui aime bien châtie bien.* (Proverbe)
Locution
Style châtié. Style littéraire.
Conjugaison [VOIR MODÈLE – **ÉTUDIER**]
Redoublement du ***i*** à la première et à la deuxième personne du pluriel de l'indicatif imparfait et du subjonctif présent. *(Que) nous châtiions, (que) vous châtiiez.*

chatière n. f.
Ouverture pratiquée au bas d'une porte pour permettre le passage du chat.
cha**t**ière.

châtiment n. m.
Action de châtier, de donner une peine sévère. **SYN.** punition.
châtiment.

chaton n. m.
1. Petit de la chatte.
VOIR TABLEAU – **ANIMAUX.**
2. Épi de petites fleurs de certains arbres. *Les chatons du saule.*

chatouillement n. m.
1. Action de chatouiller.
On dit aussi familièrement ***chatouille.*** *Vincent fait des chatouilles à sa sœur.*
2. Sensation qui en résulte. *Elle éprouva un petit chatouillement.*

chatouiller v. tr.
Causer, par des attouchements légers et répétés, un tressaillement ou un rire nerveux. *Tu me chatouilles, petit coquin.*
Conjugaison [VOIR MODÈLE – **AIMER**]
Les lettres ***ill*** sont suivies d'un ***i*** à la première et à la deuxième personne du pluriel de l'indicatif imparfait et du subjonctif présent. *(Que) nous chatouillions, (que) vous chatouilliez.*

chatouilleux, euse adj.
1. Sensible au chatouillement. *Sophie est très chatouilleuse.*
2. (FIGURÉ) Susceptible, qui se vexe facilement. *Il est chatouilleux sur cette question.*
chatouilleu**x.**

châtrer v. tr.
Pratiquer la castration sur un animal mâle ou femelle. **SYN.** castrer.
Conjugaison [VOIR MODÈLE – **AIMER**]
châtrer.

chatte n. f.
Femelle du chat. *Viens ma petite chatte grise. Une chatte angora.*
VOIR TABLEAU – **ANIMAUX.**

chaud, chaude adj., adv. et n. m.
Adjectif
1. Qui possède, donne ou conserve de la chaleur. *Un manteau chaud. Manger une soupe bien chaude.*
2. Ardent. *Un chaud défenseur de cette théorie.* **SYN.** enthousiaste, passionné.
Adverbe
Il fait chaud, servir chaud, manger chaud, tenir chaud.
Pris adverbialement, le mot est invariable. *Elles ont chaud.*
Nom masculin
Chaleur. *Le chaud et le froid.*
Locutions
Cela ne me fait ni chaud ni froid. (FIGURÉ) Cela m'est égal.
Chaud et froid. Refroidissement brusque alors qu'on est en sueur. *Des chauds et froids dangereux.*
J'ai, nous avons eu chaud. (FIGURÉ) J'ai, nous avons eu peur.

chaudement adv.
1. De manière à conserver la chaleur. *Habille-toi chaudement.*
2. Avec ardeur. *Elle a été chaudement félicitée.*

chaudière n. f.
1. Appareil de chauffage. *Cette maison a une chaudière à mazout* (et non une *fournaise à l'huile).
2. Seau.

chaudron n. m.
Récipient métallique à anse mobile réservé à la cuisson des aliments. *Un gros chaudron de ragoût.*
Ne pas confondre avec les noms suivants :
– ***casserole,*** récipient métallique muni d'un manche et parfois d'un couvercle ;
– ***poêle,*** récipient plat à longue queue.

chaudronnée n. f.
Contenu d'un chaudron. *Une chaudronnée de potage aux légumes.*

chaudronnier n. m.
chaudronnière n. f.
Personne qui fabrique ou vend des chaudrons, des chaudières (appareil de chauffage).

chauffage n. m.
1. Action de chauffer. *Le chauffage de la maison prend quelques heures. Du bois de chauffage.*
2. Installation pour chauffer. *Installer le chauffage central.*

chauffant, ante adj.
Qui produit de la chaleur. *Une plaque chauffante. Des bigoudis chauffants.*

chauffard n. m.
Mauvais conducteur. *Alain a été heurté par un chauffard.*
Ce nom ne comporte pas de forme féminine.

chauffe- préf.
Les mots composés avec le préfixe ***chauffe-*** s'écrivent avec un trait d'union. Au pluriel, le préfixe ***chauffe-,*** qui est un verbe, demeure invariable, tandis que le second élément est parfois variable, parfois invariable. *Des chauffe-eau.*

chauffe-eau n. m. inv. (pl. *chauffe-eau*)
Appareil producteur d'eau chaude.

C

chauffer v. tr., intr., pronom.
Verbe transitif
Rendre plus chaud. *Chauffer une maison.*
Verbe intransitif
1. Devenir chaud. *Le moteur semble chauffer.*
2. Produire de la chaleur. *Ce radiateur ne chauffe pas bien.*
Verbe pronominal
Se réchauffer, se procurer de la chaleur. *Viens, on va se chauffer un peu près de la cheminée.*
Locution
Montrer de quel bois on se chauffe. (FIGURÉ) Montrer comment on peut réagir avec fermeté.
Forme fautive
*chauffer. Au sens de ***conduire*** (une voiture), ce verbe est ancien.
Conjugaison [VOIR MODÈLE – **AIMER**]

chaufferette n. f.
1. ⚜ Dispositif de chauffage d'une voiture.
2. ⚜ Radiateur électrique portatif.

chaufferie n. f.
Local où sont installées les chaudières d'un navire, d'une usine, d'un bâtiment.

chauffeur n. m.
chauffeuse n. f.
Personne dont le métier est de conduire un taxi, un autobus, un camion. *Un chauffeur de camion, une chauffeuse de taxi.*
Au sens de ***conducteur d'automobile***, ce nom est vieilli.

chaume n. m.
Paille. *Des toits de chaume.*

chaumière n. f.
Petite maison couverte de chaume.

chaussée n. f.
Partie de la route utilisée pour la circulation des véhicules. *L'accident a eu lieu alors que la chaussée était mouillée.*

chausse-pied n. m. (pl. *chausse-pieds*)
Lame incurvée dont on se sert pour se chausser.

chausser v. tr., intr., pronom.
Verbe transitif
Mettre des chaussures. *Chausser des bottes.*
Verbe intransitif
Avoir telle pointure. *Je chausse du 7.*
Verbe pronominal
Mettre ses chaussures. *Ils se sont chaussés rapidement.*
Conjugaison [VOIR MODÈLE – **AIMER**]

chaussette n. f.
Vêtement en tricot qui couvre le pied et la cheville. *Des chaussettes de laine.*
Ne pas confondre avec le mot ***bas,*** vêtement qui couvre la jambe.

chausson n. m.
1. Pantoufle. *Des chaussons de laine.*
2. Pâtisserie composée de pâte feuilletée fourrée de compote de pommes.

chaussure n. f.
Partie du vêtement qui protège le pied. *Des chaussures de cuir, des chaussures de marche.*

chauve adj. et n. m. et f.
Qui n'a plus ou presque plus de cheveux.

chauve-souris n. f. (pl. *chauves-souris*)
Mammifère ailé insectivore. *Des chauves-souris les ont effrayés.*

chaux n. f.
Oxyde de calcium. *Une maison blanchie à la chaux.*
chau**x.**

chavirer v. tr., intr.
Verbe transitif
1. Faire renverser. *Chavirer un canot pour le réparer.*
2. (FIGURÉ) Émouvoir, bouleverser. *Ce film l'a chaviré.*
Verbe intransitif
Se renverser. *Il y avait beaucoup de vent et la barque a chaviré.*
Conjugaison [VOIR MODÈLE – **AIMER**]

***cheap**
Anglicisme pour ***commun, mesquin.***

***check-up**
Anglicisme pour ***examen général, bilan de santé*** (pour une personne) et ***inspection, vérification*** (pour un appareil, une voiture).

cheddar n. m.
Fromage à pâte dure. *Des cheddars délicieux.*

chef n. m. et f.
Personne qui dirige une unité administrative, un groupe, etc. *Une chef d'équipe, un chef d'entreprise, des chefs d'orchestre.*
Locution
En chef, locution adverbiale. En qualité de chef. *Ingénieur en chef.*

chef-d'œuvre n. m. (pl. *chefs-d'œuvre*)
La lettre ***f*** est muette [ʃɛdœvr].
Œuvre capitale, d'une grande beauté. *Ces sculptures sont des chefs-d'œuvre.*

cheftaine n. f.
Jeune fille dirigeant un groupe de guides ou de louveteaux.
VOIR **SCOUT.**

chemin n. m.
1. Voie de communication d'intérêt local, en milieu rural et d'importance secondaire par rapport à la route. (Recomm. off. OLF)
Dans une adresse, le nom ***chemin*** s'écrit avec une minuscule initiale, et dans la mesure du possible, en toutes lettres. *Elle habite 15, chemin Saint-Louis.*
2. Parcours, direction. *J'ai fait le chemin en voiture. Demander son chemin.*
Locutions
Faire son chemin. (FIGURÉ) Réussir. *Elle fera son chemin dans la vie.*
Passer son chemin. Ne pas s'arrêter. *Allez, passez votre chemin.*
Rebrousser chemin. Revenir. *Il nous a fallu rebrousser chemin parce que la route était inondée.*

chemin de fer n. m.
Abréviation ***ch. de f.*** (s'écrit avec des points).
Moyen de transport utilisant la voie ferrée.
On disait ***voyager par chemin de fer*** (et non *en chemin de fer). Mais on emploie plus couramment ***en train*** ou ***par le train.***

cheminée n. f.
1. Appareil de chauffage comprenant un foyer. *La cheminée tire bien.*

2. Conduit qui sert à l'évacuation de la fumée sur le toit. *Une belle fumée blanche sort de la cheminée.*

cheminer v. intr.
1. Marcher tranquillement vers un lieu.
2. (FIGURÉ) Progresser lentement. *Ce projet cheminait dans son esprit.*
Conjugaison [VOIR MODÈLE – **AIMER**]

cheminot n. m.
Employé de chemin de fer.
cheminot.

chemise n. f.
1. Vêtement (surtout masculin) qui couvre le torse. *Une chemise de coton.*
Pour le vêtement féminin, le nom ***chemisier*** est plus courant.
2. Couverture d'un dossier. *Maman a mis ses factures dans une chemise.*

chemisier n. m.
Corsage de femme. *Un chemisier de soie.*
Ne pas confondre avec le nom ***chemise,*** vêtement surtout masculin.
Locution
Robe chemisier. Robe qui se ferme par l'avant et qui a un col s'apparentant à celui du chemisier. *Des robes chemisiers bleues.*

chênaie n. f.
Plantation de chênes.
chênaie.

chenal n. m. (pl. *chenaux*)
Voie navigable, naturelle ou artificielle, entre des terres ou des hauts-fonds. (Recomm. off. OLF) *Les petits poissons des chenaux.*

chenapan n. m.
Enfant turbulent. *Petit chenapan, tu iras en pénitence !* **SYN.** coquin, gamin.

chêne n. m.
Grand arbre à bois dur qui produit le gland.
HOM. chaîne, lien fait d'anneaux.

chenil n. m.
Le **e** et le ***l*** se prononcent ou non [ʃənil] [ʃnil] [ʃəni] [ʃni].
1. Abri pour les chiens.
2. Établissement où l'on élève des chiens.

chenille n. f.
1. Larve de papillon se nourrissant de végétaux.
2. Courroie articulée qui permet le déplacement de certains véhicules. *Des blindés équipés de chenilles.*

chèque n. m.
Papier sur lequel on inscrit une somme d'argent que l'on doit payer par l'intermédiaire d'une banque. *Un carnet de chèques.*
Locution
Chèque de voyage. Chèque à l'usage des touristes.
On préférera cette expression à l'anglicisme « traveller's cheque » ou « traveller's check ».

chéquier n. m.
Carnet de chèques. *Un chéquier* (et non des *blancs de chèques).

cher, chère adj. et adv.
Adjectif
1. Aimé. *Ma chère maman. Un être cher.* **SYN.** chéri.
2. Qui coûte beaucoup d'argent. *La vie est très chère à Londres.*
Ne pas confondre avec l'adjectif ***dispendieux,*** qui occasionne de grandes dépenses.
Adverbe
À haut prix. *Ces sacs coûtent cher, valent cher. Elles les ont payés cher.*
Pris adverbialement, le mot ***cher*** est invariable.
HOM.
– **chair**, soit le corps, soit de la viande ;
– **chaire**, tribune ;
– **chère**, mets, nourriture.

chercher v. tr., pronom.
Verbe transitif
1. S'efforcer de trouver, de découvrir ce qu'on a perdu, ce qu'on ne voit pas. *Ils cherchent la solution de l'énigme. Elle cherche son amie dans la foule.*
2. Tâcher, tenter de. *Il cherche à tromper son ennui.*
La construction *« chercher après » est fautive.
En ce sens, le verbe se construit avec la préposition **de** suivie de l'infinitif.
3. Susciter, provoquer. *Cherche-t-il des ennuis ?*
Verbe pronominal
Essayer de se trouver l'un l'autre. *Ils se sont cherchés pendant une heure.*
Conjugaison [VOIR MODÈLE – **AIMER**]

chercheur n. m.
chercheuse n. f.
Personne qui effectue des recherches scientifiques.

chère n. f.
(LITTÉRAIRE) Nourriture. *Faire bonne chère, maigre chère, aimer la bonne chère.*
HOM.
– **chair**, soit le corps, soit de la viande ;
– **chaire**, tribune ;
– **cher**, chéri ou coûteux.
chère.

chéri, ie adj. et n. m. et f.
Tendrement aimé. *Amuse-toi bien, ma petite chérie.*

chérir v. tr.
Aimer tendrement. *Elle chérit ses enfants.*
Conjugaison [VOIR MODÈLE – **FINIR**]

chétif, ive adj.
Maladif. *Une enfant chétive.*

cheval n. m. (pl. *chevaux*)
1. Animal domestique de grande taille, mammifère qui appartient à l'ordre des équidés. *Le cheval est un bon coureur qui peut nous servir de monture. Les chevaux hennissent.*
2. Mâle de la jument. *Le petit du cheval est le poulain.*
VOIR TABLEAU – **ANIMAUX.**
Locutions
Être à cheval sur. À califourchon. *Les enfants sont à cheval sur le muret.*
Faire du cheval. Faire de l'équitation. *Elle adore faire du cheval.*
Monter sur ses grands chevaux. (FIGURÉ) Se mettre en colère. *Calme-toi voyons, ne monte pas sur tes grands chevaux.*

chevaleresque adj.
Digne d'un chevalier. *Un geste chevaleresque.*

chevalerie n. f.
Institution du Moyen Âge où le chevalier est le défenseur de la foi et de la justice et dont l'idéal est le courage et la loyauté à son seigneur.

chevalet n. m.
Support d'un tableau, d'un objet sur lequel on travaille. *Le peintre a placé son chevalet au bord de la falaise : de là, il a une très belle vue sur la mer.*
✎ cheval**et.**

chevalier n. m.
(ANCIENNEMENT) Noble admis dans un ordre de chevalerie et dont la mission est de défendre la foi et la justice.
☞ Ne pas confondre avec le nom ***cavalier,*** personne qui monte à cheval.

chevalière n. f.
Bague portant des armoiries, des initiales.

chevalin, ine adj.
Qui se rapporte au cheval. *Une boucherie chevaline.*

chevauchée n. f.
Course à cheval.

chevauchement n. m.
Entrecroisement, fait de se chevaucher.

chevaucher v. tr., intr., pronom.
Verbe transitif
Être à califourchon sur quelque chose. *Chevaucher un cheval de bois.*
Verbe intransitif
(LITTÉRAIRE) Aller à cheval. *Il est agréable de chevaucher dans la campagne.* **SYN.** monter à cheval.
Verbe intransitif pronominal
Se superposer. *Les tâches de ces employés se chevauchaient.* **SYN.** empiéter, se recouper.
Conjugaison [VOIR MODÈLE – **AIMER**]

chevelu, ue adj.
Qui porte des cheveux. *Le cuir chevelu.*

chevelure n. f.
Ensemble des cheveux d'une personne. *Des chevelures blondes.*

chevet n. m.
1. Tête du lit.
2. Partie du chœur d'une église.
Locutions
Être au chevet d'un malade. Le veiller.
Livre de chevet. Livre préféré.
✎ chev**et.**

cheveu n. m. (pl. *cheveux*)
Poil de la tête. *Des cheveux bouclés. Des cheveux en brosse.*
☞ 1° Les adjectifs simples qui expriment la couleur des cheveux s'accordent en genre et en nombre. *Des cheveux blonds, bruns, une chevelure châtaine, noire.*
2° Les adjectifs de couleur suivis par un autre adjectif qui les modifie sont invariables. *Des cheveux blond cendré, châtain clair.*
Locutions
À un cheveu près. (FIGURÉ) Il s'en est fallu de peu.
Couper les cheveux en quatre. (FIGURÉ) Être trop subtil.
Se prendre aux cheveux. (FIGURÉ) Se quereller.

cheville n. f.
1. Saillie des os de l'articulation du pied. *Se fouler la cheville.*
2. Morceau de bois destiné à boucher un trou, à tenir un assemblage.

chevillette n. f.
Petite cheville. « *Tire la chevillette, la bobinette cherra* », paroles de la grand-mère dans *Le Petit Chaperon rouge* de Perrault.

chèvre n. f.
1. Mammifère ruminant de l'ordre des ongulés. *Le petit de la chèvre est le chevreau. On fait un bon fromage avec le lait de la chèvre.*
2. Femelle du bouc.
VOIR TABLEAU – **ANIMAUX.**
Locution
Ménager la chèvre et le chou. (FIGURÉ) Tenter de ne pas déplaire à deux groupes opposés en ne se rangeant ni d'un côté ni de l'autre.

chevreau n. m. (pl. *chevreaux*)
Petit de la chèvre.
VOIR TABLEAU – **ANIMAUX.**

chèvrefeuille n. m.
Arbuste à fleurs parfumées. *Un chèvrefeuille bien vigoureux.*
☞ Attention au genre masculin de ce nom : ***un*** chèvrefeuille.

chevrette n. f.
1. Petite chèvre.
2. Femelle du chevreuil.
VOIR TABLEAU – **ANIMAUX.**

chevreuil n. m.
⚜ Cerf de Virginie. *La chasse aux chevreuils a lieu à l'automne.*
VOIR TABLEAU – **ANIMAUX.**

chevron n. m.
1. Pièce de bois dans la charpente d'un immeuble.
2. Galon en forme de A porté sur les manches des militaires.
3. Motif en zigzag. *Un imprimé à chevrons.*

chevronné, ée adj.
Qui a beaucoup d'expérience. *Un enseignant chevronné.*
SYN. expérimenté.

chez prép.
1. Dans la demeure de. *Viens donc chez moi.*
2. Dans la personne de. *C'est une manie chez lui.*
3. ***Chez*** + nom propre. Cette construction s'emploie comme enseigne d'un établissement, comme raison sociale. *Chez Julien.*
☞ On emploie normalement ***chez*** devant un nom de profession, un patronyme et ***à*** devant un nom de lieu, de chose. *Allons manger chez Gauthier ! Il faudrait acheter du lait à l'épicerie.*
✎ che**z.**

chez-moi, chez-toi, chez-soi n. m. inv.
(FAMILIER) Domicile personnel, intérieur. *Je vous invite : vous verrez mon nouveau chez-moi.* **SYN.** maison.
☞ Il faut distinguer le nom, qui s'écrit avec un trait d'union, du complément circonstanciel composé de la préposition et du pronom, qui s'écrit sans trait d'union, ***chez moi.*** *Restons chez moi bien au chaud.*

chialer v. intr.
1. (FAMILIER) Pleurer.
2. ⚜ (FAMILIER) (FIGURÉ) Se plaindre, maugréer.
Conjugaison [VOIR MODÈLE – **AIMER**]

chic adj. inv. en genre, interj. et n. m.
Adjectif invariable en genre
1. Élégant, distingué. *Des voitures très chics.*
2. Gentil, sympathique. *C'est une chic fille.*
Interjection
Cette interjection marque le contentement. *Chic alors ! on est en vacances !* **SYN.** chouette.
Nom masculin
Élégance, allure. *Elle a beaucoup de chic.*

chicane n. f.
Querelle de mauvaise foi. **SYN.** (FAMILIER) bisbille, discorde, discussion, dispute.

chicaner v. tr., intr., pronom.
Verbe transitif
Réprimander quelqu'un pour des choses peu importantes, chercher querelle à quelqu'un. *Sa tante le chicane pour rien.*
Verbe intransitif
Critiquer. *Il est toujours à chicaner sur tout.* **SYN.** discuter.
Verbe pronominal
Se quereller. *Arrêtez de vous chicaner !* **SYN.** se chamailler, chercher querelle, se disputer.
Conjugaison [VOIR MODÈLE – **AIMER**]

chiche adj. et interj.
Adjectif
Avare. *Elles sont très chiches.* **SYN.** mesquin. **ANT.** généreux.
Interjection
(FAMILIER) Exclamation exprimant le défi. *Chiche ! Je relève le défi.*

chichi n. m.
(FAMILIER) Manières, cérémonies à l'excès. *Il fait toujours des chichis.*

chichiteux, euse adj.
(FAMILIER) Qui fait des chichis, des manières.

chicorée n. f.
Plante dont les feuilles sont mangées en salade.

chicoter v. tr.
Intriguer, tracasser. *Son absence me chicote.* **SYN.** inquiéter.
Conjugaison [VOIR MODÈLE – **AIMER**]
chico**t**er.

chien n. m.
1. Mammifère domestique appartenant à la famille des canidés. *L'épagneul n'est pas un chien de garde. Le chien de Fanny se nomme Filou, celui de Laurence, Rouki.*
VOIR TABLEAU – **ANIMAUX.**
2. Mâle de la chienne.
Locutions
Arriver comme un chien dans un jeu de quilles. (FIGURÉ) Au mauvais moment.
Entre chien et loup. (FIGURÉ) Au crépuscule.
Être malade comme un chien. Être très malade.
S'entendre comme chien(s) et chat(s). (FIGURÉ) Être en mauvais termes.
Un temps de chien. (FIGURÉ) Mauvais temps.

chiendent n. m.
Plante nuisible aux cultures.
chiend**ent.**

chien-loup n. m. (pl. *chiens-loups*)
Berger allemand. *Des chiens-loups bien dressés.*

chienne n. f.
Femelle du chien. *Le petit de la chienne est le chiot.*
VOIR TABLEAU – **ANIMAUX.**

chiffon n. m.
Vieille étoffe. *Arlette frotte le meuble avec un chiffon.*
Locution
Parler chiffons. Parler de la mode.

chiffonner v. tr.
1. Froisser. *Elle a chiffonné sa jupe.* **SYN.** friper.
2. (FAMILIER) Préoccuper. *Cette histoire me chiffonne.* **SYN.** ennuyer, intriguer.
Conjugaison [VOIR MODÈLE – **AIMER**]

chiffre n. m.
Caractère servant à écrire les nombres. *Des chiffres arabes, des chiffres romains.*
Ne pas confondre avec les mots suivants :
– ***nombre,*** quantité chiffrée ;
– ***numéro,*** qui marque le rang, l'ordre.
VOIR TABLEAU – **CHIFFRES ARABES.**
VOIR TABLEAU – **CHIFFRES ROMAINS.**

chiffrer v. tr., pronom.
Verbe transitif
1. Évaluer en chiffres. *Chiffrer le coût des travaux.*
2. Transcrire en langage chiffré. *Chiffrer un message.* **SYN.** coder.
Verbe pronominal
Atteindre le nombre de. *Les dégâts se chiffrent en millions, à trois millions de dollars. Les victimes se chiffrent par centaines.*
Conjugaison [VOIR MODÈLE – **AIMER**]

chignon n. m.
Coiffure où les cheveux sont torsadés sur le sommet de la tête ou sur la nuque.

chihuahua n. m. et f.
Les lettres ***ch*** se prononcent ***ch*** (et non *tch) [ʃiɥaɥa].
Petit chien. *Une (chienne) chihuahua. Des chihuahuas.*

chilien, ienne adj. et n. m. et f.
Du Chili. *Le drapeau chilien. Un Chilien, une Chilienne. Christian est d'origine chilienne.*
L'adjectif s'écrit avec une minuscule ; le nom, avec une majuscule.

chimère n. f.
Illusion, rêve irréalisable. *Ce ne sont que des chimères.* **SYN.** fantaisie.

chimie n. f.
Science qui étudie les propriétés des corps, leurs transformations et combinaisons. *Étienne aime bien le laboratoire de chimie où il peut faire des expériences intéressantes.*

chimique adj.
1. Qui se rapporte à la chimie. *Une formule chimique.*
2. Qui provient de la chimie. *Des produits chimiques.*
VOIR TABLEAU – **SYMBOLE.**

chimiste n. m. et f.
Spécialiste de la chimie.

chimpanzé n. m.
Grand singe d'Afrique.
chimpan**z**é.

chinchilla n. m.
1. Rongeur élevé pour sa fourrure gris perle. *Les chinchillas vivent au Pérou et au Chili.*
2. La fourrure du chinchilla. *Le chinchilla est inabordable.*

C

chinois, oise adj. et n. m. et f.
Adjectif et nom masculin et féminin
De Chine. *Le drapeau chinois. Un Chinois, une Chinoise.*
L'adjectif s'écrit avec une minuscule ; le nom, avec une majuscule.
Nom masculin
Langue parlée en Chine. *Lou parle le chinois.*
Le nom de la langue s'écrit avec une minuscule.

chinook n. m.
Vent des Rocheuses.

chiot n. m.
Petit de la chienne. Jeune chien.
VOIR TABLEAU – **ANIMAUX.**
chio**t.**

chiper v. tr.
(FAMILIER) Voler. **SYN.** dérober.
Conjugaison [VOIR MODÈLE – **AIMER**]

chipie n. f.
(FAMILIER) Femme au caractère désagréable.

chips n. f. inv.
Pommes de terre rôties coupées en fines rondelles. *Un sachet de chips délicieuses.*
L'OLF a recommandé le nom ***croustille*** pour remplacer le mot anglais « chips ».

chiquenaude n. f.
Petit coup porté par une détente brusque du doigt. *Recevoir une chiquenaude.* **SYN.** pichenette, pichenotte.

chir(o)- préf.
Les lettres ***ch*** se prononcent ***k.***
Élément signifiant « main ». *Chiromancie.*

chiro n. m. et f.
Les lettres ***ch*** se prononcent ***k***.
Abréviation familière de ***chiropraticien, chiropraticienne.***

chiropraticien n. m.
chiropraticienne n. f.
Les lettres ***ch*** se prononcent ***k***.
Praticien, praticienne de la chiropratique.
Le nom s'abrège familièrement en ***chiro.***

chiropratique n. f.
Les lettres ***ch*** se prononcent ***k***.
Traitement par manipulations (surtout de la colonne vertébrale). (Recomm. off. OLF)

chirurgical, ale, aux adj.
Qui appartient à la chirurgie. *Des gants chirurgicaux.*

chirurgie n. f.
Partie de la médecine qui comporte des opérations pratiquées sur le corps pour guérir des blessures et certaines maladies. *Chirurgie du cœur.*

CHIFFRES ARABES

Caractères servant à écrire les nombres. *Nous employons généralement les chiffres arabes, mais nous recourons parfois aux chiffres romains.*

Les chiffres arabes sont au nombre de dix : **0, 1, 2, 3, 4, 5, 6, 7, 8, 9.**
Les nombres s'écrivent par tranches de trois chiffres séparées entre elles par un espace (de droite à gauche pour les entiers, de gauche à droite pour les décimales). *1 865 234,626 125*

Le signe décimal du système métrique est la **virgule**. *45,14* (et non plus *45.14). Le Canada a adopté le système international d'unités (SI) et par conséquent il se conforme à l'usage de la virgule décimale. Si le nombre est inférieur à **1**, la fraction décimale est précédée d'un **0**; on ne laisse pas d'espace ni avant ni après la virgule. *0,38 15,25*

Principaux emplois des chiffres arabes

1. Nombres constituant des **quantités complexes**. *6 235 étudiants.*

   Dans un texte de style soutenu, on écrit généralement en toutes lettres les nombres de **0** à **10**, ainsi que tout nombre qui commence une phrase.

2. **Dates, heures, âges**. *14 décembre 1995, 7 h 25, 40 ans.*
3. **Numéros d'ordre** (adresses, lois, listes, billets, etc.). *35, rue des Bouleaux, article 2, billet n° 253.*
4. **Numéros de page, de paragraphe**. *p. 354, par. 4.*
5. **Nombres suivis de symboles** d'unités de mesure, de pourcentages, de formats, de symboles d'unités monétaires. *25 °C, 35 cm, 85 %, 100 $.*

VOIR TABLEAU – **CHIFFRES ROMAINS.**
VOIR TABLEAU – **NOMBRES.**
VOIR TABLEAU – **SYMBOLE.**

chirurgien n. m.
chirurgienne n. f.
Médecin qui exerce la chirurgie.

chlore n. m.
Les lettres ***ch*** se prononcent ***k***.
Symbole ***Cl*** (s'écrit sans point).
Corps simple, gazeux, jaune verdâtre, d'une odeur âcre et irritante. *On met du chlore dans la piscine pour purifier l'eau.*

chloroforme n. m.
Les lettres ***ch*** se prononcent ***k***.
Anesthésique. *Les voleurs ont endormi le chien avec du chloroforme.*

chlorophylle n. f.
Les lettres ***ch*** se prononcent ***k***.
Pigment vert naturel contenu dans les cellules des tissus végétaux.
chloro**phylle.**

choc n. m.
1. Heurt d'un corps contre un autre. *Le choc d'une voiture contre un lampadaire.* **SYN.** coup.
2. Forte émotion. *Léa est en état de choc. Julie a eu un choc quand elle a appris que Léa avait eu un accident.*
Le mot ***choc*** est parfois mis en apposition à un autre nom pour signifier « choc psychologique » ; les deux éléments prennent la marque du pluriel et s'écrivent avec un trait d'union. *Des mesures-chocs, des décisions-chocs.*

chocolat adj. inv. et n. m.
Nom masculin
Substance alimentaire à base de cacao additionné de sucre. *Du chocolat suisse. Une tablette de chocolat au lait.*
Adjectif de couleur invariable
De la couleur brun foncé du chocolat. *Des turbans chocolat.*
VOIR TABLEAU – **COULEUR (ADJECTIFS DE).**

chocolaté, ée adj.
Parfumé au chocolat. *Du lait chocolaté.*

chœur n. m.
Les lettres ***ch*** se prononcent ***k***.
1. Groupe de chanteurs. *Chanter dans un chœur. Le chœur des Petits Chanteurs à la croix de bois.* **SYN.** chorale.
2. Partie de la nef d'une église où se trouve le maître-autel. *Des enfants de chœur* (et non de *cœur).
Locutions
En chœur. Ensemble. *Chantons en chœur.*
Enfant de chœur. Enfant qui assiste le prêtre pendant la messe. *Des enfants de chœur* (et non de *cœur).

choisir v. tr.
1. Faire choix de, préférer quelqu'un, quelque chose à une autre personne, à une autre chose. *Elle a choisi ce livre. Les étudiants ont choisi entre trois sujets. On le choisira pour président.* **SYN.** sélectionner.
2. ***Choisir de*** + infinitif. Décider de. *Il a choisi de partir.* **SYN.** opter pour.
Conjugaison [VOIR MODÈLE – **FINIR**]

choix n. m.
1. Action de choisir. *Faire son choix.* **SYN.** sélection.
2. Possibilité de choisir. *Je n'ai pas le choix.* **SYN.** liberté.
3. Ensemble présenté. *Il y a un excellent choix de livres.* **SYN.** assortiment.
Locutions
Au choix de. Selon la volonté de. *La tenue est au choix des participants.*
De choix. De qualité supérieure. *Des produits de choix.*

chômage n. m.
Manque de travail. *Chômage saisonnier. Son frère est en chômage ; il ne réussit pas à trouver du travail.*

chômer v. intr.
1. Être sans travail. *Ces ouvriers n'aiment pas chômer.*
2. Suspendre son travail pendant les jours fériés. *Une fête chômée.*
Conjugaison [VOIR MODÈLE – **AIMER**]

chômeur, euse n. m. et f.
Personne sans travail. *Le nombre des chômeurs a diminué au cours du dernier trimestre.*

chope n. f.
Grand verre de bière ; son contenu.

chopine n. f.
Unité de mesure de capacité pour les liquides correspondant à 0,568 litre ou à une demi-pinte. *Une chopine de crème.*

chop suey n. m. (pl. *chop sueys*)
Plat de la cuisine chinoise composé de légumes sautés et de lamelles de poulet ou de porc.

choquant, ante adj.
1. Blessant, désagréable. *Des paroles choquantes.* **SYN.** offensant.
2. Irritant, de nature à contrarier. *Sa paresse est choquante.*

choquer v. tr., pronom.
Verbe transitif
1. Fâcher. *Son refus a choqué Julien. Elle est choquée de ne pas l'avoir vu. Elle est choquée qu'il n'ait pu se libérer pour venir l'aider. Elle a été choquée par ces paroles blessantes, à cause de ces mots peu aimables.* **SYN.** contrarier, offenser.
À la forme passive, le verbe se construit avec la préposition ***de*** suivie de l'infinitif, de la conjonction ***que*** suivie du subjonctif, de la préposition ***par*** suivie d'un nom ou de la locution prépositive ***à cause de*** suivie d'un nom.
2. Bouleverser, faire subir un choc. *Cette nouvelle l'a choquée : elle est très émue.*
Verbe pronominal
Se fâcher, se mettre en colère. *Attention à vos commentaires, Gustave pourrait se choquer.*
Conjugaison [VOIR MODÈLE – **AIMER**]

chorale n. f.
Les lettres ***ch*** se prononcent ***k***.
Groupe de chanteurs qui chantent en chœur. *Une chorale réputée.* **SYN.** chœur.

chorégraphie n. f.
Les lettres ***ch*** se prononcent ***k***.
Art de composer les danses, les ballets, d'en noter les mouvements.

chose n. f.
1. Tout ce qui existe, fait, évènement. *Olivier est rentré de voyage, il a beaucoup de choses à nous raconter.*
2. Objet. *Sa chambre est encombrée de mille choses.*
Locutions
Avant toute chose. En premier lieu.
C'est chose faite. C'est réglé.
C'est peu de chose. C'est une bagatelle.
Faire bien les choses. Traiter ses invités avec largesse.

CHIFFRES ROMAINS

Les chiffres romains sont notés à l'aide de sept lettres majuscules auxquelles correspondent des valeurs numériques.

I	V	X	L	C	D	M
1	5	10	50	100	500	1 000

☞ Comme les chiffres arabes, les chiffres romains s'écrivent de gauche à droite en commençant par les milliers, puis les centaines, les dizaines et les unités.

Les nombres sont constitués :

• **par addition** : en inscrivant les chiffres plus petits ou égaux à droite des chiffres plus grands.

XIII	CXX	MCL
10 + 3 = 13	100 + 10 + 10 = 120	1 000 + 100 + 50 = 1 150

• **par soustraction** : en inscrivant les chiffres plus petits à gauche des chiffres plus grands.

IV	XL	CMXCIX
-1 + 5 = 4	- 10 + 50 = 40	(-100 + 1000) + (-10 + 100) + (-1 + 10) = 999

• **par multiplication** : un trait horizontal au-dessus d'un chiffre romain le multiplie par 1 000.

$\overline{V}$ = 5 000 $\overline{X}$ = 10 000 $\overline{M}$ = 1 000 000

☞ Le chiffre **I** ne peut être soustrait que de **V** ou de **X**; **X** ne peut être soustrait que de **L** ou de **C**; **C** ne peut être soustrait que de **D** et de **M**.

On ne peut additionner plus de trois unités du même nombre, on recourt alors à la soustraction.

III, IV	XXX, XL
3, 4	30, 40

Principaux emplois des chiffres romains

1. Noms de **siècles** et de **millénaires**. *Le XVIe siècle, le IIe millénaire.*

2. Noms de **souverains** et ordre des **dynasties**. *Louis XIV, IIIe dynastie.*

3. Noms d'**olympiades**, de **manifestations**. *Les XXIIes Jeux olympiques.*

4. Divisions d'un texte. *Tome IV, volume III, fascicule IX, avant-propos p. IV*

5. Inscription de la **date sur un monument**, au **générique d'un film.** *MCMLXXXIX.*

☞ Contrairement aux chiffres arabes, les chiffres romains d'une colonne s'alignent verticalement à gauche.

chiffres arabes	chiffres romains
1	I
2	II
3	III
4	IV
5	V
6	VI
7	VII
8	VIII
9	IX
10	X
20	XX
30	XXX
40	XL
50	L
60	LX
70	LXX
80	LXXX
90	XC
100	C
200	CC
300	CCC
400	CD
500	D
600	DC
700	DCC
800	DCCC
900	CM
1 000	M
1 534	MDXXXIV
1 642	MDCXLII
1 965	MCMLXV
1 987	MCMLXXXVII
1 990	MCMXC
2 000	MM

VOIR TABLEAU – **CHIFFRES ARABES.**

Quelque chose. Abréviation ***qqch.*** (s'écrit avec un point).
Cette locution indéfinie est du genre masculin. *J'ai mangé quelque chose de bon.*
Regarder les choses en face. (FIGURÉ) Être réaliste.

chou, choute adj. et n. m. et f.
(FAMILIER) Terme d'affection. *Voici un cadeau pour toi, mon chou. Ce qu'elle est choute !*

chou n. m. (pl. *choux*)
Plante potagère. *De la perdrix aux choux.*
Locutions
Bout de chou. Petit enfant.
Chou à la crème. Petit gâteau en forme de chou. *Des choux à la crème succulents.*

chouchou, oute n. m. et f.
1. Élastique recouvert de tissu servant à retenir les cheveux. *Des chouchous de velours.*
2. (FAMILIER) Préféré. *Des chouchous, des chouchoutes.*

chouchouter v. tr.
(FAMILIER) Cajoler. *Elle aime bien chouchouter sa petite sœur.*
SYN. dorloter.
Conjugaison [VOIR MODÈLE – **AIMER**]

choucroute n. f.
Plat alsacien composé d'une conserve de choux accompagnée de charcuterie et de pommes de terre. *Une choucroute garnie.*
choucrou**t**e.

chouette adj., interj. et n. f.
Nom féminin
Rapace nocturne. *Une chouette blanche.*
VOIR TABLEAU – **ANIMAUX.**
Adjectif
(FAMILIER) Agréable. *Elles sont chouettes. Un chouette garçon. C'est chouette, ce jeu.*
Interjection
Chouette ! on part demain.

chou-fleur n. m. (pl. *choux-fleurs*)
Variété de chou dont on mange la pomme.

chow-chow n. m. (pl. *chows-chows*)
Les lettres ***ow*** se prononcent ***o*** [ʃoʃo].
Chien de taille moyenne à poils soyeux.

choyer v. tr.
Soigner avec tendresse. *Choyer ses enfants.* **SYN.** dorloter.
Conjugaison [VOIR MODÈLE – **EMPLOYER**]
Le ***y*** se change en ***i*** devant un ***e*** muet. *Je choie, tu choies, il choie, je choierai, je choierais,* mais *nous choyons, vous choyez, je choyais, je choyai.*
Le ***y*** est suivi d'un ***i*** à la première personne et à la deuxième personne du pluriel de l'indicatif imparfait et du subjonctif présent. *(Que) nous choyions, (que) vous choyiez.*

chrétien, ienne adj. et n. m. et f.
Qui appartient au christianisme. *La doctrine chrétienne. Un chrétien.*
L'adjectif ainsi que le nom s'écrivent avec une minuscule.

chrétienté n. f.
Ensemble des chrétiens.

christianisme n. m.
Religion fondée sur la doctrine du Christ.
Les noms de religions s'écrivent avec une minuscule.

chrome n. m.
Symbole ***Cr*** (s'écrit sans point).
Métal blanc argenté très dur. *Les chromes de sa moto brillent au soleil.*

chromer v. tr.
Recouvrir de chrome. *De l'acier chromé.*
Conjugaison [VOIR MODÈLE – **AIMER**]

chromosome n. m.
Élément du noyau cellulaire dont le nombre varie selon les espèces (46 chez l'être humain).
Les gènes situés sur les chromosomes sont porteurs des caractères héréditaires.

chronique adj. et n. f.
Adjectif
Se dit d'une maladie qui dure longtemps. *Bronchite chronique.*
ANT. aigu.
Nom féminin
Article périodique de journal, de revue sur un sujet particulier. *La chronique de cinéma.*

chroniqueur n. m.
chroniqueuse n. f.
Auteur, auteure de chroniques. *Un chroniqueur sportif, une chroniqueuse littéraire.*

chrono n. m.
Abréviation familière de ***chronomètre.***

chronologie n. f.
Succession des évènements dans le temps. **SYN.** deroulement.

chronologique adj.
Qui est selon l'ordre du temps. *Classer des documents par ordre chronologique.*

chronométrage n. m.
Relevé précis du temps pendant lequel une action s'accomplit. *Les arbitres ont fait un chronométrage des parcours.*

chronomètre n. m.
S'abrège familièrement en ***chrono*** (s'écrit sans point).
Instrument précis servant à mesurer le temps.

chronométrer v. tr.
Relever exactement le temps pendant lequel une action s'accomplit à l'aide d'un chronomètre. *Les skieurs ont été chronométrés.*
Conjugaison [VOIR MODÈLE – **POSSÉDER**]
Le ***é*** se change en ***è*** devant une syllabe muette, sauf à l'indicatif futur et au conditionnel présent. *Je chronomètre,* mais *je chronométrerai.*

chronométreur n. m.
chronométreuse n. f.
Personne chargée de chronométrer une activité, un évènement.

chrysanthème n. m.
Plante ornementale. *De grands chrysanthèmes blancs.*
Attention au genre masculin de ce nom : ***un*** chrysanthème.
chr**y**sant**h**ème.

chuchotement n. m.
Action de chuchoter. *On entendait des chuchotements dans la chambre.* **SYN.** murmure.

chuchoter v. tr., intr.
Dire à voix basse à l'oreille de quelqu'un. *Elle lui a chuchoté son nom.*
Ne pas confondre avec les verbes suivants :
– ***marmonner,*** prononcer à mi-voix des paroles confuses, souvent avec colère ;

– ***murmurer,*** prononcer à mi-voix des paroles confuses, surtout pour se plaindre ou protester.
Conjugaison [VOIR MODÈLE – **AIMER**]
chuchoter.

***chum**
Anglicisme au sens de ***copain, ami, conjoint.***

chut interj. et n. m.
Interjection destinée à imposer le silence. *Chut ! Taisez-vous ! Des chuts rageurs.*

chute n. f.
1. Mouvement d'une chose qui tombe. *La chute d'un arbre. Il a fait une mauvaise chute.*
2. Diminution brusque de valeur. *La chute du dollar.* **SYN.** baisse.
3. Masse d'eau tombant brusquement à l'emplacement d'une rupture de pente. (Recomm. off. OLF) *Les chutes du Niagara sont hautes d'environ 50 m. La chute Montmorency.*
En ce dernier sens, ne pas confondre avec les noms suivants :
– ***cascade,*** chute d'eau de faible débit, comportant ordinairement plusieurs paliers ;
– ***cataracte,*** chute d'un grand cours d'eau, où il y a une importante différence de niveau entre deux points ;
– ***rapide,*** partie d'un cours d'eau, souvent hérissée de roches, où le courant devient rapide et agité par suite d'un resserrement du lit ou d'une faible augmentation de la pente.
Les noms génériques de géographie s'écrivent avec une minuscule.

ci adv.
Forme abrégée de ***ici.***
Joint à un nom précédé de ***ce, cet, ces*** (*cette rue-ci, ces boulevards-ci*), ou à un pronom démonstratif ***celui, celle, ceux*** (*celle-ci, ceux-ci*), l'adverbe marque la proximité dans l'espace ou dans le temps. **ANT.** là.

ci pron. dém.
Employé familièrement par opposition à ***ça.*** *Comme ci, comme ça.*

cible n. f.
1. But pour le tir. *Il a atteint la cible avec ses flèches.*
2. (FIGURÉ) Objectif visé. *Je ne voudrais pas être la cible de ses attaques.*

cibler v. tr.
Définir précisément la cible, la clientèle de. *Nous devons cibler correctement notre campagne publicitaire.*
Conjugaison [VOIR MODÈLE – **AIMER**]

ciboulette n. f.
Plante potagère employée comme condiment. *Une omelette avec un peu de ciboulette, c'est délicieux.*

cicatrice n. f.
Trace d'une plaie après la guérison. *Luc a une cicatrice au genou.*

cicatrisation n. f.
Formation d'une cicatrice. *La cicatrisation s'est faite rapidement.*

cicatriser v. tr., pronom.
Verbe transitif
Guérir. *Cicatriser une plaie.*
Verbe pronominal
1. Se fermer, en parlant d'une plaie. *Sa coupure ne se cicatrise pas bien.* **SYN.** guérir.
2. (FIGURÉ) S'apaiser. *Sa douleur finira par se cicatriser.*
Locution
Cicatriser une blessure morale. (FIGURÉ) En adoucir la douleur. **SYN.** apaiser, consoler.
Conjugaison [VOIR MODÈLE – **AIMER**]

ci-dessous loc. adv.
Plus bas. *Voir l'illustration ci-dessous* (et non *ci-bas).

ci-dessus loc. adv.
Plus haut. *Voir l'illustration ci-dessus* (et non *ci-haut).

cidre n. m.
Boisson alcoolique faite du jus fermenté des pommes. *Une bolée de cidre.*

ciel n. m. (pl. *cieux, ciels*)
1. Espace indéfini dans lequel se déplacent tous les astres. *Le ciel est bleu.*
2. Paradis. *Notre Père qui êtes aux cieux.* **ANT.** enfer.
Au sens religieux, le pluriel de ***ciel*** est ***cieux.***
Locutions
À ciel ouvert. En plein air.
Ciel de lit. Dais placé au-dessus d'un lit. *Des ciels de lit.*
Tomber du ciel. (FIGURÉ) Être très surpris.

cierge n. m.
Longue chandelle de cire en usage dans le culte religieux.

cigale n. f.
Insecte qui produit un bruit strident. «*La cigale ayant chanté tout l'été...* » (La Fontaine)
VOIR TABLEAU – **ANIMAUX.**

cigare n. m.
Rouleau de feuilles de tabac à fumer. *Il est interdit de fumer le cigare ici.*

cigarette n. f.
Petit rouleau de tabac roulé dans du papier que l'on fume. *Une cartouche* (et non un *carton) *de cigarettes.*

cigogne n. f.
Oiseau échassier migrateur.
VOIR TABLEAU – **ANIMAUX.**

cil n. m.
Poils qui bordent les paupières.
Ne pas confondre avec le nom ***sourcil,*** poils qui suivent l'arcade sourcilière, au-dessus de l'orbite.

ciller v. tr., intr.
Le mot rime avec ***vaciller*** [sije].
Fermer et ouvrir brusquement les paupières. *Le soleil le fit ciller des yeux. La lumière intense la fit ciller.*
Conjugaison [VOIR MODÈLE – **AIMER**]
ciller.

cime n. f.
Sommet, extrémité supérieure. *La cime d'un arbre, d'une montagne.*
cime.

ciment n. m.
Matière propre à lier des pierres, des briques, etc. *Des sacs de ciment.*

cimenter v. tr.
1. Lier avec du ciment. *Il faut cimenter ces fondations.*
2. (FIGURÉ) Solidifier. *Cimenter une amitié.* **SYN.** consolider.
Conjugaison [VOIR MODÈLE – **AIMER**]

cimenterie n. f.
Usine où se fabrique le ciment.

cimeterre n. m.
Le ***e*** de la deuxième syllabe est muet [simtɛr].
Sabre recourbé. *Le pacha portait un cimeterre.*
Ne pas confondre avec le nom ***cimetière,*** lieu où l'on enterre les morts.

cimetière n. m.
Le ***e*** de la deuxième syllabe est muet [simtjɛr].
Lieu où l'on enterre les morts.
Ne pas confondre avec le nom ***cimeterre,*** sabre.

ciné n. m.
Forme abrégée familière de ***cinéma.*** *Des cinés. Viens-tu avec moi au ciné ?*

cinéaste n. m. et f.
Auteur, réalisateur de films.

ciné-club n. m. (pl. *ciné-clubs*)
Club d'amateurs de cinéma.

cinéma n. m.
S'abrège familièrement en ***ciné*** (s'écrit sans point).
1. Art de créer des films. *Annie aime beaucoup le cinéma. Plus tard, elle aimerait être actrice de cinéma.*
2. Lieu où l'on projette des films. *Ce soir, les amis se retrouveront au cinéma du quartier.*

ciné-parc n. m. (pl. *ciné-parcs*)
Cinéma de plein air où l'on regarde le film de sa voiture.

cinglant, ante adj.
Rude, mordant. *Un ton cinglant.* **SYN.** blessant, désagréable.

cingler v. tr., intr.
Verbe transitif
1. Frapper avec un objet flexible. *Cingler un cheval avec une cravache.* **SYN.** cravacher, fouetter.
2. Fouetter, en parlant de la pluie, de la neige. *La neige et la bourrasque lui cinglaient le visage.*
Verbe intransitif
Naviguer à toute allure dans une direction. *Le voilier cinglait vers les îles.*
Conjugaison [VOIR MODÈLE – **AIMER**]

cinq adj. num. inv. et n. m. inv.
1° Le ***q*** se prononce lorsque l'adjectif est suivi d'un mot commençant par une voyelle ou un ***h*** muet. *Cinq oranges* [sɛ̃k]. 2° Le ***q*** ne se prononce pas si l'adjectif est suivi d'un mot commençant par une consonne ou un ***h*** aspiré. *Cinq tomates* [sɛ̃]. 3° Le ***q*** se prononce toujours dans le nom ***cinq.***
Adjectif numéral cardinal invariable
Quatre plus un. *Une pièce en cinq actes. Cinq dollars.*
Adjectif numéral ordinal invariable
Cinquième. *Le cinq mai.*
Nom masculin invariable
Nombre cinq. *Un cinq de cœur. Des cinq de trèfle.*
VOIR TABLEAU – **NOMBRES.**
VOIR TABLEAU – **NUMÉRAL (ADJECTIF).**

cinquantaine n. f.
1. Cinquante ou environ. *Une cinquantaine de cerises.*
2. Âge approximatif de cinquante ans. *Il est dans la cinquantaine.*

cinquante adj. num. inv. et n. m. inv.
Adjectif numéral cardinal invariable
Cinq fois dix. *Les cinquante personnes.*
Adjectif numéral ordinal invariable
Cinquantième. *Page cinquante.*
Nom masculin invariable
Nombre cinquante. *Des cinquante illuminés.*
VOIR TABLEAU – **NOMBRES.**
VOIR TABLEAU – **NUMÉRAL (ADJECTIF).**

cinquantième adj. num. et n. m. et f.
Abréviations : ***50e*** (cinquantième), ***50es*** (cinquantièmes).
Adjectif numéral ordinal
Nombre ordinal de cinquante. *La cinquantième élève.*
Nom masculin
La cinquantième partie d'un tout.
Nom masculin et féminin
Personne, chose qui occupe le cinquantième rang. *Ils sont les cinquantièmes.*
VOIR TABLEAU – **NOMBRES.**
VOIR TABLEAU – **NUMÉRAL (ADJECTIF).**

cinquième adj. num. et n. m. et f.
Abréviations : ***5e*** (cinquième), ***5es*** (cinquièmes).
Adjectif numéral ordinal
Nombre ordinal de cinq. *La cinquième enfant.*
Nom masculin et féminin
Personne, chose qui occupe le cinquième rang. *Elles sont les cinquièmes.*
Nom masculin
La cinquième partie d'un tout. *Les trois cinquièmes d'une tarte.*
VOIR TABLEAU – **NOMBRES.**
VOIR TABLEAU – **NUMÉRAL (ADJECTIF).**

cinquièmement adv.
En cinquième lieu.

cintre n. m.
Article rappelant la forme des épaules, muni d'un crochet, pour suspendre les vêtements. *Mettre son manteau sur un cintre* (et non sur un *support).

cirage n. m.
1. Action de cirer. *Le cirage des chaussures, ce n'est pas très agréable à faire.*
2. Produit dont on se sert pour cirer les chaussures. *Achète-moi du cirage noir, s'il te plaît.*

circonférence n. f.
Limite extérieure d'un cercle. *Nous devons calculer la circonférence de ce ballon.* **SYN.** périmètre.

circonflexe adj.
Locution
Accent circonflexe. Se dit d'un signe en forme de chevron qu'on met sur certaines voyelles. *Les noms* ***château, forêt, abîme, rôti, flûte*** *ont un accent circonflexe.*
VOIR TABLEAU – **ACCENTS.**
VOIR TABLEAU – **ACCENTS PIÈGES.**

circonstance n. f.
Occasion favorable ou défavorable. *Je profite de la circonstance pour vous saluer.* **SYN.** situation.

circonstanciel, ielle adj.
Se dit d'un complément qui précise la circonstance de l'action indiquée par le verbe : son lieu, son temps, sa cause, son but, etc. *Dans la phrase « demain, Loïc ira à la Ronde », l'adverbe* ***demain*** est un complément circonstanciel de temps et les mots ***à la Ronde*** sont un complément circonstanciel de lieu.

circuit n. m.
1. Itinéraire ramenant au point de départ. *Cet été, nous ferons un circuit au Saguenay. Un circuit automobile.* **SYN.** randonnée, tour.
2. Suite de conducteurs électriques. *Le circuit a été coupé. Des circuits imprimés.*

circulaire adj. et n. f.
Adjectif
En forme de cercle. *Une sculpture circulaire.* **SYN.** rond, sphérique.
Nom féminin
Lettre d'information adressée à plusieurs destinataires. *Une circulaire publicitaire.*

circulation n. f.
1. Mouvement de ce qui circule. *La circulation du sang.*
2. Le fait ou la possibilité pour les véhicules et les piétons d'aller et venir, de se déplacer en utilisant les voies de communication. (Recomm. off. OLF) *Ce soir, la circulation* (et non le *trafic) *est très dense.*
Forme fautive
*circulation. Anglicisme au sens de ***tirage*** (d'un journal). *J'achète un journal à gros tirage* (et non à grosse *circulation).

circulatoire adj.
Propre à la circulation du sang. *Des troubles circulatoires.*

circuler v. intr.
1. Se mouvoir circulairement ou de façon à revenir au point de départ. *Le sang circule dans les veines et les artères.*
2. Passer de main en main. *Ce livre a circulé auprès de tous les amis.*
3. Se propager. *Les nouvelles circulent vite.* **SYN.** courir, se diffuser.
Conjugaison [VOIR MODÈLE – **AIMER**]

cire n. f.
1. Matière jaunâtre produite par les abeilles.
2. Substance animale ou végétale. *Une statuette en cire.*

ciré, ée adj. et n. m.
Adjectif
Enduit de cire. *Des parquets cirés.*
Nom masculin
Imperméable. *Antoine a mis son ciré rouge.*

cirer v. tr.
Enduire de cire, de cirage. *Il faudrait que je cire mes chaussures.* **SYN.** astiquer, faire briller.
Forme fautive
*cirer des skis. Anglicisme au sens de ***farter des skis.***
Conjugaison [VOIR MODÈLE – **AIMER**]

cireur, euse n. m. et f.
Personne qui cire les chaussures, les bottes.

cirque n. m.
1. Enceinte circulaire où se donne le spectacle d'exercices d'acrobatie, de domptage, d'équilibre. *Les enfants adorent venir au cirque.*
2. Entreprise qui organise ce spectacle. *Le Cirque du Soleil.*

cisaille n. f.
Gros ciseaux pour couper une feuille de métal, une haie. *Une cisaille de jardinier.* **SYN.** sécateur.
Ce mot s'utilise souvent au pluriel.
cisa**ill**e.

ciseau n. m. (pl. *ciseaux*)
1. (AU PLURIEL) Instrument composé de deux branches tranchantes. *Des ciseaux à papier, à ongles, des ciseaux de jardinier. Une paire de ciseaux.*
2. Outil de métal destiné à travailler le bois, le métal, etc. *Un ciseau à bois.*
Locution
En criant ciseau. Très rapidement.

ciseler v. tr.
Le ***e*** central est muet [sizle].
1. Sculpter des ornements sur le métal. *L'artisan cisèle des arabesques.*
2. (FIGURÉ) Travailler avec minutie, parfaire. *Ciseler un texte.*
Conjugaison [VOIR MODÈLE – **CONGELER**]
Le ***e*** se change en ***è*** devant une syllabe muette. *Il cisèle, il ciselait.*

citadelle n. f.
Forteresse qui servait autrefois à protéger une ville. *La citadelle de Québec.* **SYN.** château fort.

citadin, ine adj. et n. m. et f.
Adjectif
Qui se rapporte à la ville. *Des habitudes citadines.*
Nom masculin et féminin
Personne qui habite la ville. *André est un citadin, alors que Julie est une campagnarde.* **ANT.** rural.

citation n. f.
Passage d'un auteur, d'un texte rapporté exactement. *N'oublie pas d'indiquer les sources de tes citations.*

cité n. f.
1. Partie la plus ancienne de certaines villes. *La Cité de Londres. L'île de la Cité.*
En ce sens, le nom s'écrit avec une majuscule.
2. Ensemble d'immeubles ayant une même vocation. *La cité universitaire de Paris.*
En ce sens, le nom s'écrit avec une minuscule.
Forme fautive
*cité. Impropriété au sens de ***ville, agglomération urbaine.***

citer v. tr.
Rapporter. *Citer un passage d'un texte.*
Conjugaison [VOIR MODÈLE – **AIMER**]

citerne n. f.
Réservoir d'eau de pluie, d'un liquide. *La citerne est à sec : il n'a pas plu depuis 40 jours.*
Le mot ***citerne*** s'oppose parfois à un nom. Les deux éléments prennent la marque du pluriel et s'écrivent avec un trait d'union. *Des avions-citernes. Des camions-citernes.*

citoyen, enne n. m. et f.
Sujet d'un pays qui, à ce titre, jouit de droits politiques. *François et Delphine sont des citoyens canadiens.*

citoyenneté n. f.
Qualité de citoyen. *Ses grands-parents se verront bientôt accorder leur citoyenneté.*

citron adj. inv. et n. m.
Nom masculin
Fruit du citronnier. *Un citron pressé.*
Adjectif de couleur invariable
De la couleur jaune des citrons. *Des rubans citron, jaune citron.*
VOIR TABLEAU – **COULEUR (ADJECTIFS DE).**

citronnade n. f.
Boisson préparée avec du jus de citron. **SYN.** citron pressé.

Au Québec, on emploie surtout le nom ***limonade*** en ce sens. Dans la francophonie, la ***limonade*** est une boisson gazeuse au goût de citron.
citro**nn**ade.

citronnelle n. f.
Nom de diverses plantes dont l'odeur ressemble à celle du citron. *La citronnelle éloigne les moustiques.*
citro**nn**elle.

citronnier n. m.
Arbre des régions méridionales qui produit le citron.
citro**nn**ier.

citrouille n. f.
Plante potagère dont le fruit orange est volumineux ; ce fruit. *À l'Halloween, les enfants ont placé une citrouille devant la maison.*

civière n. f.
Brancard destiné à transporter des malades, des blessés.

civil, ile adj. et n. m. et f.
Adjectif
1. Relatif à l'ensemble des citoyens d'un État. *Les droits civils. Le Code civil.*
2. (LITTÉRAIRE) Affable.
3. Qui n'est pas religieux. *Un mariage civil.*
Nom masculin et féminin
Personne qui n'est pas militaire.
Locution
Année civile. Période de 12 mois comprise entre le 1er janvier et le 31 décembre.

civilisation n. f.
Développement des caractères propres à la vie intellectuelle, morale, artistique et matérielle d'une société. *La civilisation grecque.*

civilisé, ée adj. et n. m. et f.
Qui jouit de la civilisation. *Un peuple civilisé.* **SYN.** raffiné.

civique adj.
Qui concerne le citoyen. *Les droits civiques.*
Locution
Sens civique. Dévouement envers la collectivité.
Forme fautive
*civique. Anglicisme au sens de ***municipal.*** *Un hôpital municipal* (et non *civique).

civisme n. m.
Sens civique. *Faire preuve de civisme en donnant la priorité aux piétons.*

cl
Symbole de ***centilitre.***

Cl
Symbole de ***chlore.***

clac ! interj.
Onomatopée indiquant un claquement sec.

clafoutis n. m.
Le **s** ne se prononce pas [klafuti].
Pâtisserie. *Un clafoutis aux cerises.*
clafouti**s.**

clair, claire adj. et adv.
Adjectif
1. Qui répand ou reçoit la lumière. *Une pièce très claire.* **SYN.** éclairé, lumineux. **ANT.** noir, sombre.
2. Pâle, en parlant d'une couleur. *Bleu clair.* **ANT.** foncé.
Adjectif de couleur + ***clair.*** Lorsqu'un adjectif de couleur est composé de plusieurs mots, il est invariable. *Des chemises bleu clair.*
3. Pur. *Une eau claire.* **SYN.** cristallin, limpide, transparent. **ANT.** brouillé.
4. Cristallin, en parlant d'un son. *Une voix très claire.* **SYN.** aigu. **ANT.** grave.
5. Facile à comprendre. *La lettre est claire : il faut tout reprendre.* **SYN.** compréhensible. **ANT.** confus, embrouillé.
Adverbe
Clairement. *Parler haut et clair.*
Locutions
Clair de lune. La clarté de la lune. *Le clair de lune est magnifique ce soir.*
En clair, locution adverbiale. Non chiffré ou non codé.
Le plus clair de. La partie la plus importante. *Il passe le plus clair de son temps à écrire.*
Tirer une affaire au clair. L'éclaircir. *Il faut tirer cette affaire au clair.*

clairement adv.
Distinctement. *Nous avons entendu ces mots clairement.*

clairière n. f.
Endroit d'une forêt, d'un bois dégarni d'arbres.

clairon n. m.
1. Instrument à vent.
2. Personne qui joue de cet instrument.

clairsemé, ée adj.
Peu dense, peu nombreux. *Des arbres clairsemés.* **SYN.** rare.
Cet adjectif s'écrit en un seul mot.

clairvoyance n. f.
1. Jugement, bon sens. *La mère a eu la clairvoyance de prévenir le médecin.* **SYN.** discernement, finesse, flair, lucidité.
2. Perception extrasensorielle, don des voyants.
clairvo**yan**ce.

clairvoyant, ante adj. et n. m. et f.
Adjectif
Qui a un bon jugement, qui fait preuve de bon sens. **SYN.** fin, intelligent, lucide, perspicace.
Nom masculin et féminin
Personne qui pratique la clairvoyance. *Ma voisine croit lire l'avenir dans une boule de cristal : est-elle une clairvoyante ?*

clameur n. f.
Ensemble de cris tumultueux. *La clameur montait de la foule indignée.* **SYN.** rumeur, tumulte, vacarme.

clan n. m.
Groupe, société fermée. *Le clan des motards.*

clandestin, ine adj. et n. m. et f.
Qui se fait en marge des lois et de façon secrète. *Un marché clandestin. Une passagère clandestine. Les clandestins étaient cachés dans des conteneurs.* **SYN.** caché, secret.

clandestinité n. f.
Caractère de ce qui est clandestin.

clapier n. m.
Cabane pour les lapins.

clapotement n. m.
Bruit léger d'un liquide qui clapote. *Le clapotement des vagues sur la coque.* **SYN.** clapotis.
clapo**t**ement.

C

clapoter v. intr.
Se dit de vagues légères qui s'entrechoquent.
Conjugaison [VOIR MODÈLE – **AIMER**]
clapo**t**er.

clapotis n. m.
Le **s** ne se prononce pas [klapɔti].
Agitation des vagues qui se croisent. **SYN.** clapotement.
clapoti**s.**

clappement n. m.
Bruit sec fait avec la langue.
cla**pp**ement.

claquage n. m.
Étirement d'un ligament.
Ne pas confondre avec le nom ***claquement,*** bruit.

claque n. f.
1. (FAMILIER) Gifle. **SYN.** coup, tape.
2. (FAMILIER) Couvre-chaussure en caoutchouc.

claquement n. m.
Bruit qui résulte d'un choc. *Un claquement sec.* **SYN.** coup.
Ne pas confondre avec le nom ***claquage,*** étirement d'un ligament.

claquer v. tr., intr., pronom.
Verbe transitif
Fermer avec un bruit sec. *Claquer la porte.*
Verbe intransitif
Faire un bruit sec et clair. *Claquer des dents.*
Verbe pronominal
(FAMILIER) S'épuiser. *Il est claqué, il faut qu'il se repose.* **SYN.** se fatiguer.
Conjugaison [VOIR MODÈLE – **AIMER**]

claquette n. f.
1. Instrument composé de deux planchettes que l'on fait claquer pour donner un signal.
2. Danse rythmée par un bruit sec des pieds. *Danser la claquette.*

clarifier v. tr.
1. Purifier. *Clarifier une eau.* **SYN.** filtrer.
2. (FIGURÉ) Rendre clair. *Il faudrait clarifier cette question.* **SYN.** éclaircir.
Conjugaison [VOIR MODÈLE – **ÉTUDIER**]
Redoublement du ***i*** à la première et à la deuxième personne de l'indicatif imparfait et du subjonctif présent. *(Que) nous clarifiions, (que) vous clarifiiez.*

clarinette n. f.
1. Instrument de musique à vent.
2. Personne qui joue de cet instrument. *C'est une excellente clarinette.* **SYN.** clarinettiste.
Ce nom féminin désigne un homme ou une femme.

clarinettiste n. m. et f.
Personne qui joue de la clarinette. **SYN.** clarinette.

clarté n. f.
1. Lumière. *La clarté du jour.*
2. Caractère de ce qui est nettement intelligible. *La clarté d'un exposé.* **SYN.** limpidité, netteté, précision.

classe n. f.
1. Ensemble de personnes qui ont des intérêts communs. *Une classe sociale.* **SYN.** groupe.
2. Ensemble d'êtres ou d'objets qui ont des caractéristiques semblables. *La classe des mammifères.* **SYN.** catégorie, famille, ordre.
3. Distinction. *Elle a de la classe.* **SYN.** allure, chic, élégance.
4. Division d'un établissement scolaire. *La classe de sixième.*
5. Enseignement. *Faire la classe de français.*
Locution
Classe politique. Ensemble des politiciens d'un pays qui constituent une entité politique particulière.

classe de neige n. f. (pl. *classes de neige*)
Enseignement donné à la montagne au cours de l'hiver où sont combinés leçons et exercices physiques.

classement n. m.
1. Action de classer, de ranger par classes, par catégories. *Un classement alphabétique.* **SYN.** classification, rangement, tri.
2. Résultat de cette action. *Le classement final.* **SYN.** ordre.

classer v. tr., pronom.
Verbe transitif
Répartir en classes, en catégories, ranger. *Il faudrait classer nos papiers.* **SYN.** ordonner, trier.
Ne pas confondre avec le verbe ***classifier,*** déterminer des classes, surtout en botanique, ou en zoologie.
Verbe pronominal
Obtenir un certain rang. *Elles se sont bien classées.*
Conjugaison [VOIR MODÈLE – **AIMER**]

classeur n. m.
1. Meuble où l'on classe des dossiers. *Ce dossier est au classeur* (et non en *filière).
2. Chemise servant à ranger des papiers.

classe verte n. f. (pl. *classes vertes*)
Enseignement donné à la campagne où l'accent porte sur l'écologie et les exercices au grand air.

classicisme n. m.
Doctrine esthétique fondée sur de strictes exigences de raison et d'harmonie propres aux œuvres de l'Antiquité et du XVIIe siècle, en France.

classification n. f.
1. Distribution logique selon un certain ordre.
2. État de ce qui est classé.

classifier v. tr.
Déterminer des classes, surtout en botanique ou en zoologie. *Classifier des insectes.*
Ne pas confondre avec le verbe ***classer,*** répartir en classes.
Conjugaison [VOIR MODÈLE – **ÉTUDIER**]
Redoublement du ***i*** à la première et à la deuxième personne du pluriel de l'indicatif imparfait et du subjonctif présent. *(Que) nous classifiions, (que) vous classifiiez.*

classique adj. et n. m.
Adjectif
1. Qui appartient aux grands auteurs, aux grands compositeurs. *De la musique classique.*
2. Conforme à l'usage, aux habitudes. *Un style trop classique.*
Nom masculin
Ouvrage littéraire, musical, artistique qui fait autorité. *Ce livre est devenu un classique.*

claustrophobe adj. et n. m. et f.
Les lettres ***au*** se prononcent comme un ***o*** fermé et les deux autres ***o*** sont ouverts [klostrɔfɔb].
Qui a peur d'être enfermé. *Il ne peut prendre l'ascenseur : il est claustrophobe. Une claustrophobe.*
claustro**ph**obe.

claustrophobie n. f.
Les lettres ***au*** se prononcent comme un ***o*** fermé et les deux autres ***o*** sont ouverts [klostrɔfɔbi].
Crainte exagérée des lieux clos.
claustro**ph**obie.

clavecin n. m.
Instrument de musique à clavier et à cordes pincées.
clavec**in.**

claveciniste n. m. et f.
Personne qui joue du clavecin.

clavicule n. f.
Os joignant l'omoplate au sternum. *Une fracture de la clavicule.*
Ce nom provient d'un mot latin qui signifiait « petite clé ».
clavicu**l**e.

clavier n. m.
Ensemble de touches d'un instrument de musique, d'un ordinateur, etc. *Le clavier d'un piano.*

clé ou **clef** n. f.
Instrument métallique qui sert à ouvrir ou à fermer une serrure. *La porte est fermée à clé* (et non *barrée). *Des trousseaux de clés* ou *de clefs, des porte clés.*
Le mot ***clé*** est mis parfois en apposition pour indiquer que ce qui précède a une importance essentielle. Les deux composés prennent la marque du pluriel et s'écrivent généralement sans trait d'union. *Des postes clés, des éléments clés, des mots clés, des industries clés.*
Locutions
Clés en main. (FIGURÉ) Prêt à l'usage. *Construire et livrer une usine clés en main.*
La clé du mystère. L'explication.
Mettre sous clé. Enfermer. *Le dossier a été mis sous clé.*
Prendre la clé des champs. (FIGURÉ) S'évader, s'enfuir.
Forme fautive
*clé. Anglicisme au sens de ***touche*** (d'un clavier). *Appuyer sur la quatrième touche* (et non la *clé).

clef
VOIR **CLÉ.**

clémence n. f.
Vertu qui consiste à pardonner. *Le juge a fait preuve de clémence et n'a imposé qu'une amende à l'accusé.* **SYN.** indulgence. **ANT.** sévérité.

clément, ente adj.
1. Qui pardonne facilement. *Il a été clément et lui a confié une nouvelle mission malgré l'échec essuyé.* **SYN.** indulgent.
2. Doux, favorable. *Un climat très clément.* **SYN.** agréable, rigoureux, sévère, tempéré.

clémentine n. f.
Petite mandarine. *Des clémentines du Maroc.*

clergé n. m.
Ensemble des ecclésiastiques d'une Église, d'un diocèse, d'un pays.

clic ! onomat.
Onomatopée indiquant le claquement sec d'un déclic.

cliché n. m.
1. Plaque d'une page, en typographie.
2. Négatif d'une photographie.
3. (PÉJORATIF) Expression, phrase toute faite qui est répétée. **SYN.** banalité.

client, ente n. m. et f.
Personne qui achète un bien, un service. *Les clients d'un magasin, d'un avocat.*

clientèle n. f.
Ensemble des clients d'une personne, d'une entreprise.
Forme fautive
*clientèle (scolaire, étudiante). Impropriété au sens de ***population*** (scolaire, étudiante).
client**èle.**

clignement n. m.
Action de cligner. *Des clignements d'yeux.*

cligner v. tr., intr.
Fermer les yeux à demi. *Elle cligne les yeux* ou *des yeux à cause du soleil.* **SYN.** ciller.
Conjugaison [VOIR MODÈLE – **AIMER**]

clignotant, ante adj. et n. m.
Adjectif
Qui clignote. *Une lumière clignotante.*
Nom masculin
Lumière intermittente, en signalisation routière. *Mettre son clignotant pour tourner.*
clignot**t**ant.

clignotement n. m.
Action de clignoter. *Le clignotement des lumières.*
clignot**t**ement.

clignoter v. intr.
S'allumer et s'éteindre à de brefs intervalles. *Ces ampoules électriques clignotent.*
Conjugaison [VOIR MODÈLE – **AIMER**]
clignot**t**er.

climat n. m.
1. Ensemble des conditions météorologiques d'un lieu donné. *Un climat tempéré, tropical.*
2. Ambiance. *Le climat de cette classe est agréable.* **SYN.** atmosphère.

climatique adj.
Qui se rapporte au climat. *Les conditions climatiques.*

climatisation n. f.
Ensemble des moyens utilisés pour obtenir un degré de température et d'humidité défini dans un lieu.

climatisé, ée adj.
Dont l'air est conditionné. *Une salle climatisée.*

climatiser v. tr.
Donner à un lieu une certaine température, un certain degré d'humidité, à l'aide d'un climatiseur ou d'un conditionneur d'air. *Climatiser une maison.*
Conjugaison [VOIR MODÈLE – **AIMER**]

climatiseur n. m.
Appareil de climatisation. *Le propriétaire du magasin a installé un climatiseur, un conditionneur d'air* (et non un *air conditionné).

clin d'œil n. m. (pl. *clins d'œil, clins d'yeux*)
Clignement. *Alain a fait un clin d'œil à son amie.*
Locution
En un clin d'œil. Très vite, rapidement. *Je m'habille en un clin d'œil et j'arrive !*

clinique adj. et n. f.
Adjectif
Qui se fait au chevet du malade. *Des diagnostics cliniques.*
Nom féminin
Établissement où l'on peut recevoir des soins de santé. *Une clinique pédiatrique.*
Forme fautive
*clinique de donneurs de sang. Calque de l'anglais « blood donor clinic » au sens de ***collecte de sang.***

clinquant, ante adj.
Voyant et sans valeur, de mauvais goût. *Des bijoux clinquants.* **SYN.** vulgaire.

clip n. m.
1. Boucle d'oreille, broche qui se fixe par une pince. *Des clips en argent.*
2. Court film vidéo destiné à présenter une chanson. *Les enfants raffolent de ces clips.* **SYN.** vidéoclip.

clique n. f.
Bande. *Une clique de voyous.*
Ce nom a un sens défavorable.

cliquer v. intr.
Actionner la souris d'un ordinateur pour sélectionner une fonction, un élément. *Vous devez cliquer sur le nom du fichier.*
Conjugaison [VOIR MODÈLE – **AIMER**]

cliques n. f. pl.
Locution
Prendre ses cliques et ses claques. (FAMILIER) Rassembler ses affaires et partir. **SYN.** déguerpir.

cliquetis n. m.
Le ***e*** central est muet, ainsi que le ***s*** [klikti].
Bruit d'objets qui s'entrechoquent. *Le cliquetis des clés.*
cliqueti**s.**

clochard, arde n. m. et f.
Personne privée de travail et de logement. **SYN.** sans domicile fixe, sans-abri, vagabond.

cloche n. f.
Appareil sonore vibrant sous les coups d'un battant. *Sonner les cloches.*
Ne pas confondre avec les noms suivants :
– ***bourdon,*** grosse cloche d'une cathédrale, d'une basilique ;
– ***carillon,*** groupe de petites cloches ;
– ***clochette,*** petite cloche ;
– ***sonnette,*** timbre, sonnerie électrique.

cloche-pied (à) loc. adv.
Sur un pied. *Les enfants sautaient à cloche-pied.*

clocher n. m.
Tour abritant les cloches d'une église.
Locution
Querelle de clocher. Rivalités locales, insignifiantes.

clocher v. intr.
Aller de travers. *Il y a quelque chose qui cloche dans ce dessin.*
Conjugaison [VOIR MODÈLE – **AIMER**]

clochette n. f.
Petite cloche. *On dansait au son des tambourins et des clochettes.*
Ne pas confondre avec les noms suivants :
– ***bourdon,*** grosse cloche d'une cathédrale, d'une basilique ;
– ***carillon,*** groupe de petites cloches ;
– ***cloche,*** appareil sonore vibrant sous les coups d'un battant ;
– ***sonnette,*** timbre, sonnerie électrique.

cloison n. f.
1. Paroi formant séparation. *La cloison nasale.* **SYN.** membrane.
2. Mur peu épais séparant deux pièces. *Ce grand bureau sera divisé par des cloisons* (et non des *écrans ou des *partitions).

cloisonner v. tr.
1. Séparer par des cloisons. *Cloisonner une pièce.*
2. (FIGURÉ) Compartimenter, spécialiser. *Des études trop cloisonnées.*
Conjugaison [VOIR MODÈLE – **AIMER**]

cloître n. m.
1. Monastère. *Entrer au cloître.* **SYN.** abbaye, couvent.
2. Galerie intérieure couverte, disposée en carré autour d'un jardin, dans les anciens couvents.
clo**î**tre.

cloîtré, ée adj.
1. Retiré dans un couvent.
2. (FIGURÉ) Isolé. *Elle n'avait envie de voir personne et elle resta cloîtrée chez elle.*
clo**î**tré.

cloîtrer v. pronom.
Vivre en solitaire. *Elle préfère se cloîtrer à la campagne.* **SYN.** s'isoler, se retirer.
Conjugaison [VOIR MODÈLE – **AIMER**]
clo**î**trer.

clopin-clopant loc. adv.
En boitant. *Elles allaient clopin-clopant.*
La locution adverbiale est toujours invariable.

cloque n. f.
Ampoule de la peau. *Elle est couverte de cloques* (et non de *cloches) : *le soleil l'a brûlée.*

clore v. tr.
1. (LITTÉRAIRE) Fermer. *Clore des volets.*
2. (FIGURÉ) Mettre fin à. *Clore une discussion.* **SYN.** interrompre, terminer.
Locution
Clore le bec à quelqu'un. (FIGURÉ) Le faire taire.
Conjugaison [VOIR MODÈLE – **CLORE**]

clos n. m.
Terrain cultivé entouré de murs, de haies. *Conduis les chevaux dans le clos.*
clo**s.**

clos, ose adj.
1. Fermé. *Une porte close.*
2. Terminé. *L'incident est clos.* **SYN.** achevé.

clôture n. f.
1. Barrière qui délimite un espace. *Une clôture en bois.*
2. Fin. *La clôture d'une réunion.*
cl**ô**ture.

clôturer v. tr., intr.
Verbe transitif
1. Entourer d'une clôture. *Le voisin a clôturé son jardin.*
2. Terminer (une session, une assemblée). *Un beau feu d'artifice a clôturé la fête.* **SYN.** conclure.
Verbe intransitif
S'achever sur un cours, un niveau, en parlant d'une séance de la bourse. *La bourse a clôturé à la hausse.* **SYN.** finir.
Conjugaison [VOIR MODÈLE – **AIMER**]
cl**ô**turer.

C

Indicatif

Présent

je clos
tu clos
elle clôt
il clôt

elles closent
ils closent

Passé composé

j' ai clos
tu as clos
elle a clos
il a clos
nous avons clos
vous avez clos
elles ont clos
ils ont clos

Imparfait

(n'existe pas)

Plus-que-parfait

j' avais clos
tu avais clos
elle avait clos
il avait clos
nous avions clos
vous aviez clos
elles avaient clos
ils avaient clos

Passé simple

(n'existe pas)

Passé antérieur

j' eus clos
tu eus clos
elle eut clos
il eut clos
nous eûmes clos
vous eûtes clos
elles eurent clos
ils eurent clos

Futur simple

je clorai
tu cloras
elle clora
il clora
nous clorons
vous clorez
elles cloront
ils cloront

Futur antérieur

j' aurai clos
tu auras clos
elle aura clos
il aura clos
nous aurons clos
vous aurez clos
elles auront clos
ils auront clos

Infinitif

Présent

clore

Passé

avoir clos

Subjonctif

Présent

que je close
que tu closes
qu' elle close
qu' il close
que nous closions
que vous closiez
qu' elles closent
qu' ils closent

Passé

que j' aie clos
que tu aies clos
qu' elle ait clos
qu' il ait clos
que nous ayons clos
que vous ayez clos
qu' elles aient clos
qu' ils aient clos

Imparfait

(n'existe pas)

Plus-que-parfait

que j' eusse clos
que tu eusses clos
qu' elle eût clos
qu' il eût clos
que nous eussions clos
que vous eussiez clos
qu' elles eussent clos
qu' ils eussent clos

Conditionnel

Présent

je clorais
tu clorais
elle clorait
il clorait
nous clorions
vous cloriez
elles cloraient
ils cloraient

Passé

j' aurais clos
tu aurais clos
elle aurait clos
il aurait clos
nous aurions clos
vous auriez clos
elles auraient clos
ils auraient clos

Impératif

Présent

clos

Passé

aie clos
ayons clos
ayez clos

Participe

Présent

closant

Passé

clos, ose
ayant clos

clou n. m.
1. Petite tige de métal qui sert à fixer, assembler. *Allons nous procurer des clous, un marteau et du bois pour construire une cabane.*
2. (FAMILIER) Furoncle. *Ce clou me fait souffrir.*

clouer v. tr.
1. Fixer avec des clous. *La planche est clouée au sol.*
Ne pas confondre avec le verbe ***clouter,*** garnir de clous.
2. (FIGURÉ) Immobiliser. *Il est cloué au lit depuis une semaine, il est trop faible pour se lever.* **SYN.** retenir.
Conjugaison [VOIR MODÈLE – **AIMER**]

clouter v. tr.
Garnir de clous. *Des bottes cloutées.*
Ne pas confondre avec le verbe ***clouer,*** fixer avec des clous. *Clouer un crochet.*
Conjugaison [VOIR MODÈLE – **AIMER**]

clown n. m.
Les lettres ***own*** se prononcent ***oune*** [klun].
1. Comique de cirque.
2. (FIGURÉ) Farceur. *Il fait toujours le clown.*

CLSC
Sigle de ***centre local de services communautaires.***

club n. m.
Association sportive, culturelle, politique. *Un club sportif. Un club de hockey.*

***clutch**
Anglicisme pour ***pédale d'embrayage.***

cm
Symbole de ***centimètre.***

co- préf.
Élément du latin signifiant « avec ».
Les mots composés avec le préfixe ***co-*** s'écrivent sans trait d'union. *Copropriété, coauteur, coédition.*
Le tréma s'impose quand le radical commence par un ***i.*** *Coïncidence. Coïnculpé.* Devant un ***u,*** la lettre ***n*** sera intercalée. *Conurbation.*

coagulation n. f.
Action de devenir moins liquide. *La coagulation du sang.*

coaguler v. intr., pronom.
Verbe intransitif
Former une masse solide. *Son sang ne coagule pas bien.*
Verbe pronominal
Se figer, former un caillot. *Le sang s'est coagulé.* **SYN.** prendre. **ANT.** se liquéfier.
Conjugaison [VOIR MODÈLE – **AIMER**]

coassement n. m.
Cri de la grenouille.

coasser v. intr.
Crier, en parlant de la grenouille.
Ne pas confondre avec le verbe ***croasser,*** crier, en parlant du corbeau.
Conjugaison [VOIR MODÈLE – **AIMER**]

coauteur n. m.
coauteure n. f.
Personne qui a écrit un livre, qui travaille à une œuvre en collaboration avec une autre personne.

cobalt n. m.
Métal dur, blanc, brillant.

cobaye n. m.
Attention à la prononciation [kɔbaj] ; ce nom rime avec ***bail.***
1. Petit rongeur qui sert souvent de sujet d'expérience dans les laboratoires.
2. (FIGURÉ) Personne qui sert de sujet d'expérience.

cobra n. m.
Serpent venimeux. *Les cobras peuvent mesurer jusqu'à quatre mètres de long.* **SYN.** naja.

cocaïne n. f.
Substance extraite de la feuille du coca, utilisée comme analgésique et anesthésique. *La cocaïne est une drogue dangereuse.*
cocaïne.

cocasse adj.
(FAMILIER) Amusant. *Cet incident cocasse a fait rire toute la classe.* **SYN.** comique, drôle.

cocasserie n. f.
Bouffonnerie.

coccinelle n. f.
Insecte de forme ronde, dont le corps est rouge à pois noirs. *La coccinelle est l'amie des jardiniers parce qu'elle se nourrit de pucerons.* **SYN.** bête à bon Dieu.

coccyx n. m.
Le deuxième ***c*** se prononce ***k,*** les lettres ***cyx*** se prononcent ***sis*** [kɔksis].
Petit os situé à l'extrémité inférieure de la colonne vertébrale. *Tomber sur le coccyx.*
co**ccyx.**

coche n. m.
(ANCIENNEMENT) Grande voiture qui servait au transport. *C'est le cocher qui conduisait le coche et qui passait sous la porte cochère.*
Locution
Manquer le coche. (FIGURÉ) Laisser échapper une occasion favorable.

coche n. f.
(FAMILIER) Entaille. *Faire une coche dans un morceau de bois.* **SYN.** encoche, marque.
L'emploi du nom est courant au Québec dans la langue familière, mais il est vieilli en ce sens dans l'ensemble de la francophonie.

cocher n. m.
cochère n. f.
Personne qui conduit une voiture à cheval.

cocher v. tr.
Marquer d'un trait. *Cocher des mots dans un texte.*
Conjugaison [VOIR MODÈLE – **AIMER**]

cochère adj. f.
Porte cochère. Se dit d'une porte par laquelle une voiture peut passer. *Un immeuble du vieux Montréal avec une belle porte cochère.*

cochon adj. et n. m. et f.
Nom masculin
Mammifère domestique qu'on engraisse pour l'alimentation. *L'histoire des trois petits cochons.*

Lorsqu'il est question du cochon comme animal comestible, on emploie le nom ***porc.*** La femelle du cochon est la truie.

VOIR TABLEAU – **ANIMAUX.**

Adjectif

1. (FAMILIER) Malpropre. **SYN.** dégoûtant.

2. (FAMILIER) Gourmand, appétissant, très riche en calories. *Un dessert cochon.*

Nom masculin et féminin

Personne malpropre et gloutonne. *Ils mangent comme des cochons.*

cochonner v. tr., intr.

Verbe transitif

(FAMILIER) Faire malproprement. *Cochonner son travail.*

Verbe intransitif

Mettre bas, en parlant de la truie.

Conjugaison [VOIR MODÈLE – **AIMER**]

cochonnerie n. f.

1. (FAMILIER) Malpropreté. *Les enfants ont laissé des cochonneries dans la salle de jeu.* **SYN.** saleté.

2. Chose sans valeur. *Ces articles ne valent rien : c'est de la cochonnerie.* **SYN.** pacotille.

cochonnet n. m.

1. Petit cochon. *La viande du cochonnet est très tendre.*

2. Petite boule servant de but, utilisée à la pétanque.

cocker n. m.

Le ***r*** se prononce [kɔkɛr].

Petit chien de chasse.

***cockpit**

Anglicisme au sens de ***poste, cabine de pilotage.***

coco n. m.

Fruit du cocotier. *La noix de coco, le lait de coco.*

***cocoa**

VOIR **CACAO.**

cocon n. m.

Enveloppe soyeuse du ver qui se transforme en chrysalide. *Le ver à soie file son cocon.*

cocotier n. m.

Arbre de la famille des palmiers qui produit la noix de coco.

Ne pas confondre avec le nom ***coquetier,*** petite coupe dans laquelle on mange l'œuf à la coque.

cocotte n. f.

1. Marmite en fonte. *Papa prépare une soupe aux légumes dans sa cocotte.*

2. (FAMILIER) Terme d'affection. *Viens, ma cocotte !*

3. (FAMILIER) Pomme de pin. *Des cocottes décorées pour Noël.*

codage n. m.

Écriture d'un texte en code. *Le codage d'un message secret.* **SYN.** chiffrage.

code n. m.

1. Recueil de textes juridiques. *Le code de la route.*

2. Système de symboles destiné à enregistrer et à transmettre une information. *Un code secret.*

Locution

Code postal. Code facilitant le tri du courrier. *Des codes postaux obligatoires.*

La mention du code postal dans l'adresse est obligatoire ; elle doit figurer après l'indication de la ville.

Forme fautive

*code régional. Calque de l'anglais « area code » au sens de ***indicatif régional.***

codé, ée adj.

Écrit en code. *Un message codé.* **SYN.** chiffré.

coder v. tr.

Mettre en code. *Coder des informations.*

Conjugaison [VOIR MODÈLE – **AIMER**]

coédition n. f.

Édition conjointe. *Une coédition franco-québécoise.*

coefficient n. m.

Toute quantité numérique placée devant une autre pour la multiplier. *Un coefficient d'erreur.*

coéquipier, ière n. m. et f.

Personne qui fait partie d'une équipe avec d'autres. *Nos coéquipières sont très habiles.* **SYN.** compagnon.

cœur n. m.

1. Muscle qui règle la circulation du sang. *Une opération à cœur ouvert.*

2. Poitrine. *Elle serrait son petit chien sur son cœur.*

3. Centre des émotions. *Un coup de cœur. Avoir le cœur en fête.*

4. Centre. *Le cœur de la ville.*

5. Une des couleurs du jeu de cartes.

Locutions

À cœur ouvert. (FIGURÉ) Franchement.

À cœur de + durée. Sans relâche, à longueur de. *Elle travaille à cœur de journée.* **SYN.** continuellement.

Cette expression s'emploie couramment au Québec, mais elle est vieillie dans l'ensemble de la francophonie.

À contre-cœur. Malgré soi.

Avoir bon cœur. Être généreux

Avoir du cœur à l'ouvrage. Travailler avec ardeur.

Avoir du cœur au ventre. Avoir du courage.

Avoir le cœur gros. (FIGURÉ) Être triste.

Avoir mal au cœur. Avoir envie de vomir.

De bon cœur, de gaieté de cœur. Volontiers.

De tout cœur. Avec plaisir.

De tout son cœur. De toutes ses forces.

En avoir le cœur net. Être fixé.

Par cœur. De mémoire.

Prendre, tenir à cœur. S'intéresser.

S'en donner à cœur joie. Profiter pleinement de quelque chose.

Si le cœur vous en dit. Si cela vous convient.

Un cœur d'or. (FIGURÉ) Personne sensible et généreuse.

cœur d'artichaut n. m. (pl. *cœurs d'artichauts*)

Partie comestible de l'artichaut. *Une salade avec des cœurs d'artichauts.*

coffrage n. m.

Charpente destinée à maintenir la terre d'une tranchée, d'une galerie.

coffre n. m.

1. Meuble où l'on range des objets, de l'argent. *Un coffre de bois. Un coffre à bijoux.* **SYN.** boîte, coffret.

2. Espace aménagé à l'arrière ou à l'avant d'une voiture pour le rangement des bagages. *Ranger ses valises dans le coffre* (et non dans la *valise) *de la voiture.*

coffre-fort n. m. (pl. *coffres-forts*)

Armoire métallique destinée à recevoir de l'argent, des valeurs. *Les cambrioleurs n'ont pas réussi à ouvrir le coffre-fort.*

coffre-fort, avec un trait d'union.

coffret n. m.
Petit coffre. *Un coffret à bijoux.*

COFI
Sigle de ***centre d'orientation et de formation des immigrants.***

cognac adj. inv. et n. m.
Nom masculin
Alcool. *Un cognac très ancien.*
Adjectif de couleur invariable
De la couleur orangée du cognac. *Des sacs cognac.*
VOIR TABLEAU – **COULEUR (ADJECTIFS DE).**

cognement n. m.
1. Fait de cogner.
2. Bruit régulier. *As-tu entendu ces cognements ?* **SYN.** coup.

cogner v. tr., intr., pronom.
Verbe transitif
Frapper quelqu'un, heurter quelque chose. *Les déménageurs ont cogné le piano.* **SYN.** taper.
Verbe intransitif
Frapper à coups répétés. *On cogne. Va répondre, s'il te plaît.*
Ce verbe se construit sans préposition ou avec les prépositions ***à, contre, sur.*** *Il cogna à la porte. Cogner sur un clou. Des volets qui cognent contre le mur.*
Verbe pronominal
Se heurter. *Ils se sont cognés à, contre l'armoire. Elle s'est cogné la tête contre la poutre.*
Locution
Cogner des clous. (FAMILIER) (FIGURÉ) Somnoler.
Conjugaison [VOIR MODÈLE – **AIMER**]
Les lettres ***gn*** sont suivies d'un ***i*** à la première et à la deuxième personne du pluriel de l'indicatif imparfait et du subjonctif présent. *(Que) nous cognions, (que) vous cogniez.*

cohérence n. f.
Convenance logique des idées entre elles, des faits entre eux. *Cette intrigue est de la plus grande cohérence.*
cohér**en**ce.

cohérent, ente adj.
Logique, sans contradiction. *Ce texte est très cohérent.* **ANT.** incohérent.
cohér**ent.**

cohue n. f.
Désordre, confusion. *Attention à la cohue : ne vous bousculez pas en traversant la rue.* **SYN.** bousculade.
cohu**e.**

coiffe n. f.
Coiffure féminine. *Les infirmières portaient une coiffe.*

coiffer v. tr., pronom.
Verbe transitif
1. Arranger les cheveux de quelqu'un. *Ce coiffeur coiffe les dames.* **SYN.** peigner.
2. Mettre un chapeau. *Coiffer un chapeau melon.*
3. Être à la tête de. *Cette direction coiffe plusieurs unités administratives.* **SYN.** diriger.
Verbe pronominal
Se peigner. *Va te coiffer avant de partir à l'école.*
Conjugaison [VOIR MODÈLE – **AIMER**]

coiffeur n. m.
coiffeuse n. f.
Personne dont la profession est de coiffer les cheveux. *Il va chez le coiffeur* (et non chez le *barbier).

coiffeuse n. f.
Petite table de toilette surmontée d'une glace.

coiffure n. f.
1. Ce qui sert à couvrir la tête. *Une coiffure bien chaude.*
2. Arrangement des cheveux. *Une coiffure punk. Un salon de coiffure.*

coin n. m.
1. Angle où se rencontrent deux surfaces. *Le coin d'une rue.*
2. Petite partie d'une chose. *Un coin de terre. Se cacher dans un coin.*
3. Lieu retiré. *Un coin tranquille à la campagne. Voyager aux quatre coins du monde.*
4. (FAMILIER) Quartier où l'on habite. *L'épicerie du coin.*

coincer v. tr., pronom.
Verbe transitif
1. Serrer. *Les passagers de l'autobus me coinçaient.*
2. (FIGURÉ) Empêcher d'agir. *Coincer un adversaire.*
Verbe pronominal
Se bloquer. *La fermeture éclair de sa veste s'est coincée.*
Conjugaison [VOIR MODÈLE – **AVANCER**]
Le ***c*** prend une cédille devant les lettres ***a*** et ***o.*** *Il coinça, nous coinçons.*

coïncidence n. f.
Se dit d'évènements qui arrivent en même temps. *Quelle étrange et bizarre coïncidence !* **SYN.** hasard.
coïncidence.

coïncider v. intr.
1. Se produire en même temps. *Les deux fêtes ont coïncidé.*
2. Se superposer exactement.
3. Concorder. *Les témoignages coïncident.* **SYN.** se recouper.
Conjugaison [VOIR MODÈLE – **AIMER**]
coïncider.

col n. m.
1. Partie d'un vêtement qui entoure le cou. *Un col de dentelle.*
2. Passage plus ou moins élevé entre deux montagnes.
Dans ce dernier sens, ne pas confondre avec les noms suivants :
– ***défilé,*** passage étroit entre deux montagnes ;
– ***détroit,*** espace étroit entre deux côtes ;
– ***gorge,*** passage creusé dans une montagne.

colère n. f.
Violente irritation. *Quand il a vu que son vélo était cassé, il a fait une colère terrible.* **SYN.** fureur, rage.
Locutions
En colère. Furieux. *Être en colère contre* (et non *après quelqu'un).
Se mettre en colère. Se fâcher. *Elle s'est mise en colère, puis s'est calmée quand elle a retrouvé son chat.*

coléreux, euse adj. et n. m. et f.
(FAMILIER) Personne qui se met en colère rapidement. *Un caractère coléreux.* **SYN.** emporté, rageur.
coléreu**x.**

colibri n. m.
Oiseau de petite taille dont le plumage est très coloré. *Les colibris sont aussi appelés* ***oiseaux-mouches.***

colimaçon n. m.
Escargot.

Locution
Escalier en colimaçon. Escalier en spirale.
colimaçon.

colin-maillard n. m. (pl. *colin-maillards*)
Jeu où l'un des joueurs qui a les yeux bandés doit reconnaître un autre joueur. *Jouer à colin-maillard.*

colis n. m.
Le **s** ne se prononce pas [kɔli].
Objet remis à une entreprise de transport pour être expédié. *Des colis postaux.* **SYN.** paquet.
coli**s.**

collaborateur, trice n. m. et f.
Personne qui travaille en collaboration avec une ou plusieurs personnes. *Cette équipe compte plusieurs collaboratrices.*

collaboration n. f.
Action de collaborer (avec quelqu'un, à quelque chose). *Votre collaboration me sera précieuse.* **SYN.** aide, participation.

collaborer v. tr. ind.
Travailler en commun à une entreprise, une œuvre. *Les élèves ont collaboré à la revue de l'école.* **SYN.** aider, participer.
Le verbe se construit avec les prépositions ***à, avec.***
L'expression *« collaborer ensemble » est un pléonasme.
Conjugaison [VOIR MODÈLE – **AIMER**]

collage n. m.
1. Action de coller. *Le collage des plantes dans un herbier.*
2. Composition d'éléments collés. *Cette affiche est un magnifique collage.*

collant, ante adj.
1. Adhésif. *Du papier collant ou du ruban adhésif* (et non du *scotch tape).
2. Ajusté. *Un maillot collant.*

collant n. m.
Sous-vêtement d'une seule pièce constitué d'une culotte et de bas. *Les élèves portent un collant vert ou marine.*

collation n. f.
Repas léger. *Maman nous a préparé une collation.* **SYN.** casse-croûte, goûter.

colle n. f.
1. Produit qui permet de fixer une chose à une autre. *Un tube de colle.* **SYN.** adhésif.
2. (FAMILIER) Question difficile. *Il m'a posé une colle.*

collecte n. f.
Action de recueillir des fonds, des données. *Une collecte pour les enfants malades.*
Ne pas confondre avec le nom ***cueillette,*** ramassage des végétaux.
VOIR TABLEAU – **DOUBLETS.**

collecter v. tr.
Réunir des fonds, des dons, etc. *Les pompiers ont collecté 100 000 $ pour l'œuvre des grands brûlés.*
Forme fautive
*collecter. Anglicisme au sens de ***percevoir***, ***recouvrer***. *Le propriétaire perçoit* (et non *collecte) *l'argent que lui rapportent ses loyers.*
Conjugaison [VOIR MODÈLE – **AIMER**]

collectif, ive adj. et n. m.
Adjectif
Qui se rapporte à un ensemble de personnes. *Un travail collectif.* **SYN.** commun.
Nom masculin
(GRAMMAIRE) Mot désignant un ensemble de personnes, de choses.
VOIR TABLEAU – **COLLECTIF.**

collection n. f.
1. Série d'ouvrages. *La collection des romans jeunesse.*
2. Réunion d'objets de même nature. *Une collection de papillons, de cartes de hockey.*

collectionner v. tr.
Constituer une collection. *Ève collectionne les timbres.* **SYN.** regrouper, réunir.
Conjugaison [VOIR MODÈLE – **AIMER**]

collectionneur, euse n. m. et f.
Amateur de collections.

collège n. m.
Établissement d'enseignement. *Des collèges privés. Le collège Jean-de-Brébeuf.*

collège d'enseignement général et professionnel
Sigle ***cégep*** (s'écrit sans points).
VOIR **CÉGEP.**

collégial, ale, aux adj.
(Cours) collégial. Enseignement qui suit le secondaire et précède l'université.

collégien, ienne n. m. et f.
Élève d'un collège.

collègue n. m. et f.
Personne avec qui l'on travaille ou qui exerce la même fonction que soi. *Les collègues de maman sont des médecins, mais ils ont des spécialités différentes.*

coller v. tr., intr.
Verbe transitif
1. Fixer à l'aide d'une colle. *Coller du papier peint.*
2. Approcher. *Collez votre oreille à cette porte.* **SYN.** appuyer.
Verbe intransitif
1. Se fixer à quelque chose. *Ce revêtement ne colle pas.* **SYN.** adhérer.
2. Être ajusté, moulant. *Cette jupe colle trop.*
3. (FAMILIER) (FIGURÉ) Être vraisemblable, convenable. *Cette explication ne colle pas.*
Conjugaison [VOIR MODÈLE – **AIMER**]

collet n. m.
1. Partie du vêtement qui entoure le cou. *Un collet de fourrure.*
Le nom ***collet*** tend à disparaître au profit de ***col.***
2. Nœud coulant servant à capturer des animaux sauvages. *Le trappeur pose des collets pour attraper des renards.*
Locution
Prendre quelqu'un au collet. (FIGURÉ) Arrêter quelqu'un.
VOIR **COL.**

colley n. m.
Les lettres **ey** se prononcent **è** [kɔlɛ].
Chien de berger écossais. *Des colleys majestueux.*
coll**ey.**

collier n. m.
1. Bijou qui entoure le cou. *Des colliers de perles.*
2. Bande qui entoure le cou. *Ce chien n'a pas de collier.*

COLLECTIF

C

Mot singulier désignant un ensemble d'êtres ou de choses.

Collectifs courants :

amas
armée
assemblée
bande
brassée
centaine
classe
comité
cortège
dizaine
douzaine
équipe
foule
groupe
lot
majorité
masse
minorité
multitude
nuée
poignée
quantité
série
tas
totalité
tribu
troupe
troupeau...

1. NOM COLLECTIF EMPLOYÉ SEUL

Si le sujet est un collectif employé sans complément, le verbe se met **au singulier**.

L'équipe gagna la partie.

2. NOM COLLECTIF SUIVI D'UN COMPLÉMENT AU SINGULIER

Si le sujet est un collectif suivi d'un complément au singulier, le verbe se met **au singulier**.

La plupart du temps se passe à jouer dehors.

3. NOM COLLECTIF SUIVI D'UN COMPLÉMENT AU PLURIEL

Si le sujet est un collectif suivi d'un complément au pluriel (*la foule des passants, le groupe des élèves*), le verbe se met **au singulier** lorsque l'auteur veut insister sur l'ensemble, **au pluriel**, lorsqu'il veut insister sur le complément au pluriel.

Une majorité des élèves a réussi ou *ont réussi l'examen.*

4. NOM COLLECTIF PRÉCÉDÉ D'UN ARTICLE DÉFINI, D'UN ADJECTIF POSSESSIF OU D'UN ADJECTIF DÉMONSTRATIF ET SUIVI D'UN COMPLÉMENT AU PLURIEL

Si le sujet est un collectif précédé d'un article défini (*le, la*), d'un adjectif possessif (*mon, ma*) ou d'un adjectif démonstratif (*ce*) et suivi d'un complément au pluriel, le verbe se met **au singulier**.

La bande de copains est en excursion. Mon groupe d'amis raffole de cette musique. Cette poignée d'élèves a gagné.

5. APRÈS *UN DES, UNE MOITIÉ DES, UN GRAND NOMBRE DE, UN CERTAIN NOMBRE DE, UN PETIT NOMBRE DE...*

Si le sujet est l'une de ces expressions, le verbe se met **au singulier** lorsque l'auteur veut insister sur l'ensemble, **au pluriel**, lorsqu'il veut insister sur le complément au pluriel.

Une moitié des pommes est tombée ou *sont tombées.*

6. APRÈS *BEAUCOUP DE, LA PLUPART DE, NOMBRE DE, PEU DE, QUANTITÉ DE, UNE INFINITÉ DE, UNE QUANTITÉ DE...*

Si le sujet est l'une de ces expressions, l'accord du verbe se fait avec le complément **au pluriel** du nom ou du pronom.

La plupart des amis étaient là. Une infinité de roses sont cultivées dans ce jardin.

Malgré la logique,
- le verbe s'accorde **au singulier** après ***plus d'un*** (*plus d'un élève était absent*) ;
- le verbe s'accorde **au pluriel** après ***moins de deux*** (*moins de deux heures se sont écoulées avant son arrivée*).

colline n. f.
Relief d'élévation modérée aux versants généralement en pente douce. (Recomm. off. OLF)
Ne pas confondre avec les noms suivants :
– ***butte,*** petite colline ;
– ***massif,*** ensemble montagneux non orienté qui se dégage du relief environnant ;
– ***mont,*** importante élévation se détachant du relief environnant ;
– ***pic,*** sommet rocheux aux flancs escarpés.

collision n. f.
Choc de deux corps. *Une collision de voitures.* SYN. heurt.

coloc n. m. et f.
Forme abrégée familière de ***colocataire.***

colocataire n. m. et f.
S'abrège familièrement en ***coloc.*** *Ma coloc est très sympathique.*
Locataire d'un immeuble, d'un appartement avec d'autres personnes.

Cologne
VOIR **EAU.**

colombe n. f.
(LITTÉRAIRE) Pigeon blanc. *La colombe est un symbole de paix et de douceur.*
VOIR TABLEAU – **ANIMAUX.**

Colombie-Britannique n. f.
Abréviation ***C.-B.*** (s'écrit avec des points).

colombien, ienne adj. et n. m. et f.
De Colombie. *Le drapeau colombien. Un Colombien, une Colombienne.*
L'adjectif s'écrit avec une minuscule ; le nom, avec une majuscule.

colon n. m.
1. (VIEUX) Fermier, cultivateur.
2. Personne peu raffinée.
Ce mot a un sens défavorable.
3. Personne établie dans une colonie. *Les premiers colons de la Nouvelle-France.*
HOM. côlon, partie du gros intestin.

côlon n. m.
Partie du gros intestin.
HOM. colon, personne établie dans une colonie.
c**ô**lon.

colonel n. m.
colonelle n. f.
Officier, officière de rang supérieur. *Le colonel Gaucher, la colonelle Dubois.*
Le titre s'écrit avec une minuscule.

colonial, ale, aux adj. et n. m. et f.
Relatif à une colonie. *Des empires coloniaux.*

colonie n. f.
1. Possession d'un pays en dehors de son territoire propre. *La Nouvelle-France était une colonie de la France.*
2. Ensemble des résidents d'une nation étrangère dans un lieu donné. *La colonie québécoise de Paris.*
Locution
Colonie de vacances. Groupe d'enfants passant leurs vacances sous la conduite de moniteurs ; endroit où se trouve ce groupe.

colonne n. f.
1. Pilier circulaire soutenant les parties supérieures d'un édifice. *Une colonne de marbre. À l'entrée du collège, il y a des colonnes de pierre.*
2. Suite de mots, de chiffres placés les uns en dessous des autres. *Un texte en deux colonnes. Une colonne de chiffres.*
Locution
Colonne vertébrale. Tige osseuse constituée par l'ensemble des vertèbres.

colorant, ante adj. et n. m.
Adjectif
Qui colore. *Des shampooings colorants.*
Nom masculin
Substance colorée destinée à teindre (des aliments, des textiles, etc.). *Des colorants végétaux, artificiels.*

coloration n. f.
1. Action de colorer. *La coiffeuse fait des colorations de cheveux.* SYN. teinture.
2. Couleur. *La coloration de sa peau est jolie.*

coloré, ée adj.
1. Qui a de belles couleurs. *Une étoffe très colorée.*
2. (FIGURÉ) Qui a de l'éclat, de l'expression. *Un style coloré.* SYN. expressif, pittoresque.

colorer v. tr.
Donner de la couleur à. *Elle a coloré ses joues.* SYN. peindre, teinter.
Ne pas confondre avec le verbe ***colorier,*** appliquer des couleurs sur une surface.
Conjugaison [VOIR MODÈLE – **AIMER**]

coloriage n. m.
1. Action de colorier. *Fanny aime faire du coloriage.*
2. Dessin à colorier. *Un album de coloriages.*

colorier v. tr.
Appliquer des couleurs sur une surface, sur un dessin. *Colorier une illustration. Des albums à colorier.*
Ne pas confondre avec le verbe ***colorer,*** donner de la couleur à quelque chose.
Conjugaison [VOIR MODÈLE – **ÉTUDIER**]
Redoublement du ***i*** à la première et à la deuxième personne du pluriel de l'indicatif imparfait et du subjonctif présent. *(Que) nous coloriions, (que) vous coloriiez.*

coloris n. m.
Le ***s*** ne se prononce pas [kɔlɔri].
Couleur, teinte. *Ce coloris bleu-violet est magnifique.*
colori**s.**

colossal, ale, aux adj.
Très grand, gigantesque. *À New York, il y a des immeubles colossaux.* SYN. énorme, géant, immense.

colosse n. m.
Géant. *Ce déménageur est un colosse.*

coma n. m.
Le **o** est ouvert [kɔma].
État grave caractérisé par une perte de conscience. *Des comas prolongés. Depuis son accident, il est dans le coma.* SYN. inconscience.

combat n. m.
Lutte. *Engager un combat.* SYN. bataille.

C

Locution
Être hors de combat. N'être plus en état de se battre.
✎ comba**t.**

combatif, ive adj.
1. Porté à la lutte. **SYN.** (FAMILIER) bagarreur.
2. Dynamique, énergique.
✎ comba**t**if, un seul ***t.***

combativité n. f.
Penchant pour le combat.
✎ comba**t**ivité, un seul ***t.***

combattant, ante adj. et n. m. et f.
Personne qui prend part à un combat, une guerre. *Les anciens combattants.* **SYN.** soldat.
☞ Ne pas confondre avec le participe présent invariable ***combattant.*** *Tous les pompiers combattant depuis l'aube seront bientôt relevés.*
✎ comba**tt**ant, avec deux ***t.***

combattre v. tr., intr.
Verbe transitif
Se battre contre. *Combattre des ennemis, combattre un incendie.* **SYN.** lutter contre.
Verbe intransitif
Livrer un combat. *Combattre pour ses idées.* **SYN.** lutter pour.
Conjugaison [VOIR MODÈLE – **COMBATTRE**]
✎ comba**tt**re.

combien adv. et n. m. inv.
Adverbe
1. Quelle quantité de ? *Combien de pommes veux-tu ?*
2. Quel prix ? *Combien pour ces framboises ?*
3. À quel point. *Si tu savais combien il me manque !*
4. ***Combien de*** + sujet pluriel. Le verbe s'accorde avec le nom au pluriel. *Combien d'enfants sont absents aujourd'hui ?*
5. ***Combien*** + en. L'accord du participe passé se fait si l'adverbe ***combien*** précède le pronom ***en.*** *Combien en ai-je mangées de ces pâtisseries succulentes !*
6. ***En*** + ***combien.*** Le participe passé est invariable si le pronom ***en*** précède l'adverbe ***combien.*** *De ces prix, il en a gagné combien ?*
Nom masculin invariable
Quelle date ? *Le combien sommes-nous aujourd'hui ?*

combinaison n. f.
1. Assemblage selon un arrangement déterminé. *Une combinaison de chiffres gagnante.*
2. Vêtement d'une seule pièce. *Une combinaison de plongée.*

combiner v. tr., pronom.
Verbe transitif
1. Assembler. *Combiner de la laine avec du coton.* **SYN.** associer, unir.
2. Organiser. *Ils ont combiné un plan ambitieux.* **SYN.** élaborer, manigancer, préparer.
Verbe pronominal
S'harmoniser. *Ces couleurs se combinent bien.* **SYN.** s'agencer.
↝ Le verbe ***combiner*** se construit avec la préposition ***avec.***
Conjugaison [VOIR MODÈLE – **AIMER**]

comble adj. et n. m.
Adjectif
Rempli complètement. *La salle est comble.* **SYN.** complet, plein. **ANT.** vide.
Nom masculin
1. Espace aménagé sous le toit d'un immeuble. *Habiter les combles d'une maison.* **SYN.** grenier.
☞ Ce nom s'emploie surtout au pluriel en ce sens.
2. (FIGURÉ) Degré extrême. *Elle est au comble du bonheur quand son copain lui écrit.*
Locutions
C'est un comble ! Il ne manquait plus que cela.
De fond en comble. (FIGURÉ) Entièrement.
La mesure est comble. (FIGURÉ) En voilà assez.

combler v. tr.
1. Remplir un vide, au propre et au figuré. *Combler un fossé, une lacune.*
2. Satisfaire complètement. *Ses désirs sont comblés.*
Conjugaison [VOIR MODÈLE – **AIMER**]

combustible adj. et n. m.
Qui peut brûler et produire de l'énergie. *Le bois, l'essence sont des combustibles. Des substances combustibles.*

comédie n. f.
Pièce destinée à faire rire. *Une comédie hilarante.*

comédien n. m.
comédienne n. f.
Acteur, actrice (au cinéma, au théâtre, à la radio et à la télévision). *Elle a gagné le trophée de la meilleure comédienne.*
☞ L'opposition entre le ***comédien*** qui jouait la comédie et le ***tragédien,*** la tragédie, ne se fait plus et le mot désigne aujourd'hui un acteur, une actrice sans distinction de style.

comestible adj.
Qui peut être mangé par les humains. *Un champignon comestible.*

comète n. f.
Astre errant que suit une traînée lumineuse. *La comète de Halley.*
VOIR **ASTRE.**

***comics**
Anglicisme au sens de ***bandes dessinées.***

comique adj. et n. m. et f.
Adjectif
Drôle. *Un film comique.*
Nom masculin et féminin
Auteur ou acteur comique. *Ce clown est un excellent comique.*

comité n. m.
Réunion de personnes qui ont pour rôle de discuter et de régler certaines questions. *Des comités d'école.*

commandant n. m.
commandante n. f.
Personne qui a un commandement militaire.
Locution
Commandant de bord. Pilote. *Elle est commandante de bord de cet avion.*

commande n. f.
1. Demande de marchandises adressée à un fabricant, à un marchand. *Une commande de livres.*
2. Organe de transmission. *La commande d'une machine. Les leviers de commande.*
Locutions
Prendre les commandes. (FIGURÉ) Prendre la direction de quelque chose.
Tenir les commandes. (FIGURÉ) Diriger.

commandement n. m.
1. Ordre. *À mon commandement, plongez !*
2. Règles du christianisme. *Les dix commandements.*

C

Indicatif

Présent

je	combats
tu	combats
elle / il	combat
nous	combattons
vous	combattez
elles / ils	combattent

Passé composé

j'	ai	combattu
tu	as	combattu
elle / il	a	combattu
nous	avons	combattu
vous	avez	combattu
elles / ils	ont	combattu

Imparfait

je	combattais
tu	combattais
elle / il	combattait
nous	combattions
vous	combattiez
elles / ils	combattaient

Plus-que-parfait

j'	avais	combattu
tu	avais	combattu
elle / il	avait	combattu
nous	avions	combattu
vous	aviez	combattu
elles / ils	avaient	combattu

Passé simple

je	combattis
tu	combattis
elle / il	combattit
nous	combattîmes
vous	combattîtes
elles / ils	combattirent

Passé antérieur

j'	eus	combattu
tu	eus	combattu
elle / il	eut	combattu
nous	eûmes	combattu
vous	eûtes	combattu
elles / ils	eurent	combattu

Futur simple

je	combattrai
tu	combattras
elle / il	combattra
nous	combattrons
vous	combattrez
elles / ils	combattront

Futur antérieur

j'	aurai	combattu
tu	auras	combattu
elle / il	aura	combattu
nous	aurons	combattu
vous	aurez	combattu
elles / ils	auront	combattu

Infinitif

Présent

combattre

Passé

avoir combattu

Subjonctif

Présent

que	je	combatte
que	tu	combattes
qu'	elle / il	combatte
que	nous	combattions
que	vous	combattiez
qu'	elles / ils	combattent

Passé

que	j'	aie	combattu
que	tu	aies	combattu
qu'	elle / il	ait	combattu
que	nous	ayons	combattu
que	vous	ayez	combattu
qu'	elles / ils	aient	combattu

Imparfait

que	je	combattisse
que	tu	combattisses
qu'	elle / il	combattît
que	nous	combattissions
que	vous	combattissiez
qu'	elles / ils	combattissent

Plus-que-parfait

que	j'	eusse	combattu
que	tu	eusses	combattu
qu'	elle / il	eût	combattu
que	nous	eussions	combattu
que	vous	eussiez	combattu
qu'	elles / ils	eussent	combattu

Conditionnel

Présent

je	combattrais
tu	combattrais
elle / il	combattrait
nous	combattrions
vous	combattriez
elles / ils	combattraient

Passé

j'	aurais	combattu
tu	aurais	combattu
elle / il	aurait	combattu
nous	aurions	combattu
vous	auriez	combattu
elles / ils	auraient	combattu

Impératif

Présent

combats
combattons
combattez

Passé

aie combattu
ayons combattu
ayez combattu

Participe

Présent

combattant

Passé

combattu, ue
ayant combattu

C

commander v. tr., intr.
Verbe transitif
1. Diriger. *Commander une attaque.* **SYN.** conduire, mener.
2. Ordonner. *Il lui a commandé de sauter en parachute.*
3. Demander un produit, un service. *La marchande a commandé 100 paires de gants.*
Verbe intransitif
Avoir autorité. *C'est la directrice qui commande.*
Conjugaison [VOIR MODÈLE – **AIMER**]

commanditaire n. m.
Personne physique ou morale qui apporte un soutien matériel à une manifestation, à une personne, à un produit (par exemple, une émission de radiotélévision), ou à une organisation en vue d'en retirer des avantages publicitaires directs. (Recomm. off. OLF)

commandite n. f.
⚜ Soutien matériel apporté à une manifestation, à une personne, à un produit ou à une organisation en vue d'en retirer des avantages publicitaires directs. (Recomm. off. OLF) **SYN.** parrainage.

commanditer v. tr.
Apporter un soutien matériel à une manifestation, à une personne, à un produit ou à une organisation en vue d'en retirer des avantages publicitaires directs. (Recomm. off. OLF) *Le marathon est commandité par plusieurs sociétés.* **SYN.** parrainer.
Conjugaison [VOIR MODÈLE – **AIMER**]

commando n. m.
Groupe de combat spécialement entraîné. *Des actions de commandos.*

comme adv. et conj.
Conjonction
Ainsi que, de la même manière que. *Lent comme une tortue.* **SYN.** tel.
Lorsque la conjonction ***comme*** introduit une comparaison, qui est généralement placée entre virgules, le verbe et l'attribut sont au singulier. *Paul, comme Pierre, est gentil.*
Conjonction de subordination
La conjonction ***comme*** introduit une proposition circonstancielle :
1. de manière. De la façon dont. *J'ai planté ces fleurs comme vous le désiriez.*
2. de cause. Puisque. *Comme il pleuvait, la promenade a été remise.* **SYN.** parce que.
3. de temps. Tandis que. *Comme nous arrivions, le soleil se montra.*
Après le verbe ***considérer,*** l'attribut est introduit par ***comme.*** *Le directeur la considère comme compétente* (et non *la considère compétente).
Adverbe
Combien, à quel point. *Comme il est gentil !*
Locutions
C'est tout comme. C'est tout à fait la même chose. *Il ne l'a pas frappé, mais c'est tout comme.*
Comme cela. Ainsi. *Elle a glissé comme cela, en escaladant la paroi.*
Comme ci, comme ça. Tant bien que mal. *Il a peint le mur comme ci, comme ça.*
L'expression *« comme par exemple » est un pléonasme.
Comme convenu, comme prévu. Ces locutions sont des tournures abrégées de ***comme c'était convenu, comme c'était prévu.*** On évitera de dire *tel que convenu.
Comme il faut. Comme il convient. *Fais tes devoirs comme il faut.* **SYN.** bien.
Comme tout. Au plus haut point. *Il est gentil comme tout.* **SYN.** extrêmement.
Tout comme. Exactement comme. *Il est tout comme son père et adore la pêche.*

commencement n. m.
1. Début, premier moment. *Le commencement du monde. Ce jour marque le commencement de notre amitié.* **SYN.** création, origine. **ANT.** fin.
2. Première partie. *Le commencement du livre n'est pas très intéressant.*

commencer v. tr., intr.
Verbe transitif direct
1. Entreprendre. *Il commence ses devoirs à 16 heures.* **SYN.** aborder, démarrer. **ANT.** finir, terminer.
2. Être au commencement de. *Le paragraphe qui commence le chapitre.*
Verbe transitif indirect
Commencer + à. Se mettre à. *L'arbre commence à pousser.*
En ce sens, le verbe donne l'idée de progrès futurs.
Verbe intransitif
1. Débuter. *L'année commence aujourd'hui. Mesdames et messieurs, le spectacle va commencer !*
Le verbe ***commencer*** se conjugue avec l'auxiliaire ***avoir*** quand on veut insister sur l'action et avec l'auxiliaire ***être*** quand on veut exprimer l'état. *L'été a commencé le 21 juin. L'été est commencé depuis quelques jours.*
2. *Commencer* + *par.* Ce tour insiste sur l'ordre d'une suite d'actions ou d'états. *Il commence par la consultation des ouvrages et rédige ensuite.*
Conjugaison [VOIR MODÈLE – **AVANCER**]
Le ***c*** prend une cédille devant les lettres ***a*** et ***o***. *Il commença, nous commençons.*

comment adv. et n. m. inv.
Adverbe interrogatif
De quelle façon, pourquoi ? *Comment allez-vous ? Comment l'aurais-je su ?*
Adverbe exclamatif
1. Pour marquer la surprise. *Comment, vous êtes venu !* **SYN.** quoi.
2. Pour souligner un résultat. *L'objectif est atteint, et comment !*
Nom masculin invariable
Manière. *Nous aimerions connaître les pourquoi et les comment de cette décision.*
Locution
N'importe comment. De façon négligente. *Il a fait son lit n'importe comment.*

commentaire n. m.
Remarque, observation. *Ces commentaires nous seront utiles.*
Locution
Sans commentaire. Dans cette expression, qui indique qu'un fait est évident, qu'il se passe d'explications ou que la personne préfère ne pas se prononcer, le nom ***commentaire*** s'écrit au singulier. Le nom s'écrit au pluriel ou non dans l'expression ***cela se passe de commentaire(s).***

commentateur n. m.
commentatrice n. f.
Personne dont la fonction est de formuler des commentaires. *Un commentateur sportif.*

commenter v. tr.
Faire des observations sur un évènement, une situation, un document, etc. *Ces spécialistes doivent commenter les exploits des athlètes.*
Conjugaison [VOIR MODÈLE – **AIMER**]

commérage n. m.
(FAMILIER) Potin. **SYN.** bavardage, racontar.
commérage.

commerçant n. m.
commerçante n. f.
Personne qui fait du commerce. *L'épicier et le pâtissier sont des commerçants.* **SYN.** marchand.

commerce n. m.
1. Fonction qui a pour objet de vendre aux consommateurs les divers produits dont ils ont besoin. *Il fait le commerce des épices : il achète des épices au Maroc et les vend ici.*
2. Magasin. *Il y a des petits commerces dans ce quartier.* **SYN.** boutique.

commercer v. intr.
Faire du commerce avec (un pays, une entreprise). *Cette entreprise commerce avec les États-Unis.*
Conjugaison [VOIR MODÈLE – **AVANCER**]
Le ***c*** prend une cédille devant les lettres ***a*** et ***o.*** *Il commerça, nous commerçons.*

commercial, iale, iaux adj. et n. m. et f.
Adjectif
Qui est relatif au commerce. *Une entreprise commerciale. Des échanges commerciaux.*
Nom masculin et féminin
Personne chargée des relations commerciales dans une entreprise.
Forme fautive
*commercial. Anglicisme au sens de ***annonce publicitaire, réclame.***

commère n. f.
Personne curieuse et bavarde. *Imagine les racontars des commères du quartier. Michel est une vraie commère : avec lui, on est certain de connaître tous les potins.*
Ce nom ne comporte pas de forme masculine, mais il s'emploie pour désigner une femme ou un homme très bavard.

comme tel loc. adj.
Dans les expressions ***comme tel, en tant que tel, tenir pour tel, considérer comme tel,*** etc., l'adjectif ***tel*** s'accorde avec le nom auquel il se rapporte. *Je la considère comme telle.*
VOIR **TEL.**

commettre v. tr.
Accomplir quelque chose de mauvais. *Commettre une infraction, une erreur.*
Le verbe ***commettre*** ne s'emploie que pour un acte blâmable. *Commettre une faute,* mais *accomplir un exploit.*
Conjugaison [VOIR MODÈLE – **REMETTRE**]
INDICATIF PRÉSENT *Je commets, tu commets, il commet, nous commettons, vous commettez, ils commettent.* IMPARFAIT *Je commettais.* FUTUR *Je commettrai.* **CONDITIONNEL** PRÉSENT *Je commettrais.* **IMPÉRATIF** PRÉSENT *Commets, commettons, commettez.* **SUBJONCTIF** PRÉSENT *Que je commette.* **PARTICIPE** PRÉSENT *Commettant.* PASSÉ *Commis, ise.*

commis n. m. et f.
Personne affectée à des tâches diverses dans un bureau, une entreprise. *Une commis dévouée.*
commis.

commissaire n. m. et f.
1. Officier de police.
2. Membre d'une commission.

commission n. f.
1. Ensemble de personnes désignées par une autorité pour prendre des décisions, pour étudier une question. *Une commission parlementaire.* **SYN.** comité.
2. Message. *Il l'a chargé d'une commission.*
3. Pourcentage touché par un intermédiaire. *Le vendeur reçoit une commission de 10 %.*
4. (AU PLURIEL) Achats, courses pour usage courant. *Elle est allée faire des commissions.* **SYN.** emplettes.
Locution
Commission scolaire. Ensemble de personnes élues chargées de l'administration des écoles d'une région, d'un quartier.

Commission des écoles catholiques de Montréal
Sigle ***CÉCM*** (s'écrit avec ou sans points).

commode adj. et n. f.
Adjectif
Pratique, aisé. *Un trajet commode.* **ANT.** malcommode.
Nom féminin
Meuble de rangement avec des tiroirs. *Mes chaussettes sont dans le premier tiroir de ma commode.*

commotion n. f.
Choc grave. *Une commotion cérébrale.*

commun, une adj.
1. Qui a peu de valeur. *Un papier commun.* **SYN.** bon marché.
2. Qui appartient à plusieurs. *Des intérêts communs.* **SYN.** collectif. **ANT.** individuel.
3. Ordinaire. *Ils sont d'une gentillesse peu commune.* **SYN.** courant, habituel. **ANT.** extraordinaire.
Locutions
En commun. En collaboration. *Nous devons établir ce plan en commun, tous ensemble.*
Lieu commun. Banalité.
Nom commun. Nom qui désigne une personne, un animal, une chose qui appartient à une espèce. *Le nom arbre est un nom commun, tandis que Julie est un nom propre.*
VOIR TABLEAU – **NOM.**
Sans commune mesure. Sans comparaison possible.
Transports en commun. Transports publics.

communautaire adj.
Qui est relatif à une communauté, à un groupe de personnes. *La vie communautaire.*

communauté n. f.
Groupe de personnes qui vivent ensemble ou qui partagent les mêmes idées et poursuivent un même objectif. *Une communauté religieuse.* **SYN.** collectivité.

communiant, ante n. m. et f.
Personne qui communie. *Des premières communiantes.*

communicant, ante adj.
Qui communique. *Des vases communicants.*
Ne pas confondre avec le participe présent invariable ***communiquant.*** *Des pièces communiquant entre elles.*

communicateur, trice n. m. et f.
Personne douée pour la communication. *C'est une excellente communicatrice.*

communication n. f.
1. Action de communiquer à l'aide de paroles, de gestes ou de signes. *Une communication téléphonique.*
2. Information, message. *J'ai une communication à vous transmettre.*
3. Passage d'un lieu à un autre. *Une porte, un couloir de communication.*
Locution
Moyen de communication. Ce qui permet de communiquer, d'aller d'un lieu à un autre. *Les routes, les fleuves sont des moyens de communication.* **SYN.** route, voie.

communier v. intr.
Recevoir le sacrement de l'eucharistie, la communion. *Il communie tous les dimanches.*
Conjugaison [VOIR MODÈLE – **ÉTUDIER**]
Redoublement du ***i*** à la première et à la deuxième personne du pluriel de l'indicatif imparfait et du subjonctif présent. *(Que) nous communiions, (que) vous communiiez.*

communion n. f.
1. Action de communier. *La communion du dimanche.*
2. Union profonde. *Une parfaite communion.* **SYN.** accord, harmonie.

communiqué n. m.
Avis transmis au public. *Un communiqué a été envoyé aux journalistes.* **SYN.** annonce.

communiquer v. tr., intr.
Verbe transitif
Transmettre. *Il m'a communiqué votre message.*
Verbe intransitif
1. Être en rapport avec. *Elle communique bien avec sa fille.* **SYN.** parler.
2. Être reliés ensemble. *Ces magasins communiquent par un passage vitré.*
Conjugaison [VOIR MODÈLE – **AIMER**]

compact, e adj.
Les lettres ***ct*** se prononcent [kɔ̃pakt].
1. De format réduit.
2. Serré. *Une foule compacte, un brouillard compact.*
Locutions
Disque compact. Disque audionumérique. *Ève vient de s'acheter le disque compact* Alegria *du Cirque du Soleil.*
Disque optique compact (DOC). Disque laser à grande capacité de mémoire et qui peut stocker des images fixes ou animées, des sons, des textes. *Le DOC* (et non le *CD-ROM) *du* Visuel *parle plusieurs langues.*
L'Académie française propose ***cédérom.***

compagne n. f.
1. Personne avec qui l'on fait une activité. *Des compagnes de classe.*
La forme masculine de ce nom est ***compagnon.***
Ne pas confondre avec les noms suivants :
– ***camarade,*** amie surtout chez les enfants, les adolescents ;
– ***consœur,*** personne qui appartient à une même profession, à une même société ;
– ***copine,*** camarade intime.
2. Femme avec qui une personne vit.

compagnie n. f.
1. Société. *Une compagnie aérienne. Une compagnie d'assurances.*
2. Présence auprès de quelqu'un. *Tiens-moi compagnie un peu, reste un moment. Cette dame voyage en compagnie d'une amie.*
Locution
Fausser compagnie à quelqu'un. Quitter quelqu'un à la dérobée.

compagnon n. m.
1. Personne avec qui l'on fait une activité. *Des compagnons de travail.*
La forme féminine de ce nom est ***compagne.***
2. Homme avec qui une personne vit.
Ne pas confondre avec les noms suivants :
– ***camarade,*** ami surtout chez les enfants, les adolescents ;
– ***confrère,*** personne qui appartient à une même profession, à une même société ;
– ***copain,*** camarade intime.

comparable adj.
1. Que l'on peut comparer. *Des bateaux comparables entre eux.*
2. ***Comparable à.*** *Ce bolide de course est comparable à un avion.*
On emploie la préposition **à** lorsqu'il est question de choses semblables.
3. ***Comparable avec.*** *Les végétaux ne sont pas comparables avec les minéraux.* **ANT.** différent, incomparable.
Dans une phrase négative, on emploie la préposition ***avec*** pour des choses différentes, la préposition ***à*** lorsqu'il est question de choses semblables. *Ces résultats ne sont pas comparables à ceux de l'an dernier.*
4. Peu différent. *Ces tissus sont comparables ; ils coûtent le même prix.* **SYN.** semblable.

comparaison n. f.
1. Action de comparer deux ou plusieurs personnes ou choses. *Une comparaison entre un livre et un autre.*
2. Fait de rapprocher des personnes, des choses qui se ressemblent. *Les expressions « rapide comme l'éclair » et « frisé comme un mouton » sont des comparaisons.*
La comparaison est introduite par la conjonction ***comme*** alors que la métaphore ne contient pas de conjonction.
Locutions
En comparaison de. Par rapport à. *Les affaires sont tranquilles en comparaison de l'an dernier.*
Par comparaison avec. Par rapport à. *Par comparaison avec son cousin, il est très gentil.*
Sans comparaison. Sans égal, incomparable. *La rapidité de ce skieur est sans comparaison.*

comparatif, ive adj. et n. m.
Adjectif
Qui contient une comparaison. *Des études comparatives.*
Nom masculin
Degré de signification d'un adjectif, d'un adverbe qui exprime la supériorité (plus), l'égalité (aussi) ou l'infériorité (moins). *Elle est plus intelligente, il est aussi gentil, ils sont moins bronzés.*
Les comparatifs ne doivent pas être utilisés avec des adjectifs qui sont déjà des comparatifs : ***supérieur, inférieur, meilleur, pire, moindre,*** etc.
VOIR TABLEAU – **ADJECTIF.**
VOIR TABLEAU – **MOINS.**

note | orthographe | *forme fautive

comparativement adv.
Par comparaison.

comparer v. tr.
1. Examiner les ressemblances et les différences entre deux personnes, deux choses. *La maîtresse a comparé les résultats des deux classes.*
2. Rapprocher des objets semblables. *Comparer le printemps à la jeunesse.*
En ce sens, le verbe se construit avec la préposition ***à.***
3. Confronter, rechercher les différences et les ressemblances. *Comparer la signature d'un chèque avec la signature consignée au dossier.*
En ce sens, le verbe se construit avec la préposition ***avec.***
Conjugaison [VOIR MODÈLE – **AIMER**]

compartiment n. m.
Division, section. *Ce meuble comporte peut-être un compartiment secret.*

compas n. m.
Le ***s*** ne se prononce pas [kɔ̃pa].
Instrument qui sert à tracer des cercles.
Locution
Avoir le compas dans l'œil. (FIGURÉ) Être habile à mesurer exactement à simple vue.
compa**s.**

compassion n. f.
(LITTÉRAIRE) Pitié. *Inspirer de la compassion.*

compatibilité n. f.
Qualité de ce qui est compatible. *La compatibilité d'un ordinateur et d'un logiciel.*

compatible adj.
1. Qui peut s'accorder avec autre chose. *Le travail à temps partiel est peu compatible avec les études. Son sang n'est pas compatible avec celui de son père.*
2. Qui peut fonctionner avec un autre appareil. *Ces ordinateurs sont compatibles entre eux.* **ANT.** incompatible.

compatir v. tr. ind.
Avoir de la compassion pour, partager. *Compatir à la souffrance d'un ami.*
Contrairement au verbe ***pâtir,*** le verbe s'écrit sans accent circonflexe.
Conjugaison [VOIR MODÈLE – **FINIR**]

compatriote n. m. et f.
Personne originaire du même pays que quelqu'un d'autre.

compensation n. f.
Dédommagement. *Une compensation financière.*
Locution
En compensation. En contrepartie. *Il a travaillé pendant la fin de semaine; en compensation, il a eu congé lundi.*
Suivie d'un complément, la locution se construit avec la préposition ***de.***
Forme fautive
*compensation. Anglicisme au sens de ***indemnisation, réparation.***

compenser v. tr.
Équilibrer, contrebalancer. *Ces jours de congé compenseront les longues heures de travail* (et non *pour les longues heures de travail).
Le verbe se construit sans préposition ; c'est un verbe transitif direct.
Conjugaison [VOIR MODÈLE – **AIMER**]

compère n. m.
Complice de certaines supercheries.
Ce mot s'emploie uniquement en parlant d'un homme.

compétence n. f.
Connaissance approfondie reconnue. *Ils ont la compétence pour régler ce problème.* **SYN.** capacité. **ANT.** incompétence.

compétent, ente adj.
Qui connaît son métier, qualifié. *Ce plombier est très compétent.* **SYN.** capable.

compétition n. f.
1. Recherche simultanée d'un même objet. *Ils sont en compétition pour ce poste.* **SYN.** concurrence, rivalité.
2. Épreuve sportive. *Une compétition internationale.* **SYN.** championnat, épreuve.

compilation n. f.
1. Action de compiler. *La compilation des votes.*
2. Disque ou cassette réunissant les grands succès d'un compositeur, d'un interprète.

compiler v. tr.
Rassembler des extraits de documents de diverses sources en vue de faire un recueil, une recherche spécifique. *Les élèves ont compilé des informations sur les araignées pour leur travail de recherche.*
Conjugaison [VOIR MODÈLE – **AIMER**]

complaisance n. f.
1. Satisfaction de soi.
2. Obligeance, amabilité.
3. Indulgence excessive.

complaisant, ante adj.
1. Qui cherche à plaire à autrui. *Il a un caractère complaisant.* **SYN.** aimable, serviable.
2. Indulgent à l'excès.

complément n. m.
1. Ce qui s'ajoute à une chose pour qu'elle soit complète. *Le complément d'une somme. Un complément d'information.*
Ne pas confondre avec le nom ***supplément,*** ce qui est ajouté à une chose déjà complète.
2. (GRAMMAIRE) Mot qui complète le sens d'un autre. *Un complément d'objet direct (COD), d'objet indirect (COI), un complément circonstanciel (CC).*

complémentaire adj.
Qui constitue un complément. *Des renseignements complémentaires.*
Ne pas confondre avec le mot ***additionnel,*** qui s'ajoute.
complément**aire.**

complet, ète adj.
1. Entier, dont il ne manque aucun élément. *Une collection complète. Un groupe complet de 30 élèves.*
2. Rempli. *C'est complet : il n'y a plus de billets, de chambres.* **SYN.** bondé, plein.
Locution
Au (grand) complet, locution adverbiale. En totalité. *L'équipe est au grand complet.*

complet n. m.
Vêtement masculin composé d'un pantalon, d'une veste et parfois d'un gilet. *Un complet* (et non un *habit) *bleu marine.* **SYN.** costume.

complètement adv.
1. Entièrement. *Son travail est complètement terminé.* **SYN.** absolument.
2. Tout à fait. *Ils sont complètement d'accord avec toi.* **SYN.** parfaitement, totalement.

compléter v. tr., pronom.
Verbe transitif
Rendre complet. *Ce dixième album complète la collection. Il faut que je complète mon travail : il ne me reste que la conclusion à faire.*
Verbe pronominal
Former un tout, un ensemble harmonieux. *Leurs aptitudes se complètent bien.*
Forme fautive
*compléter. Anglicisme au sens de ***remplir.*** Il a refusé de remplir* (et non de *compléter) *le questionnaire.*
Conjugaison [VOIR MODÈLE – **POSSÉDER**]
Le **é** se change en **è** devant une syllabe muette, sauf à l'indicatif futur et au conditionnel présent. *Je complète*, mais *je compléterai.*

complexe adj. et n. m.
Adjectif
Qui contient plusieurs éléments, plusieurs idées, qui n'est pas facile à comprendre. *Un problème complexe.* **SYN.** compliqué.
Nom masculin
1. Ce qui est difficile à comprendre, ce qui n'est pas simple.
2. Ensemble d'immeubles, d'installations qui concourent à un même but. *Le complexe Desjardins, un complexe industriel, universitaire.*
3. Sentiment d'infériorité ou de supériorité, manque de confiance en soi. *Il a des complexes.*
En ce sens, le nom s'emploie généralement au pluriel.

complexé, ée adj. et n. m. et f.
Qui a des complexes. *Sa grandeur excessive l'a rendu complexé.* **SYN.** (FAMILIER) coincé.

complexer v. tr.
(FAMILIER) Donner des complexes à (quelqu'un). *Son accent la complexe.*
Conjugaison [VOIR MODÈLE – **AIMER**]

complexité n. f.
Caractère de ce qui est complexe. *La complexité de la situation.*

complication n. f.
1. Concours de faits, de circonstances de nature à compliquer quelque chose. *Des complications sont à craindre.* **SYN.** difficulté, embarras, ennui, problème.
2. Aggravation d'une maladie, d'une blessure. *Loïc a été opéré pour une appendicite et il y a eu des complications parce qu'il est allergique à certains médicaments.*
En ce sens, le nom s'emploie généralement au pluriel.

complice adj. et n. m. et f.
Adjectif
Qui aide, favorise. *Un sourire complice.*
Nom masculin et féminin
Personne qui participe à un crime. **SYN.** acolyte.

complicité n. f.
1. Participation à un délit, à un crime commis par un autre.
2. (FIGURÉ) Connivence. *Cette complicité entre les frères et sœurs est touchante.* **SYN.** accord, entente.
En ce sens, le nom n'a pas de connotation défavorable.

compliqué, ée adj.
Difficile à faire, à comprendre. *Ce problème est trop compliqué, je n'arrive pas à trouver la solution.* **SYN.** ardu, complexe. **ANT.** clair, facile, simple.

compliquer v. tr., pronom.
Verbe transitif
Rendre une chose moins simple qu'elle n'était. *La grêle a compliqué le voyage.*
Verbe pronominal
Devenir plus difficile, plus grave. *La situation se complique, sa pneumonie s'est compliquée.* **SYN.** s'aggraver.
Conjugaison [VOIR MODÈLE – **AIMER**]

complot n. m.
Projet préparé secrètement contre quelqu'un, quelque chose. *Les policiers ont démasqué les auteurs du complot contre le premier ministre.* **SYN.** machination.
complo**t.**

comploter v. tr., intr.
Verbe transitif
Préparer secrètement. *Ils complotent une nouvelle agression.* **SYN.** machiner, manigancer.
Verbe intransitif
Préparer un complot. *Ce groupe complote contre notre formation politique.* **SYN.** intriguer.
Conjugaison [VOIR MODÈLE – **AIMER**]
complo**t**er.

comportement n. m.
Manière d'agir, de vivre. *Son comportement est égoïste.* **SYN.** attitude, conduite.

comporter v. tr., pronom.
Verbe transitif
Comprendre, contenir. *Ce choix comporte une difficulté majeure.* **SYN.** inclure.
Verbe pronominal
Se conduire de telle ou telle manière. *Ils se sont bien comportés.*
Le participe passé s'accorde toujours avec le pronom réfléchi qui est complément d'objet direct.
Conjugaison [VOIR MODÈLE – **AIMER**]

composant, ante n. m. et f.
Nom masculin
Se dit des parties qui servent à composer un tout. *Des composants électroniques.* **SYN.** élément.
Nom féminin
Chacun des éléments d'un ensemble complexe. *Les composantes d'une œuvre.* **SYN.** partie.

composé, ée adj. et n. m.
Adjectif
Fait de divers éléments. *Une assiette composée qui comprend des carottes crues, du céleri, etc.* **ANT.** simple.
Nom masculin
Corps résultant de la combinaison de plusieurs éléments. *Des composés chimiques.*
Locutions
Temps composé. (GRAMMAIRE) Forme du verbe accompagnée de l'auxiliaire ***avoir*** ou **être.** *Le passé composé et le plus-que-parfait sont des temps composés.*

Nom composé. (GRAMMAIRE) Mot formé de plusieurs éléments, souvent liés par un trait d'union, et qui a un sens différent de ceux des éléments qui le composent. *Le mot **pomme de terre** est un nom composé dont la signification est différente de celle de **pomme** et de **terre**.*

composer v. tr., pronom.
Verbe transitif
1. Former un tout de l'assemblage de diverses parties. *Composer un menu.* **SYN.** agencer, organiser, préparer.
2. Élaborer, créer. *Composer une chanson.* **SYN.** écrire, produire.
Verbe pronominal
Comprendre. *L'étude se compose de quatre parties.* **SYN.** comporter.
Conjugaison [VOIR MODÈLE – **AIMER**]

compositeur n. m.
compositrice n. f.
Personne qui compose de la musique. **SYN.** musicien.

composition n. f.
1. Agencement. *La composition d'un bouquet.* **SYN.** arrangement, combinaison.
2. Rédaction. *Une composition française.*
3. Assemblage des caractères pour former une page d'impression, en typographie.

compote n. f.
Fruits cuits avec du sucre. *De la compote de pommes.*
Le complément de ce nom est généralement au pluriel.
Locution
En compote. (FAMILIER) (FIGURÉ) Meurtri. *J'ai les pieds en compote.*
compo**t**e.

compotier n. m.
Plat creux à pied. *Dans le compotier, il y a des cerises, des raisins et des abricots.*

compréhensible adj.
1. Facile à comprendre. *Ce livre n'est pas compréhensible ; les explications sont très compliquées.* **SYN.** accessible, clair, simple. **ANT.** incompréhensible.
2. Qui peut se comprendre. *Il est compréhensible que Sophie soit distraite : elle part en voyage ce soir.* **SYN.** excusable. **ANT.** incompréhensible.
compré**hen**sible.

compréhension n. f.
1. Faculté de comprendre, possibilité d'être compris. *La compréhension d'un problème.*
2. Indulgence. *Elle a fait preuve de beaucoup de compréhension.* **SYN.** tolérance.

comprendre v. tr., pronom.
Verbe transitif
1. Saisir le sens de quelque chose. *Il comprend la question du professeur. Marc lui a fait comprendre que ce vélo était trop cher.* **SYN.** déchiffrer.
2. Prendre conscience. *Je dois donc comprendre que vous ne reviendrez plus.*
En ce sens, le verbe se construit avec l'indicatif ou le conditionnel.
3. Trouver naturel. *Je comprends que vous soyez inquiète.*
En ce sens, le verbe se construit avec le subjonctif.
4. Comporter, être composé de. *Cette étude comprend plusieurs chapitres. L'année comprend 12 mois.* **SYN.** compter.
Verbe pronominal
S'accorder, être sur la même longueur d'onde. *Ils se comprennent sans même avoir à se parler.* **SYN.** s'entendre, se parler.
Conjugaison [VOIR MODÈLE – **APPRENDRE**]
INDICATIF PRÉSENT *Je comprends, tu comprends, il comprend, nous comprenons, vous comprenez, ils comprennent.* IMPARFAIT *Je comprenais.* **CONDITIONNEL** PRÉSENT *Je comprendrais.* **IMPÉRATIF** PRÉSENT *Comprends, comprenons, comprenez.* **SUBJONCTIF** PRÉSENT *Que je comprenne.* IMPARFAIT *Que je comprisse.* **PARTICIPE** PRÉSENT *Comprenant.* **PARTICIPE** PASSÉ *Compris, ise.*

compresse n. f.
Pansement. *Appliquez une compresse humide sur son front.*

compression n. f.
1. Action de comprimer. *La compression d'un gaz.*
2. Réduction des dépenses d'une entreprise. *Les compressions budgétaires, des compressions de personnel* (et non des *coupures).

comprimé, ée adj. et n. m.
Adjectif
Réduit par la pression. *Air comprimé.*
Nom masculin
Médicament sous forme de pastille. *Alain a pris un comprimé d'aspirine.*

comprimer v. tr.
1. Diminuer le volume d'un corps. *Cette ceinture comprime la taille.* **SYN.** presser, serrer.
2. (FIGURÉ) Réduire, diminuer. *Il faut comprimer les dépenses.*
Conjugaison [VOIR MODÈLE – **AIMER**]

compris, ise adj.
Locutions
Y compris. En comprenant.
Devant un nom, un adjectif ou un pronom, et employées sans auxiliaire, les expressions ***y compris*** ou ***non compris*** sont considérées comme des locutions prépositives et demeurent invariables. *Le total s'élève à 500 $, y compris les taxes.*
Non compris. En excluant. *Le prix est de 15 $, taxes non comprises.*

compromettre v. tr., pronom.
Verbe transitif
1. Nuire à la réputation de quelqu'un. *Cette histoire de drogue pourrait le compromettre.*
2. Exposer à un danger. *Trop manger peut compromettre la santé.*
Verbe pronominal
Risquer sa réputation. *Ces financiers se sont compromis dans une affaire louche.*
Conjugaison [VOIR MODÈLE – **REMETTRE**]

compromis n. m.
Arrangement selon lequel chacun fait des concessions pour parvenir à une entente. *Ils sont parvenus à un compromis pour éviter la grève.* **SYN.** concession, entente.
compromi**s.**

comptabilité n. f.
Tenue des comptes d'une entreprise, d'un organisme. *Elle est comptable agréée et s'occupe de la comptabilité de l'association.* **SYN.** compte.

comptable adj. et n. m. et f.
Adjectif
Relatif à la comptabilité. *Des systèmes comptables.*

Nom masculin et féminin
Personne spécialisée dans la comptabilité. *Vincent et Andrée sont des comptables.*

comptant adj. et n. m.
Adjectif
En espèces ou par chèque. *Ils paieront comptant* (et non *cash). **ANT.** crédit.
Dans cet emploi, l'adjectif est considéré comme adverbe et reste invariable.
Nom masculin
L'argent comptant, le paiement fait au moment de l'achat. *Ils ont donné 10 % de comptant.*
Locution
Argent comptant. En espèces.
Aujourd'hui, on emploie surtout l'expression ***au comptant*** qui se dit d'un paiement en espèces ou par chèque portant la somme totale sans terme ni crédit.
HOM. **content**, satisfait, heureux.
com**p**t**a**nt.

compte n. m.
1. Évaluation d'un nombre. *Le compte n'y est pas.* **SYN.** calcul, dénombrement.
2. État de ce que l'on a et de ce que l'on doit dans une banque, une caisse populaire. *Jules a demandé le solde* (et non la *balance) *de son compte d'épargne.*
3. Tableau où figurent, en débits ou crédits, les variations de l'actif ou du passif et les résultats. *Un compte bancaire.* **SYN.** comptabilité.
Locutions
À bon compte. À bon prix.
Au bout du compte, en fin de compte, tout compte fait, locutions adverbiales. Finalement, tout bien considéré.
Compte tenu. Si l'on tient compte. *Compte tenu de sa compétence et de sa formation, nous l'engageons.*
Cette locution est invariable.
Faire son compte. S'y prendre. *Comment a-t-il fait son compte pour s'enliser ainsi ?*
Règlement de comptes. (FIGURÉ) Vengeance.
Le complément s'écrit généralement au pluriel.
Se rendre compte de. S'apercevoir, comprendre. *Ils se sont rendu compte de l'erreur trop tard.*
Attention au participe passé de cette locution, qui est invariable.
HOM.
– **comte**, titre de noblesse ;
– **conte**, court récit.

compte- préf.
Les noms composés avec l'élément ***compte-*** sont variables lorsque ***compte-*** est un nom ; ils sont invariables lorsque ***compte-*** est un verbe. *Des comptes-chèques. Des compte-gouttes.*

compte-gouttes n. m. inv. (pl. *compte-gouttes*)
Tube servant à compter les gouttes d'un liquide. *Verse trois gouttes de vitamines à l'aide de ce compte-gouttes.*

compter v. tr., intr., pronom.
Verbe transitif direct
1. Calculer, déterminer le nombre de. *Compter les participants.* **SYN.** chiffrer, dénombrer.
2. Comporter. *Cette école compte 25 salles de cours.* **SYN.** se composer de, comprendre.
3. Avoir l'intention de. *Elle compte partir en vacances. Que comptez-vous faire ?* **SYN.** projeter.
En ce sens, le verbe se construit avec l'infinitif.
Verbe transitif indirect
Compter sur. Se fier à. *Je compte sur vous.* **SYN.** s'appuyer.
Verbe intransitif
1. Entrer dans un calcul. *La taxe ne doit pas être comptée.*
2. Calculer. *Elle compte mentalement.*
3. Avoir de l'importance. *Peu importe le retard, ce sont les résultats qui comptent.* **SYN.** importer.
Verbe pronominal
Être compté. *Les grippés se comptent par centaines.*
HOM. **conter**, faire un récit de façon agréable.
Conjugaison [VOIR MODÈLE – **AIMER**]

compte rendu n. m. (pl. *comptes rendus*)
Le **e** de la deuxième syllabe ne se prononce pas [kɔ̃trɑ̃dy].
Rapport. *J'aimerais avoir un compte rendu de cet accident.* **SYN.** récit.
Le compte rendu peut être oral ou écrit.
Ce nom s'écrit parfois avec un trait d'union.

compte-tours n. m. inv. (pl. *compte-tours*)
Appareil servant à compter le nombre de tours faits par l'arbre d'un moteur, d'une machine, d'une pompe, etc.

compteur n. m.
Appareil servant à compter. *Le compteur* (et non le *meter) *du taxi marque dix dollars.*
HOM. **conteur**, personne qui raconte bien.

comptine n. f.
Chanson enfantine. *Un, deux, trois, quatre, ma petite vache a mal aux pattes.* (Comptine)
com**p**tine.

comptoir n. m.
Table longue et étroite sur laquelle les marchands étalent leurs marchandises.
Locution
Comptoir (de cuisine). Dans une cuisine, surface horizontale servant à diverses opérations.

comte n. m.
Titre de noblesse. *Monsieur le comte de Paris.*
HOM.
– **compte**, tableau où figurent, en débits ou crédits, les variations de l'actif ou du passif et les résultats ;
– **conte**, court récit.
co**m**te.

comtesse n. f.
Titre de noblesse. *Madame la comtesse.*
Les titres de noblesse s'écrivent avec une minuscule.

con, conne adj. et n. m. et f.
(FAMILIER) Idiot. **SYN.** bête, niais, niaiseux.

concave adj.
Creux. *Un plat concave.* **ANT.** convexe.

concentration n. f.
1. Action de concentrer ; son résultat. *La concentration d'un liquide.*
2. Regroupement. *Une concentration urbaine.*
3. Réflexion, attention. *Cette réflexion demande beaucoup de concentration.* **SYN.** application.

concentré, ée adj. et n. m.
Adjectif
Dont on a enlevé du liquide par évaporation. *Du lait concentré.* **SYN.** condensé.
Nom masculin
Produit obtenu par élimination de l'eau. *Un concentré de légumes.*

concentrer v. tr., pronom.
Verbe transitif
1. Réunir des éléments jusqu'alors dispersés. *Concentrer des soldats en un lieu.* **SYN.** grouper, rassembler.
2. Fixer son attention sur quelqu'un, quelque chose. **SYN.** canaliser.
Verbe pronominal
Se recueillir, réfléchir. *Elles se sont bien concentrées pour répondre au questionnaire. Il y a trop de bruit, je ne peux me concentrer.*
Conjugaison [VOIR MODÈLE – **AIMER**]

conception n. f.
1. Fait pour un être vivant d'être conçu ; fécondation.
2. Création de l'esprit. *Ce procédé est une conception originale.* **SYN.** idée.

concerner v. tr.
Se rapporter à. *Cette question ne vous concerne pas. En ce qui me concerne* (et non *en autant que je suis concerné), *je suis d'accord.* **SYN.** intéresser, regarder.
Conjugaison [VOIR MODÈLE – **AIMER**]

concert n. m.
Séance musicale. *L'orchestre donnera un concert ce soir. Le concert de rock a eu un succès monstre.*
Locution
De concert. Avec entente, après s'être concerté. *Nous travaillons de concert avec ce groupe.* **SYN.** ensemble.
concer**t**.

concerter v. tr., pronom.
Verbe transitif
Organiser, projeter quelque chose de concert avec une ou plusieurs personnes. *Une action concertée.*
Verbe pronominal
Se mettre d'accord pour agir de concert. *Ils se sont concertés pour organiser une grande fête à l'école.*
L'expression *« se concerter ensemble » est un pléonasme.
Conjugaison [VOIR MODÈLE – **AIMER**]

concerto n. m.
Composition musicale. *Des concertos de Vivaldi.*

concession n. f.
Fait d'accepter quelque chose ou de renoncer à quelque chose en vue d'une entente. *Il faut faire des concessions pour bien s'entendre avec les autres.* **SYN.** compromis.

concevoir v. tr.
1. Créer, imaginer. *Il a conçu une histoire abracadabrante.* **SYN.** écrire, inventer.
2. Comprendre. *« Ce que l'on conçoit bien s'énonce clairement. »* (Boileau) *Je conçois que vous soyez inquiet.* **SYN.** saisir.
En ce sens, le verbe se construit avec le subjonctif.
3. Devenir enceinte, en parlant d'une femme, d'une femelle. *Concevoir un enfant.*
Conjugaison [VOIR MODÈLE – **APERCEVOIR**]

concierge n. m. et f.
Personne chargée de la garde, de l'entretien d'un immeuble.

conciliant, ante adj.
Accommodant. *La maîtresse est bien conciliante : elle accepte nos excuses.* **SYN.** souple.
Ne pas confondre avec le participe présent invariable ***conciliant.*** *Les membres ont bien accueilli cette mesure conciliant les intérêts de chacun.*

conciliation n. f.
Rapprochement de personnes qui étaient en désaccord.

concilier v. tr., pronom.
1. Mettre d'accord des personnes qui étaient en désaccord. *Concilier les deux parties.* **SYN.** accorder, réconcilier.
2. Allier. *Concilier la jeunesse et la sagesse* ou *la jeunesse avec la sagesse.* **SYN.** réunir.
Le verbe peut se construire avec les conjonctions ***et*** ou ***avec.***
Conjugaison [VOIR MODÈLE – **ÉTUDIER**]
Redoublement du ***i*** à la première et à la deuxième personne du pluriel de l'indicatif imparfait et du subjonctif présent. *(Que) nous conciliions, (que) vous conciliiez.*

concis, ise adj.
Qui exprime tout en peu de mots. *Un style concis.* **SYN.** bref, court.

concision n. f.
Qualité de ce qui est concis. **SYN.** brièveté.

conclure v. tr.
Verbe transitif direct
1. Terminer, régler une affaire en arrivant à un accord. *Conclure une entente.* **SYN.** signer.
2. Donner une fin, une conclusion. *Tu dois maintenant conclure ton récit.* **SYN.** achever, finir.
Verbe transitif indirect
Juger après réflexion. *Après enquête, ils ont conclu à un cas de légitime défense.* **SYN.** déduire.
En ce sens, le verbe se construit avec la préposition **à.**
À noter que le participe passé ***conclu, conclue*** (et non *concluse) fait au pluriel ***conclus, conclues*** (et non *concluses). Attention également à la forme infinitive fautive *« concluer ». *Faut-il en conclure* (et non en *concluer) *que vous serez absent ?*
Conjugaison [VOIR MODÈLE – **INCLURE**]
INDICATIF PRÉSENT *Je conclus, tu conclus, il conclut, nous concluons, vous concluez, ils concluent.* IMPARFAIT *Je concluais, tu concluais, il concluait, nous concluions, vous concluiez, ils concluaient.* FUTUR *Je conclurai, tu concluras, il conclura, nous conclurons, vous conclurez, ils concluront.* **CONDITIONNEL** PRÉSENT *Je conclurais, tu conclurais, il conclurait, nous conclurions, vous concluriez, ils concluraient.* **IMPÉRATIF** PRÉSENT *Conclus, concluons, concluez.* **SUBJONCTIF** PRÉSENT *Que je conclue, que tu conclues, qu'il conclue, que nous concluions, que vous concluiez, qu'ils concluent.* IMPARFAIT *Que je conclusse, que tu conclusses, qu'il conclût, que nous conclussions, que vous conclussiez, qu'ils conclussent.* **PARTICIPE** PRÉSENT *Concluant.* **PARTICIPE** PASSÉ *Conclu, ue.*

conclusion n. f.
1. Action de conclure, partie qui termine un écrit. *La conclusion de ce rapport est mal rédigée.* **SYN.** fin.
2. Conséquence que l'on tire d'un raisonnement. *Quelles sont les conclusions de l'enquête ?* **SYN.** déduction.

concombre n. m.
Plante potagère cultivée pour ses fruits. *Une salade de concombres.*
con**c**o**m**bre.

concordance n. f.
1. Le fait d'être ensemble. *La concordance des témoignages est frappante.* **SYN.** similitude.
2. Le fait d'être en accord. *La concordance des temps d'une phrase.* **SYN.** correspondance, harmonie.
VOIR TABLEAU – **CONCORDANCE DES TEMPS.**

concorde n. f.
Entente, bon accord entre les personnes. *Souhaitons que la concorde règne désormais dans notre école.* **SYN.** harmonie. **ANT.** discorde.

concorder v. intr.
Correspondre, être en accord. *Les faits concordent parfaitement. Ces affirmations concordent avec les propos des témoins.* **SYN.** coïncider.
Conjugaison [VOIR MODÈLE – **AIMER**]

concourir v. tr. ind., intr.
Verbe transitif indirect
Contribuer ensemble à un même résultat. *Toute l'équipe a concouru à la réussite de l'entreprise.* **SYN.** collaborer, participer.
Verbe intransitif
Prendre part à un concours. *Ils ont tenu à concourir et ils ont gagné.* **SYN.** participer.
Le verbe se construit avec la préposition **à.**
Conjugaison [VOIR MODÈLE – **COURIR**]
concou**r**ir, comme le verbe **courir.**

concours n. m.
1. Action de participer à quelque chose. *Votre concours a été précieux pour nous.* **SYN.** appui, collaboration.
2. Épreuve ou ensemble d'épreuves auxquelles participent des personnes en compétition. *Un concours d'orthographe.* **SYN.** championnat.
Locution
Concours de circonstances. Ensemble de coïncidences.

concret, ète adj. et n. m.
Adjectif
Réaliste. *Un exemple concret.* **SYN.** pratique. **ANT.** abstrait.
Nom masculin
Le réel. *Le concret et l'abstrait.*

concrétiser v. tr., pronom.
Verbe transitif
Rendre concret, facile à comprendre. *Cet enseignant arrive à concrétiser les explications les plus difficiles.*
Verbe pronominal
Devenir réel. *Les prévisions se sont concrétisées.* **SYN.** se réaliser.
Conjugaison [VOIR MODÈLE – **AIMER**]

concurrence n. f.
Compétition. *Les deux équipes sont en concurrence.* **SYN.** rivalité.
Locution
Jusqu'à concurrence de + nombre. Jusqu'à ce que ce nombre soit atteint. *Nous acceptons les paquets jusqu'à concurrence de dix.*
concu**rr**ence.

concurrencer v. tr.
Faire concurrence à. *Ce nouveau magasin concurrencera les commerces de la rue.*
Conjugaison [VOIR MODÈLE – **AVANCER**]
concu**rr**encer.

condamnable adj.
Répréhensible. *Une pratique condamnable.*

condamnation n. f.
1. Jugement par lequel une personne est condamnée. *La condamnation à mort n'existe plus au Canada.* **ANT.** acquittement.
2. Blâme. *La condamnation d'un acte.*

condamné, ée adj. et n. m. et f.
1. Personne contre qui une peine a été prononcée.
2. Se dit d'un malade qu'on n'espère plus sauver.

condamner v. tr.
Les lettres ***mn*** se prononcent ***n*** [kɔ̃dane], de même que dans tous les dérivés du verbe.
1. Prononcer un jugement contre quelqu'un, donner tort à quelqu'un. *Il a été condamné à dix ans de prison.*
2. Désapprouver. *Le directeur a condamné ces excès.* **SYN.** blâmer, critiquer.
Conjugaison [VOIR MODÈLE – **AIMER**]

condensateur n. m.
Appareil servant à emmagasiner l'énergie électrique.

condensation n. f.
Action de condenser ; fait de se condenser. *Il y a de la condensation sur le pare-brise.* **SYN.** buée.

condensé, ée adj. et n. m.
Adjectif
Traité par concentration sous vide. *Du lait condensé.* **SYN.** concentré.
Nom masculin
Résumé.

condenser v. tr., pronom.
Verbe transitif
1. Rendre plus dense. *Condenser une soupe, condenser une histoire.*
2. Liquéfier (un gaz).
Verbe pronominal
Passer de l'état de vapeur à l'état de solide ou de liquide. *Le brouillard s'est condensé et il y a de la buée sur le pare-brise.*
Conjugaison [VOIR MODÈLE – **AIMER**]

condiment n. m.
Substance ajoutée aux aliments pour en relever le goût. *Le poivre est un condiment.* **SYN.** assaisonnement, épice.

condition n. f.
1. Situation. *Il est de condition modeste.*
2. État du corps, de l'esprit. *Ils sont en bonne condition physique grâce à leur entraînement quotidien.*
3. Exigence, circonstance dont dépend l'accomplissement d'une action. *Une condition essentielle au succès de la fête, c'est de garder le secret. Poser des conditions.*
Locutions
À condition que. Pourvu que. *J'irai à la fête à condition que tu viennes aussi.*
Cette locution est généralement suivie du subjonctif.
À la condition, sous la condition que. Pourvu que. *Tu peux venir, à la condition d'être gentil, qu'il soit gentil* ou *qu'il sera gentil.*
Cette locution est suivie de l'infinitif, du subjonctif ou de l'indicatif futur.

conditionné, ée adj.
Soumis à certaines conditions. *Des produits conditionnés. L'air de cette salle est conditionné.*

CONCORDANCE DES TEMPS

Le temps du verbe principal définit le mode et le temps du verbe subordonné selon que l'action de celui-ci a eu lieu AVANT, a lieu PENDANT ou aura lieu APRÈS celle du verbe principal.

Temps du verbe principal	Moment de l'action du verbe subordonné	Mode et temps du verbe subordonné
PRÉSENT		
		INDICATIF
Il pense	AVANT	*que tu étais là* (imparfait)
		que tu as été là (passé composé)
		que tu fus malade (passé simple)
		que tu avais été malade (plus-que-parfait)
	PENDANT	*que tu es là* (présent)
	APRÈS	*que tu seras là* (futur)
		SUBJONCTIF
Elle redoute	AVANT	*que tu aies été malade* (passé)
	PENDANT	*que tu sois malade en ce moment* (présent)
	APRÈS	*que tu viennes en retard* (présent)
PASSÉ		
		INDICATIF
Elle pensait *Elle a pensé* *Elle pensa* *Elle avait pensé*	AVANT	*que tu avais été là* (plus-que-parfait)
	PENDANT	*que tu étais là* (imparfait)
		CONDITIONNEL
	APRÈS	*que tu serais là* (présent)
FUTUR		
		INDICATIF
Ils diront *Elles auront dit*	AVANT	*qu'elle a été là* (passé composé)
		qu'il était là (imparfait)
	PENDANT	*qu'elle est là* (présent)
	APRÈS	*qu'il viendra* (futur)

VOIR TABLEAU – **CONDITIONNEL.**
VOIR TABLEAU – **FUTUR.**
VOIR TABLEAU – **INDICATIF.**
VOIR TABLEAU – **PASSÉ (TEMPS DU).**
VOIR TABLEAU – **PRÉSENT.**
VOIR TABLEAU – **SUBJONCTIF.**

Locution
Air conditionné. Atmosphère d'un lieu à laquelle on a donné une certaine température à l'aide d'un climatiseur ou d'un conditionneur d'air. *Cet appartement a l'air conditionné, il est climatisé. Un cinéma à air conditionné*

conditionnel, elle adj. et n. m.
Adjectif
Qui dépend de certaines conditions. *Ce contrat est conditionnel à la vente de la propriété.*
Nom masculin
(GRAMMAIRE) Mode du verbe exprimant un vœu, un désir, un regret ou un fait soumis à une condition.
VOIR TABLEAU – **CONDITIONNEL.**

conditionnement n. m.
Préparation. *Le conditionnement des viandes. Le conditionnement de l'air.* **SYN.** traitement.
Locution
Conditionnement physique. Mise en forme par des exercices.

condoléances n. f. pl.
Témoignage de sympathie. *Transmettre ses condoléances* (et non ses *sympathies) *à l'occasion d'un décès.*

condom n. m.
Le ***m*** est muet [kɔ̃dɔ̃] ; le mot rime avec ***cordon.***
Préservatif masculin.

condor n. m.
Grand vautour au plumage noir.

conducteur n. m.
conductrice n. f.
Nom masculin et féminin
Personne qui conduit un véhicule. *Un conducteur d'autobus. Une conductrice de camion.*
Nom masculin
Corps plus ou moins apte à transmettre la chaleur ou l'électricité. *Le cuivre est un bon conducteur de l'électricité.*

conduire v. tr., pronom.
Verbe transitif
1. Amener. *Josette a conduit Zoé chez le dentiste.* **SYN.** accompagner.
2. Diriger (un véhicule). *Alain a hâte de conduire la voiture.* **SYN.** faire fonctionner.
3. Avoir la direction de. *Conduire une entreprise, conduire des travaux.* **SYN.** commander, diriger, gérer, gouverner.
4. Guider (un groupe). *Le berger conduit le troupeau dans les champs.*
5. Mener. *Ce chemin nous conduira jusqu'au village.*
Verbe pronominal
Se comporter de telle ou telle manière. *Ils se sont bien conduits envers leurs amis.* **SYN.** agir.
Le participe passé s'accorde toujours avec le pronom réfléchi qui est complément d'objet direct.
Conjugaison [VOIR MODÈLE – **CONDUIRE**]

conduit n. m.
Tuyau. *Des conduits d'aération.*
condui**t.**

conduite n. f.
1. Action de conduire, de mener, de guider. *La conduite d'une équipe.* **SYN.** direction, gestion.
2. Manière de se comporter. *Une bonne conduite.* **SYN.** attitude, comportement, manière, tenue.
3. Canalisation. *Une conduite d'eau, une conduite de gaz.*

cône n. m.
Surface dont la base est circulaire et qui se termine en pointe. *On a placé des cônes orange sur la route en raison des travaux.*
c**ô**ne.

confection n. f.
1. Fabrication. *La confection d'un gâteau.* **SYN.** préparation.
2. Industrie du vêtement.

confectionner v. tr.
Fabriquer, préparer. *Confectionner un manteau.*
Conjugaison [VOIR MODÈLE – **AIMER**]

confédération n. f.
Association d'États, de fédérations (professionnelles, syndicales, etc.) soumise à un pouvoir central tout en conservant une certaine autonomie. *Le Canada est une confédération.*
VOIR **PAYS.**

CONDITIONNEL

LE CONDITIONNEL – mode

Dans une proposition indépendante, le conditionnel peut marquer :

- **un vœu, un désir** (conditionnel présent). *J'aimerais revenir un jour.*
- **un regret** (conditionnel passé). *Qu'elle aurait aimé rester là-bas !*
- **une demande** (conditionnel présent). *Pourrais-je avoir un verre d'eau, s'il vous plaît ?*
- **un fait soumis à une condition :** (conditionnel présent) *Si j'étudiais, je réussirais mieux.* (conditionnel passé) *Si tu avais su, tu ne serais pas venu.*

Une proposition subordonnée à l'imparfait introduite par ***si*** indique à quelle condition peut se réaliser l'action exprimée par le verbe de la principale au conditionnel.

LE CONDITIONNEL – temps

Dans une proposition subordonnée, le conditionnel marque :

- **le futur dans le passé**. *Je croyais qu'ils seraient présents.*

C

Indicatif

Présent

je conduis
tu conduis
elle conduit
il conduit
nous conduisons
vous conduisez
elles conduisent
ils conduisent

Passé composé

j' ai conduit
tu as conduit
elle a conduit
il a conduit
nous avons conduit
vous avez conduit
elles ont conduit
ils ont conduit

Imparfait

je conduisais
tu conduisais
elle conduisait
il conduisait
nous conduisions
vous conduisiez
elles conduisaient
ils conduisaient

Plus-que-parfait

j' avais conduit
tu avais conduit
elle avait conduit
il avait conduit
nous avions conduit
vous aviez conduit
elles avaient conduit
ils avaient conduit

Passé simple

je conduisis
tu conduisis
elle conduisit
il conduisit
nous conduisîmes
vous conduisîtes
elles conduisirent
ils conduisirent

Passé antérieur

j' eus conduit
tu eus conduit
elle eut conduit
il eut conduit
nous eûmes conduit
vous eûtes conduit
elles eurent conduit
ils eurent conduit

Futur simple

je conduirai
tu conduiras
elle conduira
il conduira
nous conduirons
vous conduirez
elles conduiront
ils conduiront

Futur antérieur

j' aurai conduit
tu auras conduit
elle aura conduit
il aura conduit
nous aurons conduit
vous aurez conduit
elles auront conduit
ils auront conduit

Infinitif

Présent

conduire

Passé

avoir conduit

Subjonctif

Présent

que je conduise
que tu conduises
qu' elle conduise
qu' il conduise
que nous conduisions
que vous conduisiez
qu' elles conduisent
qu' ils conduisent

Passé

que j' aie conduit
que tu aies conduit
qu' elle ait conduit
qu' il ait conduit
que nous ayons conduit
que vous ayez conduit
qu' elles aient conduit
qu' ils aient conduit

Imparfait

que je conduisisse
que tu conduisisses
qu' elle conduisît
qu' il conduisît
que nous conduisissions
que vous conduisissiez
qu' elles conduisissent
qu' ils conduisissent

Plus-que-parfait

que j' eusse conduit
que tu eusses conduit
qu' elle eût conduit
qu' il eût conduit
que nous eussions conduit
que vous eussiez conduit
qu' elles eussent conduit
qu' ils eussent conduit

Conditionnel

Présent

je conduirais
tu conduirais
elle conduirait
il conduirait
nous conduirions
vous conduiriez
elles conduiraient
ils conduiraient

Passé

j' aurais conduit
tu aurais conduit
elle aurait conduit
il aurait conduit
nous aurions conduit
vous auriez conduit
elles auraient conduit
ils auraient conduit

Impératif

Présent

conduis
conduisons
conduisez

Passé

aie conduit
ayons conduit
ayez conduit

Participe

Présent

conduisant

Passé

conduit, uite
ayant conduit

conférence n. f.
1. Réunion de personnes qui discutent d'un sujet. *Une salle de conférences.* **SYN.** colloque, congrès.
2. Exposé. *Donner une conférence sur le stress.*
Locution
Conférence de presse. Exposé destiné à la presse.

conférencier n. m.
conférencière n. f.
Personne qui donne une conférence (scientifique, littéraire, économique, etc.).

confesser v. tr., pronom.
Verbe transitif
Avouer, reconnaître. *Confesser ses torts.*
Verbe pronominal
Avouer ses fautes. *Ils se sont confessés avant de communier.*
Conjugaison [VOIR MODÈLE – **AIMER**]

confession n. f.
1. Acte de se confesser.
2. Aveu d'une faute.
3. Religion à laquelle une personne appartient. *Martin est de confession catholique.*

confessionnal n. m. (pl. *confessionnaux*)
Isoloir où le prêtre entend les confessions.

confessionnel, elle adj.
Relatif à une religion.
Locution
École confessionnelle. École qui se réfère à une confession religieuse.

confetti n. m.
Rondelle de papier qu'on lance dans les fêtes. *Les enfants lançaient des confettis.*

confiance n. f.
Sentiment de pouvoir se fier à quelqu'un, à quelque chose en toute sécurité. *Une confiance totale envers une personne, dans une entreprise.* **ANT.** défiance, méfiance.
Locutions
Avoir confiance en quelqu'un, en quelque chose, faire confiance à quelqu'un. Pouvoir compter sur quelqu'un, se fier à quelqu'un. *Elle a confiance en l'avenir.*
Avoir confiance en soi. Être sûr de soi. *Mylène a confiance en elle, elle sait qu'elle réussira.*
En toute confiance. Sans crainte.
Faire confiance à. Se fier à.
Ne pas inspirer confiance. Ne pas donner une bonne impression.

confiant, ante adj.
Qui a confiance en quelqu'un ou quelque chose. *Elle est confiante en l'avenir.* **SYN.** sûr.

confidence n. f.
Communication d'un secret que l'on donne ou que l'on reçoit. *Delphine a fait une confidence à Catherine.*
Locution
En confidence. Secrètement.

confident, ente n. m. et f.
Personne à qui l'on se confie. *Catherine est la confidente de Delphine.*

confidentiel, ielle adj.
Secret. *Un dossier confidentiel.*

confier v. tr., pronom.
Verbe transitif
1. Dire en confidence. *Confier un secret.*
2. Charger quelqu'un de quelque chose. *En mon absence, je vous confie ma maison.* **SYN.** laisser.
Verbe pronominal
1. S'en remettre à. *Ils se sont confiés au destin.* **SYN.** se fier.
2. Se faire des confidences. *Elles se sont confié tous leurs secrets. Tous les secrets qu'elles se sont confiés.*
Le participe passé du verbe pronominal s'accorde avec le sujet s'il n'y a pas de complément d'objet direct ; il s'accorde avec le complément d'objet direct s'il est placé avant le verbe ou reste invariable si le complément d'objet direct suit le verbe.
Conjugaison [VOIR MODÈLE – **ÉTUDIER**]
Redoublement du ***i*** à la première et à la deuxième personne du pluriel de l'indicatif imparfait et du subjonctif présent. *(Que) nous confiions, (que) vous confiiez.*

confirmation n. f.
1. Action de confirmer ; son résultat. *La confirmation de l'arrivée de Léa.*
2. Sacrement de l'Église catholique donné par l'évêque.

confirmer v. tr., pronom.
Verbe transitif
1. Rendre sûr ce qu'on a déjà annoncé. *L'heure d'arrivée de l'avion n'est pas encore confirmée.*
2. Rendre certain. *La directrice a confirmé la bonne nouvelle : nous aurons congé lundi prochain.* **SYN.** assurer. **ANT.** infirmer.
Verbe pronominal
Devenir certain. *Nos soupçons se confirment.* **SYN.** se vérifier.
Conjugaison [VOIR MODÈLE – **AIMER**]

confiscation n. f.
Action de confisquer ; son résultat.

confiserie n. f.
1. Magasin où l'on vend des bonbons.
2. Sucrerie. *Elle raffole des confiseries.* **SYN.** bonbon, friandise.

confisquer v. tr.
Enlever en vertu d'un droit, d'un règlement. *Le douanier a confisqué les cigarettes de ces voyageurs.* **SYN.** saisir.
Conjugaison [VOIR MODÈLE – **AIMER**]

confiture n. f.
Fruits cuits dans le sucre pour en assurer la conservation. *Des confitures de framboises.*
Le nom ***confiture*** s'emploie au singulier ou au pluriel, mais son complément est généralement au pluriel. *De la confiture de groseilles, des confitures de fraises.*

conflit n. m.
1. Lutte, opposition entre des personnes, des groupes. *Le conflit des générations.*
2. Guerre entre deux ou plusieurs pays. *Un conflit a éclaté entre ces deux pays.* **SYN.** combat.
confli**t**.

confondre v. tr., pronom.
Verbe transitif
Prendre une personne, une chose pour une autre. *Il ne faut pas confondre le mot **concave** avec le mot **convexe.** Antoine a confondu le sel et le sucre.*
Verbe pronominal
Se mêler, se ressembler. *Les deux parfums se confondent.* **SYN.** s'unir.
Conjugaison [VOIR MODÈLE – **FENDRE**]

conforme adj.
1. Identique. *Une copie conforme.* **SYN.** pareil, semblable.
2. Qui convient. *C'est conforme au règlement* (et non *avec le règlement). **SYN.** approprié, convenable.

conformément adv.
D'une manière conforme.

conformité n. f.
État de choses semblables. *La conformité de la copie avec l'original. La conformité entre deux tableaux.* **SYN.** similitude.
Locution
En conformité avec. D'une manière qui convient. *Il a agi en conformité avec la loi.*

confort n. m.
Bien-être matériel. *Une jolie maison à la campagne avec tout le confort.*
⊂⊃ confor**t.**

confortable adj.
1. Qui procure le bien-être. *Une voiture confortable.*
2. Qui assure le bien-être, l'aisance. *Un salaire confortable.*
Formes fautives
*confortable. Anglicisme au sens de ***être à l'aise, se sentir bien.***
☞ L'adjectif ***confortable*** se dit seulement en parlant d'une chose, non d'une personne. *Le fauteuil est-il confortable* (et non *êtes-vous confortable dans ce fauteuil)?
*confortable. Anglicisme au sens de ***édredon, courtepointe.***

confrère n. m.
Personne qui appartient à une même profession, à une même société, considérée par rapport aux autres membres.
☞ Ne pas confondre avec les noms suivants :
– ***camarade,*** ami, surtout chez les enfants, les adolescents ;
– ***compagnon,*** personne avec qui l'on fait un travail manuel, un voyage ;
– ***copain,*** camarade intime.
☞ La forme féminine de ce nom est ***consœur.***

confrontation n. f.
Action de mettre en présence des personnes pour comparer leurs témoignages.

confronter v. tr.
Comparer. *Confronter une écriture à une autre, avec une autre, et une autre. Confronter deux témoins.*
∽ Le verbe ***confronter*** se construit avec la conjonction ***et*** ou avec les prépositions **à** ou ***avec.***
Locution
Être confronté à une difficulté. (FAMILIER) Devoir régler un problème.
Conjugaison [VOIR MODÈLE – **AIMER**]

confus, use adj.
1. Troublé, désolé. *Je suis confuse, je ne voulais pas vous déranger.*
2. Embrouillé, obscur. *Un exposé confus.* **ANT.** clair, limpide.
⊂⊃ confu**s.**

confusion n. f.
Désordre, manque d'ordre. *Après l'explosion, la confusion la plus totale régnait.*

congé n. m.
Permission de s'absenter, de se retirer. *Les congés payés de Noël. Demain, c'est congé !*

congédier v. tr.
Mettre fin de façon définitive au travail d'un employé. *Le patron a congédié deux employés.* **SYN.** renvoyer.
Conjugaison [VOIR MODÈLE – **ÉTUDIER**]
Redoublement du ***i*** à la première et à la deuxième personne du pluriel de l'indicatif imparfait et du subjonctif présent. *(Que) nous congédiions, (que) vous congédiiez.*

congélateur n. m.
Appareil de réfrigération où la température est maintenue au-dessous du point de congélation (approximativement à -15 °C) afin de conserver les aliments. *Un grand congélateur* (et non un *freezer).

congélation n. f.
Conservation des aliments par le froid (au-dessous du point de congélation).
☞ Ne pas confondre avec le nom ***réfrigération,*** conservation par le froid (au-dessus du point de congélation).

congeler v. tr.
Soumettre au froid pour conserver (au-dessous du point de congélation). *Congeler des framboises pour l'hiver.*
Conjugaison [VOIR MODÈLE – **CONGELER**]
Le ***e*** se change en ***è*** devant une syllabe muette. *Il congèle,* mais *il congelait.*

congolais, aise adj. et n. m. et f.
Du Congo. *Le folklore congolais. Un Congolais, une Congolaise.*
☞ L'adjectif s'écrit avec une minuscule ; le nom, avec une majuscule.

congrégation n. f.
Communauté religieuse. *Marguerite d'Youville, fondatrice de la congrégation des Sœurs de la Charité, dites Sœurs grises.*

conifère n. m.
Arbre dont les fruits sont des cônes et dont les feuilles (aiguilles) sont en général persistantes. *Le sapin et le pin sont des conifères.*

conique adj.
Qui a la forme d'un cône. *Ce cornet de crème glacée est conique.*
⊂⊃ conique.

conjoint, ointe adj. et n. m. et f.
Adjectif
Lié, uni. *Des problèmes conjoints.*
Nom masculin et féminin
Personne qui vit maritalement avec une autre.

conjonction n. f.
VOIR TABLEAU – **CONJONCTION.**

conjugaison n. f.
1. (GRAMMAIRE) Ensemble des formes que possède un verbe. *La conjugaison du verbe « faire » est irrégulière.*
2. (GRAMMAIRE) Tableau des formes verbales. *Un recueil de conjugaisons.*

conjugal, ale, aux adj.
Relatif à l'union entre le mari et la femme. *La vie conjugale.*

conjuguer v. tr., pronom.
Verbe transitif
1. (GRAMMAIRE) Énoncer les différentes formes d'un verbe suivant la voix, le mode et le temps.
2. Joindre. *Conjuguons nos efforts.*

Indicatif

Présent		*Passé composé*		
je	congèle	j'	ai	congelé
tu	congèles	tu	as	congelé
elle	congèle	elle	a	congelé
il	congèle	il	a	congelé
nous	congelons	nous	avons	congelé
vous	congelez	vous	avez	congelé
elles	congèlent	elles	ont	congelé
ils	congèlent	ils	ont	congelé

Imparfait		*Plus-que-parfait*		
je	congelais	j'	avais	congelé
tu	congelais	tu	avais	congelé
elle	congelait	elle	avait	congelé
il	congelait	il	avait	congelé
nous	congelions	nous	avions	congelé
vous	congeliez	vous	aviez	congelé
elles	congelaient	elles	avaient	congelé
ils	congelaient	ils	avaient	congelé

Passé simple		*Passé antérieur*		
je	congelai	j'	eus	congelé
tu	congelas	tu	eus	congelé
elle	congela	elle	eut	congelé
il	congela	il	eut	congelé
nous	congelâmes	nous	eûmes	congelé
vous	congelâtes	vous	eûtes	congelé
elles	congelèrent	elles	eurent	congelé
ils	congelèrent	ils	eurent	congelé

Futur simple		*Futur antérieur*		
je	congèlerai	j'	aurai	congelé
tu	congèleras	tu	auras	congelé
elle	congèlera	elle	aura	congelé
il	congèlera	il	aura	congelé
nous	congèlerons	nous	aurons	congelé
vous	congèlerez	vous	aurez	congelé
elles	congèleront	elles	auront	congelé
ils	congèleront	ils	auront	congelé

Infinitif

Présent	*Passé*
congeler	avoir congelé

Subjonctif

Présent			*Passé*			
que	je	congèle	que	j'	aie	congelé
que	tu	congèles	que	tu	aies	congelé
qu'	elle	congèle	qu'	elle	ait	congelé
qu'	il	congèle	qu'	il	ait	congelé
que	nous	congelions	que	nous	ayons	congelé
que	vous	congeliez	que	vous	ayez	congelé
qu'	elles	congèlent	qu'	elles	aient	congelé
qu'	ils	congèlent	qu'	ils	aient	congelé

Imparfait			*Plus-que-parfait*			
que	je	congelasse	que	j'	eusse	congelé
que	tu	congelasses	que	tu	eusses	congelé
qu'	elle	congelât	qu'	elle	eût	congelé
qu'	il	congelât	qu'	il	eût	congelé
que	nous	congelassions	que	nous	eussions	congelé
que	vous	congelassiez	que	vous	eussiez	congelé
qu'	elles	congelassent	qu'	elles	eussent	congelé
qu'	ils	congelassent	qu'	ils	eussent	congelé

Conditionnel

Présent		*Passé*		
je	congèlerais	j'	aurais	congelé
tu	congèlerais	tu	aurais	congelé
elle	congèlerait	elle	aurait	congelé
il	congèlerait	il	aurait	congelé
nous	congèlerions	nous	aurions	congelé
vous	congèleriez	vous	auriez	congelé
elles	congèleraient	elles	auraient	congelé
ils	congèleraient	ils	auraient	congelé

Impératif

Présent	*Passé*	
congèle	aie	congelé
congelons	ayons	congelé
congelez	ayez	conlegé

Participe

Présent	*Passé*
congelant	congelé, ée ayant congelé

CONJONCTION

La conjonction est un mot invariable qui unit deux mots ou deux propositions. Il y a deux types de conjonctions :

- Les **CONJONCTIONS DE COORDINATION** qui unissent des mots ou des propositions de même nature. *Des feuilles* ***et*** *des branches.* ***Soit*** *un fruit,* ***soit*** *un gâteau. Nous irons à la campagne* ***ou*** *nous partirons en voyage.*
- Les **CONJONCTIONS DE SUBORDINATION** qui unissent une proposition subordonnée à une proposition principale. *Nous ferons cette excursion* ***si*** *le temps le permet.*
- La **LOCUTION CONJONCTIVE** est un groupe de mots qui joue le rôle d'une conjonction. ***À supposer qu'****elle vienne, nous serons cinq. Il restera* ***jusqu'à ce que*** *le travail soit terminé.*

PRINCIPALES CONJONCTIONS ET LOCUTIONS CONJONCTIVES DE COORDINATION

LIAISON
et
ni
de plus
en outre
mais aussi
même

ALTERNATIVE
ou
ou bien
ou au contraire
soit... soit
tantôt... tantôt

CONSÉQUENCE
donc
ainsi
alors
aussi
c'est pourquoi
d'où
en conséquence
par conséquent

EXPLICATION
c'est-à-dire
par exemple
à savoir

CAUSE
car
en effet
effectivement

RESTRICTION
mais
or
pourtant
cependant
néanmoins
toutefois
du moins
du reste

SUITE
alors
enfin
ensuite
puis

TRANSITION
or
bref
d'ailleurs
en somme
peut-être
après tout

VOIR TABLEAU – **QUE,** CONJONCTION.

PRINCIPALES CONJONCTIONS ET LOCUTIONS CONJONCTIVES DE SUBORDINATION

La conjonction ou la locution conjonctive de subordination définit le mode de la proposition subordonnée. La plupart des conjonctions de cause, de conséquence, de comparaison sont suivies d'un verbe au mode indicatif (**i**) ou au mode conditionnel (**c**) ; certaines conjonctions de concession, de but, de condition et de temps expriment une incertitude et imposent le mode subjonctif (**s**).

CAUSE	
comme	(ic)
parce que	(ic)
puisque	(ic)
attendu que	(ic)
étant donné que	(ic)
vu que	(ic)
sous prétexte que	(ic)

BUT	
que	(s)
afin que	(s)
de peur que	(s)
de crainte que	(s)
de façon que	(s)
de manière que	(s)
pour que	(s)

COMPARAISON	
comme	(ic)
de même que	(ic)
ainsi que	(ic)
plus que	(ic)
moins que	(ic)

CONCESSION	
quoique	(s)
bien que	(s)
encore que	(s)
en admettant que	(s)
pendant que	(ic)
tandis que	(ic)
alors que	(ic)

CONDITION	
si	(i)
même si	(i)
si ce n'est	(i)
au cas où	(c)
en admettant que	(s)
à supposer que	(s)
pourvu que	(s)

TEMPS	
quand	(ic)
lorsque	(ic)
alors que	(ic)
après que	(ic)
avant que	(s)
à mesure que	(ic)
au moment où	(ic)
aussitôt que	(ic)
depuis que	(ic)
dès que	(ic)
en attendant que	(s)
en même temps que	(ic)
jusqu'à ce que	(s)
pendant que	(ic)
tandis que	(ic)
une fois que	(ic)
toutes les fois que	(ic)

CONSÉQUENCE	
à tel point que	(ic)
au point que	(ic)
de façon que	(ic)
de sorte que	(ic)
si bien que	(ic)
tellement que	(ic)

C

Verbe pronominal
Être conjugué. *Le verbe **écrire** se conjugue avec les auxiliaires **avoir** et **être.***
Conjugaison [VOIR MODÈLE – **AIMER**]
Ce verbe s'écrit toujours avec un ***u,*** même devant les lettres ***a*** et ***o.*** *Il conjugua, nous conjuguons.*

connaissance n. f.
1. Faculté de connaître, manière de comprendre. *Étienne a une bonne connaissance de l'histoire.* **SYN.** culture, instruction.
2. (AU PLURIEL) Ensemble des choses connues, du savoir. *Il voudrait enrichir ses connaissances en informatique.* **SYN.** science.
3. Personne que l'on connaît. *Le maire est une de ses connaissances.* **SYN.** relation.
Locutions
En pays de connaissance. En terrain connu.
Lier connaissance. Faire la connaissance de quelqu'un ou faire connaissance avec quelqu'un. *Les nouveaux élèves ont lié connaissance à la rentrée.*
Perdre connaissance. S'évanouir, perdre conscience.
Prendre connaissance. Apprendre, examiner.
Sans connaissance. Évanoui. *Venez vite, Angèle est sans connaissance !*

connaisseur, euse adj. et n. m. et f.
Expert, amateur. *C'est un fin connaisseur.*

connaître v. tr.
1. Être informé de quelque chose, savoir. *Il connaît la région comme le fond de sa poche.*
S'y connaître. Cette construction familière suivie d'un complément n'est pas un pléonasme. *Il s'y connaît en bricolage.*
2. Avoir des relations avec une personne. *Tu connais ce champion de tennis ?*
Conjugaison [VOIR MODÈLE – **PARAÎTRE**]
INDICATIF PRÉSENT *Je connais, tu connais, il connaît, nous connaissons, vous connaissez, ils connaissent.* IMPARFAIT *Je connaissais.* FUTUR *Je connaîtrai, tu connaîtras, il connaîtra, nous connaîtrons, vous connaîtrez, ils connaîtront.* **CONDITIONNEL** PRÉSENT *Je connaîtrais, tu connaîtrais, il connaîtrait, nous connaîtrions, vous connaîtriez, ils connaîtraient.* **IMPÉRATIF** PRÉSENT *Connais, connaissons, connaissez.* **SUBJONCTIF** PRÉSENT *Que je connaisse.* **PARTICIPE** PRÉSENT *Connaissant.* PASSÉ *Connu, ue.*
Attention à l'accent circonflexe sur le ***i*** quand celui-ci est suivi d'un ***t.***

connerie n. f.
(FAMILIER) Bêtise. **SYN.** idiotie, sottise.

***connexions**
Anglicisme au sens de ***relations.***

connivence n. f.
Complicité. *Les deux cambrioleurs étaient de connivence, ils avaient préparé le vol en secret.*
conniv**en**ce.

connu, ue adj.
1. Dont on a connaissance. *Les propriétés de ce gaz sont connues.*
2. Illustre, célèbre. *Cet acteur est bien connu.* **ANT.** inconnu.

conquérant, ante adj. et n. m. et f.
Qui fait, qui a fait des conquêtes en combattant. *Hannibal était un conquérant habile.* **SYN.** vainqueur.

conquérir v. tr.
1. Acquérir par les armes, par l'effort. *Conquérir le pouvoir. Les Anglais ont conquis la Nouvelle-France.* **SYN.** vaincre.
2. Gagner, séduire. *Il a conquis son auditoire.* **SYN.** captiver, charmer.
Conjugaison [VOIR MODÈLE – **ACQUÉRIR**]
INDICATIF PRÉSENT *Je conquiers, tu conquiers, il conquiert, nous conquérons, vous conquérez, ils conquièrent.* IMPARFAIT *Je conquérais.* FUTUR *Je conquerrai, tu conquerras, il conquerra, nous conquerrons, vous conquerrez, ils conquerront.* **CONDITIONNEL** PRÉSENT *Je conquerrais, tu conquerrais, il conquerrait, nous conquerrions, vous conquerriez, ils conquerraient.* **IMPÉRATIF** PRÉSENT *Conquiers, conquérons, conquérez.* **SUBJONCTIF** PRÉSENT *Que je conquière, que tu conquières, qu'il conquière, que nous conquérions, que vous conquériez, qu'ils conquièrent.* IMPARFAIT *Que je conquisse.* **PARTICIPE** PRÉSENT *Conquérant.* PASSÉ *Conquis, ise.*
À noter qu'il n'y a pas de ***c*** devant ***qu,*** contrairement au verbe ***acquérir.***

conquête n. f.
La personne, la chose, le pays conquis. *La Nouvelle-France fut une conquête anglaise.*

consacré, ée adj.
1. Qui a reçu une consécration religieuse. **SYN.** béni.
2. Sanctionné par l'usage. *Une expression consacrée.*
3. Réservé. *Du temps consacré à la musique.*

consacrer v. tr., pronom.
1. Dédier à Dieu, à un saint. *Cette chapelle est consacrée à la Vierge.*
2. Sanctionner. *Ce terme est consacré par l'usage.*
3. (FIGURÉ) Vouer quelque chose à. *Il consacre son temps à étudier.* **SYN.** réserver.
Conjugaison [VOIR MODÈLE – **AIMER**]

conscience n. f.
Sentiment de son existence.
Locutions
Avoir bonne conscience. Avoir le sentiment qu'on a bien agi.
Avoir conscience de. Savoir. *Martin a conscience du dévouement de ce professeur.* **SYN.** se rendre compte.
Avoir conscience que. Savoir, sentir. *Il a conscience que la décision est difficile à prendre.*
Dans une phrase affirmative, la locution est suivie du mode indicatif. Dans une phrase négative, la locution peut être suivie du subjonctif ou de l'indicatif. *Je n'avais pas conscience qu'il fût si tard.*
Avoir la conscience large. Ne pas être scrupuleux.
Avoir quelque chose sur la conscience. Se reprocher quelque chose.
En conscience, locution adverbiale. En toute sincérité.
Par acquit de conscience. Pour n'avoir rien à se reprocher.
Dans cette expression, le mot ***acquit*** vient du verbe « acquitter » et s'écrit avec un ***t.***
Perdre conscience. S'évanouir.
Forme fautive
*conscience. Anglicisme au sens de ***connaissance.*** *Elle est restée sans connaissance* (et non sans *conscience) *pendant dix minutes à son arrivée à l'hôpital.*
con**sc**ience.

conscienceusement adv.
De façon consciencieuse, avec application. *Delphine étudie consciencieusement.*
conS**ci**encieusement.

consciencieux, ieuse adj.
1. Attentif, exact. *Elle est très consciencieuse.* **SYN.** sérieux.
2. Qui est fait avec exactitude, avec application. *Une étude consciencieuse.* **SYN.** appliqué, minutieux.
con**sc**iencieu**x.**

conscient, ente adj. et n. m.
Adjectif
1. Qui a conscience de soi-même, d'un fait. *Il est conscient de la difficulté de ce problème.* **SYN.** lucide. **ANT.** inconscient.
2. Qui n'est pas évanoui. *Le blessé est toujours conscient.*
Nom masculin
Ensemble des faits psychiques dont on a conscience. *Le conscient et l'inconscient.* **ANT.** inconscient.
con**sc**ient.

consécration n. f.
1. Action de consacrer. *La consécration d'une chapelle.*
2. Confirmation. *La consécration d'un talent.*

consécutif, ive adj.
1. Qui se suit sans interruption. *Il a travaillé pendant dix semaines consécutives.* **SYN.** successif.
2. Qui est la suite de. *Un épuisement consécutif a un travail ininterrompu*

conseil n. m.
1. Avis. *Un bon conseil.* **SYN.** opinion, suggestion.
2. Assemblée ayant pour mission de donner son avis. *Le conseil d'administration.*
3. Conseiller. *Un conseil juridique.*
Ce nom est souvent apposé et joint par un trait d'union à un nom de profession, de métier pour désigner la personne dont on prend avis; il prend la marque du pluriel. *Des avocates-conseils, des ingénieurs-conseils.*

conseiller v. tr.
1. Recommander. *Elle lui a conseillé des cours d'anglais.* **SYN.** proposer, suggérer.
2. Donner des avis, guider. *Il a conseillé ses collègues.*
Conjugaison [VOIR MODÈLE – **AIMER**]

conseiller n. m.
conseillère n. f.
1. Membre de certains conseils. *Un conseiller municipal.*
2. Personne qui donne des conseils. *Une conseillère pédagogique.*

consensus n. m.
Les lettres ***en*** se prononcent ***in*** [kɔ̃sɛ̃sys] ou ***en*** [kɔ̃sɑ̃sys].
Accord, harmonie. *Il faut en venir à un consensus.* **SYN.** entente.
con**s**en**s**us.

consentement n. m.
Accord. *Avez-vous son consentement, est-il d'accord?* **SYN.** approbation.
con**sen**tement.

consentir v. tr.
Verbe transitif direct
Accepter. *Il ne consentira aucun délai. La banque lui a consenti un prêt.*
Verbe transitif indirect
Autoriser. *Il consent à le laisser partir. La direction consent à ce que nous prenions congé.*
En ce sens le verbe se construit avec la préposition ***à.***
Locution
Qui ne dit mot consent. (Proverbe)
Conjugaison [VOIR MODÈLE – **SORTIR**]
con**sen**tir.

conséquence n. f.
Résultat, suite de quelque chose. *Il faut essayer de prévoir les conséquences de ce choix.*
Le nom ***conséquence*** s'écrit au singulier dans les expressions ***de conséquence, sans conséquence, qui ne tire pas à conséquence***; il est au pluriel si l'on veut insister sur le fait qu'il y a plusieurs conséquences. *L'inflation aura pour conséquences de hausser les prix et de déprécier la monnaie.*

conservateur, trice adj.
Qui est attaché aux valeurs du passé, aux traditions, aux institutions établies, opposé à une évolution. *Ma grand-mère n'est pas trop conservatrice.* **ANT.** avant-gardiste, innovateur.

conservation n. f.
Action de maintenir intact. *La conservation des aliments par le froid.* **SYN.** préservation.
Locution
Instinct de conservation. Instinct qui incite un être à protéger sa vie.

conservatoire n. m.
Établissement qui forme des comédiens, des musiciens.

conserve n. f.
1. Substance alimentaire conditionnée dans des boîtes métalliques ou des bocaux. *Des boîtes de conserve* (et non des *cannes). *Mettre en conserve des haricots.*
2. La boîte, le bocal. *Ouvrir une conserve de fruits.*

conservé, ée adj.
Bien conservé. Épargné par le temps, qui semble encore jeune. *Il est bien conservé pour ses 80 ans.*

conserver v. tr., pronom.
Verbe transitif
1. Maintenir en bon état, garder. *Le réfrigérateur nous permet de conserver le lait quelques jours. Maman a conservé des photos de nous alors que nous étions enfants.*
2. Ne pas perdre, ne pas ôter. *Conserve ton manteau, il fait froid.*
Verbe pronominal
Rester en bon état, se garder frais. *Les fraises se sont bien conservées; elles sont encore bonnes.*
Conjugaison [VOIR MODÈLE – **AIMER**]

considérable adj.
Important par le nombre, le prix, la force. *Des progrès considérables.* **SYN.** énorme, grand, immense.

considérablement adv.
Beaucoup.

considérer v. tr.
1. Examiner attentivement. *Considérer un problème sous tous ses aspects.* **SYN.** étudier.
Ce verbe doit être suivi de la conjonction ***comme*** pour introduire l'attribut du complément d'objet direct. *Le directeur la considère comme compétente* (et non la considère compétente).

2. Estimer, apprécier. *La fondatrice de ce musée est bien considérée.*
Locution
Considérer le pour et le contre. Étudier les avantages et les inconvénients.
Conjugaison [VOIR MODÈLE – **POSSÉDER**]
Le ***é*** se change en ***è*** devant une syllabe muette, sauf à l'indicatif futur et au conditionnel présent. *Je considère,* mais *je considérerai.*

consigne n. f.
1. Instructions. *Voici la consigne : départ à 15 heures.*
2. Somme remboursable destinée à la récupération des emballages. *Rapporte ces bouteilles à la maison, on te remettra un dollar de consigne.*
3. Service chargé de conserver les bagages. *Mettre ses valises à la consigne.*

consigner v. tr.
Rapporter dans un document. *Consigner un fait.* **SYN.** enregistrer, noter.
Locutions
Emballage consigné. Emballage dont on rembourse une partie du prix au consommateur.
Emballage non consigné, emballage perdu. Emballage jetable.
Conjugaison [VOIR MODÈLE – **AIMER**]
Les lettres ***gn*** sont suivies d'un ***i*** à la première et à la deuxième personne du pluriel de l'indicatif imparfait et du subjonctif présent. *(Que) nous consignions, (que) vous consigniez.*

consistance n. f.
1. État d'un corps plus ou moins ferme. *La consistance molle de la gélatine.*
2. Fermeté, force.

consistant, ante adj.
1. Qui a de la cohésion, de la solidité. *Une démonstration consistante.*
2. Copieux. *Un plat consistant.*

consister v. tr. ind.
1. Être composé de. *Ce dessert savoureux consiste en un mélange de chocolat et de noisettes.* **SYN.** se composer.
En ce sens, le verbe se construit avec la préposition ***en.***
2. Avoir comme caractère essentiel. *Son projet consiste à agrandir l'école.*
En ce sens, le verbe se construit avec la préposition ***à.***
Conjugaison [VOIR MODÈLE – **AIMER**]

consœur n. f.
Femme qui appartient à une même profession, à une même société, considérée par rapport aux autres membres.
La forme masculine de ce nom est ***confrère.***
Ne pas confondre avec les noms suivants :
– ***camarade,*** amie, surtout chez les enfants, les adolescentes ;
– ***collègue,*** personne avec qui l'on travaille ;
– ***compagne,*** personne avec qui l'on fait un travail manuel, un voyage ;
– ***copine,*** camarade intime.

consolation n. f.
Réconfort apporté à la peine de quelqu'un. **SYN.** apaisement, soulagement.
Locution
Prix de consolation. Prime accordée à un candidat qui n'a pas reçu le premier prix, le gros lot, etc.

consoler v. tr., pronom.
Verbe transitif
Réconforter, tenter de soulager le chagrin de quelqu'un. *Madeleine a consolé Fanny qui s'était blessée au genou.* **SYN.** apaiser, (FAMILIER) remonter.
Verbe pronominal
Oublier son chagrin. *Fanny s'est consolée dans les bras de sa maman.*
Conjugaison [VOIR MODÈLE – **AIMER**]

consolider v. tr.
Rendre plus solide. *Consolider un mur, une construction.* **SYN.** fortifier, renforcer.
Conjugaison [VOIR MODÈLE – **AIMER**]

consommateur, trice n. m. et f.
Utilisateur d'un bien. *La protection des consommateurs.*
Pour désigner la personne qui utilise un service, on emploiera les mots ***usager, utilisateur.*** *Les usagers du transport en commun, les utilisateurs de la bureautique.*

consommation n. f.
1. Utilisation d'un produit. *La consommation d'essence de cette voiture est trop élevée.*
2. Ce qu'on boit dans un établissement. *Le tarif des consommations.*

consommé n. m.
Bouillon. *Un consommé de bœuf.*

consommer v. tr.
1. Absorber quelque chose pour se nourrir. *Il a consommé un verre de lait.* **SYN.** boire, manger.
2. Utiliser une source d'énergie. *Consommer de l'essence.* **SYN.** brûler.
Conjugaison [VOIR MODÈLE – **AIMER**]

consonne n. f.
1. Phonème, son du langage. *Les consonnes et les voyelles.*
2. Lettre représentant ce son. ***L, m, n*** *sont des consonnes, alors que* ***a, e, i, o, u*** *sont des voyelles.*
Si les consonnes étaient féminines autrefois, elles sont aujourd'hui du genre masculin. *Un* ***s*** (et non plus *une ***s***).

constamment adv.
Toujours. *Éric est constamment en retard.* **SYN.** sans cesse, tout le temps.

constant, ante adj.
1. Qui ne change pas. *Une température constante.*
2. Qui dure. *Elle a fait preuve d'une patience constante.* **SYN.** durable.

constat n. m.
Acte officiel de constatation.
Locution
Constat amiable. Formulaire utilisé en cas de collision entre véhicules terrestres à moteur ayant entraîné des dommages matériels, destiné à recueillir certains renseignements indispensables aux entreprises d'assurance, à relever objectivement et contradictoirement certains faits. (Recomm. off. OLF)
consta**t.**

constatation n. f.
1. Action de constater. *La constatation d'une anomalie.* **SYN.** observation.
2. Chose constatée. *Elle a fait une constatation inquiétante : il y a de l'eau dans la cave.*

constater v. tr.
Établir la vérité d'un fait, la réalité de quelque chose. SYN. noter, observer, remarquer.
Conjugaison [VOIR MODÈLE – **AIMER**]

constellation n. f.
Groupe d'étoiles formant une figure. *Les constellations de la Vierge, de la Grande Ourse.*
Le nom ***constellation*** a été formé à partir du mot latin *stella* qui signifie « étoile ».
Les noms des planètes, des constellations, des étoiles et des signes du zodiaque s'écrivent avec une majuscule.
VOIR **ASTRE.**

consternation n. f.
Grande douleur morale, accablement. *Nous avons appris avec consternation la nouvelle de cet accident grave.* SYN. désolation.

consterner v. tr.
Affliger, désoler grandement. *La nouvelle de cet accident nous a consternés.* SYN. accabler.
Conjugaison [VOIR MODÈLE – **AIMER**]

constipation n. f.
Difficulté à évacuer les selles. *Certains aliments causent de la constipation.*

constipé, ée adj. et n. m. et f.
Qui souffre de constipation.

constituer v. tr., pronom.
Verbe transitif
1. Regrouper des éléments pour composer un tout. *Un abri constitué de planches* ou *par des planches.* SYN. former.
2. Organiser, établir. *Constituer une société.* SYN. créer, fonder.
3. Représenter. *Ce dangereux individu qui est en liberté constitue une menace pour la société.*
Verbe pronominal
Se constituer prisonnier. Se livrer aux autorités, se rendre.
Conjugaison [VOIR MODÈLE – **AIMER**]

constructeur n. m.
Entreprise qui réalise des constructions ou qui construit pour le compte d'autrui. *Un constructeur immobilier. Un constructeur d'avions, de voitures.* SYN. fabricant.

constructif, ive adj.
Qui est positif, qui est propre à construire en proposant des améliorations. *Un avis constructif. Des critiques constructives.* ANT. destructif, négatif.

construction n. f.
1. Ensemble des techniques qui permettent de bâtir des immeubles, des routes, des ponts, etc. *Son papa travaille dans la construction.*
2. Action de construire. *La construction d'une maison.*
3. Ce qui est construit. *Des constructions modernes.* SYN. bâtiment, immeuble, maison.
4. (GRAMMAIRE) Façon d'agencer les mots d'une phrase. *La construction d'un verbe et d'un complément.* SYN. syntaxe.

construire v. tr., pronom.
Verbe transitif
Bâtir. *Julien aime construire des châteaux de sable.*
Verbe pronominal
Recevoir une construction grammaticale. *Ce verbe se construit avec l'auxiliaire **avoir.***
Conjugaison [VOIR MODÈLE – **CONDUIRE**]

consultant n. m.
consultante n. f.
Personne qui agit à titre de conseiller. *Une consultante en informatique.*
Le nom ***consultant*** peut également désigner la personne qui demande un avis.

consultation n. f.
Action de donner un avis (médical, juridique, linguistique, etc.). *Des consultations médicales. Un service de consultations terminologiques.* SYN. conseil.

consulter v. tr.
1. S'adresser à quelqu'un pour prendre son avis. *Il doit consulter un avocat.* SYN. demander conseil à.
2. Utiliser une source de renseignements. *Consulter un dictionnaire, sa montre.* SYN. examiner.
Conjugaison [VOIR MODÈLE – **AIMER**]

contact n. m.
1. État de deux corps, de deux substances qui se touchent. *Le contact de la laine irrite sa peau.*
2. Liaison. *Jean n'est plus en contact avec son ami d'enfance.* SYN. rapport, relation.
Locution
Verres de contact, lentilles de contact. Verre que l'on applique directement sur la cornée.

contacter v. tr.
Prendre contact avec. *Il faudrait contacter des clients éventuels.*
Il est préférable d'employer les expressions ***entrer en rapport avec, entrer en relation avec, prendre contact avec, toucher quelqu'un.***
Conjugaison [VOIR MODÈLE – **AIMER**]

contagieux, euse adj. et n. m. et f.
Qui se transmet par contagion. *La varicelle est une maladie très contagieuse.* SYN. transmissible.
contagieu**x.**

contagion n. f.
Transmission d'une maladie à une autre personne. *On peut attraper la grippe par contagion.*

***container**
Anglicisme pour ***conteneur.***

contaminer v. tr.
1. Transmettre une maladie contagieuse, un défaut. *Cet écolier avait la varicelle et il a contaminé quelques camarades.* SYN. infecter.
2. Souiller. *L'eau est contaminée par des produits chimiques.*
Conjugaison [VOIR MODÈLE – **AIMER**]

conte n. m.
Court récit de fiction destiné à distraire. *Un conte de fées.* Le Petit Chaperon rouge *est un conte de Perrault.*
HOM.
– **compte**, tableau où figurent, en débits ou crédits, les variations de l'actif ou du passif et les résultats ;
– **comte**, titre de noblesse.

contemplation n. f.
Action de regarder attentivement et d'admirer. *La contemplation d'un beau paysage.*

contempler v. tr.
Considérer attentivement et admirer. *Les enfants contemplent la mer.*
Conjugaison [VOIR MODÈLE – **AIMER**]

contemporain, aine adj. et n. m. et f.
Qui est de la même époque. *Maman préfère la musique classique à la musique contemporaine.* **SYN.** actuel, d'aujourd'hui. **ANT.** ancien, futur.

contenant n. m.
Ce qui contient. *Le contenant et le contenu. Un contenant de deux litres.* **SYN.** récipient.

conteneur n. m.
Caisse métallique destinée au transport des marchandises. *Il a loué un conteneur* (et non un *container).

contenir v. tr., pronom.
Verbe transitif
1. Avoir la capacité de. *Cette bouteille contient trois litres.*
2. Comprendre. *Ce dictionnaire contient 800 pages.* **SYN.** inclure.
3. Être composé de. *Ce sol contient de l'argile.*
Verbe pronominal
Se maîtriser. *Il n'a pas réussi à se contenir et l'a frappé.* **SYN.** se calmer.
Conjugaison [VOIR MODÈLE – **VENIR**]

content, ente adj.
Satisfait de son sort. *Ève est contente, car elle s'en va faire du ski demain.* **SYN.** heureux, ravi.
HOM. compta nt, en espèces.

contenter v. tr., pronom.
Verbe transitif
Satisfaire. *Ces résultats les ont contentés.* **SYN.** combler, ravir.
Verbe pronominal
Se borner à. *Je me contenterai d'une glace.* **SYN.** se satisfaire.
À la forme pronominale, le verbe se construit avec la préposition ***de.***
Conjugaison [VOIR MODÈLE – **AIMER**]

contenu n. m.
1. Ce qui est dans un contenant. *J'ai renversé le contenu d'une tasse sur la nappe.*
2. Signification. *Quel est le contenu du message ?* **SYN.** sens.

conter v. tr.
1. Faire un récit d'une façon agréable. *On a raconté à Fanny l'histoire de la Belle au bois dormant.*
2. Raconter pour tromper. *Conter des mensonges.*
Locutions
Conter fleurette. Faire la cour.
Conter des peurs. (FAMILIER) Raconter des histoires invraisemblables.
HOM. compter, dénombrer.
Conjugaison [VOIR MODÈLE – **AIMER**]

conteur, euse n. m. et f.
Personne qui raconte bien. *Grand-papa est un bon conteur.*
HOM. compteur, appareil de mesure.

contexte n. m.
Situation globale. *Le contexte économique. Il importe de replacer ce commentaire dans son contexte. Une citation hors contexte.*

continent n. m.
Grande étendue émergée de la surface terrestre. *L'Amérique est un grand continent.*

continental, ale, aux adj.
Relatif à un continent. *Le climat continental. Les hivers continentaux.*

continu, ue adj.
1. Qui n'est pas interrompu dans le temps. *Des bruits continus l'empêchent de se concentrer. Un travail continu depuis 20 heures.* **SYN.** constant, permanent.
2. Qui n'est pas interrompu dans l'espace. *Un trait continu.* **ANT.** discontinu.

continuel, elle adj.
Qui ne s'arrête jamais. *Une pluie continuelle. La rotation continuelle de la Terre autour du Soleil.* **SYN.** constant.

continuellement adv.
1. Sans interruption. **SYN.** constamment, sans cesse.
2. Souvent. *On sonne continuellement à la porte pour nous proposer des articles.*

continuer v. tr., intr., pronom.
Verbe transitif
Poursuivre ce qui est commencé. *Continuer ses études. Il continue à chanter.*
Le verbe se construit avec les prépositions ***à*** et ***de,*** mais plus fréquemment avec ***à.*** La préposition ***de*** sera surtout employée pour éviter un hiatus. *Elle continue d'aimer la musique* (plutôt que « à aimer »).
Verbe intransitif
Se poursuivre. *La fête continue.* **SYN.** durer.
Verbe pronominal
Ne pas être interrompu. *La fête s'est continuée toute la nuit.*
Conjugaison [VOIR MODÈLE – **AIMER**]

contorsion n. f.
Mouvement acrobatique caractérisé par des torsions. *Cette athlète fait des contorsions très difficiles.*

contorsionner (se) v. pronom.
Faire des contorsions. *Le clown se contorsionne de façon très drôle.*
Le participe passé de ce verbe qui n'existe qu'à la forme pronominale s'accorde toujours avec le sujet du verbe.
Conjugaison [VOIR MODÈLE – **AIMER**]

contorsionniste n. m. et f.
Acrobate qui peut se tordre dans tous les sens. *Au Cirque du Soleil, nous avons vu une contorsionniste remarquable qui semblait faite en caoutchouc.*

contour n. m.
Bord, limite extérieure. *Le contour de la patinoire est éclairé.* **SYN.** périphérie.

contourner v. tr.
Faire le tour. *Contourner une ville.*
Conjugaison [VOIR MODÈLE – **AIMER**]

contraceptif, ive adj. et n. m.
Adjectif
Relatif à la contraception.
Nom masculin
Moyen propre à empêcher la conception. *Un contraceptif oral.*

contraception n. f.
Ensemble des méthodes visant à éviter la fécondation. *Le condom est un moyen de contraception.*

contracter v. tr., pronom.
Verbe transitif
1. Diminuer de volume. *Le froid contracte les métaux.*
2. Raidir, rendre plus ferme. *Contracte tes muscles.*
3. S'engager par contrat. *Il a contracté une assurance, des dettes.*

4. Acquérir (une mauvaise habitude), attraper (une maladie). *Elle a contracté une grippe.*
Verbe pronominal
Se resserrer. *Le muscle se contracte.*
Conjugaison [VOIR MODÈLE – **AIMER**]

***contracteur**
Anglicisme au sens de ***entrepreneur.***

contraction n. f.
Resserrement. *La contraction d'un muscle.*

contradiction n. f.
Action de dire le contraire de ce qui a été dit. *Il y a des contradictions dans son discours.*

contradictoire adj.
Contraire à ce qui a déjà été dit. *Cette affirmation est contradictoire.*

contraint, ainte adj. et n. f.
Adjectif
Mal à l'aise, gêné. *Un sourire contraint.* **SYN.** gauche.
Nom féminin
Pression morale ou physique. *Agir sous la contrainte.* **SYN.** menace, violence.

contraire adj. et n. m.
Adjectif
Opposé. *Des attitudes contraires à la logique.*
Nom masculin
Chose opposée à une autre. *Le contraire de* ***grand*** *est* ***petit***.
Locutions
Au contraire, locution adverbiale. À l'inverse, par contre. *Il paraît arrogant ; au contraire, il est adorable.*
Au contraire de, locution prépositive. Contrairement. *Au contraire de son prédécesseur, il est compétent.*
VOIR TABLEAU – **ANTONYMES.**

contrarier v. tr.
1. S'opposer à. *Contrarier un projet.* **SYN.** combattre, nuire à.
2. Ennuyer. *Ce mauvais temps l'a contrarié. Elle est contrariée que la rencontre ait été annulée.* **SYN.** embêter.
3. Fâcher. *Cesse de me contrarier : tu n'es jamais d'accord avec moi.* **SYN.** vexer.
Conjugaison [VOIR MODÈLE – **ÉTUDIER**]
Redoublement du ***i*** à la première et à la deuxième personne du pluriel de l'indicatif imparfait et du subjonctif présent. *(Que) nous contrariions, (que) vous contrariiez.*

contrariété n. f.
Déception, mécontentement. *Quelle contrariété, j'ai organisé un pique-nique et il pleut.*

contrastant, ante adj.
Qui contraste. *Des couleurs contrastantes.*

contraste n. m.
Opposition entre deux ou plusieurs choses. *Entre le blanc et le noir, le contraste est total. Le contraste du silence avec le bruit.*

contraster v. tr. ind., intr.
Être totalement différent. *Ces couleurs contrastent violemment entre elles. Ces styles contrastent, mais ils sont en harmonie.* **SYN.** s'opposer, trancher.
Conjugaison [VOIR MODÈLE – **AIMER**]

contrat n. m.
Convention entre deux ou plusieurs parties s'obligeant à donner, à faire ou à ne pas faire quelque chose. *Ces chefs d'entreprise ont signé un gros contrat pour l'achat de robots. Une rupture de contrat* (et non un *bris de contrat).
Forme fautive
*travail à contrat. Calque de l'anglais « contract work » pour ***travail à forfait.***

contravention n. f.
1. Infraction. *Vous êtes en contravention.*
2. Document officiel qui fait état de cette infraction. *Donner une contravention* (et non un *ticket).

contre adv., n. m. et prép.
Préposition
La préposition ***contre*** sert à exprimer :
1. La résistance, le choc. *Se cogner contre un mur.*
2. L'incompatibilité, le désaccord. *Il est contre cette proposition.*
3. La proximité. *Elle était appuyée contre un arbre. Il est bien tout contre elle.*
4. L'échange. *Contre 20 $, j'ai pu emporter deux beaux livres.*
5. La défense. *Du sirop contre la toux.*
Adverbe
L'adverbe ***contre*** employé absolument marque l'opposition. *Elle a voté contre.*
Nom masculin
L'opposé. *Le pour et le contre.*
Locutions
Ci-contre, locution adverbiale. En regard, à côté. *Voir l'illustration ci-contre.*
Par contre, locution adverbiale. En revanche. *Il pleut aujourd'hui, par contre il fera beau demain.*

contre- préf.
Les noms composés du préfixe ***contre*** s'écrivent pour la plupart avec un trait d'union et seul le deuxième élément prend la marque du pluriel.

contre-attaque n. f. (pl. *contre-attaques*)
Attaque lancée pour neutraliser une attaque de l'adversaire.

contre-attaquer v. tr.
Passer à son tour à l'offensive après avoir été attaqué. *L'ennemi a contre-attaqué.*
Conjugaison [VOIR MODÈLE – **AIMER**]

contrebalancer v. tr.
Faire équilibre, compenser. *Notre ardeur contrebalançait notre manque d'expérience.* **SYN.** équilibrer.
Conjugaison [VOIR MODÈLE – **AVANCER**]
Le ***c*** prend une cédille devant les lettres ***a*** et ***o.*** *Il contrebalança, nous contrebalançons.*

contrebande n. f.
Importation clandestine de marchandises. *La contrebande des cigarettes.*

contrebandier, ière adj. et n. m. et f.
Personne qui se livre à la contrebande.

contrebasse n. f.
Le plus grand et le plus grave des instruments à archet.

contrebasse ou **contrebassiste** n. m. et f.
Musicien qui joue de la contrebasse.

contrecœur (à) loc. adv.
Malgré soi. *La maîtresse a accepté à contrecœur, elle n'avait pas envie de rester.*

contrecoup n. m.
Évènement qui arrive par suite d'un autre. **SYN.** conséquence, effet, suite.

contre-courant n. m. (pl. *contre-courants*)
Courant secondaire qui se produit en sens inverse d'un autre. *Nager à contre-courant.*
Locution
À contre-courant. Contrairement à la tendance générale. *Ce mouvement est à contre-courant des tendances actuelles.*

contredire v. tr., pronom.
Verbe transitif
Réfuter, dire le contraire. *Ne me contredisez pas, je sais que j'ai raison.*
Verbe pronominal
Être en contradiction avec les autres ou avec soi-même. *Les témoignages se contredisent.*
Conjugaison [VOIR MODÈLE – **DIRE**]
Attention à la conjugaison de la deuxième personne du pluriel de l'indicatif présent et de l'impératif. *Vous contredisez, contredisez* (et non vous *contredites).

contrée n. f.
(VIEUX) Région. *Des contrées lointaines.*
contré**e.**

contre-espionnage n. m. (pl. *contre-espionnages*)
Dépistage et surveillance des espions.

contrefaçon n. f.
Copie. *Ces faux billets sont une mauvaise contrefaçon.*

contrefaire v. tr.
Imiter, caricaturer. *Contrefaire une signature, l'accent de quelqu'un.*
Conjugaison [VOIR MODÈLE – **FAIRE**]
Attention à la conjugaison de la deuxième personne du pluriel. *Vous contrefaites* (et non vous *contrefaisez).

contrefait, aite adj.
Difforme.

contreficher (se) v. pronom.
(FAMILIER) Se moquer éperdument de. *Elle se contrefiche des commentaires et n'en fait qu'à sa tête.*
Le participe passé de ce verbe qui n'existe qu'à la forme pronominale s'accorde toujours avec le sujet du verbe.
Conjugaison [VOIR MODÈLE – **AIMER**]

contremaître n. m.
contremaîtresse n. f.
Personne qui supervise des ouvriers, des ouvrières dans un atelier. *Il faudra en aviser le contremaître* (et non le *foreman).

contrepartie n. f.
Compensation. *Ces excellents résultats sont la contrepartie de son travail acharné.*
Locution
En contrepartie. En échange.

contre-performance n. f. (pl. *contre-performances*)
Piètre performance, notamment d'un sportif dont on attendait le succès.

contreplaqué n. m.
Panneau composé de couches minces de bois collées sous pression. *Vincent et Irina ont construit le coffret en contreplaqué.*

contrepoids n. m.
Poids servant à contrebalancer un autre poids.
contrepoi**ds.**

contretemps n. m.
Empêchement, incident qui dérange ce qui avait été projeté. *Un contretemps regrettable.* **SYN.** ennui.
Locution
À contretemps. Au mauvais moment.

contribuable n. m. et f.
Personne qui paie des impôts. *Ce sont les contribuables* (et non les *payeurs de taxes) *qui décideront.*

contribuer v. tr. ind., intr.
Participer à quelque chose. *Je voudrais contribuer à cette recherche.*
Le verbe se construit avec la préposition **à.**
Conjugaison [VOIR MODÈLE – **AIMER**]

contribution n. f.
1. Cotisation. *Payer sa contribution.* **SYN.** don, part.
2. Participation. *Sa contribution à cette œuvre est fondamentale.*

contrition n. f.
(LITTÉRAIRE) Remords. *Réciter un acte de contrition.*

contrôlable adj.
Qui peut être contrôlé. *Ces renseignements ne sont pas contrôlables.* **SYN.** vérifiable.

contrôle n. m.
1. Vérification, examen attentif. *Le contrôle des absences, le contrôle de la qualité.*
2. Fait de diriger, de dominer. *Cette région est sous le contrôle de l'armée.* **SYN.** maîtrise.
Ce sens est inspiré de l'anglais, mais il est maintenant passé dans l'usage.
Forme fautive
*contrôles. Anglicisme au sens de ***manettes de commandes,*** de ***commandes.***

contrôler v. tr., pronom.
Verbe transitif
1. Vérifier. *Contrôler la présence des élèves.* **SYN.** examiner.
2. Avoir en son pouvoir, dominer. *Les rebelles contrôlent ce port.* **SYN.** diriger, maîtriser.
Ce sens est inspiré de l'anglais, mais il est maintenant passé dans l'usage.
Verbe pronominal
Se maîtriser. *Contrôle-toi, voyons ! Arrête de crier, calme-toi.* **SYN.** se contenir.
Conjugaison [VOIR MODÈLE – **AIMER**]

contrôleur n. m.
contrôleuse n. f.
Personne chargée d'effectuer un contrôle, une vérification. *Une contrôleuse de la qualité des pièces.*

controverse n. f.
Discussion, désaccord. *Il y a beaucoup de controverse à ce sujet.*

controversé, ée adj.
Contesté. *Une loi controversée.* **SYN.** critiqué, discuté.

convaincant, ante adj.
Propre à convaincre, concluant. *Ce discours est convaincant.* **SYN.** persuasif.

Ne pas confondre avec le participe présent invariable ***convainquant.*** *Des plaidoyers convainquant le mieux les jurés.*

convaincre v. tr.
1. Persuader. *Maxime a convaincu Amélie de l'accompagner au cinéma. Son copain l'a convaincu de l'intérêt de cette recherche.*
2. (DROIT) Prouver qu'une personne est coupable. *Convaincre quelqu'un de négligence criminelle.*
Conjugaison [VOIR MODÈLE – **VAINCRE**]
INDICATIF PRÉSENT *Je convaincs, tu convaincs, il convainc, nous convainquons, vous convainquez, ils convainquent.* IMPARFAIT *Je convainquais.* FUTUR *Je convaincrai.* **CONDITIONNEL** PRÉSENT *Je convaincrais.* **IMPÉRATIF** PRÉSENT *Convaincs, convainquons, convainquez.* **SUBJONCTIF** PRÉSENT *Que je convainque.* IMPARFAIT *Que je convainquisse.* **PARTICIPE** PRÉSENT *Convainquant.* PASSÉ *Convaincu, ue.*

convaincu, ue adj.
1. Rempli de certitude. *Jules est convaincu d'avoir raison. C'est une végétarienne convaincue.* **SYN.** certain, sûr.
2. Être reconnu coupable. *Il a été convaincu d'homicide involontaire.*

convalescence n. f.
Retour progressif à la santé. *Alain a été opéré; il est encore en convalescence, mais il va beaucoup mieux.* **SYN.** rétablissement.
convale**sc**ence.

convalescent, ente adj. et n. m. et f.
Qui relève de maladie. *Alain est convalescent.*
convale**sc**ent.

convenable adj.
1. Qui respecte la politesse, qui convient. *Des manières convenables.* **SYN.** correct. **ANT.** impoli.
2. Suffisant, passable. *Des résultats convenables.* **SYN.** acceptable.

convenablement adv.
Correctement.

convenance n. f.
Nom féminin singulier
Goût. *Choisissez la date à votre convenance.*
Nom féminin pluriel
Règles, usages. *Respecter les convenances.* **SYN.** bienséance.

convenir v. tr. ind., impers.
Verbe transitif indirect
1. Se mettre d'accord. *Ils ont convenu de se réunir au parc, du prochain rendez-vous.* **SYN.** s'accorder, s'entendre.
En ce sens, le verbe se construit avec la préposition ***de.***
On préférera ***comme il a été convenu*** à l'expression commerciale « comme convenu ».
2. Reconnaître comme vrai. *Tu as convenu de ton erreur.* **SYN.** avouer.
En ce sens, le verbe se construit avec la préposition ***de*** suivie d'un nom ou avec la conjonction ***que*** suivie de l'indicatif ou du conditionnel. *Ils sont convenus que cette décision était la bonne. Les amis ont convenu que la fête aurait lieu à l'été.*
3. Être approprié. *Ce choix de cours convient à Luc ou lui convient parfaitement.* **SYN.** plaire.
En ce sens, le verbe se construit avec la préposition ***à.***
Verbe impersonnel
Il est souhaitable, il faudrait. *Il convient que tu sois présent pour la remise des prix.*
À la forme impersonnelle, le verbe se construit avec le subjonctif.
Conjugaison [VOIR MODÈLE – **VENIR**]
INDICATIF PRÉSENT *Je conviens, tu conviens, il convient, nous convenons, vous convenez, ils conviennent.* IMPARFAIT *Je convenais.* PASSÉ SIMPLE *Je convins.* FUTUR *Je conviendrai.* **CONDITIONNEL** *Je conviendrais.* **IMPÉRATIF** PRÉSENT *Conviens, convenons, convenez.* **SUBJONCTIF** PRÉSENT *Que je convienne.* IMPARFAIT *Que je convinsse.* **PARTICIPE** PRÉSENT *Convenant.* PASSÉ *Convenu, ue.*

convention n. f.
1. Accord officiel. *Les deux pays ont signé une convention de libre-échange.* **SYN.** entente.
2. (AU PLURIEL) Règles du bon usage.
Locution
Convention collective. Accord conclu entre salariés et employeurs pour définir les conditions de travail.
Forme fautive
*convention. Anglicisme au sens de ***congrès.***

convenu, ue adj.
Décidé. *Un prix convenu.*

convergence n. f.
Fait de converger, de tendre vers un même but. *La convergence des recherches sur le cancer.*

converger v. intr.
1. Tendre vers un seul et même point. *Ces routes convergent vers la mer.*
2. Avoir un même but. *Tous nos efforts doivent converger vers cet objectif.* **SYN.** se concentrer sur. **ANT.** diverger.
Conjugaison [VOIR MODÈLE – **CHANGER**]
Le ***g*** est suivi d'un ***e*** devant les lettres ***a*** et ***o.*** *Il convergea, nous convergeons.*

conversation n. f.
1. Entretien familier. *Hélène et Olivier ont eu une longue conversation.*
2. La manière dont on converse. *Monica a beaucoup de conversation, elle a toujours des choses à dire.*

converser v. intr.
Parler familièrement avec quelqu'un. *Étienne converse avec Fanny.* **SYN.** bavarder, causer.
Conjugaison [VOIR MODÈLE – **AIMER**]

conversion n. f.
1. Passage à une nouvelle conduite, à une religion différente. *Une conversion au catholicisme.*
2. Changement. *La conversion du dollar canadien au dollar américain.*

***convertible**
Anglicisme au sens de ***décapotable.*** *Je l'ai vu filer à toute allure au volant de sa décapotable* (et non de sa *convertible).

convertir v. tr., pronom.
Verbe transitif
1. Faire changer quelqu'un de conduite, de foi, etc. *Les missionnaires ont tenté de convertir les Iroquois à la religion catholique.* **SYN.** amener, convaincre, gagner.
2. Transformer une chose en une autre. *Il faudrait convertir ces pieds en mètres.* **SYN.** changer.
Verbe pronominal
Adopter une religion, une idée. *Ils se sont convertis au catholicisme.*
Conjugaison [VOIR MODÈLE – **FINIR**]

convexe adj.
Bombé, arrondi vers l'extérieur. *Ce globe est convexe.* **ANT.** concave.

conviction n. f.
Le ***t*** se prononce ***s*** comme dans ***direction.***
1. Certitude. *Martin a la conviction qu'il gagnera le concours.* **SYN.** confiance.
2. Assurance. *Il parle avec une telle conviction qu'il arrive à persuader tout le monde.* **SYN.** enthousiasme, ferveur, persuasion.
3. (AU PLURIEL) Opinions personnelles. *Des convictions religieuses.* **SYN.** avis, croyance.
Locution
Pièce à conviction. (DROIT) Objet qui peut servir de preuve dans un procès.

convive n. m. et f.
Personne qui prend part à un repas. *Ce dîner d'anniversaire réunit 12 convives.* **SYN.** invité.

convivial, ale, aux adj.
(INFORMATIQUE) Accessible, facile d'utilisation. *Un logiciel très convivial.*

convivialité n. f.
(INFORMATIQUE) Caractère d'un matériel convivial, facile à utiliser.

convocation n. f.
1. Action de convoquer. *La convocation des étudiants à un examen.*
2. Écrit par lequel on convoque. *Le voisin a reçu une convocation : il doit se présenter à l'école demain.*

convoi n. m.
Regroupement de personnes, de choses allant vers une destination identique. *Un convoi de véhicules militaires. Des convois de chemin de fer.*

convoiter v. tr.
Vouloir avec ardeur. *Étienne convoite un poste de chercheur.*
Conjugaison [VOIR MODÈLE – **AIMER**]

convoitise n. f.
Désir très fort. *Ces enfants regardent les gâteaux de la pâtisserie avec convoitise, ils les dévorent des yeux.*

convoquer v. tr.
Inviter à se réunir. *Nous avons convoqué les conseillers à la réunion de jeudi soir.*
Conjugaison [VOIR MODÈLE – **AIMER**]

convulsion n. f.
Contraction violente et involontaire des muscles. *Cet épileptique a des convulsions.* **SYN.** spasme.

coopératif, ive adj.
Les deux ***o*** sont ouverts [kɔɔperatif, iv].
1. Fondé sur la coopération. *Un mouvement coopératif de caisses populaires.*
2. Qui est prêt à participer à une action en groupe. *Elle s'est montrée très coopérative.*

coopération n. f.
Les deux ***o*** sont ouverts [kɔɔperasjɔ̃].
1. Collaboration. *Grâce à sa coopération, nous avons réussi.* **SYN.** aide, appui.
2. Principe d'association par lequel producteurs ou consommateurs se regroupent pour assurer eux-mêmes les activités qui les intéressent.

coopérative n. f.
Les deux ***o*** sont ouverts [kɔɔperativ].
Société fondée selon le principe de la coopération et selon lequel les coopérateurs participent à l'organisation et se partagent les profits. *Une coopérative d'habitation.*

coopérer v. tr. ind.
Les deux ***o*** sont ouverts [kɔɔpere].
Travailler conjointement avec quelqu'un. *Elles ont coopéré à cette entreprise.* **SYN.** collaborer, participer.
Conjugaison [VOIR MODÈLE – **POSSÉDER**]
Le ***é*** se change en ***è*** devant une syllabe muette, sauf à l'indicatif futur et au conditionnel présent. *Je coopère*, mais *je coopérerai.*

coordinateur n. m.
coordinatrice n. f.
VOIR **COORDONNATEUR.**

coordination n. f.
Les deux ***o*** sont ouverts [kɔɔrdinasjɔ̃].
Action d'agencer divers éléments en vue d'un résultat. **SYN.** organisation.
Locution
Conjonction de coordination. (GRAMMAIRE) Conjonction qui unit des mots ou des propositions de même nature. *Je mangerai une pomme et une orange.*
Dans cette phrase, les noms ***pomme*** et ***orange*** sont unis par la conjonction de coordination ***et.***

coordonnateur ou **coordinateur** n. m.
coordonnatrice ou **coordinatrice** n. f.
Les ***o*** sont ouverts [kɔɔrdɔnatœr] ou [kɔɔrdinatœr] [kɔɔrdɔnatris] ou [kɔɔrdinatris].
Personne qui fait de la coordination.
À l'origine, seul le mot ***coordonnateur, coordonnatrice*** était utilisé pour nommer la personne qui coordonne. La désignation de l'action a influencé l'usage et le mot ***coordinateur, coordinatrice*** est également usité.

coordonné, ée adj. et n. f. pl.
Les deux ***o*** sont ouverts [kɔɔrdɔne].
Adjectif
1. Organisé en fonction d'un résultat défini. *Des activités bien coordonnées.* **SYN.** agencé.
2. Assorti. *Un chemisier et une jupe parfaitement coordonnés. Des rideaux coordonnés aux fauteuils.* **SYN.** harmonieux, organisé.
Nom féminin pluriel
1. Nombres servant à définir un point sur une surface. *Des coordonnées géographiques.*
2. (FAMILIER) Renseignements qui situent une personne (adresse, n° de téléphone, etc.). *Quelles sont vos coordonnées ?*

coordonner v. tr.
Les deux ***o*** sont ouverts [kɔɔrdɔne].
Assurer la coordination de divers éléments en vue d'obtenir un ensemble cohérent, un résultat. **SYN.** agencer, organiser.
Conjugaison [VOIR MODÈLE – **AIMER**]

copain n. m.
(FAMILIER) Camarade intime.
La forme féminine de ce nom est ***copine.***
Ne pas confondre avec les noms suivants :
– ***camarade,*** ami, surtout chez les enfants, les adolescents ;
– ***compagnon,*** personne avec qui l'on fait un travail manuel, un voyage ;

– ***confrère,*** personne qui appartient à une même profession, à une même société.

copeau n. m. (pl. *copeaux*)
Éclat enlevé d'une pièce par un instrument tranchant. *Des copeaux de bois.*

copiage n. m.
Le fait de copier. *Le copiage aux examens est interdit.*

copie n. f.
1. Reproduction d'après un original. *Julie a gardé une copie de son travail.*
2. Devoir, travail scolaire, examen. *Elle a 15 copies à corriger.*
Forme fautive
*copie (d'un périodique, d'un livre). Anglicisme au sens de ***exemplaire.*** *Tu veux bien me prêter ton exemplaire* (et non ta *copie) *du dernier best-seller ?*

copier v. tr.
Verbe transitif direct
1. Reproduire. *Marthe a copié ce dessin et la ressemblance est frappante.*
2. Imiter. *Cesse de me copier : tu manques d'originalité.*
Verbe transitif indirect
Tricher lors d'un examen en écrivant la même chose que quelqu'un d'autre. *Vous avez copié sur votre voisine, vous aurez un beau zéro.*
En ce sens, le verbe se construit avec la préposition ***sur.***
Conjugaison [VOIR MODÈLE – **ÉTUDIER**]
Redoublement du ***i*** à la première et à la deuxième personne du pluriel de l'indicatif imparfait et du subjonctif présent. *(Que) nous copiions, (que) vous copiiez.*

copieur, ieuse n. m. et f.
Nom masculin et féminin
Personne qui copie.
Ce mot a un sens défavorable.
Nom masculin
Abréviation familière de ***photocopieur.***

copieusement adv.
De façon copieuse, en abondance. *Les adolescents étaient affamés, ils ont mangé copieusement.* **SYN.** abondamment, beaucoup, considérablement.

copieux, ieuse adj.
Abondant. *Un repas copieux.*
copieu**x.**

copilote n. m. et f.
Pilote auxiliaire.

copine n. f.
Camarade intime.
La forme masculine de ce mot est ***copain.***
Ne pas confondre avec les noms suivants :
– ***camarade,*** amie, surtout chez les enfants, les adolescentes ;
– ***compagne,*** personne avec qui l'on fait un travail manuel, un voyage ;
– ***consœur,*** personne qui appartient à une même profession, à une même société.

copropriétaire n. m. et f.
Propriétaire d'une copropriété. *Les copropriétaires d'un immeuble.*

copropriété n. f.
1. Droit de propriété d'un immeuble existant entre plusieurs personnes physiques ou morales, reconnu juridiquement. (Recomm. off. OLF) *Acheter un immeuble d'habitation en copropriété.*
2. Immeuble acquis selon le mode de copropriété. *Acheter une copropriété* (et non un *condominium).

coq n. m.
Oiseau de basse-cour, mâle de la poule.
VOIR TABLEAU – **ANIMAUX.**
Locution
Être comme un coq en pâte. Être bien soigné, dorloté.

coq-à-l'âne n. m. inv. (pl. *coq-à-l'âne*)
Propos sans suite. *Des coq-à-l'âne amusants.*
Locution
Passer du coq à l'âne. (FIGURÉ) Passer d'un sujet à un autre.
La locution s'écrit sans trait d'union, alors que le nom s'écrit avec des traits d'union.

coque n. f.
1. (VIEUX) Enveloppe rigide. *La coque d'un œuf.*
On dit aujourd'hui la ***coquille*** d'un œuf.
2. Corps d'un navire, d'un avion. *L'accident a fait une brèche dans la coque du bateau.*
Locution
Œuf coque, à la coque. Œuf cuit légèrement dans l'eau bouillante.

coquelicot n. m.
Plante à fleurs rouges qui pousse dans les champs.
coqueli**cot.**

coqueluche n. f.
Maladie contagieuse des enfants.

coquerelle n. f.
Insecte nuisible que l'on trouve surtout dans les cuisines.
SYN. blatte, cafard.

coquet, ette adj.
1. Bien mis, élégant. *Delphine est très coquette avec cette jolie robe.*
2. Joli, confortable. *Une coquette petite maison.*

coquetier n. m.
Petite coupe dans laquelle on mange l'œuf à la coque.
Ne pas confondre avec le nom ***cocotier,*** arbre produisant la noix de coco.

coquettement adv.
De façon coquette.

coquetterie n. f.
Désir de plaire, d'être élégant. *Ses vêtements sont choisis avec coquetterie.*

coquillage n. m.
1. Mollusque qui vit dans une coquille. *L'huître est un coquillage apprécié par les gourmets.*
2. Coquille de mollusque. *Au bord de la mer, les enfants aiment ramasser des coquillages.*

coquille n. f.
1. Enveloppe calcaire servant de squelette externe au mollusque. *Une coquille d'huître.*
2. Enveloppe rigide de l'œuf, de la noix.
Locutions
Coquille Saint-Jacques. Mollusque comestible. *Ces coquilles Saint-Jacques ont un goût très délicat.*
Rentrer dans sa coquille. (FIGURÉ) Se retirer, se renfermer.

C

coquin, ine adj. et n. m. et f.
Espiègle, malicieux. *Laurence est une coquine : elle a joué un tour à Julien. C'est une fillette coquine.*

cor n. m.
1. Instrument de musique à vent. *Un cor de chasse.*
2. Petite tumeur sur un orteil. *Un cor au pied.*
Locution
À cor et à cri, locution adverbiale. Avec insistance.
Dans cette locution, les noms ***cor*** et ***cri*** s'écrivent au singulier.
HOM. corps, partie matérielle d'un être animé.
c**or.**

corail adj. inv. et n. m. (pl. *coraux*)
Adjectif invariable
D'un rouge éclatant. *Des lunettes corail.*
VOIR TABLEAU – **COULEUR (ADJECTIFS DE).**
Nom masculin
Matière calcaire utilisée en bijouterie. *Un collier en corail. Des coraux magnifiques.*

coran n. m.
Livre sacré des musulmans. *Il lit des versets du Coran quotidiennement.*
Le livre sacré des chrétiens est la Bible.

corbeau n. m. (pl. *corbeaux*)
Oiseau carnassier à plumage noir. *Les corbeaux peuvent être agressifs.*
VOIR TABLEAU – **ANIMAUX.**

corbeille n. f.
1. Panier sans anses. *Une corbeille d'osier pour le pain.*
2. Contenu d'une corbeille. *Offrir une corbeille de fruits.*
Locution
Corbeille (à papier). Récipient destiné à recueillir les papiers dans un bureau.

corbillard n. m.
Voiture dans laquelle on transporte les morts.
corbillar**d.**

cordage n. m.
Câble servant à assurer le fonctionnement et la direction d'un voilier, d'une machine, etc. *Les cordages du voilier sont en bon état.*
Ce nom s'emploie surtout au pluriel.
Ne pas confondre avec les noms suivants :
– ***amarre,*** ce qui sert à retenir un navire, un ballon ;
– ***câble,*** gros cordage de fibres textiles ou d'acier ;
– ***corde,*** lien fait de brins tordus ensemble ;
– ***ficelle,*** petite corde pour attacher des paquets.

corde n. f.
1. Lien fait de brins tordus ensemble.
Ne pas confondre avec les noms suivants :
– ***amarre,*** ce qui sert à retenir un navire, un ballon ;
– ***câble,*** gros cordage de fibres textiles ou d'acier ;
– ***cordage,*** câble d'un navire, d'une machine, etc. ;
– ***ficelle,*** petite corde pour attacher des paquets.
2. ⚜ Unité de mesure pour le bois de chauffage. *Nous avons commandé deux cordes de bois.*
Locutions
Avoir plus d'une corde à son arc. (FIGURÉ) Avoir plusieurs atouts pour réussir.
Corde à danser. ⚜ Corde munie de poignées et servant à faire des sauts. **SYN.** corde à sauter.
Cordes vocales. Organe servant à la parole.
Être sur la corde raide. (FIGURÉ) Être dans une situation périlleuse.
Mériter la corde. (FIGURÉ) Mériter la pendaison.
Toucher la corde sensible. (FIGURÉ) Parler de ce qui intéresse particulièrement une personne.

cordée n. f.
Groupe d'alpinistes réunis par une corde.

cordelette n. f.
Petite corde. *Elle porte un bracelet de cordelettes.*

corder v. tr.
1. Tordre en forme de corde. *Corder du chanvre.*
2. (LITTÉRAIRE) Lier avec une corde.
3. ⚜ Mesurer du bois à la corde.
Conjugaison [VOIR MODÈLE – **AIMER**]

cordial, iale adj. (pl. *cordiaux*)
Sympathique, chaleureux. *Des accueils cordiaux.* **SYN.** bienveillant, sincère.

cordialement adv.
De façon cordiale. *Ils nous ont accueillis cordialement.* **SYN.** chaleureusement.
cordia**l**ement.

cordialité n. f.
Sympathie, chaleur. *Nous avons été accueillis avec la plus grande cordialité.*
cordia**l**ité.

cordon n. m.
Petite corde. *Les cordons d'un chapeau.*
Locutions
Cordon d'alimentation. Fil servant à brancher un appareil électrique.
Tenir les cordons de la bourse. (FIGURÉ) Décider des dépenses.

cordon-bleu n. m. et f. (pl. *cordons-bleus*)
Personne habile à cuisiner. *Nouni est une remarquable cordon-bleu.*
cordon**-**bleu, avec un trait d'union.

cordonnerie n. f.
1. Métier du cordonnier.
2. Boutique de cordonnier. *La cordonnerie est à deux pas d'ici.*

cordonnier n. m.
cordonnière n. f.
Personne qui répare des articles de cuir (surtout des chaussures).

***corduroy**
Anglicisme pour ***velours côtelé.***

coréen, enne adj. et n. m. et f.
Adjectif et nom masculin et féminin
De Corée. *Le drapeau coréen. Un Coréen, une Coréenne.*
L'adjectif s'écrit avec une minuscule ; le nom, avec une majuscule.
Nom masculin
Langue parlée en Corée. *Elle parle le coréen.*
Le nom de la langue s'écrit avec une minuscule.
On préférera les expressions ***Coréens du Nord, Coréens du Sud*** à la formulation *Nord-Coréens et *Sud-Coréens.

coriace adj.
1. Dur comme du cuir. *Une viande coriace.*
2. Qui n'est pas facile à convaincre, récalcitrant. *Un bandit coriace.* **SYN.** dur.

coriandre n. f.
Herbe aromatique.
Attention au genre féminin de ce nom : ***la*** coriandre.

cormoran n. m.
Oiseau marin au plumage sombre. *Les cormorans sont d'excellents plongeurs.*
cormor**an.**

corne n. f.
Proéminence dure de la tête de certains animaux. *La corne du rhinocéros.*
Ne pas confondre avec le nom ***défense,*** longue dent en ivoire de l'éléphant, du morse, etc.

cornée n. f.
Membrane transparente de l'œil.

cornéen, enne adj.
Relatif à la cornée. *Des lentilles cornéennes.*

corneille n. f.
Oiseau noir du genre du corbeau. *La corneille mange des insectes, de petits rongeurs : elle est omnivore.*
Locution
Bayer aux corneilles. Regarder en l'air, la bouche ouverte.
Le verbe ***bayer*** n'est plus usité que dans cette expression.

cornemuse n. f.
Instrument de musique à vent. *Des cornemuses écossaises.*

corner v. tr., intr.
Verbe transitif
Plier le coin. *Corner une page.*
Verbe intransitif
Faire entendre un son avec une corne.
Conjugaison [VOIR MODÈLE – **AIMER**]

cornet n. m.
1. Petit cône servant à contenir une glace, des bonbons. *Un cornet de crème glacée aux fraises.*
2. Godet pour jouer aux dés. **SYN.** gobelet.
corne**t.**

corniche n. f.
1. Moulure en saillie. *Une corniche dorée surmonte cette belle armoire.*
2. Route qui domine la mer. *La route de la corniche est sinueuse : attention de ne pas tomber dans un précipice !*

cornichon n. m.
1. Petit concombre conservé dans du vinaigre.
2. (FAMILIER) Nigaud. *Tu as encore fait une bêtise, espèce de cornichon.* **SYN.** niais, (FAMILIER) niaiseux.

cornu, ue adj.
Qui a des cornes.

corolle n. f.
Ensemble des pétales de la fleur. *La corolle de cette rose est d'un beau rose pâle.*
coro**ll**e.

coronaire adj.
Se dit des vaisseaux en forme de couronne qui irriguent le cœur.
HOM. coroner, police judiciaire.
coron**aire.**

coronarien, ienne adj.
Relatif aux artères coronaires.

coroner n. m.
Le ***r*** se prononce [kɔrɔnœr].
Dans les pays anglo-saxons, officier de police judiciaire. *Une enquête du coroner sur les autobus scolaires.*
Cette fonction est l'équivalent de celle du ***juge d'instruction*** dans la francophonie.
HOM. coronaire, vaisseaux en forme de couronne qui irriguent le cœur.

corps n. m.
1. Partie matérielle d'un être animé. *Le corps humain.*
2. Objet matériel. *Un corps plongé dans un liquide. Un corps céleste.*
3. Groupe de personnes. *Le corps diplomatique.*
Locutions
À bras-le-corps, locution adverbiale. En passant les deux bras autour du corps.
À corps perdu, locution adverbiale. Sans ménager sa personne.
Perdu corps et biens. Se dit d'un bateau qui a sombré avec son équipage.
Un corps à corps. Combat.
HOM. cor, instrument de musique à vent.
cor**ps.**

corpuscule n. m.
Très petit corps.

corral n. m.
Enclos pour le bétail, en Amérique du Sud.
Ne pas confondre avec le nom ***corail,*** matière calcaire utilisée en bijouterie.
co**rr**al.

correct, ecte adj.
1. Exact. *Une phrase correcte. La réponse n'est pas correcte, elle est fausse.* **ANT.** incorrect, inexact.
2. Conforme aux règles, aux usages. *Il a été très correct.* **SYN.** convenable, poli.
Locution
C'est correct. (FAMILIER) C'est d'accord.

correcteur n. m.
correctrice n. f.
Personne qui corrige des examens, des travaux, des épreuves typographiques, etc.

correcteur orthographique n. m.
Fonction d'un logiciel de traitement de texte qui assure la vérification de l'orthographe. *Attention à l'accord du participe passé que le correcteur orthographique ne fait pas toujours correctement.*

correctif, ive adj. et n. m.
Adjectif
Qui corrige. *Des exercices correctifs.*
Nom masculin
Ce qui adoucit, tempère, améliore. *Apporter un correctif à la loi.*

correction n. f.
1. Action de corriger. *La correction des examens.*
2. Modification, suppression des erreurs. *La correction d'une épreuve.*
3. Qualité de ce qui est correct. *La correction de son langage.* **SYN.** exactitude.
4. Châtiment corporel. *Recevoir une correction.* **SYN.** punition.

correspondance n. f.
1. Conformité, rapport entre des choses, des êtres. *Une grande correspondance entre la mère et la fille.*
2. Courrier. *Je dois lire ma correspondance.*

3. Titre de transport qui permet d'utiliser métro et autobus au cours d'un même trajet, sans payer plusieurs fois. *Voilà ma correspondance* (et non mon *transfert).

correspondant, ante adj. et n. m. et f.
Adjectif
Se dit de choses qui correspondent entre elles. *Vous ferez les exercices en vérifiant les solutions correspondantes.*
Nom masculin et féminin
Personne à qui l'on écrit régulièrement. *Léa a plusieurs correspondants dans trois pays différents.*

correspondre v. tr. ind., intr.
Verbe transitif indirect
Être en conformité. *Cela ne correspond pas à la somme demandée.*
En ce sens, le verbe se construit avec la préposition ***à.***
Verbe intransitif
Communiquer par lettres de façon régulière. *Correspondre avec un ami.* **SYN.** écrire.
Conjugaison [VOIR MODÈLE – **FENDRE**]
INDICATIF PRÉSENT *Je corresponds, tu corresponds, il correspond, nous correspondons, vous correspondez, ils correspondent.* IMPARFAIT *Je correspondais.* PASSÉ SIMPLE *Je correspondis.* FUTUR *Je correspondrai.* **CONDITIONNEL** PRÉSENT *Je correspondrais.* **IMPÉRATIF** PRÉSENT *Corresponds, correspondons, correspondez.* **SUBJONCTIF** PRÉSENT *Que je corresponde.* IMPARFAIT *Que je correspondisse.* **PARTICIPE** PRÉSENT *Correspondant.* PASSÉ *Correspondu, ue.*

corrida n. f.
Course de taureaux. *Ève a vu des corridas en Espagne.*
cor**r**ida.

corridor n. m.
Passage reliant plusieurs pièces. *Yseut est en pénitence dans le corridor.* **SYN.** couloir.
co**rr**id**or.**

corrigé n. m.
Ensemble de solutions. *Avez-vous le corrigé de ce devoir ?*

corriger v. tr., pronom.
Verbe transitif
1. Rectifier les fautes. *Antoine doit corriger ses fautes d'orthographe.* **SYN.** réviser.
2. Imposer une punition. **SYN.** reprendre.
3. Rendre normal, correct. *Ces lunettes corrigent la vue.*
Verbe pronominal
Se défaire. *Il s'est corrigé de la mauvaise habitude de se ronger les ongles.*
Conjugaison [VOIR MODÈLE – **CHANGER**]
Le ***g*** est suivi d'un ***e*** devant les lettres ***a*** et ***o.*** *Il corrigea, nous corrigeons.*

corrompre v. tr.
1. Rendre mauvais. *Ces lectures peuvent corrompre le jugement.*
2. Soudoyer, procurer des avantages à quelqu'un en échange d'une faveur, d'un service. *Corrompre un politicien.*
Conjugaison [VOIR MODÈLE – **FENDRE**]
INDICATIF PRÉSENT *Je corromps, tu corromps, il corrompt, nous corrompons, vous corrompez, ils corrompent.* IMPARFAIT *Je corrompais.* PASSÉ SIMPLE *Je corrompis.* FUTUR *Je corromprai.* **CONDITIONNEL** PRÉSENT *Je corromprais.* **IMPÉRATIF** PRÉSENT *Corromps, corrompons, corrompez.* **SUBJONCTIF** PRÉSENT *Que je corrompe.* IMPARFAIT *Que je corrompisse.* **PARTICIPE** PRÉSENT *Corrompant.* PASSÉ *Corrompu, ue.*

corrompu, ue adj.
1. Gâté, mauvais.
2. À qui on a procuré des avantages en échange d'une faveur. *Un inspecteur corrompu.*

corsage n. m.
Vêtement féminin qui couvre le buste. *Elle porte un corsage rouge et un pantalon blanc.* **SYN.** blouse.

corsaire n. m.
Capitaine autorisé à capturer les bateaux ennemis en temps de guerre.
Ne pas confondre avec le nom ***pirate,*** bandit des mers.

corse adj. et n. m. et f.
Adjectif et nom masculin et féminin
De la Corse. *Le drapeau corse. Un Corse, une Corse.*
L'adjectif s'écrit avec une minuscule ; le nom, avec une majuscule.
Nom masculin
Langue parlée en Corse. *Il parle le corse.*
Le nom de la langue s'écrit avec une minuscule.

corsé, ée adj.
Qui a un goût relevé. *Un café bien corsé le réveillera.* **SYN.** fort.

corser v. tr., pronom.
Verbe transitif
Donner un goût relevé.
Verbe pronominal
Devenir compliqué. *La situation se corse.*
Conjugaison [VOIR MODÈLE – **AIMER**]

corset n. m.
Sous-vêtement à baleines destiné à soutenir la taille et les hanches.
corse**t.**

cortège n. m.
Suite de personnes qui défilent lors d'une cérémonie. *Le cortège des athlètes à l'ouverture des Jeux olympiques.* **SYN.** défilé.

corvée n. f.
1. Travail en commun. *Les voisins ont participé à la corvée pour rebâtir la grange incendiée.*
2. Travail pénible. *Quelle corvée !*

cosmétique adj. et n. m.
Adjectif
Qui est propre aux soins de beauté.
Nom masculin
Produit destiné à embellir la peau, les cheveux.

cosmique adj.
Du monde extraterrestre. *Un vaisseau cosmique.*

cosmo- préf.
Élément du grec signifiant « monde ». *Cosmopolite.*

cosmonaute n. m. et f.
Les deux ***o*** sont ouverts et les lettres ***au*** se prononcent comme un ***o*** fermé [kɔsmɔnot].
Voyageur de l'espace. *Les cosmonautes ont accueilli les astronautes de la mission Atlantis qui ont réussi à s'arrimer à la station orbitale Mir.*
Les ***cosmonautes*** sont russes, les ***astronautes,*** américains.

cosmopolite adj.
Qui comprend des personnes de plusieurs pays. *Montréal est une ville cosmopolite.*

cosmos n. m.
Le **s** final est sonore [kɔsmos].
Espace extraterrestre. *Les astronautes voyagent dans le cosmos, hors de l'atmosphère terrestre, à la recherche de la Lune ou des planètes.*
Le mot ***espace*** en ce sens est plus courant.

costaud, aude adj. et n. m. et f.
Fort, trapu. *Ce déménageur est bien costaud.* **SYN.** robuste.
cost**aud.**

costume n. m.
1. Manière de se vêtir. *Fanny a revêtu un costume médiéval.* **SYN.** habillement, tenue.
2. Vêtement typique (d'une région, d'une époque). *Le costume national grec.*
3. Vêtement masculin. *Un costume* (et non un *habit) *bleu marine.* **SYN.** complet.

costumé, ée adj.
Vêtu d'un déguisement.
Locution
Bal costumé. Bal où les invités sont déguisés.

costumer v. tr.
Revêtir d'un déguisement. *À l'Halloween, les enfants se sont costumés.* **SYN.** déguiser, habiller.
Conjugaison [VOIR MODÈLE – **AIMER**]

cote n. f.
Cours officiel. *La cote de l'or est à la hausse.*
Locution
Avoir la cote d'amour. Bénéficier de l'appréciation, de l'affection.
c**o**te.

côte n. f.
1. Os formant la cage thoracique. *Marc s'est fracturé une côte.*
2. Pente d'une montagne, d'une route. *Cette côte est à pic.* **SYN.** montée.
3. Voie de communication ou partie d'une voie de communication qui suit une pente. (Recomm. off. OLF) *Chemin de la Côte-Sainte-Catherine.*
4. Rivage de la mer. *La côte d'Azur.* **SYN.** littoral.
Locution
Côte à côte. L'un à côté de l'autre. *Ils marchent côte à côte.*
c**ô**te.

côté n. m.
1. Partie droite ou gauche. *Il y a des arbres de chaque côté de la rue.*
2. Face d'un objet. *Un dé à six côtés.*
3. Aspect sous lequel une situation se présente. *Il faut voir le bon côté des choses.*
Locutions
À côté de. À proximité. *Il habite à côté de chez elle.*
Au côté, aux côtés, locution prépositive. À proximité (de quelqu'un).
Au sens propre, on emploie davantage le singulier ; au sens figuré, l'emploi du pluriel est plus courant.
De mon côté. Quant à moi.
De tout côté, de tous côtés, de tous les côtés, locution adverbiale. De toutes parts, partout.
L'expression au singulier est de niveau plus soigné, mais les trois orthographes sont correctes.
Du côté de, locution prépositive. Dans la direction de.

coteau n. m. (pl. *coteaux*)
Colline peu élevée. *Les vaches aiment brouter sur le coteau où l'herbe est tendre.*
c**o**teau.

côtelé, ée adj.
Se dit d'un tissu à côtes. *Du velours côtelé* (et non du *corduroy).
c**ô**telé.

côtelette n. f.
Côte de veau, de bœuf, etc., avec la chair qui y est attachée. *Des côtelettes d'agneau grillées.*
c**ô**telette.

côtier, ière adj.
Propre à la côte. *La garde côtière.*
c**ô**tier.

cotisation n. f.
1. Action de cotiser.
2. Quote-part. *Chaque élève a donné sa cotisation pour l'achat du cadeau de Ludovic qui rentre dans son pays.*

cotiser v. intr., pronom.
Verbe intransitif
Payer sa part d'une dépense commune. *As-tu cotisé pour la fête ?*
Verbe pronominal
Fournir sa part pour réunir une somme. *Ils se sont cotisés pour acheter ce cadeau à Ludovic.*
Conjugaison [VOIR MODÈLE – **AIMER**]

coton n. m.
1. Produit du cotonnier.
2. Étoffe faite de coton. *Une chemise de coton.*
Locutions
Être au coton. (FAMILIER) (FIGURÉ) Être épuisé, à bout de forces.
Filer un mauvais coton. (FAMILIER) Être en mauvais état, se sentir malade, faible, déprimé.

cotonnade n. f.
Étoffe de coton. *Une cotonnade fleurie.*

cotonnier n. m.
Arbrisseau qui produit le coton.

coton-tige n. m. (pl. *coton-tige* ou *cotons-tiges*)
Bâtonnet dont les bouts sont munis de coton servant à nettoyer les oreilles, le nez, etc.

côtoyer v. tr.
Aller côte à côte, fréquenter. *Il a côtoyé ce grand musicien.*
Conjugaison [VOIR MODÈLE – **EMPLOYER**]
Le ***y*** se change en ***i*** devant un ***e*** muet. *Je côtoie, je côtoierai.*
Le ***y*** est suivi d'un ***i*** à la première et à la deuxième personne du pluriel de l'indicatif imparfait et du subjonctif présent. *(Que) nous côtoyions, (que) vous côtoyiez.*
c**ô**toyer.

cottage n. m.
Ce mot se prononce généralement à l'anglaise [kɔtɛdʒ] ou [kɔtaʒ].
1. Petite maison de style rustique située à la campagne.
2. Maison située généralement à la ville et entourée d'un jardin.

cou n. m.
Partie du corps qui joint la tête aux épaules.
Locutions
Jusqu'au cou. Entièrement.
Sauter au cou de quelqu'un. L'embrasser.

Couper le cou. Trancher la tête.
Prendre ses jambes à son cou. (FIGURÉ) Se sauver en courant.
HOM.
– coud, du verbe ***coudre*** ;
– coup, choc brutal ;
– coût, somme que coûte un bien, un service.

couchage n. m.
1. Ce qui compose la literie.
2. Action de coucher, lieu où l'on couche. *Des sacs de couchage.*

couchant n. m.
L'endroit de l'horizon où le soleil se couche ; l'ouest.

couchant, ante adj.
Qui se couche. *Le soleil couchant.*
Ne pas confondre avec le participe présent invariable **couchant.** *Le bruit n'avait pas troublé le sommeil des enfants, ceux-ci couchant à l'étage.*

couche n. f.
1. Substance étalée sur une surface. *Une couche de peinture.*
2. Linge absorbant. *Changer la couche de bébé.*

couche-culotte n. f. (pl. *couches-culottes*)
Culotte de bébé en tissu imperméable et munie d'une couche.

coucher v. tr., intr., pronom.
Verbe transitif
1. Étendre de son long. *Martine a couché sa petite sœur.* **SYN.** mettre au lit.
2. Courber. *Le vent a couché les branches.* **SYN.** incliner, pencher.
Verbe intransitif
S'étendre pour prendre du repos. *Pierre a décidé de coucher dans le solarium pour avoir un peu de fraîcheur.*
Verbe pronominal
Se mettre au lit. *Elles se sont couchées tôt.*
Locution
Coucher à la belle étoile. (FIGURÉ) Passer la nuit au grand air.
Conjugaison [VOIR MODÈLE – **AIMER**]

coucher n. m.
1. Action de se coucher, de mettre au lit. *Le coucher des enfants.*
2. Action de disparaître, en parlant du soleil, de la lune.

couche-tard adj. et n. m. et f. inv. (pl. *couche-tard*)
Qui se couche à une heure tardive. **ANT.** couche-tôt.

couche-tôt adj. et n. m. et f. inv. (pl. *couche-tôt*)
Qui se couche de bonne heure. **ANT.** couche-tard.

couchette n. f.
Lit escamotable (dans un train, un bateau).

couci-couça loc. adv.
(FAMILIER) Comme ci, comme ça.
couci-cou**ç**a.

coucou interj. et n. m.
Nom masculin
1. Oiseau gris et noir insectivore qui ressemble à un pigeon. *Des coucous nombreux.*
2. Appareil qui indique l'heure et dont la sonnerie imite le chant du coucou.
Interjection
L'interjection sert à manifester sa présence. *Coucou, nous voilà !*
Ne pas confondre avec les noms suivants :
– ***horloge,*** appareil de grande dimension servant à mesurer le temps et à indiquer l'heure ;
– ***pendule,*** appareil de petite dimension qui indique l'heure ;
– ***réveille-matin*** ou ***réveil,*** appareil qui indique l'heure et qui peut sonner à une heure déterminée à l'avance.

coude n. m.
Partie du corps située en arrière de l'articulation du bras et de l'avant-bras. *Elle s'est appuyée sur son coude.*
Locution
Se serrer les coudes. (FIGURÉ) S'entraider.

couder v. tr.
Courber en forme de coude. *Un tuyau coudé.*
Conjugaison [VOIR MODÈLE – **AIMER**]

coudre v. tr.
Joindre ensemble avec du fil au moyen d'une aiguille. *Des machines à coudre. Des robes cousues main.*
HOM.
– cou, partie du corps ;
– coup, choc brutal ;
– coût, somme que coûte un bien, un service.
Conjugaison [VOIR MODÈLE – **COUDRE**]
INDICATIF PRÉSENT *Je couds, tu couds, il coud, nous cousons, vous cousez, ils cousent.* IMPARFAIT *Je cousais.* PASSÉ SIMPLE *Je cousis.* FUTUR *Je coudrai.* **CONDITIONNEL** PRÉSENT *Je coudrais.* **IMPÉRATIF** PRÉSENT *Couds, cousons, cousez.* **SUBJONCTIF** PRÉSENT *Que je couse.* IMPARFAIT *Que je cousisse.* **PARTICIPE** PRÉSENT *Cousant.* PASSÉ *Cousu, ue.*

couette n. f.
1. Édredon recouvert d'une housse amovible.
2. (FAMILIER) Touffe de cheveux. *Elle porte deux couettes.*

coulant, ante adj.
1. Qui glisse, coulissant.
2. Harmonieux, facile. *Un style coulant.*
Locution
Nœud coulant. Qui se serre de lui-même quand on tire la corde.

coulée n. f.
Action de s'écouler, son résultat. *Une coulée de lave.*

couler v. tr., intr., pronom.
Verbe transitif
1. Submerger. *Couler un bateau.*
2. Verser une matière en fusion. *Couler du bronze.*
Verbe intransitif
1. Aller d'un lieu à l'autre, en parlant d'un liquide. *Les fleuves coulent vers la mer.*
2. Laisser échapper un liquide. *Son nez coule, il est enrhumé.*
Verbe pronominal
Se glisser adroitement. *Le petit se coula tout doucement dans la cachette.*
Locution
Se la couler douce. Vivre agréablement sans effort.
Conjugaison [VOIR MODÈLE – **AIMER**]

couleur n. f.
Teinte. *Les couleurs de l'arc-en-ciel.*
Au pluriel. *Un journal en couleurs, une photo en couleurs, un film en couleurs, la télévision en couleurs.*
Au singulier. *Des vêtements de couleur, des crayons de couleur, du papier à lettre de couleur, des personnages hauts en couleur, des étoffes de couleur, des toitures couleur de cuivre.*
VOIR TABLEAU – **COULEUR (ADJECTIFS DE).**

C

Indicatif

Présent	*Passé composé*
je couds	j' ai cousu
tu couds	tu as cousu
elle coud	elle a cousu
il coud	il a cousu
nous cousons	nous avons cousu
vous cousez	vous avez cousu
elles cousent	elles ont cousu
ils cousent	ils ont cousu

Imparfait	*Plus-que-parfait*
je cousais	j' avais cousu
tu cousais	tu avais cousu
elle cousait	elle avait cousu
il cousait	il avait cousu
nous cousions	nous avions cousu
vous cousiez	vous aviez cousu
elles cousaient	elles avaient cousu
ils cousaient	ils avaient cousu

Passé simple	*Passé antérieur*
je cousis	j' eus cousu
tu cousis	tu eus cousu
elle cousit	elle eut cousu
il cousit	il eut cousu
nous cousîmes	nous eûmes cousu
vous cousîtes	vous eûtes cousu
elles cousirent	elles eurent cousu
ils cousirent	ils eurent cousu

Futur simple	*Futur antérieur*
je coudrai	j' aurai cousu
tu coudras	tu auras cousu
elle coudra	elle aura cousu
il coudra	il aura cousu
nous coudrons	nous aurons cousu
vous coudrez	vous aurez cousu
elles coudront	elles auront cousu
ils coudront	ils auront cousu

Infinitif

Présent	*Passé*
coudre	avoir cousu

Subjonctif

Présent	*Passé*
que je couse	que j' aie cousu
que tu couses	que tu aies cousu
qu' elle couse	qu' elle ait cousu
qu' il couse	qu' il ait cousu
que nous cousions	que nous ayons cousu
que vous cousiez	que vous ayez cousu
qu' elles cousent	qu' elles aient cousu
qu' ils cousent	qu' ils aient cousu

Imparfait	*Plus-que-parfait*
que je cousisse	que j' eusse cousu
que tu cousisses	que tu eusses cousu
qu' elle cousît	qu' elle eût cousu
qu' il cousît	qu' il eût cousu
que nous cousissions	que nous eussions cousu
que vous cousissiez	que vous eussiez cousu
qu' elles cousissent	qu' elles eussent cousu
qu' ils cousissent	qu' ils eussent cousu

Conditionnel

Présent	*Passé*
je coudrais	j' aurais cousu
tu coudrais	tu aurais cousu
elle coudrait	elle aurait cousu
il coudrait	il aurait cousu
nous coudrions	nous aurions cousu
vous coudriez	vous auriez cousu
elles coudraient	elles auraient cousu
ils coudraient	ils auraient cousu

Impératif

Présent	*Passé*
couds	aie cousu
cousons	ayons cousu
cousez	ayez cousu

Participe

Présent	*Passé*
cousant	cousu, ue
	ayant cousu

ADJECTIFS DE **COULEUR**

1. Les **adjectifs de couleur simples** s'accordent en genre et en nombre :

beige
blanc
bleu
blond
brun
châtain
écarlate
fauve
gris
jaune
mauve
noir
pers
pourpre
rose
rouge
roux
vert
violet…

Ex. : *des robes mauves, des jupes violettes, des foulards bleus.*

2. Les **adjectifs dérivant d'adjectifs** ou **de noms** de couleur s'accordent en genre et en nombre :

basané
blanchâtre
cuivré
doré
olivâtre
orangé
rosé
rougeaud
rouquin
verdoyant…

Ex. : *des ciels orangés, des teints olivâtres, des fillettes rouquines.*

3. Les **adjectifs composés** (avec un autre adjectif ou un nom) sont invariables :

arc-en-ciel
bleu foncé
bleu marine
bleu nuit
bleu roi
bleu turquoise
bleu-vert
café au lait
gris acier
gris perle
jaune maïs
noir de jais
rouge tomate
vert-de-gris
vert amande
vert olive…

Ex. : *des écharpes gris perle, une nappe bleu nuit.*

On emploie le trait d'union lorsque deux adjectifs de couleur simples sont juxtaposés. *Des yeux bleu-vert.*

4. Les **noms simples** ou **composés employés comme adjectifs** pour désigner une couleur sont invariables :

abricot
acajou
acier
ambre
améthyste
ardoise
aubergine
auburn
avocat
azur
brique
café
canari
cannelle
caramel
carotte
cerise
chamois
chocolat
citron
cognac
corail
crème
cuivre
ébène
émeraude
fraise
framboise
fuchsia
indigo
ivoire
kaki
lavande
lilas
marine
marron
noisette
olive
orange
pastel
pêche
pervenche
pistache
platine
rouille
saumon
tomate
turquoise
vermillon…

Ex. : *des tapis ardoise, une ombrelle kaki.*

couleuvre n. f.
Serpent non venimeux. *Les couleuvres ne sont pas dangereuses.*

coulissant, ante adj.
Qui glisse sur des coulisses. *Un panneau coulissant.*

coulisse n. f.
1. Glissière. *Une porte à coulisse.*
2. (AU PLURIEL) Partie du théâtre située à l'arrière de la scène. *Martin est allé dans les coulisses pour avoir des autographes des comédiens.*

couloir n. m.
Passage étroit qui conduit d'une pièce à une autre. **SYN.** corridor.

coup n. m.
1. Effet brusque produit par le choc de deux corps. *Des coups de poing, des coups de pied. Recevoir un coup sur la tête.* **SYN.** heurt.
2. Action brusque et soudaine des éléments. *Des coups de tonnerre.*
3. Mouvement d'un organe. *Des coups d'œil, des coups d'aile.*
4. Acte marquant, en bien ou en mal. *Un bon coup, un coup d'État.*
Locutions
À coup sûr, locution adverbiale. Certainement.
Après coup, locution adverbiale. Quand il n'est plus temps.
À tous coups, à tout coup, locution adverbiale. À chaque fois.
Les deux orthographes sont possibles.
Coup de foudre. Amour passionné subit.
Coup de main. Aide momentanée.
Dans cette expression, le terme ***main*** demeure au singulier. *Jacques nous a donné de bons coups de main.*
Coup d'œil. Regard furtif.
Coup de pied. Action de heurter quelqu'un, quelque chose avec le pied.
Ne pas confondre avec le nom ***cou-de-pied,*** partie supérieure du pied.
Coup de poing. Coup donné avec le poing. *Des coups de poing brutaux.*
Coup de pouce. (FIGURÉ) Aide. *Donne-moi un coup de pouce pour déménager.*
Coup de téléphone. Appel téléphonique.
Coup de tête. Décision inconsidérée.
Coup dur. Épreuve.
Coup sur coup, locution adverbiale. Immédiatement, l'un après l'autre.
Sous le coup de, locution adverbiale. Sous l'influence de.
Sur le coup, locution adverbiale. À l'instant même.
Tout à coup, locution adverbiale. Soudainement.
Tout d'un coup, locution adverbiale. En une seule fois.
HOM.
– cou, partie du corps ;
– coud, du verbe ***coudre***;
– coût, somme que coûte un bien, un service.

coupable adj. et n. m. et f.
Qui a commis une faute ou un crime. *Cette personne n'a pas commis ce crime : elle n'est pas coupable.* **SYN.** fautif.

coupant, ante adj.
Tranchant. *Un ton coupant.*
Ne pas confondre avec le participe présent invariable ***coupant.*** *Les jardiniers taillaient la haie, coupant avec adresse les branches superflues.*

coupe n. f.
1. Action, manière de couper quelque chose. *Delphine doit se faire faire une coupe de cheveux.*
2. Verre.

coupe- préf.
Les mots composés avec le préfixe ***coupe-*** s'écrivent avec un trait d'union. Au pluriel, le préfixe ***coupe-,*** qui est un verbe, demeure invariable, tandis que le second élément est parfois variable, parfois invariable.

coupe-feu n. m. inv. (pl. *coupe-feu* ou *coupe-feux*)
Dispositif destiné à empêcher la propagation des incendies.

coupe-gorge n. m. inv. (pl. *coupe-gorge* ou *coupe-gorges*)
Lieu mal fréquenté où l'on risque d'être volé, attaqué.

coupe-ongles n. m. inv. (pl. *coupe-ongles*)
Petite pince servant à couper les ongles.

coupe-papier n. m. inv. (pl. *coupe-papier* ou *coupe-papiers*)
Lame mince servant à ouvrir les enveloppes en coupant le papier plié.

couper v. tr., intr., pronom.
Verbe transitif
1. Diviser un corps avec un instrument tranchant. *Il a coupé le gigot en tranches, elle coupera le pain.* **SYN.** découper.
2. Interrompre, faire cesser. *Les crudités ne coupent pas la faim. Ne coupez pas la communication !* **SYN.** mettre fin.
3. Rendre plus court. *Le coiffeur doit lui couper les cheveux.*
Verbe intransitif
1. Être tranchant. *Ces ciseaux ne coupent pas.*
2. Prendre un chemin plus court. *Les enfants ont coupé à travers le boisé pour aller au village.*
Verbe pronominal
1. Se blesser avec un instrument tranchant. *En cuisinant, elle s'est coupée.* **SYN.** s'entailler.
Le participe passé du pronominal ***se couper*** s'accorde avec le sujet s'il n'est pas suivi d'un autre complément d'objet. *Elle s'est coupée.* Le participe passé est invariable si le complément direct suit le verbe. *Elle s'est coupé la main.* Le participe passé s'accorde si le complément direct vient avant le verbe. *Les portions de tarte qu'elle s'est coupées sont énormes.*
2. S'entrecroiser. *Ces chemins se coupent.*
3. S'isoler. *Ils se sont coupés du monde.*
Locutions
Couper la parole. Interrompre. *Elle m'a coupé la parole de façon arrogante.*
Couper le mal à la racine. (FIGURÉ) Extirper le mal.
Couper l'herbe sous le pied de quelqu'un. (FIGURÉ) Supplanter quelqu'un.
Couper les vivres à quelqu'un. Retrancher les moyens de subsistance à quelqu'un.
Conjugaison [VOIR MODÈLE – **AIMER**]

coupe-vent n. m. (pl. *coupe-vent* ou *coupe-vents*)
Veste courte dont le tissu protège du vent. *Martin, mets ton coupe-vent, car il fait frais aujourd'hui.*

couple n. m. et f.
Nom masculin
Réunion de deux personnes unies par l'amour, l'amitié. *Un couple bien assorti, un couple de skieurs.*
Nom féminin
1. Réunion accidentelle de deux choses, deux êtres de même espèce. *Une couple de serviettes.*

C

2. À peu près deux. *Je serai là dans une couple de jours.*
🔊 En ce sens, le mot est vieilli.

couplet n. m.
Strophe d'une chanson, suivie généralement d'un refrain.
✏ couple**t.**

coupole n. f.
Voûte d'un dôme.
🔊 La ***coupole*** est surtout vue de l'intérieur, alors que le ***dôme*** est vu de l'extérieur.
✏ coupo**l**e.

coupon n. m.
1. Morceau d'étoffe. *Solde de coupons.*
2. Partie détachable d'un titre, d'un billet. *Laurent a des coupons pour aller au cinéma.*

coupon-réponse n. m. (pl. *coupons-réponse*)
Partie détachable d'une annonce.

coupure n. f.
1. Blessure causée par un instrument tranchant. *Elle a une coupure à la main.* **SYN.** entaille, incision.
2. (FIGURÉ) Séparation nette. *Une coupure entre son ancien travail et son travail actuel.* **SYN.** rupture.
3. Suppression, censure.
4. Article découpé. *Une coupure de journal* (et non une *découpure).
5. Billet de banque. *Une coupure de 100 $.*
Forme fautive
*coupures budgétaires. Anglicisme pour ***compressions budgétaires, réductions budgétaires.***

coupure des mots
VOIR TABLEAU – **DIVISION DES MOTS.**

cour n. f.
1. Espace situé à l'arrière d'un bâtiment. *La cour d'une école.*
2. Le lieu où est un souverain et son entourage. *Les belles dames allaient à la cour en robe longue.*
3. Tribunal supérieur. *La cour supérieure, la cour suprême, la cour d'appel.*
🔊 Les désignations de tribunaux s'écrivent avec des minuscules.
Locution
Faire la cour à quelqu'un. Exprimer de l'amour, de l'admiration à quelqu'un.

courage n. m.
1. Bravoure et force de caractère pour vaincre des difficultés. *Bon courage !* **SYN.** ardeur, audace, fermeté, vaillance.
2. Énergie consacrée à une activité. *Je n'ai pas de courage ce matin pour me lever ; je resterais bien au lit.*

courageusement adv.
Avec courage. *Ils ont affronté le danger courageusement.*

courageux, euse adj.
Brave, énergique. *Ces pompiers sont bien courageux pour affronter les incendies.* **SYN.** audacieux, vaillant, valeureux.

couramment adv.
1. Facilement. *Elle parle anglais couramment.* **SYN.** aisément.
2. De façon courante. *Cette expression s'emploie couramment.* **SYN.** habituellement, ordinairement.

courant, ante adj. et n. m.
Adjectif
1. Qui est en cours. *Les 20 et 21 (du mois) courant.*
2. Habituel. *Prix courant* (et non prix *régulier).
Nom masculin
Mouvement des liquides qui suivent leur pente. *Le courant de la rivière est assez fort.*
Locutions
Courant électrique. Déplacement d'électricité. *Une panne de courant.*
Être au courant. Être informé.
Mettre, tenir au courant. Renseigner. *Tenez-moi au courant de ses progrès.*

courbature n. f.
Lassitude, douleur des membres. *Après sa première journée de randonnée, Nouni avait des courbatures.*

courbaturé, ée adj.
Qui souffre de courbatures. *Nouni est courbaturée.*

courbaturer v. tr.
Causer une courbature. *La randonnée pédestre a courbaturé mes parents.*
Conjugaison [VOIR MODÈLE – **AIMER**]

courbe adj. et n. f.
Adjectif
En forme d'arc. *Une ligne courbe.*
Nom féminin
Ligne courbe. *Le graphique montre la courbe des profits.*
Forme fautive
*courbe. Anglicisme au sens de ***virage, tournant.***

courber v. tr., intr., pronom.
1. Rendre courbe. *Courber une branche.* **SYN.** arrondir.
2. Fléchir. *Courber la tête.* **SYN.** pencher.
Conjugaison [VOIR MODÈLE – **AIMER**]

courbette n. f.
Politesse exagérée. *Faire des courbettes.*

coureur, euse n. m. et f.
1. Personne qui participe à une course. *Un coureur automobile, un coureur cycliste.*
2. Personne volage. *Un coureur de jupons.*
Locution
Coureur des bois. ⚜ (ANCIENNEMENT) Trappeur.

courge n. f.
Plante potagère, fruit de cette plante.

courgette n. f.
Plante potagère ; fruit allongé de cette plante. *Des courgettes farcies.*

courir v. tr., intr.
Verbe transitif
1. Participer à une course. *Elle a couru le marathon.*
2. Parcourir. *Ils ont couru le monde.*
3. (FIGURÉ) Être exposé à. *Courir un risque.*
4. Rechercher. *Courir les soldes.*
Verbe intransitif
1. Aller à vive allure. *Les enfants ont couru pendant 30 minutes.*
2. S'écouler. *Le temps qui court.*
Locution
Courir après. Rechercher avec ardeur. *Un policier qui court après un voleur.*
Conjugaison [VOIR MODÈLE – **COURIR**]
INDICATIF PRÉSENT *Je cours, tu cours, il court, nous courons, vous courez, ils courent.* IMPARFAIT *Je courais.* PASSÉ SIMPLE *Je courus.* FUTUR *Je courrai.* **CONDITIONNEL** PRÉSENT *Je courrais.* **IMPÉRATIF** PRÉSENT *Cours, courons, courez.* **SUBJONCTIF** PRÉSENT *Que je coure.* IMPARFAIT *Que je courusse.* **PARTICIPE** PRÉSENT *Courant.* PASSÉ *Couru, ue.*

Indicatif

Présent	*Passé composé*
je cours	j' ai couru
tu cours	tu as couru
elle court	elle a couru
il court	il a couru
nous courons	nous avons couru
vous courez	vous avez couru
elles courent	elles ont couru
ils courent	ils ont couru

Imparfait	*Plus-que-parfait*
je courais	j' avais couru
tu courais	tu avais couru
elle courait	elle avait couru
il courait	il avait couru
nous courions	nous avions couru
vous couriez	vous aviez couru
elles couraient	elles avaient couru
ils couraient	ils avaient couru

Passé simple	*Passé antérieur*
je courus	j' eus couru
tu courus	tu eus couru
elle courut	elle eut couru
il courut	il eut couru
nous courûmes	nous eûmes couru
vous courûtes	vous eûtes couru
elles coururent	elles eurent couru
ils coururent	ils eurent couru

Futur simple	*Futur antérieur*
je courrai	j' aurai couru
tu courras	tu auras couru
elle courra	elle aura couru
il courra	il aura couru
nous courrons	nous aurons couru
vous courrez	vous aurez couru
elles courront	elles auront couru
ils courront	ils auront couru

Infinitif

Présent	*Passé*
courir	avoir couru

Subjonctif

Présent	*Passé*
que je coure	que j' aie couru
que tu coures	que tu aies couru
qu' elle coure	qu' elle ait couru
qu' il coure	qu' il ait couru
que nous courions	que nous ayons couru
que vous couriez	que vous ayez couru
qu' elles courent	qu' elles aient couru
qu' ils courent	qu' ils aient couru

Imparfait	*Plus-que-parfait*
que je courusse	que j' eusse couru
que tu courusses	que tu eusses couru
qu' elle courût	qu' elle eût couru
qu' il courût	qu' il eût couru
que nous courussions	que nous eussions couru
que vous courussiez	que vous eussiez couru
qu' elles courussent	qu' elles eussent couru
qu' ils courussent	qu' ils eussent couru

Conditionnel

Présent	*Passé*
je courrais	j' aurais couru
tu courrais	tu aurais couru
elle courrait	elle aurait couru
il courrait	il aurait couru
nous courrions	nous aurions couru
vous courriez	vous auriez couru
elles courraient	elles auraient couru
ils courraient	ils auraient couru

Impératif

Présent	*Passé*
cours	aie couru
courons	ayons couru
courez	ayez couru

Participe

Présent	*Passé*
courant	couru, ue ayant couru

couronne n. f.
1. Ornement destiné à encercler la tête. *Une couronne en or et en diamants.*
2. Royauté. *La couronne d'Angleterre.*
3. Unité monétaire de plusieurs pays (Danemark, Suède, etc.). *La couronne suédoise, la couronne danoise.*

couronnement n. m.
1. Action de couronner. *Le couronnement d'un roi.*
2. (FIGURÉ) Achèvement. *C'est le couronnement de sa carrière.* **SYN.** accomplissement.

couronner v. tr.
1. Mettre une couronne. *Le prince sera couronné dans trois ans.*
2. (FIGURÉ) Terminer quelque chose par une réussite. *Ce roman a été couronné par un prix.*
3. (FIGURÉ) Récompenser. *Ce beau succès couronne de longs efforts.* **SYN.** souligner.
Conjugaison [VOIR MODÈLE – **AIMER**]

courrier n. m.
Ensemble des lettres, des imprimés, etc., acheminé par la poste. *Maman a reçu beaucoup de courrier ce matin.*
Locution
Courrier électronique. (INFORMATIQUE) Courrier dont l'acheminement se fait exclusivement par l'utilisation de systèmes électroniques reliés entre eux.

courroie n. f.
Bande (de cuir, de tissu, etc.) pour attacher ou pour transmettre un mouvement circulaire. *Attache la courroie de ton sac.* **SYN.** attache, lanière.

cours n. m.
1. Mouvement d'un cours d'eau. *Détourner le cours d'une rivière.* **SYN.** courant.
2. Suite d'exposés sur une matière. *Un cours d'écologie. Les étudiants n'ont pas cours aujourd'hui* ou *n'ont pas de cours. Des cours de rattrapage.* **SYN.** leçon.
3. Prix des marchandises. *Le cours de l'or.* **SYN.** taux.
Locutions
Au cours de, locution prépositive. Durant, pendant.
Avoir cours. Être reconnu, utilisé. *Cette monnaie n'a plus cours.*
Cours d'eau. Fleuve, ruisseau, rivière.
Donner (libre) cours à sa joie. Ne plus la contenir.
En cours de. Pendant.
Formes fautives
*cours primaire, secondaire. Impropriété au sens de ***études primaires, secondaires, enseignement primaire, secondaire.***
*prendre un cours. Calque de l'anglais « to take a course » pour ***suivre un cours, s'inscrire à un cours.***
HOM. court, qui a peu de longueur.
✎ cour**s**, un ***s*** final même au singulier.

course n. f.
1. Action de courir. *Cheval de course. Champ de courses.*
2. Épreuve de vitesse. *Les garçons et les filles ont participé à la course.*
3. (AU PLURIEL) Achat. *Faire des courses.* **SYN.** emplette, magasinage.
4. (FIGURÉ) Mouvement. *La course des nuages.*

court, courte adj., adv. et n. m.
👄 Le ***t*** ne se prononce pas [kur].
Adjectif
1. Qui a peu de longueur. *Une robe courte.*
2. Qui a peu de durée. *L'été est trop court.* **SYN.** bref. **ANT.** long.
Adverbe
Des cheveux coupés court.
☞ Employé adverbialement, ***court*** est invariable.
Nom masculin
Terrain de tennis. *Nous avons réservé le court pour 15 h.*
Locutions
Couper court à (un entretien, une conversation). Interrompre.
Être à court (d'arguments, d'idées, d'argent). Manquer de. *Je suis à court de sucre pour faire un gâteau.*
Prendre de court. Prendre au dépourvu. *Ils ont été pris de court par son arrivée.*
Tourner court. S'arrêter brusquement. *La fête a tourné court à cause de l'orage.*
Tout court. Sans rien ajouter.
HOM. cours, mouvement d'un cours d'eau.

court métrage ou **court-métrage** n. m. (pl. *courts métrages* ou *courts-métrages*)
Film dont la durée excède rarement 20 minutes. **ANT.** long(-)métrage.

court-circuit n. m. (pl. *courts-circuits*)
Mise en contact accidentelle de deux fils électriques du même circuit.

courtepointe n. f.
Couverture piquée. *De jolies courtepointes faites à la main.*

courtier n. m.
courtière n. f.
Intermédiaire qui se charge, moyennant une prime, de certaines opérations financières ou commerciales. *Un courtier en immeubles, une courtière en valeurs mobilières.*

courtisan n. m.
(VIEUX) Personne attachée à la cour d'un roi, d'un prince.

courtiser v. tr.
Faire la cour à quelqu'un, chercher à lui plaire.
Conjugaison [VOIR MODÈLE – **AIMER**]

courtois, oise adj.
Poli et aimable. *Ce monsieur est toujours très courtois.* **SYN.** affable.
Locution
Amour courtois. Amour chevaleresque exalté par les troubadours. *Le roman* Azalaïs *raconte une histoire d'amour courtois.*

courtoisie n. f.
Politesse et amabilité. *Traite les visiteurs avec courtoisie.* **SYN.** affabilité.

couru, ue adj.
Recherché. *Un film très couru.* **SYN.** populaire.

couscous n. m.
👄 Les deux ***s*** se prononcent [kuskus].
Mets arabe composé de semoule de blé accompagnée de viande de mouton, de poulet, etc.

cousin, ine n. m. et f.
Se dit d'enfants qui sont nés ou descendent de frères ou de sœurs. *Fanny aime jouer avec sa cousine Laurence.*

coussin n. m.
Pièce d'étoffe, de cuir rembourrée, servant d'appui ou d'ornement. *Un coussin de velours.*

Locution
Coussin gonflable. Dispositif de sécurité d'un véhicule destiné à réduire les blessures en cas d'accident.

cousu, ue adj.
Assemblé par une couture. *La ceinture est mal cousue. Un vêtement cousu à la main.*
Locutions
Bouche cousue. (FIGURÉ) En promettant de garder le secret. *Bouche cousue, je ne dirai rien à personne.*
Cousu de fil blanc. (FIGURÉ) Qui ne trompe personne. *Son histoire est invraisemblable, elle est cousue de fil blanc.*
Cousu d'or. Très riche. *Nos voisins semblent cousus d'or.*

coût n. m.
Ce que coûte une chose. *Le coût d'une paire de patins.* **SYN.** prix.
HOM.
– **cou**, partie du corps ;
– **coud**, du verbe ***coudre***;
– **coup**, choc brutal.

couteau n. m. (pl. *couteaux*)
Instrument tranchant. *Des couteaux à pain. Un couteau de poche. Un couteau à scie.*
Locution
Être à couteaux tirés. (FIGURÉ) Être en mauvais termes avec quelqu'un.

coûter v. tr., intr.
Verbe transitif
Causer, occasionner. *Les efforts que cette recherche m'a coûtés.*
À la forme transitive, le participe passé s'accorde avec le complément d'objet direct qui précède le verbe.
Verbe intransitif
1. Exiger une dépense. *Ce voyage coûte cher.* **SYN.** revenir, valoir.
2. Être pénible, désagréable. *Cela me coûte beaucoup.* **SYN.** peser.
Quand il est construit avec un complément de prix (combien ?), le participe passé ***coûté*** est invariable. *Les 80 $ que cette montre m'a coûté.*
Locution
Coûte que coûte. Quel que soit le prix. *Elle réussira, coûte que coûte.* **SYN.** absolument.
Conjugaison [VOIR MODÈLE – **AIMER**]
coûter.

coûteux, euse adj.
Qui nécessite une forte dépense. *Le ski alpin est coûteux.* **SYN.** cher.
coûteu**x**.

coutume n. f.
1. Habitude passée dans les mœurs. *À Pâques, la coutume est de cacher des œufs en chocolat un peu partout dans le jardin.* **SYN.** mode, tradition, usage.
2. Droit établi par l'usage. *Les us et coutumes d'un pays.*
Locutions
Avoir coutume de. Avoir l'habitude de.
Comme de coutume. Comme d'habitude.

couture n. f.
1. Action, manière de coudre. *Bénédicte aime bien faire de la couture ; elle travaillera peut-être dans la haute couture.*
2. Assemblage de deux choses cousues. *Les coutures de son anorak sont solides.*
Locutions
Battre à plate(s) couture(s). (FIGURÉ) Infliger une défaite complète.
Examiner quelqu'un, quelque chose sous ou *sur toutes les coutures.* (FIGURÉ) Étudier de façon minutieuse et complète.

couturier n. m.
couturière n. f.
Personne qui coud des vêtements.
Locution
Grand couturier. Personne qui dirige une maison de couture. *Coco Chanel était un grand couturier.*
Cette expression ne s'emploie qu'au masculin, en ce sens.

couvée n. f.
1. Œufs que couve en même temps un oiseau.
2. Les petits, éclos de l'œuf. *La poule est suivie de sa couvée, de ses poussins.*

couvent n. m.
1. Maison religieuse. *La chapelle du couvent.*
2. Ensemble des religieux et des religieuses d'une communauté.
3. Pensionnat tenu par des religieuses. *Nouni a étudié au couvent d'Outremont.*
Ce nom est vieilli en ce sens.

couventine n. f.
Jeune fille qui étudiait au couvent. *Elle portait une jupe écossaise de couventine.*

couver v. tr., intr.
Verbe transitif
1. Couvrir les œufs jusqu'à leur éclosion. *L'oiseau couve ses œufs dans le nid.*
2. (FIGURÉ) Entourer de soins à l'excès. *Cette dame couve trop ses enfants.* **SYN.** surprotéger.
Verbe intransitif
Se préparer, sans être visible. *Un feu qui couve sous la cendre.*
Locutions
Couver (une maladie). Être sur le point d'être malade. *Je ne me sens pas très bien, je dois couver une grippe.*
Couver des yeux. Regarder avec affection.
Conjugaison [VOIR MODÈLE – **AIMER**]

couvercle n. m.
Ce qui couvre un pot, une boîte. *Ferme le couvercle* (et non le *couvert).

couvert, erte adj. et n. m.
Adjectif
1. Qu'on a couvert. *Un abri couvert. La tête couverte.*
2. Caché. *Elle avait le visage couvert.* **SYN.** dissimulé.
3. Rempli. *Un pommier couvert de pommes.* **SYN.** plein.
4. Protégé. *Le voleur était couvert par son complice.*
Nom masculin
Ustensiles. *Chaque couvert comprend fourchettes, couteaux et cuillères.*
Locution
Parler à mots couverts. Ne pas s'exprimer clairement, mais par des allusions, en termes voilés.
Forme fautive
*couvert. Impropriété au sens de ***couvercle.***

***couverte**
Mot ancien au sens de ***couverture.***

couverture n. f.
1. Toit d'un bâtiment. *Une belle couverture d'ardoise.* **SYN.** toiture.
2. Ce qui couvre un livre, une revue. *La* ***couverture d'un livre,*** mais le ***couvercle d'un chaudron.***

3. Pièce de lainage destinée à garder au chaud. *Une couverture écossaise* (et non une *couverte).
Locution
Tirer la couverture à soi. (FIGURÉ) Chercher à avoir la plus grosse, la meilleure part de quelque chose.

couvre- préf.
Les noms composés avec le préfixe ***couvre-*** s'écrivent avec un trait d'union ; le mot ***couvre-*** demeure invariable puisqu'il s'agit du verbe, tandis que le second élément prend la marque du pluriel. *Des couvre-lits.*

couvre-chaussure n. m. (pl. *couvre-chaussures*)
⚜ Enveloppe imperméable servant à protéger les chaussures de la pluie.

couvre-feu n. m. (pl. *couvre-feux*)
1. Signal qui marque l'heure de se retirer et d'éteindre les lumières. *Le couvre-feu est fixé à 21 heures pendant la semaine.*
2. Interdiction de sortir de chez soi à certaines heures. *Pendant la guerre, on a imposé un couvre-feu.*

couvre-lit n. m. (pl. *couvre-lits*)
Couverture servant de dessus-de-lit. *Fanny a un couvre-lit multicolore.* **SYN.** couette, couvre-pied, édredon.

couvre-pied ou **couvre-pieds** n. m. inv. (pl. *couvre-pieds*)
Couverture de lit. *Martin aime les couvre-pieds bien chauds.* **SYN.** couette, couvre-lit, édredon.

couvreur n. m.
couvreuse n. f.
Personne qui répare les toitures. *La toiture coule, il faut appeler un couvreur.*

couvrir v. tr., pronom.
Verbe transitif
1. Revêtir d'une chose pour cacher, protéger, orner, etc. *Couvrir un livre.* **SYN.** protéger, recouvrir.
2. Donner en grande quantité. *Couvrir d'honneurs une athlète.* **SYN.** combler.
3. Mettre un couvercle à. *Couvre ce plat afin que les légumes restent bien chauds.*
Verbe pronominal
1. Se remplir. *Le ciel se couvre de nuages.*
2. Se vêtir. *Il s'est couvert d'un imperméable. Couvre-toi bien, il fait froid aujourd'hui.* **SYN.** s'habiller.
3. Se protéger. *La société se couvre de ces risques par une assurance.* **SYN.** garantir.
Conjugaison [VOIR MODÈLE – **OUVRIR**]
INDICATIF PRÉSENT *Je couvre, tu couvres, il couvre, nous couvrons, vous couvrez, ils couvrent.* IMPARFAIT *Je couvrais.* PASSÉ SIMPLE *Je couvris.* FUTUR *Je couvrirai.* **CONDITIONNEL** PRÉSENT *Je couvrirais.* **IMPÉRATIF** PRÉSENT *Couvre, couvrons, couvrez.* **SUBJONCTIF** PRÉSENT *Que je couvre.* IMPARFAIT *Que je couvrisse.* **PARTICIPE** PRÉSENT *Couvrant.* PASSÉ *Couvert, erte.*

***cover charge**
Anglicisme au sens de ***prix d'entrée, droit d'entrée.***
📢 L'expression anglaise « no cover charge » se rend par ***entrée libre.***

covoiturage n. m.
Transport par voiture particulière de plusieurs personnes qui se cotisent pour partager les frais d'utilisation du véhicule.

cow-boy n. m. (pl. *cow-boys*)
👄 Les lettres ***ow*** se prononcent ***aou*** [kawbɔj].
Gardien d'un troupeau de bovins dans l'ouest de l'Amérique du Nord. *Un chapeau de cow-boy.*

coyote n. m.
Animal sauvage, mammifère carnivore à la fourrure fauve, voisin du loup et du chacal.
✏ coyo**t**e.

C.P.
Abréviation de ***case postale.***

Cr
Symbole de ***chrome.***

crabe n. m.
Crustacé qui possède huit pattes et deux pinces. *Les amis sont allés à la pêche au crabe.*

crac ! interj.
Interjection qui exprime un bruit de rupture.
HOM. krach, effondrement de la bourse.

crachat n. m.
Salive, mucosités rejetées par la bouche.
✏ crach**at,** un ***t*** final.

craché, ée adj.
Locution
Tout craché. (FAMILIER) Qui ressemble beaucoup à quelqu'un d'autre. *C'est son oncle tout craché.*

cracher v. tr., intr.
1. Rejeter de la bouche la salive, les mucosités qui s'y trouvent. *Cracher du sang.*
2. (FIGURÉ) Rejeter au dehors. *Un volcan qui crache de la lave.*
Conjugaison [VOIR MODÈLE – **AIMER**]

craie n. f.
1. Roche blanche calcaire.
2. Bâtonnet de cette substance servant à écrire (sur une ardoise, un tableau). *Elle a dessiné un beau soleil au tableau avec une craie jaune.*

craindre v. tr.
1. S'inquiéter. *Ne crains rien, je n'en parlerai à personne.* **SYN.** s'en faire.
📢 En ce sens, le verbe s'emploie dans une phrase négative.
2. Avoir peur de quelqu'un, de quelque chose. *Marie-Ève et Étienne ne craignent pas l'eau, ils adorent nager. Amélie craint les chiens et les araignées.* **SYN.** redouter.
↝ Ce verbe ainsi que tous ceux qui expriment une notion de crainte (***avoir peur, redouter, trembler,*** etc.) se construisent avec le subjonctif ou avec la préposition ***de*** suivie de l'infinitif. *Je crains qu'il ne puisse venir. Il craint de lui faire de la peine.*
3. Être sensible à quelque chose, ne pas supporter. *Ces produits craignent l'humidité. Cette vigne craint le froid.*
Conjugaison [VOIR MODÈLE – **CRAINDRE**]
Les lettres ***gn*** sont suivies d'un ***i*** à la première et à la deuxième personne du pluriel de l'indicatif imparfait et du subjonctif présent. *(Que) nous craignions, (que) vous craigniez.*

crainte n. f.
Peur. *La crainte de l'avion. La crainte de tomber.* **SYN.** angoisse, effroi, frayeur, (FAMILIER) frousse.
Locutions
De crainte que + subjonctif. De peur que. *Il n'ose partir de crainte qu'elle ne vienne pendant ce temps.*
De crainte de. De peur de. *Il n'ose partir de crainte de ne pas la voir.*

C

Indicatif

Présent

je crains
tu crains
elle craint
il craint
nous craignons
vous craignez
elles craignent
ils craignent

Passé composé

j' ai craint
tu as craint
elle a craint
il a craint
nous avons craint
vous avez craint
elles ont craint
ils ont craint

Imparfait

je craignais
tu craignais
elle craignait
il craignait
nous craignions
vous craigniez
elles craignaient
ils craignaient

Plus-que-parfait

j' avais craint
tu avais craint
elle avait craint
il avait craint
nous avions craint
vous aviez craint
elles avaient craint
ils avaient craint

Passé simple

je craignis
tu craignis
elle craignit
il craignit
nous craignîmes
vous craignîtes
elles craignirent
ils craignirent

Passé antérieur

j' eus craint
tu eus craint
elle eut craint
il eut craint
nous eûmes craint
vous eûtes craint
elles eurent craint
ils eurent craint

Futur simple

je craindrai
tu craindras
elle craindra
il craindra
nous craindrons
vous craindrez
elles craindront
ils craindront

Futur antérieur

j' aurai craint
tu auras craint
elle aura craint
il aura craint
nous aurons craint
vous aurez craint
elles auront craint
ils auront craint

Infinitif

Présent

craindre

Passé

avoir craint

Subjonctif

Présent

que je craigne
que tu craignes
qu' elle craigne
qu' il craigne
que nous craignions
que vous craigniez
qu' elles craignent
qu' ils craignent

Passé

que j' aie craint
que tu aies craint
qu' elle ait craint
qu' il ait craint
que nous ayons craint
que vous ayez craint
qu' elles aient craint
qu' ils aient craint

Imparfait

que je craignisse
que tu craignisses
qu' elle craignît
qu' il craignît
que nous craignissions
que vous craignissiez
qu' elles craignissent
qu' ils craignissent

Plus-que-parfait

que j' eusse craint
que tu eusses craint
qu' elle eût craint
qu' il eût craint
que nous eussions craint
que vous eussiez craint
qu' elles eussent craint
qu' ils eussent craint

Conditionnel

Présent

je craindrais
tu craindrais
elle craindrait
il craindrait
nous craindrions
vous craindriez
elles craindraient
ils craindraient

Passé

j' aurais craint
tu aurais craint
elle aurait craint
il aurait craint
nous aurions craint
vous auriez craint
elles auraient craint
ils auraient craint

Impératif

Présent

crains
craignons
craignez

Passé

aie craint
ayons craint
ayez craint

Participe

Présent

craignant

Passé

craint, ainte
ayant craint

C

Le nom se construit avec un complément déterminatif ou un infinitif.

craintif, ive adj.
Peureux. **SYN.** angoissé, anxieux. **ANT.** audacieux.

craintivement adv.
Avec crainte.

crampe n. f.
Contraction douloureuse des muscles. *Elle a une crampe à la jambe.*

crampon n. m.
Pièce de fer recourbée, servant à attacher fortement, à retenir. *Des souliers à crampons.*

cramponner (se) v. pronom.
1. S'accrocher. *Ils se cramponnaient aux branches pour ne pas tomber.* **SYN.** s'agripper, se retenir.
2. (FIGURÉ) Tenir fermement à quelque chose, malgré les obstacles. *Elle se cramponne à la vie, malgré sa terrible maladie.*
Le participe passé de ce verbe qui n'existe qu'à la forme pronominale s'accorde toujours en genre et en nombre avec le sujet du verbe.
Conjugaison [VOIR MODÈLE – **AIMER**]

cran n. m.
1. Trou, entaille servant d'arrêt. *Serrer d'un cran sa ceinture.* **SYN.** coche.
2. (FIGURÉ) Rang, degré. *Monter d'un cran dans le classement.*
3. (FAMILIER) Sang-froid. *Elle a du cran.* **SYN.** audace, courage, (FAMILIER) culot.
Locution
À cran. (FAMILIER) À bout de nerfs. *Il est à cran ce matin, il a mal dormi.* **SYN.** exaspéré, nerveux.
cr**an.**

crâne n. m.
Boîte osseuse qui contient le cerveau. *Une fracture du crâne.*
cr**â**ne.

crâner v. intr.
Affecter le courage. *Il crânait, mais il était très inquiet.* **SYN.** faire semblant.
Conjugaison [VOIR MODÈLE – **AIMER**]
cr**â**ner.

crâneur, euse adj. et n. m. et f.
Personne qui affecte la bravoure.
cr**â**neur.

crânien, ienne adj.
Qui se rapporte au crâne. *Les nerfs crâniens.*
cr**â**nien.

crapaud n. m.
Batracien au corps trapu recouvert d'une peau rugueuse. *Le crapaud appartient à la même famille que la grenouille.*
crapau**d.**

crapule n. f.
Bandit. *Cet homme est une crapule.* **SYN.** escroc, voleur.
Ce nom est toujours féminin.

crapuleux, euse adj.
Malhonnête.

***craque**
Anglicisme au sens de ***fissure, fente, crevasse.***
Anglicisme au sens de ***pique, pointe, blague.***

craqueler v. tr., pronom.
Verbe transitif
Fendiller une glaçure, un émail, etc., en tous sens.
Verbe pronominal
Se fendiller. *La glace se craquelle, la peinture est craquelée.*
Conjugaison [VOIR MODÈLE – **APPELER**]
Redoublement du ***l*** devant un **e** muet. *Je craquelle, je craquellerai,* mais *je craquelais.*

craquement n. m.
Bruit sec que font certains corps en craquant ou en se brisant. *On a entendu un craquement sec et la glace du lac a cédé.* **SYN.** crépitement.

craquer v. intr.
1. Faire un bruit sec en se cassant, en tombant, etc. *L'escalier craque.*
2. (FAMILIER) Perdre la maîtrise de soi-même. *À cette nouvelle, il a craqué.* **SYN.** se décourager, s'effondrer.
3. (FAMILIER) Céder à une envie. *Les enfants ont craqué : ils ont mangé tous les gâteaux.*
Forme fautive
*craquer. Anglicisme au sens de ***fendre, crevasser.***
Conjugaison [VOIR MODÈLE – **AIMER**]

crasse adj. f. et n. f.
Nom féminin
Saleté. *Tu es couvert de crasse, tu ferais bien de te laver.*
Adjectif féminin
Cet adjectif ne s'emploie que dans les expressions ***ignorance crasse, paresse crasse, avarice crasse,*** au sens de « grossière ».

crasseux, euse adj.
Couvert de crasse. *Tes mains sont crasseuses.* **SYN.** malpropre, sale. **ANT.** impeccable, propre.

cratère n. m.
1. Orifice d'un volcan. *Nous avons escaladé l'Etna jusqu'à son cratère.*
2. Dépression causée par l'impact d'un météorite. *Avec un télescope, on peut apercevoir les cratères de la Lune.*

cravache n. f.
Badine de cavalier. *Julien n'aime pas donner des coups de cravache à son cheval.*

cravacher v. tr.
Frapper avec la cravache.
Conjugaison [VOIR MODÈLE – **AIMER**]

cravate n. f.
Pièce d'étoffe qui se noue autour du col de la chemise. *Son père porte des cravates très colorées.*

crawl n. m. (pl. *crawls*)
Les lettres ***aw*** se prononcent ***o*** [krol].
Type de nage sur le ventre. *Elle nage bien le crawl.*
cra**wl.**

crayon n. m.
Baguette comprenant une mine noire ou de couleur et servant à écrire, à dessiner. *Des crayons de couleur.*
Locutions
Crayon à bille. Crayon comprenant une boule métallique imbibée d'encre. *Des crayons à bille noirs.* **SYN.** stylo-bille.
Crayon-feutre. Crayon à pointe de feutre imbibée d'encre. *Des crayons-feutres multicolores.* **SYN.** feutre, stylo-feutre.

crayonnage n. m.
Action de crayonner.

crayonner v. tr.
Écrire ou dessiner au crayon, de façon simple. **SYN.** gribouiller.
Conjugaison [VOIR MODÈLE – **AIMER**]

créancier, ière n. m. et f.
Personne à qui une somme d'argent est due. **ANT.** débiteur.

créateur, trice adj. et n. m. et f.
Adjectif
Qui crée, inventif. *Une imagination créatrice.* **SYN.** créatif.
Nom masculin et féminin
Concepteur. *La créatrice de ce procédé est une jeune chimiste.* **SYN.** auteur, inventeur.
Lorsqu'il désigne Dieu, ce nom s'écrit avec une majuscule.

créatif, ive adj.
Qui fait preuve de créativité. *Un esprit créatif.* **SYN.** créateur, inventif.

création n. f.
1. Action de faire quelque chose de rien. *La création du monde.*
2. Action d'imaginer, de concevoir. *Ce musicien est en pleine création.* **SYN.** conception, invention.
3. Œuvre créée. *Les créations de la haute couture.*

créativité n. f.
Faculté d'invention, capacité d'imagination. *Ces jeunes ont fait preuve de beaucoup de créativité.*

créature n. f.
Tout être créé. *Qu'est-ce que cette étrange créature ? Un extraterrestre ?*

crécelle n. f.
Moulinet de bois qui tourne avec un son crépitant.

crèche n. f.
Décor figuré de l'étable de Bethléem et statuettes représentant la Nativité. *Une jolie crèche de Noël.*

crédit n. m.
1. (COMPTABILITÉ) Partie d'un compte qui mentionne les sommes remises à celui qui tient le compte. **ANT.** débit.
2. Délai de paiement. *Un crédit de 30 jours. Des cartes de crédit.*
3. (AU PLURIEL) Somme prévue au budget d'un organisme public. *Les crédits ont été réduits.*
4. Influence. *Il a beaucoup de crédit auprès de la communauté des affaires.*
5. Unité de valeur dans l'enseignement secondaire, collégial et universitaire. *Au trimestre dernier, Nicolas a fait 15 crédits.*
Locution
À crédit. À payer plus tard. *Acheter des meubles à crédit.* **ANT.** comptant.

créditer v. tr.
Porter une somme au crédit de. *Christian a crédité son compte de 200 dollars ; il a déposé cette somme dans son compte.*
Conjugaison [VOIR MODÈLE – **AIMER**]

crédule adj.
À qui on peut faire croire n'importe quoi. *Cette personne est trop crédule, on peut la rouler facilement.* **SYN.** naïf. **ANT.** méfiant, soupçonneux.

crédulité n. f.
Naïveté, facilité excessive à croire les choses.

créer v. tr.
1. Faire quelque chose de rien. *Créer un nouveau produit, une nouvelle mode.* **SYN.** concevoir, imaginer, inventer, produire.
2. Mettre sur pied. *Madeleine a créé une entreprise.* **SYN.** constituer, former.
3. Produire, susciter. *Ces incertitudes ont créé un malaise.* **SYN.** causer, occasionner, provoquer.
Conjugaison [VOIR MODÈLE – **CRÉER**]
INDICATIF PRÉSENT *Je crée, tu crées, il crée, ils créent.* FUTUR *Je créerai, tu créeras.* **CONDITIONNEL** PRÉSENT *Je créerais, tu créerais.* **IMPÉRATIF** PRÉSENT Crée. **SUBJONCTIF** PRÉSENT *Que je crée, que tu crées, qu'il crée, qu'ils créent.* **PARTICIPE** PASSÉ *Créé, créée.*

***crémage**
Impropriété au sens de ***glace*** (pour recouvrir les gâteaux).

crème adj. inv. et n. f.
Nom féminin
Matière grasse du lait dont on fait le beurre. *De la crème fouettée avec des framboises : quel délice !*
Adjectif de couleur invariable
D'un blanc légèrement teinté de jaune. *Des tricots crème.*
VOIR TABLEAU – **COULEUR (ADJECTIFS DE).**
Locutions
Crème caramel. Dessert à base de crème. *Cette crème caramel est succulente.*
Crème glacée. Glace. *Les crèmes glacées du Bilboquet sont fabuleuses.*

crémerie n. f.
La première syllabe se prononce **crè** [krɛmri].
Établissement où l'on vend des produits laitiers. *Youpi ! On va manger de la crème glacée à la crémerie !*
cr**é**merie, un accent aigu, mais un accent grave dans ***crème.***

crémeux, euse adj.
Qui a la consistance de la crème. *Un glaçage bien crémeux.*
cr**é**meux.

créneau n. m. (pl. *créneaux*)
Ouverture pratiquée au sommet d'une tour, d'où l'on tire sur l'assaillant. *Une forteresse à créneaux.*

créole adj. et n. m. et f.
Nom masculin et féminin
Personne de race blanche, née dans les Antilles ou à la Réunion. *Évelyne est une Créole d'Haïti, Éric, un Créole de la Martinique.*
Adjectif
Propre aux créoles. *De la cuisine créole.*
L'adjectif s'écrit avec une minuscule, le nom avec une majuscule.
Nom masculin
Langue mixte issue du contact d'une langue européenne (français, anglais, espagnol, portugais) et de langues indigènes, africaines en particulier, devenue langue maternelle d'une communauté linguistique. *Elle parle le créole.*
Le nom de la langue s'écrit avec une minuscule.

crêpe n. m. et f.
Nom masculin
1. Étoffe. *Du crêpe noir.*
2. Caoutchouc. *Des chaussures de marche à semelles de crêpe.*
Nom féminin
Galette molle et plate cuite dans la poêle. *Une crêpe avec du sirop d'érable.*
cr**ê**pe.

Indicatif

Présent

je	crée
tu	crées
elle	crée
il	crée
nous	créons
vous	créez
elles	créent
ils	créent

Passé composé

j'	ai	créé
tu	as	créé
elle	a	créé
il	a	créé
nous	avons	créé
vous	avez	créé
elles	ont	créé
ils	ont	créé

Imparfait

je	créais
tu	créais
elle	créait
il	créait
nous	créions
vous	créiez
elles	créaient
ils	créaient

Plus-que-parfait

j'	avais	créé
tu	avais	créé
elle	avait	créé
il	avait	créé
nous	avions	créé
vous	aviez	créé
elles	avaient	créé
ils	avaient	créé

Passé simple

je	créai
tu	créas
elle	créa
il	créa
nous	créâmes
vous	créâtes
elles	créèrent
ils	créèrent

Passé antérieur

j'	eus	créé
tu	eus	créé
elle	eut	créé
il	eut	créé
nous	eûmes	créé
vous	eûtes	créé
elles	eurent	créé
ils	eurent	créé

Futur simple

je	créerai
tu	créeras
elle	créera
il	créera
nous	créerons
vous	créerez
elles	créeront
ils	créeront

Futur antérieur

j'	aurai	créé
tu	auras	créé
elle	aura	créé
il	aura	créé
nous	aurons	créé
vous	aurez	créé
elles	auront	créé
ils	auront	créé

Infinitif

Présent

créer

Passé

avoir créé

Subjonctif

Présent

que	je	crée
que	tu	crées
qu'	elle	crée
qu'	il	crée
que	nous	créions
que	vous	créiez
qu'	elles	créent
qu'	ils	créent

Passé

que	j'	aie	créé
que	tu	aies	créé
qu'	elle	ait	créé
qu'	il	ait	créé
que	nous	ayons	créé
que	vous	ayez	créé
qu'	elles	aient	créé
qu'	ils	aient	créé

Imparfait

que	je	créasse
que	tu	créasses
qu'	elle	créât
qu'	il	créât
que	nous	créassions
que	vous	créassiez
qu'	elles	créassent
qu'	ils	créassent

Plus-que-parfait

que	j'	eusse	créé
que	tu	eusses	créé
qu'	elle	eût	créé
qu'	il	eût	créé
que	nous	eussions	créé
que	vous	eussiez	créé
qu'	elles	eussent	créé
qu'	ils	eussent	créé

Conditionnel

Présent

je	créerais
tu	créerais
elle	créerait
il	créerait
nous	créerions
vous	créeriez
elles	créeraient
ils	créeraient

Passé

j'	aurais	créé
tu	aurais	créé
elle	aurait	créé
il	aurait	créé
nous	aurions	créé
vous	auriez	créé
elles	auraient	créé
ils	auraient	créé

Impératif

Présent

crée

créons

créez

Passé

aie créé

ayons créé

ayez créé

Participe

Présent

créant

Passé

créé, ée

ayant créé

crêperie n. f.
Établissement où l'on sert des crêpes.
⊂⊃ crêperie.

crépitement n. m.
Bruit que produit un corps qui flambe, une fusillade, etc. *Laurence écoute les crépitements du bois qui brûle dans la cheminée.* **SYN.** craquement.

crépiter v. intr.
Pétiller. *Le bois qui brûle crépite.* **SYN.** craquer.
Conjugaison [VOIR MODÈLE – **AIMER**]

crépu, ue adj.
Se dit de cheveux naturellement frisés. *Rosa a les cheveux crépus.*

crépuscule n. m.
Lumière diffuse qui suit le coucher du soleil. *C'est le crépuscule, il fera bientôt nuit.* **SYN.** ⚜ brunante, tombée du jour.

cresson n. m.
Plante herbacée qui croît dans l'eau, cultivée pour ses feuilles. *Un potage au cresson.*

crête n. f.
1. Excroissance rouge sur la tête de certains animaux, tel le coq.
2. Sommet. *La crête d'une montagne, la crête d'une vague.*
⊂⊃ crête.

crétin, ine adj. et n. m. et f.
1. Personne atteinte de déficience intellectuelle. **SYN.** débile, idiot.
2. (FAMILIER) Personne stupide. *Espèce de crétin ! Tu aurais dû nous prévenir.* **SYN.** abruti, idiot, imbécile.

cretons n. m. pl.
⚜ Variété de rillettes.

creusage n. m.
Action de creuser. *Le creusage d'un tunnel.*

creuser v. tr., intr., pronom.
Verbe transitif
1. Faire un trou dans. *Creuser le sable, creuser un puits.*
2. (FIGURÉ) Approfondir. *Creuser un sujet, une question.*
Verbe intransitif
Faire un trou. *Les Français et les Britanniques ont creusé pendant plusieurs années pour créer le tunnel sous la Manche qui relie la Grande-Bretagne à la France.*
Verbe pronominal
Devenir creux. *Elle a maigri et ses joues se sont creusées.*
Locutions
Creuser l'appétit. Donner faim. *Cette randonnée m'a creusé l'appétit.*
Se creuser la tête. (FIGURÉ) Chercher intensément.
Conjugaison [VOIR MODÈLE – **AIMER**]

creux, euse adj., adv. et n. m.
Adjectif
1. Dont l'intérieur est vide. *Ce tronc d'arbre est creux.* **SYN.** vide.
2. ⚜ Profond. *Ce lac est très creux.*
Adverbe
Ces boîtes sonnent creux : elles sont vides.
Nom masculin
1. Cavité. *Il y a un creux dans le rocher.* **SYN.** trou, vide.
2. ⚜ Profondeur. *À cet endroit, le fleuve a cinq mètres de creux.*
∽ En ce sens, ce mot provient du vocabulaire de la marine.
Locutions
Avoir un (petit) creux. Avoir faim.
Dans le creux de l'oreille. En secret.

crevaison n. f.
Action de crever, son résultat. *La crevaison d'un pneu* (et non un *flat).

crevasse n. f.
1. Fente profonde. *Les crevasses des glaciers.* **SYN.** faille, fissure.
2. Gerçure. *Cette lotion prévient les crevasses.*

crevasser v. tr., pronom.
Verbe transitif
Faire des crevasses. *La sécheresse crevasse le sol.* **SYN.** fendiller, fissurer.
Verbe pronominal
Être crevassé. *Sa peau s'est crevassée.* **SYN.** se gercer.
Conjugaison [VOIR MODÈLE – **AIMER**]

crevé, ée adj.
1. Qui a crevé, est déchiré. *Un pneu crevé.*
2. (FAMILIER) Épuisé.

crever v. tr., intr., pronom.
Verbe transitif
Percer, perforer. *Crever un pneu. Ne crève pas le ballon !* **SYN.** déchirer.
Verbe intransitif
1. Se déchirer, éclater. *Le ballon a crevé. L'abcès a crevé.*
2. Mourir, en parlant d'un animal. *Le pauvre cheval a crevé.*
Verbe pronominal
(FAMILIER) S'épuiser. *Elles se sont crevées à faire ces préparatifs.* **SYN.** se fatiguer.
Locution
Crever de (froid, faim, chaleur, fatigue, etc.). Éprouver à un degré extrême.
Conjugaison [VOIR MODÈLE – **LEVER**]
Le **e** se change en **è** devant un **e** muet. *Il crève, il crevait.*

crevette n. f.
Crustacé apprécié pour sa chair.

cri n. m.
1. Son intense causé par la douleur, l'émotion, destiné à appeler. *Des cris de joie saluèrent l'arrivée du clown. L'enfant appelait à grands cris.* **SYN.** hurlement.
2. Parole prononcée avec force. *On entendait des cris de détresse : au secours ! à l'aide !*
3. Bruit d'un animal. *Le cri du cheval est le hennissement.*
Locutions
À cor et à cri. Avec grande insistance.
Cri du cœur. Mouvement spontané.
Dernier cri. Dernière mode. *Ces couleurs sont du dernier cri.*
Pousser les hauts cris. Se plaindre bruyamment.

cri, crie adj. et n. m. et f.
Relatif aux Amérindiens d'une nation autochtone du Québec. *La culture crie, des projets cris. Un Cri, une Crie.*
∽ L'adjectif s'écrit avec une minuscule ; le nom, avec une majuscule.

criant, ante adj.
1. Qui fait crier d'indignation, révoltant. *Une injustice criante.*
2. Évident. *Une erreur criante.*
∽ Ne pas confondre avec le participe présent invariable ***criant.*** *Le vacarme était infernal, les enfants criant à qui mieux mieux.*

criard, arde adj.
1. Qui crie et pleure sans raison. *Des enfants criards.* **SYN.** (FAMILIER) braillard.
2. Désagréablement aigu. *Une voix criarde.* **SYN.** aigu, perçant.
3. Trop voyant. *Des couleurs criardes.*

C

crible n. m.
Tamis.
Locution
Passer au crible. Examiner minutieusement. *Nos erreurs ont été passées au crible.*

cric n. m.
Le **c** final se prononce [krik].
Appareil servant à soulever un objet très lourd. *Nous avons une crevaison, il faudrait un cric* (et non un *jack).
HOM. crique, petite baie.

crier v. tr., intr.
Verbe transitif direct
Dire à voix haute. *Crier son innocence, son mécontentement.*
Verbe transitif indirect
Réprimander. *Crier contre quelqu'un.* **SYN.** gronder, tempêter.
L'expression ***crier après quelqu'un*** est correcte, mais familière.
En ce sens, le verbe se construit avec la préposition ***contre.***
Verbe intransitif
1. Pousser un cri. *Les enfants crient à tue-tête, ils sont en vacances.* **SYN.** hurler.
2. Élever la voix. *Cesse de crier, essaie de discuter calmement.*
Locutions
Crier famine. Avoir faim. «*Elle alla crier famine chez la fourmi sa voisine.*» (La Fontaine)
Crier victoire. Triompher.
Conjugaison [VOIR MODÈLE – **ÉTUDIER**]
Redoublement du ***i*** à la première et à la deuxième personne du pluriel de l'indicatif imparfait et du subjonctif présent. *(Que) nous criions, (que) vous criiez.*

crieur, euse n. m. et f.
Personne qui vend des journaux, des marchandises en criant.

crime n. m.
Infraction grave à la loi morale ou civile. *Être coupable d'un crime.*

criminel, elle adj. et n. m. et f.
Adjectif
Qui a commis un crime. *C'est un fou criminel.*
Nom masculin et féminin
Personne coupable de crime. *Ces criminels se sont évadés.*

crin n. m.
Poil long et rude de certains animaux (chevaux, etc.).

crinière n. f.
1. Crins de certains animaux (cheval, lion, etc.). *Le cheval a une belle crinière.*
2. (FAMILIER) (FIGURÉ) Chevelure abondante. *Julie a une belle crinière rousse.*

crinoline n. f.
Jupon très ample servant à faire gonfler les robes.

crique n. f.
Petite baie dans une côte rocheuse.
HOM. cric, appareil servant à soulever un objet très lourd.

criquet n. m.
Insecte qu'on entend l'été.

crise n. f.
1. Phase grave d'une maladie. *Une crise cardiaque, une crise d'appendicite.* **SYN.** attaque.
2. Période pénible. *La crise de l'adolescence.* **SYN.** malaise.

crisper v. tr., pronom.
Verbe transitif
1. Contracter les muscles. *La fatigue lui crispait le visage.* **SYN.** tendre.
2. Impatienter, agacer. *Un sourire crispé.*
Verbe pronominal
1. Se contracter vivement. *Le dentiste lui dit : ne vous crispez pas, calmez-vous.* **SYN.** se tendre. **ANT.** se détendre.
2. S'irriter. *En l'apercevant, il se crispa.* **SYN.** s'impatienter.
Conjugaison [VOIR MODÈLE – **AIMER**]

crissement n. m.
Action de crisser. *Le crissement de la neige sous les skis.*

crisser v. intr.
Grincer, siffler. *Faire crisser les pneus.*
Conjugaison [VOIR MODÈLE – **AIMER**]

cristal n. m. (pl. *cristaux*)
1. Minéral transparent et dur. *Un cristal de roche de teinte violette.* **SYN.** quartz.
2. Variété de verre transparent de grande qualité. *Un vase en cristal.*
Locution
Cristaux de neige. Corps géométriques résultant de la cristallisation de l'eau.

cristallin, ine adj.
Clair et transparent comme du cristal. *Une voix cristalline, une eau cristalline.* **SYN.** limpide, pur.

cristallin n. m.
Partie transparente de l'œil en forme de lentille.

cristallisation n. f.
Phénomène par lequel un corps passe à l'état de cristaux. *La cristallisation de l'eau, du sucre.*

cristalliser v. tr., intr. ou pronom.
Verbe transitif
1. Transformer en cristaux. *Cristalliser du sucre.*
2. (FIGURÉ) Donner de la force à, en parlant des sentiments, des idées. *Cristalliser l'enthousiasme des participants.*
Verbe intransitif ou **pronominal**
Se former en cristaux. *L'eau s'est cristallisée.*
Conjugaison [VOIR MODÈLE – **AIMER**]

critère n. m.
Élément utilisé pour porter un jugement, prendre une décision, effectuer un choix. *Les critères ont été définis : points obtenus, style, vitesse.*

critique adj. et n. m. et f.
Adjectif
Difficile, dangereux. *Une phase critique de la maladie.*
Nom masculin et féminin
Personne qui juge des œuvres d'art (musicales, littéraires, etc.). *C'est une critique de cinéma.*
Nom féminin
1. Art de juger les œuvres. *Josée aimerait faire la critique des nouveaux films.* **SYN.** analyse, étude, examen.
2. Jugement porté sur une œuvre. *Ce film a eu de très bonnes critiques.*
3. Reproche. *Ne pas admettre la critique.* **SYN.** blâme.

critiquer v. tr.
1. Examiner de façon critique. *Comme travail, vous critiquerez la pièce que nous verrons ce soir au théâtre.*

2. Désapprouver, blâmer. *Fanny aimerait que Maxime cesse de la critiquer.* **SYN.** reprocher.
Conjugaison [VOIR MODÈLE – **AIMER**]

croassement n. m.
Cri du corbeau et de la corneille.

croasser v. intr.
Crier, en parlant du corbeau et de la corneille.
Ne pas confondre avec le verbe ***coasser,*** crier, en parlant de la grenouille.
Conjugaison [VOIR MODÈLE – **AIMER**]

croc n. m.
Le ***c*** final ne se prononce pas [kro].
1. Crochet.
2. Dent pointue des carnivores. *Le chien de garde a planté ses crocs dans le mollet des voleurs.*
cro**c.**

croc-en-jambe n. m. (pl. *crocs-en-jambe*)
Le ***c*** de ***croc-*** se prononce, même au pluriel [krɔkɑ̃ʒɑ̃b].
Action de passer les pieds dans les jambes de quelqu'un pour le faire trébucher. **SYN.** jambette.

croche adj. et n. f.
Adjectif
1. (FAMILIER) Crochu, qui n'est pas droit. *Cette ligne est croche.*
2. (FAMILIER) Malhonnête. *Ce garagiste semble croche.*
L'emploi de cet adjectif est courant au Québec dans la langue familière, mais il est vieilli dans l'ensemble de la francophonie.
Nom féminin
(MUSIQUE) Note qui vaut la moitié d'une noire.

crochet n. m.
1. Pièce de métal recourbée servant à suspendre quelque chose. *La marmite est suspendue à un crochet.*
2. Signe de ponctuation de même nature que les parenthèses qui sert à intercaler des indications dans une phrase :
– pour insérer une indication à l'intérieur d'une phrase déjà entre parenthèses. *Mettre un mot entre crochets (exemple tiré du Petit Robert [1993]).*
– pour ajouter des mots rétablis en fonction du contexte. *Elle [la présidente] sera nommée demain.*
VOIR TABLEAU – **ESPACEMENTS.**
VOIR TABLEAU – **PONCTUATION.**

crocheter v. tr.
1. Ouvrir (une serrure) avec un crochet. *Le cambrioleur a crocheté la serrure.*
2. Faire du travail au crochet. *Elle crochète un napperon.*
Conjugaison [VOIR MODÈLE – **CONGELER**]
Le ***e*** se change en ***è*** devant une syllabe muette. *Je crochète, je crochetais.*

crochu, ue adj.
Recourbé en forme de croc. *Un bec crochu.* **SYN.** courbé.

crocodile n. m.
Les ***o*** sont ouverts [krɔkɔdil].
Grand reptile amphibie à fortes mâchoires. *Quand il ouvre la gueule, le crocodile montre ses dents redoutables.*
VOIR TABLEAU – **ANIMAUX.**
Locution
Larmes de crocodile. Chagrin simulé.

croire v. tr., pronom., intr.
Verbe transitif direct
1. Penser qu'une chose est vraie, avoir confiance en une personne. *Je crois ce que vous m'affirmez, croyez-moi !*
2. Estimer. *Je la crois compétente et remplie d'initiative.*
3. *Croire + que.* Au mode affirmatif, ***croire que*** est suivi de l'indicatif ; au mode négatif, il est suivi du subjonctif. *Je crois qu'elle viendra. Je ne crois pas qu'elle vienne.*
Verbe transitif indirect
1. Avoir confiance en quelqu'un, quelque chose, s'y fier. *Croire à la promesse d'un ami.*
En ce sens, le verbe se construit avec la préposition ***à.***
2. Tenir pour certaine l'existence de quelqu'un, avec une nuance de foi et d'amour. *Croire en Dieu, croire en quelqu'un.*
L'emploi de la préposition ***en*** exprime la confiance et la foi.
3. Penser que quelque chose est vraisemblable, sans en être sûr. *Croire aux fantômes.*
Verbe pronominal
S'imaginer être. *Il se croit le plus astucieux.*
Verbe intransitif
(ABSOLUMENT) Avoir la foi. *Elle croit.*
1° Le verbe ***croire*** sert de semi-auxiliaire pour atténuer une affirmation trop catégorique. *Je crois devoir vous préciser que la date de fin des travaux est le 25, c'est-à-dire aujourd'hui.*
2° L'emploi du verbe à la deuxième personne et à la forme interrogative traduit le doute à l'égard d'une information. *Nous aurons terminé demain et nous pourrons poursuivre nos travaux. Vous croyez ?*
Conjugaison [VOIR MODÈLE – **CROIRE**]
Contrairement au verbe ***croître***, le verbe ***croire*** n'a jamais d'accent circonflexe sur le ***i.***

croisade n. f.
1. (ANCIENNEMENT) Expédition de l'Europe chrétienne contre l'Orient musulman. *Ce chevalier est parti en croisade sur son grand cheval.*
2. (FIGURÉ) Campagne menée pour lutter contre quelque chose. *Une croisade contre la pollution.*

croisé, ée adj. et n. m. et f.
Adjectif
En forme de croix. *Les bras croisés.*
Nom masculin
(ANCIENNEMENT) Celui qui partait en croisade.
Nom féminin
1. Endroit où deux choses se croisent. *La croisée des routes.*
2. Fenêtre. *Ouvrir la croisée.*

croisement n. m.
1. Accouplement de deux individus, animaux ou végétaux de races différentes. *Mon grand-père a fait un croisement entre deux variétés de rosiers.*
2. Endroit où deux choses se croisent. *Un croisement de voies ferrées.*
3. Intersection de deux voies de circulation.
Dans ce dernier sens, ne pas confondre avec le nom ***carrefour,*** intersection de plusieurs voies de communication.

croiser v. tr., intr., pronom.
Verbe transitif
1. Disposer un élément sur un autre ou en croix. *Croiser les jambes.*
2. Couper, traverser. *La voie ferrée croise la route.*
3. Passer l'un près de l'autre. *Je l'ai croisée tout à l'heure.* **SYN.** rencontrer.
4. Faire un croisement. *Croiser des arbres fruitiers.*

CONJUGAISON DU VERBE **CROIRE**

Indicatif

Présent

je crois
tu crois
elle croit
il croit
nous croyons
vous croyez
elles croient
ils croient

Passé composé

j' ai cru
tu as cru
elle a cru
il a cru
nous avons cru
vous avez cru
elles ont cru
ils ont cru

Imparfait

je croyais
tu croyais
elle croyait
il croyait
nous croyions
vous croyiez
elles croyaient
ils croyaient

Plus-que-parfait

j' avais cru
tu avais cru
elle avait cru
il avait cru
nous avions cru
vous aviez cru
elles avaient cru
ils avaient cru

Passé simple

je crus
tu crus
elle crut
il crut
nous crûmes
vous crûtes
elles crurent
ils crurent

Passé antérieur

j' eus cru
tu eus cru
elle eut cru
il eut cru
nous eûmes cru
vous eûtes cru
elles eurent cru
ils eurent cru

Futur simple

je croirai
tu croiras
elle croira
il croira
nous croirons
vous croirez
elles croiront
ils croiront

Futur antérieur

j' aurai cru
tu auras cru
elle aura cru
il aura cru
nous aurons cru
vous aurez cru
elles auront cru
ils auront cru

Infinitif

Présent

croire

Passé

avoir cru

Subjonctif

Présent

que je croie
que tu croies
qu' elle croie
qu' il croie
que nous croyions
que vous croyiez
qu' elles croient
qu' ils croient

Passé

que j' aie cru
que tu aies cru
qu' elle ait cru
qu' il ait cru
que nous ayons cru
que vous ayez cru
qu' elles aient cru
qu' ils aient cru

Imparfait

que je crusse
que tu crusses
qu' elle crût
qu' il crût
que nous crussions
que vous crussiez
qu' elles crussent
qu' ils crussent

Plus-que-parfait

que j' eusse cru
que tu eusses cru
qu' elle eût cru
qu' il eût cru
que nous eussions cru
que vous eussiez cru
qu' elles eussent cru
qu' ils eussent cru

Conditionnel

Présent

je croirais
tu croirais
elle croirait
il croirait
nous croirions
vous croiriez
elles croiraient
ils croiraient

Passé

j' aurais cru
tu aurais cru
elle aurait cru
il aurait cru
nous aurions cru
vous auriez cru
elles auraient cru
ils auraient cru

Impératif

Présent

crois
croyons
croyez

Passé

aie cru
ayons cru
ayez cru

Participe

Présent

croyant

Passé

cru, ue
ayant cru

Verbe intransitif
Aller et venir, en parlant d'un navire. *Ces voiliers croisent dans la Méditerranée.*
Verbe pronominal
1. Passer en travers. *Des routes qui se croisent.*
2. Se rencontrer brièvement. *Ils se sont croisés il y a quelque temps.*
Locutions
Croiser les doigts. Geste pour favoriser la chance.
Se croiser les bras. (FIGURÉ) Rester inactif. *Les amis, ce n'est pas le temps de se croiser les bras, il y a beaucoup de travail à faire.*
Conjugaison [VOIR MODÈLE – **AIMER**]

croisière n. f.
Voyage de tourisme par mer. *Partir en croisière dans les Antilles.*
Locutions
Vitesse de croisière. Allure moyenne maximale d'un véhicule sur une longue distance.
Vitesse, allure, rythme de croisière. (FIGURÉ) Le meilleur rythme après la période d'adaptation et de mise au point.

croissance n. f.
Développement progressif. *Ces adolescents sont en pleine croissance : il est important qu'ils se nourrissent bien. La croissance d'une ville.*

croissant n. m.
1. Forme de la Lune à son premier ou à son dernier quartier.
2. Qui a la forme d'un croissant de lune. *Un écu avec un croissant rouge.*
3. Sorte de petit pain en forme de croissant. *De bons croissants chauds et du café.*

croissant, ante adj.
Qui grandit, augmente. *Une habileté croissante.*
Ne pas confondre avec le participe présent invariable ***croissant.*** *Ils abandonnèrent, les difficultés croissant chaque jour davantage.*

croître v. intr.
1. Se développer. *En dix ans, ces arbres ont beaucoup crû.* **SYN.** grandir, pousser.
2. Augmenter de volume, d'intensité, de durée, etc. *Au cours des dernières années, les prix n'ont cessé de croître.*
Le verbe se conjugue généralement avec l'auxiliaire ***avoir.***
Conjugaison [VOIR MODÈLE – **ACCROÎTRE**]
INDICATIF PRÉSENT *Je croîs, tu croîs, il croît, nous croissons, vous croissez, ils croissent.* IMPARFAIT *Je croissais, tu croissais.* PASSÉ SIMPLE *Je crûs, tu crûs, il crût, nous crûmes, vous crûtes, ils crûrent.* FUTUR *Je croîtrai, tu croîtras, il croîtra, nous croîtrons, vous croîtrez, ils croîtront.* **CONDITIONNEL** PRÉSENT *Je croîtrais, tu croîtrais, il croîtrait, nous croîtrions, vous croîtriez, ils croîtraient.* **IMPÉRATIF** PRÉSENT *Croîs, croissons, croissez.* **SUBJONCTIF** PRÉSENT *Que je croisse, que tu croisses.* IMPARFAIT *Que je crûsse, que tu crûsses, qu'il crût, que nous crûssions, que vous crûssiez, qu'ils crûssent.* **PARTICIPE** PRÉSENT *Croissant.* PASSÉ *Crû, crue.*
À noter que l'Académie française écrit l'imparfait du subjonctif sans accent circonflexe, sauf à la troisième personne du singulier.

croix n. f.
Pièce de bois, de métal à deux branches transversales. *Elle porte une petite croix d'argent au cou.*
Locution
Chemin de croix. Suite de 14 tableaux représentant la Passion du Christ.
croi**x.**

croquant, ante adj.
Croustillant, qui croque sous la dent. *Des céleris croquants.*
Ne pas confondre avec le participe présent invariable ***croquant.*** *Quel régal, ces noix croquant sous la dent !*

croque- préf.
Les mots composés avec le préfixe ***croque-*** s'écrivent avec un trait d'union. Au pluriel, le préfixe ***croque-,*** qui est un verbe, demeure invariable, tandis que le second élément est parfois variable, parfois invariable.

croque-mitaine n. m. (pl. *croque-mitaines*)
Personnage imaginaire dont on menace les enfants.
Au Québec, le ***croque-mitaine*** est souvent le ***Bonhomme Sept Heures.***

croque-monsieur n. m. inv. (pl. *croque-monsieur*)
Sandwich chaud composé de pain, de fromage et de jambon. *Je mangerais bien un bon croque-monsieur avec un verre de lait.*
Familièrement, on abrège ce nom en supprimant son dernier élément. *Veux-tu un croque ou deux croques ?*

croque-mort n. m. (pl. *croque-morts*)
(FAMILIER) Employé des pompes funèbres.

croquer v. tr., intr.
Verbe transitif
1. Manger des choses qui font du bruit sous les dents. *Croquer des noisettes, des bonbons.*
2. Dessiner, décrire rapidement. *Croquer une scène sur le vif.* **SYN.** crayonner, esquisser.
3. Mordre. *Croquer dans une pomme.* **SYN.** dévorer, manger.
Verbe intransitif
Faire un bruit sec sous la dent. *Une branche de céleri qui croque.* **SYN.** craquer.
Locution
À croquer. (FAMILIER) Gentil, joli à peindre. *Cette enfant est à croquer.*
Conjugaison [VOIR MODÈLE – **AIMER**]

croquette n. f.
Boulette à frire. *Une croquette au jambon et au gruyère.*

croquis n. m.
Dessin à main levée, plan sommaire. *Fais-nous un croquis du chemin à suivre pour aller chez toi à la campagne.*
croqui**s,** un ***s*** final.

crosse n. f.
1. Bâton courbé qui sert à certains jeux. *Jouer à la crosse.*
Ce jeu a été emprunté aux Amérindiens de l'Ouest.
2. Bout recourbé. *La crosse d'un violon.*
3. Partie d'une arme à feu. *La crosse d'un fusil.*

crotale n. m.
Serpent très venimeux qui fait un bruit de crécelle en se déplaçant.
On l'appelle aussi ***serpent à sonnette.***
Ne pas confondre avec le ***serpent à lunettes*** qui est un ***naja.***

crotte interj. et n. f.
Nom féminin
Excréments de certains animaux. *Des crottes de lièvre.*
Interjection
(FAMILIER) Marque l'impatience. *Crotte ! Il est encore en retard.* **SYN.** (VULGAIRE) merde.

C

crotté, ée adj.
Sali (de crotte, de boue). *Ces bottes sont toutes crottées.* **SYN.** sale.

crottin n. m.
1. Excréments des chevaux, des moutons.
2. Petit fromage de chèvre.

crouler v. intr.
S'effondrer. *Le toit de la vieille grange a croulé sous la neige.* **SYN.** s'affaisser, s'écrouler.
Conjugaison [VOIR MODÈLE – **AIMER**]

croupe n. f.
Partie postérieure du corps de certains animaux. *La croupe d'un cheval.*

croupir v. intr.
1. Stagner, pourrir. *L'eau de cette baie croupit.* **SYN.** se corrompre, moisir.
2. (FIGURÉ) Moisir dans un lieu. *Ce meurtrier croupit en prison depuis 20 ans.*
Conjugaison [VOIR MODÈLE – **FINIR**]

croustillant, ante adj.
Craquant sous la dent. *Du pain croustillant.*
Ne pas confondre avec le participe présent invariable ***croustillant.*** *On y vendait des gâteaux croustillant sous la dent.*

croustille n. f.
Tranche de pomme de terre rôtie. (Recomm. off. OLF) **SYN.** chips.

croustiller v. intr.
Croquer sous la dent. *Ces biscuits croustillent.*
Conjugaison [VOIR MODÈLE – **AIMER**]

croûte n. f.
1. Partie extérieure du pain durcie par la cuisson. *Mange tes croûtes, Nicolas !*
2. Ce qui se forme et durcit à la surface de quelque chose. *Il y a une croûte sur la crème caramel.*
Locutions
Casser la croûte. Manger frugalement.
Croûte terrestre. Couche solide qui entoure la terre.
cro**û**te.

croûton n. m.
Croûte grillée garnissant certains mets.
cro**û**ton.

croyance n. f.
1. Foi religieuse. *La croyance en Dieu.*
2. Ce que l'on croit. *La croyance dans un avenir meilleur.* **SYN.** confiance.

croyant, ante adj. et n. m. et f.
Adjectif
Se dit d'une personne qui a une foi religieuse. *Elles sont très croyantes.*
Ne pas confondre avec le participe présent invariable ***croyant.*** *Croyant qu'il s'agissait d'un voleur, ces personnes arrêtèrent M. Blanc.*
Nom masculin et féminin
Personne qui a une foi religieuse. *Les croyants et les incroyants.*

cru, crue adj.
1. Qui n'est pas cuit. *Des carottes crues.*
2. (FAMILIER) Froid et humide, en parlant du temps.
L'emploi de cet adjectif est courant au Québec dans la langue familière, mais il est vieilli dans l'ensemble de la francophonie.
3. Brutal, direct. *Une réponse crue.*
HOM.
– **cru**, participe passé de ***croire***;
– **crue**, élévation du niveau d'un cours d'eau.

cru, crue (du verbe ***croire***) p. passé
Le participe passé de ***croire*** s'accorde selon l'usage général si le complément d'objet direct précède le verbe. Il est invariable si le complément d'objet direct suit le verbe ou s'il est accompagné des participes ***autorisé, fondé, forcé, obligé, tenu,*** etc., qui s'accordent avec le sujet. *Ces histoires que j'ai crues vraies. Ils se sont cru obligés de rester avec elle.*
Certains auteurs accordent les deux participes passés avec le sujet. *Elles se sont crues obligées de venir.*
HOM.
– **cru**, qui n'est pas cuit;
– **crue**, élévation du niveau d'un cours d'eau.

cruauté n. f.
1. Dureté, rigueur. *La cruauté d'un pirate.* **SYN.** férocité, méchanceté, sauvagerie.
2. Action cruelle. *Les réfugiés ont subi un grand nombre de cruautés.* **SYN.** atrocité.

cruche n. f.
1. Vase muni d'une anse. *Une cruche en céramique.* **SYN.** pichet.
2. Son contenu. *Une cruche de lait.*
3. (FAMILIER) (FIGURÉ) Personne stupide.
Ce nom ne s'emploie qu'au féminin, mais il peut désigner une personne de sexe masculin. *Quelle cruche, ce garçon !*

crucifier v. tr.
1. Infliger le supplice de la croix. *Le Christ a été crucifié.*
2. (FIGURÉ) Mortifier, faire souffrir.
Conjugaison [VOIR MODÈLE – **ÉTUDIER**]
Redoublement du ***i*** à la première et à la deuxième personne du pluriel de l'indicatif imparfait et du subjonctif présent. *(Que) nous crucifiions, (que) vous crucifiiez.*

crucifix n. m.
Le ***x*** ne se prononce pas [krysifi].
Objet de piété en forme de croix.
crucifi**x.**

crudité n. f.
1. Qualité de ce qui est cru.
2. (AU PLURIEL) Légumes crus. *Un plat de crudités avec des céleris, des carottes et des champignons.*

crue n. f.
Élévation du niveau d'un cours d'eau. *La crue des eaux de la rivière au printemps a inondé notre terrain.*
HOM.
– **cru**, participe passé de ***croire***;
– **cru**, qui n'est pas cuit.
cru**e.**

cruel, elle adj.
1. Qui se plaît à faire souffrir. *Cet enfant est cruel, il martyrise les insectes.* **SYN.** féroce, méchant.
2. Douloureux. *Une épreuve cruelle.* **SYN.** pénible, terrible.

cruellement adv.
De façon cruelle. *Cette fracture la faisait cruellement souffrir.* **SYN.** affreusement, atrocement.

crustacé, ée n. m.
Animal aquatique à carapace, comme le crabe, le homard, la crevette, etc. *Plusieurs crustacés sont délicieux à manger.*

crypte n. f.
Caveau souterrain servant de sépulture dans certaines églises.
crypte.

cubain, aine adj. et n. m. et f.
De Cuba. *Le drapeau cubain. Un Cubain, une Cubaine.*
L'adjectif s'écrit avec une minuscule ; le nom, avec une majuscule.

cube adj. et n. m.
Nom masculin
1. (GÉOMÉTRIE) Solide à six faces carrées égales.
2. Objet ayant la forme d'un cube. *Le dé est un cube. Des cubes de glace.*
3. Jeu composé de pièces de bois cubiques. *Jouer avec des cubes* (et non des *blocs).
Adjectif
Mètre cube, décimètre cube, etc. Se dit de la mesure des volumes. *Des mètres cubes (m^3).*

cubique adj.
Qui a la forme d'un cube. *Une maison cubique.*

cubitus n. m.
Le **s** se prononce [kybitys].
Os de l'avant-bras.

cueillette n. f.
1. Action de cueillir des végétaux. *La cueillette des pommes, des champignons, du coton.*
2. Produits ainsi récoltés. **SYN.** récolte.
1° Pour désigner l'action de recueillir des données, des informations, le terme ***collecte*** a été retenu par les spécialistes.
2° On préférera également à l'expression *« cueillette des ordures ménagères » celle de ***enlèvement des ordures ménagères.***
VOIR **COLLECTE.**
cueillette.

cueillir v. tr.
Détacher des fruits, des légumes, des fleurs, des feuilles de la tige ou de la branche. *Nous cueillons des fraises et des framboises.* **SYN.** récolter.
Conjugaison [VOIR MODÈLE – **CUEILLIR**]
cueillir.

cuillère ou **cuiller** n. f.
Ustensile de table comprenant une partie creuse. *Cuillère à soupe, cuiller à café.*
Les deux orthographes sont admises.

cuillerée n. f.
Contenu d'une cuillère. *Une cuillerée de sirop d'érable.*

cuir n. m.
Peau des animaux tannée et travaillée. *Une valise de cuir.*
HOM. cuire, soumettre des aliments au feu.

cuirasse n. f.
Armure métallique qui recouvre la poitrine, le ventre et le dos. *Les légionnaires romains portaient une cuirasse.*
Locution
Le défaut de la cuirasse. (FIGURÉ) Le point faible de quelqu'un, de quelque chose.
cuirasse.

cuirassé, ée adj. et n. m.
Adjectif
1. Protégé par une cuirasse.
2. Endurci. *Être cuirassé contre les critiques.*
Nom masculin
Navire de guerre.
cuirassé.

cuire v. tr., intr.
Verbe transitif
Soumettre des aliments à la chaleur. *Cuire un poulet au four.* **SYN.** griller, rôtir.
Verbe intransitif
Être soumis à l'action de la chaleur. *Les asperges cuisent vite.*
Locution
Dur à cuire. (FIGURÉ) Personne résistante, ferme. *Des durs à cuire terrifiants.*
HOM. cuir, peau des animaux tannée.
Conjugaison [VOIR MODÈLE – **CONDUIRE**]
INDICATIF PRÉSENT *Je cuis, tu cuis, il cuit, nous cuisons, vous cuisez, ils cuisent.* IMPARFAIT *Je cuisais.* PASSÉ SIMPLE *Je cuisis.* FUTUR *Je cuirai.* **CONDITIONNEL** PRÉSENT *Je cuirais.* **IMPÉRATIF** PRÉSENT *Cuis, cuisons, cuisez.* **SUBJONCTIF** PRÉSENT *Que je cuise.* IMPARFAIT *Que je cuisisse.* **PARTICIPE** PRÉSENT *Cuisant.* PASSÉ *Cuit, cuite.*

cuisant, ante adj.
1. Qui cause une douleur brûlante. *Une douleur cuisante.* **SYN.** vif.
2. Douloureux, blessant. *Une perte cuisante, un échec cuisant.* **SYN.** décevant, pénible.

cuisine n. f.
1. Endroit où l'on prépare les repas. *Une cuisine moderne bien éclairée.*
2. Art d'apprêter les mets. *Marie-Ève préfère la cuisine française et Catherine, la cuisine italienne.* **SYN.** gastronomie.

cuisiner v. tr., intr.
Verbe transitif
1. Préparer pour la table. *Cuisiner un bon plat.*
2. (FAMILIER) Interroger quelqu'un avec insistance. *Le détective a cuisiné les voisins.*
Verbe intransitif
Faire la cuisine. *Il cuisine à la perfection.*
Conjugaison [VOIR MODÈLE – **AIMER**]

cuisinette n. f.
Petite cuisine aménagée dans une pièce.

cuisinier n. m.
cuisinière n. f.
Personne dont la fonction est de faire la cuisine.

cuisinière n. f.
Appareil servant à cuire les aliments. *Une cuisinière électrique* (et non un *poêle).
Le ***poêle*** se dit des appareils qui servaient principalement au chauffage des maisons, accessoirement à cuire les aliments ; l'appareil qui sert aujourd'hui à cuire les aliments est une ***cuisinière.***

cuissard n. m.
Culotte d'un coureur cycliste. *Étienne porte un cuissard noir pour faire du vélo.*

cuisse n. f.
Haut de la jambe de l'homme et des animaux, de la hanche jusqu'au genou.

cuisson n. f.
Action de cuire. *La cuisson de ce gigot durera deux heures.*

cuit, cuite adj.
Que l'on a fait cuire. *Des carottes cuites.* **ANT.** cru.

cuivre n. m.
Métal de couleur rouge-brun qui conduit bien l'électricité. *Les fils électriques sont en cuivre.*

cuivré, ée adj.
De la couleur du cuivre. *Un teint joliment cuivré par le soleil.*

CONJUGAISON DU VERBE **CUEILLIR**

Indicatif

Présent

je	cueille
tu	cueilles
elle	cueille
il	cueille
nous	cueillons
vous	cueillez
elles	cueillent
ils	cueillent

Passé composé

j'	ai	cueilli
tu	as	cueilli
elle	a	cueilli
il	a	cueilli
nous	avons	cueilli
vous	avez	cueilli
elles	ont	cueilli
ils	ont	cueilli

Imparfait

je	cueillais
tu	cueillais
elle	cueillait
il	cueillait
nous	cueillions
vous	cueilliez
elles	cueillaient
ils	cueillaient

Plus-que-parfait

j'	avais	cueilli
tu	avais	cueilli
elle	avait	cueilli
il	avait	cueilli
nous	avions	cueilli
vous	aviez	cueilli
elles	avaient	cueilli
ils	avaient	cueilli

Passé simple

je	cueillis
tu	cueillis
elle	cueillit
il	cueillit
nous	cueillîmes
vous	cueillîtes
elles	cueillirent
ils	cueillirent

Passé antérieur

j'	eus	cueilli
tu	eus	cueilli
elle	eut	cueilli
il	eut	cueilli
nous	eûmes	cueilli
vous	eûtes	cueilli
elles	eurent	cueilli
ils	eurent	cueilli

Futur simple

je	cueillerai
tu	cueilleras
elle	cueillera
il	cueillera
nous	cueillerons
vous	cueillerez
elles	cueilleront
ils	cueilleront

Futur antérieur

j'	aurai	cueilli
tu	auras	cueilli
elle	aura	cueilli
il	aura	cueilli
nous	aurons	cueilli
vous	aurez	cueilli
elles	auront	cueilli
ils	auront	cueilli

Infinitif

Présent

cueillir

Passé

avoir cueilli

Subjonctif

Présent

que	je	cueille
que	tu	cueilles
qu'	elle	cueille
qu'	il	cueille
que	nous	cueillions
que	vous	cueilliez
qu'	elles	cueillent
qu'	ils	cueillent

Passé

que	j'	aie	cueilli
que	tu	aies	cueilli
qu'	elle	ait	cueilli
qu'	il	ait	cueilli
que	nous	ayons	cueilli
que	vous	ayez	cueilli
qu'	elles	aient	cueilli
qu'	ils	aient	cueilli

Imparfait

que	je	cueillisse
que	tu	cueillisses
qu'	elle	cueillît
qu'	il	cueillît
que	nous	cueillissions
que	vous	cueillissiez
qu'	elles	cueillissent
qu'	ils	cueillissent

Plus-que-parfait

que	j'	eusse	cueilli
que	tu	eusses	cueilli
qu'	elle	eût	cueilli
qu'	il	eût	cueilli
que	nous	eussions	cueilli
que	vous	eussiez	cueilli
qu'	elles	eussent	cueilli
qu'	ils	eussent	cueilli

Conditionnel

Présent

je	cueillerais
tu	cueillerais
elle	cueillerait
il	cueillerait
nous	cueillerions
vous	cueilleriez
elles	cueilleraient
ils	cueilleraient

Passé

j'	aurais	cueilli
tu	aurais	cueilli
elle	aurait	cueilli
il	aurait	cueilli
nous	aurions	cueilli
vous	auriez	cueilli
elles	auraient	cueilli
ils	auraient	cueilli

Impératif

Présent

cueille
cueillons
cueillez

Passé

aie cueilli
ayons cueilli
ayez cueilli

Participe

Présent

cueillant

Passé

cueilli, ie
ayant cueilli

cul n. m.
Le *l* ne se prononce pas [ky].
1. (VULGAIRE) Derrière.
2. Fond. *Un cul de bouteille.*
Locution
Bouche en cul de poule. (FIGURÉ) Dont le sourire est pincé.
Dans les emplois techniques et les mots composés, le mot ***cul*** n'est ni familier ni vulgaire.

cul- préf.
Les noms composés avec le préfixe ***cul*** s'écrivent avec un trait d'union et seul le premier élément prend la marque du pluriel. *Des culs-de-sac.*

culbute n. f.
1. Saut fait par soi-même. *Fanny fait des culbutes.* **SYN.** roulade.
2. Chute violente. *Faire une culbute sur la glace.* **SYN.** dégringolade.
culbu**t**e.

culbuter v. tr., intr.
Verbe transitif
Faire une culbute. *Elle a glissé et culbuté.* **SYN.** basculer, dégringoler, tomber.
Verbe intransitif
Renverser. *Il a culbuté la table.*
Conjugaison [VOIR MODÈLE – **AIMER**]
culbu**t**er.

cul-de-sac n. m. (pl. *culs-de-sac*)
Rue sans issue. *Cette rue est un cul-de-sac, nous prendrons plutôt la suivante.* **SYN.** impasse.

culinaire adj.
Relatif à la cuisine. *L'art culinaire.* **SYN.** gastronomique.
culin**aire.**

culminant, ante adj.
Qui domine, qui est au sommet. *Le point culminant de la Terre est à 8 848 mètres : c'est le sommet de l'Everest.*

culot n. m.
1. Fond de certains objets. *Le culot d'une ampoule électrique.*
2. (FAMILIER) Toupet, effronterie. *Ce petit effronté a beaucoup de culot.*

culotte n. f.
1. Vêtement masculin de dessus qui couvre le corps de la taille aux genoux. *On met souvent des culottes courtes aux petits garçons.*
Ce nom s'écrit généralement au pluriel pour désigner un vêtement porté par les jeunes garçons et les sportifs.
2. Sous-vêtement féminin de dessous. *Une culotte de dentelle. Des gaines-culottes.*
En ce sens, ce nom s'emploie généralement au singulier.

culotté, ée adj.
Qui a du culot, audacieux. *Antoine est trop culotté, il importune la maîtresse.* **SYN.** effronté.

culpabilité n. f.
État de celui qui est reconnu coupable. *La culpabilité du malfaiteur a été prouvée et il a été condamné.*

culte n. m.
1. Hommage religieux rendu à une divinité, à un saint. *Le culte de la Vierge Marie.*
2. Religion. *Le culte catholique. L'église est un lieu de culte.*
3. Attachement porté à quelqu'un, à quelque chose. *Avoir le culte de la beauté.* **SYN.** admiration.

-culteur suff.
Élément du latin signifiant « qui cultive ». *Agriculteur.*

cultivateur n. m.
cultivatrice n. f.
Personne qui exploite une terre, qui dirige une exploitation agricole.
Le ***cultivateur*** exploite sa propre terre, alors que l'***agriculteur*** désigne celui qui dirige des travaux agricoles à une échelle relativement importante. L'***agronome*** est celui qui enseigne l'art de l'agriculture.

cultivé, ée adj.
1. Mis en culture. *Des terres cultivées.*
2. Qui a de la culture, instruit. *Elle est très cultivée.* **SYN.** éduqué, raffiné.

cultiver v. tr., pronom.
Verbe transitif
1. Travailler la terre pour la faire produire. *Cette agricultrice cultive plusieurs champs.*
2. Faire pousser. *Cet été, je vais cultiver des tomates, des haricots, des carottes et des radis.*
Verbe pronominal
Accroître ses connaissances, parfaire sa culture. **SYN.** apprendre, s'instruire.
Conjugaison [VOIR MODÈLE – **AIMER**]

culture n. f.
1. Action de cultiver la terre. *La culture des légumes.* **SYN.** agriculture.
2. Terres cultivées. *De vastes cultures.*
3. Ensemble des connaissances acquises. *Il a une grande culture. Une culture scientifique, littéraire.* **SYN.** éducation, instruction, savoir.

-culture suff.
VOIR **AGRICULTURE.**

culturel, elle adj.
Relatif à la culture intellectuelle. *La ville a ouvert un centre culturel comprenant une bibliothèque, une salle d'exposition et un petit théâtre.*

culturisme n. m.
Gymnastique destinée à développer certains muscles.

culturiste n. m. et f.
Personne qui s'adonne au culturisme.

cumulus n. m. inv.
Le ***s*** se prononce [kymylys].
Gros nuage arrondi et blanc comme neige. *Les cumulus sont des nuages de beau temps.*

cupide adj.
Avare. *Ce vieux grincheux est cupide : il ne pense qu'à l'argent.*

cupidité n. f.
Avidité, amour immodéré des richesses. **SYN.** avarice.

cure n. f.
Traitement médical. *Il était épuisé et il a fait une cure de sommeil.*
Locution
N'avoir cure de. Ne pas se soucier de. *Il n'avait cure de tondre sa pelouse.*

cure- préf.
Les mots composés avec le préfixe ***cure-*** s'écrivent avec un trait d'union. Au pluriel, le préfixe ***cure-,*** qui est un verbe, demeure invariable, tandis que le second élément est au pluriel. *Des cure-oreilles.*

curé n. m.
Prêtre à la tête d'une paroisse.

cure-dents ou **cure-dent** n. m. (pl. *cure-dents*)
Petit instrument servant à nettoyer les dents. *Un cure-dents de bois.*

cure-ongles ou **cure-ongle** n. m. (pl. *cure-ongles*)
Instrument pointu servant à nettoyer les ongles.

cure-oreille n. m. (pl. *cure-oreilles*)
Instrument servant à nettoyer l'intérieur de l'oreille.

cure-pipes ou **cure-pipe** n. m. (pl. *cure-pipes*)
Instrument pour nettoyer les pipes.

curieusement adv.
De façon étonnante. *Elle était curieusement vêtue d'un pyjama.* SYN. bizarrement, étonnamment, étrangement.

curieux, euse adj. et n. m. et f.
1. Désireux d'apprendre, de savoir. *Étienne est curieux de tout ce qui est scientifique.* SYN. intéressé.
2. Indiscret. *Ce petit coquin est trop curieux.*
3. Bizarre, singulier. *Quelle curieuse réponse !* SYN. étonnant, étrange.

curiosité n. f.
1. Soif de connaître.
2. Indiscrétion. *La curiosité est un vilain défaut, dit-on.*
3. Chose curieuse. *Cette grotte est une curiosité qu'il faut voir.*

curling n. m.
Ce mot se prononce à l'anglaise [kœrliŋ].
Sport anglais qui consiste à faire glisser un palet sur la glace.

curriculum vitæ n. m. inv. (pl. *curriculum vitæ*)
Les lettres ***um*** se prononcent ***omme*** et les lettres ***æ*** se prononcent ***é*** [kyrikylɔmvite].
Sigle ***CV*** (s'écrit avec ou sans points).
Document dans lequel une personne donne des renseignements sur sa formation et son expérience.
Ce nom est une expression latine qui signifie « carrière de la vie ».

curry n. m.
Épice indienne dont on parfume notamment le riz. *Aimes-tu le bœuf au curry ?*
On écrit aussi : ***cari, carry.***

curseur n. m.
(INFORMATIQUE) Repère lumineux affiché à l'écran qui indique la position du prochain caractère.

cutané, ée adj.
Relatif à la peau. *Une maladie cutanée.*

cuve n. f.
Grand récipient ménager ou industriel. *Une cuve de lavage.*

cuvée n. f.
1. Quantité de vin qui se fait dans une cuve.
2. Production d'une vigne. *Une excellente cuvée.*

cuver v. tr., intr.
Verbe transitif
Faire séjourner le raisin dans une cuve.
Verbe intransitif
Fermenter dans une cuve, en parlant du raisin.
Locution
Cuver (son vin). (FAMILIER) Dormir après avoir trop bu.
Conjugaison [VOIR MODÈLE – **AIMER**]

cuvette n. f.
1. Récipient à bords évasés, servant à divers usages domestiques. *Une cuvette en porcelaine.*
2. (ABSOLUMENT) Partie profonde des toilettes. *La cuvette* (et non le *bol des toilettes).

CV
Sigle de ***curriculum vitæ.***

cyclable adj.
Réservé aux bicyclettes. *Une piste cyclable.*
c**y**clable.

cycle n. m.
1. Durée d'un phénomène qui se répète sans cesse dans un ordre donné. *Le cycle solaire.*
2. Suite de phénomènes renouvelables. *Le cycle des saisons, le cycle de l'eau.*
c**y**cle.

cyclique adj.
Qui se reproduit de façon périodique. *La chute des feuilles est cyclique.*
c**y**clique.

cyclisme n. m.
Pratique sportive de la bicyclette.
c**y**clisme.

cycliste adj. et n. m. et f.
Adjectif
Relatif à la bicyclette. *Des coureurs cyclistes.*
Nom masculin et féminin
Personne qui utilise une bicyclette. *Ces pistes sont réservées aux cyclistes.*
c**y**cliste.

cyclone n. m.
Tempête caractérisée par un puissant tourbillon de vent très destructeur. *L'œil d'un cyclone.*
Ne pas confondre avec les noms suivants :
– ***bourrasque,*** coup de vent violent et de courte durée ;
– ***ouragan,*** vent très violent accompagné de pluie ;
– ***tornade,*** trombe de vent violent.
c**y**cl**o**ne.

cygne n. m.
Oiseau aquatique à long cou souple et à plumage blanc ou noir.
HOM. **signe**, indice, geste.
c**y**gne, avec un ***y.***

cylindre n. m.
1. Corps allongé dont les deux bases sont des cercles égaux.
2. Enveloppe cylindrique de chaque piston d'un moteur à explosion. *Cette voiture a six cylindres.*
c**y**lindre.

cylindrique adj.
Qui a la forme d'un cylindre. *Un tube cylindrique.*
c**y**lindrique.

cymbale n. f.
Instrument de musique à percussion.
Ne pas confondre avec le nom ***timbale,*** petit tambour.
c**ym**bale.

cynique adj. et n. m. et f.
Se dit de la personne qui se moque effrontément des usages.
c**y**n**i**que.

cynisme n. m.
Attitude cynique, effronterie de la personne qui se moque des usages.
c**y**n**i**sme.

d n. m. inv.
Quatrième lettre de l'alphabet.

D
Chiffre romain dont la valeur est de 500.
VOIR TABLEAU – **CHIFFRES ROMAINS.**

d'abord loc. adv.
En premier lieu. *Viens d'abord faire tes devoirs, tu joueras ensuite.*

d'accord loc. adv.
Oui, entendu. *D'accord, Maxime, nous irons patiner cet après-midi.*
Plus familièrement, on dit aussi ***OK,*** abréviation d'origine américaine. Il est préférable d'employer ***d'accord.***
Locutions
Être d'accord, locution verbale. Avoir le même avis, la même intention au sujet de quelque chose. *Nous sommes d'accord : ce film est le meilleur.* **SYN.** accepter, s'entendre.
Être d'accord sur, locution verbale. *Elle est d'accord sur ce choix.*
La locution est suivie d'un nom.
Être d'accord pour, locution verbale. *Il est d'accord pour revenir.*
La locution est suivie de l'infinitif.
Être d'accord que, locution verbale. *Tu es d'accord que le prix est trop élevé.*
La locution est suivie de l'indicatif ou du conditionnel.
Être d'accord pour que, locution verbale. *Ils sont d'accord pour que la maison soit restaurée.*
La locution est suivie du subjonctif.

dactylo n. m. et f.
Forme abrégée de ***dactylographe.***
Personne préposée à la saisie des données à l'aide d'une machine à écrire, d'un ordinateur. *Ce sont d'excellentes dactylos. Il est dactylo.*
Ne pas confondre le ou la ***dactylo,*** qui désigne une personne, avec l'appareil dont on se sert pour transcrire un texte et qui est une ***machine à écrire.***

dactylographie n. f.
Procédé de transcription de textes à la machine, à l'ordinateur.

dactylographier v. tr.
Écrire, taper à la machine. *Les travaux doivent être dactylographiés.*
Avec l'ordinateur, on emploie plutôt le verbe ***saisir*** en ce sens.
Conjugaison [VOIR MODÈLE – **ÉTUDIER**]
Redoublement du ***i*** à la première et à la deuxième personne du pluriel de l'indicatif imparfait et du subjonctif présent. *(Que) nous dactylographiions, (que) vous dactylographiiez.*

dada n. m.
(FAMILIER) Occupation favorite. *Son dada, c'est de collectionner les timbres.* **SYN.** passe-temps.

dague n. f.
Poignard à lame courte et large. *Un coup de dague blessa le chevalier.*

dahlia n. m.
Plante ornementale. *Planter des dahlias.*
Attention au genre masculin de ce nom : ***un*** dahlia.
da**h**lia.

daigner v. tr.
Avoir la bonté de, accepter de. *Elle n'a pas daigné répondre à sa lettre ; elle est rancunière.*
Le verbe ***daigner*** se construit sans préposition et il est toujours suivi d'un infinitif. Le participe passé de ce verbe est invariable.
Conjugaison [VOIR MODÈLE – **AIMER**]
Les lettres ***gn*** sont suivies d'un ***i*** à la première et à la deuxième personne du pluriel de l'indicatif imparfait et du subjonctif présent. *(Que) nous daignions, (que) vous daigniez.*

d'ailleurs loc. adv.
1. D'un autre lieu. *Ce garçon vient d'ailleurs, il est né en Afrique.*
2. De toute façon, du reste. *Le temps est à l'orage, rentrons ; d'ailleurs nous avons du travail.* **SYN.** de plus.
La locution introduit un autre aspect des choses.
VOIR **AILLEURS.**

daim n. m.
1. Mammifère ruminant qui ressemble au cerf. *Le daim porte des bois larges et aplatis. La femelle du daim est une daine.*
VOIR TABLEAU – **ANIMAUX.**

2. Peau de daim ou cuir imitant la peau du daim. *Une veste de cow-boy en daim.*
daim.

daine n. f.
Femelle du daim. *Le petit de la daine est le faon.*
VOIR TABLEAU – **ANIMAUX.**

dallage n. m.
1. Action de recouvrir de dalles. *Ils en sont à l'étape du dallage des sols.*
2. Revêtement de dalles. *Un beau dallage noir et blanc.*
dallage.

dalle n. f.
Plaque servant au revêtement du sol. *Des dalles de marbre.*
dalle.

dalmatien n. m.
Le ***t*** se prononce comme un ***s*** [dalmasjɛ̃].
Chien dont le poil blanc est tacheté de noir ou de brun.

dame n. f.
Personne adulte de sexe féminin. *Cette dame est passée plus tôt.*
1° L'emploi du mot ***dame*** est plus littéraire, plus poli que celui de ***femme***. *C'est une dame très honnête, c'est un monsieur très gentil.*
2° Attention à l'erreur courante qui consiste à employer ***madame*** au lieu de ***dame*** pour désigner une personne de sexe féminin que l'on ne nomme pas. *C'est une dame* (et non une *madame) *très gentille.*
3° Si l'on parle de la conjointe d'une personne, on emploie alors le nom ***femme.*** *Elle est la femme* (et non la *dame) *de M. Untel.*
Locution
Jeu de dames ou ***dames.*** Jeu pratiqué sur un damier avec des pions noirs et des pions blancs. *Jouer une partie de dames, jouer aux dames avec un copain.*

damer v. tr.
1. Doubler un pion, au jeu de dames.
2. Tasser uniformément. *Damer la neige sur la piste de ski.*
Locution
Damer le pion à quelqu'un. (FIGURÉ) L'emporter sur quelqu'un. *Elle lui a damé le pion et a gagné l'élection.*
Conjugaison [VOIR MODÈLE – **AIMER**]

damier n. m.
Surface composée de carrés alternativement noirs et blancs, ou de couleurs contrastées. *On joue aux dames et aux échecs sur un damier.*

damné, ée adj. et n. m. et f.
La lettre ***m*** ne se prononce pas [dɑne].
1. Condamné à l'enfer après la mort.
2. (FAMILIER) Qui cause des problèmes. *Cette damnée tondeuse est encore en panne !* **SYN.** détestable, maudit.
Locution
Âme damnée. Personne dévouée aveuglément à une autre, qui irait en enfer pour elle.
damné.

damner v. tr., pronom.
La lettre ***m*** ne se prononce pas [dɑne].
Verbe transitif
Condamner à l'enfer après la mort.
Verbe pronominal
S'exposer aux peines éternelles de l'enfer.
Locutions
Faire damner quelqu'un. (FAMILIER) L'exaspérer. *Ces petits espiègles feront damner la gardienne.* **SYN.** impatienter.
Se damner pour quelqu'un, quelque chose. (FIGURÉ) S'exposer à tout pour atteindre son objectif. **SYN.** vendre son âme au diable.
Conjugaison [VOIR MODÈLE – **AIMER**]
damner.

dan n. m.
Le ***n*** se prononce [dan] ; le mot rime avec ***dans.***
Grade des ceintures noires du judo, du karaté. *Elle est troisième dan de judo. Des dans de karaté.*

dandiner (se) v. pronom.
Se balancer gauchement. *Elles se sont dandinées comme des oies tandis qu'ils se dandinaient comme des canards.*
Le participe passé de ce verbe qui n'existe qu'à la forme pronominale s'accorde toujours avec le sujet du verbe.
Conjugaison [VOIR MODÈLE – **AIMER**]

danger n. m.
Ce qui représente une menace, ce qui expose à un accident. *Il y a un danger d'explosion. Elle est en danger de mort.* **SYN.** péril, risque.
Locutions
Courir un danger. S'exposer à un danger. **SYN.** s'exposer, risquer.
Être un danger public. (FAMILIER) Constituer une menace pour les autres. *Il conduit très, très lentement : c'est un danger public !*
Hors de danger. Dont la vie n'est plus menacée. *Le blessé a été opéré ; il est maintenant hors de danger.* **SYN.** sain et sauf, sauvé.

dangereusement adv.
De façon dangereuse. *Ce garçon conduit dangereusement.*

dangereux, euse adj.
Qui présente du danger. *Il est dangereux d'escalader ces rochers.* **SYN.** périlleux, risqué.
dangereux.

danois, oise adj. et n. m. et f.
Adjectif et nom masculin et féminin
Relatif au Danemark. *Le drapeau danois. Un Danois, une Danoise.*
L'adjectif s'écrit avec une minuscule ; le nom, avec une majuscule.
Nom masculin
1. Langue parlée au Danemark. *Ingrid parle le danois.*
Le nom de la langue s'écrit avec une minuscule.
2. Chien à poil ras de très grande taille.

dans prép.
Cette préposition peut indiquer :
1. un lieu. *Mettre ses clés dans sa poche. Habiter dans un quartier agréable.*
2. le temps. *Nous comptons terminer dans un an. Dans quelques minutes, je serai prête.*
3. une situation. *Dans le doute, il vaut mieux s'abstenir.*
4. une tendance, une intention. *Dans l'intérêt de notre groupe. Dans l'espoir de réussir.*

La préposition ***dans*** s'emploie généralement pour désigner un endroit situé à l'intérieur d'un lieu, alors que la préposition ***sur*** désigne un lieu situé en surface. *Une maison dans la vallée, dans les bois, un terrain sur une montagne, sur le bord de l'eau.* Cependant, le choix de la préposition est souvent lié à l'usage et ne tient pas toujours compte de la distinction de sens entre ***dans*** et ***sur.*** C'est ainsi qu'on dira : *dans la rue, dans la côte,* mais *sur le boulevard, sur l'avenue, sur la place. Lire un article dans un journal, trouver un renseignement dans un annuaire.*

Locution

Dans les. (FAMILIER) Environ. *Cette bicyclette coûte dans les 100 dollars.* **SYN.** environ.

danse n. f.

Action de danser. *Une piste de danse. De la danse classique.* **HOM.** dense, épais, compact.

danser v. tr., intr.

Verbe transitif

Exécuter une danse. *Ils adorent danser le tango.*

Verbe intransitif

Mouvoir son corps en cadence. *Elles dansent divinement. Viens-tu danser ?*

Conjugaison [VOIR MODÈLE – **AIMER**]

danseur n. m.
danseuse n. f.

1. Personne dont la profession est la danse. *Des danseurs de ballet.*

2. Personne qui danse. *Ces danseurs sont très élégants.*

d'après loc. prép.

Selon. *D'après mon ami, il devrait neiger ce soir.*

dard n. m.

1. Aiguillon de certains insectes. *Le dard de l'abeille.*

2. Arme comprenant une pointe de fer.

Ne pas confondre avec les noms suivants :

– ***flèche,*** baguette munie d'un fer pointu ;

– ***javelot,*** longue tige à pointe de fer.

dar**d.**

date n. f.

Indication du jour, du mois et de l'année d'un évènement. *Quelle est la date de ton anniversaire ?*

Forme fautive

*à date. Calque de l'anglais « to date » au sens de ***à jour.*** **HOM.** **datte**, fruit du dattier.

VOIR TABLEAU – **DATE.**

VOIR TABLEAU – **JOUR.**

dater v. tr., intr.

Verbe transitif

1. Mettre la date. *Dater une lettre, un chèque.*

2. Attribuer une date à quelque chose. *Ils ont réussi à dater ce tableau qui remonte au xve siècle.*

Verbe intransitif

1. Être démodé. *Cette robe commence à dater.*

2. Exister depuis. *Cette église date du Moyen Âge.* **SYN.** remonter.

En ce sens, le verbe se construit avec la préposition ***de.***

Conjugaison [VOIR MODÈLE – **AIMER**]

datte n. f.

Fruit du dattier. *Un gâteau aux dattes.*

HOM. **date**, indication du jour, du mois et de l'année.

da**tt**e.

dattier n. m.

Palmier dont le fruit est la datte.

dauphin n. m.

Mammifère marin carnivore qui peut atteindre cinq mètres de long. *Les dauphins communiquent entre eux et ont un cerveau très développé.*

dau**ph**in.

davantage adv.

Plus, encore plus. *Je prendrai davantage de framboises.*

Ne pas écrire l'adverbe ***davantage,*** qui s'écrit en un seul mot, comme s'il s'agissait de la préposition élidée et du nom ***d'avantage.*** *Cet emploi me plaît davantage. Il n'y a pas d'avantage à procéder ainsi.*

La construction ***davantage*** + ***que*** est critiquée et peut être remplacée par ***plus que.*** *Cet architecte a plus de talent que celui-ci.*

L'adverbe ***davantage*** s'emploie avec un verbe. Pour un adjectif ou un adverbe, on emploiera ***plus.*** *Il l'apprécie davantage. Ils sont plus grands. Elle dessine plus facilement* (et non *davantage facilement).

dB

Symbole de ***décibel.***

de art. partitif

L'article ***de*** s'emploie devant des noms de choses qui ne peuvent se compter, devant un nom abstrait. *Il est tombé de la neige. Éprouver de la fierté.*

Devant une voyelle ou un ***h*** muet, l'article s'élide. *Il n'y a plus d'eau.*

de prép.

La préposition introduit un **complément du nom** en marquant :

1. la possession. *La fille de cette amie* (et non *à cette amie).

2. l'origine. *Du sirop d'érable.*

3. le temps. *Le train de nuit. Une personne de 25 ans.*

4. la cause. *Un vent d'orage.*

5. le moyen. *Un air de piano.*

6. la matière. *Une colonne de bois.*

7. le genre. *Un roman d'aventure.*

La construction avec la préposition ***de*** est de style plus recherché que celle avec la préposition ***en.***

La préposition introduit également un **complément du verbe** en marquant :

1. le lieu. *Venir de Trois-Rivières.*

2. le temps. *Ils vont à l'école de 8 h 30 à 15 h 30.*

3. la cause. *Les enfants sautent de joie.*

4. le moyen, l'instrument. *Se servir d'un pinceau.*

1° La préposition s'élide (elle perd le **e** final) généralement devant une voyelle ou un ***h*** muet. *Jus* ***d'****orange,* ***d'****habitude,* mais *salade* ***de*** *haricots, jus* ***de*** *tomate.*

2° La préposition ne s'élide pas devant les mots ***huit*** et ***onze.*** *Un prix de huit dollars. Un rabais de onze dollars.*

dé n. m.

1. Petit cube à six faces. *Jouer aux dés.*

2. Petit morceau coupé en cube. *Couper les pêches en dés.*

Locutions

Coup de dés, de dé. Résultat lié au hasard. *On ne peut prévoir le résultat : ce sera un coup de dés ou un coup de dé.*

Les dés sont jetés. La décision est prise.

débâcle n. f.

1. Rupture des glaces d'un cours d'eau au printemps.

2. Fuite, ruine. *C'est la faillite, la débâcle pour cette entreprise.* **SYN.** déroute.

Ne pas confondre avec le nom masculin ***embâcle,*** amoncellement de glaces sur un cours d'eau.

déb**â**cle.

***débalancé**
Impropriété pour ***déséquilibrer.*** *Un régime déséquilibré* (et non *débalancé).

déballage n. m.
Action de déballer. *Le déballage des cadeaux.*

déballer v. tr.
Sortir une marchandise de son emballage. *As-tu déballé tes cadeaux ?*
Conjugaison [VOIR MODÈLE – **AIMER**]

débarbouillage n. m.
Action de débarbouiller.

débarbouiller v. tr., pronom.
Verbe transitif
Laver sommairement quelqu'un. *Elle a débarbouillé le visage de son enfant.*
Verbe pronominal
Se laver de façon rapide. *Débarbouillez-vous un peu avant de venir à table !*
Conjugaison [VOIR MODÈLE – **AIMER**]
Les lettres ***ill*** sont suivies d'un ***i*** à la première et à la deuxième personne du pluriel de l'indicatif imparfait et du subjonctif présent. *(Que) nous débarbouillions, (que) vous débarbouilliez.*

débarbouillette n. f.
⚜ Petite serviette de forme carrée servant à se laver.

débarcadère n. m.
Lieu aménagé pour l'embarquement et le débarquement des passagers d'un navire, d'un véhicule ou pour le chargement et le déchargement de marchandises. *Il est interdit de stationner ici plus de cinq minutes : c'est le débarcadère de l'hôtel.* **SYN.** embarcadère.

débardeur n. m.
Tricot sans manches et à large encolure.
☞ Ce vêtement était à l'origine celui des débardeurs.

débardeur n. m.
débardeuse n. f.
Personne qui charge ou décharge des navires, des camions.

débarquer v. tr., intr.
Verbe transitif
Décharger. *Ils ont débarqué toutes les marchandises du bateau.* **ANT.** embarquer.
Verbe intransitif
Quitter un navire, un avion, un train. *Les voyageurs n'ont pas encore débarqué de l'hélicoptère.* **ANT.** embarquer.
☞ Ce verbe ne peut désigner l'action de quitter un véhicule routier. *Sortir d'une voiture, descendre d'un autobus* (et non *débarquer).
Conjugaison [VOIR MODÈLE – **AIMER**]

débarras n. m.
1. Lieu d'entreposage. *La cave sert de débarras.*

DATE

Des chiffres et des lettres

On indique généralement la date à l'aide de lettres et de chiffres ; on peut écrire la date avec ou sans l'article défini ***le***.

Le 27 janvier 1997 ou *27 janvier 1997*

☞ La date n'est jamais suivie d'un point final ; les noms de jours, de mois s'écrivent avec une minuscule.

Indication du jour de la semaine

Si on veut indiquer le ***jour de la semaine,*** celui-ci est précédé de l'article défini ; il n'y a pas de virgule entre le jour de la semaine et le jour du mois exprimé en chiffres.

Le lundi 27 janvier 1997 (et non *Lundi, le 27 janvier 1997)

L'année est notée au long à l'aide de quatre chiffres.

1997 (et non *97)

Indication du lieu

Parfois, on tient à indiquer le lieu avec la date ; la mention du lieu est alors suivie d'une virgule.

Montréal, le 27 janvier 1997

Des lettres seulement

Dans certains documents officiels, la date est composée en toutes lettres.

Le vingt-sept janvier mil neuf cent quatre-vingt-dix-sept

Des chiffres seulement

L'usage de l'indication uniquement en chiffres de la date doit être limité aux échanges d'informations entre systèmes de données et à la présentation en colonne ou en tableau. Cette notation procède par ordre décroissant : (année, mois, jour) 1997 01 27 ou 1997-01-27 ou 19970127.

2. (FAMILIER) Délivrance. *Bon débarras, il est parti ! Quel débarras !*
débarras.

débarrasser v. tr., pronom.
Verbe transitif
1. Délivrer d'un embarras. *Ce médicament te débarrassera de cette vilaine toux.* **SYN.** soulager.
2. Enlever ce qui encombre. *Débarrasse ton bureau de tous ces documents.* **SYN.** dégager.
3. Enlever les couverts, les plats (de la table). *Je vais débarrasser la table pendant que tu ranges la cuisine.* **SYN.** desservir.
Verbe pronominal
Se défaire de. *Ils se sont débarrassés de ces vieux journaux qui encombraient le salon.* **SYN.** jeter.
Conjugaison [VOIR MODÈLE – **AIMER**]
débarrasser.

débarrer v. tr.
Enlever la barre (d'une porte, d'une fenêtre). *Débarrer la porte du jardin.*
Lorsqu'on tire le verrou ou lorsqu'on tourne la clé dans la serrure, on ***déverrouille*** la porte. Le verbe ***débarrer*** en ce sens est une impropriété.
Conjugaison [VOIR MODÈLE – **AIMER**]
débarrer.

débat n. m.
Discussion animée. *Participer à un débat télévisé. Un débat oratoire sur la peine de mort.*
débat.

débattre v. tr., pronom.
Verbe transitif
Discuter. *Ils débattent la question, le prix.*
Verbe pronominal
Lutter pour sortir d'une situation difficile. *Le saumon se débat beaucoup. Ils se sont débattus contre la malchance.* **SYN.** se battre, se démener.
Conjugaison [VOIR MODÈLE – **COMBATTRE**]
INDICATIF PRÉSENT *Je débats, tu débats, il débat, nous débattons, vous débattez, ils débattent.* IMPARFAIT *Je débattais.* PASSÉ SIMPLE *Je débattis.* FUTUR *Je débattrai.* **CONDITIONNEL** PRÉSENT *Je débattrais.* **IMPÉRATIF** PRÉSENT *Débats, débattons, débattez.* **SUBJONCTIF** PRÉSENT *Que je débatte.* IMPARFAIT *Que je débattisse.* **PARTICIPE** PRÉSENT *Débattant.* PASSÉ *Débattu, ue.*

débile adj. et n. m. et f.
Adjectif
(FAMILIER) (FIGURÉ) Idiot. *Tu es débile, mon pauvre ami !* **SYN.** imbécile.
Nom masculin et féminin
Personne dont le développement intellectuel est insuffisant. *Un débile mental. Des débiles mentaux.* **SYN.** déficient, retardé.

déblayer v. tr.
1. Dégager un lieu des choses qui l'encombrent. *Le chasse-neige déblaie la route enneigée.*
2. (FIGURÉ) Régler les difficultés qui se présentent, supprimer les premiers obstacles. *Commençons par déblayer le courrier.* **SYN.** débroussailler, défricher.
Conjugaison [VOIR MODÈLE – **PAYER**]
Le ***y*** est suivi d'un ***i*** à la première et à la deuxième personne du pluriel de l'indicatif imparfait et du subjonctif présent. *(Que) nous déblayions, (que) vous déblayiez.*

déblocage n. m.
Action de débloquer quelque chose. *Le déblocage d'un tiroir.*
déblocage.

débloquer v. tr.
Remettre en marche, en circulation ce qui était bloqué. *Débloquer un verrou.* **SYN.** décoincer. **ANT.** bloquer, coincer.
Conjugaison [VOIR MODÈLE – **AIMER**]

déboisement n. m.
Action de déboiser ; résultat de cette action. *Il faut arrêter le déboisement de nos forêts et planter des arbres.*

déboiser v. tr., pronom.
Verbe transitif
Couper les arbres d'un terrain, d'une montagne. **ANT.** se reboiser.
Verbe pronominal
Perdre ses arbres, en parlant d'une région. *Ces terrains se sont déboisés.*
Conjugaison [VOIR MODÈLE – **AIMER**]

déboîter v. tr., pronom.
Verbe transitif
1. Faire sortir de ce qui emboîte. **ANT.** emboîter.
2. (MÉDECINE) Faire sortir un os de son articulation. *Le choc lui a déboîté l'épaule.* **SYN.** démettre, luxer.
Verbe pronominal
(MÉDECINE) Se déplacer un os. *Elle s'est déboîté l'épaule en tombant.* **SYN.** se démettre, se luxer.
Conjugaison [VOIR MODÈLE – **AIMER**]
déboîter.

débordant, ante adj.
1. Qui ne peut se contenir. *Une joie débordante.* **SYN.** exubérant.
2. Qui a en abondance. *Il est débordant d'énergie.*

déborder v. tr., intr.
Verbe transitif direct
Dépasser le bord de, aller au-delà de. *Ils ont débordé le sujet.*
Verbe transitif indirect
Avoir en quantité. *Elle déborde d'énergie.* **SYN.** être rempli de.
Verbe intransitif
1. Se répandre par-dessus bord. *La rivière a débordé. Le lait déborde de la casserole.*
En ce sens, le verbe se conjugue avec l'auxiliaire ***avoir.***
2. Se manifester avec exubérance. *Son enthousiasme déborde.*
Locutions
C'est la goutte d'eau qui fait déborder le vase. Ennui qui vient s'ajouter aux autres, qui les couronne. **SYN.** c'est le bouquet !
Être débordé. Avoir trop de travail.
En ce sens, le verbe se conjugue avec l'auxiliaire ***être.***
Conjugaison [VOIR MODÈLE – **AIMER**]

débouché n. m.
1. Marché. *Il y a beaucoup de débouchés pour ce produit.*
2. Carrière accessible en fonction d'un programme d'études donné. *Cette profession offre peu de débouchés.*

déboucher v. tr., intr.
Verbe transitif
1. Retirer le bouchon de. *Déboucher une bouteille d'eau.* **SYN.** ouvrir.
2. Débarrasser de ce qui bouche. *Le plombier a débouché le tuyau.* **SYN.** dégager.
Verbe intransitif
1. Passer d'un lieu dans un autre, plus large. *La rue débouche sur une belle avenue. Les enfants débouchèrent du sentier dans la vallée.* **SYN.** aboutir à, conduire à.
2. (FIGURÉ) Aboutir à. *Vous ne pouvez déboucher que sur ces conclusions.*
Conjugaison [VOIR MODÈLE – **AIMER**]

débouclerv. tr.
Défaire la boucle de. *Il a débouclé sa ceinture de sécurité.* **ANT.** boucler.
Conjugaison [VOIR MODÈLE – **AIMER**]

débouler v. tr., intr.
Verbe transitif
Descendre à toute vitesse, dégringoler. *Le chiot a déboulé l'escalier.*
Verbe intransitif
Rouler comme une boule. *Il a déboulé jusqu'en bas de la côte.* **SYN.** dégringoler.
Conjugaison [VOIR MODÈLE – **AIMER**]

débourser v. tr.
Verser de l'argent, dépenser. *Ses parents ont déboursé 10 000 $ pour acheter cette voiture. Il n'a pas déboursé un sou pour ces fleurs.* **SYN.** payer.
Conjugaison [VOIR MODÈLE – **AIMER**]

déboussoler v. tr.
(FAMILIER) Désorienter. *Ce voyage au long cours les a un peu déboussolés.* **SYN.** déphaser, désemparer.
Conjugaison [VOIR MODÈLE – **AIMER**]

debout adv.
1. Sur ses pieds. *Elle se mit debout.* **ANT.** assis.
2. Levé. *Elles sont toujours debout très tôt le matin.*
3. Verticalement. *Il vaut mieux ranger ces livres debout.* **ANT.** horizontalement, à plat.
Le mot ***debout*** est toujours invariable.
Locution
Tenir debout. (FIGURÉ) Être vraisemblable, logique. *Tes histoires ne tiennent pas debout.*

déboutonner v. tr., pronom.
Verbe transitif
Dégager un bouton de sa boutonnière. *Déboutonne ton manteau, il fait chaud.* **SYN.** détacher.
Verbe pronominal
1. Défaire ses boutons. *Ils se sont déboutonnés.*
2. (FAMILIER) (FIGURÉ) Dire franchement ce que l'on pense. *Après la discussion, elles se sont finalement déboutonnées et le chat est sorti du sac.* **SYN.** s'abandonner, se confier, s'ouvrir.
Conjugaison [VOIR MODÈLE – **AIMER**]

débraillé, ée adj.
Désordonné, négligé. *Une tenue débraillée.*

débrancher v. tr.
Arrêter un appareil électrique en retirant la fiche de la prise de courant. *Débrancher* (et non *disconnecter) *le téléviseur.*
Ne pas confondre avec le verbe ***déconnecter,*** supprimer une connexion électrique.
Conjugaison [VOIR MODÈLE – **AIMER**]

débris n. m.
Morceau, fragment d'une chose détruite. *Il y avait des débris d'avion partout.*
Ce nom s'emploie généralement au pluriel.
débri**s,** attention au ***s*** final même au singulier.

débrouillard, arde adj. et n. m. et f.
(FAMILIER) Qui sait se tirer d'embarras. *Elle est très débrouillarde et trouve des solutions à tous les problèmes. C'est une débrouillarde.* **SYN.** astucieux, habile.

débrouillardise n. f.
(FAMILIER) Habileté à se tirer d'affaire, à s'arranger tout seul.

débrouiller v. tr., pronom.
Verbe transitif
Remettre en ordre, rendre clair. *Ils ont débrouillé la question.* **SYN.** éclaircir.
Verbe pronominal
(FAMILIER) Se tirer d'affaire par son habileté. *Elles se sont débrouillées et ont trouvé une solution.* **SYN.** s'arranger.
Conjugaison [VOIR MODÈLE – **AIMER**]
Les lettres ***ill*** sont suivies d'un ***i*** à la première et à la deuxième personne du pluriel de l'indicatif imparfait et du subjonctif présent. *(Que) nous débrouillions, (que) vous débrouilliez.*

débroussailler v. tr.
1. Défricher, débarrasser de ses broussailles. **SYN.** déblayer, dégager.
2. (FIGURÉ) Mettre de l'ordre. *Avant tout, il faut débroussailler cette question.* **SYN.** clarifier, éclaircir.
Conjugaison [VOIR MODÈLE – **AIMER**]
Les lettres ***ill*** sont suivies d'un ***i*** à la première et à la deuxième personne du pluriel de l'indicatif imparfait et du subjonctif présent. *(Que) nous débroussaillions, (que) vous débroussailliez.*

début n. m.
1. Commencement. *Le début de l'hiver.* **ANT.** fin.
La tournure sans la préposition ***de, début mars,*** est familière.
Si le complément est employé sans article, il se construit avec la préposition ***en.*** Avec un article, on emploie l'article contracté ***au.*** *En début de journée, au début de la journée.*
2. (AU PLURIEL) Période pendant laquelle on commence une carrière, une activité. *Elle a fait ses débuts à la télévision.*
débu**t.**

débutant, ante adj. et n. m. et f.
Personne qui débute. *Il ne faut pas leur confier un travail trop difficile, ce sont des débutants. Un chercheur débutant.*
Ne pas confondre avec le participe présent invariable ***débutant.*** *Les cours débutant la semaine prochaine, nous n'acceptons plus d'inscription.*

débuter v. intr.
1. Faire ses débuts dans une profession. *Elle a débuté comme architecte dans un petit bureau.*
2. Commencer. *Le film débute par une scène très amusante. Les cours débutent à 13 h.*
Le verbe ***débuter*** est intransitif (il n'a pas de complément d'objet). *Les élèves commenceront* (et non *débuteront) *leur nouvelle année scolaire le 3 septembre.*
Conjugaison [VOIR MODÈLE – **AIMER**]

D.E.C.
Abréviation de ***diplôme d'études collégiales.***

décacheter v. tr.
Ouvrir (ce qui est cacheté). *Elle décachette l'enveloppe.*
Conjugaison [VOIR MODÈLE – **APPELER**]
Redoublement du ***t*** devant un ***e*** muet. *Je décachette, je décachetterai,* mais *je décachetais.*

décade n. f.
Période de dix jours.
Ne pas confondre avec **décennie**, période de dix ans.

décaféiné, ée adj. et n. m.
Adjectif
Dont on a enlevé la caféine. *Un café décaféiné.*
Nom masculin
Café décaféiné.
Cette expression est familièrement abrégée en ***déca.***

décalage n. m.
Écart dans le temps ou dans l'espace. *Un décalage de six heures entre Montréal et Paris. Il y a un léger décalage entre le cadre et l'illustration.*

décalcomanie n. f.
1. Procédé grâce auquel un dessin est transposé d'une feuille à un objet.
2. La feuille comportant un tel dessin. *Poser des décalcomanies sur un cartable.*
Ne pas confondre avec le nom ***décalque,*** dessin copié à l'aide d'un transparent.

décaler v. tr.
Déplacer dans le temps ou dans l'espace. *On a décalé les travaux d'une semaine. Le jardinier décale les rosiers de façon irrégulière.*
Conjugaison [VOIR MODÈLE – **AIMER**]

décalque n. m.
Dessin copié à l'aide d'un transparent.
Ne pas confondre avec le nom ***décalcomanie,*** procédé grâce auquel un dessin est transposé d'une feuille à un objet, ou la feuille comportant un tel dessin.

décalquer v. tr.
Reporter le calque d'un dessin sur un papier transparent. *Décalquer le croquis d'un paysage.*
Ne pas confondre avec le verbe ***calquer,*** reproduire au moyen d'un papier transparent.
Conjugaison [VOIR MODÈLE – **AIMER**]

décamper v. intr.
(FAMILIER) S'enfuir précipitamment. *Le cambrioleur a décampé.* **SYN.** déguerpir, fuir, se sauver.
Ce verbe se conjugue généralement avec l'auxiliaire ***avoir.***
Conjugaison [VOIR MODÈLE – **AIMER**]

décapage n. m.
Action de décaper ; son résultat. *Le décapage d'un meuble ancien.*

décaper v. tr.
Nettoyer la surface d'une matière en grattant la peinture, le vernis, etc. *Décaper des boiseries.*
Conjugaison [VOIR MODÈLE – **AIMER**]
déca**p**er.

décapiter v. tr.
Couper la tête de quelqu'un. *On décapita la reine Marie-Antoinette en 1793.*
Conjugaison [VOIR MODÈLE – **AIMER**]

décapotable adj. et n. f.
Adjectif
Dont on peut retirer la capote. *Une voiture décapotable.*
Nom féminin
Automobile décapotable. *Martine rêve d'une décapotable.*

décapsuler v. tr.
Enlever la capsule d'une bouteille. *Étienne décapsule une bouteille d'eau minérale.* **SYN.** déboucher.
Conjugaison [VOIR MODÈLE – **AIMER**]

décapsuleur n. m.
Instrument servant à enlever les capsules de bouteilles. **SYN.** ouvre-bouteille.

décathlon n. m.
Compétition sportive comportant dix épreuves (saut en longueur, saut en hauteur, saut à la perche, 100 mètres, 400 mètres, 1 500 mètres, 100 mètres haies, lancement du disque, du javelot, du poids).
Ce mot est formé avec le préfixe « déca- » du grec « deka », signifiant ***dix***, d'après le nom ***pentathlon*** du grec « penta » et « athlos », signifiant ***cinq*** et ***combat.***
VOIR **PENTATHLON.**
déca**th**lon.

décéder v. intr.
Mourir, dans la langue administrative. *Il est décédé* (et non *a décédé).
Ce verbe n'est généralement pas employé lorsqu'il s'agit d'une mort accidentelle ou violente. Il désigne l'action de mourir pour une personne, non pour des animaux, et ne se conjugue qu'avec l'auxiliaire ***être.***
Conjugaison [VOIR MODÈLE – **POSSÉDER**]
Le deuxième **é** se change en **è** devant une syllabe muette, sauf à l'indicatif futur et au conditionnel présent. *Il décède*, mais *il décédera.*

déceler v. tr.
Le **e** de la deuxième syllabe ne se prononce pas [desle].
Découvrir ce qui était caché. *Le médecin a décelé l'origine de ses malaises.* **SYN.** trouver.
HOM.
– **desceller**, ouvrir ce qui était scellé ;
– **desseller**, retirer la selle d'un cheval.
Conjugaison [VOIR MODÈLE – **CONGELER**]
Le deuxième **e** se change en **è** devant un **e** muet. *Il décèle, il décelait.*

décembre n. m.
Douzième et dernier mois de l'année. *Les enfants attendent le 25 décembre avec impatience.*
L'année romaine commençant en mars, décembre était donc le dixième mois chez les Romains.
Les noms de mois s'écrivent avec une minuscule.
VOIR TABLEAU – **DATE.**

décemment adv.
Le **e** de la deuxième syllabe se prononce **a** [desamɑ̃].
Convenablement. *Habille-toi décemment.* **SYN.** correctement.
déc**emm**ent.

décence n. f.
1. Bienséance, pudeur. *Les religieuses s'habillent avec décence.*
2. Tact, discrétion. *Ils ont eu la décence de se retirer en voyant notre chagrin.* **SYN.** politesse.
déc**en**ce.

décennie n. f.
Période de dix ans.
Ne pas confondre avec **décade**, période de dix jours.
déce**nn**ie.

décent, ente adj.
Convenable. *Pour entrer à l'église, il faut porter une tenue décente.* **SYN.** correct. **ANT.** indécent.
HOM. **descend**, du verbe ***descendre.***
déc**ent.**

déception n. f.
Espoir non réalisé, insatisfaction. *Le refus de son amie lui a causé une grande déception.* **SYN.** désappointement, désillusion, frustration.

d

décerner v. tr.
Accorder (des honneurs, une récompense). *On lui a décerné le premier prix.* **SYN.** donner, remettre.
Note – À la forme pronominale, le participe passé est invariable si le complément d'objet direct suit le verbe ; il s'accorde avec le complément d'objet direct si celui-ci est placé avant le verbe. *Ils s'étaient décerné chacun une médaille de bonne conduite. Les médailles qu'ils se sont décernées.*
Conjugaison [VOIR MODÈLE – **AIMER**]

décès n. m.
Mort, dans la langue administrative. *Un acte de décès.*
Note – Ce nom n'est généralement pas utilisé en cas de mort accidentelle ou violente et ne s'emploie que pour désigner la mort d'une personne, non d'un animal.
Orthographe décè**s**, un ***s*** final, même au singulier.

décevant, ante adj.
Qui ne répond pas aux attentes. *Ces résultats sont décevants.* **SYN.** insatisfaisant.

décevoir v. tr.
Ne pas répondre aux espoirs de. *En refusant cette invitation, il a déçu son ami.* **SYN.** désappointer, frustrer.
Conjugaison [VOIR MODÈLE – **APERCEVOIR**]
INDICATIF PRÉSENT *Je déçois, tu déçois, il déçoit, nous décevons, vous décevez, ils déçoivent.* IMPARFAIT *Je décevais.* PASSÉ SIMPLE *Je déçus.* FUTUR *Je décevrai.* **CONDITIONNEL** PRÉSENT *Je décevrais.* **IMPÉRATIF** PRÉSENT *Déçois, décevons, décevez.* **SUBJONCTIF** PRÉSENT *Que je déçoive.* IMPARFAIT *Que je déçusse.* **PARTICIPE** PRÉSENT *Décevant.* PASSÉ *Déçu, ue.*

déchaîné, ée adj.
1. Qu'on ne peut calmer, excité. *Des élèves déchaînés.*
2. Violent. *Les flots déchaînés.* **ANT.** calme.
Orthographe décha**î**né.

déchaînement n. m.
Prononciation Le ***e*** de la troisième syllabe ne se prononce pas [deʃɛnmɑ̃].
Fait de se déchaîner. *Le déchaînement d'un orage.*
Orthographe décha**î**nement.

déchaîner v. tr., pronom.
Verbe transitif
Provoquer. *Déchaîner les rires, l'enthousiasme.* **SYN.** exciter, soulever.
Verbe pronominal
1. S'emporter violemment. *En apprenant cela, il s'est déchaîné contre elle.* **SYN.** se mettre en colère.
2. Faire rage. *La tempête de neige s'est déchaînée pendant des jours.*
Conjugaison [VOIR MODÈLE – **AIMER**]
Orthographe décha**î**ner.

déchanter v. intr.
Être déçu. *En apprenant cet échec, ils ont déchanté.*
Conjugaison [VOIR MODÈLE – **AIMER**]

décharge n. f.
1. Tir d'arme à feu. *Les policiers ont entendu une décharge.*
2. Terrain où l'on jette les ordures.
Locution
Décharge électrique. Secousse causée par le passage du courant électrique.

déchargement n. m.
Action de décharger (un véhicule) ; son résultat. **ANT.** chargement.

décharger v. tr., pronom.
Verbe transitif
1. Débarrasser d'un poids, d'une charge. *Décharger des marchandises. Les débardeurs déchargent le navire.* **ANT.** charger.
2. Débarrasser quelqu'un de quelque chose. *Étienne décharge son père des travaux de bricolage.* **SYN.** libérer.
Verbe pronominal
1. Se vider de son chargement. *Les camions se sont déchargés de leur sable.* **ANT.** se charger.
2. Se libérer de quelque chose. *Il se déchargea de cette responsabilité sur ses collègues.* **ANT.** se charger.
Conjugaison [VOIR MODÈLE – **CHANGER**]
Le ***g*** est suivi d'un ***e*** devant les lettres ***a*** et ***o***. *Il déchargea, nous déchargeons.*

déchausser v. tr., pronom.
Verbe transitif
1. Ôter les chaussures de quelqu'un. *Déchausser un enfant.*
2. Mettre à nu le pied, la base. *Déchausser un arbre.*
Verbe pronominal
1. Ôter ses chaussures. *Elles se sont déchaussées en entrant.*
2. Se dénuder jusqu'à la racine, en parlant des dents. *Ses dents se sont déchaussées.*
Conjugaison [VOIR MODÈLE – **AIMER**]

déchet n. m.
Débris, résidu. *Des déchets biodégradables.* **SYN.** ordure.
Note – Pour la maison, on procède à l'***enlèvement*** des ordures ménagères (et non à leur *cueillette) et pour les entreprises, à la ***récupération*** ou à l'***enlèvement*** des déchets industriels.
Note – Le nom s'emploie généralement au pluriel.

déchiffrable adj.
Qui peut être déchiffré. *Cette écriture est déchiffrable.* **SYN.** lisible. **ANT.** illisible, indéchiffrable.

déchiffrer v. tr.
Décoder, lire difficilement. *Je n'arrive pas à déchiffrer ton écriture.* **SYN.** comprendre.
Conjugaison [VOIR MODÈLE – **AIMER**]

déchiqueter v. tr.
Prononciation Le ***e*** central ne se prononce pas [deʃikte].
Découper en menus morceaux, en pièces, par arrachement. **SYN.** déchirer.
Conjugaison [VOIR MODÈLE – **APPELER**]
Redoublement du ***t*** devant un ***e*** muet. *Je déchiquette, je déchiquetterai*, mais *je déchiquetais.*

déchirant, ante adj.
Qui déchire le cœur. *Des adieux déchirants.* **SYN.** bouleversant, douloureux, poignant.

déchirer v. tr., pronom.
Verbe transitif
1. Mettre en pièces, sans l'aide d'un instrument tranchant. *Déchirer une lettre.* **SYN.** déchiqueter.
2. (FIGURÉ) Causer une vive douleur. *Leurs adieux m'ont déchiré.* **SYN.** affliger, attrister, bouleverser, peiner.
Verbe pronominal
Se faire souffrir mutuellement. *Ils ne cessent de se déchirer.*
Conjugaison [VOIR MODÈLE – **AIMER**]

déchirure n. f.
Rupture faite en déchirant. *Il a fait une déchirure à son pantalon.* **SYN.** accroc.

décibel n. m.
Symbole ***dB*** (s'écrit sans point).
Unité d'intensité du son. *Quinze décibels.*
Attention au genre masculin de ce nom : ***un*** décibel.

décidé, ée adj.
Ferme, résolu. *Il marche d'un pas décidé.* **SYN.** déterminé, volontaire.

décidément adv.
À coup sûr, en définitive. *Décidément, il gaffe toujours, cet idiot.*

décider v. tr., pronom.
Verbe transitif direct
1. Prendre une décision. *Que décidez-vous ?*
Le verbe se construit avec l'indicatif ou le conditionnel. *Elle a décidé qu'elle sera* ou *serait présente.*
2. Persuader quelqu'un de faire quelque chose. *Elle les a décidés à tenter le tout pour le tout.*
Verbe transitif indirect
Opter pour, faire le choix de. *Nous avons décidé de poursuivre le travail. Nous avons décidé de la date des vacances.*
Le verbe se construit avec la préposition ***de*** suivie d'un infinitif ou d'un nom.
Verbe pronominal
Faire un choix. *Elles se sont décidées à venir. Ils se décideront peut-être pour le Mexique.* **SYN.** choisir.
À la forme pronominale, le verbe se construit avec la préposition ***à*** suivie de l'infinitif ou avec la préposition ***pour*** suivie d'un nom.
Conjugaison [VOIR MODÈLE – **AIMER**]

décideur, euse n. m. et f.
Personne physique ou morale ayant le pouvoir de prendre des décisions importantes. *Les décideurs d'une entreprise.*

décimal, ale, aux adj.
Qui a pour base le nombre dix. *Système décimal, des nombres décimaux.*

décimale n. f.
Chacun des chiffres inscrits après le signe décimal d'un nombre. *Le nombre 40,751 comporte trois décimales.*
1° Dans le système métrique, le signe décimal est la virgule, alors que selon l'usage américain, ce signe est le point.
2° Le nombre décimal s'écrit sans espace et les unités ne se séparent pas des dixièmes. *40,25 kg* (et non *40 kg,25).
3° Lorsque le nombre est inférieur à l'unité, la virgule décimale est précédée d'un zéro. *0,25.*

décisif, ive adj.
Déterminant. *Un moment décisif, un but décisif.* **SYN.** capital.

décision n. f.
1. Fait de prendre une résolution, de décider. *La décision me revient : il faut trancher.*
2. Résultat de ce choix. *Ma décision est prise : je vais au cinéma.* **SYN.** choix, résolution.

déclaration n. f.
1. Annonce officielle orale ou écrite. *Une déclaration surprenante.* **SYN.** discours.
2. Action de déclarer un fait, une situation. *Une déclaration de douane.*
Locution
Déclaration des revenus, déclaration d'impôts. Déclaration fiscale. *Il faut terminer la déclaration des revenus* ou *la déclaration d'impôts* (et non le *rapport d'impôt) *pour le 30 avril.*

déclarer v. tr., pronom.
Verbe transitif
1. Annoncer de façon officielle. *Déclarer la guerre à la famine.* **SYN.** proclamer.
2. Faire connaître. *Déclarer ses sentiments.* **SYN.** avouer.
Le verbe ***déclarer + que*** se construit avec l'indicatif ou le conditionnel. *Elle déclare que nous devons faire partie du groupe.*
Verbe pronominal
1. Faire connaître quelque chose. *Nos concurrents se sont déclarés en désaccord avec nous.*
2. Se manifester. *Une épidémie s'est déclarée.*
Conjugaison [VOIR MODÈLE – **AIMER**]

déclenchement n. m.
Action de déclencher ; son résultat. *Le déclenchement des hostilités.*

déclencher v. tr., pronom.
Verbe transitif
1. Mettre en marche (un mécanisme, un dispositif). *La fumée a déclenché une sonnerie.*
2. (FIGURÉ) Provoquer. *Déclencher la guerre.*
Verbe pronominal
1. Se mettre en mouvement. *L'alarme s'est déclenchée quand on a ouvert la fenêtre du sous-sol.*
2. Se produire brusquement. *Une crise s'est déclenchée.*
Conjugaison [VOIR MODÈLE – **AIMER**]

déclic n. m.
1. Mécanisme de déclenchement. **SYN.** déclencheur.
2. Bruit sec de ce qui se déclenche. *Un déclic se fit entendre et la porte s'ouvrit.*
3. (FIGURÉ) Intuition soudaine. *Le déclic s'est fait : il a compris.*
décli**c.**

déclin n. m.
1. (FIGURÉ) Diminution de vigueur, de grandeur, de pouvoir. *Le déclin d'une entreprise.*
2. État d'une chose qui penche vers sa fin. *Le soleil était à son déclin* ou *sur son déclin.* **SYN.** décroissance.
déc**lin.**

décliner v. tr., intr.
Verbe transitif
1. Énumérer. *Décliner son âge, sa profession.*
2. Refuser courtoisement. *Elle a décliné mon invitation.* **ANT.** accepter.
3. Rejeter. *Nous déclinons toute responsabilité.* **SYN.** refuser.
4. (COMMERCE) Présenter un produit, une gamme sous plusieurs formes ou en exploiter les différents sous-produits.
Verbe intransitif
Décroître. *Le soleil décline. Ses forces déclinent.* **SYN.** baisser, diminuer.
Conjugaison [VOIR MODÈLE – **AIMER**]

déclouer v. tr.
Défaire ce qui est cloué. *Déclouer une tablette.*
Conjugaison [VOIR MODÈLE – **AIMER**]

décodage n. m.
Action de décoder ; son résultat. *Le décodage d'un message secret.* **SYN.** déchiffrage, transcription.

décoder v. tr.
Traduire en clair un texte écrit en code. *Arrives-tu à décoder ce message secret ?* **SYN.** déchiffrer, transcrire.
Conjugaison [VOIR MODÈLE – **AIMER**]

décodeur n. m.
Appareil destiné à décoder des signaux, à accéder à une chaîne de télévision.

décoiffer v. tr., pronom.
Verbe transitif
Dépeigner. *Le vent l'a décoiffée.*
Verbe pronominal
1. Défaire l'ordre de sa coiffure. *Je ne voudrais pas me décoiffer.* **SYN.** se dépeigner.
2. Retirer son chapeau. *Au musée, elle ne s'est pas décoiffée : elle a gardé son béret.*
Conjugaison [VOIR MODÈLE – **AIMER**]

décoincer v. tr.
Dégager ce qui était coincé. *Elle décoinça sa fermeture éclair.*
Conjugaison [VOIR MODÈLE – **AVANCER**]
Le **c** prend une cédille devant les lettres ***a*** et ***o.*** *Il décoinça, nous décoinçons.*

décollage n. m.
Action de quitter le sol, en parlant d'un avion. *Le décollage d'un avion. Il faut garder sa ceinture bouclée tout au long du décollage.*
Ne pas confondre avec le nom ***décollement,*** action accidentelle de se décoller.

décollement n. m.
Action accidentelle de se décoller. *Le décollement de la rétine.*
Ne pas confondre avec le nom ***décollage,*** action de décoller.

décoller v. tr., intr., pronom.
Verbe transitif direct
Détacher ce qui est collé. *Décolle ce papier peint, nous allons le remplacer.*
Verbe transitif indirect
(FAMILIER) S'en aller, partir. *Quand ces visiteurs désagréables vont-ils décoller d'ici ?*
En ce sens, le verbe se construit avec la préposition ***de.***
Verbe intransitif
Quitter le sol, en parlant d'un avion. *L'avion a décollé à 20 heures hier soir.* **SYN.** s'envoler.
Verbe pronominal
Cesser d'adhérer, se détacher. *Le papier peint se décolle en raison de l'humidité.*
Conjugaison [VOIR MODÈLE – **AIMER**]
déco**ll**er.

décolleté, ée adj. et n. m.
Adjectif
Qui laisse apparaître le cou, la gorge. *Une robe très décolletée.* **SYN.** échancré.
Nom masculin
1. La partie décolletée d'une robe, d'un corsage. *Un décolleté en pointe.*
2. La partie de la gorge ainsi découverte. *Un beau décolleté.*

décolorer v. tr., pronom.
Verbe transitif
Altérer, éclaircir la couleur de. *Le soleil décolore les imprimés. As-tu décoloré tes cheveux ?*
Verbe pronominal
Perdre sa couleur. *Exposés au soleil, ces tissus finissent par se décolorer.*
Conjugaison [VOIR MODÈLE – **AIMER**]

décombres n. m. pl.
Débris d'un édifice détruit par un incendie, une démolition, un séisme, etc. *On l'a retrouvée vivante sous les décombres 11 jours après le tremblement de terre.*
Ce nom ne s'emploie qu'au pluriel.

décommander v. tr., pronom.
Verbe transitif
Annuler une commande, une invitation. *Décommander un taxi* (et non *canceller).
Verbe pronominal
Annuler un engagement, un rendez-vous. *Je dois me décommander : je ne pourrai être des vôtres ce soir.*
Conjugaison [VOIR MODÈLE – **AIMER**]

décomposer v. tr., pronom.
Verbe transitif
1. Ramener aux éléments premiers. *Décomposer une phrase. Le chimiste a décomposé ce produit.* **SYN.** analyser.
2. Pourrir. *Le soleil décompose les viandes.* **SYN.** gâter.
3. (FIGURÉ) Modifier par l'émotion, la peur, etc. *La terreur décomposait son visage.* **SYN.** défigurer.
Verbe pronominal
S'altérer, se pourrir. *Avec la chaleur, la viande se décompose rapidement.* **SYN.** s'avarier.
Conjugaison [VOIR MODÈLE – **AIMER**]

décomposition n. f.
1. Action de décomposer en ses éléments de base. *La décomposition d'un problème.* **SYN.** analyse.
2. Pourriture d'une substance organique. *Un produit en décomposition.*

déconcentrer v. tr., pronom.
Verbe transitif
1. Diminuer la concentration de. *Déconcentrer un bouillon.*
2. Réduire l'attention. *Le bruit les déconcentre.* **SYN.** distraire.
Verbe pronominal
Perdre sa concentration. *Avec tout ce bruit, il se déconcentre.*
Conjugaison [VOIR MODÈLE – **AIMER**]

déconcertant, ante adj.
Surprenant. *Une réponse inattendue et très déconcertante.* **SYN.** étonnant, inattendu.

déconcerter v. tr.
Surprendre, dérouter. *Ces résultats surprenants ont déconcerté l'enseignant.* **SYN.** étonner.
Conjugaison [VOIR MODÈLE – **AIMER**]

déconfiture n. f.
(FIGURÉ) Échec complet. *Ils ont encore perdu : c'est la déconfiture totale.* **SYN.** faillite.

décongélation n. f.
Action de décongeler.

décongeler v. tr.
Ramener un corps congelé à la température ordinaire. *Décongeler un poulet dans un four à micro-ondes.*
Conjugaison [VOIR MODÈLE – **CONGELER**]
Le **e** se change en **è** devant une syllabe muette. *Il décongèle, il décongelait.*

décongestionner v. tr.
1. Faire disparaître la congestion. *Ce médicament décongestionne les conduits respiratoires.*
2. (FIGURÉ) Réduire l'encombrement. *Décongestionner les artères commerciales.* **SYN.** dégager.
Conjugaison [VOIR MODÈLE – **AIMER**]

déconnecter v. tr.
1. (FIGURÉ) Couper de la réalité. *Des recherches déconnectées des besoins actuels.*
2. Supprimer une connexion électrique. **ANT.** connecter.
Ne pas confondre avec le verbe ***débrancher,*** arrêter un appareil électrique en défaisant son branchement.
Locution
Être déconnecté. (FIGURÉ) Être coupé de la réalité ; y perdre intérêt, ne plus se sentir concerné par quelque chose.
Conjugaison [VOIR MODÈLE – **AIMER**]

déconner v. intr.
1. (FAMILIER) Dire, faire des bêtises.
2. Blaguer. *Cesse de déconner, tu n'es pas drôle !* **SYN.** plaisanter.
Conjugaison [VOIR MODÈLE – **AIMER**]

déconseiller v. tr.
Conseiller de ne pas faire une chose. *Cet exercice est déconseillé, il peut causer des blessures au dos.*
Conjugaison [VOIR MODÈLE – **AIMER**]

décontaminer v. tr.
Effectuer la décontamination de. *La rivière est polluée : on doit la décontaminer.*
Conjugaison [VOIR MODÈLE – **AIMER**]

décontracté, ée adj.
(FAMILIER) Détendu. *Ce sera une rencontre très décontractée.* **SYN.** calme.

décontracter v. tr., pronom.
Verbe transitif
Détendre. *Décontracter ses muscles.* **SYN.** relâcher.
Verbe pronominal
Diminuer sa tension psychique. *Après un moment, ils se sont décontractés.* **SYN.** se calmer, se relaxer.
Conjugaison [VOIR MODÈLE – **AIMER**]

décor n. m.
Nom masculin
Ensemble de ce qui sert à décorer un lieu. *Choisir un décor moderne pour le salon. Ce jardin est un décor de rêve qui change tous les jours.*
Nom masculin pluriel
Ensemble des éléments qui servent à représenter les lieux à la scène, au cinéma, etc. *Changer les décors. Un décor de château.*

décorateur n. m.
décoratrice n. f.
Personne dont la profession est d'aménager des intérieurs, de créer des décors pour le théâtre, le cinéma, la télévision.

décoratif, ive adj.
Destiné à décorer. *Un vase décoratif. Des peintures décoratives.*

décoration n. f.
1. Ornement. *Des décorations de Noël.*
2. Art d'aménager un intérieur. *La décoration d'un appartement.* **SYN.** aménagement.

décorer v. tr.
1. Aménager de façon agréable, embellir un lieu. *Décorer une chambre.*
2. Enjoliver, orner. *Une crèche de Noël décorée de lumières multicolores.*
Conjugaison [VOIR MODÈLE – **AIMER**]

décortiquer v. tr.
1. Dépouiller le bois de son écorce, la graine de son enveloppe, la chair de sa coquille, de sa carapace. *Il n'est pas facile de décortiquer les pinces du homard.*
2. (FIGURÉ) (FAMILIER) Analyser minutieusement quelque chose. *L'inspecteur a décortiqué les circonstances du drame.*
Conjugaison [VOIR MODÈLE – **AIMER**]

découdre v. tr.
Défaire ce qui est cousu. *Lucie a décousu son ourlet.*
Conjugaison [VOIR MODÈLE – **COUDRE**]

découler v. intr.
Être la suite nécessaire de. *Les résultats qui découlent de ces efforts.* **SYN.** résulter.
Conjugaison [VOIR MODÈLE – **AIMER**]

découpage n. m.
1. Image découpée. *Léa aime faire des découpages et les coller dans son album.*
2. Action, manière de découper. *Le découpage d'un poulet.*

découper v. tr., pronom.
Verbe transitif
Couper en morceaux. *Elle a découpé sa viande.*
Verbe pronominal
Se détacher. *Le bouquet se découpe sur un fond sombre.* **SYN.** trancher.
Conjugaison [VOIR MODÈLE – **AIMER**]

décourageant, ante adj.
Qui provoque le découragement. *Une attitude décourageante.* **SYN.** démoralisant, démotivant, déprimant.
Ne pas confondre avec le participe présent invariable ***décourageant.*** *Elle a adopté une attitude décourageant tous les efforts.*

découragement n. m.
Perte de courage. *Vincent ne se laisse pas aller au découragement, il réagit.* **SYN.** démotivation, dépression. **ANT.** courage

décourager v. tr., pronom.
Verbe transitif
1. Faire perdre le courage. *Ne te décourage pas, tu finiras bien par régler ce problème.* **SYN.** démoraliser, déprimer. **ANT.** encourager.
2. Empêcher d'agir, de poursuivre. *Pierre nous a découragés d'aller visiter cette exposition.* **SYN.** démotiver, dissuader. **ANT.** encourager.
Verbe pronominal
Perdre courage. *Ils se sont découragés et n'ont pas poursuivi leurs efforts.*
Conjugaison [VOIR MODÈLE – **CHANGER**]
Le ***g*** est suivi d'un ***e*** devant les lettres ***a*** et ***o.*** *Il découragea, nous décourageons.*

décousu, ue adj.
Dont la couture est défaite. *Mon pantalon est décousu.*

découvert, erte adj.
Qui n'est pas couvert. *Un terrain découvert, une piscine découverte.*
Locutions
À découvert, locution adverbiale. Sans protection. *Nous sommes à découvert et il pleut à boire debout.*
À découvert, locution adverbiale. (FIGURÉ) Ouvertement. *Il préfère agir à découvert.* **SYN.** franchement.

découverte n. f.
1. Action de découvrir ce qui était inconnu ou caché. *La découverte d'un squelette de dinosaure, d'un vaccin.*
2. La chose découverte. *Cette découverte limitera les épidémies.*

découvrir v. tr., pronom.
Verbe transitif
1. Ôter ce qui couvre. *Découvrir une marmite.* **SYN.** ouvrir.
2. Trouver ce qui était encore inconnu. *Jacques Cartier a découvert le Canada en 1534. Découvrir un nouveau procédé.*
Ne pas confondre avec le verbe ***inventer,*** créer, trouver par des recherches, par l'imagination ce qui n'existait pas avant.
3. Apercevoir. *D'ici on découvre la montagne au loin.*
4. Comprendre. *J'espère découvrir la solution de ce problème.*
Verbe pronominal
1. Ôter sa coiffure. *Les messieurs se découvrent en entrant dans une église : ils ôtent leur chapeau, leur casquette.*
2. S'exposer à la vue, aux intempéries. *En avril, ne te découvre pas d'un fil, dit l'adage.*
3. S'éclaircir, en parlant du temps. *Le ciel se découvre et le soleil apparaît.*
Conjugaison [VOIR MODÈLE – **OUVRIR**]

décret n. m.
Décision officielle.
décre**t.**

décréter v. tr.
1. Ordonner par décret. *Le conseil a décrété sa nomination.* **SYN.** décider, ordonner.
2. Déclarer de façon autoritaire. *Marc a décrété qu'il avait raison et que les autres avaient tort.*
Le verbe ***décréter*** suivi de ***que*** se construit avec le mode indicatif ou le mode conditionnel. *Ils ont décrété que l'âge de la majorité serait de 18 ans.*
Conjugaison [VOIR MODÈLE – **POSSÉDER**]
Le deuxième **é** se change en **è** devant une syllabe muette, sauf à l'indicatif futur et au conditionnel présent. *Je décrète,* mais *je décréterai.*

décrire v. tr.
Représenter. *Elle nous a décrit la situation très précisément.* **SYN.** dépeindre, exposer.
Conjugaison [VOIR MODÈLE – **ÉCRIRE**]
INDICATIF PRÉSENT *Je décris, tu décris, il décrit, nous décrivons, vous décrivez, ils décrivent.* IMPARFAIT *Je décrivais.* PASSÉ SIMPLE *Je décrivis.* FUTUR *Je décrirai.* **CONDITIONNEL** PRÉSENT *Je décrirais.* **IMPÉRATIF** PRÉSENT *Décris, décrivons, décrivez.* **SUBJONCTIF** PRÉSENT *Que je décrive.* IMPARFAIT *Que je décrivisse.* **PARTICIPE** PRÉSENT *Décrivant.* PASSÉ *Décrit, ite.*

décrochage n. m.
1. Action de décrocher ; son résultat. *Le décrochage d'un tableau.*
2. Interruption de la fréquentation de l'école. *Il faut réduire le décrochage scolaire.*

décrocher v. tr., intr.
Verbe transitif
1. Détacher. *Ils ont décroché le wagon de la locomotive.* **ANT.** accrocher.
2. (FIGURÉ) (FAMILIER) Obtenir. *L'équipe des HEC a décroché le premier prix.* **SYN.** gagner.
Verbe intransitif
1. (FAMILIER) (FIGURÉ) Se décourager, se lasser.
2. Quitter l'école avant la fin de l'obligation scolaire.
Conjugaison [VOIR MODÈLE – **AIMER**]

décrocheur, euse n. m. et f.
Élève qui quitte l'école avant la fin de la période de l'obligation scolaire. (Recomm. off. OLF) *C'est un décrocheur* (et non un *drop-out).

décroiser v. tr.
Faire cesser d'être croisé. *Décroiser les jambes.*
Conjugaison [VOIR MODÈLE – **AIMER**]

décroissance n. f.
Diminution. *La décroissance du nombre des enfants.*

décroissant, ante adj.
Qui décroît. *Des valeurs décroissantes.*
Ne pas confondre avec le participe présent invariable ***décroissant.*** *Les valeurs décroissant graduellement, nous nous retirons du marché.*

décroître v. intr.
Diminuer peu à peu. *La lune décroît.* **ANT.** augmenter, croître.
Contrairement au verbe ***croître,*** le verbe ne prend un accent circonflexe qu'à la troisième personne du singulier de l'indicatif présent ainsi qu'à toutes les personnes du futur de l'indicatif et du conditionnel présent.
Le verbe se conjugue généralement avec l'auxiliaire ***avoir.***
Conjugaison [VOIR MODÈLE – **ACCROÎTRE**]
INDICATIF PRÉSENT *Je décrois, tu décrois, il décroît, nous décroissons, vous décroissez, ils décroissent.* IMPARFAIT *Je décroissais.* PASSÉ SIMPLE *Je décrus, tu décrus, il décrut, nous décrûmes, vous décrûtes, ils décrurent.* FUTUR *Je décroîtrai, tu décroîtras, il décroîtra, nous décroîtrons, vous décroîtrez, ils décroîtront.* **CONDITIONNEL** PRÉSENT *Je décroîtrais, tu décroîtrais, il décroîtrait, nous décroîtrions, vous décroîtriez, ils décroîtraient.* **IMPÉRATIF** PRÉSENT *Décrois, décroissons, décroissez.* **SUBJONCTIF** PRÉSENT *Que je décroisse, que tu décroisses.* IMPARFAIT *Que je décrusse, que tu décrusses, qu'il décrût, que nous décrussions, que vous décrussiez, qu'ils décrussent.* **PARTICIPE** PRÉSENT *Décroissant.* PASSÉ *Décru, ue.*

décrotter v. tr.
Ôter la boue. *Décrotter ses bottes.*
Conjugaison [VOIR MODÈLE – **AIMER**]
décro**tt**er.

déçu, ue adj.
Qui a subi une déception, dont on n'a pas répondu aux attentes. *Elle est déçue parce que la fête est annulée.* **SYN.** désappointé.
dé**ç**u.

déculotter v. tr., pronom.
Verbe transitif
Enlever la culotte, le pantalon de quelqu'un.
Verbe pronominal
Ôter sa culotte. *Les coquins se sont déculottés.*
Conjugaison [VOIR MODÈLE – **AIMER**]
déculo**tt**er.

décupler v. tr., intr.
Verbe transitif
1. Multiplier par dix. *Décupler un placement.*
2. Augmenter considérablement. *Ces exercices ont décuplé ses muscles.*
Verbe intransitif
Devenir dix fois plus grand. *Le prix de cette maison a décuplé en 20 ans : il est passé de 20 000 $ à 200 000 $.*
Conjugaison [VOIR MODÈLE – **AIMER**]

dédaigner v. tr.
Mépriser, rejeter. *Elle dédaigne les honneurs. Un jour de congé, ce n'est pas à dédaigner.* **SYN.** repousser. **ANT.** apprécier.
Conjugaison [VOIR MODÈLE – **AIMER**]
Les lettres ***gn*** sont suivies d'un ***i*** à la première et à la deuxième personne du pluriel de l'indicatif imparfait et du subjonctif présent. *(Que) nous dédaignions, (que) vous dédaigniez.*

dédaigneux, euse adj. et n. m. et f.
Qui a du dédain. *Une moue dédaigneuse.* **SYN.** hautain, méprisant.

dédain n. m.
Mépris, arrogance. *Elle ne regarde pas le clochard avec dédain, mais avec beaucoup de pitié.* **ANT.** estime.
dédain.

dédale n. m.
1. Labyrinthe, lieu où l'on s'égare à cause de la complication des détours. *Ces rues sont un véritable dédale.*
2. (FIGURÉ) Ensemble complexe. *Le dédale des règlements.*
dédale.

dedans adv. et n. m.
Adverbe
À l'intérieur. *Elle est dedans, alors qu'on la croyait dehors.*
L'adverbe ***dedans*** n'introduit pas de complément circonstanciel, contrairement à la préposition ***dans,*** à moins qu'il ne soit précédé d'une préposition. Ainsi on peut écrire : *en dedans de la maison, dans la maison* (et non *dedans la maison).
Nom masculin
La partie intérieure. *Le dedans et le dehors d'un édifice.* **SYN.** intérieur.
Locutions
Au-dedans, locution adverbiale. À l'intérieur. *Il fait aussi froid au-dedans qu'au-dehors.*
De dedans, locution adverbiale. De l'intérieur. *On voit le fleuve de dedans.*
En dedans, locution adverbiale. À l'intérieur. *Il fait humide en dedans.*
En dedans de, au-dedans de, locutions prépositives. À l'intérieur de. *Le cadeau est en dedans de la boîte.*
Là-dedans, locution adverbiale. À l'intérieur. *La source est là-dedans ?*
Par-dedans, locution adverbiale. Par l'intérieur. *Il faut coudre par-dedans.*
À l'exception de ***en dedans, en dedans de, de dedans,*** ces locutions s'écrivent avec un trait d'union.
Forme fautive
*en dedans de. Anglicisme pour ***en moins de, d'ici.***

dédicace n. f.
Inscription en tête d'un ouvrage, par laquelle l'auteur en fait hommage à quelqu'un. *Des dédicaces originales.*
dédicace.

dédicacer v. tr.
Inscrire une dédicace sur un livre, un disque, une œuvre. *L'auteur dédicaça gentiment l'ouvrage à Sébastien.*
Ne pas confondre avec le verbe ***dédier,*** faire hommage d'un livre, d'une œuvre à quelqu'un.
Conjugaison [VOIR MODÈLE – **AVANCER**]
Le ***c*** prend une cédille devant les lettres ***a*** et ***o.*** *Il dédicaça, nous dédicaçons.*
dédicacer.

dédier v. tr.
1. Consacrer. *Une petite chapelle dédiée à la Vierge.*
2. Faire hommage d'un livre, d'une œuvre à quelqu'un. *Il a dédié son roman à ses enfants.*
Ne pas confondre avec le verbe ***dédicacer,*** inscrire une dédicace.
Conjugaison [VOIR MODÈLE – **ÉTUDIER**]

dédire (se) v. pronom.
1. Se contredire. *Elle s'est dédite ; son témoignage ne correspond pas à sa première déclaration.*
2. Ne pas tenir parole. *Ils se sont dédits et ne se sont pas présentés au rendez-vous fixé.*
Le participe passé de ce verbe qui n'existe qu'à la forme pronominale s'accorde toujours avec le sujet du verbe.
Conjugaison [VOIR MODÈLE – **DIRE**]
INDICATIF PRÉSENT *Je dédis, tu dédis, il dédit, nous dédisons, vous dédisez, ils dédisent.* IMPARFAIT *Je dédisais.* PASSÉ SIMPLE *Je dédis, tu dédis, il dédit, nous dédîmes, vous dédîtes, ils dédirent.* FUTUR *Je dédirai.* **CONDITIONNEL** PRÉSENT *Je dédirais.* **IMPÉRATIF** PRÉSENT *Dédis, dédisons, dédisez.* **SUBJONCTIF** PRÉSENT *Que je dédise.* IMPARFAIT *Que je dédisse, que tu dédisses, qu'il dédît, que nous dédissions, que vous dédissiez, qu'ils dédissent.* **PARTICIPE** PRÉSENT *Dédisant.* PASSÉ *Dédit, dédite.*
Contrairement à ***dire,*** la deuxième personne du pluriel du présent de l'indicatif et de l'impératif est ***dédisez*** (et non *dédites).

dédommagement n. m.
Compensation, remboursement. *Pour l'aile abîmée de la voiture, M. Dubois a reçu des dédommagements.* **SYN.** indemnisation.

dédommager v. tr., pronom.
Compenser un dommage. *L'assureur a dédommagé Sébastien pour son vélo volé.*
Conjugaison [VOIR MODÈLE – **CHANGER**]
Le ***g*** est suivi d'un ***e*** devant les lettres ***a*** et ***o***. *Il dédommagea, nous dédommageons.*

dédoublement n. m.
Action de dédoubler, de se dédoubler. *Un dédoublement de la personnalité.*

dédoubler v. tr., pronom.
Verbe transitif
Diviser en deux. *Dédoubler un fil.* **SYN.** séparer.
Verbe pronominal
Se séparer en deux. *Sa copine lui répondait toujours : je ne peux pas me dédoubler et être partout à la fois.*
Ne pas confondre avec le verbe ***doubler,*** multiplier par deux.
Conjugaison [VOIR MODÈLE – **AIMER**]

déductible adj.
Que l'on peut déduire. *Les dons de charité sont déductibles des impôts.*

déduction n. f.
1. Conséquence d'un raisonnement. *Le détective trouva le coupable par déduction.*
2. Action de soustraire une somme d'une autre. *Une déduction d'impôt.*

déduire v. tr.
1. Retrancher d'une somme. *Déduire des frais de déplacement.* **SYN.** soustraire.
2. Tirer une conséquence d'un raisonnement. *Elle en a déduit qu'il était coupable.* **SYN.** conclure.

Conjugaison [VOIR MODÈLE – **CONDUIRE**]
INDICATIF PRÉSENT *Je déduis, tu déduis, il déduit, nous déduisons, vous déduisez, ils déduisent.* IMPARFAIT *Je déduisais.* PASSÉ SIMPLE *Je déduisis.* FUTUR *Je déduirai.* **CONDITIONNEL** PRÉSENT *Je déduirais.* **IMPÉRATIF** PRÉSENT *Déduis, déduisons, déduisez.* **SUBJONCTIF** PRÉSENT *Que je déduise.* IMPARFAIT *Que je déduisisse.* **PARTICIPE** PRÉSENT *Déduisant.* PASSÉ *Déduit, uite.*

déesse n. f.
Divinité féminine. *Diane était la déesse romaine de la chasse.*

défaillance n. f.
1. Faiblesse, évanouissement. *Avoir une défaillance cardiaque.* **SYN.** malaise.
2. Défaut de fonctionnement. *Une défaillance du système de freinage.* **SYN.** problème.

défaillir v. intr.
1. Se trouver mal, commencer à s'évanouir. *Secourez-le, il défaille.*
2. Faire défaut. *Sa mémoire défaille.* **SYN.** s'affaiblir, (FAMILIER) flancher.
Conjugaison [VOIR MODÈLE – **FAILLIR**]
INDICATIF PRÉSENT *Je défaille, tu défailles, il défaille, nous défaillons, vous défaillez, ils défaillent.* IMPARFAIT *Je défaillais, tu défaillais, il défaillait, nous défaillions, vous défailliez, ils défaillaient.* PASSÉ SIMPLE *Je défaillis, tu défaillis.* FUTUR *Je défaillirai, tu défailliras.* **CONDITIONNEL** PRÉSENT *Je défaillirais, tu défaillirais.* **IMPÉRATIF** PRÉSENT *Défaille, défaillons, défaillez.* **SUBJONCTIF** PRÉSENT *Que je défaille, que tu défailles, qu'il défaille, que nous défaillions, que vous défailliez, qu'ils défaillent.* IMPARFAIT *Que je défaillisse, que tu défaillisses.* **PARTICIPE** PRÉSENT *Défaillant.* PASSÉ *Défailli.*

défaire v. tr., pronom.
Verbe transitif
1. Supprimer ce qui avait été fait. *Défaire un nœud. Julie défaisait sa valise.*
2. Mettre en désordre. *Le vent a défait son échafaudage.* **SYN.** déranger.
3. (LITTÉRAIRE) Battre. *Les Canadiens ont défait leurs adversaires.* **SYN.** vaincre.
Verbe pronominal
1. Cesser d'être assemblé. *L'emballage s'est défait.*
2. Se débarrasser de (quelqu'un, quelque chose). *Elle a réussi à se défaire de cette grippe.* **SYN.** se délivrer, se libérer.
En ce sens, le verbe se construit avec la préposition ***de.***
3. Céder, vendre. *Elle a dû se défaire de la maison familiale.*
En ce sens, le verbe se construit avec la préposition ***de.***
Attention à la confusion possible entre les verbes ***défaire*** (passé simple ***défis***) et ***défier*** (indicatif présent ***défie***).
Conjugaison [VOIR MODÈLE – **FAIRE**]
INDICATIF PRÉSENT *Je défais, tu défais, il défait, nous défaisons, vous défaites, ils défont.* IMPARFAIT *Je défaisais.* PASSÉ SIMPLE *Je défis.* FUTUR *Je déferai.* **CONDITIONNEL** PRÉSENT *Je déferais.* **IMPÉRATIF** PRÉSENT *Défais, défaisons, défaites.* **SUBJONCTIF** PRÉSENT *Que je défasse.* IMPARFAIT *Que je défisse.* **PARTICIPE** PRÉSENT *Défaisant.* PASSÉ *Défait, aite.*

défait, aite adj.
1. Pâle, amaigri. *Le visage défait.* **SYN.** abattu.
2. Qui n'est pas fait. *Maman n'aime pas que je laisse mon lit défait.* **SYN.** en désordre.

défaite n. f.
1. Perte d'une bataille. *La défaite des Plaines d'Abraham.*
2. Échec. *Une nouvelle défaite des Expos, une victoire pour les Canadiens.* **ANT.** succès, victoire.

défaitiste adj. et n. m. et f.
Qui manque de confiance dans la réussite et veut cesser ses efforts. *Ne sois pas défaitiste, tiens bon : tu réussiras.*

défaut n. m.
1. Imperfection. *Il a beaucoup de qualités, mais certains défauts aussi.* **ANT.** qualité.
2. Partie imparfaite. *Ce disque a un défaut : on entend trop la batterie. C'est un défaut de fabrication.*
3. Absence de. *Le défaut de preuves a permis son acquittement.* **SYN.** manque.
Locutions
À défaut de, locution prépositive. Au lieu de. *À défaut de groseilles, on prendra des framboises.* **SYN.** faute de.
Faire défaut. Manquer. *Certaines pièces font défaut : il faudra les réclamer.*
Dans cette expression, le nom ***défaut*** demeure invariable.
Le défaut de la cuirasse. Le point faible.
Prendre en défaut. Prendre en faute. *Les tricheurs ont été pris en défaut : ils avaient écrit des dates sur leurs poignets.*

défavorable adj.
Qui n'est pas favorable. *Ces prévisions nous sont défavorables, elles ne sont pas bonnes.* **SYN.** mauvais, négatif.

défavorisé, ée adj.
Pauvre. *Ils vivent dans un quartier défavorisé.*

défavoriser v. tr.
Donner moins qu'aux autres dans un partage. *Ces règlements défavorisent certains candidats.* **SYN.** désavantager, pénaliser.
Conjugaison [VOIR MODÈLE – **AIMER**]

défectueux, euse adj.
Qui manque des qualités, des conditions nécessaires, qui présente des défauts. *Le grille-pain est défectueux; il ne fonctionne plus.* **SYN.** déréglé, détraqué.
défectueu**x.**

défendre v. tr., pronom.
Verbe transitif
1. Interdire. *Il est défendu de fumer à l'école.*
2. Protéger contre une attaque. *Les soldats défendirent vaillamment le château.*
3. Protéger quelqu'un. *Julien défend sa petite sœur contre les gamins qui lui lancent des balles de neige.*
Verbe pronominal
1. S'expliquer, se justifier. *Les élèves se sont défendus d'être des tricheurs.*
2. S'empêcher de. *Elles ne peuvent se défendre de sourire.*
3. Résister à une attaque. *Ils se sont vaillamment défendus contre les Iroquois.*
Locution
À son corps défendant. En n'étant pas d'accord. *Elle a signé, à son corps défendant.*
Conjugaison [VOIR MODÈLE – **FENDRE**]
INDICATIF PRÉSENT *Je défends, tu défends, il défend, nous défendons, vous défendez, ils défendent.* IMPARFAIT *Je défendais.* PASSÉ SIMPLE *Je défendis.* FUTUR *Je défendrai.* **CONDITIONNEL** PRÉSENT *Je défendrais.* **IMPÉRATIF** PRÉSENT *Défends, défendons, défendez.* **SUBJONCTIF** PRÉSENT *Que je défende.* IMPARFAIT *Que je défendisse.* **PARTICIPE** PRÉSENT *Défendant.* PASSÉ *Défendu, ue.*

défense n. f.
1. Interdiction. *Défense de manger dans la bibliothèque.*
2. Action de repousser une attaque. *La défense du territoire.*

3. Fait de défendre un accusé. *L'avocat de la défense.*
4. Longue dent en ivoire de l'éléphant, du morse, etc. *Autrefois, on faisait le commerce des défenses d'éléphant ; aujourd'hui, c'est interdit.*
Ne pas confondre avec le nom ***corne,*** proéminence dure de la tête de certains animaux.
Locution
Être sans défense. Ne pas pouvoir repousser une attaque physique ou morale. *Ces petits sont sans défense ; il faut être bien lâche pour s'en prendre à eux.* **SYN.** faible, impuissant.

défenseur n. m.
1. Protecteur. *Ce prêtre est le défenseur des pauvres.*
2. Partisan. *Elle était le défenseur farouche des bélugas du Saint-Laurent.* **SYN.** champion, soutien.
3. (SPORTS) Joueur chargé de la défense. *C'est un défenseur habile des Canadiens.*
Ce nom ne comporte pas de forme féminine.

défensif, ive adj.
Qui sert pour se défendre. *Une arme défensive.* **ANT.** offensif.

défensive n. f.
État de défense.
Locution
Être, rester, se tenir sur la défensive. Être sur ses gardes.

déferler v. intr.
1. Se briser en écumant, en parlant des vagues. *La mer agitée déferlait sur les rochers de Percé.*
2. (FIGURÉ) Se déployer avec force. *Les touristes déferlaient sur la plage.*
Conjugaison [VOIR MODÈLE – **AIMER**]

défi n. m.
1. Provocation, bravade. *Il a mis son collègue au défi de le battre. Celui-ci a relevé le défi.*
2. Difficulté que l'on doit surmonter. *La conception de ce disque optique constitue un défi de taille.*

défiance n. f.
Méfiance, soupçon. *Marthe regarda le marchand avec défiance.* **ANT.** confiance.
défi**an**ce.

déficience n. f.
Insuffisance physique ou mentale. *Une déficience pulmonaire, une déficience intellectuelle.* **SYN.** faiblesse.
défici**en**ce.

déficient, ente adj.
1. Qui présente un manque. *Une intelligence déficiente.*
2. Faible. *Un raisonnement déficient.*
défici**ent.**

déficit n. m.
Le ***t*** se prononce [defisit].
Situation financière où les dépenses excèdent les gains, où l'on manque d'argent. *L'État est en déficit, c'est pourquoi on doit fermer des hôpitaux, des écoles.* **ANT.** bénéfice, profit.

déficitaire adj.
Qui présente un déficit. *Les comptes de l'État sont déficitaires.* **ANT.** bénéficiaire.
déficit**aire.**

défier v. tr., pronom.
Verbe transitif
1. Provoquer. *Défier une amie à la course, au tennis et aux échecs.*
Le verbe se construit avec un complément d'objet direct désignant la personne défiée suivi de la préposition ***à*** et d'un nom. Si ce nom est masculin, ce sera ***au*** (à le). S'il est pluriel, ***aux*** (à les).
2. Mettre au défi en croyant quelqu'un incapable de quelque chose. *Il défie Antoine d'aller plus vite.*
Le verbe se construit avec la préposition ***de*** suivie d'un infinitif.
3. Braver. *Défier l'autorité.* **SYN.** narguer.
Verbe pronominal
(LITTÉRAIRE) Se méfier de. *Elle se défie de lui et de ses belles promesses.*
À la forme pronominale, le verbe se construit avec la préposition ***de.***
Attention à la confusion possible entre les verbes ***défier*** (indicatif présent ***défie***) et ***défaire*** (passé simple ***défis***).
Conjugaison [VOIR MODÈLE – **ÉTUDIER**]
Redoublement du ***i*** à la première et à la deuxième personne du pluriel de l'indicatif imparfait et du subjonctif présent. *(Que) nous défiions, (que) vous défiiez.*

défigurer v. tr.
1. Abîmer le visage. *Cet accident l'a défiguré.* **SYN.** enlaidir.
2. (FIGURÉ) Altérer l'aspect, la forme. *Des échafaudages défigurent la maison.*
Conjugaison [VOIR MODÈLE – **AIMER**]

défilé n. m.
1. Passage étroit entre deux montagnes où l'on doit passer à la file. *Le défilé est éloigné du sommet alors que le col en est près.*
Ne pas confondre avec les noms suivants :
– ***col,*** passage plus ou moins élevé entre deux montagnes ;
– ***détroit,*** espace étroit entre deux côtes ;
– ***gorge,*** passage creusé dans une montagne.
2. Groupe de personnes qui vont à la file. *Un défilé aux flambeaux.* **SYN.** cortège.
Locution
Défilé de mode. Ensemble de mannequins qui défilent pour exposer des vêtements. *Les élèves ont organisé un défilé de mode* (et non une *parade de mode).

défiler v. intr., pronom.
Verbe intransitif
1. Aller à la file. *Ils défilaient en grand nombre devant la statue.*
2. Passer de façon continue. *Les voitures défilaient sur l'autoroute.*
Verbe pronominal
(FAMILIER) Ne pas tenir une promesse, ne pas assumer une responsabilité. *Ils avaient promis de venir nous aider, mais ils se sont défilés.* **SYN.** se dérober, s'esquiver.
Conjugaison [VOIR MODÈLE – **AIMER**]

défini, ie adj.
Déterminé, précis. *Un poids défini.*
Locution
Article défini. (GRAMMAIRE) Article qui se rapporte à un objet déterminé. ***Le, la, les*** *sont des articles définis.* **ANT.** indéfini.
VOIR TABLEAU – **ARTICLE.**

définir v. tr.
1. Donner la définition, le sens d'un mot, d'un concept, etc. *Définir une expression.* **SYN.** établir.

2. Déterminer. *Définir la date de la rentrée.* **SYN.** fixer.
Conjugaison [VOIR MODÈLE – **FINIR**]

définitif, ive adj.
Fixe, déterminé. *Ma réponse est définitive, je ne changerai pas d'avis.*
Locution
En définitive. En fin de compte, finalement. *En définitive, viens-tu, oui ou non ?* **SYN.** après tout.

définition n. f.
Détermination exacte de ce qu'est une chose, une idée par l'énumération de ses caractères. *La définition d'un mot, d'un concept.*
Locution
Par définition. En vertu des caractéristiques propres de ce dont on parle. *Par définition, l'eau est liquide.*

définitivement adv.
Pour toujours, une fois pour toutes. *Ils sont partis définitivement : on ne les reverra plus.*
Forme fautive
*définitivement. Anglicisme au sens de ***assurément, certainement, sans aucun doute.***

défoncer v. tr., pronom.
Verbe transitif
1. Retirer ou percer le fond. *Défoncer un fauteuil.*
2. Briser en enfonçant. *Il défonça la porte.*
Verbe pronominal
1. Perdre son fond. *La boîte s'est défoncée.* **SYN.** s'abîmer, se briser.
2. (FAMILIER) Se droguer.
Conjugaison [VOIR MODÈLE – **AVANCER**]
Le **c** prend une cédille devant les lettres ***a*** et ***o.*** *Il défonça, nous défonçons.*

déformation n. f.
Action de déformer, son résultat. *Elle avait une déformation de la colonne vertébrale.*

déformer v. tr.
1. Modifier la forme de. *La pluie a déformé son chapeau.*
2. (FIGURÉ) Reproduire inexactement. *Déformer les faits.*
Ce verbe a un sens défavorable alors que le verbe ***transformer*** se dit en bien ou en mal.
Conjugaison [VOIR MODÈLE – **AIMER**]

défoulement n. m.
Fait de se défouler. *Cette fête a été un défoulement collectif.*

défouler (se) v. pronom.
Se libérer des tensions. *Elles se sont bien défoulées et ont ri à gorge déployée.* **SYN.** se détendre.
Conjugaison [VOIR MODÈLE – **AIMER**]

défraîchir v. tr., pronom.
Verbe transitif
Enlever la fraîcheur, ternir. *Le soleil a défraîchi ces fleurs.*
Verbe pronominal
Perdre de sa fraîcheur. *Avec cette sécheresse, les fleurs se sont défraîchies.*
Conjugaison [VOIR MODÈLE – **FINIR**]
défra**î**chir.

défricher v. tr.
1. Rendre un terrain propre à la culture. *Défricher le jardin potager.*
2. (FIGURÉ) Démêler, éclaircir. *Défricher un problème.* **SYN.** déblayer, débroussailler.
Conjugaison [VOIR MODÈLE – **AIMER**]

défriser v. tr.
Défaire la frisure de. *La pluie a défrisé ses cheveux.*
Conjugaison [VOIR MODÈLE – **AIMER**]

défroisser v. tr.
Supprimer les plis d'une étoffe froissée.
Conjugaison [VOIR MODÈLE – **AIMER**]

défunt, unte adj. et n. m. et f.
(LITTÉRAIRE) Qui est décédé, mort. *La messe des défunts.*
défun**t.**

dégagé, ée adj.
1. Libre, aisé. *Une démarche dégagée.*
2. Qui n'est pas couvert. *Le ciel est dégagé, le vent a chassé les nuages.*

dégagement n. m.
1. Action de dégager (ce qui est bloqué). *Le dégagement des victimes de l'accident d'avion.*
2. Action de sortir, émanation. *Un dégagement de vapeurs toxiques.*

dégager v. tr., pronom.
Verbe transitif
1. Libérer. *On a dégagé la rue des voitures accidentées.*
2. Répandre. *Ces produits dégageaient une odeur désagréable.*
Verbe pronominal
1. Se libérer. *Se dégager d'une promesse.* **SYN.** se délivrer.
2. Sortir de. *Un fumet agréable se dégage du four.* **SYN.** se répandre.
Conjugaison [VOIR MODÈLE – **CHANGER**]
Le ***g*** est suivi d'un ***e*** devant les lettres ***a*** et ***o.*** *Il dégagea, nous dégageons.*

dégainer v. tr.
Tirer une arme de son étui. *Ce cow-boy dégaine très rapidement.*
Conjugaison [VOIR MODÈLE – **AIMER**]

dégarnir v. tr., pronom.
Verbe transitif
Dépouiller de ce qui garnit. *Dégarnir le sapin de Noël.*
Verbe pronominal
Cesser d'être garni, touffu. *À l'automne, les arbres se dégarnissent.*
Conjugaison [VOIR MODÈLE – **FINIR**]

dégât n. m.
Dommage causé par un accident, une cause violente. *Les vents violents ont causé beaucoup de dégâts.* **SYN.** ravage.
Le mot s'emploie généralement au pluriel.
dég**â**t.

dégel n. m.
Fonte de la glace, de la neige. *Le dégel du lac se produira bientôt.*

dégeler v. tr., intr., pronom.
Verbe transitif
Faire fondre, réchauffer. *Elle dégèle un poulet pour le dîner.* **SYN.** décongeler.
Verbe intransitif
Cesser d'être gelé. *Le lac a dégelé. Le lac est maintenant dégelé.*
Le verbe se conjugue avec les auxiliaires ***être*** ou ***avoir*** selon que l'on exprime un état ou une action.
Verbe pronominal
(FAMILIER) Se détendre. *Au bout d'un moment elle s'est dégelée et nous a adressé la parole.*

Conjugaison [VOIR MODÈLE – **CONGELER**]
Le **e** se change en **è** devant une syllabe muette. *Il dégèle, il dégelait.*

dégénérer v. intr.
1. Perdre de ses qualités naturelles. *Le pommier a dégénéré. Il est dégénéré.*
2. (FIGURÉ) Perdre sa valeur, se transformer en quelque chose de moins bien. *L'entente initiale a dégénéré et les querelles se succèdent. Sa grippe a dégénéré en pneumonie.*
Le verbe se conjugue avec les auxiliaires **être** ou **avoir,** selon que l'on exprime un état ou une action.
Conjugaison [VOIR MODÈLE – **POSSÉDER**]
Le troisième **é** se change en **è** devant une syllabe muette, sauf à l'indicatif futur et au conditionnel présent. *Il dégénère*, mais *il dégénérera.*

dégivrer v. tr.
Faire fondre le givre de. *Il dégivra son pare-brise.*
Conjugaison [VOIR MODÈLE – **AIMER**]

dégonflage n. m.
Action de dégonfler ; son résultat. *Le dégonflage des pneus.*

dégonflé, ée adj. et n. m. et f.
Adjectif
Vidé de son air. *Mon pneu est dégonflé : il est à plat.*
Adjectif et nom masculin et féminin
(FAMILIER) Peureux. **SYN.** lâche.

dégonfler v. tr., pronom.
Verbe transitif
Faire cesser le gonflement de, vider de son air. *Dégonfler un matelas pneumatique.*
Verbe pronominal
1. Cesser d'être gonflé. *La montgolfière s'est dégonflée.*
2. (FAMILIER) Perdre son assurance, son courage. *Ils se sont dégonflés et ont abandonné.*
Conjugaison [VOIR MODÈLE – **AIMER**]

dégouliner v. intr.
(FAMILIER) Tomber en coulant goutte à goutte. *La pluie dégoulinait sur elle.*
Conjugaison [VOIR MODÈLE – **AIMER**]

dégourdi, ie adj. et n. m. et f.
Débrouillard, habile. *Martine et Olivier sont bien dégourdis, ils retrouveront leur chemin.* **SYN.** futé, malin.

dégourdir v. tr.
1. Tirer de l'engourdissement. *Cette petite promenade vous dégourdira un peu.*
2. (FIGURÉ) Rendre moins timide. *J'espère que ces cours le dégourdiront un peu.* **SYN.** déniaiser.
Locution
Se dégourdir (les jambes). Marcher, courir, faire un peu d'exercice après des instants d'immobilité.
Conjugaison [VOIR MODÈLE – **FINIR**]

dégoût n. m.
1. Écœurement. *Ils sont végétariens et ont un dégoût pour la viande.* **ANT.** appétit, envie, goût.
2. Répugnance provoquée par quelqu'un, quelque chose. *Ce monstre inspire le dégoût.* **SYN.** aversion, haine, horreur.
dégo**û**t.

dégoûtant, ante adj.
Qui inspire de la répugnance, du dégoût. *Sa gloutonnerie est dégoûtante.*
Ne pas confondre avec le participe présent invariable ***dégoûtant.*** *Il ne reçut aucun appui, ses agissements dégoûtant tous ses collaborateurs.*

dégoûter v. tr.
Inspirer de l'écœurement, du dégoût. *Ces plats huileux la dégoûtent.*
HOM. dégoutter, couler goutte à goutte.
Conjugaison [VOIR MODÈLE – **AIMER**]
dégo**û**ter, un accent sur le ***u,*** un seul ***t.***

dégoutter v. intr.
Couler goutte à goutte. *Mon manteau dégoutte de pluie.*
HOM. dégoûter, inspirer de la répugnance.
Conjugaison [VOIR MODÈLE – **AIMER**]
dégou**tt**er, deux ***t.***

dégradant, ante adj.
Humiliant. *Ces mesquineries sont dégradantes.*

dégradation n. f.
1. Détérioration. *La dégradation d'une maison abandonnée.*
2. Passage progressif à un état plus mauvais.

dégradé n. m.
Atténuation progressive d'une couleur. *Un dégradé de verts.*

dégrader v. tr., pronom.
Verbe transitif
1. Détériorer. *Les intempéries ont dégradé cet immeuble.* **SYN.** endommager.
2. Faire perdre son grade. *On a dégradé les soldats coupables d'espionnage.*
Verbe pronominal
1. Subir une détérioration. *Ce mur s'est dégradé au fil des ans.* **SYN.** s'abîmer, se détériorer.
2. Se fondre. *Cette couleur orange se dégrade pour passer à l'abricot.*
Conjugaison [VOIR MODÈLE – **AIMER**]

degré n. m.
1. Grade, échelon. *Il a franchi tous les degrés.*
2. Proportion. *Cette boisson atteint un degré élevé d'alcool.*
3. Division d'une échelle de mesure. *Il a fait 40 degrés à l'ombre.*
Le mot **degré** s'abrège à l'aide d'un petit zéro placé en exposant immédiatement après le nombre. *36°.* Toutefois, si l'échelle de mesure est précisée (C pour Celsius, F pour Fahrenheit, par exemple), les abréviations de **degré** et du nom de l'échelle sont séparées du nombre par un espace. *Une température de 40 °C, de 42,5 °F.*
4. Division de l'arc et du cercle. *Le cercle se divise en 360 degrés.*
Il n'y a pas d'espace entre le nombre et l'abréviation du mot **degré.** *Un virage à 90°.* Lorsqu'il s'agit d'un adjectif numéral ordinal, le mot **degré** ne s'abrège pas. *Le 45e degré.*
Locutions
Degré de comparaison. (GRAMMAIRE) *Le comparatif et le superlatif sont des degrés de comparaison.*
Degré de parenté. Niveau d'éloignement ou de proximité d'un parent.
Par degrés. Graduellement. *La marée monte par degrés.*

dégringolade n. f.
(FAMILIER) Action de dégringoler ; son résultat. **SYN.** chute.

dégringoler v. tr., intr.
Verbe transitif
(FAMILIER) Descendre très rapidement, tomber. *Dégringoler un escalier.* **SYN.** culbuter, débouler, dévaler.

Verbe intransitif
1. Tomber. *Le chat a dégringolé du toit.*
2. (FIGURÉ) Diminuer de valeur de façon brusque. *Le cours des actions dégringole.* **SYN.** chuter.
Conjugaison [VOIR MODÈLE – **AIMER**]

déguerpir v. intr.
S'enfuir. *À la vue du policier, ils ont déguerpi.* **SYN.** (FAMILIER) décamper, fuir, se sauver.
Conjugaison [VOIR MODÈLE – **FINIR**]

dégueulasse adj. et n. m. et f.
Abréviation familière ***dégueu.***
(FAMILIER) Dégoûtant, sale, au physique ou au moral.

déguisé, ée adj.
Revêtu d'un déguisement. *Un garçon déguisé en pirate.*

déguisement n. m.
Ce qui sert à déguiser. *Un déguisement de Père Noël.* **SYN.** costume.

déguiser v. tr., pronom.
Verbe transitif
Dissimuler sous une apparence trompeuse. *Déguiser la vérité.*
Note : Ne pas confondre avec le verbe ***cacher,*** dissimuler.
Verbe pronominal
Se rendre méconnaissable, revêtir un déguisement. *Ils se sont déguisés en pirates.*
Conjugaison [VOIR MODÈLE – **AIMER**]

dégustation n. f.
Action de déguster. *Une dégustation de fromages.*

déguster v. tr.
Goûter avec plaisir un aliment pour en apprécier les caractéristiques. *Les enfants dégustent la bonne cuisine de Nouni.*
Note : Ce verbe a un sens favorable : on déguste des aliments, des boissons qui ont bon goût.
Conjugaison [VOIR MODÈLE – **AIMER**]

dehors adv. et n. m.
Attention à la prononciation : le **e** se prononce **e** (et non *é) [dəɔr].
Adverbe
Hors du lieu, à l'extérieur. *Les enfants jouent dehors.*
Note : L'adverbe ***dehors*** ne peut introduire un complément circonstanciel, à moins qu'il ne soit précédé d'une préposition (***en dehors de***). *Ils sont en dehors de la maison* (et non *dehors la maison).
Nom masculin
1. La partie extérieure. *Le dehors d'une boîte. Le feu était visible du dehors.*
2. (AU PLURIEL) Apparences. *Sous des dehors fragiles, elle est très déterminée.* **SYN.** air, aspect.
Locutions
De dehors, locution adverbiale. De l'extérieur. *La porte doit s'ouvrir de dehors.*
En dehors de, locution prépositive. À l'extérieur de. *Les enfants jouent en dehors de la maison.*
En dehors de, locution prépositive. À l'exclusion de. *En dehors de quelques amis, Nicolas ne voit personne.* **SYN.** à l'exception de, sauf.
En dehors, au(-)dehors, locutions adverbiales. Extérieurement. *Au-dehors, rien n'y paraît. En dehors, on gèle !*
Note : La plupart des auteurs préconisent l'orthographe ***au-dehors,*** mais l'usage admet également ***au dehors.***
Par(-)dehors, locution adverbiale. Par l'extérieur. *Il vaut mieux venir par-dehors.*

déjà adv.
1. Dès maintenant. *Vous avez déjà fini ?*
2. Avant. *Je l'ai déjà lu.* **SYN.** auparavant.
Orthographe : déj**à.**

déjeuner n. m.
1. ⚜ Repas du matin. *Marie-Ève prend des céréales pour son déjeuner.* **SYN.** petit déjeuner.
Note : Le nom s'emploie aussi en Belgique, en Suisse et dans plusieurs régions françaises en ce sens.
2. Dans la francophonie, repas du midi. *Un déjeuner d'affaires.*
Orthographe : déje**u**ner, sans accent circonflexe, contrairement à ***jeûne.***

déjeuner v. intr.
1. ⚜ Prendre le repas du matin. *Il vaut mieux déjeuner avant de partir à l'école.*
Note : Le verbe s'emploie aussi en Belgique, en Suisse et dans plusieurs régions françaises en ce sens.
2. Dans la francophonie, prendre le repas du midi.
Conjugaison [VOIR MODÈLE – **AIMER**]
Orthographe : déje**u**ner, sans accent circonflexe, contrairement à ***jeûner.***

déjouer v. tr.
Faire échouer. *J'ai déjoué ses plans.* **SYN.** faire échec à.
Conjugaison [VOIR MODÈLE – **AIMER**]

delà adv. et prép.
Au-delà de, locution prépositive. Plus loin que. *Au-delà des mers.*
Par(-)delà, locution adverbiale. De l'autre côté. *Par-delà la montagne.*
Orthographe : del**à.**

délabré, ée adj.
En mauvais état. *Un jardin délabré.* **SYN.** à l'abandon.

délabrement n. m.
Ruine, état négligé. *Le délabrement d'un quartier défavorisé.*

délabrer v. tr., pronom.
Verbe transitif
Endommager. *Le temps a délabré ces bâtiments. Ces excès délabreront sa santé.* **SYN.** dégrader, ruiner.
Verbe pronominal
Devenir en mauvais état. *Le jardin se délabre peu à peu.* **SYN.** se délabrer.
Conjugaison [VOIR MODÈLE – **AIMER**]

délacer v. tr.
Dénouer les lacets de. *J'ai délacé mes chaussures.* **SYN.** détacher. **HOM.** délasser, détendre.
Conjugaison [VOIR MODÈLE – **AVANCER**]
Le ***c*** prend une cédille devant les lettres ***a*** et ***o.*** *Il délaça, nous délaçons.*

délai n. m.
1. Période de temps prévue pour l'exécution d'une chose, d'une obligation. *Vous avez un délai de 15 jours pour remettre le dossier. Je vous enverrai le manuscrit dans les meilleurs délais.*
2. Temps supplémentaire accordé pour l'exécution de quelque chose. *Donnez-moi un délai de quelques jours pour finir ce travail.* **SYN.** répit.
Locutions
À bref délai. Très bientôt.
Sans délai. Aussitôt, immédiatement. *Je vous réponds par écrit sans délai.*

Forme fautive
*délai. Anglicisme au sens de ***retard.*** *L'avion a un retard* (et non un *délai) *de deux heures.*
délai.

délaisser v. tr.
1. Abandonner une personne, un animal. *Un chien délaissé.* **SYN.** laisser, quitter.
2. Cesser de s'intéresser à quelque chose. *Elle a délaissé le ballet.* **SYN.** se désintéresser de, renoncer à.
Conjugaison [VOIR MODÈLE – **AIMER**]

de laquelle adj. rel. et pron. rel. et interr.
VOIR **LEQUEL.**

délassement n. m.
Repos, distraction. *Un peu de délassement nous fera du bien.* **SYN.** détente.

délasser v. tr., pronom.
Verbe transitif
Reposer, distraire. *Le sport délasse l'esprit.* **SYN.** détendre.
Verbe pronominal
Se détendre. *Ils se sont bien délassés à la campagne.* **SYN.** se reposer.
HOM. **délacer**, dénouer.
Conjugaison [VOIR MODÈLE – **AIMER**]

délavé, ée adj.
Qui a perdu sa couleur originale. *Des jeans délavés.* **SYN.** décoloré, déteint, fade.

délaver v. tr.
Atténuer une couleur avec de l'eau. *L'eau de Javel délave les tissus colorés.*
Conjugaison [VOIR MODÈLE – **AIMER**]

délayer v. tr.
Diluer. *Délayer du cacao dans l'eau bouillante.*
Conjugaison [VOIR MODÈLE – **PAYER**]
Le ***y*** est suivi d'un ***i*** à la première et à la deuxième personne du pluriel de l'indicatif imparfait et du subjonctif présent. *(Que) nous délayions, (que) vous délayiez.*

délecter (se) v. pronom.
Se régaler, trouver un grand plaisir. *Ils se sont délectés de ce bon vin. Elle se délecte à la lecture de ce roman, à lire ce récit.* **SYN.** savourer.
Le verbe se construit avec la préposition ***de*** suivie d'un nom ou avec la préposition **à** suivie d'un nom ou d'un infinitif.
À la forme pronominale, le participe passé du verbe s'accorde toujours en genre et en nombre avec le sujet.
Conjugaison [VOIR MODÈLE – **AIMER**]

délégation n. f.
1. Action de confier une tâche à quelqu'un. *La délégation d'une tâche.*
2. Ensemble de personnes déléguées au nom d'une collectivité. *Nous recevrons une délégation du Japon.*

délégué n. m.
déléguée n. f.
Personne à qui une société, un gouvernement, etc., a confié un mandat. *La déléguée générale. Un délégué syndical.*

déléguer v. tr.
1. Charger quelqu'un d'agir en son nom. *Déléguer un avocat.*
2. Confier une tâche à quelqu'un. *Le maire a délégué une partie de ses pouvoirs à son adjointe.*
Conjugaison [VOIR MODÈLE – **POSSÉDER**]
Le deuxième **é** se change en **è** devant une syllabe muette, sauf à l'indicatif futur et au conditionnel. *Je délègue*, mais *je déléguerai.*

délibération n. f.
Action d'examiner une question avec d'autres personnes avant de prendre une décision. *Les délibérations pour le choix du vainqueur.* **SYN.** débat, discussion.

délibérer v. intr.
Examiner soigneusement une question avec d'autres personnes avant de prendre une décision. *Ils ont longuement délibéré avant de déclarer que Jean était le vainqueur de l'épreuve. Délibérer sur le choix d'un candidat, de la décision à prendre.*
Le verbe se construit absolument ou avec les prépositions ***sur*** ou ***de.***
Conjugaison [VOIR MODÈLE – **POSSÉDER**]
Le deuxième **é** se change en **è** devant une syllabe muette, sauf à l'indicatif futur et au conditionnel présent. *Je délibère*, mais *je délibérerai.*

délicat, ate adj.
1. Fin, subtil. *Des nuances délicates, un parfum délicat.*
2. Fragile. *Une santé délicate.*
3. Difficile. *Une question délicate à traiter.* **SYN.** complexe, compliqué, embarrassant.

délicatement adv.
De façon délicate. *Elle a refusé délicatement.*

délicatesse n. f.
1. Finesse, raffinement. *La délicatesse des traits d'un visage.*
2. Tact, discrétion. *Par délicatesse, il refusa notre invitation.* **SYN.** politesse.

délice n. m. sing. et n. f. pl.
Nom masculin singulier
1. Plaisir qui ravit. *Quel délice de lire un bon livre au coin du feu !*
2. Régal. *Ce gâteau est un pur délice.*
Nom féminin pluriel
Charmes, plaisirs. *Les merveilleuses délices des vacances.*
Attention au genre de ce nom qui est masculin au singulier et féminin au pluriel.

délicieusement adv.
De façon délicieuse, très agréablement. *Nous avons délicieusement mangé.*

délicieux, ieuse adj.
1. Très agréable. *Cette personne est délicieuse : comme elle est sympathique !* **SYN.** charmant, exquis.
2. Qui goûte très bon. *Ces framboises sont délicieuses.*

délier v. tr.
1. Défaire ce qui lie. *Elle a délié ses cheveux.*
2. Dégager d'une obligation. *On l'a délié de sa promesse.*
Conjugaison [VOIR MODÈLE – **ÉTUDIER**]
Redoublement du ***i*** à la première et à la deuxième personne du pluriel de l'imparfait de l'indicatif et du présent du subjonctif. *(Que) nous déliions, (que) vous déliiez.*

délimiter v. tr.
Fixer des limites, circonscrire. *Délimiter un terrain à l'aide d'une clôture.*
Conjugaison [VOIR MODÈLE – **AIMER**]

délinquance n. f.
Ensemble des infractions commises. *Il y a beaucoup de délinquance dans ce quartier.*
délinqu**an**ce.

délinquant, ante adj. et n. m. et f.
Adjectif
Qui a commis plusieurs délits. *Des adolescents délinquants.*
Nom masculin et féminin
Personne qui a commis plusieurs délits. *Une délinquante mineure.*
délinqu**ant.**

délirant, ante adj.
1. Qui délire. *Un fiévreux délirant.*
2. (FIGURÉ) Extravagant, complètement fou. *Des paroles délirantes.*

délire n. m.
Égarement qui porte à déraisonner, au propre et au figuré. *On nage en plein délire : c'est à n'y rien comprendre !*

délirer v. intr.
Divaguer, dire des choses déraisonnables. *Avec cette fièvre, il délirait. Ces affirmations sont complètement fausses : tu délires !*
Conjugaison [VOIR MODÈLE – **AIMER**]

délit n. m.
Acte défendu par la loi. *Ce délit est puni par une amende.* **SYN.** infraction.
Locution
En flagrant délit. Sur le fait. *Le cambrioleur a été pris en flagrant délit, c'est-à-dire pendant qu'il volait.*
déli**t.**

délivrance n. f.
1. Soulagement. *Quelle délivrance ! Ces voyous sont partis.*
2. Action de remettre une chose à quelqu'un. *La délivrance* (et non l'*émission) *d'un passeport.*
Locution
Délivrance des diplômes. Acte administratif par lequel les diplômes sont remis. *La délivrance* (et non *l'octroi) *d'un diplôme.*

délivrer v. tr.
1. Mettre en liberté. *Délivrer un otage.* **SYN.** libérer.
2. Remettre, dans la langue administrative. *Délivrer* (et non *émettre) *un permis de conduire, un passeport, un diplôme.* **SYN.** remettre.
Forme fautive
*délivrer. Anglicisme au sens de ***livrer.***
Conjugaison [VOIR MODÈLE – **AIMER**]

déloger v. tr.
Chasser d'un endroit, de son logement. *Le chat délogea les souris et les mangea.*
Conjugaison [VOIR MODÈLE – **CHANGER**]
Le ***g*** est suivi d'un ***e*** devant les lettres ***a*** et ***o.*** *Il délogea, nous délogeons.*

déloyal, ale, aux adj.
Personne à qui on ne peut se fier, sans loyauté. *Des candidats déloyaux.* **SYN.** traître. **ANT.** loyal.

deltaplane n. m.
Engin permettant de faire du vol libre.

déluge n. m.
1. Pluie torrentielle qui, d'après la Bible, recouvrit la Terre et noya ses habitants. *Noé et les passagers de l'arche échappèrent au Déluge.*
L'inondation décrite par la Bible s'écrit avec une majuscule initiale.
2. Pluie torrentielle, grande inondation. *Le déluge du 14 juillet 1987 à Montréal.*
3. (FIGURÉ) Très grande quantité. *Un déluge de cadeaux.*
Locutions
Après moi le déluge ! Peu m'importe.
Remonter au déluge. Remonter très loin.

déluré, ée adj.
1. D'un esprit vif, dégourdi. **SYN.** débrouillard, malin.
2. Effronté. *Une adolescente un peu trop délurée.*

démagnétiser v. tr.
Faire cesser l'état magnétique d'un objet. *Ma carte bancaire est démagnétisée.*
Conjugaison [VOIR MODÈLE – **AIMER**]

demain adv.
Le jour qui suit celui où l'on est. *Je viendrai demain matin. Il le rencontrera demain à midi* (et non *demain midi). *À demain, Pierre ! crièrent les élèves.*
Cet adverbe ne peut désigner que le jour qui suit le jour présent ; si l'on se situe dans le passé ou l'avenir, on utilisera plutôt le ***lendemain***, le ***jour suivant.***

demande n. f.
1. Action de demander quelque chose. *Une demande de congé.*
2. Écrit formulant une requête. *Présenter une demande d'emploi* (et non une *application).

demander v. tr., pronom.
Verbe transitif
1. Exprimer le désir que l'on a de quelque chose. *Demander une faveur, un conseil.* **SYN.** réclamer, solliciter, souhaiter.
Lorsqu'il est suivi d'un verbe à l'infinitif, le verbe ***demander*** se construit avec la préposition ***à*** si le sujet des deux verbes est le même. *Je demande à partir.* Si le sujet des deux verbes n'est pas le même, le verbe ***demander*** se construit avec la préposition ***de.*** *Je vous demande de partir.* Il peut aussi se construire avec ***que*** et le subjonctif. *Je demande que vous partiez.*
2. Fixer un prix. *Combien demandez-vous ?* **SYN.** souhaiter.
3. Interroger. *Quand la fête a-t-elle lieu ? demanda Antoine.*
4. Nécessiter. *Cette recherche demande beaucoup de temps et d'argent.*
Verbe pronominal
S'interroger. *Je me demande s'il réussira.* **SYN.** se questionner.
Forme fautive
*demander une question. Calque de « to ask a question » pour ***poser une question.***
Conjugaison [VOIR MODÈLE – **AIMER**]

démangeaison n. f.
Picotement, irritation. *L'herbe à puces cause des démangeaisons.*
démang**e**aison.

démanger v. tr.
1. Causer une démangeaison, en parlant d'une partie du corps. *Sa main le démangea, lui démangea.*
2. (FIGURÉ) (FAMILIER) Avoir grande envie (d'écrire, de parler, etc.). *L'envie de partir le démangeait.*
Le verbe ne s'emploie qu'à la troisième personne du singulier et du pluriel ainsi qu'à l'infinitif et au participe présent.
Conjugaison [VOIR MODÈLE – **CHANGER**]
Le ***g*** est suivi d'un ***e*** devant la lettre ***a.***

démantèlement n. m.
Action de démanteler; son résultat. *Le démantèlement d'un réseau de contrebande.*
démantèlement.

démanteler v. tr.
Détruire, réduire à néant. *Le réseau de trafiquants a été démantelé.*
Conjugaison [VOIR MODÈLE – **CONGELER**]
Le **e** se change en **è** devant une syllabe muette. *Je démantèle, je démantelais.*

démantibuler v. tr.
1. Rompre la mâchoire.
2. (FIGURÉ) (FAMILIER) Démolir. *Ma bicyclette est toute démantibulée, elle tombe en ruine.* **SYN.** casser, disloquer.
Conjugaison [VOIR MODÈLE – **AIMER**]

démaquillant, ante adj. et n. m.
Se dit d'un produit qui nettoie le peau. *Une lotion démaquillante. Employer un démaquillant.*

démaquiller v. tr., pronom.
Enlever le maquillage de. *Ce produit démaquille bien la peau. N'oublie pas de te démaquiller avant de te coucher.*
Conjugaison [VOIR MODÈLE – **AIMER**]

démarcation n. f.
1. Action de délimiter des territoires, des régions.
2. (FIGURÉ) Séparation entre deux choses.
Locution
Ligne de démarcation. Ligne qui sépare deux territoires.

démarche n. f.
1. Façon de marcher. *Une démarche souple.* **SYN.** allure.
2. Action entreprise en vue de la réussite d'un projet. *Faire des démarches auprès des autorités.*
3. Manière de penser, de progresser. *Démarche intellectuelle.* **SYN.** attitude, cheminement, comportement.

démarrage n. m.
1. Action, fait de démarrer. *Un démarrage rapide.*
2. (FIGURÉ) Début, départ. *Le démarrage d'une entreprise.*
démarrage.

démarrage-secours n. m.
Opération permettant le démarrage d'une voiture au moyen d'une batterie d'appoint et de câbles volants. *Votre voiture aura sans doute besoin d'un démarrage-secours* (et non d'un *boosting).
démarrage-secours.

démarrer v. tr., intr.
Verbe transitif
1. Faire fonctionner. *Démarrer un moteur.* **ANT.** arrêter.
2. (FAMILIER) Entreprendre. *Démarrer une recherche.*
Verbe intransitif
1. Partir. *La voiture démarra tout de suite.* **ANT.** arrêter.
2. Commencer. *La construction démarrera sous peu.* **SYN.** débuter. **ANT.** arrêter.
3. (FAMILIER) Se mettre à marcher. *Son commerce démarre très bien.*
Conjugaison [VOIR MODÈLE – **AIMER**]
démarrer.

démarreur n. m.
Dispositif servant à mettre un moteur en marche.
démarreur.

démasquer v. tr.
1. Retirer le masque de quelqu'un.
2. (FIGURÉ) Dévoiler la véritable nature de quelqu'un. *Démasquer un espion.*
Conjugaison [VOIR MODÈLE – **AIMER**]

démêlé n. m.
Problème, difficulté. *Il a eu des démêlés avec la justice.*
Ce nom s'emploie généralement au pluriel.

démêler v. tr.
1. Séparer ce qui était emmêlé. *Sophie n'arrive pas à démêler ses cheveux.* **ANT.** emmêler, mêler.
2. (FIGURÉ) Distinguer une chose d'une autre. *Démêler le vrai du faux, le réel d'avec l'imaginaire.*
3. Clarifier un problème. *Arrivez-vous à démêler les motifs du vol, inspecteur?* **SYN.** débrouiller, élucider.
Le verbe ***démêler*** se construit avec la locution prépositive ***d'avec*** lorsque l'on insiste sur la difficulté d'une distinction à faire.
Conjugaison [VOIR MODÈLE – **AIMER**]
L'accent circonflexe du deuxième ***e*** est conservé à toutes les formes de la conjugaison.

déménagement n. m.
Transport d'objets d'un lieu vers un autre. *Le déménagement d'un piano n'est pas chose facile.*

déménager v. tr., intr.
Verbe transitif
Transporter des objets d'un lieu vers un autre. *Elle déménagera ses meubles jeudi.*
Verbe intransitif
Changer de logement. *Ils ont déménagé plusieurs fois au cours des dernières années. Ils sont déménagés depuis peu.*
Ne pas confondre avec le verbe ***emménager,*** s'installer dans un nouveau logement.
Le verbe se conjugue généralement avec l'auxiliaire ***avoir,*** mais il peut se conjuguer aussi avec l'auxiliaire ***être*** pour marquer l'état.
Conjugaison [VOIR MODÈLE – **CHANGER**]
Le ***g*** est suivi d'un ***e*** devant les lettres ***a*** et ***o***. *Nous déménageons, il déménagea.*

déménageur n. m.
déménageuse n. f.
Personne dont le métier est de faire des déménagements.

démener (se) v. pronom.
1. S'agiter beaucoup. *Le saumon se démenait furieusement.* **SYN.** se débattre.
2. (FIGURÉ) Se donner du mal, de la peine pour parvenir à un résultat. *Elle s'est bien démenée pour atteindre son objectif.* **SYN.** se dépenser, se remuer.
Le participe passé de ce verbe qui n'existe qu'à la forme pronominale s'accorde toujours avec le sujet du verbe.
Conjugaison [VOIR MODÈLE – **LEVER**]
Le ***e*** se change en ***è*** devant une syllabe muette. *Il se démène, il se démenait.*

dément, ente adj. et n. m. et f.
1. Atteint de folie.
2. (FAMILIER) Insensé, déraisonnable. *Ce projet est dément, c'est de la folie.* **SYN.** délirant.

démenti n. m.
Déclaration faite pour informer qu'une nouvelle est inexacte. *Le ministre a opposé un démenti catégorique à cette nouvelle.*

démentir v. tr., pronom.
Verbe transitif
Déclarer faux. *Il dément que cette personne soit à l'origine de l'incident.* **SYN.** nier.
Le verbe se construit généralement avec le mode subjonctif, mais le mode indicatif est également courant si l'on désire insister sur l'aspect réel de l'énoncé. *Elle ne dément pas que l'opération ait été coûteuse. Il dément que l'entreprise a pollué la rivière.*
Verbe pronominal
Manquer à sa parole, cesser de se manifester. *Sa détermination ne s'est jamais démentie.* **SYN.** demeurer.
Conjugaison [VOIR MODÈLE – **SORTIR**]
INDICATIF PRÉSENT *Je démens, tu démens, il dément, nous démentons, vous démentez, ils démentent.* IMPARFAIT *Je démentais.* PASSÉ SIMPLE *Je démentis.* FUTUR *Je démentirai.* **CONDITIONNEL** PRÉSENT *Je démentirais.* **IMPÉRATIF** PRÉSENT *Démens, démentons, démentez.* **SUBJONCTIF** PRÉSENT *Que je démente.* IMPARFAIT *Que je démentisse.* **PARTICIPE** PRÉSENT *Démentant.* PASSÉ *Démenti, ie.*

démerder (se) v. pronom.
(FAMILIER) Se débrouiller, trouver une solution.
Le participe passé de ce verbe qui n'existe qu'à la forme pronominale s'accorde toujours en genre et en nombre avec le sujet du verbe.
Conjugaison [VOIR MODÈLE – **AIMER**]

démesuré, ée adj.
1. Qui dépasse la mesure. *La construction du stade olympique a entraîné des coûts démesurés.* **SYN.** énorme, gigantesque, immense.
2. Exagéré. *Un appétit démesuré.* **SYN.** excessif.

démesurément adv.
De façon démesurée. *Jonathan est démesurément grand : sa taille dépasse 2 m !*

démettre v. tr., pronom.
Verbe transitif
Chasser d'un poste, d'un emploi. *On a démis cette personne de ses fonctions.*
Ne pas confondre avec le verbe ***démissionner,*** donner sa démission.
Verbe pronominal
Se déplacer, se luxer un os. *Elle s'est démis l'épaule.*
Conjugaison [VOIR MODÈLE – **REMETTRE**]

demeure n. f.
1. (LITTÉRAIRE) Lieu où l'on habite.
La ***résidence*** est la demeure habituelle, tandis que le ***domicile*** est la demeure légale.
2. Belle et grande maison. *Une demeure seigneuriale.*
Locutions
À demeure. D'une manière fixe. *Ils sont installés à demeure ici.* **SYN.** en permanence.
Mettre quelqu'un en demeure. Obliger. *Elles ont été mises en demeure de payer.* **SYN.** exiger, ordonner, sommer.

demeurer v. intr.
1. Rester, continuer à être. *Il est demeuré marqué par l'évènement. Depuis leur départ, la maison est demeurée vide.*
En ce sens, le verbe se conjugue avec l'auxiliaire ***être.***
2. Habiter. *Le poète a demeuré ici.* **SYN.** loger, résider, vivre.
En ce sens, le verbe se conjugue avec l'auxiliaire ***avoir.***
Le verbe se construit généralement sans préposition. *Elle demeure rue Lajoie.* Par contre, lorsque l'adresse comporte un numéro, on peut écrire aussi ***demeurer + au.*** *Elle demeure au 14 de l'avenue de la Brunante* ou *elle demeure 14, avenue de la Brunante.*
Conjugaison [VOIR MODÈLE – **AIMER**]

demi, ie adj., adv. et n. m. et f.
Adjectif
1. Qui est la moitié d'un tout. *Une demi-journée.*
2. ***Demi*** + nom. L'adjectif ***demi*** est invariable et se joint au nom par un trait d'union. Seul le deuxième élément se met au pluriel. *Des demi-heures. Des demi-mesures.*
3. ***Nom + demi, demie,*** invariable en nombre. L'adjectif ***demi*** s'accorde uniquement en genre avec le nom auquel il se rapporte. *Trois kilomètres et demi. Deux heures et demie. Midi ou minuit et demi.*
Adverbe
1. À moitié. *Une bouteille demi-vide.*
2. ***Demi*** + adjectif. L'adverbe ***demi*** est invariable et se joint par un trait d'union à l'adjectif qui s'accorde en genre et en nombre avec le nom auquel il se rapporte. *Des corps demi-nus.*
1° La locution adverbiale ***à demi,*** qui est invariable, ne prend pas de trait d'union devant un adjectif. *Une bouteille à demi vide.*
2° Devant un nom, le trait d'union est de rigueur. *La marchandise est à demi-prix.*
Nom masculin
Moitié. *Un demi et un demi font un.*
Nom féminin
Demi-heure. *L'horloge sonne aux heures et aux demies.*

demi- préf.
Les mots composés avec le préfixe ***demi-*** s'écrivent avec un trait d'union et seul le deuxième élément prend la marque du pluriel. *Des demi-cercles.*

demi-bouteille n. f. (pl. *demi-bouteilles*)
Bouteille contenant la moitié d'une bouteille ordinaire. *Des demi-bouteilles de champagne.*

demi-douzaine n. f. (pl. *demi-douzaines*)
Moitié d'une douzaine. *Une demi-douzaine d'œufs.*

demi-finale n. f. (pl. *demi-finales*)
Avant-dernière épreuve d'une compétition sportive.

demi-frère n. m. (pl. *demi-frères*)
Frère par le père ou la mère seulement.

demi-heure n. f. (pl. *demi-heures*)
Moitié d'une heure ou 30 minutes. *J'y serai dans une demi-heure.*

demi-journée n. f. (pl. *demi-journées*)
Moitié d'une journée. *J'ai encore une demi-journée de cours.*

demi-litre n. m. (pl. *demi-litres*)
Moitié d'un litre.

demi-mal n. m. (pl. *demi-maux*)
Inconvénient mineur.

demi-mesure n. f. (pl. *demi-mesures*)
Mesure insuffisante.

demi-mot (à) loc. adv.
Sans avoir besoin de tout dire. *Ils se sont parlé à demi-mot.*
demi-mot, avec un trait d'union.

déminage n. m.
Action de déminer. *Le déminage du désert où des combats ont eu lieu.*

déminer v. tr.
Retirer les mines explosives d'un endroit.
Conjugaison [VOIR MODÈLE – **AIMER**]

démis, ise adj.
Déplacé, sorti de son articulation. *Un os démis.* **SYN.** luxé.

demi-saison n. f. (pl. *demi-saisons*)
Saison de transition (printemps, automne). *Un manteau de demi-saison.*

demi-sœur n. f. (pl. *demi-sœurs*)
Sœur par le père ou la mère seulement.

demi-sommeil n. m. (pl. *demi-sommeils*)
État intermédiaire entre la veille et le sommeil.

démission n. f.
Acte par lequel on renonce à un poste, une fonction. *Le président a remis sa démission.*

démissionner v. intr.
Donner sa démission. *Il vient de démissionner* (et non *on l'a démissionné).
Ne pas confondre avec le verbe ***démettre,*** chasser d'un poste, d'un emploi.
Conjugaison [VOIR MODÈLE – **AIMER**]

demi-tarif adj. inv. et n. m. (pl. *demi-tarifs*)
Tarif réduit de moitié. *Des demi-tarifs. Des billets demi-tarif.*
L'adjectif est invariable.

demi-tour n. m. (pl. *demi-tours*)
Moitié d'un tour, volte-face. *Faire un demi-tour* (et non un *U-turn, un *virage en U) *pour revenir au point de départ.*

démocrate adj. et n. m. et f.
Partisan de la démocratie.

démocratie n. f.
Le ***t*** se prononce ***s*** [demɔkrasi].
État où l'ensemble des citoyens élisent des représentants qui exercent le pouvoir.

démocratique adj.
1. Qui appartient à la démocratie. *Nous avons un régime démocratique.*
2. Conforme à la démocratie, aux intérêts de tous. *Des élections démocratiques.*

démocratiser v. tr.
1. Organiser d'après les principes de la démocratie.
2. Rendre accessible à tous. *On a démocratisé la formation collégiale.*
Conjugaison [VOIR MODÈLE – **AIMER**]

démodé, ée adj.
Qui n'est plus à la mode. *Un style démodé.* **SYN.** vieillot.

démoder (se) v. pronom.
Être hors de mode. *Par définition, la mode se démode. Ces vêtements se démoderont vite. Ils se sont démodés.*
Le participe passé de ce verbe qui n'existe qu'à la forme pronominale s'accorde toujours en genre et en nombre avec le sujet du verbe.
Conjugaison [VOIR MODÈLE – **AIMER**]

démographe n. m. et f.
Spécialiste de la démographie.

démographie n. f.
Science statistique des populations humaines, de leur évolution, de leurs mouvements.

demoiselle n. f.
1. Jeune fille.
2. Personne non mariée.

démolir v. tr.
Ruiner, détruire. *La vieille maison a été démolie par le tremblement de terre.*
Conjugaison [VOIR MODÈLE – **FINIR**]

démolition n. f.
Destruction d'une construction. *La démolition d'un édifice.*

démon n. m.
1. Le diable, selon la religion catholique.
2. (FIGURÉ) Personne malicieuse et espiègle. *C'est un vrai démon que cet enfant : il ferait damner un saint !*

démonstratif, ive adj.
1. Qui manifeste ses sentiments. *On ne peut savoir ce qu'il pense : il n'est pas démonstratif.* **SYN.** communicatif.
2. (GRAMMAIRE) Se dit d'un pronom ou d'un adjectif qui sert à désigner des personnes ou des choses. ***Ce*** *est un pronom démonstratif.* ***Ce, cet, cette, ces*** *sont des adjectifs démonstratifs.*
VOIR TABLEAU **DÉMONSTRATIF (ADJECTIF).**
VOIR TABLEAU – **PRONOM.**

démonstration n. f.
1. Action de prouver par l'expérience la vérité d'une proposition, d'un fait. *Une démonstration mathématique.* **SYN.** justification, preuve.
2. Action de montrer, d'expliquer quelque chose. *On lui a fait une démonstration du nouvel ordinateur.*
3. Témoignage. *Des démonstrations de joie.* **SYN.** manifestation.

démontable adj.
Qui peut être démonté. *Un mécanisme démontable.*

démontage n. m.
Action de démonter. *Le démontage d'un moteur.*

démonter v. tr., pronom.
Verbe transitif
1. Désassembler. *Démonter un moteur.*
2. (FIGURÉ) Déconcerter. *Cette nouvelle les a démontés, les a bien surpris.* **SYN.** décevoir.
Verbe pronominal
Se troubler, perdre contenance. *Elles se sont démontées en apprenant son départ.*
Conjugaison [VOIR MODÈLE – **AIMER**]

démontrer v. tr.
1. Établir par un raisonnement rigoureux la vérité de quelque chose. *Démontrer l'exactitude d'un calcul à des élèves.* **SYN.** justifier, prouver.
2. Témoigner par des signes extérieurs. *Il lui a démontré beaucoup de gratitude.* **SYN.** montrer.
3. Prouver. *Ces faits démontrent qu'il avait raison.* **SYN.** établir, indiquer.
Conjugaison [VOIR MODÈLE – **AIMER**]

démoralisant, ante adj.
Démotivant. *Ces difficultés sont démoralisantes.* **SYN.** décourageant, déprimant.

démoraliser v. tr., pronom.
Décourager. *Ce nouvel échec pourrait les démoraliser. Malgré les épreuves, elle ne s'est pas démoralisée.* **SYN.** démotiver, déprimer.
Conjugaison [VOIR MODÈLE – **AIMER**]

démotivant, ante adj.
Propre à ôter toute motivation. *Des recherches démotivantes.* **SYN.** décourageant, démoralisant.

démotiver v. tr.
Ôter toute raison d'agir, décourager. *Ces échecs répétés n'ont pas démotivé les élèves.* **SYN.** démoraliser.
Conjugaison [VOIR MODÈLE – **AIMER**]

démouler v. tr.
Retirer d'un moule. *Démouler un gâteau.*
Conjugaison [VOIR MODÈLE – **AIMER**]

déneigement n. m.
Action d'enlever la neige. *Le déneigement des rues.*

déneiger v. tr.
Débarrasser (une voie, un lieu, etc.) de la neige. *Nous déneigeons le sentier.*
Conjugaison [VOIR MODÈLE – **CHANGER**]
Le ***g*** est suivi d'un ***e*** devant les lettres ***a*** et ***o***. *Il déneigea, nous déneigeons.*

déniaiser v. tr.
Faire perdre sa naïveté, son innocence. *Ils se sont déniaisés au contact de leurs nouveaux copains.*
Conjugaison [VOIR MODÈLE – **AIMER**]

dénicher v. tr.
Découvrir après de longues recherches. *Elle a déniché un bel appartement.* **SYN.** trouver.
Conjugaison [VOIR MODÈLE – **AIMER**]

dénigrer v. tr.
Chercher à diminuer la valeur d'une personne, d'une chose. *Cette chipie ne cesse de dénigrer ses collègues.* **SYN.** critiquer, déprécier, rabaisser.
Conjugaison [VOIR MODÈLE – **AIMER**]

dénivellation n. f.
Différence de niveau. *Il y a une forte dénivellation de la route à cet endroit, ralentissez !*
On dit aussi : un dénivellement.

dénombrement n. m.
Action de compter. *Le dénombrement des élèves présents.* **SYN.** comptage, énumération.

dénombrer v. tr.
Compter. *Dénombrer les outils défectueux.* **SYN.** énumérer, inventorier.
Conjugaison [VOIR MODÈLE – **AIMER**]

dénominateur n. m.
Terme d'une fraction placé au-dessous de la barre horizontale et qui marque en combien de parties égales l'unité a été divisée. **ANT.** numérateur.
Locution
Dénominateur commun. (FIGURÉ) Point commun à des personnes, à des choses.
VOIR TABLEAU – **NOMBRES.**

dénommé, ée adj. et n. m. et f.
(FAMILIER) Qui a pour nom. *Un dénommé Dubois.*

dénommer v. tr., pronom.
Verbe transitif
Donner un nom, appeler. *On dénomme les habitants de Trois-Rivières les Trifluviens.* **SYN.** désigner.
Verbe pronominal
Avoir pour nom. *Il se dénomme Raphaël.*
Conjugaison [VOIR MODÈLE – **AIMER**]

dénoncer v. tr.
1. Signaler à l'opinion une chose mauvaise. *Il a dénoncé certaines injustices.*
2. Faire savoir qu'une personne est coupable de quelque chose. *Des informateurs ont dénoncé les trafiquants.* **SYN.** accuser, livrer, trahir, vendre.
Conjugaison [VOIR MODÈLE – **AVANCER**]
Le ***c*** prend une cédille devant les lettres ***a*** et ***o***. *Il dénonça, nous dénonçons.*

dénonciation n. f.
Action de dénoncer quelqu'un, quelque chose. **SYN.** accusation.
dénon**c**iation.

dénoter v. tr.
Indiquer. *Des aquarelles qui dénotent un grand talent.* **SYN.** montrer, révéler.
Conjugaison [VOIR MODÈLE – **AIMER**]
déno**t**er.

ADJECTIF **DÉMONSTRATIF**

L'adjectif démonstratif détermine le nom en montrant l'être ou l'objet désigné par ce nom. Il s'accorde en genre et en nombre avec le nom déterminé.

• au masculin singulier	***ce, cet***	*Ce livre, cet ouvrage, cet homme.*

On emploie ***ce*** devant un mot commençant par une consonne ou un ***h*** aspiré, ***cet*** devant un mot commençant par une voyelle ou un ***h*** muet.

• au féminin singulier	***cette***	*Cette fleur.*
• au pluriel	***ces***	*Ces garçons et ces filles.*

L'adjectif démonstratif est parfois renforcé par ***ci*** ou ***là*** joint au nom par un trait d'union. Alors que ***ci*** indique la proximité, ***là*** suggère l'éloignement. *Cette étude-ci* (démonstratif prochain), *cette maison-là* (démonstratif lointain).

VOIR TABLEAU – **ADJECTIF.**

dénouement n. m.
1. Fin d'une intrigue dramatique. *Le film a un dénouement inattendu.*
2. Conclusion. *Tous ont été très inquiets jusqu'au dénouement heureux de cet enlèvement.* **SYN.** issue.
⊂⊃ dénou**e**ment.

dénouer v. tr., pronom.
Verbe transitif
1. Défaire un nœud. *Elle a dénoué le ruban qui retenait ses cheveux.* **SYN.** détacher.
2. Résoudre, éclaircir une difficulté, une intrigue. **SYN.** démêler.
Verbe pronominal
Se démêler. *La situation difficile s'est dénouée.* **SYN.** se régler.
Conjugaison [VOIR MODÈLE – **AIMER**]

dénoyauter v. tr.
Enlever le noyau de. *Dénoyauter des cerises.*
Conjugaison [VOIR MODÈLE – **AIMER**]

denrée n. f.
Tout produit vendu pour nourrir les hommes, les animaux. *Des denrées périssables.* **SYN.** aliment, nourriture.
Locution
Une denrée rare. (FIGURÉ) Chose précieuse qui se rencontre rarement.
⊂⊃ d**en**rée.

dense adj.
Épais, compact. *Une foule très dense.* **SYN.** abondant.
HOM. danse, action de danser.
⊂⊃ d**en**se.

densité n. f.
Caractère de ce qui est dense. *La densité de la forêt.*
⊂⊃ d**en**sité.

dent n. f.
Petit os qui sert à la mastication. *Des dents blanches.*
Locutions
Avoir une dent contre quelqu'un, quelque chose. Être hostile à.
Mordre à belles dents. Manger avidement.
Prendre le mors aux dents. S'emballer, pour un cheval.
Prendre le mors aux dents. (FIGURÉ) Se mettre en colère, pour une personne. **SYN.** se fâcher.
∽ Le nom ***dent*** s'écrit au pluriel dans les expressions ***mal de dents, grincement de dents, rage de dents, brosse à dents.*** Il s'écrit au singulier dans l'expression ***coup de dent.***

dentaire adj.
Relatif aux dents. *La chirurgie dentaire.*

dentelé, ée adj.
Qui est découpé en forme de dents. *Un col dentelé.*
⊂⊃ dente**l**é, contrairement à ***dentelle.***

dentelle n. f.
Tissu ajouré de manière à former des dessins exécutés à l'aide d'aiguilles et de fils divers. *Une dentelle faite à la main.*
Locutions
De dentelle, en dentelle. *Un col de dentelle, une nappe en dentelle.*
∽ Ces expressions s'écrivent au singulier.
Ne pas faire dans la dentelle. (FIGURÉ) Manquer de délicatesse, de finesse.
⊂⊃ dente**ll**e.

dentier n. m.
Prothèse dentaire amovible.

dentifrice adj. et n. m.
Se dit d'un produit propre à nettoyer les dents. *Une pâte dentifrice* (et non une *pâte à dents), *un dentifrice. Un tube de dentifrice.*

dentiste n. m. et f.
Spécialiste des soins dentaires. *C'est un bon dentiste, pas un arracheur de dents. Une excellente dentiste.*

dentition n. f.
1. Formation et sortie des dents. *Félix n'a pas encore toute sa dentition de lait.*
2. Ensemble des dents. *Philippe a une excellente dentition.* **SYN.** denture.

denture n. f.
Ensemble des dents. *Elle a une belle denture.* **SYN.** dentition.

dénudé, ée adj.
Mis à nu. *Un terrain dénudé.*
∽ Ne pas confondre avec l'adjectif ***dénué,*** privé de quelque chose.

dénuder v. tr., pronom.
Verbe transitif
Mettre à nu. *Les défricheurs ont dénudé la terre.*
Verbe pronominal
Se mettre nu. *Ils se sont dénudés pour se laver.* **SYN.** se déshabiller.
Conjugaison [VOIR MODÈLE – **AIMER**]

dénué, ée adj.
Privé de. *Il est dénué de bienveillance.*
∽ Ne pas confondre avec l'adjectif ***dénudé,*** mis à nu.

dénuement n. m.
Privation du nécessaire, misère. *Ces personnes sont dans le dénuement le plus complet après l'incendie qui a détruit leur logement.* **SYN.** pauvreté.
⊂⊃ dénu**e**ment.

déodorant adj. et n. m.
Se dit d'un produit qui diminue ou supprime les odeurs corporelles.
∽ Ne pas confondre avec le mot ***désodorisant***, qui se dit d'un produit qui enlève ou masque les mauvaises odeurs dans un local.

dépannage n. m.
1. Remise en marche de ce qui est en panne. *Le dépannage d'une voiture.*
2. (FAMILIER) Aide momentanée apportée à une personne, à un groupe en difficulté.

dépanner v. tr.
1. Remettre en marche quelque chose qui est en panne. *Dépanner une motocyclette.*
2. (FAMILIER) Aider quelqu'un en difficulté. *Cette famille nous a bien dépannés lorsque notre maison a brûlé.*
Conjugaison [VOIR MODÈLE – **AIMER**]

dépanneur n. m.
⚜ Établissement où l'on vend des aliments et une gamme restreinte d'articles de consommation courante, et dont les heures d'ouverture s'étendent au-delà de l'horaire habituel des autres magasins. (Recomm. off. OLF)

dépanneuse n. f.
Voiture de dépannage. *La dépanneuse remorque la voiture accidentée.*

dépareillé, ée adj.
1. ⚜ Exceptionnel. *Une cuisinière dépareillée.*
2. Qui forme une série disparate. *Un service de table dépareillé.* **SYN.** désassorti.
3. Qui est séparé d'un ensemble avec lequel il constituait une paire, une série. *Des chaussettes dépareillées.*

déparer v. tr.
Rendre moins beau. *Cet édifice dépare le bel ensemble de bâtiments.* **SYN.** enlaidir.
Conjugaison [VOIR MODÈLE – **AIMER**]

départ n. m.
Action de partir, moment où l'on part. *C'est déjà l'heure du départ.* **ANT.** arrivée.
Locutions
Point de départ. Lieu d'où l'on part.
Point de départ. (FIGURÉ) Commencement. *Le point de départ d'un film.* **SYN.** début.

départager v. tr.
Arbitrer ; désigner le vainqueur. *Cette question difficile départagera les meilleurs élèves.*
Conjugaison [VOIR MODÈLE – **CHANGER**]
Le ***g*** est suivi d'un ***e*** devant les lettres ***a*** et ***o.*** *Il départagea, nous départageons.*

dépasser v. tr., intr., pronom.
Verbe transitif
1. Aller plus loin, au-delà de. *Dépasse cette maison et tourne à droite.*
2. Doubler. *La voiture a dépassé le camion.* **SYN.** devancer.
3. Étonner. *Cette histoire me dépasse.* **SYN.** déconcerter, dérouter.
Verbe intransitif
Être plus long qu'autre chose. *Son jupon dépasse.* **SYN.** excéder.
Verbe pronominal
Se surpasser. *Ils se sont dépassés pour nous offrir ce beau concert.*
Conjugaison [VOIR MODÈLE – **AIMER**]

dépaysement n. m.
Fait d'être dépaysé. *Le dépaysement de François est total, il visite la Chine.*

dépayser v. tr.
Désorienter par un environnement différent. *Ce voyage au Liban te dépaysera certainement.*
Conjugaison [VOIR MODÈLE – **AIMER**]

dépeçage n. m.
Action de dépecer. *Le dépeçage d'un gigot.*
dépe**ç**age.

dépecer v. tr.
Mettre en pièces, en morceaux. *Il dépeçait un poulet.*
Conjugaison [VOIR MODÈLES – **AVANCER ET LEVER**]
Le ***e*** se change en ***è*** devant une syllabe muette. *Je dépèce, je dépeçais.*
Le ***c*** prend une cédille devant les lettres ***a*** et ***o.*** *Il dépeça, nous dépeçons.*

dépêcher (se) v. pronom.
Se hâter, faire vite. *Dépêchez-vous, nous sommes en retard !* **SYN.** (FAMILIER) se grouiller, se presser.
Conjugaison [VOIR MODÈLE – **AIMER**]
On conserve l'accent circonflexe de la deuxième syllabe à toutes les formes de la conjugaison.

dépeigner v. tr.
Décoiffer. *Le vent te dépeigne complètement.*
Conjugaison [VOIR MODÈLE – **AIMER**]
Les lettres ***gn*** sont suivies d'un ***i*** à la première et à la deuxième personne du pluriel de l'indicatif imparfait et du subjonctif présent. *(Que) nous dépeignions, (que) vous dépeigniez.*

dépeindre v. tr.
Représenter par la parole, l'écrit. *Dépeindre une scène avec réalisme.* **SYN.** décrire, raconter.
Conjugaison [VOIR MODÈLE – **ÉTEINDRE**]

dépendamment de loc. prép.
⚜ (FAMILIER) Selon, suivant, en fonction de.
Cette locution prépositive s'emploie couramment au Québec, mais elle est vieillie dans la francophonie. Par contre, son antonyme ***indépendamment de*** est toujours utilisé dans l'ensemble de la francophonie.

dépendance n. f.
1. Le fait de dépendre de quelqu'un, de quelque chose. *La dépendance financière d'un enfant à l'égard de ses parents.*
2. Accoutumance. *Attention à la dépendance que pourrait créer ce médicament.*
3. (AU PLURIEL) Ensemble de bâtiments qui appartiennent à un domaine. *Une ferme et ses dépendances.*
dép**en**d**an**ce.

dépendant, ante adj.
Qui est sous la dépendance de. *Il n'est plus dépendant de la cigarette.*

dépendre v. tr. ind., impers.
Verbe transitif indirect
1. Être sous la dépendance de. *Il dépend toujours de ses parents.*
2. Être lié à, résulter. *Son succès dépend de ses efforts.*
Le verbe se construit avec la préposition ***de.***
Verbe impersonnel
Reposer sur. *Cela ne dépend pas de moi : je ne peux pas vous aider.*
Le verbe se construit avec la préposition ***de.***
Conjugaison [VOIR MODÈLE – **FENDRE**]

dépens de (aux) loc. prép.
1. Aux frais de. *Vivre aux dépens de ses parents.* **SYN.** à la charge de.
2. Au détriment de quelque chose. *Ce choix a été fait aux dépens de sa tranquillité. Elle l'a appris à ses dépens.* **SYN.** au prix de.
dép**ens.**

dépense n. f.
1. Emploi de quelque chose. *Une dépense d'énergie.*
2. Somme d'argent servant à acheter quelque chose. *Antoine a des dépenses : il doit payer ses disques et ses billets d'autobus.*
3. ⚜ Garde-manger. *Range les conserves dans la dépense.*
En ce sens, ce nom est vieilli dans la francophonie.

dépenser v. tr., pronom.
Verbe transitif
1. Employer de l'argent. *Nous avons dépensé toutes nos économies. Les dollars qu'elle a dépensés.*
2. Consommer. *Cette voiture dépense trop d'essence.*
Verbe pronominal
Se donner du mal. *Elle se dépense énormément pour organiser ce concert. Ils se sont beaucoup dépensés.*
Conjugaison [VOIR MODÈLE – **AIMER**]

dépensier, ière adj. et n. m. et f.
Qui dépense trop. *Économise un peu, tu es trop dépensière.* **ANT.** économe.

dépérir v. intr.
Se détériorer, perdre de sa vigueur. *Cette plante dépérit, il faudrait l'arroser.*
Conjugaison [VOIR MODÈLE – **FINIR**]

dépêtrer (se) v. pronom.
Se libérer de. *Elle est arrivée à se dépêtrer de cette situation.* **SYN.** se tirer d'affaire, se délivrer, se sortir. **ANT.** s'empêtrer.
À la forme pronominale, le participe passé du verbe s'accorde toujours en genre et en nombre avec le sujet.
Conjugaison [VOIR MODÈLE – **AIMER**]
Le deuxième **e** conserve l'accent circonflexe à toutes les formes de la conjugaison.

dépistage n. m.
1. Action de dépister quelqu'un, quelque chose. *Le dépistage d'une bande de malfaiteurs.*
2. (MÉDECINE) Action de chercher à découvrir grâce à des examens systématiques certaines maladies dès leur début. *Le dépistage du cancer.*

dépister v. tr.
Découvrir au terme d'une enquête, d'une recherche. *Dépister une maladie à temps.* **SYN.** trouver.
Conjugaison [VOIR MODÈLE – **AIMER**]

dépit n. m.
Déception et jalousie. *Elle n'éprouva pas de dépit en apprenant le succès de sa camarade ; au contraire, elle était contente pour elle.* **SYN.** désappointement.
Locutions
En dépit de, locution prépositive. Malgré. *En dépit de nos conseils, elle a refusé cette offre.*
En dépit du bon sens. De façon illogique. *En dépit du bon sens, il est sorti sans manteau par 40 °C au-dessous de zéro !*
dépi**t**.

dépiter v. tr., pronom.
Verbe transitif
Contrarier. *Cet échec le dépita.* **SYN.** décevoir, désappointer, vexer.
Verbe pronominal
Se froisser, éprouver du dépit.
Conjugaison [VOIR MODÈLE – **AIMER**]

déplacé, ée adj.
Qui ne convient pas aux circonstances. *Une remarque déplacée.* **ANT.** convenable.

déplacement n. m.
Action de déplacer, de se déplacer. *Des frais de déplacement.*

déplacer v. tr., pronom.
Verbe transitif
Changer une chose de place. *Il déplaça le fauteuil.* **SYN.** bouger, déménager.
Verbe pronominal
Changer de lieu. *Elles se sont déplacées pour leur travail.*
Conjugaison [VOIR MODÈLE – **AVANCER**]
Le **c** prend une cédille devant les lettres ***a*** et ***o.*** *Nous déplaçons, tu déplaças.*

déplaire v. tr. ind., pronom.
Verbe transitif indirect
1. Rebuter, ennuyer. *Ce film a déplu à mes amis.*
Le verbe se construit avec la préposition ***à.***
2. Vexer, irriter. *Ce choix a déplu à ses parents.* **SYN.** choquer, contrarier, fâcher.
À la forme transitive, le verbe se conjugue avec l'auxiliaire ***avoir.***
Verbe pronominal
1. Ne pas se plaire. *Elles se sont déplu immédiatement.*
2. S'ennuyer (dans un lieu). *Elle s'est déplu à la campagne.*
Le participe passé ***déplu*** est invariable parce que le verbe ne peut avoir de complément d'objet direct.
À la forme pronominale, le verbe se conjugue avec l'auxiliaire ***être.***
Conjugaison [VOIR MODÈLE – **PLAIRE**]

déplaisant, ante adj.
Qui déplaît, désagréable. *Des allusions déplaisantes.* **SYN.** agaçant, pénible. **ANT.** agréable, plaisant.
Ne pas confondre avec le participe présent invariable ***déplaisant.*** *Ces remarques déplaisant à nos invités, nous nous tairons dorénavant.*

dépliant n. m.
Brochure publicitaire. *J'ai reçu un dépliant de ce magasin* (et non un *pamphlet, de la *littérature).

déplier v. tr.
Étaler ce qui était plié. *Déplier un journal.*
Ne pas confondre avec les verbes suivants :
– ***déplisser,*** défaire les plis ;
– ***déployer,*** ouvrir très largement.
Conjugaison [VOIR MODÈLE – **ÉTUDIER**]

déplisser v. tr.
Défaire les plis.
Ne pas confondre avec le verbe ***déplier,*** étaler ce qui était plié.
Conjugaison [VOIR MODÈLE – **AIMER**]

déploiement n. m.
Action de déployer ; fait d'être déployé. *Le déploiement des voiles de ce bateau est toujours spectaculaire.*
déploi**e**ment.

déplorable adj.
1. Fâcheux, regrettable. *Ce déplorable incident a refroidi l'atmosphère.* **SYN.** pénible, triste.
2. (FAMILIER) Mauvais. *Des résultats déplorables.* **SYN.** désastreux.

déplorer v. tr.
Regretter vivement quelque chose. *Nous avons déploré votre absence.*
Conjugaison [VOIR MODÈLE – **AIMER**]

déployer v. tr., pronom.
Ouvrir très largement ce qui était plié. *L'aigle déploie ses ailes.* **SYN.** étendre.
Ne pas confondre avec le verbe ***déplier,*** étaler ce qui était plié.
Conjugaison [VOIR MODÈLE – **EMPLOYER**]
Le ***y*** se change en ***i*** devant un ***e*** muet. *Je déploie, je déploierai. Le **y** est suivi d'un **i** à la première et à la deuxième personne* du pluriel de l'indicatif imparfait et du subjonctif présent. *(Que) nous déployions, (que) vous déployiez.*

dépolluer v. tr.
Diminuer ou supprimer la pollution de. *Dépolluer un lac.*
Conjugaison [VOIR MODÈLE – **AIMER**]
dépo**ll**uer.

dépollution n. f.
Action de dépolluer ; son résultat. *La dépollution des cours d'eau s'impose de façon urgente.*
✏ dépo**ll**ution.

déportation n. f.
Fait d'envoyer hors du pays une personne. *On a exigé la déportation de ces trafiquants.*

d

déporter v. tr.
1. Exiler. *Des malfaiteurs déportés.*
2. Faire dévier de sa trajectoire. *Le vent a déporté la voiture.*
Conjugaison [VOIR MODÈLE – **AIMER**]

déposer v. tr., intr., pronom.
Verbe transitif
1. Poser une chose qu'on portait. *Déposer sa valise.*
2. Placer quelque chose en un lieu. *Déposer une somme à la banque.*
Verbe intransitif
Témoigner en justice. *Elle a déposé contre eux.*
Verbe pronominal
Former un dépôt, un résidu. *Une mince couche de neige s'est déposée sur le jardin. Laissons ce vin se déposer.*
Conjugaison [VOIR MODÈLE – **AIMER**]

déposition n. f.
Déclaration d'un témoin, témoignage dans une enquête, un procès.

déposséder v. tr.
Priver de la possession de quelque chose. *On a dépossédé ces cultivateurs de leurs terres.* **SYN.** dépouiller.
Conjugaison [VOIR MODÈLE – **POSSÉDER**]
Le **é** se change en **è** devant une syllabe muette, sauf à l'indicatif futur et au conditionnel présent. *Je dépossède*, mais *je déposséderai.*

dépôt n. m.
1. Action de déposer quelque chose en un lieu, de confier quelque chose à quelqu'un. *Le dépôt d'une somme d'argent. Le dépôt d'une somme d'argent à une caisse populaire.*
2. La chose ainsi confiée. *Un dépôt bancaire.*
3. Endroit où l'on dépose certaines choses. *Un dépôt de marchandises.*
4. Matières qui se déposent dans un liquide au repos. *Il y a un dépôt au fond de cette bouteille de vin.*
Forme fautive
*dépôt. Anglicisme au sens de ***acompte, versement.*** *Je n'ai pas toute la somme sur moi, puis-je vous verser un acompte* (et non un *dépôt) ?
✏ dép**ô**t.

dépotoir n. m.
Dépôt d'ordures. *Ces ferrailles seront jetées au dépotoir.*

dépouillement n. m.
1. Action de dépouiller quelqu'un de son bien.
2. Simplicité. *Le dépouillement d'un décor.*
3. Examen minutieux. *Le dépouillement d'un texte.*
Locution
Dépouillement du scrutin. Dénombrement des votes d'une élection.

dépouiller v. tr., pronom.
Verbe transitif
1. Voler, déposséder. *Ces voleurs les ont dépouillés complètement.*
2. Examiner attentivement. *Dépouiller son courrier.*
Verbe pronominal
Se priver de ses biens. *Il s'est complètement dépouillé pour venir en aide aux sans-abri.*
Conjugaison [VOIR MODÈLE – **AIMER**]
Les lettres ***ill*** sont suivies d'un ***i*** à la première et à la deuxième personne du pluriel de l'indicatif imparfait et du subjonctif présent. *(Que) nous dépouillions, (que) vous dépouilliez.*

dépourvu, ue adj.
Être dépourvu de. Manquer de. *Elle est dépourvue de biens.* **SYN.** sans.
Locution
Au dépourvu, locution adverbiale. À l'improviste. *Elle a été prise au dépourvu par cette demande.*

déprécier v. tr., pronom.
Verbe transitif
1. Diminuer la valeur de. *La proximité de cette usine déprécie cet immeuble.* **SYN.** baisser.
2. Dénigrer quelqu'un. *Il ne cesse de déprécier, de critiquer son collègue.* **SYN.** critiquer, rabaisser.
Verbe pronominal
Perdre de sa valeur. *Ces propriétés se sont dépréciées.* **SYN.** baisser, diminuer.
Conjugaison [VOIR MODÈLE – **ÉTUDIER**]
Redoublement du ***i*** à la première et à la deuxième personne du pluriel de l'indicatif imparfait et du subjonctif présent. *(Que) nous dépréciions, (que) vous dépréciiez.*

déprendre (se) v. pronom.
(LITTÉRAIRE) Se dégager de. *Ils se sont dépris de cette situation difficile.*
☞ Le participe passé de ce verbe qui n'existe qu'à la forme pronominale s'accorde toujours avec le sujet du verbe.
Conjugaison [VOIR MODÈLE – **APPRENDRE**]

dépressif, ive adj. et n. m. et f.
Adjectif
Relatif à la dépression. *Des tendances dépressives.*
Nom masculin et féminin
Personne qui a tendance à la dépression nerveuse. **SYN.** déprimé.

dépression n. f.
1. Enfoncement. *Le sol présente une dépression.*
2. (ÉCONOMIE) Période de ralentissement économique. *La dépression est pire que la récession.* **SYN.** crise.
Locutions
Dépression (atmosphérique). Baisse de la pression atmosphérique. **ANT.** anticyclone.
Dépression (nerveuse). État pathologique caractérisé par une grande lassitude, de la mélancolie, du découragement.

déprimant, ante adj.
Qui démoralise, qui attriste. *Des nouvelles déprimantes.* **SYN.** décourageant.

déprime n. f.
(FAMILIER) État passager de lassitude, de découragement et de tristesse. *J'ai une petite déprime : il faut que je me secoue et que je réagisse.*

déprimer v. tr., intr.
Verbe transitif
Démoraliser, attrister. *Ces images d'enfants affamés m'ont déprimé.*
Verbe intransitif
(FAMILIER) Être démoralisé, triste. *Ils dépriment devant les innombrables travaux à remettre.*
Conjugaison [VOIR MODÈLE – **AIMER**]

depuis adv. et prép.
Préposition
La préposition peut marquer :
1. un rapport de temps. À partir de tel moment. *Je ne l'ai pas aperçue depuis ce matin.*
2. une durée déterminée. *Elle le regarde depuis cinq minutes.*
La préposition indique un état, une action qui dure encore.
3. un rapport de lieu. À partir d'un endroit jusqu'à un autre. *Les terres qui s'étendent depuis la montagne jusqu'au fleuve sont très fertiles.*
Adverbe
À partir d'un moment précis. *Je n'ai pas entendu parler de lui depuis.*
Locutions
Depuis peu, locution adverbiale. Dernièrement. *Depuis peu, il a repris ses études.*
Depuis que, locution conjonctive. Depuis le temps que. *Depuis que ce nouveau produit est en vente, les commandes n'ont cessé d'affluer.*
Cette locution se construit avec le mode indicatif.

député n. m.
députée n. f.
Personne élue pour représenter une circonscription électorale à l'Assemblée nationale.

déraciner v. tr.
1. Arracher avec ses racines. *Le vent a déraciné ces arbres.*
2. Arracher quelqu'un de son pays d'origine. *Les Acadiens ont été déracinés et envoyés en Louisiane.* **SYN.** déporter, exiler.
Conjugaison [VOIR MODÈLE – **AIMER**]

déraillement n. m.
Fait de dérailler, de sortir des rails. *Il y a eu un déraillement : trois wagons ont été détruits.*

dérailler v. intr.
1. Sortir des rails. *Trois wagons ont déraillé.*
2. (FAMILIER) (FIGURÉ) Ne pas faire preuve de bon sens. *Tu dis des bêtises, tu dérailles.* **SYN.** déraisonner, divaguer.
Conjugaison [VOIR MODÈLE – **AIMER**]
Les lettres ***ill*** sont suivies d'un ***i*** à la première et à la deuxième personne du pluriel de l'indicatif imparfait et du subjonctif présent. *(Que) nous déraillions, (que) vous dérailliez.*

dérailleur n. m.
Mécanisme qui permet de changer de vitesse sur une bicyclette.

déraisonnable adj.
Irrationnel. *Un projet déraisonnable.* **SYN.** fou, illogique, insensé. **ANT.** raisonnable, sensé.

déraisonner v. intr.
Divaguer. *Cette idée est insensée : vous déraisonnez.* **SYN.** (FAMILIER) dérailler.
Conjugaison [VOIR MODÈLE – **AIMER**]

dérangement n. m.
Dérèglement. *Mon téléphone est en dérangement.*

déranger v. tr., pronom.
Verbe transitif
1. Causer du désordre. *Les jeunes ont dérangé tous les disques.* **SYN.** (FAMILIER) chambarder.
2. Importuner. *J'espère que je ne vous dérange pas.* **SYN.** distraire.
Verbe pronominal
Se déplacer, interrompre ses activités. *Ne vous dérangez pas, je connais le chemin.*
Conjugaison [VOIR MODÈLE – **CHANGER**]
Le ***g*** est suivi d'un ***e*** devant les lettres ***a*** et ***o.*** *Il dérangea, nous dérangeons.*

dérapage n. m.
Fait de déraper ; son résultat. *La chaussée glissante a causé des dérapages.*

déraper v. intr.
Glisser par perte d'adhérence, en parlant d'un véhicule. *La voiture a dérapé sur une plaque de glace.* **SYN.** patiner.
Conjugaison [VOIR MODÈLE – **AIMER**]

dérégler v. tr.
Détraquer, troubler le fonctionnement de. *L'orage a déréglé le téléviseur.*
Conjugaison [VOIR MODÈLE – **POSSÉDER**]
Le deuxième **é** se change en **è** devant une syllabe muette, sauf à l'indicatif futur et au conditionnel présent. *Je dérègle*, mais *je déréglerai.*
dér**é**gler.

dérider v. tr., pronom.
Verbe transitif
Rendre moins triste, moins sérieux. *Ces blagues nous ont déridés.* **SYN.** égayer.
Verbe pronominal
S'épanouir, sourire. *Au bout d'un moment, elle s'est déridée.*
Conjugaison [VOIR MODÈLE – **AIMER**]

dérision n. f.
Mépris, raillerie. **SYN.** moquerie.
Locution
Tourner en dérision. Railler.

dérisoire adj.
1. Très insuffisant. *Un salaire dérisoire.* **SYN.** bas, faible, médiocre, minable.
2. Insignifiant. *Pour un prix dérisoire, vous aurez droit à un joli spectacle.* **SYN.** minime, modeste.

dérivation n. f.
1. Action de détourner un cours d'eau, des fluides, etc. *La dérivation de cette rivière où viennent les saumons inquiète les Amérindiens.*
Ne pas confondre avec le nom ***déviation,*** route qui contourne un obstacle temporaire.
2. (LINGUISTIQUE) Procédé de formation de mots nouveaux par l'ajout d'un préfixe ou d'un suffixe à un radical. *Le nom **déroulement** a été formé par dérivation du verbe **dérouler.***
VOIR TABLEAU – **NÉOLOGISME.**

dérive n. f.
Aller à la dérive. Être emporté hors de sa route, pour un navire, un avion.

dérivé n. m.
1. Mot qui dérive d'un autre. *Le nom **dérivation** est un dérivé du verbe **dériver.***
2. Corps chimique qui provient d'un autre. *Les dérivés du pétrole.* **SYN.** sous-produit.

dériver v. tr., intr.
Verbe transitif direct
1. Détourner un cours d'eau. *Ils veulent dériver la rivière à saumons.*
2. Former un mot par dérivation. *Le nom **déroulement** est dérivé du verbe **dérouler.***

Verbe transitif indirect
Tirer son origine de. *La proposition dérive d'une hypothèse peu sûre.* **SYN.** provenir, venir.
En ce sens, le verbe se construit avec la préposition ***de.***
Verbe intransitif
S'écarter de sa direction. *Le bateau dérive.*
Conjugaison [VOIR MODÈLE – **AIMER**]

dermatologie n. f.
Spécialité de la médecine qui étudie et soigne les maladies de la peau.

dermatologiste ou **dermatologue** n. m. et f.
Spécialiste de la dermatologie.

dernier, ière adj. et n. m. et f.
1. Qui vient après tous les autres. *La dernière semaine de l'année.*
2. Qui précède immédiatement. *La semaine dernière.* **SYN.** passé.
3. Le plus bas, le moins bon. *Ce produit est de dernière qualité : il ne vaut pas grand-chose.*
Locutions
Avoir le dernier mot. Avoir raison.
En dernier. À la fin. *C'est lui qui m'a appelé en dernier.* **SYN.** en dernier lieu, finalement.
Tout dernier. Les tout derniers fruits. Les toutes dernières fleurs.
Alors que l'adjectif ***dernier*** s'accorde en genre et en nombre, le mot ***tout*** est invariable au masculin, mais variable au féminin.
Attention à la place de l'adjectif quand il est accompagné d'un adjectif numéral. *Les cinq dernières heures* (et non *les dernières cinq heures). L'adjectif se place après le nombre, sauf lorsque celui-ci constitue un tout. *Les dernières 24 heures furent dramatiques.*

dernièrement adv.
Récemment, depuis peu. *Je l'ai vu dernièrement.*

dernier-né, dernière-née n. m. et f. (pl. *derniers-nés, dernières-nées*)
1. Le dernier enfant dans une famille.
2. (FIGURÉ) Modèle le plus récent. *C'est le dernier-né des ordinateurs.*
Dans ce nom composé, les deux éléments prennent la marque du pluriel, contrairement à ***nouveau-né*** et ***mort-né*** dont le premier élément reste toujours invariable. *Des nouveau-nés, des mort-nés.*

dérobée (à la) loc. adv.
En secret et rapidement.

dérober v. tr., pronom.
Verbe transitif
(LITTÉRAIRE) Voler. *On lui a dérobé son sac.* **SYN.** prendre.
Verbe pronominal
1. Se soustraire à. *Elle se dérobait à ses questions. Ne tentez pas de vous dérober encore une fois.* **SYN.** échapper, éviter.
2. S'effondrer. *Il lui semblait que le plancher se dérobait sous lui.*
Conjugaison [VOIR MODÈLE – **AIMER**]

dérougir v. intr.
(FAMILIER) Se calmer. *Depuis le matin, nous avons été très occupés : ça n'a pas dérougi.*
Conjugaison [VOIR MODÈLE – **FINIR**]

dérouiller v. tr.
1. Enlever la rouille de. *Le peintre a dérouillé la clôture et l'a repeinte.*
2. (FAMILIER) Dégourdir. *Dérouiller ses jambes.*
Conjugaison [VOIR MODÈLE – **AIMER**]
Les lettres ***ill*** sont suivies d'un ***i*** à la première et à la deuxième personne du pluriel de l'indicatif imparfait et du subjonctif présent. *(Que) nous dérouillions, (que) vous dérouilliez.*

déroulement n. m.
1. Action de dérouler, de se dérouler. *Le déroulement d'un fil électrique.* **SYN.** défilement.
2. (FIGURÉ) Le fait de se développer progressivement dans le temps. *Le déroulement de l'action dans un roman.* **SYN.** enchaînement.

dérouler v. tr., pronom.
Verbe transitif
Étendre ce qui était roulé. *Il déroule un fil électrique.* **ANT.** enrouler.
Verbe pronominal
Se produire selon une succession donnée. *Un récit qui se déroule très vite.* **SYN.** se passer.
Conjugaison [VOIR MODÈLE – **AIMER**]

déroutant, ante adj.
Déconcertant. *La question d'examen était déroutante : on ne s'y attendait pas.* **SYN.** étonnant, surprenant.

déroute n. f.
1. Fuite désordonnée d'une troupe vaincue. *Ils ont été mis en déroute par les assaillants.*
2. (FIGURÉ) Confusion générale, crise.

dérouter v. tr.
1. Faire changer de destination. *Dérouter un navire en raison d'une tempête.*
2. (FIGURÉ) Déconcerter. *Ces affirmations l'ont dérouté.* **SYN.** étonner, surprendre.
Conjugaison [VOIR MODÈLE – **AIMER**]

derrière adv., n. m. et prép.
Préposition
1. Du côté opposé au devant. *Il est caché derrière l'arbre.*
2. À la suite de. *Il marchait derrière elle.* **SYN.** après, au dos de.
Adverbe
En arrière, après. *Ils sont assis derrière.*
Nom masculin
1. Fesses. *Elle est tombée sur le derrière.* **SYN.** (VULGAIRE) cul.
2. La partie postérieure d'une chose, par opposition au ***devant.***
Ce mot désigne surtout la partie cachée d'une chose, par exemple la partie opposée à la façade d'un immeuble. *Le derrière d'une maison.*
Locutions
Avoir le feu au derrière. (FAMILIER) Être en colère.
Par-derrière, locution adverbiale. *Il a attaqué par-derrière.*
Une idée de derrière la tête. Une idée secrète. **SYN.** arrière-pensée.

des art. déf., indéf.
1. Article défini contracté pluriel (***de les***). *Le chant des oiseaux.*
2. Article indéfini pluriel de ***un, une.*** *Des pommes.*
3. Article partitif pluriel exprimant une partie d'une chose au pluriel. *Manger des marinades.*
HOM. dès, préposition.

dès prép.
1. À partir de. *Il se lève dès l'aube. Ce sera prêt dès demain.*
2. Depuis. *Dès sa parution, ce livre s'est très bien vendu.*
Locution
Dès que, locution conjonctive. Aussitôt que. *Dès qu'elle sera arrivée, nous pourrons commencer.*
La locution conjonctive est suivie de l'indicatif.
HOM. des, article.

désabusé, ée adj.
Déçu, qui ne croit plus à rien, qui n'a plus d'illusions. **SYN.** désenchanté.

désaccord n. m.
Mésentente. *Un désaccord entre deux amis. Ils sont en désaccord au sujet du film qu'ils veulent louer.* **ANT.** accord.

désaccordé, ée adj.
Qui n'est plus accordé, en parlant d'un instrument de musique. *Le piano est désaccordé.* **ANT.** accordé, en harmonie.

désagréable adj.
1. (Personnes) Déplaisant. *Ce monsieur est très désagréable.* **SYN.** antipathique, détestable.
2. (Choses) Mauvais, pénible. *Une odeur désagréable.* **SYN.** ennuyeux.

désagréablement adv.
De façon désagréable. *Nous avons été désagréablement surpris par des retards multiples.*

désagrément n. m.
Chose désagréable, sujet de contrariété. **SYN.** (FAMILIER) embêtement, ennui, souci, tracas.

désaltérant, ante adj.
Qui apaise la soif. *Cette limonade est bien désaltérante.* **SYN.** rafraîchissant.

désaltérer v. tr., pronom.
Verbe transitif
Apaiser la soif de. *Ce jus vous désaltérera.*
Verbe pronominal
Apaiser sa soif. *Ils se sont désaltérés à la fontaine.* **SYN.** boire.
Conjugaison [VOIR MODÈLE – **POSSÉDER**]
Le ***é*** se change en ***è*** devant une syllabe muette, sauf à l'indicatif futur et au conditionnel présent. *Je me désaltère,* mais *nous nous désaltérons.*

désamorcer v. tr.
1. Ôter l'amorce de. *Désamorcer une bombe.*
2. (FIGURÉ) Neutraliser, arrêter. *Désamorcer une querelle.*
Conjugaison [VOIR MODÈLE – **AVANCER**]
Le ***c*** prend une cédille devant les lettres ***a*** et ***o***. *Nous désamorçons, tu désamorças.*

désappointement n. m.
Grande déception. *C'est avec beaucoup de désappointement que j'ai appris ton départ pour un autre pays.*

désappointer v. tr.
Décevoir et mécontenter. *Votre refus m'a désappointé.*
Conjugaison [VOIR MODÈLE – **AIMER**]

désapprobateur, trice adj.
Qui désapprouve. *Un ton désapprobateur.*

désapprouver v. tr.
Ne pas approuver, blâmer. *La directrice a désapprouvé cette décision.* **SYN.** critiquer.
Conjugaison [VOIR MODÈLE – **AIMER**]

désarçonner v. tr.
1. Renverser de cheval.
2. (FIGURÉ) Déconcerter. *Cette colère subite l'a désarçonnée.* **SYN.** dérouter.
Conjugaison [VOIR MODÈLE – **AIMER**]
désar**ç**onner.

désarmant, ante adj.
Qui pousse à l'indulgence par sa gentillesse, sa naïveté, etc. *Une simplicité désarmante.* **SYN.** attendrissant, touchant.

désarmement n. m.
Suppression des armements. *Le désarmement nucléaire.*

désarmer v. tr.
1. Enlever ses armes à quelqu'un. *Les policiers ont désarmé le cambrioleur.*
2. (FIGURÉ) Toucher. *Cette inconscience le désarmait complètement.* **SYN.** fléchir.
Conjugaison [VOIR MODÈLE – **AIMER**]

désarroi n. m.
Trouble, angoisse. *Cette bombe a semé le désarroi chez les passants.* **SYN.** angoisse, détresse.

désastre n. m.
1. Catastrophe, grand malheur. *Cette marée de pétrole est un désastre écologique.* **SYN.** malheur.
2. (FIGURÉ) Ennui, incident fâcheux. *Mon gâteau est calciné : c'est un désastre !*

désastreux, euse adj.
1. Catastrophique. *Ces tornades sont désastreuses.* **SYN.** tragique.
2. Fâcheux, malheureux. *Des résultats désastreux.* **SYN.** désolant, mauvais.

désavantage n. m.
Inconvénient. *Cette profession a le désavantage d'exiger des voyages nombreux.* **SYN.** désagrément.

désavantager v. tr.
Mettre en état de désavantage, causer un inconvénient. *Cette situation à l'extérieur de la ville désavantageait ce commerce.* **SYN.** pénaliser.
Conjugaison [VOIR MODÈLE – **CHANGER**]
Le ***g*** est suivi d'un ***e*** devant les lettres ***a*** et ***o***. *Il désavantagea, nous désavantageons.*

désavantageux, euse adj.
Défavorable. *Ces conditions sont désavantageuses, je ne peux les accepter.* **ANT.** avantageux.
désavantageu**x.**

désavouer v. tr.
1. Ne pas vouloir reconnaître comme sien. *Désavouer une promesse.*
2. Désapprouver. *La directrice a désavoué toute discrimination entre les élèves.* **SYN.** blâmer, condamner.
Conjugaison [VOIR MODÈLE – **AIMER**]

desceller v. tr.
Les trois ***e*** sont fermés [desele].
Ouvrir ce qui est scellé. *Il a réussi à desceller le cadrage.*
HOM.
– **déceler**, découvrir ce qui est caché ;
– **desseller**, retirer la selle d'un cheval.
Conjugaison [VOIR MODÈLE – **AIMER**]
de**sc**eller.

descendance n. f.
Ensemble des descendants. *Les premiers colons en Nouvelle-France ont eu une nombreuse descendance.* **SYN.** lignée.
de**scen**dance.

descendant, ante adj. et n. m. et f.
Adjectif
Qui descend. *La marée descendante.*

Nom masculin et féminin
Personne issue d'un ancêtre. *Ce sont des descendants du premier colon, Louis Hébert.*
descendant.

descendre v. tr., intr.
Verbe transitif
1. Parcourir de haut en bas. *Martin descend l'escalier trop vite.* **ANT.** monter.
2. Déplacer vers le bas. *Il a descendu un livre de sa bibliothèque.*
3. (FAMILIER) Abattre. *Les rebelles ont descendu un avion.*
Verbe intransitif
1. Aller de haut en bas. *Elle descendra par l'escalier.* **ANT.** monter.
2. Baisser de niveau. *La mer commence à descendre, c'est la marée basse.* **ANT.** monter.
3. Tirer son origine de. *Ils descendent d'une grande famille italienne.* **SYN.** provenir de, venir de.
4. Séjourner. *Il descend toujours dans ce petit hôtel.*
À la forme transitive, le verbe se conjugue avec l'auxiliaire ***avoir***; à la forme intransitive, il se conjugue avec l'auxiliaire ***être.***
L'expression *« descendre en bas » est un pléonasme à éviter.
Conjugaison [VOIR MODÈLE – **FENDRE**]
INDICATIF PRÉSENT *Je descends, tu descends, il descend, nous descendons, vous descendez, ils descendent.* IMPARFAIT *Je descendais.* PASSÉ SIMPLE *Je descendis.* FUTUR *Je descendrai.* **CONDITIONNEL** PRÉSENT *Je descendrais.* **IMPÉRATIF** PRÉSENT *Descends, descendons, descendez.* **SUBJONCTIF** PRÉSENT *Que je descende.* IMPARFAIT *Que je descendisse.* **PARTICIPE** PRÉSENT *Descendant.* PASSÉ *Descendu, ue.*
descendre.

descente n. f.
1. Action de descendre. *Une descente en skis, à ski.*
2. Perquisition. *Des descentes de police.*
3. Chemin par lequel on descend. *Une descente abrupte.*
descente.

description n. f.
Action de décrire. *Une description détaillée d'un accident.* **SYN.** exposé, narration, récit.

désemparé, ée adj.
Déconcerté, qui ne sait quoi faire. *La famille était complètement désemparée après l'incendie de la maison.*
désemparé.

désenchanté, ée adj. et n. m. et f.
Qui a perdu ses illusions, sa ferveur, son enthousiasme. *Ils sont désenchantés de la vie, ils ont eu trop d'épreuves.* **SYN.** déçu, désappointé.

désenchantement n. m.
Désillusion. **SYN.** déception, désappointement.

désenchanter v. tr.
Désillusionner. **SYN.** décevoir. **ANT.** (FAMILIER) emballer, enchanter, enthousiasmer.
Conjugaison [VOIR MODÈLE – **AIMER**]

désennuyer v. tr.
Distraire. *Cette émission l'a désennuyé, il a beaucoup ri.* **SYN.** divertir.
Conjugaison [VOIR MODÈLE – **EMPLOYER**]
désennuyer.

déséquilibre n. m.
Absence d'équilibre. *L'alpiniste ne peut risquer le moindre déséquilibre : sa vie en dépend.*
déséquilibre.

déséquilibré, ée adj. et n. m. et f.
Qui n'a pas son équilibre mental. *Ce meutrier est un déséquilibré.* **SYN.** détraqué.
déséquilibré.

déséquilibrer v. tr.
1. Faire perdre son équilibre. *Cette racine dans la piste de ski a déséquilibré Antoine.*
2. Troubler, perturber. *Cet accident risque de le déséquilibrer.*
Conjugaison [VOIR MODÈLE – **AIMER**]
déséquilibrer.

désert, erte adj. et n. m.
Adjectif
1. Inhabité. *Une île déserte.*
2. Dépeuplé provisoirement. *La place était déserte.*
Nom masculin
Région très aride ayant très peu d'habitants. *Le désert du Sahara.*

déserter v. tr., intr.
Verbe transitif
1. Quitter un lieu où l'on devrait être. *Déserter son travail.*
2. (FIGURÉ) Abandonner. *Déserter une cause.* **SYN.** délaisser.
Verbe intransitif
Abandonner l'armée sans autorisation. *Ces soldats ont déserté.*
Conjugaison [VOIR MODÈLE – **AIMER**]

déserteur, euse n. m. et f.
Personne qui abandonne son poste.

désertique adj.
Qui se rapporte au désert. *Des étendues désertiques.*

désespérant, ante adj.
Qui fait perdre espoir, décourageant. *Des cas désespérants.* **SYN.** lassant.
Ne pas confondre avec le participe présent invariable ***désespérant.*** *Les skieurs, désespérant d'arriver à l'abri, commencèrent à s'affoler.*

désespéré, ée adj. et n. m. et f.
Adjectif
1. Qui n'a plus aucun espoir. *Élise est désespérée, elle a perdu son emploi.*
2. Qui ne permet aucun espoir. *L'état de ce blessé est désespéré, on ne peut le sauver.*
Nom masculin et féminin
Personne qui n'espère plus. *Le désespéré s'est suicidé.*

désespérément adv.
De façon désespérée, avec acharnement. *Ils ont essayé désespérément de s'en sortir.*

désespérer v. tr., intr., pronom.
Verbe transitif direct
Décourager, faire perdre espoir. *Ces refus me désespèrent.* **SYN.** désoler.
Verbe transitif indirect
Perdre l'espoir en. *Ils désespèrent de la paresse de cet enfant. Elle désespère de pouvoir regagner son pays.*
Le verbe se construit avec la préposition ***de*** suivie d'un nom ou d'un infinitif.
Verbe intransitif
Cesser d'espérer. *Après tous ces échecs, il commence à désespérer. Ne désespérons pas.*

Verbe pronominal
S'abandonner au désespoir. *Elle se désespère de cette décision, de devoir partir.*
À la forme pronominale, le verbe se construit avec la préposition ***de*** suivie d'un nom ou d'un infinitif. Il peut également se construire avec ***que*** et le subjonctif. *Il désespère qu'elle soit en désaccord.*
Conjugaison [VOIR MODÈLE – **POSSÉDER**]

désespoir n. m.
Chagrin profond causé par la perte de l'espoir.
Locutions
En désespoir de cause. À titre d'ultime tentative et sans grande confiance.
L'énergie du désespoir. Sursaut de vigueur lorsque tout semble perdu. *Les naufragés ont nagé avec l'énergie du désespoir.*

déshabiller v. tr., pronom.
Verbe transitif
Enlever le vêtement. *Sophie a déshabillé sa poupée.* **SYN.** dévêtir.
Verbe pronominal
Retirer ses vêtements. *Ils se sont déshabillés pour enfiler leur maillot de bain.* **SYN.** se dévêtir.
Conjugaison [VOIR MODÈLE – **AIMER**]
Les lettres ***ill*** sont suivies d'un ***i*** à la première et à la deuxième personne du pluriel de l'indicatif imparfait et du subjonctif présent. *(Que) nous déshabillions, (que) vous déshabilliez.*
dé**sh**abiller.

déshérité, ée adj. et n. m. et f.
1. Privé d'héritage.
2. Qui n'a pas ou a peu de ressources. **SYN.** défavorisé, démuni, pauvre.
dés**h**érité.

déshériter v. tr.
Priver d'héritage. *Leur père les a déshérités.*
Conjugaison [VOIR MODÈLE – **AIMER**]
dés**h**ériter.

déshonorant, ante adj.
Honteux. *Ces pratiques sont déshonorantes.*
dés**h**onorant.

déshonorer v. tr., pronom.
Verbe transitif
Déprécier, ternir l'honneur de quelqu'un. *Ces paroles le déshonorent.* **SYN.** discréditer.
Verbe pronominal
Perdre son honneur. *Ils se sont déshonorés en acceptant cette entente illégale.*
Conjugaison [VOIR MODÈLE – **AIMER**]
dés**h**onorer.

déshydrater v. tr., pronom.
Verbe transitif
Supprimer l'eau de, dessécher. *Déshydrater du lait.*
Verbe pronominal
Perdre son eau, en parlant d'un organisme, de la peau. *Avec tout ce soleil, ta peau s'est déshydratée.* **SYN.** se dessécher.
Conjugaison [VOIR MODÈLE – **AIMER**]
dés**hy**drater.

design adj. inv. et n. m. inv.
Ce mot se prononce à l'anglaise [dizajn].
Adjectif invariable
Conçu en fonction des critères du design. *Des aménagements très design.*
Nom masculin invariable
Conception d'un objet qui allie l'esthétique aux critères utilitaires. *Des design innovateurs.*
Ce mot emprunté à l'anglais n'a pas d'équivalent en français.

désignation n. f.
1. Action de désigner. *La désignation d'un produit par un nom italien.*
2. Nom. *Une désignation italienne.* **SYN.** appellation, dénomination.
3. Action de choisir une personne. *La désignation du chef d'équipe.*

designer n. m. et f.
Ce mot se prononce à l'anglaise [dizajnær].
Spécialiste du design. *C'est une designer québécoise qui a conçu cet appareil d'éclairage.* **SYN.** concepteur, créateur.
Ce mot emprunté à l'anglais n'a pas d'équivalent en français.

désigner v. tr.
1. Montrer, signaler. *Désignez-moi votre ami que je le salue.*
2. Signifier, représenter. *Le nom **descente** désigne l'action d'aller de haut en bas.* **SYN.** appeler, dénommer.
3. Choisir (quelqu'un) pour un travail. *La direction a désigné un nouveau moniteur.* **SYN.** nommer.
Conjugaison [VOIR MODÈLE – **AIMER**]
Les lettres ***gn*** sont suivies d'un ***i*** à la première et à la deuxième personne du pluriel de l'indicatif imparfait et du subjonctif présent. *(Que) nous désignions, (que) vous désigniez.*

désillusion n. f.
Perte d'une illusion. **SYN.** déception, désappointement, désenchantement.

désillusionner v. tr.
Faire perdre ses illusions à (quelqu'un). **SYN.** décevoir, désappointer, désenchanter.
Conjugaison [VOIR MODÈLE – **AIMER**]

désinfectant, ante adj. et n. m.
Se dit de substances propres à désinfecter. *Des produits désinfectants sont utilisés dans les hôpitaux.*
Ne pas confondre avec le participe présent invariable ***désinfectant.*** *Les produits désinfectant le mieux une blessure sont les antibiotiques.*

désinfecter v. tr.
Détruire les germes pathogènes ou empêcher leur multiplication. *Désinfecter une plaie, la chambre d'un malade.*
Conjugaison [VOIR MODÈLE – **AIMER**]

désinfection n. f.
Stérilisation. *La désinfection des instruments chirurgicaux.*

désintégration n. f.
Destruction de l'intégrité d'un tout. *La désintégration d'un composé chimique.*

désintégrer v. tr., pronom.
Verbe transitif
1. Détruire l'intégrité d'un tout. *Désintégrer de l'uranium pour le transformer en énergie.*
2. (FIGURÉ) Détruire complètement quelque chose. *L'explosion a désintégré la voiture.*

Verbe pronominal
Perdre son intégrité. *L'engin spatial s'est désintégré.* **SYN.** exploser.
Conjugaison [VOIR MODÈLE – **POSSÉDER**]
Le ***é*** se change en ***è*** devant une syllabe muette, sauf à l'indicatif futur et au conditionnel présent. *Je désintègre,* mais *je désintégrerai.*

d

désintéressé, ée adj.
Qui n'obéit pas à un intérêt personnel. *Ces bénévoles sont désintéressés, ils ne veulent que soulager les malades.* **SYN.** généreux. **ANT.** intéressé.

désintéressement n. m.
Générosité, oubli de son intérêt personnel. *Elle travaille comme bénévole avec un grand désintéressement.*
Ce nom a une valeur favorable et ne peut signifier un manque d'intérêt.
Ne pas confondre avec le nom ***désintérêt,*** manque d'intérêt.

désintéresser v. tr., pronom.
Verbe transitif
Faire perdre à quelqu'un tout intérêt pour quelque chose. *Les difficultés ont fini par le désintéresser.* **ANT.** se soucier de.
Verbe pronominal
Se détacher de quelqu'un, de quelque chose, perdre son intérêt. *Ils se sont désintéressés de cette entreprise.* **SYN.** négliger.
À la forme pronominale, le verbe se construit avec la préposition ***de.***
Conjugaison [VOIR MODÈLE – **AIMER**]

désintérêt n. m.
Manque d'intérêt, indifférence.
Ne pas confondre avec le nom ***désintéressement,*** oubli de son intérêt personnel.
désintér**êt.**

désintoxication n. f.
Action de désintoxiquer, de se désintoxiquer ; son résultat. *Des cures de désintoxication.*
désintoxi**ca**tion.

désintoxiquer v. tr.
1. Guérir quelqu'un d'une intoxication ou de ses effets.
2. Débarrasser de ses toxines. *La mer te désintoxiquera.* **SYN.** purifier.
Conjugaison [VOIR MODÈLE – **AIMER**]

désinvolte adj.
1. Qui a l'allure dégagée. *Des démarches désinvoltes.*
2. Effronté. *Un ton désinvolte.* **SYN.** impertinent.
En ce sens, cet adjectif a une valeur défavorable.

désinvolture n. f.
Sans-gêne, effronterie. *Ils ont répondu avec désinvolture.* **SYN.** impertinence.

désir n. m.
1. Aspiration à posséder quelque chose. *Formuler un désir.* **SYN.** aspiration, besoin, envie, souhait.
2. Objet désiré. *Les vacances représentent son seul désir.*

désirable adj.
1. Que l'on peut désirer. *Une évolution désirable.* **SYN.** souhaitable, tentant.
2. Qui excite le désir. *Une personne très désirable.* **SYN.** attrayant, excitant, séduisant.

désirer v. tr.
1. Espérer, souhaiter. *Elle désire atteindre son but.* **SYN.** aspirer, rechercher.
Suivi de l'infinitif, le verbe se construit sans préposition.
2. ***Désirer*** + ***que*** se construit avec le subjonctif. *Nous désirons que vous soyez ponctuel.*
Locutions
Laisser à désirer. Être imparfait, médiocre. *Son rendement laissait à désirer.*
Se faire désirer. Se faire attendre.
Conjugaison [VOIR MODÈLE – **AIMER**]

désireux, euse adj.
Qui aspire à quelque chose. *Il est désireux de s'instruire.*
Cet adjectif se construit avec la préposition ***de*** suivie de l'infinitif.
désireu**x.**

désobéir v. tr. ind.
Le ***o*** est ouvert [dezɔbeir].
Ne pas obéir à quelqu'un. *Ils ont désobéi à leurs parents qui leur avaient interdit d'aller à la piscine.*
Le verbe se construit avec la préposition ***à.***
Conjugaison [VOIR MODÈLE – **FINIR**]

désobéissance n. f.
Le ***o*** est ouvert [dezɔbeisɑ̃s].
1. Action de désobéir. *Ils seront punis pour cette désobéissance.*
2. Habitude de désobéir. **SYN.** insubordination.

désobéissant, ante adj.
Le ***o*** est ouvert [dezɔbeisɑ̃, ɑ̃t].
Qui désobéit. *Des fillettes désobéissantes.*

désodorisant, ante adj. et n. m.
Se dit d'un produit qui enlève ou masque les mauvaises odeurs dans un local.
Ne pas confondre avec le mot ***déodorant,*** qui se dit d'un produit qui diminue ou supprime les odeurs corporelles.

désœuvré, ée adj. et n. m. et f.
Inactif. *Frédérique n'aime pas être désœuvré, il a mille projets.* **SYN.** oisif.

désolation n. f.
Peine profonde. *C'est avec désolation que j'ai appris cette triste nouvelle.* **SYN.** chagrin, tristesse.

désoler v. tr., pronom.
Verbe transitif
Peiner. *Ces difficultés les désolent.* **SYN.** attrister.
Verbe pronominal
Être peiné. *Elle se désole de le savoir malade.*
Conjugaison [VOIR MODÈLE – **AIMER**]

désordonné, ée adj.
Qui manque d'ordre. *Les bibliothécaires ne peuvent s'offrir le luxe d'être désordonnés : on ne retrouverait pas les livres !*

désordre n. m.
1. Manque d'ordre. *Ta chambre est en désordre, viens la ranger !* **SYN.** fouillis, (FAMILIER) pagaille.
2. Perturbation. *À une heure de la fin de l'année, la classe était dans un désordre total.* **SYN.** anarchie.

désorganiser v. tr.
Détruire l'organisation de. *Le tremblement de terre a désorganisé la ville.*
Conjugaison [VOIR MODÈLE – **AIMER**]

désorienter v. tr.
1. Détruire l'orientation de. *Le brouillard les a désorientés, ils ne retrouvaient plus leur chemin.* **SYN.** égarer.
2. (FIGURÉ) Dépayser, déconcerter. *Ces propos désorientent leurs amis qui ne les comprennent plus.* **SYN.** dérouter.
Conjugaison [VOIR MODÈLE – **AIMER**]

désormais adv.
Dorénavant, à l'avenir. *Désormais, cette épicerie sera ouverte le dimanche.*

désosser v. tr.
Le **o** est ouvert [dezɔse].
Retirer les os. *Désosser un poulet.*
Conjugaison [VOIR MODÈLE – **AIMER**]

desquelles adj. rel. et pron. rel. et interr.
VOIR **LEQUEL.**

desquels, desquelles
VOIR **LEQUEL.**

dessécher v. tr., pronom.
Verbe transitif
1. Rendre sec (ce qui est humide). *Les vents ont desséché le sol.* **SYN.** déshydrater, sécher.
2. (FIGURÉ) Rendre insensible. *L'absence de tendresse a desséché cette personne.* **SYN.** endurcir.
Verbe pronominal
Devenir sec. *La terre s'est desséchée.*
Conjugaison [VOIR MODÈLE – **POSSÉDER**]
Le **é** se change en **è** devant une syllabe muette, sauf au futur et au conditionnel. *Il dessèche,* mais *nous dessécherons.*

dessein n. m.
But, projet. *Il a le dessein de faire le tour du monde.* **SYN.** intention, volonté.
Locution
À dessein, locution adverbiale. Exprès. *J'ai choisi cette bicyclette à dessein parce qu'elle est plus robuste.*
HOM. dessin, représentation graphique.
dess**ein.**

desseller v. tr.
Les trois **e** sont fermés [desele].
Retirer la selle (à un animal).
HOM.
– **déceler**, découvrir ce qui est caché ;
– **desceller**, ouvrir ce qui est scellé.
Conjugaison [VOIR MODÈLE – **AIMER**]

desserrer v. tr.
Relâcher ce qui était serré. *Desserrer un lacet.*
Locution
Ne pas desserrer les dents. Ne rien dire. *Les garçons n'ont pas desserré les dents, ils n'ont pas ouvert la bouche lorsqu'on les a interrogés.*
Conjugaison [VOIR MODÈLE – **AIMER**]

dessert n. m.
1. Ce qui est servi à la fin du repas (fruits, pâtisseries, etc.). *Monica raffole des desserts.*
2. Moment du repas où l'on mange le dessert. *Nous en sommes au dessert.*

desservir v. tr.
1. Assurer un moyen de transport pour (un lieu). *Cette autoroute dessert plusieurs localités.* **SYN.** relier.
2. Donner accès à. *Deux portes desservent la salle à manger.*
3. Débarrasser une table après un repas.
4. Nuire. *Ces commentaires l'ont desservi auprès de ses professeurs.*
Conjugaison [VOIR MODÈLE – **SERVIR**]

dessin n. m.
1. Art de représenter quelqu'un, quelque chose à l'aide de traits. *Il aime le dessin.*
2. Représentation graphique. *Quel magnifique dessin : ce portrait est très ressemblant.* **SYN.** croquis.
Locution
Dessin animé. Film d'animation. *De bons dessins animés* (et non des *cartoons).
HOM. dessein, projet.

dessinateur n. m.
dessinatrice n. f.
Personne qui pratique l'art du dessin, à titre professionnel. *Des dessinatrices industrielles, des dessinateurs-cartographes.*

dessiner v. tr., intr., pronom.
Verbe transitif
Représenter par le dessin. *Dessiner un paysage.* **SYN.** reproduire, tracer.
Verbe intransitif
Pratiquer le dessin. *Il dessine bien.*
Verbe pronominal
Apparaître, se préciser. *La nouvelle structure se dessine peu à peu.*
Conjugaison [VOIR MODÈLE – **AIMER**]

dessous adv. et n. m.
Le mot se prononce [dəsu] ou [dsu].
Adverbe
À un niveau inférieur. *Où le tableau est-il signé ? Regardez dessous. Le prix est inscrit dessous.* **ANT.** dessus.
Nom masculin
1. L'envers, le côté inférieur. *Le dessous d'un tissu. Les dessous de l'histoire.*
2. (AU PLURIEL) Sous-vêtements. *Elle a toujours de jolis dessous.*
Locutions
Au-dessous, locution adverbiale. Plus bas. *Ils habitent au-dessous.*
Au-dessous de, locution prépositive. Plus bas. *Elle habite au-dessous de ses parents. Il fait 10° au-dessous de zéro.*
Ci-dessous, locution adverbiale. Plus loin, ci-après. *Se reporter à l'illustration ci-dessous.*
En dessous, locution adverbiale. Sous une autre chose. *Elle porte une chemise en dessous.*
Cette locution adverbiale s'écrit sans trait d'union.
Là-dessous, locution adverbiale. Sous. *Placez la boîte là-dessous.*
Par-dessous, locution prépositive. Sous. *Il porte un tricot par-dessous son anorak.*
Sens dessus dessous, locution adverbiale. À l'envers. *Il a tout mis sens dessus dessous* (et non *sans dessus dessous).

dessus adv. et n. m.
Le mot se prononce [dəsy] ou [dsy].
Adverbe
À un niveau supérieur. *Les documents de dessus.* **ANT.** dessous.
Nom masculin
L'endroit, le côté supérieur. *Le dessus de la commode est en marbre.*
Locutions
Au-dessus, locution adverbiale. Plus haut. *Prends la cassette qui est au-dessus.*
Au-dessus de, locution prépositive. Plus haut que. *Le tableau est au-dessus du secrétaire. Il fait 15° au-dessus de zéro.*

d

Bras dessus, bras dessous, locution adverbiale. En se donnant le bras. *Marcher bras dessus, bras dessous.*
Ci-dessus, locution adverbiale. Plus haut. *Le texte ci-dessus est illustré.*
En dessus, locution adverbiale. Du côté supérieur. *Il y a un drap et une couverture en dessus.*
Cette locution adverbiale s'écrit sans trait d'union.
Là-dessus, locution adverbiale. Sur cela. *Mettez du sucre là-dessus.*
Par-dessus, locution prépositive. Au-delà, sur. *Le cheval a sauté par-dessus l'obstacle.*
Sens dessus dessous, locution prépositive. À l'envers. *Il a tout mis sens dessus dessous* (et non *sans dessus dessous).

destin n. m.
L'avenir, le sort. *Que nous réserve notre destin ?*

destinataire n. m. et f.
Personne à qui s'adresse un envoi. *La destinataire de la lettre est Mme Martine Dubois.* **ANT.** expéditeur.

destination n. f.
1. Usage, fin. *Quelle est la destination de cet appareil, à quoi sert-il ?* **SYN.** raison d'être.
2. Lieu où l'on doit se rendre. *Sa destination était Québec. Il est arrivé à destination à l'heure prévue.* **SYN.** but.
Locution
À destination de, locution prépositive. Pour. *Un avion à destination de Paris.* **SYN.** vers.

destinée n. f.
Destin. *Suivre sa destinée.*

destiner v. tr., pronom.
Verbe transitif
Attribuer à l'avance. *Il destine ces propriétés à ses enfants.*
Verbe pronominal
Choisir d'avance une profession. *Étienne se destine à la médecine.*
Conjugaison [VOIR MODÈLE – **AIMER**]

destruction n. f.
Action de détruire, de faire disparaître ; son résultat. *La destruction d'un vieil immeuble.*

désuet, ète adj.
Le ***s*** se prononce ***z*** ou ***s,*** [dezɥɛ] ou [desɥɛ].
Qui n'est plus en usage, dépassé. *Le baisemain est un geste de respect plutôt désuet.* **SYN.** démodé.

désunir v. tr., pronom.
Verbe transitif
1. Séparer (ce qui était uni).
2. (FIGURÉ) Brouiller, faire cesser l'accord entre des personnes. *Cette question d'intérêts les a désunis.* **SYN.** séparer.
Aujourd'hui, le verbe s'emploie surtout au sens figuré.
Verbe pronominal
Cesser d'être uni. *Ces amis se sont désunis à la longue.*
Conjugaison [VOIR MODÈLE – **FINIR**]

détachable adj.
Qui peut se détacher. *Ce couvercle est détachable.* **SYN.** amovible.

détachant, ante adj. et n. m.
Produit qui supprime les taches. *Des détachants efficaces.*
Ne pas confondre avec le participe présent invariable ***détachant.*** *Un produit détachant bien se vend bien.*

détachement n. m.
Indifférence, insensibilité. *Il raconte cet évènement avec un complet détachement, cela ne l'intéresse pas.* **SYN.** insouciance.

détacher v. tr., pronom.
Verbe transitif
1. Défaire ce qui était attaché. *Détacher son chien.* **ANT.** attacher.
2. Supprimer les taches. *Ce produit détache très bien les tissus.*
Verbe pronominal
1. Se séparer. *Les deux amis se sont détachés progressivement et ne se voient plus.*
2. Apparaître clairement. *Le château se détache sur un ciel limpide.* **SYN.** se découper, ressortir.
Conjugaison [VOIR MODÈLE – **AIMER**]

détail n. m.
1. Petit élément d'un ensemble. *Ce sont des détails sans intérêt. Des détails amusants.*
2. Action de vendre des marchandises par petites quantités. *Le prix de détail.*
Locutions
Au détail. Au prix de détail. **ANT.** en gros.
En détail. En précisant toutes les particularités. *Décrire une maison en détail.*

détaillant, ante n. m. et f.
Commerçant qui vend au détail. *Ce détaillant fait de bons prix.*

détailler v. tr.
1. Énumérer les détails. *Elle détailla sa description.*
2. Vendre au détail. *Détailler des marchandises.*
Conjugaison [VOIR MODÈLE – **AIMER**]
Les lettres ***ill*** sont suivies d'un ***i*** à la première et à la deuxième personne du pluriel de l'indicatif imparfait et du subjonctif présent. *(Que) nous détaillions, (que) vous détailliez.*

détaler v. intr.
(FAMILIER) S'enfuir. *Le lièvre a détalé en nous entendant.* **SYN.** (FAMILIER) décamper, déguerpir.
Conjugaison [VOIR MODÈLE – **AIMER**]

détartrage n. m.
Action de détartrer.

détartrant, ante adj. et n. m.
Se dit d'un produit qui dissout le tartre. *Des dentifrices détartrants.*

détartrer v. tr.
Supprimer le tartre, c'est-à-dire les dépôts calcaires. *Le dentiste doit me détartrer les dents.*
Conjugaison [VOIR MODÈLE – **AIMER**]

détecter v. tr.
Découvrir (ce qui était caché). *L'enquêteur a détecté un réseau de cambrioleurs.* **SYN.** déceler, trouver.
Conjugaison [VOIR MODÈLE – **AIMER**]

détecteur n. m.
Appareil qui permet de détecter la présence de quelque chose. *Des détecteurs de fumée. Un détecteur de mensonge.*

détective n. m. et f.
Personne chargée d'enquêtes. *Cette détective est très astucieuse.*

déteindre v. tr., intr.
Verbe transitif
Décolorer. *Déteindre une étoffe.*

Verbe intransitif
Se décolorer. *Ce tissu déteint au soleil. Les serviettes ont déteint au lavage.*
Conjugaison [VOIR MODÈLE – **ÉTEINDRE**]

détendre v. tr., pronom.
Verbe transitif
Relâcher ce qui est tendu. *Il a détendu le câble qui était trop serré.* **SYN.** desserrer.
Verbe pronominal
Cesser d'être tendu, se laisser aller. *Après une semaine de travail, il fait bon de se détendre un peu.* **SYN.** décontracter, se relaxer, se reposer.
Conjugaison [VOIR MODÈLE – **FENDRE**]

détendu, ue adj.
Calme. *Elles sont très détendues après cette semaine de repos.* **SYN.** décontracté.

détenir v. tr.
1. Conserver, retenir par-devers soi. *Ce chercheur détient le secret d'un nouveau procédé.* **SYN.** garder.
2. Garder emprisonné. *Les rebelles détiennent encore deux otages.* **SYN.** séquestrer.
Conjugaison [VOIR MODÈLE – **VENIR**]

détente n. f.
1. Fait de se relâcher, de se détendre. *La détente d'un ressort.*
2. Le fait de prendre du repos, de s'accorder des instants de répit. *Un moment de détente.*

détenteur, trice n. m. et f.
Personne qui conserve quelque chose à titre provisoire. *Le détenteur d'un record.*
Pour désigner la personne qui occupe une fonction, un poste, qui a un titre, un diplôme, on emploie le mot ***titulaire.***

détention n. f.
État d'une personne privée de sa liberté. *Il a été condamné à la détention perpétuelle.* **SYN.** emprisonnement.

détenu, ue n. m. et f.
Personne en prison. *Des détenus dangereux.* **SYN.** prisonnier.

détergent, ente adj. et n. m.
Se dit d'un produit nettoyant qui dissout les impuretés. *De nouveaux détergents pour laver la vaisselle.* **SYN.** détersif, nettoyant.
déter**gent.**

détérioration n. f.
Action de détériorer ; son résultat. *La détérioration d'un mur.*

détériorer v. tr., pronom.
Verbe transitif
Endommager, mettre en mauvais état. *L'orage a détérioré le toit.* **SYN.** abîmer.
Verbe pronominal
1. S'abîmer, devenir en mauvais état. *Ces meubles se sont détériorés.*
2. Se dégrader. *Sa santé se détériore.* **SYN.** empirer.
Conjugaison [VOIR MODÈLE – **AIMER**]

déterminant, ante adj. et n. m.
Adjectif
Fondamental. *Une raison déterminante.* **SYN.** essentiel.
Nom masculin
(GRAMMAIRE) Mot qui en détermine un autre. *Les articles définis, indéfinis et partitifs, les adjectifs démonstratifs, possessifs, numéraux et indéfinis sont des déterminants.*
VOIR TABLEAU – **DÉTERMINANT**
Ne pas confondre avec le participe présent invariable ***déterminant.*** *Les motifs déterminant notre décision seront rendus publics.*

déterminatif, ive adj. et n. m.
Qui détermine le sens d'un mot en le précisant.
Locution
Complément déterminatif. Qui détermine, qui précise ou restreint la signification d'un mot.
Le complément déterminatif est introduit par la préposition ***de*** et sert à préciser la possession, le lieu, la matière, l'origine, la qualité, l'espèce, l'instrument, le contenu... *La maison de campagne.* Dans cette phrase, le nom ***campagne*** est complément déterminatif du nom ***maison.***

DÉTERMINANT

Le déterminant est un mot (ou un groupe de mots) qui fournit des indications sur le nom.

En général, le déterminant est placé devant le nom et il est habituellement du même genre et du même nombre que ce nom.

Les *vacances.* ***Ton*** *maillot de bain.* ***Cette*** *plage.* ***Deux*** *palmiers.* ***Quelques*** *souvenirs.* ***Quelles*** *photos ?* ***Quel*** *voyage !*

Les déterminants sont :

- des **articles** (définis, indéfinis et partitifs). ***L'****ordinateur.* ***Une*** *imprimante.* ***De*** *l'eau.*
- des **adjectifs possessifs.** ***Ma*** *bicyclette.* ***Mon*** *ami.*
- des **adjectifs démonstratifs.** ***Cette*** *copine.* ***Ces*** *chiens.*
- des **adjectifs numéraux.** ***Deux*** *amoureux.*
- des **adjectifs indéfinis.** ***Quelques*** *mois.*
- des **adjectifs interrogatifs** ou **exclamatifs.** ***Quel*** *jour ?* ***Quelle*** *journée !*

détermination n. f.
Action de déterminer, de préciser quelque chose. *La détermination d'un prix.*

déterminer v. tr., pronom.
Verbe transitif
1. Établir, définir. *L'expert a déterminé la valeur de ce tableau.* **SYN.** fixer, préciser.
2. Découvrir. *Le plombier n'arrive pas à déterminer l'origine de la fuite d'eau.* **SYN.** détecter.
3. Persuader. *C'est cette raison qui l'a déterminé à venir.* **SYN.** décider, entraîner, inciter, pousser.
Verbe pronominal
Se décider à. *Se déterminer à agir.* **SYN.** vouloir.
Conjugaison [VOIR MODÈLE – **AIMER**]

déterrer v. tr.
Sortir de terre. *L'écureuil a déterré les glands qu'il avait cachés dans le sol.*
Conjugaison [VOIR MODÈLE – **AIMER**]

détersif, ive adj. et n. m.
Se dit d'un produit nettoyant qui dissout les saletés. *Un produit détersif. Des détersifs puissants.* **SYN.** détergent.

détestable adj.
1. Que l'on déteste. *Une injustice détestable.* **SYN.** exécrable, haïssable, odieux.
2. Très désagréable, très mauvais. *Une habitude détestable, un climat détestable.* **SYN.** affreux, vilain.
Ne pas confondre avec les mots suivants :
– ***abominable,*** qui inspire de l'horreur ;
– ***effroyable,*** qui cause une grande frayeur.

détester v. tr.
Haïr, avoir en horreur. *Elle déteste entendre cette musique, il déteste cette voix.*
Conjugaison [VOIR MODÈLE – **AIMER**]

détonateur n. m.
Amorce destinée à faire exploser une substance. *L'explosion de la dynamite est provoquée par un détonateur.*

détonation n. f.
Bruit de ce qui explose. *Ils ont entendu des détonations : encore une explosion au laboratoire du professeur Tournesol !* **SYN.** explosion.

détoner v. intr.
Faire entendre un bruit violent, faire explosion.
HOM. détonner, chanter faux.
Conjugaison [VOIR MODÈLE – **AIMER**]

détonner v. intr.
1. Ne pas avoir le ton juste, chanter faux. *Il détonne affreusement.*
2. Trancher. *Ce fauteuil détonne dans ce boudoir.* **SYN.** jurer.
Ce verbe a un sens défavorable.
HOM. détoner, faire entendre un bruit violent.
Conjugaison [VOIR MODÈLE – **AIMER**]

détour n. m.
Parcours qui s'écarte de la voie directe. *Nous avons fait un petit détour pour venir manger ici. Cette table vaut le détour.*
Locution
Sans détour, locution adverbiale. Clairement, directement. *Parlez-moi sans détour, allez droit au but.*

détourné, ée adj.
Indirect. *Un chemin détourné. Des moyens détournés.*

détournement n. m.
Action de détourner de son usage, de sa route. *Des détournements de fonds. Le détournement d'un avion.*

détourner v. tr., pronom.
Verbe transitif
1. Changer l'itinéraire de. *Les rebelles ont détourné un avion vers le pays de leur choix.* **SYN.** dévier, écarter, éloigner.
2. Voler. *Détourner des fonds.*
3. Déranger. *Cette voiture accidentée a détourné son attention.* **SYN.** distraire.
Verbe pronominal
Tourner d'un autre côté. *Elle se détourna pour ne pas être reconnue par ces intrus.*
Ne pas confondre le verbe ***se détourner*** avec le verbe ***se retourner,*** qui signifie « regarder en arrière ».
Conjugaison [VOIR MODÈLE – **AIMER**]

détraqué, ée adj. et n. m. et f.
1. Déréglé. *Ma radio est détraquée.* **SYN.** défectueux.
2. Déséquilibré. *Cette voleuse est une détraquée.* **SYN.** dérangé, fou.

détraquer v. tr., pronom.
Verbe transitif
Déranger le fonctionnement d'un mécanisme, abîmer. *En tentant de le régler, j'ai détraqué mon réveil.*
Verbe pronominal
Ne plus fonctionner, fonctionner mal. *Le téléviseur s'est détraqué. Ma bicyclette s'est détraquée : je dois la faire réparer.*
Conjugaison [VOIR MODÈLE – **AIMER**]

détremper v. tr.
Délayer dans un liquide, mouiller abondamment. *Le jardin est détrempé ; il a plu à torrents.*
Conjugaison [VOIR MODÈLE – **AIMER**]

détresse n. f.
1. Angoisse causée par une situation très pénible. *La détresse des réfugiés.*
2. Situation dangereuse. *Des appels de détresse. Un navire en détresse.*

détriment de (au) loc. prép.
Au désavantage de. *Ce choix a été fait au détriment des adultes, mais à l'avantage des enfants.* **ANT.** à l'avantage de.

détritus n. m.
Le ***s*** se prononce ou non, [detritys] ou [detrity].
Ordures. *Ces détritus sont nauséabonds.*
Ce nom s'emploie généralement au pluriel.

détroit n. m.
Espace étroit entre deux côtes. *Le détroit de Gibraltar.*
Ne pas confondre avec les noms suivants :
– ***col,*** passage plus ou moins élevé entre deux montagnes ;
– ***défilé,*** passage étroit entre deux montagnes ;
– ***gorge,*** passage creusé dans une montagne.
Les noms génériques de géographie s'écrivent avec une minuscule.

détromper v. tr., pronom.
Verbe transitif
Tirer d'erreur, montrer la vérité. *Le technicien a détrompé son collègue : « Tous les branchements sont bien faits, contrairement à ce que tu croyais », lui a-t-il dit.*

Verbe pronominal
Corriger une erreur. *Détrompez-vous, la fête a lieu demain et non après-demain.*
Conjugaison [VOIR MODÈLE – **AIMER**]

détrôner v. tr.
1. Chasser un souverain de son trône. *La foule en colère a détrôné le roi.* **SYN.** renverser.
2. (FIGURÉ) Supplanter, remplacer. *Le micro-ordinateur a détrôné la machine à écrire.* **SYN.** supplanter.
Conjugaison [VOIR MODÈLE – **AIMER**]
détr**ô**ner.

détruire v. tr.
1. Anéantir, démolir. *L'éruption volcanique a détruit le village.* **SYN.** renverser, ruiner.
2. Supprimer. *Cet insecticide détruit les parasites.* **SYN.** éliminer, enlever.
Conjugaison [VOIR MODÈLE – **CONDUIRE**]

dette n. f.
Ce que l'on doit à quelqu'un, à un créancier. *Rembourser ses dettes.* **ANT.** emprunt.

deuil n. m.
Tristesse, douleur éprouvée à la mort de quelqu'un. *Un jour de deuil. Être en deuil d'un ami.*
Locution
Faire son deuil de quelque chose. (FAMILIER) Y renoncer, ne plus y rêver. *Les enfants ont fait leur deuil de l'excursion : le temps est trop mauvais aujourd'hui.*

deux adj. num. inv. et n. m. inv.
Adjectif numéral cardinal invariable
Un plus un. *Deux heures.*
Adjectif numéral ordinal invariable
Deuxième. *Le deux décembre.*
Nom masculin invariable
Nombre deux. *Des deux de trèfle et de cœur.*
VOIR TABLEAU – **NOMBRES.**
VOIR TABLEAU – **NUMÉRAL (ADJECTIF).**
deu**x**.

deuxième adj. num. et n. m. et f.
Abréviations : ***2**^e^* (deuxième), ***2**^es^* (deuxièmes).
Adjectif numéral ordinal
Nombre ordinal de deux. *La deuxième heure, la deuxième année.*
Nom masculin et féminin
Personne, chose qui occupe le deuxième rang. *Elles sont les deuxièmes.*
VOIR **MOITIÉ.**
VOIR TABLEAU – **NOMBRES.**
VOIR TABLEAU – **NUMÉRAL (ADJECTIF).**

deuxièmement adv.
En deuxième lieu.

deux-points n. m. inv.
Signe de ponctuation composé de deux points superposés qui annonce :
1. une citation, un discours, une énumération. *Vous trouverez trois documents : un résumé, un questionnaire et une illustration.*
2. une analyse, une explication, une synthèse. *Elle ne viendra pas demain : son travail la retient à l'étranger.*
Il est préférable d'employer une seule fois le deux-points dans la même phrase.
Typographiquement, le deux-points doit être précédé et suivi d'un blanc et d'une lettre minuscule. Par contre, la citation commence par une majuscule.

dévaler v. tr., intr.
Verbe transitif
Descendre rapidement. *Il a dévalé l'escalier.* **SYN.** débouler, (FAMILIER) dégringoler.
Verbe intransitif
Aller d'un lieu haut à un lieu bas, généralement très vite. *Des torrents qui dévalent du sommet.* **SYN.** descendre.
Conjugaison [VOIR MODÈLE – **AIMER**]
déva**l**er.

dévaliser v. tr.
Voler. *Les cambrioleurs ont dévalisé la bijouterie.* **SYN.** cambrioler, piller.
Conjugaison [VOIR MODÈLE – **AIMER**]

dévaluation n. f.
Perte de valeur. *Le dollar subira-t-il une dévaluation, sa valeur sera-t-elle réduite ?*

dévaluer v. tr., pronom.
Verbe transitif
Diminuer la valeur de, dévaloriser. *Le dollar pourrait être dévalué.* **SYN.** déprécier.
Verbe pronominal
Perdre de sa valeur. *Le dollar s'est dévalué.*
Conjugaison [VOIR MODÈLE – **AIMER**]

devancer v. tr.
1. Précéder. *Nous devançons nos amis de quelques jours.*
2. Dépasser. *Il devança les autres participants au marathon.*
Conjugaison [VOIR MODÈLE – **AVANCER**]
Le **c** prend une cédille devant les lettres **a** et **o.** *Il devança, nous devançons.*

devant adv., n. m. et prép.
Préposition
1. Priorité dans l'ordre, le rang. *Vous vous êtes classés devant eux.*
2. En face de, vis-à-vis. *Il y a un gros arbre devant la maison.*
3. En présence de. *Le contrat a été signé devant témoins.*
Adverbe
En avant. *Ils sont assis devant.*
Nom masculin
La partie antérieure, l'avant. *Le devant de l'immeuble.*
Locutions
Au-devant de, locution prépositive. À la rencontre. *Ils sont allés au-devant des nouveaux arrivants.*
Au-devant de, locution prépositive. En prévenant. *Vous allez au-devant de mes désirs.*
Par-devant, locution adverbiale. Par l'avant. *Elles ont été frappées par-devant.*
Prendre les devants. Prendre l'initiative.
Sens devant derrière, locution adverbiale. À l'envers.
Attention, ne pas écrire * « sans devant derrière ».

devanture n. f.
Façade d'une boutique.
dev**an**ture.

dévaster v. tr.
Détruire de façon importante, ravager. *La grêle a dévasté les récoltes.* **SYN.** ruiner.
Conjugaison [VOIR MODÈLE – **AIMER**]

développement n. m.
1. Action de développer. *Des pays en voie de développement.* **SYN.** progrès.
2. Croissance, épanouissement. *La ville est en plein développement.* **SYN.** expansion.
3. Exposé détaillé. *De longs développements dans un article.*
4. Opération qui consiste à développer une pellicule photographique. *Il faut compter deux jours pour le développement de vos photos.*
5. (AU PLURIEL) Conséquences. *Des développements inattendus.*
✎ déve**l**o**pp**ement.

développer v. tr., pronom.
Verbe transitif
1. Déployer, ôter de son enveloppe. *Delphine a hâte de développer son cadeau.*
2. Assurer la croissance de quelqu'un, de quelque chose. *Développer une entreprise, développer ses muscles.*
3. Exposer de manière détaillée. *Il développa son idée, qui était excellente.* **SYN.** expliquer.
Verbe pronominal
1. S'étendre. *La ville s'est développée considérablement.* **SYN.** s'agrandir, augmenter, croître.
2. S'épanouir, s'accroître. *L'arbre s'est bien développé.* **SYN.** prospérer.
Conjugaison [VOIR MODÈLE – **AIMER**]
✎ déve**l**o**pp**er.

devenir v. intr.
Passer d'un état à un autre. *Ils sont devenus des adultes maintenant.* **SYN.** se transformer.
☞ Ce verbe se conjugue toujours avec l'auxiliaire ***être.***
Conjugaison [VOIR MODÈLE – **VENIR**]

déverrouiller v. tr.
Tirer le verrou, tourner la clé. *Déverrouiller une porte* (et non *débarrer).
☞ En ce sens, le verbe ***débarrer*** est une impropriété.
Conjugaison [VOIR MODÈLE – **AIMER**]
Les lettres ***ill*** sont suivies d'un ***i*** à la première et à la deuxième personne du pluriel de l'indicatif imparfait et du subjonctif présent. *(Que) nous déverrouillions, (que) vous déverrouilliez.*

déversement n. m.
Action de déverser un liquide ; fait de se déverser. *Le déversement du Saint-Laurent dans l'Atlantique.*

déverser v. tr., pronom.
Verbe transitif
Faire couler un liquide d'un lieu dans un autre. *Le cargo a déversé du mazout dans la mer de façon accidentelle.* **SYN.** répandre, verser.
Verbe pronominal
Se jeter. *Le fleuve se déverse dans la mer.* **SYN.** s'écouler.
Conjugaison [VOIR MODÈLE – **AIMER**]

dévêtir v. tr., pronom.
Verbe transitif
Déshabiller. *L'infirmière a dévêtu le malade.*
Verbe pronominal
Enlever ses vêtements. *Ils se sont dévêtus et sont allés dormir.* **SYN.** se déshabiller.
Conjugaison [VOIR MODÈLE – **VÊTIR**]

déviation n. f.
1. Fait de s'écarter de la direction normale. *La déviation d'un satellite.* **SYN.** écart.
2. Route ou section de route qui contourne une agglomération ou un obstacle temporaire et qui se rattache par ses extrémités à la voie directe ou à la voie habituelle. (Recomm. off. OLF) *La déviation signalée nous a fait faire un détour de dix kilomètres.*
☞ Ne pas confondre avec le nom ***dérivation,*** action de détourner un cours d'eau.

dévier v. tr., intr.
Verbe transitif
Modifier la direction d'un mouvement. *Les ingénieurs ont dévié la route pour élargir le pont.* **SYN.** détourner.
Verbe intransitif
S'écarter de sa direction. *Le bateau a dévié de sa route en raison de la tempête.*
Conjugaison [VOIR MODÈLE – **ÉTUDIER**]
Redoublement du ***i*** à la première et à la deuxième personne du pluriel de l'indicatif imparfait et du subjonctif présent. *(Que) nous déviions, (que) vous déviiez.*

devin, devineresse n. m. et f.
Personne qui prétend prédire l'avenir. *Jules n'est pas devin, il ne pouvait pas prévoir cela.* **SYN.** voyant.

deviner v. tr.
Découvrir par intuition, déduction. *Devine qui vient nous voir ?* **SYN.** soupçonner.
Conjugaison [VOIR MODÈLE – **AIMER**]

devinette n. f.
Question amusante. *Je vais te poser une devinette : Qui fait le tour du bois sans y entrer jamais ? C'est l'écorce.* **SYN.** énigme.

dévisager v. tr.
Regarder quelqu'un avec insistance. *Il est impoli de dévisager quelqu'un.* **SYN.** fixer.
Conjugaison [VOIR MODÈLE – **CHANGER**]
Le ***g*** est suivi d'un ***e*** devant les lettres ***a*** et ***o.*** *Il dévisagea, nous dévisageons.*

devise n. f.
1. Phrase concise exprimant une pensée. *La devise du Québec est : Je me souviens.*
☞ Au point de vue typographique, les ***devises, maximes, dictons, proverbes*** sont composés en italique. *Je me souviens. Fluctuat nec mergitur* (devise de la ville de Paris). Lorsque la devise constitue une phrase complète, le premier mot s'écrit avec une majuscule.
2. Monnaie étrangère. *Le franc français, la livre sterling et la lire italienne sont des devises.*

dévisser v. tr.
Desserrer, défaire ce qui est vissé. *Laurence a dévissé la tablette.*
Conjugaison [VOIR MODÈLE – **AIMER**]

dévoiler v. tr., pronom.
Verbe transitif
1. Retirer ce qui cache quelqu'un, quelque chose. *Le maire a dévoilé une plaque qui rappelle le souvenir de la fondatrice de cet hôpital.*
2. (FIGURÉ) Découvrir, révéler ce qui était secret. *Il nous a fait des confidences et nous a dévoilé son projet.*
Verbe pronominal
Enlever son voile. *Elles se sont dévoilées.*
Conjugaison [VOIR MODÈLE – **AIMER**]

devoir n. m.
1. Obligation, responsabilité. *Le devoir de bien se nourrir et de limiter la pollution.*
2. (AU PLURIEL) Exercice scolaire. *Faire ses devoirs.*
Forme fautive
*en devoir. Anglicisme au sens de ***en service, de service, de garde.*** *Le policier sera de service* (et non *en devoir) *toute la nuit.*

devoir v. tr., pronom., impers.
Verbe transitif
1. Avoir à payer (une somme d'argent). *Julie doit 5 $ à Catherine.*
2. Avoir une obligation de reconnaissance à l'égard de quelqu'un, de quelque chose. *Il lui doit sa situation. Elle lui doit d'être encore en vie.*
3. Être obligé à quelque chose. Avoir des devoirs envers. *Je dois étudier pour réussir.* **SYN.** avoir à.
Verbe pronominal
Être moralement obligé de. *Tu te dois d'accueillir ses amis avec cordialité.*
Verbe impersonnel
Comme il se doit. Comme il convient.
Suivi d'un infinitif, le verbe ***devoir*** est un auxiliaire qui marque :
– le futur. *Il doit partir en voyage sous peu.*
– la probabilité. *À cette heure, elle doit être arrivée.*
– l'obligation. *Elle doit être à l'école dès 8 h 15.*
Locutions
Ce doit être, ce doivent être (et non *ça doit être).
Chose promise, chose due. Engagement moral.
Prendre garde à l'accord du participe passé : si un verbe à l'infinitif est sous-entendu, le participe est invariable. *Elle lui a fait toutes les promesses qu'elle a dû* (lui faire). Par contre, le participe passé s'accorde lorsqu'il n'y a pas d'infinitif sous-entendu. *Il a toujours remboursé les sommes qu'il a dues.*
Conjugaison [VOIR MODÈLE – **DEVOIR**]
Attention à l'accent circonflexe sur le participe passé au masculin singulier seulement.

dévorer v. tr.
1. Manger avidement. *Obélix a dévoré trois sangliers.* **SYN.** avaler, engloutir.
2. (FIGURÉ) Tourmenter. *Le remords le dévore.* **SYN.** ronger.
Locution
Dévorer des yeux. Regarder avec insistance. **SYN.** dévisager.
Conjugaison [VOIR MODÈLE – **AIMER**]

dévotion n. f.
Le **o** central est fermé [devosjɔ̃].
Ferveur, piété. *Elle prie la Vierge avec dévotion.*
dévo**t**ion.

dévoué, ée adj.
Qui fait preuve de dévouement. *Ces enseignants sont très dévoués.* **SYN.** empressé.

dévouement n. m.
Disposition à servir une personne, une cause. *Il fait preuve de beaucoup de dévouement à l'égard de ses vieux parents.* **SYN.** bienveillance, bonté, générosité.
dévou**e**ment.

dévouer (se) v. pronom.
Se consacrer entièrement. *Elles se sont dévouées corps et âme pour leurs enfants.*
Conjugaison [VOIR MODÈLE – **AIMER**]

dextérité n. f.
Adresse, habileté. *Il manie le crayon avec dextérité, il dessine très bien.*

diable n. m.
1. Démon, mauvais ange. *Satan est le prince des diables.*
Lorsque le nom désigne Satan, il s'écrit avec une majuscule.
2. Enfant espiègle. *C'est un vrai petit diable.*
3. Appareil à deux roues servant au transport des colis, des marchandises. *Les déménageurs utilisent des diables pour transporter les appareils électroménagers.*
Locutions
À la diable. De façon négligente. *Un travail fait à la diable.*
Au diable. Très loin. *Elle habite au diable.*
En diable. Très fort. *Il est fort en diable.*
Envoyer quelqu'un à tous les diables. Le maudire.
Être en diable. (FAMILIER) Être en colère.
Tirer le diable par la queue. Avoir peu de ressources.

diable ! interj.
Interjection qui exprime la surprise, l'admiration.

diablement adv.
(FAMILIER) Très. *Elle est diablement gentille.* **SYN.** drôlement, rudement.

diablotin n. m.
Petit diable.

diabolique adj.
Méchant, pervers. *Ces ruses sont diaboliques.* **SYN.** infernal.

diadème n. m.
1. Riche bandeau, insigne de la monarchie. *La reine porte un diadème.*
2. Bijou féminin en forme de couronne.
diad**è**me.

diagnostic n. m.
Identification d'une maladie à l'aide de ses symptômes. *Un diagnostic sûr.*
diagnosti**c**.

diagnostiquer v. tr.
1. Établir le diagnostic d'une maladie. *Elle a diagnostiqué une grippe.*
2. (FIGURÉ) Déterminer la cause d'un problème. *Il diagnostiquera un problème informatique.*
Conjugaison [VOIR MODÈLE – **AIMER**]

diagonal, ale, aux adj. et n. f.
Adjectif
Qui a le caractère d'une diagonale. *Des traits diagonaux.*
Nom féminin
Droite qui va d'un angle d'une figure à un angle opposé. *Tracer la diagonale d'un carré.*
Locutions
En diagonale. Obliquement. *Un motif placé en diagonale.*
Lire en diagonale. (FIGURÉ) Effectuer une lecture rapide. *Lire en diagonale.*

dialecte n. m.
Variété régionale d'une langue.
En dehors de son usage technique, ce nom tend à avoir un sens défavorable. On emploiera plutôt le nom ***parler.***

dialogue n. m.
1. Échange de paroles entre deux ou plusieurs personnes. *Un dialogue entre le renard et le corbeau* (et non *avec), *du renard et du corbeau.* **SYN.** conversation.

Indicatif

Présent

je dois
tu dois
elle doit
il doit

nous devons
vous devez
elles doivent
ils doivent

Passé composé

j' ai dû
tu as dû
elle a dû
il a dû

nous avons dû
vous avez dû
elles ont dû
ils ont dû

Imparfait

je devais
tu devais
elle devait
il devait

nous devions
vous deviez
elles devaient
ils devaient

Plus-que-parfait

j' avais dû
tu avais dû
elle avait dû
il avait dû

nous avions dû
vous aviez dû
elles avaient dû
ils avaient dû

Passé simple

je dus
tu dus
elle dut
il dut

nous dûmes
vous dûtes
elles durent
ils durent

Passé antérieur

j' eus dû
tu eus dû
elle eut dû
il eut dû

nous eûmes dû
vous eûtes dû
elles eurent dû
ils eurent dû

Futur simple

je devrai
tu devras
elle devra
il devra

nous devrons
vous devrez
elles devront
ils devront

Futur antérieur

j' aurai dû
tu auras dû
elle aura dû
il aura dû

nous aurons dû
vous aurez dû
elles auront dû
ils auront dû

Infinitif

Présent

devoir

Passé

avoir dû

Subjonctif

Présent

que je doive
que tu doives
qu' elle doive
qu' il doive

que nous devions
que vous deviez
qu' elles doivent
qu' ils doivent

Passé

que j' aie dû
que tu aies dû
qu' elle ait dû
qu' il ait dû

que nous ayons dû
que vous ayez dû
qu' elles aient dû
qu' ils aient dû

Imparfait

que je dusse
que tu dusses
qu' elle dût
qu' il dût

que nous dussions
que vous dussiez
qu' elles dussent
qu' ils dussent

Plus-que-parfait

que j' eusse dû
que tu eusses dû
qu' elle eût dû
qu' il eût dû

que nous eussions dû
que vous eussiez dû
qu' elles eussent dû
qu' ils eussent dû

Conditionnel

Présent

je devrais
tu devrais
elle devrait
il devrait

nous devrions
vous devriez
elles devraient
ils devraient

Passé

j' aurais dû
tu aurais dû
elle aurait dû
il aurait dû

nous aurions dû
vous auriez dû
elles auraient dû
ils auraient dû

Impératif

Présent

dois
devons
devez

Passé

aie dû
ayons dû
ayez dû

Participe

Présent

devant

Passé

dû, ue
ayant dû

2. Manière dont un auteur fait parler ses personnages. *Exemple d'un court dialogue : « Je crois qu'il faut planter la tente ici, dit-elle. — Je suis d'accord, répondit-il. »*

Le début et la fin d'un dialogue sont indiqués par des guillemets, le changement d'interlocuteur, par un tiret. VOIR TABLEAU – **GUILLEMETS.**

Locution

Dialogue de sourds. Conversation où les personnes ne se comprennent pas.

dialoguer v. intr.

Avoir des échanges avec quelqu'un. *Les élèves dialoguent beaucoup ensemble.* **SYN.** échanger, parler.

Conjugaison [VOIR MODÈLE – **AIMER**]

diamant n. m.

Pierre précieuse la plus brillante, la plus limpide et la plus dure de toutes. *Une bague à diamants.*

diamétralement adv.

Absolument. *Son avis est diamétralement opposé au mien.* **SYN.** entièrement.

diamètre n. m.

Segment de droite qui passe par le centre d'une sphère. *Le diamètre de cette roue est de 30 cm au moins.*

diapason n. m.

1. Étendue des sons que peut parcourir une voix, un instrument. **SYN.** registre.

2. Instrument servant à donner le ton.

Locution

Se mettre au diapason de. (FIGURÉ) Prendre le même ton, les mêmes allures. *Les nouvelles élèves se sont mises au diapason de la classe.*

diaphragme n. m.

1. Muscle large et mince qui sépare la poitrine du ventre.

2. Ouverture réglable, qui laisse passer la lumière dans un appareil optique, photographique.

dia**ph**ragme.

diapo n. f.

Abréviation familière de ***diapositive.*** *Des diapos.*

diapositive n. f.

S'abrège familièrement en ***diapo.***

Image photographique que l'on projette sur un écran. *Elle nous a montré les diapositives de son voyage.*

diarrhée n. f.

Émission fréquente de selles liquides.

diar**rh**ée.

dictateur, trice n. m. et f.

Personne qui gouverne un pays sans contrôle démocratique.

dictature n. f.

Régime politique où tous les pouvoirs sont concentrés entre les mains d'une personne, d'un parti non soumis à des élections libres.

dictée n. f.

1. Action de dicter. *Écrire sous la dictée de quelqu'un.*

2. Exercice où l'on s'efforce d'écrire correctement un texte lu. *La dictée du championnat d'orthographe est difficile.*

dicter v. tr.

1. Dire un texte à haute voix à quelqu'un qui le transcrit. *Dicter le courrier.*

2. Inspirer, imposer. *C'est le devoir qui lui a dicté cette décision.* **SYN.** suggérer.

Conjugaison [VOIR MODÈLE – **AIMER**]

diction n. f.

Manière de parler, élocution. *Sa diction est excellente.*

dic**t**ion.

dictionnaire n. m.

Recueil des mots d'une ou de plusieurs langues et des informations s'y rapportant présentés selon un certain ordre (alphabétique, thématique, systématique, etc.). *Un dictionnaire de langue, un dictionnaire encyclopédique, un dictionnaire bilingue.*

dicton n. m.

Petite phrase connue de tous et qui exprime la sagesse populaire. *Le trois fait le mois, dit le dicton. La nuit, tous les chats sont gris, dit le dicton.*

Le dicton est souvent régional, alors que le proverbe connaît une diffusion plus étendue.

dièse adj. inv. et n. m.

Adjectif invariable

(MUSIQUE) Affecté d'un signe dièse. *Des mi dièse.*

Nom masculin

(MUSIQUE) Signe d'altération visant à modifier le son d'une note. *Des doubles dièses.*

Attention au genre masculin de ce nom : ***un*** dièse.

diète n. f.

Régime alimentaire prescrit par un médecin. *Une diète liquide.*

diététicien n. m.

diététicienne n. f.

Spécialiste de la diététique.

VOIR **DIÉTÉTISTE.**

diététique adj. et n. f.

Adjectif

Relatif à un régime alimentaire. *Une alimentation diététique.*

Nom féminin

Science ayant pour objet l'étude des régimes alimentaires, fondée sur l'étude de la valeur nutritive des aliments.

diététiste n. m. et f.

Personne qui, par l'obtention d'un diplôme universitaire en sciences de la santé, s'est spécialisée dans les domaines de la nutrition, de l'alimentation et de la diététique. (Recomm. off. OLF)

Dans la francophonie, on emploie plutôt les noms ***diététicien, diététicienne.***

dieu n. m. (pl. *dieux*)

1. Être suprême. *Le bon Dieu.*

Quand il est employé dans son sens absolu, le nom s'écrit avec une majuscule.

2. Puissance surnaturelle. *Les dieux de l'Olympe.*

Lorsqu'il désigne des divinités, des êtres mythiques ou mythologiques, il s'écrit avec une minuscule et sa forme féminine est ***déesse.***

Locutions

Bon Dieu ! Grand Dieu ! Dieu merci ! Dieu vous entende ! À la grâce de Dieu !, locutions interjectives.

différemment adv.

Les lettres ***em*** se prononcent ***a*** [diferamɑ̃].

De façon différente. *Je pense différemment de mes parents.* **SYN.** autrement.

différ**e**mment.

d

différence n. f.
1. Ce qui distingue une chose d'une autre. *Ces vrais jumeaux ne semblent avoir aucune différence.* **SYN.** distinction.
2. Écart. *Il y a deux ans de différence entre Étienne et Marie-Ève.*
3. Résultat de la soustraction de deux nombres. *La différence entre 10 et 6 est 4.*
Locutions
À cette différence près que. Avec cette différence que.
À la différence de. Par opposition à. *À la différence d'Antoine, François est très sérieux*

différencier v. tr., pronom.
Verbe transitif
1. Distinguer par une différence. *Il tente de différencier des champignons.*
2. Faire la distinction entre. *Il n'est pas facile de différencier le vrai du faux* (et non *d'avec le faux).
À la forme transitive, le verbe se construit avec un complément d'objet direct suivi de la préposition ***de.***
Verbe pronominal
Se distinguer par une différence. *Les deux jumeaux se différencient par une coupe de cheveux distincte.* **SYN.** différer.
À la forme pronominale, le verbe se construit avec la préposition ***par.***
Conjugaison [VOIR MODÈLE – **ÉTUDIER**]
Redoublement du ***i*** à la première et à la deuxième personne du pluriel de l'indicatif imparfait et du subjonctif présent. *(Que) nous différenciions, (que) vous différenciiez.*

différend n. m.
Désaccord. *Il a un grave différend avec ses parents à ce sujet.* **SYN.** dispute.
HOM. **différent**, distinct.
différen**d,** un ***d*** final.

différent, ente adj.
Adjectif qualificatif
Distinct. *Ils sont très différents les uns des autres.* **SYN.** autre.
Adjectif indéfini pluriel
Certains. *Différentes personnes ont écrit.* **SYN.** divers.
Ne pas confondre avec le participe présent invariable ***différant.*** *Des couleurs différant d'autres couleurs par leur intensité.*
HOM. **différend**, désaccord.

différer v. tr., intr.
Verbe transitif
Remettre à plus tard. *Nous avons différé la réunion à la semaine prochaine.* **SYN.** retarder.
Verbe intransitif
Être différent. *Mes prévisions diffèrent des vôtres.*
Conjugaison [VOIR MODÈLE – **POSSÉDER**]
Le ***é*** se change en ***è*** devant une syllabe muette, sauf à l'indicatif futur et au conditionnel présent. *Je diffère*, mais *je différerai.*

difficile adj.
Ardu, compliqué. *Ce problème est trop difficile, je ne trouve pas la solution.* **SYN.** complexe.

difficilement adv.
Avec difficulté. *Mon grand-père marche difficilement, car il a mal au dos.*

difficulté n. f.
1. Caractère d'une chose difficile, complexe. *La difficulté d'un texte, d'une dictée, les difficultés de la langue française.* **SYN.** complexité.
2. Obstacle, empêchement. *Éprouver des difficultés à joindre les deux bouts.* **SYN.** ennui, problème.
Le nom ***difficulté*** demeure généralement au singulier dans les expressions : *être en difficulté, sans difficulté, avec difficulté.*

diffuser v. tr.
1. Répandre. *Ce radiateur diffuse de la chaleur.* **SYN.** propager.
2. Émettre par les médias. *Diffuser une nouvelle dans les journaux.*
3. Assurer la distribution commerciale d'une publication. *Diffuser un roman.*
Conjugaison [VOIR MODÈLE – **AIMER**]

diffusion n. f.
1. Action de diffuser une onde, une substance. *La diffusion d'un éclairage.*
2. Action de transmettre par la radio, la télévision. *La diffusion d'un bulletin de nouvelles.* **SYN.** transmission.
3. Action de distribuer commercialement un ouvrage. *La diffusion d'un manuel.*

digérer v. tr., pronom.
Transformer un aliment comestible en un produit absorbé ou rejeté par le tube digestif. *J'ai très bien digéré ma tourtière, même si parfois cet aliment ne se digère pas bien.*
Conjugaison [VOIR MODÈLE – **POSSÉDER**]
Le ***é*** se change en ***è*** devant une syllabe muette, sauf à l'indicatif futur et au conditionnel présent. *Je digère*, mais *je digérerai.*

digestif, ive adj.
Qui se rapporte à la digestion. *Le tube digestif.*

digestion n. f.
Transformation des aliments dans l'appareil digestif.

digital, ale, aux adj.
Qui se rapporte aux doigts. *Des empreintes digitales.*
Forme fautive
*digital. Anglicisme au sens de (affichage) ***numérique.***

digne adj.
Qui mérite quelque chose. *Cette personne est digne de foi, on peut la croire.*
Cet adjectif se dit en bonne ou en mauvaise part. *Il est digne d'admiration, il est digne de la plus sévère peine de prison.* Cependant, dans la tournure négative, il est suivi d'un terme favorable. *Il n'est pas digne de votre estime.*

dignement adv.
Noblement, de façon digne. *Il faut accueillir dignement ces visiteurs.*

dignitaire n. m. et f.
Personne qui occupe un haut rang. *Le maire donne une réception pour les dignitaires.* **SYN.** autorité.
dignit**aire.**

dignité n. f.
1. Noblesse, respect de soi-même. *Les juges doivent se comporter avec dignité.*
2. Haute fonction. *Cette personne pourrait être élevée à la dignité de gouverneur général.*

digue n. f.
Construction servant à retenir les eaux. *Les castors construisent des digues dans les cours d'eau.*

dilater v. tr., pronom.
Verbe transitif
Élargir, étendre. *On dit que le rire dilate la rate.*

Verbe pronominal
Augmenter de volume. *Ses pupilles se sont dilatées sous l'effet d'un médicament.*
Conjugaison [VOIR MODÈLE – **AIMER**]

dilemme n. m.
Ce nom rime avec ***problème*** [dilɛm].
Situation difficile dans laquelle on doit choisir entre deux possibilités différentes, mais conduisant à un même résultat toujours regrettable. *Comment sortir de cette impasse, de ce dilemme.*
Ne pas confondre avec le nom ***alternative,*** situation où il n'y a que deux possibilités opposées, deux éventualités entre lesquelles il faut choisir et dont le résultat peut être heureux ou malheureux.
Attention au genre de ce nom : ***un*** dilemme.
dile**mm**e.

diluer v. tr., pronom.
Verbe transitif
Délayer une substance dans un liquide pour en réduire la concentration. *Diluer un potage trop épais avec du lait.*
Verbe pronominal
Se mélanger à un liquide. *Ce produit se dilue dans l'eau.*
Conjugaison [VOIR MODÈLE – **AIMER**]

dimanche n. m.
Septième jour de la semaine, consacré au repos. *Les dimanches d'avril.*
Les noms de jour s'écrivent avec une minuscule et prennent la marque du pluriel. *Je viendrai tous les dimanches,* mais *je viendrai tous les lundi et dimanche de chaque semaine.* Attention à la construction de la dernière phrase où les noms de jours restent au singulier parce qu'il n'y a qu'un seul lundi et qu'un seul dimanche par semaine.
VOIR TABLEAU – **JOUR.**

dimension n. f.
1. Grandeur mesurable. *C'est un colis de grande dimension.* **SYN.** grosseur, taille.
2. Mesure. *Quelles sont les dimensions de cette table ?*

diminuer v. tr., intr.
Verbe transitif
Réduire. *Elle a diminué ses dépenses.* **SYN.** baisser.
Verbe intransitif
Devenir moins grand, moins coûteux. *Les prix ont diminué. Les prix sont diminués.*
Le verbe se conjugue avec l'auxiliaire ***être*** ou l'auxiliaire ***avoir*** selon que l'on insiste sur l'état ou l'action.
Conjugaison [VOIR MODÈLE – **AIMER**]

diminutif, ive adj. et n. m.
Adjectif
Qui diminue le sens d'un mot. *L'élément* ***ette*** *est un suffixe diminutif.*
Nom masculin
Mot formé d'un radical et d'un suffixe diminutif. *Pommette est le diminutif de* ***pomme.***

diminution n. f.
Réduction. En parlant du prix, on dira : *La diminution du prix du lait* (et non la *diminution du lait). **SYN.** baisse.

dinde n. f.
Grand oiseau de basse-cour, qui est la femelle du dindon. *Au Nouvel An, on sert généralement de la dinde au réveillon.*
VOIR TABLEAU – **ANIMAUX.**

dindon n. m.
Grand oiseau de basse-cour, qui est le mâle de la dinde.
VOIR TABLEAU – **ANIMAUX.**
Locution
Être le dindon de la farce. Être la personne dont on se moque.

dindonneau n. m. (pl. *dindonneaux*)
Petit de la dinde.
VOIR TABLEAU – **ANIMAUX.**

dîner n. m.
1. Repas du midi. *Un dîner de fête.*
Le mot s'emploie aussi en ce sens en Belgique, en Suisse et dans plusieurs régions françaises.
2. Dans la francophonie, repas du soir.

dîner v. intr.
1. Prendre le repas du midi. *Viens dîner avec tes camarades, si tu veux.*
Le mot s'emploie aussi en ce sens en Belgique, en Suisse et dans plusieurs régions françaises.
2. Dans la francophonie, prendre le repas du soir.
Conjugaison [VOIR MODÈLE – **AIMER**]
d**î**ner.

dingue adj. et n. m. et f.
(FAMILIER) Bizarre, fou. *Pour prendre un tel risque, il faut être dingue.* **SYN.** dément.

dinosaure n. m.
Reptile fossile préhistorique de très grande taille.

diocèse n. m.
Région où s'exerce la juridiction d'un évêque.
dio**cèse.**

***dip**
Anglicisme pour ***trempette.***

diplomate adj. et n. m. et f.
Adjectif
Qui est habile dans ses relations avec autrui. *Elle est très diplomate et sait convaincre tout un chacun. C'est une fine diplomate.* **SYN.** adroit.
Nom masculin et féminin
Personne chargée par un gouvernement de le représenter à l'étranger.
dipl**o**mate.

diplomatie n. f.
Le ***t*** se prononce comme ***s*** [diplɔmasi].
1. Représentation d'un pays à l'étranger. *Elle est déléguée du Québec au Mexique, elle est dans la diplomatie.*
2. Habileté, tact. *On lui a répondu avec diplomatie qu'il avait peut-être raison.* **SYN.** adresse, doigté.
dipl**o**ma**t**ie.

diplomatique adj.
1. Relatif à la diplomatie. *Le courrier diplomatique.*
2. Habile, plein de tact. *Une réponse diplomatique.* **SYN.** adroit.
dipl**o**matique.

diplôme n. m.
Document qui confère un grade, un titre. *Julie recevra bientôt son diplôme d'études collégiales, son D.E.C.*
dipl**ô**me.

diplômé, ée adj. et n. m. et f.
Qui a obtenu un diplôme. *Elle est diplômée* (et non *graduée) *depuis peu.*
dipl**ô**mé.

diplôme d'études collégiales
Abréviation ***D.E.C.*** (s'écrit avec des points).

diplômer v. tr.
Décerner un diplôme à. *L'école a diplômé 20 nouveaux ingénieurs.*
Conjugaison [VOIR MODÈLE – **AIMER**]
✎ dipl**ô**mer.

dire v. tr., pronom.
Verbe transitif
1. Exprimer par la parole. *Je vous dis merci. Vous me dites* (et non *disez) *bonjour.* **SYN.** prononcer.
2. Inviter à, demander. *Elle me dit de venir.* **SYN.** conseiller.
Verbe pronominal
1. Penser. *Léa se dit qu'elle ferait bien de prendre son parapluie.*
2. Prétendre. *Il se dit notre allié, mais je ne le crois pas.*
3. Se déclarer. *Ils se sont dits heureux.*
☞ Le participe passé d'un verbe pronominal suivi d'un attribut du pronom réfléchi s'accorde en genre et en nombre avec le sujet. *Elles se sont dites satisfaites.*
4. Être employé, en parlant d'un mot, d'une expression. *Le mot* aborigène *se dit de la personne dont les ancêtres ont toujours habité le pays où elle vit.*
Locutions
À dire vrai, à vrai dire. En fait.
Autrement dit. En d'autres mots.
Avoir beau dire. Malgré tout ce que l'on peut dire.
Avoir son mot à dire. Vouloir donner son avis.
Bien dire et laisser dire. Ne pas se soucier des commentaires.
Ceci dit ou ***cela dit.*** Malgré tout.
☞ Ces deux locutions s'emploient et sont synonymes.
Cela ne me dit rien. Cela ne me tente pas, cela ne me rappelle rien.
Cela va sans dire. C'est incontestable, évident.
C'est tout dire. On ne peut rien dire de plus.
Le qu'en-dira-t-on. Les ragots.
Ne pas se le faire dire deux fois. Ne pas hésiter.
Pour ainsi dire. À peu près.
Pour tout dire. En résumé.
Quoi qu'on dise. Malgré ce qu'on dira.
Sans dire mot ou ***sans mot dire.*** Sans répondre. *Il s'exécuta sans dire mot.*
Si le cœur vous en dit. Si vous en avez envie.
Soit dit entre nous. Confidentiellement.
Vouloir dire. Signifier. *Le mot anglais « boat » veut dire* ***bateau*** *en français.*
Conjugaison [VOIR MODÈLE – **DIRE**]

direct, ecte adj.
1. Qui est droit, sans détour. *Une route directe. Un vol direct pour Rome, sans escale à Londres ou à Paris.* **SYN.** clair. **ANT.** indirect.
2. Franc, sans détour. *Des commentaires directs.* **ANT.** tortueux.
Locutions
Complément d'objet direct. (GRAMMAIRE) Complément relié directement au verbe, sans préposition. *Dans la phrase « il peint le mur »,* ***mur*** *est le complément d'objet direct du verbe « peint ».*
En direct. Se dit d'une émission diffusée en direct. **ANT.** en différé.

directement adv.
1. Sans détour. *Julien est rentré directement de l'école, sans s'arrêter au magasin.* **SYN.** tout droit.
2. Franchement. *Elle lui a parlé directement.* **SYN.** clairement.
3. Sans intermédiaire. *À la ferme de Mme Goyette, on peut cueillir directement ses framboises.*

directeur n. m.
directrice n. f.
Personne qui est à la tête d'une direction. *La directrice de la comptabilité. Un directeur adjoint.*

directeur d'école n. m.
directrice d'école n. f.
Personne responsable de l'administration et de la gestion d'un établissement d'enseignement. *Les élèves ont fait appel au directeur* (et non au *principal).

direction n. f.
1. Conduite, administration. *Une direction dynamique.* **SYN.** gestion, organisation.
2. Ensemble de ceux qui dirigent une entreprise, un organisme. *La direction de l'école s'est réunie ce matin.* **SYN.** autorité, dirigeant.
3. Lieu vers lequel quelqu'un, quelque chose se dirige. *Ils vont en direction du sud. Elles ont changé de direction.* **SYN.** orientation, sens.
Forme fautive
*direction. Anglicisme au sens de ***mode d'emploi.*** *Lisez bien le mode d'emploi* (et non la ou les *directions) *avant d'utiliser ce médicament.*

directive n. f.
Instructions générales. *Quelles sont vos directives ?*
☞ Ce nom s'emploie généralement au pluriel.

dirigeable adj. et n. m.
Adjectif
Qui peut être dirigé. *Des ballons dirigeables.*
Nom masculin
Aérostat qu'on peut diriger. *Des dirigeables en bon état.*

dirigeant, ante adj. et n. m. et f.
Nom masculin et féminin
Personne qui dirige. *Les dirigeants et les dirigeantes de l'entreprise.* **SYN.** chef, décideur.
Adjectif
Qui dirige. *La classe dirigeante.*
✎ dirig**e**ant.

diriger v. tr., pronom.
Verbe transitif
1. Conduire, commander. *Elle sait diriger ses employés.* **SYN.** administrer, gérer.
2. Guider vers un endroit. *Dirigez-moi vers mon hôtel, s'il vous plaît.* **SYN.** conduire.
Verbe pronominal
1. Se rendre à, aller. *Mme Plantier s'est dirigée vers la banque.*
2. Se destiner à. *Étienne se dirige vers la recherche médicale.*
Conjugaison [VOIR MODÈLE – **CHANGER**]
Le ***g*** est suivi d'un ***e*** devant les lettres ***a*** et ***o.*** *Il dirigea, nous dirigeons.*

dis- préf.
Élément du latin signifiant « au travers de » qui sert à marquer la séparation, la négation. *Disparaître, dissuader.*
☞ Devant les mots commençant par un ***f,*** le préfixe devient ***dif-.*** *Diffusion.*

discernement n. m.
Bon sens, jugement. *Étienne fait preuve de discernement en faisant ce choix.* **SYN.** réflexion.
✎ di**sc**ernement.

Indicatif

Présent	*Passé composé*
je dis	j' ai dit
tu dis	tu as dit
elle dit	elle a dit
il dit	il a dit
nous disons	nous avons dit
vous dites	vous avez dit
elles disent	elles ont dit
ils disent	ils ont dit

Imparfait	*Plus-que-parfait*
je disais	j' avais dit
tu disais	tu avais dit
elle disait	elle avait dit
il disait	il avait dit
nous disions	nous avions dit
vous disiez	vous aviez dit
elles disaient	elles avaient dit
ils disaient	ils avaient dit

Passé simple	*Passé antérieur*
je dis	j' eus dit
tu dis	tu eus dit
elle dit	elle eut dit
il dit	il eut dit
nous dîmes	nous eûmes dit
vous dîtes	vous eûtes dit
elles dirent	elles eurent dit
ils dirent	ils eurent dit

Futur simple	*Futur antérieur*
je dirai	j' aurai dit
tu diras	tu auras dit
elle dira	elle aura dit
il dira	il aura dit
nous dirons	nous aurons dit
vous direz	vous aurez dit
elles diront	elles auront dit
ils diront	ils auront dit

Infinitif

Présent	*Passé*
dire	avoir dit

Subjonctif

Présent	*Passé*
que je dise	que j' aie dit
que tu dises	que tu aies dit
qu' elle dise	qu' elle ait dit
qu' il dise	qu' il ait dit
que nous disions	que nous ayons dit
que vous disiez	que vous ayez dit
qu' elles disent	qu' elles aient dit
qu' ils disent	qu' ils aient dit

Imparfait	*Plus-que-parfait*
que je disse	que j' eusse dit
que tu disses	que tu eusses dit
qu' elle dît	qu' elle eût dit
qu' il dît	qu' il eût dit
que nous dissions	que nous eussions dit
que vous dissiez	que vous eussiez dit
qu' elles dissent	qu' elles eussent dit
qu' ils dissent	qu' ils eussent dit

Conditionnel

Présent	*Passé*
je dirais	j' aurais dit
tu dirais	tu aurais dit
elle dirait	elle aurait dit
il dirait	il aurait dit
nous dirions	nous aurions dit
vous diriez	vous auriez dit
elles diraient	elles auraient dit
ils diraient	ils auraient dit

Impératif

Présent	*Passé*
dis	aie dit
disons	ayons dit
dites	ayez dit

Participe

Présent	*Passé*
disant	dit, ite
	ayant dit

discerner v. tr.
1. Distinguer. *Il fait noir et elle n'arrive pas à discerner l'adresse.* **SYN.** percevoir, voir.
2. Différencier. *Discerner le bien d'avec le mal, le bien du mal.* **SYN.** démêler.
3. Découvrir. *Elle discerne ses motifs sans peine.* **SYN.** deviner, reconnaître, sentir.
Conjugaison [VOIR MODÈLE – **AIMER**]
✎ di**sc**erner.

disciple n. m. et f.
Personne qui suit la doctrine d'un maître. *Elle est une disciple du frère Marie-Victorin.*
✎ dis**c**iple.

disciplinaire adj.
Qui se rapporte à la discipline. *Mesure disciplinaire.*
☞ Ne pas confondre avec l'adjectif ***pluridisciplinaire,*** qui concerne plusieurs disciplines, plusieurs domaines.
✎ di**sc**iplin**aire.**

discipline n. f.
1. Matière d'enseignement. *Quelles disciplines avez-vous choisies ? La physique et la chimie.*
2. Règle de conduite adoptée en vue de faire régner le bon ordre dans un groupe, une collectivité. *Cette personne est chargée de la discipline au collège.* **SYN.** règle, règlement.
3. Volonté, détermination dans la poursuite d'un objectif. *Elle travaille avec discipline tous les jours.*
✎ di**sc**ipline.

discipliné, ée adj.
1. Qui obéit à la discipline d'un groupe. *Ces élèves sont turbulentes, elles ne sont pas disciplinées.* **SYN.** obéissant.
2. Qui se force à atteindre un objectif fixé. *Il lui faudra être très disciplinée pour terminer le travail à temps.* **SYN.** déterminé, obstiné, volontaire.
✎ di**sc**ipliné.

discipliner v. tr., pronom.
Verbe transitif
Soumettre quelqu'un à un ensemble de règles.
Verbe pronominal
Suivre la discipline. *Il faut se discipliner pour se lever si tôt.*
Conjugaison [VOIR MODÈLE – **AIMER**]
✎ di**sc**ipliner.

***disc-jockey**
Anglicisme pour ***animateur, présentateur.***

disco adj. et n. m. inv.
Se dit d'un style de musique populaire. *Des musiques disco. Ce poste diffuse du disco.*

discographie n. f.
Répertoire de disques.

***disconnecter**
Anglicisme pour ***débrancher.***

discontinu, ue adj.
Qui n'est pas continu. *Une ligne discontinue sépare la route : il est alors permis de doubler une voiture.*

***discontinué (article, produit)**
Impropriété au sens de ***sans suite.***

discontinuer v. intr.
Locution
Sans discontinuer. Sans cesser un moment. *Il neige sans discontinuer depuis hier.* **SYN.** sans arrêt.
☞ Ce verbe ne s'emploie couramment que dans la locution citée.
Conjugaison [VOIR MODÈLE – **AIMER**]

discordant, ante adj.
Se dit de choses qui ne s'accordent pas bien ensemble, sans harmonie. *Des instruments discordants.*
✎ discord**ant.**

discorde n. f.
Mésentente grave, désaccord. *Un sujet de discorde.* **ANT.** concorde.

discothèque n. f.
S'abrège familièrement en ***disco.***
1. Établissement où l'on peut danser. **SYN.** boîte.
2. Collection de disques privée ou publique.

***discount**
Anglicisme pour ***rabais, remise.***

discours n. m.
Exposé d'idées d'une certaine longueur. *Le Président a fait un beau discours pour nous exposer son programme.*

discréditer v. tr., pronom.
Verbe transitif
Faire perdre l'influence, l'autorité, la popularité de quelqu'un ou de quelque chose. *Ces déversements de produits chimiques dans la rivière ont discrédité cette entreprise.* **SYN.** déprécier.
Verbe pronominal
Perdre de sa valeur, de son crédit. *Ils se discréditent en augmentant les prix ainsi.*
Conjugaison [VOIR MODÈLE – **AIMER**]

discret, ète adj.
1. Réservé dans ses paroles, ses actions. *Il est trop discret, on ne le remarque pas.*
2. À qui on peut faire des confidences. *Ne vous inquiétez pas, je serai très discrète : je ne dirai rien.*

discrètement adv.
Avec discrétion. *Elle a été prévenue discrètement.*

discrétion n. f.
1. Tact, réserve. *Il n'a pas dérangé son ami par discrétion.* **SYN.** retenue.
2. Aptitude à garder un secret. *On peut compter sur sa discrétion.*
Locution
À discrétion. À volonté. *On peut se servir à discrétion.*
✎ discré**t**ion.

discrimination n. f.
Action de traiter différemment certaines personnes par rapport à d'autres. *Il ne faut pratiquer aucune discrimination.*

discriminatoire adj.
Qui distingue un groupe humain d'un autre, à son désavantage. *Ce classement a été jugé discriminatoire.*

disculper v. tr., pronom.
Verbe transitif
Prouver l'innocence de quelqu'un. *Ces témoignages l'ont disculpé, il a été libéré.* **SYN.** blanchir, innocenter.
Verbe pronominal
Se justifier, prouver son innocence.
Conjugaison [VOIR MODÈLE – **AIMER**]

discussion n. f.
1. Débat, examen. *Une période de discussion suivra l'exposé.*
2. Querelle. *Il y a rarement des discussions entre eux.* **SYN.** dispute.

discutable adj.
Que l'on peut discuter, douteux. *Ce choix est très discutable.* **SYN.** critiquable, mauvais.

discuter v. tr., intr.
Verbe transitif direct
Examiner avec soin une question. *Les membres du conseil ont longuement discuté le projet d'agrandissement.* **SYN.** débattre.
Verbe transitif indirect
Échanger des idées sur un sujet. *Ils discutent de la pluie et du beau temps.* **SYN.** (FAMILIER) causer.
En ce sens, le verbe se construit avec la préposition ***de.***
Verbe intransitif
Contester, mettre en question. *Ne discutez pas, les enfants, il est temps de rentrer.* **SYN.** critiquer.
Conjugaison [VOIR MODÈLE – **AIMER**]

diseur, euse n. m. et f.
Diseur, diseuse de bonne aventure. Personne qui prétend connaître l'avenir. **SYN.** devin, voyant.

disgracieux, ieuse adj.
Déplaisant, laid, sans élégance. *Ces gestes sont disgracieux. Une tenue disgracieuse.*

disloquer v. tr.
1. Démettre. *Le choc lui a disloqué une épaule.* **SYN.** luxer.
2. Séparer les parties d'un tout. *Disloquer un empire.*
Conjugaison [VOIR MODÈLE – **AIMER**]

disparaître v. intr.
1. Cesser d'être visible. *Le soleil a disparu ; il est caché par de gros nuages noirs.* **SYN.** se cacher.
2. Mourir, cesser d'exister. *Les dinosaures ont disparu depuis longtemps ou sont disparus depuis longtemps.*
Le verbe se conjugue avec l'auxiliaire ***avoir*** lorsqu'il exprime une action. *Il a disparu subitement.* Il se conjugue avec l'auxiliaire ***être*** pour exprimer l'état qui résulte de l'action. *Il est disparu depuis plusieurs jours.* Cependant, l'emploi de l'auxiliaire ***avoir*** tend aujourd'hui à remplacer celui de l'auxiliaire ***être*** dans tous les cas.
Conjugaison [VOIR MODÈLE – **PARAÎTRE**]

disparition n. f.
1. Action de disparaître ; son résultat. *Sa disparition remonte à un mois.*
2. Mort. *La disparition de cet ami nous a beaucoup attristés.*

disparu, ue adj. et n. m. et f.
Mort ou considéré comme mort. *Un parent disparu. Ces familles comptent de nombreux disparus : ces personnes ont été enlevées et n'ont plus été revues.*

dispendieux, ieuse adj.
Qui entraîne beaucoup de dépenses. *Des goûts dispendieux. Une maison dispendieuse.* **SYN.** coûteux.
Ne pas confondre avec l'adjectif ***cher,*** d'un prix élevé.

dispense n. f.
Exemption. *J'ai une dispense de devoirs parce que j'ai participé au spectacle.*

dispenser v. tr., pronom.
1. (LITTÉRAIRE) Distribuer, donner. *Dispenser des bienfaits, des largesses.* **SYN.** accorder.
2. Exempter d'une obligation. *Les élèves ont été dispensés de faire leurs devoirs.* **SYN.** dégager.
En ce sens, le verbe se construit avec la préposition *de.*
Forme fautive
*dispenser (des cours). Impropriété au sens de ***offrir, donner des cours.***
Conjugaison [VOIR MODÈLE – **AIMER**]

disperser v. tr., pronom.
Verbe transitif
1. Répandre, éparpiller. *Le vent disperse les feuilles mortes.*
2. Séparer les éléments d'un groupe, d'un ensemble. *La police a dispersé les manifestants.*
Verbe pronominal
S'en aller de tous les côtés. *La foule s'est dispersée dans les petites rues de la ville.* **SYN.** s'éparpiller.
Conjugaison [VOIR MODÈLE – **AIMER**]

disponible adj.
1. Dont on peut disposer. *Il y a des billets disponibles pour* Le Bourgeois gentilhomme.
2. Prêt, libre. *Marie-Ève est toujours disponible pour aider ses copains.*
Forme fautive
*disponible. Anglicisme au sens de ***en vente, offert.*** *Le livre sera en vente* (et non *disponible) *dans les librairies.*

dispos, ose adj.
Qui est en bonne forme physique et morale. *Elle est fraîche et dispose.*

disposé, ée adj.
Agencé. *Des meubles bien disposés.* **SYN.** arrangé, ordonné, placé.
Locutions
Être disposé à. Être prêt à. *Je suis disposée à vous servir de guide.* **SYN.** être d'accord pour.
Être bien, mal disposé envers quelqu'un. Être dans de bonnes, mauvaises dispositions envers une personne. *Il est bien disposé à son égard ; il s'entend bien avec lui.*

disposer v. tr., pronom.
Verbe transitif direct
Arranger. *Disposer des meubles dans une pièce.* **SYN.** mettre, placer.
Verbe transitif indirect
Avoir l'usage de. *Il dispose d'une bonne voiture.* **SYN.** avoir, utiliser.
En ce sens, le verbe se construit avec la préposition ***de.***
Verbe pronominal
Être sur le point de. *Elle se dispose à changer d'emploi.* **SYN.** se préparer à.
À la forme pronominale, le verbe se construit avec la préposition *à.*
Conjugaison [VOIR MODÈLE – **AIMER**]

dispositif n. m.
Mécanisme. *Un dispositif de sécurité.*

disposition n. f.
Arrangement. *La disposition des pièces.* **SYN.** répartition.
Locutions
Être dans de bonnes dispositions, de mauvaises dispositions à l'égard de quelqu'un. Être bien, mal disposé envers quelqu'un.
Prendre des dispositions. Faire ce qui doit être fait. *Mes parents ont pris des dispositions pour acheter une maison de campagne.* **SYN.** s'arranger.

disproportion n. f.
Manque de proportion. *Une disproportion entre les résultats des deux groupes : 55 % et 75 %.*

d

disproportionné, ée adj.
1. Qui manque de proportion, d'harmonie. *Cette maison est disproportionnée : elle est beaucoup plus grosse que les maisons voisines.*
2. Démesuré. *Des prix disproportionnés.*

dispute n. f.
Débat, querelle. *Allons bon ! Encore une dispute entre les enfants.* **SYN.** ⚜ chicane.

disputer v. tr., pronom.
Verbe transitif
1. Lutter pour conserver ou obtenir quelque chose. *Disputer un titre à quelqu'un.*
2. (FAMILIER) Gronder. *Maman m'a disputé parce que ma chambre était en désordre.* **SYN.** réprimander.
Verbe pronominal
Se quereller. *Ils se sont disputés avec eux.* **SYN.** se chicaner.
Le participe passé du verbe pronominal s'accorde toujours puisque le complément d'objet direct précède le verbe.
Conjugaison [VOIR MODÈLE – **AIMER**]

disquaire n. m. et f.
Personne qui vend des disques.

disqualification n. f.
Action de disqualifier ; son résultat. *La disqualification d'un champion olympique.*

disqualifier v. tr.
Interdire une épreuve sportive à un concurrent qui ne respecte pas toutes les clauses du règlement. *On a disqualifié le coureur parce qu'il a pris des stéroïdes anabolisants.*
Conjugaison [VOIR MODÈLE – **ÉTUDIER**]
Redoublement du ***i*** à la première et à la deuxième personne du pluriel de l'indicatif imparfait et du subjonctif présent. *(Que) nous disqualifiions, (que) vous disqualifiiez.*

disque n. m.
1. Objet de forme ronde et plate. *Un disque de bois.*
2. Lourd palet lancé au loin par les athlètes. *Le lancer du disque.*
3. Plaque circulaire sur laquelle sont enregistrés des sons. *Le groupe vient de lancer un disque.*
4. (INFORMATIQUE) Support d'information. *Les disques durs* ou *rigides peuvent emmagasiner des millions d'octets.*
Locutions
Disque compact. Disque audionumérique destiné à être lu par un système optique par laser.
Disque optique compact. Abrév. ***DOC*** (Recomm. off. pour « CD-ROM »). Disque compact, à lecture optique, qui peut enregistrer des textes, des images et des sons. *Les disques optiques compacts ont une grande capacité de mémoire.*
Disque vidéo. Disque vidéographique. *Des disques vidéo* **SYN.** vidéodisque.

disquette n. f.
(INFORMATIQUE) Disque magnétique souple servant de support d'information. *Enregistrer un texte, une image sur une disquette.*
La graphie *« diskette » est erronée en français.

dissection n. f.
Ouverture et analyse des parties d'un corps organisé. *La dissection d'une grenouille.*
dissec**t**ion.

disséquer v. tr.
1. Couper, ouvrir les parties d'une plante, d'un corps organisé en vue d'en étudier la structure. *Disséquer un champignon.*
2. (FIGURÉ) Examiner minutieusement. *Ils ont disséqué le problème.* **SYN.** analyser, décortiquer, étudier.
Conjugaison [VOIR MODÈLE – **POSSÉDER**]
Le **é** se change en **è** devant une syllabe muette, sauf à l'indicatif futur et au conditionnel présent. *Je dissèque*, mais *je disséquerai.*

dissertation n. f.
Exercice écrit sur un sujet. *Les nouveaux étudiants doivent se soumettre à une épreuve d'évaluation du français écrit, une dissertation de 200 à 300 mots.* **SYN.** composition.

dissimulation n. f.
Action de cacher. *La dissimulation d'un crime.*

dissimuler v. tr., pronom.
Verbe transitif
1. Masquer, ne pas laisser paraître. *Dissimuler ses angoisses derrière la bonne humeur.* **SYN.** déguiser.
2. Ne pas mettre à la vue de tous. *Le magicien dissimulait un lapin dans sa manche.*
Verbe pronominal
Se cacher. *Les enfants se sont dissimulés derrière les buissons.*
Conjugaison [VOIR MODÈLE – **AIMER**]

dissipé, ée adj.
Espiègle. *Une écolière dissipée.* **SYN.** turbulent.

dissiper v. tr., pronom.
Verbe transitif
Chasser. *Dissiper des craintes.* **SYN.** supprimer.
Verbe pronominal
Disparaître, s'éparpiller. *La brume s'est dissipée.*
Conjugaison [VOIR MODÈLE – **AIMER**]

dissocier v. tr.
Séparer (des éléments associés). *Dissocier des problèmes.* **SYN.** décomposer, décortiquer.
Conjugaison [VOIR MODÈLE – **ÉTUDIER**]
Redoublement du ***i*** à la première et à la deuxième personne du pluriel de l'indicatif imparfait et du subjonctif présent. *(Que) nous dissociions, (que) vous dissociiez.*

dissoudre v. tr., pronom.
Verbe transitif
Faire fondre dans un liquide. *Dissoudre le contenu du sachet dans un peu d'eau chaude.*
Verbe pronominal
Se désagréger. *Le sucre s'est dissous dans l'eau. La poudre s'est dissoute dans le lait.* **SYN.** fondre.
Conjugaison [VOIR MODÈLE – **RÉSOUDRE**]
INDICATIF PRÉSENT *Je dissous, tu dissous, il dissout, nous dissolvons, vous dissolvez, ils dissolvent.* IMPARFAIT *Je dissolvais.* FUTUR *Je dissoudrai.* **CONDITIONNEL** PRÉSENT *Je dissoudrais.* **IMPÉRATIF** PRÉSENT *Dissous, dissolvons, dissolvez.* **SUBJONCTIF** PRÉSENT *Que je dissolve.* **PARTICIPE** PRÉSENT *Dissolvant.* PASSÉ *Dissous, dissoute.*
Le passé simple de l'indicatif et l'imparfait du subjonctif n'existent pas.

dissuader v. tr.
Convaincre quelqu'un de renoncer à un projet. *J'ai dissuadé Claire de faire cette folie.* **SYN.** décourager. **ANT.** persuader.
Le verbe se construit avec un complément d'objet direct qui désigne une personne et la préposition ***de*** suivie d'un infinitif.
Conjugaison [VOIR MODÈLE – **AIMER**]

distance n. f.
Espace entre deux lieux, deux objets. *La distance entre Montréal et Vaudreuil est de 30 kilomètres.*
Locutions
À distance, locution adverbiale. Avec un certain recul, de loin. *Nous avons contemplé l'éruption volcanique à distance.*
Conserver, prendre ses distances. Éviter toute familiarité avec quelqu'un.
Tenir à distance. Empêcher d'approcher, éviter les relations avec quelqu'un.

distancer v. tr.
Devancer. *Le champion distança les concurrents au dernier moment.*
Conjugaison [VOIR MODÈLE – **AVANCER**]
Le ***c*** prend une cédille devant les lettres ***a*** et ***o.*** *Il distança, nous distançons.*

distant, ante adj.
1. Éloigné. *La ville est distante de 15 kilomètres.*
2. Réservé. *Un ton distant.* **SYN.** froid.

distiller v. tr.
Attention à la prononciation : les deux ***l*** se prononcent comme un seul [distile].
Opérer la distillation de. *Distiller de l'eau, du vin.*
Conjugaison [VOIR MODÈLE – **AIMER**]
Les lettres ***ill*** sont suivies d'un ***i*** à la première et à la deuxième personne du pluriel de l'indicatif imparfait et du subjonctif présent. *(Que) nous distillions, (que) vous distilliez.*

distinct, incte adj.
Les lettres ***ct*** se prononcent ou non au masculin [distɛ̃] ou [distɛ̃kt].
1. Qui se perçoit clairement. *Ces chiffres ne sont pas très distincts.* **SYN.** clair, visible.
2. Qu'on ne peut confondre avec autre chose. *Des problèmes distincts les uns des autres.* **SYN.** différent.

distinctement adv.
De façon distincte. *Parle distinctement pour qu'on te comprenne bien.*

distinctif, ive adj.
Caractéristique. *Des caractères distinctifs.* **SYN.** particulier, spécifique.

distinction n. f.
1. Action de distinguer, de faire la différence entre plusieurs éléments. *Il est essentiel de faire une distinction entre les produits.*
2. Marque d'estime. *Une distinction honorifique. Ce chercheur a obtenu une distinction honorifique.* **SYN.** décoration.
3. Raffinement, délicatesse. *Elle s'exprime avec distinction.* **SYN.** classe, élégance.

distingué, ée adj.
1. (LITTÉRAIRE) Éminent. *Un musicien distingué.* **SYN.** réputé.
2. Qui a de la distinction, du raffinement. *Une jeune fille distinguée.* **SYN.** chic.

distinguer v. tr., pronom.
Verbe transitif
1. Reconnaître. *Distinguer la bonté de la justice, le vrai d'avec le faux.* **SYN.** différencier.
Le verbe se construit avec la préposition ***de,*** pour des choses analogues, ou avec la préposition ***avec,*** pour des objets différents.
2. Percevoir. *Distinguez-vous ce voilier au loin ?* **SYN.** apercevoir, reconnaître, voir.
Verbe pronominal
Se signaler. *Ils se sont distingués par leur habileté.* **SYN.** s'illustrer.
Conjugaison [VOIR MODÈLE – **AIMER**]
Attention au ***u*** qui subsiste même devant les lettres ***a*** et ***o.*** *Il distingua, nous distinguons.*

d

distraction n. f.
1. Manque d'attention. *Être sujet à des distractions.* **SYN.** étourderie, inattention, oubli.
2. Divertissement. *Vous avez besoin de distractions.* **SYN.** détente.

distraire v. tr., pronom.
Verbe transitif
1. Déranger, détourner l'attention. *Ce bruit m'a distraite.* **SYN.** déconcentrer.
2. Amuser, divertir. *Ce spectacle nous a bien distraits.* **SYN.** égayer, récréer.
Verbe pronominal
Se divertir. *Elles se sont bien distraites au cours de cette soirée.* **SYN.** s'amuser, se détendre.
Conjugaison [VOIR MODÈLE – **SOUSTRAIRE**]
INDICATIF PRÉSENT *Je distrais, tu distrais, il distrait, nous distrayons, vous distrayez, ils distraient.* IMPARFAIT *Je distrayais, tu distrayais, il distrayait, nous distrayions, vous distrayiez, ils distrayaient.* FUTUR *Je distrairai.* **CONDITIONNEL** PRÉSENT *Je distrairais.* **SUBJONCTIF** PRÉSENT *Que je distraie, que tu distraies, qu'il distraie, que nous distrayions, que vous distrayiez, qu'ils distraient.* **PARTICIPE** PRÉSENT *Distrayant.* PASSÉ *Distrait, aite.*
Le passé simple de l'indicatif et l'imparfait du subjonctif n'existent pas.
Le ***y*** est suivi d'un ***i*** à la première et à la deuxième personne du pluriel de l'indicatif imparfait et du subjonctif présent. *(Que) nous distrayions, (que) vous distrayiez.*

distrait, aite adj. et n. m. et f.
Étourdi, peu attentif. *Le professeur Tournesol est bien distrait.*

distrayant, ante adj.
Propre à distraire. *Des films distrayants.* **SYN.** amusant, divertissant.

distribuer v. tr.
Répartir entre plusieurs personnes, choses, agencer. *Le facteur distribue le courrier. Distribuer des prix aux élèves qui ont réussi. Les bourses qu'il a distribuées.*
Conjugaison [VOIR MODÈLE – **AIMER**]

distributeur, trice n. m. et f.
Nom masculin et féminin
Personne qui distribue. *Une distributrice de livres.*
Nom masculin
Appareil de distribution automatique. *Un distributeur de jus, de billets.*

distributeur d'essence n. m.
Appareil qui, dans une station-service, permet d'amener l'essence aux véhicules sous l'action d'une pompe commandée automatiquement. (Recomm. off. OLF) *Il a arrêté la voiture près du distributeur d'essence* (et non près de la *pompe à gaz).

distribution n. f.
1. Répartition, diffusion. *La distribution du courrier. Il y aura une distribution de cadeaux pour tous les invités.*
2. Ensemble des acteurs d'une pièce, d'un film. *Ce film est bien joué : il a une excellente distribution.*

d

dit, dite adj.
Appelé, surnommé. *Jean-Baptiste Poquelin, dit Molière.*
Locutions
À l'heure dite, au jour dit. Fixé.
Cela dit ou ***ceci dit.*** Quoi qu'il en soit.
Les deux locutions peuvent s'employer.
Proprement dit. Au sens propre. *Le temple proprement dit. Les aspects forestiers proprement dits.*

divan n. m.
Large sofa sans dossier qui peut servir de siège ou de lit.

divan-lit n. m. (pl. *divans-lits*)
Divan qui peut se transformer en lit. **SYN.** canapé-lit.

divergence n. f.
Opposition de sentiments, d'opinions. *Une divergence d'opinions.* **SYN.** désaccord.
diverg**en**ce.

diverger v. intr.
1. Aller en s'écartant de plus en plus, en parlant de rayons, de lignes.
2. (FIGURÉ) Être en désaccord, avoir un avis différent. *Nous divergeons d'avis sur cette question.* **SYN.** s'opposer.
Conjugaison [VOIR MODÈLE – **CHANGER**]
Le ***g*** est suivi d'un ***e*** devant les lettres ***a*** et ***o***. *Il divergea, nous divergeons.*

divers, erse adj.
Adjectif qualificatif
Varié, différent. *Les diverses parties d'un immeuble.* **SYN.** multiple.
Adjectif indéfini pluriel
Quelques, plusieurs. *Divers témoins l'ont aperçu.*

diversité n. f.
Variété. *La diversité des groupes ethniques de Montréal.* **SYN.** multiplicité.

divertir v. tr., pronom.
Verbe transitif
Distraire, amuser. *Ce film les divertira.* **SYN.** égayer, récréer.
Verbe pronominal
S'amuser. *Elles se sont bien diverties à ce spectacle.*
Conjugaison [VOIR MODÈLE – **FINIR**]

divertissant, ante adj.
Amusant. *Ces films sont très divertissants.* **SYN.** distrayant, plaisant.

divertissement n. m.
Passe-temps, amusement. *La lecture est son divertissement préféré.* **SYN.** distraction.

divin, ine adj.
Devant un mot commençant par une voyelle, l'adjectif masculin se prononce comme l'adjectif féminin. *Le divin Enfant.*
1. Relatif à Dieu. *La grâce divine.*
2. Merveilleux. *Une musique divine.* **SYN.** exquis, sublime.

divinité n. f.
Être divin. *Des divinités païennes.* **SYN.** dieu.
VOIR **DIEU.**

diviser v. tr., pronom.
Verbe transitif
1. Séparer un tout en parties. *Diviser une tarte en cinq parts.* **SYN.** partager.
En mathématiques, on emploie la préposition ***par.*** *Diviser une quantité, un nombre par cinq.*
2. Désunir. *Cette loi divise la population.* **SYN.** brouiller.
Verbe pronominal
Se séparer en plusieurs parties. *Le nombre 20 se divise par 2, 4, 5 et 10.*
Conjugaison [VOIR MODÈLE – **AIMER**]

divisible adj.
Qui peut être divisé. *Le nombre 12 est divisible.*

division n. f.
1. Action de diviser ; état d'une chose divisée. *La division d'un groupe en équipes.*
2. Chacune des parties d'un tout divisé. *Les divisions de l'heure, d'un livre.*
3. Désaccord. *Il y a de la division dans la classe.* **SYN.** mésentente.
4. (MATHÉMATIQUES) Opération qui consiste à calculer combien de fois un nombre est contenu dans un autre. *Le quotient est le résultat de la division.*
5. Coupure d'un mot en fin de ligne que l'on marque par un trait d'union.
VOIR TABLEAU – **DIVISION DES MOTS.**

divorce n. m.
Fin légale du mariage.

divorcé, ée adj. et n. m. et f.
Personne qui a mis fin à son mariage légalement. *Une personne divorcée.*

divorcer v. intr.
Mettre fin à un mariage par divorce. *Il a divorcé d'avec* ou *avec* ou *de sa femme en 1990.*
Le verbe se construit avec les prépositions ***de, avec*** ou ***d'avec.***
Le verbe se conjugue avec l'auxiliaire ***avoir*** si l'on exprime l'action et avec l'auxiliaire ***être*** si l'on exprime l'état qui résulte de l'action. *Ils ont divorcé. Elle est divorcée depuis trois ans.*
L'ancienne forme pronominale ***se divorcer*** n'est plus usitée.
Conjugaison [VOIR MODÈLE – **AVANCER**]
Le ***c*** prend une cédille devant les lettres ***a*** et ***o.*** *Il divorça, nous divorçons.*

divulguer v. tr.
Rendre public ce qui n'était pas su. *Divulguer des secrets militaires.* **SYN.** révéler. **ANT.** cacher, taire.
Conjugaison [VOIR MODÈLE – **AIMER**]
Ce verbe s'écrit toujours avec un ***u,*** même devant les lettres ***a*** et ***o.*** *Il divulgua, nous divulguons.*

dix adj. num. inv. et n. m. inv.
Le ***x*** se prononce ***z*** devant une voyelle ou un ***h*** muet. *Dix (z) oranges, dix (z) hommes.* Devant une consonne ou un ***h*** aspiré, le ***x*** se prononce ***s.*** *Dix (s) ballons. Dix (s) homards.* Dans les dates, le ***x*** de ***dix*** se prononce ***s.***
Adjectif numéral cardinal invariable
Neuf plus un. *Dix heures.*
Adjectif numéral ordinal invariable
Dixième. *Le dix décembre.*
Les adjectifs numéraux composés de ***dix*** s'écrivent avec un trait d'union (*dix-huit, soixante-dix-sept*), à l'exception de ceux qui comprennent les adjectifs ***cent*** ou ***mille*** (*cent dix*).
Nom masculin invariable
Nombre dix. *Des dix de trèfle et de cœur.*
VOIR TABLEAU – **NOMBRES.**
VOIR TABLEAU – **NUMÉRAL (ADJECTIF).**

dix-huit adj. num. inv. et n. m. inv.
Le ***t*** ne se prononce pas devant une consonne, il se prononce dans les dates.
Adjectif numéral cardinal invariable
Dix-sept plus un. *Dix-huit enfants.*
Adjectif numéral ordinal invariable
Dix-huitième. *Le dix-huit décembre.*
Nom masculin invariable
Nombre dix-huit.
VOIR TABLEAU – **NOMBRES.**
VOIR TABLEAU – **NUMÉRAL (ADJECTIF).**

dix-huitième adj. num. et n. m. et f.
Abréviations : ***18e*** (dix-huitième), ***18es*** (dix-huitièmes).
Adjectif numéral ordinal
Nombre ordinal de dix-huit. *La dix-huitième heure.*
Nom masculin
La dix-huitième partie d'un tout. *Les trois dix-huitièmes d'une quantité.*
Nom masculin et féminin
Personne, chose qui occupe le dix-huitième rang. *Elles sont les dix-huitièmes.*
VOIR TABLEAU – **NOMBRES.**
VOIR TABLEAU – **NUMÉRAL (ADJECTIF).**

dixième adj. num. et n. m. et f.
Abréviations : ***10e*** (dixième), ***10es*** (dixièmes).
Adjectif numéral ordinal
Nombre ordinal de dix. *La dixième heure.*
Nom masculin
La dixième partie d'un tout. *Les trois dixièmes d'une quantité.*
Nom masculin et féminin
Personne, chose qui occupe le dixième rang. *Elles sont les dixièmes.*
VOIR TABLEAU – **NOMBRES.**
VOIR TABLEAU – **NUMÉRAL (ADJECTIF).**

dix-neuf adj. num. inv. et n. m. inv.
Adjectif numéral cardinal invariable
Dix-huit plus un. *Dix-neuf enfants.*
Adjectif numéral ordinal invariable
Dix-neuvième. *Le dix-neuf décembre.*
Nom masculin invariable
Nombre dix-neuf. *Des dix-neuf géants.*
VOIR TABLEAU – **NOMBRES.**
VOIR TABLEAU – **NUMÉRAL (ADJECTIF).**

dix-neuvième adj. num. et n. m. et f.
Abréviations : ***19e*** (dix neuvième), ***19es*** (dix-neuvièmes).
Adjectif numéral ordinal
Nombre ordinal de dix-neuf. *La dix-neuvième heure.*
Nom masculin
La dix-neuvième partie d'un tout. *Les trois dix-neuvièmes d'une quantité.*
Nom masculin et féminin
Personne, chose qui occupe le dix-neuvième rang. *Ils ou elles sont les dix-neuvièmes.*
VOIR TABLEAU – **NOMBRES.**
VOIR TABLEAU – **NUMÉRAL (ADJECTIF).**

dix-sept adj. num. inv. et n. m. inv.
Adjectif numéral cardinal invariable
Seize plus un. *Dix-sept enfants.*
Adjectif numéral ordinal invariable
Dix-septième. *Le dix-sept décembre.*
Nom masculin invariable
Nombre dix-sept. *Des dix-sept tracés dans le sable.*
VOIR TABLEAU – **NOMBRES.**
VOIR TABLEAU – **NUMÉRAL (ADJECTIF).**

dix-septième adj. num. et n. m. et f.
Abréviations : ***17e*** (dix-septième), ***17es*** (dix-septièmes).
Adjectif numéral ordinal
Nombre ordinal de dix-sept. *La dix-septième heure.*
Nom masculin
La dix-septième partie d'un tout. *Les trois dix-septièmes d'une quantité.*
Nom masculin et féminin
Personne, chose qui occupe le dix-septième rang. *Ils ou elles sont les dix-septièmes.*
VOIR TABLEAU – **NOMBRES.**
VOIR TABLEAU – **NUMÉRAL (ADJECTIF).**

dizaine n. f.
Nombre composé de dix unités. *Une dizaine de pamplemousses.*

do n. m. inv.
Note de musique. *Des* do. *Des accords en* do.

doberman n. m.
Le ***r*** et le ***n*** se prononcent [dɔbɛrman].
Chien de garde. *Des dobermans bien dressés.*

DOC n. m.
Acronyme de ***disque optique compact.***
Disque compact, à lecture optique, qui peut enregistrer des textes, des images et des sons. *Les DOC sont à grande capacité de mémoire. Un DOC* (et non un *CD-ROM). *Consulte le DOC du* Visuel *: tu apprendras beaucoup de choses.*
L'Académie française propose le néologisme ***cédérom.***

docile adj.
Discipliné, qui obéit facilement. *Ces animaux sont bien dociles.*
SYN. obéissant.

docilité n. f.
Soumission, obéissance. *Ce jeune chien est d'une grande docilité.*

docteur n. m.
docteure n. f.
Personne qui a le diplôme universitaire le plus élevé, un doctorat. *Il est docteur en droit.*

doctorat n. m.
Le diplôme universitaire le plus haut. *Un doctorat en droit. Un doctorat ès lettres.*
doctora**t.**

doctrine n. f.
Ensemble des opinions qu'a une personne sur quelque matière. *Une doctrine politique.*

document n. m.
1. Écrit qui sert à nous renseigner. *Le passeport est un document important.*
2. Tout ce qui sert de preuve, de témoignage. *Un document photographique.*

documentaire adj. et n. m.
Adjectif
Qui a le caractère d'un document. *Une preuve documentaire.*
Nom masculin
Film instructif. *Un documentaire sur les canards sauvages.*

documentation n. f.
Ensemble de documents. *Un centre de documentation.*

DIVISION DES MOTS

La division des mots en fin de ligne doit être évitée autant que possible. Si elle est nécessaire, la coupure des mots se marque par un court tiret, appelé trait d'union, et respecte des règles définies.

1. LA DIVISION DES SYLLABES

d

On coupe un mot entre les syllabes qui le composent.

- **Une consonne entre deux voyelles**
  On coupe après la voyelle.

oui	*Ha/meçon* ou *hame/çon, ca/pital* ou *capi/tal.*

- **Deux voyelles**
  On coupe après la première voyelle.

oui	*Initi/ale, abrévi/ation.*

Le mot se divise après les voyelles lorsque la deuxième voyelle fait partie d'un élément qui a servi à la formation d'un mot (Biblio/thèque, de « biblio », théo/logie de « théo ») ou lorsque le groupe de voyelles se réduit à un seul son (ai, au, eau, æ, eu, œu, ou, etc.). *Nécessai/rement, heureu/sement.* Dans le doute, on évitera de diviser des voyelles.

- **Deux consonnes**
  On coupe entre les consonnes.

oui	*Éper/dument, fendil/lement.*

Les groupes ch, ph, gn, th sont inséparables. *Ache/miner, ryth/mer.* En début de syllabe, certains groupes de consonnes (bl, cl, fl, gl, pl, br, cr, dr, fr, gr, pr, tr, vr) sont inséparables. *Dé/plorer, in/croyable.*

- **Trois ou quatre consonnes**
  On coupe après la première consonne.

oui	*Désassem/bler, illus/tration.*

2. LA DIVISION DES MOTS COMPOSÉS

- **Mots composés sans trait d'union**
  On peut diviser entre deux mots non reliés par un trait d'union.

oui	*Pomme/de terre* ou *pomme de/terre.*

On ne met pas de trait d'union dans ce cas.

- **Mots composés comportant un trait d'union**
  On peut diviser à ce trait d'union.

oui	*Demi-/heure.*

Il est parfois difficile de distinguer entre les traits d'union du mot composé et ceux de la division des mots en fin de ligne.

3. LES DIVISIONS INTERDITES

- **Abréviations et sigles**
  Ne jamais diviser une abréviation ou un sigle.

non	**O/NU.*

- **Apostrophes**
  On ne coupe jamais à l'apostrophe.

non	**L'/école.*

- **Initiales et patronymes**
  Ne pas séparer du nom le prénom abrégé.

non	**J. /Picard.*

- **Titres de civilité, titres honorifiques et patronymes**
  Ne pas séparer le titre du nom auquel il s'applique.

non	**D^r^/ Laroche.*

- **Nombres en chiffres arabes ou romains**
  Ne pas diviser les nombres écrits en chiffres (par contre, les nombres écrits en toutes lettres sont divisibles).

non	**153/537, *XX/IV.*

suite ►

- **Nom déterminé par un nombre**
  Ne pas séparer un nombre du nom qui le suit ou le précède.

non	**Art./2, *Louis/XIV.*

- **Pourcentage**
  Ne pas séparer un nombre du symbole du pourcentage.

non	**75/%.*

- **Points cardinaux**
  Ne pas séparer l'abréviation du point cardinal du groupe qu'il détermine.

non	**Un point situé par 52°* de latitude/N.

- **Date**
  Ne pas séparer le quantième et le mois ou le mois et l'année.

non	**15/janvier 1991* ou **15 janvier/1991.*

- **Symboles des unités de mesure**
  Ne pas séparer le symbole du nombre qui le précède.

non	**12/h, *14/F, *25/kg.*

- **Symboles chimiques, mathématiques, etc.**
  Ces symboles sont indivisibles.

- **Lettres *x* et *y***
  Ne pas diviser avant ni après les lettres ***x*** ou ***y*** placées entre deux voyelles.

non	**Ve/xation, *apitoy/er.*

1° Si ces lettres sont suivies d'une consonne, la division est permise après le ***x*** ou le ***y***. *Ex/ténuant, bicy/clette.*

2° Si la lettre ***x*** correspond au son « z », la coupure est tolérée. *Deu/xième.*

- **Etc.**
  Ne pas séparer l'abréviation ***etc.*** du mot qui la précède.

- **Syllabe finale muette**
  On ne reporte pas à la ligne suivante une syllabe finale muette.

non	**Cou/dre, *définiti/ve.*

- **Mots d'une seule syllabe**
  Ces mots sont indivisibles.

non	**Pi/ed.*

- **Mots en fin de page**
  On ne peut couper un mot lors d'un changement de page.

Dans la mesure du possible, on prendra soin de ne pas renvoyer en début de ligne des syllabes muettes ou de moins de trois lettres. **Directri/ce, *validi/té.*

Dans certains ouvrages, notamment dans le cas où le texte est composé sur deux colonnes, il n'est pas toujours possible de respecter cette règle.

documenter v. tr., pronom.
Verbe transitif
Appuyer sur des documents. *Documenter une recherche.*
Verbe pronominal
Se renseigner, rechercher des documents. *Ils se sont bien documentés avant de commencer leur travail.*
Conjugaison [VOIR MODÈLE – **AIMER**]

dodu, ue adj.
1. Gras. *Un dindon dodu.*
2. (FAMILIER) Potelé. *Des cuisses dodues.* **SYN.** grassouillet.

doigt n. m.
Chacune des cinq parties qui termine la main, le pied de l'homme. *La main compte cinq doigts : le pouce, l'index, le majeur, l'annulaire et l'auriculaire.*
Locutions
Croiser les doigts. Pour conjurer le mauvais sort, mettre le majeur sur l'index en émettant un vœu.
Être à deux doigts de. Être près de. *Ils sont à deux doigts de trouver la solution.*
Mettre le doigt sur. Deviner juste.
Obéir au doigt et à l'œil. Obéir au premier signe.
Savoir quelque chose sur le bout du doigt, des doigts. Parfaitement.
Se mordre les doigts. Regretter. *Elle s'est mordu les doigts d'avoir accepté un tel travail.*
Toucher du doigt. Voir clairement, être près de la solution.
✎ doi**gt.**

doigté n. m.
1. Tact. *Elle a beaucoup de doigté.* **SYN.** délicatesse, diplomatie.
2. Habileté. *Ce musicien a un doigté remarquable.*

dollar n. m.
Symbole ***$*** (s'écrit sans point).
Unité monétaire de nombreux pays. *L'unité monétaire du Canada est le dollar canadien.*
Locutions
Dollar canadien, symbole ***$CAN*** (s'écrit en majuscules, sans point). Unité monétaire du Canada.
Dollar américain, symbole ***$US*** (s'écrit en majuscules, sans point). Unité monétaire des États-Unis.
☞ 1° On note généralement l'unité à l'aide de son symbole qui est un ***S*** barré. *100 $.* Le symbole de l'unité monétaire se place après la partie numérique, sur la même ligne, et en est séparé par un espacement simple. (Recomm. off. OLF) *75 $ – 75,25 $ – 0,75 $.*
2° L'unité monétaire peut aussi s'écrire en toutes lettres ; dans ce cas, le nombre peut être noté en chiffres ou en lettres. *Un manteau de 100 dollars ou de cent dollars.*
☞ Le nom ***dollar*** ne prend la marque du pluriel qu'à compter de deux unités. *1,50 dollar ; 2 dollars.*
✎ dolla**r,** sans ***d*** final.

domaine n. m.
1. Ensemble de terres, de bois, de bâtiments qui composent une propriété à la campagne. *Un magnifique domaine dans les montagnes.*
2. Champ d'activité d'une personne. *Il est dans le domaine scientifique.* **SYN.** secteur, spécialité.

dôme n. m.
Construction de forme arrondie surmontant certains monuments. *Le dôme du marché Bonsecours.*
☞ Le ***dôme*** est vu de l'extérieur, alors que la ***coupole*** est surtout vue de l'intérieur.
✎ d**ô**me.

domestique adj. et n. m. et f.
Adjectif
1. Qui concerne la maison. *Des aides domestiques.*
2. Qui vit dans l'entourage de l'homme (par opposition à ***sauvage***). *Le chien, le cheval, la chèvre sont des animaux domestiques.* **SYN.** apprivoisé, familier.
Nom masculin et féminin
Personne qui se charge de l'entretien d'une maison. **SYN.** employé de maison, employée de maison.
☞ Ce nom a remplacé les mots ***servante, serviteur.***

domestiquer v. tr.
1. Apprivoiser (un animal sauvage). *Domestiquer une mouffette.*
2. Rendre utilisable par l'homme une force naturelle. *Domestiquer un cours d'eau* (et non *harnacher).
Conjugaison [VOIR MODÈLE – **AIMER**]

domicile n. m.
Lieu où l'on réside habituellement. **SYN.** chez-soi, demeure, maison.
Locution
À domicile. *Ce médecin fait des visites à domicile : il soigne les malades chez eux.*
☞ Le ***domicile*** est la demeure légale, tandis que la ***résidence*** est un lieu d'habitation. Une personne peut avoir plusieurs résidences, mais elle n'a qu'un seul domicile.
✎ domici**l**e.

dominant, ante adj. et n. f.
Adjectif
Qui domine. *Des couleurs dominantes, des gènes dominants.*
Nom féminin
Ce qui est essentiel, caractéristique parmi plusieurs choses.

dominateur, trice adj.
Qui aime à dominer. *Cette personne est trop dominatrice.* **SYN.** autoritaire.

domination n. f.
1. Puissance souveraine. *Nous avons vécu sous la domination française, puis anglaise.* **SYN.** autorité, gouvernement.
2. Influence très grande. *Une domination intellectuelle.*

dominer v. tr., intr., pronom.
Verbe transitif
1. Maîtriser. *Dominer ses impulsions, un sujet.*
2. S'élever au-dessus. *Le clocher domine le village.* **SYN.** surmonter.
3. Surpasser. *Il a largement dominé son adversaire au golf.*
Verbe intransitif
L'emporter, triompher. *Cette équipe a largement dominé.* **SYN.** prédominer.
Verbe pronominal
Se rendre maître de soi. *Ils se sont dominés et sont restés calmes.* **SYN.** se maîtriser.
Conjugaison [VOIR MODÈLE – **AIMER**]

domino n. m.
1. Costume de bal masqué.
2. (AU PLURIEL) Jeu. *Jouer aux dominos.*

dommage n. m.
1. Tort subi par quelqu'un. *Ces mensonges lui ont causé un dommage irréparable.* **SYN.** atteinte.

2. Dégât matériel. *La pluie a causé des dommages aux fraises.* **SYN.** déterioration, ravage.

Locutions

Beau dommage !, locution interjective. ⚜ Locution signifiant ***évidemment !***

Dommage que, il est dommage que. Il est regrettable que. *Il est dommage que vous n'ayez pas pu venir.*

∽ Ces locutions se construisent avec le subjonctif.

dompter v. tr.

👄 Le ***p*** ne se prononce pas, [dɔ̃te]; de même que les dérivés.

1. Dresser (un animal sauvage). *Dompter un ours.* **SYN.** apprivoiser.

2. (FIGURÉ) Maîtriser. *Dompter sa colère.*

Conjugaison [VOIR MODÈLE – **AIMER**]

dompteur n. m.
dompteuse n. f.

Personne qui dompte des animaux. *Un dompteur de tigres.*

don n. m.

1. Présent, somme donnée gratuitement. *Ils ont fait un don à l'UNICEF.*

2. Talent. *Elle a un don pour les mathématiques.* **SYN.** aptitude.

donc conj.

👄 En tête de proposition, le ***c*** se prononce, ainsi que devant une voyelle ou un ***h*** muet. Dans les autres cas, le ***c*** est muet.

Cette conjonction de coordination marque :

– la conclusion d'un raisonnement, la conséquence. «*Je pense, donc je suis.* » (Descartes) **SYN.** en conséquence, par conséquent.

– la suite d'un discours, d'un développement interrompu. *Nous disions donc...*

– l'étonnement, la surprise. *Qu'avez-vous donc ? Allons donc !*

☞ 1° Placée en début de phrase, la conjonction est généralement suivie d'une virgule; il n'y a pas d'opposition. *Donc, la proposition est acceptée.*

2° À l'intérieur d'une phrase, la conjonction s'écrit sans virgule ou est précédée d'une virgule, selon le sens. *Qu'elle était donc gentille ! Il rit, donc il va bien.*

donjon n. m.

Haute tour dominant un château fort. *Des donjons imprenables.*

donné, ée adj.

1. Accordé gratuitement.

2. Peu cher. *À ce prix, c'est donné.* **SYN.** bon marché.

3. Déterminé. *Un nombre donné. À un moment donné.* **SYN.** connu.

Locutions

Étant donné, locution prépositive. Compte tenu. *Étant donné ses bonnes notes, il sera admis très facilement.*

☞ Ne pas confondre cette locution invariable avec le participe passé ***étant donné*** placé après le nom et qui s'accorde normalement. *Ces renseignements étant donnés.*

Étant donné que, locution conjonctive. Puisque. Cette locution est suivie de l'indicatif. *Étant donné qu'il n'a pas plu depuis longtemps, les risques d'incendie de forêt augmentent.*

donnée n. f.

Information, élément. *Des banques de données. La collecte des données* (et non la *cueillette des données).

donner v. tr., intr., pronom.

Verbe transitif

1. Mettre en la possession de (quelqu'un). *Donne-moi ce camion; donne-le-moi* (et non *donne-moi-le).

2. Faire don de, accorder. *Ils ont donné de la monnaie aux sans-abri.* **SYN.** offrir.

3. Procurer, fournir. *Donner un conseil.*

4. Produire. *Les analyses n'ont rien donné. Le citronnier a donné plusieurs citrons.*

Verbe intransitif

1. Heurter. *Elle donna de la tête contre un mur.*

2. Être orienté vers. *La chambre donne sur la mer.*

Verbe pronominal

1. Faire le don de soi. *Elle s'est entièrement donnée à cette tâche.* **SYN.** se consacrer.

2. S'attribuer faussement. *Il se donne tout le mérite.*

Locutions

Ne pas savoir où donner de la tête. Être très occupé.

S'en donner à cœur joie. Se divertir, s'amuser.

Conjugaison [VOIR MODÈLE – **AIMER**]

donneur, euse n. m. et f.

Celui, celle qui donne. *Des donneurs de sang, un donneur universel.*

dont pron.

Pronom relatif des deux genres et des deux nombres.

1. De qui, de quoi. *Le projet dont elle est la conceptrice. Le mal dont il souffre.*

2. D'où. *La ville dont il vient.*

☞ Ce pronom relatif peut avoir pour antécédent un nom de personne ou un nom de chose et il s'utilise avec un verbe dont le complément est introduit par la préposition ***de.*** Attention à la subordonnée introduite par ***dont*** : elle ne peut comporter d'adjectif possessif qui se rapporte à l'antécédent. *La maison dont la cheminée est rouge* (et non dont *sa cheminée).

dopage n. m.

👄 Le ***o*** est ouvert [dɔpaʒ].

Action de doper, son résultat. *Le dopage* (et non le *doping) *des athlètes est interdit.*

***dope**

Anglicisme au sens de ***drogue.***

doper v. tr.

👄 Le ***o*** est ouvert [dɔpe].

Administrer un stimulant avant une épreuve sportive, un examen.

Conjugaison [VOIR MODÈLE – **AIMER**]

doré, ée adj. et n. m.

Adjectif

1. Qui est recouvert d'or. *Une chaîne dorée.*

2. Qui a la couleur de l'or. *Des cheveux dorés.*

Nom masculin

1. Couleur dorée. *Des cheveux d'un beau doré.*

2. ⚜ Poisson d'eau douce dont la chair est appréciée. *Étienne a pêché un beau doré.*

dorénavant adv.

Désormais, à partir du moment présent.

dorer v. tr., pronom.

Verbe transitif

1. Recouvrir d'une mince couche d'or.

2. Donner la couleur dorée à. *Le four a doré le pain qui cuisait.*

Verbe pronominal

Se dorer au soleil. Devenir d'une couleur dorée. *Elles se sont dorées au soleil du Mexique.*

Conjugaison [VOIR MODÈLE – **AIMER**]

dorloter v. tr.
Cajoler, entourer de soins attentifs. *Elle dorlote ses enfants.* **SYN.** (FAMILIER) chouchouter, choyer.
Conjugaison [VOIR MODÈLE – **AIMER**]
dorlo**t**er, un seul ***t***.

dormeur, euse n. m. et f.
Qui dort, qui aime dormir. *C'est une bonne dormeuse.*

dormir v. intr.
1. Se reposer, être dans le sommeil. *Ils dorment depuis deux heures. Combien d'heures avez-vous dormi ?*
Attention au participe qui ne s'accorde pas, le nom ***heures*** étant un complément circonstanciel (*pendant combien d'heures ?*).
2. (FIGURÉ) Demeurer inactif, non productif. *Des capitaux qui dorment dans un bas de laine.*
Locutions
Dormir sur ses deux oreilles. Être tranquille.
Histoire à dormir debout. Histoire invraisemblable.
Qui dort dîne. (Proverbe) Le sommeil empêche de penser à la faim.
Conjugaison [VOIR MODÈLE – **DORMIR**]

dorsal, ale, aux adj.
Du dos. *Les muscles dorsaux. L'épine dorsale.*

dortoir n. m.
Salle commune où dorment les membres d'une communauté. *Les pensionnaires dorment dans le dortoir.*

dos n. m.
1. Face postérieure du corps de l'homme. *Grand-papa a mal au dos.*
2. Dossier. *Le dos d'un fauteuil.*
3. Revers. *Le dos d'une enveloppe.* **SYN.** verso. **ANT.** recto.
Locution
En avoir plein le dos. (FAMILIER) Être exaspéré.

dos d'âne n. m. inv.
Gonflement transversal de la chaussée. *Des dos d'âne.*

dose n. f.
1. Quantité de médicament à prendre en une fois. *Une dose de sirop contre la toux.*
2. Quantité de ce qui entre dans un mélange. **SYN.** mesure, proportion.

doser v. tr.
Mesurer. *Doser des ingrédients.*
Conjugaison [VOIR MODÈLE – **AIMER**]

dossard n. m.
Le ***o*** est fermé [dosar].
Carré d'étoffe porté sur le dos à des fins d'identification. *Les coureurs portent des dossards numérotés.*
dossar**d.**

dossier n. m.
Le ***o*** est fermé [dosje].
1. Partie d'un siège sur lequel on appuie le dos. *Le dossier d'un fauteuil.*
2. Ensemble de documents relatifs à un sujet. *Un volumineux dossier.*

dot n. f.
Le ***t*** se prononce [dɔt].
Biens donnés à une femme par ses parents à l'occasion de son mariage.
do**t.**

doter v. tr.
1. Pourvoir d'une dot. *Il a bien doté sa fille.*
2. Gratifier. *Les talents dont il était doté.* **SYN.** combler, donner.
3. Équiper. *Doter un bureau de micro-ordinateurs.*
Conjugaison [VOIR MODÈLE – **AIMER**]
do**t**er.

douane n. f.
Administration chargée de percevoir les droits sur les marchandises qui entrent dans le pays.

douanier n. m.
douanière n. f.
Fonctionnaire de la douane.

doublage n. m.
1. Action de doubler. *Le doublage d'un manteau.*
2. Multiplication par deux.
3. Enregistrement des dialogues d'un film dans une langue différente de celle de l'original. *Le doublage est mal fait.*

double adj., adv. et n. m.
Adjectif
Qui est multiplié par deux, qui est formé de deux choses identiques. *En double exemplaire.*
Attention à l'orthographe : même si cet adjectif comporte la notion de deux éléments, il n'entraîne pas de pluriel. *En double exemplaire. Une double fenêtre, des doubles fenêtres. Faire double emploi, fermer à double tour.*
Adverbe
1. En quantité double. *Ces cartes comptent double.*
2. De façon double. *Ils voient double.*
Pris adverbialement, le mot est invariable.
Nom masculin
1. Quantité multipliée par deux. *Quatre est le double de deux.*
2. Copie exacte. *Le double d'un contrat, d'une clé.*
Locutions
Faire double emploi. Faire inutilement répétition.
Voir double. Voir deux choses là où il n'y en a qu'une. *Ils ont trop bu et voient double.*

doublé, ée adj.
1. Porté au double. *Une quantité doublée.*
2. Garni d'une doublure. *Un pantalon doublé.*

doubler v. tr., intr., pronom.
Verbe transitif
1. Multiplier par deux. *Il faudra doubler les quantités.*
Ne pas confondre avec le verbe ***dédoubler,*** partager en deux.
2. Garnir d'une doublure. *Doubler une jupe.*
3. Dépasser. *La voiture a doublé le camion.*
4. Effectuer le doublage d'un film. *Ce film italien est doublé en français.*
Verbe intransitif
Devenir double. *La production a doublé au cours du dernier mois.*
Verbe pronominal
S'accompagner de. *Une intelligence qui se double d'une imagination créatrice.*
Conjugaison [VOIR MODÈLE – **AIMER**]

doublet n. m.
Se dit de mots qui ont une origine commune, mais un sens différent. *Les adjectifs* fragile *et* frêle *sont des doublets.*
VOIR TABLEAU – **DOUBLETS.**

Indicatif

Présent	*Passé composé*
je dors	j' ai dormi
tu dors	tu as dormi
elle dort	elle a dormi
il dort	il a dormi
nous dormons	nous avons dormi
vous dormez	vous avez dormi
elles dorment	elles ont dormi
ils dorment	ils ont dormi

Imparfait	*Plus-que-parfait*
je dormais	j' avais dormi
tu dormais	tu avais dormi
elle dormait	elle avait dormi
il dormait	il avait dormi
nous dormions	nous avions dormi
vous dormiez	vous aviez dormi
elles dormaient	elles avaient dormi
ils dormaient	ils avaient dormi

Passé simple	*Passé antérieur*
je dormis	j' eus dormi
tu dormis	tu eus dormi
elle dormit	elle eut dormi
il dormit	il eut dormi
nous dormîmes	nous eûmes dormi
vous dormîtes	vous eûtes dormi
elles dormirent	elles eurent dormi
ils dormirent	ils eurent dormi

Futur simple	*Futur antérieur*
je dormirai	j' aurai dormi
tu dormiras	tu auras dormi
elle dormira	elle aura dormi
il dormira	il aura dormi
nous dormirons	nous aurons dormi
vous dormirez	vous aurez dormi
elles dormiront	elles auront dormi
ils dormiront	ils auront dormi

Infinitif

Présent	*Passé*
dormir	avoir dormi

Subjonctif

Présent	*Passé*
que je dorme	que j' aie dormi
que tu dormes	que tu aies dormi
qu' elle dorme	qu' elle ait dormi
qu' il dorme	qu' il ait dormi
que nous dormions	que nous ayons dormi
que vous dormiez	que vous ayez dormi
qu' elles dorment	qu' elles aient dormi
qu' ils dorment	qu' ils aient dormi

Imparfait	*Plus-que-parfait*
que je dormisse	que j' eusse dormi
que tu dormisses	que tu eusses dormi
qu' elle dormît	qu' elle eût dormi
qu' il dormît	qu' il eût dormi
que nous dormissions	que nous eussions dormi
que vous dormissiez	que vous eussiez dormi
qu' elles dormissent	qu' elles eussent dormi
qu' ils dormissent	qu' ils eussent dormi

Conditionnel

Présent	*Passé*
je dormirais	j' aurais dormi
tu dormirais	tu aurais dormi
elle dormirait	elle aurait dormi
il dormirait	il aurait dormi
nous dormirions	nous aurions dormi
vous dormiriez	vous auriez dormi
elles dormiraient	elles auraient dormi
ils dormiraient	ils auraient dormi

Impératif

Présent	*Passé*
dors	aie dormi
dormons	ayons dormi
dormez	ayez dormi

Participe

Présent	*Passé*
dormant	dormi
	ayant dormi

doublure n. f.
1. Étoffe destinée à en doubler une autre. *La doublure d'un manteau.*
2. Acteur qui en remplace un autre.

doucement adv.
1. D'une manière douce. *Il caressa doucement son chaton.*
2. Lentement. *Roulez doucement, il y a beaucoup d'enfants qui jouent dans la rue.*

douceur n. f.
1. Qualité de ce qui est doux, agréable. *La douceur de sa peau.*
2. Comportement affectueux. *La douceur d'une caresse.*
3. (AU PLURIEL) Friandises. *Tu prendras bien de petites douceurs ?* **SYN.** sucreries.

douche n. f.
1. Projection d'eau en jet qui arrose le corps comme moyen hygiénique ou curatif. *Une douche bien fraîche me réveillera.*
2. Appareil qui permet de prendre des douches. *Je voudrais une chambre avec douche ou baignoire, s.v.p.*

DOUBLETS

Le français, comme plusieurs autres langues, provient du latin. Il est intéressant d'observer qu'un même mot latin a donné parfois deux mots français, différents par la forme et le sens : on appelle ces mots des **doublets**.

Ainsi les noms **parole** et **parabole** viennent du mot latin « parabola ». Le premier a subi l'évolution phonétique normale (formation populaire), tandis que le second a été emprunté directement au latin par l'Église (formation savante) pour nommer la parole du Christ.

Voici quelques exemples de doublets :

forme populaire		forme savante
aigre	et	âcre
écouter	et	ausculter
chose	et	cause
cheville	et	clavicule
cueillette	et	collecte
combler	et	cumuler
dessiner	et	désigner
frêle	et	fragile
hôtel	et	hôpital
entier	et	intègre
livrer	et	libérer
mâcher	et	mastiquer
métier	et	ministère
œuvrer	et	opérer
parole	et	parabole
poison	et	potion
porche	et	portique
recouvrer	et	récupérer
sembler	et	simuler

Locutions
Douche écossaise. Douche chaude suivie d'une douche froide.
Douche écossaise. (FIGURÉ) Alternance de bonnes et de mauvaises nouvelles.

doucher v. tr.
1. Donner une douche à.
2. (FIGURÉ) (FAMILIER) Causer une déception soudaine à. **SYN.** décevoir.
Conjugaison [VOIR MODÈLE – **AIMER**]

doué, ée adj.
Qui a des aptitudes pour quelque chose. *Un enfant très doué.* **SYN.** talentueux.

douer v. tr.
Avantager, doter. *La nature l'a doué d'une vigueur exceptionnelle.*
Conjugaison [VOIR MODÈLE – **AIMER**]

douillet, ette adj.
1. Doux, très rembourré. *Un fauteuil douillet.* **SYN.** confortable.
2. Trop délicat. *Un enfant douillet.* **SYN.** délicat, sensible.

douillette n. f.
Édredon, couvre-pieds matelassé de duvet qui recouvre le lit. **SYN.** couette.

douleur n. f.
1. Souffrance physique. *Une douleur au dos.*
2. Souffrance morale. *Elle a eu la douleur de perdre sa marraine.* **SYN.** chagrin, peine.

douloureux, euse adj.
Qui cause une peine physique ou morale. *Un traitement douloureux. Un départ douloureux.*

doute n. m.
1. Incertitude. *Avoir un doute sur l'orthographe d'un mot.* **SYN.** hésitation, interrogation.
2. Soupçon, méfiance. *Ils ont des doutes sur son honnêteté.*
Locutions
Nul doute que, aucun doute que, il ne fait pas de doute que. Il est certain que.
Ces expressions peuvent se construire avec :
1° le **mode subjonctif** et le ***ne*** explétif (non obligatoire). *Nul doute qu'il ne soit le plus rapide.*
2° le **mode indicatif,** pour insister sur la certitude. *Aucun doute qu'elle est la plus forte.*
3° le **mode conditionnel,** pour traduire une éventualité. *Nul doute qu'ils seraient présents si leur travail le leur permettait.*
Sans aucun doute, locution adverbiale. Assurément.
Sans doute. Vraisemblablement. *Sans doute acceptera-t-elle de parrainer la recommandation.* **SYN.** assurément.
Placé en tête de phrase, cette locution entraîne généralement l'inversion du sujet.
Sans doute que. Il est vraisemblable que. *Sans doute qu'il participera à nos travaux.*
Cette locution conjonctive est suivie du mode indicatif ou du mode conditionnel.
Dans les expressions ***nul doute, sans nul doute, sans aucun doute, sans doute,*** le nom ***doute*** s'écrit toujours au singulier.

douter v. tr. ind., pronom.
Verbe transitif indirect
1. N'être pas sûr de (telle chose, telle personne). *Tu doutes de son succès ?* **SYN.** mettre en doute.
En ce sens, le verbe se construit avec la préposition ***de.***

2. Ne pas avoir confiance en (telle chose, telle personne). *Elle doute de lui.* **SYN.** se méfier de.
3. ***Douter*** + ***que*** se construit avec le subjonctif. *Il doute qu'elle soit là.*
Verbe pronominal
1. Soupçonner. *Elle ne se doute pas du tout de la petite fête qui a été organisée.* **SYN.** croire, deviner, penser, supposer. *Il ne se doutait pas que tout avait été organisé.*
Suivi de ***que,*** le verbe se construit avec l'indicatif ou le conditionnel.
Conjugaison [VOIR MODÈLE – **AIMER**]

douteux, euse adj.
1. Incertain, peu probable. *Arrivera-t-elle à temps ? C'est douteux.*
2. Dont la qualité laisse à désirer. *Des produits douteux.*

douve n. f.
Fossé rempli d'eau à proximité des murailles d'un château. *Les douves d'un château fort.*

doux, douce adj.
1. Agréable à toucher. *Sa peau est douce.* **SYN.** soyeux, velouté.
2. Faible, par opposition à ***fort, piquant.*** *Des piments doux, un doux parfum.*
3. Sucré, par opposition à ***acide, amer.*** *Des oranges douces.*
4. Gentil, bienveillant, en parlant d'une personne. *Il est doux comme un agneau.* **SYN.** humain.
5. Affectueux, tendre. *Le doux sourire de l'être cher.*
6. Se dit de conditions atmosphériques modérées. *Un hiver doux, un temps doux. Il fait doux aujourd'hui : on peut aller jouer dehors.* **SYN.** modéré, tempéré. **ANT.** rude.
Locutions
Billet doux. Lettre d'amour.
Eau douce. Eau des lacs, des rivières, par opposition à l'eau salée de la mer.
En douce, locution adverbiale. (FAMILIER) Avec discrétion.
Faire les yeux doux. Regarder avec amour.
Filer doux, locution adverbiale. Obéir sans résistance.
Pris adverbialement, le mot ***doux*** est invariable.
Médecine douce. Médecine qui s'efforce d'utiliser des moyens naturels.

douzaine n. f.
Ensemble de douze objets de même nature. *Deux douzaines d'œufs.*
Locution
À la douzaine. En quantité importante. *Des coquillages comme ceux-là ? On en trouve à la douzaine.*

douze adj. num. inv. et n. m. inv.
Adjectif numéral cardinal invariable
Onze plus un. *Douze heures.*
Adjectif numéral ordinal invariable
Douzième. *Le douze décembre.*
Nom masculin invariable
Nombre douze. *Elle a tracé des douze dans la neige.*
VOIR TABLEAU – **NOMBRES.**
VOIR TABLEAU – **NUMÉRAL (ADJECTIF).**

douzième adj. num. et n. m. et f.
Abréviations : ***12e*** (douzième), ***12es*** (douzièmes).
Adjectif numéral ordinal
Nombre ordinal de douze. *La douzième heure.*
Nom masculin
La douzième partie d'un tout. *Les trois douzièmes d'une quantité.*
Nom masculin et féminin
Personne, chose qui occupe le douzième rang. *Elles sont les douzièmes.*
VOIR TABLEAU – **NOMBRES.**
VOIR TABLEAU – **NUMÉRAL (ADJECTIF).**

doyen n. m.
doyenne n. f.
1. Personne qui administre une faculté universitaire.
2. (FIGURÉ) Personne la plus ancienne, la plus âgée dans un groupe. *La doyenne des Québécois a plus de 100 ans.*

D^r^ ou Dr, D^re^ ou Dre
Abréviations de ***docteur, docteure***, devant le nom de la personne.
VOIR **DOCTEUR.**

***drabe**
Anglicisme pour ***beige.***

dragage n. m.
Action de nettoyer le fond d'un cours d'eau. *Le dragage du fleuve.*
dra**ga**ge.

dragée n. f.
Amande recouverte d'une pâte sucrée.

dragon n. m.
Animal fabuleux. *Le chevalier doit vaincre le dragon pour l'amour de sa dame.*

dragonne n. f.
Cordon formant poignée (pour appareil photographique, valise, canne, parapluie).

draguer v. tr., intr.
1. Nettoyer le fond d'une étendue d'eau.
2. (FAMILIER) Être à la recherche d'une aventure amoureuse.
Conjugaison [VOIR MODÈLE – **AIMER**]
Ce verbe s'écrit toujours avec un ***u,*** même devant les lettres ***a*** et ***o.*** *Il dragua, nous draguons.*

drain n. m.
Conduit servant à l'évacuation d'un liquide.

drainer v. tr.
1. Pratiquer le drainage en vue d'assécher un terrain.
2. (MÉDECINE) Mettre un drain dans une plaie.
3. (FIGURÉ) Attirer à soi. *Drainer toutes les énergies.*
Conjugaison [VOIR MODÈLE – **AIMER**]

drakkar n. m.
Navire viking à rames et à voile carrée.
dra**kk**ar.

dramatique adj.
1. De théâtre. *Un auteur dramatique.*
2. Pénible, grave. *Un accident dramatique.* **SYN.** émouvant, terrible, tragique.
Locution
Art dramatique. Art de jouer sur scène (théâtre, cinéma, télévision). *Delphine veut aller à une école d'art dramatique, car elle veut devenir comédienne.*

dramatiser v. tr.
Présenter de manière dramatique, excessive. *Ne dramatisons pas ce petit incident.* **SYN.** exagérer.
Conjugaison [VOIR MODÈLE – **AIMER**]

drame n. m.
1. Pièce de théâtre qui décrit une tragédie. **ANT.** comédie.
2. Évènement tragique. *L'écrasement de cet avion est un drame.* **SYN.** catastrophe, tragédie.

drap n. m.
Pièce de tissu léger dont on garnit un lit. *Des draps fleuris.*
Locutions
Drap de bain. Grande serviette en tissu-éponge. *Des draps de bain bleus.*
Être, se mettre dans de beaux draps. Être, se mettre dans une situation difficile.
✎ dra**p,** attention au ***p*** final.

drapeau n. m. (pl. *drapeaux*)
Pièce d'étoffe qui porte les couleurs d'un pays et qui le représente. *Des drapeaux fleurdelisés.*

draper v. tr., pronom.
Verbe transitif
Disposer les plis d'une étoffe, d'un vêtement. *Draper une pièce de velours sur un mannequin.*
Verbe pronominal
S'envelopper dans un vêtement, une pièce d'étoffe. *Elle s'était drapée dans une grande serviette.*
Conjugaison [VOIR MODÈLE – **AIMER**]

draperie n. f.
Tissu drapé. *La draperie d'une fenêtre, d'un lit à baldaquin.*

drap-housse n. m. (pl. *draps-housses*)
Drap dont les bords garnis d'un élastique s'adaptent au matelas. *Acheter un drap-housse* (et non un *drap contour).

drave n. f.
⚜ Flottage du bois.

draver v. tr.
⚜ Transporter le bois par flottage.
Conjugaison [VOIR MODÈLE – **AIMER**]

draveur n. m.
draveuse n. f.
⚜ Personne préposée au flottage du bois.

dressage n. m.
Action de dresser un animal, d'installer quelque chose. *Le dressage d'un chien à titre de gardien.*

dresser v. tr., pronom.
Verbe transitif
1. Mettre verticalement. *Dresser le bras.*
2. Élever. *Dresser une tente, un échafaudage.* **SYN.** ériger.
3. Établir. *Il faut dresser la liste des invités.*
4. Dompter un animal. *Dresser un chien.*
Verbe pronominal
1. S'élever tout droit, se mettre debout. *La montagne se dresse dans le ciel. Léon se dressa d'un bond.*
2. (FIGURÉ) S'opposer. *Elles se sont dressées contre lui.* **SYN.** s'élever, résister.
Locution
Dresser l'oreille. Écouter attentivement.
Conjugaison [VOIR MODÈLE – **AIMER**]

drogue n. f.
Substance qui agit sur le cerveau et qui peut provoquer une accoutumance. *L'opium, la cocaïne sont des drogues très dangereuses pour la santé.*

drogué, ée n. m. et f.
Personne qui prend souvent de la drogue. **SYN.** toxicomane.

droguer v. tr., pronom.
Verbe transitif
Faire prendre des drogues à une personne. *On l'a drogué pour le voler.*
Verbe pronominal
Faire usage de stupéfiants. *Ils se sont drogués.*
Conjugaison [VOIR MODÈLE – **AIMER**]
Ce verbe s'écrit toujours avec un ***u,*** même devant les lettres ***a*** et ***o.*** *Il drogua, nous droguons.*

droit, droite adj., adv. et n. f.
Adjectif
1. Rectiligne. *Une ligne droite.* **SYN.** direct.
2. Qui se tient verticalement. *Un mur droit.* **SYN.** debout, vertical.
3. Honnête. *Une personne droite et courageuse.*
4. Qui est du côté opposé à celui du cœur (par opposition à ***gauche***). *La main droite.*
Adverbe
Directement. *Aller droit au but. Ils frappèrent droit devant eux.*
☞ Pris adverbialement, le mot est invariable.
Nom féminin
Le côté droit. *Rouler à droite.*
Locution
Être le bras droit de quelqu'un. Personne qui en seconde une autre.

droit n. m.
1. Possibilité de faire quelque chose. *Les droits et libertés.*
2. Ensemble des principes qui règlent les rapports des hommes entre eux et qui servent à définir les lois. *Olivier étudie le droit : il veut devenir avocat.*
3. Autorisation. *Catherine a le droit d'aller au cinéma avec une amie.*
4. Somme d'argent à payer. *Un droit d'entrée à un film, des droits d'auteur.* **SYN.** frais, prix.
Locutions
Avoir droit à. Faculté de prétendre à quelque chose, de l'exiger.
À bon droit. Avec raison. **SYN.** à juste titre.

droitier, ière adj. et n. m. et f.
Qui se sert de sa main droite. *Luc est droitier.* **ANT.** gaucher.

drôle adj.
1. Amusant, comique. *Ce comédien est très drôle.* **SYN.** cocasse, (FAMILIER) marrant, rigolo, tordant.
2. Bizarre. *C'est drôle, on n'a pas entendu parler de lui depuis longtemps.* **SYN.** curieux, étonnant, surprenant.
✎ dr**ô**le.

drôlement adv.
1. De façon drôle. *Cette personne marche drôlement.* **SYN.** comiquement.
2. Bizarrement. *Il se conduit drôlement : sa conduite est suspecte.*
3. Très. *Il fait drôlement froid ce matin.* **SYN.** bien, énormément, extrêmement, joliment.
✎ dr**ô**lement.

dromadaire n. m.
Mammifère à une seule bosse, voisin du chameau.
☞ Ne pas confondre avec le nom ***chameau,*** animal qui a deux bosses.

***drop-out**
Anglicisme pour ***décrocheur, décrocheuse.***

dru, ue adj. et adv.
Adjectif
Qui pousse épais et serré. *Des poils très drus.* **SYN.** touffu.
Adverbe
De manière serrée, en grande quantité. *Ses cheveux poussent dru.*
☞ Employé adverbialement, ***dru*** est invariable.

druide, esse n. m. et f.
(ANCIENNEMENT) Prêtre gaulois. *Dans* Astérix, *le druide se nomme Panoramix.*

du art. déf. contracté
Article formé par la contraction de la préposition ***de*** et de l'article défini ***le.***

dû, due adj. et n. m.
Adjectif
Que l'on doit. *Le montant dû. Les sommes dues.*
Nom masculin
Dette. *Payer son dû.*
Locution
Chose promise, chose due. (Proverbe) Il faut respecter ses promesses.
Forme fautive
*dû à. Calque de l'anglais « due to » au sens de ***en raison de, compte tenu de, à cause de.***
VOIR **DEVOIR.**
un montant d**û, une** somme d**ue, des** droits d**us.**

duc n. m.
1. Titre nobiliaire le plus élevé après celui de ***prince.***
2. Variété de hibou. *Un grand duc peut atteindre 70 cm de longueur.*

duché n. m.
Territoire gouverné autrefois par un duc.

duchesse n. f.
1. Titre nobiliaire le plus élevé après celui de ***princesse.***
2. Poire à chair fondante.

duel n. m.
1. Combat singulier entre deux personnes dont l'une a provoqué l'autre. *De nos jours, les duels sont rares.*
2. (FIGURÉ) Compétition. *Ce sera un vrai duel entre les deux groupes.* **SYN.** combat, joute.

dune n. f.
Butte de sable formée par le vent. *Les dunes de Cape Cod, les dunes du désert.*
L'expression *« dune de sable » est un pléonasme à éviter.

duo n. m.
Composition musicale à deux voix. *Des duos harmonieux. Chanter en duo.*

dupe adj. et n. f.
Adjectif
Qui se laisse berner. *Ne soyez pas dupes de ce stratagème.*
Nom féminin
Personne trompée. *Il a été la dupe de la farce.*
Le nom reste féminin même lorsqu'il désigne un être masculin. Cependant, il s'emploie généralement comme adjectif plutôt que comme nom.

duper v. tr.
Tromper. *Il nous a dupés avec ses tours de magie.* **SYN.** attraper, berner, faire croire, illusionner, rouler.
Conjugaison [VOIR MODÈLE – **AIMER**]

duplex n. m.
Immeuble comportant deux appartements sur deux étages.

duquel, de laquelle adj. rel. et pron. rel. et interr.
VOIR **LEQUEL.**

dur, dure adj., adv. et n. m. et f.
Adjectif
1. Rigide, résistant. *Du bois dur.* **SYN.** solide.
2. Difficile. *Un dur labeur.* **SYN.** ardu.
3. Rigoureux. *Un hiver dur.* **SYN.** rigoureux, rude.
4. Violent, intransigeant. *Il est trop dur avec eux.* **SYN.** brutal, inhumain, méchant, sévère.
Adverbe
Avec énergie. *Ils travaillent dur.*
Pris adverbialement, le mot est invariable.
Nom masculin
Ce qui est dur, résistant. *Le* ***dur,*** *par opposition au* ***mou.***
Nom féminin
La terre nue. *Dormir sur la dure.*
Nom masculin et féminin
(FAMILIER) Personne qui n'a peur de rien, qui ne se laisse pas émouvoir. *Ces motards sont des durs.*
Locutions
Avoir la tête dure. Être têtu, ne rien vouloir entendre.
Avoir la vie dure. Ne pas avoir une vie facile.
Dur à cuire. Personne insensible et peu influençable. *Des durs à cuire.*

durable adj.
Qui doit durer longtemps, stable. *Ces biens sont durables.*

durant prép.
Pendant la durée de. *Il a creusé durant trois heures.* **SYN.** pendant.
duran**t.**

durcir v. tr., intr., pronom.
Verbe transitif
1. Rendre dur. *Le froid a durci la neige.*
2. Rendre plus fort, moins délicat. *Ce séjour chez les scouts l'a durci.* **SYN.** endurcir.
Verbe intransitif et pronominal
Devenir dur. *Le pain a durci, s'est durci.*
Conjugaison [VOIR MODÈLE – **FINIR**]

durcissement n. m.
Action de durcir, de se durcir. *Le durcissement de la glace, des règlements de l'école.*

durée n. f.
Espace de temps que dure une chose. *La durée du film est de deux heures.* **SYN.** période, temps.

durement adv.
D'une façon dure. **SYN.** brutalement.

durer v. intr.
1. Avoir une durée de. *Ce film dure trois heures.*
2. Se prolonger. *L'hiver dure trop longtemps.* **SYN.** s'éterniser, s'étirer.
3. Être d'un long usage. *Ce manteau durera longtemps.*
Conjugaison [VOIR MODÈLE – **AIMER**]

dureté n. f.
1. Rigidité. *La dureté de la pierre.* **SYN.** solidité.
2. Sévérité, absence de sensibilité. **SYN.** méchanceté, rudesse.

duvet n. m.
Plume très légère. *Un oreiller de duvet.*
duve**t.**

dynamique adj.
1. Qui se rapporte à la force, au mouvement.
2. Énergique, actif. *Un éditeur dynamique.* **SYN.** entreprenant.
d**y**namique.

dynamisant, ante adj.
Qui donne du dynamisme. *Ces vitamines sont dynamisantes.* **SYN.** stimulant.

dynamiser v. tr.
Donner du dynamisme, de l'énergie. *Ces exercices vous dynamiseront.* **SYN.** stimuler.
Conjugaison [VOIR MODÈLE – **AIMER**]

dynamisme n. m.
Puissance d'action, efficacité. *Le dynamisme d'une équipe.*
SYN. énergie, vitalité.
✏ d**y**namisme.

dynamitage n. m.
Action de dynamiter. *Le dynamitage d'un embâcle.*
✏ d**y**namitage.

dynamite n. f.
Explosif. *Ils ont fait sauter ce rocher à la dynamite.*
✏ d**y**namite.

dynamiter v. tr.
Faire sauter au moyen de la dynamite. *Cette voiture a été dynamitée, elle a explosé.*
Conjugaison [VOIR MODÈLE – **AIMER**]
✏ d**y**namiter.

dyslexie n. f.
Difficulté d'apprentissage de la lecture.

dyslexique adj. et n. m. et f.
Adjectif
Relatif à la dyslexie.
Nom masculin et féminin
Personne atteinte de dyslexie.

dystrophie n. f.
Anomalie de développement d'un organe. *Dystrophie musculaire.*
✏ d**y**stro**ph**ie.

e n. m. inv.
Cinquième lettre de l'alphabet.

E.
Abréviation du point cardinal ***est.***

^{e} (pl. ^{es})
Abréviation du suffixe ordinal. *Elles habitent au 16e* (et non au *16ième, au 16ème) *étage. Elles sont les 16es candidates.*
Dans la mesure du possible, l'abréviation s'écrit en exposant.

eau n. f. (pl. *eaux*)
1. Substance liquide et transparente, sans couleur, sans odeur, sans goût. *Des eaux de source très pures. Une goutte d'eau.*
2. Étendue de ce liquide. *Il pêche au bord de l'eau. Françoise s'est jetée à l'eau pour se rafraîchir. Nager sous l'eau.*
3. Préparation liquide. *Eau de toilette, eau de Javel, eau de Cologne.*
Au pluriel, le second élément de ces expressions est invariable.
Locutions
Apporter de l'eau au moulin. Favoriser un point de vue, volontairement ou non.
C'est l'eau et le feu. Mésentente totale.
Coup d'épée dans l'eau. Tentative inutile.
Eau de mer. Eau salée des océans.
Eau d'érable. Sève sucrée de l'érable servant à faire du sirop. *L'acériculteur ramasse l'eau d'érable.*
Eau douce. Eau non salée des lacs, rivières, etc.
Être comme un poisson dans l'eau. Être très à l'aise.
Jeter le bébé avec l'eau du bain. Perdre de vue l'essentiel en réglant des questions secondaires.
Mettre l'eau à la bouche. Donner faim.
Se ressembler comme deux gouttes d'eau. Être tout à fait semblables.
Tomber à l'eau. (FIGURÉ) Échouer.
Une tempête dans un verre d'eau. Agitation pour une insignifiance.
HOM.
– **au, aux**, articles contractés ;
haut, sommet ;
– **os**, partie du squelette de l'homme et des animaux vertébrés.

eau-de-vie n. f. (pl. *eaux-de-vie*)
Boisson alcoolique.

ébahi, ie adj.
Étonné, stupéfait. *Les spectateurs ébahis étaient silencieux.*
SYN. ahuri, stupéfié.
éba**h**i.

ébahir v. tr., pronom.
Verbe transitif
Abasourdir, stupéfier. *Cette information nous a ébahis.*
Verbe pronominal
S'étonner. *Ils se sont ébahis d'être si critiqués.*
À la forme pronominale, le verbe se construit avec la préposition ***de.***
Conjugaison [VOIR MODÈLE – **FINIR**]
éba**h**ir.

ébats n. m. pl.
(LITTÉRAIRE) Mouvements vifs assurant la détente. *Le chien prend ses ébats dans le jardin.*
Le nom ne s'emploie plus au singulier.

ébauche n. f.
Première forme donnée à une œuvre. **SYN.** amorce.
Ne pas confondre avec les noms suivants :
– ***canevas,*** plan, schéma d'un texte ;
– ***esquisse,*** représentation simplifiée d'une œuvre destinée à servir d'essai ;
– ***maquette,*** représentation schématique d'une mise en pages.

ébaucher v. tr., pronom.
Verbe transitif
1. Donner la première forme à une œuvre, à un travail. *Ébaucher un roman, une sculpture.* **ANT.** achever, parachever.
2. Esquisser. *Ébaucher un sourire.* **SYN.** amorcer.
Verbe pronominal
(FIGURÉ) Commencer. *Le projet qui s'ébauche mérite d'être retenu.* **SYN.** s'amorcer, s'esquisser.
Conjugaison [VOIR MODÈLE – **AIMER**]

ébène adj. inv. et n. f.
Nom féminin
Bois de l'ébénier. *L'ébène est très dure et noire.*
Attention au genre féminin de ce nom : ***une*** ébène.
Adjectif de couleur invariable
De la couleur noire de l'ébène. *Des cheveux ébène.* **SYN.** noir.
VOIR TABLEAU – **COULEUR (ADJECTIFS DE).**

ébéniste n. m. et f.
Personne spécialisée dans la fabrication de meubles en bois de grande qualité.
Ne pas confondre avec le nom ***menuisier, menuisière,*** personne dont le métier est de travailler le bois.

éblouir v. tr.
1. Aveugler. *Le soleil a ébloui le conducteur de la voiture qui a causé un accident.*
2. (FIGURÉ) Émerveiller. *Ce beau château nous a éblouis.* **SYN.** impressionner.
Conjugaison [VOIR MODÈLE – **FINIR**]

éblouissant, ante adj.
1. Aveuglant. *Des phares éblouissants.*
2. (FIGURÉ) Merveilleux. *Le jeu éblouissant d'un comédien. Une grâce éblouissante.* **SYN.** brillant, fascinant.
Ne pas confondre avec le participe présent invariable ***éblouissant.*** *Le soleil éblouissant les conducteurs, on releva plusieurs accrochages.*

éblouissement n. m.
1. Aveuglement momentané causé par une lumière très vive.
2. (FIGURÉ) Émerveillement. *Ce ballet était un éblouissement.*
Locution
Avoir un éblouissement. Ressentir un vertige, un malaise.

éboueur n. m.
éboueuse n. f.
Personne chargée d'enlever les ordures ménagères. *Les éboueurs* (et non les *vidangeurs) *passent le lundi.*

ébouillanter v. tr., pronom.
Verbe transitif
Passer à l'eau bouillante. *Ébouillanter des pâtes.*
Verbe pronominal
Se brûler avec un liquide bouillant. *Elle s'est ébouillantée en préparant la soupe.*
Conjugaison [VOIR MODÈLE – **AIMER**]

éboulement n. m.
1. Chute de pierres, de terre. *Il y a eu un petit éboulement.* **SYN.** effondrement.
2. Matières éboulées. *Un éboulement de cailloux bloque le sentier.* **SYN.** éboulis.
ébou**l**ement.

éboulis n. m.
Le ***s*** ne se prononce pas [ebuli].
Éboulement. *Des éboulis de pierres bloquent la route.*
ébou**lis.**

ébouriffé, ée adj.
Échevelé. *Une tête ébouriffée.* **SYN.** décoiffé.
ébou**riff**é.

ébouriffer v. tr.
Écheveler. *Le vent a ébouriffé ses cheveux.* **SYN.** décoiffer.
Conjugaison [VOIR MODÈLE – **AIMER**]
ébou**riff**er.

ébrécher v. tr.
Faire une brèche à. *Il ébrécha cette assiette.*
Conjugaison [VOIR MODÈLE – **POSSÉDER**]
Le deuxième ***é*** se change en ***è*** devant une syllabe muette, sauf au futur et au conditionnel présent. *J'ébrèche,* mais *j'ébrécherai.*

ébrouer (s') v. pronom.
S'agiter en sortant de l'eau, pour se sécher. *Les chiens se sont ébroués avec entrain.*
Le participe passé de ce verbe qui n'existe qu'à la forme pronominale s'accorde toujours en genre et en nombre avec le sujet du verbe.
Conjugaison [VOIR MODÈLE – **AIMER**]

ébruiter v. tr., pronom.
Verbe transitif
Rendre public. *Il faut éviter d'ébruiter la nouvelle.* **SYN.** diffuser, divulguer.
Verbe pronominal
Se répandre. *Les nouvelles se sont ébruitées très vite.*
Conjugaison [VOIR MODÈLE – **AIMER**]

ébullition n. f.
État d'un corps qui se transforme en vapeur. *L'eau entre en ébullition à 100 °C.*
Locution
En ébullition. (FIGURÉ) Dans un état de surexcitation. *La troupe de théâtre est en ébullition : le spectacle va commencer.* **SYN.** en effervescence.
Ne pas confondre avec le nom ***évaporation,*** transformation d'un liquide en gaz par la chaleur.
ébu**ll**ition.

écaille n. f.
1. Chacune des plaques superposées qui recouvrent le corps des poissons, des reptiles. *Des écailles de poisson.*
2. Coquille d'un mollusque. *Écailles d'huîtres, de moules.*
3. Matière cornée de la carapace de la tortue. *Des lunettes à monture d'écaille.*
Ne pas confondre avec le nom ***écale,*** enveloppe des noix.

écailler v. tr., pronom.
Verbe transitif
Enlever les écailles. *Écailler un poisson, des huîtres.*
Verbe pronominal
Tomber par écailles. *Ces vernis se sont écaillés.*
Ne pas confondre avec le verbe ***écaler,*** enlever l'enveloppe des noix, des œufs.
Conjugaison [VOIR MODÈLE – **AIMER**]
Les lettres ***ill*** sont suivies d'un ***i*** à la première et à la deuxième personne du pluriel de l'indicatif imparfait et du subjonctif présent. *(Que) nous écaillions, (que) vous écailliez.*

écale n. f.
Enveloppe des noix. *L'écale d'une amande.*
Ne pas confondre avec le nom ***écaille*** qui se dit pour les poissons, les tortues, certains mollusques.
Forme fautive
*écale (d'un œuf). Impropriété au sens de ***coquille.***
Il est cependant exact d'employer le verbe ***écaler,*** enlever la coquille de l'œuf.

écaler v. tr.
Enlever l'enveloppe des noix, des œufs. *Écaler un œuf dur et des noisettes.*
Ne pas confondre avec le verbe ***écailler,*** enlever les écailles, tomber par écailles.
Conjugaison [VOIR MODÈLE – **AIMER**]

écarlate adj. et n. m.
Adjectif de couleur
D'un rouge vif. *Des bannières écarlates. Elle a un énorme coup de soleil : elle est écarlate !*

VOIR TABLEAU – **COULEUR (ADJECTIFS DE).**
Contrairement à la plupart des noms utilisés comme adjectifs de couleur, l'adjectif ***écarlate*** est variable.
Nom masculin
Couleur rouge très vive. *Des écarlates brillants.*

écarquiller v. tr.
Ouvrir exagérément les yeux. *Elle écarquilla les yeux de surprise.*
Conjugaison [VOIR MODÈLE – **AIMER**]
Les lettres ***ill*** sont suivies d'un ***i*** à la première et à la deuxième personne du pluriel de l'indicatif imparfait et du subjonctif présent. *(Que) nous écarquillions, (que) vous écarquilliez.*

écart n. m.
1. Distance, différence entre des grandeurs, des valeurs. *Un écart de dix points dans les résultats.* **SYN.** variation.
2. Action de s'écarter de sa direction, de sa ligne de conduite. *Des écarts de conduite, de langage, de régime,* mais *un écart à une ligne de conduite.*
Locutions
À l'écart, locution adverbiale. En un lieu éloigné, en dehors. *Cette famille vit à l'écart.*
Grand écart. Écartement des jambes de telle sorte qu'elles touchent le sol sur toute leur longueur.
écar**t.**

écarteler v. tr.
1. (ANCIENNEMENT) Déchirer les membres.
2. (FIGURÉ) Tirailler quelqu'un entre plusieurs possibilités qui imposent un choix. *Elle est écartelée entre le cinéma et la piscine.*
Conjugaison [VOIR MODÈLE – **CONGELER**]
Le **e** se change en **è** devant une syllabe muette. *Il écartèle, il écartelait.*

écarter v. tr., pronom.
Verbe transitif
1. Éloigner. *Écarter un meuble du mur.*
2. Tenir à distance. *Les policiers tentaient d'écarter la foule.*
3. Exclure. *Il ne faut pas écarter cette solution.*
4. Séparer. *Écarter les doigts.*
Verbe pronominal
S'éloigner de. *Il vaut mieux ne pas s'écarter du sentier.*
Forme fautive
*écarter. Au sens de ***perdre, égarer,*** ce verbe est ancien. *J'ai perdu* ou *égaré ma montre* (et non *écarté). *Je me suis perdu* ou *égaré* (et non je me suis *écarté).
Conjugaison [VOIR MODÈLE – **AIMER**]

écervelé, ée adj. et n. m. et f.
Étourdi. *Ils ont oublié leur clé, ces petits écervelés.* **SYN.** irréfléchi.

échafaud n. m.
1. Plateforme pour l'exécution des condamnés à mort.
Ne pas confondre avec le nom ***échafaudage,*** plateforme destinée à faciliter certains travaux.
2. (FIGURÉ) Peine de mort. *Il a été condamné à l'échafaud.*
échafau**d.**

échafaudage n. m.
Plateforme destinée à faciliter certains travaux. *Le peintre travaille sur un échafaudage.*
Ne pas confondre avec le nom ***échafaud,*** plateforme pour l'exécution des condamnés à mort.

échafauder v. tr.
1. Dresser un échafaudage.
2. (FIGURÉ) Élaborer un projet, une théorie de façon rapide. **SYN.** ébaucher, esquisser.
Conjugaison [VOIR MODÈLE – **AIMER**]

échalote n. f.
1. Variété d'ail dont le bulbe sert de condiment. *Une omelette avec des échalotes et des champignons.*
2. Petit oignon vert. *Une tartine couverte d'échalotes et de radis : quel délice !*
échalo**t**e, un seul ***t.***

échancré, ée adj.
Qui a des échancrures. *Un corsage échancré.* **SYN.** décolleté, découpé.
éch**an**cré.

échancrure n. f.
Découpure. *L'échancrure de son chandail.* **SYN.** ouverture.
éch**an**crure.

échange n. m.
1. Action d'échanger. *Un échange de lettres.*
2. Troc, commerce. *Des échanges internationaux.*
3. Relations entre des personnes, des groupes. *Des échanges culturels.*
En ce sens, le nom s'emploie généralement au pluriel.
Locution
En échange de. En contrepartie, en revanche. *En échange de ce livre, je te propose un disque.*
Forme fautive
*échange. Anglicisme au sens de ***taux de change.***

échanger v. tr.
Donner une chose pour en obtenir une autre à la place. *Échanger des cadeaux, un chandail contre une veste. Les enfants ont échangé des billes.*
Ce verbe implique une action réciproque et volontaire, souvent marquée par un sujet pluriel. *Ils ont échangé quelques propos anodins.*
Ne pas confondre avec le verbe ***changer,*** modifier, donner une chose pour une autre, sans idée de réciprocité ou de consentement.
Forme fautive
*échanger (un chèque). Anglicisme au sens de ***encaisser.***
Conjugaison [VOIR MODÈLE – **CHANGER**]
Le ***g*** est suivi d'un **e** devant les lettres ***a*** et ***o.*** *Il échangea, nous échangeons.*

échangeur n. m.
Dispositif de raccordement de plusieurs voies routières (routes et autoroutes) ne comportant aucun croisement à niveau. (Recomm. off. OLF)

échantillon n. m.
Petite quantité d'un ensemble servant à en faire apprécier la qualité. *Des échantillons de tissus, de parfums.*

échappement n. m.
Expulsion des gaz de combustion d'un moteur. *Des tuyaux d'échappement.*

échapper v. tr., intr., pronom.
Verbe transitif direct
Laisser tomber par mégarde, lâcher. *Fanette a échappé son verre de lait qui s'est renversé.*
En ce sens, le verbe ne s'emploie qu'au Québec et dans certaines régions de France. Dans la francophonie, on dit plutôt ***laisser échapper.***

Verbe transitif indirect ou **intransitif**
1. Éviter, se soustraire à. *Il a échappé à ses adversaires.*
2. Ne pas se rappeler, ne pas connaître. *Son nom m'échappe. Le sens de ce verbe lui avait échappé.*
En ce sens, c'est toujours l'auxiliaire ***avoir*** qui est employé.
Verbe pronominal
1. Se répandre. *Un gaz toxique s'échappe des voitures en mouvement.*
2. S'enfuir. *Ils se sont échappés de la prison.* **SYN.** se sauver.
Locutions
Laisser échapper une occasion. Rater une occasion.
L'échapper belle. Éviter de peu ce qui menaçait. *Nous l'avons échappé belle.*
Dans cette expression, le participe passé est toujours invariable.
Conjugaison [VOIR MODÈLE – **AIMER**]

écharde n. f.
Épine, petit morceau pointu (de verre, de bois, etc.) introduit accidentellement sous la peau. *Avoir une écharde dans le pied.*
Ne pas confondre avec le nom ***écharpe,*** bande de tissu portée autour du cou.

écharpe n. f.
Bande de tricot, de tissu portée autour du cou. *Des écharpes colorées.* **SYN.** foulard.
Locution
En écharpe, locution adverbiale. Obliquement, d'une épaule à la hanche opposée. *Il s'est fracturé le bras : il doit le porter en écharpe pendant 20 jours encore.*
Ne pas confondre avec le nom ***écharde,*** épine, petit morceau pointu (de verre, de bois, etc.) introduit accidentellement sous la peau.

échasse n. f.
Long bâton muni d'un étrier permettant de marcher à une certaine hauteur du sol. *Grimper sur des échasses.*

échauffer v. tr., pronom.
Verbe transitif
1. Donner de la chaleur à.
2. Exciter. *Échauffer les esprits.* **SYN.** enflammer.
Verbe pronominal
1. S'entraîner avant un effort physique. *Il est préférable de s'échauffer un peu avant de se lancer sur les pistes de ski.*
2. S'animer, se passionner. *Les joueurs se sont échauffés et ont compté plusieurs buts.*
Conjugaison [VOIR MODÈLE – **AIMER**]
échau**ff**er.

échéance n. f.
1. Date à laquelle on doit remettre un texte, on doit avoir terminé un travail. *L'échéance* (et non le *deadline) *est fixée au 15 avril.*
2. Date à laquelle est exigible une dette. *L'échéance d'un emprunt.*
Locutions
À courte échéance, à brève échéance. À court terme, dans un avenir immédiat.
À longue échéance. À long terme, dans un avenir éloigné.

échéancier n. m.
Tableau des échéances à respecter, des activités prévues, des paiements à faire. *Établir l'échéancier de travaux de construction.* **SYN.** calendrier.

échec n. m.
1. Insuccès. *Ces élèves ont eu un échec en physique ; ils devront étudier davantage.*
2. (AU PLURIEL) Jeu qui réunit deux adversaires et qui se joue sur un échiquier de 64 cases alternativement blanches et noires. *Un tournoi d'échecs, une partie d'échecs.*
Locutions
Faire échec à. Empêcher de réussir.
Mettre, tenir en échec. Empêcher d'agir.
Subir un échec. Échouer.

échelle n. f.
1. Dispositif formé de deux montants parallèles réunis par des barreaux transversaux servant de marches. *Une échelle de corde, une échelle coulissante.*
2. (FIGURÉ) Série ascendante ou descendante. *Échelle des salaires.* **SYN.** hiérarchie, ordre.
3. Rapport entre la longueur d'un trait sur une carte et la distance réelle. *Sur une échelle de 1/5000, 1 cm vaut 5000 cm, soit 5 km.* **SYN.** ordre de grandeur.
Locutions
À l'échelle de. À la grandeur de. *Une diffusion à l'échelle de la planète.*
Faire la courte échelle. Offrir ses mains comme point d'appui.
Sur une vaste échelle. En grand, sur un vaste plan.

échelon n. m.
1. Barreau d'une échelle. *Il a gravi plusieurs échelons pour arriver au toit.*
2. (FIGURÉ) Chacun des degrés d'une série. *Avancer d'un échelon de la hiérarchie.* **SYN.** palier.
3. Niveau. *À l'échelon national.*
éche**l**on.

échelonner v. tr.
1. Répartir par échelons, de distance en distance. *Échelonner des arbustes dans le jardin.*
2. Étaler dans le temps. *Échelonner des paiements sur trois ans.*
Conjugaison [VOIR MODÈLE – **AIMER**]
éche**l**onner.

échevelé, ée adj.
Décoiffé, ébouriffé. *Une grande fille échevelée chevauchait une moto.*

écheveler v. tr.
Décoiffer, ébouriffer. *Le vent les a échevelés.*
Conjugaison [VOIR MODÈLE – **APPELER**]
Redoublement du ***l*** devant un **e** muet. *Il échevelle, il échevellera,* mais *il échevelait.*

échiquier n. m.
1. Tableau du jeu d'échecs.
2. (FIGURÉ) Domaine où s'affrontent des forces, des intérêts contradictoires. *L'échiquier mondial.*

écho n. m.
Les lettres ***ch*** se prononcent ***k*** [eko].
1. Répétition d'un son réfléchi par un obstacle. *Dans cette grotte, il y a de l'écho.*
2. Nouvelle, rumeur. *Aurez-vous des échos de la rencontre ?*
Locution
Se faire l'écho de. Répéter, rapporter. *Elles se sont fait l'écho de ces critiques.*
Dans cette expression, le participe passé ***fait*** est invariable.
é**ch**o.

échouer v. tr., intr., pronom.
Verbe transitif
Pousser un bateau sur un haut-fond. *Les enfants ont échoué la barque sur la plage.*
Verbe intransitif
1. Toucher accidentellement le fond, en parlant d'un bateau, d'un mammifère marin, d'un poisson. *Le voilier a échoué sur des battures.*
2. Être poussé sur le rivage, en parlant d'un mammifère marin, d'un poisson. *Une baleine échouée sur la plage.*
3. Ne pas réussir. *Il a échoué à un examen.*
Attention à la construction du verbe qui exige l'emploi de la préposition ***à.*** *Il a échoué à l'examen* (et non il a *échoué l'examen).
4. Ne pas aboutir. *Les tentatives ont échoué.*
Verbe pronominal
Toucher le fond et être immobilisé. *Ces voiliers se sont échoués près de la côte.*
Conjugaison [VOIR MODÈLE – **AIMER**]

échu, ue adj.
Arrivé à échéance. *Le délai est échu* (et non *passé dû).
Le mot ***échu*** est le participe passé du verbe ***échoir*** qui, à l'exception de ce temps ou du participe présent (***échéant***), ne s'emploie que très rarement.

éclabousser v. tr.
Faire rejaillir un liquide sur. *En plongeant, tu m'as éclaboussé, dit Julien à Laurence.* **SYN.** arroser.
Conjugaison [VOIR MODÈLE – **AIMER**]

éclaboussure n. f.
Gouttelettes dont on est éclaboussé. **SYN.** tache.

éclair n. m.
1. Éclat de lumière vive traduisant une décharge électrique. *Un éclair traversa le ciel et on entendit un coup de tonnerre.*
2. Lueur vive et brève. *L'éclair d'une explosion.*
3. Petit gâteau. *Des éclairs au chocolat.*
Locutions
Comme un éclair, à la vitesse de l'éclair. Très rapidement. *Il est passé comme un éclair.* **SYN.** comme une flèche.
Éclair de génie. Idée lumineuse.
Fermeture éclair. Marque déposée passée dans l'usage au sens de ***fermeture à glissière.*** *Des fermetures éclair.*
Placé en apposition, le mot ***éclair*** est invariable et a le sens de « très rapide, très bref ». *Des visites éclair.*
Attention au genre masculin de ce nom : ***un*** éclair.

éclairage n. m.
Action, moyen d'éclairer. *Cet éclairage est suffisant.*
Locution
Appareil d'éclairage. Luminaire.

éclaircie n. f.
Période ensoleillée après un ciel nuageux. *Le ciel est gris, mais on nous annonce des éclaircies pour cet après-midi.*

éclaircir v. tr., pronom.
Verbe transitif
1. Rendre plus clair, moins dense. *Les bûcherons ont éclairci la forêt.*
2. Démêler. *Les détectives doivent éclaircir cette affaire.* **SYN.** clarifier, élucider.
Verbe pronominal
Devenir moins épais. *Ses cheveux se sont éclaircis.*
Conjugaison [VOIR MODÈLE – **FINIR**]

éclairer v. tr., intr., pronom.
Verbe transitif
1. Répandre de la lumière sur. *Éclairer un tableau.* **SYN.** illuminer.
2. (FIGURÉ) Rendre compréhensible, clarifier une question. *Éclairer un problème.* **SYN.** éclaircir.
Verbe intransitif
Répandre de la lumière. *Cette lampe n'éclaire pas suffisamment.*
Verbe pronominal
1. Devenir clair. *La maison s'éclaire au lever du jour.*
2. (FIGURÉ) Devenir compréhensible. *L'énigme est résolue : tout s'éclaire.* **SYN.** se clarifier, s'expliquer.
Conjugaison [VOIR MODÈLE – **AIMER**]

éclat n. m.
1. Morceau d'une chose brisée. *Un éclat de verre.* **SYN.** fragment.
2. Bruit soudain. *Des éclats de voix, des éclats de rire. Rire aux éclats.*
3. Scintillement. *L'éclat du diamant, du soleil.*
Locution
Coup d'éclat. Action remarquable.
écla**t.**

éclatant, ante adj.
1. Qui a de l'éclat. *Un soleil éclatant.* **SYN.** brillant, éblouissant.
2. Remarquable. *Une réussite éclatante.* **SYN.** spectaculaire.

éclatement n. m.
Fait d'éclater. *L'éclatement d'un pneu, d'un matelas pneumatique.*

éclater v. intr., pronom.
Verbe intransitif
1. Faire explosion. *Le ballon a éclaté.* **SYN.** exploser, sauter.
2. Produire un bruit sec, violent. *Des coups de feu éclatèrent.* **SYN.** retentir.
3. Se produire brusquement. *Le conflit éclata.* **SYN.** se déclarer.
Verbe pronominal
(FAMILIER) Se défouler, se donner intensément à une activité en s'amusant beaucoup. *Pour fêter les vacances, ils se sont éclatés un peu.*
Locution
Éclater de rire. Se mettre à rire bruyamment.
Conjugaison [VOIR MODÈLE – **AIMER**]

éclipse n. f.
Disparition apparente d'un astre. *Des éclipses de Soleil, une éclipse de Lune.*
Les nom des astres s'écrivent avec des majuscules dans ces expressions.
Ne pas confondre avec le nom ***ellipse,*** suppression de mots, figure géométrique.

éclopé, ée adj. et n. m. et f.
Estropié, légèrement blessé. *Le moniteur de ski ramena deux éclopés qui s'étaient fait une entorse.*

éclore v. intr.
1. S'ouvrir, en parlant de l'œuf. *Les œufs écloront bientôt et les poussins sortiront.*
2. S'ouvrir, en parlant des fleurs. *Ces roses viennent d'éclore.* **SYN.** s'épanouir, fleurir.
Le verbe se conjugue avec l'auxiliaire ***avoir*** ou avec l'auxiliaire ***être*** selon que l'on insiste sur l'action ou l'état. *La fleur a éclos ce matin. Les œufs sont éclos depuis quelques jours.*

Conjugaison [VOIR MODÈLE – **CLORE**]
Se conjugue comme le verbe ***clore,*** sauf à la troisième personne du singulier du présent de l'indicatif où l'accent circonflexe est facultatif. *Il éclot* ou *il éclôt.* Ce verbe est d'un emploi rare, sauf au présent de l'indicatif, à l'infinitif et au participe passé, *éclos, éclose.*

éclosion n. f.
1. Fait d'éclore. *L'éclosion des fleurs, des œufs.*
2. (FIGURÉ) Naissance, apparition. *L'éclosion du printemps.*

e

écluse n. f.
Ouvrage hydraulique permettant aux embarcations de passer d'un plan d'eau à un autre de niveau différent. *La Voie maritime du Saint-Laurent comprend plusieurs écluses.*

écœurant, ante adj.
1. Dégoûtant, infect. *Une odeur écœurante de pourriture.* **SYN.** (FAMILIER) dégueulasse, répugnant.
2. (FIGURÉ) Révoltant. *Des vols écœurants.* **SYN.** dégoûtant.

écœurement n. m.
1. Nausée. *Un excès de friandises peut provoquer de l'écœurement.*
2. Dégoût. *Devant ces injustices répétées, il a ressenti de l'écœurement.* **SYN.** découragement, lassitude, répugnance.

écœurer v. tr., pronom.
Verbe transitif
1. Causer du dégoût à, soulever le cœur.
2. Inspirer de la répugnance à, du mépris. *Ce comportement dégradant nous a écœurés.*
3. ⚜ (FAMILIER) Taquiner, se montrer arrogant. *Avec sa motocyclette, ce garçon essaie de nous écœurer.*
Verbe pronominal
⚜ (FAMILIER) Se décourager, se fatiguer. *Ils se sont écœurés et ont abandonné l'escalade.* **SYN.** se lasser.
Au sens de ***taquiner*** et de ***se décourager,*** ce verbe est d'un emploi très familier. Dans un style soigné, on emploiera plutôt ***taquiner, railler*** et ***se décourager.***
Conjugaison [VOIR MODÈLE – **AIMER**]

école n. f.
Établissement d'enseignement. *Une école primaire, une école secondaire.*
Les désignations d'établissements d'enseignement où le nom ***école*** est suivi d'un nom commun ou d'un adjectif s'écrivent avec une majuscule initiale. *École normale supérieure.* Lorsque le nom ***école*** est suivi d'un nom propre, il s'écrit avec une minuscule. *L'école Saint-Germain.*
Les mots composés avec le nom ***école*** s'écrivent avec un trait d'union et prennent la marque du pluriel aux deux éléments. *Des autos-écoles.*
Locution
Faire l'école buissonnière. Flâner au lieu d'aller en classe.

écolier, ière n. m. et f.
Jeune élève qui fait des études primaires. *Fanny et Laurence sont de petites écolières de quatrième année.*
1° Ne pas confondre avec les noms suivants :
– ***élève,*** jeune ou adulte qui poursuit des études, à temps plein ou à temps partiel ;
– ***étudiant, étudiante,*** élève d'un établissement universitaire.
2° Le nom ***élève*** est le mot générique qui désigne toute personne qui fréquente un établissement d'enseignement.
3° Traditionnellement, on réserve le terme ***étudiant*** à la personne qui fréquente une université.
Locution
Le chemin des écoliers. Le trajet le plus long, où l'on peut s'amuser et flâner.

écolo adj. et n. m. et f.
Abréviation familière de ***écologiste.*** *Des écolos convaincus.*

écologie n. f.
1. Étude des êtres vivants et de leurs relations avec le milieu où ils vivent.
2. Mouvement favorisant la sauvegarde de l'environnement naturel.

écologiste adj. et n. m. et f.
Abréviation familière ***écolo.***
Spécialiste de l'écologie. *Les écologistes ont à cœur la protection de l'environnement. Un mouvement écologiste.*

économe adj.
Qui sait épargner, qui évite les dépenses inutiles.

économie n. f.
1. Ensemble des faits relatifs à la production, à la consommation et à la répartition des richesses. *Notre économie montre des signes de faiblesse et le taux de chômage est à la hausse.*
2. (AU PLURIEL) Sommes d'argent mises de côté, épargne. *Étienne fait des économies pour son voyage de l'été prochain.*

économique adj.
1. Relatif à l'économie. *Des études économiques.*
2. Peu coûteux. *Ce grand format est plus économique.* **SYN.** bon marché.

économiser v. tr.
Épargner. *Économiser* (et non *sauver) *de l'argent pour acheter une bicyclette.* **SYN.** ménager.
Conjugaison [VOIR MODÈLE – **AIMER**]

économiseur n. m.
Appareil permettant une économie de carburant. *Un économiseur d'énergie.*

économiste n. m. et f.
Spécialiste de l'économie. *Les économistes tentent de prévoir l'évolution des taux d'intérêt, du chômage, de la production ; ils se trompent parfois.*

écoper v. tr.
Verbe transitif
Vider l'eau entrée dans un bateau.
Verbe transitif direct ou **indirect**
(FAMILIER) Recevoir. *Écoper une amende, d'une amende.*
Ce verbe se construit sans préposition ou avec la préposition ***de.***
Conjugaison [VOIR MODÈLE – **AIMER**]

écorce n. f.
1. Enveloppe de l'arbre. *Des écorces de bouleau.*
2. Peau épaisse de certains fruits. *Des écorces d'orange et de citron.*

écorcher v. tr., pronom.
Verbe transitif
1. Dépouiller de sa peau (un animal).
2. Déchirer la peau superficiellement. *Les pierres les ont écorchés.* **SYN.** égratigner, érafler.

Verbe pronominal
S'érafler. *Elles se sont écorchées en escaladant ce mur.* **SYN.** s'égratigner.
Locution
Écorcher les oreilles. (FIGURÉ) Être désagréable à entendre. *Cette musique « heavy metal » nous écorche les oreilles. Un langage vulgaire qui écorche les oreilles.*
Conjugaison [VOIR MODÈLE – **AIMER**]

écorchure n. f.
Égratignure. **SYN.** éraflure.

écornifler v. tr.
⚜ (FAMILIER) Regarder avec curiosité, chercher à entendre ce qui ne nous concerne pas. *Ils écorniflent les voisins. Ils ne cessent d'écornifler.* **SYN.** épier, lorgner, (FAMILIER) reluquer.
En ce sens, ce verbe ne s'emploie qu'au Québec et dans certaines régions de la francophonie (Anjou, Normandie).
Conjugaison [VOIR MODÈLE – **AIMER**]

écornifleur, euse n. m. et f.
⚜ (FAMILIER) Personne indiscrète, curieuse.

écossais, aise adj. et n. m. et f.
Adjectif et nom masculin et féminin
De l'Écosse. *Une danse écossaise. Un Écossais, une Écossaise.*
L'adjectif s'écrit avec une minuscule ; le nom, avec une majuscule.
Nom masculin
1. Langue parlée en Écosse. *Elle apprend l'écossais.*
Le nom de la langue s'écrit avec une minuscule.
2. Tissu à carreaux de diverses couleurs. *Elle porte une jupe en tissu écossais ou en écossais.*

écosystème n. m.
(ÉCOLOGIE) Ensemble organisé des êtres vivants (organismes animaux, végétaux, bactéries) et des éléments inanimés d'un milieu naturel. *L'écosystème du lac Saint-Louis est menacé par la pollution.*

écoulement n. m.
1. Fait de couler, de se répandre, en parlant d'un liquide. *L'écoulement de l'eau de pluie par les gouttières.* **SYN.** déversement.
2. Vente de marchandises jusqu'à la fin des stocks. *L'écoulement des vêtements de ski en fin de saison.*

écouler v. tr., pronom.
Verbe transitif
1. Liquider des marchandises. *Écouler des produits à bon marché.*
2. Mettre en circulation. *Écouler de faux billets.*
Verbe pronominal
1. Couler hors de quelque endroit. *L'eau s'écoule dans la rigole.*
2. Passer, disparaître, en parlant du temps. *Les heures s'écoulent. Dix ans se sont écoulés depuis son départ.*
Conjugaison [VOIR MODÈLE – **AIMER**]

écoute n. f.
Action d'écouter une émission radiophonique, une communication téléphonique, etc.
Locutions
Être à l'écoute de quelqu'un. Être attentif à ce qui se dit, se passe, être près de. *Cet enseignant est à l'écoute de ses élèves.*
Heure de grande écoute. Moment de la journée où les auditeurs et les téléspectateurs sont en grand nombre. *Cette émission est diffusée à une heure de grande écoute* (et non en *prime time).
Table d'écoute ou ***d'écoutes.*** Appareil destiné à intercepter les communications.

écouter v. tr., pronom.
Verbe transitif
1. Prêter l'oreille avec attention. *Clara écoute la maîtresse qui explique une règle de grammaire.*
Ne pas confondre avec le verbe ***entendre,*** percevoir par l'appareil auditif.
2. Obéir à quelqu'un, suivre ses conseils. *Elle écoute son frère qui lui dit de ne pas laisser son vélo non cadenassé.*
Verbe pronominal
Prendre un soin exagéré de soi-même. *Il ne faut pas trop s'écouter.*
Conjugaison [VOIR MODÈLE – **AIMER**]

écouteur n. m.
Récepteur que l'on place à proximité des oreilles pour écouter la radio, un enregistrement sonore.

écrabouiller v. tr.
(FAMILIER) Écraser, réduire en bouillie. *Tu as trop secoué les bleuets, ils sont tous écrabouillés.*
Conjugaison [VOIR MODÈLE – **AIMER**]
Les lettres ***ill*** sont suivies d'un ***i*** à la première et à la deuxième personne du pluriel de l'indicatif imparfait et du subjonctif présent. *(Que) nous écrabouillions, (que) vous écrabouilliez.*

écran n. m.
1. Objet qui empêche de voir, qui protège. *On a érigé des écrans antibruit le long de l'autoroute.*
2. Surface blanche sur laquelle on projette des images.
3. Écran de visualisation. *L'écran de mon nouvel ordinateur est plus grand et permet l'affichage en couleurs.*
Locutions
Écran solaire. Crème qui protège la peau contre les rayons du soleil.
L'écran, le grand écran. Le cinéma. *Une vedette de l'écran.*
Le petit écran. La télévision. *Ce sont des amateurs du petit écran.*
écran.

écrasant, ante adj.
1. Qui écrase physiquement ou moralement. *Une chaleur écrasante. Un travail écrasant.* **SYN.** lourd, pénible.
2. Qui défait totalement le ou les adversaires, qui entraîne leur écrasement. *Une victoire écrasante, une majorité écrasante.*

écraser v. tr., intr., pronom.
Verbe transitif
1. Broyer, briser par une compression. *Regarde où tu marches, tu écrases mes fleurs !* **SYN.** aplatir.
2. Blesser gravement, tuer une personne, un animal par un choc violent, sous le poids d'un véhicule, de quelque chose de très lourd. *Pour ne pas te faire écraser, attends le feu vert avant de traverser.*
3. (FIGURÉ) Vaincre complètement, battre à plate couture. *L'équipe des Castors a écrasé celle des Ratons laveurs 9 à 2.* **SYN.** anéantir.
4. (FIGURÉ) (INFORMATIQUE) Détruire un fichier de données en y superposant un autre fichier. *Ah non ! tu as écrasé mon texte !*
Verbe intransitif
(FAMILIER) Ne pas insister. *Écrase !* **SYN.** se taire.
Verbe pronominal
1. Être aplati par une pression, un choc. *Le toit de l'immeuble s'est écrasé sous le poids de la neige. Elle s'est écrasé le doigt.* **SYN.** s'écrouler.

2. Tomber, s'affaisser. *L'avion s'est écrasé dans un champ.* **SYN.** s'abattre.
3. (FAMILIER) Laisser tomber. *Ils ne sont pas assez déterminés : un refus, un échec et ils s'écrasent.* **SYN.** renoncer.
Conjugaison [VOIR MODÈLE – **AIMER**]

écrémer v. tr.
1. Retirer la crème du lait. *Tous les matins, elle mange des céréales avec du lait écrémé.*
2. (FIGURÉ) Retirer les meilleurs éléments d'un ensemble.
Conjugaison [VOIR MODÈLE – **POSSÉDER**]
Le deuxième **é** se change en **è** devant une syllabe muette, sauf à l'indicatif futur et au conditionnel présent. *J'écrème,* mais *j'écrémerai.*

écrevisse n. f.
Crustacé d'eau douce muni de pinces et comestible. *Aïe ! Mes orteils craignent les écrevisses du bord de l'eau.*
Locution
Rouge comme une écrevisse. De teinte écarlate.
Comme le homard, l'écrevisse devient rouge après la cuisson.

écrier (s') v. pronom.
Dire en criant. *« Nous avons gagné ! », se sont-ils écriés.*
Le participe passé de ce verbe qui n'existe qu'à la forme pronominale s'accorde toujours en genre et en nombre avec le sujet du verbe.
Conjugaison [VOIR MODÈLE – **ÉTUDIER**]
Redoublement du ***i*** à la première et à la deuxième personne du pluriel de l'indicatif imparfait et du subjonctif présent. *(Que) nous nous écriions, (que) vous vous écriiez.*

écrin n. m.
Coffret à bijoux. *Un écrin de velours.* **SYN.** boîtier.
écr**in.**

écrire v. tr., intr.
Verbe transitif
1. Tracer les caractères d'un système d'écriture. *Écrire un message sur un bout de papier. Une signature écrite au crayon, à l'encre. Un texte écrit en majuscules.*
2. Orthographier. *Comment écris-tu ce nom ? Son nom s'écrit avec deux **l**.*
3. Composer. *Écrire un poème, un article sur un sujet politique.* **SYN.** rédiger.
4. Communiquer par lettre. *Il m'a écrit qu'il viendrait. Elles se sont écrit des lettres. Les lettres qu'ils se sont écrites.* **SYN.** correspondre.
Verbe intransitif
Exprimer sa pensée à l'aide de l'écriture. *Cet auteur écrit remarquablement ; il sait écrire.*
Conjugaison [VOIR MODÈLE – **ÉCRIRE**]

écrit, ite adj. et n. m.
Adjectif
Exprimé par l'écriture. *Un texte bien écrit.* **SYN.** oral.
Nom masculin
1. Document écrit. *Les paroles s'envolent, les écrits restent.* (Proverbe)
2. Production écrite. *Les écrits d'Anne Hébert sont intéressants.*
Locution
Par écrit, locution adverbiale. Par un document écrit. *Une promesse par écrit.* **ANT.** oralement.

écriteau n. m. (pl. *écriteaux*)
Panneau portant une inscription destinée au public. *Des écriteaux indiquent que la maison est à louer.* **SYN.** pancarte.

écriture n. f.
1. Représentation de la parole et de la pensée au moyen de signes graphiques. *L'écriture du chinois se fait avec des idéogrammes.*
2. Manière d'écrire. *Elle a une écriture illisible.*
3. Style. *Une écriture poétique.*
Le nom s'écrit avec une majuscule lorsqu'il désigne les livres saints. *L'Écriture sainte, les Saintes Écritures.*

écrivain n. m.
écrivaine n. f.
Personne qui écrit des ouvrages littéraires.

écrou n. m. (pl. *écrous*)
Pièce filetée qui complète un boulon. *Des écrous bien fixés.*

écroulement n. m.
1. Effondrement. *L'écroulement d'un mur.* **SYN.** affaissement.
2. Destruction totale. *L'écroulement d'un espoir longtemps caressé.* **SYN.** anéantissement, ruine.

écrouler (s') v. pronom.
1. S'effondrer, en parlant surtout d'une construction ou de ce qui croule soudainement de toute sa masse. *L'immeuble s'est écroulé.* **SYN.** s'écraser.
2. (FIGURÉ) Être anéanti. *Ses chances de succès se sont écroulées.*
Le participe passé de ce verbe qui n'existe qu'à la forme pronominale s'accorde toujours en genre et en nombre avec le sujet du verbe.
Conjugaison [VOIR MODÈLE – **AIMER**]

écu n. m.
1. Bouclier des chevaliers du Moyen Âge.
2. Partie d'un blason en forme de bouclier.
3. (ANCIENNEMENT) Monnaie d'or ou d'argent.

écueil n. m.
1. Rocher, banc de sable présentant un danger pour la navigation.
2. (FIGURÉ) Obstacle dangereux. *Attention aux nombreux écueils de cet examen.* **SYN.** difficulté, piège.
éc**uei**l.

écume n. f.
Mousse blanchâtre à la surface d'un liquide agité. *L'écume des vagues.*

écureuil n. m.
Petit mammifère rongeur à la queue en panache.

écurie n. f.
1. Bâtiment destiné à loger des chevaux. *Des écuries de course.*
Ne pas confondre avec le nom ***étable,*** bâtiment destiné à loger du bétail.
2. Ensemble des chevaux de course d'un même propriétaire.
3. (FIGURÉ) Ensemble des coureurs automobiles courant pour une même marque. *Jacques Villeneuve fait partie de l'écurie Williams-Renault.*

écusson n. m.
Insigne portant un emblème. *L'écusson d'un collège.*
Attention au genre masculin de ce nom : ***un*** écusson.

écuyer, ère n. m. et f.
Personne qui monte à cheval. *Gilou est un bon écuyer.* **SYN.** cavalier.

Indicatif

Présent

j' écris
tu écris
elle écrit
il écrit
nous écrivons
vous écrivez
elles écrivent
ils écrivent

Passé composé

j' ai écrit
tu as écrit
elle a écrit
il a écrit
nous avons écrit
vous avez écrit
elles ont écrit
ils ont écrit

Imparfait

j' écrivais
tu écrivais
elle écrivait
il écrivait
nous écrivions
vous écriviez
elles écrivaient
ils écrivaient

Plus-que-parfait

j' avais écrit
tu avais écrit
elle avait écrit
il avait écrit
nous avions écrit
vous aviez écrit
elles avaient écrit
ils avaient écrit

Passé simple

j' écrivis
tu écrivis
elle écrivit
il écrivit
nous écrivîmes
vous écrivîtes
elles écrivirent
ils écrivirent

Passé antérieur

j' eus écrit
tu eus écrit
elle eut écrit
il eut écrit
nous eûmes écrit
vous eûtes écrit
elles eurent écrit
ils eurent écrit

Futur simple

j' écrirai
tu écriras
elle écrira
il écrira
nous écrirons
vous écrirez
elles écriront
ils écriront

Futur antérieur

j' aurai écrit
tu auras écrit
elle aura écrit
il aura écrit
nous aurons écrit
vous aurez écrit
elles auront écrit
ils auront écrit

Infinitif

Présent

écrire

Passé

avoir écrit

Subjonctif

Présent

que j' écrive
que tu écrives
qu' elle écrive
qu' il écrive
que nous écrivions
que vous écriviez
qu' elles écrivent
qu' ils écrivent

Passé

que j' aie écrit
que tu aies écrit
qu' elle ait écrit
qu' il ait écrit
que nous ayons écrit
que vous ayez écrit
qu' elles aient écrit
qu' ils aient écrit

Imparfait

que j' écrivisse
que tu écrivisses
qu' elle écrivît
qu' il écrivît
que nous écrivissions
que vous écrivissiez
qu' elles écrivissent
qu' ils écrivissent

Plus-que-parfait

que j' eusse écrit
que tu eusses écrit
qu' elle eût écrit
qu' il eût écrit
que nous eussions écrit
que vous eussiez écrit
qu' elles eussent écrit
qu' ils eussent écrit

Conditionnel

Présent

j' écrirais
tu écrirais
elle écrirait
il écrirait
nous écririons
vous écririez
elles écriraient
ils écriraient

Passé

j' aurais écrit
tu aurais écrit
elle aurait écrit
il aurait écrit
nous aurions écrit
vous auriez écrit
elles auraient écrit
ils auraient écrit

Impératif

Présent

écris
écrivons
écrivez

Passé

aie écrit
ayons écrit
ayez écrit

Participe

Présent

écrivant

Passé

écrit, ite
ayant écrit

e

eczéma n. m.
Le *c* se prononce ***g*** [ɛgzema].
Maladie de la peau.

édenté, ée adj. et n. m. et f.
Qui a perdu ses dents. *Cette vieille personne est édentée : elle porte un dentier.*

édifice n. m.
Grand bâtiment ayant une valeur architecturale. *L'hôtel de ville de Montréal est un bel édifice.*
VOIR **IMMEUBLE.**
On préférera le mot ***édifice*** ou ***immeuble,*** selon le cas, au mot ***bâtisse*** qui a parfois un sens défavorable.

édifier v. tr.
1. Bâtir. *Cette maison a été édifiée en 1712.* **SYN.** construire.
2. Constituer progressivement un ensemble. *Édifier un empire industriel.* **SYN.** établir.
Conjugaison [VOIR MODÈLE – **ÉTUDIER**]
Redoublement du ***i*** à la première et à la deuxième personne du pluriel de l'indicatif imparfait et du subjonctif présent. *(Que) nous édifiions, (que) vous édifiiez.*

éditer v. tr.
Publier et mettre en vente un texte, une œuvre d'art. *En plus de la littérature, Québec/Amérique édite des dictionnaires.*
Conjugaison [VOIR MODÈLE – **AIMER**]

éditeur n. m.
éditrice n. f.
Personne ou société qui assure la production et la diffusion d'ouvrages, d'œuvres d'art. *Québec/Amérique est un éditeur québécois.*

édition n. f.
1. Action de publier et de mettre en vente un texte, une œuvre d'art. *L'édition d'un roman d'amour courtois.* **SYN.** publication.
2. Œuvre éditée. *Une édition illustrée.*
3. Ensemble des exemplaires d'un ouvrage publiés en une fois. *Troisième édition revue et corrigée. Dernière édition.*
4. Industrie et commerce du livre. *Ces personnes travaillent dans l'édition.*

éditique n. f.
Méthode d'édition permettant de créer et de publier au moyen d'un micro-ordinateur, de progiciels, de logiciels spécialisés et d'une imprimante de qualité des documents comparables à ceux qui sont obtenus par photocomposition. (Recomm. off. OLF)

éditorial, iale, iaux adj. et n. m.
Adjectif
De l'éditeur, de la maison d'édition. *La politique éditoriale de Québec/Amérique. Des projets éditoriaux.*
Nom masculin
Article de fond qui émane de la direction d'un journal. *Des éditoriaux intéressants.*

éditorialiste n. m. et f.
Personne qui écrit l'éditorial d'un journal, d'une revue.

édredon n. m.
Couvre-pied de duvet. *L'enfant se cache sous l'édredon.* **SYN.** douillette.
Une ***couette*** est un édredon muni d'une housse amovible.

éducateur n. m.
éducatrice n. f.
Pédagogue qui se charge de l'éducation des jeunes, des adultes. **SYN.** enseignant, enseignante.

éducatif, ive adj.
Qui a pour but de former, d'éduquer. *Des logiciels éducatifs.* **SYN.** pédagogique.

éducation n. f.
1. Formation, développement des facultés morales, intellectuelles et physiques. *Le ministère de l'Éducation.* **SYN.** pédagogie.
2. Politesse, savoir-vivre. *Il n'a pas d'éducation.*
Locution
Éducation permanente. Projet d'éducation qui a pour objet d'assurer, à toutes les époques de la vie, la formation et le développement de la personne, en lui permettant d'acquérir les connaissances, les habiletés ou les comportements et de développer l'ensemble des aptitudes intellectuelles, manuelles, etc., qui répondront à ses aspirations d'ordre éducatif, social et culturel. (Recomm. off. OLF)

éduquer v. tr.
1. Développer les facultés morales, intellectuelles et physiques de quelqu'un. **SYN.** former.
2. Enseigner les bonnes manières. **SYN.** élever.
Conjugaison [VOIR MODÈLE – **AIMER**]

***efface**
Impropriété pour ***gomme*** (à effacer).

effacé, ée adj.
Le ***e*** initial se prononce ***é*** (et non *è).
Modeste, discret. *C'est une personne très effacée, on ne l'entend jamais.* **SYN.** humble.

effacement n. m.
Action d'effacer. *L'effacement d'inscriptions, de graffitis sur un monument.*

effacer v. tr., pronom.
Le ***e*** initial se prononce ***é*** (et non *è).
Verbe transitif
1. Faire disparaître ce qui était marqué, gommer. *Cette erreur doit être effacée. Elle effaça un fichier de ma disquette.* **SYN.** enlever, supprimer.
2. Faire disparaître de la mémoire. *Le temps effacera ce souvenir douloureux.*
Verbe pronominal
1. S'estomper, disparaître. *Les caractères se sont effacés.*
2. Se mettre de côté, céder le pas. *Il s'effaça devant elle.*
Conjugaison [VOIR MODÈLE – **AVANCER**]
Le ***c*** prend une cédille devant les lettres ***a*** ou ***o.*** *Il effaça, nous effaçons.*

effarant, ante adj.
Le ***e*** initial se prononce ***é*** (et non *è).
Incroyable. *Des statistiques effarantes.* **SYN.** effrayant, stupéfiant.
effa**r**ant.

effarer v. tr.
Le ***e*** initial se prononce ***é*** (et non *è).
Troubler, effrayer. *L'armée défilait devant les passants effarés.* **SYN.** stupéfier.
Conjugaison [VOIR MODÈLE – **AIMER**]
effa**r**er.

effaroucher v. tr.
Le ***e*** initial se prononce ***é*** (et non *è).
Faire fuir en effrayant. *Le bruit a effarouché le faon.*
Conjugaison [VOIR MODÈLE – **AIMER**]
effa**r**oucher.

effectif n. m.
Le ***e*** initial se prononce ***é*** (et non *è).

Nombre de personnes. *Notre effectif atteint 45 employés. La réduction des effectifs.*
Ce nom est un collectif qui devrait s'employer surtout au singulier.

effectif, ive adj.
Le **e** initial se prononce **é** (et non *è).
Qui existe réellement. *Un nombre effectif de 25 blessés.* **SYN.** réel, véritable.

effectivement adv.
Le **e** initial se prononce **é** (et non *è).
1. Réellement. *Cette missionnaire a effectivement aidé les plus démunis.* **SYN.** véritablement, vraiment.
2. En effet. *On annonçait de la grêle et effectivement, il a grêlé.* **SYN.** de fait.

effectuer v. tr.
Le **e** initial se prononce **é** (et non *è).
1. Faire (une opération technique, complexe). *Effectuer l'installation d'un système de radio.* **SYN.** réaliser.
S'il s'agit d'une action simple, on préférera le verbe ***faire.***
2. Accomplir, exécuter. *Effectuer une démarche.*
Conjugaison [VOIR MODÈLE – **AIMER**]

effervescence n. f.
Le **e** initial se prononce **é** (et non *è).
1. Bouillonnement d'un liquide produit par un dégagement de bulles gazeuses.
2. (FIGURÉ) Agitation passagère. *La maison est en effervescence, la fête va commencer.* **SYN.** émoi, fièvre.
efferve**sc**ence.

effervescent, ente adj.
Le **e** initial se prononce **é** (et non *è).
Qui est en effervescence. *Des comprimés effervescents.*
efferve**sc**ent.

effet n. m.
Le **e** initial se prononce **é** (et non *è).
1. Conséquence, résultat d'une action. *Cette tempête a eu des effets désastreux.* **SYN.** répercussion, suite.
2. Impression. *Alexandre m'a fait un effet extraordinaire : il est merveilleux !*
Locutions
En effet, locution adverbiale. Assurément.
Sous l'effet de. Sous l'influence de. *Il était sous l'effet de l'alcool.*
L'expression *« car en effet » est un pléonasme.

effet de serre n. m. (pl. *effets de serre*)
Le **e** initial se prononce **é** (et non *è).
Phénomène de réchauffement de l'atmosphère.

effeuiller v. tr., pronom.
Le **e** initial se prononce **é** (et non *è).
Verbe transitif
1. Ôter les feuilles de. *Le vent a effeuillé cet arbre.*
2. Dépouiller de ses pétales. *Effeuiller la marguerite.*
Verbe pronominal
Perdre ses feuilles, ses pétales. *À l'automne, les arbres s'effeuillent.*
Conjugaison [VOIR MODÈLE – **AIMER**]
Les lettres ***ill*** sont suivies d'un ***i*** à la première et à la deuxième personne du pluriel de l'indicatif imparfait et du subjonctif présent. *(Que) nous effeuillions, (que) vous effeuilliez.*

efficace adj.
Le **e** initial se prononce **é** (et non *è).
1. Qui produit l'effet attendu. *Ce médicament est efficace, il vous soulagera rapidement.* **SYN.** actif.
2. Se dit d'une personne qui agit vite et bien. *Un personnel efficace et courtois.*

efficacement adv.
De façon efficace. *Les jeunes ont travaillé efficacement : le petit bois a été nettoyé de façon remarquable.*

efficacité n. f.
Le **e** initial se prononce **é** (et non *è).
Qualité d'une personne, d'une chose efficace. *L'efficacité de ce produit est très grande.*

effigie n. f.
Le **e** initial se prononce **é** (et non *è).
Représentation d'une personne. *Une pièce d'or à l'effigie d'un roi.*
effigi**e.**

effilocher v. tr., pronom.
Le **e** initial se prononce **é** (et non *è).
Verbe transitif
Défaire fil à fil une étoffe.
Verbe pronominal
Se défaire fil à fil par suite de l'usure. *Les poignets de ce chandail se sont effilochés.*
Conjugaison [VOIR MODÈLE – **AIMER**]

efflanqué, ée adj.
Le **e** initial se prononce **é** (et non *è).
Extrêmement maigre, dont les flancs sont creux. *Un cheval efflanqué.*

effleurement n. m.
Le **e** initial se prononce **é** (et non *è).
Frôlement.

effleurer v. tr.
Le **e** initial se prononce **é** (et non *è).
1. Toucher à peine. *Son baiser a effleuré ses lèvres.* **SYN.** frôler.
2. (FIGURÉ) Aborder superficiellement une question. *Vous n'avez qu'effleuré le problème.*
Conjugaison [VOIR MODÈLE – **AIMER**]

effondrement n. m.
Le **e** initial se prononce **é** (et non *è).
Écroulement. *L'effondrement d'un pont.* **SYN.** affaissement.

effondrer (s') v. pronom.
Le **e** initial se prononce **é** (et non *è).
1. S'écrouler. *L'immeuble s'est effondré lors du tremblement de terre.* **SYN.** s'affaisser.
2. Défaillir sous le coup d'une émotion. *En apprenant la nouvelle, il s'est effondré.* **SYN.** s'évanouir.
3. (FIGURÉ) Subir une baisse brutale. *Les prix se sont effondrés : ils sont très bas.* **SYN.** chuter.
Conjugaison [VOIR MODÈLE – **AIMER**]

efforcer (s') v. pronom.
Le **e** initial se prononce **é** (et non *è).
S'appliquer à, tenter de. *Ils s'efforcent d'atteindre l'objectif, elles s'efforcent à la politesse.* **SYN.** essayer, tâcher.
Suivi d'un verbe, le verbe se construit avec la préposition ***de***, suivi d'un nom, il se construit avec la préposition ***à.***
Le participe passé de ce verbe qui n'existe qu'à la forme pronominale s'accorde toujours en genre et en nombre avec le sujet du verbe. *Elles se sont efforcées de venir.*
Conjugaison [VOIR MODÈLE – **AVANCER**]

effort n. m.
Le **e** initial se prononce **é** (et non *è).

Concentration des forces physiques, intellectuelles, en vue d'atteindre un but. *Cet athlète a fourni un effort remarquable. Fais un petit effort, tu y arriveras.*
Locution
Sans effort, locution adverbiale. Facilement.
✎ effo**rt.**

effraction n. f.
Le **e** initial se prononce **é** (et non *è).
Bris d'une serrure, d'une fenêtre, etc. *Un vol avec effraction.*
Ne pas confondre avec **infraction**, violation d'une loi, d'un règlement.

effrayant, ante adj.
Le **e** initial se prononce **é** (et non *è).
1. Terrifiant. *Des histoires effrayantes.* **SYN.** affreux, angoissant, effroyable.
2. (FAMILIER) Excessif, extrême. *Un froid effrayant.* **SYN.** épouvantable.

effrayer v. tr., pronom.
Le **e** initial se prononce **é** (et non *è).
Verbe transitif
Causer de la frayeur. *Cette histoire les a effrayés à un point tel qu'ils n'ont pu dormir.* **SYN.** angoisser, apeurer, épouvanter, terrifier, terroriser.
Verbe pronominal
Éprouver de la frayeur. *Ils se sont effrayés de ces bruits.* **SYN.** avoir peur, s'inquiéter.
Conjugaison [VOIR MODÈLE – **PAYER**]
Le ***y*** peut être changé en ***i*** devant un **e** muet. *J'effraye* ou *j'effraie, j'effrayerai* ou *j'effraierai.* Les formes en ***i*** sont les plus utilisées.
Le ***y*** est suivi d'un ***i*** à la première et à la deuxième personne du pluriel de l'indicatif imparfait et du subjonctif présent. *(Que) nous effrayions, (que) vous effrayiez.*

effritement n. m.
Le **e** initial se prononce **é** (et non *è).
Action d'effriter; fait de s'effriter, de se désagréger. *L'effritement d'une paroi rocheuse.*

effriter v. tr., pronom.
Le **e** initial se prononce **é** (et non *è).
Verbe transitif
Réduire peu à peu en fragments, en poussière. *La mer effrite le quai.*
Verbe pronominal
Se désagréger, perdre peu à peu ses éléments. *Les vieux murs se sont effrités dangereusement.*
Conjugaison [VOIR MODÈLE – **AIMER**]

effroi n. m.
Le **e** initial se prononce **é** (et non *è).
(LITTÉRAIRE) Terreur, grande peur. *Les campeurs ont aperçu avec effroi un ours à quelques pas de leur tente.* **SYN.** angoisse, horreur.

effronté, ée adj. et n. m. et f.
Le **e** initial se prononce **é** (et non *è).
Insolent, qui n'a honte de rien. *Quel ton effronté ! Sois un peu plus poli, je te prie. Tu as du front tout le tour de la tête, espèce d'effronté !* **ANT.** poli, respectueux.

effrontément adv.
D'une manière effrontée. *Répondre effrontément.* **SYN.** impoliment.

effronterie n. f.
Le **e** initial se prononce **é** (et non *è).
Insolence, impolitesse.

effroyable adj.
Le **e** initial se prononce **é** (et non *è).
1. Qui cause une grande frayeur, une grande angoisse. *Un drame effroyable.*
2. (FAMILIER) Effrayant. *Un vacarme effroyable.* **SYN.** affreux.
Ne pas confondre avec les mots suivants :
– ***abominable,*** qui inspire de l'horreur;
– ***détestable,*** exécrable, très mauvais.

effusion n. f.
Le **e** initial se prononce **é** (et non *è).
Démonstration enthousiaste. *Le chien accueille Laurence avec effusion à son retour de l'école : il est heureux de la retrouver, il saute et jappe gaiement.* **SYN.** ferveur.

égal, ale, aux adj. et n. m. et f.
Pareil, identique. *Des droits égaux, des parts égales.* **SYN.** équivalent.
Locutions
À l'égal de, locution prépositive. Au même degré que, comme. *Elle est à l'égal de son frère.*
Ça, cela m'est égal. (FAMILIER) Cela m'est indifférent.
D'égal à égal. *Ils se parlèrent d'égal à égal.*
Dans cette expression, l'adjectif ***égal*** est invariable.
N'avoir d'égal que. Exceller. *Son arrogance n'a d'égale que son chauvinisme. Ses gaffes n'ont d'égale que son ignorance. Elles n'ont d'égal que leurs compatriotes.*
Dans cette expression, le nom ***égal*** peut être invariable, peut s'accorder avec le sujet du verbe ***avoir*** ou avec le second terme du rapport.

également adv.
1. Pareillement. *Distribuer des portions également entre les invités.*
2. Aussi. *Elle les invita et leur offrit également quelques cadeaux.*

égaler v. tr.
1. Être égal à (en valeur). *Il a égalé le record précédent. Rien n'égale sa générosité.*
Ne pas confondre avec le verbe ***égaliser,*** rendre égal.
2. Être égal à (en quantité). *Deux et trois égale* ou *égalent cinq.*
Dans une opération mathématique, le verbe ***égaler*** au sens de « cela égale » demeure au singulier ou se met au pluriel, contrairement à ***faire*** qui est toujours au pluriel. *Deux et deux font quatre.*
Conjugaison [VOIR MODÈLE – **AIMER**]

égaliser v. tr.
Rendre égal. *Les jardiniers ont égalisé la terre.* **SYN.** niveler.
Ne pas confondre avec le verbe ***égaler,*** être égal.
Conjugaison [VOIR MODÈLE – **AIMER**]

égalité n. f.
Qualité de ce qui est égal, équivalent. *L'égalité des points entre deux équipes.* **SYN.** équivalence.

égard n. m.
Marque d'estime. *Il lui a témoigné beaucoup d'égards. Un manque d'égards.*
Locutions
À tous égards, à tous les égards, locution adverbiale. Sous tous les rapports.
À l'égard de, locution prépositive. Relativement à.

Ce nom s'emploie généralement au pluriel.
égard.

égarer v. tr., pronom.
Verbe transitif
Perdre momentanément. *Il a égaré ses lunettes.*
Ne pas confondre avec le verbe ***perdre,*** cesser d'avoir quelque chose de façon définitive.
Verbe pronominal
Ne plus retrouver son chemin. *Les jeunes se sont égarés* (et non se sont *écartés) *dans la forêt.* **SYN.** se perdre.
Conjugaison [VOIR MODÈLE – **AIMER**]

égayer v. tr., pronom.
Verbe transitif
Rendre gai, amuser. *Les rires et les jeux de Fanny et de Laurence égaient tout le monde.* **SYN.** distraire, divertir.
Verbe pronominal
Se réjouir, rire, s'amuser. *Les petites se sont égayées à qui mieux mieux.*
Conjugaison [VOIR MODÈLE – **PAYER**]
Le ***y*** peut être changé en ***i*** devant un ***e*** muet. *J'égaye* ou *j'égaie, j'égayerai* ou *j'égaierai.* Les formes en ***i*** sont les plus utilisées. Le ***y*** est suivi d'un ***i*** à la première et à la deuxième personne du pluriel de l'indicatif imparfait et du subjonctif présent. *(Que) nous égayions, (que) vous égayiez.*

église n. f.
1. Communauté chrétienne. *L'Église catholique. Le Pape est le chef de l'Église.*
Le nom s'écrit avec une majuscule lorsqu'il désigne une confession chrétienne. *La sainte Église, l'Église catholique.*
2. Lieu de culte. *L'église Saint-Germain a été construite en 1931.*
Dans les désignations d'édifices religieux, le nom générique (***basilique, cathédrale, chapelle, oratoire, etc.***) s'écrit avec une minuscule.

égoïsme n. m.
Amour excessif de soi, recherche de son seul plaisir et de son seul intérêt. **ANT.** générosité.
égoïsme.

égoïste adj. et n. m. et f.
Qui fait preuve d'égoïsme. *Martin n'est pas égoïste : il essaie toujours d'aider les autres.* **ANT.** généreux.
égoïste.

égorger v. tr., pronom.
Verbe transitif
Couper la gorge. *Autrefois, on égorgeait des agneaux pour les offrir en sacrifice aux divinités.*
Verbe pronominal
S'entretuer. *Les motards de deux bandes rivales se sont égorgés.*
Conjugaison [VOIR MODÈLE – **CHANGER**]
Le ***g*** est suivi d'un ***e*** devant les lettres ***a*** et ***o***. *Il égorgea, nous égorgeons.*

égosiller (s') v. pronom.
S'irriter la gorge à force de crier, de chanter très fort.
Le participe passé de ce verbe qui n'existe qu'à la forme pronominale s'accorde toujours en genre et en nombre avec le sujet du verbe.
Conjugaison [VOIR MODÈLE – **AIMER**]
Les lettres ***ill*** sont suivies d'un ***i*** à la première et à la deuxième personne du pluriel de l'indicatif imparfait et du subjonctif présent. *(Que) nous nous égosillions, (que) vous vous égosilliez.*

égout n. m.
Canalisation souterraine qui recueille les eaux usées. *Des bouches d'égout.*
ég**ou**t, sans accent circonflexe sur le ***u***, contrairement au mot ***goût.***

égoutter v. tr., pronom.
Verbe transitif
Faire écouler l'eau goutte à goutte. *Égoutter des verres avant de les essuyer.*
Verbe pronominal
Perdre son eau goutte à goutte. *Les maillots de bain mouillés se sont égouttés sur le tapis.*
Conjugaison [VOIR MODÈLE – **AIMER**]
égou**tt**er.

égouttoir n. m.
Ustensile sur lequel on fait égoutter la vaisselle.
égou**tt**oir.

égratigner v. tr., pronom.
Verbe transitif
Écorcher superficiellement la peau. *Les framboisiers lui ont égratigné les mains.* **SYN.** érafler.
Verbe pronominal
S'érafler. *Elle s'est égratignée en cueillant des framboises.*
Conjugaison [VOIR MODÈLE – **AIMER**]

égratignure n. f.
Éraflure. *Françoise a une petite égratignure au genou.*

égyptien, ienne adj. et n. m. et f.
D'Égypte. *Le drapeau égyptien. Un Égyptien, une Égyptienne.*
L'adjectif s'écrit avec une minuscule ; le nom, avec une majuscule.

eh ! interj.
Interjection qui marque l'admiration, la surprise et qui peut servir à attirer l'attention. *Eh ! vous, venez donc ici !*
Locution
Eh bien ! locution interjective. Locution qui marque l'étonnement. *Eh bien* (et non *et bien), *c'est à cette heure-ci que vous arrivez ?*
La locution est suivie d'une virgule ou d'un point d'exclamation ou d'interrogation.
HOM.
– **et**, conjonction ;
– **hé !**, interjection.

éjectable adj.
Qui peut être éjecté à l'extérieur d'un véhicule, d'un avion. *Un siège éjectable.*
Ne pas confondre avec le mot ***injectable,*** qui peut être administré par injection.

éjecter v. tr.
Projeter au dehors. *Heureusement le pilote de l'avion a été éjecté avant l'accident.*
Ne pas confondre avec le verbe ***injecter,*** introduire par pression un liquide dans un organisme.
Conjugaison [VOIR MODÈLE – **AIMER**]

élaboration n. f.
1. Formation d'une substance dans un organisme vivant. *L'élaboration du sang, de la sève.*
2. (FIGURÉ) Action d'élaborer par un long travail intellectuel. *L'élaboration d'un ouvrage.* **SYN.** conception, création.
élaboration.

élaborer v. tr.
Créer, préparer par un long travail intellectuel. *Élaborer une banque de données.* **SYN.** concevoir, créer.
Conjugaison [VOIR MODÈLE – **AIMER**]

élan n. m.
1. Mouvement vif par lequel on se lance en avant. *Prendre son élan pour plonger.*
2. Mouvement intérieur puissant. *Les élans du cœur.* **SYN.** impulsion.
3. Grand cerf des régions du Nord (Canada, Scandinavie, Russie, etc.).
Au Québec, on dit plutôt ***orignal.***
él**an.**

élancé, ée adj.
Long et mince. *Cette ballerine est très gracieuse et élancée.* **SYN.** svelte.
él**an**cé.

élancer v. tr., intr., pronom.
Verbe transitif et **intransitif**
Causer une douleur vive et brusque. *Cette blessure l'élançait* ou *lui élançait.*
Verbe pronominal
Se lancer en avant avec force. *Ils se sont élancés vers la sortie en criant : vive les vacances !* **SYN.** se précipiter, se ruer.
Conjugaison [VOIR MODÈLE – **AVANCER**]
Le **c** prend une cédille devant les lettres ***a*** et ***o.*** *Il s'élança, nous nous élançons.*

élargir v. tr., pronom.
Verbe transitif
Rendre plus large. *La couturière élargit un pantalon.* **SYN.** agrandir. **ANT.** amincir, rétrécir.
Verbe pronominal
Devenir plus large. *La route s'élargit.* **ANT.** rétrécir.
Conjugaison [VOIR MODÈLE – **FINIR**]

élargissement n. m.
Action d'élargir. *L'élargissement du pont se fera au cours de l'été.*

élasticité n. f.
1. Qualité de ce qui est élastique. *L'élasticité d'un tissu.*
2. (FIGURÉ) Souplesse, possibilité de varier. *L'élasticité des prix qui ne cessent de monter !*

élastique adj. et n. m.
Adjectif
1. Extensible. *Un maillot élastique.*
2. Flexible, qui peut varier. *Des horaires élastiques.* **SYN.** variable.
Nom masculin
Lien de caoutchouc. *Il y a un élastique à la taille.*
élasti**que.**

électeur, trice n. m. et f.
Personne qui peut participer à une élection. *Au Québec, on peut être électeur ou électrice à partir de 18 ans.*

élection n. f.
Choix conforme aux résultats d'un vote. *Il y aura des élections demain pour le choix des présidents de chaque classe.*

électoral, ale, aux adj.
Qui se rapporte à une élection. *La loi électorale. Des résultats électoraux.*

électricien n. m.
électricienne n. f.
Personne spécialisée dans les installations et les réparations électriques.

électricité n. f.
1. Forme d'énergie. *Le Québec produit de l'électricité à l'aide d'immenses barrages.*
2. (FAMILIER) Appareil d'éclairage électrique. *Allumer l'électricité.*
Dans cette expression familière, l'usage l'a emporté sur la logique.
Locution
Panne d'électricité. Panne de courant.

électrique adj.
1. Relatif à l'électricité. *L'énergie électrique.*
2. Qui fonctionne à l'électricité. *Un appareil électrique.*

électrisant, ante adj.
Qui électrise. *Une musique électrisante.* **SYN.** excitant.

électriser v. tr.
1. Soumettre à l'électricité.
2. Provoquer une grande excitation, un grand enthousiasme. **SYN.** enflammer, exalter.
Conjugaison [VOIR MODÈLE – **AIMER**]

électrocuter v. tr.
Tuer par décharge électrique. *Le chat a été électrocuté par l'éclair.*
Conjugaison [VOIR MODÈLE – **AIMER**]

électrocution n. f.
Fait d'électrocuter, d'être électrocuté. *Dans quelques États américains, certains accusés sont condamnés à l'électrocution, c'est-à-dire à mourir sur une chaise électrique.*

électroménager adj. et n. m.
Adjectif
Se dit d'un appareil ménager qui fonctionne à l'électricité. *Le lave-vaisselle est un appareil électroménager très pratique.*
Nom masculin
Ensemble des appareils électroménagers.

électron n. m.
Particule fondamentale de l'atome portant une charge électrique négative.

électronique adj. et n. f.
Adjectif
1. Qui se rapporte à l'électron.
2. Qui utilise des dispositifs électroniques. *Des jeux électroniques.*
Nom féminin
Science de l'électron et de tous les phénomènes qui s'y rattachent.

élégamment adv.
On ne prononce qu'un seul ***m,*** comme dans le mot ***ligament.***
Avec élégance. *Anne est vêtue élégamment.*
éléga**mm**ent.

élégance n. f.
1. Grâce, distinction. *Quelle élégance, quel chic, ma chère !* **SYN.** classe.
2. Délicatesse morale. *Un geste élégant et généreux.*
élég**an**ce.

élégant, ante adj. et n. m. et f.
Qui a de l'élégance. *Une robe élégante. Des manières peu élégantes.* **SYN.** chic, distingué, gracieux.
élég**ant.**

élément n. m.
1. Composant, partie élémentaire. *Des éléments chimiques. Les éléments d'un casse-tête.*
2. (AU PLURIEL) Principes, notions fondamentales d'une science. *Des éléments de géométrie.*
3. Milieu dans lequel vit un être animé. *L'élément des poissons, c'est l'eau.*
Locution
Être dans son élément. Être dans son domaine propre, être à l'aise comme le poisson dans l'eau.

élémentaire adj.
1. Fondamental, qui sert de base. *Des principes élémentaires.*
2. Réduit à l'essentiel. *Ce guide contient des renseignements élémentaires.* **SYN.** facile, rudimentaire.
3. Très simple, connu de tous. *« Élémentaire, mon cher Watson ! », répondit Sherlock Holmes.*
Au Québec, l'enseignement du premier niveau se nomme ***enseignement primaire*** et non ***enseignement élémentaire.***
VOIR **PRIMAIRE.**

éléphant n. m.
Mammifère herbivore, le plus gros animal terrestre actuel caractérisé par sa peau épaisse, ses défenses et sa trompe.
VOIR TABLEAU – **ANIMAUX.**
Locutions
Un éléphant dans un magasin de porcelaine. Personne qui n'est pas à sa place.
Une mémoire d'éléphant. Une mémoire exceptionnelle.

éléphante n. f.
Femelle de l'éléphant.
VOIR TABLEAU – **ANIMAUX.**

éléphanteau n. m. (pl. *éléphanteaux*)
Petit de l'éléphant.
VOIR TABLEAU – **ANIMAUX.**

élevage n. m.
Le **é** se prononce **è** ou **é** et le **e** central est muet [ɛlvaʒ].
Action d'élever des animaux. *Ces cultivateurs font aussi l'élevage des abeilles : ils sont également apiculteurs.*
VOIR **AGRICULTURE.**

élévateur n. m.
Appareil de levage pour les marchandises, les fardeaux. *Un élévateur de paille, de grains.*
Ne pas confondre avec le nom ***ascenseur,*** appareil servant à monter et à descendre des personnes, des choses aux différents étages d'un immeuble.

élévation n. f.
1. Action d'élever, de porter à un niveau supérieur. *L'élévation d'un dirigeable dans les airs.* **SYN.** montée.
2. Terrain élevé. *Il y a une chapelle construite sur une petite élévation.*
3. Grandeur d'âme. **SYN.** noblesse.

élève n. m. et f.
Jeune ou adulte qui poursuit des études, à temps plein ou à temps partiel. *Étienne a été un élève du collège Jean-de-Brébeuf, Marie-Ève, une élève de l'école Saint-Germain.*
1° Ne pas confondre avec les noms suivants :
– ***écolier, écolière,*** jeune élève qui fait des études primaires ;
– ***étudiant, étudiante,*** élève d'un établissement universitaire.
2° Traditionnellement, on réserve le terme ***étudiant*** à la personne qui fréquente une université.
3° Le nom ***élève*** est le mot générique qui désigne toute personne qui fréquente un établissement d'enseignement.

élever v. tr., pronom.
Verbe transitif
1. Placer à un niveau supérieur. *Elles élèvent les bras pour le saluer. Il élève la voix pour leur crier : bonjour !*
Ne pas confondre avec les verbes suivants :
– ***lever,*** porter de bas en haut ;
– ***soulever,*** lever lentement à faible hauteur ;
– ***surélever,*** accroître la hauteur de quelque chose.
2. Former, éduquer. *Élever ses enfants avec dévouement et amour.*
3. Faire l'élevage d'animaux. *Ils élèvent des chevaux.*
Verbe pronominal
1. Atteindre une certaine hauteur, un degré supérieur. *La marée s'élève lentement.* **SYN.** augmenter, se hausser, monter.
2. Monter. *Quel magnifique feu d'artifice : les fusées multicolores s'élèvent très haut dans le ciel.*
3. Se faire entendre. *Des protestations s'élevèrent aussitôt.*
4. Se chiffrer. *Le nombre d'étudiants de cet établissement s'élève à 10 000.*
Conjugaison [VOIR MODÈLE – **LEVER**]
Le **e** se change en **è** devant une syllabe muette. *J'élève, j'élevais.*

éleveur n. m.
éleveuse n. f.
Personne qui élève des animaux.

élider v. tr.
Supprimer une voyelle finale devant une autre voyelle ou un ***h*** muet. *On élide la voyelle finale **a** de l'article **la** devant le nom **école** parce qu'il commence par la voyelle **é** : **l'école.***
VOIR **ÉLISION.**
Conjugaison [VOIR MODÈLE – **AIMER**]

éligible adj.
Qui peut être élu. *Ce candidat à la mairie est éligible.*
Forme fautive
*éligible. Anglicisme au sens de ***admissible.*** *Elle est admissible* (et non *éligible) *à ce concours.*

élimination n. f.
1. Action d'éliminer. *L'élimination de l'équipe adverse.*
2. Rejeter hors de l'organisme. *L'élimination des liquides.*
Locution
Procéder par élimination. Examiner tour à tour chacune des hypothèses, des possibilités pour choisir la plus intéressante.

éliminatoire adj. et n. f.
Adjectif
Qui élimine. *Épreuves éliminatoires. Une note éliminatoire.*
Nom féminin
Épreuve sportive. *Les éliminatoires auront lieu dans quelques jours.*
Ce nom s'emploie généralement au pluriel.

éliminer v. tr.
1. Faire disparaître. *Ce produit élimine les taches.* **SYN.** supprimer.
2. Exclure d'un ensemble. *Cet examen éliminera les plus faibles.* **SYN.** écarter.
Conjugaison [VOIR MODÈLE – **AIMER**]

élire v. tr.
Procéder à l'élection de. *Ils ont élu un nouveau président.*
Locution
Élire domicile. Établir sa demeure habituelle. *Cette famille a élu domicile à la campagne.*

Conjugaison [VOIR MODÈLE – **LIRE**]
INDICATIF PRÉSENT *J'élis, tu élis, il élit, nous élisons, vous élisez, ils élisent.* IMPARFAIT *J'élisais.* PASSÉ SIMPLE *J'élus, tu élus, il élut, nous élûmes, vous élûtes, ils élurent.* FUTUR *J'élirai.* **CONDITIONNEL** PRÉSENT *J'élirais.* **IMPÉRATIF** PRÉSENT *Élis, élisons, élisez.* **SUBJONCTIF** PRÉSENT *Que j'élise.* IMPARFAIT *Que j'élusse, que tu élusses, qu'il élût, que nous élussions, que vous élussiez, qu'ils élussent.* **PARTICIPE** PRÉSENT *Élisant.* PASSÉ *Élu, ue.*

élision n. f.
VOIR TABLEAU – **ÉLISION.**

élite n. f.
Ensemble de personnes considérées comme les plus remarquables, les plus dignes d'être choisies. **SYN.** gratin.
Attention au genre féminin de ce nom : ***une*** élite.

élixir n. m.
Préparation composée de substances dissoutes dans l'alcool. *Un élixir contre la toux. Ce serait merveilleux si on trouvait un élixir de jeunesse qui nous garderait éternellement jeunes.*
Attention au genre masculin de ce nom : ***un*** élixir.

elle pron. pers. f. (pl. *elles*)
Pronom personnel féminin de la troisième personne qui est toujours sujet du verbe. *Elle aime. Elles adorent. Seront-elles là ?*
Au masculin ***il,*** pluriel ***ils.***
HOM. aile, partie du corps de certains animaux.
VOIR TABLEAU – **PRONOM.**

ÉLISION

L'élision est le remplacement d'une voyelle finale (***a, e, i***) par une apostrophe devant un mot commençant par une voyelle ou un ***h*** muet. Devant un ***h*** aspiré cependant, il n'y a pas d'élision.

L'arbre, l'hôpital, mais *le homard.*

Les mots qui peuvent s'élider sont :

le, la, je, me, te, se, ne, de, que, ce	devant une voyelle ou un ***h*** muet.	*L'école, l'araignée. Il s'est endormi. J'aurai ce qui convient. M'aimes-tu ? Je n'ai pas pensé à cela. Qu'arrive-t-il ? J'essaie d'y aller. C'était hier. Lorsqu'elle arrivera, préviens-moi.*
si	devant ***il***. *S'il fait beau.*	
lorsque, puisque, quoique	devant ***il, elle, en, on, un, une, ainsi.*** *Puisqu'il est arrivé.*	
presque	devant ***île*** seulement. *Une presqu'île,* mais *un bâtiment presque achevé.*	
jusque	devant une voyelle. *Jusqu'au matin.*	

Élisions interdites

- Devant ***huit, un, onze.***

  Une quantité de huit grammes. Des colis de un kilo, de onze kilos.

  L'élision ne peut se faire devant l'adjectif numéral ***un***, mais elle peut se faire devant l'article indéfini. *Plus d'un voyageur est passé ici.*

- Devant ***oui.***

  Les millions de oui.

- Devant les mots d'origine étrangère commençant par un ***y***.

  Le yogourt, le yacht.

  L'élision doit se faire avec les noms propres selon les mêmes règles qu'avec les noms communs. *Le talent d'Étienne.*

VOIR TABLEAU – **APOSTROPHE.**

ellipse n. f.
Le *e* se prononce *é* [elips].
1. Suppression de mots. *Le mot **amitiés** à la fin d'une lettre est une ellipse de la phrase « Je vous fais mes amitiés ».*
2. Figure géométrique en forme de cercle aplati. *L'ellipse de la Terre autour du Soleil.*
Ne pas confondre avec le nom ***éclipse,*** disparition apparente d'un astre.
ellipse.

éloge n. m.
Louange. *Des éloges bien mérités. On a fait son éloge avec raison.* **SYN.** compliment, louange.
Attention au genre masculin de ce nom : ***un*** éloge.

élogieux, ieuse adj.
Flatteur, rempli d'éloges. *Des commentaires élogieux.* **SYN.** flatteur.
élogieu**x.**

éloigné, ée adj.
1. Qui n'est pas proche. *Un village éloigné.* **SYN.** isolé, loin, perdu.
2. Qui est loin dans le temps (passé ou futur). *Ces traditions avaient cours à une époque éloignée, c'est-à-dire il y a longtemps.*
3. Qui n'est pas proche parent. *Des cousins éloignés.* **SYN.** lointain.

éloignement n. m.
Distance de temps ou de lieu. *L'éloignement de son pays rend Anna triste parfois.*

éloigner v. tr., pronom.
Verbe transitif
Envoyer plus loin, reporter. *Les chasseurs ont éloigné leurs chiens, mais ils n'ont pas réussi à éloigner les moustiques.* **SYN.** chasser, écarter.
Verbe pronominal
1. Aller plus loin, s'écarter de. *Les marcheurs se sont éloignés du sentier.* **ANT.** se rapprocher.
2. Partir. *Les nuages s'éloignent et le soleil revient.* **ANT.** revenir.
Conjugaison [VOIR MODÈLE – **AIMER**]

éloquence n. f.
Art de parler, d'émouvoir, de persuader. *Avec son éloquence, Marie-Ève arrivera à les convaincre de participer.* **SYN.** verve.
éloqu**en**ce.

éloquent, ente adj.
1. Convaincant, persuasif. *Une démonstration éloquente.*
2. Significatif. *Des données éloquentes.* **SYN.** révélateur.
éloqu**ent.**

élucider v. tr.
Rendre clair, compréhensible. *Le mystère a été élucidé.* **SYN.** éclaircir, expliquer.
Conjugaison [VOIR MODÈLE – **AIMER**]

élucubration n. f.
(PÉJORATIF) Théorie extravagante. *Je ne crois pas à tes élucubrations.*
Ce nom s'emploie généralement au pluriel.

***E-mail**
Anglicisme pour ***adresse électronique.***

émail n. m. (pl. *émaux, émails*)
1. Enduit vitreux souvent coloré qu'on applique sur des métaux, des céramiques. *Des émaux sur cuivre.*
En ce sens, le pluriel est ***émaux.***
2. Substance dure qui recouvre l'ivoire de la couronne des dents. *Des émails très blancs.*
En ce sens, le pluriel est ***émails.***

émailler v. tr.
1. Orner d'émail. *Émailler une plaque de cuivre.*
2. (LITTÉRAIRE) Parsemer d'ornements divers. *Un pré émaillé de fleurs sauvages.*
Le verbe se construit avec la préposition ***de.***
Conjugaison [VOIR MODÈLE – **AIMER**]
Les lettres ***ill*** sont suivies d'un ***i*** à la première et à la deuxième personne du pluriel de l'indicatif imparfait et du subjonctif présent. *(Que) nous émaillions, (que) vous émailliez.*

émaner v. intr.
1. Sortir de. *La chaleur émane du radiateur.* **SYN.** se dégager.
2. Provenir de. *Cette décision émane de la haute direction.*
Ce verbe est toujours intransitif et se construit avec la préposition ***de.***
Conjugaison [VOIR MODÈLE – **AIMER**]

embâcle n. m.
Amoncellement de glaces dans un cours d'eau. *Cet embâcle de la rivière pourrait provoquer une inondation.*
Ne pas confondre avec le nom féminin ***débâcle,*** rupture des glaces d'un cours d'eau.
Ce nom est masculin, mais il s'emploie parfois au féminin.

emballage n. m.
1. Action d'emballer. *L'emballage de ces cadeaux sera long.* **SYN.** empaquetage. **ANT.** déballage.
2. Matériel servant à emballer. *Des papiers d'emballage.*
emba**ll**age.

emballage-cadeau n. m. (pl. *emballages-cadeaux*)
Type de paquet destiné aux présents. *Désirez-vous des emballages-cadeaux ?*

emballement n. m.
Mouvement d'enthousiasme irréfléchi. **SYN.** engouement.
emba**ll**ement.

emballer v. tr., pronom.
Verbe transitif
1. Empaqueter. *Nous avons des cadeaux à emballer.* **SYN.** envelopper.
2. (FAMILIER) Ravir. *Le spectacle nous a emballés.* **SYN.** enchanter, enthousiasmer, plaire.
Verbe pronominal
1. Prendre le mors aux dents, s'emporter, en parlant d'un cheval. *Avec tout ce bruit, le cheval s'est emballé et s'est mis à galoper.*
2. (FIGURÉ) Se laisser emporter par l'enthousiasme, par la joie, la colère. *Elles se sont emballées et ont crié des bravos. Ne nous emballons pas ! Restons calmes.* **SYN.** s'exciter.
Conjugaison [VOIR MODÈLE – **AIMER**]
emba**ll**er.

embarcadère n. m.
Lieu où l'on monte à bord, où l'on sort d'un navire, d'un véhicule. *À Venise, les voyageurs peuvent monter à bord des vaporettos à partir des divers embarcadères de la ville.* **SYN.** débarcadère.
Attention au genre masculin de ce nom : ***un*** embarcadère.
embarcad**ère.**

embarcation n. f.
Bateau de petite taille. *Des barques, des canots, des chaloupes : toutes sortes d'embarcations sont décorées pour la fête de la Vierge.*
Le mot ***bateau*** est un terme général qui désigne toute embarcation qui flotte et navigue. Par contre, le mot ***navire*** convient pour les grands bateaux servant au transport sur la mer, tandis que le mot ***embarcation*** désigne de petits bateaux, destinés principalement au tourisme, aux loisirs nautiques (canots, chaloupes, voiliers, etc.).

embardée n. f.
Écart brusque d'un véhicule. *La voiture a fait une embardée pour éviter un chien.*

embarquement n. m.
Action d'embarquer, de s'embarquer. *L'embarquement des passagers se fera dans quelques minutes.*

embarquer v. tr., intr., pronom.
Verbe transitif
Charger à bord d'un navire. *Les matelots ont embarqué des vivres et des marchandises sur le cargo.*
Verbe intransitif pronominal
1. Monter à bord d'un navire et par extension, d'un train, d'un avion. *Ils ont embarqué hier soir. Elles se sont embarquées avant-hier.*
Pour une voiture, un véhicule routier, on préférera le verbe ***monter.***
2. (FIGURÉ) Se lancer dans une affaire compliquée. *Pourquoi t'es-tu embarqué dans ces travaux de rénovation ?*
Forme fautive
*embarquer (dans un véhicule routier). Impropriété pour ***monter*** (dans un véhicule routier).
Conjugaison [VOIR MODÈLE – **AIMER**]

embarras n. m.
Ennui, gêne. *Cette révélation les a mis dans l'embarras; ils sont très ennuyés.* **SYN.** difficulté, embêtement, inconvénient.
Locutions
Avoir l'embarras du choix. Avoir du mal à choisir entre plusieurs possibilités intéressantes.
Être dans l'embarras. Être dans une situation difficile.
embar**r**a**s,** deux ***r*** et un ***s*** final même au singulier.

embarrassant, ante adj.
1. Qui met dans une situation gênante. *Une question embarrassante.* **SYN.** délicat, gênant.
2. Encombrant. *Ces valises sont embarrassantes quand on voyage en train : il vaut mieux utiliser un sac à dos.*
emba**rr**assant.

embarrasser v. tr., pronom.
Verbe transitif
1. Mettre dans l'incertitude, dans l'embarras. *Cette demande m'embarrasse beaucoup, je ne sais quelle décision prendre. Cette question embarrasse plusieurs élèves qui ne connaissent pas la réponse.*
2. Gêner. *Je ne voudrais pas vous embarrasser, mais quel âge avez-vous ?*
3. Encombrer. *Est-ce que cette valise vous embarrasse ?*
Verbe pronominal
1. S'encombrer. *Je m'étais embarrassé de lourds colis.*
2. Tenir compte. *Ne vous embarrassez pas de ces détails.*
Conjugaison [VOIR MODÈLE – **AIMER**]
emba**rr**asser.

***embarrer**
Au sens de ***enfermer par erreur,*** ce verbe est ancien.

embauche n. f.
Fait d'engager un salarié. *Cette entreprise est en période d'embauche.*

embaucher v. tr.
Engager un salarié. *L'usine a embauché plusieurs électriciens.*
Conjugaison [VOIR MODÈLE – **AIMER**]

embaumer v. tr., intr.
Verbe transitif
1. Remplir un cadavre de substances destinées à le préserver de la corruption. *Les momies retrouvées en Égypte par les archéologues avaient été embaumées.*
2. Parfumer. *Ces fleurs embaument le salon.*
Verbe intransitif
Répandre une odeur agréable. *Le bon pain embaume : j'ai faim !*
Conjugaison [VOIR MODÈLE – **AIMER**]

embellir v. tr., intr.
Verbe transitif
Rendre beau. *Embellir son jardin.* **SYN.** décorer, orner. **ANT.** enlaidir.
Verbe intransitif
Devenir beau. *Elle a beaucoup embelli depuis cinq ans.*
ANT. enlaidir.
Conjugaison [VOIR MODÈLE – **FINIR**]

embêtant, ante adj.
(FAMILIER) Ennuyeux. *Des questions embêtantes, une histoire embêtante.* **SYN.** embarrassant, (FAMILIER) emmerdant.

embêtement n. m.
(FAMILIER) Ennui. *Nous avons un embêtement : la voiture est en panne.* **SYN.** problème.

embêter v. tr.
1. (FAMILIER) Ennuyer. *Ce concert a embêté les enfants, qui avaient envie de jouer dehors.*
2. Agacer, taquiner. *Cesse de faire du bruit, tu m'embêtes !*
SYN. importuner.
3. Embarrasser. *Votre question m'embête, je ne connais pas la réponse.*
Conjugaison [VOIR MODÈLE – **AIMER**]

emblée (d') loc. adv.
Sans difficulté, du premier coup. *Elle fut admise d'emblée.*
SYN. aussitôt, tout de suite.

emblème n. m.
1. Figure qui représente un pays, un groupe, une idée. *Le castor est l'emblème du Canada.*
2. Symbole. *L'emblème de Québec/Amérique est un sextant; celui des ordinateurs Macintosh, une pomme multicolore.*
Attention au genre masculin de ce nom : ***un*** emblème.

embobiner v. tr.
1. Enrouler autour d'une bobine.
2. (FAMILIER) Séduire par de beaux discours, rouler. *Ils ont été embobinés par ce beau parleur.*
Conjugaison [VOIR MODÈLE – **AIMER**]

emboîter v. tr., pronom.
Verbe transitif
Assembler, ajuster. *Emboîter des conduits.*
Verbe pronominal
Entrer l'un dans l'autre. *Ces pièces s'emboîtent parfaitement.*

Locution
Emboîter le pas. Suivre docilement.
Conjugaison [VOIR MODÈLE – **AIMER**]
emboîter.

embonpoint n. m.
État d'une personne un peu grasse. *Il a de l'embonpoint : il lui faudra maigrir un peu.*
Locution
Prendre de l'embonpoint. Engraisser.
embonpoint.

embouchure n. f.
Arrivée d'un cours d'eau, d'une rivière dans la mer. *L'embouchure du Saint-Laurent.*

embouteillage n. m.
1. Mise en bouteilles. *L'embouteillage d'une boisson gazeuse.*
2. Encombrement de la circulation. *Il y a des embouteillages à cause des travaux de construction.* **SYN.** bouchon.

embouteiller v. tr.
1. Mettre en bouteilles. *Embouteiller de l'eau gazeuse.*
2. (FIGURÉ) Encombrer une voie de communication par un trop grand nombre de véhicules. *Ces camions embouteillent les rues.*
Conjugaison [VOIR MODÈLE – **AIMER**]
Les lettres ***ill*** sont suivies d'un ***i*** à la première et à la deuxième personne du pluriel de l'indicatif imparfait et du subjonctif présent. *(Que) nous embouteillions, (que) vous embouteilliez.*

embranchement n. m.
1. Point de rencontre de deux ou plusieurs chemins. *Il y a un feu de circulation au prochain embranchement.* **SYN.** carrefour, croisement, intersection.
2. Division du règne animal ou du règne végétal. *Les vertébrés constituent un embranchement du règne animal.*

embraser v. tr., pronom.
Verbe transitif
Mettre en feu. *En juin, les feux d'artifice ont embrasé le ciel de Montréal.*
Verbe pronominal
Prendre feu. *En raison de la sécheresse, la forêt s'est embrasée et des milliers d'arbres ont brûlé.*
Conjugaison [VOIR MODÈLE – **AIMER**]

embrassade n. f.
Accolade. *Les embrassades et les poignées de main ont duré un bon moment : il y avait si longtemps qu'ils s'étaient vus.*

embrasser v. tr., pronom.
Verbe transitif
Donner un baiser à quelqu'un. *Grand-maman embrasse sa petite Fanny.* **SYN.** ⚜ donner un bec.
Verbe pronominal
Se donner des baisers. *Ils se sont embrassés un long moment.*
Locution
Qui trop embrasse mal étreint. (Proverbe) Si on entreprend trop de choses à la fois, on ne les réussira qu'à moitié.
Conjugaison [VOIR MODÈLE – **AIMER**]

embrayage n. m.
1. Action d'embrayer.
2. Mécanisme permettant d'embrayer. *Appuie sur la pédale d'embrayage* (et non sur la *clutch).

embrayer v. tr.
(MÉCANIQUE) Mettre en communication un mécanisme, une pièce mobile avec l'arbre moteur. *Embraye ! Nous sommes pressés.*
Conjugaison [VOIR MODÈLE – **PAYER**]
Dans ce verbe, le ***y*** n'est pas remplacé par ***i*** devant un ***e*** muet. *J'embraye, j'embrayerai.*

embrouiller v. tr., pronom.
Verbe transitif
Semer la confusion. *Vous avez tout embrouillé avec vos remarques.* **SYN.** compliquer.
Verbe pronominal
Perdre le fil de ses idées. *Elle s'est embrouillée dans son explication.* **SYN.** se tromper.
Conjugaison [VOIR MODÈLE – **AIMER**]
Les lettres ***ill*** sont suivies d'un ***i*** à la première et à la deuxième personne du pluriel de l'indicatif imparfait et du subjonctif présent. *(Que) nous embrouillions, (que) vous embrouilliez.*

embryon n. m.
1. Germe d'un être organisé. *Un embryon de grenouille.*
Pour l'espèce humaine, le nom ***embryon*** s'emploie de la conception jusqu'au troisième mois ; du troisième mois à la naissance, on emploie le nom ***fœtus.***
2. (FIGURÉ) Commencement. *Un embryon d'association.* **SYN.** début.
embryon.

embûche n. f.
Piège. *La traversée était pleine d'embûches.* **SYN.** difficulté.
Le nom s'emploie généralement au pluriel.
embûche.

embuer v. tr.
Couvrir d'une buée. *Le pare-brise est embué, il est impossible de rouler ainsi.*
Conjugaison [VOIR MODÈLE – **AIMER**]

embuscade n. f.
Manœuvre qui consiste à se cacher pour attaquer par surprise. *Tomber dans une embuscade.* **SYN.** piège, traquenard.

embusquer v. tr., pronom.
Mettre en embuscade pour attaquer par surprise. *Le voleur était embusqué dans un petit bois, mais les policiers s'étaient également embusqués au même endroit !*
Conjugaison [VOIR MODÈLE – **AIMER**]

éméché, ée adj.
(FAMILIER) Légèrement ivre. **SYN.** (FAMILIER) pompette.

émeraude adj. inv. et n. m. et f.
Nom féminin
Pierre précieuse d'un beau vert. *Des émeraudes très belles.*
Adjectif de couleur invariable
De la teinte verte de l'émeraude. *Des velours vert émeraude. Des jupes émeraude.*
VOIR TABLEAU – **COULEUR (ADJECTIFS DE).**
Nom masculin
Couleur qui rappelle la pierre précieuse. *Une teinture d'un bel émeraude.*

émerger v. intr.
Surgir d'un milieu liquide. *Un requin émergea de la mer.*
Ne pas confondre avec les verbes suivants :
– ***immerger,*** plonger dans un liquide ;
– ***submerger,*** recouvrir complètement d'un liquide.
Conjugaison [VOIR MODÈLE – **CHANGER**]
Le ***g*** est suivi d'un ***e*** devant les lettres ***a*** et ***o***. *Il émergea, nous émergeons.*

émerveillement n. m.
Fait de s'émerveiller, d'être émerveillé. *Le délicieux émerveillement des enfants.* **SYN.** enchantement, ravissement.

e

émerveiller v. tr., pronom.
Verbe transitif
Éblouir, frapper d'admiration. *La jeune pianiste a émerveillé son auditoire.* **SYN.** fasciner, ravir.
Verbe pronominal
Éprouver de l'admiration pour quelqu'un, pour quelque chose de merveilleux. *Ils s'émerveillent de la beauté du paysage. Elle s'émerveille de voir les baleines de si près.*
Le verbe se construit avec la préposition ***de*** suivie d'un nom ou d'un infinitif. Il peut également se construire avec la conjonction ***que*** suivie du subjonctif. *Je m'émerveille que tant d'amis soient présents aujourd'hui.*
Conjugaison [VOIR MODÈLE – **AIMER**]
Les lettres ***ill*** sont suivies d'un ***i*** à la première et à la deuxième personne du pluriel de l'indicatif imparfait et du subjonctif présent. *(Que) nous émerveillions, (que) vous émerveilliez.*

émetteur, trice adj. et n. m.
Adjectif
Qui émet. *Un poste émetteur.*
Nom masculin
Poste d'émission de signaux électromagnétiques porteurs de sons, d'images. *Un émetteur de télévision.*

émettre v. tr., intr.
Verbe transitif
1. Produire. *Émettre un son, des signaux lumineux.*
2. Exprimer. *Ils ont émis une hypothèse.* **SYN.** avancer, formuler.
3. Mettre en circulation. *Émettre des billets de banque, des chèques.*
Verbe intransitif
Diffuser des sons, des images. *Cette chaîne de télévision émet à compter de 8 heures tous les jours.*
Formes fautives
*émettre un communiqué. Anglicisme pour ***publier un communiqué.***
*émettre un ordre. Anglicisme pour ***donner un ordre.***
*émettre un passeport. Anglicisme pour ***délivrer un passeport.***
Conjugaison [VOIR MODÈLE – **REMETTRE**]
INDICATIF PRÉSENT *J'émets, tu émets, il émet, nous émettons, vous émettez, ils émettent.* IMPARFAIT *J'émettais.* PASSÉ SIMPLE *J'émis.* FUTUR *J'émettrai.* **CONDITIONNEL** PRÉSENT *J'émettrais.* **IMPÉRATIF** PRÉSENT *Émets, émettons, émettez.* **SUBJONCTIF** PRÉSENT *Que j'émette.* IMPARFAIT *Que j'émisse.* **PARTICIPE** PRÉSENT *Émettant.* PASSÉ *Émis, ise.*

émeute n. f.
Agitation d'un groupe de personnes. *Le défilé des contestataires a tourné à l'émeute. Il y a eu une émeute rue Sainte-Catherine lorsque les Canadiens ont remporté la coupe Stanley.* **SYN.** révolte, soulèvement.

émiettement n. m.
Action d'émietter ; son résultat.

émietter v. tr.
Réduire en miettes. *Julie émiette du pain pour les oiseaux.*
Conjugaison [VOIR MODÈLE – **AIMER**]

émigrant, ante n. m. et f.
Personne qui quitte son pays pour aller vivre à l'étranger. *Ces émigrants attendent un visa du nouveau pays où ils désirent habiter.*
1° Ne pas confondre avec le nom ***immigrant,*** personne entrant dans un pays étranger pour s'y établir.
2° Par rapport au nom ***émigré*** qui met l'accent sur le fait de vivre dans un nouveau pays, le nom ***émigrant*** insiste sur la notion de départ de son pays.

émigration n. f.
Action de quitter son pays pour aller s'établir dans un autre pays.
Ne pas confondre avec le nom ***immigration,*** action de venir dans un pays pour s'y établir.

émigré, ée adj. et n. m. et f.
Adjectif
Qui a émigré. *Des travailleurs émigrés.*
Nom masculin et féminin
Personne qui a quitté son pays pour s'installer dans un nouveau pays. *Ces émigrés s'adaptent bien à leur nouvelle patrie.*
1° Par rapport au nom ***émigrant*** qui insiste sur la notion de départ de son pays, le nom ***émigré*** met l'accent sur le fait de vivre dans un nouveau pays.
2° Ne pas confondre avec le nom ***immigré,*** personne venant habiter un nouveau pays après avoir quitté le sien.

émigrer v. intr.
Quitter son pays pour aller s'établir à l'étranger. *En raison de la guerre, de nombreux Libanais ont émigré au Québec.*
Ne pas confondre avec le verbe ***immigrer,*** venir habiter un nouveau pays après avoir quitté le sien.
Conjugaison [VOIR MODÈLE – **AIMER**]

éminence n. f.
1. Élévation de terrain. *Le manoir a été construit sur une éminence au bord du fleuve.* **SYN.** butte, colline.
2. Titre réservé aux cardinaux. *Son Éminence le cardinal Léger.*
Locution
Éminence grise. Conseiller secret qui a beaucoup d'influence.

éminent, ente adj.
Remarquable, très important. *Un personnage éminent nous rendra visite : c'est un grand chercheur qui a reçu le prix Nobel de médecine.*
Ne pas confondre avec **imminent**, qui est tout près d'arriver.

émissaire adj. et n. m. et f.
Adjectif
Bouc émissaire. Personne que l'on charge de fautes commises par d'autres.
L'adjectif n'est usité que dans cette expression.
Nom masculin et féminin
Personne chargée d'une mission secrète. *Un émissaire de la paix.* **SYN.** délégué, envoyé.
émiss**aire.**

émission n. f.
1. Projection de particules, de rayons. *Une émission de gaz toxiques.*
2. Transmission de signaux, de sons et d'images. *Une émission sur ondes courtes.* **SYN.** diffusion.
3. Programme transmis par la radio, la télévision. *Une émission télévisée très populaire.*
4. (FINANCES) Mise en circulation de monnaies, titres, etc. *Des émissions de timbres-poste, de billets de banque.*

emmagasiner v. tr.
Entreposer. *Emmagasiner des marchandises.* **SYN.** accumuler, amasser, stocker.
Conjugaison [VOIR MODÈLE – **AIMER**]

emmailloter v. tr.
Les lettres ***em*** se prononcent ***an.***

Envelopper étroitement. *Ils grelottaient et s'étaient emmaillotés dans une couverture.*
Conjugaison [VOIR MODÈLE – **AIMER**]
emmaillo**t**er.

emmanchure n. f.
Les lettres ***em*** se prononcent ***an.***
Ouverture d'un vêtement pour y coudre une manche.

emmêler v. tr.
Les lettres ***em*** se prononcent ***an.***
1. Mêler des fils qui se prennent les uns dans les autres. *Emmêler ses cheveux.* **SYN.** enchevêtrer. **ANT.** démêler.
Ne pas confondre avec le verbe ***entremêler,*** insérer certaines choses dans d'autres.
2. (FIGURÉ) Embrouiller. *Emmêler une situation.* **SYN.** brouiller. **ANT.** démêler.
Conjugaison [VOIR MODÈLE – **AIMER**]

emménager v. intr.
Les lettres ***em*** se prononcent ***an.***
S'installer dans un nouveau logement. *Ils viennent d'emménager dans cette maison.*
Ne pas confondre avec le verbe ***aménager,*** action d'organiser en vue d'un usage déterminé.
Conjugaison [VOIR MODÈLE – **CHANGER**]
Le ***g*** est suivi d'un ***e*** devant les lettres ***a*** et ***o.*** *Il emménagea, nous emménageons.*

emmener v. tr.
Les lettres ***em*** se prononcent ***an.***
Mener avec soi du lieu où l'on est vers un autre lieu. *Il emmène ses enfants en voyage.*
1° On ***emmène*** une personne du lieu où l'on est dans un autre, mais on ***amène*** une personne vers un lieu donné.
2° On ***emmène*** une personne, un animal, mais on ***emporte*** une chose.
Conjugaison [VOIR MODÈLE – **LEVER**]
Le deuxième ***e*** se change en ***è*** devant une syllabe muette. *J'emmène, j'emmenais.*

emmerdant, ante adj.
Les lettres ***em*** se prononcent ***an.***
1. (FAMILIER) Ennuyeux. *Ce travail est emmerdant.*
2. (FAMILIER) Embêtant. *Un retard emmerdant.* **SYN.** contrariant.
Cet adjectif est très familier. Dans un style soigné, on l'évitera.

emmerdement n. m.
Les lettres ***em*** se prononcent ***an.***
(FAMILIER) Ennui. **SYN.** embêtement.
L'emploi de ce nom est à éviter dans un style soigné.

emmerder v. tr., pronom.
Les lettres ***em*** se prononcent ***an.***
Verbe transitif
(FAMILIER) Importuner. *Ce devoir les emmerde.* **SYN.** agacer, embêter.
Verbe pronominal
(FAMILIER) S'ennuyer. *Ils se sont emmerdés à cette conférence.*
L'emploi de ce verbe est à éviter dans un style soigné.
Conjugaison [VOIR MODÈLE – **AIMER**]

emmerdeur, euse n. m. et f.
Les lettres ***em*** se prononcent ***an.***
(FAMILIER) Personne qui dérange, qui agace. **SYN.** casse-pieds.

emmitoufler v. tr., pronom.
Les lettres ***em*** se prononcent ***an.***
Verbe transitif
Envelopper dans des vêtements bien chauds. *Elle emmitoufle les enfants, car il fait très froid.*
Verbe pronominal
Se couvrir chaudement. *Elle s'était emmitouflée, elle avait trop chaud.*
Conjugaison [VOIR MODÈLE – **AIMER**]
emmitou**f**ler, un seul ***f.***

emmurer v. tr.
Les lettres ***em*** se prononcent ***an.***
Enfermer en murant. *Les habitants ont été emmurés lors du séisme.*
Conjugaison [VOIR MODÈLE – **AIMER**]
e**mm**urer.

émoi n. m.
1. (LITTÉRAIRE) Émotion. *Des émois charmants.*
2. Agitation. *Il y eut tout un émoi quand le chanteur arriva sur la scène.*
Locution
En émoi. Ému, dans un état d'excitation. *Il y a eu un début d'incendie à l'école qui a été vite éteint; la classe était en émoi.*

émotif, ive adj. et n. m. et f.
Adjectif
Trop sensible, impressionnable. *Cette enfant est très émotive.* **ANT.** calme.
Nom masculin et féminin
Qui est très sensible, qui se trouble facilement.

émotion n. f.
Le ***o*** de la deuxième syllabe est fermé [emosjɔ̃].
Réaction affective intense causée par la surprise, la joie, la peur, etc. *Leur arrivée causa une vive émotion.*
Locution
Émotions fortes. Peur, grande inquiétude. **SYN.** trouble.

émotionnel, elle adj.
Le ***o*** de la deuxième syllabe est fermé [emosjɔnɛl].
Propre à l'émotion. *Un choc émotionnel.*

émotivité n. f.
Le ***o*** est ouvert [emɔtivite].
1. Caractère d'une personne émotive.
2. Capacité à ressentir des émotions.

émousser v. tr.
1. Rendre moins tranchant. *L'usure a émoussé la lame de ce couteau.*
2. (FIGURÉ) Affaiblir, rendre moins vif (un sentiment, une sensation, etc.). *Les années qui ont passé ont émoussé le souvenir de la maison de son enfance.* **SYN.** atténuer.
Conjugaison [VOIR MODÈLE – **AIMER**]

émoustillant, ante adj.
Excitant.

émoustiller v. tr.
Exciter, rendre gai.
Conjugaison [VOIR MODÈLE – **AIMER**]
Les lettres ***ill*** sont suivies d'un ***i*** à la première et à la deuxième personne du pluriel de l'indicatif imparfait et du subjonctif présent. *(Que) nous émoustillions, (que) vous émoustilliez.*

émouvant, ante adj.
Touchant. *Cette scène d'adieux était émouvante.* **SYN.** bouleversant, poignant.

émouvoir v. tr., pronom.
Verbe transitif
Toucher, bouleverser. *Ces paroles les ont émus.* **SYN.** remuer, troubler.
Verbe pronominal
Se troubler. *Ils se sont émus au souvenir de ces jours heureux.*
Conjugaison [VOIR MODÈLE – **ÉMOUVOIR**]

empailler v. tr.
Traiter un animal mort de façon à ce qu'on puisse conserver son apparence intacte. *Un hibou empaillé.* **SYN.** naturaliser.
Conjugaison [VOIR MODÈLE – **AIMER**]
Les lettres ***ill*** sont suivies d'un ***i*** à la première et à la deuxième personne du pluriel de l'indicatif imparfait et du subjonctif présent. *(Que) nous empaillions, (que) vous empailliez.*

empailleur, euse n. m. et f.
Personne qui empaille des animaux.

empaqueter v. tr.
Mettre en paquet. *Elle empaquette des livres.* **SYN.** emballer.
Conjugaison [VOIR MODÈLE – **APPELER**]
Redoublement du ***t*** devant un ***e*** muet. *J'empaquette, j'empaquetterai,* mais *j'empaquetais.*

emparer (s') v. pronom.
Prendre possession de quelque chose par la force. *Les rebelles se sont emparés de la station de radio.* **SYN.** se saisir de.
Le participe passé de ce verbe qui n'existe qu'à la forme pronominale s'accorde toujours en genre et en nombre avec le sujet du verbe.
Conjugaison [VOIR MODÈLE – **AIMER**]

empâter (s') v. pronom.
Prendre du poids, épaissir. *Ses traits se sont empâtés.* **SYN.** engraisser, grossir.
À la forme pronominale, le participe passé du verbe s'accorde toujours en genre et en nombre avec le sujet.
Conjugaison [VOIR MODÈLE – **AIMER**]
emp**â**ter.

empêchement n. m.
Contretemps de dernière minute. *Ils ont eu un empêchement et n'ont pu venir.* **SYN.** difficulté, obstacle.
emp**ê**chement.

empêcher v. tr., pronom.
Verbe transitif
Mettre dans l'impossibilité de, faire obstacle à. *Le parapet empêche les chutes.*
Verbe pronominal
Se retenir de. *Ils n'ont pu s'empêcher d'éclater de rire.*
Le verbe se construit avec la préposition ***de*** suivie de l'infinitif.
Conjugaison [VOIR MODÈLE – **AIMER**]

empereur n. m.
impératrice n. f.
Chef d'un empire.
Suivis d'un nom propre, les mots ***empereur, impératrice*** s'écrivent avec une minuscule. Employés sans nom propre, ils s'écrivent avec une majuscule. *L'empereur Napoléon Ier, l'Empereur.*

empesé, ée adj.
1. Qu'on a rendu plus raide, en parlant d'un vêtement, d'une étoffe. *Un chemisier empesé.*
2. (FIGURÉ) Raide, dépourvu de naturel. *Un accueil empesé.*

empeser v. tr.
Enduire d'amidon une étoffe pour lui donner de la raideur. *Empeser des chemises.*
Conjugaison [VOIR MODÈLE – **LEVER**]
Le ***e*** se change en ***è*** devant une syllabe muette. *J'empèse, j'empesais.*

empester v. tr., intr.
Verbe transitif
1. Infester d'une odeur désagréable. *Ces fromages forts empestent la cuisine.*
2. Dégager une mauvaise odeur. *Cette pièce empeste la fumée et la sueur.*
Verbe intransitif
Sentir mauvais. *Ces produits chimiques empestent.*
Conjugaison [VOIR MODÈLE – **AIMER**]

empêtrer v. tr., pronom.
Verbe transitif
Embarrasser. *Sa jupe trop longue l'empêtre un peu et l'empêche de courir.* **SYN.** entraver.
Verbe pronominal
S'embrouiller. *Elle s'est empêtrée dans ses explications.* **SYN.** s'embarrasser.
Conjugaison [VOIR MODÈLE – **AIMER**]

emphase n. f.
Exagération prétentieuse.
Forme fautive
*emphase. Anglicisme au sens de ***accent, insistance.*** *Il faut mettre l'accent* (et non l'*emphase) *sur l'originalité de ce programme.*

empiéter v. intr.
1. Déborder sur quelque chose qui appartient à quelqu'un d'autre. *Votre clôture empiète de quelques centimètres sur mon terrain.* **SYN.** dépasser.
2. Chevaucher. *Des tuiles qui empiètent les unes sur les autres.*
Conjugaison [VOIR MODÈLE – **POSSÉDER**]
Le ***é*** se change en ***è*** devant une syllabe muette, sauf à l'indicatif futur et au conditionnel présent. *J'empiète,* mais *j'empiéterai.*

empiffrer (s') v. pronom.
(FAMILIER) Se remplir le ventre de façon gloutonne. *En rentrant de l'école, les enfants se sont empiffrés de bons gâteaux.* **SYN.** se gaver.
Le participe passé de ce verbe qui n'existe qu'à la forme pronominale s'accorde toujours en genre et en nombre avec le sujet du verbe.
Conjugaison [VOIR MODÈLE – **AIMER**]
s'empi**ff**rer.

empilement n. m.
Ensemble de choses empilées. *Un empilement de livres.* **SYN.** entassement.
empi**l**ement.

empiler v. tr., pronom.
Verbe transitif
Entasser, mettre en pile. *Empiler des briques.*
Verbe pronominal
1. S'entasser, s'amonceler. *Les dossiers s'empilaient sur son bureau.*
2. S'emboîter. *Ces tables peuvent s'empiler les unes sur les autres.*
Conjugaison [VOIR MODÈLE – **AIMER**]

Indicatif

Présent		*Passé composé*		
j'	émeus	j'	ai	ému
tu	émeus	tu	as	ému
elle	émeut	elle	a	ému
il	émeut	il	a	ému
nous	émouvons	nous	avons	ému
vous	émouvez	vous	avez	ému
elles	émeuvent	elles	ont	ému
ils	émeuvent	ils	ont	ému

Imparfait		*Plus-que-parfait*		
j'	émouvais	j'	avais	ému
tu	émouvais	tu	avais	ému
elle	émouvait	elle	avait	ému
il	émouvait	il	avait	ému
nous	émouvions	nous	avions	ému
vous	émouviez	vous	aviez	ému
elles	émouvaient	elles	avaient	ému
ils	émouvaient	ils	avaient	ému

Passé simple		*Passé antérieur*		
j'	émus	j'	eus	ému
tu	émus	tu	eus	ému
elle	émut	elle	eut	ému
il	émut	il	eut	ému
nous	émûmes	nous	eûmes	ému
vous	émûtes	vous	eûtes	ému
elles	émurent	elles	eurent	ému
ils	émurent	ils	eurent	ému

Futur simple		*Futur antérieur*		
j'	émouvrai	j'	aurai	ému
tu	émouvras	tu	auras	ému
elle	émouvra	elle	aura	ému
il	émouvra	il	aura	ému
nous	émouvrons	nous	aurons	ému
vous	émouvrez	vous	aurez	ému
elles	émouvront	elles	auront	ému
ils	émouvront	ils	auront	ému

Infinitif

Présent	*Passé*
émouvoir	avoir ému

Subjonctif

Présent			*Passé*			
que	j'	émeuve	que	j'	aie	ému
que	tu	émeuves	que	tu	aies	ému
qu'	elle	émeuve	qu'	elle	ait	ému
qu'	il	émeuve	qu'	il	ait	ému
que	nous	émouvions	que	nous	ayons	ému
que	vous	émouviez	que	vous	ayez	ému
qu'	elles	émeuvent	qu'	elles	aient	ému
qu'	ils	émeuvent	qu'	ils	aient	ému

Imparfait			*Plus-que-parfait*			
que	je	émusse	que	j'	eusse	ému
que	tu	émusses	que	tu	eusses	ému
qu'	elle	émût	qu'	elle	eût	ému
qu'	il	émût	qu'	il	eût	ému
que	nous	émussions	que	nous	eussions	ému
que	vous	émussiez	que	vous	eussiez	ému
qu'	elles	émussent	qu'	elles	eussent	ému
qu'	ils	émussent	qu'	ils	eussent	ému

Conditionnel

Présent		*Passé*		
j'	émouvrais	j'	aurais	ému
tu	émouvrais	tu	aurais	ému
elle	émouvrait	elle	aurait	ému
il	émouvrait	il	aurait	ému
nous	émouvrions	nous	aurions	ému
vous	émouvriez	vous	auriez	ému
elles	émouvraient	elles	auraient	ému
ils	émouvraient	ils	auraient	ému

Impératif

Présent	*Passé*	
émeus	aie	ému
émouvons	ayons	ému
émouvez	ayez	ému

Participe

Présent	*Passé*
émouvant	ému, ue
	ayant ému

empire n. m.
1. État dirigé par un empereur ou par une impératrice.
2. Ensemble d'États soumis à une autorité. *L'Empire britannique.*
En ce sens, le nom s'écrit avec une majuscule.
3. Autorité, domination morale.
4. Groupe puissant. *Un empire financier.*
Locution
Sous l'empire de, locution prépositive. Sous l'influence de. *Il a agi sous l'empire de la colère.*

empirer v. intr.
S'aggraver. *Son état de santé a empiré.* **SYN.** se détériorer.
Autrefois, le verbe pouvait se conjuguer avec l'auxiliaire ***être*** pour marquer l'état, mais il se conjugue aujourd'hui avec l'auxiliaire ***avoir.***
Conjugaison [VOIR MODÈLE – **AIMER**]

emplette n. f.
Achat. *Faire des emplettes.* **SYN.** course.

emplir v. tr.
1. (LITTÉRAIRE) Remplir. *Emplis mes poches pour que mes yeux ne s'emplissent pas de larmes.*
2. Envahir. *Les touristes emplissent les rues pendant l'été.*
Conjugaison [VOIR MODÈLE – **FINIR**]

emploi n. m.
1. Action, manière de se servir d'une chose. *L'emploi d'un produit chimique. L'emploi du mot* canceller *au sens* d'annuler *est fautif.* **SYN.** usage, utilisation.
2. Travail, fonction. *Des offres d'emploi, des demandes d'emploi, des créations d'emplois, des suppressions d'emplois.*
Locutions
Demandeur d'emploi. Personne en chômage à la recherche d'un travail. *Des demandeurs d'emploi.*
Double emploi. Répétition inutile, emploi superflu. *Avec cette ceinture, les bretelles feraient double emploi.*
Emploi du temps. Horaire, détermination des activités. *Ton emploi du temps n'est pas trop chargé heureusement.*
Mode d'emploi. Explications sur la manière d'utiliser un appareil, un produit. *Des modes d'emploi bien faits.*
Forme fautive
*être à l'emploi de. Calque de l'anglais « to be in the employ of » pour ***travailler chez, être au service de.***

employé, ée n. m. et f.
Personne salariée dans une entreprise, un magasin, un organisme de l'administration. *Le personnel de cette entreprise compte 300 employés.*

employer v. tr., pronom.
Verbe transitif
1. Faire usage de. *Elle emploie des produits frais pour cuisiner.* **SYN.** se servir de, utiliser.
2. Donner du travail à quelqu'un. *Notre entreprise emploie 20 personnes.*
Verbe pronominal
1. S'utiliser. *Cette expression s'emploie couramment.*
2. S'appliquer. *Elle s'est employée à aider les autres.* **SYN.** se consacrer.
En ce sens, le verbe se construit avec la préposition *à.*
Conjugaison [VOIR MODÈLE – **EMPLOYER**]
Le ***y*** se change en ***i*** devant un ***e*** muet. *J'emploie. J'emploierai.* Le ***y*** est suivi d'un ***i*** à la première et à la deuxième personne du pluriel de l'indicatif imparfait et du subjonctif présent. *(Que) nous employions, (que) vous employiez.*

employeur, euse n. m. et f.
Personne, société qui emploie des salariés.

empoigner v. tr., pronom.
La deuxième syllabe se prononce ***pwa*** [ɑ̃pwaɲe].
Verbe transitif
1. Saisir avec la ou les mains. *Les gardiens ont empoigné les assaillants. Il a immédiatement empoigné son cellulaire pour nous prévenir.*
2. (FIGURÉ) Émouvoir profondément. *Ce film les a empoignés.* **SYN.** passionner, toucher.
Verbe pronominal
Se quereller, se battre. *Ils se sont empoignés brutalement.*
Ce verbe, qui date du XIIe siècle, est composé du préfixe ***en*** et du nom ***poing***. Le verbe ***empoigner*** a remplacé le verbe ***poigner*** au sens de « saisir avec les mains » dans la francophonie, sauf au Québec où il s'emploie familièrement.
Conjugaison [VOIR MODÈLE – **AIMER**]
Les lettres ***gn*** sont suivies d'un ***i*** à la première et à la deuxième personne du pluriel de l'indicatif imparfait et du subjonctif présent. *(Que) nous empoignions, (que) vous empoigniez.*

empois n. m.
Produit qui sert à l'empesage.
empoi**s,** un ***s*** final même au singulier.

empoisonnement n. m.
1. Action d'empoisonner. *L'empoisonnement d'une personne est un crime.*
2. Intoxication. *Un empoisonnement alimentaire.*

empoisonner v. tr., pronom.
Verbe transitif
1. Faire mourir par l'absorption de poison.
2. (FIGURÉ) Contrarier, ennuyer gravement. *Ces directives nous empoisonnent l'existence.*
Verbe pronominal
Absorber du poison. *Ils se sont empoisonnés avec des champignons.*
Conjugaison [VOIR MODÈLE – **AIMER**]
empoiso**nn**er.

emporté, ée adj.
Qui se met en colère facilement. **SYN.** coléreux, colérique.

emportement n. m.
Accès violent de colère. **SYN.** fureur.

emporte-pièce (à l') loc. adj.
D'une franchise un peu brutale. *Une réponse à l'emporte-pièce.*

emporter v. tr., pronom.
Verbe transitif
1. Prendre avec soi et porter ailleurs. *N'oublie pas d'emporter ton parapluie : on annonce de la pluie.* **SYN.** prendre.
1° Ne pas confondre le verbe ***emporter,*** qui comprend l'idée de point de départ, avec le verbe ***apporter,*** qui comporte l'idée de point d'arrivée, d'aboutissement.
2° On ***emporte*** une chose, on ***emmène*** une personne ou un animal.
2. Enlever brutalement. *Le raz-de-marée a emporté toutes les embarcations.* **SYN.** balayer, détruire.
3. (FIGURÉ) Entraîner dans la mort. *C'est une crise cardiaque qui l'a emporté.* **SYN.** tuer.
4. ***L'emporter.*** Gagner. *Ce sont les Expos qui l'emportent sur leurs adversaires.*

Indicatif

Présent	*Passé composé*
j' emploie	j' ai employé
tu emploies	tu as employé
elle emploie	elle a employé
il emploie	il a employé
nous employons	nous avons employé
vous employez	vous avez employé
elles emploient	elles ont employé
ils emploient	ils ont employé

Imparfait	*Plus-que-parfait*
j' employais	j' avais employé
tu employais	tu avais employé
elle employait	elle avait employé
il employait	il avait employé
nous employions	nous avions employé
vous employiez	vous aviez employé
elles employaient	elles avaient employé
ils employaient	ils avaient employé

Passé simple	*Passé antérieur*
j' employai	j' eus employé
tu employas	tu eus employé
elle employa	elle eut employé
il employa	il eut employé
nous employâmes	nous eûmes employé
vous employâtes	vous eûtes employé
elles employèrent	elles eurent employé
ils employèrent	ils eurent employé

Futur simple	*Futur antérieur*
j' emploierai	j' aurai employé
tu emploieras	tu auras employé
elle emploiera	elle aura employé
il emploiera	il aura employé
nous emploierons	nous aurons employé
vous emploierez	vous aurez employé
elles emploieront	elles auront employé
ils emploieront	ils auront employé

Infinitif

Présent	*Passé*
employer	avoir employé

Subjonctif

Présent	*Passé*
que j' emploie	que j' aie employé
que tu emploies	que tu aies employé
qu' elle emploie	qu' elle ait employé
qu' il emploie	qu' il ait employé
que nous employions	que nous ayons employé
que vous employiez	que vous ayez employé
qu' elles emploient	qu' elles aient employé
qu' ils emploient	qu' ils aient employé

Imparfait	*Plus-que-parfait*
que j' employasse	que j' eusse employé
que tu employasses	que tu eusses employé
qu' elle employât	qu' elle eût employé
qu' il employât	qu' il eût employé
que nous employassions	que nous eussions employé
que vous employassiez	que vous eussiez employé
qu' elles employassent	qu' elles eussent employé
qu' ils employassent	qu' ils eussent employé

Conditionnel

Présent	*Passé*
j' emploierais	j' aurais employé
tu emploierais	tu aurais employé
elle emploierait	elle aurait employé
il emploierait	il aurait employé
nous emploierions	nous aurions employé
vous emploieriez	vous auriez employé
elles emploieraient	elles auraient employé
ils emploieraient	ils auraient employé

Impératif

Présent	*Passé*
emploie	aie employé
employons	ayons employé
employez	ayez employé

Participe

Présent	*Passé*
employant	employé, ée ayant employé

Verbe pronominal
Se mettre en colère. *Il faut leur pardonner : ils se sont emportés.* **SYN.** se fâcher.
Conjugaison [VOIR MODÈLE – **AIMER**]

empoté, ée adj. et n. m. et f.
(FAMILIER) Peu dégourdi. **SYN.** gauche, maladroit.

empoter v. tr.
Mettre en pot (une plante, un arbuste). *Empoter un rosier.*
Conjugaison [VOIR MODÈLE – **AIMER**]
empo**t**er.

empreinte n. f.
Marque, trace. *Des empreintes de pas dans la neige.*
Locution
Empreintes digitales. Sillons de la peau des doigts ; marques laissées par ces sillons.

empressé, ée adj.
Prévenant, attentif. *La bibliothécaire est très empressée auprès des habitués de la bibliothèque.* **SYN.** dévoué.

empressement n. m.
Action de s'empresser, ardeur. *Nos amis ont accepté notre invitation avec empressement.*

empresser (s') v. pronom.
1. Se hâter de. *Ils se sont empressés de partir.* **SYN.** se dépêcher.
En ce sens, le verbe se construit avec la préposition ***de.***
2. Montrer de l'intérêt à l'égard de quelqu'un. *La foule s'empressait autour des champions olympiques.* **SYN.** se presser.
Le participe passé de ce verbe qui n'existe qu'à la forme pronominale s'accorde toujours en genre et en nombre avec le sujet du verbe.
Conjugaison [VOIR MODÈLE – **AIMER**]

emprisonnement n. m.
1. Action de mettre en prison. *Le voleur a été condamné à l'emprisonnement.* **SYN.** détention.
2. État de la personne qui est emprisonnée.
empriso**nn**ement.

emprisonner v. tr.
Mettre en prison. *On emprisonnera ce malfaiteur pendant deux ans.*
Conjugaison [VOIR MODÈLE – **AIMER**]
empriso**nn**er.

emprunt n. m.
1. Action d'emprunter. *Je vais faire l'emprunt d'un livre.* **ANT.** prêt.
2. Chose, somme empruntée. *J'ai fait un emprunt à la banque, que je rembourserai l'automne prochain grâce à mon travail d'été.* **SYN.** dette. **ANT.** prêt.
3. Mot, expression empruntés à une autre langue. *Le mot **bifteck** est un emprunt à l'anglais ; **spaghetti,** un emprunt à l'italien.*
S'il n'existe pas de mot dans une langue pour désigner une réalité, l'***emprunt*** se justifie ; il est inutile s'il vient concurrencer un mot existant. Dans ce cas, l'emprunt est un anglicisme.
VOIR TABLEAU – **ANGLICISMES.**

emprunter v. tr.
1. Obtenir en prêt. *Il a emprunté cette somme à la banque. Ariane emprunte souvent des livres à la bibliothèque.* **ANT.** prêter.
2. Se servir de quelque chose en le faisant sien. *L'anglais a emprunté des mots à la langue française, par exemple dans le domaine de la bonne cuisine.*
3. Prendre (une voie). *Ce chemin est privé ; on ne peut l'emprunter.*
Conjugaison [VOIR MODÈLE – **AIMER**]

emprunteur, euse n. m. et f.
Personne qui emprunte. « *Que faisiez-vous au temps chaud ? dit-elle à cette emprunteuse* ». (Jean de La Fontaine, *Fables,* « La Cigale et la Fourmi ») **ANT.** prêteur.

ému, ue adj.
Qui éprouve de l'émotion. *Elle était très émue quand elle a revu son amie après toutes ces années.*

en prép. et pron.
VOIR TABLEAU – **EN, PRÉPOSITION.**
VOIR TABLEAU – **EN, PRONOM.**

encadré n. m.
(TYPOGRAPHIE) Mise en valeur d'une partie d'un texte à l'aide d'un trait.

encadrement n. m.
1. Action d'encadrer. *L'encadrement d'une aquarelle.*
2. Cadre. *Un bel encadrement ancien.*

encadrer v. tr.
1. Entourer d'un cadre. *Encadrer une gravure.*
2. Diriger une équipe. *Encadrer une équipe.* **SYN.** gérer.
Conjugaison [VOIR MODÈLE – **AIMER**]

encaisser v. tr.
1. Toucher une somme d'argent. *Encaisser* (et non *échanger) *un chèque.*
2. (FAMILIER) Supporter, recevoir. *Encaisser des coups.*
Conjugaison [VOIR MODÈLE – **AIMER**]

encan n. m.
Vente à la personne qui offre le meilleur prix. *As-tu déjà assisté à un encan de vaches laitières ? C'est très amusant.*
Locution
Vente à l'encan. Vente publique aux enchères.
enc**an.**

encastrer v. tr., pronom.
Verbe transitif
Insérer dans un espace. *Encastrer un réfrigérateur dans un mur.* **SYN.** emboîter.
Verbe pronominal
S'emboîter. *Ce meuble s'encastre dans la bibliothèque.*
Conjugaison [VOIR MODÈLE – **AIMER**]

enceinte adj. f.
En état de grossesse. *Elles sont enceintes de six mois.*
enc**ein**te.

enceinte n. f.
1. Ce qui clôture, rempart. **SYN.** fortification.
2. Espace clôturé. *Les animaux demeurent dans l'enceinte du zoo.*
Locution
Enceinte (acoustique). Ensemble de plusieurs haut-parleurs.
enc**ein**te.

encens n. m.
Le ***s*** ne se prononce pas [ɑ̃sɑ̃].
Résine odorante. *Ils faisaient brûler de l'encens pour supprimer les odeurs de cuisine.*
enc**ens.**

encercler v. tr.
1. Entourer d'un cercle. *Encercler les noms qui sont au pluriel.*

2. (FIGURÉ) Cerner. *Les policiers ont encerclé le bâtiment.* **SYN.** boucler.
Conjugaison [VOIR MODÈLE – **AIMER**]

enchaînement n. m.
1. Succession. *Un enchaînement de faits.* **SYN.** suite.
2. Liaison. *Un enchaînement logique.* **SYN.** charnière.
enchaînement.

enchaîner v. tr., intr., pronom.
Verbe transitif
1. Lier par une chaîne. *Enchaîner des prisonniers.*
2. Coordonner, lier. *Enchaîner des propositions.*
Verbe intransitif
Reprendre le fil de la conversation. *Elle enchaîna adroitement en faisant valoir ce fait.*
Verbe pronominal
Avoir un rapport logique. *Les évènements s'enchaînent et lui donnent raison.*
Conjugaison [VOIR MODÈLE – **AIMER**]
enchaîner.

enchantement n. m.
1. Action d'enchanter, de soumettre à un pouvoir magique. *Le magicien fait surgir par enchantement un lapin de son chapeau.*
2. (FIGURÉ) Ravissement. *Ce jardin est un véritable enchantement.* **SYN.** délice, émerveillement, merveille.
Locution
Comme par enchantement. Comme par magie.

enchanter v. tr.
1. Ensorceler, soumettre à un pouvoir magique. **SYN.** charmer, envoûter.
2. Ravir, émerveiller. *Cette visite nous a enchantés.* **SYN.** charmer.
Conjugaison [VOIR MODÈLE – **AIMER**]

enchanteur, teresse adj. et n. m. et f.
Adjectif
Séduisant, ravissant. *Une musique enchanteresse.*
Nom masculin et féminin
Magicien. *L'enchanteur Merlin.* **SYN.** sorcier.
Attention à la forme féminine de ce mot : **enchanteresse.**

enchevêtrement n. m.
Confusion, désordre. *Un enchevêtrement de fils.*
enchevêtrement.

enchevêtrer v. tr., pronom.
Verbe transitif
Emmêler des fils qui se prennent les uns dans les autres. *Les écolières ont enchevêtré leurs cordes à danser.*
Verbe pronominal
S'embrouiller, s'emmêler. *Ses cheveux se sont enchevêtrés.*
Conjugaison [VOIR MODÈLE – **AIMER**]

enclencher v. tr., pronom.
Verbe transitif
Faire démarrer un mécanisme.
Verbe pronominal
(FIGURÉ) Se mettre en marche. *L'affaire s'enclenche bien.*
Conjugaison [VOIR MODÈLE – **AIMER**]
enclencher.

enclin, ine adj.
Porté. *Elle est encline à la paresse. Dans cette entreprise, on est enclin à travailler.*
Cet adjectif ne peut qualifier qu'une personne. Pour une chose, on utilisera plutôt ***avoir tendance.*** *Cette table a tendance à basculer.*

enclos n. m.
Terrain clos. *Les poulains courent dans l'enclos.*
enclos.

enclume n. f.
1. Masse métallique sur laquelle on forge les métaux. *Le forgeron frappe sur l'enclume.*
2. Osselet de l'oreille.

encoche n. f.
Petite entaille. *Ses parents ont fait tous les ans une petite encoche sur le mur pour marquer sa taille.*

encoignure n. f.
Les lettres ***coi*** se prononcent ***co*** ou ***coi*** [ɑ̃kɔɲyr] ou [ɑ̃kwaɲyr].
1. Angle intérieur, coin.
2. Meuble triangulaire qui se place en coin.

encolure n. f.
1. Partie du corps du cheval qui s'étend de la tête au poitrail.
2. Ouverture d'un vêtement par où passe la tête. *L'encolure de ce tricot est un peu étroite.*
encolure, avec un seul ***l.***

encombrant, ante adj.
Qui prend beaucoup de place. *Une valise encombrante.* **SYN.** embarrassant, volumineux.

encombre (sans) loc. adv.
Sans ennui, sans difficulté.
Le nom ***encombre*** s'écrit au singulier.

encombrement n. m.
1. Action d'encombrer ; état de ce qui est encombré.
2. Embouteillage. *Il y a des encombrements à l'heure de pointe.* **SYN.** embouteillage.

encombrer v. tr., pronom.
Verbe transitif
1. Gêner par accumulation. *Ces boîtes encombrent le couloir.* **SYN.** embarrasser, obstruer.
2. Surcharger. *Il ne faudrait pas encombrer le marché de ces produits.*
En ce sens, le verbe se construit avec les prépositions ***de*** ou ***avec.***
Verbe pronominal
S'embarrasser de. *Ils se sont encombrés de trop de bagages.*
Conjugaison [VOIR MODÈLE – **AIMER**]

encontre de (à l') loc. prép.
À l'opposé de. *Cela va à l'encontre de mes idées.* **SYN.** contre.
La locution prépositive s'emploie principalement avec le verbe ***aller.***

encore adv.
1. L'adverbe marque la **continuité** d'une action ou d'un état jusqu'à une époque déterminée. *Il est 20 h et il fait encore clair. À 70 ans, Monica travaillait encore.* **SYN.** toujours.
2. L'adverbe marque la **répétition.** *Je prendrais encore de la glace aux pistaches.* **SYN.** de nouveau.
3. L'adverbe est une **amplification** des comparatifs ***plus, davantage, moins…*** *Elle est encore plus rapide que lui.*
Locutions
Et encore ! Tout au plus. *Elle a dix jours de congé, et encore !*
Cette locution marque le **doute,** la **restriction.**
Si encore. Si au moins, si seulement. *Si encore elle pouvait nous écrire.*
Cette locution qui marque le **regret** se construit avec l'imparfait de l'indicatif.

La préposition ***en*** marque un rapport de lieu, de temps, une notion de forme, de matière, de manière. Elle s'emploie devant un nom qui n'est pas accompagné d'un article défini ou devant un pronom.

Ils voyagent en avion. Les enfants sont en retard. J'ai confiance en vous.

Devant un nom précédé d'un article défini, d'un possessif, d'un démonstratif, on emploiera plutôt la préposition ***dans.*** *Ils sont allés dans la ville d'Oka. Mettre les mains dans ses poches. Dépose le livre dans cette boîte.*

e

RAPPORT DE LIEU

La préposition indique le lieu où l'on est, le lieu où l'on va.

Les étudiants sont en classe. Ils iront en ville.

en + nom géographique

– Nom féminin de pays, de région. *En France, en Gaspésie.*

– Nom masculin de pays commençant par une voyelle. *En Équateur.*

Devant un nom masculin de pays, d'État commençant par une consonne, on emploiera plutôt l'article contracté ***au.*** *Au Québec.*

– Nom féminin de grande île. *En Martinique.*

Devant un nom féminin de petite île, ou devant un nom masculin d'île, on emploiera plutôt ***à.*** *À Saint-Pierre et Miquelon.*

Devant un nom de ville, on emploiera la préposition ***à.*** *À Trois-Rivières.*

RAPPORT DE TEMPS

La préposition a le sens de ***durant, pendant.***

En été, il fait bon vivre à la campagne. En 1996, on a célébré son 20e anniversaire.

La préposition peut aussi marquer un intervalle de temps. *Ils ont construit la maison en quelques mois. Elle a rédigé son texte en deux jours.*

NOTION DE FORME, DE MATIÈRE, DE MANIÈRE

La préposition sert à marquer l'état, la forme, la manière, la matière.

Il est en attente. Des gants en laine. Des cheveux en brosse.

en + matière

Une colonne en marbre, de marbre, une sculpture en bois, de bois.

Il est possible d'utiliser les prépositions ***en*** ou ***de*** pour introduire le complément de matière. Toutefois au sens figuré, on emploiera surtout la préposition ***de.*** *Une volonté de fer.*

en + singulier ou pluriel

Un lilas en fleur ou *en fleurs, un texte en anglais, une maison en flammes.*

Il n'y a pas de règle particulière pour le nombre du nom précédé de ***en.*** C'est le sens qui le dictera.

GÉRONDIF

La préposition suivie du participe présent constitue le gérondif qui exprime une circonstance de cause, de temps, de manière. *En skiant, elle s'est fracturé la jambe. Il écrit en chantant.*

suite ►

LOCUTIONS

La préposition sert à former des locutions prépositives, conjonctives ou adverbiales.

Locutions prépositives	Locutions conjonctives	Locutions adverbiales
en cas de	en admettant que	en bas
en comparaison de	en attendant que	en dedans
en deçà de	en même temps que	en définitive
en dehors de	en sorte que	en dehors
en dépit de	en supposant que	en dessous
en direction de	en tant que...	en dessus
en face de		en effet
en guise de		en hâte
en présence de		en haut
en qualité de		en outre
en raison de		en retour
en réponse à		en revanche
en signe de		en vain
en voie de		en vérité
en vue de...		en vitesse...

Les locutions formées avec ***en*** s'écrivent sans trait d'union.

HOM.
- **an**, période de douze mois ;
- **en**, pronom.

VOIR TABLEAU – **EN,** PRONOM.

encourageant, ante adj.
Qui donne du courage, de l'espoir. *Ces progrès sont encourageants.* **SYN.** prometteur, stimulant. **ANT.** décourageant.

encouragement n. m.
Appui ; acte, parole qui encourage. *Ces paroles d'encouragement* (et non de *support) *ont réconforté Maxime.* **SYN.** aide, soutien.

encourager v. tr.
1. Donner du courage à. *Encourager* (et non *supporter) *un ami qui a subi un échec.* **SYN.** réconforter, soutenir.
2. Favoriser la réalisation de. *Les chercheurs ont encouragé la restructuration.* **SYN.** approuver.
3. Inciter à, pousser à agir. *Ses parents l'encouragent à poursuivre ses études.*
En ce sens, le verbe se construit avec la préposition **à** suivie de l'infinitif.
Conjugaison [VOIR MODÈLE – **CHANGER**]
Le ***g*** est suivi d'un ***e*** devant les lettres ***a*** et ***o.*** *Il encouragea, nous encourageons.*

encre n. f.
Liquide utilisé pour écrire, imprimer, etc. *De l'encre violette.*
Locution
Faire couler beaucoup d'encre. (FIGURÉ) Provoquer de nombreux commentaires, être le sujet de plusieurs écrits. *Le succès des athlètes québécois aux Jeux olympiques a fait couler beaucoup d'encre.*
HOM. ancre, pièce servant à retenir un navire.

encrier n. m.
Petit réservoir d'encre.

encroûter v. tr., pronom.
Verbe transitif
Couvrir d'une croûte.
Verbe pronominal
1. Se couvrir d'une croûte.
2. (FIGURÉ) Refuser d'évoluer. *Ils se sont encroûtés et se réfugient dans leurs souvenirs.* **SYN.** stagner.
Conjugaison [VOIR MODÈLE – **AIMER**]
encro**û**ter.

encyclopédie n. f.
Le ***o*** est ouvert [ɑ̃siklɔpedi].
Ouvrage où l'on expose méthodiquement les connaissances d'un domaine particulier ou de plusieurs domaines à la fois. *Une encyclopédie en 12 volumes.*
Le classement d'une encyclopédie est généralement alphabétique, parfois thématique ou systématique.
enc**y**clopéd**ie.**

encyclopédique adj.
1. Qui concerne l'ensemble des sciences. *Une culture encyclopédique.*
2. Universel, très vaste. *Cette personne a un savoir encyclopédique.*
Locution
Dictionnaire encyclopédique. Dictionnaire qui expose des renseignements sur les choses, les concepts que désignent les mots. *Le Dictionnaire encyclopédique Larousse en dix volumes.*
Le dictionnaire de langue donne des informations sur les mots et leurs emplois.

endettement n. m.
Fait de s'endetter. *Il faut limiter l'endettement du pays.* **SYN.** dette.

endetter v. tr., pronom.
Verbe transitif
Couvrir de dettes. *Ces achats endetteront cette famille.*
Verbe pronominal
Contracter des dettes. *Ils se sont lourdement endettés pour acheter cette maison.* **SYN.** emprunter.
Conjugaison [VOIR MODÈLE – **AIMER**]
✎ ende**tt**er.

endiablé, ée adj.
1. Insupportable. *Des écoliers endiablés.* **SYN.** turbulent.
2. Plein de fougue, vif. *Un rythme endiablé.* **SYN.** entraînant.

endimancher (s') v. pronom.
Mettre ses plus beaux vêtements du dimanche. *Elles se sont endimanchées pour rendre visite à la famille.*
☞ Le participe passé de ce verbe qui n'existe qu'à la forme pronominale s'accorde toujours en genre et en nombre avec le sujet du verbe.
Conjugaison [VOIR MODÈLE – **AIMER**]

endive n. f.
Variété de chicorée dont on mange la pousse blanche. *Une salade d'endives.*

endolorir v. tr.
Rendre douloureux. *Cette chute a endolori mon genou, j'ai du mal à marcher.* **SYN.** meurtrir.
Conjugaison [VOIR MODÈLE – **FINIR**]

endommager v. tr.
Causer du dommage. *L'orage endommagea les récoltes. Sa bicyclette a été endommagée lors d'un accrochage.* **SYN.** abîmer, détériorer.

EN, PRONOM

PRONOM PERSONNEL DE LA TROISIÈME PERSONNE

- Le pronom ***en*** représente une chose, une idée, parfois un animal et signifie ***de ce, de ces, de cette, de cela, de lui, d'elle.***
  Elle était à Québec, elle en est revenue hier. Ce projet est emballant, ils en parlent constamment.
- Le pronom ***en*** représente des noms de choses, d'idées et remplace le possessif.
  Les touristes aiment les forêts et les lacs; ils en apprécient le calme et la beauté.
- Le pronom ***en*** représente des noms d'animaux.
  Ton cheval est magnifique; j'en admire la couleur, ou encore *j'admire sa couleur.*

  ☞ L'emploi du pronom ***en*** est recommandé, mais on observe également l'emploi du possessif.
- Le pronom ***en*** représente parfois des personnes lorsqu'il est complément d'un pronom numéral ou d'un pronom indéfini et dans la langue littéraire.
  A-t-il des collègues compétents? Il en a plusieurs.

  ☞ Dans la langue courante, on emploie alors les adjectifs possessifs ***son, sa, ses.*** *Il admire cette amie et apprécie son courage.*

Impératif + *en*

Le pronom ***en*** employé avec un pronom personnel se place après ce pronom.
Des livres, écris-nous-en plusieurs. Souviens-t'en.

☞ Le pronom ***en*** est joint au pronom personnel par un trait d'union. Lorsque le pronom ***en*** suit un verbe à la deuxième personne du singulier de l'impératif qui se termine par un ***e,*** ce verbe prend un ***s*** euphonique. *Respectes-en les conditions.*

Accord du participe passé avec *en*

La plupart des auteurs recommandent l'invariabilité du participe passé précédé du pronom ***en.***
Il a dessiné plus d'immeubles qu'il n'en a construit. Ce sont des fleurs carnivores, en aviez-vous déjà vu?

☞ On remarque cependant un usage très indécis où l'on accorde parfois le participe passé avec le nom représenté par en. « Mais les fleurs, il n'en avait jamais vues. » (Marcel Proust, cité par Grevisse). Pour simplifier la question, il semble préférable d'omettre le pronom si celui-ci n'est pas indispensable au sens de la phrase ou de choisir l'invariabilité du participe passé.

HOM.
– an, période de 12 mois;
– en, préposition.

VOIR TABLEAU – **EN,** PRÉPOSITION.

Conjugaison [VOIR MODÈLE – **CHANGER**]
Le ***g*** est suivi d'un ***e*** devant les lettres ***a*** et ***o.*** *Il endommagea, nous endommageons.*

endormant, ante adj.
Ennuyeux à dormir. *Un cours endormant.* **ANT.** excitant, stimulant.

endormir v. tr., pronom.
Verbe transitif
1. Faire dormir, provoquer le sommeil. *Pour endormir le bébé, Marie-Ève lui chante une berceuse.* **ANT.** réveiller.
2. Faire dormir par anesthésie. *Sandrine a été endormie pendant une heure lorsqu'on l'a opérée de l'appendicite.* **SYN.** anesthésier.
3. (FIGURÉ) Ennuyer. *Ce cours nous endort.* **SYN.** assommer. **ANT.** exciter, stimuler.
Verbe pronominal
Commencer à dormir. *Ils se sont endormis au petit matin.* **ANT.** éveiller, réveiller.
Conjugaison [VOIR MODÈLE – **DORMIR**]

endosser v. tr.
1. Revêtir un vêtement. *Endosser une veste.* **SYN.** mettre.
2. Accepter une responsabilité. *Nous ne pouvons endosser cette grève.* **SYN.** assumer.
3. (DROIT) Apposer sa signature au dos d'un chèque, d'un effet de commerce. *Il a endossé le chèque et l'a encaissé.*
Conjugaison [VOIR MODÈLE – **AIMER**]

endroit n. m.
1. Lieu déterminé. *Un bel endroit. À quel endroit doit-on signer ?* **SYN.** place.
2. Le côté sous lequel se présente habituellement une chose. *L'endroit d'un tissu.* **ANT.** envers.
Locutions
À l'endroit, locution adverbiale. Du bon côté. *Je n'ai pas mis mon collant à l'endroit, il est à l'envers.* **ANT.** à l'envers.
Par endroits, locution adverbiale. Ça et là.
Dans cette expression, le nom se met au pluriel.

enduire v. tr., pronom.
Verbe transitif
Recouvrir une surface d'un enduit, d'une préparation relativement liquide. *Enduire de gel ses cheveux.*
Verbe pronominal
Se couvrir de. *Elle s'est enduit les mains d'un écran solaire. Elles se sont enduites d'huile solaire.*
Conjugaison [VOIR MODÈLE – **CONDUIRE**]
INDICATIF PRÉSENT *J'enduis, tu enduis, il enduit, nous enduisons, vous enduisez, ils enduisent.* IMPARFAIT *J'enduisais.* PASSÉ SIMPLE *J'enduisis.* FUTUR *J'enduirai.* **CONDITIONNEL** PRÉSENT *J'enduirais.* **IMPÉRATIF** PRÉSENT *Enduis, enduisons, enduisez.* **SUBJONCTIF** PRÉSENT *Que j'enduise.* IMPARFAIT *Que j'enduisisse.* **PARTICIPE** PRÉSENT *Enduisant.* PASSÉ *Enduit, ite.*

enduit n. m.
Revêtement, vernis, préparation dont on recouvre la surface de certaines choses. *Un enduit protecteur.*
endui**t.**

endurable adj.
Supportable. *Ces enfants ne sont pas endurables.*

endurance n. f.
Résistance. *Ces athlètes ont une incroyable endurance.*

endurci, ie adj.
Devenu résistant. *Un célibataire endurci.*

endurcir v. tr., pronom.
Verbe transitif
Rendre résistant, moins sensible. *Cette expérience les endurcira.*
Verbe pronominal
S'aguerrir. *En vieillissant, ils se sont endurcis.*
Conjugaison [VOIR MODÈLE – **FINIR**]

endurer v. tr.
Supporter (ce qui est dur, pénible). *Elle doit endurer des maux de tête terribles. Ces commentaires désagréables sont difficiles à endurer.*
Conjugaison [VOIR MODÈLE – **AIMER**]

énergétique adj.
Relatif à l'énergie. *Les ressources énergétiques du Québec sont immenses.*
Ne pas confondre avec l'adjectif ***énergique,*** vigoureux.

énergie n. f.
1. Force, puissance. *Ces adolescents ont une énergie extraordinaire.* **SYN.** dynamisme, vigueur, vitalité.
2. Toute source de force motrice, aptitude à fournir du travail. *Énergie électrique, énergie nucléaire, énergie solaire.*

énergique adj.
Vigoureux. *Une action énergique.* **SYN.** actif, dynamique, efficace, puissant.
Ne pas confondre avec l'adjectif ***énergétique,*** relatif à l'énergie.

énergumène n. m. et f.
Personne agitée qui crie et se démène.

énervant, ante adj.
Agaçant, exaspérant. *Ces critiques sont énervantes.* **SYN.** irritant.

énervement n. m.
État de celui qui est énervé, irrité. *Dans son énervement, il a oublié ses clefs.* **SYN.** agitation, nervosité. **ANT.** calme, sang-froid.

énerver v. tr., pronom.
Agacer, surexciter. *Ces préparatifs énervent les enfants. Ne vous énervez pas, nous partons dans quelques minutes.* **SYN.** exaspérer, impatienter.
Conjugaison [VOIR MODÈLE – **AIMER**]

enfance n. f.
Période de la vie humaine où l'on est enfant, temps qui s'écoule de la naissance à l'adolescence. *Ces petits ont une enfance heureuse.*

enfant n. m. et f.
1. Être humain du début de sa vie jusqu'à l'adolescence. *Une jolie enfant. Il n'y a plus d'enfants.* **SYN.** (FAMILIER) gamin, gosse.
2. Fils ou fille. *Elle a deux enfants. Les parents et les enfants.*
Locution
C'est un jeu d'enfant. C'est très simple.

enfant de chœur n. m.
Enfant qui sert la messe. *Les enfants de chœur* (et non enfant de *cœur) *suivaient le prêtre.*
enfant de **ch**œur.

enfantillage n. m.
Manière de se conduire qui convient mieux à un enfant qu'à un adulte. *Cessez vos enfantillages, soyez sages.* **SYN.** gaminerie.

enfantin, ine adj.
1. Qui appartient à l'enfance. *Les joies enfantines. La simplicité enfantine.*
2. Qui manque de sérieux. *Des réactions enfantines.* **SYN.** puéril.
3. Facile. *Cet examen était enfantin.* **SYN.** aisé, élémentaire, simple.

enfarger v. tr., pronom.
Verbe transitif
⚜ (FAMILIER) Faire tomber en donnant un croc-en-jambe. *Ne l'enfargeons pas, il pourrait se blesser.*
Verbe pronominal
⚜ (FAMILIER) S'accrocher, s'embarrasser dans quelque chose. *Delphine s'est enfargée dans une racine et elle est tombée.*
L'emploi de ce verbe est courant au Québec dans la langue familière, mais il est vieilli dans l'ensemble de la francophonie.
Conjugaison [VOIR MODÈLE – **CHANGER**]

enfer n. m.
Lieu destiné au supplice des damnés, dans la religion chrétienne. *Aller en enfer.*
Locutions
C'est l'enfer. C'est formidable.
D'enfer. Excessif. *Ils font un bruit d'enfer.*
D'enfer. Horrible, affreux. *Les images d'enfer de ceux qui ont connu la guerre.*

enfermer v. tr., pronom.
Verbe transitif
Emprisonner. *Enfermer un lapin dans un clapier.*
Verbe pronominal
Se tenir dans un endroit fermé. *Ils se sont enfermés dans une cabane.*
Conjugaison [VOIR MODÈLE – **AIMER**]

enfiler v. tr.
1. Passer un fil dans (le chas d'une aiguille ; le trou d'une perle, etc.). *Enfiler une aiguille.*
2. Passer un vêtement à la hâte. *Elle enfila une robe de chambre pour aller répondre à la porte.*
Conjugaison [VOIR MODÈLE – **AIMER**]

enfin adv.
1. L'adverbe marque la **fin** d'une attente, le soulagement. *Enfin, les vacances approchent ! Te voilà enfin : ce n'est pas trop tôt.*
2. L'adverbe marque la **conclusion** d'une énumération. *Nous avons pris un potage, un plat et enfin un dessert.*
3. L'adverbe apporte une **précision**. *Elle est trop directe, enfin plutôt franche et simple.*
En tête de phrase, l'adverbe est généralement suivi de la virgule. *Enfin, ils décidèrent de venir.* Dans la phrase, l'adverbe n'est ni suivi ni précédé de la virgule. *Le moment est enfin arrivé.* L'adverbe est suivi d'une virgule lorsqu'il introduit la conclusion d'une énumération sans la conjonction ***et***. *Les femmes, les enfants, enfin, les hommes.*

enflammer v. tr., pronom.
Verbe transitif
1. Allumer, embraser. *La bougie a enflammé le sapin.*
2. Illuminer. *Le soleil couchant enflamme le ciel.* **SYN.** colorer.
3. (FIGURÉ) Exciter. *Ces beaux projets les enflamment.* **SYN.** exalter, stimuler.
Verbe pronominal
Prendre feu. *La forêt s'est enflammée par la négligence de campeurs.*
Conjugaison [VOIR MODÈLE – **AIMER**]
enfla**mm**er.

enflé, ée adj.
Qui a une augmentation anormale de volume. *Sa cheville enflée le fait souffrir.*

enfler v. tr., intr.
Verbe transitif
1. Grossir. *Enfler sa voix. La fonte des neiges a enflé le niveau des cours d'eau.*
2. Gonfler. *Le vent enfle la voile de sa planche.*
Verbe intransitif
Augmenter de volume de façon anormale. *Sa cheville luxée se mit à enfler.*
Conjugaison [VOIR MODÈLE – **AIMER**]

enflure n. f.
Gonflement. *Une enflure de la cheville.*

enfoncer v. tr., intr., pronom.
Verbe transitif
1. Faire pénétrer dans l'intérieur. *Enfoncer un clou.*
2. Mettre profondément. *Yves enfonça bien sa tuque, car le vent était glacial.*
3. Défoncer. *Un camion a enfoncé l'avant de la voiture.* **SYN.** briser, écraser.
Verbe intransitif
Aller au fond. *La glace fond et nous enfonçons dans l'eau.*
Verbe pronominal
1. Aller vers le fond. *Les épaves se sont enfoncées dans les profondeurs de la mer.* **SYN.** couler.
2. Aller vers le bas. *Le plancher s'enfonce.* **SYN.** s'affaisser, s'écrouler.
3. Aller profondément. *Les chasseurs se sont enfoncés dans la forêt.*
Conjugaison [VOIR MODÈLE – **AVANCER**]
Le **c** prend une cédille devant les lettres ***a*** et ***o***. *Il enfonça, nous enfonçons.*

enfouir v. tr., pronom.
Verbe transitif
Enterrer, dissimuler. *L'écureuil enfouit des glands dans la terre.*
Verbe pronominal
Se blottir. *Il s'enfouit dans les bras de sa maman.*
Conjugaison [VOIR MODÈLE – **FINIR**]

enfourcher v. tr.
Monter à califourchon sur un animal, une chose. *Christian enfourcha son vélo et partit à son secours.*
Conjugaison [VOIR MODÈLE – **AIMER**]

enfourner v. tr.
Mettre dans un four. *Elle enfourne ses tartes et ses gâteaux dans le four bien chaud.*
Conjugaison [VOIR MODÈLE – **AIMER**]

enfreindre v. tr.
Ne pas respecter (un règlement, une loi). *Enfreindre une directive, un ordre.* **SYN.** désobéir, transgresser. **ANT.** obéir, observer, respecter.
Conjugaison [VOIR MODÈLE – **ÉTEINDRE**]
INDICATIF PRÉSENT *J'enfreins, tu enfreins, il enfreint, nous enfreignons, vous enfreignez, ils enfreignent.* IMPARFAIT *J'enfreignais, tu enfreignais, il enfreignait, nous enfreignions, vous enfreigniez, ils enfreignaient.* PASSÉ SIMPLE *J'enfreignis, tu enfreignis, il enfreignit, nous enfreignîmes, vous enfreignîtes, ils enfreignirent.* FUTUR *J'enfreindrai.* **CONDITIONNEL** PRÉSENT *J'enfreindrais.* **IMPÉRATIF** PRÉSENT *Enfreins, enfreignons,*

enfreignez. **SUBJONCTIF** PRÉSENT *Que j'enfreigne, que tu enfreignes, qu'il enfreigne, que nous enfreignions, que vous enfreigniez, qu'ils enfreignent.* IMPARFAIT *Que j'enfreignisse, que tu enfreignisses, qu'il enfreignît, que nous enfreignissions, que vous enfreignissiez, qu'ils enfreignissent.* **PARTICIPE** PRÉSENT *Enfreignant.* PASSÉ *Enfreint, einte.*
Les lettres ***gn*** sont suivies d'un ***i*** à la première et à la deuxième personne du pluriel de l'indicatif imparfait et du subjonctif présent.

enfuir (s') v. pronom.
S'échapper. *Elles se sont enfuies par la porte arrière.* **SYN.** fuir, se sauver.
Le participe passé de ce verbe qui n'existe qu'à la forme pronominale s'accorde toujours avec le sujet du verbe.
Conjugaison [VOIR MODÈLE – **FUIR**]

engageant, ante adj.
Aimable. *Des paroles engageantes.* **SYN.** chaleureux, encourageant.
Ne pas confondre avec le participe présent invariable ***engageant.*** *Ses paroles n'engageant que lui, nous n'entendons pas être tenus responsables de ses promesses.*
enga**geant.**

engagement n. m.
1. Promesse. *Je vous promets que je ferai mon possible : c'est un engagement et je respecte mes engagements.* **SYN.** pacte, parole, serment.
2. Recrutement d'un salarié, d'un cadre. *L'entreprise a procédé à l'engagement de 15 personnes.*
Forme fautive
*engagement. Anglicisme au sens de ***rendez-vous.*** *J'ai un rendez-vous* (et non un *engagement) *avec le directeur à 13 heures.*

engager v. tr., pronom.
Verbe transitif
1. Introduire. *Lulu engagea sa clé dans la serrure.* **SYN.** enfoncer, mettre.
2. Recruter. *Nous avons engagé deux étudiants comme stagiaires.* **SYN.** embaucher.
Verbe pronominal
1. Se lier par une promesse, contracter un engagement. *Nous nous sommes engagés à nettoyer la classe, mais cela ne vous engage pas à nous récompenser.* **SYN.** promettre.
En ce sens, le verbe se construit avec la préposition ***à*** suivie de l'infinitif.
2. Commencer. *Le dialogue s'engage. S'engager dans une nouvelle aventure.*
3. Pénétrer. *La voiture s'engagea dans une ruelle.* **SYN.** entrer, s'introduire.
Forme fautive
*engagée. Anglicisme au sens de la ligne est ***occupée.***
Conjugaison [VOIR MODÈLE – **CHANGER**]
Le ***g*** est suivi d'un ***e*** devant les lettres ***a*** et ***o***. *Il engagea, nous engageons.*

engelure n. f.
Enflure douloureuse des mains, des pieds, du nez, des oreilles qui est causée par le froid. *Attention aux engelures : il fait 40 degrés au-dessous de zéro !*
engelure.

engendrer v. tr.
1. (LITTÉRAIRE) Donner la vie à. *Le poète engendra deux filles.*
Ce verbe ne s'applique qu'à l'espèce humaine.
En ce sens, le verbe s'emploie dans un style soutenu.
2. Causer, avoir pour effet. *Des aménagements qui engendrent des coûts.* **SYN.** créer, produire, provoquer.
Conjugaison [VOIR MODÈLE – **AIMER**]

engin n. m.
Instrument, machine. *Des engins de guerre, des engins spatiaux.*
Forme fautive
*engin. Impropriété au sens de ***locomotive.***

englober v. tr.
Comprendre dans un ensemble. *Le tout englobe les parties.*
Conjugaison [VOIR MODÈLE – **AIMER**]

engloutir v. tr.
1. Dévorer de façon gloutonne. *Alexandre engloutit son repas en quelques minutes.*
2. Faire disparaître comme dans un gouffre. *La mer déchaînée a englouti le navire.*
Conjugaison [VOIR MODÈLE – **FINIR**]

engorger v. tr.
Boucher. *Ces résidus engorgeaient la canalisation.* **SYN.** obstruer.
Conjugaison [VOIR MODÈLE – **CHANGER**]
Le ***g*** est suivi d'un ***e*** devant les lettres ***a*** et ***o.*** *Il engorgea, nous engorgeons.*

engouement n. m.
Enthousiasme soudain et passager pour quelqu'un, quelque chose. *Un engouement pour les romans historiques, pour un chanteur.* **SYN.** emballement, tocade.
Le nom se construit avec la préposition ***pour.***
Ne pas confondre avec le nom ***enjouement,*** entrain.
engou**e**ment.

engouer (s') v. pronom.
S'enthousiasmer soudainement pour quelqu'un, quelque chose. *Elles se sont engouées de ce chanteur.* **SYN.** s'emballer.
Le verbe se construit surtout avec la préposition ***de,*** mais le nom ***engouement*** se construit avec la préposition ***pour.***
Le participe passé de ce verbe qui n'existe qu'à la forme pronominale s'accorde toujours en genre et en nombre avec le sujet du verbe.
Conjugaison [VOIR MODÈLE – **AIMER**]

engouffrer v. tr., pronom.
Verbe transitif
1. (LITTÉRAIRE) Jeter dans un gouffre.
2. (FIGURÉ) Engloutir. *Il a engouffré toute sa fortune dans cette aventure.*
Verbe pronominal
Pénétrer rapidement dans un lieu. *Les spectateurs se sont engouffrés dans la salle. Le torrent dévale la pente et s'engouffre dans le ravin.*
Conjugaison [VOIR MODÈLE – **AIMER**]
engou**ff**rer.

engoulevent n. m.
Passereau au plumage brun-roux. *Le cri des engoulevents.*
Ce mot signifiait à l'origine « qui avale goulûment le vent ».

engourdir v. tr., pronom.
Verbe transitif
1. Paralyser momentanément. *Le froid a engourdi mes orteils.*
2. (FIGURÉ) Ralentir l'activité de. *Le sommeil nous engourdit tout doucement.*
Verbe pronominal
Devenir engourdi. *Par grand froid, les doigts s'engourdissent et peuvent geler.*
Conjugaison [VOIR MODÈLE – **FINIR**]

engourdissement n. m.
Action d'engourdir ; fait d'être engourdi.

engrais n. m.
Produit destiné à accroître la fertilité du sol. *Un engrais riche en potassium.*
engrai**s,** un ***s*** final même au singulier.

engraisser v. tr., intr.
Verbe transitif
1. Rendre gras (un animal). *Le cultivateur engraisse ses veaux.* **SYN.** faire grossir. **ANT.** amaigrir.
2. Améliorer (une terre) par des engrais. *Une terre bien engraissée.* **SYN.** fertiliser. **ANT.** appauvrir.
Verbe intransitif
Prendre du poids. *Pendant les vacances, j'engraisse toujours un peu.* **SYN.** grossir. **ANT.** maigrir.
Conjugaison [VOIR MODÈLE – **AIMER**]

engrenage n. m.
1. Ensemble de roues dentées qui s'entraînent réciproquement. *Les engrenages complexes de Léonard de Vinci.*
2. (FIGURÉ) Enchaînement dont il est difficile de se dégager. *Les élèves ont été pris dans l'engrenage et n'ont pu se soustraire aux corvées.*
Locution
Mettre le doigt dans l'engrenage. (FIGURÉ) Être entraîné dans une situation dont on ne peut se dégager.

engueulade n. f.
(FAMILIER) Discussion, reproche. *Après cette gaffe, Denis s'attend à une terrible engueulade de son père.* **SYN.** dispute.
Ce nom est très familier ; dans un style soigné, il est préférable d'employer ***discussion, réprimande.***

engueuler v. tr., pronom.
Verbe transitif
(FAMILIER) Faire des reproches violents. *Ne m'engueule pas, ce n'est pas ma faute !* **SYN.** ⚜ disputer, gronder, réprimander.
Verbe pronominal
(FAMILIER) Se quereller violemment. *Ils se sont engueulés toute la soirée.* **SYN.** se disputer.
Ce verbe est très familier ; dans un style soigné, on l'évitera.
Conjugaison [VOIR MODÈLE – **AIMER**]

enguirlander v. tr.
1. (LITTÉRAIRE) Orner de guirlandes.
2. (FAMILIER) Faire des reproches à quelqu'un. **SYN.** ⚜ disputer, gronder, réprimander.
Conjugaison [VOIR MODÈLE – **AIMER**]

enhardir v. tr., pronom.
Verbe transitif
Encourager. *Ces paroles d'appui l'ont enhardi.* **SYN.** stimuler.
Verbe pronominal
Devenir hardi, prendre de l'assurance. *Ils s'enhardirent jusqu'à demander à être exemptés de devoirs.*
Conjugaison [VOIR MODÈLE – **FINIR**]
en**h**ardir.

énigmatique adj.
Mystérieux, difficile à comprendre. *Un air énigmatique.* **SYN.** obscur.

énigme n. f.
Mystère, chose difficile à comprendre. *Une énigme indéchiffrable.*

enivrant, ante adj.
Les deux premières lettres se prononcent ensemble pour faire le son ***en*** [ɑ̃nivrɑ̃, ɑ̃t].
1. (VIEUX) Qui rend ivre. *Des boissons enivrantes.*
2. (FIGURÉ) Grisant, excitant. *Des succès enivrants.*

enivrement n. m.
Les deux premières lettres se prononcent ensemble pour faire le son ***en*** [ɑ̃nivrəmɑ̃].
1. Ivresse, fait de s'enivrer.
2. (FIGURÉ) Exaltation, excitation. *L'enivrement de la victoire.*

enivrer v. tr.
Les deux premières lettres se prononcent ensemble pour faire le son ***en*** [ɑ̃nivre].
1. Rendre ivre. *Quelques verres de vin suffisent à enivrer.* **SYN.** soûler. **ANT.** dégriser.
2. (FIGURÉ) Griser. *Ces paroles l'ont enivré.* **SYN.** exalter, exciter, troubler.
Conjugaison [VOIR MODÈLE – **AIMER**]

enjambée n. f.
Grand pas. *Marcher à grandes enjambées.*
enjambé**e.**

enjamber v. tr.
Franchir en étendant la jambe. *Il a enjambé le muret.*
Conjugaison [VOIR MODÈLE – **AIMER**]

enjeu n. m. (pl. *enjeux*)
1. Somme d'argent risquée au jeu. *Perdre son enjeu.* **SYN.** mise.
2. Ce qui peut être gagné ou perdu dans une entreprise, une action. *Des enjeux importants.*

enjoliver v. tr.
Orner, décorer. *Des broderies enjolivent la nappe.*
Conjugaison [VOIR MODÈLE – **AIMER**]

enjoliveur n. m.
Pièce circulaire servant à cacher les moyeux des roues d'une automobile. *Une vieille voiture avec des enjoliveurs* (et non des *caps de roues) *tout cabossés.*

enjoué, ée adj.
Gai. *Un ton enjoué.*

enjouement n. m.
Entrain, bonne humeur. **SYN.** gaieté.
Ne pas confondre avec le nom ***engouement,*** enthousiasme.
enjou**e**ment.

enlacer v. tr., pronom.
Verbe transitif
1. Entourer en serrant. *La vigne enlace le treillis.*
2. Étreindre. *Le patineur enlaçait une jolie patineuse.*
3. Entrecroiser. *Des initiales entrelacées.*
Verbe pronominal
S'étreindre. *Les amoureux s'étaient enlacés tendrement.*
Conjugaison [VOIR MODÈLE – **AVANCER**]
Le ***c*** prend une cédille devant les lettres ***a*** et ***o.*** *Il enlaça, nous enlaçons.*

enlaidir v. tr., intr.
Verbe transitif
Rendre laid. *Cette coiffure l'enlaidit.*
Verbe intransitif
Devenir laid. *Avec ces nouvelles constructions, le quartier a enlaidi.*
Conjugaison [VOIR MODÈLE – **FINIR**]

enlèvement n. m.
1. Action d'emmener et de retenir par la force une personne. *Il y a eu de nombreux enlèvements dans la région.* **SYN.** kidnapping, rapt.
2. Action d'emporter. *L'enlèvement des ordures ménagères.*

enlever v. tr.
1. Faire disparaître. *Il enlève un tableau du mur. Julie doit se faire enlever les dents de sagesse.* **SYN.** ôter.
2. Retirer. *Enlevez votre manteau.*
3. Emporter. *Ils sont chargés d'enlever ces marchandises.*
4. Emmener de force une personne et la retenir. *L'enfant a été enlevé par un groupe armé.* **SYN.** kidnapper.
Conjugaison [VOIR MODÈLE – **LEVER**]
Le ***e*** se change en ***è*** devant une syllabe muette. *J'enlève, j'enlevais.*

***enligner**
Impropriété pour ***aligner.***

enliser v. tr., pronom.
Verbe transitif
Être engagé dans un sol impraticable. *Luc enlisa sa bicyclette dans le sable.*
Verbe pronominal
1. S'enfoncer dans. *La voiture s'est enlisée dans la neige.*
2. (FIGURÉ) Piétiner. *Les travaux se sont enlisés depuis la grève de la construction.*
Conjugaison [VOIR MODÈLE – **AIMER**]

enneigé, ée adj.
Les deux premières lettres se prononcent ensemble pour faire le son ***en*** [ɑ̃neʒe].
Recouvert de neige. *Des toits enneigés.*
enneigé.

enneiger v. tr.
Recouvrir de neige. *Cette tempête enneigea la région.*
Conjugaison [VOIR MODÈLE – **CHANGER**]
enneiger.

ennemi, ie adj. et n. m. et f.
Les lettres ***en*** se prononcent ***è*** [ɛnmi].
Adjectif
Qui cherche à nuire, adversaire. *Des bandes ennemies.* **SYN.** rival.
Nom masculin et féminin
Personne opposée à, qui a de l'aversion pour. *C'est un ennemi du progrès. Une ennemie de la tradition.* **ANT.** ami.
Nom masculin
Groupe, nation, etc., à qui l'on s'oppose en temps de guerre (par opposition à ***allié***). *Passer à l'ennemi.* **ANT.** les alliés.

ennuager (s') v. pronom.
Se couvrir de nuages. *Le ciel s'ennuagera ce soir, nous annonce la météo.*
Conjugaison [VOIR MODÈLE – **CHANGER**]
Le ***g*** est suivi d'un ***e*** devant les lettres ***a*** et ***o.*** *Il ennuagea, nous ennuageons.*

ennui n. m.
1. Absence d'intérêt. *Les élèves écoutent avec ennui cet exposé monotone.*
2. Lassitude, abattement. *Travailler pour échapper à l'ennui.* **SYN.** mélancolie.
3. Souci, désagrément. *J'ai des ennuis.* **SYN.** contrariété, problème.

ennuyant, ante adj.
Qui provoque de l'ennui. **SYN.** ennuyeux, monotone.
L'emploi de cet adjectif est courant au Québec, mais il est vieilli dans l'ensemble de la francophonie.

ennuyer v. tr., pronom.
Verbe transitif
1. Causer de la contrariété à. *Si cela ne vous ennuie pas, je voudrais téléphoner.* **SYN.** agacer, contrarier, déranger, importuner.
2. Lasser. *Cette musique l'ennuie terriblement.* **SYN.** (FAMILIER) barber, endormir, raser.
Verbe pronominal
1. Éprouver de l'ennui, s'embêter. *Il n'y a rien à faire, je m'ennuie.*
2. Souffrir de l'absence d'une personne, de l'éloignement. *Au cours de mon voyage, je me suis ennuyée de toi et du pays.*
L'emploi de ce verbe en ce sens est courant au Québec, mais il est peu courant dans l'ensemble de la francophonie.
Conjugaison [VOIR MODÈLE – **EMPLOYER**]
Le ***y*** se change en ***i*** devant un ***e*** muet. *J'ennuie, j'ennuierai.*

ennuyeux, euse adj.
1. Qui cause de l'ennui, monotone. *Ce film était ennuyeux, je me suis endormi.* **SYN.** assommant, embêtant, endormant.
En ce sens, au Québec on emploie également l'adjectif ***ennuyant,*** qui est vieilli dans l'ensemble de la francophonie.
2. Propre à contrarier, fâcheux, regrettable. *Ce contretemps est très ennuyeux.* **SYN.** agaçant, contrariant, embêtant.

énoncé n. m.
Exposé, texte formulé. *L'énoncé d'un problème.*

énoncer v. tr.
Dire en termes clairs. «*Ce que l'on conçoit bien s'énonce clairement.*» (Boileau)
Conjugaison [VOIR MODÈLE – **AVANCER**]
Le ***c*** prend une cédille devant les lettres ***a*** et ***o.*** *Il énonça, nous énonçons.*

énorme adj.
Gigantesque, démesuré. *Une énorme fête avec des centaines d'invités.* **SYN.** immense, monstre.

énormément adv.
Excessivement. *Cet ogre mange énormément.*

énormité n. f.
1. Caractère de ce qui est énorme.
2. (FAMILIER) Parole extravagante. *Dire des bêtises, des énormités.*

enquérir (s') v. pronom.
S'informer. *Elles se sont enquises de la date de ton arrivée. Il s'est enquis si elle accepterait de voter pour lui.* **SYN.** se renseigner.
Le verbe se construit avec la préposition ***de*** suivie d'un nom de chose, ou avec ***si*** suivi de l'indicatif ou du conditionnel.
Le participe passé de ce verbe qui n'existe qu'à la forme pronominale s'accorde toujours en genre et en nombre avec le sujet du verbe.
Conjugaison [VOIR MODÈLE – **ACQUÉRIR**]
INDICATIF PRÉSENT *Je m'enquiers, tu t'enquiers, il s'enquiert, nous nous enquérons, vous vous enquérez, ils s'enquièrent.* IMPARFAIT *Je m'enquérais.* PASSÉ SIMPLE *Je m'enquis.* FUTUR *Je m'enquerrai.* **CONDITIONNEL** PRÉSENT *Je m'enquerrais.* **IMPÉRATIF** PRÉSENT *Enquiers-toi, enquérons-nous, enquérez-vous.* **SUBJONCTIF** PRÉSENT *Que je m'enquière, que tu t'enquières, qu'il s'enquière, que nous nous enquérions, que vous vous enquériez, qu'ils s'enquièrent.* IMPARFAIT *Que je m'enquisse.* **PARTICIPE** PRÉSENT *Enquérant.* PASSÉ *Enquis, ise.*

enquête n. f.
1. Procédure administrative ou judiciaire ordonnée pour éclaircir des faits. *Une enquête policière.*
2. Recherche de renseignements. *Une enquête démographique.* **SYN.** étude.

enquêter v. intr.
Conduire une enquête. *Ils enquêtent sur les habitudes des consommateurs.*
Conjugaison [VOIR MODÈLE – **AIMER**]

enquêteur n. m.
enquêteuse ou **enquêtrice** n. f.
Personne qui fait une enquête (policière, statistique, etc.).

enracinement n. m.
Action d'enraciner ; son résultat. *Cet engrais favorise l'enracinement des plantes.*

enraciner v. tr., pronom.
Verbe transitif
1. Faire prendre racine. *Enraciner un pommier.*
2. (FIGURÉ) Fixer profondément. *Enraciner une idée.* **SYN.** ancrer.
Verbe pronominal
1. Prendre racine. *Cet arbre s'est enraciné profondément.*
2. (FIGURÉ) Se fixer solidement dans l'esprit. *Des préjugés sexistes enracinés dans les habitudes.*
Conjugaison [VOIR MODÈLE – **AIMER**]

enragé, ée adj. et n. m. et f.
1. Atteint de la rage. *Une bête enragée.*
2. Furieux. *Un ton enragé.* **SYN.** en colère.

enrager v. intr.
Être pris de rage. *Elle enrage de ne pouvoir progresser.* **SYN.** rager.
Conjugaison [VOIR MODÈLE – **CHANGER**]
Le ***g*** est suivi d'un ***e*** devant les lettres ***a*** et ***o***. *Il enragea, nous enrageons.*

enregistrement n. m.
1. Action de noter dans un registre. *Le notaire a enregistré le testament de mes grands-parents.*
2. Action d'enregistrer sur un support des images, des sons, etc. *Un enregistrement magnétique.*
Forme fautive
*enregistrement (d'un véhicule). Anglicisme au sens de ***certificat d'immatriculation.***

enregistrer v. tr.
1. Inscrire dans un registre.
2. Fixer sur un support (disque, film, bande magnétique, etc.) des sons, des images, des signaux pour les conserver et les reproduire. *Avec son magnétophone, elle a enregistré le concert.*
Formes fautives
*enregistrer (une lettre). Anglicisme au sens de ***recommander*** (une lettre).
*s'enregistrer (à l'hôtel). Anglicisme au sens de ***s'inscrire*** (à l'hôtel).
Conjugaison [VOIR MODÈLE – **AIMER**]

enregistreur, euse adj.
Se dit d'un appareil qui enregistre (une donnée, une somme, etc.). *Une caisse enregistreuse.*

enrhumer v. tr., pronom.
Verbe transitif
Causer un rhume à quelqu'un. *Ce froid l'aura enrhumé.*
Verbe pronominal
Attraper un rhume. *Elle s'est enrhumée et ne cesse d'éternuer.*
Conjugaison [VOIR MODÈLE – **AIMER**]
✎ enr**h**umer.

enrichi, ie adj.
1. Qui a fait fortune. *Un oncle enrichi par la vente d'une terre.*
2. Augmenté d'éléments nouveaux. *Une deuxième édition enrichie. Du lait enrichi de vitamines.*

enrichir v. tr.
1. Rendre plus riche. *La hausse du prix des actions l'a enrichi.*
2. Augmenter la valeur, l'importance de. *Enrichir une collection par de nouvelles acquisitions.*
Conjugaison [VOIR MODÈLE – **FINIR**]

enrichissant, ante adj.
Qui enrichit l'esprit. *Une émission enrichissante.*

enrober v. tr.
Recouvrir d'une couche protectrice. *Enrober un fruit de sucre.*
Conjugaison [VOIR MODÈLE – **AIMER**]

enroué, ée adj.
Rauque. *Une voix enrouée.*

enrouler v. tr.
Rouler une chose sur elle-même, autour d'une autre. *Catherine a enroulé un ruban autour du cou de son chat Chanel.* **ANT.** dérouler.
Conjugaison [VOIR MODÈLE – **AIMER**]

ensanglanter v. tr.
1. Couvrir de sang.
2. (LITTÉRAIRE) Faire couler le sang. *Ces guerres ont ensanglanté le pays.*
Conjugaison [VOIR MODÈLE – **AIMER**]

enseignant, ante adj.
Qui enseigne.
Locution
Le corps enseignant. L'ensemble des instituteurs et des professeurs.

enseignant n. m.
enseignante n. f.
Personne dont la profession est d'enseigner. *De jeunes enseignants. Les instituteurs et les professeurs sont des enseignants.*

enseigne n. f.
Tableau, affiche. *Une jolie enseigne de bois où l'on peut lire* « Chez Clémentine ».

enseignement n. m.
1. Action, manière de transmettre des connaissances. *L'enseignement du français et des mathématiques est très important.*
2. Profession des enseignants. *Elle est dans l'enseignement.*
Locution
Ordre d'enseignement. Chacune des grandes divisions de l'enseignement. *Au Québec, les ordres d'enseignement sont : l'enseignement primaire, secondaire, collégial, universitaire.* (Recomm. off. OLF)

enseigner v. tr.
Transmettre les éléments d'une science, d'un art. *Enseigner l'histoire.*
Conjugaison [VOIR MODÈLE – **AIMER**]
Les lettres ***gn*** sont suivies d'un ***i*** à la première et à la deuxième personne du pluriel de l'indicatif imparfait et du subjonctif présent. *(Que) nous enseignions, (que) vous enseigniez.*

ensemble adv. et n. m.
Adverbe
1. Les uns avec les autres. *Ils mangent ensemble.*
2. En même temps. *Partir ensemble.* **SYN.** simultanément.
Nom masculin
1. Totalité. *L'ensemble des étudiants de l'École des HEC.*
2. Groupe de personnes, de choses formant un tout. *Des ensembles musicaux. Un ensemble de salle à manger.*
3. Unité harmonieuse. *Ces bâtiments forment un bel ensemble.*
Locutions
Dans l'ensemble. En général.
Dans son ensemble. Dans les grandes lignes. **SYN.** globalement.
D'ensemble. Général. *Une vue d'ensemble.*
Tous ensemble. En même temps. *Nous parlons tous ensemble.*

ensemencer v. tr.
1. Jeter de la semence en terre. *L'agriculteur ensemençait ses terres de blé et de maïs.* **SYN.** semer.
2. (PAR EXTENSION) Introduire de petits poissons dans un cours d'eau. *Les biologistes ont ensemencé les lacs de la pourvoirie de truites.*
Conjugaison [VOIR MODÈLE – **AVANCER**]
Le ***c*** prend une cédille devant les lettres ***a*** et ***o***. *Il ensemença, nous ensemençons.*

ensevelir v. tr.
Le ***e*** de la troisième syllabe est muet [ɑ̃səvliʀ].
1. (LITTÉRAIRE) Inhumer, mettre au tombeau. **SYN.** enterrer.
2. Engloutir. *Le torrent de boue a enseveli plusieurs maisons.*
Conjugaison [VOIR MODÈLE – **FINIR**]

ensoleillement n. m.
État d'un lieu ensoleillé. *Cet été, nous avons eu beaucoup de jours d'ensoleillement.*

ensoleiller v. tr.
Éclairer par les rayons du soleil. *Une maison ensoleillée, très claire.*
Conjugaison [VOIR MODÈLE – **AIMER**]
Les lettres ***ill*** sont suivies d'un ***i*** à la première et à la deuxième personne du pluriel de l'indicatif imparfait et du subjonctif présent. *(Que) nous ensoleillions, (que) vous ensoleilliez.*

ensommeillé, ée adj.
Mal réveillé. *Des yeux ensommeillés.* **SYN.** somnolent.
enso**mm**ei**ll**é.

ensorcelant, ante adj.
Envoûtant. *Un sourire ensorcelant.* **SYN.** charmeur, fascinant.

ensorceler v. tr.
1. Soumettre à un sortilège. *Ils ont été ensorcelés par le sorcier.* **SYN.** envoûter.
2. (FIGURÉ) Captiver de façon irrésistible. *Ses yeux m'ensorcellent.* **SYN.** charmer, fasciner.
Conjugaison [VOIR MODÈLE – **APPELER**]
Redoublement du ***l*** devant un **e** muet. *J'ensorcelle, j'ensorcellerai,* mais *j'ensorcelais.*
ensorce**l**er.

ensuite adv.
Après, puis. *Il a fait soleil, il a plu ensuite.* **SYN.** plus tard.
L'expression *« et puis ensuite » est un pléonasme.

entaille n. f.
1. Coupure. *Les acériculteurs ont fait des entailles dans les érables pour recueillir l'eau d'érable.* **SYN.** encoche.
2. Blessure causée par un instrument tranchant. *En coupant le pain, elle s'est fait une entaille au doigt.*

entailler v. tr., pronom.
Verbe transitif
Faire une entaille dans. *Entailler un érable pour en recueillir la sève.*
Verbe pronominal
Se faire une entaille. *La petite s'est entaillé la main.*
Conjugaison [VOIR MODÈLE – **AIMER**]
Les lettres ***ill*** sont suivies d'un ***i*** à la première et à la deuxième personne du singulier de l'indicatif imparfait et du subjonctif présent. *(Que) nous entaillions, (que) vous entailliez.*

entamer v. tr.
1. Couper un premier morceau. *Entamer une tarte.*
2. Commencer. *Entamer une discussion.* **SYN.** amorcer, entreprendre, ouvrir.
Conjugaison [VOIR MODÈLE – **AIMER**]

entassement n. m.
Le ***e*** de la troisième syllabe est muet [ɑ̃tasmɑ̃].
1. Action d'entasser. **SYN.** accumulation.
2. Objets entassés. **SYN.** pile, tas.

entasser v. tr.
Accumuler. *Entasser des provisions.* **SYN.** amasser, empiler.
Conjugaison [VOIR MODÈLE – **AIMER**]

entendre v. tr., pronom.
Verbe transitif
1. Percevoir le son. *Parlez plus fort, je ne vous entends pas bien.*
Ne pas confondre avec le verbe ***écouter,*** prêter l'oreille avec attention.
Lorsque le verbe ***entendre*** est suivi d'un infinitif :
– le participe passé s'accorde avec le complément d'objet direct qui précède le verbe si ce complément fait l'action décrite par l'infinitif. *Les oiseaux que j'ai entendus chanter.*
– le participe passé reste invariable si le complément d'objet direct ne fait pas l'action décrite par l'infinitif. *Les airs que j'ai entendu fredonner.*
2. Comprendre. *Ils n'entendent rien au latin.* **SYN.** saisir.
3. Vouloir. *J'entends bien être présente. Il entendait qu'elle fût là dès 8 heures.*
En ce sens, le verbe se construit avec un infinitif ou avec le pronom relatif ***que*** suivi d'un verbe au subjonctif.
Verbe pronominal
1. Être compétent dans un domaine. *Elle s'entend très bien à l'informatique.*
2. S'accorder, sympathiser. *Les deux cousines se sont bien entendues, elles ont eu du plaisir ensemble.* **SYN.** se comprendre.
Locution
Ne vouloir rien entendre. Être complètement en désaccord, n'accepter aucune explication, proposition, etc.
Conjugaison [VOIR MODÈLE – **FENDRE**]
INDICATIF PRÉSENT *J'entends, tu entends, il entend, nous entendons, vous entendez, ils entendent.* PASSÉ SIMPLE *J'entendis.* IMPARFAIT *J'entendais.* FUTUR *J'entendrai.* **CONDITIONNEL** PRÉSENT *J'entendrais.* **IMPÉRATIF** PRÉSENT *Entends, entendons, entendez.* **SUBJONCTIF** PRÉSENT *Que j'entende.* IMPARFAIT *Que j'entendisse.* **PARTICIPE** PRÉSENT *Entendant.* PASSÉ *Entendu, ue.*

entendu, ue adj.
Décidé, réglé. *Marché conclu, c'est une affaire entendue !*

e

Locutions
Bien entendu. Évidemment. *Bien entendu, je serai là.* **SYN.** assurément, naturellement.
Comme de bien entendu, locution adverbiale. (FAMILIER) Évidemment.
– En ce sens, on dit couramment ***bien entendu.***
Entendu. D'accord. *C'est entendu, je le lirai.*
Il est entendu que, locution conjonctive. *Il est entendu que nous devons augmenter notre part.*
La locution se construit avec l'indicatif ou le conditionnel.

entente n. f.
1. Accord. *Les deux clans ont conclu une entente secrète.*
2. Harmonie. *Entre eux, c'est l'entente parfaite.* **SYN.** amitié.

enterrement n. m.
Cérémonie qui accompagne la mise en terre d'un mort. **SYN.** funérailles.

enterrer v. tr.
1. Mettre en terre. *Des soldats canadiens tués lors de la guerre ont été enterrés en France.* **SYN.** ensevelir, inhumer.
2. Enfouir dans la terre. *Le chien enterre un os dans le jardin.*
Conjugaison [VOIR MODÈLE – **AIMER**]

en-tête n. m.
Dénomination officielle (d'une entreprise, d'un organisme) imprimée en tête d'un papier, d'un formulaire. *Du papier à en-tête. Des en-têtes imprimés en deux couleurs.*
– Attention au genre masculin de ce nom : ***un*** en-tête.
– Ne pas confondre avec la locution ***en tête,*** en avant, en mémoire, qui s'écrit sans trait d'union.
en-tête, avec un trait d'union.

entêté, ée adj. et n. m. et f.
Obstiné. *Il est trop entêté pour changer d'avis.*
– En ce sens, les synonymes ***buté*** et ***têtu*** ont un sens défavorable, tandis que ***persévérant, tenace, volontaire*** ont un sens favorable.
ent**ê**té.

entêtement n. m.
Obstination, ténacité. *Il faut beaucoup d'entêtement pour mener à bien ce projet. Son grand-père a beaucoup d'entêtement : quand son idée est faite, il ne veut rien entendre et ne change pas d'avis.* **SYN.** détermination.
ent**ê**tement.

entêter (s') v. pronom.
S'obstiner. *Il s'entête à vouloir sortir nu-tête malgré le froid. Il s'entête dans ce projet.* **SYN.** se buter.
Le verbe suivi d'un infinitif se construit avec la préposition ***à***; suivi d'un nom, il se construit plutôt avec ***dans.***
– À la forme pronominale, le participe passé du verbe s'accorde toujours en genre et en nombre avec le sujet.
Conjugaison [VOIR MODÈLE – **AIMER**]

enthousiasmant, ante adj.
Qui provoque l'enthousiasme, la ferveur. *Un voyage enthousiasmant.* **SYN.** excitant, passionnant.

enthousiasme n. m.
Ferveur, admiration, excitation joyeuse. *Tous accueillirent les vacances avec enthousiasme.* **SYN.** fougue.
– Attention au genre masculin de ce nom : ***un*** enthousiasme.
ent**h**ousiasme.

enthousiasmer v. tr., pronom.
Verbe transitif
Emballer, remplir d'enthousiasme. *Ce spectacle les a enthousiasmés.* **SYN.** exciter, passionner.
Verbe pronominal
Se passionner pour quelqu'un, quelque chose. *Elles se sont enthousiasmées pour cette cause.*
Conjugaison [VOIR MODÈLE – **AIMER**]
ent**h**ousiasmer.

enthousiaste adj. et n. m. et f.
Qui ressent de l'enthousiasme, qui est rempli d'admiration. *Ils sont très enthousiastes.* **SYN.** fervent, passionné.
ent**h**ousiaste.

entier, ière adj. et n. m.
Adjectif
Complet, intégral. *Un groupe entier. Une entière confiance.* **SYN.** total.
Nom masculin
Totalité. *Étudier le document dans son entier.* **SYN.** ensemble.
Locutions
Dans le monde entier. Sur toute la planète, partout.
En entier, locution adverbiale. Complètement, totalement. *Il a vu l'émission en entier.*
Tout entier. Dans cette expression, ***tout*** employé adverbialement est invariable ; par contre, l'adjectif ***entier*** s'accorde avec le nom auquel il se rapporte. *La foule tout entière a applaudi.*

entièrement adv.
Totalement. *Vous avez entièrement raison.* **SYN.** complètement, parfaitement, tout à fait.

entonnoir n. m.
Ustensile de forme conique servant à transvaser des liquides dans un contenant à petite ouverture. *Elle a versé du parfum dans un flacon à l'aide d'un petit entonnoir.*
ento**nn**oir.

entorse n. f.
Lésion douloureuse d'une articulation. *Elle s'est fait une entorse à la cheville.* **SYN.** foulure, luxation.
Locution
Faire une entorse à (une loi, un usage, etc.). (FIGURÉ) Ne pas respecter.

entortiller v. tr., pronom.
Envelopper en faisant des tours. *Elle a entortillé un ruban autour de ses cheveux. Les rubans se sont entortillés.* **SYN.** enrouler, nouer.
Conjugaison [VOIR MODÈLE – **AIMER**]

entourage n. m.
Personnes qui entourent habituellement quelqu'un. *Dans son entourage, il est connu comme étant un bon bricoleur.*

entourer v. tr., pronom.
Verbe transitif
1. Disposer tout autour de. *Entourer un dessin d'un trait coloré.* **SYN.** border, encadrer.
2. Faire le tour de. *Des jardins entourent le château.* **SYN.** encercler.
Verbe pronominal
Réunir autour de soi. *Ils se sont entourés de musiciens.*
Conjugaison [VOIR MODÈLE – **AIMER**]

entracte n. m.
Interruption entre deux actes d'une pièce, entre deux parties d'un spectacle. *Un entracte* (et non une *intermission) *de dix minutes.*
Attention au genre masculin de ce nom : ***un*** entracte.

entraide n. f.
Aide mutuelle. *Dans l'épreuve, il faut compter sur l'entraide.* **SYN.** aide, solidarité, sympathie.

entraider (s') v. pronom.
Se venir en aide mutuellement. *Elles se sont entraidées pour repeindre la maison.*
Le participe passé de ce verbe qui n'existe qu'à la forme pronominale s'accorde toujours en genre et en nombre avec le sujet du verbe.
Conjugaison [VOIR MODÈLE – **AIMER**]

entrain n. m.
Dynamisme, gaieté. *Avoir de l'entrain.* **SYN.** ardeur, enthousiasme, vivacité.
Ne pas confondre avec la locution prépositive ***en train de*** qui s'écrit en deux mots et qui marque une action en cours. *Elle est en train de travailler.*

entraînant, ante adj.
Qui entraîne. *Un air entraînant.*

entraînement n. m.
1. Ensemble d'exercices physiques effectués méthodiquement. *L'entraînement d'un coureur, d'un gymnaste, d'un soldat.*
2. Apprentissage par habitude. *Avec un peu d'entraînement, vous y arriverez.*
Ne pas confondre avec le nom ***formation*** qui fait appel au travail intellectuel et aux connaissances à acquérir. *La formation d'un chirurgien, d'une comptable, d'une avocate.*

entraîner v. tr., pronom.
Verbe transitif
1. Amener avec soi. *Les chutes ont entraîné la barque.* **SYN.** emporter.
2. Préparer à une compétition sportive. *Ce moniteur les a bien entraînés : ils ont gagné la partie.*
3. Inciter quelqu'un à faire quelque chose. *Il a entraîné ses amis dans un bar.* **SYN.** emmener, pousser.
4. Avoir pour conséquence. *La sécheresse entraîne la famine dans de nombreux pays.* **SYN.** causer, occasionner, produire, provoquer.
Verbe pronominal
Se préparer par des exercices à une compétition, une épreuve. *Ils se sont entraînés* (et non se sont *pratiqués) *pendant six mois.*
Conjugaison [VOIR MODÈLE – **AIMER**]
entra**î**ner.

entraîneur n. m.
entraîneuse n. f.
(SPORTS) Personne qui entraîne des athlètes.

entraver v. tr.
1. Mettre une entrave à (un animal).
2. (FIGURÉ) Freiner, gêner l'action. *Des voitures en panne entravent la circulation.*
Conjugaison [VOIR MODÈLE – **AIMER**]

entre prép.
1. La préposition marque le **lieu.** D'un point à un autre. *Entre Québec et Montréal, il y a 300 kilomètres.*
2. La préposition marque le **temps.** Dans un intervalle de temps. *Entre midi et minuit.*
3. La préposition marque une **relation** entre des êtres, des choses. *Il y a une grande connivence entre son père et lui. Entre nous. Entre ces deux maisons, je préfère celle-ci.*
Entre ne s'élide pas devant une voyelle : ***entre elles, entre eux.***
Locutions
Entre autres. L'expression s'emploie pour faire référence à un nom ou un pronom. *Elle a visité ces régions, entre autres la Beauce et la Gaspésie.*
Si l'expression ne se rapporte à aucun nom ou pronom, on écrira plutôt ***entre autres choses.***
Entre chien et loup. Au crépuscule.
Entre deux âges. Qui fait l'effet de n'être ni jeune ni vieux.
Entre parenthèses, entre guillemets, entre crochets.
Dans ces expressions, le nom est au pluriel.
HOM. antre, excavation naturelle.

entrebâiller v. tr.
Entrouvrir. *Elle a entrebâillé la fenêtre.*
Conjugaison [VOIR MODÈLE – **AIMER**]
Les lettres ***ill*** sont suivies d'un ***i*** à la première et à la deuxième personne du pluriel de l'indicatif imparfait et du subjonctif présent. *(Que) nous entrebâillions, (que) vous entrebâilliez.*
entreb**â**iller.

entrechoquer v. tr., pronom.
Verbe transitif
Frapper, heurter l'un contre l'autre. *Ils saluèrent la reine et entrechoquèrent leur verre à sa santé.*
Verbe pronominal
Se heurter l'un contre l'autre. *Les verres s'entrechoquaient et l'on formula des félicitations pour les vainqueurs.*
À la forme pronominale, le participe passé du verbe s'accorde toujours en genre et en nombre avec le sujet.
Conjugaison [VOIR MODÈLE – **AIMER**]

entrecôte n. f.
Morceau de viande coupé entre deux côtes de bœuf. *Une entrecôte saignante.*

entrecouper v. tr.
Interrompre fréquemment. *On a entrecoupé ce texte.*
Conjugaison [VOIR MODÈLE – **AIMER**]

entrecroiser (s') v. pronom.
Se croiser l'un l'autre. *Des fils qui s'entrecroisent.* **SYN.** entrelacer.
Le participe passé de ce verbe qui n'existe qu'à la forme pronominale s'accorde toujours en genre et en nombre avec le sujet du verbe.
Conjugaison [VOIR MODÈLE – **AIMER**]

entrée n. f.
1. Action, fait d'entrer. *Entrée interdite.*
2. Accès. *L'entrée d'une maison.* **SYN.** porte.
3. Début. *L'entrée de l'été est verdoyante.*
4. Premier plat d'un repas. *J'ai pris des crudités comme entrée.*
5. (LINGUISTIQUE) Mot clé d'un dictionnaire. *Des entrées en majuscules.*
Locutions
D'entrée de jeu. Dès le début, d'emblée.
Entrée en matière. Introduction d'un discours, d'un récit.
Entrée en fonction(s). Début d'un nouvel emploi.

entrelacer v. tr., pronom.
Verbe transitif
Enlacer l'un dans l'autre. *Nous entrelaçons nos rubans et nos colliers.*
Verbe pronominal
S'entrecroiser. *Les écharpes se sont entrelacées.*
Conjugaison [VOIR MODÈLE – **AVANCER**]
Le **c** prend une cédille devant les lettres ***a*** et ***o.*** *Il entrelaça, nous entrelaçons.*

entremêler v. tr., pronom.
Verbe transitif
Insérer certaines choses dans d'autres. *Entremêler des fruits et des friandises.* **SYN.** mélanger, mêler.
☞ Ne pas confondre avec le verbe ***emmêler,*** mêler avec d'autres choses.
Verbe pronominal
Se mélanger. *Tous les éléments se sont entremêlés.*
Conjugaison [VOIR MODÈLE – **AIMER**]

entreposage n. m.
Action d'entreposer. *L'entreposage* (et non le *storage) *de meubles.*

entreposer v. tr.
Déposer dans un entrepôt. *L'entreprise a entreposé des archives ici.*
Conjugaison [VOIR MODÈLE – **AIMER**]

entrepôt n. m.
Lieu où sont déposées des marchandises pour une période déterminée. *Un entrepôt de fruits.*

entreprenant, ante adj.
Audacieux. *Un constructeur entreprenant.* **SYN.** dynamique.

entreprendre v. tr.
Commencer à exécuter. *Entreprendre des travaux.*
Conjugaison [VOIR MODÈLE – **APPRENDRE**]

entrepreneur n. m.
entrepreneure n. f.
1. Chef d'une entreprise. *Un entrepreneur de construction* (et non un *contracteur).
☞ Le complément du nom ***entrepreneur*** est introduit à l'aide de la préposition ***de*** plutôt que ***en.***
2. Personne qui, à ses risques, crée, développe et implante des entreprises. *L'an dernier, ce sont des entrepreneures qui ont créé 60 % des nouvelles entreprises du Québec.*

entreprise n. f.
1. Action. *C'est une entreprise audacieuse.*
2. Unité économique de production de biens ou de services. *Une entreprise de fabrication, de télécommunications, de services.*
Locutions
Chef d'entreprise. Entrepreneur.
Culture d'entreprise. Ensemble des traditions de structure, de gestion et de savoir-faire qui assurent la cohésion d'une entreprise.
Esprit d'entreprise. Volonté ou goût de mettre en œuvre et de réaliser des entreprises sociales ou commerciales.

entrer v. tr., intr.
Verbe transitif
1. Introduire. *Julie a entré sa clef dans la serrure.*
2. (INFORMATIQUE) Saisir. *Je dois entrer mon travail dans mon ordinateur* ou *à l'ordinateur.*
☞ Employé transitivement, le verbe se conjugue avec l'auxiliaire ***avoir.***
Verbe intransitif
1. Pénétrer. *Puis Julie est entrée dans la maison.*
☞ Employé intransitivement, le verbe se conjugue avec l'auxiliaire ***être.***
2. Être compris dans. *Il y a du sucre qui entre dans ce gâteau.*
3. Commencer à faire quelque chose. *Entrer en action. Nous entrons en examens demain.*
☞ Ne pas confondre avec le verbe ***rentrer,*** entrer à nouveau.
☞ Si on ***entre*** dans une maison, on ***monte*** dans une voiture, on ***s'engage*** dans une voie de circulation.
Conjugaison [VOIR MODÈLE – **AIMER**]

entre-temps loc. adv.
Pendant ce temps. *La plante germa entre-temps.*
✎ **entre-temps,** avec un trait d'union.

entretenir v. tr., pronom.
Verbe transitif
1. Maintenir en bon état. *Entretenir son jardin.* **SYN.** soigner.
2. Assurer la subsistance de. *Entretenir une famille.* **SYN.** nourrir.
3. Parler de. *Il entretint son ami du problème.* **SYN.** informer.
Verbe pronominal
Converser avec quelqu'un. *Ils se sont longuement entretenus au téléphone.* **SYN.** parler.
Conjugaison [VOIR MODÈLE – **VENIR**]

entretien n. m.
1. Action de maintenir en bon état. *L'entretien de sa voiture.*
2. Conversation suivie avec quelqu'un. *Avoir un entretien particulier avec un ami.*

entretuer (s') ou **entre-tuer (s')** v. pronom.
Se tuer mutuellement. *Les animaux se sont entre-tués.*
☞ Le participe passé de ce verbe qui n'existe qu'à la forme pronominale s'accorde toujours en genre et en nombre avec le sujet.
Conjugaison [VOIR MODÈLE – **AIMER**]

entrevoir v. tr.
1. Voir peu longtemps ou imparfaitement. *J'ai entrevu Delphine hier soir, je n'ai pas eu le temps de lui parler.* **SYN.** apercevoir.
2. Commencer à comprendre. *Olivier entrevoit une solution à son problème.* **SYN.** découvrir, prévoir.
Conjugaison [VOIR MODÈLE – **VOIR**]

entrevue n. f.
Rencontre concertée entre deux ou plusieurs personnes. *Fixer une entrevue avec un journaliste.* **SYN.** entretien.

entrouvrir v. tr.
Ouvrir un peu. *Il entrouvrit la porte avec prudence.* **SYN.** entrebâiller.
☞ Ce verbe s'écrivait autrefois avec une apostrophe.
Conjugaison [VOIR MODÈLE – **OUVRIR**]

énumératif, ive adj.
Qui sert à l'énumération. *Des jalons énumératifs.*

énumération n. f.
Action d'énumérer. *L'énumération des étudiants d'une classe.* **SYN.** dénombrement, recensement.
VOIR TABLEAU – **ÉNUMÉRATION.**

énumérer v. tr.
Nommer l'un à la suite de l'autre. *L'enseignante énumère les élèves qui ont réussi l'examen.* **SYN.** compter, dénombrer, recenser.

ÉNUMÉRATION

LES ÉLÉMENTS D'UNE ÉNUMÉRATION

Présentation horizontale

Les chiffres romains sont composés des symboles suivants : I, V, X, L, C, D, M.

- On met une virgule entre chaque élément de l'énumération et un point à la fin.

Présentation verticale

Cet ouvrage traite des difficultés du français :

1. orthographe ;	ou	*1– orthographe ;*	ou	*1) orthographe ;*
2. grammaire ;		*2– grammaire ;*		*2) grammaire ;*
3. conjugaison.		*3– conjugaison.*		*3) conjugaison.*

- Les éléments sont suivis d'un point-virgule à l'exception du dernier élément qui est suivi d'un point. On pourrait également ne pas mettre de ponctuation à la suite des éléments.

LES PARTIES D'UN TEXTE

En vue de découper un texte ou de mettre l'accent sur le nombre ou l'ordre des éléments, on a recours à divers jalons énumératifs : des lettres, des numéros ou d'autres signes (tiret, point, etc.).

- Une règle est importante : quel que soit le type de jalon retenu, il importe de respecter le même ordre tout au long du document.

JALONS COURAMMENT UTILISÉS	– les lettres minuscules *a), b), c) ;* – les adjectifs numéraux ordinaux du latin sous leur forme abrégée *1°, 2°, 3° ;* – les lettres majuscules *A., B., C. ;* – les chiffres romains *I, II, III.*

Pour une ***énumération simple,*** on utilise un seul signe énumératif : le tiret, les majuscules, les adjectifs numéraux latins, par exemple.

Pour une ***énumération double,*** on a recours à deux types de signes ; pour une ***énumération triple,*** à trois types, et ainsi de suite.

Simple	**Double**	**Triple**	**Quadruple**
a)	a)	A.	I–
b)	1°	a)	A.
c)	2°	1°	a)
d)	3°	2°	1°
e)	b)	b)	2°
f)	1°	1°	b)
g)	2°	2°	B.
h)	3°	B.	II–
i)	c)	a)	A.

Conjugaison [VOIR MODÈLE – **POSSÉDER**]
Le ***é*** se change en ***è*** devant une syllabe muette, sauf à l'indicatif futur et au conditionnel présent. *J'énumère,* mais *j'énumérerai.*

envahir v. tr.
1. Pénétrer par la force dans une région et l'occuper. **SYN.** s'emparer de.
2. Remplir, occuper en entier. *Les enfants ont envahi la plage.*
Conjugaison [VOIR MODÈLE – **FINIR**]

e

envahissant, ante adj.
Qui prend trop de place. *Dans le jardin, la menthe est envahissante et étouffe les plantes qui l'entourent.*

enveloppe n. f.
1. Ce qui sert à envelopper. *Une enveloppe matelassée.*
2. Morceau de papier plié en forme de poche et qui est destiné à contenir une lettre, un document, etc. *Amélie a mis sa lettre pour Sacha dans une enveloppe rouge.*

envelopper v. tr.
1. Recouvrir. *Envelopper d'une couverture.* **SYN.** couvrir.
2. Emballer. *Envelopper un colis.*
Conjugaison [VOIR MODÈLE – **AIMER**]

envenimer v. tr., pronom.
Verbe transitif
1. Infecter. *Une blessure envenimée.*
Ce verbe est formé à partir du mot **venin**, substance toxique sécrétée par certains animaux (vipère, scorpion).
2. (FIGURÉ) Aggraver. *Envenimer une querelle.*
Verbe pronominal
Se détériorer. *Les relations se sont envenimées.* **SYN.** se dégrader.
Conjugaison [VOIR MODÈLE – **AIMER**]

envergure n. f.
1. Largeur d'une voile déployée.
2. Étendue comprise entre les extrémités des ailes déployées d'un oiseau, d'un avion. *L'envergure de l'albatros est d'environ 3 m.*
3. Grande ouverture d'esprit, ampleur de l'intelligence. *Ce chercheur a beaucoup d'envergure.*
4. Ampleur (d'une chose). *Une campagne publicitaire d'envergure.*

envers n. m.
1. Le côté opposé à l'endroit. *L'envers d'une étoffe, d'une médaille.* **ANT.** endroit.
2. Le contraire, l'aspect caché. *L'envers des choses.*
3. Du mauvais côté.
Locutions
À l'envers, locution adverbiale. Du mauvais côté. «*Le bon roi Dagobert a mis sa culotte à l'envers.*» (Chanson) **ANT.** à l'endroit.
À l'envers, locution adverbiale. En désordre. *Ta chambre est à l'envers, range-la donc.* **SYN.** sens dessus dessous. **ANT.** en ordre.
enver**s.**

envers prép.
À l'égard de. *Il n'a pas de préjugés envers les étrangers.*
Locution
Envers et contre tous. Malgré tout le monde.

enviable adj.
Désirable. *Leur sort n'est pas si enviable.* **SYN.** tentant.

envie n. f.
1. Besoin naturel qui doit être satisfait. *Une irrésistible envie de dormir.*
2. Désir. *L'envie de partir en vacances.* **SYN.** goût.
3. Sentiment de jalousie à l'égard de ce qui est à autrui. **SYN.** convoitise.
Locutions
Avoir envie de. Désirer, être tenté de. *J'ai grande envie de prendre congé.*
Dans la langue soutenue, il est préférable d'employer un adjectif avec le nom ***envie*** plutôt que l'adverbe ***très.***
Faire envie. Tenter. *Ce voyage lui faisait envie.*

envier v. tr.
Désirer ce qui est à autrui. *Elle envie ta chance. Il envie sa sœur.* **SYN.** jalouser.
Le complément du verbe peut être une personne ou une chose.
Locution
N'avoir rien à envier à personne. Être comblé.
Conjugaison [VOIR MODÈLE – **ÉTUDIER**]
Redoublement du ***i*** à la première et à la deuxième personne du pluriel de l'indicatif imparfait et du subjonctif présent. *(Que) nous enviions, (que) vous enviiez.*

envieux, ieuse adj. et n. m. et f.
Qui éprouve de l'envie. *Ces voisins sont envieux.* **SYN.** jaloux.
envieu**x.**

environ adv.
À peu près. *Le pont se situe à un kilomètre environ, à environ un kilomètre. Il est environ 6 h.* **SYN.** approximativement.

environnant, ante adj.
Voisin. *Les villages environnants.* **SYN.** proche.
enviro**nn**ant.

environnement n. m.
Milieu dans lequel on vit.
Locution
Protection de l'environnement. Conservation du patrimoine naturel et lutte contre la pollution.
enviro**nn**ement.

environnemental, ale, aux adj.
Relatif à l'environnement. *Des règlements environnementaux.*
enviro**nn**emental.

environnementaliste n. m. et f.
Spécialiste des problèmes de l'environnement.

environner v. tr.
Être autour de, constituer le voisinage de. *Des forêts environnent le chalet.*
Conjugaison [VOIR MODÈLE – **AIMER**]
enviro**nn**er.

environs n. m. pl.
Alentours. *Ils ont photographié les environs du village.*
Locution
Aux environs de, locution prépositive. Aux abords de, vers. *Aux environs de Longueuil, aux environs de minuit.*

envisager v. tr.
1. Considérer. *Nous envisageons les choses de façon réaliste.* **SYN.** regarder, voir.
2. Projeter. *Envisagez-vous d'agrandir cette école ?* **SYN.** penser.
En ce sens, le verbe est suivi de la préposition ***de*** et d'un verbe à l'infinitif.
Conjugaison [VOIR MODÈLE – **CHANGER**]
Le ***g*** est suivi d'un ***e*** devant les lettres ***a*** et ***o.*** *Il envisagea, nous envisageons.*

envoi n. m.
1. Expédition. *Envoi d'un message.*
2. Chose envoyée. *Vous recevrez bientôt notre envoi.* **SYN.** colis, courrier, paquet.
Locutions
Coup d'envoi. Dans plusieurs sports, mise au jeu par envoi du ballon. *Des coups d'envoi.*
Coup d'envoi. (FIGURÉ) Signal du début.
envo**i.**

envol n. m.
1. Action de s'envoler. *L'envol d'un papillon, d'un canard sauvage.*
2. Décollage d'un avion. *La piste d'envol de l'aéroport.*
Ne pas confondre avec le mot ***vol,*** trajet en avion.

envoler (s') v. pronom.
1. Prendre son vol. *Les oiseaux se sont envolés. Un hélicoptère qui s'envole.*
2. (FIGURÉ) Disparaître, s'enfuir. *Les cambrioleurs s'étaient envolés.* **SYN.** partir.
Le participe passé de ce verbe qui n'existe qu'à la forme pronominale s'accorde toujours en genre et en nombre avec le sujet du verbe.
Conjugaison [VOIR MODÈLE – **AIMER**]

envoûtant, ante adj.
Ensorcelant. *Ses yeux sont envoûtants.* **SYN.** captivant, séduisant.
envo**û**tant.

envoûter v. tr.
1. Ensorceler. *Ce sorcier semble les avoir envoûtés.*
2. (FIGURÉ) Fasciner. *Cette musique les envoûte.* **SYN.** charmer, séduire.
Conjugaison [VOIR MODÈLE – **AIMER**]
envo**û**ter.

envoyé, ée n. m. et f.
Personne chargée d'une mission. *Ce négociateur est l'envoyé du ministre.* **SYN.** délégué, représentant.

envoyer v. tr., pronom.
Verbe transitif
1. Diriger une personne vers un lieu. *Envoie Philippe à la plage prévenir les amis !*
2. Expédier quelque chose. *Envoyer une lettre au Portugal.* **SYN.** transmettre.
Verbe pronominal
1. Se transmettre réciproquement quelque chose. *Elles se sont envoyé des lettres toutes les semaines.*
2. (FAMILIER) Prendre pour soi. *S'envoyer un bon repas, s'envoyer tout le travail.*
Attention à l'accord du participe passé ; celui-ci reste invariable si le complément d'objet direct suit le verbe.
Conjugaison [VOIR MODÈLE – **ENVOYER**]
Le ***y*** est suivi d'un ***i*** à la première et à la deuxième personne du pluriel de l'indicatif imparfait et du subjonctif présent. *(Que) nous envoyions, (que) vous envoyiez.*

éolien, ienne adj. et n. f.
Adjectif
Relatif au vent. *Énergie éolienne.*
Nom féminin
Machine qui fonctionne à l'aide du vent. *Une éolienne qui fournit de l'électricité.*

épagneul, eule n. m. et f.
Chien de chasse, à longs poils et à oreilles pendantes. *Un bel épagneul, une épagneule docile.*

épais, aisse adj. et adv.
Adjectif
1. Gros. *Une épaisse liasse de billets.* **ANT.** mince.
2. Dense. *Un brouillard épais.* **ANT.** léger.
3. Lourd. *Un esprit épais.* **ANT.** subtil.
Adverbe
Cette escalope est tranchée trop épais.
Dans cet emploi, le mot est invariable.

épaisseur n. f.
Une des dimensions, avec la longueur et la largeur. *Le bois a deux centimètres d'épaisseur.*

épaissir v. tr., intr. ou pronom.
Verbe transitif
Rendre plus épais. *Épaissir un mélange.*
Verbe intransitif ou **pronominal**
Devenir plus épais. *Ses traits ont épaissi, se sont épaissis.*
Conjugaison [VOIR MODÈLE – **FINIR**]

épanouir v. tr., pronom.
Verbe transitif
1. Faire ouvrir (une fleur). *Le soleil épanouit les pivoines.*
2. (FIGURÉ) Rendre joyeux. *Le bon vin épanouit les convives.*
Verbe pronominal
1. S'ouvrir, se développer. *Sa beauté s'est épanouie.*
2. Se réjouir. *Ses traits s'épanouirent en apprenant ce succès.*
Conjugaison [VOIR MODÈLE – **FINIR**]

épanouissement n. m.
1. Floraison. *L'épanouissement des lilas.*
2. (FIGURÉ) Développement complet. *Son talent a atteint son épanouissement.*

épargne n. f.
Ensemble des sommes d'argent mises en réserve. **SYN.** économies.
Locution
Caisse d'épargne. Établissement financier recevant des dépôts d'argent portant intérêt.

épargner v. tr.
1. Ménager, utiliser avec modération. *Épargner l'énergie électrique.*
2. Mettre de l'argent de côté. *Épargner quelques dollars tous les mois.*
Locution
Épargner quelque chose à quelqu'un. Ne pas faire subir quelque chose de pénible à une personne. *Le tribunal a épargné ce dangereux malfaiteur en ne le condamnant qu'à deux ans de prison.* **SYN.** ménager.
Conjugaison [VOIR MODÈLE – **AIMER**]
Les lettres ***gn*** sont suivies d'un ***i*** à la première et à la deuxième personne du pluriel de l'indicatif imparfait et du subjonctif présent. *(Que) nous épargnions, (que) vous épargniez.*

éparpiller v. tr., pronom.
Verbe transitif
Disperser. *Le vent a éparpillé mes papiers.* **SYN.** répandre.
Verbe pronominal
Se partager entre des activités trop nombreuses. *Sébastien s'occupe de mille projets : il s'éparpille trop.*

Indicatif

Présent		*Passé composé*		
j'	envoie	j'	ai	envoyé
tu	envoies	tu	as	envoyé
elle	envoie	elle	a	envoyé
il	envoie	il	a	envoyé
nous	envoyons	nous	avons	envoyé
vous	envoyez	vous	avez	envoyé
elles	envoient	elles	ont	envoyé
ils	envoient	ils	ont	envoyé

Imparfait		*Plus-que-parfait*		
j'	envoyais	j'	avais	envoyé
tu	envoyais	tu	avais	envoyé
elle	envoyait	elle	avait	envoyé
il	envoyait	il	avait	envoyé
nous	envoyions	nous	avions	envoyé
vous	envoyiez	vous	aviez	envoyé
elles	envoyaient	elles	avaient	envoyé
ils	envoyaient	ils	avaient	envoyé

Passé simple		*Passé antérieur*		
j'	envoyai	j'	eus	envoyé
tu	envoyas	tu	eus	envoyé
elle	envoya	elle	eut	envoyé
il	envoya	il	eut	envoyé
nous	envoyâmes	nous	eûmes	envoyé
vous	envoyâtes	vous	eûtes	envoyé
elles	envoyèrent	elles	eurent	envoyé
ils	envoyèrent	ils	eurent	envoyé

Futur simple		*Futur antérieur*		
j'	enverrai	j'	aurai	envoyé
tu	enverras	tu	auras	envoyé
elle	enverra	elle	aura	envoyé
il	enverra	il	aura	envoyé
nous	enverrons	nous	aurons	envoyé
vous	enverrez	vous	aurez	envoyé
elles	enverront	elles	auront	envoyé
ils	enverront	ils	auront	envoyé

Infinitif

Présent	*Passé*
envoyer	avoir envoyé

Subjonctif

Présent			*Passé*			
que	j'	envoie	que	j'	aie	envoyé
que	tu	envoies	que	tu	aies	envoyé
qu'	elle	envoie	qu'	elle	ait	envoyé
qu'	il	envoie	qu'	il	ait	envoyé
que	nous	envoyions	que	nous	ayons	envoyé
que	vous	envoyiez	que	vous	ayez	envoyé
qu'	elles	envoient	qu'	elles	aient	envoyé
qu'	ils	envoient	qu'	ils	aient	envoyé

Imparfait			*Plus-que-parfait*			
que	j'	envoyasse	que	j'	eusse	envoyé
que	tu	envoyasses	que	tu	eusses	envoyé
qu'	elle	envoyât	qu'	elle	eût	envoyé
qu'	il	envoyât	qu'	il	eût	envoyé
que	nous	envoyassions	que	nous	eussions	envoyé
que	vous	envoyassiez	que	vous	eussiez	envoyé
qu'	elles	envoyassent	qu'	elles	eussent	envoyé
qu'	ils	envoyassent	qu'	ils	eussent	envoyé

Conditionnel

Présent		*Passé*		
j'	enverrais	j'	aurais	envoyé
tu	enverrais	tu	aurais	envoyé
elle	enverrait	elle	aurait	envoyé
il	enverrait	il	aurait	envoyé
nous	enverrions	nous	aurions	envoyé
vous	enverriez	vous	auriez	envoyé
elles	enverraient	elles	auraient	envoyé
ils	enverraient	ils	auraient	envoyé

Impératif

Présent	*Passé*
envoie	aie envoyé
envoyons	ayons envoyé
envoyez	ayez envoyé

Participe

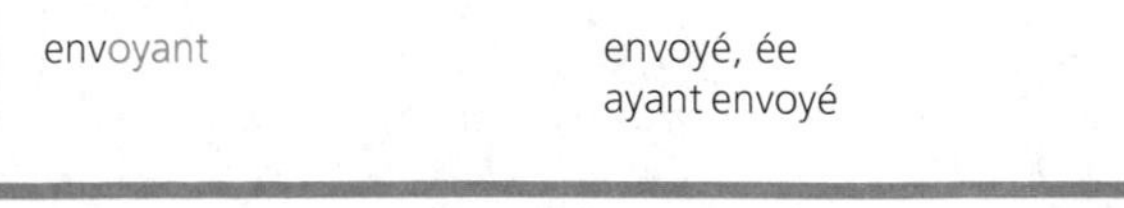

Présent	*Passé*
envoyant	envoyé, ée ayant envoyé

Conjugaison [VOIR MODÈLE – **AIMER**]
Les lettres ***ill*** sont suivies d'un ***i*** à la première et à la deuxième personne du pluriel de l'indicatif imparfait et du subjonctif présent. *(Que) nous éparpillions, (que) vous éparpilliez.*

épatant, ante adj.
(FAMILIER) Excellent, sensationnel. *Une surprise épatante.*

épater v. tr.
(FAMILIER) Remplir d'une surprise admirative. *Myriam Bédard et Jean-Luc Brassard nous ont bien épatés aux Jeux olympiques de Lillehammer.* **SYN.** impressionner.
Conjugaison [VOIR MODÈLE – **AIMER**]

épaule n. f.
Attache du bras avec le thorax.

épauler v. tr.
1. Appuyer contre l'épaule. *Épauler une arme pour viser.*
2. (FIGURÉ) Aider, soutenir. *Il faut les épauler, car ils ont des ennuis.* **SYN.** assister.
Conjugaison [VOIR MODÈLE – **AIMER**]

épaulette n. f.
Garniture fixée sur l'épaule des uniformes militaires qui sert à désigner le grade.
Locution
Gagner ses épaulettes. Réussir (un exploit).
À l'origine, l'expression signifiait « devenir officier ».

épave n. f.
Objet rejeté par la mer sur le rivage. *Quand la marée baisse, elle laisse souvent des épaves sur le sable.* **SYN.** débris.

épée n. f.
Arme formée d'une lame en acier et d'une poignée protégée par une garde.
Locutions
Une bonne épée. Personne habile à manier l'épée. On dit aussi une ***fine lame.***
Coup d'épée dans l'eau. (FIGURÉ) Effort inutile.

épeler v. tr.
Nommer les lettres qui composent un mot. *Le nom « ecchymose » n'est pas facile à épeler.*
Conjugaison [VOIR MODÈLE – **APPELER**]
Redoublement du ***l*** devant un **e** muet. *J'épelle, j'épellerai,* mais *j'épelais.*
épe**l**er, un seul ***l.***

épellation n. f.
Action de décomposer un mot en lettres ou en syllabes. *Baba : b-a ba, b-a ba, baba.*
Ne pas confondre avec le nom ***orthographe,*** manière d'écrire un mot.
épe**ll**ation, avec deux ***l.***

éperlan n. m.
Poisson marin dont la chair est appréciée. *Des éperlans frits.*

éperon n. m.
Petite pointe de métal fixée au talon du cavalier pour stimuler un cheval.

épervier n. m.
Oiseau rapace diurne qui chasse les petits oiseaux.

épeurant, ante adj.
(FAMILIER) Qui fait peur. *Ce film d'horreur est épeurant.* **SYN.** effrayant, terrifiant.
L'emploi de cet adjectif est courant au Québec dans la langue familière, mais il est vieilli dans les autres pays de la francophonie.

épeurer v. tr.
(FAMILIER) Effrayer. *Des gamins ont épeuré les petits avec des hurlements et des déguisements de monstres.* **SYN.** apeurer, faire peur, terrifier.
L'emploi de ce verbe est courant au Québec dans la langue familière, mais il est vieilli dans les autres pays de la francophonie.
Conjugaison [VOIR MODÈLE – **AIMER**]

éphémère adj.
1. Qui dure un seul jour. *La fleur de l'hibiscus est éphémère.*
2. Qui dure peu de temps, fugitif. *Une joie éphémère.* **SYN.** court, passager, rapide.
é**phé**m**è**re.

épi n. m.
Partie terminale de la tige des graminées qui porte les graines. *Des épis de blé, des épis de maïs.*

épice n. f.
Substance aromatique ou piquante servant à assaisonner un mets. *Le poivre, le thym, la sarriette, le paprika sont des épices.*

épicé, ée adj.
Dont le goût est relevé à l'aide d'épices. *Une cuisine trop épicée.*

épicentre n. m.
Zone de la croûte terrestre où un séisme a été le plus intense. *L'épicentre du tremblement de terre était situé à San Francisco.*
Attention au genre masculin de ce nom : ***un*** épicentre.

épicer v. tr.
Assaisonner d'épices. *Julien n'épiçait pas assez sa sauce.*
Conjugaison [VOIR MODÈLE – **AVANCER**]
Le ***c*** prend une cédille devant les lettres ***a*** ou ***o***. *Il épiça, nous épiçons.*

épicerie n. f.
1. Commerce de produits d'alimentation. *Aller à l'épicerie.*
2. Produits d'alimentation. *Maman m'a demandé de ranger l'épicerie dans l'armoire.*
L'expression ***faire son épicerie*** s'emploie au Québec au sens de ***faire son marché.***

épicier n. m.
épicière n. f.
Personne qui tient une épicerie.

épidémie n. f.
Maladie soudaine d'un grand nombre de personnes. *Une épidémie de grippe.*

épiderme n. m.
Ensemble de couches cellulaires composant la surface de la peau.
Attention au genre masculin de ce nom : ***un*** épiderme.

épilation n. f.
Action d'enlever les poils. *Une épilation à la cire.*

épilatoire adj. et n. m.
Qui sert à épiler. *Une crème épilatoire. Un épilatoire efficace.*

épilepsie n. f.
Maladie nerveuse caractérisée par des convulsions pouvant s'accompagner de pertes de conscience.

épileptique adj. et n. m. et f.
Qui souffre d'épilepsie. *Cette personne est épileptique. C'est un épileptique.*

épiler v. tr.
Arracher les poils. *Des pinces à épiler. Épiler ses jambes.*
Conjugaison [VOIR MODÈLE – **AIMER**]

épinard n. m.
Plante potagère cultivée pour ses feuilles comestibles. *Une salade d'épinards.*
✎ épinar**d**.

épine n. f.
Pointe acérée de certains végétaux. *Une épine de cactus. Les épines des rosiers.*
Locutions
Épine dorsale. Colonne vertébrale.
Être sur des épines. (FIGURÉ) Être au comble de l'impatience.
Tirer, ôter à quelqu'un une épine du pied. (FIGURÉ) Tirer quelqu'un d'embarras.

épinette n. f.
⚜ Conifère à courtes aiguilles souvent utilisé comme arbre de Noël. *Il y a des épinettes et des sapins dans ce bois.*
Locution
Bière d'épinette. Boisson gazeuse.

épineux, euse adj.
1. Couvert d'épines. *Des arbrisseaux épineux.*
2. (FIGURÉ) Difficile. *Un problème épineux.* **SYN.** embarrassant.

épingle n. f.
Petite tige métallique pointue à l'une de ses extrémités et servant à attacher quelque chose. *Assembler deux pièces de tissu avec des épingles. Des épingles droites, des épingles de sûreté.*
Locution
Épingle à linge. ⚜ Pince à linge.
☞ Ce nom s'emploie toujours au Québec et en Belgique, mais il est vieilli dans les autres pays de la francophonie.

épingler v. tr.
Fixer avec des épingles. *La couturière a épinglé la manche de la robe.*
Conjugaison [VOIR MODÈLE – **AIMER**]

épinglette n. f.
1. Broche de fantaisie.
2. Petit insigne qu'on pique à travers un vêtement.

épique adj.
1. Propre à l'épopée. *Un récit épique.*
2. (IRONIQUEMENT) Digne d'une épopée. *Une aventure épique.*
☞ Ne pas confondre avec le mot ***hippique,*** relatif au cheval.

épisode n. m.
1. Partie d'une œuvre. *Une série télévisée en quatre épisodes.*
2. Incident, péripétie. *Un épisode amusant.* **SYN.** évènement.
☞ Attention au genre masculin de ce nom : ***un*** épisode.

épithète adj. et n. f.
(GRAMMAIRE) Se dit d'un mot qui qualifie un nom ou un pronom, sans l'intermédiaire d'un verbe (par opposition à l'attribut).
Nature de l'épithète
– Adjectif. *Une fleur rouge.*
☞ Dans cet exemple, l'adjectif ***rouge*** est épithète du nom ***fleur.***
– Nom mis en apposition. *C'est une photo de Pierre enfant.*
☞ Dans cette phrase, le nom ***enfant*** est épithète du nom ***Pierre.***
Place de l'épithète
– L'épithète se place le plus souvent après le nom. *Un homme grand.*
– Placée avant, l'épithète a parfois un sens figuré ou une valeur stylistique. *Un grand homme.*
☞ Lorsqu'il suit le nom, l'adjectif ***grand*** signifie « dont la taille est élevée » ; lorsqu'il le précède, il a le sens d'« important, extraordinaire ».
☞ Attention au genre féminin de ce nom : ***une*** épithète.
✎ épi**th**ète.

éplucher v. tr.
1. Enlever la pelure, l'écorce (généralement d'un légume, d'un fruit, etc.). *Éplucher des pommes de terre, des crevettes, des oranges.* **SYN.** peler.
☞ ***Peler*** se dit surtout d'un fruit ou de certains légumes. *Peler des tomates, des poires.*
2. (FIGURÉ) Chercher minutieusement (quelque chose de répréhensible). *Le chef de service épluche le dossier pour corriger toutes les erreurs.* **SYN.** décortiquer, dépouiller.
Conjugaison [VOIR MODÈLE – **AIMER**]

épluchette n. f.
⚜ Fête populaire de la fin de l'été au cours de laquelle on mange du maïs en épi.

éponge n. f.
Animal marin dont le squelette fournit une matière souple qui a la propriété de retenir les liquides et de les rejeter à la pression.
Locutions
Jeter l'éponge. (FIGURÉ) Abandonner le combat.
Passer l'éponge sur. (FIGURÉ) Pardonner. *Elle a décidé de passer l'éponge sur ses absences.*
Serviette(-)éponge. Serviette en tissu-éponge ou tissu éponge.
Tissu(-)éponge. Tissu dont les fils absorbent l'eau. *Des tissus-éponges* ou *tissus éponges colorés.*

éponger v. tr., pronom.
Verbe transitif
1. Étancher, essuyer un liquide. *Étienne, éponge l'eau que tu as versée sur le comptoir.*
2. (FIGURÉ) Réduire, annuler. *Éponger une dette.*
Verbe pronominal
S'essuyer. *Il s'épongea le visage.*
Conjugaison [VOIR MODÈLE – **CHANGER**]
Le ***g*** est suivi d'un ***e*** devant les lettres ***a*** et ***o.*** *Il épongea, nous épongeons.*

épopée n. f.
Récit d'évènements héroïques. *L'épopée des Jésuites en Nouvelle-France est très intéressante.*

époque n. f.
1. Période de l'histoire marquée par un évènement important. *La Renaissance est une magnifique époque.*
☞ Ne pas confondre avec le nom ***ère,*** point de départ d'une chronologie, début d'une période de temps généralement longue. *L'ère chrétienne.*
Époques historiques
Les noms d'époques historiques ou préhistoriques sont des noms propres : le nom caractéristique s'écrit avec une

majuscule ainsi que l'adjectif lorsqu'il précède ce nom. *L'Antiquité, la Renaissance, les Croisades, le Néolithique. Le Moyen Âge, le Grand Siècle, la Belle Époque. La Révolution française, la Révolution tranquille.*
2. Période particulière. *C'était à l'époque des vacances.*

époumoner (s') v. pronom.
Crier, parler très fort. *Elle s'époumone à appeler ses enfants dehors.*
Le participe passé de ce verbe qui n'existe qu'à la forme pronominale s'accorde toujours en genre et en nombre avec le sujet du verbe.
Conjugaison [VOIR MODÈLE – **AIMER**]
s'époumo**n**er, un seul ***n.***

épouser v. tr.
Prendre en mariage, dans le style administratif. *Elle a épousé un ami d'enfance.*
Dans la langue courante, on dit plutôt ***se marier.***
Conjugaison [VOIR MODÈLE – **AIMER**]

époussetage n. m.
Action d'épousseter. *L'époussetage des bibelots est la dernière chose que ferait Olivier.*
épousse**t**age.

épousseter v. tr.
Ôter la poussière de. *Elle époussette des livres.*
Conjugaison [VOIR MODÈLE – **APPELER**]
Redoublement du ***t*** devant un ***e*** muet. *J'époussette, j'époussetterai,* mais *j'époussetais.*
épousse**t**er.

époustouflant, ante adj.
Qui époustoufle. **SYN.** étonnant, stupéfiant.
époustou**f**lant, un seul ***f.***

époustoufler v. tr.
(FAMILIER) Étonner vivement. *Cette nouvelle l'a époustouflé.* **SYN.** stupéfier.
Conjugaison [VOIR MODÈLE – **AIMER**]
époustou**f**ler, un seul ***f.***

épouvantable adj.
Effrayant, terrible. *Un accident épouvantable.* **SYN.** affreux, horrible.
épouv**an**table.

épouvantail n. m.
Mannequin rudimentaire destiné à effrayer les oiseaux et à les éloigner d'un champ. *Des épouvantails dans un jardin potager.*
épouv**an**tail.

épouvante n. f.
Effroi, terreur. *Des films d'épouvante.* **SYN.** horreur.
épouv**an**te.

épouvanter v. tr.
Terrifier. *Ces bruits de chaîne les ont épouvantés.* **SYN.** effrayer, horrifier.
Conjugaison [VOIR MODÈLE – **AIMER**]
épouv**an**ter.

époux, ouse n. m. et f.
Mari, femme.
Ce nom est de style administratif ou juridique. De façon courante, on présente son ***mari,*** sa ***femme*** (et non son *époux, son *épouse).
épou**x.**

épreuve n. f.
1. Malheur. *Il a eu beaucoup d'épreuves.* **SYN.** souffrance.
2. Examen, compétition. *Une épreuve de français. Une épreuve sportive.*
Locutions
À l'épreuve de. Qui peut résister à. *Ce tissu est à l'épreuve de l'eau.*
À toute épreuve. Très résistant. *Ces chaussures sont à toute épreuve.* **SYN.** robuste, solide.
Mettre à l'épreuve. Soumettre à un essai. *Les candidats ont été rudement mis à l'épreuve.*

éprouver v. tr.
1. Ressentir. *Elle a éprouvé une forte douleur au dos.* **SYN.** sentir.
2. Mettre à l'épreuve. *Les techniciens éprouvent les nouveaux produits.* **SYN.** essayer, expérimenter.
3. Subir (des souffrances). *Cette famille a été éprouvée par le deuil.* **SYN.** toucher.
Conjugaison [VOIR MODÈLE – **AIMER**]

éprouvette n. f.
Petit récipient utilisé en laboratoire.
Locution
Bébé éprouvette. Enfant dont la fécondation a été faite *in vitro. Des bébés éprouvettes.*
VOIR **FÉCONDATION.**

épuisant, ante adj.
Qui épuise. *Des courses épuisantes.* **SYN.** fatigant.

épuisement n. m.
Fatigue extrême. *Il souffre d'épuisement professionnel* (et non de *burn-out).

épuiser v. tr., pronom.
Verbe transitif
1. Fatiguer énormément. *Cette randonnée m'a épuisé.* **SYN.** (FAMILIER) crever, exténuer, (FAMILIER) vider.
2. Consommer pleinement. *Ils ont épuisé leurs réserves.* **SYN.** dépenser, utiliser.
Verbe pronominal
S'affaiblir complètement. *Elle s'épuise à la tâche.*
Conjugaison [VOIR MODÈLE – **AIMER**]

épuisette n. f.
Petit filet de pêche. *Un pêcheur muni d'une épuisette* (et non d'une *puise).

épuration n. f.
Purification. *L'épuration des eaux.*

épurer v. tr.
Rendre pur, plus pur. *On doit épurer l'eau de cet aqueduc.*
Conjugaison [VOIR MODÈLE – **AIMER**]

équateur n. m.
Le ***u*** de la deuxième syllabe se prononce ***ou*** [ekwatœr].
Cercle qui partage la Terre en deux hémisphères.
Le nom s'écrit avec une majuscule initiale quand il désigne le pays, avec une minuscule quand il désigne le cercle qui sépare la sphère terrestre en deux hémisphères.

équation n. f.
Le ***u*** de la deuxième syllabe se prononce ***ou*** [ekwasjɔ̃].
(MATHÉMATIQUES) Relation conditionnelle entre deux quantités. *Une équation du premier degré.*

e

équatorial, iale, iaux adj.
Le ***u*** de la deuxième syllabe se prononce ***ou*** [ekwatɔrjal].
Relatif à l'équateur. *Des climats équatoriaux.*

équerre n. f.
Le ***u*** ne se prononce pas [ekɛr].
Instrument ayant deux côtés à angle droit et qui sert à tracer des angles droits.
Attention au genre féminin de ce nom : ***une*** équerre.
Locution
D'équerre. Dont l'angle est droit. *Cette table n'est pas d'équerre*
éque**rr**e.

équestre adj.
Le ***u*** ne se prononce pas [ekɛstr].
Qui se rapporte à l'équitation. *Les sports équestres.*

équeuter v. tr.
Retirer la queue d'un fruit. *Équeuter une pomme.*
Conjugaison [VOIR MODÈLE – **AIMER**]

équilatéral, ale, aux adj.
Le ***u*** se prononce [ekɥilateral].
Qui a tous ses côtés égaux. *Des triangles équilatéraux.*

équilibrage n. m.
Le ***u*** ne se prononce pas [ekilibraʒ].
Action d'équilibrer ; son résultat. *L'équilibrage des pneus* (et non le *balancement).

équilibre n. m.
Le ***u*** ne se prononce pas [ekilibr].
1. État de stabilité. *Il a perdu l'équilibre et est tombé.*
2. Distribution égale des masses, des éléments. *L'équilibre des forces.* **ANT.** déséquilibre.
3. État d'une personne calme, pondérée. *Cette personne a un bon équilibre mental : elle est équilibrée.* **SYN.** calme, sérénité. **ANT.** déséquilibre.
Locution
Équilibre budgétaire. Budget sans déficit.

équilibré, ée adj.
1. Qui est en équilibre. *Des budgets équilibrés, où les dépenses n'excèdent pas les recettes.*
2. Sain. *Un esprit équilibré.* **ANT.** déséquilibré.

équilibrer v. tr., pronom.
Verbe transitif
Mettre en équilibre. *Équilibrer un budget.* **ANT.** déséquilibrer.
Verbe pronominal
Être en équilibre. *Les forces se sont équilibrées.*
Conjugaison [VOIR MODÈLE – **AIMER**]

équilibriste n. m. et f.
Le ***u*** ne se prononce pas [ekilibrist].
Acrobate. *J'aime beaucoup le numéro des équilibristes du Cirque du Soleil.*

équinoxe n. m.
Le ***u*** ne se prononce pas [ekinɔks].
Chacun des deux moments de l'année où les jours sont égaux aux nuits. *L'équinoxe d'automne a lieu le 23 septembre et l'équinoxe de printemps, le 21 mars.*
Attention au genre masculin de ce nom : ***un*** équinoxe.
équino**xe.**

équipage n. m.
Ensemble du personnel d'un navire, d'un avion. *Il n'y a pas eu de blessés dans l'équipage.*

équipe n. f.
Groupe de personnes qui partagent une activité. *L'esprit d'équipe. Travailler en équipe. Elle est chef d'équipe.*

équipement n. m.
1. Action d'équiper quelqu'un, quelque chose en vue d'une activité. *Nous devrons nous occuper de l'équipement du gymnase. Un équipement de ski.*
2. Ensemble des biens (terrain, bâtiment, outillage) aménagés en vue d'un usage déterminé.

équiper v. tr., pronom.
Verbe transitif
Pourvoir quelqu'un, quelque chose de ce qui est nécessaire. *Équiper les élèves d'ordinateurs.*
Verbe pronominal
Se doter du nécessaire. *Ils se sont équipés pour la plongée.*
SYN. se munir.
Conjugaison [VOIR MODÈLE – **AIMER**]

équipier, ière n. m. et f.
Membre d'une équipe (sportive).

équitable adj.
Juste, impartial. *Cette décision est équitable.*

équitablement adv.
De façon équitable. *Le gâteau n'a pas été découpé équitablement : certaines parts sont plus petites que les autres.*

équitation n. f.
Art de monter à cheval. *Faire de l'équitation.*

équité n. f.
Justice, impartialité. *L'arbitre a fait preuve d'équité.*

équivalence n. f.
Égalité de valeur. *L'équivalence de deux produits.*
équival**en**ce.

équivalent, ente adj. et n. m.
Adjectif
Correspondant. *Des quantités équivalentes.*
Nom masculin
1. Chose équivalente, semblable. *Vous n'avez plus de disquettes X? Donnez-moi l'équivalent, s.v.p.* **SYN.** substitut.
2. Traduction. *Le mot voiture est l'équivalent français du mot anglais « car ».*
Ne pas confondre avec le participe présent invariable ***équivalant.*** *Des quantités équivalant à un kilogramme.*
équival**ent.**

équivaloir v. tr. ind.
Avoir la même valeur. *Ces recettes équivalent à deux heures de travail.* **SYN.** correspondre, égaler.
Le verbe se construit avec la préposition **à.** *Cette somme équivaut au travail produit.*
Conjugaison [VOIR MODÈLE – **VALOIR**]
Le participe passé ***équivalu*** est invariable.

équivoque adj. et n. f.
Adjectif
1. Qui a plusieurs sens, ambigu. *Une explication équivoque.* **SYN.** obscur.
2. Qui suscite la méfiance. *Une attitude équivoque.* **SYN.** douteux, suspect.

Nom féminin
Ambiguïté. *Une attitude sans aucune équivoque.* **SYN.** incertitude, malentendu.
Attention au genre féminin de ce nom : ***une*** équivoque.

érable n. m.
Grand arbre à bois dur des régions tempérées. *À l'automne, les érables colorent de rouge les forêts.*
C'est la feuille de l'érable qui figure sur le drapeau canadien.
Locution
Érable à sucre. Érable dont on extrait la sève pour fabriquer le sirop d'érable. *Du sirop d'érable, du sucre d'érable.*
La culture de l'érable à sucre se nomme l'***acériculture.***

érablière n. f.
Plantation d'érables à sucre exploitée pour la fabrication des produits de l'érable.
La personne qui exploite une érablière est un ***acériculteur,*** une ***acéricultrice.***

érafler v. tr.
Écorcher. *Ces cailloux lui ont éraflé le genou.* **SYN.** égratigner.
Conjugaison [VOIR MODÈLE – **AIMER**]
éra**f**ler.

éraflure n. f.
Écorchure. *Elle a une éraflure au genou.* **SYN.** égratignure.
éra**f**lure.

éraillé, ée adj.
Voix éraillée. Voix rauque. *Ils ont la voix éraillée à force d'avoir tant crié.*

ère n. f.
Point de départ d'une chronologie. *L'ère chrétienne débute à la naissance de Jésus-Christ, c'est l'année un de notre ère.*
Ne pas confondre avec le nom ***époque,*** période de l'histoire marquée par un évènement important.
HOM.
– **air**, mélange gazeux, expression, mélodie ;
– **aire**, surface ;
– **erre**, vitesse acquise d'un navire.

éreintant, ante adj.
Épuisant. *Des travaux éreintants.* **SYN.** exténuant, fatigant.
Ne pas confondre avec le participe présent invariable ***éreintant.*** *Des escalades éreintant les plus âgés.*

éreinter v. tr.
1. Courbaturer, briser de fatigue. *Ces déménagements les ont éreintés.* **SYN.** épuiser, exténuer.
2. (FIGURÉ) Critiquer de façon malveillante.
Conjugaison [VOIR MODÈLE – **AIMER**]

ergot n. m.
Ongle pointu de certains animaux. *Les ergots du coq.*
Locution
Monter sur ses ergots. Se mettre en colère.
ergo**t.**

ériger v. tr.
(LITTÉRAIRE) Construire (un monument, une statue, une église).
On ***construit*** un barrage, un pont, un complexe immobilier, on ne les ***érige*** pas.
Conjugaison [VOIR MODÈLE – **CHANGER**]
Le ***g*** est suivi d'un ***e*** devant les lettres ***a*** et ***o.*** *Il érigea, nous érigeons.*

ermite n. m.
Personne qui vit dans un lieu désert de façon totalement isolée.
ermi**te.**

érosion n. f.
Le ***o*** de la deuxième syllabe est fermé [erozjɔ̃].
Usure lente. *L'érosion de la pluie, du vent sur les roches.*

érotique adj.
Relatif à la sexualité, au désir. *Un film érotique.*

errant, ante adj
Vagabond, sans domicile. *Des peuples errants.*

erratum n. m. (pl. *errata*)
Le ***u*** se prononce ***o*** [ɛratɔm].
Mot latin signifiant « erreur d'un ouvrage qui est signalée au lecteur ». *Un* erratum, *des* errata.
On signale généralement des ***errata,*** le singulier étant rare.
e**rr**atum.

erre n. f.
(MARINE) Vitesse acquise d'un navire. *Une fois les voiles abaissées ou les moteurs coupés, le bateau continue sur son erre un moment avant de s'immobiliser.*
Attention au genre féminin de ce nom : ***une*** erre.
Locution
Erre d'aller. En continuant sur sa lancée, en utilisant l'élan initial. *Elle patinait très vite et puis continuait simplement sur l'erre d'aller.* **SYN.** sur la lancée.
Cette expression se dit à propos d'une personne, d'une chose en mouvement.
HOM.
– **air**, mélange gazeux, expression, mélodie ;
– **aire**, surface ;
– **ère**, époque.
e**rr**e.

erreur n. f.
Inexactitude. *Il y a quelques erreurs dans vos réponses, il faudrait les corriger.* **SYN.** faute.
Locutions
Faire erreur. Se tromper. *Je crois que tu fais erreur, le résultat est inexact.*
Dans cette expression, le nom reste au singulier.
Par erreur. De façon inexacte. *J'ai inversé les chiffres par erreur.*
e**rr**eur.

erroné, ée adj.
Inexact, qui contient une ou des erreurs. *Ce résultat est erroné.* **SYN.** faux, incorrect.
e**rr**oné.

érudit, ite adj. et n. m. et f.
Qui connaît à fond un domaine. *Cette historienne est une érudite.*
Dans le domaine scientifique, on parle surtout d'un ***savant;*** dans le domaine des lettres, d'un ***lettré.***

éruption n. f.
1. Jaillissement soudain de lave, de matières, de gaz à partir du cratère d'un volcan. *Les éruptions de l'Etna en Sicile sont fréquentes.*
2. (FIGURÉ) Sortie brutale. *Une éruption de boutons.*
Ne pas confondre avec **irruption**, entrée soudaine.

escabeau n. m. (pl. *escabeaux*)
Petit escalier portatif. *Laurence a grimpé sur l'escabeau pour prendre le sac de biscuits.*
✎ escab**eau.**

escalade n. f.
1. Action de grimper sur quelque chose. *L'escalade d'un mur.*
2. Alpinisme. *Faire de l'escalade sur les falaises des Hautes-Gorges de La Malbaie.*
3. (FIGURÉ) Montée rapide. *L'escalade des prix.*

escalader v. tr.
Faire l'ascension de. *Ces alpinistes ont escaladé la falaise abrupte.* **SYN.** gravir, grimper sur.
Conjugaison [VOIR MODÈLE – **AIMER**]

escale n. f.
Action de s'arrêter pour prendre du ravitaillement, pour embarquer ou débarquer des passagers, du fret, pour un avion, un navire. *Nous faisons escale à Paris et à Rome.*
☞ Ne pas confondre avec les noms suivants :
– ***étape,*** endroit où l'on s'arrête pour dormir au cours d'un voyage ;
– ***halte,*** arrêt bref au cours d'un voyage.
☞ Attention au genre féminin de ce nom : ***une*** escale.

escalier n. m.
Suite de marches pour monter ou descendre. *Il doit monter l'escalier très lentement. Un bel escalier en bois franc.*
☞ Le nom ***escalier*** qui est un collectif s'utilise généralement au singulier lorsqu'il s'agit d'une seule suite de marches.
Locution
Escalier en colimaçon. Escalier en spirale.

escalope n. f.
Tranche mince de viande blanche ou de poisson. *Des escalopes de veau.*
✎ escalo**p**e.

escamotable adj.
Qui peut être replié et caché. *Une table à deux panneaux escamotables, une échelle escamotable.*
✎ escamo**t**able.

escamoter v. tr.
1. Faire disparaître. *On peut escamoter les panneaux de cette table.* **SYN.** cacher, replier.
2. Voler. *On lui a escamoté son passeport.* **SYN.** dérober.
Conjugaison [VOIR MODÈLE – **AIMER**]
✎ escamo**t**er.

escampette (prendre la poudre d') loc.
(FAMILIER) S'enfuir. **SYN.** décamper, déguerpir, filer.

escapade n. f.
Sortie furtive. *Les pensionnaires ont fait quelques escapades.* **SYN.** équipée, fugue.

escarpé, ée adj.
Qui est à pic, difficile d'accès. *La petite route qui mène au phare est très escarpée.* **SYN.** abrupt, en pente.

escient (à bon, à mauvais) loc. adv.
Attention à la prononciation [esjɑ̃].
À raison, à tort. *Ils ont cru à bon escient que le gardien les préviendrait : c'est ce qu'il a fait.*
☞ Ce nom n'est usité que dans les expressions citées.
✎ e**sc**ient.

esclaffer (s') v. pronom.
Pouffer de rire. *La pièce était très drôle et les enfants se sont esclaffés sans arrêt.* **SYN.** éclater de rire.
☞ Le participe passé de ce verbe qui n'existe qu'à la forme pronominale s'accorde toujours en genre et en nombre avec le sujet du verbe.
Conjugaison [VOIR MODÈLE – **AIMER**]

esclavage n. m.
1. État d'esclave. *Dans le sud des États-Unis, l'esclavage s'est pratiqué autrefois.*
2. (FIGURÉ) Dépendance étroite de quelqu'un à l'égard de quelqu'un, de quelque chose. *L'esclavage de la cigarette.*

esclave adj. et n. m. et f.
Adjectif
1. Qui n'est pas libre et dépend d'un maître. *Autrefois, des Africains ont été vendus comme esclaves à des maîtres du sud des États-Unis.*
2. (FIGURÉ) Qui est sous la dépendance étroite de quelqu'un, de quelque chose. *Il est esclave de son travail.*
Nom masculin et féminin
1. Personne de condition non libre qui est sous la dépendance d'un maître. *D'anciens esclaves venus d'Afrique.*
2. Personne qui est sous l'entière dépendance de quelqu'un, de quelque chose. *Un esclave du jeu.*

escompte n. m.
Réduction de prix. *Pouvez-vous bénéficier d'un escompte ?*
☞ Attention au genre masculin de ce nom : ***un*** escompte.

escorte n. f.
1. Groupe armé qui accompagne des personnes pour les protéger ou pour les surveiller. *Le Président ne peut se déplacer sans l'escorte chargée de sa protection.*
2. Cortège, suite. *Le roi est entouré d'une nombreuse escorte.*
☞ Attention au genre féminin de ce nom : ***une*** escorte.
Locutions
Sous bonne escorte. Sous bonne garde. *Ces dangereux criminels ont été placés sous bonne escorte.*
Sous escorte. Accompagné d'une escorte.

escorter v. tr.
Accompagner pour protéger, guider ou faire honneur. *Des militaires escortent les souverains.*
Conjugaison [VOIR MODÈLE – **AIMER**]

escrime n. f.
Art de manier l'épée, le fleuret, le sabre. *Un moniteur d'escrime.*

escroc n. m.
Personne malhonnête. *Ne vous fiez pas à ses belles paroles : c'est une voleuse, un escroc très habile.* **SYN.** fraudeur.
☞ Ce nom n'a pas de forme féminine.
✎ escro**c.**

escroquer v. tr.
Voler. *Ces vendeurs sans scrupules lui ont escroqué toutes ses économies.* **SYN.** dérober, extorquer.
Conjugaison [VOIR MODÈLE – **AIMER**]

escroquerie n. f.
Fraude. *Ce contrat est une escroquerie.* **SYN.** vol.

espace n. m.
1. Lieu. *Les espaces verts.*
2. Cosmos. *Ils ont lancé une fusée dans l'espace.*
☞ Attention au genre masculin de ce nom : ***un*** espace.

ESPACEMENTS

SIGNES DE PONCTUATION	AVANT		APRÈS	EXEMPLES
LE POINT	0 espace	.	1 espace	*Les vacances commenceront le 23 juin. J'ai hâte.*
LA VIRGULE	0 espace	,	1 espace	*Voici des pommes, des poires et des oranges.*
LE POINT-VIRGULE	0 espace	;	1 espace	*Léa adore la lecture; elle dévore les romans.*
LE DEUX-POINTS	1 espace	:	1 espace	*Liste des articles à apporter : cahier, crayons et règles.*
LE POINT D'INTERROGATION	0 espace	?	1 espace	*Est-ce que tu viens jouer avec nous? Oui.*
LE POINT D'EXCLAMATION	0 espace	!	1 espace	*Vive les vacances! Au diable les pénitences!*
LES POINTS DE SUSPENSION	0 espace	...	1 espace	*Elle a dit qu'elle viendrait... Je l'attends.*

SIGNES TYPOGRAPHIQUES	AVANT		APRÈS	EXEMPLES
LE TRAIT D'UNION	0 espace	-	0 espace	*Un lance-pierres et vingt-trois billes.*
LE TIRET	1 espace	–	1 espace	*Le béluga – un mammifère marin – est le favori des visiteurs.*
LA PARENTHÈSE OUVRANTE LA PARENTHÈSE FERMANTE	1 espace 0 espace	( )	0 espace 1 espace	*Elle est née lors des Jeux olympiques de Montréal (1976) et se nomme Nadia.*
LE CROCHET OUVRANT LE CROCHET FERMANT	1 espace 0 espace	[ ]	0 espace 1 espace	*On note entre crochets* [krofe] *l'alphabet phonétique.*
LE GUILLEMET OUVRANT LE GUILLEMET FERMANT	1 espace 1 espace	« »	1 espace 1 espace	*Il lui a répondu : «Ce fut un plaisir» et elle a souri.*
LA BARRE OBLIQUE	0 espace	/	0 espace	*Elle roule à 40 km/heure.*
L'ASTÉRISQUE	0 espace	*	1 espace	*Le béluga* est un mammifère.* *Le béluga est aussi appelé baleine blanche.*
FRACTION DÉCIMALE virgule décimale	0 espace	,	0 espace	*15,25 unités*
DEGRÉ	0 espace 1 espace	° °	1 espace 0 espace	*On règle le chauffage à 20°.* *Il fait 20 °C.* (Si l'échelle de mesure est donnée.)
SYMBOLE unités de mesure, unités monétaires	1 espace	$	1 espace	*Cet article coûte 15 $ et il mesure 3 m de hauteur.*
POUR CENT	1 espace	%	1 espace	*Ils ont eu 81 % de moyenne.*

Le tableau des espacements s'applique aux documents produits par dactylographie ou traitement de texte. Dans l'édition, on recourt aux espacements plus détaillés prescrits par les codes typographiques.

VOIR TABLEAU – **PONCTUATION.**

e

Forme fautive
*espace. Anglicisme au sens de ***interligne.*** *Présentation à double interligne* (et non à *double espace).

espacer v. tr., pronom.
Verbe transitif
1. Séparer. *Espacer des mots.* **SYN.** distancer.
2. Échelonner. *Espacer des visites, des paiements.*
Verbe pronominal
Devenir moins fréquent. *Ses visites commençaient à s'espacer.*
Conjugaison [VOIR MODÈLE – **AVANCER**]
Le ***c*** prend une cédille devant les lettres ***a*** et ***o.*** *Il espaça, nous espaçons.*

espadon n. m.
Grand poisson de mer dont la mâchoire supérieure se prolonge en forme d'épée.

espadrille n. f.
Chaussure de toile. *Elle s'est acheté des espadrilles à Toulouse.*

espagnol, ole adj. et n. m. et f.
Adjectif et nom masculin et féminin
D'Espagne. *Le drapeau espagnol. Un Espagnol, une Espagnole.*
L'adjectif s'écrit avec une minuscule ; le nom, avec une majuscule.
Nom masculin
Langue parlée en Espagne. *Elle parle l'espagnol.*
Le nom de la langue s'écrit avec une minuscule.

espèce n. f.
1. Groupe d'êtres, d'éléments du même genre. *L'espèce humaine, l'espèce animale.* **SYN.** catégorie, type.
2. Sorte. *Il portait une espèce d'uniforme. Cet homme est une espèce de bandit* (et non *un espèce). **SYN.** genre.
Le nom ***espèce*** étant féminin, on dira ***une espèce de***, même si le complément qui suit est masculin. Cette expression a un sens défavorable.
Espèces + nom de chose concrète : le nom se met au pluriel. *Diverses espèces de fleurs poussent dans ces champs.*
Espèces + nom de chose abstraite : le nom se met au singulier. *Des espèces de tristesse l'envahissent parfois.*
Locution
De toute espèce ou ***de toutes espèces.*** De tous les genres, très différents. *Des chiens de toute espèce ou de toutes espèces.*
L'expression s'écrit au singulier ou au pluriel.

espérance n. f.
Confiance, espoir. *Il faut garder l'espérance, même quand tout va mal.*
Locution
Contre toute espérance. Alors que cela semble impossible.
espér**an**ce.

espérer v. tr.
Souhaiter qu'une chose se réalise. *Il espère que l'examen ne sera pas trop difficile.*
Locution
Conjugaison [VOIR MODÈLE – **POSSÉDER**]
Le ***é*** se change en ***è*** devant une syllabe muette, sauf à l'indicatif futur et au conditionnel présent. *J'espère,* mais *j'espérerai.*

espiègle adj. et n. m. et f.
Malicieux. *Un chaton espiègle.* **SYN.** coquin, malin.

espièglerie n. f.
Gaminerie. *Les espiègleries des petits sont adorables.* **SYN.** farce, jeu.

espion, onne n. m. et f.
Agent secret. *Ces espions travaillent pour les deux puissances.*
Le nom peut être apposé à un autre nom, avec ou sans trait d'union ; il est alors invariable. *Des navires(-)espion, un avion(-)espion.*

espionnage n. m.
Surveillance clandestine. *Un réseau d'espionnage.*
espio**nn**age.

espionner v. tr.
1. Faire de l'espionnage pour son compte ou celui d'un autre dans le but de nuire. *Ces diplomates étrangers espionnaient pour leur pays.*
2. Épier, regarder, écouter avec curiosité quelqu'un, quelque chose qui ne nous concerne pas. **SYN.** écornifler.
Conjugaison [VOIR MODÈLE – **AIMER**]
espio**nn**er.

espoir n. m.
1. Sentiment d'une personne qui espère, qui attend avec confiance. *Un fol espoir.* **SYN.** espérance.
2. Personne qui a un brillant avenir. *Ces jeunes sont l'espoir du collège.*

esprit n. m.
1. Être immatériel. *Un pur esprit.* **SYN.** âme.
2. Principe de la pensée. *Cette personne a perdu l'esprit.*
3. Vivacité de l'intelligence. *Il a l'esprit vif.*
4. Humour. *Une réplique pleine d'esprit. Elle a de l'esprit. Faire de l'esprit.*
5. Caractère essentiel. *L'esprit d'une loi. C'est dans cet esprit qu'il a pris cette décision.*
Locutions
Dans mon esprit. Selon moi.
Esprit d'entreprise. Volonté ou goût de mettre en œuvre et de réaliser des entreprises sociales ou commerciales.
Esprit saint, le Saint-Esprit. La troisième personne de la Trinité.
Lorsque le nom désigne la troisième personne de la Trinité chrétienne, il s'écrit avec une majuscule.
Présence d'esprit. À-propos. *Ils ont eu la présence d'esprit de prendre l'extincteur pour éteindre le feu.*
Reprendre ses esprits. Retrouver son calme.

esquimau, aude adj. et n. m. et f. (pl. *esquimaux, esquimaudes*)
Ancienne appellation des habitants des terres arctiques du Canada, des États-Unis, du Groenland et de Russie.
Au Québec, le mot ***inuit*** remplace le mot ***esquimau*** qui a un sens défavorable selon les autochtones du Nord canadien.
VOIR **INUIT.**

esquisse n. f.
Représentation simplifiée d'une œuvre destinée à servir d'essai.
Ne pas confondre avec les noms suivants :
– ***canevas,*** plan, schéma d'un texte ;
– ***ébauche,*** première forme donnée à une œuvre ;
– ***maquette,*** représentation schématique d'une mise en pages.

esquisser v. tr.
1. Dessiner à grands traits. *Elle a esquissé un paysage.* **SYN.** crayonner.
2. Définir de façon sommaire. *Esquisser l'intrigue d'un roman.* **SYN.** ébaucher.

3. Commencer à faire. *Les danseurs ont esquissé quelques pas.* **SYN.** amorcer.
Ne pas confondre avec le verbe ***esquiver,*** échapper à.
Conjugaison [VOIR MODÈLE – **AIMER**]

esquiver v. tr., pronom.
Verbe transitif
Échapper à. *Esquiver un problème.*
Ne pas confondre avec le verbe ***esquisser,*** dessiner.
Verbe pronominal
Se retirer sans être vu. *Ils se sont esquivés discrètement.* **SYN.** disparaître.
Conjugaison [VOIR MODÈLE – **AIMER**]

ess- préf.
Le ***e*** des mots commençant par les lettres ***ess-*** se prononce ***é*** (et non *è).

essai n. m.
1. Tentative. *Il réussit enfin après plusieurs essais.*
2. Action d'expérimenter. *Faire l'essai d'un nouveau procédé.* **SYN.** expérience, expérimentation.
3. Ouvrage de réflexion. *Un essai philosophique.*
Locutions
À l'essai. En période d'évaluation. *On l'a mis à l'essai ; si son travail est satisfaisant, on l'engagera.*
Mettre à l'essai. Mettre à l'épreuve. *Ces nouvelles techniques ont été mises à l'essai.*

essaim n. m.
Le ***m*** est muet [esɛ̃].
Groupe d'abeilles, de guêpes. *Des essaims d'abeilles voltigeaient de fleur en fleur pour recueillir leur nectar.*
essai**m.**

essayer v. tr., pronom.
Verbe transitif
1. Vérifier, expérimenter. *Marie-Ève essaie une bicyclette. Essayer un vêtement.*
2. Tenter de. *Essayer de chanter, d'escalader une falaise.* **SYN.** chercher à, tâcher de.
En ce sens, le verbe se construit avec la préposition ***de*** suivie de l'infinitif.
Lorsqu'il est suivi de l'infinitif, le verbe se construit avec la préposition ***de.***
Verbe pronominal
Faire une tentative en vue de, s'exercer à. *Étienne s'essaiera à la planche à voile, à plonger.*
Dans sa forme pronominale, le verbe se construit avec la préposition ***à*** suivie d'un nom ou d'un infinitif.
Conjugaison [VOIR MODÈLE – **PAYER**]
Le ***y*** peut être changé en ***i*** devant un ***e*** muet. Cette dernière forme est la plus usitée. *J'essaie* ou *j'essaye, j'essaierai* ou *j'essayerai.*
Le ***y*** est suivi d'un ***i*** à la première et à la deuxième personne du pluriel de l'indicatif imparfait et du subjonctif présent. *(Que) nous essayions, (que) vous essayiez.*

essence n. f.
1. Principe, nature. *L'essence de l'être humain, c'est la pensée.*
2. Espèce d'arbre. *Le Jardin botanique contient plusieurs essences : des feuillus, des épineux, etc.*
3. Extrait concentré de certaines substances aromatiques ou alimentaires. *Essence de lavande, de vanille.*
4. Produit de la distillation du pétrole utilisé comme carburant. *De l'essence* (et non du *gaz, de la *gazoline) *sans plomb.*
Locution
Essence ordinaire. Carburant à indice d'octane normal destiné à alimenter les moteurs de véhicules automobiles et les moteurs à allumage par bougies, dans toutes les conditions climatiques. (Recomm. off. OLF) *Faire le plein d'essence ordinaire* (et non *régulière).

essentiel, elle adj. et n. m.
Adjectif
Absolument nécessaire. *Une condition essentielle au succès de l'entreprise.* **SYN.** indispensable, obligatoire.
Cet adjectif n'admet ni comparatif ni superlatif.
Nom masculin
Le principal, objets indispensables. *N'emportez que l'essentiel avec vous.*
essen**t**iel.

essieu n. m. (pl. *essieux*)
Pièce de métal qui relie des roues. *Les essieux de cette voiture sont en mauvais état.*

essor n. m.
1. Envol d'un oiseau. *L'aigle a pris son essor et il vole très haut.*
2. (FIGURÉ) Élan, croissance. *L'essor d'une entreprise.*
esso**r.**

essorer v. tr.
Tordre quelque chose pour en extraire l'eau. *Essorer du linge.*
Conjugaison [VOIR MODÈLE – **AIMER**]
essorer.

essoufflement n. m.
État de quelqu'un qui est essoufflé.
e**ss**ou**ff**lement.

essouffler v. tr., pronom.
Verbe transitif
Mettre hors d'haleine, à bout de souffle. *Cette course nous a essoufflés.*
Verbe pronominal
1. Perdre haleine. *Elles se sont essoufflées en suivant ce sentier escarpé.*
2. (FIGURÉ) Ne plus pouvoir suivre un rythme de croissance. *La croissance économique s'essouffle.*
Conjugaison [VOIR MODÈLE – **AIMER**]
e**ss**ou**ff**ler.

essuie- préf.
Les mots composés avec le préfixe ***essuie-*** s'écrivent avec un trait d'union. Au pluriel, le préfixe ***essuie-,*** qui est un verbe, demeure invariable, de même que le second élément, à l'exception du nom ***essuie-glace.***

essuie-glace n. m. (pl. *essuie-glaces*)
Dispositif destiné à essuyer automatiquement le pare-brise d'un véhicule. *Des essuie-glaces silencieux.*

essuie-tout n. m. inv. (pl. *essuie-tout*)
Papier absorbant offert en rouleaux. *Des essuie-tout pratiques.*

essuyer v. tr.
1. Supprimer l'eau, la poussière. *Il essuie le lavabo.* **SYN.** assécher.
2. (FIGURÉ) Subir quelque chose de fâcheux. *Essuyer un orage, un échec.* **SYN.** endurer, éprouver.
Conjugaison [VOIR MODÈLE – **EMPLOYER**]
Le ***y*** se change en ***i*** devant un ***e*** muet. *J'essuie, j'essuierai.*
Le ***y*** est suivi d'un ***i*** à la première et à la deuxième personne du pluriel de l'indicatif imparfait et du subjonctif présent. *(Que) nous essuyions, (que) vous essuyiez.*

est adj. inv. et n. m. inv.
Abréviation ***E.*** (s'écrit avec un point).
Adjectif invariable
Qui est à l'est. *La côte est.*
Nom masculin invariable
Un des quatre points cardinaux, orienté du côté du soleil levant. *Le soleil se lève à l'est.*
VOIR TABLEAU – **POINTS CARDINAUX.**

esthéticien n. m.
esthéticienne n. f.
Spécialiste des soins de beauté.
esth**é**t**i**cien.

esthétique adj.
Beau, artistique. *Ce bouquet est très esthétique.*
Locution
Chirurgie esthétique. Chirurgie visant à améliorer l'apparence du corps ou du visage. **SYN.** chirurgie plastique.
es**th**é**ti**que.

estimable adj.
Qui mérite d'être estimé. *Cette personne est estimable.* **SYN.** respectable. **ANT.** méprisable.

estimation n. f.
Évaluation de la valeur, de la quantité, de la qualité. *Une estimation du coût des travaux.* **SYN.** appréciation.

estime n. f.
Opinion favorable qu'on se fait de la valeur de quelqu'un. *Elle a beaucoup d'estime pour cet excellent professeur.* **SYN.** respect. **ANT.** mépris.

estimer v. tr., pronom.
Verbe transitif
1. Déterminer la valeur, la quantité, le prix. *Estimer une maison à 250 000 $.* **SYN.** évaluer.
2. Aimer, apprécier. *Il est très estimé de ses collègues.* **SYN.** considérer. **ANT.** mépriser.
3. Croire. *Ils estiment avoir fourni tous les efforts nécessaires. Il estime avoir bien cherché. Il estime que la recherche est suffisante.* **SYN.** penser, trouver.
Le verbe se construit :
– soit avec un infinitif ;
– soit avec le pronom relatif ***que*** suivi de l'indicatif ou du conditionnel ;
– le verbe peut aussi être suivi d'un attribut. *Elle estime utile de réunir le groupe.*
Verbe pronominal
Se considérer comme. *Ils s'estiment heureux de partir en vacances.*
Conjugaison [VOIR MODÈLE – **AIMER**]

estival, ale, aux adj.
Qui se rapporte à l'été. *Des vacances estivales, des souvenirs estivaux.*

estomac n. m.
Le **c** ne se prononce pas [ɛstɔma].
Partie du tube digestif entre l'œsophage et l'intestin grêle, formée d'une poche destinée à recevoir les aliments. *Des estomacs affamés. Les vaches ont un estomac à quatre compartiments.*
Locutions
Avoir l'estomac dans les talons. (FIGURÉ) Avoir très faim.
Ouvrir l'estomac. (FIGURÉ) Donner faim. *La marche au grand air ouvre l'estomac.*
estoma**c.**

estrade n. f.
Plate-forme. *Parler du haut d'une estrade.*
Attention au genre féminin de ce nom : ***une*** estrade.

estragon n. m.
Plante aromatique. *Du poulet à l'estragon.*

estuaire n. m.
Embouchure plus ou moins évasée d'un système fluvial, caractérisée par la prédominance des phénomènes marins sur les phénomènes fluviaux. (Recomm. off. OLF) *L'estuaire du Saint-Laurent.*
Attention au genre masculin de ce nom : ***un*** estuaire.

esturgeon n. m.
Poisson de mer dont les œufs sont très appréciés. *On consomme les œufs d'esturgeon sous le nom de caviar.*
estur**geon.**

et conj.
1. La conjonction de coordination unit des **mots** ou des **groupes de mots** de **même nature** : des noms ; des verbes ; des adjectifs ; des adverbes ; des pronoms. *Ils ont planté des chênes et des frênes. Fanny sait lire et écrire. Julien est beau et gentil. As-tu étudié ta leçon ? Complètement et parfaitement. Seulement vous et nous serons présents.*
Il importe que les mots qui sont coordonnés par la conjonction ***et*** soient de la même catégorie grammaticale.
2. La conjonction de coordination unit des **prépositions indépendantes affirmatives.** *Le vent se lève et la pluie se met à tomber.*
3. La conjonction de coordination unit une **préposition affirmative** et une **préposition négative.** *Il aime la bonne cuisine et ne fume pas.*
4. La conjonction de coordination unit des **unités** aux **dizaines.** *Vingt et une personnes.*
Dans les adjectifs numéraux composés, le trait d'union ne s'emploie pas quand les éléments sont joints par la conjonction ***et*** ; il ne s'emploie pas non plus lorsqu'ils sont supérieurs à cent.
HOM.
– **eh !**, interjection ;
– **hé !**, interjection.

étable n. f.
Bâtiment destiné à loger du bétail. *Les vaches sont à l'étable.*
Ne pas confondre avec le nom ***écurie,*** bâtiment destiné à loger des chevaux.

établi n. m.
Table massive sur laquelle on travaille le bois, le métal. *L'établi du bricoleur.*

établir v. tr., pronom.
Verbe transitif
1. Installer dans un lieu. *Cette entreprise est établie dans la région depuis 50 ans.*
2. Préparer minutieusement, dresser. *Établir une liste de termes.*
Verbe pronominal
1. S'installer. *Ils se sont établis à Chicoutimi.* **SYN.** habiter.
2. Commencer, prendre naissance. *Leur amitié s'établit peu à peu.*
Conjugaison [VOIR MODÈLE – **FINIR**]

établissement n. m.
1. Création, mise sur pied. *L'établissement d'une coopérative.*
2. Maison d'enseignement. *Un établissement privé.*
3. Lieu où l'on dispense un enseignement scolaire. (Recomm. off. OLF)

4. Ensemble d'installations servant à l'exploitation d'une entreprise. *Un établissement commercial.*
⚜ 1° L'emploi du terme ***institution*** comme terme générique désignant les écoles s'inspire de l'anglais. On emploiera plutôt le terme ***établissement.***
2° Selon le contexte, on trouvera les appellations ***établissement d'enseignement privé, établissement (d'enseignement) public, établissement scolaire, établissement d'éducation.***

étage n. m.
Chacun des niveaux d'un immeuble à l'exclusion du rez-de-chaussée et des sous-sols. *Le rayon des jouets est au deuxième étage* (et non au deuxième *plancher).

étager v. tr., pronom.
Verbe transitif
Superposer, échelonner.
Verbe pronominal
Être disposé en rangs superposés. *Les maisons s'étagent sur la colline.*
Conjugaison [VOIR MODÈLE – **CHANGER**]
Le ***g*** est suivi d'un ***e*** devant les lettres ***a*** ou ***o***. *Il étagea, nous étageons.*

étagère n. f.
Ensemble de tablettes disposées par étages. *Une étagère bien garnie.*

étain n. m.
Métal mou de la couleur de l'argent. *Une assiette en étain.*
HOM. éteint, du verbe ***éteindre.***
✏ ét**ain.**

étalage n. m.
Exposition de marchandises destinées à la vente. *De splendides étalages.*
✏ éta**l**age.

étaler v. tr., pronom.
Verbe transitif
1. Exposer des marchandises pour la vente. **SYN.** disposer.
2. Étendre, déployer. *Il étale son journal, ses revues sur la table.* **SYN.** déplier, ouvrir.
3. Étendre sur une surface. *On a étalé du vernis sur le plancher.*
4. Répartir dans le temps. *Étaler des paiements.* **SYN.** échelonner, répartir.
5. Faire étalage de, montrer avec ostentation. *Ils étalent leurs richesses.* **SYN.** exposer.
Verbe pronominal
1. S'étendre. *Une peinture qui s'étale bien.* **SYN.** s'appliquer.
2. S'échelonner. *L'hypothèque s'étale sur 20 ans.*
3. (FAMILIER) Tomber. *Elle s'est étalée de tout son long.* **SYN.** s'étendre.
Conjugaison [VOIR MODÈLE – **AIMER**]
✏ éta**l**er.

étalon n. m.
Cheval destiné à la reproduction.
VOIR TABLEAU – **ANIMAUX.**

étamine n. f.
Partie mâle de la fleur qui produit le pollen.
⚜ Attention au genre féminin de ce nom : ***une*** étamine.

étampe n. f.
Outil servant à produire des empreintes sur des pièces métalliques.
Forme fautive
*étampe. Anglicisme au sens de ***cachet, timbre, tampon encreur.***

étamper v. tr.
Travailler une pièce métallique à l'étampe.
Forme fautive
*étamper. Anglicisme au sens de ***marquer.***
Conjugaison [VOIR MODÈLE – **AIMER**]

étanche adj.
Qui ne laisse pas passer les fluides. *Ce masque de plongée est étanche.* **SYN.** hermétique, imperméable.

étancher v. tr.
Arrêter l'écoulement d'un liquide.
Locution
Étancher sa soif. Apaiser sa soif. *Ce grand verre d'eau étanchera ma soif.*
Conjugaison [VOIR MODÈLE – **AIMER**]

étang n. m.
Petite étendue d'eau peu profonde. *Il y a des nénuphars et des grenouilles dans l'étang.*
⚜ Ne pas confondre avec les noms suivants :
– ***bassin,*** pièce d'eau artificielle, réservoir ;
– ***lac,*** grande étendue d'eau douce entourée de terre ;
– ***nappe,*** vaste étendue d'eau plane, souvent souterraine.
✏ étan**g.**

étape n. f.
1. Endroit où l'on s'arrête pour dormir au cours d'un voyage. *Nous ferons étape à Québec.*
⚜ Ne pas confondre avec les noms suivants :
– ***escale,*** lieu où un navire, un avion s'arrête ;
– ***halte,*** arrêt bref au cours d'un voyage.
2. Phase d'une évolution. *Les étapes de l'adolescence.* **SYN.** période.
Locution
Brûler les étapes. Aller trop vite. *Ne brûlons pas les étapes : procédons méthodiquement.*

état n. m.
1. Disposition, manière d'être (bonne ou mauvaise) d'une personne, d'une chose. *Ne pas être dans son état normal. Cet appareil est en bon état.*
2. Pays. *Chef d'État.*
3. Gouvernement. *L'État prélève des impôts.* **SYN.** administration.
⚜ En ce sens, le nom s'écrit avec une majuscule.

États-Unis
Abréviation ***É.-U.*** (s'écrit avec des points).

étau n. m. (pl. *étaux*)
Appareil qui sert à assujettir la pièce que l'on veut travailler. *Le menuisier resserre l'étau où il a placé sa planche de bois.*

etc.
Abréviation de ***et cætera.***
⚜ L'abréviation doit être précédée d'une virgule et ne peut être suivie de points de suspension. L'abréviation doit suivre au moins deux exemples cités. *Des fruits, des feuilles, etc.*

et cætera ou **et cetera** loc. adv.
Attention à la prononciation des premières lettres : ***etsétéra*** (et non *etchétéra) [ɛtsetera].
Abréviation **etc.** (s'écrit avec un point).
Expression latine signifiant « et le reste ».

Cette expression s'emploie surtout sous sa forme abrégée, ***etc.,*** et doit être précédée d'une virgule.

été n. m.
Saison qui suit le printemps et précède l'automne et qui dans notre hémisphère est la plus chaude de l'année (du 21 juin au 22 septembre). *Prendre des vacances en été* ou *à l'été.*
Locution
Été des Indiens. Période de chaleur et de soleil assez brève au milieu de l'automne.

e

éteindre v. tr., pronom.
Verbe transitif
1. Mettre fin à un feu. *Ils ont réussi à éteindre l'incendie.* **ANT.** allumer.
2. Supprimer la lumière. *Éteindre une pièce.* **ANT.** allumer.
3. Faire cesser le fonctionnement d'un appareil. *Éteindre la radio.* **ANT.** allumer.
Verbe pronominal
Cesser de brûler. *La bougie s'est éteinte.*
Locution
Éteindre l'électricité.
L'usage l'a emporté sur la logique dans les expressions familières ***éteindre la lumière, l'électricité.***
Conjugaison [VOIR MODÈLE – **ÉTEINDRE**]
Les lettres ***gn*** sont suivies d'un ***i*** à la première et à la deuxième personne du pluriel de l'indicatif imparfait et du subjonctif présent. *(Que) nous éteignions, (que) vous éteigniez.*

étendard n. m.
Drapeau, enseigne de guerre. *Les manifestants brandissaient leurs étendards et scandaient des slogans.*
étendar**d.**

étendre v. tr., pronom.
Verbe transitif
1. Allonger. *Je n'ai qu'à étendre le bras.*
2. Rendre plus grand. *Étendre une propriété.* **SYN.** accroître, agrandir, développer.
3. Déployer, déplier. *Étends les serviettes sur la corde à linge.*
Verbe pronominal
1. S'allonger, en parlant d'une personne. *Elle était un peu fatiguée, elle s'est étendue quelques minutes.* **SYN.** se coucher.
2. Occuper un certain espace. *Ses terres s'étendent jusqu'à la forêt.* **SYN.** couvrir.
3. Se développer. *L'incendie s'est étendu à cause du vent.* **SYN.** augmenter, se propager.
Conjugaison [VOIR MODÈLE – **FENDRE**]
INDICATIF PRÉSENT *J'étends, tu étends, il étend, nous étendons, vous étendez, ils étendent.* IMPARFAIT *J'étendais.* PASSÉ SIMPLE *J'étendis.* FUTUR *J'étendrai.* **CONDITIONNEL** PRÉSENT *J'étendrais.* **IMPÉRATIF** PRÉSENT *Étends, étendons, étendez.* **SUBJONCTIF** PRÉSENT *Que j'étende.* IMPARFAIT *Que j'étendisse.* **PARTICIPE** PRÉSENT *Étendant.* PASSÉ *Étendu, ue.*

étendue n. f.
1. Espace, surface. *Une vaste étendue.* **SYN.** superficie.
2. Ampleur. *L'étendue des dommages.*
3. Domaine. *Augmenter l'étendue de ses connaissances.* **SYN.** champ.

éternel, elle adj. et n. m.
Adjectif
1. Qui n'a ni commencement ni fin. *Un monde éternel.*
2. Qui dure indéfiniment. *Des neiges éternelles.*
3. Répétitif. *Il nous raconte ses éternelles histoires.* **SYN.** perpétuel, sempiternel.
Cet adjectif n'admet ni comparatif ni superlatif.
Nom masculin
Dieu. *Elle croyait en l'Éternel.*
En ce sens, le nom s'écrit avec une majuscule.

éternellement adv.
1. De tout temps.
2. Sans cesse. *Il se plaint éternellement.* **SYN.** continuellement.

éterniser v. tr., pronom.
Verbe transitif
Prolonger indéfiniment. *Il se plaît à éterniser les travaux.*
Verbe pronominal
Durer trop longtemps. *La réunion s'éternise.*
Conjugaison [VOIR MODÈLE – **AIMER**]

éternité n. f.
1. Durée éternelle, sans commencement ni fin.
2. (FIGURÉ) Période très longue. *Il y a une éternité que tu lui as parlé.*
Locution
De toute éternité. Depuis toujours.

éternuement n. m.
Expiration bruyante et brutale causée par une irritation de la muqueuse nasale. *Dans les bandes dessinées, l'éternuement est noté* ***atchoum !***
éternu**e**ment.

éternuer v. intr.
Faire un éternuement. *La poussière la fait éternuer.*
Conjugaison [VOIR MODÈLE – **AIMER**]

éthiopien, ienne adj. et n. m. et f.
Adjectif et nom masculin et féminin
D'Éthiopie. *Le drapeau éthiopien. Un Éthiopien, une Éthiopienne.*
L'adjectif s'écrit avec une minuscule ; le nom, avec une majuscule.
Nom masculin
Langue parlée en Éthiopie. *Parler l'éthiopien.*
Le nom de la langue s'écrit avec une minuscule.

ethnie n. f.
Collectivité ayant une identité linguistique et culturelle. *L'ethnie française regroupe les francophones.*
Ce terme est préféré à celui de ***race*** qui comporte la notion de caractères physiques héréditaires.

ethnique adj.
Relatif à une ethnie. *Une minorité ethnique.*
Cet adjectif tend à supplanter ***racial.***

ethnologie n. f.
Science des rapports linguistiques, sociaux, économiques des ethnies.

ethnologue n. m. et f.
Spécialiste de l'ethnologie.

étincelant, ante adj.
Le **e** est muet [etɛ̃slɑ̃, ɑ̃t].
Brillant. *Julien a astiqué les cuivres, qui sont étincelants. Un sourire étincelant.*
étince**l**ant, malgré ***étincelle.***

étinceler v. intr.
Le **e** central est muet [etɛ̃sle].
(LITTÉRAIRE) Scintiller. *Le cristal étincelle de mille feux.*

Indicatif

Présent		*Passé composé*		
j'	éteins	j'	ai	éteint
tu	éteins	tu	as	éteint
elle	éteint	elle	a	éteint
il	éteint	il	a	éteint
nous	éteignons	nous	avons	éteint
vous	éteignez	vous	avez	éteint
elles	éteignent	elles	ont	éteint
ils	éteignent	ils	ont	éteint

Imparfait		*Plus-que-parfait*		
j'	éteignais	j'	avais	éteint
tu	éteignais	tu	avais	éteint
elle	éteignait	elle	avait	éteint
il	éteignait	il	avait	éteint
nous	éteignions	nous	avions	éteint
vous	éteigniez	vous	aviez	éteint
elles	éteignaient	elles	avaient	éteint
ils	éteignaient	ils	avaient	éteint

Passé simple		*Passé antérieur*		
j'	éteignis	j'	eus	éteint
tu	éteignis	tu	eus	éteint
elle	éteignit	elle	eut	éteint
il	éteignit	il	eut	éteint
nous	éteignîmes	nous	eûmes	éteint
vous	éteignîtes	vous	eûtes	éteint
elles	éteignirent	elles	eurent	éteint
ils	éteignirent	ils	eurent	éteint

Futur simple		*Futur antérieur*		
j'	éteindrai	j'	aurai	éteint
tu	éteindras	tu	auras	éteint
elle	éteindra	elle	aura	éteint
il	éteindra	il	aura	éteint
nous	éteindrons	nous	aurons	éteint
vous	éteindrez	vous	aurez	éteint
elles	éteindront	elles	auront	éteint
ils	éteindront	ils	auront	éteint

Infinitif

Présent	*Passé*
éteindre	avoir éteint

Subjonctif

Présent			*Passé*			
que	j'	éteigne	que	j'	aie	éteint
que	tu	éteignes	que	tu	aies	éteint
qu'	elle	éteigne	qu'	elle	ait	éteint
qu'	il	éteigne	qu'	il	ait	éteint
que	nous	éteignions	que	nous	ayons	éteint
que	vous	éteigniez	que	vous	ayez	éteint
qu'	elles	éteignent	qu'	elles	aient	éteint
qu'	ils	éteignent	qu'	ils	aient	éteint

Imparfait			*Plus-que-parfait*			
que	j'	éteignisse	que	j'	eusse	éteint
que	tu	éteignisses	que	tu	eusses	éteint
qu'	elle	éteignît	qu'	elle	eût	éteint
qu'	il	éteignît	qu'	il	eût	éteint
que	nous	éteignissions	que	nous	eussions	éteint
que	vous	éteignissiez	que	vous	eussiez	éteint
qu'	elles	éteignissent	qu'	elles	eussent	éteint
qu'	ils	éteignissent	qu'	ils	eussent	éteint

Conditionnel

Présent		*Passé*		
j'	éteindrais	j'	aurais	éteint
tu	éteindrais	tu	aurais	éteint
elle	éteindrait	elle	aurait	éteint
il	éteindrait	il	aurait	éteint
nous	éteindrions	nous	aurions	éteint
vous	éteindriez	vous	auriez	éteint
elles	éteindraient	elles	auraient	éteint
ils	éteindraient	ils	auraient	éteint

Impératif

Présent	*Passé*	
éteins	aie	éteint
éteignons	ayons	éteint
éteignez	ayez	éteint

Participe

Présent	*Passé*
éteignant	éteint, einte
	ayant éteint

Conjugaison [VOIR MODÈLE – **APPELER**]
Redoublement du ***l*** devant un **e** muet. *Il étincelle, il étincellera,* mais *il étincelait.*
étince**l**er.

étincelle n. f.
1. Parcelle enflammée qui jaillit d'un feu. *Ce sont des étincelles de soudure qui ont provoqué l'incendie du magasin.*
2. Éclat vif et passager. *Le court-cicuit a provoqué des étincelles.*
Locution
C'est l'étincelle qui a mis le feu aux poudres. (FIGURÉ) Incident qui a causé l'affrontement, le conflit.
étince**ll**e.

étiquetage n. m.
Le **e** central est muet [etiktaʒ].
Action d'étiqueter. *L'étiquetage des produits.*
étique**t**age, malgré étique**tt**e.

étiqueter v. tr.
Le **e** central est muet [etikte].
Marquer d'une étiquette. *Tous les produits ont été étiquetés en français.*
Conjugaison [VOIR MODÈLE – **APPELER**]
Redoublement du ***t*** devant un **e** muet. *J'étiquette, j'étiquetterai,* mais *j'étiquetais.*

étiquette n. f.
1. Petite fiche comportant le prix, le contenu, la nature, la taille, le poids d'un article. *Une étiquette rouge précise le prix de chaque article.*
2. Protocole. *Respecter l'étiquette.*
étique**tt**e, malgré étique**t**er.

étirement n. m.
Action d'étirer, de s'étirer ; son résultat. *L'étirement d'un muscle.*

étirer v. tr., pronom.
Verbe transitif
Étendre par traction. *Antoine étire ses bras, puis ses jambes.* **SYN.** allonger.
Verbe pronominal
1. S'allonger en étendant les membres. *Le chaton s'étire paresseusement.*
2. Passer trop lentement. *La conversation s'étirait depuis une heure.* **SYN.** se prolonger.
Conjugaison [VOIR MODÈLE – **AIMER**]

étoffe n. f.
Tissu. *Une étoffe imprimée.*

étoffer v. tr.
Enrichir. *Étoffer un récit par des illustrations.*
Conjugaison [VOIR MODÈLE – **AIMER**]

étoile n. f.
1. Astre. *L'étoile Polaire, visible à l'œil nu, est à proximité du pôle Nord dans le ciel.*
2. Interprète (ballet, opéra, cinéma, théâtre, chanson, etc.), athlète de réputation internationale. *Roch Voisine et Céline Dion sont des étoiles de la chanson.* **SYN.** vedette.
Locutions
À la belle étoile. En plein air, la nuit. *Que c'est amusant de dormir à la belle étoile !*
Étoile de mer. Animal marin en forme d'étoile à cinq branches. *Les enfants ont rapporté des étoiles de mer de la plage.*
Étoile filante. Phénomène lumineux passager causé par l'entrée dans l'atmosphère terrestre d'un corps venu de l'espace. **SYN.** météore.
Étoile montante. Personne au talent prometteur, qui est en train de devenir célèbre dans son domaine. *Jacques Villeneuve est l'étoile montante de la course automobile.*

étoiler v. tr.
Parsemer d'étoiles. *Une belle nuit étoilée.*
Conjugaison [VOIR MODÈLE – **AIMER**]

étonnamment adv.
De façon étonnante. *Elle parle étonnamment bien pour son âge.* **SYN.** curieusement.
éto**nn**a**mm**ent.

étonnant, ante adj.
1. Surprenant. *Un geste étonnant.* **SYN.** bizarre, curieux, déconcertant, inattendu.
2. Frappant par son originalité, par son caractère peu ordinaire. *C'est une femme étonnante. C'est une œuvre étonnante.* **SYN.** extraordinaire, remarquable.

étonnement n. m.
Le **e** central est muet [etɔnmɑ̃].
Vive surprise. *À notre grand étonnement, il est arrivé à temps.* **SYN.** stupéfaction.

étonner v. tr., pronom.
Verbe transitif
Causer de la surprise. *Elle nous a étonnés avec sa décision de changer de domaine.* **SYN.** frapper, surprendre.
Verbe pronominal
Se surprendre. *Il s'étonne qu'elle soit venue si vite le voir.*
Le verbe ***s'étonner*** + ***que*** se construit avec le subjonctif.
Ce verbe vient du latin *attonare* qui signifie « frapper du tonnerre ».
Conjugaison [VOIR MODÈLE – **AIMER**]

étouffant, ante adj.
Où l'on manque d'air. *Une chaleur étouffante.* **SYN.** accablant, suffocant.
Ne pas confondre avec le participe présent invariable ***étouffant.*** *Elle restait là sans bouger, étouffant ses sanglots.*

étouffer v. tr., intr., pronom.
Verbe transitif
1. Priver d'air. *Ce foulard trop serré l'étouffe. C'est la fumée qui les a étouffés.* **SYN.** asphyxier.
2. Empêcher de se faire entendre. *Ces tapis épais étouffent les pas.* **SYN.** amortir, assourdir.
Verbe intransitif
1. Manquer d'air. *Ouvre la fenêtre : on étouffe ici !* **SYN.** suffoquer.
2. Se sentir à l'étroit. *On ne peut donner son avis dans cette famille, on étouffe !*
Verbe pronominal
Perdre la respiration. *Elle s'est étouffée en avalant de travers.* **SYN.** suffoquer.
Conjugaison [VOIR MODÈLE – **AIMER**]

étourderie n. f.
Distraction. *Son étourderie finira par lui causer des problèmes.*

étourdi, ie adj. et n. m. et f.
Insouciant, distrait. *Ève est étourdie, elle a oublié sa clé.*

étourdir v. tr., pronom.
Verbe transitif
Faire perdre l'équilibre. *Ces nombreuses pirouettes ont étourdi Sébastien.*

Verbe pronominal
Se distraire. *Elle cherche à s'étourdir en riant beaucoup avec ses amis.*
Conjugaison [VOIR MODÈLE – **FINIR**]

étourdissant, ante adj.
Qui étourdit. *Des danses étourdissantes, un bruit étourdissant.*
Ne pas confondre avec le participe présent invariable ***étourdissant.*** *La danse l'étourdissant, elle perdit pied.*

étourdissement n. m.
Vertige. *Il a eu un étourdissement.* **SYN.** faiblesse.

étourneau n. m. (pl. *étourneaux*)
Passereau au plumage sombre tacheté de blanc.

étrange adj.
Étonnant, bizarre. *Ce comportement est étrange.* **SYN.** anormal, inhabituel. **ANT.** courant, habituel.

étranger, ère adj. et n. m. et f.
Adjectif
1. D'une autre nation, d'un autre groupe. *Des langues étrangères.*
2. Inconnu, non familier. *Son visage m'est étranger, je ne le connais pas.*
Nom masculin et féminin
1. Personne d'une autre nationalité. *Ce sont des étrangers, ils viennent du Pérou.*
2. Personne que l'on ne connaît pas. *Il vaut mieux ne pas parler à des étrangers.*
Nom masculin
Pays autre que celui dont on est citoyen. *Son ami vit à l'étranger.*

étrangler v. tr.
Étouffer, faire perdre la respiration. *Le bandit a tenté d'étrangler sa victime.*
Conjugaison [VOIR MODÈLE – **AIMER**]

être v. intr.
VOIR TABLEAU – **ÊTRE.**
VOIR TABLEAU – **ÊTRE (CONJUGAISON DU VERBE).**

être n. m.
1. Ce qui est, créature. *Les êtres vivants.*
2. Personne. *Un être cher.*

étreindre v. tr., pronom.
Serrer dans ses bras. *Il étreignit ses enfants avec tendresse. Ils se sont étreints avec émotion.*
Conjugaison [VOIR MODÈLE – **ÉTEINDRE**]
INDICATIF PRÉSENT *J'étreins, tu étreins, il étreint, nous étreignons, vous étreignez, ils étreignent.* IMPARFAIT *J'étreignais, tu étreignais, il étreignait, nous étreignions, vous étreigniez, ils étreignaient.* PASSÉ SIMPLE *J'étreignis.* FUTUR *J'étreindrai.* **CONDITIONNEL** PRÉSENT *J'étreindrais.* **IMPÉRATIF** PRÉSENT *Étreins, étreignons, étreignez.* **SUBJONCTIF** PRÉSENT *Que j'étreigne, que tu étreignes, qu'il étreigne, que nous étreignions, que vous étreigniez, qu'ils étreignent.* IMPARFAIT *Que j'étreignisse.* **PARTICIPE** PRÉSENT *Étreignant.* PASSÉ *Étreint, einte.*
Les lettres ***gn*** sont suivies d'un ***i*** à la première et à la deuxième personne du pluriel de l'indicatif imparfait et du subjonctif présent. (Que) nous étreignions, (que) vous étreigniez.

étreinte n. f.
Action d'étreindre, de serrer dans ses bras.
étr**ein**te.

étrenne n. f.
Présent donné à l'occasion des fêtes. *Recevoir des étrennes à Noël.* **SYN.** cadeau.
Ce mot s'utilise généralement au pluriel.
À l'origine, ce mot désignait un cadeau du Nouvel An à titre de bon présage pour l'année qui commençait. Aujourd'hui, il s'emploie pour nommer aussi bien les cadeaux de Noël que du Nouvel An.
étre**nn**e.

étrenner v. tr.
Utiliser pour la première fois. *Sophie a hâte d'étrenner ses patins.*
Conjugaison [VOIR MODÈLE – **AIMER**]
étre**nn**er.

étrier n. m.
Anneau suspendu à la selle où s'appuie le pied du cavalier. *Marc-Antoine ajuste ses étriers.*
Locution
Avoir le pied à l'étrier (et non *dans l'étrier). Être prêt à partir.

étroit, oite adj.
1. Qui a peu de largeur. *Un sentier étroit.*
2. Qui manque de largeur. *Mes bottes sont trop étroites.* **SYN.** petit, serré.
Locution
À l'étroit. Dans un espace trop petit.

étroitement adv.
1. De très près. *Les enquêteurs surveillent étroitement ces individus louches.*
2. Intimement. *Ils sont étroitement liés.*

étroitesse n. f.
1. Caractère de ce qui est étroit. *L'étroitesse d'une chaussure.*
2. Manque de largeur d'esprit. *Il a fait preuve d'étroitesse d'esprit.*

étude n. f.
1. Application de l'esprit en vue d'apprendre, de comprendre. *L'étude de l'histoire, de l'écologie.*
2. (AU PLURIEL) Ensemble des cours suivis dans un établissement scolaire par un élève, un étudiant. *Il est étudiant en médecine, il fait des études de médecine.*
Le nom ***étude*** dans les expressions ***salle d'étude, journée d'étude*** s'écrit au singulier, mais il s'écrit au pluriel dans ***bourse d'études, congé pour études.***
3. Recherche. *Elle fait une étude sur les chauves-souris.*

étudiant, ante n. m. et f.
Élève d'un établissement universitaire. Traditionnellement, on réserve le terme ***étudiant*** à la personne qui fréquente une université.
1° Ne pas confondre avec les noms suivants :
– ***écolier, écolière,*** jeune élève qui fait des études primaires ;
– ***élève,*** jeune ou adulte qui poursuit des études, à temps plein ou à temps partiel.
2° Le nom ***élève*** est le mot générique qui désigne toute personne qui fréquente un établissement d'enseignement.

étudier v. tr., intr., pronom.
Verbe transitif
1. Apprendre, chercher à connaître, à approfondir quelque chose. *Elle étudie la physique et la chimie ; il étudie le piano.*
2. Considérer, analyser. *Étudier une proposition.*

INTRANSITIF

Exister, avoir une réalité. «*Je pense, donc je suis.*» (Descartes) *L'heureux temps des vacances n'est plus.*

AUXILIAIRE

Le verbe ***être*** sert à conjuguer :

– les verbes passifs dans tous leurs temps et modes. *Elle est aimée.*

– les temps composés des verbes pronominaux. *Ils se sont habillés.*

– les temps composés de certains verbes intransitifs. *Le lac est dégelé.*

Être en train de + infinitif. Le verbe marque une action en voie d'accomplissement. *Les enfants sont en train de manger.*

Être sur le point de + infinitif. Le verbe marque un futur proche. *Je suis sur le point de partir.*

VERBE RELIANT L'ATTRIBUT AU SUJET

Le verbe ***être*** établit la relation entre le sujet et l'attribut. *Les érables sont magnifiques.*

Locutions

- ***Ce + être.*** La locution sert à présenter quelqu'un, quelque chose. Le verbe s'emploie au pluriel s'il est suivi d'un nom au pluriel. *Ce sont des pommes vertes* (et non *c'est des pommes).

  Exceptions : – devant l'indication d'une quantité. *C'est trois dollars.*
  – devant ***nous*** ou ***vous.*** *C'est nous qui partirons les premiers.*

Devant ***eux, elles***, on emploie le verbe ***être*** au pluriel à la forme affirmative, mais on tolère le verbe ***être*** au singulier à la forme négative ou interrogative. *Ce sont eux ! Ce n'est pas eux !*

- ***Être à***
  – Appartenir. *Cette maison est à elle.*
  – Être en train de. *Ils sont toujours à se vanter.*
  – S'occuper à. *Être à son travail.*
  – Se trouver. *Ils seront à Paris en mai.*
  – Tendre vers. *Le temps est à la neige.*

- ***Être de***
  – Faire partie de. *Être de la fête, d'une société donnée.*
  – Provenir. *Geneviève est de Montréal.*

- ***Être pour.*** Donner son soutien à. *Elle est pour l'indépendance du Québec.*

- ***Être sans.*** N'avoir pas. *Il est sans le sou.*

- ***Il est.*** (LITTÉRAIRE) Il y a. *Il est des souvenirs remplis de tendresse.*

- ***N'être pas sans savoir quelque chose.*** Ne pas l'ignorer. *Vous n'êtes pas sans savoir* (et non sans *ignorer)...

VOIR TABLEAU – **AUXILIAIRE.**

Indicatif

Présent	*Passé composé*
je suis	j' ai été
tu es	tu as été
elle est	elle a été
il est	il a été
nous sommes	nous avons été
vous êtes	vous avez été
elles sont	elles ont été
ils sont	ils ont été

Imparfait	*Plus-que-parfait*
j' étais	j' avais été
tu étais	tu avais été
elle était	elle avait été
il était	il avait été
nous étions	nous avions été
vous étiez	vous aviez été
elles étaient	elles avaient été
ils étaient	ils avaient été

Passé simple	*Passé antérieur*
je fus	j' eus été
tu fus	tu eus été
elle fut	elle eut été
il fut	il eut été
nous fûmes	nous eûmes été
vous fûtes	vous eûtes été
elles furent	elles eurent été
ils furent	ils eurent été

Futur simple	*Futur antérieur*
je serai	j' aurai été
tu seras	tu auras été
elle sera	elle aura été
il sera	il aura été
nous serons	nous aurons été
vous serez	vous aurez été
elles seront	elles auront été
ils seront	ils auront été

Infinitif

Présent	*Passé*
être	avoir été

Subjonctif

Présent	*Passé*
que je sois	que j' aie été
que tu sois	que tu aies été
qu' elle soit	qu' elle ait été
qu' il soit	qu' il ait été
que nous soyons	que nous ayons été
que vous soyez	que vous ayez été
qu' elles soient	qu' elles aient été
qu' ils soient	qu' ils aient été

Imparfait	*Plus-que-parfait*
que je fusse	que j' eusse été
que tu fusses	que tu eusses été
qu' elle fût	qu' elle eût été
qu' il fût	qu' il eût été
que nous fussions	que nous eussions été
que vous fussiez	que vous eussiez été
qu' elles fussent	qu' elles eussent été
qu' ils fussent	qu' ils eussent été

Conditionnel

Présent	*Passé*
je serais	j' aurais été
tu serais	tu aurais été
elle serait	elle aurait été
il serait	il aurait été
nous serions	nous aurions été
vous seriez	vous auriez été
elles seraient	elles auraient été
ils seraient	ils auraient été

Impératif

Présent	*Passé*
sois	aie été
soyons	ayons été
soyez	ayez été

Participe

Présent	*Passé*
étant	été
	ayant été

e

Indicatif

Présent		*Passé composé*		
j'	étudie	j'	ai	étudié
tu	étudies	tu	as	étudié
elle	étudie	elle	a	étudié
il	étudie	il	a	étudié
nous	étudions	nous	avons	étudié
vous	étudiez	vous	avez	étudié
elles	étudient	elles	ont	étudié
ils	étudient	ils	ont	étudié

Imparfait		*Plus-que-parfait*		
j'	étudiais	j'	avais	étudié
tu	étudiais	tu	avais	étudié
elle	étudiait	elle	avait	étudié
il	étudiait	il	avait	étudié
nous	étudiions	nous	avions	étudié
vous	étudiiez	vous	aviez	étudié
elles	étudiaient	elles	avaient	étudié
ils	étudiaient	ils	avaient	étudié

Passé simple		*Passé antérieur*		
j'	étudiai	j'	eus	étudié
tu	étudias	tu	eus	étudié
elle	étudia	elle	eut	étudié
il	étudia	il	eut	étudié
nous	étudiâmes	nous	eûmes	étudié
vous	étudiâtes	vous	eûtes	étudié
elles	étudièrent	elles	eurent	étudié
ils	étudièrent	ils	eurent	étudié

Futur simple		*Futur antérieur*		
j'	étudierai	j'	aurai	étudié
tu	étudieras	tu	auras	étudié
elle	étudiera	elle	aura	étudié
il	étudiera	il	aura	étudié
nous	étudierons	nous	aurons	étudié
vous	étudierez	vous	aurez	étudié
elles	étudieront	elles	auront	étudié
ils	étudieront	ils	auront	étudié

Infinitif

Présent	*Passé*
étudier	avoir étudié

Subjonctif

Présent		*Passé*		
que j'	étudie	que j'	aie	étudié
que tu	étudies	que tu	aies	étudié
qu' elle	étudie	qu' elle	ait	étudié
qu' il	étudie	qu' il	ait	étudié
que nous	étudiions	que nous	ayons	étudié
que vous	étudiiez	que vous	ayez	étudié
qu' elles	étudient	qu' elles	aient	étudié
qu' ils	étudient	qu' ils	aient	étudié

Imparfait		*Plus-que-parfait*		
que j'	étudiasse	que j'	eusse	étudié
que tu	étudiasses	que tu	eusses	étudié
qu' elle	étudiât	qu' elle	eût	étudié
qu' il	étudiât	qu' il	eût	étudié
que nous	étudiassions	que nous	eussions	étudié
que vous	étudiassiez	que vous	eussiez	étudié
qu' elles	étudiassent	qu' elles	eussent	étudié
qu' ils	étudiassent	qu' ils	eussent	étudié

Conditionnel

Présent		*Passé*		
j'	étudierais	j'	aurais	étudié
tu	étudierais	tu	aurais	étudié
elle	étudierait	elle	aurait	étudié
il	étudierait	il	aurait	étudié
nous	étudierions	nous	aurions	étudié
vous	étudieriez	vous	auriez	étudié
elles	étudieraient	elles	auraient	étudié
ils	étudieraient	ils	auraient	étudié

Impératif

Présent	*Passé*	
étudie	aie	étudié
étudions	ayons	étudié
étudiez	ayez	étudié

Participe

Présent	*Passé*
étudiant	étudié, ée ayant étudié

Verbe intransitif
Faire des études. *Ils étudient aux États-Unis.*
Verbe pronominal
1. S'observer mutuellement. *Des concurrents qui se sont étudiés attentivement.* **SYN.** se surveiller.
2. S'observer soi-même.
Conjugaison [VOIR MODÈLE – **ÉTUDIER**]
Redoublement du ***i*** à la première et à la deuxième personne du pluriel de l'indicatif imparfait et du subjonctif présent. *(Que) nous étudiions, (que) vous étudiiez.*

étui n. m.
Enveloppe souple ou rigide. *Un étui à lunettes.*
Attention au genre masculin de ce nom : ***un*** étui.

étymologie n. f.
1. Science qui recherche l'origine d'un mot. *L'étymologie est passionnante parce qu'elle raconte l'histoire des mots.*
2. Origine d'un mot. *Les mots* hôtel *et* hôpital *ont une même étymologie : ils viennent tous deux du nom latin* hospitale *qui signifie « chambre pour les hôtes ».*
ét**y**mologie.

étymologique adj.
Relatif à l'étymologie. *Un dictionnaire étymologique.*
ét**y**mologique.

É.-U.
Abréviation de ***États-Unis.***
VOIR **USA.**

eucharistie n. f.
Les lettres ***ch*** se prononcent ***k*** [økaristi].
Communion, dans la religion chrétienne.
eu**ch**aristie.

euh ! interj.
Interjection qui marque l'hésitation. *Euh ! je ne connais pas la réponse.*

eurasien, ienne adj. et n. m. et f.
Personne née d'un Européen et d'une Asiatique ou d'un Asiatique et d'une Européenne.
L'adjectif s'écrit avec une minuscule ; le nom, avec une majuscule.
Ne pas confondre avec les mots suivants :
– ***métis,*** se dit d'une personne dont le père et la mère sont de races différentes ;
– ***mulâtre,*** se dit d'une personne née d'un Noir et d'une Blanche ou d'un Blanc et d'une Noire.

européen, éenne adj. et n. m. et f.
Relatif à l'Europe. *Un Européen, une Européenne. La France, l'Espagne, l'Italie sont des pays européens.*
L'adjectif s'écrit avec une minuscule ; le nom, avec une majuscule.

eux pron. pers. m. pl.
Pronom personnel masculin de la troisième personne correspondant à ***ils,*** pluriel de ***lui. Eux*** peut être sujet ou complément. *Eux seuls connaissaient la réponse. Elle mange avec eux. Ils viendront eux-mêmes.*
Locution
Eux autres. (FAMILIER) Eux.
VOIR **LUI.**

évacuation n. f.
Action d'évacuer, de sortir d'un lieu. *L'évacuation rapide d'un avion en cas d'incendie.* **SYN.** sortie.

évacuer v. tr.
1. Faire sortir quelqu'un d'un lieu. *Le commandant a demandé d'évacuer l'avion.* **SYN.** quitter, sortir.
2. Rejeter quelque chose à l'extérieur. *Évacuer l'eau d'un réservoir.* **SYN.** déverser, vider.
Conjugaison [VOIR MODÈLE – **AIMER**]

évader (s') v. pronom.
1. S'enfuir d'un lieu où l'on était retenu. *Les prisonnières se sont évadées.* **SYN.** s'échapper, fuir, (FAMILIER) prendre la poudre d'escampette, se sauver.
2. (FIGURÉ) Se distraire. *Il s'évade par la lecture.* **SYN.** se libérer.
Le participe passé de ce verbe qui n'existe qu'à la forme pronominale s'accorde toujours en genre et en nombre avec le sujet du verbe.
Conjugaison [VOIR MODÈLE – **AIMER**]

évaluation n. f.
Détermination de la valeur, de la quantité. *L'évaluation d'une propriété.* **SYN.** appréciation, estimation.

évaluer v. tr.
1. Établir la valeur de quelque chose. *Le mécanicien évalue le coût de la réparation du moteur.* **SYN.** estimer.
2. Établir le nombre de. *On a évalué le nombre des spectateurs des Francofolies à plusieurs milliers.* **SYN.** calculer, chiffrer, estimer.
3. Définir le rendement et la compétence d'un employé. *Le chef de service évalue les employés et remplit une fiche de notation tous les ans.* **SYN.** juger.
Conjugaison [VOIR MODÈLE – **AIMER**]

évangile n. m.
Enseignement de Jésus-Christ.
Le nom s'écrit avec une majuscule lorsqu'il désigne le livre comportant la doctrine de Jésus-Christ, ou la doctrine elle-même. *L'Évangile selon saint Marc.*
Locution
Parole d'évangile. Chose indiscutable.

évanouir (s') v. pronom.
1. Disparaître sans laisser de traces. *Le brouillard s'évanouit.* **SYN.** s'effacer.
2. Perdre connaissance. *En apprenant la nouvelle, elles se sont évanouies.* **SYN.** défaillir.
Le participe passé de ce verbe qui n'existe qu'à la forme pronominale s'accorde toujours en genre et en nombre avec le sujet du verbe.
Conjugaison [VOIR MODÈLE – **FINIR**]

évanouissement n. m.
Perte de conscience. *Son évanouissement a été très bref et elle est revenue à elle.*

évaporation n. f.
Transformation d'un liquide en vapeur par la chaleur.
Ne pas confondre avec le nom ***ébullition,*** état d'un corps qui se transforme en vapeur.

évaporer (s') v. pronom.
1. Se transformer en vapeur. *L'eau s'est évaporée sous l'action su soleil.*
2. (LITTÉRAIRE) Disparaître. *Ses complices se sont évaporés.* **SYN.** s'envoler.
Conjugaison [VOIR MODÈLE – **AIMER**]

évaser v. tr., pronom.
Verbe transitif
Agrandir l'extrémité. *Évaser un tuyau.*

e

Verbe pronominal
Être plus large à une extrémité. *Ce pot s'évase légèrement.*
Conjugaison [VOIR MODÈLE – **AIMER**]

évasif, ive adj.
Vague, peu net. *Une réponse évasive.* **SYN.** ambigu.

évasion n. f.
Action de s'échapper d'une prison, d'un lieu où l'on était enfermé. *Une évasion spectaculaire.*
Ne pas confondre avec le nom ***invasion,*** entrée soudaine et massive.

évêché n. m.
Le **ê** se prononce **é** [eveʃe].
Territoire dont s'occupe un évêque. **SYN.** diocèse.

éveil n. m.
1. Fait de sortir du sommeil. *L'éveil de la nature.* **SYN.** réveil.
2. Fait de s'éveiller, de s'intéresser à quelque chose. *L'éveil de l'intelligence.*
Locutions
Donner l'éveil. Alerter, sonner l'alarme.
Être en éveil. Être sur ses gardes, être prêt à intervenir.
Tenir en éveil. Tenir attentif.

éveillé, ée adj.
1. Qui ne dort pas. *Elle est restée éveillée toute la nuit.* **ANT.** endormi.
2. Alerte, vif. *Un esprit éveillé.* **ANT.** lent.

éveiller v. tr., pronom.
Verbe transitif
1. (LITTÉRAIRE) Tirer du sommeil. Dans la langue courante, on utilisera surtout le verbe ***réveiller.***
2. Susciter. *Éveiller l'intérêt des enfants pour les mathématiques. Éveiller les soupçons.* **SYN.** développer, provoquer, stimuler.
Verbe pronominal
Sortir du sommeil. *Elle s'éveille à 6 h 30 tous les matins.* **SYN.** se réveiller.
Conjugaison [VOIR MODÈLE – **AIMER**]
Les lettres ***ill*** sont suivies d'un ***i*** à la première et à la deuxième personne du pluriel de l'indicatif imparfait et du subjonctif présent. *(Que) nous éveillions, (que) vous éveilliez.*

évènement ou **événement** n. m.
1. Fait marquant. *Un évènement historique.*
2. Circonstance. *Ils sont dépassés par les évènements.*
L'orthographe ***évènement*** qui respecte la prononciation a été admise par l'Académie française. Elle est de plus en plus courante.
Les noms d'évènements historiques sont des noms propres. Le nom caractéristique s'écrit avec une majuscule ainsi que l'adjectif qui le précède. *Mai 68, l'Inquisition, la Libération, la Révolution de 1789, la crise d'Octobre, la Révolution tranquille, la Grande Guerre.*
Forme fautive
*à tout évènement. Calque de l'anglais « at all events » pour ***quoi qu'il arrive, dans tous les cas, peu importe.***

éventail n. m.
Accessoire avec lequel on agite l'air pour se rafraîchir. *Des éventails peints à la main.*
Forme fautive
*éventail. Impropriété pour ***ventilateur.***

éventer v. tr., pronom.
Verbe transitif
1. Donner du vent à quelqu'un. *Évente-moi un peu, j'ai très chaud.*
2. (FIGURÉ) Révéler. *Éventer* (et non *éventrer) *un complot.*
Verbe pronominal
1. Perdre son parfum, son goût à l'air. *Ces fines herbes se sont éventées.*
2. Se rafraîchir en agitant l'air. *La belle dame s'éventait doucement avec un éventail de Séville.*
Locution
Éventer la mèche. Révéler un secret.
Conjugaison [VOIR MODÈLE – **AIMER**]

éventrer v. tr.
1. Ouvrir le ventre de. *Grand-maman n'aime pas éventrer les poissons pour les nettoyer avant la cuisson.*
2. (FIGURÉ) Faire une large déchirure à. *Éventrer un matelas.* **SYN.** ouvrir.
Conjugaison [VOIR MODÈLE – **AIMER**]

éventuel, elle adj.
Possible. *Une éventuelle candidature.* **SYN.** hypothétique.

évêque n. m.
Prêtre de l'Église catholique qui dirige un diocèse.
Comme les titres administratifs, les titres religieux s'écrivent généralement avec une minuscule. *L'abbé, l'archevêque, le cardinal, le curé, le pape, etc.* Cependant, ces titres s'écrivent avec une majuscule lorsqu'ils remplacent un nom de personne. *L'Évêque sera présent à la réunion.*
év**ê**que.

évidemment adv.
La troisième syllabe se prononce ***da*** [evidamɑ̃].
Certainement, sans aucun doute. **SYN.** assurément.
évide**mm**ent.

évidence n. f.
1. Chose évidente. *Vous ne nous apprenez rien : ce sont des évidences.* **SYN.** certitude.
2. Caractère de ce qui est évident. *L'évidence de cet échec.*
Locutions
De toute évidence, à l'évidence, locutions adverbiales. Sûrement.
Être en évidence. Être bien en vue.
Mettre en évidence. Souligner, mettre en vedette.
Se rendre à l'évidence. Finir par admettre.

évident, ente adj.
Indiscutable, qui est d'une certitude absolue. *Une preuve évidente.* **SYN.** certain, sûr.
Locutions
C'est évident. Cela va de soi, bien sûr.
Ne pas être évident. (FAMILIER) Ne pas être facile à faire. *Recruter un bon collaborateur, ce n'est pas évident.*

évier n. m.
Cuvette alimentée en eau généralement située dans la cuisine. *Elle lave les tasses dans l'évier.*
Dans la salle de bains, on parle plutôt du ***lavabo.***

éviter v. tr.
1. Échapper à quelque chose de mauvais. *Éviter un obstacle.*
2. Permettre à quelqu'un de se soustraire à quelque chose de dangereux, de désagréable. *La prévention permet d'éviter les accidents.*
3. S'abstenir de, faire en sorte de ne pas faire. *Il faudrait éviter de courir en traversant la rue. Il faudrait éviter qu'il soit présent.*

Le verbe se construit avec la préposition ***de*** suivie d'un infinitif ou de la conjonction ***que*** suivie du subjonctif.
Conjugaison [VOIR MODÈLE – **AIMER**]

évolué, ée adj.
Qui a atteint un certain degré d'évolution. *Une mentalité peu évoluée.* **SYN.** moderne, à la page.

évoluer v. intr.
1. Exécuter une suite de mouvements. *Évoluer sur une scène.*
2. Changer. *Au fil des saisons, la végétation évolue sans cesse.* **SYN.** se modifier, se transformer.
En ce sens, le verbe a une valeur favorable ou défavorable.
3. Progresser. *Le traitement de cette maladie a beaucoup évolué.*
En ce sens, le verbe a une valeur favorable.
Conjugaison [VOIR MODÈLE – **AIMER**]

évolution n. f.
Transformation graduelle. *Ce domaine est en pleine évolution.* **SYN.** changement, développement, modification.

évoquer v. tr.
1. Rappeler. *Elle évoque souvent son souvenir.*
2. Faire allusion à. *Dans son récit, il évoque la vie à la campagne.* **SYN.** décrire, montrer.
Conjugaison [VOIR MODÈLE – **AIMER**]

ex.
Abréviation de ***exemple.***

ex- préf.
Antérieurement. *Son ex-mari. Un ex-ministre.*
Ce préfixe se joint au nom par un trait d'union.

exact, acte adj.
Les lettres ***ct*** se prononcent ou non pour la forme masculine [ɛgzakt] ou [ɛgza].
1. Conforme à la réalité, à la vérité. *La réponse est exacte.* **SYN.** correct, juste, vrai. **ANT.** erroné, faux, inexact.
2. Ponctuel. *Elle est exacte au rendez-vous.*

exactement adv.
Avec exactitude. *Ils étaient là à 15 h exactement. C'est exactement ce que j'avais dit.* **SYN.** précisément.

exactitude n. f.
1. Précision rigoureuse. *L'exactitude d'une réponse.* **SYN.** justesse.
2. Ponctualité. *Son exactitude est proverbiale : il est toujours à l'heure et il dit que la ponctualité est la politesse des rois.*

ex æquo loc. adv. et n. inv.
Les lettres ***æ*** se prononcent ***é*** et la dernière syllabe se prononce ***ko*** [ɛgzeko].
Au même rang. *Elles se sont classées* ex æquo. *Il y a deux* ex æquo.
La locution et le nom sont invariables.

exagération n. f.
Excès, action d'exagérer. *Ses récits sont toujours remplis d'exagérations.*

exagérément adv.
Avec exagération.

exagérer v. tr., intr., pronom.
Verbe transitif
Grossir, augmenter de façon exagérée. *Exagérer les faits.* **SYN.** amplifier.
Verbe intransitif
Aller trop loin. *Il a mangé toute la tarte : vraiment il exagère.* **SYN.** abuser.
Verbe pronominal
Surestimer. *Il s'exagère la gravité de la situation.*
Conjugaison [VOIR MODÈLE – **POSSÉDER**]
Le ***é*** se change en ***è*** devant une syllabe muette, sauf à l'indicatif futur et au conditionnel présent. *J'exagère,* mais *j'exagérerai.*

exaltation n. f.
Ardeur, grande excitation de l'esprit. *Les participants chantaient avec exaltation.*

exalter v. tr., pronom.
Enthousiasmer, passionner. *L'ouverture des Jeux olympiques les a exaltés. Ils se sont exaltés à l'annonce de la victoire.* **SYN.** exciter.
Conjugaison [VOIR MODÈLE – **AIMER**]

examen n. m.
1. Recherche minutieuse, étude sérieuse. *Un examen attentif de la situation. L'examen d'un malade par un médecin.*
2. Épreuve subie par un candidat. *Passer un examen, se présenter à un examen* (et non *présenter un examen), *échouer à un examen* (et non *échouer un examen), *rater un examen, réussir à un examen.*
La construction du verbe ***réussir*** avec un complément d'objet direct est critiquée, mais elle est passée dans l'usage. *Réussir un examen.*

examinateur, trice n. m. et f.
Personne qui fait passer un examen à des candidats.

examiner v. tr.
1. Observer attentivement. *Examiner un objet.* **SYN.** regarder, scruter.
2. Étudier. *Examiner une question.* **SYN.** approfondir.
Conjugaison [VOIR MODÈLE – **AIMER**]

exaspération n. f.
Grand agacement. **SYN.** énervement, irritation.

exaspérer v. tr.
Irriter, agacer vivement. *Ces questions indiscrètes l'exaspèrent.* **SYN.** énerver, impatienter.
Conjugaison [VOIR MODÈLE – **POSSÉDER**]
Le ***é*** se change en ***è*** devant une syllabe muette, sauf à l'indicatif futur et au conditionnel présent. *J'exaspère,* mais *j'exaspérerai.*

exaucer v. tr.
Accorder à quelqu'un ce qu'il demande. *Elle exauça ses désirs.* **SYN.** combler, contenter.
Conjugaison [VOIR MODÈLE – **AVANCER**]
Le ***c*** prend une cédille devant les lettres ***a*** et ***o.*** *Il exauça, nous exauçons.*

excavatrice n. f.
Engin de terrassement. *L'entrepreneur utilisait une excavatrice* (et non une *pépine).
On emploie aussi le nom masculin ***excavateur.***

excédent n. m.
Surplus. *Avoir un excédent de bagages.* **SYN.** excès.
excéd**ent.**

excéder v. tr.
1. Surpasser en nombre, en quantité, en durée. *Ce prix excède la somme convenue.* **SYN.** dépasser.
2. Exaspérer. *Ses caprices m'excèdent.* **SYN.** énerver, irriter.

Conjugaison [VOIR MODÈLE – **POSSÉDER**]
Le ***é*** se change en ***è*** devant une syllabe muette, sauf à l'indicatif futur et au conditionnel présent. *Il excède,* mais *il excédera.*

excellence n. f.
Perfection, caractère excellent de quelqu'un, de quelque chose. *L'excellence d'un candidat, d'un film.* **SYN.** supériorité.
Locution
Par excellence, locution adverbiale. Au plus haut degré.

excellent, ente adj.
Admirable, très bon. *Un excellent tableau. Des résultats excellents.* **SYN.** remarquable.
note 1° Ne pas confondre avec le participe présent invariable ***excellant.*** *On y rencontre des gens excellant aux échecs.*
2° Il est préférable de ne pas employer de comparatif ou de superlatif avec cet adjectif qui exprime un degré extrême de perfection.
orthographe excell**ent.**

exceller v. intr.
Être supérieur à. *Ces athlètes excellent dans la course. Il excelle à écrire des romans policiers. Elle excelle à la guitare et en mathématiques.* **SYN.** briller.
Le verbe se construit avec la préposition **à** suivie d'un nom ou d'un infinitif, ou avec les prépositions ***dans, en*** suivies d'un nom.
Conjugaison [VOIR MODÈLE – **AIMER**]

excentricité n. f.
1. Caractère de ce qui est excentrique. *L'excentricité de ses vêtements.* **SYN.** originalité.
2. Extravagance, acte extravagant. *Il nous a fait rire avec ses excentricités.* **SYN.** fantaisie, folie.
note En ce sens, le mot s'emploie généralement au pluriel.
orthographe exc**en**tricité.

excentrique n. m. et f.
Original. *Ce sont des excentriques.* **SYN.** fantaisiste.
orthographe exc**en**trique.

excepté adj. et prép.
Adjectif
Mis à part. *Cette clause exceptée, le contrat a été signé.*
Préposition
À l'exception de, hormis. *Ils seront tous admis, excepté les deux plus jeunes.* **SYN.** sauf.
note Placé avant l'adjectif, le nom ou le pronom, ***excepté*** est une préposition et est donc invariable. Placé après, il est adjectif et s'accorde en genre et en nombre.

excepté que loc. conj.
Si ce n'est que. *Elles ont beaucoup d'affinités, excepté que l'une déteste la musique.*
La locution se construit avec l'indicatif ou le conditionnel.

excepter v. tr.
Exclure d'un ensemble. *Sans excepter personne.* **SYN.** écarter.
Conjugaison [VOIR MODÈLE – **AIMER**]

exception n. f.
Ce qui est en dehors de la règle, du commun. *Nous ferons une exception pour lui.*
Locutions
À l'exception de, locution prépositive. Hormis, sauf.
Faire exception. Échapper à la règle. *Ces pluriels font exception et s'écrivent avec un* x.
L'exception confirme la règle. Il n'y aurait pas d'exception s'il n'y avait pas de règle.
Sans exception. Sans restriction. *Ils viendront tous sans exception.*
note Dans cette expression, le nom ***exception*** est invariable.
orthographe excep**t**ion.

exceptionnel, elle adj.
1. Qui fait exception. *Une permission exceptionnelle.* **SYN.** occasionnel, rare.
2. Remarquable. *Une œuvre exceptionnelle.* **SYN.** extraordinaire.
orthographe excep**t**io**nn**el.

exceptionnellement adv.
De façon exceptionnelle. *Cet élève est exceptionnellement en retard, d'habitude il arrive à temps.*
orthographe excep**t**io**nn**ellement.

excès n. m.
1. Dépassement de la mesure normale. *Un excès de vitesse.*
2. Abus. *Cette personne fait des excès de table.*
Locutions
À l'excès. Trop. *Ils travaillent à l'excès.*
Avec excès. Avec exagération.
Sans excès. De façon raisonnable.
orthographe e**xcès.**

excessif, ive adj.
Qui sort des limites permises. *Des dépenses excessives.* **SYN.** exagéré.
note On évitera l'emploi d'un superlatif ou d'un comparatif.

excessivement adv.
Trop, avec excès. *Cette table est excessivement chère.*
Cet adverbe est toujours suivi d'un adjectif exprimant un défaut, non une qualité. *Il est excessivement lent. Elle est extrêmement habile* (et non *excessivement habile).

excitant, ante adj. et n. m.
Adjectif
Séduisant, agréable. *Cette sortie est excitante.* **SYN.** enthousiasmant.
Nom masculin
Produit qui stimule. *La caféine est un excitant.*

excitation n. f.
1. Action d'exciter ; ce qui excite.
2. Agitation. *Il y a beaucoup d'excitation dans la classe, les vacances approchent.*

exciter v. tr., pronom.
Verbe transitif
1. Rendre nerveux, agité. *L'imminence d'un congé excite les élèves.* **SYN.** animer, éveiller.
2. Stimuler, provoquer. *Son sort excite la compassion.* **SYN.** susciter.
3. Irriter, mettre en colère. *On les a excités contre la direction de l'entreprise.* **SYN.** dresser.
Verbe pronominal
S'énerver. *Les élèves commencent à s'exciter en pensant à la sortie de ce soir.*
Conjugaison [VOIR MODÈLE – **AIMER**]

exclamatif, ive adj.
Qui marque l'exclamation. *Quelle belle journée !*
note Les propositions exclamatives se terminent par un point.

exclamation n. f.
1. Cri subit marquant une émotion, un sentiment. *Des exclamations de joie.*

2. (LINGUISTIQUE) Phrase exprimant une émotion vive.
Locution
Point d'exclamation (!) Signe de ponctuation qui termine une phrase exclamative, une interjection.
VOIR TABLEAU – **PONCTUATION.**

exclamer (s') v. pronom.
Pousser des exclamations. *Elles se sont exclamées : « Vive les vacances ! »* **SYN.** s'écrier.
Le participe passé de ce verbe qui n'existe qu'à la forme pronominale s'accorde toujours en genre et en nombre avec le sujet du verbe.
Conjugaison [VOIR MODÈLE – **AIMER**]

exclu, ue adj. et p. passé
1. Qui est refusé, mis à l'extérieur. *Elle a été exclue du groupe.*
2. Qui n'est pas compris. *La facture s'élève à 200 $, le transport exclu.* **ANT.** inclus.
exclu, ue sans **s** au singulier, contrairement à ***inclus, use.***

exclure v. tr.
1. Refuser quelqu'un, quelque chose, écarter d'un ensemble. *Nous l'avons exclu du groupe.* **ANT.** inclure.
2. Ne pas admettre, rejeter la possibilité de quelque chose. *J'exclus cette hypothèse.*
Locution
Il n'est pas exclu que, locution impersonnelle. Il est possible que. *Il n'est pas exclu qu'il soit nommé à la présidence.*
La locution se construit avec le subjonctif.
Contrairement à ***inclus,*** le participe passé masculin s'écrit ***exclu,*** sans ***s.*** *Cette possibilité a été exclue.*
Conjugaison [VOIR MODÈLE – **INCLURE**]
INDICATIF PRÉSENT *J'exclus, tu exclus, il exclut, nous excluons, vous excluez, ils excluent.* IMPARFAIT *J'excluais, tu excluais, il excluait, nous excluions, vous excluiez, ils excluaient.* PASSÉ SIMPLE *J'exclus, tu exclus, il exclut, nous exclûmes, vous exclûtes, ils exclurent.* FUTUR *J'exclurai.* **CONDITIONNEL** PRÉSENT *J'exclurais.* **IMPÉRATIF** PRÉSENT *Exclus, excluons, excluez.* **SUBJONCTIF** PRÉSENT *Que j'exclue, que tu exclues, qu'il exclue, que nous excluions, que vous excluiez, qu'ils excluent.* IMPARFAIT *Que j'exclusse, que tu exclusses, qu'il exclût, que nous exclussions, que vous exclussiez, qu'ils exclussent.* **PARTICIPE** PRÉSENT *Excluant.* PASSÉ *Exclu, ue.*

exclusion n. f.
Action d'exclure d'un ensemble. *L'exclusion d'un élève de la classe.* **ANT.** inclusion.
Locution
À l'exclusion de. À l'exception de. **ANT.** à l'inclusion de.

exclusivement adv.
1. En ne comprenant pas quelque chose. *J'y serai du 8 au 15 septembre exclusivement* (la dernière journée étant le 14 septembre). **ANT.** inclusivement.
2. À l'exclusion de toute autre chose. *Manger exclusivement des légumes.* **SYN.** seulement.

exclusivité n. f.
1. Produit vendu, exploité par une seule entreprise.
2. Nouvelle donnée en primeur. *C'est une exclusivité* (et non un *scoop).

excrément n. m.
Matière évacuée du corps. *Des excréments de chevaux, des excréments humains.*
Ce mot s'utilise généralement au pluriel.

excursion n. f.
Promenade. *Une excursion à la montagne.* **SYN.** (FAMILIER) balade, randonnée, tour.

excuse n. f.
1. Raison apportée pour se faire pardonner, pour se justifier. *Tu es en retard et ton excuse n'est pas valable.* **SYN.** explication, justification, motif.
2. Regret exprimé à quelqu'un pour l'avoir ennuyé, gêné, offensé. *Je te fais mes excuses.*
En ce sens, le nom s'emploie généralement au pluriel.

excuser v. tr., pronom.
Verbe transitif
1. Servir d'excuse, justifier. *Son enthousiasme excuse ses excès.*
2. Pardonner. *On a excusé son absence.*
L'expression la plus polie est : *veuillez m'excuser.* De façon un peu moins soutenue, on dira : *excusez-moi.* La formule *je m'excuse* est jugée la moins polie.
Verbe pronominal
Présenter des excuses. *Elles se sont excusées de leur retard.* **SYN.** demander pardon.
Conjugaison [VOIR MODÈLE – **AIMER**]

exécrable adj.
Le mot se prononce [ɛgzekrabl] ou [ɛksekrabl].
Affreux, très mauvais. *Il est d'une humeur exécrable.* **SYN.** désagréable.

exécutant, ante n. m. et f.
Personne qui exécute une tâche, sous la direction d'une personne. *Ils sont à la fois des créateurs et des exécutants.*

exécuter v. tr., pronom.
Verbe transitif
1. Mettre en application, accomplir. *Exécuter un projet.* **SYN.** réaliser.
2. Faire mourir, par décision de justice. *On a exécuté le condamné.*
Verbe pronominal
Se décider à agir. *Ils se sont exécutés à regret.*
Conjugaison [VOIR MODÈLE – **AIMER**]

exécution n. f.
1. Action, manière d'exécuter ce qui a été demandé. *L'exécution rapide d'un travail.*
2. Interprétation, réalisation. *L'exécution de cette sonate était très réussie.*
Locutions
Exécution (capitale). Mise à mort d'un condamné. *Au Canada, il n'y a plus d'exécutions : la peine de mort a été abolie.*
Mettre à exécution. Réaliser. *Une fois la décision prise, il faut maintenant la mettre à exécution.*

exemplaire adj. et n. m.
Adjectif
Qui peut servir d'exemple. *Une conduite exemplaire.* **SYN.** modèle, parfait.
Nom masculin
Chacun des objets produits dans une série. *Un livre publié à 100 000 exemplaires* (et non à 100 000 *copies). *Veuillez signer les trois exemplaires du formulaire.*

exemple n. m.
Abréviation ***ex.*** (s'écrit avec un point).
1. Modèle qui peut être imité. *Un bon exemple, un exemple à suivre.*

2. Éléments qui servent à prouver, illustrer ce qui vient d'être énoncé. *Le Saint-Laurent a de nombreux affluents, exemple(s) : le Saguenay, le Richelieu, le Saint-Maurice.* **SYN.** illustration.
Locutions
À l'exemple de. À l'imitation de. *À l'exemple de ses amis, elle a décidé d'aller en vacances dans la région de Charlevoix.*
Par exemple. *Planter des fleurs vivaces, par exemple du muguet, des delphiniums.*
Par exemple ! Ça alors !
Cette locution marque la surprise, l'indignation.
Par exemple. (FAMILIER) Mais, toutefois (marquant l'opposition). *Elle est généralement raisonnable ; par exemple, elle succombe parfois à la tentation de la gourmandise* **SYN.** par contre.

exempt, empte adj.
Les lettres ***pt*** ne se prononcent pas [ɛgzɑ̃, ɑ̃t].
1. Dispensé, déchargé. *Un revenu exempt d'impôt.*
2. Dépourvu de. *Ce texte est exempt d'erreurs.*

exempter v. tr.
Le ***p*** ne se prononce pas [ɛgzɑ̃te].
Dispenser d'une charge. *L'enseignante les a exemptés de devoirs.*
Conjugaison [VOIR MODÈLE – **AIMER**]
ex**empt**er.

exemption n. f.
Contrairement à l'adjectif et au verbe, dans le nom ***exemption*** le ***p*** se fait entendre [ɛgzɑ̃psjɔ̃].
1. Action d'exempter ; fait d'être exempté. *Une exemption d'impôt.*
2. Dispense d'une obligation. *Une exemption de devoirs.*
ex**empt**ion.

exercer v. tr., pronom.
Verbe transitif
1. Préparer, développer. *Exercer ses muscles, sa mémoire.* **SYN.** cultiver, entraîner.
2. Mettre en usage. *Exercer une autorité.*
3. Pratiquer. *Exercer la médecine.*
Verbe pronominal
1. S'entraîner. *Ils s'exercent à skier.*
2. (LITTÉRAIRE) Se manifester. *La pression qui s'exerçait sur eux était trop grande.*
Conjugaison [VOIR MODÈLE – **AVANCER**]
Le ***c*** prend une cédille devant les lettres ***a*** et ***o.*** *Il exerça, nous exerçons.*

exercice n. m.
Action d'exercer, de s'exercer. *Des exercices physiques. L'exercice du droit. Un exercice de mathématiques.*

exhiber v. tr., pronom.
Verbe transitif
Faire étalage de, faire voir. *Ce parvenu exhibe sa grosse voiture.* **SYN.** étaler, montrer. **ANT.** cacher, dissimuler.
Verbe pronominal
Se montrer en public, s'afficher. *Ils se sont exhibés en la compagnie de ces célébrités.*
Conjugaison [VOIR MODÈLE – **AIMER**]
ex**h**iber.

exhibition n. f.
1. Action de faire étalage de.
2. Représentation. *Exhibition de phoques et de dauphins.*
ex**h**ibition.

exhorter v. tr.
(LITTÉRAIRE) Inciter, encourager par des paroles. *Il l'exhorte à la patience. Elle l'exhorte à rester.* **SYN.** inviter.
Le complément indirect du verbe est introduit par la préposition ***à.***
Conjugaison [VOIR MODÈLE – **AIMER**]
ex**h**orter.

exigeant, ante adj.
1. Qui exige beaucoup. *Des professeurs exigeants, mais appréciés.*
2. Prenant, qui exige temps et énergie. *Une profession exigeante.* **SYN.** accaparant.
Ne pas confondre avec le participe présent invariable ***exigeant.*** *Des professeurs exigeant des travaux bien écrits.*
exig**eant.**

exigence n. f.
1. Ce qu'une personne exige. *Quelles sont vos exigences ?* **SYN.** demande, revendication.
En ce sens, le nom s'emploie généralement au pluriel.
2. Obligation. *Les exigences d'un métier.*
3. Caractère d'une personne exigeante. *Cet enseignant est d'une grande exigence : il fait travailler beaucoup ses élèves.*
exig**en**ce.

exiger v. tr.
1. Demander. *Cette opération exigeait beaucoup d'habileté.* **SYN.** nécessiter.
2. Réclamer (ce qui est considéré comme un dû). *Les employés exigent une augmentation. À la bibliothèque, on exige le silence.* **SYN.** demander.
3. Commander, ordonner. *L'institutrice exige que les enfants soient ponctuels.*
Suivi de ***que,*** le verbe se construit avec le subjonctif. Le verbe peut également se construire avec la préposition ***de*** suivie de l'infinitif. *Elle exige d'être écoutée.*
Conjugaison [VOIR MODÈLE – **CHANGER**]
Le ***g*** est suivi d'un ***e*** devant les lettres ***a*** et ***o.*** *Il exigea, nous exigeons.*

exigu, uë adj.
Très petit, trop petit. *Un passage exigu, une pièce exiguë.* **SYN.** étroit, restreint.
exigu**ë,** pour la forme féminine.

exil n. m.
Situation d'une personne forcée de vivre hors d'un lieu. *Roman est en exil depuis 20 ans : il ne peut retourner dans son pays, car il y serait en danger de mort.*

exilé, ée adj. et n. m. et f.
Qui est condamné à l'exil. **SYN.** expatrié.

exiler v. tr., pronom.
Verbe transitif
Frapper quelqu'un d'exil. **SYN.** expulser.
Verbe pronominal
Quitter son pays. *Ils ont dû s'exiler pour survivre.* **SYN.** s'éloigner, émigrer, s'expatrier.
Conjugaison [VOIR MODÈLE – **AIMER**]

existant, ante adj.
Actuel. *Les constructions existantes seront rasées.*

existence n. f.
1. Fait d'exister, d'être réel. *L'existence d'une famille.* **SYN.** réalité.

2. Vie. *Bénédicte a eu une existence mouvementée : elle a fait le tour du monde en voilier.*
3. Durée. *Cette cathédrale a plusieurs siècles d'existence.*

exister v. intr.
1. Être, avoir une réalité. *Cette étoile existe. Le médicament qui guérirait le sida n'existe pas encore.*
2. Avoir de l'importance. *La question financière n'existait pas pour eux : ils vivaient d'amour et d'eau fraîche.* **SYN.** compter, importer.
Conjugaison [VOIR MODÈLE – **AIMER**]

exode n. m.
1. Émigration massive d'un peuple. *L'exode des Canadiens français vers la Nouvelle-Angleterre au siècle dernier.*
2. (FIGURÉ) Fuite en grand nombre. *L'exode des habitants de la campagne vers la ville.*
Attention au genre masculin de ce nom : ***un*** exode.

exorbitant, ante adj.
Qui sort des bornes, qui est inabordable. *Un prix exorbitant.* **SYN.** exagéré, excessif.
e**x**orbitant.

exotique adj.
Qui vient des pays étrangers. *Une danse exotique, des mets exotiques.*

expansion n. f.
Développement. *Cette ville est en pleine expansion : on y construit de nombreux immeubles.* **SYN.** croissance.
exp**an**sion.

expatrier (s') v. pronom.
Quitter sa patrie, son pays pour s'installer ailleurs. *Au début du siècle, de nombreux Québécois se sont expatriés aux États-Unis.* **SYN.** émigrer, s'exiler.
À la forme pronominale, le participe passé du verbe s'accorde toujours en genre et en nombre avec le sujet.
Conjugaison [VOIR MODÈLE – **ÉTUDIER**]
Redoublement du ***i*** à la première et à la deuxième personne du pluriel de l'indicatif imparfait et du subjonctif présent. *(Que) nous nous expatriions, (que) vous vous expatriiez.*

expédier v. tr.
1. Envoyer. *Expédier un colis par avion.*
2. Faire une chose rapidement pour s'en débarrasser. *Il expédia ses devoirs et ses leçons pour aller jouer.* **SYN.** bâcler.
Conjugaison [VOIR MODÈLE – **ÉTUDIER**]
Redoublement du ***i*** à la première et à la deuxième personne du pluriel de l'indicatif imparfait et du subjonctif présent. *(Que) nous expédiions, (que) vous expédiiez.*

expéditeur, trice adj. et n. m. et f.
Personne qui fait un envoi. *L'expéditeur d'un colis.* **SYN.** envoyeur. **ANT.** destinataire.

expédition n. f.
1. Envoi de marchandises. *L'expédition d'un colis par avion.*
2. Voyage d'exploration. *Une expédition polaire.*

expérience n. f.
1. Connaissance acquise par une longue pratique. *Un employé qui a beaucoup d'expérience. Elle est très jeune et vient de terminer ses études : elle est sans expérience.*
En ce sens, le nom s'écrit au singulier.
2. Expérimentation. *Faire des expériences scientifiques.* **SYN.** essai.

expérimental, ale, aux adj.
1. Qui est fondé sur l'expérience scientifique. *Des recherches expérimentales.*
2. Qui sert d'expérience. *Des traitements expérimentaux, une ferme expérimentale.* **SYN.** pilote.

expérimenté, ée adj.
Formé par l'expérience. *C'est un chercheur expérimenté.* **SYN.** chevronné, compétent, d'expérience, expert.

expérimenter v. tr.
1. Vérifier par des expériences. *Expérimenter un nouveau médicament.* **SYN.** tester.
2. Éprouver par expérience. *J'ai expérimenté l'importance de l'amitié.* **SYN.** observer.
Conjugaison [VOIR MODÈLE – **AIMER**]

expert, erte adj. et n. m. et f.
Adjectif
Qui a une grande connaissance d'une chose par une longue pratique. *Un ébéniste expert.* **SYN.** capable, compétent, expérimenté.
Nom masculin et féminin
Personne très compétente, très expérimentée. *Une experte en informatique. Un expert en astronautique.* **SYN.** spécialiste.

expert n. m.
experte n. f.
Spécialiste qui fait une expertise. *L'expert en sinistres a évalué le montant des dégâts causés par l'incendie.*
Quand le nom est joint à un autre nom pour former un titre professionnel, on emploie généralement un trait d'union. *Un expert-comptable, une experte-conseil.*

expiration n. f.
1. Action de chasser hors de la poitrine l'air qu'on a inspiré. **ANT.** inspiration.
2. Fin. *L'expiration d'un délai. La date d'expiration de ta carte de débit est en décembre de cette année.*

expirer v. tr., intr.
Verbe transitif
Expulser l'air contenu dans les poumons. *Expirer l'air par le nez.*
Verbe intransitif
1. Rejeter l'air des poumons. *Inspire et expire lentement.*
2. Mourir. *Le malade vient d'expirer.*
3. Prendre fin. *Le délai a expiré à 15 heures. Le délai est expiré depuis hier.* **SYN.** finir, se terminer.
Le verbe se conjugue avec l'auxiliaire ***avoir*** pour exprimer l'action, avec l'auxiliaire ***être*** pour marquer l'état.
Conjugaison [VOIR MODÈLE – **AIMER**]

explicatif, ive adj.
1. (GRAMMAIRE) Se dit d'une proposition relative qui apporte une précision non indispensable sur l'antécédent. Exemple : *Son chien, qui était magnifique, se mit à japper.*
La proposition explicative, qui s'écrit généralement entre virgules, peut être supprimée sans nuire au sens de la phrase.
2. Qui explique. *Une note explicative.*
expli**c**atif.

explication n. f.
1. Commentaire en vue de faire comprendre. *Donner une explication sur un problème de mathématique.*
2. Cause, motif. *Quelle est l'explication de cette absence ?*
3. Discussion. *Avoir une explication.* **SYN.** dispute.
expli**c**ation.

explicite adj.
Qui est énoncé de façon claire. *Des commentaires explicites.* **SYN.** net, précis.
Ne pas confondre avec le mot ***implicite,*** qui n'est pas énoncé clairement, mais qui peut être déduit.

expliquer v. tr., pronom.
Verbe transitif
1. Commenter, faire comprendre. *Expliquer un problème de mathématique, l'accord d'un partice passé.* **SYN.** montrer.
2. Justifier. *Expliquer un retard.* **SYN.** motiver.
Verbe pronominal
1. Faire connaître sa pensée. *Elle s'est expliquée et il a compris.*
2. Devenir clair. *Tout s'explique.*
Conjugaison [VOIR MODÈLE – **AIMER**]

exploit n. m.
Action extraordinaire. *Cet exploit sportif est digne de mention.*
exploi**t.**

exploitant n. m.
exploitante n. f.
Personne qui exploite une entreprise. *Un exploitant forestier.*
Ce mot s'emploie dans un sens favorable, alors que le nom ***exploiteur*** est toujours péjoratif.

exploitation n. f.
1. Action d'exploiter, de faire valoir quelque chose en vue d'un profit. *L'exploitation d'une usine* (et non l'*opération). **SYN.** direction, gestion.
2. Affaire exploitée. *Une exploitation agricole.* **SYN.** entreprise.
3. Action d'abuser de quelqu'un, de quelque chose. *L'exploitation des travailleurs.* **SYN.** abus.
En ce sens, le nom a une valeur défavorable.

exploiter v. tr.
1. Faire valoir, tirer partie de. *Exploiter une entreprise, une ferme* (et non *opérer).
2. Profiter de quelqu'un de façon excessive. *Cette entreprise exploite son personnel.* **SYN.** abuser.
En ce sens, le verbe a une valeur défavorable.
Conjugaison [VOIR MODÈLE – **AIMER**]

exploiteur, euse n. m. et f.
Personne qui abuse des autres.
Ce nom a une valeur défavorable, alors que le mot ***exploitant*** s'utilise dans un sens favorable.

explorateur, trice n. m. et f.
Personne qui explore un pays lointain. *C'est un explorateur français, Jacques Cartier, qui découvrit le Canada en 1534.*

exploration n. f.
1. Action de partir à la découverte d'une région, d'un lieu éloigné, peu connu. *L'exploration d'une région désertique. L'exploration spatiale a pour objet la conquête de l'espace.*
2. Approfondissement. *L'exploration d'un sujet.*

explorer v. tr.
1. Aller à la découverte d'un lieu peu connu. *Explorer les régions polaires, l'espace.*
2. Examiner avec soin. *Explorer une question.* **SYN.** approfondir, étudier.
Conjugaison [VOIR MODÈLE – **AIMER**]

exploser v. intr.
Faire explosion. *La fusée a explosé.* **SYN.** éclater.
Conjugaison [VOIR MODÈLE – **AIMER**]

explosif, ive adj. et n. m.
Adjectif
1. De nature à provoquer une explosion, des réactions vives. *Des substances explosives.*
2. Susceptible de provoquer des conflits. *Cette révélation est explosive : c'est de la dynamite !*
Nom masculin
Produit susceptible d'exploser. *La dynamite est un explosif qui doit être gardé sous clé.*

explosion n. f.
1. Éclatement violent. *L'explosion d'une bombe a fait plusieurs morts.*
2. Manifestation soudaine. *Une explosion de cris a salué l'arrivée des vedettes.*
Locution
Faire explosion. Exploser. *Les grenades ont fait explosion.*

expo n. f.
Abréviation familière de ***exposition.*** *Nous visiterons une expo scientifique.*

exportateur n. m.
exportatrice n. f.
Personne qui fait des exportations. **ANT.** importateur, importatrice.

exportation n. f.
1. Action de vendre des biens ou des services à l'étranger. *L'exportation du bois, du blé.* **ANT.** importation.
2. Bien ou service exporté. *Ces exportations sont destinées aux États-Unis.* **ANT.** importation.

exporter v. tr.
Vendre à l'étranger les produits de l'activité nationale. *Exporter des matières premières, de nouvelles technologies en Europe.* **ANT.** importer.
Conjugaison [VOIR MODÈLE – **AIMER**]

exposant, ante n. m. et f.
Nom masculin et féminin
Personne qui expose ses œuvres. *De nouveaux exposants nous présenteront leurs photographies.*
Nom masculin
(MATHÉMATIQUES) Expression numérique ou algébrique de la puissance qui est placée un peu au-dessus et à droite d'une quantité. *Dans 10^2, l'exposant 2 signifie que la quantité 10 est au carré, c'est-à-dire 10 x 10.*

exposé n. m.
1. Compte rendu. *Un exposé de la situation.* **SYN.** description.
2. Communication. *Elle a fait un excellent exposé sur le nationalisme.* **SYN.** conférence, présentation.

exposer v. tr., pronom.
Verbe transitif
1. Placer, mettre en vue. *Cette peintre expose ses tableaux dans une galerie.* **SYN.** présenter.
2. Orienter. *Exposer des produits au soleil.* **SYN.** placer.
3. Mettre en danger. *Exposer la vie des soldats.* **SYN.** risquer.
4. Faire connaître. *Exposer une théorie en long et en large.* **SYN.** décrire, expliquer.
Verbe pronominal
Risquer. *Vous vous exposez à des reproches.*
Conjugaison [VOIR MODÈLE – **AIMER**]

exposition n. f.
Abréviation familière ***expo.***

1. Action d'exposer, lieu où l'on expose. *Élisabeth et Jérôme sont allés voir une exposition de tableaux au Musée des beaux-arts.*
2. Orientation, situation. *Une exposition au soleil.*

exprès adj.
Le **s** ne se prononce pas, le mot rime avec ***près*** [ɛksprɛ].
Volontairement. *« Il l'a fait exprès ! », dit sa petite sœur.*
Locutions
Par exprès. (VIEUX) De façon volontaire.
Fait exprès. Coïncidence fâcheuse.

exprès adj.
Le **s** se prononce [ɛksprɛs].
Se dit d'une expédition postale très rapide. *Une lettre exprès.*
exprè**s**.

express adj. inv. et n. m. inv.
Les **s** se prononcent [ɛksprɛs].
Adjectif invariable
Rapide. *La voie express, un train express.*
Nom masculin invariable
Train express. *L'express de Québec.*
expre**ss**.

expressif, ive adj.
1. Qui exprime bien ce qu'on veut dire. *Une caricature expressive.*
2. Qui a de l'expression. *Une mimique expressive.*

expression n. f.
1. Action d'exprimer quelque chose. *L'expression d'une amitié sincère.*
2. Mot ou groupe de mots. *L'expression faire explosion signifie « exploser ».*

exprimer v. tr., pronom.
Verbe transitif
Faire connaître sa pensée par le geste, la parole, etc. *Exprimer ses idées clairement.*
Verbe pronominal
Manifester sa pensée. *Il n'arrive pas à s'exprimer clairement.* **SYN.** parler.
Conjugaison [VOIR MODÈLE – **AIMER**]

expulser v. tr.
1. Faire sortir, mettre à l'extérieur. *On a expulsé la foule de la salle.* **SYN.** évacuer, exclure.
2. Chasser quelqu'un du lieu où il était établi. **SYN.** exiler.
Conjugaison [VOIR MODÈLE – **AIMER**]

expulsion n. f.
Évacuation. *L'expulsion d'un locataire.*

exquis, ise adj.
1. Délicieux. *Un gâteau exquis.* **SYN.** succulent.
2. Charmant. *Une personne exquise.* **SYN.** délicat, raffiné.

extase n. f.
Ravissement. *Elle est en extase devant ce chanteur.* **SYN.** émerveillement, exaltation.

extasier (s') v. pronom.
Être saisi d'admiration. *Elle s'est extasiée des prouesses de ces champions olympiques.* **SYN.** s'émerveiller.
Le participe passé de ce verbe qui n'existe qu'à la forme pronominale s'accorde toujours en genre et en nombre avec le sujet du verbe.
Conjugaison [VOIR MODÈLE – **ÉTUDIER**]
Redoublement du ***i*** à la première et à la deuxième personne du pluriel de l'indicatif imparfait et du subjonctif présent. *(Que) nous nous extasiions, (que) vous vous extasiiez.*

extensible adj.
Élastique. *Des collants extensibles.*

extension n. f.
1. Allongement. *L'extension d'un muscle.*
2. Accroissement. *L'extension des exportations.*
Formes fautives
*extension. Anglicisme au sens de ***poste*** (téléphonique).
*extension. Anglicisme au sens de ***prolongation*** (d'une période).
*extension. Anglicisme au sens de ***rallonge*** (électrique).

exténuer v. tr., pronom.
Verbe transitif
Épuiser. *Ce travail l'a exténué.*
Verbe pronominal
Se fatiguer extrêmement. *Ils se sont exténués à marcher si longtemps.*
Conjugaison [VOIR MODÈLE – **AIMER**]

extérieur, eure adj. et n. m.
Adjectif
Qui est au-dehors. *La paroi extérieure. Les murs extérieurs de la maison.* **ANT.** intérieur.
Nom masculin
1. Ce qui est au-dehors. *L'extérieur d'une maison.* **SYN.** dehors. **ANT.** intérieur.
2. Les pays étrangers. *Relations avec l'extérieur.* **SYN.** étranger.
Locution
À l'extérieur, locution adverbiale. Dehors. *Les enfants jouent à l'extérieur.* **ANT.** à l'intérieur.

extérieurement adv.
1. À l'extérieur. *Extérieurement, l'immeuble doit être repeint.* **ANT.** intérieurement.
2. En apparence. *Elle est calme extérieurement.* **SYN.** apparemment.

extermination n. f.
Destruction totale. *L'extermination des parasites.*

exterminer v. tr.
Détruire entièrement, massacrer. *Exterminer des insectes nuisibles.*
Conjugaison [VOIR MODÈLE – **AIMER**]

externe adj. et n. m. et f.
Adjectif
Qui est situé au-dehors. *La face externe du bras.* **SYN.** extérieur. **ANT.** interne.
Nom masculin et féminin
Élève non pensionnaire.

extincteur n. m.
Appareil qui sert à éteindre les commencements d'incendie. *Des extincteurs à neige carbonique.*

extinction n. f.
Le **c** se prononce [ɛkstɛ̃ksjɔ̃].
1. Action d'éteindre. *L'extinction d'un incendie.*
2. Disparition. *L'extinction d'une espèce. Un oiseau en voie d'extinction.*
Locution
Extinction de voix. Perte temporaire de la voix.
extin**ct**ion.

extra adj. inv. et n. m. inv.
Adjectif invariable
Abréviation familière de ***extraordinaire.***
(FAMILIER) Supérieur. *Cette tarte est extra.*
Nom masculin invariable
Chose, dépense inhabituelle. *Nous allons faire quelques extra.*

extra- préf.
Élément du latin signifiant « en dehors ».
Les mots composés avec le préfixe ***extra-*** s'écrivent le plus souvent en un seul mot. *Extraterrestre.*

extraire v. tr.
1. Faire sortir (du sol). *Dans cette mine, on extrait le cuivre.*
2. Retirer d'un ensemble. *Luc a extrait une citation de ce recueil.*
3. Tirer de. *On doit extraire le jus de trois citrons.* **SYN.** presser.
Locution
Extraire une dent. Arracher une dent.
Conjugaison [VOIR MODÈLE – **SOUSTRAIRE**]
INDICATIF PRÉSENT *J'extrais, tu extrais, il extrait, nous extrayons, vous extrayez, ils extraient.* IMPARFAIT *J'extrayais, tu extrayais, il extrayait, nous extrayions, vous extrayiez, ils extrayaient.* FUTUR *J'extrairai.* **CONDITIONNEL** PRÉSENT *J'extrairais.* **IMPÉRATIF** PRÉSENT *Extrais, extrayons, extrayez.* **SUBJONCTIF** PRÉSENT *Que j'extraie, que tu extraies, qu'il extraie, que nous extrayions, que vous extrayiez, qu'ils extraient.* **PARTICIPE** PRÉSENT *Extrayant.* PASSÉ *Extrait, aite.*
Le passé simple et le subjonctif imparfait n'existent pas.
Le ***y*** est suivi d'un ***i*** à la première et à la deuxième personne du pluriel de l'indicatif imparfait et du subjonctif présent. *(Que) nous extrayions, (que) vous extrayiez.*

extrait n. m.
1. Produit obtenu par réduction d'une substance. *Un extrait de vanille.* **SYN.** essence.
2. Passage d'un texte. *Des extraits de Rabelais.* **SYN.** citation.
3. Copie conforme d'un acte. *Un extrait de naissance. Des extraits de baptême.*
extrai**t.**

extraordinaire adj.
Abréviation familière ***extra.***
Qui sort de l'ordinaire, remarquable. *Une peintre extraordinaire.* **SYN.** admirable, étonnant, exceptionnel, merveilleux.

extraordinairement adv.
De façon extraordinaire. *Il est extraordinairement fort.*

extraterrestre adj. et n. m. et f.
Adjectif
Qui est extérieur à l'atmosphère terrestre.
Nom masculin et féminin
Être qui viendrait d'une autre planète que la Terre. *Les extraterrestres existent-ils ?*

extravagance n. f.
Bizarrerie, excentricité. *L'extravagance de leur tenue.* **SYN.** originalité.
extrava**gan**ce.

extravagant, ante adj. et n. m. et f.
Déraisonnable, bizarre. *Une proposition extravagante.* **SYN.** original.
extrava**gant.**

extrême adj. et n. m.
Adjectif
1. Qui est le plus loin. *L'extrême limite.* **SYN.** dernier, ultime.
2. Au plus haut point, suprême. *Une chaleur extrême.* **SYN.** intense.
Nom masculin
Opposé, contraire. *Passer d'un extrême à l'autre.*
Attention au genre masculin de ce nom : ***un*** extrême.

extrêmement adv.
Au plus haut degré, très. *Elle est extrêmement gentille.*
Ne pas confondre avec le mot ***excessivement,*** qui ne peut être suivi que d'un adjectif exprimant un défaut, alors que l'adverbe ***extrêmement*** peut se construire avec un adjectif dont le sens est favorable ou défavorable.

extrémité n. f.
1. La partie extrême, la plus éloignée. *L'extrémité de la ville.*
2. (AU PLURIEL) Les pieds, les mains. *Avoir les extrémités gelées.*
extr**é**mité.

exubérance n. f.
1. Vivacité. *Ils applaudirent avec exubérance.* **SYN.** enthousiasme.
2. Surabondance. *L'exubérance de la végétation tropicale.* **SYN.** abondance, profusion.
e**xu**bérance.

exubérant, ante adj.
1. Qui s'exprime avec exubérance. *Une joie exubérante.* **SYN.** débordant, démonstratif, enthousiaste, fervent.
2. Très abondant. *Une végétation exubérante.* **SYN.** luxuriant.

f n. m. inv.
Sixième lettre de l'alphabet.

°F
Symbole de ***degré Fahrenheit.***

fa n. m. inv.
Quatrième note de la gamme de ***do.*** *La clé de fa. Des fa.*

fable n. f.
Petit récit destiné à instruire. *« La cigale et la fourmi » est le titre d'une fable de La Fontaine.*

fabricant n. m.
fabricante n. f.
Chef d'une entreprise qui fabrique des produits commerciaux. *Des fabricants d'appareils d'éclairage.*
Ne pas confondre avec le participe présent invariable ***fabriquant.*** *Des appareils fabriquant de la neige sont utilisés au cinéma.*
fabri**c**ant.

fabrication n. f.
Action de fabriquer. *Un atelier de fabrication.* **SYN.** production.
fabri**c**ation.

fabrique n. f.
Établissement industriel où l'on transforme des matières premières en produits industriels ou commerciaux. **SYN.** usine.
Locution
Marque de fabrique. Marque apposée par le fabricant.

fabriquer v. tr.
1. Réaliser quelque chose. *Étienne a fabriqué un amplificateur.* **SYN.** faire.
2. Transformer des matières premières en produits industriels ou commerciaux. *Ces meubles sont fabriqués au Québec.* **SYN.** construire, manufacturer, produire.
3. (PÉJORATIF) Inventer. *Un alibi fabriqué de toutes pièces.* **SYN.** forger.
En ce sens, le verbe a un sens défavorable.
Conjugaison [VOIR MODÈLE – **AIMER**]

fabuleux, euse adj.
Qui tient de la fable, extraordinaire quoique réel. *Il a amassé une fortune fabuleuse.* **SYN.** extraordinaire, fantastique.
Ne pas confondre avec les mots suivants :
– ***imaginaire,*** qui n'existe que dans l'imagination ;
– ***légendaire,*** qui n'existe que dans les légendes.
fabuleu**x.**

façade n. f.
1. Face extérieure d'un bâtiment. *Une façade en pierre.* **SYN.** devant.
2. (FIGURÉ) Apparence extérieure. *André semble calme, mais ce n'est qu'une façade : en réalité, il est très nerveux.* **SYN.** dehors.
fa**ç**ade.

face n. f.
1. Partie antérieure de la tête (humaine).
Par rapport aux noms ***figure*** et ***visage,*** le nom ***face*** est plus littéraire et s'emploie en parlant de Dieu ou dans le domaine médical. Dans la langue orale, il qualifie un visage extraordinaire ou bizarre. *Il a une drôle de face.* Le nom ***face*** s'utilise aussi dans certaines locutions figées : *perdre la face, une face de carême, faire face.*
2. Chacun des côtés d'une chose. *Le détective examina le portefeuille sous toutes ses faces. Un dé a six faces.*
3. Côté d'une pièce de monnaie qui porte une figure. *Jouer une pièce à pile ou face.* **ANT.** pile.
Locutions
De face, locution adverbiale. Du côté où l'on voit le devant. *Un magasin vu de face. Une photographie de face et une de profil.*
En face, locution adverbiale. Par-devant, vis-à-vis. *Avoir le soleil en face. Regarder quelqu'un en face.*
En face, locution adverbiale. (FIGURÉ) Sans crainte, sans se faire d'illusions. *Regarder la vérité en face.* **SYN.** sans détour.
En face de, locution prépositive. Vis-à-vis. *Elle habite en face de l'école.* **SYN.** devant.
Face à, locution prépositive. En faisant face à. *Une maison face à la mer.*
On abuse actuellement de cette locution. Dans de nombreux emplois, on lui préférera les locutions suivantes, selon le contexte : ***vis-à-vis de, quant à, par rapport à, relativement à.*** *Les avis sont partagés relativement à cette question* (et non *face à).
Face à face, locution adverbiale. Vis-à-vis. *Les maisons sont situées face à face.*
Faire face à. Affronter le danger. *Ils ont fait face aux épreuves avec courage.*
Perdre la face. Perdre sa dignité, son prestige.

Sauver la face. Préserver les apparences malgré l'échec subi.
Une face de carême. Un visage maussade.

facette n. f.
1. Petite face. *Les facettes d'un diamant.*
2. (FIGURÉ) Aspect. *Les multiples facettes de la réalité.*

fâché, ée adj.
1. Mécontent. *Ils sont fâchés d'avoir manqué le train, de ce retard.* SYN. contrarié, désolé.
L'adjectif se construit avec la préposition ***de*** suivie d'un nom ou d'un infinitif ou avec la conjonction ***que*** suivie du subjonctif. *Fâchée qu'il ne soit pas venu la voir, elle l'a appelé.*
2. En colère. SYN. furieux, vexé.

f

fâcher v. tr., pronom.
Verbe transitif
Mécontenter, mettre en colère. *Je ne voudrais pas fâcher mon père.* SYN. irriter.
Verbe pronominal
1. Se brouiller avec une personne. *Elle s'est fâchée avec sa collègue.*
En ce sens, le verbe se construit avec la préposition ***avec.***
2. Se mettre en colère contre une personne. *Ils se sont fâchés contre ces importuns.* SYN. se choquer, s'emporter.
En ce sens, le verbe se construit avec la préposition ***contre.***
Conjugaison [VOIR MODÈLE – **AIMER**]
fâcher.

facile adj.
Aisé, possible. *Un calcul facile, une personne facile à contenter.* SYN. simple.

facilement adv.
Avec facilité, aisément. SYN. simplement.

facilité n. f.
1. Qualité de ce qui est facile. *Ce travail est d'une grande facilité.* SYN. simplicité.
2. Aptitude naturelle à faire quelque chose. *Elle a beaucoup de facilité à persuader.* SYN. habileté.

faciliter v. tr.
Rendre facile. *Il faut faciliter la tâche à ce nouvel employé.* SYN. simplifier.
Conjugaison [VOIR MODÈLE – **AIMER**]

façon n. f.
1. Manière d'être ou d'agir. *Sa façon de dessiner.* SYN. manière.
2. (AU PLURIEL) Comportement. *Il a de drôles de façons.* SYN. manières.
Locutions
À la façon de, locution prépositive. À la manière de. *Il écrit à la façon des auteurs du siècle dernier.*
Avoir de la façon. (FAMILIER) Être poli et chaleureux, avoir des manières agréables, affables.
L'emploi de cette expression est courant au Québec dans la langue familière, mais elle est vieillie dans l'ensemble de la francophonie.
C'est une façon de parler. Ce n'est pas tout à fait la réalité.
De façon à, locution prépositive. De manière à, afin de. *Habillez-vous de façon à être à l'aise.*
De façon que, de telle façon que, locution conjonctive.
La locution conjonctive se construit avec l'indicatif pour exprimer **une conséquence réelle**. *Le classement a été établi de telle façon que tout peut être retrouvé facilement.* La locution se construit avec le conditionnel pour exprimer l'éventualité d'**une hypothèse**. *Il a écrit de façon que l'on arriverait difficilement à le lire.* Pour exprimer une **intention**, la locution se construit avec le subjonctif. *Conduisez-vous de façon qu'on puisse vous féliciter.* La construction ***de façon à ce que*** est lourde et déconseillée.
De toute façon, de toutes les façons, locution adverbiale. Quoi qu'il en soit.
Dire sa façon de penser. Exprimer sa colère.
En aucune façon, locution adverbiale. En aucun cas, nullement.
Faire de la façon. (FAMILIER) Faire bonne mine à quelqu'un, se montrer gentil avec quelqu'un.
L'emploi de cette expression est courant au Québec dans la langue familière, mais elle est vieillie dans l'ensemble de la francophonie.
Faire des façons. Être exagérément poli, faire des chichis.
Sans façon, locution adverbiale. Très simple. *Venez demain, ce sera sans façon.* SYN. à la bonne franquette.
façon.

façonner v. tr.
1. Travailler (une matière, une chose). *Façonner un meuble.* SYN. fabriquer.
2. (FIGURÉ) Former par l'usage, par l'éducation. *Façonner un esprit.*
Conjugaison [VOIR MODÈLE – **AIMER**]
façonner.

facteur n. m.
factrice n. f.
Personne chargée de distribuer le courrier.

facteur n. m.
1. Élément contribuant à un résultat. *Un facteur de progrès.* SYN. cause.
2. (MATHÉMATIQUES) Chacun des termes d'une multiplication.

facturation n. f.
Action d'établir une facture.

facture n. f.
État détaillé précisant la quantité, la nature et le prix des marchandises vendues, des services rendus. SYN. compte.
À l'hôtel, c'est une ***note*** et au restaurant, c'est une ***addition.***
Ne pas confondre avec le nom ***fracture,*** cassure.

facturer v. tr.
Inscrire (un produit, un service) sur une facture. *Facturer* (et non *charger) *des matériaux à un entrepreneur.*
Conjugaison [VOIR MODÈLE – **AIMER**]

facultatif, ive adj.
Qui n'est pas obligatoire. *Des lectures facultatives.* SYN. optionnel. ANT. obligatoire.

faculté n. f.
1. Pouvoir de faire une chose, privilège. *La faculté de choisir, de voter.* SYN. possibilité, pouvoir.
2. (AU PLURIEL) Aptitudes naturelles. *Les facultés intellectuelles* ou *l'intelligence.*
3. Partie d'une université. *La faculté de droit, des lettres.*
Locutions
Des facultés affaiblies par l'alcool. Réflexes, sens, jugement réduits en raison d'une trop grande consommation d'alcool.

Ne pas avoir toutes ses facultés. Ne pas avoir toute son intelligence, tout son équilibre.

fade adj.
1. Sans saveur, sans agrément. *Ce fruit est sans goût, il est fade.* **SYN.** insipide.
2. Terne. *Une couleur fade.*

Fahrenheit adj. et n. m. inv.
Le mot se prononce [farɛnajt].
Symbole ***F*** (s'écrit sans point).
Unité de mesure de température anglo-saxonne. *Des degrés Fahrenheit, 32 °F.*
Le degré Fahrenheit est indiqué à l'aide d'un petit zéro en exposant accolé au ***F*** majuscule, séparés du nombre par un espace.

faible adj. et n. m.
Adjectif
1. Fragile, qui manque de vigueur, de force physique. *Stéphanie a été malade : elle est encore faible.* **ANT.** fort.
2. Qui manque de détermination, de force de caractère. *Il est faible et succombe à toutes les tentations.* **SYN.** lâche, mou. **ANT.** fort.
3. Qui a de la difficulté à progresser, en parlant des études. *Une élève faible en chimie.* **ANT.** fort.
4. Peu considérable. *Le faible courant d'une rivière.* **ANT.** fort.
Nom masculin
1. Personne sans défense, dépourvue de ressources. *Les économiquement faibles.*
2. Goût, préférence. *Je pense qu'il a un faible pour vous.* **SYN.** faiblesse, penchant.

faiblement adv.
De façon faible. *Il n'y a qu'un filet d'eau : la rivière coule faiblement.*

faiblesse n. f.
1. Manque de vigueur, de force. *Stéphanie s'inquiète de la faiblesse de la malade qui peut à peine marcher.* **SYN.** épuisement, fatigue.
2. Défaillance soudaine. *Luc a eu une faiblesse : il s'est évanoui.* **SYN.** évanouissement, vertige.
3. Indulgence excessive, mollesse. *Avoir un instant de faiblesse.* **ANT.** force.
4. Goût marqué pour quelqu'un, quelque chose. *J'ai une faiblesse pour les framboises.* **SYN.** faible, penchant.

faiblir v. intr.
Perdre de sa force, de sa fermeté. *Ce mur commence à faiblir. Ses résolutions faiblissent : elles sont moins fortes.*
Conjugaison [VOIR MODÈLE – **FINIR**]

faïence n. f.
Le mot se prononce [fajɑ̃s].
Poterie vernissée ou émaillée.
faïence.

faille n. f.
1. Cassure d'un terrain. *La faille de San Andreas est en Californie.* **SYN.** crevasse.
2. (FIGURÉ) Point faible. *Il y a plusieurs failles dans ton plan que l'on doit corriger.* **SYN.** défaut, faiblesse, lacune.

faillir v. tr. ind., intr.
Verbe transitif indirect
(LITTÉRAIRE) Manquer à (un engagement). *Il a failli à sa promesse.*
En ce sens, le verbe se construit avec la préposition **à.**
Verbe intransitif
Être sur le point de. *Elle a failli glisser.* **SYN.** manquer de.
Le verbe suivi de l'infinitif se construit aujourd'hui sans préposition.
Conjugaison [VOIR MODÈLE – **FAILLIR**]
Ce verbe s'emploie surtout à l'infinitif et aux temps composés.

faillite n. f.
(DROIT) Situation d'une personne, d'une entreprise qui ne peut plus payer ses dettes. *Cette entreprise a fermé ses portes : elle a fait faillite* ou *elle est en faillite.*

faim n. f.
1. Besoin et désir de manger. *Avoir faim. Antoine a une faim de loup, il meurt de faim.* **SYN.** appétit, (FAMILIER) fringale.
2. (FIGURÉ) Besoin, désir. *Une faim de tendresse.*
Locutions
Donner faim. Aiguiser l'appétit. *L'odeur du pain qui cuit donne faim.*
Manger à sa faim. Être rassasié, ne plus avoir faim. *Ces sans-abri ne mangent pas à leur faim.*
Rester sur sa faim. Avoir encore de l'appétit, ne pas être totalement satisfait, au propre et au figuré. *J'ai raté la fin du film : je suis resté sur ma faim puisque je ne connais pas le dénouement.*
HOM. fin, action de finir, but, dessein.
fai**m.**

faire v. tr., intr., pronom.
VOIR TABLEAU – **FAIRE.**

faisable adj.
Les lettres ***ai*** se prononcent **e** [fəzabl].
Réalisable. *Croyez-vous que ce projet soit faisable ?* **SYN.** possible.
fai**s**able.

faisan n. m.
Les lettres ***ai*** se prononcent **e** [fəzɑ̃].
Gallinacé au plumage coloré et à longue queue ; mâle de la faisane.
VOIR TABLEAU – **ANIMAUX.**
faisan.

faisandeau n. m. (pl. *faisandeaux*)
Les lettres ***ai*** se prononcent **e** [fəzɑ̃do].
Petit du faisan.
VOIR TABLEAU – **ANIMAUX.**
faisandeau.

faisane n. f.
Les lettres ***ai*** se prononcent **e** [fəzan].
Femelle du faisan.
VOIR TABLEAU – **ANIMAUX.**
faisan**e**.

faisceau n. m. (pl. *faisceaux*)
Les lettres ***ai*** se prononcent **è,** [fɛso].
Choses liées ensemble. *Des faisceaux de branches.*
Locution
Faisceau lumineux. Rayons lumineux provenant d'une même source. *Le puissant faisceau lumineux du projecteur de la Place-Ville-Marie.*
fai**sc**eau.

faiseur, euse n. m. et f.
Les lettres ***ai*** se prononcent **e** [fəzœr, øz].
Personne qui fait quelque chose. *Un faiseur de bons mots, une faiseuse d'embarras.*

Indicatif

Présent

je faux
tu faux
elle faut
il faut
nous faillons
vous faillez
elles faillent
ils faillent

Passé composé

j' ai failli
tu as failli
elle a failli
il a failli
nous avons failli
vous avez failli
elles ont failli
ils ont failli

Imparfait

je faillais
tu faillais
elle faillait
il faillait
nous faillions
vous failliez
elles faillaient
ils faillaient

Plus-que-parfait

j' avais failli
tu avais failli
elle avait failli
il avait failli
nous avions failli
vous aviez failli
elles avaient failli
ils avaient failli

Passé simple

je faillis
tu faillis
elle faillit
il faillit
nous faillîmes
vous faillîtes
elles faillirent
ils faillirent

Passé antérieur

j' eus failli
tu eus failli
elle eut failli
il eut failli
nous eûmes failli
vous eûtes failli
elles eurent failli
ils eurent failli

Futur simple

je faillirai
tu failliras
elle faillira
il faillira
nous faillirons
vous faillirez
elles failliront
ils failliront

Futur antérieur

j' aurai failli
tu auras failli
elle aura failli
il aura failli
nous aurons failli
vous aurez failli
elles auront failli
ils auront failli

Infinitif

Présent

faillir

Passé

avoir failli

Subjonctif

Présent

que je faille
que tu failles
qu' elle faille
qu' il faille
que nous faillions
que vous failliez
qu' elles faillent
qu' ils faillent

Passé

que j' aie failli
que tu aies failli
qu' elle ait failli
qu' il ait failli
que nous ayons failli
que vous ayez failli
qu' elles aient failli
qu' ils aient failli

Imparfait

que je faillisse
que tu faillisses
qu' elle faillît
qu' il faillît
que nous faillissions
que vous faillissiez
qu' elles faillissent
qu' ils faillissent

Plus-que-parfait

que j' eusse failli
que tu eusses failli
qu' elle eût failli
qu' il eût failli
que nous eussions failli
que vous eussiez failli
qu' elles eussent failli
qu' ils eussent failli

Conditionnel

Présent

je faillirais
tu faillirais
elle faillirait
il faillirait
nous faillirions
vous failliriez
elles failliraient
ils failliraient

Passé

j' aurais failli
tu aurais failli
elle aurait failli
il aurait failli
nous aurions failli
vous auriez failli
elles auraient failli
ils auraient failli

Impératif

Présent

(n'existe pas)

Passé

(n'existe pas)

Participe

Présent

faillant

Passé

failli
ayant failli

note |  orthographe | *forme fautive

FAIRE

Verbe dont l'emploi est le plus fréquent en français, c'est le verbe d'action par excellence. Il est toutefois souvent possible de remplacer ce verbe « à tout faire » par un verbe plus précis.

Les lettres ***ai*** se prononcent ***e*** dans les formes ***nous faisons, faisons, faisant*** et à toutes les formes de l'imparfait.

VERBE TRANSITIF

1. Créer, produire. *Faire un bouquet, un dessin.*
2. Accomplir, exécuter. *Faire un travail. La randonnée que j'ai faite.*
3. Former, composer. *Deux et deux font quatre.*
4. Jouer le rôle de. *Elle faisait celle qui n'entend pas.*

Le verbe ***faire*** se conjugue avec l'auxiliaire ***avoir*** aux formes transitives et intransitives et avec l'auxiliaire **être** à la forme pronominale.

VERBE INTRANSITIF

Agir. *Elle a fait de son mieux. Il n'y a rien à faire.*

VERBE PRONOMINAL

Arriver, venir à être. *Elle s'est faite belle. Comment se fait-il que vous soyez en retard ?*

La forme pronominale se conjugue avec l'auxiliaire **être.** Devant un infinitif, la forme pronominale du participe passé est toujours invariable. *Ils se sont fait élire. Elle s'est fait couper les cheveux.*

SEMI-AUXILIAIRE

1. *Faire* + infinitif. Être la cause. *Cette tisane fait dormir.*
2. *Faire* + infinitif. Cette construction indique qu'une action ordonnée par le sujet est exécutée par quelqu'un d'autre. *Elle fait travailler dix personnes.*

Le participe passé reste invariable. *Les personnes qu'elle a fait travailler.*

3. *Faire* + verbe défectif. *Elle faisait éclore des fleurs dans sa serre.*

VERBE IMPERSONNEL

(Pour préciser les conditions atmosphériques.) *Il fait froid, il fait du vent et du soleil.*

Le participe passé du verbe impersonnel reste invariable. *Les froids qu'il a fait cet hiver. Quelle chaleur il a fait hier !*

Locutions

À tout faire. Non spécialisé. *Un employé à tout faire.*
Avoir affaire, avoir à faire. On écrit plus souvent *avoir affaire* que *avoir à faire* sans changement de sens, sauf dans le cas où la locution a un complément d'objet direct. *Elle a à faire une dissertation* (on peut à ce moment inverser les mots). *Elle a une dissertation à faire. Il a affaire à forte partie.*
Faire affaire. Traiter, conclure un marché. *Nous faisons affaire avec ce fournisseur depuis peu.*
N'avoir que faire de. Ne faire aucun cas. *Il n'a que faire de ces critiques.*
Ne faire que. Ne pas cesser de. *Elle ne fait que dormir.*
S'en faire. (FAMILIER) S'inquiéter. *Ne t'en fais pas, tu obtiendras ce que tu veux.*
Tant qu'à faire. (FAMILIER) Puisqu'il le faut.

Forme fautive

* faire application. Calque de l'anglais « to make an application » pour ***postuler un emploi, faire une demande d'emploi, poser sa candidature.***

HOM. fer, métal gris.

Indicatif

Présent

- je fais
- tu fais
- elle fait
- il fait
- nous faisons
- vous faites
- elles font
- ils font

Passé composé

- j' ai fait
- tu as fait
- elle a fait
- il a fait
- nous avons fait
- vous avez fait
- elles ont fait
- ils ont fait

Imparfait

- je faisais
- tu faisais
- elle faisait
- il faisait
- nous faisions
- vous faisiez
- elles faisaient
- ils faisaient

Plus-que-parfait

- j' avais fait
- tu avais fait
- elle avait fait
- il avait fait
- nous avions fait
- vous aviez fait
- elles avaient fait
- ils avaient fait

Passé simple

- je fis
- tu fis
- elle fit
- il fit
- nous fîmes
- vous fîtes
- elles firent
- ils firent

Passé antérieur

- j' eus fait
- tu eus fait
- elle eut fait
- il eut fait
- nous eûmes fait
- vous eûtes fait
- elles eurent fait
- ils eurent fait

Futur simple

- je ferai
- tu feras
- elle fera
- il fera
- nous ferons
- vous ferez
- elles feront
- ils feront

Futur antérieur

- j' aurai fait
- tu auras fait
- elle aura fait
- il aura fait
- nous aurons fait
- vous aurez fait
- elles auront fait
- ils auront fait

Infinitif

Présent

faire

Passé

avoir fait

Subjonctif

Présent

- que je fasse
- que tu fasses
- qu' elle fasse
- qu' il fasse
- que nous fassions
- que vous fassiez
- qu' elles fassent
- qu' ils fassent

Passé

- que j' aie fait
- que tu aies fait
- qu' elle ait fait
- qu' il ait fait
- que nous ayons fait
- que vous ayez fait
- qu' elles aient fait
- qu' ils aient fait

Imparfait

- que je fisse
- que tu fisses
- qu' elle fît
- qu' il fît
- que nous fissions
- que vous fissiez
- qu' elles fissent
- qu' ils fissent

Plus-que-parfait

- que j' eusse fait
- que tu eusses fait
- qu' elle eût fait
- qu' il eût fait
- que nous eussions fait
- que vous eussiez fait
- qu' elles eussent fait
- qu' ils eussent fait

Conditionnel

Présent

- je ferais
- tu ferais
- elle ferait
- il ferait
- nous ferions
- vous feriez
- elles feraient
- ils feraient

Passé

- j' aurais fait
- tu aurais fait
- elle aurait fait
- il aurait fait
- nous aurions fait
- vous auriez fait
- elles auraient fait
- ils auraient fait

Impératif

Présent

- fais
- faisons
- faites

Passé

- aie fait
- ayons fait
- ayez fait

Participe

Présent

faisant

Passé

fait, faite
ayant fait

Locution
Grand parleur, petit faiseur. Vantard qui parle beaucoup, mais agit peu.
faiseur.

fait, faite adj.
1. Fabriqué. *Une robe faite à la main.*
2. Qui a telle forme. *Elle est bien faite.*
Locutions
Ce qui est fait est fait. (Proverbe) Il est inutile de regretter ce qui est déjà accompli.
C'est bien fait. C'est mérité.
Tout fait. Fabriqué à l'avance. *Acheter des plats tout faits.*

fait n. m.
Le ***t*** ne se prononce jamais au pluriel [fɛ]. Il se prononce parfois devant une pause et dans certaines locutions (***au fait, de fait, en fait***...) [fɛt].
1. Action. *Des faits et gestes. Le fait de parler, d'écouter.* **SYN.** acte.
2. Évènement. *Rapporter un fait.*
3. Réalité. *C'est un fait.*
Locutions
Aller au fait. Aller à l'essentiel.
Au fait, locution adverbiale. En définitive.
De fait, locution adverbiale. Véritablement, effectivement.
Du fait de, locution prépositive. Par suite de. *Du fait de sa myopie, elle doit porter des lunettes.*
En fait, locution adverbiale. En réalité.
État de fait. Situation.
Fait accompli. Situation sur laquelle il n'y a pas à revenir.
Fait divers. Nouvelle de seconde importance. *Cette journaliste rapporte les faits divers.*
Fait exprès. Coïncidence fâcheuse.
Le fait est que. Il faut reconnaître que. *Le fait est que ce coureur est très rapide.*
Le fait que, locution conjonctive. Parce que. *Le fait que la population est divisée, le fait qu'il vienne ne change rien à la situation.*
Le verbe qui suit se met à l'indicatif ou au subjonctif, selon le degré de réalité de la proposition.
Pris sur le fait. En flagrant délit. *Les cambrioleurs ont été pris sur le fait : ils ont été arrêtés.*
Tout à fait, locution adverbiale. Entièrement. *La maison a brûlé tout à fait. Êtes-vous d'accord ? Tout à fait.*

fakir n. m.
Personne qui exécute des tours en public (voyance, magie, hypnose, etc.). *Les fakirs dorment sur une planche à clous.*

falaise n. f.
Côte abrupte au-dessus de la mer, d'un cours d'eau.
falaise.

falloir v. impers.
Être nécessaire. *Il faut que tu travailles.*
Locution
Comme il faut, locution adverbiale. Selon l'usage. *Écrire comme il faut.* **SYN.** bien, correctement.
Le participe passé de ce verbe, ***fallu,*** est toujours invariable.
Conjugaison [VOIR MODÈLE – **FALLOIR**]
Ce verbe ne s'utilise qu'à la troisième personne du singulier.

falsification n. f.
Fraude. *La falsification d'un passeport.*

falsifier v. tr.
Contrefaire, modifier en vue de tromper. *Ce document a été falsifié.* **SYN.** trafiquer.
Ne pas confondre avec le verbe ***fausser,*** rendre faux.
Conjugaison [VOIR MODÈLE – **ÉTUDIER**]
Redoublement du ***i*** à la première et à la deuxième personne du pluriel de l'indicatif imparfait et du subjonctif présent. *(Que) nous falsifiions, (que) vous falsifiiez.*

famé, ée adj.
Mal famé. Qui a une mauvaise réputation. *Un endroit mal famé.*
L'adjectif ne s'emploie que dans cette expression.
Locution
On écrit aussi ***malfamé.***

fameux, euse adj.
Connu, dont on a parlé en bien ou en mal. *Cette rivière est fameuse pour ses saumons.* **SYN.** célèbre, renommé.

familial, ale, aux adj. et n. f.
Adjectif
Qui concerne la famille. *Des liens familiaux.*
Nom féminin
Voiture qui peut transporter plusieurs personnes.

familiariser v. tr., pronom.
Verbe transitif
Habituer, accoutumer. *Le professeur familiarise les élèves avec le système métrique.*
Verbe pronominal
Devenir familier avec quelqu'un, quelque chose. *Ils se sont familiarisés avec cette nouvelle méthode.* **SYN.** s'habituer.
Le verbe se construit avec la préposition ***avec.***
Conjugaison [VOIR MODÈLE – **AIMER**]

familiarité n. f.
1. Connaissance intime. *La grande familiarité qui existe entre des amis d'enfance.*
2. (AU PLURIEL) Manières trop familières. *Ces familiarités le choquent.*
En ce sens, le nom a une valeur défavorable.

familier, ière adj. et n. m. et f.
Adjectif
1. Que l'on connaît bien. *Une odeur familière.* **SYN.** habituel.
2. Accessible, simple. *Elle est d'un abord familier.* **SYN.** aisé, facile.
3. Qui fait preuve d'une familiarité excessive. *Il a été trop familier avec cette personne.*
En ce sens, l'adjectif a une valeur défavorable.
4. Couramment utilisé dans la langue orale. *L'abréviation **ciné** est de niveau familier.*
VOIR **NIVEAU.**
Nom masculin et féminin
Ami, habitué. *Un familier de la maison.*

famille n. f.
1. Ensemble formé par le père, la mère et les enfants. *Une famille unie.*
2. Ensemble de personnes qui ont des liens de parenté. *Un air de famille.*
3. Division dans un classement d'animaux, de végétaux, etc. *Les chats appartiennent à la famille des félidés.*
Locutions
En famille. Avec la parenté ou avec la famille immédiate. *Prendre des vacances en famille.*

Famille de mots. Ensemble de mots formés à partir de la même racine. *Les mots **feuillée, feuillet, feuilleter, feuiller, effeuiller** constituent une partie de la famille de **feuille.***
Famille monoparentale. Famille avec parent unique, le plus souvent la mère.

famine n. f.
Manque d'aliments dans une région pendant un certain temps. *La sécheresse a causé la famine dans ce pays.*

***fan**
Anglicisme pour ***admirateur, adepte.***
Anglicisme pour ***ventilateur.***

fanal n. m. (pl. *fanaux*)
Lanterne. *De vieux fanaux éclairaient l'entrée.*
Locution
Attendre quelqu'un avec une brique et un fanal. ⚜ (FAMILIER) Être en colère contre quelqu'un, l'attendre de pied ferme.

fanatique adj. et n. m. et f.
Adjectif
1. Qui fait preuve de fanatisme. *Des religieux fanatiques.*
2. Fervent admirateur de quelqu'un, de quelque chose, partisan enthousiaste. *Ce sont des fanatiques de jazz et d'écologie.*
Nom masculin et féminin
Personne animée d'un zèle aveugle pour une opinion, une doctrine.

fanatisme n. m.
Zèle excessif pour une religion, un parti, une cause.

faner v. tr., pronom.
Verbe transitif
(LITTÉRAIRE) Défraîchir. *Le soleil a fané les couleurs.*
Verbe pronominal
Se flétrir, perdre sa fraîcheur en parlant d'une plante. *Les fleurs se sont fanées.*
Conjugaison [VOIR MODÈLE – **AIMER**]

fanfare n. f.
Orchestre de cuivres (trompettes, clairons, etc.) et d'instruments à percussion (tambour). *Une fanfare militaire.*

fanfaron, onne adj. et n. m. et f.
Adjectif
Qui affecte la bravoure. *Un air fanfaron.*
Nom masculin et féminin
Personne vantarde. **SYN.** fendant.

fanion n. m.
Petit drapeau servant de signe de ralliement à un groupe. *Le fanion des scouts.*

fantaisie n. f.
1. Originalité, imagination. *Un film rempli de fantaisie.*
2. Caprice, goût bizarre. *Il lui prit la fantaisie de se baigner en pleine nuit.* **SYN.** désir, envie, folie.
Locution
Vivre, agir à sa fantaisie. Faire à sa guise.

fantaisiste adj. et n. m. et f.
1. Qui obéit à son imagination. *Un auteur fantaisiste.* **SYN.** imaginatif.

CONJUGAISON DU VERBE **FALLOIR**

Indicatif

Présent	*Passé composé*
il faut	il a fallu
Imparfait	*Plus-que-parfait*
il fallait	il avait fallu
Passé simple	*Passé antérieur*
il fallut	il eut fallu
Futur simple	*Futur antérieur*
il faudra	il aura fallu

Infinitif

Présent	*Passé*
falloir	*(n'existe pas)*

Subjonctif

Présent	*Passé*
qu' il faille	qu' il ait fallu
Imparfait	*Plus-que-parfait*
qu' il fallût	qu' il eût fallu

Conditionnel

Présent	*Passé*
il faudrait	il aurait fallu

Impératif

Présent	*Passé*
(n'existe pas)	*(n'existe pas)*

Participe

Présent	*Passé*
(n'existe pas)	fallu

2. (FIGURÉ) Capricieux. *Un moteur fantaisiste, qui démarre à l'occasion.*

fantasque adj.
Capricieux, sujet à des sautes d'humeur. **SYN.** changeant.

fantastique adj. et n. m.
Adjectif
1. Imaginaire, surnaturel. *Un conte fantastique.* **SYN.** irréel.
2. Extraordinaire. *C'est fantastique ! Nous avons gagné un voyage autour du monde !* **SYN.** formidable, incroyable, invraisemblable.
Nom masculin
Genre littéraire, artistique, qui fait appel à l'imaginaire, à l'irréel.

fantôme n. m.
Revenant. *On dit que cette maison est hantée et que toutes les nuits, le fantôme d'une dame blanche apparaît.* **SYN.** spectre.
En apposition, l'expression s'écrit sans trait d'union. *Un gouvernement fantôme, des villes fantômes.*
fant**ô**me.

faon n. m.
Le ***o*** ne se prononce pas [fɑ̃] ; le mot rime avec ***enfant.***
Petit de la biche, de la daine. *Ces petits faons sont adorables.*
HOM. **fend**, forme du verbe ***fendre.***
VOIR TABLEAU – **ANIMAUX.**
f**ao**n.

farce n. f.
1. Plaisanterie, blague. *Les amis ont fait une bonne farce à Maxime.* **SYN.** tour.
2. Hachis de viande, d'herbes, etc., dont on garnit l'intérieur d'une volaille, d'un poisson, d'un legume. *Une farce aux marrons pour la dinde.*
Locution
Être le dindon de la farce. Être la personne dont on se moque.

farceur, euse adj. et n. m. et f.
Blagueur. *Sophie est une farceuse, elle aime plaisanter.*

farci, ie adj.
1. Rempli de farce. *Une dinde farcie.*
2. (FIGURÉ) Plein de. *Une étude farcie d'erreurs.* **SYN.** bourré, cousu, rempli.
En ce sens, cet adjectif est toujours défavorable et son complément a aussi une valeur négative.

farcir v. tr., pronom.
Verbe transitif
1. Remplir de farce. *Farcir un poulet.*
2. (FIGURÉ) Remplir avec excès. *Farcir un exposé de formules chimiques.* **SYN.** bourrer, truffer.
Verbe pronominal
(FAMILIER) Subir. *Ils devront se farcir tout le boulot.* **SYN.** (FAMILIER) se taper.
Conjugaison [VOIR MODÈLE – **FINIR**]

fard n. m.
Maquillage. *Du fard rose pour les joues, du fard à paupières.*
HOM. **phare**, projecteur lumineux.
far**d.**

fardeau n. m. (pl. *fardeaux*)
1. Lourde charge. *Les fardeaux qu'ils devaient transporter étaient encombrants.* **SYN.** chargement.
2. (FIGURÉ) Chose difficile à supporter. *Le fardeau des responsabilités.* **SYN.** charge, poids.

farder v. tr., pronom.
Verbe transitif
Mettre du fard. **SYN.** maquiller.
Verbe pronominal
Se maquiller. *Elles s'étaient trop fardées.*
Conjugaison [VOIR MODÈLE – **AIMER**]

fardoches n. f. pl.
Broussailles.

farfelu, ue adj. et n. m. et f.
(FAMILIER) Bizarre. *Ce jeune est un peu farfelu. Une idée farfelue.* **SYN.** loufoque, saugrenu.
farfel**u**.

farfouiller v. intr.
(FAMILIER) Fureter, fouiller en dérangeant l'ordre. *Pourquoi farfouilles-tu dans mon armoire ?*
Conjugaison [VOIR MODÈLE – **AIMER**]

farine n. f.
Poudre obtenue en écrasant les grains de certaines céréales. *Farine de blé, de sarrasin.*
fari**n**e.

farouche adj.
1. Sauvage, non apprivoisé. *Un cheval farouche.*
2. Violent, rude. *Un regard farouche.*
3. Tenace. *Un adversaire farouche.*

fascinant, ante adj.
Les lettres ***sc*** se prononcent ***s*** [fasinɑ̃, ɑ̃t].
Qui séduit, qui a un attrait irrésistible. *Une personne fascinante.* **SYN.** captivant, séduisant.
fa**sc**inant.

fascination n. f.
Les lettres ***sc*** se prononcent ***s*** [fasinasjɔ̃].
1. Action de fasciner. *La fascination du dépaysement.* **SYN.** appel, attrait.
2. (FIGURÉ) Attrait irrésistible. *La musique exerce une grande fascination sur lui.* **SYN.** envoûtement.
fa**sc**ination.

fasciner v. tr.
Les lettres ***sc*** se prononcent ***s*** [fasine].
Captiver, charmer de façon irrésistible. *Ce roman m'a fasciné.* **SYN.** émerveiller, séduire.
Conjugaison [VOIR MODÈLE – **AIMER**]
fa**sc**iner.

faste n. m.
Apparat, splendeur. *Un couronnement avec tout le faste nécessaire.* **SYN.** éclat.

***fast food**
Anglicisme pour ***restauration rapide.***

fastueux, euse adj.
Somptueux. *Une réception fastueuse.* **SYN.** luxueux.

fatal, ale, als adj.
1. Inévitable. *Catherine n'a pas étudié : son échec était fatal.*
2. Qui entraîne inévitablement la mort. *Des accidents fatals.* **SYN.** mortel, tragique.
Cet adjectif se dit de ce qui est désastreux, de ce qui a des effets malheureux.
Attention à la forme du pluriel : fat**als.**

fatalement adv.
Inévitablement. *Cela devait fatalement se produire.*

fatalité n. f.
1. Destin. *La fatalité de la mort.*
2. Enchaînement fâcheux des évènements. *Par quelle fatalité cet accident s'est-il produit ?*

fatigant, ante adj.
1. Qui occasionne de la fatigue. *Des exercices fatigants.* **SYN.** épuisant, exténuant, pénible.
2. Qui agace, dérange. *Un client fatigant qui n'est jamais satisfait.*
Ne pas confondre avec le participe présent invariable ***fatiguant.*** *Les bêtes se fatiguant rapidement, nous devrons faire plusieurs haltes.*
fati**gant,** sans **u** pour l'adjectif.

fatigue n. f.
Sensation pénible causée par la diminution des forces. *Elle tombe de fatigue.* **SYN.** faiblesse, lassitude.

fatigué, ée adj.
Qui ressent de la fatigue. *Elle est trop fatiguée pour sortir.* **SYN.** épuisé, las.

fatiguer v. tr., intr., pronom.
Verbe transitif
1. Causer de la fatigue. *Cette course à bicyclette a fatigué Marie-Ève et Delphine.* **ANT.** reposer.
2. Ennuyer, agacer. *Tu me fatigues avec tes questions.* **SYN.** énerver.
Verbe intransitif
Peiner, forcer, en parlant d'un mécanisme, de choses concrètes. *La côte est abrupte et le moteur fatigue.*
Verbe pronominal
1. Éprouver de la fatigue. *Il n'est pas très en forme et se fatigue* (et non *il fatigue) *rapidement.*
La forme intransitive est ancienne, on emploie aujourd'hui la forme pronominale.
2. Éprouver de la lassitude. *Étienne ne se fatiguera jamais de voyager.* **SYN.** se désintéresser, se lasser.
3. Se donner de la peine. *Elle se fatigue inutilement à les convaincre. Ne te fatigue pas : il n'y a rien à faire.* **SYN.** s'épuiser.
Conjugaison [VOIR MODÈLE – **AIMER**]

faucher v. tr.
1. Couper avec une faux ou une faucheuse. *Faucher du foin.* **SYN.** moissonner.
2. (FIGURÉ) Anéantir, renverser avec violence. *La voiture a fauché deux personnes.* **SYN.** abattre, renverser, tuer.
3. (FAMILIER) Voler. *On lui a fauché son sac.* **SYN.** dérober, (FAMILIER) piquer, prendre.
Conjugaison [VOIR MODÈLE – **AIMER**]

faucon n. m.
Oiseau rapace diurne au bec court et crochu.

faufiler v. tr., pronom.
Verbe transitif
Faire une couture provisoire à longs points. *Avant de coudre, la couturière a faufilé la manche.*
Verbe pronominal
S'introduire habilement. *Ils se sont faufilés par la porte d'en arrière.* **SYN.** se glisser.
Conjugaison [VOIR MODÈLE – **AIMER**]

faune n. f.
Ensemble des espèces animales d'un milieu. *La faune et la flore du Québec.*

faunique adj.
Qui concerne la faune. *Une réserve faunique, où la faune est protégée.*
f**au**nique.

faussaire n. m. et f.
Personne qui commet un faux. *Ces faussaires ont contrefait des billets de banque.*

faussement adv.
Le **e** central ne se prononce pas [fosmɑ̃].
D'une manière fausse. *Une attitude faussement charitable.*

fausser v. tr.
1. Rendre faux. *Les données du problème ont été faussées.*
Ne pas confondre avec le verbe ***falsifier,*** contrefaire.
2. Chanter faux. *Elle n'a pas été acceptée dans la chorale parce qu'elle faussait trop.*
Locution
Fausser compagnie. S'enfuir, quitter quelqu'un brusquement. **SYN.** filer à l'anglaise, prendre la poudre d'escampette.
Conjugaison [VOIR MODÈLE – **AIMER**]

fausseté n. f.
Le **e** central ne se prononce pas [foste].
1. Inexactitude. *La fausseté d'un résultat.* **SYN.** erreur.
2. Hypocrisie. *Cette personne donne une impression de fausseté : on ne peut s'y fier.*

faute n. f.
Manquement à une règle, à une norme. *Des fautes d'orthographe, de goût. Avouer une faute.* **SYN.** bêtise, erreur.
Locutions
C'est ma faute.
Cette construction est à préférer à l'expression populaire « c'est de ma faute ».
Faute de, locution prépositive. À défaut de. *Faute de pouvoir être là, elle envoya des fleurs. Faute de financement, l'entreprise n'a pu prendre de l'expansion.*
Sans faute, locution adverbiale. À coup sûr. *Je viendrai sans faute.*
Sans faute(s), locution adverbiale. Sans erreurs. *Écrire sans faute(s). Une dictée sans fautes.*

fauteuil n. m.
Siège à dossier et à bras. *Maman aime lire son journal dans ce fauteuil.*
Ne pas confondre avec le nom ***chaise,*** siège à dossier, sans bras.
On s'assoit ***dans*** un fauteuil, par contre on s'assoit ***sur*** une chaise, un tabouret.

fautif, ive adj. et n. m. et f.
1. Qui a commis une faute. *Voici le fautif : tout est de sa faute.* **SYN.** coupable, responsable.
2. Qui contient une faute. *Cette orthographe est fautive.* **SYN.** erroné, incorrect, inexact.

fauve adj. et n. m.
Nom masculin
Grand félin féroce (lion, tigre, panthère, etc.). *Le dompteur est dans la cage des fauves.*
Adjectif de couleur variable
De couleur dorée et rousse. *Des chattes fauves.*
Cet adjectif de couleur prend la marque du pluriel.
VOIR TABLEAU – **COULEUR (ADJECTIFS DE).**

fauvette n. f.
Petit oiseau au chant agréable dont le plumage est souvent de couleur fauve.

faux- préf.
Les noms composés avec le préfixe ***faux-*** s'écrivent avec un trait d'union et le deuxième élément prend la marque du pluriel. Cependant, les expressions suivantes s'écrivent sans trait d'union : ***faux témoignage, faux bond, faux cils, faux bourdon.***

faux, fausse adj., adv. et n. m. et f.
Adjectif
1. Contraire à la vérité. *Cette affirmation est fausse.* **SYN.** erroné, inexact.
2. Qui n'est qu'imité. *De la fausse monnaie. Un faux diamant. Des faux cils.*
3. Hypocrite.
Adverbe
De façon fausse. *Elles jouent faux.*
Pris adverbialement, le mot est invariable.
Nom masculin
1. Ce qui est contraire à la vérité. *Il faut reconnaître le vrai et le faux.* **SYN.** copie, imitation.
2. Contrefaçon. *Ce tableau est un faux.*
Nom féminin
Instrument agricole servant à couper les herbes, les céréales. *Une faux bien aiguisée.*
fau**x**, un ***x*** au singulier et au pluriel.

faux bourdon n. m.
Abeille mâle.

faux-fuyant n. m. (pl. *faux-fuyants*)
Prétexte, excuse. *Des faux-fuyants désagréables.*

faux-monnayeur n. m. (pl. *faux-monnayeurs*)
Personne qui fabrique de la fausse monnaie.

faveur n. f.
Avantage. *La directrice nous accorde la faveur de prendre congé demain.* **SYN.** privilège.
Locutions
À la faveur de, locution prépositive. En profitant de. *À la faveur de la nuit, le voleur s'introduisit dans la maison.*
En faveur de, locution prépositive. Pour. *Être en faveur de la souveraineté.* **SYN.** favorable à.

favorable adj.
1. Sympathique. *Je suis favorable à ce projet.*
2. Opportun. *Attendre le moment favorable.* **SYN.** propice.

favorablement adv.
D'une manière favorable.

favori, ite adj. et n. m. et f.
Adjectif
Préféré. *Ma boisson favorite a toujours été le jus d'orange.*
Nom masculin et féminin
1. Personne préférée. *Il a souvent été le favori de sa classe.* **SYN.** (FAMILIER) chouchou.
2. Personne, équipe qui est susceptible de gagner une épreuve, une élection, etc., selon l'opinion publique. *Les Canadiens n'étaient pas les favoris pour remporter la coupe Stanley cette année.*
favor**i**, favor**ite.**

favoris n. m. pl.
Le ***s*** ne se prononce pas [favɔri].
Partie de la barbe qu'on laisse pousser de chaque côté du visage. *Jean-Claude a toujours porté des favoris.*
favori**s.**

favoriser v. tr.
1. Contribuer à la progression, au développement (d'une chose). *Il favorise la promotion des jeunes.* **SYN.** aider, encourager, soutenir.
2. Accorder un traitement de faveur (à une personne). *La maîtresse ne veut favoriser aucun élève en particulier.*
Conjugaison [VOIR MODÈLE – **AIMER**]

favoritisme n. m.
Tendance à favoriser quelqu'un de manière injuste. *Il ne faut pas faire de favoritisme, mais traiter tous et chacun de façon équitable.*

***fax**
Ce nom est une marque déposée. On dira ***télécopieur, télécopie.***

***faxer**
Impropriété pour ***télécopier, envoyer par télécopie.***

fécond, onde adj.
1. (LITTÉRAIRE) Fertile. *Des terres fécondes.* **SYN.** productif, riche. **ANT.** stérile.
2. (FIGURÉ) Fructueux. *Une recherche féconde.*
Locution
Fécond en. Riche, plein de. *La journée a été féconde en rebondissements.*
fécon**d.**

fécondation n. f.
Union d'un élément mâle et d'un élément femelle pour donner un nouvel être.

féconder v. tr.
1. Réaliser la fécondation. *Cette chatte a été fécondée : elle donnera naissance à des petits.*
2. Rendre fertile (la terre). *La pluie féconde les champs.*
Conjugaison [VOIR MODÈLE – **AIMER**]

fécondité n. f.
1. Aptitude d'un être vivant à se reproduire. *Le taux de fécondité de la population est en baisse.*
2. Fertilité, abondance de la production. *La fécondité d'un auteur, d'une imagination.*

fédéral, ale, aux adj.
Relatif à une fédération. *Des questions fédérales.*

fédéralisme n. m.
Regroupement politique de plusieurs collectivités (États, provinces, etc.) en un gouvernement central.

fédéraliste adj. et n. m. et f.
Adjectif
Relatif au fédéralisme. *Une tendance fédéraliste.*
Nom masculin et féminin
Partisan du fédéralisme. *Les fédéralistes et les indépendantistes sont en opposition.*

fédération n. f.
1. Groupement de plusieurs États en un seul État fédéral.
2. Association de plusieurs sociétés, syndicats, groupes. *La Fédération des travailleurs du Québec.*
La désignation d'organismes, d'institutions, d'associations s'écrit avec une majuscule initiale.

f

fée n. f.
Femme imaginaire douée d'un pouvoir magique. *Un conte de fées, des contes de fées.*
orthographe : f**ée**.

***feeling**
Anglicisme pour intuition, sentiment.

féerie n. f.
Le **e** central se prononce **é** ou est muet [feeri] ou [feri].
Vision magnifique, spectacle merveilleux. *La féerie des couleurs de l'automne québécois, la féerie d'un feu d'artifice.* **SYN.** enchantement, magie.
orthographe : fé**e**rie.

féerique adj.
Le **e** central se prononce **é** ou est muet [feerik] ou [ferik].
Qui tient de la féerie. *Le paysage était féerique.* **SYN.** enchanteur, magique.
orthographe : fé**e**rique.

feindre v. tr.
Faire semblant. *La comédienne a feint de s'évanouir.* **SYN.** simuler.
Conjugaison [VOIR MODÈLE – **ÉTEINDRE**]
INDICATIF PRÉSENT *Je feins, tu feins, il feint, nous feignons, vous feignez, ils feignent.* IMPARFAIT *Je feignais, tu feignais, il feignait, nous feignions, vous feigniez, ils feignaient.* PASSÉ SIMPLE *Je feignis.* FUTUR *Je feindrai.* **CONDITIONNEL** PRÉSENT *Je feindrais.* **IMPÉRATIF** PRÉSENT *Feins, feignons, feignez.* **SUBJONCTIF** PRÉSENT *Que je feigne, que tu feignes, qu'il feigne, que nous feignions, que vous feigniez, qu'ils feignent.* IMPARFAIT *Que je feignisse.* **PARTICIPE** PRÉSENT *Feignant.* PASSÉ *Feint, feinte.*
Les lettres ***gn*** sont suivies d'un ***i*** à la première et à la deuxième personne du pluriel de l'indicatif imparfait et du subjonctif présent.

feint, feinte adj.
Faux. *Une inquiétude feinte.* **SYN.** simulé.
orthographe : f**ein**t.

feinte n. f.
(SPORTS) Coup simulé pour tromper l'adversaire. *Le joueur de hockey a fait une feinte et a réussi à marquer un but.*
orthographe : f**ein**te.

feinter v. tr., intr.
Verbe transitif
(FAMILIER) (SPORTS) Faire une feinte à un adversaire, rouler. *Ce joueur a feinté les défenseurs et a marqué un but.*
Verbe intransitif
(SPORTS) Faire une feinte. *Apprendre à feinter.*
Conjugaison [VOIR MODÈLE – **AIMER**]

fêlé, ée adj.
1. Fendu. *Une potiche fêlée.*
2. (FAMILIER) (FIGURÉ) Un peu fou.
orthographe : f**ê**lé.

félicitations n. f. pl.
Approbation, compliments. *Offrir ses félicitations. Une lettre de félicitations.*
note : Ce nom ne s'emploie qu'au pluriel.

féliciter v. tr., pronom.
Verbe transitif
Offrir ses compliments à quelqu'un pour un évènement agréable, pour un succès, etc., lui témoigner son approbation. *Je vous félicite d'avoir réussi. Il le félicite de son succès, pour son succès.* **SYN.** complimenter.
Verbe pronominal
Être heureux. *Notre école se félicite de la grande participation des étudiants à cette activité.* **SYN.** se réjouir.
Le verbe se construit avec les prépositions ***de*** ou ***pour.***
Conjugaison [VOIR MODÈLE – **AIMER**]

félin, ine adj. et n. m.
Adjectif
Qui ressemble au chat. *Une démarche féline.*
Nom masculin
Animal carnassier de la même famille que le chat. *Le lion et le tigre sont des félins de grande taille.*

fém.
Abréviation de ***féminin.***

femelle adj. et n. f.
Nom générique des animaux de sexe féminin. *La femelle du cheval est la jument. Les voisins ont acheté un perroquet femelle.*
orthographe : fe**m**e**ll**e.

féminin, ine adj. et n. m.
Adjectif
1. Qui est propre à la femme, à la femelle. *Une enfant de sexe féminin.*
2. Qui a les caractères de la femme. *Une grâce féminine.*
3. Du genre grammatical marqué, quand il y a deux groupes. *Le nom **épicière*** est féminin, de genre féminin ; c'est la forme féminine du nom ***épicier.***
Nom masculin
Abréviation ***fém.*** (s'écrit avec un point).
(GRAMMAIRE) Un des genres grammaticaux de la langue française qui s'applique aux noms d'êtres animés de sexe féminin et à de nombreux noms d'êtres inanimés. *Sœur, musicienne, vache et biche sont des noms d'êtres animés qui ont le féminin pour genre. Mer, plume, neige sont des noms d'êtres inanimés dont le genre est le féminin.*
VOIR TABLEAU – **GENRE.**

féminisation n. f.
1. Action de donner un caractère féminin.
2. Action de donner à un mot les marques du genre féminin. *La féminisation des noms de postes.*
VOIR TABLEAU – **FÉMINISATION DES TITRES.**
note : Pour les formes féminines des noms d'animaux, on consultera le TABLEAU – **ANIMAUX.**

féminiser v. tr., pronom.
Verbe transitif
1. Donner un caractère féminin à. *Décorer et féminiser une chambre.*
2. (LINGUISTIQUE) Donner une forme féminine à un mot. *Féminiser un nom de métier : Léa est une électricienne.*
Verbe pronominal
1. Comprendre un plus grand nombre de femmes. *La profession d'ingénieur se féminise peu à peu.*
2. Prendre une forme féminine. *Le nom **épicier** se féminise en **épicière.***
Conjugaison [VOIR MODÈLE – **AIMER**]

féminisme n. m.
Doctrine qui favorise l'égalité des droits entre les femmes et les hommes.

féministe adj. et n. m. et f.
Adjectif
Relatif au féminisme. *Cette revue est féministe.*

Nom masculin et féminin
Personne qui favorise le féminisme.

féminité n. f.
Ensemble des caractères propres à la femme. *Paule est casse-cou et manque un peu de féminité.*

femme n. f.
La première syllabe se prononce ***fa*** [fam].
1. Être humain de sexe féminin (par opposition à ***homme***). *Dans cette population, il y a 51 % de femmes.*
Le nom ***femme*** s'appose parfois à un nom de profession, de métier qui ne comporte pas de forme féminine. *Une femme médecin.*
2. Être féminin adulte (par opposition à ***fille, jeune fille***).
3. Épouse. *La femme* (et non la *dame) *de M. Dubois est malade.*
On préférera le mot ***femme*** à ***épouse,*** qui relève du vocabulaire administratif ou juridique.

fémur n. m.
Os de la jambe. *Le fémur est le plus fort de tous les os du corps.*

fendant, ante adj. et n. m. et f.
(FAMILIER) Arrogant, prétentieux. **SYN.** fanfaron.
L'emploi de ce mot est courant au Québec dans la langue familière, mais il est vieilli dans l'ensemble de la francophonie.

fendiller v. tr., pronom.
Le mot se prononce [fɑ̃dije].
Verbe transitif
Faire de petites fentes. *La chaleur a fendillé le vernis.* **SYN.** craqueler, fissurer.
Verbe pronominal
Se craqueler, se crevasser. *La glace s'est fendillée.*
Conjugaison [VOIR MODÈLE – **AIMER**]

fendre v. tr., pronom.
Verbe transitif
1. Diviser avec force, couper dans le sens de la longueur. *Fendre du bois.*
2. Provoquer des fentes, des crevasses dans. *Les explosions ont fendu le sol.*
Verbe pronominal
S'ouvrir, se craqueler. *La paroi s'est fendue.* **SYN.** se crevasser, se fendiller.
Conjugaison [VOIR MODÈLE – **FENDRE**]

fendu, ue adj.
Ouvert en longueur. *La bouche fendue jusqu'aux oreilles. Une jupe fendue sur un côté.* **SYN.** ouvert.

fenêtre n. f.
1. Ouverture dans un mur pour permettre le passage de l'air et de la lumière. *Cette fenêtre donne sur le lac. Ouvre la fenêtre, il fait chaud !*
Ne pas confondre avec le nom ***châssis,*** armature entourant la fenêtre.
2. (INFORMATIQUE) Zone d'un écran de visualisation.
Locution
Jeter l'argent par les fenêtres. (FIGURÉ) Dépenser à l'excès.

fenouil n. m.
Plante aromatique de la famille des ombellifères. *Le fenouil a le goût de l'anis.*
fen**ouil.**

fente n. f.
1. Ouverture étroite et longue. *La fente d'une tirelire, d'une poche.*
2. Fissure. *Il y a des fentes dans la glace.*

fer n. m.
1. Métal gris, malléable et ductile. *Des fils de fer.*
2. Instrument en fer. *Des fers à souder, des fers à friser.*
3. Bâton de golf à tête métallique.
Locutions
Fer (à repasser). Instrument que l'on chauffe afin de repasser le linge. *Donner un coup de fer à une jupe.*
Fer à cheval. Pièce de fer incurvée que l'on fixe sous le sabot du cheval. *Des fers à cheval qui servent de porte-bonheur.*
Les quatre fers en l'air. (FAMILIER) (FIGURÉ) Tomber sur le dos, les jambes en l'air. *Il s'est retrouvé les quatre fers en l'air.*
HOM. faire, créer, produire.

fer-blanc n. m. (pl. *fers-blancs*)
Tôle de fer doux, recouverte d'étain. *Des plats en fer-blanc pour le camping.*
fer-blanc, avec un trait d'union.

férié, ée adj.
Se dit d'un jour de congé pour célébrer une fête. *La fête du Travail est un jour férié (le premier lundi de septembre au Québec et au Canada).* **ANT.** ouvrable.

ferme adj., adv. et n. f.
Adjectif
1. Dur, résistant. *Un matelas ferme.* **ANT.** mou.
2. Stable, solide. **ANT.** chancelant, fragile, hésitant.
3. Décidé, assuré. *Un ton ferme.* **SYN.** résolu. **ANT.** faible, mou.
Adverbe
1. Avec vigueur. *Ils marchent ferme.* **SYN.** dur, fort.
2. Beaucoup. *Ils se sont ennuyés ferme au théâtre.*
Pris adverbialement, le mot est invariable.
Nom féminin
Exploitation agricole. *Une ferme expérimentale.*
Locutions
De pied ferme. Sans reculer. *Antoine attend son adversaire de pied ferme.*
La terre ferme. Le sol du rivage, par opposition à la mer. *Après plusieurs jours en mer, ces voyageurs ont hâte de retrouver la terre ferme.*

fermé, ée adj.
Clos, bouché. *Un coffret fermé à clé.*

fermement adv.
D'une manière ferme.

fermer v. tr., intr., pronom.
Verbe transitif
1. Interdire l'accès de quelqu'un, de quelque chose en un lieu. *Ferme les portes du jardin.* **ANT.** ouvrir.
2. Clore. *Elle ferma les yeux.* **ANT.** ouvrir.
3. Faire cesser le fonctionnement, éteindre. *Ferme la lumière avant de sortir.*
Verbe intransitif
Être, rester fermé. *Cette fenêtre ferme mal. Ce musée ferme le mardi.*
Verbe pronominal
Se refermer. *Elle avait sommeil : ses yeux se sont fermés.*
Conjugaison [VOIR MODÈLE – **AIMER**]

fermeté n. f.
1. Solidité, rigidité. *La fermeté d'un matelas.*
2. Détermination. *Elle nous informa de sa décision avec fermeté.* **SYN.** résolution.

FÉMINISATION DES TITRES

Depuis l'accès des femmes à de nouvelles fonctions et devant le désir de celles-ci de voir leurs appellations d'emploi refléter cette nouvelle réalité, il est recommandé d'utiliser les formes féminines des titres de fonctions.

Cette féminisation peut se faire :

- **Soit à l'aide du féminin courant.**

  Avocate, directrice, technicienne.

- **Soit à l'aide du terme épicène marqué par un déterminant féminin.**

  Une journaliste, une architecte, une astronome, une ministre.

  L'adjectif ***épicène*** se dit d'un mot qui conserve la même forme au masculin et au féminin.

- **Soit par la création spontanée d'une forme féminine qui respecte les règles du français.**

  Policière, chirurgienne, banquière, navigatrice, professeure.

Dans cet ouvrage, qui répertorie un grand nombre de noms de métier, de profession, les formes féminines ont été systématiquement présentées.

LISTE DE TITRES ET DE FONCTIONS

académicien
académicienne

accompagnateur
accompagnatrice

accordeur
accordeuse

acériculteur
acéricultrice

acheteur
acheteuse

acteur
actrice

acupuncteur ou acuponcteur
acupunctrice ou acuponctrice

adjoint
adjointe

administrateur
administratrice

agent
agente

agent de bord
agente de bord

agent de voyages
agente de voyages

agriculteur
agricultrice

ajusteur
ajusteuse

ambassadeur
ambassadrice

ambulancier
ambulancière

animateur
animatrice

annonceur
annonceure ou annonceuse

apiculteur
apicultrice

arboriculteur
arboricultrice

arpenteur
arpenteuse

artificier
artificière

artisan
artisane

assistant
assistante

assureur
assureuse

astrophysicien
astrophysicienne

auteur
auteure

aviateur
aviatrice

aviculteur
avicultrice

avocat
avocate

balayeur
balayeuse

banquier
banquière

berger
bergère

bijoutier
bijoutière

blanchisseur
blanchisseuse

bottier
bottière

boucher
bouchère

boulanger
boulangère

boulanger-pâtissier
boulangère-pâtissière

boxeur
boxeuse

brasseur
brasseuse

brigadier
brigadière

brodeur
brodeuse

bruiteur
bruiteuse

bûcheron
bûcheronne

cadreur
cadreuse

caissier
caissière

camionneur
camionneuse

caporal
caporale

cartomancien
cartomancienne

cascadeur
cascadeuse

chanteur
chanteuse

chapelier
chapelière

charcutier
charcutière

charpentier
charpentière

chaudronnier
chaudronnière

suite ►

chauffeur
chauffeuse

chercheur
chercheuse

chiropraticien
chiropraticienne

chirurgien
chirurgienne

chroniqueur
chroniqueuse

chronométreur
chronométreuse

coauteur
coauteure

cocher
cochère

coiffeur
coiffeuse

colonel
colonelle

comédien
comédienne

commandant
commandante

commentateur
commentatrice

commerçant
commerçante

compositeur
compositrice

conducteur
conductrice

conférencier
conférencière

conseiller
conseillère

consultant
consultante

contremaître
contremaîtresse

contrôleur
contrôleuse

coordonnateur ou coordinateur
coordonnatrice ou coordinatrice

cordonnier
cordonnière

correcteur
correctrice

courtier
courtière

couturier
couturière

couvreur
couvreuse

cuisinier
cuisinière

cultivateur
cultivatrice

danseur
danseuse

débardeur
débardeuse

décorateur
décoratrice

délégué
déléguée

déménageur
déménageuse

député
députée

dessinateur
dessinatrice

diététicien
diététicienne

directeur
directrice

directeur d'école
directrice d'école

docteur
docteure

dompteur
dompteuse

douanier
douanière

doyen
doyenne

draveur
draveuse

éboueur
éboueuse

écrivain
écrivaine

éditeur
éditrice

éducateur
éducatrice

électricien
électricienne

éleveur
éleveuse

empereur
impératrice

enquêteur
enquêteuse ou enquêtrice

enseignant
enseignante

entraîneur
entraîneuse

entrepreneur
entrepreneure

épicier
épicière

esthéticien
esthéticienne

expert
experte

exploitant
exploitante

exportateur
exportatrice

fabricant
fabricante

facteur
factrice

fermier
fermière

forgeron
forgeronne

fournisseur
fournisseuse

gardien
gardienne

général
générale

grammairien
grammairienne

historien
historienne

horloger
horlogère

horticulteur
horticultrice

hôtelier
hôtelière

huissier
huissière

illustrateur
illustratrice

importateur
importatrice

indicateur
indicatrice

infirmier
infirmière

informateur
informatrice

informaticien
informaticienne

ingénieur
ingénieure

inspecteur
inspectrice

instituteur
institutrice

inventeur
inventrice

jardinier
jardinière

jongleur
jongleuse

juré
jurée

laitier
laitière

laveur
laveuse

suite ►

f

livreur
livreuse

luthier
luthière

lutteur
lutteuse

maçon
maçonne

magicien
magicienne

maire
mairesse

maquilleur
maquilleuse

maraîcher
maraîchère

marchand
marchande

masseur
masseuse

mathématicien
mathématicienne

mécanicien
mécanicienne

menuisier
menuisière

metteur en scène
metteure ou metteuse en scène

meunier
meunière

mineur
mineuse

moniteur
monitrice

monteur
monteuse

musicien
musicienne

narrateur
narratrice

navigateur
navigatrice

nettoyeur
nettoyeuse

omnipraticien
omnipraticienne

opérateur
opératrice

opticien
opticienne

orateur
oratrice

organisateur
organisatrice

orienteur
orienteuse

parfumeur
parfumeuse

pâtissier
pâtissière

pêcheur
pêcheuse

pharmacien
pharmacienne

physicien
physicienne

pisciculteur
piscicultrice

plombier
plombière

plongeur
plongeuse

poissonnier
poissonnière

policier
policière

pomiculteur
pomicultrice

pompier
pompière

portier
portière

postier
postière

potier
potière

préposé
préposée

présentateur
présentatrice

président
présidente

producteur
productrice

professeur
professeure

programmeur
programmeuse

promoteur
promotrice

quincaillier
quincaillière

ramoneur
ramoneuse

réalisateur
réalisatrice

recteur
rectrice

rédacteur
rédactrice

relieur
relieuse

rembourreur
rembourreuse

réparateur
réparatrice

représentant
représentante

restaurateur
restauratrice

réviseur
réviseuse ou réviseure

romancier
romancière

sculpteur
sculpteure ou sculptrice

sergent
sergente

serveur
serveuse

soldat
soldate

soudeur
soudeuse

souffleur
souffleuse

statisticien
statisticienne

superviseur
superviseure

surveillant
surveillante

sylviculteur
sylvicultrice

tanneur
tanneuse

technicien
technicienne

tisserand
tisserande

traducteur
traductrice

tragédien
tragédienne

traiteur
traiteuse

trappeur
trappeuse

truqueur
truqueuse

vendeur
vendeuse

vérificateur
vérificatrice

vice-président
vice-présidente

vigneron
vigneronne

CONJUGAISON DU VERBE **FENDRE**

Indicatif

Présent

je fends
tu fends
elle fend
il fend

nous fendons
vous fendez
elles fendent
ils fendent

Passé composé

j' ai fendu
tu as fendu
elle a fendu
il a fendu

nous avons fendu
vous avez fendu
elles ont fendu
ils ont fendu

Imparfait

je fendais
tu fendais
elle fendait
il fendait

nous fendions
vous fendiez
elles fendaient
ils fendaient

Plus-que-parfait

j' avais fendu
tu avais fendu
elle avait fendu
il avait fendu

nous avions fendu
vous aviez fendu
elles avaient fendu
ils avaient fendu

Passé simple

je fendis
tu fendis
elle fendit
il fendit

nous fendîmes
vous fendîtes
elles fendirent
ils fendirent

Passé antérieur

j' eus fendu
tu eus fendu
elle eut fendu
il eut fendu

nous eûmes fendu
vous eûtes fendu
elles eurent fendu
ils eurent fendu

Futur simple

je fendrai
tu fendras
elle fendra
il fendra

nous fendrons
vous fendrez
elles fendront
ils fendront

Futur antérieur

j' aurai fendu
tu auras fendu
elle aura fendu
il aura fendu

nous aurons fendu
vous aurez fendu
elles auront fendu
ils auront fendu

Infinitif

Présent

fendre

Passé

avoir fendu

Subjonctif

Présent

que je fende
que tu fendes
qu' elle fende
qu' il fende

que nous fendions
que vous fendiez
qu' elles fendent
qu' ils fendent

Passé

que j' aie fendu
que tu aies fendu
qu' elle ait fendu
qu' il ait fendu

que nous ayons fendu
que vous ayez fendu
qu' elles aient fendu
qu' ils aient fendu

Imparfait

que je fendisse
que tu fendisses
qu' elle fendît
qu' il fendît

que nous fendissions
que vous fendissiez
qu' elles fendissent
qu' ils fendissent

Plus-que-parfait

que j' eusse fendu
que tu eusses fendu
qu' elle eût fendu
qu' il eût fendu

que nous eussions fendu
que vous eussiez fendu
qu' elles eussent fendu
qu' ils eussent fendu

Conditionnel

Présent

je fendrais
tu fendrais
elle fendrait
il fendrait

nous fendrions
vous fendriez
elles fendraient
ils fendraient

Passé

j' aurais fendu
tu aurais fendu
elle aurait fendu
il aurait fendu

nous aurions fendu
vous auriez fendu
elles auraient fendu
ils auraient fendu

Impératif

Présent

fends
fendons
fendez

Passé

aie fendu
ayons fendu
ayez fendu

Participe

Présent

fendant

Passé

fendu, ue
ayant fendu

fermeture n. f.
1. Dispositif servant à fermer. *La fermeture de sécurité d'un coffre-fort.*
2. Action de fermer. *La fermeture d'une usine.*
Locutions
Fermeture annuelle (d'un établissement). Vacances.
Fermeture éclair. Marque déposée passée dans l'usage au sens de ***fermeture à glissière.*** *Des fermetures éclair* (et non des *zips) *de couleur rouge.*

fermier n. m.
fermière n. f.
Personne qui cultive la terre dans une ferme.
À la différence de la ***cultivatrice,*** du ***cultivateur*** qui possède la terre qu'il cultive, la ***fermière***, le ***fermier*** exploitait la terre moyennant un salaire. Cependant, sous l'influence du mot anglais « farmer », le mot ***fermier*** a perdu ce sens et est devenu synonyme de ***cultivateur.***
VOIR **CULTIVATEUR.**

féroce adj.
1. Qui est sauvage et cruel par nature. *Ce tigre est féroce.*
2. Se dit d'une personne dure, inhumaine et brutale.
Ne pas confondre avec les mots suivants :
- ***bestial,*** qui a la cruauté des bêtes féroces ;
- ***inhumain,*** qui est étranger à tout sentiment de pitié.

férocement adv.
Le **e** de la troisième syllabe ne se prononce pas [ferɔsmɑ̃].
Avec férocité. *Le fauve a attaqué férocement.*

férocité n. f.
Cruauté, violence extrême. *La férocité d'un animal sauvage, d'un guerrier.*

ferraille n. f.
Débris de fer mis au rebut. *Cette voiture est bonne à mettre à la ferraille* (et non à la *scrap).

ferré, ée adj.
1. Garni de fer. *Des souliers ferrés pour le golf.*
2. (FAMILIER) Expert, fort. *Il n'est pas très ferré en mécanique.* **SYN.** (FAMILIER) calé.
Locution
Voie ferrée. Voie de chemin de fer.

ferroviaire adj.
Relatif aux chemins de fer. *Un réseau ferroviaire.*
ferrovi**aire.**

fertile adj.
1. Productif. *Un sol fertile.* **SYN.** fécond, riche.
2. (FIGURÉ) Inventif. *Une imagination fertile.* **SYN.** créateur.
Locution
Fertile en. Rempli de. *Une histoire fertile en rebondissements.* **SYN.** plein de.

fertilisant, ante adj. et n. m. et f.
Qui est propre à fertiliser (le sol). *Ajouter des produits fertilisants, des fertilisants à la terre d'une plante.*

fertiliser v. tr.
Rendre fertile (une terre). *Le cultivateur fertilise le sol avec des engrais.* **SYN.** enrichir.
Ce verbe ne peut s'appliquer à une personne, à un animal ; on dit plutôt ***féconder.***
Conjugaison [VOIR MODÈLE – **AIMER**]

fertilité n. f.
Qualité de ce qui est fertile. *La fertilité des terres qui bordent le Saint-Laurent.* **ANT.** stérilité.

fervent, ente adj. et n. m. et f.
Adjectif
Ardent, qui agit avec ferveur. *De fervents défenseurs de la liberté.* **SYN.** enthousiaste.
Nom masculin et féminin
Passionné. *Les fervents de la micro-informatique.* **SYN.** adepte.
ferv**e**nt.

ferveur n. f.
Ardeur, zèle enthousiaste. *Étienne défendit sa position avec ferveur.* **SYN.** passion.

fesse n. f.
Chacune des deux parties charnues qui forment le derrière. *Antoine a glissé et est tombé sur les fesses.*

fessée n. f.
Coups donnés sur les fesses. *Si tu n'écoutes pas, tu auras une fessée.*

fesser v. tr.
Donner des coups sur les fesses. **SYN.** corriger.
Au sens de ***frapper,*** l'emploi de ***fesser*** est erroné.
Conjugaison [VOIR MODÈLE – **AIMER**]

fessier, ière adj. et n. m.
Adjectif
Relatif aux fesses. *Les muscles fessiers.*
Nom masculin
(FAMILIER) Le derrière. *Il est tombé sur le fessier.*

festin n. m.
Repas de fête, banquet. *Pour souligner cette victoire, les dirigeants ont donné un beau festin.*

festival n. m.
Ensemble de manifestations artistiques (musique, cinéma, théâtre, etc.) qui ont lieu périodiquement dans un endroit déterminé. *Des festivals très réussis. Le Festival international de jazz de Montréal. Le Festival Juste pour rire.*

festivités n. f. pl.
Fête, réjouissances. *Des festivités sont prévues pour la Saint-Jean.*
Ce nom ne s'emploie qu'au pluriel.

fête n. f.
1. Jour consacré à des cérémonies civiles ou religieuses.
Les noms de fêtes s'écrivent avec une majuscule initiale au nom spécifique et à l'adjectif qui précède le nom. *Le jour de l'An, le Nouvel An, le jour des Rois, le Mardi gras, le mercredi des Cendres, le Vendredi saint, Pâques, la fête des Mères, la Saint-Jean, la fête de la Confédération, la fête du Travail, la Toussaint, Noël.*
2. Réjouissances. *Une fête de famille.*
Locutions
En fête. D'une humeur joyeuse.
Faire la fête. S'amuser en bonne compagnie.
Se faire une fête de. Se promettre du plaisir, se réjouir à l'avance. *Elle se fait une fête de le retrouver enfin.*
On confond souvent les mots ***fête*** et ***anniversaire*** : la ***fête*** désigne la commémoration de la fête du saint dont une personne porte le nom, et l'***anniversaire,*** la commémoration du jour de la naissance d'une personne. *Ses parents ont organisé une fête pour souligner son anniversaire.*
f**ê**te.

fêter v. tr.
Célébrer une fête, par une fête. *On a fêté la naissance de Laurence.*
Conjugaison [VOIR MODÈLE – **AIMER**]
fêter.

fétiche n. m.
Porte-bonheur. *Ce petit éléphant est son fétiche.* **SYN.** talisman.

feu n. m. (pl. *feux*)
1. Dégagement de chaleur, de lumière, de flamme produit par la combustion de certains corps. *Un beau feu de bois. Des feux de camp. Un feu de joie.* **SYN.** flambée.
2. Incendie. *Cette maison a été détruite par le feu.* **SYN.** brasier.
Le terme ***incendie*** désigne un grand feu qui cause des dégâts importants. On dira un ***incendie de forêt*** plutôt qu'un *feu de forêt.
3. Source de chaleur utilisée pour le chauffage ou la cuisson. *Au coin du feu. Le potage est sur le feu. Le rôti est au feu : il est en train de cuire.*
4. Lumière. *Des feux de position, des feux de route, des feux de croisement.*
5. Tir. *Des coups de feu. Une arme à feu.*
Locutions
À petit feu. Lentement. *Faire mourir quelqu'un à petit feu.*
Donner le feu vert. Autoriser. **SYN.** permettre.
Faire feu ou ***faire flèche de tout bois.*** Utiliser toutes les possibilités.
Feu d'artifice. Ensemble de petites fusées que l'on fait brûler à des occasions diverses. *Le feu d'artifice de la Saint-Jean.*
Feu de circulation. Signal lumineux autorisant le passage libre (feu vert), tolérant le passage (feu jaune), interdisant le passage (feu rouge). *Tournez au prochain feu* (et non à la *lumière).
Feu sauvage. (FAMILIER) Infection des lèvres, herpès.
Jouer avec le feu. Commettre des imprudences.
Mettre à feu et à sang. Dévaster. *Ces rebelles ont mis le pays à feu et à sang.*
Ne pas faire long feu. Ne pas durer longtemps. *Ses beaux projets n'ont pas fait long feu.*
Passer au feu. (FAMILIER) Être victime d'un incendie.

feuillage n. m.
Ensemble des feuilles d'un arbre, d'une plante. *Un feuillage coloré par l'automne.*
Le nom ***feuillage*** étant un collectif, il s'écrit généralement au singulier. *Un toit de feuillage. Un lit de feuillage.*

feuille n. f.
1. Partie des végétaux qui part de la tige, de la branche, généralement verte, diversement découpée et plane. *Une feuille d'érable, une feuille de rosier. Des feuilles mortes.*
2. Morceau de papier. *Une feuille quadrillée.*
3. Mince plaque de bois, de minéral, de métal, de carton. *Une feuille d'or.*

feuilleté, ée adj. et n. m.
Adjectif
Formé de fines feuilles superposées. *De la pâte feuilletée.*
Nom masculin
Pâte feuilletée garnie. *Un feuilleté aux champignons.*

feuilleter v. tr.
Parcourir rapidement un ouvrage, un texte. *Les pages que j'ai feuilletées me semblent excellentes.*
Conjugaison [VOIR MODÈLE – **APPELER**]
Redoublement du ***t*** devant un ***e*** muet. *Je feuillette, je feuilletterai,* mais *je feuilletais.*

feuilleton n. m.
Série télévisée qui présente une histoire en plusieurs épisodes. *Les feuilletons* (et non les *continuités) *sont très populaires.*

feuillu, ue adj. et n. m.
Adjectif
Qui a beaucoup de feuilles. *Un arbuste feuillu.*
Nom masculin
Arbre qui porte des feuilles (par opposition à résineux). *L'érable est un feuillu, alors que le pin est un résineux.*

f

feulement n. m.
Cri du tigre, du chat.

feuler v. intr.
Crier, en parlant du tigre ; grogner, en parlant du chat.
Conjugaison [VOIR MODÈLE – **AIMER**]

feutrage n. m.
Fait de feutrer, de se feutrer.

feutre n. m.
1. Étoffe épaisse. *Un chapeau de feutre.*
2. Crayon, stylo à pointe en feutre ou en nylon. *Elle aime écrire avec un feutre violet.*

feutrer v. tr., intr. ou pronom.
Verbe transitif
1. Garnir de feutre.
2. (FIGURÉ) Étouffer. *La moquette feutre les pas.* **SYN.** amortir.
Verbe intransitif ou **pronominal**
Qui prend l'aspect du feutre. *Un lainage qui ne feutre pas ou qui ne se feutre pas.*
Conjugaison [VOIR MODÈLE – **AIMER**]

fève n. f.
1. Légumineuse cultivée pour ses graines.
2. Graine de cette plante.
Locution
Fèves au lard. Plat de haricots secs cuits à petit feu avec de la mélasse et du lard.
Forme fautive
*fève. Impropriété au sens de ***haricot*** (vert, jaune).

février n. m.
Deuxième mois de l'année. *Le 14 février.*
Les noms de mois s'écrivent avec une minuscule.

fiabilité n. f.
1. Aptitude d'un appareil, d'un système, d'un ensemble à fonctionner sans défaillance dans des conditions spécifiques. *Cette voiture est d'une grande fiabilité.*
2. Qualité de la personne à qui on peut se fier.

fiable adj.
1. Se dit d'un appareil qui offre des garanties de fonctionnement sans défaillance pendant une période déterminée. *Une montre fiable.*
2. Digne de confiance, à qui on peut se fier. *Une amie fiable.* **SYN.** fidèle, sûr.

fiançailles n. f. pl.
Promesse mutuelle de mariage. *Une bague de fiançailles.*
Ce nom est toujours au pluriel.
fiançailles.

fiancer v. tr., pronom.
Verbe transitif
Célébrer les fiançailles de. *Ils fiancent leur fille aînée.*
Verbe pronominal
Se promettre solennellement de s'épouser. *Ils se sont fiancés l'an dernier.*
Le verbe se construit absolument ou avec les prépositions ***à*** ou ***avec.*** *Il s'est fiancé à Juliette, avec Juliette.*
Conjugaison [VOIR MODÈLE – **AVANCER**]
Le ***c*** prend une cédille devant les lettres ***a*** et ***o.*** *Il fiança, nous fiançons.*

fiasco n. m.
Échec. *Des fiascos retentissants.*
Ce mot a été emprunté à la langue italienne au siècle dernier.

fibre n. f.
Filament souple et allongé d'une matière. *Des fibres de coton.*

ficeler v. tr.
Attacher avec de la ficelle. *La vendeuse ficelle le colis.*
Conjugaison [VOIR MODÈLE – **APPELER**]
Redoublement du ***l*** devant un ***e*** muet. *Je ficelle, je ficellerai,* mais *je ficelais.*

ficelle n. f.
1. Petite corde pour attacher des paquets.
2. Pain de forme allongée correspondant à une demi-baguette.
Ne pas confondre avec les noms suivants :
– ***amarre,*** ce qui sert à retenir un navire, un ballon ;
– ***câble,*** gros cordage de fibres textiles ou d'acier ;
– ***cordage,*** câble d'un navire, d'une machine, etc. ;
– ***corde,*** lien fait de brins tordus ensemble.

fiche n. f.
Carton sur lequel on inscrit des renseignements en vue d'un classement.

ficher v. tr., pronom.
Verbe transitif
1. (FAMILIER) Faire. *Elle n'a rien fichu hier.*
2. (FAMILIER) Jeter dehors. *La direction les a fichées à la porte.* **SYN.** congédier, renvoyer.
3. (FAMILIER) Donner. *Cette histoire me fiche la peur.*
4. Noter sur fiche, surtout de police. *Les membres de ce groupe sont fichés.*
Verbe pronominal
(FAMILIER) Se moquer. *Il s'est fichu de moi, je m'en fiche.*
Locutions
Ficher la paix. (FAMILIER) Laisser tranquille. *Fiche-moi la paix avec tes critiques.*
Ficher le camp. (FAMILIER) *Ils ont fiché le camp sans prévenir.* **SYN.** décamper, s'enfuir, se sauver.
Aux sens familiers de ***faire*** et de ***se moquer,*** le participe passé de ce verbe est irrégulier, on dit ***fichu*** par analogie avec ***foutu.***
Conjugaison [VOIR MODÈLE – **AIMER**]

fichier n. m.
1. Ensemble de fiches. *Les fichiers de la bibliothèque sont informatisés.*
2. Ensemble de données informatiques mises en mémoire. *Quel est le nom de ton fichier ?*

fichu, ue adj. et n. m.
Adjectif
1. (FAMILIER) Perdu, qui ne peut plus servir. *Une montre dans la piscine est une montre fichue.*
En ce sens, l'adjectif suit le nom.
2. (FAMILIER) Désagréable. *Ils ont de fichus caractères.* **SYN.** détestable, mauvais.
En ce sens, l'adjectif précède le nom.
Nom masculin
Carré d'étoffe plié en triangle que l'on porte sur la tête ou sur les épaules. *Des fichus de laine.* **SYN.** châle.

fictif, ive adj.
Inventé. *Des identités fictives. Une histoire fictive.* **SYN.** imaginaire.

fiction n. f.
Création de l'imagination. *Ce scénario est une fiction, il ne décrit pas la réalité.*
Locution
Science-fiction. Fiction fondée sur les conséquences des progrès scientifiques de l'humanité.

fidèle adj. et n. m. et f.
Adjectif
1. Loyal. *Un ami fidèle.* **SYN.** sincère, sûr.
2. Constant dans ses goûts, ses idées. *Elle est fidèle à ses habitudes.*
3. Conforme à. *Une traduction fidèle, un récit fidèle à la vérité.* **SYN.** exact.
Nom masculin et féminin
Personne qui professe une religion, qui appartient à un groupe. *Les fidèles de l'Église catholique. Elle est une fidèle de ces concerts.*
fid**è**le.

fidèlement adv.
Le ***e*** de l'avant-dernière syllabe ne se prononce pas [fidɛlmɑ̃].
De façon fidèle. *Le chien Filou la suit fidèlement.*
fid**è**lement.

fidélité n. f.
Qualité d'une personne, d'une chose fidèle. *La fidélité d'un ami, la fidélité à une promesse, la fidélité d'un récit.* **SYN.** attachement, constance.
fid**é**lité.

fief n. m.
Le ***f*** final se prononce [fjɛf].
1. Au Moyen Âge, domaine confié par le seigneur à son vassal en échange de sa fidélité.
2. Domaine réservé. *Des fiefs électoraux.*

fier, fière adj. et n. m. et f.
Adjectif
1. Digne, noble. *Elle a fière allure.*
2. Qui tire une vive satisfaction de. *Il est fier de son travail. Elle est fière de ses enfants.* **SYN.** content, satisfait.
3. Prétentieux, méprisant. *Un ton fier.* **SYN.** arrogant, hautain, orgueilleux.
Nom masculin et féminin
Prétentieux, orgueilleux. *Faire la fière, le fier.*

fier (se) v. pronom.
Mettre sa confiance en. *Elles se sont fiées à lui. Il se fie à sa rapidité. Ne vous y fiez pas.* **SYN.** compter sur.
Le verbe ne se construit plus qu'avec la préposition ***à.*** La construction avec la préposition ***sur*** est vieillie. On dira cependant ***compter sur.***

Le participe passé de ce verbe qui n'existe qu'à la forme pronominale s'accorde toujours avec le sujet du verbe.
Conjugaison [VOIR MODÈLE – **ÉTUDIER**]
Redoublement du ***i*** à la première et à la deuxième personne du pluriel de l'indicatif imparfait et du subjonctif présent. *(Que) nous nous fiions, (que) vous vous fiiez.*

fièrement adv.
Le ***e*** central ne se prononce pas [fjɛrmɑ̃].
De façon fière, avec fierté. *Ils arborent fièrement leurs trophées.*

fierté n. f.
1. Amour-propre. *Il a trop de fierté pour accepter cette offre.*
2. Satisfaction légitime. *Elle contemple avec fierté son jardin fleuri.*

fièvre n. f.
1. Élévation anormale de la température du corps. *Simon a de la fièvre : le thermomètre indique 40 °C.* **SYN.** température.
2. (FIGURÉ) État de tension, animation. *La fièvre des préparatifs de voyage.* **SYN.** agitation, excitation.
fi**è**vre.

fiévreusement adv.
Le ***e*** de l'avant-dernière syllabe ne se prononce pas [fjevrøzmɑ̃].
De façon fiévreuse. *Les enfants se préparent fiévreusement à la fête.*
fi**é**vreusement.

fiévreux, euse adj. et n. m. et f.
1. Qui a de la fièvre. *Il est fiévreux.*
2. Inquiet, angoissé. *Une recherche fiévreuse.* **SYN.** fébrile.
Fiévreux et ***fébrile*** constituent des doublets : l'adjectif ***fiévreux*** est le mot courant, alors que l'adjectif ***fébrile*** est la forme savante qui appartient à la langue de la médecine.
VOIR TABLEAU – **DOUBLETS.**
fi**é**vreux.

fig.
Abréviation de ***figure,*** de ***figuré.***

figer v. tr., pronom.
Verbe transitif
1. Rendre solide. *Le froid figeait l'étang.*
2. Rendre sans réaction, immobile. *Cette vision étonnante les figea un moment.* **SYN.** immobiliser, paralyser.
Verbe pronominal
S'immobiliser. *Ils se sont figés en apercevant le voleur.*
Locution
Locution figée. Expression toute faite dont on ne peut modifier les mots. *L'expression **mi-figue, mi-raisin** est une locution figée qui signifie « ni bon ni mauvais ».*
Conjugaison [VOIR MODÈLE – **CHANGER**]
Le ***g*** est suivi d'un ***e*** devant les lettres ***a*** et ***o.*** *Il figea, nous figeons.*

fignoler v. tr.
(FAMILIER) Parfaire avec un soin minutieux. *Maman fignole la décoration de la maison.* **SYN.** raffiner, soigner.
Conjugaison [VOIR MODÈLE – **AIMER**]

figue n. f.
Fruit du figuier. *Au Québec, on mange parfois des figues fraîches, mais le plus souvent, elles sont séchées.*
Locution
Mi-figue, mi-raisin. Ni bon ni mauvais. *Des sourires mi-figue, mi raisin.*
La locution figée exprime un mélange de satisfaction et de mécontentement.

figuier n. m.
Arbre des pays chauds dont le fruit est la figue.

figurant, ante n. m. et f.
Personnage accessoire, généralement muet (au cinéma, au théâtre). *Le réalisateur explique la scène aux figurants.*
Ne pas confondre avec le participe présent invariable ***figurant.*** *J'ai lu trois articles figurant dans ce magazine.*

figure n. f.
1. Forme du visage humain. *Faire une drôle de figure. Elle s'est lavé la figure.*
Dans l'usage courant, le nom ***figure*** a remplacé ***face*** et ***visage*** qui ne s'emploient plus que dans certaines expressions.
2. Personnage important de l'histoire. *Samuel de Champlain, Maisonneuve et Jeanne Mance sont des figures marquantes de la Nouvelle-France.*
3. Illustration d'un livre.
Le nom s'abrège en ***fig.*** lorsqu'il est suivi d'un nombre ou d'une lettre, dans les renvois entre parenthèses et dans les notes *(Fig. 4 – Diagramme).*
4. (GÉOMÉTRIE) Représentation de surfaces, de volumes par des traits. *Des figures géométriques variées : triangle, carré, rectangle, cercle.*
Locutions
Faire bonne figure, triste figure. Se montrer à la hauteur de sa tâche, au-dessous de sa tâche.
Faire figure de. Paraître. *Ils font figure de personnes désintéressées.* **SYN.** sembler.
Dans cette expression, le nom ***figure*** est invariable.

figuré, ée adj.
Abréviation ***fig.***
Qui est composé d'une figure, d'un dessin. *Le schéma figuré d'une école.*
Locution
Sens figuré. Signification d'un mot exprimée par une image. *Lorsqu'on dit d'une personne qu'elle est au sommet de sa carrière, on emploie le nom **sommet** au sens figuré, c'est-à-dire comme une image, une comparaison, pour signifier le point le plus haut, le plus élevé.* **ANT.** sens propre.
VOIR TABLEAU – **FIGURÉS (EMPLOIS).**

figurer v. tr., intr., pronom.
Verbe transitif
Représenter par un dessin, une figure, un symbole. *Figurer la paix par une colombe.*
Verbe intransitif
Se trouver. *Ce mot ne figure pas au dictionnaire.*
Verbe pronominal
S'imaginer. *Ils se sont figuré qu'ils y arriveraient. Cette maison de campagne qu'il s'était figurée plus ancienne.* **SYN.** croire.
Forme fautive
*figurer. Anglicisme au sens de ***calculer, imaginer, prévoir.***
Conjugaison [VOIR MODÈLE – **AIMER**]

fil n. m.
1. Brin long et fin d'une matière textile. *Un fil blanc.*
2. Longue bande métallique. *Un fil de fer, un fil électrique.*
3. Courant. *Le fil de l'eau.*
4. (FIGURÉ) Enchaînement logique. *Le fil d'une conversation, le fil des jours.*

f

EMPLOIS **FIGURÉS**

Mode d'expression de la réalité ou des idées à l'aide d'images **(sens figuré)** plutôt qu'avec les mots courants ou les expresssions habituelles de la langue **(sens propre)**.

Pour la fermeture des piscines l'été prochain, le maire a évité de se mouiller.

Dans cette phrase, le verbe ***se mouiller*** a la signification suivante : le maire n'a pas cherché à se protéger de la pluie, de l'eau **(sens propre)**, mais plutôt il n'a pas voulu donner son avis, se compromettre **(sens figuré)**.

QUELQUES EXEMPLES :

Être dans la lune (pour « être distrait »).

Mettre un copain en boîte (pour « se moquer de lui »).

Accrocher ses patins (pour « cesser ses activités »).

Verser des larmes de crocodile (pour « faire semblant de pleurer »).

Être suspendu aux lèvres de quelqu'un (pour « écouter attentivement »).

Les emplois figurés frappent l'imagination, ils sont expressifs, vivants, colorés et ils permettent de communiquer un message de façon très efficace. Les poètes, les écrivains, les auteurs de textes et de chansons privilégient les **emplois figurés** appelés aussi **figures de style**. Ces auteurs enrichissent constamment la langue en créant de nouveaux sens figurés.

Quand Félix Leclerc chante : « Moi, mes souliers ont beaucoup voyagé... », c'est une image qu'il emploie pour dire qu'il a parcouru de grandes distances à pied, une image qui reste dans notre mémoire.

IL Y A PLUSIEURS TYPES D'EMPLOIS FIGURÉS :

La **comparaison** — Rapprochement entre des êtres, des idées, des objets.
Ce cheval est rapide comme l'éclair.
Un enfant blond comme les blés.
Elle s'élança telle une gazelle.
Ainsi qu'un jeune chien, il gambadait.
La comparaison est introduite par ***comme, ainsi que, de même que, tel...***

La **métaphore** — Remplacement d'un sens premier par un sens imagé, comparaison sous-entendue.
Être sur la corde raide (pour « être en danger »).
La comparaison n'est pas introduite par ***comme, ainsi que, de même que, tel...***

L'**exagération** — Emploi volontaire d'un mot qui a un sens très fort pour frapper l'imagination.
Je meurs de faim (pour « j'ai une grande faim »).
Merci mille fois (pour « merci beaucoup »).

L'**atténuation** — Emploi volontaire d'un mot, d'une expression dont le sens est faible pour dire plus.
Elle n'est pas bête (pour « elle est intelligente, astucieuse »).
Je ne le déteste pas (pour « il me plaît »).

L'**euphémisme** — Adoucissement d'un mot trop brutal, d'une expression trop cruelle.
Ton chien est au paradis (pour « il est mort »).
Les aînés (pour « les personnes âgées »).

L'**allégorie** — Personnification de choses abstraites.
Le bonhomme hiver a déposé son blanc manteau.

Figures diverses — Expression de la partie pour le tout.
Être sans toit (pour « être sans maison »).
Expression du contenant pour le contenu.
Mange ton assiette (pour « mange ton repas »).

Locutions
Coup de fil. Coup de téléphone. *Donne-moi un coup de fil ce soir.* **SYN.** appel, communication téléphonique.
De fil en aiguille. Petit à petit.
Ne tenir qu'à un fil. (FIGURÉ) Être très fragile.
HOM. **file**, suite.

***filage**
Anglicisme pour ***câblage électrique.***

filant, ante adj.
Qui apparaît et disparaît rapidement. *Une étoile filante.*

file n. f.
Suite de personnes ou de choses disposées l'une après l'autre. *Une file d'attente.*
Locutions
À la file, en file, en file indienne. L'un derrière l'autre.
Chef de file. (FIGURÉ) Personne qui vient en premier dans un groupe. *Des chefs de file innovateurs.*
En double file. Se dit d'une voiture qui s'arrête le long de la file des voitures déjà garées. *Il est interdit de se garer en double file*
HOM. **fil**, brin long et fin.

filer v. tr., intr.
Verbe transitif
1. Transformer en fil. *Filer de la laine.*
2. Suivre. *Ils sont filés par un détective.*
Verbe intransitif
1. S'en aller rapidement. *La voiture file à toute allure.*
2. Disparaître rapidement. *Le temps file, l'argent lui file entre les doigts.*
Locutions
Filer à l'anglaise. S'enfuir. *Les prisonniers ont filé à l'anglaise.* **SYN.** prendre la poudre d'escampette.
Filer doux. Être docile.
Filer un mauvais coton. Ne pas être en forme.
Forme fautive
*filer (bien, mal). Calque de l'anglais « to feel (good, bad) » au sens de ***se sentir, aller (bien, mal).***
Conjugaison [VOIR MODÈLE – **AIMER**]

filet n. m.
1. Réseau composé de mailles entrecroisées. *Des filets de pêche. Un filet à provisions.*
2. Écoulement fin de quelque chose. *Un filet d'eau, de voix, de fumée.*
3. Morceau tendre et charnu du bœuf, du veau, du mouton, d'un poisson. *Un filet de sole, des filets mignons.*

filière n. f.
1. Ensemble des étapes à franchir pour atteindre un résultat. *Suivre la filière.*
2. Réseau. *La filière colombienne de trafiquants.*
Forme fautive
*filière. Anglicisme au sens de ***classeur.***

fille n. f.
1. Personne du sexe féminin considérée par rapport à sa mère, à son père (par opposition à ***fils***). *Sa fille se nomme Marie-Ève.*
2. Enfant du sexe féminin (par opposition à ***garçon***). *Dans la classe, il y a 13 filles et 12 garçons.*
Locutions
Jeune fille. Adolescente.
Petite fille. Fillette. *Du côté des petites filles.*

fillette n. f.
Petite fille. *Des fillettes turbulentes.*

filleul, eule n. m. et f.
Se dit d'une personne par rapport à son parrain et à sa marraine. *Fanny est sa filleule.*

film n. m.
1. Pellicule photographique. *Un film de 24 poses.*
2. Œuvre cinématographique. *Des films d'aventures. Un excellent film.*
3. Fine pellicule d'un produit recouvrant une surface. *Un film protecteur.*

filmer v. tr.
Enregistrer sur film. *On a filmé le carnaval.*
Conjugaison [VOIR MODÈLE – **AIMER**]

filou n. m.
1. (FAMILIER) Personne malhonnête. *Ce sont des filous, des escrocs.* **SYN.** bandit.
2. Enfant espiègle. **SYN.** coquin.

fils n. m.
Personne de sexe masculin considérée par rapport à sa mère, à son père (par opposition à ***fille***). *Son fils s'appelle Étienne.*
Locutions
De père en fils. De génération en génération. *Ils dirigent cette entreprise de père en fils.*
Tel père, tel fils. Le fils ressemble souvent à son père.

filtration n. f.
Passage d'un fluide à travers un filtre. *La filtration de l'eau.*

filtre n. m.
1. Dispositif qui laisse passer un fluide en retenant les impuretés, les morceaux qu'il contient. *Un filtre à café.*
2. Dispositif servant à filtrer des éléments indésirables. *Un filtre optique, acoustique.*
HOM. **philtre**, boisson magique.

filtrer v. tr., intr.
Verbe transitif
1. Faire passer à travers un filtre. *Filtrer de l'eau, un bouillon.*
2. (FIGURÉ) Soumettre à un tri. *Filtrer les candidats.*
Verbe intransitif
Passer à travers, se tamiser. *Le soleil filtre à travers les branches.*
Conjugaison [VOIR MODÈLE – **AIMER**]

fin adj., adv. et n. f.
Adjectif
1. Dont les éléments sont petits. *Du sucre fin.*
2. Délicat, gracieux. *Une taille fine, des traits fins, de la lingerie fine.*
3. Pur. *De l'or fin.*
4. Malin, vif. *Un esprit très fin.*
5. ⚜ (FAMILIER) Gentil, sympathique. *Comme Catherine est fine : elle m'a offert un bouquet de lilas !* **SYN.** aimable, attentionné.
Adverbe
1. Finement. *Ces grains doivent être moulus fin.*
2. Tout à fait. *Ils sont fin prêts. Elle est fin seule.* **SYN.** complètement, totalement.
Pris adverbialement, le mot est invariable.
Nom féminin
1. Moment, lieu où se termine quelque chose. *La fin des vacances. La fin de la route.*
2. But, chose à réaliser. **SYN.** objectif.
Locutions
À des fins + adjectif. *À des fins économiques.*

À la fin de, en fin de (matinée, journée...). Cette locution marque la fin d'une période. *Nous discuterons à la fin de la réunion.*
Arriver à ses fins. Atteindre son but.
À seule fin de + infinitif. Uniquement pour. *À seule fin de bien paraître.*
À seule fin que + subjonctif. *À seule fin qu'il soit bien informé.*
Note : Dans cette expression, le nom est au singulier.
À toutes fins utiles. Au cas où.
En fin de compte. En résumé.
Fin de semaine. ⚜ Congé du samedi et du dimanche. *Je te verrai en fin de semaine.*
La fin justifie les moyens. Tous les moyens sont bons pour atteindre son but.
Mener à bonne fin. Réussir.
Mettre fin. Terminer. *Mettre fin au combat.*
Prendre fin. Finir. *Les épreuves ont pris fin.* **SYN.** se terminer.
Sans fin. Sans arrêt, continuellement.
Tirer, toucher à sa fin. Se terminer, s'épuiser. *Les réserves tirent à leur fin.*
Forme fautive
*à toutes fins pratiques. Calque de l'anglais « for all practical purposes » au sens de ***en pratique, pratiquement.***
HOM. faim, besoin et désir de manger.

final, ale, als ou **aux** adj.
Qui est à la fin. *Des examens finals* ou *finaux. Une consonne finale.*
Note : Au masculin pluriel, les formes ***finals*** ou ***finaux*** sont admises l'une et l'autre.
Locution
Point final. Fin définitive. *Ceci mettra un point final à notre discussion.*

finale n. f.
1. Dernière syllabe ou dernière lettre d'un mot. *Une finale en* ***e.***
2. Dernière épreuve d'une compétition par élimination. *Arriver en finale. Les finales de hockey.*

finalement adv.
À la fin, en définitive. *Ils hésitaient et, finalement, ils ont accepté.*

finaliste n. m. et f.
Personne qui participe à une épreuve finale. *Les finalistes du concours international.*

finance n. f.
1. Activité bancaire, boursière. *Le monde de la finance.* **SYN.** affaires.
2. (AU PLURIEL) Ensemble des recettes et des dépenses d'un État. *Le ministère des Finances.*
Locution
Haute finance. Ensemble des financiers importants.

financement n. m.
Action de financer quelque chose, de trouver les fonds nécessaires. *Le financement de ce voyage est assuré par les étudiants.*

financer v. tr.
Fournir l'argent nécessaire à quelque chose. *Ils travaillent l'été pour financer leurs études.* **SYN.** payer.
Conjugaison [VOIR MODÈLE – **AVANCER**]
Le **c** prend une cédille devant les lettres ***a*** et ***o.*** *Il finança, nous finançons.*

financier, ière adj. et n. m.
Adjectif
Relatif aux finances, à l'argent. *Une analyste financière.*
Nom masculin
Spécialiste des opérations bancaires, boursières. *Des financiers compétents.*

financièrement adv.
Relativement aux ressources financières.

finaud, aude adj. et n. m. et f.
Fin, rusé sous un air simple. **SYN.** astucieux, malin.
Orthographe : finau**d.**

fin de semaine n. f.
⚜ Congé du samedi et du dimanche. *Bonne fin de semaine ! Des fins de semaine.* **SYN.** week-end.

finement adv.
Avec finesse et esprit. *Elle répondit très finement à sa question.*

finesse n. f.
1. Délicatesse. *La finesse d'un dessin, d'une broderie.*
2. Possibilité de saisir les nuances. *Finesse d'esprit.*
3. ⚜ Gentillesse.
Note : Ne pas confondre avec les noms suivants :
– ***ingéniosité,*** habileté à inventer des solutions ;
– ***talent,*** aptitude naturelle.

finette n. f.
Tissu de coton dont l'envers est pelucheux. *Une chemise de nuit en finette* (et non en *flanellette).

fini, ie adj. et n. m.
Adjectif
Achevé. *Un produit fini.*
Nom masculin
Aspect. *Le fini de ce meuble est brillant.*

finir v. tr., intr.
Verbe transitif
1. Terminer. *La petite a fini ses devoirs. Elle a fini de travailler.* **SYN.** achever.
2. Constituer la fin de. *Ce dessert somptueux finit bien le repas.* **SYN.** conclure, terminer.
3. Prendre en entier. *Ne finis pas la tarte, laisse-lui-en un peu.*
Verbe intransitif
1. Arriver à sa fin. *Les vacances finissent bientôt. Le sentier finit ici.* **SYN.** s'achever.
2. Se terminer. *Ève aime les films qui finissent bien.*
Locutions
À n'en plus finir. Interminable. *Des explications à n'en plus finir.*
Note : Cette expression a un sens défavorable.
Finir par. Réussir finalement. *Ils finiront bien par gagner.*
Syntaxe : Cette construction marque la conclusion d'une suite d'actions antérieures. *Il a fini par accepter.*
Conjugaison [VOIR MODÈLE – **FINIR**]
VOIR TABLEAU – **FINIR (CONJUGAISON DU VERBE).**

finlandais, aise adj. et n. m. et f.
Adjectif et nom masculin et féminin
De Finlande. *Le drapeau finlandais. Un Finlandais, une Finlandaise.*
Note : 1° L'adjectif s'écrit avec une minuscule ; le nom, avec une majuscule.
2° Pour désigner l'ethnie, on emploie l'adjectif ***finnois.***
Nom masculin
Langue parlée en Finlande. *Il parle le finlandais.*
Note : Le nom de la langue s'écrit avec une minuscule.

Indicatif

Présent

je	finis
tu	finis
elle	finit
il	finit
nous	finissons
vous	finissez
elles	finissent
ils	finissent

Passé composé

j'	ai	fini
tu	as	fini
elle	a	fini
il	a	fini
nous	avons	fini
vous	avez	fini
elles	ont	fini
ils	ont	fini

Imparfait

je	finissais
tu	finissais
elle	finissait
il	finissait
nous	finissions
vous	finissiez
elles	finissaient
ils	finissaient

Plus-que-parfait

j'	avais	fini
tu	avais	fini
elle	avait	fini
il	avait	fini
nous	avions	fini
vous	aviez	fini
elles	avaient	fini
ils	avaient	fini

Passé simple

je	finis
tu	finis
elle	finit
il	finit
nous	finîmes
vous	finîtes
elles	finirent
ils	finirent

Passé antérieur

j'	eus	fini
tu	eus	fini
elle	eut	fini
il	eut	fini
nous	eûmes	fini
vous	eûtes	fini
elles	eurent	fini
ils	eurent	fini

Futur simple

je	finirai
tu	finiras
elle	finira
il	finira
nous	finirons
vous	finirez
elles	finiront
ils	finiront

Futur antérieur

j'	aurai	fini
tu	auras	fini
elle	aura	fini
il	aura	fini
nous	aurons	fini
vous	aurez	fini
elles	auront	fini
ils	auront	fini

Infinitif

Présent

finir

Passé

avoir fini

Subjonctif

Présent

que	je	finisse
que	tu	finisses
qu'	elle	finisse
qu'	il	finisse
que	nous	finissions
que	vous	finissiez
qu'	elles	finissent
qu'	ils	finissent

Passé

que	j'	aie	fini
que	tu	aies	fini
qu'	elle	ait	fini
qu'	il	ait	fini
que	nous	ayons	fini
que	vous	ayez	fini
qu'	elles	aient	fini
qu'	ils	aient	fini

Imparfait

que	je	finisse
que	tu	finisses
qu'	elle	finît
qu'	il	finît
que	nous	finissions
que	vous	finissiez
qu'	elles	finissent
qu'	ils	finissent

Plus-que-parfait

que	j'	eusse	fini
que	tu	eusses	fini
qu'	elle	eût	fini
qu'	il	eût	fini
que	nous	eussions	fini
que	vous	eussiez	fini
qu'	elles	eussent	fini
qu'	ils	eussent	fini

Conditionnel

Présent

je	finirais
tu	finirais
elle	finirait
il	finirait
nous	finirions
vous	finiriez
elles	finiraient
ils	finiraient

Passé

j'	aurais	fini
tu	aurais	fini
elle	aurait	fini
il	aurait	fini
nous	aurions	fini
vous	auriez	fini
elles	auraient	fini
ils	auraient	fini

Impératif

Présent

finis
finissons
finissez

Passé

aie fini
ayons fini
ayez fini

Participe

Présent

finissant

Passé

fini, ie
ayant fini

fiole n. f.
Petite bouteille de verre. *Une fiole de médicament.*
orthographe : fio**l**e.

firmament n. m.
(LITTÉRAIRE) Ciel. *Les étoiles luisent dans le firmament.*

fissure n. f.
Crevasse superficielle. *Le séisme a causé des fissures dans l'immeuble.* **SYN.** fente.

fissurer v. tr.
Crevasser, fendre. *Le séisme a fissuré le sol.*
Conjugaison [VOIR MODÈLE – **AIMER**]

fixation n. f.
Action de fixer ; dispositif qui permet de fixer quelque chose. *Les fixations de mes skis sont neuves.*

fixe adj.
1. Déterminé. *Un prix fixe. Le train part à heure fixe.*
2. Immobile. *Un point fixe.*
Locution
Idée fixe. Obsession. *Son idée fixe est d'arriver premier en classe.*

fixement adv.
De manière fixe. *Il la regardait fixement.*

fixer v. tr., pronom.
Verbe transitif
1. Déterminer de façon précise. *Ils ont fixé le prix à 100 $.*
2. Lier, attacher solidement. *Fixer des valises sur le toit d'une voiture.*
3. Regarder fixement. *Il me fixa longuement.*
Verbe pronominal
1. Choisir finalement. *Son choix s'est fixé sur ce lecteur optique.*
2. S'établir de façon permanente. *Ils se sont fixés dans les Laurentides.*
Locution
Être fixé (sur quelque chose). Être décidé, avoir fait son choix. *Rappelez-moi plus tard : je ne suis pas encore fixé.*
Conjugaison [VOIR MODÈLE – **AIMER**]

fjord n. m.
Le ***j*** se prononce ***i*** [fjɔrd].
Golfe profond, à parois abruptes. *Le fjord du Saguenay.*
f**j**ord.

flacon n. m.
Bouteille de petite dimension. *Un flacon de parfum.*

fla-fla n. m. (pl. *fla-fla* ou *fla-flas*)
(FAMILIER) Chichi. *Ne faites pas tant de fla-fla* ou *de fla-flas.*

flagrant, ante adj.
Évident, incontestable. *La vérité est flagrante.* **SYN.** certain.
Locution
Flagrant délit. Délit constaté au moment où il a lieu.

flair n. m.
1. Odorat du chien. *Le flair d'un chien de chasse.*
2. (FIGURÉ) Intuition. *Michèle a beaucoup de flair.*
fl**ai**r.

flairer v. tr.
1. Sentir. *Les chiens flairent une perdrix.*
2. (FIGURÉ) Pressentir. *Les cambrioleurs ont flairé un piège.* **SYN.** deviner, prévoir.
Ne pas confondre avec le verbe ***fleurer,*** répandre une bonne odeur.
Conjugaison [VOIR MODÈLE – **AIMER**]
fl**ai**rer.

flamand, ande adj. et n. m. et f.
Adjectif et nom masculin et féminin
Qui se rapporte à la Flandre. *Un peintre flamand. Un Flamand, une Flamande.*
L'adjectif s'écrit avec une minuscule ; le nom, avec une majuscule.
Nom masculin
Une des langues parlées en Belgique. *Jacques parle le flamand.*
Le nom de la langue s'écrit avec une minuscule.
HOM. **flamant**, grand oiseau.
flaman**d.**

flamant n. m.
Grand oiseau au plumage blanc ou rose de la famille des échassiers. *Les flamants ont de grandes pattes palmées.*
Son nom vient de la couleur de flamme de son beau plumage.
HOM. **flamand**, habitant de la Flandre, langue parlée en Flandre.
flaman**t,** un ***t*** final.

flambant, ante adj.
Qui flambe.
Locution
Flambant neuf. Tout neuf. *Des robes flambant neuves* ou *flambant neuf.*
Les grammairiens ne s'entendent pas sur l'accord de cette expression ; il est toujours possible de laisser les deux mots invariables ou d'accorder seulement l'adjectif ***neuf.***

flambeau n. m. (pl. *flambeaux*)
Torche servant à éclairer. *Un spectacle éclairé aux flambeaux, une marche aux flambeaux.*

flambée n. f.
1. Feu qui brûle avec de grandes flammes pendant peu de temps.
2. (FIGURÉ) Brusque manifestation. *Une flambée de violence, de colère.*

flamber v. tr., intr.
Verbe transitif
1. Passer à la flamme.
2. Arroser d'alcool un mets et l'enflammer. *Flamber des crêpes.*
3. (FIGURÉ) Dépenser beaucoup. *Il a flambé toutes ses économies.*
Verbe intransitif
Brûler vivement, en faisant une flamme claire. *Les bâtiments flambent et les pompiers maîtrisent difficilement cet incendie.*
Conjugaison [VOIR MODÈLE – **AIMER**]

flamme n. f.
1. Lumière produite par une substance en combustion. *La flamme d'une bougie.*
2. (FIGURÉ) Ardeur, enthousiasme. *Un plaidoyer plein de flamme.* **SYN.** fougue.
Locutions
En flammes. En feu. *La forêt est en flammes.*
Être tout feu tout flamme. (FIGURÉ) Faire preuve de beaucoup d'ardeur.
Cette expression s'écrit au singulier et sans virgule.

flammèche n. f.
Parcelle enflammée qui s'envole. *Attention aux flammèches !*
fla**mm**èche.

flan n. m.
Dessert composé de crème renversée.
HOM. **flanc**, côté du corps.

flanc n. m.
Le *c* est muet [flɑ̃].
1. Partie latérale d'une chose. *Les flancs d'un navire. Ils habitent à flanc de montagne.*
2. Côté du corps. *Le cheval s'est couché sur le flanc.*
HOM. **flan**, crème renversée.
flan**c.**

flancher v. intr.
(FAMILIER) Céder. *Il a flanché et a mangé toute la tarte.* **SYN.** (FAMILIER) se dégonfler, faiblir.
Conjugaison [VOIR MODÈLE – **AIMER**]

flanelle n. f.
Tissu en laine ou en coton. *De la flanelle grise.*

***flanellette**
Impropriété pour ***finette.***

flâner v. intr.
1. Se promener tranquillement sans but. *« J'aime flâner sur les grands boulevards », comme le chantait Yves Montand.* **SYN.** se balader.
2. Se reposer, se détendre en ne faisant rien. *Comme il est bon de flâner le samedi matin !* **SYN.** paresser.
Conjugaison [VOIR MODÈLE – **AIMER**]
fl**â**ner.

flânerie n. f.
Le **e** central ne se prononce pas [flɑnri].
Action de flâner. *Les flâneries du dimanche.*
fl**â**nerie.

flâneur, euse n. m. et f.
Personne qui flâne, qui aime flâner. *Les flâneurs se promènent doucement.* **SYN.** promeneur.
fl**â**neur.

flanquer v. tr.
1. Être à côté de (le sujet est un nom de chose). *Les deux tours qui flanquaient le château.*
2. Accompagner (le sujet est un nom de personne). *Un trafiquant flanqué de durs à cuire.*
En ce sens, le verbe a généralement une valeur défavorable ou ironique.
3. (FAMILIER) Lancer violemment. *Il lui a flanqué un verre d'eau et sa démission au visage.*
Conjugaison [VOIR MODÈLE – **AIMER**]

flaque n. f.
Petite mare. *Des flaques d'eau.*

flash n. m. (pl. *flashes* ou *flashs*)
Lampe destinée à la prise de vue photographique.

flasque adj.
Mou, sans fermeté. *Des tissus flasques.*

***flat**
Anglicisme pour ***crevaison*** (d'un pneu).

flatter v. tr., pronom.
Verbe transitif
1. ***Être flatté que.*** *Je suis flatté que vous soyez venu.* **SYN.** être content, être honoré.
La conjonction ***que*** est suivie du subjonctif.
2. Caresser un animal. *Ils flattent leur chatte, la Princesse Maboule.*
3. Complimenter avec excès. *Il faut se méfier de ceux qui vous flattent au lieu de donner vraiment leur avis.*
4. Toucher agréablement. *Cette nomination me flatte énormément.*
5. Avantager. *Ce vêtement le flatte.* **SYN.** embellir.
Verbe pronominal
1. Être persuadé de. *Il se flatte d'atteindre l'objectif fixé.*
En ce sens, le verbe se construit avec la préposition ***de*** suivie de l'infinitif.
2. Tirer fierté, orgueil. *Elle se flatte de cette réussite.* **SYN.** se féliciter.
En ce sens, le verbe se construit avec la préposition ***de*** suivie d'un nom ou d'un infinitif.
Conjugaison [VOIR MODÈLE – **AIMER**]

flatterie n. f.
Le **e** central ne se prononce pas [flatri].
Louange exagérée. *Elle n'aime pas les flatteries.*

flatteur, euse adj. et n. m. et f.
Nom masculin et féminin
Personne qui flatte, qui complimente trop. *Ne soyez pas un flatteur.* **SYN.** hypocrite.
Adjectif
1. Qui plaît à l'amour-propre. *Cette appréciation est flatteuse.* **SYN.** agréable, élogieux.
2. Qui avantage. *Ce miroir teinté est flatteur : il donne bonne mine.*

fléau n. m. (pl. *fléaux*)
1. Outil servant à battre les céréales. *Des fléaux servant à battre le blé autrefois.*
Aujourd'hui, on utilise des machines automatiques, les moissonneuses-batteuses.
2. Catastrophe. *Cette sécheresse est un fléau pour l'agriculture.*

flèche n. f.
1. Projectile muni d'un bout pointu lancé par un arc, une arbalète.
Ne pas confondre avec les noms suivants :
– ***dard,*** arme acérée ;
– ***javelot,*** longue tige à pointe de fer.
2. Signe en forme de flèche pour marquer la direction. *Une flèche de signalisation. Suivez les flèches, vous trouverez l'amphithéâtre.*
Locutions
Faire flèche de tout bois. (FIGURÉ) Utiliser tous les moyens, bons ou mauvais, pour arriver à ses fins. *Ces politiciens font flèche de tout bois pour gagner les élections.*
Monter en flèche. Augmenter rapidement. *Les prix ont monté en flèche.*
Partir comme une flèche. (FIGURÉ) Filer à toute allure.
fl**è**che.

flécher v. tr.
1. Orner de flèches.
2. Installer des panneaux de signalisation afin d'indiquer la route à suivre. *Flécher un itinéraire.* **SYN.** baliser, jalonner.
Locution
Ceinture fléchée. Ceinture tissée de laine à motifs en forme de flèche.
Conjugaison [VOIR MODÈLE – **POSSÉDER**]
Le **é** se change en **è** devant une syllabe muette, sauf à l'indicatif futur et au conditionnel présent. *Je flèche,* mais *je flécherai.*

fléchette n. f.
Petit projectile qu'on lance à la main contre une cible. *Un jeu de fléchettes.*

flechir v. tr., intr.
Verbe transitif
1. Plier. *Fléchir le bras.* **SYN.** courber.
2. (FIGURÉ) Faire céder quelqu'un. *Fléchir ses parents.* **SYN.** convaincre.
Verbe intransitif
1. Courber sous une charge. *Les branches du pin fléchissent sous le poids de la neige.* **SYN.** plier.
2. (FIGURÉ) Plier, céder. *Elle ne fléchit pas : sa décision est irrévocable.* **SYN.** faiblir, (FAMILIER) flancher.
3. Baisser. *Le cours de ces actions a fléchi.* **SYN.** diminuer.
Conjugaison [VOIR MODÈLE – **FINIR**]

f

flegmatique adj. et n. m. et f.
Se dit d'une personne toujours calme, qui demeure impassible.

flegme n. m.
Art de cacher parfaitement ses sentiments. *Le flegme britannique.*

flétan n. m.
Poisson dont la chair blanche est appréciée.

flétrir v. tr.
Ôter la couleur, la fraîcheur (d'une plante). *La chaleur a flétri ces roses.* **SYN.** faner.
Conjugaison [VOIR MODÈLE – **FINIR**]

fleur n. f.
Partie colorée et parfois d'odeur agréable de certains végétaux, qui contient les organes de reproduction. *Un bouquet de fleurs sauvages.*
Locutions
À fleur de, locution prépositive. Au niveau de, au ras de. *Une sensibilité à fleur de peau.*
En fleur(s). Dans cette expression, le nom s'écrit au singulier ou au pluriel. *Le pommier est en fleur, le jardin est en fleurs.*

fleur de lis n. f.
Emblème du Québec, de la royauté en France.
Ce nom peut également s'écrire ***fleur de lys.***

fleurdelisé, ée adj. et n. m.
Adjectif
Orné de fleurs de lis. *Une bannière fleurdelisée.*
Nom masculin
Le drapeau fleurdelisé du Québec.
fleurdel**i**sé.

fleurer v. tr.
(LITTÉRAIRE) Répandre une bonne odeur. *La maison fleure le bon pain chaud.*
Ne pas confondre avec le verbe ***flairer,*** sentir, pressentir.
Conjugaison [VOIR MODÈLE – **AIMER**]

fleuret n. m.
Épée d'escrime fixe et sans tranchant.
fleure**t**.

fleurir v. tr., intr.
Verbe transitif
Orner de fleurs. *Elle a fleuri la maison de lilas.*
Verbe intransitif
1. Produire des fleurs. *Ces rosiers fleurissent abondamment. Fleurissant tout l'été, les géraniums sont très appréciés.*
2. (FIGURÉ) Prospérer, être en vogue. *À cette époque, l'entreprise florissait encore. Florissant constamment, l'entreprise a triplé son chiffre d'affaires.*
Au sens figuré, le verbe se conjugue différemment à l'imparfait et au participe présent. *Florissait, florissant.*
Conjugaison [VOIR MODÈLE – **FINIR**]

fleuriste n. m. et f.
Personne qui fait le commerce des fleurs.
La personne qui cultive les fleurs et les plantes est un **horticulteur**, une **horticultrice.**

fleuve n. m.
Cours d'eau important qui se jette dans la mer. *Le Saint-Laurent est un fleuve qui a sa source dans les Grands Lacs et qui se jette dans l'Atlantique.*
Ne pas confondre avec les noms suivants :
- ***rivière,*** cours d'eau qui se jette dans un fleuve ;
- ***ruisseau,*** petit cours d'eau peu large ;
- ***torrent,*** cours d'eau de montagne, impétueux.

flexible adj.
1. Souple, qui peut être plié sans casser. *Une tige flexible.* **SYN.** élastique. **ANT.** rigide.
2. (FIGURÉ) Qui s'adapte facilement. *Un horaire flexible, un caractère flexible.* **SYN.** souple.

flocon n. m.
1. Petite masse, de faible densité. *Des flocons de neige.*
2. Lamelle séchée de céréales, de fruits, etc. *Des flocons de blé.*

floraison n. f.
Épanouissement des fleurs. *La floraison des pommiers.*

floral, ale, aux adj.
Relatif aux fleurs. *Des expositions florales, des motifs floraux.*

flore n. f.
Ensemble des plantes d'une région. *La flore et la faune du Québec.*

florissant, ante adj.
1. Qui est prospère. *Des affaires florissantes.* **SYN.** riche.
2. Qui est en bonne santé. *Une mine florissante.* **SYN.** en forme, rayonnant, sain.
VOIR **FLEURIR.**

flot n. m.
1. (AU PLURIEL) Vagues. *Les flots de la mer.*
2. Masse liquide qui se déplace. *Un flot de boue.*
3. Multitude. *Un flot de touristes.*
Locutions
À flot, locution adjective. Qui a assez d'eau pour flotter.
Couler à flots. Être en abondance. *Le champagne coulait à flots.*
Dans cette expression, le nom ***flot*** s'écrit au pluriel.
Remettre à flot quelqu'un, quelque chose. (FIGURÉ) Sauver de difficultés (surtout financières). *Ces investisseurs ont remis à flot l'entreprise.*
Dans cette expression, le nom ***flot*** s'écrit au singulier.

flottage n. m.
Transport par eau de pièces de bois que l'on fait flotter sur un cours d'eau. *Le flottage du bois.*
Au Québec, on utilise surtout le nom féminin ***drave.*** *La drave du bois.*

flottant, ante adj.
1. Qui flotte. *Des quais flottants.*
2. Qui n'est pas fixe. *Des taux d'intérêt flottants.* **SYN.** variable.

Ne pas confondre avec le participe présent invariable ***flottant.*** *Les bateaux flottant au large ne seront pas épargnés par la tempête.*

flotte n. f.
1. Ensemble des navires de guerre d'un pays. *La flotte américaine.* **SYN.** marine.
2. Ensemble des navires d'une compagnie maritime.
Locution
Flotte aérienne. (PAR ANALOGIE) Ensemble des avions d'une société, d'un pays. *La flotte d'Air Canada.*

flottement n. m.
1. Balancement, mouvement d'ondulation. *Le flottement de banderoles colorées au vent.*
2. Hésitation, indécision. *Il y a eu un peu de flottement, les participants n'étaient pas d'accord.*

flotter v. intr.
Se maintenir à la surface d'un liquide. *En cas d'accident, ce gilet de sauvetage te permettra de flotter et d'attendre les secours.*
Conjugaison [VOIR MODÈLE – **AIMER**]

flou, floue adj.
Imprécis, peu défini. *Des dessins flous, des photos trop floues.* **ANT.** clair, net, précis.

fluctuation n. f.
Variation continuelle. *Les fluctuations du prix de l'or.* **SYN.** changement.

fluctuer v. intr.
Varier. *Les prix fluctuent sans cesse.*
Conjugaison [VOIR MODÈLE – **AIMER**]

fluet, ette adj.
Frêle. *Un garçon fluet* (et non *feluet). **SYN.** fragile, maigre

fluide adj. et n. m.
Adjectif
1. Qui coule facilement. *Une encre fluide.*
2. Coulant, facile à lire. *Une écriture fluide.*
3. Facile, en parlant de la circulation.
Nom masculin
Corps à l'état liquide ou gazeux. *L'huile est un fluide.* **ANT.** solide.
Le mot ***fluide*** a un sens plus vaste que ***liquide.*** Si tous les liquides sont des fluides (fluides incompressibles), tous les fluides ne sont pas des liquides, puisque certains sont des gaz (fluides compressibles).

fluidité n. f.
Caractère de ce qui est fluide.

fluo
Abréviation familière de ***fluorescent.***

fluor n. m.
Symbole ***F*** (s'écrit sans point).
Corps simple gazeux. *Ajoutera-t-on du fluor dans l'eau pour prévenir les caries dentaires ?*

fluoration n. f.
Action d'ajouter du fluor à l'eau de consommation. *La fluoration de l'eau peut prévenir les caries dentaires.*

fluorescent, ente adj.
S'abrège familièrement en ***fluo*** (s'écrit sans point).
Qui devient lumineux sous l'action de certains rayonnements. *Une lumière fluorescente.*
Locution
Tube fluorescent. Cylindre en verre servant à l'éclairage. *Un tube fluorescent.*
fluore**sc**ent.

flûte n. f.
1. Instrument à vent. *Une flûte traversière.*
2. Verre à pied de forme allongée. *Une flûte à champagne.*
fl**û**te.

flûtiste n. m. et f.
Personne qui joue de la flûte.
fl**û**tiste.

flux n. m.
Le ***x*** ne se prononce pas [fly].
1. Écoulement d'un liquide. *Un flux artériel.*
2. Mouvement de la mer. *Le flux et le reflux.* **SYN.** marée.
flu**x.**

FM
(RADIO) Abréviation internationale de ***modulation de fréquence.*** *Se brancher sur la bande FM.*

***focus**
Anglicisme pour ***accent, centre d'intérêt, point de mire.*** *On a mis l'accent* (et non le *focus) *sur l'innovation.*

***focuser**
Impropriété pour ***focaliser, se concentrer sur, porter son attention sur.***

fœtus n. m.
Les lettres **œ** se prononcent ***é*** et le ***s*** se prononce [fetys].
Enfant à naître à partir du troisième mois de la grossesse.
Avant le troisième mois, il s'agit d'un ***embryon.***
f**œ**tus.

foi n. f.
1. (VIEUX) Fidélité à tenir sa parole, loyauté. *Foi d'honnête homme. Sur la foi de quelqu'un.* **SYN.** honneur.
En ce sens, le nom ne s'emploie aujourd'hui que dans certaines locutions.
2. Confiance en quelqu'un, quelque chose. *Cette personne est digne de foi.*
3. Le fait de croire en Dieu. *Cette famille a la foi.* **SYN.** croyance.
Locutions
Être de bonne, mauvaise foi. Être honnête, malhonnête.
Faire foi. Prouver. *Le cachet de la poste faisant foi.*
HOM.
– **foie**, organe ;
– **fois**, il était une fois.

foie n. m.
Organe qui sécrète la bile et remplit de multiples fonctions. *Une crise de foie.*
HOM.
– **foi**, croyance religieuse ;
– **fois**, il était une fois.
foi**e.**

foin n. m.
Herbe fauchée dans les champs et destinée à la nourriture du bétail. *Quel plaisir nous avons eu à faire les foins à Princeville !*
Locutions
Chercher une aiguille dans une botte de foin. (FIGURÉ) Entreprendre une tâche presque impossible.
Rhume des foins. Allergie causée par la floraison de certaines graminées.

foire n. f.
Grand marché public. *Une foire commerciale.*

fois n. f.
1. Évènement, circonstance qui peut se renouveler. *Je lui ai parlé plusieurs fois.*
2. Joint à un adjectif numéral, marque un nombre, un degré de fréquence, un degré de grandeur. *Deux fois par semaine* (et non *la semaine). *Trois fois trois.*
Locutions
Cette fois, locution adverbiale. Dans cette circonstance.
Chaque fois. Toutes les fois. *Chaque fois qu'il pleut* (et non *à chaque fois).
VOIR **CHAQUE.**
D'autres fois, locution adverbiale. En d'autres occasions.
Des fois. (FAMILIER) Parfois.
(Deux, trois, tous) à la fois. En même temps. *Ne répondez pas tous à la fois.*
Une fois. Jadis. *Il était une fois une jolie princesse...*
Une fois pour toutes. De façon définitive.
Cette expression est de niveau plus soutenu que ***une bonne fois.*** *Il importe de décider une fois pour toutes.*
Une fois que, locution conjonctive. Lorsque. *Une fois que ce chiffre sera atteint.*
Une fois + adjectif ou participe. Quand. *Une fois arrivé, préviens-moi.*
HOM.
– **foi**, croyance religieuse ;
– **foie**, organe.

foison (à) loc. adv.
Abondamment. **SYN.** beaucoup, en grande quantité.

fol
VOIR **FOU.**

folie n. f.
1. Déséquilibre, trouble mental. *Il est atteint de folie.*
Aujourd'hui on emploie plutôt l'expression *maladie mentale.*
2. (FIGURÉ) Acte déraisonnable, goût excessif pour quelque chose. *Cet achat est de la folie pure !* **SYN.** extravagance.
Locution
À la folie. Beaucoup, énormément. *Ils s'aiment à la folie.*
folie, un seul ***l*** malgré fo**ll**e.

folklore n. m.
Ensemble des traditions populaires d'un pays ou d'une région.

folklorique adj.
1. Ce mot est familièrement abrégé en ***folklo*** (s'écrit sans point).
2. Relatif au folklore. *Des danses folkloriques.*

folle
VOIR **FOU.**

follement adv.
Le ***e*** central ne se prononce pas [fɔlmɑ̃].
Extrêmement, d'une manière folle. *Il est follement amoureux.* **SYN.** éperdument.
fo**ll**ement.

follet, ette adj.
Locution
Feu follet. Petite flamme fugitive. *Des feux follets ou des petits lutins animaient la forêt nocturne.*

foncé, ée adj. et n. m.
Sombre, en parlant d'une couleur. *Bleu foncé.*
Lorsqu'un adjectif de couleur est composé de plusieurs mots, il est invariable. *Des gants vert foncé.*

foncer v. tr., intr.
Verbe transitif
Rendre plus sombre (une couleur). *Elle fonça la couleur des murs.*
Verbe intransitif
1. Devenir plus sombre. *Ses cheveux ont foncé.*
2. Se précipiter contre quelqu'un, quelque chose. *Le taureau fonça sur le torero.* **SYN.** attaquer, charger.
3. Aller vite. *La voiture fonçait sur la route à vive allure.* **SYN.** filer.
Conjugaison [VOIR MODÈLE – **AVANCER**]
Le ***c*** prend une cédille devant les lettres ***a*** ou ***o.*** *Il fonça, nous fonçons.*

fonceur, euse adj. et n. m. et f.
(FAMILIER) Audacieux, qui va de l'avant. *C'est une fonceuse.*

fonction n. f.
1. Rôle caractéristique d'un élément dans un ensemble. *La fonction du cœur dans l'organisme.*
2. Activité professionnelle. *Il exerce la fonction de maire.* **SYN.** occupation, profession, tâche, travail.
3. (GRAMMAIRE) Rôle d'un mot, d'un groupe de mots dans une phrase. *La fonction de sujet, de complément.*
Locutions
En fonction de, locution prépositive. Selon. *Nous ajusterons les quantités en fonction de la demande.*
Être fonction de. Dépendre de. *Les investissements seront fonction du chiffre d'affaires.*
Faire fonction de. Jouer le rôle de. *Elle fait fonction de conseillère.*
Dans ces expressions, le nom reste invariable.

fonctionnaire n. m. et f.
Personne employée par l'État. *Les enseignants sont des fonctionnaires.*

fonctionnement n. m.
Manière dont quelque chose fonctionne. *Le fonctionnement d'un appareil. Des modes de fonctionnement.*

fonctionner v. intr.
Remplir sa fonction. *La cafetière fonctionne bien.* **SYN.** marcher.
Conjugaison [VOIR MODÈLE – **AIMER**]

fond n. m.
1. Le plus bas niveau. *Le fond de la rivière, de l'océan.*
2. Partie inférieure de quelque chose. *Le fond d'un verre.*
3. Partie la plus éloignée de l'entrée. *Aller jusqu'au fond d'une grotte.*
4. (FIGURÉ) Point extrême. *Au fond de mon cœur.*
Locutions
À fond, locution adverbiale. Entièrement, jusqu'à la limite du possible. *J'ai étudié cette question à fond.*
Au fond, dans le fond, locutions adverbiales. En réalité.
De fond en comble, locution adverbiale. Complètement.
Ski de fond. Ski sur des parcours de faible dénivellation, par opposition à ***ski alpin.***
HOM. **fonds**, capital.

fondamental, ale, aux adj.
Qui se rapporte à l'essentiel. *Des principes fondamentaux.* **SYN.** capital, vital.

fondateur, trice adj. et n. m. et f.
Personne qui prend l'initiative de créer, de bâtir une entreprise, un regroupement, etc. **SYN.** bâtisseur, créateur.

fondation n. f.
1. Création. *La fondation de la ville de Québec en 1608.*
2. (AU PLURIEL) Base, fondement. *Couler les fondations d'un édifice.*

fondement n. m.
1. (AU PLURIEL) Principe, base. *Les fondements de la démocratie.*
2. Motif. *Une accusation qui n'a aucun fondement.* **SYN.** raison.
Locution
Sans fondement. Sans raison. *Ton inquiétude est sans fondement.*

fonder v. tr., pronom.
Verbe transitif
Constituer, créer. *C'est Maisonneuve qui fonda la ville de Montréal en 1642.*
Ne pas confondre avec le verbe ***établir,*** installer dans un lieu. *Cette entreprise est établie aux États-Unis et au Canada.*
Verbe pronominal
Se baser sur. *Sur quelle preuve vous fondez-vous pour accuser cette personne ?*
Conjugaison [VOIR MODÈLE – **AIMER**]
La conjugaison du verbe ***fonder*** comporte des temps homonymes avec le verbe ***fondre*** : indicatif présent, troisième personne du pluriel, indicatif imparfait, subjonctif présent et participe présent.

fondre v. tr., intr., pronom.
Verbe transitif
1. Rendre liquide un corps solide, sous l'action de la chaleur. *Fondre des métaux.*
2. Mêler. *Fondre des couleurs.*
Verbe intransitif
Devenir liquide sous l'action de la chaleur. *La neige a fondu. Le beurre fond rapidement.*
Verbe pronominal
1. Se mêler en un ensemble. *Tous les ingrédients se sont fondus pour donner une crème onctueuse.* **SYN.** se fusionner, se mélanger.
2. (FIGURÉ) Se confondre, disparaître. *Le voleur a réussi à se fondre dans la foule.*
Conjugaison [VOIR MODÈLE – **FENDRE**]
INDICATIF PRÉSENT *Je fonds, tu fonds, il fond, nous fondons, vous fondez, ils fondent.* **CONDITIONNEL** PRÉSENT *Je fondrais.* **IMPÉRATIF** PRÉSENT *Fonds, fondons, fondez.* **SUBJONCTIF** PRÉSENT *Que je fonde.* **PARTICIPE** PRÉSENT *Fondant.* PASSÉ *Fondu, ue.*
La conjugaison du verbe ***fondre*** comporte des temps homonymes avec le verbe ***fonder*** : indicatif présent, troisième personne du pluriel, indicatif imparfait, subjonctif présent et participe présent.

fonds n. m.
1. Capital de financement. *Constituer un fonds pour donner des bourses aux étudiants.*
2. (AU PLURIEL) Argent disponible. *Récolter des fonds* (et non des *argents) *pour une cause humanitaire.*
En ce sens, le nom ne s'emploie qu'au pluriel.
HOM. **fond**, le plus bas niveau.
fon**ds,** un ***s*** final même au singulier.

fondu, ue adj. et n. f.
Adjectif
Venu à l'état liquide. *Du beurre fondu.*
Nom féminin
1. Plat composé de fromage fondu dans lequel on trempe du pain. *Une fondue savoyarde.*
2. Plat composé d'un bouillon dans lequel on trempe des morceaux de viande, de poisson, de légumes. *Une fondue chinoise.*

fontaine n. f.
1. Construction ornementale comportant des bassins, des jets d'eau. *La fontaine de Trévi à Rome.*
2. Distributeur d'eau. *Les élèves étaient rassemblés autour de la fontaine* (et non de l'*abreuvoir).

fonte n. f.
1. Action de fondre ; fait de fondre. *La fonte des neiges.*
2. Alliage de fer et de carbone. *Une cloche en fonte.*

football n. m.
Le nom se prononce à l'anglaise [futbol].
Sport d'équipe. *Des terrains de football.*

for n. m.
For intérieur. Au fond de soi-même. *Dans votre for intérieur, vous m'approuvez.*
Ce mot ne s'emploie que dans l'expression citée.
HOM.
– **fort**, fortification ;
– **fort**, puissant, robuste.
f**or.**

forage n. m.
Action de forer, de percer un trou. *Le forage d'un puits. Cette entreprise pétrolière fait du forage en mer.*

force n. f.
1. Puissance, énergie. *La force d'un lutteur.* **SYN.** vigueur.
2. Violence. *Ils ont employé la force.*
3. Degré de puissance, d'efficacité. *La force du vent, la force d'une entreprise.*
4. Degré de résistance. *La force d'un acier, d'une construction.* **SYN.** rigidité, solidité.
5. (AU PLURIEL) Formations militaires d'un État. *Les forces armées du Canada.*
Locutions
À force de, locution prépositive. Avec beaucoup de. *Il y parvint, à force de travail.*
À toute force, locution adverbiale. Très fort. *Ils ont crié à toute force.*
Cette locution est toujours au singulier.
De force, locution adverbiale. En employant la contrainte.
En force, locution adverbiale. En grand nombre. *Ils sont arrivés en force : ils étaient plusieurs milliers.*
Par force, locution adverbiale. Par nécessité.
Par la force des choses, locution adverbiale. Par nécessité, obligation.

forcé, ée adj.
Qui est imposé. *Les prisonniers n'ont plus à exécuter de travaux forcés.*

forcément adv.
Nécessairement, inévitablement.

forcer v. tr., intr., pronom.
Verbe transitif
1. Enfoncer. *Le cambrioleur força la porte.*
2. Imposer quelque chose à quelqu'un. *Le propriétaire les a forcés à partir.* **SYN.** obliger.
Verbe intransitif
Fournir un grand effort. *Ils ont énormément forcé pour déménager ce piano.*

Verbe pronominal
Faire un effort sur soi-même. *Elles se sont forcées un peu et le résultat est très bon.* **SYN.** se donner du mal.
Conjugaison [VOIR MODÈLE – **AVANCER**]
Le **c** prend une cédille devant les lettres ***a*** ou ***o.*** *Il força, nous forçons.*

forer v. tr.
Percer un trou, une cavité dans une matière dure. *Les ouvriers ont foré le roc pour creuser un tunnel.*
Conjugaison [VOIR MODÈLE – **AIMER**]

forestier, ière adj.
Relatif à la forêt. *Un garde forestier.*
orthographe: for**es**tier.

forêt n. f.
Grande étendue couverte d'arbres. *Une forêt de conifères.* **SYN.** bois.
Locution
Forêt vierge. Forêt inexplorée.
note: Cette expression s'écrit sans trait d'union.
orthographe: for**ê**t.

foreuse n. f.
Machine à forer. *Le maniement de la foreuse* (et non de la *drill).

forge n. f.
Atelier où l'on travaille les métaux.

forger v. tr.
1. Travailler un métal. *Il forgeait l'argent. Du fer forgé.*
note: Lorsqu'il s'agit d'une imitation frauduleuse, on emploie le verbe ***contrefaire.***
2. Inventer. *Un nom forgé.* **SYN.** créer, imaginer.
Locution
C'est en forgeant qu'on devient forgeron. On apprend et on devient habile par l'expérience.
Conjugaison [VOIR MODÈLE – **CHANGER**]
Le ***g*** est suivi d'un **e** devant les lettres ***a*** et ***o.*** *Il forgea, nous forgeons.*

forgeron n. m.
forgeronne n. f.
Personne qui façonne le fer au marteau après l'avoir fait chauffer.

formalité n. f.
1. Manière obligatoire de procéder. *Des formalités de douane.*
2. Étiquette, cérémonie. *Les formalités l'ennuient.*
3. Acte peu important et facile à faire. *C'est une simple formalité.*
orthographe: forma**l**ité.

format n. m.
Dimensions (d'un livre, d'une feuille de papier, etc.). *Une boîte de format géant.*
VOIR **GRANDEUR.**
orthographe: forma**t,** un ***t*** final.

formatage n. m.
(INFORMATIQUE) Opération qui consiste à préparer un support physique en vue de lui permettre de recevoir une information selon un format spécifique. *Le formatage d'une disquette.*

formater v. tr.
(INFORMATIQUE) Faire un formatage. *Formater une disquette.*
Conjugaison [VOIR MODÈLE – **AIMER**]

formation n. f.
1. Constitution, élaboration. *La formation d'une société, d'une équipe.*
2. Enseignement. *Elle a reçu une formation scientifique.* **SYN.** connaissances.
note: Ne pas confondre avec le nom ***entraînement,*** qui se dit pour un sportif, un militaire.
3. Groupement de personnes. *Une formation politique.*

forme n. f.
1. Figure extérieure, configuration. *En forme de triangle. Changer de forme.*
2. Condition physique. *Elle est en excellente forme aujourd'hui.*
note: Cette expression qui appartenait à la langue des sports est aujourd'hui couramment utilisée pour décrire la condition physique ou intellectuelle de quelqu'un.

formel, elle adj.
1. Qui concerne la forme seulement, l'apparence. *Une amabilité formelle.*
2. Clair, explicite. *Une déclaration formelle.*
3. Certain. *Le gardien est formel : cette porte était fermée à clé.* **SYN.** clair, sûr.

formellement adv.
prononciation: Le **e** de l'avant-dernière syllabe ne se prononce pas [fɔrmɛlmɑ̃].
Absolument. *C'est formellement interdit.* **SYN.** strictement.

former v. tr., pronom.
Verbe transitif
1. Créer, organiser. *Un nouveau gouvernement a été formé. Les participants ont formé un long cortège.*
2. Éduquer. *Former des ingénieurs.* **SYN.** instruire.
3. Constituer. *Des chapitres qui forment un livre.* **SYN.** composer.
note: Ne pas confondre avec le verbe ***formuler,*** rédiger, exprimer.
Verbe pronominal
1. Prendre forme. *Des nuages se sont formés.* **SYN.** apparaître.
2. S'instruire. *Ces techniciens se forment par des stages pratiques.* **SYN.** se cultiver.
Conjugaison [VOIR MODÈLE – **AIMER**]

formidable adj.
1. Considérable, très grand. *Une explosion formidable.* **SYN.** énorme, étonnante.
2. (FAMILIER) Excellent, sensationnel. *Le spectacle est formidable. Des résultats formidables.* **SYN.** fantastique, génial, (FAMILIER) super, terrible.

formulaire n. m.
Document administratif conçu pour recueillir, transmettre ou conserver des informations. *Remplir* (et non *compléter) *un formulaire d'inscription, d'offre d'emploi.* **SYN.** formule.

formule n. f.
1. Expression consacrée par l'usage, par un rituel. *Des formules de politesse, une formule magique.*
2. Solution. *Les auberges de jeunesse sont une bonne formule pour voyager de façon économique.*
3. Expression très résumée. *Une formule chimique, algébrique.*
4. Formulaire. *Une formule de demande d'emploi.*

formuler v. tr.
Rédiger, exprimer dans une forme définie. *Formuler une question, une demande.*
note: Ne pas confondre avec le verbe ***former,*** composer, concevoir.
Conjugaison [VOIR MODÈLE – **AIMER**]

fort, forte adj., adv. et n. m.
Adjectif
1. Qui a de la force, puissant, robuste. *Ce garçon est très fort : il peut soulever une voiture.* **SYN.** (FAMILIER) costaud, vigoureux. **ANT.** faible.
2. Habile, doué. *Delphine est forte en français.* **SYN.** bon, (FAMILIER) calé, capable. **ANT.** nul.
3. Courageux, énergique. *Cette famille est demeurée forte malgré une grande épreuve.*
4. Grand, intense. *Un vent fort souffle. Une explosion très forte a secoué le quartier.*
5. Solide, résistant. *La tente est fabriquée avec une toile très forte.*
Adverbe
1. Très. *Elles étaient fort contentes.*
2. Avec force. *Parle plus fort.*
Comme adverbe, ce mot est toujours invariable.
Nom masculin
Fortification. *Les habitants du village avaient construit un fort pour se protéger.*
HOM. for, au fond de soi-même.

fortement adv.
1. Avec force. *Le vent soufflait fortement.*
2. Beaucoup. *Nous espérons fortement que notre amie malade se rétablira vite.*

forteresse n. f.
Lieu fortifié. *On dit que cette forteresse est imprenable.* **SYN.** fortification.

fortifiant, ante adj. et n. m.
Adjectif
Qui augmente les forces. *Des vitamines fortifiantes.*
Nom masculin
Médicament qui augmente les forces physiques. *Prendre un fortifiant.* **SYN.** tonique.

fortification n. f.
Ouvrage de défense militaire. *Des fortifications entouraient Québec.*

fortifier v. tr.
1. Rendre plus fort. *Ces exercices les fortifieront.* **SYN.** développer.
2. Protéger (une ville, un lieu, etc.) par des fortifications.
Conjugaison [VOIR MODÈLE – ÉTUDIER]
Redoublement du ***i*** à la première et à la deuxième personne du pluriel de l'indicatif imparfait et du subjonctif présent. *(Que) nous fortifiions, (que) vous fortifiiez.*

fortin n. m.
Petit fort.

fortune n. f.
1. (LITTÉRAIRE) Hasard. *La fortune sourit aux audacieux.* (Proverbe) **SYN.** sort.
2. Situation financière d'une personne. *Pour toute fortune, ils n'ont que 300 $ et deux vélos.*
3. Richesse. *Sa fortune s'élève à trois millions de dollars.*
Locutions
À la fortune du pot. À la bonne franquette, très simplement.
De fortune. Rudimentaire. *Une installation de fortune.* **SYN.** provisoire.
Faire contre mauvaise fortune bon cœur. Se résigner, accepter son sort.
Faire fortune. S'enrichir. *Ils ont fait fortune rapidement.*
Revers de fortune. Perte d'argent.
Tenter fortune. Commencer une vie, une carrière.

fortuné, ée adj.
Riche. *Cette famille est fortunée.* **SYN.** aisé.

forum n. m.
1. Place de la Rome antique. *Le forum romain.*
2. Grande salle de spectacle. *Des forums très vastes. Le nouveau forum de Montréal.*
3. Réunion où sont débattues des questions d'une vaste portée, généralement dans le but d'établir une concertation entre les divers participants. *Tenir un forum sur l'emploi.*

fosse n. f.
Le ***o*** est fermé [fos].
1. Trou assez grand creusé dans la terre. *Creuser une fosse pour planter une haie de conifères.*
2. Cavité naturelle. *Les fosses nasales.*
Locution
Fosse septique. Fosse d'aisances. *Installer une fosse septique* (et non *sceptique).

fossé n. m.
Le ***o*** est fermé [fose].
1. Fosse creusée en longueur pour faire écouler les eaux. *Ne roule pas si près du fossé, tu vas y tomber.* **SYN.** canal, éloignement.
2. (FIGURÉ) Écart, séparation, désaccord entre des personnes, des groupes. *Le fossé des générations.* **SYN.** cassure, fracture.

fossette n. f.
Le ***o*** est fermé [fosɛt].
Petit creux au menton, aux joues. *Des fossettes charmantes.*

fossile adj. et n. m.
Le ***o*** est fermé ou ouvert [fosil] ou [fɔsil].
Adjectif
Se dit d'une empreinte, d'un reste d'animal ou de végétal très ancien qui a été conservé dans des dépôts sédimentaires. *Des animaux fossiles.*
Nom masculin
Organisme fossile. *Elle a trouvé un fossile de coquillage qui a des milliers d'années.*
fo**ss**i**l**e, deux ***s***, un ***l***.

fou ou **fol, folle** adj. et n. m. et f.
1. Qui n'a pas sa raison. *Il est devenu fou.*
On dit plutôt ***aliéné, malade mental.***
2. Déraisonnable. *Les jeunes ont fait de folles dépenses.*
3. Considérable. *Un charme fou, un prix fou.*
4. Très gai, qui s'amuse beaucoup. *Elles ont fait les folles, ils ont ri comme des fous.* **SYN.** exubérant.
5. Passionné de, qui raffole de. *Ils sont fous de cette musique.* **SYN.** adepte de, fidèle, (FAMILIER) mordu, partisan.
Locution
Fou rire. Rire irrépressible. *Des fous rires.*
Forme fautive
*faire un fou de soi. Calque de l'anglais « to make a fool of oneself » pour ***se rendre ridicule.***
Devant un nom masculin commençant par une voyelle ou par un ***h*** aspiré, on emploie l'adjectif ***fol.*** *Un fol amour,* mais *un amour fou.*

foudre n. f.
Décharge électrique très forte qui produit une vive lumière, un éclair et un bruit sourd, le tonnerre. *La foudre a frappé cette maison.*
Locution
Coup de foudre. Sentiment amoureux subit et violent.

foudroyant, ante adj.
Qui est violent et rapide. *Des succès foudroyants, une maladie foudroyante.*
Note – Ne pas confondre avec le participe passé invariable ***foudroyant.*** *Il quitta la pièce en les foudroyant du regard.*

foudroyer v. tr.
1. Frapper de la foudre. *Pendant un orage, il ne faut pas se réfugier sous un arbre afin de ne pas être foudroyé.*
2. Électrocuter. *Ces travailleurs ont été foudroyés par le courant à haute tension quand leur échafaudage a touché le fil électrique.*
3. (FIGURÉ) Tuer brutalement. *Un infarctus l'a foudroyé.* **SYN.** terrasser.
Locution
Foudroyer quelqu'un du regard. Lancer un regard rempli de colère à quelqu'un.
Conjugaison [VOIR MODÈLE – **EMPLOYER**]
Le ***y*** se change en ***i*** devant un ***e*** muet. *Je foudroie, je foudroierai.*
Le ***y*** est suivi d'un ***i*** à la première et à la deuxième personne du pluriel de l'indicatif imparfait et du subjonctif présent. *(Que) nous foudroyions, (que) vous foudroyiez.*

fouet n. m.
Prononciation : Le ***t*** est muet [fwɛ].
1. Instrument formé d'un manche et d'une lanière et qui sert à frapper. *Autrefois, on condamnait les voleurs à recevoir des coups de fouet.*
2. Batteur. *Un fouet à œufs.*

fouetter v. tr.
1. Frapper avec un fouet. *Le cocher fouetta son cheval.*
2. Battre rapidement. *Fouetter des œufs. De la crème fouettée et des framboises : quel délice !*
Locution
Avoir d'autres chats à fouetter. (FIGURÉ) Avoir d'autres choses à faire, être occupé.
Conjugaison [VOIR MODÈLE – **AIMER**]

fougère n. f.
Plante à grandes feuilles vertes très découpées. *Les fougères préfèrent l'ombre.*

fougue n. f.
Élan d'enthousiasme. *Elles ont défendu cette cause avec fougue.* **SYN.** ardeur, feu.

fougueusement adv.
Avec fougue.

fougueux, euse adj.
Ardent, impétueux. *Une jument fougueuse.*
Orthographe : fougueu**x.**

fouille n. f.
1. Cavité pratiquée dans la terre afin de découvrir ce qui a été enfoui. *On peut visiter les fouilles archéologiques de la Place royale à Québec.*
2. Examen méthodique. *La fouille des passagers est obligatoire pour des raisons de sécurité.* **SYN.** inspection.

fouiller v. tr., intr.
Verbe transitif
1. Creuser pour chercher. *L'écureuil fouille le sol à la recherche des glands qu'il a cachés.*
2. Examiner attentivement. *Les agents de sécurité fouillent les voyageurs.* **SYN.** inspecter.
3. Étudier minutieusement. *Fouiller une question.* **SYN.** approfondir, creuser.
Verbe intransitif
Chercher avec soin. *Il fouille dans ses affaires, dans ses poches.*
Conjugaison [VOIR MODÈLE – **AIMER**]
Les lettres ***ill*** sont suivies d'un ***i*** à la première et à la deuxième personne de l'indicatif imparfait et du subjonctif présent. *(Que) nous fouillions, (que) vous fouilliez.*

fouillis n. m.
Prononciation : Le ***s*** ne se prononce pas [fuji].
Désordre. *Le grenier est un fouillis total.*
Orthographe : fouilli**s,** un ***s*** final même au singulier.

fouine n. f.
1. Petit mammifère carnivore.
2. (FIGURÉ) Personne indiscrète.

fouiner v. intr.
1. (FAMILIER) Fureter, chercher. *C'est agréable d'aller fouiner au marché aux puces.*
2. (FAMILIER) Se livrer à des recherches indiscrètes. *L'inconnu fouinait dans notre jardin.*
Conjugaison [VOIR MODÈLE – **AIMER**]

fouineur, euse adj. et n. m. et f.
1. Curieux. **SYN.** indiscret.
2. Personne qui aime fouiner.

foulard n. m.
Carré de tissu léger que l'on porte autour du cou ou sur la tête. *Un foulard de soie.* **SYN.** écharpe.
Orthographe : foular**d.**

foule n. f.
Nombre élevé de personnes rassemblées en un lieu. *La foule des manifestants a défilé calmement, ont défilé calmement.*
Note – Suivant que l'on insiste sur l'ensemble que l'on considère globalement, ou sur la pluralité que l'on considère en détail, le verbe s'accorde avec le collectif ou avec le complément déterminatif au pluriel.
Locution
Une foule de. Un grand nombre de choses ou de personnes. *Nous avons eu une foule de problèmes.*
VOIR TABLEAU – **COLLECTIF.**

fouler v. tr., pronom.
Verbe transitif
(LITTÉRAIRE) Marcher sur. *Le pape a foulé le sol de sa patrie avec émotion.*
Verbe pronominal
Se faire une foulure. *Elle s'est foulé la cheville.*
Conjugaison [VOIR MODÈLE – **AIMER**]

foulure n. f.
Légère entorse. *Une foulure de la cheville.*
Note – Ne pas confondre avec le nom ***luxation,*** déplacement d'un os.

four n. m.
1. Ouvrage de maçonnerie servant à cuire (le pain, la pâtisserie). *Un four à bois, un four à pizza.*
2. Partie d'une cuisinière servant à cuire. *Mettre un gâteau au four* (et non au *fourneau).

fourbu, ue adj.
Harassé de fatigue. *Après ce déménagement, il est fourbu.* **SYN.** épuisé, éreinté.

fourche n. f.
1. Instrument terminé par plusieurs branches en pointe. *Pour retourner la terre, on utilise une fourche.*
2. Se dit d'une chose qui se divise en deux. *La route fait une fourche. La fourche d'un pantalon.*

fourchette n. f.
Ustensile de table à trois ou quatre dents, en forme de petite fourche. *Des fourchettes, des couteaux et des cuillères.*

fourgon n. m.
Véhicule ferroviaire destiné au transport des bagages.

fourgonnette n. f.
Petite camionnette servant au transport de plusieurs personnes, de marchandises.

fourmi n. f.
1. Insecte vivant en colonies (fourmilières). «*La fourmi n'est pas prêteuse.*» (La Fontaine)
2. (AU PLURIEL) Démangeaisons. *Avoir des fourmis dans les jambes.*
fourm**i.**

fourmilier n. m.
Mammifère qui capture les insectes avec sa langue. *Le fourmilier se nourrit de fourmis.* **SYN.** tamanoir.
Ne pas confondre avec le verbe ***fourmiller,*** être en abondance.

fourmilière n. f.
Nid de fourmis ; colonie de fourmis vivant dans un nid.

fourmillement n. m.
Les deux ***l*** se prononcent comme dans ***famille*** [furmijmɑ̃].
1. Grouillement. *Un fourmillement de maringouins.*
2. Picotement. *Après trois heures de route, ils commencent à sentir des fourmillements.*

fourmiller v. intr.
Les deux ***l*** se prononcent comme dans ***famille*** [furmije].
1. Être en abondance. *Les rues fourmillent de touristes.* **SYN.** abonder.
2. Picoter. *Les pieds me fourmillent.*
Ne pas confondre avec le nom ***fourmilier,*** mammifère qui capture les insectes avec sa langue.
Conjugaison [VOIR MODÈLE – **AIMER**]
Les lettres ***ill*** sont suivies d'un ***i*** à la première et à la deuxième personne du pluriel de l'indicatif imparfait et du subjonctif présent. *(Que) nous fourmillions, (que) vous fourmilliez.*
fourmi**ll**er.

fournaise n. f.
1. Grand four.
2. Lieu où il fait très chaud.
Forme fautive
*fournaise. Impropriété au sens de ***chaudière,*** appareil de chauffage central.

fourneau n. m. (pl. *fourneaux*)
Sorte de four où l'on soumet diverses substances à l'action du feu. *Des hauts(-)fourneaux pour la fabrication de l'acier, de l'aluminium.*
Forme fautive
*fourneau. Mot ancien au sens de ***four.***

fournée n. f.
1. Quantité que l'on fait cuire à la fois dans un four. *Voilà la dernière fournée de pains.*
2. (FIGURÉ) (FAMILIER) Groupe. *Les touristes entrent par fournées dans le musée.* **SYN.** lot.

fourni, ie adj.
1. Approvisionné. *Un magasin bien fourni.* **SYN.** rempli.
2. Épais. *Une chevelure fournie.*

fournir v. tr., pronom.
Verbe transitif
1. Approvisionner. *Fournir une entreprise en peinture.*
2. Procurer. *Le centre sportif fournit les raquettes aux participants.* **SYN.** offrir.
Verbe pronominal
S'approvisionner. *Je me fournis en pain ou de pain à cette boulangerie.*
Conjugaison [VOIR MODÈLE – **FINIR**]

fournisseur n. m.
fournisseuse n. f.
Personne ou société qui fournit habituellement des marchandises à un particulier, à une entreprise.

fourniture n. f.
1. Approvisionnement. *La fourniture de bois.* **SYN.** livraison.
2. (GÉNÉRALEMENT PLURIEL) Petit matériel spécialisé. *Des fournitures scolaires, des fournitures de bureau.* **SYN.** accessoires.

fourrage n. m.
Plantes servant à la nourriture du bétail.
fou**rr**age.

fourré, ée adj.
1. Garni, doublé de fourrure. *Des gants fourrés de lapin.*
2. Garni. *Des chocolats fourrés à la pâte d'amande.*

fourreau n. m. (pl. *fourreaux*)
1. Étui allongé. *Tirer une épée de son fourreau.* **SYN.** enveloppe, gaine.
2. Robe très ajustée. *Des fourreaux moulants.*

fourrer v. tr., pronom.
Verbe transitif
1. Garnir l'intérieur d'une chose. *Fourrer des chocolats avec des cerises.*
2. Doubler de fourrure. *Fourrer un manteau avec du renard.*
3. (FAMILIER) Placer sans soin. *Où ai-je donc fourré mon crayon ?* **SYN.** mettre.
Verbe pronominal
(FAMILIER) Se mettre, se placer. *Elle avait sommeil et s'est fourrée dans son sac de couchage.*
Conjugaison [VOIR MODÈLE – **AIMER**]

fourre-tout n. m. inv. (pl. *fourre-tout*)
Endroit, sac où l'on entasse des choses sans ordre.

fourrure n. f.
1. Peau des animaux à poil touffu. *La fourrure d'un chat.*
2. Vêtement de fourrure. *Des manteaux de castor, de vison, de zibeline, de lynx, soit autant de belles fourrures.*

fourvoyer v. tr., pronom.
Verbe transitif
Mettre dans l'erreur. *Par mégarde, j'ai fourvoyé ces passants.*
Verbe pronominal
Se tromper. *Ils se sont lourdement fourvoyés.*
Conjugaison [VOIR MODÈLE – **EMPLOYER**]
Le ***y*** se change en ***i*** devant un **e** muet. *Je fourvoie, je fourvoierai.* Le ***y*** est suivi d'un ***i*** à la première et à la deuxième personne du pluriel de l'indicatif imparfait et du subjonctif présent. *(Que) nous fourvoyions, (que) vous fourvoyiez.*

foutre v. tr., pronom.
Verbe transitif
1. (FAMILIER) Faire. *Qu'est-ce que tu fous ici ?* **SYN.** fabriquer.
2. (FAMILIER) Mettre. *Où avez-vous foutu vos maillots ?*
Verbe pronominal
1. (FAMILIER) Se moquer, se ficher. *Il se fout d'eux.*
2. (FAMILIER) Se jeter. *Ils se sont foutus à l'eau tout habillés.* **SYN.** se jeter, se lancer.
Conjugaison [VOIR MODÈLE – **FENDRE**]
INDICATIF PRÉSENT *Je fous, nous foutons.* IMPARFAIT *Je foutais.* FUTUR *Je foutrai.* **CONDITIONNEL** PRÉSENT *Je foutrais.* **SUBJONCTIF** PRÉSENT *Que je foute, que nous foutions.* **PARTICIPE** PRÉSENT *Foutant.* PASSÉ *Foutu, ue.*
Le passé simple et l'imparfait du subjonctif n'existent pas.

foutu, ue adj.
(FAMILIER) Fichu. *Il a un foutu caractère.*

foyer n. m.
1. Partie de la cheminée où se fait le feu. *Un beau feu de foyer.*
2. Lieu où l'on vit. *Rentrer au foyer.* **SYN.** demeure, maison.

fracas n. m.
Bruit violent. *La pile d'assiettes se brisa avec fracas.* **SYN.** tapage, vacarme.
✎ fraca**s.**

fracassant, ante adj.
1. Qui produit un grand fracas.
2. (FIGURÉ) Qui fait beaucoup de bruit. *Une démission fracassante.* **SYN.** retentissant.

fracasser v. tr.
Briser violemment. *Le caillou fracassa le miroir.* **SYN.** casser.
Conjugaison [VOIR MODÈLE – **AIMER**]

fraction n. f.
1. Part séparée d'un tout. *Dans la fraction 5/7, 5 est le numérateur et 7, le dénominateur. Les 5/7* (et non *5/7e), *les cinq septièmes* (s'écrit sans trait d'union).
2. Partie d'une totalité. *Une fraction de seconde.* **SYN.** parcelle, portion.

fractionnaire adj.
Sous forme de fraction. *Un nombre fractionnaire.*

fractionner v. tr., pronom.
Verbe transitif
Diviser un tout en fractions. *Fractionner un nombre en quatre parties.* **SYN.** partager.
Verbe pronominal
Se diviser en parties. *Le groupe s'est fractionné et chacun est parti de son côté.* **SYN.** se scinder, se séparer.
Conjugaison [VOIR MODÈLE – **AIMER**]

fracture n. f.
Cassure d'un os. *Une fracture du crâne.*
☞ Ne pas confondre avec le nom ***facture,*** état détaillé précisant la quantité, la nature et le prix des marchandises vendues, des services rendus.

fracturer v. tr., pronom.
1. Casser un os. *Fracturer une jambe. Elle s'est fracturé le bras.*
2. Briser. *Les cambrioleurs ont fracturé la porte.*
Conjugaison [VOIR MODÈLE – **AIMER**]

fragile adj.
1. Qui manque de solidité, qui est susceptible de se détériorer. *Un chandelier en verre très fragile.* **SYN.** cassant.
2. Frêle, faible. *Sa santé est fragile.* **SYN.** chétif.
✎ fragil**e.**

fragilité n. f.
1. Caractère de ce qui est fragile, de ce qui se casse facilement. *La fragilité du verre.*
2. Manque de robustesse ; délicatesse, en parlant d'une personne. **SYN.** faiblesse. **ANT.** solidité.

fragment n. m.
1. Morceau. *Des fragments d'un ancien mur.* **SYN.** bout, miette, morceau.
2. Partie. *Un fragment de son rêve.* **SYN.** bribe, parcelle.

fragmenter v. tr.
Diviser, réduire en fragments.
Conjugaison [VOIR MODÈLE – **AIMER**]

fraîchement adv.
1. Récemment. *Ils sont fraîchement arrivés.* **SYN.** nouvellement.
2. Avec froideur. *Elle nous a reçus assez fraîchement.* **SYN.** froidement.
✎ fraîchement, un accent circonflexe sur le ***i.***

fraîcheur n. f.
1. Froid modéré, air frais. *La fraîcheur de la brise.*
2. Éclat. *La fraîcheur de son teint.*
3. Spontanéité. *La fraîcheur des paroles enfantines.* **SYN.** candeur.
✎ fraîcheur, un accent circonflexe sur le ***i.***

fraîchir v. intr.
Devenir frais, en parlant de la température. **SYN.** se rafraîchir.
Conjugaison [VOIR MODÈLE – **FINIR**]
✎ fraîchir, un accent circonflexe sur le ***i.***

frais, fraîche adj. et adv.
Adjectif
1. Un peu froid. *Il fait frais aujourd'hui.*
2. Qui vient de se produire. *Des nouvelles fraîches.* **SYN.** nouveau, récent.
3. Qui n'est pas altéré. *Du poisson frais, des légumes frais.*
4. Clair, sain. *Un teint frais.*
Adverbe
Récemment. *Des fleurs fraîches écloses, des légumes frais cueillis.*
☞ Pris adverbialement, l'adjectif s'accorde généralement.
Locution
À la fraîche. Au moment ou à l'endroit où il fait frais.
✎ frais, fraîche.

frais n. m. pl.
Somme versée en contrepartie d'un bien, d'un service. *Des frais de transport, des frais bancaires.* **SYN.** coût, dépense.
☞ Ce nom s'emploie toujours au pluriel. *Sans aucuns frais.*
Locution
À frais virés. ⚜ Se dit d'un appel téléphonique interurbain où le correspondant paie les frais de la communication. *Étienne a appelé de Londres à frais virés* (et non en *renversant les charges).

fraise n. f.
1. Fruit rouge et savoureux du fraisier. *Un gâteau aux fraises. Des fraises des bois.*
2. Petit outil rotatif. *La fraise du dentiste.*

fraisier n. m.
1. Plante qui produit les fraises.
2. Pâtisserie à la crème et aux fraises.

framboise adj. inv. et n. f.
Nom féminin
Fruit rouge et succulent du framboisier. *Les framboises fragiles et délicieuses.*
Adjectif de couleur invariable
De la couleur de la framboise. *Des turbans framboise.*
VOIR TABLEAU – **COULEUR (ADJECTIFS DE).**

framboisier n. m.
Plante qui produit les framboises.

franc n. m.
Unité monétaire de nombreux pays. *Des francs français, des francs belges, des francs suisses.*

franc, franche adj.
1. Loyal, sincère. *Mon amie est très franche : elle me dit ce qu'elle pense vraiment.* **SYN.** direct, droit. **ANT.** hypocrite, sournois.
2. Exempt de certains droits, taxes, etc. *Zone franche.*

français, aise adj. et n. m. et f.
Adjectif
1. Qui est de France. *Une citoyenne française. Un vin français.*
2. Propre à la langue française. *Les conjugaisons françaises, les mots français.*
Nom masculin et féminin
Personne de nationalité française. *Un Français, une Française.*
L'adjectif s'écrit avec une minuscule ; le nom, avec une majuscule.
Nom masculin
La langue française. *Le français se parle dans de nombreux pays.*
Le nom de la langue s'écrit avec une minuscule.

franchement adv.
De manière directe, sans détour. **SYN.** carrément, clairement.

franchir v. tr.
1. Passer une limite. *Franchir la frontière.* **SYN.** traverser.
2. Passer par-dessus un obstacle. *Ils ont franchi la rivière.* **SYN.** enjamber, escalader, sauter.
3. Triompher de. *Ils ont franchi le dernier obstacle et ont créé leur entreprise.*
Conjugaison [VOIR MODÈLE – **FINIR**]

franchise n. f.
1. Sincérité, qualité d'une personne franche. *J'apprécie la franchise de mon amie.* **SYN.** loyauté.
2. (COMMERCE) Droit d'exploiter une marque, une raison sociale concédée par une entreprise à une autre sous certaines conditions. *Ils exploitent une franchise de vêtements d'enfant.*

francisation n. f.
Action de franciser. *La francisation de la langue de travail. La francisation d'un mot anglais.*

franciser v. tr.
Donner un caractère français, une forme française à. *Il est important que l'on francise la langue de travail des Québécois. Pour franciser le nom « walkman », le nom **baladeur** a été retenu.*
Conjugaison [VOIR MODÈLE – **AIMER**]

franc-jeu n. m. (pl. *francs-jeux*)
Comportement loyal. *Il est franc-jeu* (et non *fair-play).

franco- préf.
1. Élément exprimant un rapport entre la France et un autre peuple. *Les accords franco-québécois. Un organisme franco-canadien.*
2. Élément invariable de mots composés signifiant « de langue française, d'ascendance française ». *Des traditions franco-ontariennes. Une Franco-Manitobaine. Des Franco-Américains.*
Les mots composés avec le préfixe ***franco-*** s'écrivent avec un trait d'union.

francophone adj. et n. m. et f.
Les ***o*** sont ouverts [frɑ̃kɔfɔn].
Dont la langue maternelle ou d'usage est le français. *Il y a plus de cinq millions de francophones au Québec.*
franco**ph**one.

francophonie n. f.
Les ***o*** sont ouverts [frɑ̃kɔfɔni].
Ensemble des peuples francophones. *Le Sommet de la francophonie a lieu tous les deux ans. Les Francofolies rassemblent des chanteurs de toute la francophonie.*
franco**ph**onie.

franc-parler n. m. (pl. *francs-parlers*)
Langage sans détour, direct. **SYN.** franchise.

frange n. f.
1. Ce qui borde quelque chose. *Les franges du tapis.*
2. Cheveux retombant sur le front. *Julie porte une frange.*

franglais n. m.
Ensemble des mots d'origine anglaise et des tournures syntaxiques calquées sur l'anglais, introduits dans la langue française.

franquette (à la bonne) loc. adv.
Sans façon, sans cérémonie. *On mangera à la bonne franquette.* **SYN.** à la fortune du pot.

frappant, ante adj.
Étonnant. *La ressemblance est frappante.* **SYN.** impressionnant.

frapper v. tr., intr., pronom.
Verbe transitif
1. Donner un coup. *Il a frappé son camarade par mégarde. Elle a été frappée par une balle perdue. La balle a frappé le filet.* **SYN.** atteindre, toucher.
2. Impressionner. *Ses réponses ont frappé ses camarades.* **SYN.** étonner, saisir.
Verbe intransitif
Donner un, des coups. *On frappe à la porte, ils frappent dans leurs mains.*
Verbe pronominal
(FAMILIER) S'inquiéter outre mesure. *Cesse de te frapper pour rien.*
Formes fautives
*frapper un nœud. Calque de l'anglais « to hit a snag » pour ***se heurter à un obstacle.***
*frapper (un piéton, un cycliste, etc.), en parlant d'un véhicule. Impropriété pour ***heurter, renverser.***
Conjugaison [VOIR MODÈLE – **AIMER**]

fraternel, elle adj.
1. Qui est propre à des frères ou à des sœurs. *Des liens fraternels.*
2. Qui rappelle les sentiments propres à des frères, à des sœurs. *Un accueil fraternel.* **SYN.** affectueux, amical.

fraterniser v. intr.
1. Faire acte de sympathie, de fraternité. **SYN.** s'entendre, sympathiser.
2. Passer de rapports hostiles à des rapports amicaux.
Conjugaison [VOIR MODÈLE – **AIMER**]

fraternité n. f.
Camaraderie, rapports fraternels. **SYN.** charité, solidarité.

fraude n. f.
Acte qui contrevient à la loi. *Une fraude électorale.* **SYN.** escroquerie.

frauder v. tr., intr.
Commettre une fraude. *Frauder le fisc. On les accuse d'avoir fraudé la banque. Ils ont fraudé sur la nature des marchandises.* **SYN.** voler.
Conjugaison [VOIR MODÈLE – **AIMER**]

fraudeur, euse n. m. et f.
Personne qui fraude. *Cette personne est honnête : ce n'est pas une fraudeuse.*

frauduleusement adv.
En fraude.

frauduleux, euse adj.
Contraire à la loi. *Une transaction frauduleuse.*
✎ frauduleu**x.**

frayer v. tr., intr.
Verbe transitif
Tracer (un chemin). *Il lui fraie la voie. Se frayer un chemin dans la forêt.* **SYN.** ouvrir.
Verbe intransitif
1. (LITTÉRAIRE) (FIGURÉ) Fréquenter quelqu'un. *Ils ont toujours frayé avec les artistes.*
2. Déposer ou féconder les œufs, en parlant des poissons. *Les saumons remontent la rivière Miramichi pour frayer.*
Conjugaison [VOIR MODÈLE – **PAYER**]
Le ***y*** peut être changé en ***i*** devant un ***e*** muet. *Je fraie* (ou *je fraye*), *je fraierai* (ou *je frayerai*).
Le ***y*** est suivi d'un ***i*** à la première et à la deuxième personne du pluriel de l'indicatif imparfait et du subjonctif présent. *(Que) nous frayions, (que) vous frayiez.*

frayeur n. f.
Peur soudaine et passagère que fait naître un danger réel ou supposé. *Elle poussa un cri de frayeur en apercevant un ours près de sa tente.* **SYN.** affolement, effroi.

fredonner v. tr., intr.
Chantonner. *Elle fredonne une chanson. Il ne cesse de fredonner.*
Conjugaison [VOIR MODÈLE – **AIMER**]

***freezer**
Anglicisme pour ***congélateur.***

frégate n. f.
Bateau de guerre destiné à la chasse aux sous-marins.

frein n. m.
1. Appareil servant à arrêter, à ralentir le mouvement d'un ensemble mécanique. *Des freins assistés* (et non des *power brakes). *Des coups de frein.*
2. (FIGURÉ) Entrave. *Un frein à l'expansion économique.*
3. Partie du mors qui se trouve dans la bouche du cheval.
Locutions
Ronger son frein. Contenir son impatience avec difficulté.
Sans frein. Sans limites, effréné. *Des dépenses sans frein.*
☞ Dans cette expression, le nom s'écrit au singulier.
✎ fr**ein.**

freinage n. m.
Action de freiner. *Le freinage doit être immédiat.*
✎ fr**ei**nage.

freiner v. tr., intr.
Verbe transitif
1. Ralentir, arrêter un mouvement. *Les vagues freinaient les nageurs.*
2. (FIGURÉ) Entraver le développement de. *Les difficultés ont freiné son enthousiasme.*
Verbe intransitif
Ralentir, s'arrêter, en parlant d'un véhicule, de quelqu'un. *Il a freiné brusquement pour éviter un chien.*
Conjugaison [VOIR MODÈLE – **AIMER**]
✎ fr**ei**ner.

frêle adj.
Fragile. *Cet enfant est frêle et de santé délicate.* **SYN.** faible.

frémir v. intr.
1. Vibrer, bouger doucement. *Quand l'eau est sur le point de bouillir, elle frémit.*
2. Trembler de peur. *Cette tarentule les a fait frémir.* **SYN.** avoir peur.
Conjugaison [VOIR MODÈLE – **FINIR**]

frémissement n. m.
Tremblement, agitation. *Des frémissements d'angoisse.* **SYN.** frisson.

frêne n. m.
Arbre à bois dur. *Ils ont planté de petits frênes.*
✎ fr**ê**ne.

frénésie n. f.
Passion. *La frénésie du jeu.* **SYN.** fièvre, folie.

frénétique adj.
Passionné, fou. *Des acclamations frénétiques.* **SYN.** délirant.

fréquemment adv.
Le ***e*** de la deuxième syllabe se prononce ***a*** [frekamɑ̃].
Souvent. *Catherine appelle Ève fréquemment.*
✎ fréqu**emm**ent.

fréquence n. f.
Caractère de ce qui se reproduit périodiquement. *La fréquence* (et non l'*incidence) *des accidents de la route a encore augmenté.*

fréquent, ente adj.
Qui se produit souvent. *Ses retards sont trop fréquents.* **SYN.** courant, habituel, nombreux, répété.

fréquentation n. f.
1. Action de fréquenter un lieu, une personne. *La fréquentation d'un restaurant.*
2. (AU PLURIEL) Personnes que l'on fréquente. *Avoir de mauvaises fréquentations.* **SYN.** connaissances.
☞ En ce sens, le nom s'emploie au pluriel.

fréquenter v. tr.
1. Aller souvent dans un lieu. *Elle fréquente cette librairie.*
2. Rencontrer fréquemment. *Il fréquente assidûment ses amis.*
3. (FAMILIER) Courtiser. *Il fréquente son amie depuis deux ans.*
Conjugaison [VOIR MODÈLE – **AIMER**]

frère n. m.
1. Celui qui est né de même père et de même mère qu'une autre personne.
2. Titre de certains ordres religieux. *Les frères des Écoles chrétiennes.*
☞ Les titres d'ordres religieux s'écrivent avec une minuscule.

frérot n. m.
(FAMILIER) Petit frère.
✎ férot**t.**

fresque n. f.
1. Vaste peinture murale. *On a découvert des fresques préhistoriques dans une caverne.*
2. (FIGURÉ) Description d'un ensemble. *La fresque d'une société, d'une époque.*

frétillement n. m.
Le **e** de l'avant-dernière syllabe ne se prononce pas [fretijmɑ̃].
Mouvement de ce qui frétille. *Les frétillements d'une truite.*

frétiller v. intr.
Remuer avec de petits mouvements rapides. *Les poissons frétillaient encore dans l'épuisette.*
Conjugaison [VOIR MODÈLE – **AIMER**]
Les lettres ***ill*** sont suivies d'un ***i*** à la première et à la deuxième personne du pluriel de l'indicatif imparfait et du subjonctif présent. *(Que) nous frétillions, (que) vous frétilliez.*

fretin n. m.
Petits poissons rejetés par le pêcheur.
Locution
Menu fretin. Choses, personnes de peu d'importance. *Ces joueurs de golf amateurs ne sont pour les champions que du menu fretin.*

friable adj.
Cassant, qui se réduit aisément en poudre. *L'ardoise est friable.*

friand, ande adj.
1. Qui a un goût particulier pour un aliment. *Ils sont friands de bons légumes frais du jardin.*
2. (FIGURÉ) Qui aime ou apprécie particulièrement quelque chose. *Elle est friande de lecture.* **SYN.** adepte, amateur.
L'adjectif se construit toujours avec la préposition ***de.***

friandise n. f.
Sucrerie. *Les friandises ne sont pas bonnes pour les dents.*

fricassée n. f.
Viande coupée en morceaux et cuite dans une sauce.

friche (en) loc.
Non cultivé, abandonné. *Un terrain en friche.* **SYN.** à l'abandon.

friction n. f.
1. Frottement sur une partie du corps. *Une friction vigoureuse le réchauffera.* **SYN.** massage.
2. Frottement entre des surfaces. *L'huile réduit la friction entre les pièces du moteur.*
3. (FIGURÉ) Conflits, désaccords entre des personnes. *Même entre des amis, il y a parfois des accrochages, des frictions.*
En ce sens, le nom s'emploie généralement au pluriel.

frictionner v. tr., pronom.
Verbe transitif
Faire des frictions à. *L'infirmière lui a frictionné le dos.* **SYN.** frotter, masser.
Verbe pronominal
Se frotter une partie du corps. *Elle s'est frictionné le bras.*
Conjugaison [VOIR MODÈLE – **AIMER**]

frigidaire n. m.
(FAMILIER) Réfrigérateur.
Ce mot est une marque déposée qui est passée dans la langue familière. On préférera le nom ***réfrigérateur*** dans la langue courante écrite.

frigo n. m.
Abréviation familière de ***réfrigérateur.***

frigorifier v. tr.
Réfrigérer pour conserver. *Il faut que nous frigorifiions ces produits périssables.*
Conjugaison [VOIR MODÈLE – **ÉTUDIER**]
Redoublement du ***i*** à la première et à la deuxième personne du pluriel de l'indicatif imparfait et du subjonctif présent. *(Que) nous frigorifiions, (que) vous frigorifiiez.*

frigorifique adj.
Aménagé pour la réfrigération. *Un wagon frigorifique servant au transport des produits laitiers.* **ANT.** calorifique.

frileux, euse adj.
Qui est sensible au froid. *Ma grand-maman n'est pas frileuse.*
✎ frileu**x.**

frimas n. m.
Le ***s*** ne se prononce pas [frimɑ].
Brouillard qui se congèle en tombant.
Ne pas confondre avec les noms suivants :
– ***brouillard,*** amas de vapeurs d'eau qui flotte à proximité du sol (visibilité inférieure à 1 km);
– ***brume,*** brouillard léger (visibilité supérieure à 1 km), brouillard de mer;
– ***buée,*** vapeur d'eau qui se condense sur une surface froide;
– ***nuage,*** masse vaporeuse de particules d'eau très fines qui flotte dans l'atmosphère.
✎ frima***s,*** un ***s*** final.

frimousse n. f.
(FAMILIER) Visage d'enfant. *Fanny a une frimousse agréable.* **SYN.** minois.

fringale n. f.
Faim subite. *Les enfants avaient une petite fringale : ils ont mangé tous les biscuits.*

fringant, ante adj.
1. Fougueux. *Des chevaux fringants.*
2. Vif et de bonne humeur. *Des invités fringants et gentils.*
✎ frin**ga**nt.

friper v. tr.
Froisser. *Des vêtements fripés. Le long trajet en voiture a fripé mes vêtements.* **SYN.** chiffonner.
Conjugaison [VOIR MODÈLE – **AIMER**]

fripon, onne adj. et n. m. et f.
Adjectif
Malicieux. *Un sourire fripon.*
Nom masculin et féminin
(FAMILIER) Enfant espiègle. **SYN.** coquin.
✎ fri**p**on.

frire v. tr., intr.
Verbe transitif
Faire cuire un aliment dans un corps gras bouillant. *Frire des beignes dans de l'huile. Des pommes de terre frites.*
Verbe intransitif
Cuire dans la friture. *Mettre du poisson à frire.*
Conjugaison [VOIR MODÈLE – **FRIRE**]
Ce verbe ne s'emploie qu'au singulier du présent de l'indicatif et de l'impératif; il s'emploie rarement au futur et au conditionnel. Il est courant au participe passé et aux temps composés formés avec l'auxiliaire ***avoir.***

f

Indicatif

Présent

je fris
tu fris
elle frit
il frit

Passé composé

j' ai frit
tu as frit
elle a frit
il a frit

nous avons frit
vous avez frit
elles ont frit
ils ont frit

Imparfait

(n'existe pas)

Plus-que-parfait

j' avais frit
tu avais frit
elle avait frit
il avait frit

nous avions frit
vous aviez frit
elles avaient frit
ils avaient frit

Passé simple

(n'existe pas)

Passé antérieur

j' eus frit
tu eus frit
elle eut frit
il eut frit

nous eûmes frit
vous eûtes frit
elles eurent frit
ils eurent frit

Futur simple

je frirai
tu friras
elle frira
il frira

nous frirons
vous frirez
elles friront
ils friront

Futur antérieur

j' aurai frit
tu auras frit
elle aura frit
il aura frit

nous aurons frit
vous aurez frit
elles auront frit
ils auront frit

Infinitif

Présent

frire

Passé

avoir frit

Subjonctif

Présent

(n'existe pas)

Passé

que j' aie frit
que tu aies frit
qu' elle ait frit
qu' il ait frit

que nous ayons frit
que vous ayez frit
qu' elles aient frit
qu' ils aient frit

Imparfait

(n'existe pas)

Plus-que-parfait

que j' eusse frit
que tu eusses frit
qu' elle eût frit
qu' il eût frit

que nous eussions frit
que vous eussiez frit
qu' elles eussent frit
qu' ils eussent frit

Conditionnel

Présent

je frirais
tu frirais
elle frirait
il frirait

nous fririons
vous fririez
elles friraient
ils friraient

Passé

j' aurais frit
tu aurais frit
elle aurait frit
il aurait frit

nous aurions frit
vous auriez frit
elles auraient frit
ils auraient frit

Impératif

Présent

fris

Passé

aie frit
ayons frit
ayez frit

Participe

Présent

(n'existe pas)

Passé

frit, ite
ayant frit

note | orthographe | *forme fautive

frisé, ée adj. et n. m. et f.
Adjectif
Bouclé. *Des cheveux frisés.*
Nom masculin et féminin
Personne dont les cheveux frisent. *Ils ont trouvé un frisé pour jouer ce rôle.*

friser v. tr., intr.
Verbe transitif
1. Boucler. *Elle a frisé ses cheveux au fer.*
2. (FIGURÉ) Être près d'atteindre quelque chose. *Ils ont frisé la catastrophe. Elle frise la quarantaine.* **SYN.** frôler, raser.
Verbe intransitif
Avoir les cheveux qui frisent naturellement. *Nathalie frise un peu.*
Conjugaison [VOIR MODÈLE – **AIMER**]

frisquet, ette adj.
(FAMILIER) Frais. *Il fait un peu frisquet ce soir. Une température frisquette.*

frisson n. m.
1. Contraction involontaire de la peau causée par le froid, la fièvre. *J'ai des frissons et je grelotte : il faut que je m'habille plus chaudement.*
2. Saisissement passager qui naît d'une émotion vive. *Des frissons d'angoisse.* **SYN.** tremblement.

frissonnant, ante adj.
Qui frissonne en raison du froid, de la fièvre, d'une émotion.

frissonnement n. m.
1. Léger frisson. *Un frissonnement de plaisir.*
2. (LITTÉRAIRE) Frémissement.
frisso**nn**ement.

frissonner v. intr.
1. Avoir des frissons. *Elle a mis un manteau parce qu'elle frissonnait.* **SYN.** grelotter.
2. Trembler légèrement sous le coup d'une émotion. *Ils frissonnent de peur et d'inquiétude.* **SYN.** frémir.
Conjugaison [VOIR MODÈLE – **AIMER**]
frisso**nn**er.

frite n. f.
Pomme de terre frite. *Du poulet et des frites.*
Ce nom s'emploie généralement au pluriel.

friteuse n. f.
Appareil de cuisine destiné aux fritures.

friture n. f.
1. Corps gras servant à frire. *Jette les bâtonnets de pomme de terre dans la friture.*
2. Aliment frit. *Une friture de petits poissons.*

frivole adj.
Peu sérieux, superficiel. *Il ne songe qu'aux voitures, il est un peu frivole.*
frivol**e.**

froid, froide adj. et n. m.
Adjectif
1. Qui est privé de chaleur. *L'eau du lac est froide. Il fait froid aujourd'hui.*
2. (FIGURÉ) Insensible, sans chaleur. *Un ton froid. Un accueil froid.* **SYN.** distant, glacial, sévère.
Nom masculin
Abaissement de la température. *Il fait un froid de canard.*
Dans plusieurs expressions, le nom se construit sans article. *Avoir froid.*
Locutions
Attraper froid, prendre froid. S'enrhumer.
Ne faire ni chaud ni froid. Être égal. *Son refus ne me fait ni chaud ni froid : cela m'est indifférent.*
Jeter un froid. Gêner, embarrasser. *Cette remarque désagréable a jeté un froid dans la classe.*

froidement adv.
Avec froideur, avec insensibilité. *Il répondit très froidement.*

froideur n. f.
Impassibilité, manque de sensibilité. *Cette apparente froideur n'est que de la timidité.* **SYN.** indifférence. **ANT.** chaleur.

froissement n. m.
Action de froisser ; fait d'être froissé. *Le froissement d'une étoffe.*

froisser v. tr., pronom.
Verbe transitif
1. Chiffonner. *Il a froissé son pantalon.* **SYN.** friper.
2. (FIGURÉ) Blesser, choquer légèrement. *Elle a involontairement froissé sa cousine.* **SYN.** choquer, vexer.
Verbe pronominal
Se vexer. *Ils se sont froissés qu'on ne les ait pas invités. Elle s'est froissée de cette impolitesse.* **SYN.** se fâcher.
À la forme pronominale, le verbe se construit avec la conjonction ***que*** suivie du subjonctif ou avec la préposition ***de*** suivie d'un nom.
Conjugaison [VOIR MODÈLE – **AIMER**]

frôler v. tr.
1. Effleurer, toucher légèrement en passant. *Le chat a frôlé sa jambe.*
2. (FIGURÉ) Passer très près de, échapper de justesse à (quelque chose de grave). *Ils ont frôlé le désastre.* **SYN.** friser, raser.
Conjugaison [VOIR MODÈLE – **AIMER**]
fr**ô**ler.

fromage n. m.
Aliment préparé avec du lait coagulé. *Elle aime bien le fromage Oka et le camembert. Un fromage de chèvre.*
1° À moins qu'il ne s'agisse d'un nom déposé ou d'un nom de lieu, les noms de fromage s'écrivent en minuscules. *Le brie, le reblochon, le roquefort.*
2° Les noms simples prennent la marque du pluriel *Des cantals, des cheddars, des emmenthals.*
3° Les noms composés sont invariables. *Des pont-l'évêque, des saint-andré, des saint-paulin.*
4° Certaines appellations sont des noms déposés invariables qui s'écrivent avec une majuscule initiale. *Une boîte de Vache qui rit.*

froment n. m.
Blé de la qualité la plus fine. *De la farine de froment dont on fera du pain.*
from**ent.**

froncement n. m.
Le **e** central ne se prononce pas [frɔ̃smɑ̃].
Action de froncer. *Ces froncements de sourcils ne l'intimident pas.*

froncer v. tr.
1. Rider en plissant. *Il fronça les sourcils.*
2. Plisser. *Une jupe froncée.*
Conjugaison [VOIR MODÈLE – **AVANCER**]
Le **c** prend une cédille devant les lettres ***a*** ou ***o.*** *Il fronça, nous fronçons.*

fronde n. f.
Arme de jet. *Antoine lança quelques cailloux avec sa fronde.* **SYN.** lance-pierres.

frondeur, euse adj. et n. m. et f.
Moqueur, impertinent. **SYN.** insolent.

front n. m.
1. Partie supérieure du visage qui va des sourcils aux cheveux. *Elle a un grain de beauté sur le front.*
2. Zone de combat. *Partir au front.*
3. (MÉTÉOROLOGIE) Masse d'air. *Un front froid.*
Locutions
Avoir du front tout le tour de la tête. (FAMILIER) Avoir du culot, de l'audace.
Avoir le front de. Avoir l'audace de.
De front, locution adverbiale. Par-devant.
Faire front. Tenir tête.
Mener de front. Diriger en même temps plusieurs choses.

frontal, ale, aux adj.
1. Qui appartient au front. *Des os frontaux.*
2. De face. *Une collision frontale.*

frontalier, ière adj.
Relatif aux frontières. *Des incidents frontaliers.*

frontière adj. inv. et n. f.
Nom féminin
1. Limite qui borde l'étendue d'un territoire, qui sépare un État d'un autre État. *La frontière américaine* (et non les *lignes).
2. (FIGURÉ) Borne, limite. *La frontière du ridicule, du savoir.*
Adjectif invariable
Situé à la frontière. *Des régions frontière, des villes frontière, des postes frontière, des zones frontière.*

fronton n. m.
Ornement architectural qui surmonte la façade d'un édifice.

frottement n. m.
Le ***e*** central ne se prononce pas [frɔtmɑ̃].
1. Friction. *Le frottement d'un vêtement contre la peau.*
2. Résistance. *Freinage par frottement.*
3. (AU PLURIEL) Heurt, mésentente de peu d'importance. *Il y a eu quelques frottements, mais tout est rentré dans l'ordre.* **SYN.** désaccord, frictions.

frotter v. tr., intr., pronom.
Verbe transitif
1. Appuyer une chose contre une autre avec un mouvement pour faire une étincelle. *Frotter deux pierres l'une contre l'autre. Jean frotta une allumette.*
2. Nettoyer en frottant. *Frotter le plancher, les vêtements.* **SYN.** astiquer.
3. Frictionner. *Elle a frotté sa jambe endolorie.* **SYN.** masser.
Verbe intransitif
Produire un frottement. *Le pneu semble frotter, il frotte contre le trottoir.*
Verbe pronominal
1. Se frictionner. *Se frotter le dos avec une pommade.*
2. (FAMILIER) Provoquer. *Il vaut mieux ne pas se frotter à cette personne désagréable.* **SYN.** défier.
Conjugaison [VOIR MODÈLE – **AIMER**]
fro**tt**er.

froussard, arde adj. et n. m. et f.
(FAMILIER) Qui a la frousse. *Sébastien n'est pas un froussard.* **SYN.** peureux.
froussar**d.**

frousse n. f.
(FAMILIER) Peur. *Ces bruits dans la cave m'effraient, j'ai la frousse.*

fructifier v. intr.
1. Produire des fruits.
2. (FIGURÉ) Produire de bons résultats, des bénéfices. *Ses placements ont bien fructifié.* **SYN.** rapporter.
Conjugaison [VOIR MODÈLE – **ÉTUDIER**]
Redoublement du ***i*** à la première et à la deuxième personne du pluriel de l'indicatif imparfait et du subjonctif présent. *(Que) nous fructifiions, (que) vous fructifiiez.*

fructueusement adv.
Avec succès.

fructueux, euse adj.
Qui donne de bons résultats. *Des recherches fructueuses, des placements fructueux.* **SYN.** avantageux, profitable, rentable.

frugal, ale, aux adj.
Peu abondant, simple. *Des repas frugaux.* **SYN.** léger.

frugivore adj. et n. m.
Qui se nourrit de fruits. *Les chevreuils sont frugivores : ils aiment bien les pommes.*
Ne pas confondre avec les mots suivants :
– ***carnivore,*** qui se nourrit de chair ;
– ***granivore,*** qui se nourrit de graines ;
– ***herbivore,*** qui se nourrit d'herbe ;
– ***insectivore,*** qui se nourrit d'insectes ;
– ***omnivore,*** qui se nourrit de végétaux et d'animaux.

fruit n. m.
1. Ensemble des organes végétaux contenant les graines produites par une plante après la fleur. *Le citron est le fruit du citronnier ; le gland, celui du chêne.*
2. Fruit comestible. *Les fruits et les légumes. Une salade de fruits, un jus de fruits.*
3. (FIGURÉ) Résultat. *Cette entreprise est le fruit de son travail acharné.* **SYN.** avantage, profit.
Locutions
Fruits de mer. Mollusques et crustacés comestibles.
Porter fruit. Donner de bons résultats. *Les recherches ont porté fruit.*
Dans l'expression ***porter fruit,*** le nom ***fruit*** reste toujours au singulier.

fruiterie n. f.
Le ***e*** central ne se prononce pas [frɥitri].
Magasin de fruits.

fruitier, ière adj.
Qui produit des fruits comestibles. *Des arbres fruitiers.*

fruste adj.
Rude, grossier, peu raffiné. *Des manières frustes.*
frus**te.**

frustrant, ante adj.
Décevant, de nature à frustrer. *Des refus frustrants.* **SYN.** insatisfaisant.

frustration n. f.
Action de frustrer. *Un sentiment de frustration.*

frustrer v. tr.
1. Priver une personne d'un bien qu'elle était en droit de recevoir. *On les a frustrés de leur héritage.* **SYN.** désavantager, léser.
2. Priver une personne d'une satisfaction, décevoir. *Ils sont frustrés par cet insuccès. Ils se sentent frustrés.* **SYN.** désappointer.

Ce verbe ne s'emploie pas à la forme intransitive. *Le retard de Maxime a frustré Luc* (et non *Luc frustre parce que Maxime est en retard).
Conjugaison [VOIR MODÈLE – **AIMER**]

fuchsia adj. inv. et n. m.
Les lettres ***chs*** se prononcent ***ch*** ou ***ks*** [fyʃja] ou [fyksja].
Nom masculin
Arbrisseau à fleurs pourpres. *Des fuchsias.*
Attention au genre masculin de ce nom : ***un*** fuchsia.
Adjectif de couleur invariable
De la couleur pourpre des fuchsias. *Des soies fuchsia.*
VOIR TABLEAU – **COULEUR (ADJECTIFS DE).**
fu**chs**ia.

fugitif, ive adj. et n. m. et f.
Adjectif
Qui fuit rapidement. *Une vision fugitive.* **SYN.** court, passager.
Nom masculin et féminin
Personne en fuite. *Il faut rattraper les fugitifs.* **SYN.** fuyard.

fugue n. f.
1. (MUSIQUE) Composition musicale.
2. Action de s'enfuir pour un temps du lieu où l'on vit généralement. *Faire une fugue.* **SYN.** escapade.

fuguer v. intr.
(FAMILIER) Faire une fugue (notamment pour un enfant mineur).
Conjugaison [VOIR MODÈLE – **AIMER**]

fugueur, euse adj. et n. m. et f.
Se dit d'un enfant qui fait des fugues.

fuir v. tr., intr.
Verbe transitif
Chercher à éviter. *Il me semble qu'elle me fuit. Fuir les histoires.* **SYN.** s'éloigner de.
Verbe intransitif
1. S'éloigner rapidement pour échapper à un danger. *La maison était en feu, mais ils ont eu le temps de fuir. Fuir devant un chien méchant.* **SYN.** s'enfuir, partir.
2. S'écouler rapidement. *Le temps fuit trop vite.* **SYN.** passer.
3. Laisser échapper un fluide. *Son réservoir fuit.*
Conjugaison [VOIR MODÈLE – **FUIR**]
Le ***y*** est suivi d'un ***i*** à la première et à la deuxième personne du pluriel de l'indicatif imparfait et du subjonctif présent. *(Que) nous fuyions, (que) vous fuyiez.*

fuite n. f.
1. Action de fuir. *Prendre la fuite. La fuite du temps.*
2. Écoulement (d'un fluide, d'un gaz) par une fissure. *Des fuites d'eau ont abîmé le plafond. Une fuite de gaz.*
3. (FIGURÉ) Divulgation d'informations destinées à demeurer secrètes. *Il y a eu des fuites relativement au nouveau budget.*

fulgurant, ante adj.
Aigu et rapide comme l'éclair. *Des douleurs fulgurantes, une vitesse fulgurante.*

fumant, ante adj.
Qui produit de la fumée. *Une soupe fumante. Des troncs d'arbres calcinés, encore fumants, voilà tout ce qui reste de la belle forêt incendiée.*

fumée n. f.
Produit gazeux provenant d'un corps en feu. *La fumée de cigarette.*
Locutions
Il n'y a pas de fumée sans feu. (Proverbe). Il ne court pas de rumeur sans raison.
S'en aller en fumée. (FIGURÉ) Disparaître sans résultat.
Dans cette expression, le nom s'écrit au singulier.

fumer v. tr., intr.
Verbe transitif
1. Aspirer la fumée du tabac. *Fumer une cigarette.*
2. Exposer à la fumée pour faire sécher et conserver. *Fumer un saumon.* **SYN.** boucaner.
Verbe intransitif
1. Dégager de la fumée. *Le cratère de l'Etna en Sicile continue de fumer. La soupe fume ; elle est encore très chaude.*
2. Aspirer la fumée du tabac. *Il voudrait bien arrêter de fumer.*
Conjugaison [VOIR MODÈLE – **AIMER**]

fumet n. m.
Odeur agréable de certaines viandes. *Le fumet d'un rôti.* **SYN.** arôme.
fume**t.**

fumeur, euse n. m. et f.
Personne qui fume. *Les vols de cette compagnie ne comportent plus de section fumeurs.* **ANT.** non-fumeur.

fumier n. m.
Mélange fermenté de paille et d'excréments de bestiaux utilisé comme engrais.

fumoir n. m.
1. Lieu où l'on fume (la viande, le poisson).
2. Local à la disposition des fumeurs.

***fun**
Anglicisme pour ***plaisir, amusement.***
*être le fun. Anglicisme pour ***être amusant, drôle.***

funambule n. m. et f.
Acrobate qui marche sur une corde tendue. **SYN.** équilibriste.
funambul**e.**

funèbre adj.
Qui appartient aux funérailles, à la mort. *Une oraison funèbre. Un silence funèbre.*
Ne pas confondre avec le mot ***funeste,*** qui cause la mort.

funérailles n. f. pl.
Ensemble des cérémonies qui accompagnent un enterrement. *Les funérailles des jeunes disparus ont été très émouvantes.* **SYN.** service funèbre.
Ce nom est toujours au pluriel.

funeste adj.
1. Qui apporte le malheur. *Une décision funeste.* **SYN.** malheureux, mauvais.
2. Qui cause la mort. *Un accident funeste.* **SYN.** fatal, tragique.
Ne pas confondre avec le mot ***funèbre,*** relatif aux funérailles, à la mort.

funiculaire n. m.
Wagon mis en mouvement à l'aide de câbles. *Vous pouvez gravir les 425 marches ou prendre le funiculaire. Le funiculaire de Québec au pied du Château Frontenac.*

fur n. m.
Au fur et à mesure, locution figée. À mesure. *Au fur et à mesure qu'ils arrivent. Au fur et à mesure de vos besoins financiers. Répondez au fur et à mesure.* **SYN.** en même temps.
La locution se construit avec ***que*** et le subjonctif ou avec la préposition ***de*** ou absolument.

f

Indicatif

Présent

je fuis
tu fuis
elle fuit
il fuit
nous fuyons
vous fuyez
elles fuient
ils fuient

Passé composé

j' ai fui
tu as fui
elle a fui
il a fui
nous avons fui
vous avez fui
elles ont fui
ils ont fui

Imparfait

je fuyais
tu fuyais
elle fuyait
il fuyait
nous fuyions
vous fuyiez
elles fuyaient
ils fuyaient

Plus-que-parfait

j' avais fui
tu avais fui
elle avait fui
il avait fui
nous avions fui
vous aviez fui
elles avaient fui
ils avaient fui

Passé simple

je fuis
tu fuis
elle fuit
il fuit
nous fuîmes
vous fuîtes
elles fuirent
ils fuirent

Passé antérieur

j' eus fui
tu eus fui
elle eut fui
il eut fui
nous eûmes fui
vous eûtes fui
elles eurent fui
ils eurent fui

Futur simple

je fuirai
tu fuiras
elle fuira
il fuira
nous fuirons
vous fuirez
elles fuiront
ils fuiront

Futur antérieur

j' aurai fui
tu auras fui
elle aura fui
il aura fui
nous aurons fui
vous aurez fui
elles auront fui
ils auront fui

Infinitif

Présent

fuir

Passé

avoir fui

Subjonctif

Présent

que je fuie
que tu fuies
qu' elle fuie
qu' il fuie
que nous fuyions
que vous fuyiez
qu' elles fuient
qu' ils fuient

Passé

que j' aie fui
que tu aies fui
qu' elle ait fui
qu' il ait fui
que nous ayons fui
que vous ayez fui
qu' elles aient fui
qu' ils aient fui

Imparfait

que je fuisse
que tu fuisses
qu' elle fuît
qu' il fuît
que nous fuissions
que vous fuissiez
qu' elles fuissent
qu' ils fuissent

Plus-que-parfait

que j' eusse fui
que tu eusses fui
qu' elle eût fui
qu' il eût fui
que nous eussions fui
que vous eussiez fui
qu' elles eussent fui
qu' ils eussent fui

Conditionnel

Présent

je fuirais
tu fuirais
elle fuirait
il fuirait
nous fuirions
vous fuiriez
elles fuiraient
ils fuiraient

Passé

j' aurais fui
tu aurais fui
elle aurait fui
il aurait fui
nous aurions fui
vous auriez fui
elles auraient fui
ils auraient fui

Impératif

Présent

fuis
fuyons
fuyez

Passé

aie fui
ayons fui
ayez fui

Participe

Présent

fuyant

Passé

fui, ie
ayant fui

fureter v. intr.
Chercher pour découvrir des choses rares, cachées. *Tous les samedis, elle furète dans les magasins.* **SYN.** fouiller, fouiner.
Conjugaison [VOIR MODÈLE – **CONGELER**]
Le ***e*** se change en ***è*** devant une syllabe muette. *Je furète, nous furetons.*

fureur n. f.
Colère. *Des cris de fureur.* **SYN.** rage.
Locutions
Crise de fureur. Colère violente.
Faire fureur. Provoquer un intérêt passionné. *Ces produits ont fait fureur.*
Le nom reste au singulier dans cette expression.
Mettre en fureur. Mettre en colère.

furie n. f.
1. Accès de rage, de fureur. *Ces erreurs les ont mis en furie.* **SYN.** colère.
2. Caractère d'extrême violence. *Les flots étaient en furie.*

furieux, euse adj.
En fureur, en colère. *Il était furieux d'avoir été contredit. Elle était furieuse contre eux. Ils sont furieux que la décision soit prise.*
L'adjectif peut se construire avec ***de, contre*** ou ***que*** + subjonctif.
Locution
Fou furieux. Furieux à l'extrême. *Elles sont folles furieuses.*
Cette expression n'est plus utilisée en psychiatrie ; dans la langue courante, elle a perdu son sens médical et s'emploie comme un superlatif.
furieu**x.**

furoncle n. m.
Petite inflammation de la peau.
Attention au genre masculin de ce nom : ***un*** furoncle.

furtif, ive adj
Discret, caché. *Des regards furtifs.*

fuseau n. m. (pl. *fuseaux*)
1. Petite bobine pour filer à la quenouille.
2. Pantalon élastique comprenant une bande qui passe sous le pied. *Des fuseaux de ski.*
3. Zone imaginaire comportant une heure uniforme. *Les 24 fuseaux horaires de la Terre.*

fusée n. f.
1. Pièce de feu d'artifice. *Des fusées éclairantes.*
2. Engin mû par un moteur à réaction et pouvant voyager dans l'espace. *Envoyer une fusée vers la Lune.*

fuselage n. m.
Corps d'un avion sur lequel se fixent les ailes.
fuse**l**age.

FUTUR

Le **FUTUR** exprime un **fait qui aura lieu plus tard.**
Nous serons en vacances à la fin de juin. Marie- Ève aura 20 ans en juillet prochain.

Ce temps traduit également :

- une **vérité générale.**
  Il y aura toujours des gagnants et des perdants.
- un **fait probable.**
  L'été sera ensoleillé, je crois.
- un **futur dans le passé.**
  La bataille des plaines d'Abraham entraîna la chute de Québec en 1759 : la Nouvelle-France passera ensuite sous la domination des Anglais.
- un **ordre poli.**
  Tu voudras bien m'expliquer ce retard.
- un **présent atténué.**
  Tu comprendras que je ne peux lui faire confiance.
- un **fait passé** dans une **narration au passé.**
  Les Français ont été vaincus à la bataille des plaines d'Abraham : ce sera la fin de la Nouvelle-France.

Le **FUTUR ANTÉRIEUR** exprime :

- un **fait** qui doit précéder un fait futur.
  Quand vous aurez fini vos devoirs, vous pourrez jouer dehors.
- un **fait futur inévitable.**
  Nous sommes persuadés que le groupe aura vite réuni les provisions nécessaires à l'expédition.
- un **fait passé hypothétique.**
  Nos amis ne sont pas encore là, ils se seront encore attardés à la piscine.

VOIR TABLEAU – **CONCORDANCE DES TEMPS.**

fuser v. intr.
Jaillir comme une fusée. *Des rires fusaient de toutes parts.*
Conjugaison [VOIR MODÈLE – **AIMER**]

fusible n. m.
Dispositif destiné à couper le courant électrique lorsque l'intensité est trop forte. *Des fusibles* (et non des *fuses).
Attention au genre masculin de ce nom.

fusil n. m.
Le ***l*** ne se prononce pas [fyzi].
Arme à feu portative comprenant un long canon. *Un fusil de chasse.*
Locution
Changer son fusil d'épaule. Changer d'opinion.
fusi**l**.

fusillade n. f.
1. Combat à coups de fusil.
2. Échange de coups de feu. *La fusillade a fait deux blessés.*

fusiller v. tr.
Passer (un condamné) par les armes.
Conjugaison [VOIR MODÈLE – **AIMER**]
Les lettres ***ill*** sont suivies d'un ***i*** à la première et à la deuxième personne du pluriel de l'indicatif imparfait et du subjonctif présent. *(Que) nous fusillions, (que) vous fusilliez.*
fusi**ll**er.

fusion n. f.
1. Passage d'un corps solide à l'état liquide sous l'influence de la chaleur. *De la lave en fusion.*
2. (FIGURÉ) Combinaison. *La fusion de deux fichiers informatiques pour produire des lettres personnalisées.* **SYN.** mélange.
3. (ÉCONOMIE) Intégration. *Une fusion d'entreprises.* **SYN.** alliance, réunion.

fusionnement n. m.
Action, fait de fusionner. *Le fusionnement de deux sociétés.*

fusionner v. tr., intr.
Verbe transitif
Réunir (des éléments, des groupes distincts) en un seul. **SYN.** unir.
Verbe intransitif
Devenir une seule chose, se réunir. *Ces entreprises ont fusionné.* **SYN.** se fondre.
Conjugaison [VOIR MODÈLE – **AIMER**]

fût n. m.
Tonneau. *Un fût de chêne. De la bière en fût.*
f**û**t.

futé, ée adj. et n. m. et f.
(FAMILIER) Rusé. *Ce jeune homme est très futé, il est astucieux.* **SYN.** débrouillard, malin.
f**u**té, sans accent circonflexe.

futile adj.
Peu important, vide. *Des préoccupations futiles.* **SYN.** creux, insignifiant, superficiel.

futon n. m.
Matelas d'origine japonaise, plus ou moins épais, pouvant également servir de siège.

futur, ure adj. et n. m.
Adjectif
1. Qui est à venir. *Les publications futures.* **SYN.** prochain, suivant.
2. Qui doit être tel dans peu de temps. *Les futurs présidents.*
Nom masculin
Avenir. *Nous ne connaissons pas le futur.*
On préférera le mot ***avenir*** à celui de ***futur*** au sens de « ce qui sera », même si ce nom s'emploie de plus en plus sous l'influence de l'anglais.
VOIR TABLEAU – **FUTUR.**

futuriste adj.
Qui évoque le futur. *Une voiture futuriste.*

fuyant, ante adj.
Qui fuit, qui se dérobe. *Des regards fuyants.*

fuyard, arde n. m. et f.
Personne en fuite. *La police n'a pas rattrapé les fuyards.* **SYN.** fugitif.

g n. m. inv.
Septième lettre de l'alphabet.

g
Symbole de ***gramme.***

G
Symbole de ***giga.***

gabonais, aise adj. et n. m. et f.
Du Gabon. *Le drapeau gabonais. Un Gabonais, une Gabonaise.*
L'adjectif s'écrit avec une minuscule ; le nom, avec une majuscule.

gâcher v. tr.
1. Rater quelque chose par négligence, par manque d'application. *Gâcher un tableau.* **SYN.** gâter.
2. Gaspiller. *Il pourrait faire beaucoup mieux : il gâche son talent.*
3. Rendre désagréable, gâter. *Sa mauvaise humeur a gâché la soirée.*
Conjugaison [VOIR MODÈLE – **AIMER**]
gâcher.

gâchette n. f.
Le ***â*** se prononce ***â*** ou ***a***, [gɑʃɛt] ou [gaʃɛt].
1. Mécanisme d'un fusil relié à la détente et commandant le départ du coup. *Appuyer sur la détente* (et non sur la *gâchette) *afin d'actionner la gâchette.*
2. Mécanisme d'un dispositif. *La gâchette d'un pistolet à peinture.*
gâchette.

gâchis n. m.
1. Désordre, gaspillage. *Quel gâchis, Rouki, tes pattes boueuses ont sali le tapis.*
2. (FIGURÉ) Situation regrettable. *Ces deux grandes amies se sont brouillées, c'est un vrai gâchis !*
gâchi**s**, accent circonflexe sur le ***a*** et un ***s*** final.

gadget n. m.
Ce nom se prononce à l'anglaise [gadʒɛt].
Petit objet nouveau plus ou moins utile, de conception ingénieuse. *Des gadgets amusants.* **SYN.** truc.
Ce nom emprunté à l'anglais il y a une cinquantaine d'années est admis en français.

gaffe n. f.
1. Perche munie d'un croc. *Avec sa gaffe, il a repêché le maillot qui était tombé à l'eau.*
2. (FAMILIER) Maladresse. *Gaston, c'est le roi de la gaffe.* **SYN.** bévue, bourde.

gaffer v. intr.
(FAMILIER) Faire une gaffe, commettre une maladresse. *Zut, j'ai encore gaffé !*
Conjugaison [VOIR MODÈLE – **AIMER**]

gaffeur, euse adj. et n. m. et f.
(FAMILIER) Maladroit. *Elle est gaffeuse.*

gag n. m.
Le ***g*** final se prononce [gag].
(FAMILIER) Effet comique. *Ce spectacle est rempli de bons gags.*
Ce nom emprunté à l'anglais au début du siècle est admis en français.

gage n. m.
1. Garantie d'une dette. *Laisser une bague en gage en attendant de pouvoir rembourser.* **SYN.** dépôt.
2. (FIGURÉ) Preuve. *Un gage de reconnaissance, un gage d'amour.* **SYN.** témoignage.
3. (AU PLURIEL) Salaire des domestiques.
Aujourd'hui, on emploie plutôt le mot *salaire.*
Locution
Tueur à gages. Personne payée pour accomplir un crime.

gager v. tr.
1. Être d'avis, supposer que. *Je gage qu'il arrivera en retard.*
Le verbe se construit avec la conjonction ***que*** suivie de l'indicatif.
2. Parier. *Je te gage 5 $ que les Canadiens vont gagner.*
L'emploi du verbe est courant au Québec, mais il est vieilli en ce sens dans l'ensemble de la francophonie.
Conjugaison [VOIR MODÈLE – **CHANGER**]
Le ***g*** est suivi d'un ***e*** devant les lettres ***a*** et ***o.*** *Il gagea, nous gageons.*

gageure n. f.
Les lettres ***eu*** se prononcent ***u*** [gaʒyr] ; le nom rime avec ***jure.***
1. Pari. *Ils ont fait une gageure.*

prononciation | usage québécois | note sur la construction

L'emploi du nom est courant au Québec, mais il est vieilli en ce sens dans l'ensemble de la francophonie.
2. Projet difficile. *La gageure de réduire le déficit.* **SYN.** défi.

gagnant, ante adj. et n. m. et f.
Adjectif
Qui gagne. *Les numéros gagnants.*
Ne pas confondre avec le participe présent invariable ***gagnant.*** *Les personnes gagnant un petit salaire bénéficieront d'une réduction.*
Nom masculin et féminin
Vainqueur. *Les gagnantes de la course, du concours.* **ANT.** perdant.

gagne-pain n. m. inv. (pl. *gagne-pain*)
Travail qui permet à quelqu'un de gagner sa vie. *La menuiserie est son gagne-pain.*

g

gagner v. tr., intr.
Verbe transitif
1. Faire un gain. *Il a gagné le premier prix* (et non il *s'est mérité). *Les dollars qu'elle a gagnés.*
2. Remporter une victoire. *C'est notre équipe qui a gagné le tournoi. Gagner un pari.*
Verbe intransitif
1. Avoir avantage à. *Il gagne à être connu.*
En ce sens, le verbe se construit avec la préposition ***à*** suivie de l'infinitif.
2. Être le vainqueur. *C'est une troisième victoire : ils ont gagné !*
Locutions
Gagner du temps. Faire une économie de temps. *Le micro-ordinateur nous fera gagner* (et non *sauver) *du temps.*
Gagner du terrain. Progresser.
Gagner sa vie. Travailler pour vivre.
Conjugaison [VOIR MODÈLE – **AIMER**]
Les lettres ***gn*** sont suivies d'un ***i*** à la première et à la deuxième personne du pluriel de l'indicatif imparfait et du subjonctif présent. *(Que) nous gagnions, (que) vous gagniez.*

gai, gaie adj. et n. m. et f.
Adjectif
Joyeux, de bonne humeur. *Ce matin, Marie-Ève est très gaie, elle est gaie comme un pinson.* **SYN.** content, enjoué, souriant.
Adjectif et nom masculin et féminin
Homosexuel, homosexuelle.
En ce sens, le mot est un emprunt francisé à l'américain « gay ».

gaiement adv.
Joyeusement. *Ils mangent tous ensemble en parlant gaiement.*
La graphie ***gaîment*** est vieillie.
gai**e**ment.

gaieté n. f.
Bonne disposition de l'humeur. *Sa gaieté fait plaisir à voir.* **SYN.** entrain.
Locution
De gaieté de cœur. Volontiers. *Ce n'est pas de gaieté de cœur que j'ai fait ce choix.*
Cette expression s'emploie surtout dans une phrase négative où elle signifie « à contrecœur ».
La graphie ***gaîté*** est vieillie.
Ne pas confondre avec les noms suivants :
– ***bonheur,*** état moral de plénitude qui comporte une idée de durée ;
– ***joie,*** émotion profonde et agréable, souvent courte et passagère ;
– ***plaisir,*** sensation agréable.
gai**e**té.

gaillard, arde adj. et n. m. et f.
Adjectif
Vif, alerte. *Je me sens fiévreuse, je ne suis pas très gaillarde aujourd'hui.*
Nom masculin et féminin
Personne vigoureuse. *Un solide gaillard.*

gain n. m.
1. Action de gagner, d'économiser quelque chose. *Un gain de temps et d'énergie.* **SYN.** économie. **ANT.** perte.
2. Bénéfice, salaire. *Ils ont réalisé des gains appréciables à la vente de ces immeubles.* **SYN.** profit.
Locution
Obtenir gain de cause. Gagner un procès, une réclamation et, plus généralement, obtenir ce qui était demandé.
Cette locution est figée et les noms demeurent au singulier.

gaine n. f.
1. Étui. *La gaine d'une arme.*
2. Sous-vêtement féminin. *Des gaines-culottes.*

gala n. m.
Grande fête officielle. *Des galas somptueux, des soirées de gala.*

galamment adv.
On ne prononce qu'un seul ***m*** [galamɑ̃].
Avec galanterie. **SYN.** aimablement, délicatement.
gala**mm**ent.

galant, ante adj.
1. Poli, prévenant à l'égard des femmes. *En homme galant* (ou *en galant homme*)*, il la laisse toujours passer devant.*
En ce sens, l'adjectif ne s'emploie qu'en parlant d'un homme.
2. Qui se rapporte aux relations amoureuses. *Une aventure galante.*

galanterie n. f.
Courtoisie à l'égard des femmes. *Il s'inclina avec galanterie.*

galaxie n. f.
1. La Voie lactée.
2. Ensemble d'étoiles et de matières interstellaires.
Le nom s'écrit avec une majuscule lorsqu'il désigne la nébuleuse à laquelle appartient le Soleil.
VOIR **ASTRE.**

galbe n. m.
1. Profil harmonieux du corps humain, d'une statue.
2. Contour harmonieux.

galbé, ée adj.
1. Arrondi vers le milieu.
2. Bien fait. *Des jambes bien galbées.*

gale n. f.
1. Maladie parasitaire et contagieuse de la peau. *Ce chien a la gale.*
2. (FAMILIER) Croûte qui se forme sur une plaie en voie de guérison. *N'enlève pas la croûte* ou *la gale, car tu vas saigner.*
L'emploi du nom est courant au Québec dans la langue familière, mais il est vieilli en ce sens dans l'ensemble de la francophonie.
ga**l**e.

galère n. f.
1. (ANCIENNEMENT) Navire à voiles et à rames.

2. Mésaventure. «*Que diable allait-il faire dans cette galère ?*» (Molière)

galerie n. f.
Large passage couvert aménagé à l'intérieur ou à l'extérieur d'un immeuble pour circuler.
Ne pas confondre avec le nom ***balcon,*** plate-forme disposée en saillie sur la façade d'un édifice, entourée d'un garde-fou et communiquant avec l'intérieur.
Locutions
Galerie d'art. Lieu où l'on expose, où l'on fait le commerce d'œuvres d'art.
Galerie marchande. Espace couvert sur lequel s'ouvrent des boutiques.

galet n. m.
Caillou poli et arrondi par la mer. *Une plage de galets.*
gale**t.**

galette n. f.
1. Gâteau rond et plat. *La galette des Rois contient une fève et un pois.*
2. Sorte de crêpe composée de farine de sarrasin.

gallon n. m.
Unité de mesure de capacité utilisée aux États-Unis et au Canada avant l'adoption du système métrique. *Des gallons d'essence.*
Le ***gallon canadien,*** qui comprend 4 pintes ou 8 chopines, équivaut à 4,545 litres ; le ***gallon américain*** équivaut à 3,785 litres.
Maintenant, l'unité de mesure que nous utilisons est le **litre.**
HOM. galon, ruban.

galon n. m.
1. Ruban épais qui sert d'ornement. *Des galons dorés.*
2. Ruban gradué servant à prendre les mesures. *Un galon, un mètre à ruban* (et non un *tape).
HOM. gallon, unité de mesure de capacité.
VOIR **MÈTRE (À RUBAN).**

galop n. m.
Le ***p*** ne se prononce pas [galo].
Allure la plus rapide du cheval. *Le cheval est parti au galop, il peut aller aussi au pas, au trot.*
Locution
Au galop. Très rapidement. *Chassez le naturel et il revient au galop.* (Proverbe)
galo**p.**

galopade n. f.
Course. *Pas de galopades dans les corridors de l'école !*

galopant, ante adj.
Dont l'évolution est rapide. *Une épidémie galopante.*

galoper v. intr.
1. Aller au galop. *Ces chevaux galopent puis vont au trot.*
2. (FIGURÉ) Aller vite. **SYN.** courir.
Conjugaison [VOIR MODÈLE – **AIMER**]
galo**p**er.

galvauder v. tr.
1. Gaspiller, perdre. *Galvauder sa réputation.* **SYN.** gâcher.
2. Perdre son véritable sens. *Un mot galvaudé, c'est-à-dire qui ne veut plus rien dire.* **SYN.** déprécier.
Conjugaison [VOIR MODÈLE – **AIMER**]

gambader v. intr.
Sauter, danser. *Gambader de joie.* **SYN.** bondir.
Conjugaison [VOIR MODÈLE – **AIMER**]

gamelle n. f.
Écuelle de métal. *Une gourde et une gamelle pour le camping.*
ga**m**elle.

gamin, ine adj. et n. m. et f.
Adjectif
Espiègle. *Avec un air gamin.* **SYN.** coquin, taquin.
Nom masculin et féminin
(FAMILIER) Enfant.

gaminerie n. f.
Espièglerie, acte enfantin. *Cesse tes gamineries, du sérieux, je te prie.*

gamme n. f.
Série continue d'éléments classés par gradation. *Les notes de la gamme. Une gamme de couleurs et de produits.*

gang n. m.
Le mot se prononce [gɑ̃g] ou à l'anglaise.
Bande de malfaiteurs. *Un gang très bien organisé. Des gangs de motards.*
Attention au genre masculin de ce nom : ***un*** gang.
Ce nom emprunté à l'anglais il y a plus de 100 ans est admis en français.

ganglion n. m.
Petite boule sous la peau que présentent des vaisseaux lymphatiques et certains nerfs. *Les ganglions grossissent quand il y a une infection.*

gangster n. m.
Le ***e*** se prononce ***èr*** ou ***eur*** [gɑ̃gstɛr] ou [gɑ̃gstœr].
Membre d'un gang. *Des gangsters astucieux.*
Ce nom emprunté à l'anglais il y a près de 75 ans est admis en français.

ganse n. f.
Cordonnet servant à border. *Une ganse de soie.* **SYN.** cordon.

gant n. m.
Partie de l'habillement qui couvre la main et les doigts séparément. *Une paire de gants. Des gants de cuir. Un gant de baseball, de boxe.*
Locutions
Aller comme un gant. Convenir parfaitement. *Ce travail lui va comme un gant.*
Jeter le gant à quelqu'un. Défier quelqu'un.
Prendre des gants, mettre des gants. Prendre des précautions.
Ramasser, relever le gant. Relever le défi.
Ne pas confondre avec le nom ***moufle,*** qui couvre la main sans séparation pour les doigts, sauf pour le pouce. Au Québec, se dit ***mitaine.***

ganter v. tr., intr., pronom.
Verbe transitif
Mettre, fournir des gants à. *Il faudra ganter cette poupée.*
Verbe intransitif
Avoir comme pointure pour les gants. *Elle gante du sept.*
Verbe pronominal
Mettre des gants. *Elle s'est gantée pour affronter le froid.*
Conjugaison [VOIR MODÈLE – **AIMER**]

garage n. m.
1. Endroit servant d'abri aux véhicules. *Des garages souterrains.*

2. Établissement où l'on fait l'entretien et la réparation des véhicules. *Ma voiture est au garage pour une révision.* **SYN.** atelier de réparation.

garagiste n. m. et f.
Personne qui dirige un garage.

garantie n. f.
1. Ce qui est donné pour garantir, assurer le remboursement d'une dette. *Cet immeuble sert de garantie pour l'emprunt que maman a fait.*
2. Clause d'un contrat de vente destinée à protéger l'acheteur contre un dommage éventuel du produit acquis. *Une garantie de deux ans. Cet appareil est encore sous la garantie ou sous garantie* (et non *sur la garantie) *: on nous le réparera gratuitement s'il fait défaut.*

g

garantir v. tr.
1. Assurer sous sa responsabilité. *Garantir l'exécution de travaux.*
2. Promettre. *Je vous garantis que ces données sont exactes.* **SYN.** affirmer, certifier.
Le verbe se construit avec la conjonction ***que*** suivie de l'indicatif.
Conjugaison [VOIR MODÈLE – **FINIR**]

garçon n. m.
1. Personne du sexe masculin considéré par rapport à sa mère, à son père (par opposition à ***fille***). *Mon garçon s'appelle Étienne.* **SYN.** fils.
2. Enfant mâle, par opposition à ***fille.*** *Ces garçons jouent au tennis.*
3. Jeune homme. *Mathieu est un garçon charmant. Ce collège est réservé aux garçons.*
gar**ç**on.

garçonnet n. m.
Jeune garçon.
gar**ç**onne**t.**

garde n. f.
1. Action de garder, de conserver, de surveiller. *Je vous confie la garde de la maison.* **SYN.** conservation, protection, surveillance.
2. Groupe de personnes chargées de garder quelqu'un, quelque chose. *Avez-vous assisté au changement de la garde ?*
Locutions
Être de garde. Être en faction ou être chargé de la permanence d'un service. *Un médecin de garde* (et non en *devoir).
Faire bonne garde. Assurer une surveillance étroite de quelqu'un ou de quelque chose.
Mettre en garde. Prévenir, avertir. *Je les ai mis en garde contre ces menteurs.*
Prendre garde à. Faire attention à quelqu'un, quelque chose ; se protéger de. *Prenez garde à vous. Prends garde à ce chien, il est dangereux.*
En ce sens, la locution se construit avec la préposition ***à*** suivie d'un nom ou d'un pronom.
Prendre garde à. Veiller à, avoir soin de. *Prends garde à te lever tôt pour être prête à temps.*
En ce sens, la locution se construit avec la préposition ***à*** suivie d'un infinitif.
Prendre garde de. Éviter soigneusement de. *Prenez garde de glisser.*
La locution se construit avec la préposition ***de*** suivie de l'infinitif. Étant donné le sens négatif de cette locution, l'infinitif ne doit pas être accompagné d'une négation, sous peine de signifier le contraire de ce qu'on voulait dire.
Prendre garde. Remarquer. *Prenez garde que cet examen aura lieu lundi prochain.* **SYN.** noter, prendre note.
En ce sens, la locution se construit avec la conjonction ***que*** suivie de l'indicatif.
Prendre garde. Prendre ses mesures. *Elle prend garde que tout soit prêt à temps.*
En ce sens, le verbe se construit avec la conjonction ***que*** suivie du subjonctif.
Prendre garde. Chercher à éviter. *Elle prend garde que rien ne manque.*
En ce sens, le verbe se construit avec la conjonction ***que*** suivie de la négation ***ne*** et du subjonctif.
Se tenir sur ses gardes. Être prudent.

garde n. m. et f.
Personne chargée de la garde de quelqu'un ou de quelque chose. *Un garde forestier, une garde-chasse.*
Si le mot ***garde*** est suivi d'un nom, il s'écrit avec un trait d'union ; s'il est suivi d'un adjectif, il s'écrit sans trait d'union.

garde- préf.
Les mots composés avec ***garde-*** s'écrivent généralement avec un trait d'union. Seules font exception les expressions composées du nom ***garde*** suivi d'un adjectif. *Un garde forestier.*
Si le mot ***garde*** désigne une personne qui garde, c'est alors un nom qui prend la marque du pluriel. *Des gardes-frontière, des gardes-malades.*
Si le mot ***garde*** est un verbe, il demeure invariable. *Des garde-boue.*

garde-boue n. m. inv. (pl. *garde-boue*)
Dispositif placé au-dessus des roues d'une bicyclette pour protéger des éclaboussures. *Les jeunes préfèrent des vélos sans garde-boue.*

garde-chasse n. m. et f. (pl. *gardes-chasse, gardes-chasses*)
Agent préposé à la garde du gibier dans un domaine.
Attention au pluriel de ce nom composé. Le mot ***garde*** prend la marque du pluriel puisqu'il désigne une personne et qu'il s'agit alors d'un nom. Le mot ***chasse*** peut prendre la marque du pluriel ou rester au singulier.

garde-corps n. m. inv. (pl. *garde-corps*)
Parapet. *Ne vous penchez pas au-dessus du garde-corps.* **SYN.** garde-fou.
Ne pas confondre avec le nom ***garde du corps,*** personne attachée à la garde de quelqu'un.

garde-côte adj. et n. m. (pl. *garde-côte, garde-côtes*)
Bateau utilisé pour la surveillance de la pêche le long des côtes.

garde du corps n. m. (pl. *gardes du corps*)
Personne attachée à la garde de quelqu'un. *Le président est entouré de gardes du corps.*
Ne pas confondre avec le nom ***garde-corps,*** parapet.

garde-fou n. m. (pl. *garde-fous*)
Barrière construite le long d'un lieu élevé pour empêcher les gens de tomber. **SYN.** garde-corps.

garde-malade n. m. et f. (pl. *gardes-malades*)
Personne qui soigne les malades. **SYN.** garde, infirmier, infirmière.
Attention au pluriel de ce nom composé. Le mot ***garde*** prend la marque du pluriel puisqu'il désigne une personne et qu'il s'agit alors d'un nom.

garde-manger n. m. inv. (pl. *garde-manger*)
Placard servant à conserver les aliments. *Mets les céréales dans le garde-manger.*

Au Québec, on emploie aussi le nom ***dépense*** qui est vieilli dans le reste de la francophonie.

garde-pêche n. m.
Nom masculin
Personne chargée de surveiller la pêche. *Des gardes-pêche.*
Attention au pluriel de ce nom composé. Le mot ***garde*** prend la marque du pluriel puisqu'il désigne une personne et qu'il s'agit alors d'un nom.
Nom masculin invariable
Embarcation utilisée pour la surveillance de la pêche le long des côtes. *Des garde-pêche.*
Attention au pluriel de ce nom composé, le mot ***garde*** est un verbe et demeure invariable.

garder v. tr., pronom.
Verbe transitif
1. Assurer la garde, la surveillance de quelqu'un, de quelque chose. *Garder un bébé, un bâtiment.*
2. Ne pas quitter. *Garder le lit, garder son chapeau.*
3. Conserver. *Garder des pommes au réfrigérateur. Elle garde de bons livres pour les vacances.*
4. Continuer à avoir. *Elle a gardé sa souplesse. Garder ses illusions.*
Verbe pronominal
1. Se conserver. *Les framboises se gardent difficilement.*
2. Éviter de, s'abstenir de. *Il faudrait se garder de suivre ce conseil.*
En ce sens, le verbe se construit avec la conjonction **de** suivie de l'infinitif.
3. Se méfier de, faire attention à. *Garde-toi des belles promesses.*
En ce sens, le verbe se construit avec la préposition **de** suivie d'un nom.
Forme fautive
*gardez la droite. Dans la signalisation routière, calque de l'anglais « keep to the right » pour ***tenez la droite, serrez à droite.***
Conjugaison [VOIR MODÈLE – **AIMER**]

garderie n. f.
Établissement où l'on garde les enfants pendant la journée ou en dehors des heures de classe.

garde-robe n. m. et f. (pl. *garde-robes*)
Nom masculin
Penderie, placard où l'on range les vêtements. *Mon manteau est accroché dans le garde-robe.*
L'emploi du nom est courant au Québec, mais il est vieilli en ce sens dans l'ensemble de la francophonie.
Nom féminin
Ensemble de vêtements d'une personne. *Sa garde-robe d'été.*
Attention au genre féminin du nom en ce sens : ***une*** garde-robe.

gardien n. m.
gardienne n. f.
Personne chargée de veiller sur quelqu'un, de garder quelque chose. *Un gardien de but au hockey. Des gardiens de sécurité.*

gare n. f.
Dans le transport ferroviaire, bâtiment et installations où se font l'embarquement et le débarquement des voyageurs, le chargement et le déchargement des marchandises. *Le train entre en gare* (et non *dans la gare) *à 15 heures.*

gare ! interj.
Interjection pour avertir d'un danger. *Gare devant !* **SYN.** attention !
Locutions
Gare à. Attention à. *Gare au chien ! Gare à toi si tu ne tiens pas ta promesse !*
Sans crier gare. Sans prévenir. *Ils sont partis sans crier gare.*

garer v. tr., pronom.
Verbe transitif
Ranger un véhicule dans un lieu de stationnement. *J'ai réussi à garer ma voiture à proximité du magasin.* **SYN.** stationner.
On emploie surtout la forme pronominale en ce sens. *As-tu réussi à te garer ?*
Verbe pronominal
1. Ranger sa voiture à l'écart de la circulation. *Il s'est mal garé : il est en stationnement interdit.* **SYN.** se stationner.
2. Éviter. *Se garer des coups.* **SYN.** prendre garde à, se protéger.
Conjugaison [VOIR MODÈLE – **AIMER**]

g

gargariser (se) v. pronom.
1. Se rincer la bouche et la gorge avec un liquide. *Elle s'est gargarisée avec un antiseptique.*
2. (FAMILIER) (FIGURÉ) Faire usage de façon prétentieuse. *Il se gargarise de mots ronflants.*
Le participe passé de ce verbe qui n'existe qu'à la forme pronominale s'accorde toujours avec le sujet du verbe.
Conjugaison [VOIR MODÈLE – **AIMER**]

garnement n. m.
Enfant insupportable. *Petit garnement, tu as cassé mon vase chinois !*

garni, ie adj.
1. Accompagné de charcuteries, de légumes divers, d'un autre aliment. *Une pizza garnie* (et non *all dressed).
2. Orné. *Une robe garnie d'un col de dentelle.*

garnir v. tr.
1. Pourvoir de choses nécessaires. *Garnir une bibliothèque de livres.* **SYN.** munir, remplir.
2. Enrichir, orner. *Garnir un sapin de décorations de Noël.* **SYN.** agrémenter, décorer.
Conjugaison [VOIR MODÈLE – **FINIR**]

garniture n. f.
1. Ornement. *Les garnitures dorées d'un meuble.*
2. Ce qui remplit, accompagne un plat. *Garniture d'une tarte.*

garou
VOIR **LOUP-GAROU.**

garrot n. m.
Lien servant à comprimer une artère pour arrêter une hémorragie.
ga**rr**o**t**.

gars n. m.
Les lettres ***rs*** ne se prononcent pas [gɑ] ; le nom rime avec ***méga.***
1. (FAMILIER) Jeune homme. *Un petit gars.* **SYN.** garçon.
2. (FAMILIER) Gaillard. *Trois gars à l'allure louche se promenaient.* **SYN.** (FAMILIER) type.

gaspésien, ienne adj. et n. m. et f.
De la Gaspésie. *La pêche gaspésienne. Un Gaspésien, une Gaspésienne.*
L'adjectif s'écrit avec une minuscule ; le nom, avec une majuscule.

gaspillage n. m.
Action de faire des dépenses inutiles, de consommer inutilement. *Un gaspillage d'énergie.*

gaspiller v. tr.
1. Consommer à l'excès, ne pas utiliser au mieux. *Les ressources naturelles sont précieuses : ne les gaspillons pas. Ne gaspille pas ton argent en dépenses inutiles.*
2. Ne pas utiliser au mieux. *Gaspiller son talent.*
Conjugaison [VOIR MODÈLE – **AIMER**]
Les lettres ***ill*** sont suivies d'un ***i*** à la première et à la deuxième personne du pluriel de l'indicatif imparfait et du subjonctif présent. *(Que) nous gaspillions, (que) vous gaspilliez.*

gaspilleur, euse adj. et n. m. et f.
Qui gaspille.

gastronome n. m. et f.
Gourmet, personne qui apprécie la bonne cuisine.

gastronomie n. f.
Art de la bonne cuisine.

gastronomique adj.
Qui se rapporte à la gastronomie. *Un repas gastronomique.*

gâteau adj. inv. et n. m. (pl. *gâteaux*)
Nom masculin
Pâtisserie. *Des gâteaux d'anniversaire. Un gâteau au chocolat.*
Adjectif invariable
(FAMILIER) Qui gâte les enfants. *Des grands-papas gâteau.*
gâteau.

gâter v. tr., pronom.
Verbe transitif
1. Endommager. *Ce vêtement a été gâté par de la peinture.* **SYN.** gâcher.
2. Traiter avec trop d'indulgence. *Gâter un enfant.*
En ce sens, l'emploie de ce nom est courant au Québec, mais il est vieilli dans le reste de la francophonie.
Verbe pronominal
1. S'abîmer. *Ces fruits commencent à se gâter.* **SYN.** se détériorer, pourrir.
2. Prendre une mauvaise tournure. *La situation s'est gâtée.*
3. Combler, traiter avec grande gentillesse. *Ces fleurs sont magnifiques, tu m'as gâtée.*
Conjugaison [VOIR MODÈLE – **AIMER**]
gâter.

gâterie n. f.
Petit présent, friandises. *Sa marraine lui a apporté des gâteries.*
gâterie.

gauche adj. et n. f.
Adjectif
1. Se dit par opposition à ***droit*** pour marquer la position relative de quelque chose. *La main gauche est celle qui est du côté du cœur.* **ANT.** droit.
2. Maladroit. *Des manières gauches.* **SYN.** malhabile. **ANT.** adroit, habile.
Nom féminin
Le côté gauche. *Elle marchait à la gauche de Catherine. Tourne à gauche au prochain feu.* **ANT.** droite.

gauchement adv.
De façon gauche, maladroite. **ANT.** adroitement.

gaucher, ère adj. et n. m. et f.
Qui est plus habile de la main gauche que de la main droite. *Johanne est gauchère. Une gauchère.* **ANT.** droitier.

gaufre n. f.
Pâtisserie cuite entre deux fers dont la surface porte des dessins en relief. *Une gaufre aux bleuets.*
gau**f**re.

gaulois, oise adj. et n. m. et f.
Adjectif et nom masculin et féminin
De la Gaule. *Astérix était gaulois. Un Gaulois, une Gauloise.*
L'adjectif s'écrit avec une minuscule ; le nom, avec une majuscule.
Nom masculin
Langue celte des Gaulois. *Il s'intéresse au gaulois.*
Le nom de la langue s'écrit avec une minuscule.

gavage n. m.
Action de gaver. *Le gavage des oies.*

gaver v. tr., pronom.
Verbe transitif
Faire manger par force. *Gaver des oies.*
Verbe pronominal
Manger avec excès. *Ils se sont gavés de bonbons.*
Conjugaison [VOIR MODÈLE – **AIMER**]

gaz n. m. inv.
Le ***z*** se prononce [gɑz].
État fluide de la matière. *L'oxygène est un gaz. Un chauffage au gaz.*
Forme fautive
*gaz. Anglicisme au sens de ***essence*** (pour les véhicules moteurs).

gazelle n. f.
Mammifère de la famille des antilopes. *Rapide comme une gazelle.*

gazeux, euse adj.
1. Relatif au gaz. *Un corps gazeux.*
2. Qui contient du gaz. *Une boisson gazeuse* (et non une *liqueur, une *liqueur douce).
gazeu**x.**

gazoduc n. m.
Canalisation de gaz naturel.

***gazoline**
Anglicisme au sens de ***essence*** (pour les véhicules moteurs).

gazon n. m.
1. Herbe courte et dense. *Une tondeuse à gazon.*
2. (PAR EXTENSION) Surface couverte de gazon. *Marcher sur le gazon.*
Le nom ***pelouse*** désigne un terrain couvert d'une herbe courte, il est donc synonyme de ***gazon*** en ce sens.

gazouillement n. m.
Bruit agréable produit par les oiseaux qui gazouillent. *Le gazouillement des chardonnerets.* **SYN.** gazouillis.

gazouiller v. intr.
Produire un bruit léger et doux. *Les chardonnerets gazouillent.*
Conjugaison [VOIR MODÈLE – **AIMER**]
Les lettres ***ill*** sont suivies d'un ***i*** à la première et à la deuxième personne du pluriel de l'indicatif imparfait et du subjonctif présent. *(Que) nous gazouillions, (que) vous gazouilliez.*

gazouillis n. m.
Le ***s*** ne se prononce pas [gazuji].

Gazouillement léger et doux. *C'est le gazouillis des oiseaux qui l'a réveillé.*
gazouilli**s**, un **s** final même au singulier.

geai n. m.
Les lettres ***ai*** se prononcent **è** [ʒɛ] ; le mot rime avec ***jet.***
Oiseau. *Le geai bleu est omnivore, mais il apprécie particulièrement les glands.*
HOM.
– **jais**, pierre d'un noir brillant ;
– **jet**, distance parcourue par une chose lancée.
VOIR TABLEAU – **ANIMAUX.**

géant, ante adj. et n. m. et f.
Adjectif
Immense, très grand. *New York est une ville géante.* **SYN.** énorme, gigantesque. **ANT.** minuscule.
Nom masculin et féminin
1. Personne dont la taille est anormalement grande. *Le géant Beaupré mesurait près de sept pieds.* **ANT.** nain.
2. (FIGURÉ) Personne, entreprise qui surpasse les autres dans son domaine. *Les géants du cinéma.*
Locution
À pas de géant. Très vite. *Ils progressent à pas de géant.*

geindre v. intr.
1. Gémir, exprimer sa souffrance, sa douleur d'une voix plaintive. *La malade a geint un peu et s'est endormie.* **SYN.** se lamenter.
2. Se plaindre constamment et sans raison. *Donne un biberon au bébé pour qu'il arrête de geindre.* **SYN.** pleurnicher.
Conjugaison [VOIR MODÈLE – **ÉTEINDRE**]
INDICATIF PRÉSENT *Je geins, tu geins, il geint, nous geignons, vous geignez, ils geignent.* IMPARFAIT *Je geignais, tu geignais, il geignait, nous geignions, vous geigniez, ils geignaient.* PASSÉ SIMPLE *Je geignis, tu geignis, il geignit, nous geignîmes, vous geignîtes, ils geignirent.* FUTUR *Je geindrai.* **CONDITIONNEL** PRÉSENT *Je geindrais.* **IMPÉRATIF** PRÉSENT *Geins, geignons, geignez.* **SUBJONCTIF** PRÉSENT *Que je geigne, que tu geignes, qu'il geigne, que nous geignions, que vous geigniez, qu'ils geignent.* IMPARFAIT *Que je geignisse, que tu geignisses, qu'il geignît, que nous geignissions, que vous geignissiez, qu'ils geignissent.* **PARTICIPE** PRÉSENT *Geignant.* PASSÉ *Geint.*
Les lettres ***gn*** sont suivies d'un ***i*** à la première et à la deuxième personne du pluriel de l'indicatif imparfait et du subjonctif présent. *(Que) nous geignions, (que) vous geigniez.*
g**ein**dre.

gel n. m.
1. Abaissement de la température au-dessous de zéro. *Le gel transforme l'eau en glace.*
2. Temps de gelée. *On a prévu du gel pour ce soir.*
3. Produit de consistance gélatineuse. *Un gel pour les lèvres, un gel coiffant.*

gélatine n. f.
Protéine ayant l'aspect d'une gelée.

gélatineux, euse adj.
Qui a l'aspect de la gélatine. *Une substance gélatineuse.*

gelée n. f.
1. Gel. *Une gelée automnale.*
2. Confiture. *Gelée de groseille, de pomme.*
Le complément du nom ***gelée*** se met généralement au singulier. Par contre, dans l'expression *gelée de fruits,* le complément se met au pluriel.

geler v. tr., intr., impers.
Verbe transitif
1. Transformer en glace, glacer. *Le froid a gelé le lac.*
2. Pénétrer d'un froid vif. *Ce vent nous gèle. J'ai les pieds gelés.* **SYN.** glacer.
Verbe intransitif
1. Avoir froid. *Il fait 30 °C au-dessous de zéro, on gèle !* **SYN.** grelotter.
2. Se transformer en glace. *La rivière a gelé cette nuit.*
Verbe impersonnel
Descendre au-dessous de zéro, en parlant de la température. *Il a gelé la nuit dernière.*
Locution
Il gèle à pierre fendre. Il fait très froid.
Conjugaison [VOIR MODÈLE – **CONGELER**]
Le ***e*** se change en **è** devant une syllabe muette. *Il gèle, il gelait.*

gelinotte ou **gélinotte** n. f.
Oiseau sauvage à plumage roux. *Une gélinotte huppée.*
gé**l**ino**tt**e.

gémeaux n. m. pl.
Nom d'une constellation, d'un signe du zodiaque.
Les noms d'astres s'écrivent avec une majuscule. *Elle est (du signe des) Gémeaux, elle est née entre le 22 mai et le 21 juin.*
VOIR **ASTRE.**

gémir v. intr.
Faire entendre des plaintes inarticulées. *Le malade gémissait faiblement.* **SYN.** geindre, se lamenter, se plaindre.
Conjugaison [VOIR MODÈLE – **FINIR**]

gémissement n. m.
Cri plaintif. *Il poussait des gémissements faibles.* **SYN.** plainte.

gênant, ante adj.
1. Qui ennuie, qui incommode. *Une situation gênante.* **SYN.** déplaisant, embarrassant, ennuyeux.
2. Intimidant. *Cette personne est un peu gênante.*

gencive n. f.
Muqueuse recouvrant la racine des dents.

gendarmerie n. f.
Corps militaire chargé d'assurer le maintien de l'ordre public. *La Gendarmerie royale du Canada (GRC).*

gendre n. m.
Le mari de la fille par rapport au père et à la mère de celle-ci. *Gendres et belles-mères ne font pas toujours bon ménage.*

gène n. m.
Une des unités héréditaires localisées sur les chromosomes. *Un gène dominant.*
Les dérivés du nom ***gène*** s'écrivent avec un accent aigu. *Génétique, généticien.*
HOM. gêne, embarras, malaise.
g**è**ne.

gêne n. f.
1. Embarras, malaise. *C'est avec beaucoup de gêne que j'ose vous déranger : j'en suis désolé.*
2. Timidité. *Il éprouve de la gêne quand il veut parler devant la classe.*
En ce sens, le nom ne s'emploie qu'au Québec et dans certaines régions de la francophonie.

HOM. gène, une des unités héréditaires localisées sur les chromosomes.
✎ gêne.

gêné, ée adj.
1. Embarrassé. *Des excuses gênées.*
2. ⚜ Timide. *Un garçon gêné.* SYN. intimidé.

généalogie n. f.
1. Liste des ancêtres, des membres d'une famille. *Faire la généalogie de la famille Hébert.*
2. Science de la composition des familles.

généalogique adj.
Relatif à la généalogie. *Un arbre généalogique.*

gêner v. tr., pronom.
Verbe transitif
1. Déranger. *Cette musique les gêne pour étudier.*
2. Embarrasser, mettre mal à l'aise. *La curiosité de la voisine a gêné maman.*
3. ⚜ Intimider. *Parler en public le gêne.*
Verbe pronominal
S'imposer une contrainte. *Ne vous gênez pas, mettez-vous à l'aise.*
Conjugaison [VOIR MODÈLE – **AIMER**]

général, ale, aux adj.
1. Qui est commun à un grand nombre de personnes ou de choses. *Une situation générale, un tableau général.* ANT. individuel, particulier.
2. Global. *Une description générale.* ANT. spécifique.
3. Total. *Une grève générale.* ANT. partiel.
4. Qui concerne tous les aspects de quelque chose. *Un dictionnaire général, une culture générale.*
Locution
En général. Généralement, le plus souvent. SYN. habituellement.

général n. m.
générale n. f.
Personne qui commande une armée.

généralement adv.
1. Ordinairement. *Généralement, le lac est gelé à cette époque.* SYN. habituellement. ANT. exceptionnellement, rarement.
2. Dans l'ensemble. *Une idée généralement acceptée.* ANT. peu.

généralisation n. f.
Action de généraliser. *La généralisation de l'emploi du mot* ***dépanneur*** *au Québec.*

généraliser v. tr., pronom.
Verbe transitif
1. Rendre général. *Généraliser l'emploi d'un mot.*
2. (ABSOLUMENT) Conclure du particulier au général. *Il faut se garder de généraliser : par exemple, si tous tes amis ont un micro-ordinateur, tu ne peux cependant pas affirmer que tout le monde a un micro-ordinateur.*
Verbe pronominal
Devenir général, courant. *L'emploi du système métrique se généralise chez les jeunes.*
Conjugaison [VOIR MODÈLE – **AIMER**]

générateur n. m. ou **génératrice** n. f.
Appareil produisant du courant électrique. *Une génératrice d'électricité, un générateur.*

génération n. f.
1. Ensemble de personnes qui descendent de quelqu'un. *Trois générations vivent dans cette maison : les enfants, les parents et les grands-parents.*
2. Ensemble des personnes ayant à peu près le même âge à la même époque. *La nouvelle génération, tous ceux qui sont adolescents en ce moment.*

généreusement adv.
1. De façon généreuse. *Donner généreusement.*
2. Abondamment. *Tu m'as servi du gâteau trop généreusement.* SYN. copieusement.

généreux, euse adj.
Qui a bon cœur, qui donne beaucoup. *Ses amies ont été généreuses et lui ont offert de beaux cadeaux.*
✎ généreu**x**.

générique n. m.
Partie d'un film où figurent les noms des acteurs, des techniciens, des collaborateurs, des producteurs. *Le nom de cette actrice est au générique.*

générosité n. f.
Qualité d'une personne généreuse, qui donne sans compter. *Donner avec générosité. Ses amies ont fait preuve de générosité.*

genèse n. f.
Création, processus de production. *La genèse d'un film, ce sont les étapes de sa conception.*
✎ g**e**nèse.

génétique adj. et n. f.
Adjectif
Qui est relatif à l'hérédité, aux gènes. *Un caractère génétique, c'est un caractère inscrit dans les chromosomes.* SYN. héréditaire.
Nom féminin
Branche de la biologie qui s'intéresse à l'hérédité, c'est-à-dire aux caractères qui se transmettent de génération en génération. *Grâce à la génétique, on pourra guérir certaines maladies.*

génial, ale, aux adj.
1. Qui a du génie. *Des musiciens géniaux. Un inventeur génial.* SYN. de génie.
2. (FAMILIER) Astucieux, ingénieux. *Une idée géniale.*
3. (FAMILIER) Extraordinaire, très intéressant. *Un film génial.* SYN. fantastique, sensationnel, (FAMILIER) super.

génie n. m.
1. Être imaginaire, bon ou mauvais. *Un génie séjournait dans la lampe magique d'Aladin.* SYN. esprit.
2. Aptitude naturelle. *Avoir le génie des mathématiques.* SYN. (FAMILIER) bosse, don, penchant, talent.
3. Grande faculté créatrice. *Le génie de Léonard de Vinci. Il a été un inventeur de génie.*
4. Personne géniale. *Einstein était un génie.*
5. Art de l'ingénieur. *Génie civil, génie mécanique, génie forestier, génie industriel, génie chimique.*

génital, ale, aux adj.
Relatif à la reproduction humaine, animale. *Les organes génitaux.*

génocide n. m.
Extermination d'un groupe ethnique. *Les Arméniens ont été victimes d'un génocide.*

genou n. m. (pl. *genoux*)
Le **e** se prononce ou non [ʒənu] ou [ʒnu].
Articulation entre la jambe et la cuisse. *Des genoux égratignés.*
Locution
À genoux. Les genoux en terre. *Elle s'est mise à genoux.*

genouillère n. f.
Bande destinée à protéger le genou. *Les patineurs portent des genouillères.*

genre n. m.
1. Ensemble d'espèces qui ont un ou plusieurs caractères communs. *Le genre humain.*
2. Espèce, sorte. *Quel genre de robe dois-je porter ce soir?* **SYN.** type.
Le complément du mot ***genre*** s'écrit parfois au pluriel. Cependant le verbe est toujours au singulier. ***Ce genre de personne, de personnes. Ce genre de personne(s) est déplaisant.***
3. (GRAMMAIRE) Catégorie exprimant l'appartenance (naturelle ou conventionnelle) au sexe féminin ou au sexe masculin de certains mots. *Le nom **femme** est du genre féminin, le nom **homme**, de genre masculin.*
En français, le genre des noms de choses est une convention et ne repose sur aucune règle définie; seul le genre des noms de personnes et de certains animaux correspond vraiment au sexe de l'être désigné.
VOIR TABLEAU – **GENRE.**
Locutions
Du même genre. De même espèce.
En tout genre, en tous genres. De tous les types. *Ce magasin vend des bicyclettes en tout genre, ou en tous genres.*
Cette locution s'écrit au singulier ou au pluriel.

gens n. m. et f. pl.
Le **s** ne se prononce pas [ʒɑ̃] ; le nom rime avec ***Jean.***
Personnes, individus dont on ne connaît pas précisément le nombre. *Ce sont des gens sympathiques.*
S'il est suivi d'un adjectif, le nom ***gens*** est **masculin pluriel**. *Des gens raffinés.* S'il est précédé immédiatement d'un adjectif, le nom ***gens*** est **féminin pluriel.** *De bonnes gens.*
gen**s**.

gentil, ille adj.
Le **l** ne se prononce pas au masculin [ʒɑ̃ti].
1. Charmant, agréable. *Delphine est gentille et intelligente.* **SYN.** plaisant, sympatique.
2. Qui plaît par sa délicatesse. *Une gentille attention. C'est gentil à vous d'être venu.* **SYN.** aimable, prévenant.
genti**l.**

gentilé n. m.
Dénomination des habitants par rapport au lieu où ils habitent (continent, pays, région, ville, village, quartier, paroisse, etc.). (Recomm. off. OLF) *Le mot **Montréalais** est le gentilé des habitants de Montréal, **Trifluvien,** celui des habitants de Trois-Rivières et **Québécois,** celui des habitants de Québec ou du Québec.*
Les gentilés s'écrivent avec une majuscule. *Un Gaspésien.* Les adjectifs dérivés de gentilés s'écrivent avec une minuscule. *Un repas gaspésien.*

gentilhomme n. m. (pl. *gentilshommes*)
Ce mot se prononce [ʒɑ̃tijɔm] au singulier et [ʒɑ̃tizɔm] au pluriel.
(ANCIENNEMENT) Personne appartenant à la noblesse. *Des gentilshommes en armure.* **SYN.** noble.

gentillesse n. f.
Amabilité, délicatesse. *Sophie a fait preuve de gentillesse en offrant des fleurs à son institutrice.* **SYN.** prévenance.

gentiment adv.
De façon gentille. *Elle lui a gentiment offert des fleurs.* **SYN.** aimablement.
gen**ti**ment.

géographe n. m. et f.
Le **o** est ouvert [ʒeɔgraf].
Spécialiste de la géographie.

géographie n. f.
Le **o** est ouvert [ʒeɔgrafi].
Science qui a pour objet l'étude des phénomènes naturels et humains de la surface de la Terre. *Préfères-tu la géographie ou l'histoire?*
VOIR TABLEAU – **GÉOGRAPHIQUES (NOMS).**

géographique adj.
Le **o** est ouvert [ʒeɔgrafik].
Relatif à la géographie. *Un atlas géographique, une carte géographique.*

géologie n. f.
Les **o** sont ouverts [ʒeɔlɔʒi].
Science qui a pour objet l'étude de la nature et de la formation des éléments qui composent le globe terrestre.

géologue n. m. et f.
Les **o** sont ouverts [ʒeɔlɔg].
Spécialiste de la géologie.

géométrie n. f.
Le **o** est ouvert [ʒeɔmetri].
Science mathématique qui étudie les relations entre points, droites, courbes, surfaces et volumes de l'espace.

géométrique adj.
Le **o** est ouvert [ʒeɔmetrik].
Relatif à la géométrie. *Des figures géométriques.*

géranium n. m.
Le **u** se prononce comme **o** [ʒeranjɔm].
Plante herbacée, souvent ornementale. *Des géraniums rouges ornent la plate-bande.*

gerbe n. f.
1. Botte de tiges de céréales liées ensemble. *Des gerbes de blé doré.*
2. Bouquet de fleurs à longues tiges. *Une gerbe de roses.*

gercer v. tr., intr. ou pronom.
Verbe transitif
Fendiller sous l'action du froid, de la sécheresse, en parlant surtout de la peau. *Le froid gerçait ses lèvres.*
Verbe intransitif ou **pronominal**
Se fendiller, se couvrir de petites crevasses. *En hiver, Claire a les mains qui gercent. Ses lèvres se gerçaient.*
Conjugaison [VOIR MODÈLE – **AVANCER**]
Le **c** prend une cédille devant la lettre ***a.*** *Il gerça.*

gerçure n. f.
Crevasse à la surface de la peau causée par le froid, la sécheresse. *Claire cherche une lotion pour les gerçures de ses mains.*
ger**ç**ure.

GENRE

Le genre des mots est l'une des grandes difficultés de la langue française, comme d'ailleurs de toutes les autres langues où cette distinction existe, par exemple le grec qui ajoute le neutre au masculin et au féminin.

Spontanément, on a tendance à croire qu'il existe une relation entre le genre du mot et le sexe de l'être désigné. Cela n'est vrai que pour les êtres humains et certains animaux.

LE GENRE DES NOMS D'ÊTRES ANIMÉS

1. Relation entre le genre du mot et le sexe de l'être désigné

Dans de nombreux cas, le masculin correspond effectivement à un être mâle et le féminin à un être femelle, lorsque les noms désignent :

- Les **humains.** *Homme/ femme, garçon/ fille.*
- Des **liens familiaux.** *Mari/ femme, père/ mère, cousin/ cousine, oncle/ tante.*
- Des **désignations de métier, de fonction.** *Directeur/ directrice, épicier/ épicière, romancier/ romancière.*

  Pour le féminin des noms de profession, on consultera chacun des noms dans l'ordre alphabétique et le TABLEAU – **FÉMINISATION DES TITRES.**

- Des ***animaux domestiques***. *Cheval/ jument, bouc/ chèvre, canard/ cane, bœuf/ vache.*

  Pour le féminin des noms d'animaux, on consultera le TABLEAU – **ANIMAUX.**

- Du **gibier traditionnel.** *Cerf/ biche, renard/ renarde, ours/ ourse, sanglier/ laie.*

2. Sexe non différencié

La langue ne fait pas toujours la distinction entre les sexes, même lorsque celle-ci existe dans les faits :

- Soit parce que le masculin est utilisé comme une ***appellation générale.*** *Les hommes sont mortels.*
- Soit parce que la notion de sexe est ***indifférente au propos tenu.*** *Ce cheval court vite.*
- Soit parce que les êtres ne sont pas considérés comme appariés, en raison de leur **petitesse,** de leur **caractère exotique** ou **fabuleux.** *La mouche, le lynx, la panthère, le vautour.*
- Soit parce qu'on considère comme **sans sexe** certains êtres qui, en fait, ont un sexe. *La rose, le jasmin, la truite, le requin, la baleine.*

3. Genre non marqué

Parfois, le nom peut être tour à tour masculin et féminin selon qu'il désigne un être mâle ou un être femelle. ***Un*** ou *une architecte, un* ou *une enfant, un* ou *une propriétaire.*

4. Absence de relation entre le genre du mot et le sexe de l'être désigné

Une sentinelle, une canaille, un sage, un mannequin.

LE GENRE DES NOMS D'ÊTRES INANIMÉS

Dans la très grande majorité des cas, l'attribution du genre est sans motivation précise. *Une chaise, un fauteuil, un canapé, une causeuse.*

Dans de rares cas, la différence de genre correspond à une **distinction de sens.** *Un pendule/ une pendule, un tour/ une tour, un mémoire/ une mémoire.*

suite ►

LES ACCORDS

En fonction du genre du nom auquel il se rapporte, le déterminant s'accorde au masculin ou au féminin.

- le **déterminant.** *Le pont, la balle, un crayon, une règle, son chapeau, cette fleur.*
- l'**adjectif qualificatif.** *Un beau gâteau, une belle tarte, un bon biscuit, une bonne pomme.*

Si l'on fait généralement les accords de façon instinctive, quelques noms sont cause d'hésitations, notamment :

- les mots commençant par une ***voyelle*** ou un ***h*** muet, parce que les articles et les adjectifs sont alors neutralisés. *L'escalier, l'horloge, son avion, son amie, son histoire ;*
- les mots se terminant par un **e** muet. *Un pétale, un globule, un incendie.*

g

VOICI QUELQUES NOMS DONT LE GENRE EST DIFFICILE À RETENIR

Noms masculins

accident, ambre, amiante, ampère, antidote, apogée, appendice, aquaphone, aromate, ascenseur, asphalte, astérisque, autobus, autographe, automne, avion, chrysanthème, décombres, embâcle, embarcadère, emblème, en-tête, entracte, équinoxe, escalier, évangile, habit, haltère, hémisphère, hôpital, incendie, insigne, ivoire, jade, jute, narcisse, oreiller, orteil, ovule, ozone, pamplemousse, pétale, tentacule, testicule, ulcère, vivres...

Noms féminins

abscisse, acné, acoustique, aérogare, agrafe, alcôve, algèbre, alternative, améthyste, ancre, anicroche, annonce, apostrophe, appendicite, argile, armoire, aspirine, atmosphère, autoroute, azalée, débâcle, ébène, enclume, épice, épithète, escrime, hélice, horloge, idole, molécule, moustiquaire, nacre, omoplate, once, onde, orbite, orthographe, ouïe, primeur, réglisse, stalactite, stalagmite, ténèbres, topaze, urticaire...

Noms à double genre

aide, cave, coche, couple, crêpe, délice, faux, guide, livre, manche, mémoire, mode, moule, orgue, parallèle, pendule, physique, poste, solde, voile...

LE GENRE ET LE NOMBRE DES SIGLES

Les sigles prennent généralement le genre et le nombre du premier nom abrégé.

La LNH (La Ligue nationale de hockey).
La SRC (la Société Radio-Canada).

Les sigles de langue étrangère prennent le genre et le nombre qu'aurait eu en français le générique de la dénomination.

La BBC (British Broadcasting Corporation) (***société*,** féminin singulier).
Les USA (United States of America) (***États***, masculin pluriel).

gérer v. tr.
Administrer (une entreprise, une affaire, etc.) pour son propre compte ou pour le compte d'autrui. *Il gère cette entreprise, cet immeuble.* **SYN.** diriger.
Conjugaison [VOIR MODÈLE – **POSSÉDER**]
Le **é** se change en **è** devant une syllabe muette, sauf à l'indicatif futur et au conditionnel présent. *Je gère,* mais *je gérerai.*

germain, aine adj. et n. m. et f.
Cousins germains, cousines germaines. Cousins ayant un grand-père ou une grand-mère en commun.

germe n. m.
1. Partie de la graine qui se développe en formant la plante. *Un germe de haricot.*
2. (FIGURÉ) Principe, origine. *Le germe de la vie.*
3. Microbe, bactérie. *On doit stériliser les instruments du dentiste pour éliminer les germes.*
En ce sens, le nom s'emploie généralement au pluriel.
Locution
Être en germe. Être à l'état latent. *La révolution était déjà en germe 20 ans plus tôt.*

germer v. intr.
1. Commencer à se développer, en parlant d'une graine, d'un bulbe, etc. *Les tulipes ont germé, elles fleuriront dans quelques jours.*
2. (FIGURÉ) Se développer, prendre forme. *Le projet est en train de germer dans son esprit.* **SYN.** se former.
Conjugaison [VOIR MODÈLE – **AIMER**]

geste n. m.
1. Mouvement du corps. *Un geste de la main.*

g

NOMS **GÉOGRAPHIQUES**

Les noms géographiques sont des noms de lieux appelés également **toponymes.**

Nom géographique employé seul

Le nom propre géographique prend une majuscule.

Le Québec, le Saint-Laurent. La Malbaie. Les Laurentides.

Nom commun accompagné par un nom propre ou par un adjectif

Le nom commun (générique) s'écrit avec une minuscule, tandis que le nom propre ou l'adjectif (spécifique) prend la majuscule.

Le cap Diamant, les montagnes Rocheuses, l'anse de Vaudreuil, l'océan Atlantique, la rivière Saint-François, les chutes Montmorency.

Certaines dénominations font exception à cette règle. *Le Bouclier canadien.*

Dénomination composée

Le nom est accompagné d'un adjectif nécessaire à l'identification, qui précède souvent le nom. Les deux mots s'écrivent avec une majuscule et sont souvent liés par un trait d'union.

Terre-Neuve, le Proche-Orient, la Grande-Bretagne, Trois-Rivières, les Pays-Bas, la Nouvelle-Angleterre, les Grands Lacs.

Nom des habitants d'un lieu

Le nom des habitants d'un lieu (continent, pays, région, ville, village, etc.), appelé également ***gentilé***, s'écrit avec une majuscule.

Un Québécois, une Montréalaise, des Trifluviens.

Les adjectifs dérivés de gentilés s'écrivent avec une minuscule.

Une coutume beauceronne.

Nom étranger

Dans les cas où le nom géographique n'a pas d'équivalent français, la graphie d'origine est respectée.

New York, San Diego, Los Angeles, Rhode Island, Cape Cod.

Les noms des habitants d'un lieu et les adjectifs dérivés de noms étrangers sont écrits à la française avec accents et traits d'union, s'il y a lieu. *Les New-Yorkais.*

Surnom géographique

Les expressions désignant certaines régions, certaines villes s'écrivent avec une majuscule au nom et à l'adjectif qui précède.

Le Nouveau Monde.

Si l'adjectif suit, il garde la minuscule.

La Ville éternelle, la Péninsule gaspésienne.

2. Action. *Faire un geste* (et non *poser un geste), *avoir un geste noble.* **SYN.** acte.
Locution
Faits et gestes. Conduite.

gesticuler v. intr.
Faire beaucoup de gestes en tous sens. *Antoine gesticulait pour avertir son ami du danger.*
Conjugaison [VOIR MODÈLE – **AIMER**]

gestion n. f.
Attention à bien prononcer le ***t*** [ʒɛstjɔ̃] ; le mot rime avec ***question.***
Action de gérer, d'organiser, de diriger, d'administrer quelque chose. *La gestion d'une entreprise, la gestion d'une école.*

gestionnaire n. m. et f.
Attention à bien prononcer le ***t*** [ʒɛstjɔnɛr].
Personne qui gère dans une entreprise, dans un organisme. *C'est une excellente gestionnaire.*

geyser n. m.
Les lettres ***ey*** se prononcent ***é*** ou ***è*** et le ***r*** se prononce [ʒezɛr] ou [ʒɛzɛr].
Source d'eau chaude jaillissante. *Les geysers de Yellowstone.*
geyser.

ghetto n. m.
Les lettres ***ghe*** se prononcent ***gué*** ou ***guè,*** [geto] ou [gɛto].
1. Lieu où les Juifs étaient obligés de résider.
2. Lieu où des gens vivent séparés du reste de la population. *Les ghettos noirs de New York.*

gibier n. m.
Tous les animaux que l'on prend à la chasse.

giboulée n. f.
Averse soudaine de pluie souvent mêlée de neige, de grêle. *En mars, il y a souvent des giboulées.*
giboulé**e.**

giclée n. f.
Jet de liquide. *Une giclée d'eau boueuse tacha son pantalon.*
giclé**e.**

gicler v. intr.
Jaillir avec force, en parlant d'un liquide. *Un peu de sauce tomate a giclé sur sa chemise.*
Conjugaison [VOIR MODÈLE – **AIMER**]

gicleur n. m.
Dispositif servant à faire gicler un liquide. *Des gicleurs automatiques arrosent la pelouse.*

gifle n. f.
Coup donné sur la joue avec la main. *Elle lui a donné une gifle retentissante.*
gi**f**le, un seul ***f.***

gifler v. tr.
Donner une gifle. *Parce qu'il l'avait insultée, elle le gifla.*
Conjugaison [VOIR MODÈLE – **AIMER**]
gi**f**ler, un seul ***f.***

giga- préf.
Symbole ***G*** (s'écrit sans point).
Préfixe qui multiplie par 1 000 000 000 l'unité qu'il précède. *Des gigawatts.*
VOIR TABLEAU – **MULTIPLES ET SOUS-MULTIPLES DÉCIMAUX.**

gigantesque adj.
Immense. *Un barrage gigantesque.* **SYN.** énorme, géant.

gigot n. m.
Cuisse d'agneau, de chevreuil, coupée pour être mangée. *Un bon gigot d'agneau.*
gigo**t.**

gigoter v. intr.
(FAMILIER) Remuer sans cesse. *Ces enfants gigotent trop, je n'arrive pas à les habiller.* **SYN.** bouger.
Conjugaison [VOIR MODÈLE – **AIMER**]
gigo**t**er.

gigue n. f.
Danse vive, généralement au son d'un violon, que l'on dansait surtout à la campagne. *La gigue est d'origine anglaise ou irlandaise.*

gilet n. m.
1. Veste masculine sans manches qui se porte sous le veston.
2. Tricot à manches longues qui s'ouvre sur le devant.
gile**t.**

gingembre n. m.
Plante dont la racine est employée comme condiment. *Des biscuits au gingembre.*

girafe n. f.
Ruminant à cou très long et au pelage roux tacheté de brun.
gira**f**e, un seul ***f.***

girofle n. m.
Bouton de fleurs du giroflier en forme de clou utilisé comme condiment. *Un jambon piqué de clous de girofle.*
Attention au genre masculin de ce nom : ***du*** girofle.
giro**f**le, un seul ***f.***

giroflée n. f.
Plante ornementale.
giro**f**lée, un seul ***f.***

giroflier n. m.
Arbre tropical produisant les girofles, appelés généralement ***clous de girofle.***
giro**f**lier, un seul ***f.***

girouette n. f.
1. Appareil placé au sommet d'un édifice pour indiquer la direction des vents. *Une girouette en forme de coq.*
2. (FIGURÉ) Personne qui change souvent d'avis.
gi**r**oue**tt**e.

gisement n. m.
Amas de minéraux souterrains, nappe ou puits de pétrole que l'on peut tirer du sol. *Un gisement d'or. Un gisement de pétrole.* **SYN.** filon.

gitan, ane adj. et n. m. et f.
Adjectif
Qui appartient aux gitans. *Les chansons gitanes.* **SYN.** bohémien.
Nom masculin et féminin
Nomade qui vit généralement dans une roulotte. *Les gitans de la Camargue.* **SYN.** bohémien.
Le nom s'écrit avec une majuscule quand on parle du peuple, de l'ethnie. *Les Gitans font un pèlerinage aux Saintes-Maries-de-la-Mer.*

gîte n. m.
(LITTÉRAIRE) Abri. *Le gîte et le couvert. Les gîtes du passant.* **SYN.** refuge.
gîte, un accent circonflexe sur le ***i.***

givre n. m.
Frimas, couche de glace fine et blanche sur une surface. *Ce matin, l'herbe était couverte de givre.*

givrer v. tr.
1. Couvrir de givre. *Le gel a givré les branches.*
2. Couvrir d'une couche blanche translucide. *Givrer du verre.*
Conjugaison [VOIR MODÈLE – **AIMER**]

glace n. f.
1. Eau congelée. *La glace de la patinoire est bien entretenue. Voici des cubes de glace pour rafraîchir la limonade.*
2. Mélange glacé et aromatisé à base de lait ou de fruits. *Une glace à l'érable.* **SYN.** ⚜ crème glacée.
Ne pas confondre avec le nom ***sorbet,*** mets glacé ne contenant pas de lait ou de crème.
3. Miroir. *Elle se coiffe devant la glace.*
4. Vitre d'une voiture. *Les glaces de cette voiture sont propres.*
Locutions
Brise-glace(s). Navire chargé d'ouvrir la voie dans les régions où les cours d'eau gèlent. *Des brise-glace* ou *des brise-glaces.*
Rester de glace. Rester impassible, ne montrer aucune réaction. **SYN.** rester froid.
Rompre, briser la glace. (FIGURÉ) Faire cesser la gêne.
Lave-glace. Liquide servant à nettoyer le pare-brise d'un véhicule. *Des lave-glaces efficaces.*
Essuie-glace. Appareil destiné à essuyer le pare-brise d'un véhicule. *Les essuie-glaces sont défectueux.*
Forme fautive
*crème à la glace. Impropriété au sens de ***crème glacée, glace.***

glacé, ée adj.
1. Transformé en glace. *L'eau de la mer est glacée.* **SYN.** gelé.
2. Très froid. *Avoir les mains glacées.* **SYN.** gelé.
Locution
Crème glacée. ⚜ Mélange glacé et aromatisé à base de lait ou de fruits, etc. *Trois boules de crème glacée au chocolat, à la pistache et à la vanille.* **SYN.** glace.

glacer v. tr.
1. Solidifier un liquide par le froid. **SYN.** geler.
2. Refroidir. *Du jus glacé. Le vent lui glaçait le visage.*
3. (FIGURÉ) Intimider, effrayer. *Sa sévérité les glaçait.* **SYN.** geler, paralyser.
Conjugaison [VOIR MODÈLE – **AVANCER**]
Le ***c*** prend une cédille devant les lettres ***a*** et ***o.*** *Il glaça, nous glaçons.*

glacial, ale, als ou **aux** adj.
1. Extrêmement froid. *Des vents glacials* ou *glaciaux.*
2. (FIGURÉ) Qui est d'une froideur qui intimide. *Un accueil glacial.*
Le pluriel le plus courant de cet adjectif est ***glacials;*** cependant, il est possible d'écrire aussi ***glaciaux.***

glacier n. m.
1. Nappe épaisse de glace créée par l'accumulation de neige d'année en année et qui ressemble à une montagne. *Le pôle Nord est couvert de glaciers.*
2. Lieu où l'on fabrique et vend des glaces. *Le glacier Bilboquet vend des glaces délicieuses.*

glacière n. f.
Endroit réfrigéré destiné à la conservation des aliments. *Le boucher met les quartiers de viande dans la glacière.*
On ne doit pas employer ce mot pour nommer l'appareil électroménager que nous utilisons pour conserver les aliments frais, le ***réfrigérateur.***
Locution
Glacière portative. Contenant isolant refroidi avec de la glace pour conserver les aliments au frais.

glaçon n. m.
1. Morceau de glace. *Attention aux glaçons du toit.*
2. Cube de glace. *Je prendrai une limonade bien fraîche avec des glaçons.*
gla**ç**on.

gladiateur n. m.
Chez les Romains, homme qui combattait contre une bête féroce ou contre un autre homme.

glaïeul n. m.
Plante cultivée pour ses fleurs colorées. *Une gerbe de glaïeuls.*
Attention au genre masculin de ce nom : ***un*** glaïeul.
glaïeul.

glaise adj. et n. f.
Terre très argileuse. *Une terre glaise. Un vase de glaise.*

gland n. m.
Fruit du chêne. *Les écureuils aiment manger des glands.*
glan**d.**

glande n. f.
Organe dont la fonction est de produire certaines substances. *La salive est sécrétée par une glande de la bouche.*

glapir v. intr.
Émettre des sons aigus et brefs, en parlant d'un lapin, d'un renard.
Conjugaison [VOIR MODÈLE – **FINIR**]

glapissement n. m.
Action de glapir ; cri aigu du lapin, du renard.

glas n. m.
Le ***s*** ne se prononce pas [gla].
Tintement répété d'une cloche d'église pour annoncer une cérémonie funèbre, un évènement dramatique. *Sonner le glas.*
gla**s,** un **s** final même au singulier.

glissade n. f.
1. Mouvement que l'on fait en glissant. *Luc a fait une glissade et est tombé.* **SYN.** chute.
2. Glissoire. *Cet hiver, ils ont aménagé une grande glissade au parc.*

glissant, ante adj.
Sur quoi on glisse facilement. *Attention à ces marches qui sont glissantes.*
Locution
Terrain glissant. (FIGURÉ) Situation difficile et délicate. *Si tu acceptes cette offre malhonnête, tu pourrais te retrouver sur un terrain glissant.*

glissement n. m.
Action de glisser. *Le glissement des skis sur la neige.*
Locution
Glissement de terrain. Affaissement du sol. *À Cap-Rouge, près de Québec, il y a eu d'importants glissements de terrain : des maisons ont failli être emportées au bas d'une falaise.*

glisser v. tr., intr., pronom.
Verbe transitif
Introduire, insérer. *Glisser une lettre sous la porte.*

Verbe intransitif
Se déplacer volontairement ou involontairement sur une surface glissante ou inclinée. *Glisser sur la neige en skis. Il a glissé sur une flaque d'huile.*
Verbe pronominal
1. Se faufiler, s'introduire sans être vu. *Un malfaiteur avait réussi à se glisser dans le bureau.*
2. Se trouver involontairement. *Une erreur s'est glissée dans le texte.*
Locution
Glisser un mot à l'oreille de quelqu'un. Dire secrètement.
Conjugaison [VOIR MODÈLE – **AIMER**]

glissière n. f.
Rainure. *Une fermeture à glissière* ou *fermeture éclair.*

glissoire n. f.
Couloir glacé aménagé pour les glissades. *Fanny a une petite glissoire dans son jardin ainsi qu'une balançoire.*

global, ale, aux adj.
Le **o** est ouvert [glɔbal].
Total. *Des résultats globaux.* **SYN.** entier. **ANT.** partiel.

globalement adv.
Le **o** est ouvert [glɔbalmɑ̃].
D'une manière globale, dans l'ensemble. *Globalement, je suis d'accord.* **SYN.** généralement.

globe n. m.
Le **o** est ouvert [glɔb].
1. Boule. **SYN.** sphère.
2. Corps sphérique qui représente la terre. *Un globe terrestre. Faire le tour du globe, c'est-à-dire faire le tour du monde.*
Ne pas confondre avec ***mappemonde,*** carte plane représentant le monde en deux hémisphères.

globule n. m.
Le **o** est ouvert [glɔbyl].
Élément de divers liquides, du sang. *Le sang contient des globules blancs et des globules rouges.*
Attention au genre masculin de ce nom : ***un*** globule.

gloire n. f.
Grande renommée. *Cet homme politique est avide de gloire.* **SYN.** célébrité.
Ne pas confondre avec le nom ***honneur,*** considération accordée à un grand mérite.

glorieux, euse adj.
Le **o** est ouvert [glɔrjø, øz].
Éclatant, célèbre. *Les exploits glorieux de ces chercheurs.* **SYN.** illustre.
glorieu**x**.

glorifier v. tr., pronom.
Le **o** est ouvert [glɔrifje].
Verbe transitif
Louer, célébrer. *Les histoires ont glorifié le courage des premiers colons.* **SYN.** vanter.
Verbe pronominal
Tirer vanité de. *Ils se sont glorifiés de ces succès.* **SYN.** se flatter, se vanter.
Conjugaison [VOIR MODÈLE – **ÉTUDIER**]
Redoublement du ***i*** à la première et à la deuxième personne du pluriel de l'indicatif imparfait et du subjonctif présent *(Que) nous glorifiions, (que) vous glorifiiez.*

gloussement n. m.
1. Cri de la poule.
2. Rires contenus. *Ses paroles furent saluées par des gloussements, puis des éclats de rire.*
En ce sens, le nom s'emploie généralement au pluriel.

glousser v. intr.
1. Crier, en parlant de la poule.
2. Rire avec de petits cris. *Quand elle rit, Marie-Thérèse ne cesse de glousser : elle est très drôle.*
Conjugaison [VOIR MODÈLE – **AIMER**]

glouton n. m.
Mammifère carnivore de la toundra polaire qui a la taille d'un ourson. *Est-ce parce qu'il est trop gourmand que le glouton porte ce nom ?*
On l'appelle aussi ***carcajou.***

glouton, onne adj. et n. m. et f.
Qui mange avidement, à l'excès. *Nadine est une petite gloutonne.* **SYN.** goinfre, goulu.
Ne pas confondre avec les mots suivants :
– ***gourmand,*** qui aime trop la bonne cuisine ;
– ***gourmet,*** qui goûte la bonne cuisine en connaisseur.

gloutonnement adv.
Avec gloutonnerie.

gloutonnerie n. f.
Appétit dévorant et excessif du glouton. *Les enfants ont dévoré le goûter avec gloutonnerie.*

gluant, ante adj.
Collant. *Cette substance est gluante.* **SYN.** visqueux.

gnome n. m.
Les lettres ***g*** et ***n*** se prononcent distinctement [gnom].
Petit génie difforme, gardien de la Terre dans les contes. **SYN.** lutin.
gn**o**me.

***goal**
Anglicisme pour ***but.***

***goaler**
Anglicisme pour ***garder les buts.***

***goaleur**
Anglicisme pour ***gardien de but.***

gobelet n. m.
Récipient à boire, généralement sans pied ni anse. *Prenons des gobelets de plastique pour le pique-nique.*
gobele**t**.

gober v. tr.
1. Avaler sans mâcher. *La grenouille a gobé des mouches.*
2. (FAMILIER) Croire naïvement. *Il a gobé cette histoire incroyable.*
Conjugaison [VOIR MODÈLE – **AIMER**]

godille n. f.
1. Aviron. *Conduire une gondole à la godille.*
2. Enchaînement de virages rapprochés, en skis.

goéland n. m.
Le **o** est ouvert [gɔelɑ̃].
Oiseau de mer de la taille d'une grosse mouette. *Des goélands nombreux.*
Ne pas confondre avec le nom ***goélette,*** bateau de pêche.
goélan**d**.

goélette n. f.
Le **o** est ouvert [gɔelɛt].
Bateau de pêche à deux mâts.
Ne pas confondre avec le nom ***goéland,*** grosse mouette.

goinfre adj. et n. m.
Glouton. *Antoinette est un goinfre : elle a mangé 15 crêpes ! Son copain est goinfre tout autant : ils s'entendent bien !*
Ce nom ne s'emploie qu'au masculin.

goinfrer v. intr., pronom.
Verbe intransitif
(VIEUX) Manger gloutonnement.
Verbe pronominal
(FAMILIER) Manger comme un goinfre. *Ils se sont goinfrés.*
Conjugaison [VOIR MODÈLE – **AIMER**]

golf n. m.
1. Sport où le joueur doit successivement faire pénétrer une balle à l'aide d'un bâton dans un certain nombre de trous (9 ou 18) avec un nombre minimal de coups. *Jouer au golf.*
2. Terrain où l'on pratique le golf. *Le golf de Saint-Lambert est bien aménagé.*
Locution
Golf miniature, mini-golf. Golf à échelle réduite.
HOM. golfe, partie de mer qui s'enfonce dans les terres.

golfe n. m.
Partie de mer qui s'enfonce dans les terres. *Le golfe du Saint-Laurent est majestueux.*
Dans les désignations géographiques, le nom ***golfe*** s'écrit avec une minuscule, tout comme les mots ***baie, île, lac, mer, mont, océan,*** etc.
HOM. golf, sport.

golfeur, euse n. m. et f.
Personne qui joue au golf. *André est un bon golfeur.*

gomme n. f.
1. Substance visqueuse. *Gomme arabique.*
2. Petit bloc de caoutchouc pour effacer les traits de crayon. *Une gomme à effacer* (et non une *efface).
3. Gomme à mâcher. *On ne peut mâcher de la gomme à l'école.*

gommer v. tr.
1. Enduire de gomme. *Du papier gommé.*
2. Effacer au moyen d'une gomme. *Gommer un trait de crayon.*
Conjugaison [VOIR MODÈLE – **AIMER**]

gond n. m.
Le ***d*** ne se prononce pas [gɔ̃].
Pièce de fer sur laquelle tourne une penture. *Les gonds d'une porte.*
Locution
Sortir de ses gonds. (FIGURÉ) Se mettre en colère.
Ne pas confondre avec le nom ***gong,*** instrument à percussion.
gon**d.**

gondole n. f.
Barque vénitienne. *Les gondoles sont conduites par les gondoliers.*
gondo**l**e.

gondoler v. tr., intr., pronom.
Verbe transitif
Déformer. *L'humidité a gondolé la porte.*
Verbe intransitif
Prendre une forme ondulée. *Le bois a gondolé.*
Verbe pronominal
1. Se bomber. *La surface de la table s'est gondolée.*
2. (FAMILIER) S'amuser, rire à se tordre.
Conjugaison [VOIR MODÈLE – **AIMER**]
gondo**l**er.

gondolier n. m.
Batelier qui conduit une gondole.

gonflable adj.
Qui se gonfle. *Un ballon gonflable.*

gonflage n. m.
Action de gonfler. *Le gonflage d'un matelas pneumatique.*

gonflé, ée adj.
(FAMILIER) Qui a du culot. *Il est gonflé de me demander cela.*
SYN. (FAMILIER) culotté, effronté.

gonflement n. m.
État de ce qui est gonflé. *Le médecin a noté le gonflement de ses chevilles.*

gonfler v. tr., intr., pronom.
Verbe transitif
1. Augmenter le volume d'un corps en le remplissant d'air. *Gonfler un ballon.*
2. Faire grossir. *Le vent gonfle la voile de sa planche.*
Verbe intransitif
Augmenter de volume. *Ce soufflé gonfle à la cuisson.*
Verbe pronominal
1. Devenir enflé. *Son genou s'est gonflé.* **SYN.** enfler.
2. Se remplir de. *Il se gonfle d'orgueil.*
Conjugaison [VOIR MODÈLE – **AIMER**]

gong n. m.
Le ***g*** final se prononce [gɔ̃g].
Instrument à percussion. *Des gongs retentissants.*
Ne pas confondre avec le nom ***gond,*** pièce de fer sur laquelle tourne une penture.
gon**g.**

gorge n. f.
1. Partie du cou. *Ce foulard couvre sa gorge.*
2. Région située au fond de la bouche. *Avoir mal à la gorge.*
3. Passage creusé dans une montagne.
Locutions
Mettre le couteau sous la gorge. (FIGURÉ) Menacer quelqu'un.
Rire à gorge déployée. Rire très fort.
Prendre quelqu'un à la gorge. (FIGURÉ) Imposer sa volonté à quelqu'un.
Ne pas confondre avec les noms suivants :
– ***col,*** passage plus ou moins élevé entre deux montagnes ;
– ***défilé,*** passage étroit entre deux montagnes ;
– ***détroit,*** espace étroit entre deux côtes.

gorgée n. f.
Quantité de liquide qu'on peut avaler en une seule fois. *Laisse-moi boire une gorgée d'eau, j'ai soif.*

gorger v. tr., pronom.
Verbe transitif
Remplir, combler. *Gorger un enfant de gâteries.* **SYN.** gaver.
Verbe pronominal
Se remplir. *Au printemps, la terre s'est gorgée d'eau.*
Le complément est introduit par la préposition ***de.***
Conjugaison [VOIR MODÈLE – **CHANGER**]
Le ***g*** est suivi d'un ***e*** devant les lettres ***a*** et ***o.*** *Il gorgea, nous gorgeons.*

gorille n. m.
1. Singe de grande taille.
2. (FIGURÉ) (FAMILIER) Garde du corps. *Le Président est protégé par des gorilles.*

gosier n. m.
Arrière-gorge. *Ces enfants crient à plein gosier.*

gosse n. m. et f.
(FAMILIER) Enfant (garçon ou fille).

gothique adj. et n. m.
Adjectif
Qui se rapporte au style architectural qui s'est épanoui en Europe, du Moyen Âge à la Renaissance. *Une cathédrale gothique.*
Nom masculin
Style architectural du Moyen Âge.

gouache n. f.
1. Peinture à l'eau. *Maman a acheté des pots de gouache.*
2. Dessin fait à la gouache. *Une jolie gouache décorait la mer.*

goudron n. m.
Substance noire et visqueuse servant notamment au revêtement des routes, des toitures.

goudronner v. tr.
Enduire, revêtir de goudron. *Goudronner une route.*
Conjugaison [VOIR MODÈLE – **AIMER**]
goudro**nn**er.

gouffre n. m.
1. Cavité profonde et abrupte. *Le gouffre de Padirac.*
2. (FIGURÉ) Ce qui engloutit beaucoup d'argent. *Cette folle entreprise est un gouffre.*
gou**ff**re.

goulée n. f.
1. (VIEUX) Petite gorgée.
2. Quantité d'air qu'on peut aspirer en une fois.

goulot n. m.
Col étroit d'un vase, d'une bouteille. *Il est difficile de nettoyer cette bouteille dont le goulot est très étroit.*
goulo**t.**

goulu, ue adj. et n. m. et f.
Goinfre, glouton. *Un appétit goulu. Es-tu une goulue ou une gourmande ?*

gourde n. f.
Récipient portatif. *Pour la randonnée, il serait prudent d'apporter une gourde d'eau.*

gourdin n. m.
Gros bâton. *Pour se défendre, elle avait un gourdin.*

gourmand, ande adj. et n. m. et f.
Qui aime trop la bonne cuisine. *Christiane est trop gourmande, elle a quelques kilos en trop.*
Ne pas confondre avec les mots suivants :
– ***glouton,*** qui mange avidement ;
– ***gourmet,*** qui goûte la bonne cuisine en connaisseur.

gourmandise n. f.
1. Caractère d'une personne gourmande. *La gourmandise de Christiane est bien connue.*
2. (AU PLURIEL) Friandises. *Merci pour ces délicieuses gourmandises.*

gourmet n. m.
Personne qui goûte la bonne cuisine en connaisseur.
Ne pas confondre avec les mots suivants :
– ***glouton,*** qui mange avidement ;
– ***gourmand,*** qui aime trop la bonne cuisine.
gourme**t.**

gousse n. f.
1. Enveloppe allongée de certaines graines. *Enlever les petits pois de leur gousse ou de leur cosse. Une gousse de vanille.*
2. Tête ou partie de tête d'ail ou d'échalote. *Des gousses d'ail.*

goût n. m.
1. Sens par lequel nous percevons les saveurs (salée, sucrée, amère, acide).
2. Saveur. *Cette glace a bon goût, elle a un goût d'érable.*
3. Faculté d'apprécier le beau. *C'est une affaire de goût. Elle a un goût très sûr.*
4. Préférence. *Juger d'après son goût.*
Dans une construction négative, on emploie surtout la préposition ***de.*** *Ce dessin n'est pas de mon goût.*
5. Envie. *J'ai le goût d'aller patiner.* **SYN.** désir.
Locutions
Au goût du jour. À la mode.
Dans le goût de. Dans le style de. *Une aquarelle dans le goût de Marc-Aurèle Fortin.*
go**û**t.

goûter n. m.
Collation. *Le goûter des enfants après l'école.*
HOM. **goûter**, apprécier par le goût la saveur des choses.
go**û**ter.

goûter v. tr., intr.
Verbe transitif direct
1. Apprécier par le goût la saveur des choses. *Goûter une sauce.* **SYN.** essayer.
2. Avoir le goût de. *Cette viande goûte le sapin.*
En ce sens, le verbe ne s'emploie qu'au Québec et dans certaines régions de la francophonie.
3. (FIGURÉ) Apprécier. *Goûter le calme de la forêt.* **SYN.** aimer, savourer.
Verbe transitif indirect
1. Manger ou boire un peu de quelque chose pour connaître son goût. *Goûter à un dessert.*
En ce sens, le verbe se construit avec la préposition **à.**
2. (FIGURÉ) Jouir complètement de quelque chose. *Goûter à la liberté.*
En ce sens, le verbe se construit avec la préposition **à.**
3. Boire ou manger pour la première fois. *Goûter de la papaye.*
En ce sens, le verbe se construit avec la préposition ***de.***
Verbe intransitif
Prendre une collation. *Les enfants aiment bien goûter au retour de l'école.*
HOM. **goûter**, collation.
Conjugaison [VOIR MODÈLE – **AIMER**]
go**û**ter.

goutte n. f.
Très petite quantité de liquide. *Une goutte d'eau, une goutte de pluie. À peine une goutte de lait, s'il vous plaît, dans mon café. Des gouttes pour les yeux.*
Locutions
C'est la goutte d'eau qui fait déborder le vase. C'est un ennui qui vient s'ajouter aux autres, qui les couronne. **SYN.** c'est le bouquet !
C'est une goutte d'eau dans l'océan. C'est une chose inutile, insignifiante.
Goutte à goutte. Une goutte après l'autre. *Le liquide s'écoule goutte à goutte.*

g

Se ressembler comme deux gouttes d'eau. Avoir une apparence très semblable à celle d'une autre personne.

gouttelette n. f.
Petite goutte. *Des gouttelettes de rosée.*
✎ gouttelette.

gouttière n. f.
Petit canal destiné à recevoir les eaux de pluie.
Locution
Chat de gouttière. Chat sans race spécifique.

gouvernail n. m.
Dispositif mobile d'un bateau, d'un avion destiné à régler sa direction. *Des gouvernails en bon état.*

gouvernant, ante adj. et n. m. et f.
Adjectif
Qui gouverne.
Nom masculin et féminin
Personne qui exerce le pouvoir politique. **SYN.** dirigeant.

gouvernante n. f.
1. Femme chargée de l'éducation d'un ou de plusieurs enfants.
2. Femme qui prend soin de la maison d'une personne seule. *La gouvernante du presbytère.*

gouvernement n. m.
1. Action, manière de diriger un pays. *Le gouvernement de notre pays se fait de manière démocratique.*
2. Ensemble des personnes qui gouvernent un État (le Premier ministre, les ministres, etc.). *Le gouvernement du Québec. Le gouvernement devrait s'attaquer à réduire le déficit.*
☞ Le nom ***gouvernement*** s'écrit avec une minuscule.

gouvernemental, ale, aux adj.
Relatif au gouvernement. *Les services gouvernementaux.*

gouverner v. tr.
1. Diriger politiquement. *Le Premier ministre et ses ministres gouvernent le pays pour quatre ou cinq ans.*
2. Diriger à l'aide d'un gouvernail. *Gouverner un voilier.*
Conjugaison [VOIR MODÈLE – **AIMER**]

gouverneur n. m.
1. Au Canada, personne qui représente le roi ou la reine d'Angleterre. *Elisabeth II a été accueillie par le gouverneur général.*
2. Directeur d'un grand établissement public. *Le gouverneur de la Banque de France.*

grâce n. f.
1. Faveur. *Solliciter une grâce.* **SYN.** avantage, bienfait.
2. Reconnaissance. *Nous fêtons l'Action de grâces* ou *l'Action de grâce en octobre.*
3. Pardon, remise de peine. *L'opinion publique a finalement obtenu la grâce du condamné.*
4. Aisance, élégance naturelle. *Elle a beaucoup de grâce.*
Locutions
Action de grâce(s). Témoignage de reconnaissance.
Avoir mauvaise grâce à. Être malvenu de.
Coup de grâce. Coup fatal.
Crier grâce. Se déclarer vaincu, réclamer la pitié.
De bonne grâce, locution adverbiale. Aimablement, volontiers.
De grâce. Par faveur. *De grâce, taisez-vous !*
Demander grâce, crier grâce. Implorer le pardon.
Faire à quelqu'un la grâce de. Accorder la faveur de, avoir l'amabilité de.
Faire grâce de. Épargner. *Je vous fais grâce des détails.*
Grâce à, locution prépositive. À l'aide de. *Grâce à son aide, nous avons réussi.* **SYN.** avec.
Les bonnes grâces de quelqu'un. Appui, faveur de quelqu'un.
Rendre grâce à quelqu'un. Lui attribuer un résultat favorable.
Trouver grâce aux yeux de quelqu'un. Gagner sa bienveillance.

grâce ! interj.
Interjection employée pour implorer la pitié. *Grâce ! Ne soyez pas trop sévère.* **SYN.** pitié !
Locution
De grâce, locution interjective. Par pitié. *De grâce, épargne ces chatons : laisse-les avec leur maman pour quelques jours encore !*
✎ grâce.

gracier v. tr.
Supprimer une peine par faveur. *Le président a gracié le condamné.*
Conjugaison [VOIR MODÈLE – **ÉTUDIER**]
Redoublement du ***i*** à la première et à la deuxième personne du pluriel de l'indicatif imparfait et du subjonctif présent. *(Que) nous graciions, (que) vous graciiez.*
✎ gracier, malgré ***grâce.***

gracieusement adv.
1. Avec charme, élégance. *Comme elle marche gracieusement !*
2. Gratuitement. *Ce livre nous a été offert gracieusement.*

gracieux, ieuse adj.
1. Qui a beaucoup de grâce. *Une gracieuse jeune fille.* **SYN.** attrayant, charmant.
2. Gratuit. *Cette aide est apportée à titre gracieux.*

grade n. m.
Échelon de la hiérarchie. *Monter en grade.*
Forme fautive
*grade. Anglicisme au sens de ***année scolaire.***

gradin n. m.
Chacun des bancs étagés d'un amphithéâtre.

gradué, ée adj.
Divisé en degrés. *Un thermomètre gradué.*
Forme fautive
*gradué. Anglicisme au sens de ***diplômé.***
☞ Ne pas confondre avec le mot ***graduel,*** qui évolue par degrés.

graduel, elle adj.
Qui évolue par degrés. *La diminution graduelle du niveau de l'eau.*
☞ Ne pas confondre avec le mot ***gradué,*** divisé en degrés.

graduellement adv.
De façon graduelle. **SYN.** peu à peu.

graduer v. tr.
1. Diviser en degrés. *Ce thermomètre est gradué en Celsius.*
2. Augmenter graduellement. *Les enseignants ont gradué les exercices en fonction des connaissances des élèves.*
Forme fautive
*graduer. Anglicisme au sens de ***obtenir un diplome.***
Conjugaison [VOIR MODÈLE – **AIMER**]

graffiti n. m. (pl. *graffitis* ou *graffiti*)
Inscriptions dessinées sur les murs. *Des graffiti* ou *des graffitis amusants.*
☞ Ce nom est un pluriel italien qui peut rester invariable ou prendre la marque du pluriel.
VOIR TABLEAU – **ITALIEN (EMPRUNTS À L').**

grain n. m.
1. Le fruit des céréales, la graisse de certaines légumineuses. *Des grains de blé.*
2. Corps très petit et sphérique. *Des grains de sable, des grains de poivre.*
3. (MARITIME) Coup de vent violent et subit.
Locutions
Grain de beauté. Petite tache brune sur la peau.
Veiller au grain. (FIGURÉ) Se tenir sur ses gardes.

graine n. f.
Semence des plantes à fleurs. *Des graines de marguerites.*

graissage n. m.
Lubrification. *Il faudrait faire le graissage de cette voiture.*

graisse n. f.
Corps gras. *Une tache de graisse.*

graisser v. tr.
Huiler. *Graisser un engrenage.*
Conjugaison [VOIR MODÈLE – **AIMER**]

graisseux, euse adj.
1. De la nature de la graisse. *Des tissus graisseux.*
2. Taché de graisse. *Des mains graisseuses.*
graisseu**x**.

grammaire n. f.
1. Science des structures et des règles d'une langue.
2. Livre où les règles pour parler et écrire correctement une langue sont regroupées. Le Bon Usage *est une excellente grammaire du français.*
gra**mm**aire.

grammairien n. m.
grammairienne n. f.
Spécialiste de la grammaire.
gra**mm**airien.

grammatical, ale, aux adj.
Qui se rapporte à la grammaire. *Des règles grammaticales.*
gra**mm**atical.

gramme n. m.
Symbole ***g*** (s'écrit sans point).
Unité de masse valant un millième de kilogramme.

-gramme suff.
Élément du latin signifiant « lettre ». *Télégramme.*

grand- préf.
1. Les noms composés avec l'élément ***grand-*** s'écrivent aujourd'hui avec un trait d'union. L'orthographe avec une apostrophe est vieillie. *Grand-mère* (et non plus *grand'mère). En ancien français, l'adjectif ***grand*** conservait la même forme au masculin et au féminin. De nombreux noms composés nous sont restés : ils s'écrivent avec un trait d'union. *Grand-chose, avoir grand-honte, grand-maman, grand-messe, à grand-peine, grand-rue, grand-tante,* etc.
2. Le pluriel des composés féminins avec l'élément ***grand-*** est flottant. *Des grand(s)-mères.*
Le deuxième élément prend toujours la marque du pluriel, mais le premier élément a longtemps été invariable. Les auteurs ne s'entendent pas sur cette question, mais on observe une tendance à marquer le pluriel de l'élément ***grand-*** tout en lui conservant sa forme masculine. *Des grands-mamans.*
3. Le pluriel des composés masculins avec l'élément ***grand-*** est régulier : les deux éléments prennent un ***s.*** *Des grands-pères.*

grand, grande adj. et n. m. et f.
Adjectif
1. Dont la taille dépasse la moyenne. *Un grand jardin. Il est très grand, il mesure 1,90 m.*
2. Qui a atteint l'âge adulte. *Il est grand maintenant, il a 20 ans. Une grande personne peut être petite.*
3. Important, extraordinaire. *Un grand évènement.*
Suivi d'un mot qui commence par une voyelle ou un ***h*** muet, le ***d*** de l'adjectif ou du nom masculin singulier se prononce ***t.*** *Un grand (t) homme.*
4. Considérable. *Une grande fortune.*
Suivi d'un autre adjectif, l'adjectif ***grand*** s'accorde en genre et en nombre. *Les yeux grands ouverts. Les mains grandes ouvertes.*
Nom masculin et féminin
1. Personne adulte. *Les petits et les grands.*
2. Personne importante. *Les grands de ce monde.*
Locutions
En grand, locution adverbiale. Sur une vaste échelle. *Ils vont construire en grand.*
Grand comme ma main. (FAMILIER) Très petit. *Cette maison est grande comme ma main.*
Voir grand, locution adverbiale. Avoir de vastes projets sans songer à la dépense. *Ces architectes voient grand.*
Pris adverbialement, le mot est invariable.

grand-chose n. m. et f. inv. et pron. indéf. inv.
Pronom indéfini invariable
Peu de chose, presque rien. *Ce vieux vélo ne vaut pas grand-chose.*
Ce pronom indéfini ne s'emploie que dans une construction négative.
Nom masculin et féminin invariable
(FAMILIER) Personne peu estimable. *Un, une pas grand-chose.*

grandement adv.
1. Largement. *Cette famille est logée grandement.*
2. Beaucoup. *Ils ont grandement aidé cette cause.*

grandeur n. f.
1. Dimension en hauteur, longueur, largeur. *La grandeur d'un bureau, d'un terrain.* **SYN.** étendue.
De façon spécifique, on écrira la ***taille*** d'une personne, le ***format*** d'une chose, l'***échelle*** d'un pays, d'une région.
2. Importance, noblesse. *La grandeur d'un geste.*
Locutions
Grandeur d'âme. Générosité.
Grandeur nature. Selon les dimensions réelles. *Des modèles grandeur nature.*
L'expression reste invariable.
Ordre de grandeur. Dimension approximative.

grandiose adj.
Qui se distingue par sa grandeur, sa splendeur. *Un décor grandiose.* **SYN.** majestueux.

grandir v. tr., intr., pronom.
Verbe transitif
1. Rendre plus grand. *Cette robe la grandit.*
2. (FIGURÉ) Ennoblir. *Cette action l'a grandi.*
Verbe intransitif
Devenir plus grand. *Fanny a beaucoup grandi au cours de l'été, elle a bien trois centimètres de plus.*
Verbe pronominal
Se rendre plus grand. *Sophie tente de se grandir avec ses hauts talons.*
Conjugaison [VOIR MODÈLE – **FINIR**]

grand-maman n. f. (pl. *grands-mamans* ou *grand-mamans*)
Grand-mère, dans le langage des enfants.

grand-mère n. f. (pl. *grands-mères* ou *grand-mères*)
Mère du père ou de la mère.
VOIR **AÏEUL.**

grand-papa n. m. (pl. *grands-papas*)
Grand-père, dans le langage des enfants.

grand-peine (à) loc. adv.
Difficilement. *Il a escaladé la falaise à grand-peine.*
✎ **grand-peine,** avec un trait d'union.

grand-père n. m. (pl. *grands-pères*)
Père du père ou de la mère.
VOIR **AÏEUL.**

g

grands-parents n. m. pl.
Le grand-père et la grand-mère. *L'un des grands-parents était présent.*
☞ Ce nom ne peut s'employer au singulier.

***grand total**
(COMPTABILITÉ) Anglicisme pour ***total général.***

grand-voile n. f. (pl. *grand-voiles, grands-voiles*)
Voile carrée du grand mât.

grange n. f.
Bâtiment de ferme où l'on conserve le fourrage. *Le foin est dans la grange.*

granit ou **granite** n. m.
Le ***t*** se prononce [granit].
Roche très dure. *Des granites* ou *granits noirs. Une maison bretonne en granit rose.*
☞ La graphie ***granit*** est celle de la langue courante ; la langue technique de la géologie retient la graphie ***granite.***

granivore adj.
Qui se nourrit de graines. *Ces oiseaux sont granivores.*
☞ Ne pas confondre avec les mots suivants :
- ***carnivore,*** qui se nourrit de chair ;
- ***frugivore,*** qui se nourrit de fruits ;
- ***herbivore,*** qui se nourrit d'herbe ;
- ***insectivore,*** qui se nourrit d'insectes ;
- ***omnivore,*** qui se nourrit de végétaux et d'animaux.

granuleux, euse adj.
Qui est composé de grains. *Pour poncer, il utilise du papier granuleux.* **ANT.** lisse.

-graphe, -graphie, -graphique suff.
Éléments du grec signifiant « écrire ». *Orthographe, géographie, télégraphique.*

graphique adj. et n. m.
Adjectif
1. Relatif aux procédés d'impression. *Les industries graphiques.*
2. Qui représente à l'aide de traits, de points. *Les arts graphiques.*
Nom masculin
Schéma. *Un graphique des profits de l'association.*

graphiste n. m. et f.
Spécialiste des arts graphiques.

grapho- préf.
Élément du grec signifiant « écrire ». *Graphologie.*

graphologie n. f.
Étude de l'écriture d'une personne.

graphologique adj.
Qui se rapporte à la graphologie. *Une analyse graphologique.*

graphologue n. m. et f.
Spécialiste de la graphologie.

grappe n. f.
Assemblage de fleurs ou de fruits. *Des grappes de raisin. Des fleurs en grappes.*

grappin n. m.
Crochet à plusieurs branches en forme d'ancre qui est fixé au bout d'un cordage.
Locution
Mettre le grappin sur quelqu'un, sur quelque chose. (FIGURÉ) (FAMILIER) Accaparer quelqu'un, lui imposer sa présence.
✎ gra**pp**in.

gras, grasse adj. et n. m.
Adjectif
Formé de graisse. *Des corps gras.*
Nom masculin
Se dit des parties grasses de la viande. *Il y a très peu de gras dans ce bœuf haché.*
Locution
Faire la grasse matinée. Se lever tard.

grassement adv.
1. D'une manière grasse.
2. Généreusement. *Il est grassement payé.* **SYN.** beaucoup, largement.

grassouillet, ette adj.
(FAMILIER) Potelé. **SYN.** dodu.

gratification n. f.
Somme d'argent donnée en surcroît de ce qui est dû. *Les employés ont reçu une bonne gratification à Noël.* **SYN.** prime.

gratifier v. tr.
1. Nantir d'un avantage. *Gratifier quelqu'un d'une rente.*
2. Accorder généreusement quelque chose à quelqu'un. *Elle m'a gratifié d'un beau sourire.*
Conjugaison [VOIR MODÈLE – **ÉTUDIER**]
Redoublement du ***i*** à la première et à la deuxième personne du pluriel de l'indicatif imparfait et du subjonctif présent. *(Que) nous gratifiions, (que) vous gratifiiez.*

gratin n. m.
1. Préparation culinaire recouverte de fromage ou de chapelure et dorée au four. *Un gratin dauphinois.*
2. (FAMILIER) Élite. *Une soirée avec tout le gratin.*
✎ gra**t**in.

gratiné, ée adj. et n. f.
Adjectif
Recouvert de gratin. *Un soufflé gratiné.*
Nom féminin
Soupe à l'oignon.

gratis adj. inv. et adv.
Le ***s*** se prononce [gratis].
Adjectif invariable
Gratuit. *Un service gratis.*
Adverbe
(FAMILIER) Gratuitement. *Il tond la pelouse gratis.*

gratitude n. f.
Reconnaissance. *Elle remercia son amie avec gratitude pour sa générosité.*

gratte n. f.
⚜ (FAMILIER) Outil servant à racler.
Dans la francophonie, on dit surtout ***grattoir.***
Forme fautive
*gratte. Impropriété au sens de ***chasse-neige.***

gratte-ciel n. m. inv. (pl. *gratte-ciel*)
Immeuble d'une grande hauteur. *Des gratte-ciel impressionnants.*

grattement n. m.
Bruit fait en grattant. *On entendait des grattements dans le grenier : des souris y trottinaient !*

gratte-papier n. m. (pl. *gratte-papiers*)
(PÉJORATIF) Bureaucrate.
Ce nom a un sens défavorable.

gratter v. tr., intr., pronom.
Verbe transitif
1. Racler en entamant la surface de quelque chose. *Gratter la peinture d'un meuble.*
2. Frotter une partie du corps. *Elle lui gratte le dos.*
3. Causer une démangeaison. *Ce lainage la gratte.* **SYN.** irriter.
Verbe intransitif
Faire un bruit léger au lieu de frapper. *Gratter à la porte.*
Verbe pronominal
Gratter son corps lorsqu'on a des démangeaisons. *Cesse de te gratter !*
Conjugaison [VOIR MODÈLE – **AIMER**]

gratuit, uite adj.
1. Donné sans faire payer ; où l'on est admis sans payer. *Une exposition gratuite.* **SYN.** gratis.
2. (FIGURÉ) Sans raison, non fondé. *Une accusation gratuite.* **SYN.** faux, hypothétique.

gratuité n. f.
1. Caractère de ce qui est gratuit. *La gratuité des soins médicaux.*
2. Caractère de ce qui est sans fondement.

gratuitement adv.
1. Sans payer. *Le vétérinaire a soigné le chat d'Alex gratuitement.*
2. Sans fondement, sans motif.

grave adj. et n. m.
Adjectif
Sérieux. *Un air grave, une décision très grave.*
Nom masculin
La gamme des sons graves, par opposition aux sons aigus. *Elle peut chanter aussi bien le grave que l'aigu.*

***gravelle**
Anglicisme pour ***gravier.***

gravement adv.
1. Dignement. *Le juge doit parler gravement.*
2. Dangereusement. *L'accidenté est gravement blessé.* **SYN.** grièvement.

graver v. tr.
Tracer en creux. *Graver un nom sur une plaque de bois.*
Conjugaison [VOIR MODÈLE – **AIMER**]

gravier n. m.
Petits cailloux dont on recouvre un chemin. *Une allée de gravier* (et non de *gravelle).

gravir v. tr.
Escalader, monter. *Gravir une montagne, un escalier.* **SYN.** grimper.
Conjugaison [VOIR MODÈLE – **FINIR**]

gravité n. f.
1. (PHYSIQUE) Attraction exercée par la Terre. *Dans la fusée, il y a absence de gravité et les astronautes semblent flotter dans l'air.*
2. Qualité d'une personne grave (ou de son comportement). *La gravité d'un regard.* **SYN.** dignité, sérieux.
3. Caractère de ce qui a de l'importance. *La gravité d'un problème.*

graviter v. intr.
1. Tourner autour. *La Terre gravite autour du Soleil.*
2. (FIGURÉ) Évoluer dans l'entourage de quelqu'un. *Tout le personnel qui gravite autour du premier ministre.*
Conjugaison [VOIR MODÈLE – **AIMER**]

gravure n. f.
1. Manière, art de graver ; son résultat. *Ève veut apprendre la gravure et la peinture.*
2. Reproduction d'un dessin. *Il y a de jolies gravures dans ce livre.*

GRC n. f.
Sigle de ***Gendarmerie royale du Canada.***

gré n. m.
Accord. *Sa fille est partie au cinéma contre son gré.*
Locutions
Au gré de, locution prépositive. Selon. *Les feuilles bougent au gré du vent.*
Bon gré mal gré. Qu'on le veuille ou non. *Vous irez bon gré mal gré.*
L'expression s'écrit sans virgule.
De son plein gré. Volontairement.
Savoir gré. Être reconnaissant. *Elles lui sauront gré* (et non *seront gré) *de sa compréhension.*
Le nom ***gré*** demeure invariable.

grec, grecque adj. et n. m. et f.
Adjectif et nom masculin et féminin
De Grèce. *Le drapeau grec. Un Grec, une Grecque.*
L'adjectif s'écrit avec une minuscule ; le nom, avec une majuscule.
Nom masculin
Langue parlée en Grèce. *Elle parle le grec.*
Le nom de la langue s'écrit avec une minuscule.
VOIR TABLEAU – **GREC (EMPRUNTS AU).**

greffe n. f.
1. Opération par laquelle on fixe une partie d'une plante à une autre pour en modifier les caractères. *Le pomiculteur a fait des greffes sur ses pommiers : ces greffes permettront-elles de produire des pommes carrées ?*
2. Opération chirurgicale consistant à transférer sur une personne des parties prélevées sur elle-même ou sur une autre personne. *Une greffe de peau.*
Lorsqu'il y a rétablissement de vaisseaux, de conduits, on parle plutôt de ***transplantation.*** *Une transplantation cardiaque.*

greffer v. tr.
La première syllabe se prononce ***gré*** [grefe].
1. Mettre une greffe à une plante. *Greffer des branches de pommier sur un autre arbre.*

Un grand nombre de mots français proviennent de la langue grecque ancienne. Ce sont des mots de formation savante qui appartiennent surtout à la langue technique, scientifique, médicale ou religieuse.

Suivent quelques exemples de mots français d'origine grecque :

amnésie
anatomie
anecdote
asphyxie
batracien
bibliothèque
botanique
dactylographie
démocratie
diphtérie
éphémère
épisode
érotique
grammaire
gramme
gynécologie
hygiène
kaléidoscope
larynx
lexique
méthode
mètre
neurologie
œsophage
olympique
orthopédie
phonétique
sténographie
syntaxe
système
technique
téléphone
typographie
xénophobie
xylophone
zoologie...

Certains mots ont été empruntés au grec par l'intermédiaire du latin :

architecte
basilique
catastrophe
ermite
esthétique
flegme
géométrie
hippodrome
iris
logique
magie
méandre
mécanique
orchidée
pédagogie
périple
pyramide
rhinocéros
rhumatisme
salamandre
taxer
tigre
typique
tyran
zizanie
zodiaque
zone...

Aujourd'hui, ce sont plutôt les **racines grecques** qui servent à créer les nouveaux mots, les **néologismes :**

Préfixes	Sens	Exemples
aéro-	air	*aéroport*
auto-	soi-même	*automatique*
chrono-	temps	*chronomètre*
micro-	petit	*microscope*
ortho-	droit	*orthographe*
techno-	procédé	*technologie*
télé-	au loin	*téléphone*
zoo-	animal	*zoologie*

Suffixes	Sens	Exemples
-archie	pouvoir	*monarchie*
-gramme	lettre	*télégramme*
-graphe	écriture	*géographe*
-logie	science	*biologie*
-mètre	mesure	*thermomètre*
-phone	son	*francophone*
-scope	observer	*microscope*
-thèque	armoire	*bibliothèque*

VOIR TABLEAU – **PRÉFIXE.**
VOIR TABLEAU – **SUFFIXE.**

2. (MÉDECINE) Insérer une greffe à un patient. *On lui a greffé une cornée.*
Conjugaison [VOIR MODÈLE – **AIMER**]

grêle n. f.
Chute de grains de glace. *La grêle a détruit toute la récolte.*
grêle.

grêle adj.
Frêle, maigre. *Des jambes grêles.* **SYN.** fluet.
grêle.

grêler v. impers.
La première syllabe se prononce ***gré*** [grele].
Tomber, en parlant de la grêle. *Il a grêlé hier soir.*
Conjugaison [VOIR MODÈLE – **AIMER**]
grêler.

grêlon n. m.
La première syllabe se prononce ***grè*** [grɛlɔ̃].
Grain de glace. *Des grêlons gros comme des balles de golf.*
grêlon.

grelot n. m.
Petite boule de métal creuse contenant une bille métallique et résonnant quand on l'agite. *Les grelots tintent quand le cheval trotte.* **SYN.** sonnette.
grelo**t.**

grelottement n. m.
Frisson causé par le froid, la fièvre ou une émotion. *Elle est fiévreuse et a des grelottements.* **SYN.** tremblement.

grelotter v. intr.
Frissonner en raison du froid, de la fièvre ou d'une émotion. *Elle grelotte de froid.*
Conjugaison [VOIR MODÈLE – **AIMER**]
grelotter.

grenade n. f.
1. Fruit du grenadier. *Les pépins rouges de la grenade se mangent.*
2. Projectile contenant une charge d'explosif. *Le pirate de l'air menaçait de lancer une grenade dans l'avion.*

grenadier n. m.
1. Arbuste qui produit la grenade.
2. Soldat qui lançait les grenades.

grenier n. m.
Étage supérieur d'une maison. *Sa maison de poupée est dans le grenier.*

grenouille n. f.
Batracien vivant au bord des étangs. *La grenouille est amphibie ; elle peut vivre dans l'eau et sur la terre.*
VOIR TABLEAU – **ANIMAUX.**

grès n. m.
Le ***s*** ne se prononce pas [grɛ].
Matière dont on fait des poteries. *Un pot de grès.*
grè**s.**

grésil n. m.
Le ***l*** se prononce [grezil].
Petite grêle.

grésillement n. m.
Le ***e*** de l'avant-dernière syllabe ne se prononce pas [grezijmɑ̃].
Crépitement. *Le grésillement du bois qui brûle dans la cheminée.*

grésiller v. impers., intr.
Verbe impersonnel
Tomber, en parlant du grésil. *Il grésille.*
Verbe intransitif
(FIGURÉ) Crépiter. *Le feu grésille.*
Conjugaison [VOIR MODÈLE – **AIMER**]
Les lettres ***ill*** sont suivies d'un ***i*** à la première et à la deuxième personne du pluriel de l'indicatif imparfait et du subjonctif présent. *(Que) nous grésillions, (que) vous grésilliez.*

grève n. f.
1. Rivage. *La grève est couverte de coquillages.*
2. Cessation collective du travail pour la défense d'intérêts communs. *Les employés ont décidé de faire la grève, de faire grève demain* (et non d'*aller en grève).
grève.

gréviste n. m. et f.
Personne salariée qui fait grève. *Les grévistes ont organisé une manifestation pour faire valoir leurs demandes.*
gréviste.

gribouillage n. m.
Écriture informe. *L'enseignante a du mal à lire les gribouillages de Maxime.* **SYN.** gribouillis.

gribouiller v. tr., intr.
Griffonner, écrire de façon peu lisible. *Il gribouille des caractères indéchiffrables. Les enfants ont gribouillé sur le miroir.* **SYN.** barbouiller.
Conjugaison [VOIR MODÈLE – **AIMER**]
Les lettres ***ill*** sont suivies d'un ***i*** à la première et à la deuxième personne du pluriel de l'indicatif imparfait et du subjonctif présent. *(Que) nous gribouillions, (que) vous gribouilliez.*

gribouillis n. m.
Le ***s*** ne se prononce pas [gribuji].
Écriture illisible. **SYN.** gribouillage, griffonnage.
gribouilli**s,** un ***s*** final même au singulier.

grief n. m.
Motif de plainte. *Exprimer des griefs.*
Locution
Faire grief de quelque chose à quelqu'un. Reprocher. *Elles lui ont fait grief de sa sévérité.*

grièvement adv.
Très gravement. *Elles ont été grièvement blessées, brûlées.* **SYN.** sérieusement.
L'adverbe ne s'emploie qu'avec un adjectif, un participe signifiant « physiquement atteint ».

griffe n. f.
1. Ongle acéré de certains animaux. *Les griffes du chat.*
2. (FIGURÉ) Signature. *Apposer sa griffe.*
Locutions
Coup de griffe. Attaque.
Être entre les griffes de quelqu'un. Être dominé par une personne mal intentionnée.
Montrer les griffes. Se donner une apparence menaçante, devenir agressif.

griffer v. tr.
Donner un coup de griffe. *Le chat a griffé Nellie.*
Conjugaison [VOIR MODÈLE – **AIMER**]

griffonnage n. m.
Barbouillage. *Elle n'a fait que quelques griffonnages.* **SYN.** gribouillis.

griffonner v. tr.
1. Écrire d'une manière illisible. *Éloi a griffonné un message.*
2. Rédiger avec hâte. *Griffonner un billet sur un napperon.*
Conjugaison [VOIR MODÈLE – **AIMER**]

grignotement n. m.
Action de grignoter; bruit produit en grignotant. *On entendait des grignotements : un écureuil mangeait une poire sur la table du jardin.*
grignot**e**ment.

grignoter v. tr., intr.
Verbe transitif
1. Manger peu à peu en rongeant. *Fanny grignote une carotte.*
2. (FIGURÉ) Détruire progressivement. *Ces dépenses excessives grignotent son capital.*
Verbe intransitif
Manger un peu. *Cesse de grignoter entre les repas !*
Conjugaison [VOIR MODÈLE – **AIMER**]
grigno**t**er, un seul ***t.***

grigou n. m. (pl. *grigous*)
(FAMILIER) Personne désagréable et ennuyeuse.

gril n. m.
Le ***l*** se prononce ou non [gril] ou [gri].
Ustensile servant à la cuisson des grillades. *Acheter un gril.*

grillade n. f.
Viande grillée. *Olivier n'aime pas les grillades, car il est végétarien.*

grillage n. m.
Treillis métallique. *Un grillage retient les poules dans le poulailler.*
Forme fautive
*grillage. Impropriété au sens de ***moustiquaire.***

grillager v. tr.
Munir d'un grillage. *Philippe et Josée ont grillagé le clapier.*
Conjugaison [VOIR MODÈLE – **CHANGER**]
Le ***g*** est suivi d'un ***e*** devant les lettres ***a*** et ***o.*** *Il grillagea, nous grillageons.*

grille n. f.
1. Assemblage de barreaux. *Les fenêtres des prisons ont des grilles.*
2. Tableau quadrillé servant à l'organisation de données. *La grille des horaires.*

grille-pain n. m. inv. (pl. *grille-pain*)
Appareil servant à griller les tranches de pain. *Des grille-pain efficaces* (et non des *toasters).

griller v. tr., intr.
Verbe transitif
Soumettre à un feu vif. *Griller des viandes sur le barbecue.*
Verbe intransitif
Rôtir sur le gril. *Mettre les côtelettes à griller.*
Locution
Griller d'impatience. Brûler d'impatience.
Conjugaison [VOIR MODÈLE – **AIMER**]
Les lettres ***ill*** sont suivies d'un ***i*** à la première et à la deuxième personne du pluriel de l'indicatif imparfait et du subjonctif présent. *(Que) nous grillions, (que) vous grilliez.*

grillon n. m.
Insecte. *Les grillons font un bruit strident.*

grimace n. f.
Contraction volontaire ou involontaire du visage. *Faire des grimaces.*

grimacer v. intr.
Faire des grimaces. *Pour faire rire les petits, le bouffon grimaçait.*
Conjugaison [VOIR MODÈLE – **AVANCER**]
Le ***c*** prend une cédille devant les lettres ***a*** et ***o***. *Il grimaça, nous grimaçons.*

grimpant, ante adj.
Se dit d'une plante qui monte le long des corps voisins. *Des rosiers grimpants. Une plante grimpante.*
Ne pas confondre avec le participe présent invariable ***grimpant.*** *J'ai surpris les enfants grimpant sur le toit.*

grimper v. tr., intr.
Verbe transitif
Monter rapidement. *Elle a grimpé l'escalier à toute vitesse.* **SYN.** escalader, gravir.
Verbe intransitif
1. Monter en s'agrippant, en s'accrochant. *Les enfants ont grimpé à l'arbre, sur l'arbre.*
2. Monter sur un lieu élevé. *Il a grimpé jusqu'au sommet de la montagne.*
3. (FAMILIER) S'accroître. *Les prix ont grimpé.* **SYN.** augmenter.
Locution
Grimper dans les rideaux. (FAMILIER) S'affoler, avoir une réaction (bonne ou mauvaise) excessive.
Le verbe se conjugue avec l'auxiliaire ***avoir.***
Conjugaison [VOIR MODÈLE – **AIMER**]

grimpeur, euse adj. et n. m. et f.
Adjectif
Qui grimpe.
Nom masculin et féminin
Alpiniste. *Les grimpeurs ont atteint le sommet.*

grincement n. m.
Bruit désagréable produit par ce qui grince. *Un grincement strident se fit entendre.*
Locution
Grincements de dents. Fait d'être en colère, mécontent. *Des pleurs et des grincements de dents ont accueilli la nouvelle.*

grincer v. intr.
Produire un son désagréable. *La porte grinçait horriblement.*
Locution
Grincer des dents. Frotter les dents les unes contre les autres par rage, peur, douleur.
Conjugaison [VOIR MODÈLE – **AVANCER**]
Le ***c*** prend une cédille devant les lettres ***a*** et ***o.*** *Il grinça, nous grinçons.*

grincheux, euse adj.
Grognon, sévère. *La bibliothécaire n'est pas grincheuse du tout, elle est très sympathique.* **SYN.** acariâtre, bougon, maussade.

grippe n. f.
Maladie contagieuse d'origine virale provoquant une inflammation des muqueuses respiratoires. *François a attrapé la grippe. Un vaccin contre la grippe.*
Locution
Prendre en grippe. Avoir une antipathie contre quelqu'un, quelque chose. *Nellie a pris le professeur de géographie en grippe.*

gripe-sou n. m. (pl. *grippe-sous*)
(FAMILIER) Avare. **SYN.** (FAMILIER) radin.

gris, grise adj. et n. m.
Adjectif de couleur
D'une couleur entre le blanc et le noir.
VOIR TABLEAU – **COULEUR (ADJECTIFS DE).**
L'adjectif de couleur simple s'accorde, mais l'adjectif de couleur composé est invariable. *Des robes grises. Des robes gris perle.*
Nom masculin
La couleur grise qui résulte d'un mélange de blanc et de noir.

grisaille n. f.
Monotonie. *Annie préfère le ciel bleu de l'hiver à la grisaille de l'automne.*

grisâtre adj.
Qui tire sur le gris. *Une chemise grisâtre.*
Cet adjectif a une valeur défavorable.
gris**â**tre.

grisonner v. intr.
Devenir gris. *Ses cheveux commencent à grisonner.*
Conjugaison [VOIR MODÈLE – **AIMER**]

grive n. f.
Oiseau voisin du merle à plumage brun et gris.

grizzli ou **grizzly** n. m.
Ours de grande taille des Rocheuses. *Les grizzlis ou grizzlys sont des animaux très dangereux.*
gri**zz**li, gri**zz**ly.

groenlandais, aise adj. et n. m. et f.
Du Groenland. *Le littoral groenlandais. Un Groenlandais, une Groenlandaise.*
L'adjectif s'écrit avec une minuscule; le nom, avec une majuscule.
gro**e**nlandais, sans tréma.

grognement n. m.
1. Cri du porc, de l'ours, etc. *Les grognements du berger allemand ont éloigné les cambrioleurs.*
2. Murmure de mécontentement. *Des grognements se firent entendre dans la salle.*

grogner v. intr.
1. Émettre un bruit sourd (en parlant du porc, de l'ours, etc.). *Le chien grogne pour effrayer le chat.* **SYN.** gronder.
2. Bougonner. *Ces vieux grincheux ne cessent de grogner.*
Conjugaison [VOIR MODÈLE – **AIMER**]
Les lettres ***gn*** sont suivies d'un ***i*** à la première et à la deuxième personne du pluriel de l'indicatif imparfait et du subjonctif présent. *(Que) nous grognions, (que) vous grogniez.*

grognon, onne adj. et n. m. et f.
Bougon. *C'est un vieux grognon, il n'est pas aimable.* **SYN.** acariâtre, grincheux.

groin n. m.
Museau du porc.

gronder v. tr., intr.
Verbe transitif
Réprimander. *L'institutrice a grondé les enfants turbulents.* **SYN.** disputer.
Verbe intransitif
Grogner. *Un chien qui gronde, le tonnerre gronde.*
Conjugaison [VOIR MODÈLE – **AIMER**]

gros, grosse adj. et adv.
Adjectif
1. Volumineux, considérable. *Un gros ballon. Une grosse tempête de neige.* **ANT.** petit.
2. Important. *Une grosse fortune.* **SYN.** grand. **ANT.** petit.
3. Gras. *Je suis trop grosse, il faut que je maigrisse.* **SYN.** (FAMILIER) dodu, rond. **ANT.** maigre, mince.
Adverbe
1. Beaucoup. *Elles parient gros et risquent gros.*
Pris adverbialement, le mot est invariable.
2. En grande dimension. *Écris plus gros, je n'arrive pas à lire ton écriture.*
Locutions
Avoir le cœur gros. Avoir du chagrin.
En avoir gros sur le cœur. Avoir des reproches à faire, de la rancune.
Faire les gros yeux. Prendre un air sévère.
Le gros bon sens. Jugement élémentaire.

groseille n. f.
Fruit du groseillier.
Comme complément du nom ***confiture,*** groseille s'écrit généralement au pluriel, tandis que comme complément du nom ***gelée,*** il s'écrit au singulier.
grose**ill**e.

groseillier n. m.
Arbuste cultivé pour ses fruits.
grose**illi**er.

gros-porteur adj. et n. m.
Adjectif
Se dit d'un avion de grande capacité.
Nom masculin
Avion de grande capacité. *Des gros-porteurs* (et non des *jumbo jets) *lourdement chargés.*

grossesse n. f.
État d'une femme enceinte. *La grossesse dure 9 mois; chez les animaux, la gestation de la souris dure 21 jours (3 semaines) tandis que celle de l'éléphant va jusqu'à 640 jours (près de 2 ans).*

grosseur n. f.
1. Volume. *Des tomates d'une bonne grosseur.*
2. Volume de ce qui est gros. *La grosseur d'un éléphant.* **SYN.** dimension, taille.

grossier, ière adj.
1. Non achevé. *Un travail grossier.*
2. Rude. *Une étoffe grossière.*
3. Impoli, contraire aux usages. *Une personne grossière.* **SYN.** vulgaire.

grossièrement adv.
Avec grossièreté. *On lui a répondu grossièrement.* **SYN.** vulgairement.

grossièreté n. f.
1. Caractère de ce qui est grossier. *La grossièreté d'un geste.* **SYN.** vulgarité.
2. Impolitesse. *Elle lui a dit des grossièretés.*

grossir v. tr., intr.
Verbe transitif
Rendre plus gros, plus volumineux. *La loupe grossit les caractères.*
Verbe intransitif
1. Devenir plus gros, augmenter de volume. *Il a un peu grossi.* **SYN.** engraisser.

2. Devenir plus considérable. *La plante a grossi.* **SYN.** grandir.
Conjugaison [VOIR MODÈLE – **FINIR**]

grossissement n. m.
Le ***e*** de l'avant-dernière syllabe ne se prononce pas [grosismɑ̃].
Agrandissement. *Le grossissement de petits caractères à l'aide d'une loupe.*

grotesque adj.
Le ***o*** est ouvert [grɔtɛsk].
1. Loufoque, bizarre. *Des bouffons grotesques.*
2. Ridicule, extravagant. *Ces accusations sont grotesques.*

grotte n. f.
Cavité naturelle dans la roche. *Sous la chute, il y a une grotte secrète.*
grotte.

grouillement n. m.
Fourmillement. *Le grouillement des insectes sur le sol.*

grouiller v. intr., pronom.
Verbe intransitif
(FAMILIER) Remuer, fourmiller. *La place grouille de monde.*
Verbe pronominal
(FAMILIER) Se dépêcher. *Grouille-toi, nous sommes en retard !* **SYN.** se hâter.
Conjugaison [VOIR MODÈLE – **AIMER**]
Les lettres ***ill*** sont suivies d'un ***i*** à la première et à la deuxième personne du pluriel de l'indicatif imparfait et du subjonctif présent. *(Que) nous grouillions, (que) vous grouilliez.*

groupe n. m.
1. Réunion de personnes. *Un groupe d'élèves.*
2. Ensemble de choses. *Un groupe de maisons.*
Suivant que l'on insiste sur l'ensemble (que l'on considère globalement) ou sur la pluralité (que l'on considère en détail), le verbe s'accorde avec le collectif ou avec le complément déterminatif au pluriel. *Un groupe de chercheurs a réussi, ont réussi à isoler le virus.*
VOIR TABLEAU – **COLLECTIF.**

groupement n. m.
1. Action de grouper ; fait d'être groupé. *Le groupement des enfants.* **SYN.** rassemblement.
2. Association de personnes qui poursuivent un objectif commun. *Un groupement écologique.*

grouper v. tr., pronom.
Verbe transitif
Rassembler en groupe. *Grouper des étudiants.* **SYN.** assembler, réunir.
Verbe pronominal
Se rassembler. *Les enfants se sont groupés autour du chiot.*
Conjugaison [VOIR MODÈLE – **AIMER**]

grue n. f.
1. Grand oiseau échassier migrateur.
2. Appareil de levage. *Une grue de chantier.*
Locution
Faire le pied de grue. (FIGURÉ) Attendre longuement debout.
grue.

gruger v. tr.
1. (LITTÉRAIRE) Voler, duper quelqu'un. *Il grugeait son patron.*
2. (FAMILIER) Ronger, briser avec les dents. *Maxime grugeait une pomme.*
L'emploi du verbe est courant au Québec dans la langue familière, mais il est vieilli en ce sens dans l'ensemble de la francophonie.
Conjugaison [VOIR MODÈLE – **CHANGER**]
Le ***g*** est suivi d'un ***e*** devant les lettres ***a*** et ***o.*** *Il grugea, nous grugeons.*

grumeau n. m. (pl. *grumeaux*)
Masse coagulée dans un liquide. *Il y a des grumeaux dans la sauce. La soupe est pleine de grumeaux, elle est complètement ratée.*

gruyère n. m.
Fromage suisse. *Du jambon avec du gruyère.*

guadeloupéen, éenne adj. et n. m. et f.
La première syllabe se prononce ***goua*** [gwadlupeɛ̃, eɛn].
De la Guadeloupe. *Un chant guadeloupéen. Un Guadeloupéen, une Guadeloupéenne.*
L'adjectif s'écrit avec une minuscule ; le nom, avec une majuscule.

guatémaltèque adj. et n. m. et f.
La première syllabe se prononce ***goua*** [gwatemaltɛk].
Du Guatemala. *Le drapeau guatémaltèque. Un Guatémaltèque, une Guatémaltèque.*
L'adjectif s'écrit avec une minuscule ; le nom, avec une majuscule.

guenille n. f.
1. Petite pièce de vieille étoffe servant au nettoyage. **SYN.** chiffon.
2. (AU PLURIEL) Vêtement en lambeaux. *Un clochard en guenilles.*
En ce sens, le nom s'emploie au pluriel.

guenon n. f.
Femelle du singe.
VOIR TABLEAU – **ANIMAUX.**

guépard n. m.
Carnassier au pelage roux tacheté de noir.
guépar**d.**

guêpe n. f.
Insecte au corps rayé jaune et noir. *Un essaim de guêpes.*
Locution
Taille de guêpe. Taille très fine.

guêpier n. m.
Le **ê** se prononce **é** [gepje].
Nid de guêpes.
Locution
Se fourrer, tomber dans un guêpier. (FIGURÉ) Se mettre dans une situation difficile.
gu**ê**pier.

guère adv.
Peu, pas beaucoup. *Il ne fume guère.*
L'adverbe s'emploie toujours avec la particule négative ***ne.*** S'il ne peut s'employer avec ***pas,*** il peut cependant se construire avec ***ne... plus.*** *Elle ne sort plus guère.*
HOM. guerre, conflit armé.

guérir v. tr., intr., pronom.
Verbe transitif
Redonner la santé à quelqu'un. *Guérir un malade de sa bronchite.*
Verbe intransitif
1. Recouvrer la santé. *Elle guérira vite à la campagne.* **SYN.** se rétablir.

2. Disparaître en parlant d'une maladie. *Son rhume a guéri.*
Verbe pronominal
Se débarrasser d'une maladie. *Il a réussi à se guérir de son rhume.*
Conjugaison [VOIR MODÈLE – **FINIR**]

guérison n. f.
Disparition d'un mal physique ou moral. **SYN.** rétablissement.

guérite n. f.
Abri dans lequel une sentinelle, un gardien, se met à couvert.

guerre n. f.
Conflit armé entre États. *Nous espérons que la guerre ne sera jamais plus déclarée.*
Locutions
De bonne guerre, locution figée. Loyalement.
De guerre lasse, locution figée. En renonçant à combattre, à lutter.
HOM. guère, peu.

guerrier, ière adj. et n. m.
Adjectif
(LITTÉRAIRE) Relatif à la guerre. *Les écrits guerriers.*
Nom masculin
(LITTÉRAIRE) Soldat.

guerroyer v. intr.
Faire la guerre.
Ce mot ne s'emploie plus beaucoup aujourd'hui, mais au Moyen Âge, on guerroyait sans cesse.
Conjugaison [VOIR MODÈLE – **EMPLOYER**]
Le ***y*** se change en ***i*** devant un ***e*** muet. *Je guerroie, je guerroierai.*
Le ***y*** est suivi d'un ***i*** à la première et à la deuxième personne du pluriel de l'indicatif imparfait et du subjonctif présent. *(Que) nous guerroyions, (que) vous guerroyiez.*

guet n. m.
Action de guetter. *Faire le guet.* **SYN.** surveillance.
gue**t.**

guetter v. tr.
1. Surveiller avec attention. *Le chat guette l'oiseau.* **SYN.** épier, être aux aguets.
2. Faire peser une menace sur quelqu'un. *L'épuisement le guette.* **SYN.** menacer.
Conjugaison [VOIR MODÈLE – **AIMER**]

gueule n. f.
Bouche des animaux. *Se jeter dans la gueule du loup.*
On emploie le nom ***gueule*** pour désigner la bouche des carnassiers, des fauves. *La gueule d'un lion, d'un crocodile, d'un chien, d'un requin.* Pour un cheval, un chameau, un bœuf, un éléphant, un poisson et en général, pour les animaux de selle, de trait, on utilise le nom ***bouche.*** Pour désigner la bouche humaine, le nom ***gueule*** est vulgaire ; dans un style soigné, on évitera de l'employer.

gueuler v. tr., intr.
(FAMILIER) Crier ou hurler de douleur, de mécontentement.
Ce verbe est d'emploi vulgaire. Dans un style soigné, on emploiera plutôt ***crier, hurler.***
Conjugaison [VOIR MODÈLE – **AIMER**]

gui n. m.
Plante qui vit en parasite sur les branches de certains arbres. *Une guirlande de gui décore l'entrée de la maison à Noël.*

guichet n. m.
Petite ouverture par laquelle le public communique avec les employés d'une banque, d'une administration, etc. *Les guichets de la billetterie.*
Locutions
À guichets fermés. Se dit d'un spectacle dont tous les billets sont vendus.
Guichet automatique. (PAR ANALOGIE) Distributeur automatique de billets de banque.
guiche**t.**

guide n. m. et f. pl.
Nom masculin
Recueil de renseignements. *Un guide du Québec vient d'être publié.*
Nom féminin pluriel
Lanières attachées au mors d'un cheval. *Tirer sur les guides d'un cheval.*

guide n. m. et f.
Nom masculin et féminin
Personne chargée de faire visiter (un musée, une ville, un monument, un site). *Une guide expérimentée.*
Nom féminin
Jeune fille faisant partie d'un mouvement de scoutisme. **SYN.** scoute.

guider v. tr.
1. Indiquer la voie. *Le chien guide l'aveugle.* **SYN.** conduire, mener.
2. Diriger, conseiller. *Ses conseils m'ont bien guidé.* **SYN.** orienter.
Conjugaison [VOIR MODÈLE – **AIMER**]

guidon n. m.
Tube de métal à poignées qui sert à diriger une bicyclette, une moto.

guignol n. m.
Pantin, marionnette.
Locution
Faire le guignol. (FIGURÉ) Faire le pitre.

guignolée n. f.
Quête faite de porte en porte à la période des fêtes, à l'intention des démunis.
guignolé**e.**

guillemet n. m.
Petit chevron double qui se place au commencement et à la fin d'une citation, d'un dialogue, d'un mot, d'une locution que l'auteur désire isoler.
Locution
Entre guillemets. Expression destinée à souligner qu'on ne prend pas à son compte le mot ou la locution employés.
VOIR TABLEAU – **GUILLEMETS.**

guillotine n. f.
Instrument servant à couper la tête des condamnés à mort.

guillotiner v. tr.
Décapiter par la guillotine. *Les révolutionnaires ont guillotiné de nombreux nobles.*
Conjugaison [VOIR MODÈLE – **AIMER**]

guimauve n. f.
Pâte molle et sucrée (à l'origine, à base de racine de guimauve). *Faire griller des guimauves* (et non des *marshmallows).

GUILLEMETS

Les guillemets sont de petits chevrons doubles (« ») qui se placent au commencement **(guillemet ouvrant)** et à la fin **(guillemet fermant)** d'une citation, d'un dialogue, d'un mot, d'une locution que l'auteur désire isoler.

Dans son poème intitulé « Soir d'hiver », Émile Nelligan écrit :

« Ah ! comme la neige a neigé !
Ma vitre est un jardin de givre.
Ah ! comme la neige a neigé ! »

FORME

Les guillemets se présentent en français sous la forme de petits chevrons doubles (« »), et en anglais, sous la forme d'une double apostrophe (" ").

CITATION

Les guillemets encadrent les citations : ils en indiquent le début et la fin.

L'article 1 de la Charte de la langue française *se lit ainsi : « 1. Le français est la langue officielle du Québec. »*

Le capitaine Haddock ne cesse de répéter : « Mille sabords ! » tandis que le professeur Tournesol chuchote : « Nom d'une pipette ! »

Dans la bande dessinée, les bulles jouent le rôle des guillemets.

STYLE DIRECT

Lorsqu'on redit mot à mot les paroles ou les écrits d'une ou de plusieurs personnes, on emploie le guillemet ouvrant à la suite du deux-points et le guillemet fermant à la fin des mots cités.

Martin m'a demandé : « Veux-tu un cornet de crème glacée à la tire d'érable ? »

DIALOGUE

Si l'on cite un échange de paroles, on ne met des guillemets qu'au début et à la fin du dialogue. Pour signaler un changement d'interlocuteur (c'est une autre personne qui parle), on écrit la phrase en retrait à la suite d'un tiret.

Sa copine lui dit :

« Viens-tu faire une randonnée dans la montagne ?
— Oh ! oui, c'est une bonne idée. Allons-y !
— Prenons nos bouteilles d'eau, car il fait chaud et on aura soif. »

Les incises ***(dit-il, répondit-elle)*** se mettent entre virgules, sans répétition de guillemets. *« Allons-y, dit-il, nous sommes en retard. »*

MISE EN VALEUR

Pour isoler un mot, une expression, un titre, une marque, un terme étranger, on se sert de guillemets.

Le vélo de montagne de Marie-Ève est de marque « Peugeot ». Les sacs « Rugby » sont les préférés des jeunes. Ce sont les Beatles qui ont composé la chanson « Free as a bird ».

guinéen, éenne adj. et n. m. et f.
De la Guinée. *Le drapeau guinéen. Un Guinéen, une Guinéenne.*
L'adjectif s'écrit avec une minuscule ; le nom, avec une majuscule.

guirlande n. f.
Cordon de feuillage, de fleurs, etc., servant à décorer. *Des guirlandes brillantes ornaient les sapins de Noël.*

guise n. f.
À (ma, ta, sa, etc.*) guise.* Selon (ma, ta, sa, etc.) volonté.
En guise de, locution prépositive. À la place de.

guitare n. f.
Instrument de musique. *Alain s'accompagne à la guitare.*

guitariste n. m. et f.
Personne qui joue de la guitare.

gustatif, ive adj.
Relatif au goût. *Les papilles gustatives.*

guyanais, aise adj. et n. m. et f.
De la Guyane. *Le drapeau guyanais. Un Guyanais, une Guyanaise.*
L'adjectif s'écrit avec une minuscule ; le nom, avec une majuscule.

gym n. f.
Les lettres ***gy*** se prononcent ***ji*** (et non *dji) [ʒim].
Abréviation familière de ***gymnastique.***

gymnase n. m.
Les lettres ***gy*** se prononcent ***ji*** (et non *dji) [ʒimnɑz].
Lieu où l'on peut pratiquer des exercices physiques.
gymnase.

gymnaste n. m. et f.
Les lettres ***gy*** se prononcent ***ji*** (et non *dji) [ʒimnast].
Spécialiste de la gymnastique.
gymnaste.

gymnastique n. f.
Les lettres ***gy*** se prononcent ***ji*** (et non *dji) [ʒimnastik].
Le mot s'abrège familièrement en ***gym*** (s'écrit sans point).
1. Ensemble d'exercices physiques destinés à assouplir, à fortifier le corps.
2. Série de mouvements. *Faire sa gymnastique quotidienne.*
gymnastique.

gynécologie n. f.
Les deux ***o*** sont ouverts [ʒinekɔlɔʒi].
Spécialité de la médecine qui s'occupe des maladies particulières aux femmes.
gynécologie.

gynécologique adj.
Les deux ***o*** sont ouverts [ʒinekɔlɔʒik].
Relatif à la gynécologie. *Un examen gynécologique.*
gynécologique.

gynécologue n. m. et f.
Les deux ***o*** sont ouverts [ʒinekɔlɔg].
Spécialiste de la gynécologie. *C'est un excellent gynécologue.*
gynécologue.

gyrophare n. m.
Le ***o*** est ouvert [ʒirɔfar].
Phare rotatif. *Une ambulance munie d'un gyrophare.*
gyrophare.

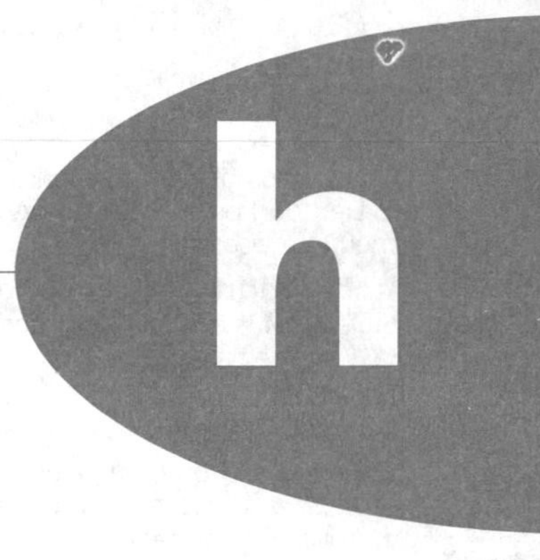

h n. m. inv.
Huitième lettre de l'alphabet.

h (muet)
VOIR TABLEAU – **H MUET ET H ASPIRÉ.**

h (aspiré)
VOIR TABLEAU – **H MUET ET H ASPIRÉ.**

h
Symbole de ***heure.***

ha ! (***h*** aspiré) interj.
Interjection toujours redoublée qui marque le rire. *Ha ! ha !*
L'interjection s'écrit toujours avec un point d'exclamation. Si la phrase n'est pas terminée, le mot qui suit le point d'exclamation s'écrit avec une minuscule initiale *Ha ! Ha ! que c'est drôle !*
Pour marquer la surprise, le soulagement, on emploiera plutôt ***ah !***

habile adj.
1. Adroit. *Ce menuisier est très habile : il fabrique de très beaux meubles de bois.* **ANT.** maladroit, malhabile.
2. Astucieux. *Elles ont été très habiles en proposant cette idée.* **SYN.** futé. **ANT.** malhabile.

habilement adv.
Le ***e*** de l'avant-dernière syllabe ne se prononce pas [abilmɑ̃].
Avec habileté. *Ces menuisiers travaillent très habilement. Une idée habilement présentée.*

habileté n. f.
Le ***e*** de l'avant-dernière syllabe ne se prononce pas [abilte].
Maîtrise d'une activité physique ou intellectuelle. *Un travail fait avec habileté.* **SYN.** adresse, savoir-faire.

habillage n. m.
Action d'habiller quelqu'un, quelque chose, de s'habiller. *Un salon d'habillage.*

habillé, ée adj.
1. Couvert de vêtements. *Tu n'es pas encore habillé ?* **ANT.** déshabillé, nu.
2. Se dit d'une tenue élégante, d'une tenue du soir. *Une robe habillée pour aller au bal.* **SYN.** chic, élégant.

habillement n. m.
Tenue vestimentaire. *Un habillement original.*

habiller v. tr., pronom.
Verbe transitif
Revêtir de vêtements. *Elle habille la fillette. Elle est habillée de noir, de coton* ou *en noir.*
Dans un style soigné, on préférera la préposition ***de.***
Verbe pronominal
1. Mettre ses vêtements. *Elles se sont habillées rapidement.*
2. Choisir ses vêtements. *Il s'habille bien.*
Conjugaison [VOIR MODÈLE – **AIMER**]
Les lettres ***ill*** sont suivies d'un ***i*** à la première et à la deuxième personne du pluriel de l'indicatif imparfait et du subjonctif présent. *(Que) nous habillions, (que) vous habilliez.*

habit n. m.
1. (AU PLURIEL) Vêtements. *Range tes habits dans la penderie.*
2. Tenue de soirée dont la veste à revers de soie est à longues basques à l'arrière.
Attention au genre masculin de ce nom : ***un*** habit.
Forme fautive
*habit. Mot ancien au sens de ***costume, complet.***

habitable adj.
Qui peut être habité. *Cette maison n'est pas habitable en hiver : il y fait trop froid.* **ANT.** inhabitable.

habitant, ante adj. et n. m. et f.
Nom masculin et féminin
Personne qui habite généralement en un lieu. *Le Québec compte sept millions d'habitants.*
1° La dénomination des habitants d'un lieu est un ***gentilé.***
2° Les gentilés s'écrivent avec une majuscule. *Un Gaspésien.* Les adjectifs dérivés de gentilés s'écrivent avec une minuscule. *Un paysage gaspésien.*
VOIR TABLEAU – **PEUPLES (NOMS DE).**
Adjectif et nom masculin et féminin
(FAMILIER) Paysan qui a des manières frustres. *Cette personne a l'air habitant.*
En ce sens, le mot a une valeur défavorable au Québec.

habitat n. m.
1. Ensemble des conditions géographiques dans lesquelles vit une espèce animale, une espèce végétale particulière.

2. Ensemble des conditions d'habitation. *Amélioration de l'habitat.*
✎ habita**t.**

habitation n. f.
1. Action d'habiter dans un lieu.
2. Lieu où l'on habite. *Un groupe d'habitations.* **SYN.** demeure, maison.

habitation à loyer modique
Sigle ***HLM*** (s'écrit avec ou sans points).
⚜ Appartement dont le loyer est partiellement payé par l'État.

habiter v. tr., intr.
Verbe transitif
1. Loger de façon durable en un lieu. *Ils habitent un appartement de six pièces.* **SYN.** demeurer, résider, vivre.
2. Avoir son habitation en un lieu. *Ils habitent un quartier très calme.* **SYN.** demeurer, résider.
Verbe intransitif
Demeurer. *Ils habitent en ville, à la campagne, à Montréal.*
Ce verbe peut se construire indifféremment avec ou sans préposition devant le complément de lieu. Suivi d'un nom de rue (avenue, boulevard, etc.), le verbe se construit généralement sans préposition. *Ils habitent rue du Manoir.*
Conjugaison [VOIR MODÈLE – **AIMER**]

h

habitude n. f.
Façon habituelle d'être, d'agir. *Léa a l'habitude d'appeler sa copine tous les soirs. Une bonne ou une mauvaise habitude.*
Locutions
Avoir l'habitude de. Avoir coutume de. *Les enfants ont l'habitude de marcher pour aller à l'école.*
Comme d'habitude. À l'accoutumée, selon son habitude. *Comme d'habitude, elle est en retard.*
D'habitude, locution adverbiale. Ordinairement, habituellement. *Sa tarte est meilleure que d'habitude.*
Par habitude. Machinalement. *Par habitude, elle se lève à 6 h 30, même le samedi et le dimanche.*

habitué, ée n. m. et f.
Personne qui fréquente habituellement un lieu. *Ce sont des habitués de ce restaurant : ils viennent souvent.*

habituel, elle adj.
Usuel, normal. *Les voisins font leur promenade habituelle.* **SYN.** courant.

habituellement adv.
De façon habituelle. **SYN.** généralement, normalement, ordinairement. **ANT.** exceptionnellement, rarement.

H MUET ET H ASPIRÉ

H MUET

La lettre ***h*** est dite ***muette*** lorsqu'elle n'empêche pas l'élision de la voyelle précédente ou la liaison entre deux mots. *L'hôpital, l'homonyme : le **h** du mot **hôpital** et du mot **homonyme** est muet.* C'est donc un signe purement orthographique qui, le plus souvent, constitue un simple rappel de l'étymologie.

H ASPIRÉ

La lettre ***h*** est dite ***aspirée*** quand elle empêche l'élision de la voyelle qui la précède ou la liaison entre deux mots. *Le haricot : le **h** du mot **haricot** est aspiré.*

Seuls quelques mots, surtout d'origine germanique ou anglo-saxonne, ont le ***h*** aspiré pour initiale :

hache	hangar	hase	hêtre	houppe
hagard	hanneton	hâte	heurt	hourra
haie	hanter	hausse	hibou	houspiller
hailllon	happer	haut	hideux	housse
haine	harceler	hautain	hiérarchie	houx
haïr	hardi	hautbois	hisser	hublot
haleter	harem	havre	hockey	huche
hall	hareng	havresac	holà	huer
halo	hargneux	henné	homard	huis clos
halte	haricot	hennir	honnir	huit
hamac	harnais	hérisser	honte[1]	hune
hameau	harpe	hernie	hoquet	hurler
hamster	harpon	héron	hotte	hussard
hanche	hasard	héros[1]	houblon	hutte…
handicap	haschisch	herse	houille	

1. Les noms ***héros, honte*** ne comportent pas un véritable ***h*** aspiré ; c'est par euphonie qu'on ne fait pas de liaison ou d'élision devant ces mots. *Les héros* (s'entendrait les « zéros »). Par contre, le nom féminin ***héroïne*** a un ***h*** muet. *L'héroïne.*

Dans cet ouvrage, les mots commençant par un ***h*** aspiré sont suivis de la mention (***h*** aspiré).

habituer v. tr., pronom.
Verbe transitif
Donner l'habitude. *Habituer un chien à la propreté, à ne pas japper. Il est habitué à nous.*
Verbe pronominal
Prendre l'habitude. *S'habituer à travailler pendant la nuit.*
À la forme transitive comme pronominale, le verbe se construit avec la préposition ***à.***
Conjugaison [VOIR MODÈLE – **AIMER**]

hache (***h*** aspiré) n. f.
Outil tranchant servant à fendre, à couper. *La hache du bûcheron.*

haché, ée (***h*** aspiré) adj.
Coupé en morceaux. *Du steak haché, du bœuf haché.*

hacher (***h*** aspiré) v. tr.
Déchiqueter avec un instrument tranchant. *Hacher de la viande.*
Conjugaison [VOIR MODÈLE – **AIMER**]

hachette (***h*** aspiré) n. f.
Petite hache.

hachisch
VOIR **HASCHISCH.**

hachure (***h*** aspiré) n. f.
Trait parallèle qui marque les parties ombrées d'un dessin, d'une gravure. *Faire des hachures.*

hachurer (***h*** aspiré) v. tr.
Tracer des hachures. *Les parties hachurées du formulaire sont réservées à l'administration.*
Conjugaison [VOIR MODÈLE – **AIMER**]

HAE
Sigle de ***heure avancée de l'Est.***

haie (***h*** aspiré) n. f.
1. Bordure d'arbustes. *Une haie de conifères.*
2. Rang de personnes bordant une voie. *Une haie d'honneur.*

haillon (***h*** aspiré) n. m.
(GÉNÉRALEMENT PLURIEL) Vêtement très usé. *Il portait des haillons.*
HOM. **hayon**, porte arrière d'un véhicule.

haine (***h*** aspiré) n. f.
Sentiment violent qui pousse à détester quelqu'un, quelque chose, à lui vouloir du mal. *Éprouver de la haine contre* ou *pour des ennemis, contre des gestes brutaux* ou *pour la violence.* **SYN.** aversion, hostilité. **ANT.** amitié, amour.
Le nom se construit avec la préposition ***contre*** ou ***pour.***
HOM. **aine**, partie du corps.

haineux, euse (***h*** aspiré) adj.
Qui traduit la haine. *Des paroles haineuses.* **SYN.** malveillant, méchant. **ANT.** amical.

haïr (***h*** aspiré) v. tr.
Aux première, deuxième et troisième personnes du singulier de l'indicatif présent, ainsi qu'à la deuxième personne du singulier de l'impératif présent, il n'y a pas de tréma sur le ***i*** : on prononce ['ɛ] (et non *a-i).
1. Avoir en horreur quelqu'un, éprouver de la haine à son égard. *Il hait les voleurs qui ont détruit son entreprise.*
2. Détester. *Plusieurs écoliers haïssent la fin des vacances.*
Conjugaison [VOIR MODÈLE – **HAÏR**]

haïssable (***h*** aspiré) adj.
Attention à la prononciation ['aisabl] (et non *aguissable).
Détestable. *Ces lâches sont haïssables.*

haïtien, ienne adj. et n. m. et f.
D'Haïti. *Le drapeau haïtien. Un Haïtien, une Haïtienne.*
L'adjectif s'écrit avec une minuscule ; le nom, avec une majuscule.
L'usage est flottant en ce qui a trait à la nature du ***h*** initial de ce mot ; même si plusieurs auteurs indiquent la présence du ***h*** aspiré, la tendance la plus courante est de considérer l'initiale comme un ***h*** muet. On dira donc : *Des (z) Haïtiens.*

hâle (***h*** aspiré) n. m.
Bronzage de la peau sous l'effet du soleil.
HOM. **hall**, entrée.

hâlé, ée adj.
Bruni par le soleil, bronzé. *Une peau hâlée.*

haleine n. f.
1. Air qui sort des poumons par la bouche et le nez quand on expire. *Ce rince-bouche rafraîchit l'haleine. Avoir mauvaise haleine.*
2. Souffle, respiration.
Locutions
À perdre haleine. Longuement, sans répit. *Courir à perdre haleine.*
De longue haleine. À long terme. *Un travail de longue haleine.*
En haleine. En état d'attente. *On nous tenait en haleine.*
Hors d'haleine. Essoufflé.
Reprendre haleine. Reprendre sa respiration.
Reprendre haleine. (FIGURÉ) Se reposer avant de recommencer quelque chose.

hâler (***h*** aspiré) v. tr.
Bronzer, brunir la peau, en parlant du soleil. *Le soleil hâle la peau. Un teint hâlé.*
Conjugaison [VOIR MODÈLE – **AIMER**]

haletant, ante (***h*** aspiré) adj.
Le ***e*** central ne se prononce pas ['altɑ̃, ɑ̃t].
Hors d'haleine, essoufflé. *Il est arrivé haletant et assoiffé après avoir tant couru.*

haleter (***h*** aspiré) v. intr.
Être hors d'haleine. *Après avoir tant couru, il haletait.*
Conjugaison [VOIR MODÈLE – **CONGELER**]
Le ***e*** se change en ***è*** devant une syllabe muette. *Il halète, mais il haletait.*

hall (***h*** aspiré) n. m.
Le ***a*** se prononce ***o*** ['ol] ou à l'anglaise.
Entrée, salle d'accès de grandes dimensions. *Le hall de l'hôtel est bien décoré. Un hall d'entrée spacieux.*
HOM. **hâle**, bronzage.

Halloween n. f.
Veille du 1er novembre que fêtent les enfants en se déguisant pour sonner de porte en porte et récolter des friandises.

hallucinant, ante adj.
Extraordinaire. *Une coïncidence hallucinante.* **SYN.** fantastique, saisissant, surprenant.

hallucination n. f.
Perception d'objets non réels. *Ce patient a des hallucinations : il voit des tarentules partout.* **SYN.** vision.

hallucinogène adj. et n. m.
Adjectif
Qui provoque des hallucinations. *Des produits hallucinogènes.*

h

Indicatif

Présent		*Passé composé*		
je	hais	j'	ai	haï
tu	hais	tu	as	haï
elle	hait	elle	a	haï
il	hait	il	a	haï
nous	haïssons	nous	avons	haï
vous	haïssez	vous	avez	haï
elles	haïssent	elles	ont	haï
ils	haïssent	ils	ont	haï

Imparfait		*Plus-que-parfait*		
je	haïssais	j'	avais	haï
tu	haïssais	tu	avais	haï
elle	haïssait	elle	avait	haï
il	haïssait	il	avait	haï
nous	haïssions	nous	avions	haï
vous	haïssiez	vous	aviez	haï
elles	haïssaient	elles	avaient	haï
ils	haïssaient	ils	avaient	haï

Passé simple		*Passé antérieur*		
je	haïs	j'	eus	haï
tu	haïs	tu	eus	haï
elle	haït	elle	eut	haï
il	haït	il	eut	haï
nous	haïmes	nous	eûmes	haï
vous	haïtes	vous	eûtes	haï
elles	haïrent	elles	eurent	haï
ils	haïrent	ils	eurent	haï

Futur simple		*Futur antérieur*		
je	haïrai	j'	aurai	haï
tu	haïras	tu	auras	haï
elle	haïra	elle	aura	haï
il	haïra	il	aura	haï
nous	haïrons	nous	aurons	haï
vous	haïrez	vous	aurez	haï
elles	haïront	elles	auront	haï
ils	haïront	ils	auront	haï

Infinitif

Présent	*Passé*
haïr	avoir haï

Subjonctif

Présent			*Passé*			
que	je	haïsse	que	j'	aie	haï
que	tu	haïsses	que	tu	aies	haï
qu'	elle	haïsse	qu'	elle	ait	haï
qu'	il	haïsse	qu'	il	ait	haï
que	nous	haïssions	que	nous	ayons	haï
que	vous	haïssiez	que	vous	ayez	haï
qu'	elles	haïssent	qu'	elles	aient	haï
qu'	ils	haïssent	qu'	ils	aient	haï

Imparfait			*Plus-que-parfait*			
que	je	haïsse	que	j'	eusse	haï
que	tu	haïsses	que	tu	eusses	haï
qu'	elle	haït	qu'	elle	eût	haï
qu'	il	haït	qu'	il	eût	haï
que	nous	haïssions	que	nous	eussions	haï
que	vous	haïssiez	que	vous	eussiez	haï
qu'	elles	haïssent	qu'	elles	eussent	haï
qu'	ils	haïssent	qu'	ils	eussent	haï

Conditionnel

Présent		*Passé*		
je	haïrais	j'	aurais	haï
tu	haïrais	tu	aurais	haï
elle	haïrait	elle	aurait	haï
il	haïrait	il	aurait	haï
nous	haïrions	nous	aurions	haï
vous	haïriez	vous	auriez	haï
elles	haïraient	elles	auraient	haï
ils	haïraient	ils	auraient	haï

Impératif

Présent	*Passé*	
hais	aie	haï
haïssons	ayons	haï
haïssez	ayez	haï

Participe

Présent	*Passé*
haïssant	haï, ïe
	ayant haï

Nom masculin
Substance qui provoque un état psychédélique.

halo (*h* aspiré) n. m.
Couronne lumineuse autour de la Lune, du Soleil, d'une source lumineuse. *Un halo autour de la Lune.*
HOM. allo, allô, interjection.

halte (*h* aspiré) n. f.
Moment d'arrêt pendant un voyage, une promenade. *Faire une halte au bord d'un lac.*
Ne pas confondre avec les noms suivants :
– ***escale,*** lieu où un navire, un avion s'arrête ;
– ***étape,*** endroit où l'on s'arrête pour dormir au cours d'un voyage.
Locution
Halte routière. Espace aménagé en bordure d'une route afin de permettre aux automobilistes de prendre du repos sans gêner l'écoulement de la circulation. (Recomm. off. OLF) *La halte routière* (et non le *rest area). **SYN.** aire de repos.

halte ! (*h* aspiré) interj.
Commandement militaire enjoignant à une personne de s'arrêter.

halte-garderie (*h* aspiré) n. f. (pl. *haltes-garderies*)
Petit établissement de quartier servant de garderie, généralement avant et après les heures d'école. *Fanny est à la halte-garderie.*

haltère n. m.
(SPORTS) Instrument composé de deux disques de métal réunis par une barre. *Poids et haltères. Des haltères très lourds.*
Attention au genre masculin de ce nom : ***un*** haltère.

haltérophile n. m. et f.
Personne qui pratique les poids et haltères.
haltéro**ph**ile.

haltérophilie n. f.
Sport des poids et haltères.
haltéro**ph**ilie.

hamac (*h* aspiré) n. m.
Le ***c*** se prononce ['amak].
Lit mobile suspendu. *Le hamac du jardin.*

hamburger (*h* aspiré) n. m.
Se prononce généralement à l'anglaise ['ambœrgœr].
Sandwich de bœuf haché. *Des hamburgers succulents.*

hameçon n. m.
Petit crochet de métal placé au bout d'une ligne avec un appât pour prendre un poisson. *Le doré a mordu à l'hameçon.*
hame**ç**on.

hamster (*h* aspiré) n. m.
Petit rongeur. *Le hamster creuse son terrier.*

hanche (*h* aspiré) n. f.
Partie du corps correspondant à l'articulation du fémur avec l'os iliaque.

hand-ball (*h* aspiré) n. m.
Attention à la prononciation ['ɑ̃dbal].
Sport d'équipe qui ressemble au soccer, mais qui se joue uniquement avec les mains.

handicap (*h* aspiré) n. m.
Le ***p*** se prononce ['ɑ̃dikap].
1. Déficience physique ou mentale. *Il souffre d'un handicap grave.*
2. (FIGURÉ) Infériorité, désavantage. *Son manque d'expérience est un handicap.*

handicapé, ée (*h* aspiré) adj. et n. m. et f.
Personne souffrant de déficience physique ou mentale. *Un handicapé physique, mental.*
Ce mot commence par un ***h*** aspiré : on n'élide pas l'article et on ne fait pas de liaison avec le mot qui le précède. ***Les*** *handicapés* (et non les *(z) handicapés).
Locution
Handicapé moteur. Invalide. *Des handicapés moteurs.*
Le mot ***handicapé*** tend à remplacer de plus en plus le mot ***infirme.***

handicaper (*h* aspiré) v. tr.
(FIGURÉ) Désavantager. *Cette blessure a handicapé ce joueur.*
Conjugaison [VOIR MODÈLE – **AIMER**]

hangar (*h* aspiré) n. m.
1. Entrepôt. *Le hangar désaffecté.*
2. Remise, abri. *Martin range son vélo dans le hangar.*
VOIR **REMISE.**

hanneton (*h* aspiré) n. m.
Insecte. *Le hanneton mange les racines des arbres, il est nuisible.*
ha**nn**eton.

hanter (*h* aspiré) v. tr.
1. Revenir dans certains lieux, en parlant des spectres. *Le fantôme d'une dame blanche hante l'auberge d'Angleterre où nous avons dormi.*
2. (FIGURÉ) Obséder. *Le remords hantait ce voleur.* **SYN.** poursuivre.
Conjugaison [VOIR MODÈLE – **AIMER**]

hantise (*h* aspiré) n. f.
Obsession, peur constante. *Il a la hantise de perdre son portefeuille.*

happer v. tr.
1. Saisir brusquement, accrocher. *Sa main a été happée dans un engrenage.* **SYN.** coincer.
2. Attraper avidement avec la gueule. *Les fauves ont happé les morceaux de viande.*
Ne pas confondre avec les verbes suivants :
– ***agripper,*** saisir violemment avec les doigts ;
– ***attraper,*** prendre comme dans un piège, au passage.
Conjugaison [VOIR MODÈLE – **AIMER**]

hara-kiri (*h* aspiré) n. m.
Suicide imposé par l'honneur au Japon et qui consiste à s'ouvrir le ventre avec un sabre. *Des hara-kiris honorables.*
Locution
Faire hara-kiri. Se suicider.

harassant, ante (*h* aspiré) adj.
Épuisant. *De harassantes heures de travail.* **SYN.** pénible.

harcèlement (*h* aspiré) n. m.
Action de poursuivre, d'attaquer fréquemment. *Il a été accusé de harcèlement* (et non *d'harcèlement) *sexuel.*
harc**è**lement.

harceler (*h* aspiré) v. tr.
La deuxième syllabe se prononce ***se*** ['arsəle].
Poursuivre, attaquer fréquemment. *Ces voyous harcèlent les écoliers.*
Conjugaison [VOIR MODÈLE – **CONGELER**]
Le ***e*** se change en ***è*** devant une syllabe muette. *Il harcèle, mais il harcelait.*

hardi, ie (*h* aspiré) adj.
Audacieux. *Un sauteur hardi.* SYN. brave, courageux.

hardiesse (*h* aspiré) n. f.
(LITTÉRAIRE) Bravoure, courage. *Ces chevaliers ont combattu avec hardiesse.*

hardiment (*h* aspiré) adv.
Courageusement. *Ils plongèrent hardiment dans l'eau profonde.*

harem (*h* aspiré) n. m.
1. Appartement des femmes chez les musulmans.
2. Ensemble des femmes qui y habitent. *Le harem du sultan.*

hareng (*h* aspiré) n. m.
Le ***g*** ne se prononce pas [ˈarɑ̃] ; ce mot rime avec ***rang.***
Poisson de mer. *Des filets de hareng.*
hareng**,** un ***g*** final.

harfang (*h* aspiré) n. m.
Le ***g*** ne se prononce pas [ˈarʃɑ̃] ; ce mot rime avec ***enfant.***
Oiseau nocturne de l'Arctique, aussi appelé ***chouette blanche.***
Ce mot commence par un ***h*** aspiré : on n'élide pas l'article et on ne fait pas de liaison avec le mot qui le précède.
Le ***harfang*** a été désigné comme un des emblèmes du Québec.

hargne n. f.
Mauvaise humeur, paroles agressives. *Épargne-moi ta hargne et tes injures.*

hargneux, euse adj.
Rageur, acerbe. *Des commentaires hargneux.*

haricot (*h* aspiré) n. m.
Légumineuse à graines comestibles. *Le haricot vert* (et non *petite fève).
harico**t.**

harmonica n. m.
Instrument de musique que l'on fait glisser entre les lèvres en soufflant et en aspirant.
Attention au genre masculin de ce nom : ***un*** harmonica.
Au Québec et dans certaines régions de la francophonie, on dit aussi ***musique à bouche.***

harmonie n. f.
1. Ensemble de sons agréables. *L'harmonie d'une musique.*
2. Équilibre d'un ensemble. *L'harmonie des bâtiments d'un quartier.*
3. Accord, entente. *Vivre en harmonie.*

harmonieusement adv.
De façon harmonieuse. *Les musiciens jouent harmonieusement.*

harmonieux, euse adj.
1. Mélodieux. *Des sons harmonieux.*
2. Bien équilibré, agréable. *Cette pièce est harmonieuse, une démarche harmonieuse.*
harmonieu**x.**

harnacher (*h* aspiré) v. tr.
Mettre un harnais à un cheval. *Je harnache la jument.*
Conjugaison [VOIR MODÈLE – **AIMER**]

harnais (*h* aspiré) n. m.
1. Équipement d'un cheval de selle ou d'attelage.
2. Sangles. *Le harnais d'un parachutiste.*
harn**ais.**

harpe (*h* aspiré) n. f.
Instrument de musique à cordes pincées. *Elle joue de la harpe.*

harpiste (*h* aspiré) n. m. et f.
Personne qui joue de la harpe. *La harpiste est habile.*

harpon (*h* aspiré) n. m.
Instrument en forme de flèche. *Le harpon a atteint son but. Le plongeur utilise un harpon pour pêcher.*

harponner (*h* aspiré) v. tr.
1. Atteindre avec le harpon. *Harponner une baleine.*
2. (FIGURÉ) Arrêter. *Harponner un cambrioleur.* SYN. attraper, (FAMILIER) pincer.
Conjugaison [VOIR MODÈLE – **AIMER**]

hasard (*h* aspiré) n. m.
Évènement imprévu heureux ou malheureux. *Un hasard heureux, un hasard malheureux. Le hasard fait bien les choses.* SYN. destin, sort.
Locutions
À tout hasard, locution adverbiale. Au cas où.
Au hasard, locution adverbiale. Sans choisir, sans réfléchir.
Jeu de hasard. Jeu soumis au hasard seul, où l'habileté ne compte pas.
Par hasard, locution adverbiale. De façon imprévue.
Le nom s'écrit au singulier.
ha**s**ar**d.**

hasarder (*h* aspiré) v. tr., pronom.
Verbe transitif
Tenter de faire quelque chose en risquant un échec. *Hasarder une proposition.* SYN. risquer.
Verbe pronominal
1. S'aventurer dans un lieu dangereux. *Ne vous hasardez pas dans ce quartier.*
2. Se risquer à. *Elle se hasarda à lui poser une question.* SYN. oser.
En ce sens, le verbe se construit avec la préposition *à.*
Conjugaison [VOIR MODÈLE – **AIMER**]
ha**s**arder.

hasardeux, euse (*h* aspiré) adj.
Qui comporte des risques, des périls. *Une aventure hasardeuse.* SYN. dangereux, périlleux.
ha**s**ardeux.

haschisch, hachisch ou **haschich** (*h* aspiré) n. m.
Ce nom s'abrège familièrement en ***hasch.***
Chanvre indien servant à préparer une drogue.

hase (*h* aspiré) n. f.
Femelle du lièvre ou du lapin de garenne.
VOIR TABLEAU – **ANIMAUX.**

hâte (*h* aspiré) n. f.
Précipitation, grande rapidité à faire quelque chose. *Elle partit en grande hâte.*
Locutions
À la hâte, locution adverbiale. Au plus vite. *Ce travail a été fait à la hâte.* SYN. rapidement.
Avoir hâte de. Être pressé de. *Elles avaient hâte de finir ce travail.* SYN. être impatient de.
En hâte, en toute hâte, locutions adverbiales. Très rapidement. *À notre appel, ils sont venus en hâte.*
h**â**te, accent circonflexe sur le ***a.***

hâter (*h* aspiré) v. tr., pronom.
Verbe transitif
Rendre plus rapide. *Je hâte le pas.* SYN. accélérer, presser.
Verbe pronominal
Se dépêcher. *Hâtez-vous, voyons !* SYN. se presser.

Conjugaison [VOIR MODÈLE – **AIMER**]
hâter.

hâtif, ive (*h* aspiré) adj.
Qui vient avant la date habituelle. *Des tulipes hâtives.* **SYN.** précoce. **ANT.** tardif.
hâtif.

hâtivement (*h* aspiré) adv.
Le ***e*** de l'avant-dernière syllabe ne se prononce pas ['ativmɑ̃].
En hâte, très vite. *Ils se sont levés et habillés hâtivement.*
hâtivement.

hausse (*h* aspiré) n. f.
Augmentation (de prix, de valeur). *La hausse des prix.*

haussement (*h* aspiré) n. m.
Le ***e*** central ne se prononce pas ['osmɑ̃].
Action de hausser. *Le haussement d'épaules.*

hausser (*h* aspiré) v. tr.
Rendre plus haut. *Je hausse le prix des produits. Il haussa le ton en haussant les épaules.*
Conjugaison [VOIR MODÈLE – **AIMER**]

haut, haute (*h* aspiré) adj., adv. et n. m.
VOIR TABLEAU – **HAUT.**

hautain, aine (*h* aspiré) adj.
Arrogant. *Le hautain personnage.* **SYN.** orgueilleux.

hautbois (*h* aspiré) n. m.
1. Instrument de musique à vent.
2. Personne qui joue du hautbois.

haut-de-forme (*h* aspiré) n. m. (pl. *hauts-de-forme*)
Chapeau dont le corps est haut et cylindrique.

haute-fidélité (*h* aspiré) n. f. (pl. *hautes-fidélités*)
Appareil qui reproduit fidèlement un son.
On dit aussi ***hi-fi,*** par abréviation de l'anglais « high fidelity ».

hauteur (*h* aspiré) n. f.
1. Caractère de ce qui est haut, au propre et au figuré. *La hauteur de la maison, la hauteur de ses aspirations.*
2. Niveau. *Ces pupitres sont à la même hauteur.*
Locutions
Être à la hauteur de. Avoir la compétence, les qualités nécessaires. *Il est à la hauteur de sa réputation.*
N'être pas à la hauteur. Ne pas convenir. *Ces candidats ne sont pas à la hauteur.*
HOM. auteur, créateur de quelque chose.

haut-le-cœur (*h* aspiré) n. m. inv. (pl. *haut-le-cœur*)
Nausée, sentiment de dégoût.

haut-parleur (*h* aspiré) n. m. (pl. *haut-parleurs*)
Appareil qui transforme en ondes sonores les courants électriques correspondant aux sons de la parole, de la musique. *Cette chaîne comporte quatre haut-parleurs.*

havre (*h* aspiré) n. m.
(LITTÉRAIRE) Port, refuge. *Le havre de paix qu'était cette maison de campagne.*
havre.

hawaïen ou **hawaiien, enne** adj. et n. m. et f.
Des îles Hawaï. *Une danse hawaïenne* ou *hawaiienne. Un Hawaïen* ou *Hawaiien, une Hawaïenne* ou *Hawaiienne.*
L'adjectif s'écrit avec une minuscule ; le nom, avec une majuscule.

hayon (*h* aspiré) n. m.
Porte arrière d'un véhicule.
HOM. haillon, vêtement très usé.
hayon.

hé ! (*h* aspiré) interj.
Interjection servant à interpeller une personne. *Hé ! toi, là-bas.*
L'interjection s'écrit toujours avec un point d'exclamation. Si la phrase n'est pas terminée, le mot qui suit le point d'exclamation s'écrit avec une minuscule initiale.
HOM.
– **eh !**, interjection ;
– **et**, conjonction.

hebdomadaire adj. et n. m.
Adjectif
Qui a lieu une fois par semaine. *Une visite hebdomadaire.*
Nom masculin
Publication qui paraît une fois par semaine. *Un hebdomadaire régional.*

hébergement n. m.
Action de loger quelqu'un. *Un centre d'hébergement.*

héberger v. tr.
Recevoir chez soi, loger. *Claude hébergeait souvent ses amis.*
Conjugaison [VOIR MODÈLE – **CHANGER**]
Le ***g*** est suivi d'un ***e*** devant les lettres ***a*** et ***o.*** *Il hébergea, nous hébergeons.*

hébraïque adj.
Relatif aux Hébreux ou à leur langue. *La langue hébraïque, l'alphabet hébraïque, les coutumes hébraïques.*
hébraïque.

hébreu adj. m. et n. m.
Adjectif masculin
Relatif aux Hébreux. *Le peuple hébreu.*
Au féminin, on emploie l'adjectif ***hébraïque.***
Nom masculin
1. (ANCIENNEMENT) Juif. *La religion des Hébreux.*
Pour désigner une personne, on utilise aujourd'hui les noms ***Juif, Juive*** ou ***Israélite.***
2. La langue hébraïque. *Connaître l'hébreu.*
Le nom de la langue s'écrit avec une minuscule.
L'adjectif s'écrit avec une minuscule ; le nom, avec une majuscule.
VOIR **ISRAÉLIEN, ISRAÉLITE.**

hein ! (*h* aspiré) interj.
Interjection familière qui marque l'interrogation, la surprise. *Hein ! Tu as gagné le gros lot ?*

hélas ! interj.
Interjection qui marque le regret. *Hélas ! J'ai perdu mon billet.*

hélice n. f.
Appareil de propulsion constitué de deux ou trois pales. *Les hélices d'un avion. Prends garde à l'hélice du ventilateur.*
Attention au genre féminin de ce nom : ***une*** hélice.

hélicoptère n. m.
Appareil de navigation aérienne qui s'élève verticalement et se soutient à l'aide d'hélices horizontales.
Attention au genre masculin de ce nom : ***un*** hélicoptère.

héliport n. m.
Aéroport pour hélicoptères.
hélipor**t.**

helvétique adj.
Relatif à la Suisse. *La Confédération helvétique.*

ADJECTIF QUALIFICATIF

1. Élevé, grand verticalement. *Une haute montagne. Dans le centre-ville, il y a des immeubles très hauts.*
2. Qui a une certaine dimension dans le sens vertical. *Un arbre haut de 15 mètres.*
3. Éminent, supérieur. *Un haut fonctionnaire.*
 En ce sens, l'adjectif se place avant le nom qu'il qualifie.
4. Grand. *L'horloger fait un travail de haute précision.*
 En ce sens, l'adjectif se place avant le nom qu'il qualifie.
5. Aigu. *Une voix haute.*
6. Qui dépasse le niveau ordinaire. *Les eaux de la rivière sont hautes.* **ANT.** bas.
Joint au nom ***mer,*** l'adjectif a un sens différent selon qu'il est placé avant ou après le nom. ***En haute mer,*** au large. ***La mer est haute,*** la marée est haute, près de son niveau le plus élevé.

ADVERBE

À une grande hauteur. *Les avions volent haut. Des partenaires haut placés. Haut les mains !*
Pris adverbialement, le mot ***haut*** est toujours invariable.

NOM MASCULIN

1. Élévation, hauteur. *L'immeuble a 500 mètres de haut. Il y a des hauts et des bas.*
2. Sommet. *Le haut d'un édifice.*

LOCUTIONS

À haute voix, locution adverbiale. Fort. *Ne parlez pas à haute voix : vous allez réveiller les enfants.* **ANT.** à voix basse
Au haut, locution adverbiale. (LITTÉRAIRE) Au sommet. *Sa maison est au haut de la colline.*
De haut, locution adverbiale. De la partie supérieure. *Voir la vue panoramique de haut.*
De haut, locution adverbiale. (FIGURÉ) Avec dédain. *Pour qui se prend-il pour nous traiter de haut ?*
En haut, locution adverbiale. En un endroit plus élevé. *Il dort en haut.*
L'expression *« monter en haut » est un pléonasme.
En haut de, du haut de, locutions prépositives. Au-dessus de. *En haut de la colline, il y a une maison blanche.*
Haut comme trois pommes. Très petit. *Une fillette haute comme trois pommes.*
Haut en couleur, locution adjective. Très coloré. *Des personnages hauts en couleur.* **SYN.** pittoresque.
Là-haut, locution adverbiale. Dans le ciel. *Elle est maintenant là-haut.*
Marcher la tête haute. Être sans reproches, fier et digne.

NOMS COMPOSÉS

Les noms composés avec l'adjectif ***haut*** prennent le plus souvent la marque du pluriel aux deux éléments et s'écrivent généralement avec un trait d'union. *Des hauts-fonds.*

L'expression ***haute-fidélité*** est toujours invariable.

Les noms composés avec l'adjectif ***haut*** pris adverbialement ne prennent la marque du pluriel qu'au deuxième élément. *Des haut-parleurs.* Pour connaître l'orthographe d'un nom avec ***haut***, se reporter à l'entrée dans l'ordre alphabétique.

Qu'il soit adjectif, adverbe ou nom, le mot ***haut*** s'écrit avec un ***h*** aspiré qui empêche l'élision de la voyelle précédente ou la liaison. *Le haut niveau d'une athlète.*

HOM.
– au, aux, articles contractés ;
– eau, substance liquide et transparente, sans couleur, sans odeur, sans goût ;
– os, partie du squelette de l'homme et des animaux.

hem ! interj.
Interjection servant à marquer le scepticisme.

hématome n. m.
(MÉDECINE) Épanchement de sang dans un tissu, consécutif à une rupture des vaisseaux. *Il a un hématome important au bras.* **SYN.** bleu.
Attention au genre masculin de ce nom : ***un*** hématome.

hémisphère n. m.
1. La moitié d'une sphère. *Les hémisphères cérébraux.*
2. Moitié du globe terrestre. *L'hémisphère boréal ou l'hémisphère Nord. L'hémisphère austral ou l'hémisphère Sud.*
Attention au genre masculin de ce nom : ***un*** hémisphère.

hémophile adj. et n. m. et f.
Atteint d'hémophilie.
hémoph**i**le.

hémophilie n. f.
Maladie congénitale caractérisée par l'absence d'un facteur de coagulation dans le sang.
hémophi**li**e.

hémorragie n. f.
1. Écoulement de sang hors des vaisseaux. **SYN.** saignement.
2. (FIGURÉ) Perte importante. *Une hémorragie de capitaux.*
hémo**rr**agie.

henné (***h*** aspiré) n. m.
1. Arbuste cultivé au Moyen-Orient, en Afrique du Nord, qui produit une poudre colorante.
2. Poudre de cet arbuste utilisée pour teindre les cheveux et les ongles. *Elle utilise régulièrement du henné pour donner des reflets roux à ses cheveux.*

hennin n. m.
(ANCIENNEMENT) Coiffure féminine en forme de cône, recouverte d'un voile.

hennir (***h*** aspiré) v. intr.
Faire entendre un hennissement, en parlant du cheval. *Les chevaux hennissaient bruyamment.*
Conjugaison [VOIR MODÈLE – **FINIR**]

hennissement (***h*** aspiré) n. m.
Cri du cheval. *Le hennissement du cheval s'entendait de loin.*

hep ! (***h*** aspiré) interj.
Interjection servant à appeler. *Hep ! Taxi.*

hépatite n. f.
Affection du foie. *Une hépatite virale.*

herbage n. m.
Herbe des prés. *Les vaches aiment bien ces herbages.*

herbe n. f.
Plante fine et verte. *Se coucher dans l'herbe. Le déjeuner sur l'herbe.*
L'emploi de la préposition ***dans*** tient compte de la hauteur de l'herbe qui cache les personnes, les choses. Autrement, si l'herbe est considérée comme une surface, on emploie la préposition ***sur.***
Locutions
En herbe. Qui n'est pas encore mûr. *Des génies en herbe.*
Fines herbes. Herbes employées comme condiments (persil, estragon, etc.).
Herbe à puce. ⚜ Plante à trois feuilles dont le contact avec la peau cause de petits boutons et de violentes démangeaisons.

herbicide adj. et n. m.
Qui détruit les mauvaises herbes. *Un herbicide efficace. Des produits herbicides.*

herbier n. m.
Collection de plantes conservées entre des feuilles de papier. *Nellie a recueilli des plantes dans les Laurentides pour se constituer un bel herbier.*

herbivore adj. et n. m.
Qui se nourrit d'herbe. *Les bœufs, les chèvres, les moutons, les chevreuils, les chameaux sont herbivores. Ce sont des herbivores.*
Ne pas confondre avec les mots suivants :
– ***carnivore,*** qui se nourrit de chair ;
– ***frugivore,*** qui se nourrit de fruits ;
– ***granivore,*** qui se nourrit de graines ;
– ***insectivore,*** qui se nourrit d'insectes ;
– ***omnivore,*** qui se nourrit de végétaux et d'animaux.

herboriser v. intr.
Recueillir des plantes dans la nature pour les étudier.
Conjugaison [VOIR MODÈLE – **AIMER**]

hercule n. m.
(FIGURÉ) Homme très fort. *Il est bâti en hercule.* **SYN.** colosse.
Ce nom est celui du dieu romain Hercule qui symbolise la force physique, l'endurance. Le nom s'écrit avec une minuscule lorsqu'il ne désigne pas le dieu romain.

herculéen, éenne adj.
Digne d'Hercule. *Une force herculéenne.*

héréditaire adj.
Transmis par hérédité, des parents aux enfants. *Une maladie héréditaire. Les taches de rousseur de Marie-Ève sont héréditaires : elle lui ont été transmises par sa mère qui elle-même les tenait de son père.*

hérédité n. f.
1. Transmission des caractères génétiques d'une personne à ses descendants.
2. Ensemble des caractères que les parents transmettent à leurs enfants. *C'est en raison de l'hérédité que Marie-Ève a des taches de rousseur.*

hérésie n. f.
1. Doctrine contraire à la doctrine établie, aux idées généralement admises.
2. (FIGURÉ) Opinion, idée, pratique contraire à l'usage habituel. *Ce serait une hérésie que de saler les framboises : on met plutôt un peu de sucre et parfois de la crème. Mieux encore, on les mange nature.*

hérisser (***h*** aspiré) v. tr., pronom.
Verbe transitif
1. Dresser ses poils. *Le porc-épic hérisse ses piquants quand il se sent menacé.*
2. (FIGURÉ) Irriter, mettre en colère. *Ces commentaires désagréables l'ont hérissé.*
Verbe pronominal
1. Se dresser. *Ses poils se sont hérissés.*
La forme pronominale est la plus fréquemment utilisée.
2. (FIGURÉ) S'irriter. *Sylvie se hérisse lorsqu'on est impoli.* **SYN.** se fâcher.
Conjugaison [VOIR MODÈLE – **AIMER**]

hérisson (***h*** aspiré) n. m.
Petit mammifère dont le corps est couvert de piquants.

héritage n. m.
Biens transmis par succession. *Un bel héritage.*

hériter v. tr., intr.
Verbe transitif direct
1. Recevoir un bien en héritage. *Elle a hérité de sa marraine une bague.*
2. (FIGURÉ) Tenir de ses parents, grands-parents, etc. *Elle a hérité de son père ses taches de rousseur.*
Si la phrase comprend les compléments désignant la personne dont on hérite et la chose héritée, le premier complément sera transitif indirect (introduit par la préposition ***de***), le second complément se construit directement (sans préposition).
Verbe transitif indirect
1. Recevoir à titre d'héritage. *Elle hérite d'une maison à la campagne. Elle hérite de sa tante.*
2. Avoir des caractères par hérédité. *Il a hérité de l'imagination de sa mère.*
Le verbe peut se construire avec la préposition ***de*** suivie d'un nom de personne ou de chose.
Verbe intransitif
Recueillir un héritage. *Ils ont hérité il y a deux ans.*
Conjugaison [VOIR MODÈLE – **AIMER**]

héritier, ière n. m. et f.
Personne qui reçoit des biens en héritage.

hermétique adj.
1. Fermé, étanche. *Une fenêtre hermétique qui ne peut s'ouvrir.*
2. Difficile à comprendre. *Un film hermétique.* **SYN.** obscur.

hermine n. f.
1. Mammifère carnivore à fourrure blanche, voisin de la belette.
2. Fourrure de cet animal. *Une bordure d'hermine.*

hernie (***h*** aspiré) n. f.
Sortie d'un organe hors de la cavité où il se trouve normalement. *Son papa s'est fait une hernie en soulevant le piano. La hernie.*

héroïne n. f.
1. Femme qui se distingue par son grand courage, qui a accompli une action héroïque. *La Dr Lucille Teasdale, fondatrice d'un hôpital en Afrique, est très malade, mais elle continue à soigner ses patients : elle se conduit en héroïne.*
Le nom ***héroïne*** est la forme féminine de ***héros.***
2. Stupéfiant très toxique. *Se droguer à l'héroïne.*
héro**ï**ne.

héroïnomane n. m. et f.
Toxicomane à l'héroïne.
héro**ï**nomane.

héroïque adj.
Très courageux, brave. *Le comportement héroïque d'un pompier qui a sauvé deux personnes en pénétrant dans une maison en flammes.*
héro**ï**que.

héroïsme n. m.
Très grand courage, force d'âme. *La policière a fait preuve d'héroïsme en désamorçant la bombe.*
héro**ï**sme.

héron (***h*** aspiré) n. m.
Oiseau de l'ordre des échassiers. *Le héron pêche des poissons, des grenouilles : il vit au bord de l'eau.*

héros (***h*** aspiré) n. m.
Personne qui se distingue par son grand courage, qui a accompli une action heroïque. *Au péril de sa vie, M. Jalabert a convaincu le tireur fou de se rendre : M. Jalabert a agi en héros.*
Le ***h*** de ce nom n'est pas un véritable ***h*** aspiré ; c'est par euphonie qu'on ne fait pas de liaison ou d'élision devant ce mot. *Les héros* (et non *les (z) héros), *le nouveau héros* (et non le *nouvel héros). Par contre, le nom féminin commence par un ***h*** muet. *L'héroïne, les* (z) *héroïnes.*
héro**s.**

herpès n. m.
Le ***s*** se prononce [ɛrpɛs]; le mot rime avec ***presse.***
Lésion de la peau ou des muqueuses provoquée par un virus. *Le soleil peut causer de l'herpès sur les lèvres.*
herp**ès.**

herse (***h*** aspiré) n. f.
Instrument agricole muni de dents métalliques, destiné à travailler la terre labourée. *La herse aplanit le sol.*

hésitation n. f.
Moment d'incertitude au cours duquel on n'arrive pas à se décider. *Après une courte hésitation, l'élève donna la bonne réponse.* **SYN.** doute, flottement, indécision.

hésiter v. intr.
Être incertain et ne pas arriver à se décider. *Hésiter à partir. Hésiter entre deux solutions. Hésiter sur le choix à faire, quant à la décision à prendre.*
Le verbe se construit avec les prépositions ***à,*** suivie de l'infinitif, et ***sur, entre*** ou ***quant à,*** suivies d'un nom.
Conjugaison [VOIR MODÈLE – **AIMER**]

hétéroclite adj.
Dépareillé, composé d'éléments différents, sans unité ni harmonie. *Des vêtements hétéroclites.*
Cet adjectif a un sens défavorable.

hétérosexualité n. f.
Sexualité de l'hétérosexuel. **ANT.** homosexualité.

hétérosexuel, elle adj. et n. m. et f.
Personne qui éprouve une attirance sexuelle pour une personne du sexe opposé. **ANT.** homosexuel.

hêtre (***h*** aspiré) n. m.
Très grand arbre à écorce lisse dont le bois blanc est utilisé en menuiserie. *Le hêtre est un arbre majestueux.*
h**ê**tre.

heu ! (***h*** aspiré) interj.
Interjection qui marque l'embarras. *Heu ! j'ai oublié la réponse.*

heure n. f.
Unité de mesure du temps correspondant à la vingt-quatrième partie du jour. *Il y a 60 minutes ou 3 600 secondes dans une heure.*
On peut indiquer l'heure selon une période de 12 heures en précisant le moment (ex. : 8 h du soir), mais pour éviter les erreurs, il est recommandé de choisir plutôt la période de 24 heures (ex. : 20 h), conformément à la norme adoptée par le Bureau de normalisation du Québec.
VOIR TABLEAU – **HEURE.**
Locutions
(VIEUX) ***À cette heure,*** locution adverbiale. Maintenant. *À cette heure, viens me raconter ton voyage.*
À la bonne heure ! C'est très bien, tant mieux.
À l'heure. Ponctuel. *Il est toujours à l'heure.*

HEURE

Symboles du système international d'unités (SI) :

heure	*h*
minute	*min*
seconde	*s*

- La ***notation de l'heure*** réunit les indications des unités par ordre décroissant, sans virgule, mais avec un espace de part et d'autre de chaque symbole.

  C'est à 12 h 35 min 40 s qu'il est arrivé.

- Les ***symboles*** des unités de mesure n'ont pas de point abréviatif, ne prennent pas la marque du pluriel et ne doivent pas être divisés en fin de ligne.

  La cérémonie commencera à 16 h 30 (et non à 16 *hres 30).

- Conformément à la norme 9990 - 911 du Bureau de normalisation du Québec, l'heure doit être indiquée selon la **période de 24 heures**.

  Le musée est ouvert de 10 h à 18 h tous les jours.

- Cependant, la langue courante, ou la conversation, s'en tient le plus souvent à la **période de 12 heures** avec l'indication du matin, de l'après-midi ou du soir.

  Le musée ferme à 6 heures du soir.

- L'heure doit être indiquée de **façon homogène** :
  - si le nom d'une unité est inscrit au long, les autres noms devront être notés en toutes lettres.

    14 heures 8 minutes (et non *14 heures 8 min).
  - si le nom de la première unité est abrégé, le second sera également abrégé ou omis.

    Je vous verrai à 18 h 25 min (ou *18 h 25*) *demain.*

- Les abréviations « am » et « pm » qui proviennent du latin ***ante meridiem*** « avant-midi » et ***post meridiem*** « après-midi » ne sont utilisées qu'en anglais. En français, on écrira ***17 h*** (langue officielle) ou ***5 h du soir*** (langue courante), mais si l'on doit abréger, on ne retiendra que les 24 divisions du jour.

  15 h (et non *3 h pm).

1° La fraction horaire n'étant pas décimale, il n'y a pas lieu d'ajouter un zéro devant les unités. *1 h 5* (et non *1 h 05).

2° L'utilisation du ***deux-points (:)***, recommandée par l'Organisation internationale de normalisation (ISO) pour désigner les soixantièmes, doit être limitée à l'échange d'informations entre systèmes de données et à la présentation en tableau. *20 h 15 min 30 s (20:15:30).*

3° Pour exprimer la vitesse, on recourt à l'expression ***à l'heure*** qui s'abrège ***/h*** (s'écrit sans point). *Il roule à 60* ***km/h*** *en moyenne.*

À l'heure. Par heure. *La vitesse est limitée à 60 kilomètres à l'heure (60 km/h). Elle fait du cent à l'heure.*
À toute heure, locution adverbiale. À tout moment. *Le téléphone sonne à toute heure du jour et de la nuit.*
De bonne heure, locution adverbiale. Très tôt. *Elle est toujours levée de bonne heure.*
D'heure en heure, locution adverbiale. Toutes les heures. *Nous avons des nouvelles d'heure en heure.*
L'heure. Par heure. *Le plombier est payé 50 $ l'heure, Vincent et Julia, 7 $ l'heure.* **SYN.** (FAMILIER) de l'heure.
L'expression familière ***de l'heure*** est plus courante.
Sur l'heure, locution adverbiale. Immédiatement. *Appelez-moi et j'arrive sur l'heure.*
Tout à l'heure, locution adverbiale. Un peu plus tard. *J'ai encore du travail, je te rejoins tout à l'heure.*
HOM. **heurt**, choc.

heure supplémentaire n. f.
Toute heure de travail exécutée en plus de l'horaire normal. *Faire des heures supplémentaires* (et non du *surtemps, du *temps supplémentaire) *en raison d'un surcroît de travail.*

heureusement adv.
Le **e** de l'avant-dernière syllabe ne se prononce pas [œrøzmɑ̃].
1. Par bonheur. *Heureusement, tu as pu venir.*
2. De façon heureuse, favorable. *Vivre heureusement.*
3. ***Heureusement que.*** C'est une chance que. *Heureusement que tu es là pour m'aider. Heureusement que tu accepterais volontiers.*
Le verbe qui suit est à l'indicatif ou au conditionnel.

heureux, euse adj.
1. Qui jouit du bonheur. *Des enfants heureux.*
L'adjectif peut se construire avec la préposition **de** suivie d'un nom ou d'un infinitif. *Ils sont heureux de leur sort et de partir en voyage.* Il peut aussi se construire avec la conjonction **que** suivie du subjonctif. *Je suis heureuse que tu sois là.*
2. Qui donne du bonheur, qui est favorable. *Je te souhaite un heureux anniversaire.* **SYN.** agréable, bon.
Locutions
Avoir la main heureuse. Réussir habituellement ce qui est entrepris.
Faire des heureux. Contenter des personnes. **SYN.** satisfaire, satisfait.

heurt n. m.
Le **t** ne se prononce pas ['œr] ; le nom rime avec ***heure.***
1. Fait de heurter, de se heurter. *Le heurt de deux véhicules.* **SYN.** choc, coup.
2. Conflit, désaccord. *Une transition sans heurt, qui n'a pas été sans heurts.*
Dans l'expression ***sans heurt,*** le nom peut se mettre au singulier ou au pluriel.
HOM. heure, unité de mesure de temps.

heurter (***h*** aspiré) v. tr., pronom.
Verbe transitif
1. Frapper durement quelqu'un, quelque chose. *La voiture a heurté* (et non *frappé) *un piéton.*
2. (FIGURÉ) Contrarier vivement, irriter. *Cette réponse négative l'a heurté.* **SYN.** blesser, choquer, froisser.
Verbe pronominal
1. Se cogner contre. *Les oiseaux se sont heurtés contre* ou *à la paroi vitrée.*
2. (FIGURÉ) Buter contre, rencontrer un obstacle. *Elle se heurta à l'indifférence générale.*
3. (FIGURÉ) Entrer en conflit. *Ils se sont sérieusement heurtés.* **SYN.** s'affronter.
À la forme pronominale, le verbe se construit avec les prépositions ***contre*** ou ***à*** suivies d'un nom.
Conjugaison [VOIR MODÈLE – **AIMER**]

hexagonal, ale, aux adj.
Qui a la forme d'un hexagone. *Des panneaux de signalisation hexagonaux.*

hexagone n. m.
Polygone à six côtés et six angles.

hi ! (***h*** aspiré) interj.
Interjection toujours redoublée qui marque le rire. *Hi ! hi !*
L'interjection s'écrit toujours avec un point d'exclamation. Si la phrase n'est pas terminée, le mot qui suit le point d'exclamation s'écrit avec une minuscule initiale. *Hi ! hi ! que c'est rigolo !*

hiatus n. m.
Le **s** se prononce [jatys] ; le mot rime avec ***motus.***
1. (LINGUISTIQUE) Rencontre de deux voyelles à l'intérieur d'un mot ou entre deux mots.
2. Le nom ***hiatus*** du latin signifiant « ouverture (de la bouche) » contient lui-même un hiatus.
3. Dans la mesure du possible, les phrases sont construites de façon à réduire au minimum les hiatus, pour faciliter la lecture à haute voix.

hibernation n. f.
État d'engourdissement dans lequel certains animaux demeurent pendant l'hiver. *L'hiver, les marmottes entrent en hibernation.*

hiberner v. intr.
Passer l'hiver dans un état d'engourdissement, de sommeil. *Pendant l'hiver, les ours hibernent.*
Ne pas confondre avec le verbe ***hiverner,*** passer l'hiver à l'intérieur.
Conjugaison [VOIR MODÈLE – **AIMER**]

hibou (***h*** aspiré) n. m. (pl. *hiboux*)
Rapace nocturne portant des aigrettes de plumes. *Les hiboux hululent.*
VOIR TABLEAU – **ANIMAUX.**

hic (***h*** aspiré) n. m. inv.
Le **c** se prononce ['ik].
(FAMILIER) Le point délicat, le problème. *J'ai le hoquet, voilà le hic.*

hideux, euse (***h*** aspiré) adj.
1. Horrible à voir. *Des insectes hideux.*
2. Affreux. *Un acte hideux.* **SYN.** ignoble, répugnant.

hier adv.
Se dit du jour qui précède celui où l'on est. *Elle a appelé hier soir. Il est venu hier.*

hiérarchie (***h*** aspiré) n. f.
Classement des fonctions selon leur importance. *Il faut respecter la hiérarchie. Dans la hiérarchie de l'entreprise, c'est le président ou la présidente qui est au sommet ; viennent ensuite les vice-présidents, les directeurs, les chef de service et les chefs d'équipe.*

hiérarchique (***h*** aspiré) adj.
Qui appartient à une hiérarchie. *Une structure hiérarchique, une supérieure hiérarchique.*

hiéroglyphe (***h*** aspiré) n. m.
1. Écriture des anciens Égyptiens.
2. (FIGURÉ) Écriture illisible. *Je n'arrive pas à déchiffrer ses hiéroglyphes.*
Attention au genre masculin de ce nom : ***un*** hiéroglyphe.
hiérogl**y**phe.

hilarant, ante adj.
Qui incite au rire. *Une coïncidence hilarante, un gaz hilarant.* **SYN.** amusant, comique, drôle, (FAMILIER) rigolo.

hilare adj.
Qui manifeste la gaieté, le rire. *Des spectateurs hilares.* **SYN.** amusé, gai, réjoui.

hilarité n. f.
Explosion de rire. *Son intervention a provoqué l'hilarité générale.* **SYN.** amusement, gaieté.

hindou, oue adj. et n. m. et f.
Adjectif
Relatif à l'hindouisme.
Nom masculin et féminin
Adepte de l'hindouisme.
1° Au sens de ***habitant de l'Inde,*** ce mot est vieilli ; on lui préfère aujourd'hui le nom ***Indien.***
2° Au sens de ***adepte de l'hindouisme,*** ce mot s'écrit avec une minuscule.

hindouisme n. m.
Religion de nombreux Indiens.
Les noms de religions s'écrivent avec une minuscule.

hindouiste adj.
De l'hindouisme.
L'adjectif ainsi que le nom s'écrivent avec une minuscule.

hippique adj.
Qui est relatif au cheval. *Le sport hippique.*
Ne pas confondre avec le mot ***épique,*** qui est propre à l'épopée.
hi**pp**ique.

hippocampe n. m.
Petit poisson de mer dont la tête ressemble à celle du cheval.
Attention au genre masculin de ce nom : ***un*** hippocampe.
hi**pp**ocampe.

hippodrome n. m.
Champ de courses. *Il y a des courses de chevaux ce soir à l'hippodrome.*
hi**pp**odrome.

hippopotame n. m.
Gros mammifère amphibie à la peau épaisse qui vit dans les fleuves d'Afrique.
hi**pp**o**p**otame.

hirondelle n. f.
Oiseau migrateur à dos noir, ventre blanc et à queue échancrée.
VOIR TABLEAU – **ANIMAUX.**

hirsute adj.
Échevelé. *Des individus sales et hirsutes.* **SYN.** ébouriffé.

hisse ! (oh !)
VOIR **OH!**

hisser (***h*** aspiré) v. tr., pronom.
Verbe transitif
1. Élever avec un cordage. *Hissez les voiles ! Hisser un drapeau.*
2. Faire monter, dresser avec difficulté. *Les déménageurs ont réussi à hisser le réfrigérateur au troisième étage.*
Verbe pronominal
1. S'élever avec effort, grimper. *Ils se sont hissés à la cime de l'arbre.* **SYN.** monter.
2. (FIGURÉ) Parvenir par ses efforts. *Elle s'est hissée au poste le plus important.* **SYN.** s'élever.
Conjugaison [VOIR MODÈLE – **AIMER**]

histoire n. f.
1. Récit des évènements qui ont marqué une époque. *L'histoire du Québec.*
2. Science du passé. *Un cours d'histoire.*
3. Récit d'évènements réels ou imaginaires. *Une histoire à dormir debout. Raconte-moi l'histoire de Robin des Bois.*
4. (FAMILIER) ***Histoire de*** + infinitif. Pour. *Nous nous sommes réunis, histoire de bavarder un peu.*
Locution
Faire des histoires. (FAMILIER) Faire des difficultés.

historien n. m.
historienne n. f.
Spécialiste des études historiques.

historiette n. f.
Anecdote.

historique adj. et n. m.
Adjectif
Relatif à l'histoire. *Un récit historique.*
Nom masculin
Exposé chronologique des faits relatifs à une question. *L'historique de la découverte du radium par Marie et Pierre Curie.*

hiver n. m.
Saison la plus froide de l'année dans l'hémisphère Nord (du 21 décembre au 20 mars). *Aimez-vous l'hiver ?*
Attention au genre du nom ***hiver*** qui est masculin comme d'ailleurs les noms des autres saisons : ***un*** *hiver,* ***un*** *printemps,* ***un*** *été,* ***un*** *automne.*

hivernal, ale, aux adj.
Relatif à l'hiver. *Des jeux hivernaux, une température hivernale.*

hiverner v. intr.
Passer l'hiver à l'abri. *Ces retraités hivernent en Floride.*
Ne pas confondre avec le verbe ***hiberner,*** passer l'hiver dans un état d'engourdissement, de sommeil.
Conjugaison [VOIR MODÈLE – **AIMER**]

HLM (***h*** aspiré) n. m. ou f. inv.
Sigle de ***habitation à loyer modique.***
Immeuble dont les appartements sont destinés aux familles à revenu modeste.
En principe, le genre du sigle est le féminin en raison du premier nom (habitation) ; cependant, le nom masculin ***immeuble*** qui vient spontanément à l'esprit rend souvent le sigle masculin.

ho ! (***h*** aspiré) interj.
Interjection servant à interpeller, à marquer la surprise, l'indignation, l'admiration. *Ho ! Quel désordre !*
VOIR **OH!**

***hobby**
Anglicisme pour ***passe-temps.***

hochement (***h*** aspiré) n. m.
Action de hocher la tête. *Le hochement de tête de haut en bas signifie oui.*

hocher (***h*** aspiré) v. tr.
Hocher la tête. Secouer la tête de haut en bas ou de gauche à droite. *Je hoche la tête.*
Locution
Ce verbe ne s'emploie que dans l'expression citée.
Conjugaison [VOIR MODÈLE – **AIMER**]

hochet (***h*** aspiré) n. m.
Jouet à grelot pour les bébés. *Le hochet coloré.*
hoche**t.**

hockey (***h*** aspiré) n. m.
Sport d'équipe consistant à envoyer une rondelle dans le but adverse avec un bâton au bout aplati. *Le hockey sur glace.*

hockeyeur, euse (*h* aspiré) n. m. et f.
Personne qui joue au hockey. *Le hockeyeur s'est blessé.*

holà ! (*h* aspiré) interj. et n. m. inv.
Interjection
Sert à arrêter, à attirer l'attention. *Holà ! c'est une propriété privée ici.*
Nom masculin invariable
Mettre le holà. Mettre fin à quelque chose pour rétablir l'ordre. *Mettre le holà.*
orthographe : hol**à.**

***hold-up**
Anglicisme pour ***vol à main armée.***

hollandais, aise adj. et n. m. et f.
Adjectif et nom masculin et féminin
Relatif à la Hollande. *Un fromage hollandais. Un Hollandais, une Hollandaise.*
note : L'adjectif s'écrit avec une minuscule ; le nom, avec une majuscule.
Nom masculin
Langue parlée en Hollande. *Il apprend le hollandais.*
note : Le nom de la langue s'écrit avec une minuscule.

hologramme n. m.
Image à trois dimensions obtenue par holographie. *Cet hologramme donne l'illusion du relief.*

holographe ou **holographique** adj.
Relatif à l'holographie. *Un procédé holographique qui donne l'illusion aux spectateurs de nager sous l'eau.*

holographie n. f.
Procédé photographique qui permet de projeter des images à trois dimensions.

homard (*h* aspiré) n. m.
Crustacé marin à grosses pinces dont la chair est très recherchée. *Toute la famille aime le homard de la Gaspésie ou des Îles-de-la-Madeleine.*
orthographe : homar**d.**

homicide n. m.
(DROIT) Action de tuer, volontairement ou non, un être humain.
note : Ne pas confondre avec les noms suivants :
– ***assassinat,*** meurtre préparé à l'avance ;
– ***meurtre,*** action de donner la mort de façon volontaire.
orthographe : ho**m**icide.

hommage n. m.
1. Marque, témoignage d'estime.
2. Cadeau, offrande. *Hommage de l'auteur.*
Locutions
Faire hommage (de quelque chose à quelqu'un). Donner, offrir. *Je vous fais hommage de ces fleurs du jardin.*
Rendre hommage à quelque chose. Souligner. *Il faudrait rendre hommage au courage de cette personne.*
Rendre hommage à quelqu'un. Témoigner du respect, de la reconnaissance.

homme n. m.
1. Être intelligent, incluant l'homme et la femme. *L'homme descend-il du singe ?*
2. Être humain mâle. *Cet homme est très grand.*
Locution
Jeune homme. Homme d'âge tendre.
note : L'être humain de sexe féminin est la ***femme.***

homme-grenouille n. m. (pl. *hommes-grenouilles*)
Plongeur équipé d'un scaphandre autonome afin de pouvoir travailler sous l'eau.
note : Ce nom tend à être remplacé par ***plongeur, plongeuse.***

homogène adj.
Qui présente une grande unité. *Une classe homogène.* **SYN.** semblable, uniforme.

homogénéiser v. tr.
Rendre homogène. *Homogénéiser du lait. Du lait homogénéisé.*
Conjugaison [VOIR MODÈLE – **AIMER**]

homographe adj.
Se dit des mots qui ont la même orthographe et souvent la même prononciation, sans avoir la même signification. *Les mots* ***noyer*** *(arbre) et* ***noyer*** *(périr par noyade) sont des homographes.*
VOIR TABLEAU – **HOMONYMES.**

homologuer v. tr.
1. Sanctionner par décision de justice.
2. Approuver, enregistrer officiellement. *Homologuer un record.*
Conjugaison [VOIR MODÈLE – **AIMER**]

homonyme adj. et n. m.
VOIR TABLEAU – **HOMONYMES.**

homonymie n. f.
Caractère des mots homonymes.
orthographe : homon**y**m**i**e.

homophone adj. et n. m.
Se dit de mots qui ont la même prononciation sans avoir la même orthographe ni la même signification. *Les noms* ***houx*** *(arbrisseau à feuilles piquantes) et* ***août*** *(huitième mois) sont des homophones. Les mots* ***mère, maire*** *et* ***mer*** *sont homophones.*
VOIR TABLEAU – **HOMONYMES.**

homosexualité n. f.
Sexualité des personnes homosexuelles. **ANT.** hétérosexualité.

homosexuel, elle adj. et n. m. et f.
Personne qui éprouve une attirance sexuelle pour les personnes de son sexe. **ANT.** hétérosexuel.

hongrois, oise (*h* aspiré) adj. et n. m. et f.
Adjectif et nom masculin et féminin
De la Hongrie. *Une musique hongroise. Un Hongrois, une Hongroise.*
note : L'adjectif s'écrit avec une minuscule ; le nom, avec une majuscule.
Nom masculin
Langue parlée en Hongrie. *Elle étudie le hongrois.*
note : Le nom de la langue s'écrit avec une minuscule.

honnête adj.
1. Conforme à la loi morale, honorable. *Des personnes honnêtes.* **SYN.** intègre, loyal. **ANT.** malhonnête.
2. Correct, bon. *Des conditions honnêtes, un but honnête.*
3. Satisfaisant, ni bon ni mauvais. *C'est un travail honnête, sans plus.* **SYN.** acceptable, moyen, passable.
orthographe : honn**ê**te.

honnêtement adv.
1. De façon honnête. *Pierre a géré le magasin honnêtement.*
2. Franchement. *Honnêtement, qu'est-ce que tu penses de mon idée ?*
orthographe : honn**ê**tement.

HOMONYMES

Les ***homonymes*** sont des mots qui s'écrivent ou se prononcent de façon identique, sans avoir la même signification :

air (mélange gazeux)
air (mélodie)
air (expression)
aire (surface)
ère (époque)
erre (vitesse acquise d'un navire)

ancre (pièce servant à retenir un navire)
encre (liquide utilisé pour écrire)

cou (partie du corps)
coud (du verbe ***coudre***)
coup (choc brutal)
coût (somme que coûte une chose)

pain (aliment)
pin (conifère)

Dans les ***homonymes,*** on peut distinguer :

– les ***homographes*** qui ont une orthographe identique, souvent la même prononciation, mais une signification différente :

bas (peu élevé)
bas (vêtement qui couvre la jambe)

noyer (arbre)
noyer (périr par noyade) ;

prêt (dont la préparation est terminée)
prêt (somme prêtée)

sur (qui a un goût acide)
sur (au sommet de)

verre (substance transparente)
verre (récipient pour boire)

– les ***homophones*** qui ont une prononciation identique, mais une orthographe et une signification différentes :

amande (fruit de l'amandier)
amende (somme d'argent à payer)

basilic (herbe aromatique)
basilique (église)

chair (substance)
chaire (tribune)
chère (nourriture)
cher (coûteux)

champ (étendue de terre)
chant (chanson)

chaîne (lien)
chêne (arbre)

filtre (dispositif servant à filtrer)
philtre (boisson magique)

mante (cape)
menthe (herbe potagère, bonbon)

C'est le contexte qui permet de situer le terme et de préciser son orthographe ; la tâche n'est pas toujours facile, car le français est une des langues qui comportent le plus d'homonymes.

– Ne pas confondre avec les noms suivants :

– ***antonymes,*** mots qui ont une signification contraire :

devant, derrière; froid, chaud; doux, rugueux;

– ***paronymes,*** mots qui présentent une ressemblance d'orthographe ou de prononciation sans avoir la même signification :

vénéneux (qui contient une substance toxique), *venimeux* (qui contient du venin) ;

– ***synonymes,*** mots qui ont la même signification ou une signification très voisine :

gravement, grièvement.

VOIR TABLEAU – **ANTONYMES.**
VOIR TABLEAU – **PARONYMES.**
VOIR TABLEAU – **SYNONYMES.**

honnêteté n. f.
Qualité d'une personne, d'un comportement honnête. SYN. droiture, intégrité, loyauté.
honn**ê**teté.

honneur n. m.
1. Dignité morale, fierté. *Défendre son honneur.*
2. Considération accordée à un grand mérite. *C'est trop d'honneur.* SYN. estime.
3. (AU PLURIEL) Marques d'estime. *Ce savant ne recherche pas les honneurs.*
Locutions
En l'honneur de quelqu'un. En vue de rendre hommage à quelqu'un.
Faire honneur à. Être une source de fierté pour. *Bravo ! Vous faites honneur à votre école.*
Faire honneur à un repas. (FAMILIER) Manger avec appétit.
Parole d'honneur. Promesse faite sur l'honneur.
Prix d'honneur. Premier prix.
Se faire un point d'honneur de quelque chose. Mettre tout en œuvre.
Tableau d'honneur. Liste des élèves qui ont obtenu les meilleurs résultats.
Ne pas confondre avec le nom ***gloire,*** grande renommée.
ho**nn**eur.

honorable adj.
Estimable, qui fait honneur. *Cette personne est honorable.*

honoraires n. m. pl.
Somme d'argent que touche la personne qui exerce une profession libérale à titre de rémunération. *L'avocat touche des honoraires.*
Ce nom ne s'emploie qu'au pluriel.

honorer v. tr., pronom.
Verbe transitif
1. Rendre honneur à quelqu'un, à quelque chose. *Honorer le mérite d'un pionnier.* SYN. célébrer.
2. Estimer, respecter. *Honore ton père et ta mère.*
Verbe pronominal
Être fier de. *Ce collège s'honore d'avoir formé d'excellents scientifiques.* SYN. s'enorgueillir.
Conjugaison [VOIR MODÈLE – **AIMER**]

honorifique adj.
Qui procure des honneurs (sans avantages matériels). *Des titres honorifiques.*

honte (***h*** aspiré) n. f.
1. Déshonneur. *Il n'y a pas de honte à dire ce que l'on pense.*
2. Remords. *Ils ont honte d'avoir caché la vérité.*
3. ***Avoir honte + de.*** Éprouver de l'humiliation, du regret. *Avoir honte de sa paresse.*
Locutions
Faire honte à quelqu'un. Être un sujet de honte pour quelqu'un, faire des reproches.
Sans fausse honte. Sans scrupule inutile.

honteux, euse (***h*** aspiré) adj.
1. Qui cause de la honte, de la confusion. *Une attitude honteuse.* SYN. dégradant, méprisable.
2. Qui éprouve de la honte. *Il est honteux de cet échec.* SYN. confus, humilié, méprisable.
Ne pas confondre avec le mot ***éhonté,*** qui est sans honte.

hop ! (***h*** aspiré) interj.
Interjection servant à marquer une action brusque. *Allez, hop ! plonge !*
L'interjection est suivie d'un point d'exclamation. Si la phrase n'est pas terminée, le mot qui suit le point d'exclamation s'écrit avec une minuscule initiale.

hôpital n. m. (pl. *hôpitaux*)
Établissement où l'on soigne les malades. *Des hôpitaux spécialisés.*
Attention au genre masculin de ce nom : ***un*** hôpital.
h**ô**pital.

hoquet (***h*** aspiré) n. m.
1. Contraction brusque du diaphragme. *Avoir le hoquet.*
2. Bruit rauque qui en résulte. *De petits hoquets.*
hoque**t.**

horaire adj. et n. m.
Adjectif
Relatif aux heures, par heure. *Un salaire horaire de 6 $.*
Nom masculin
Répartition des heures (de travail, d'ouverture, d'arrivée et de départ). *L'horaire* (et non la *cédule) *des cours, des avions. Je suis en retard sur mon horaire.*

horizon n. m.
1. Ligne où la terre (ou la mer) et le ciel semblent se rejoindre. *À l'horizon, un magnifique coucher de soleil.*
2. Étendue totale de la terre ou de la mer que l'on peut apercevoir. *De ce poste d'observation, l'horizon est immense par temps clair : on voit très loin.*
3. (FIGURÉ) Champ de la pensée, de l'action. *Faire un tour d'horizon. Des horizons nouveaux. Élargir son horizon.*

horizontal, ale, aux adj. et n. f.
Parallèle à l'horizon. *Des rayons horizontaux.* ANT. vertical.

horloge n. f.
Appareil de grande dimension servant à mesurer le temps et à indiquer l'heure. *La tour de l'horloge dans le port de Montréal.*
Attention au genre féminin de ce nom qui était autrefois masculin : ***une*** horloge.
Locution
Horloge de parquet. Horloge de dimension importante qui sonne généralement l'heure. *Une ancienne horloge de parquet* (et non une horloge *grand-père).
Formes fautives
*horloge. Mot ancien au sens de ***pendule.***
*horloge grand-père. Calque de l'anglais « grandfather clock » pour ***horloge de parquet.***
Ne pas confondre avec les noms suivants :
– ***coucou,*** appareil qui indique l'heure et dont la sonnerie imite le chant du coucou ;
– ***pendule,*** appareil de petite dimension qui indique l'heure ;
– ***réveille-matin*** ou ***réveil,*** appareil qui indique l'heure et qui peut sonner à une heure déterminée à l'avance.

horloger n. m.
horlogère n. f.
Personne qui fabrique, répare, vend des objets d'horlogerie (montres, pendules, horloges).

horlogerie n. f.
Industrie et commerce des instruments de mesure du temps. *L'horlogerie suisse est réputée.*

hormone n. f.
Les deux ***o*** sont ouverts [ɔrmɔn].
Substance produite par les glandes et par certains tissus. *Des hormones de croissance.*
hormo**n**e.

horoscope n. m.
Ensemble des prévisions tirées de l'état du ciel à la naissance d'une personne. *Lire son horoscope.*
Attention au genre masculin de ce nom : ***un*** horoscope.

horreur n. f.
1. Terreur, effroi. *Ils furent saisis d'horreur en apercevant l'ours furieux qui venait vers eux.*
2. Grande peur, répugnance. *Il lui inspire de l'horreur.*
Locutions
Avoir horreur de. Détester quelque chose. *Ils ont horreur des flatteries.*
Le verbe peut également se construire avec ***en.*** *Il a les flatteries en horreur.*
Faire horreur. Inspirer de la répugnance. *Ces attentats à la bombe font horreur.*
Le nom *horreur* demeure au singulier dans ces expressions.

horrible adj.
Qui soulève une répugnance physique et morale, de l'horreur. *Ce crime est horrible.* **SYN.** abominable, affreux, atroce, épouvantable.

horrifier v. tr.
1. Provoquer l'horreur, remplir d'effroi. *Cet acte de violence les a horrifiés.*
2. (FIGURÉ) Scandaliser. *Il était horrifié par un tel gaspillage.*
Conjugaison [VOIR MODÈLE – **ÉTUDIER**]
Redoublement du ***i*** à la première et à la deuxième personne du pluriel de l'indicatif imparfait et du subjonctif présent. *(Que) nous horrifiions, (que) vous horrifiiez.*

horripilant, ante adj.
(FAMILIER) Exaspérant, agaçant. **SYN.** énervant, irritant.
ho**rr**ipilant.

horripiler v. tr.
(FAMILIER) Exaspérer, agacer. *Ces grattements m'horripilent.* **SYN.** énerver, irriter.
Conjugaison [VOIR MODÈLE – **AIMER**]
ho**rr**ipiler.

hors- préf.
Les noms composés avec l'élément ***hors-*** s'écrivent avec un trait d'union et sont invariables.

hors (***h*** aspiré) prép.
En dehors de. *Hors saison. Le film est hors concours.*
Locutions
Être hors de soi. En colère, furieux. *Martine était hors d'elle.*
Hors de, locution prépositive. À l'extérieur de. *Hors de chez soi.*
Hors de, locution prépositive. À l'écart de. *Hors d'atteinte, hors de danger.*
Hors de prix. D'un prix très élevé, inabordable. **SYN.** cher.
Hors de service, hors d'usage. Qui ne peut être utilisé. **SYN.** en panne.
Hors de question. Qui n'est pas envisagé. *Cette sortie est hors de question.*
Hors pair, hors de pair. Exceptionnel, sans égal. *Des travailleurs hors pair.* **SYN.** remarquable.
Hors série. Qui n'est pas de fabrication courante.
Hors série. (FIGURÉ) Remarquable. *Un article hors série, des œuvres hors série.*
HOM.
– **or**, conjonction ;
– **or**, métal précieux.

hors-bord (***h*** aspiré) n. m. inv. (pl. *hors-bord*)
Canot léger propulsé par un moteur fixé à la poupe. *Des hors-bord bruyants sillonnaient le lac.*

hors-d'œuvre (***h*** aspiré) n. m. inv. (pl. *hors-d'œuvre*)
Mets léger servi au début du repas. *Des hors-d'œuvre froids et chauds.*

hors-jeu (***h*** aspiré) n. m. inv. (pl. *hors-jeu*)
Faute commise par un joueur.

hors-la-loi (***h*** aspiré) n. m. inv. (pl. *hors-la-loi*)
Bandit. *Des hors-la-loi dangereux.*

horticole adj.
Relatif à l'horticulture. *Des conseils horticoles.*

horticulteur n. m.
horticultrice n. f.
Spécialiste de la culture des jardins, des fleurs.

horticulture n. f.
Culture des fleurs, des arbustes d'ornement, des arbres, des légumes et des fruits.
VOIR **AGRICULTURE.**

hospice n. m.
Foyer de personnes âgées.
Attention au genre masculin de ce nom : ***un*** hospice.
Ce nom est peu courant aujourd'hui ; on dit plutôt ***résidence de personnes âgées.***

hospitalier, ière adj.
1. Relatif aux hôpitaux. *Un établissement hospitalier. Un centre hospitalier universitaire (CHU).*
2. Accueillant. *Ce sont des amis tellement hospitaliers.*

hospitalisation n. f.
Admission dans un hôpital. *L'hospitalisation d'un brûlé.*

hospitaliser v. tr.
Faire entrer une personne dans un hôpital. *On a hospitalisé le blessé.*
Conjugaison [VOIR MODÈLE – **AIMER**]

hospitalité n. f.
Accueil d'une personne qui reçoit quelqu'un chez elle. *Recevoir l'hospitalité de quelqu'un, offrir l'hospitalité à quelqu'un.*

hostie n. f.
Pain consacré par le prêtre pendant la messe.

hostile adj.
Agressif, qui se conduit en ennemi. *Un ton hostile, un pays hostile.* **SYN.** ennemi.
Locution
Hostile à. Opposé. *Ils sont hostiles à notre proposition.* **SYN.** contre, en désaccord avec.

hostilité n. f.
1. Antipathie, opposition. *Le groupe leur a manifesté de l'hostilité.*
2. (AU PLURIEL) Opérations de guerre. *Les hostilités ont repris.* **SYN.** attaque, conflit.

hot dog (***h*** aspiré) n. m. (pl. *hot dogs*)
Petit pain contenant une saucisse. *Ils ont mangé des hot dogs et des frites.*
Ce mot emprunté à l'anglais n'a pas d'équivalent en français.

hôte, hôtesse n. m. et f.
Personne qui donne l'hospitalité. *Notre hôtesse était charmante.*

Locution
Hôtesse de l'air. Femme qui, dans un avion, veille au confort des passagers.
Cette désignation n'est plus employée au Canada ; on dit plutôt ***agent de bord, agente de bord.***
hôte, hôtesse.

hôte n. m. et f.
Invité. *Une hôte très aimable.*
Au masculin, le nom ***hôte*** désigne la personne qui donne l'hospitalité aussi bien que celle qui reçoit l'hospitalité. Par contre, la forme féminine varie selon le sens : l'***hôtesse*** est la personne qui reçoit alors que celle qui est reçue est une ***hôte.***
hôte.

hôtel n. m.
Immeuble aménagé pour loger les voyageurs. *Un hôtel de luxe.*
HOM. **autel**, table où se célèbre la messe.
hôtel.

h

hôtel de ville n. m. (pl. *hôtels de ville*)
Édifice où siège l'autorité municipale dans une grande ville. *L'hôtel de ville de Montréal est un bel immeuble.*
hôtel de ville, sans traits d'union.

hôtelier n. m.
hôtelière n. f.
Personne qui exploite un hôtel.
hôtelier.

hôtelier, ière adj.
Relatif aux hôtels, à l'hôtellerie. *Une chaîne hôtelière.*
hôtelier.

hôtellerie n. f.
Profession, industrie hôtelière. *Antoine travaille dans l'hôtellerie.*
hôtellerie.

hotte (***h*** aspiré) n. f.
1. Grand panier porté sur le dos. *La hotte du père Noël.*
2. Ouverture d'un conduit d'aération. *La hotte placée au-dessus de la cuisinière aspire fumées et odeurs de cuisson.*

hou ! (***h*** aspiré) interj.
Interjection qui sert à railler, à faire honte. *Hou ! c'est très mauvais ce monologue.*
Locution
Hou ! hou ! Interjection servant à appeler. *Hou ! hou ! où te caches-tu Mireille ?*
L'interjection est suivie d'un point d'exclamation. Si la phrase n'est pas terminée, le mot qui suit le point d'exclamation s'écrit avec une minuscule initiale.

houblon (***h*** aspiré) n. m.
Plante dont les fleurs sont employées pour aromatiser la bière.

houle (***h*** aspiré) n. f.
Mouvement d'ondulation des eaux de la mer sans bruit et sans vagues qui se brisent. *Il y a de la houle aujourd'hui, car le vent souffle.*
Ne pas confondre avec le nom **vague**, grande masse d'eau qui déferle, qui se hisse sur le rivage ou s'élève très haut sous l'action du vent.

houleux, euse (***h*** aspiré) adj.
1. Agité par la houle. *La mer est houleuse.* ANT. calme, paisible.
2. (FIGURÉ) Agité, mouvementé. *Une discussion houleuse.*
houleu**x.**

houppe (***h*** aspiré) n. f.
1. Touffe (de fils, de laine, etc.).
2. Touffe de cheveux. *Tintin a une houppe blonde.*
Ne pas confondre avec le nom ***huppe,*** touffe de plumes d'un oiseau.

houppette (***h*** aspiré) n. f.
Petite houppe. *La houppette à poudre.*

hourra (***h*** aspiré) interj. et n. m.
Interjection
Hourra ! ils ont gagné ! Hip, hip ! hourra !
Nom masculin
Cri d'acclamation. *Des hourras enthousiastes.*
L'interjection est suivie d'un point d'exclamation. Si la phrase n'est pas terminée, le mot qui suit le point d'exclamation s'écrit avec une minuscule initiale.

houspiller (***h*** aspiré) v. tr.
Gronder quelqu'un. *Il le houspilla vertement.* SYN. réprimander.
Conjugaison [VOIR MODÈLE – **AIMER**]
Les lettres ***ill*** sont suivies d'un ***i*** à la première et à la deuxième personne du pluriel de l'indicatif imparfait et du subjonctif présent. *(Que) nous houspillions, (que) vous houspilliez.*

housse (***h*** aspiré) n. f.
Enveloppe servant à recouvrir, à protéger. *La housse d'un fauteuil. Une housse à vêtements.*

houx (***h*** aspiré) n. m.
Arbrisseau toujours vert à feuilles piquantes et à fruits rouges. *Le houx de Noël.*
HOM.
– **août**, huitième mois de l'année ;
– **ou**, conjonction ;
– **où**, adverbe et pronom relatif.
hou**x.**

hublot (***h*** aspiré) n. m.
Petite fenêtre d'un navire, d'un avion. *Le hublot.*
hublo**t.**

huche (***h*** aspiré) n. f.
Grand coffre de bois à couvercle plat. *La huche à pain.*

huée (***h*** aspiré) n. f.
Cris d'hostilité. *Il dut subir les huées de la foule.*

huer (***h*** aspiré) v. tr.
Siffler. *Le public a hué les comédiens déçus.*
Conjugaison [VOIR MODÈLE – **AIMER**]

huilage n. m.
Action d'huiler. *L'huilage des mécanismes.*
Le ***h*** de ce nom est muet : on doit faire l'élision devant ce nom.

huile n. f.
Substance grasse d'origine animale, végétale ou minérale. *Huile d'olive, huile de foie de morue, huile de soja, huile d'arachide(s), huile de maïs, huile de noix.*
Locutions
Jeter de l'huile sur le feu. Envenimer une querelle.
Tache d'huile. Qui grandit, se propage. *Une mode qui fait tache d'huile* (ou *boule de neige*).
Une mer d'huile. Très calme.
Formes fautives
*huile à chauffage. Calque de l'anglais « heating oil » pour ***mazout.***

*huile de castor. Calque de l'anglais « castor oil » pour ***huile de ricin.***

huiler v. tr.
Lubrifier avec de l'huile. *Périodiquement, il faut huiler ce mécanisme.* **SYN.** graisser.
Conjugaison [VOIR MODÈLE – **AIMER**]

huileux, euse adj.
Qui renferme de l'huile, gras. *Des cheveux huileux.*

huis clos (***h*** aspiré) n. m.
(DROIT) Hors de la présence du public. *On a exigé le huis clos pour cette réunion.*
Locution
À huis clos. Ce procès est jugé à huis clos, car l'inculpé est mineur.
Le nom ***huis*** est un vieux mot qui n'est plus employé que dans cette expression et qui signifie « porte », d'où ***à huis clos,*** « à portes closes ».
hui**s** clo**s**, le mot ***huis*** s'écrit avec un ***s*** final.

huissier n. m.
huissière n. f.
Personne chargée de signifier les actes de procédure et de mettre à exécution les jugements. *Les deux* (z) *huissiers se sont présentés aujourd'hui.*
Ce nom s'écrit avec un ***h*** muet : on doit donc élider la voyelle précédente. *L'huissier.*

huit (***h*** aspiré) adj. num. inv. et n. m. inv.
Le ***t*** se prononce devant une voyelle ou en fin d'expression ; il ne se prononce pas devant une consonne et devant un ***h*** aspiré.
Adjectif numéral cardinal invariable
Deux fois quatre. *Huit heures.*
Adjectif numéral ordinal invariable
Huitième. *Le huit décembre.*
Nom masculin invariable
Nombre huit. *Des huit de cœur et de pique.*
Si l'adjectif numéral ***huit*** est employé seul, le ***h*** est aspiré et la liaison ne se fait pas. Si ***huit*** est le second élément d'un adjectif numéral, la liaison se fait. *Dix-huit. Dix (z) huit.*
L'élision est interdite devant le mot ***huit.***
VOIR TABLEAU – **ÉLISION.**
VOIR TABLEAU – **LIAISON.**
VOIR TABLEAU – **NOMBRES.**
VOIR TABLEAU – **NUMÉRAL (ADJECTIF).**

huitaine (***h*** aspiré) n. f.
1. Nombre de huit ou environ. *Une huitaine de livres.*
2. Huit jours. *Il part dans une huitaine.*

huitième (***h*** aspiré) adj. num. et n. m. et f.
Abréviations : ***8**e* (huitième), ***8**es* (huitièmes).
Adjectif numéral ordinal
Nombre ordinal de huit. *La huitième heure. Les huitièmes positions.*
Nom masculin
La huitième partie d'un tout. *Les trois huitièmes d'une quantité.*
Nom masculin et féminin
Personne, chose qui occupe le huitième rang. *Elles sont les huitièmes.*
VOIR TABLEAU – **NOMBRES.**
VOIR TABLEAU – **NUMÉRAL (ADJECTIF).**

huître n. f.
Mollusque comestible. *Une douzaine d'huîtres. La consommation d'huîtres est déconseillée dans les mois sans « r ».*
La culture des huîtres est l'***ostréiculture.***
huître.

hululement ou **ululement** (***h*** aspiré) n. m.
Cri des oiseaux de nuit.

hululer ou **ululer** (***h*** aspiré) v. intr.
Crier, en parlant des oiseaux de nuit. *Le hibou hulule* ou *ulule.*
Conjugaison [VOIR MODÈLE – **AIMER**]

hum ! (***h*** aspiré) interj.
Interjection marquant le doute, la réticence. *Hum ! as-tu vraiment étudié ?*
L'interjection est suivie d'un point d'exclamation. Si la phrase n'est pas terminée, le mot qui suit le point d'exclamation s'écrit avec une minuscule initiale.

humain, aine adj. et n. m. et f.
Adjectif
1. Propre à l'homme. *La nature humaine.*
2. Compréhensif. *Elle est très humaine.* **SYN.** indulgent.
Nom masculin et féminin
(LITTÉRAIRE) Être humain. *Les humains.*
Locutions
Être humain. Femme, homme.
L'erreur est humaine. (Proverbe)

humainement adv.
1. Du point de vue de l'homme.
2. Avec humanité. **SYN.** généreusement.

humanitaire adj.
Qui vise le bien-être de l'humanité. *Une œuvre humanitaire.*

humanité n. f.
1. Ensemble des êtres humains. *L'histoire de l'humanité.*
2. Compassion. *Soigner les malades avec humanité.* **SYN.** bienveillance, charité, générosité.

humble adj.
1. Modeste, timide. *Un air humble.* **SYN.** effacé. **ANT.** orgueilleux.
2. Simple, petit. *Une humble chaumière.* **SYN.** modeste.

humblement adv.
Avec humilité. **SYN.** modestement.

humecter v. tr.
Mouiller légèrement. *Humecter une nappe pour la repasser.*
Conjugaison [VOIR MODÈLE – **AIMER**]

humer (***h*** aspiré) v. tr.
Aspirer pour sentir. *Je hume l'air du matin.*
Conjugaison [VOIR MODÈLE – **AIMER**]

humérus n. m.
Le ***s*** se prononce [ymerys].
Os du bras, de l'épaule au coude.

humeur n. f.
Disposition affective. *Elle est d'humeur changeante aujourd'hui.*
Locutions
Bonne, belle humeur. Enjouement, gaieté. **SYN.** entrain.
D'humeur à. Disposé. *Elle n'est pas d'humeur à l'écouter.*
Mauvaise humeur. Tristesse, irritation.
Saute d'humeur. Changement soudain dans l'humeur.

humide adj.
Chargé d'eau, de vapeur d'eau. *Un temps chaud et très humide. Des yeux humides de larmes.*

humidificateur n. m.
Appareil destiné à accroître le degré d'humidité d'un lieu donné.

humidifier v. tr.
Rendre humide. *Il faut que nous humidifiions cette pièce desséchée par le chauffage.*
Conjugaison [VOIR MODÈLE – **ÉTUDIER**]
Redoublement du ***i*** à la première et à la deuxième personne du pluriel de l'indicatif imparfait et du subjonctif présent. *(Que) nous humidifiions, (que) vous humidifiiez.*

humidité n. f.
Caractère de ce qui est chargé d'eau. *Cette plante a besoin d'humidité.*
Ne pas confondre avec le nom ***humilité,*** caractère de ce qui est modeste.

humiliation n. f.
1. Action d'humilier, affront. *Infliger une humiliation aux adversaires.*
2. Action d'être humilié, honte. *L'humiliation de la défaite.*

humilier v. tr., pronom.
Verbe transitif
Rabaisser, vexer. *Cette remarque m'a humilié. Il est humilié d'avoir perdu, par cette dernière place, que ses amis ne l'aient pas appuyé.*
Le verbe se construit avec la préposition ***de*** suivie de l'infinitif, de la préposition ***par*** suivie d'un nom ou de la conjonction ***que*** suivie d'un subjonctif.
Verbe pronominal
S'abaisser, devenir humble. *Ils se sont humiliés à demander pardon.*
À la forme pronominale, le verbe se construit avec la préposition ***à*** suivie de l'infinitif.
Conjugaison [VOIR MODÈLE – **ÉTUDIER**]
Redoublement du ***i*** à la première et à la deuxième personne du pluriel de l'indicatif imparfait et du subjonctif présent. *(Que) nous humiliions, (que) vous humiliiez.*

humilité n. f.
Modestie, soumission. *Un ton d'humilité.*
Ne pas confondre avec le nom ***humidité,*** caractère de ce qui est chargé d'eau.

humoriste n. m. et f.
Se dit d'une personne qui a de l'humour, qui s'exprime avec humour. *Cet auteur est un humoriste.*

humoristique adj.
Qui est empreint d'humour. *Un texte humoristique.* **SYN.** drôle.

humour n. m.
Faculté d'apprécier les éléments amusants, absurdes ou insolites de la réalité. *Elle a le sens de l'humour.*

humus n. m.
Le ***s*** se prononce [ymys].
Partie du sol où les plantes puisent leur nourriture.

huppe (***h*** aspiré) n. f.
Touffe de plumes qui orne la tête de certains oiseaux. *Le grand pic était nommé autrefois le pic à huppe écarlate.*
Ne pas confondre avec le nom ***houppe,*** touffe (de fils, de laine).

huppé, ée (***h*** aspiré) adj.
(FAMILIER) Notable, riche. *Un quartier huppé.* **SYN.** chic.

hurlement (***h*** aspiré) n. m.
1. Cri aigu et prolongé du loup, du chien, de l'hyène.
2. Cri déchirant d'une personne. *Des hurlements de douleur.* **SYN.** gémissement.

hurler (***h*** aspiré) v. tr., intr.
Verbe transitif
Parler, crier très fort. *Hurler des injures.*
Verbe intransitif
Pousser des hurlements. *Le chien hurle à la lune. Les prisonniers se mirent à hurler.*
Conjugaison [VOIR MODÈLE – **AIMER**]

hurluberlu, ue n. m. et f.
(FAMILIER) Personne bizarre. *Joséphine est une hurluberlue.* **SYN.** farfelu.

huron, onne (***h*** aspiré) adj. et n. m. et f.
Relatif aux Amérindiens d'une nation autochtone du Québec. *La culture huronne, des projets hurons. Un Huron, une Huronne.*
L'adjectif s'écrit avec une minuscule ; le nom, avec une majuscule.

hutte (***h*** aspiré) n. f.
Petite cabane. *La hutte de branches qui nous protégeait.*
hu**tt**e.

hydratant, ante adj.
1. Qui produit une hydratation.
2. Qui donne à l'épiderme sa teneur en eau. *Une lotion hydratante.*

hydratation n. f.
Introduction d'eau dans les tissus, l'organisme.

hydrater v. tr.
Procéder à l'hydratation de (un tissu, un organisme).
Conjugaison [VOIR MODÈLE – **AIMER**]

hydraulique adj.
1. Qui est mû par l'eau. *Une roue hydraulique.*
2. Relatif à la circulation de l'eau. *Des installations hydrauliques acheminent l'eau dans la ville.*
Locution
Énergie hydraulique. Énergie fournie par une chute d'eau.
hydr**au**lique.

hydravion n. m.
Avion muni de flotteurs qui décolle sur l'eau et y amerrit.
Attention au genre masculin de ce nom : ***un*** hydravion.

hydroélectricité n. f.
Énergie électrique produite par l'eau (d'un cours d'eau, d'une chute).

hydroélectrique adj.
Relatif à l'hydroélectricité. *Énergie hydroélectrique. Les ressources hydroélectriques du Québec sont très grandes.*

hydrogène n. m.
Corps simple gazeux extrêmement léger.
Attention au genre masculin de ce nom : ***un*** hydrogène.

hydroglisseur n. m.
Bateau conçu pour glisser sur l'eau.

hyène (***h*** aspiré ou non) n. f.
Mammifère carnivore à pelage gris ou fauve tacheté. *La hyène ou l'hyène se nourrit de charognes.*

hygiène n. f.
1. Ensemble des moyens individuels ou collectifs qui visent à préserver la santé, la propreté du corps. *Il importe d'avoir une bonne hygiène.*
2. Soins de propreté. *L'hygiène du corps, des dents.*
hygi**è**ne.

hygiénique adj.
Qui favorise l'hygiène, la propreté du corps. *Des mesures hygiéniques, du papier hygiénique.*
hygi**é**nique.

hygiéniste n. m. et f.
Spécialiste de l'hygiène. *Une hygiéniste dentaire.*
hygi**é**niste.

hygromètre n. m.
Appareil qui mesure le degré d'humidité de l'air.

hymne n. m.
Chant à la gloire de quelqu'un, de quelque chose. *Un hymne patriotique.*
Attention au genre masculin de ce nom : ***un*** hymne.
hy**mn**e.

hyper adv.
(FAMILIER) Au plus haut point, extrêmement. *Julie est hyper gentille.*
Employé adverbialement, ce mot s'écrit sans trait d'union et n'est pas joint à l'adjectif.

hyper- préf.
Élément du grec signifiant « au-dessus, au delà ». *Un hypermarché.*
Les mots composés du préfixe *hyper-* s'écrivent en un seul mot. *Hypersensible.*
On emploie également les préfixes ***extra-, super-***.

hypermarché n. m.
Magasin de très grande superficie exploité en libre-service.

hypernerveux, euse adj. et n. m. et f.
Qui est trop nerveux.
hypernerveu**x.**

hypersensible adj. et n. m. et f.
Qui est extrêmement sensible.

hypertrophie n. f.
Développement excessif, anormal. *Il souffre d'une hypertrophie du foie.*

hypnose n. f.
Le ***p*** se prononce [ipnoz].
Sommeil provoqué par suggestion.
h**yp**nose.

hypnotique adj.
Le ***p*** est prononcé dans la première syllabe [ipnɔtik] (et non *hynoptique).
Qui est relatif à l'hypnose. *Un sommeil hypnotique.*
h**yp**notique.

hypnotiser v. tr.
Le ***p*** est prononcé dans la première syllabe [ipnɔtize] (et non *hynoptiser).
1. Soumettre à l'hypnose. *Le dentiste a hypnotisé son patient pour lui extraire une dent.*
2. (FIGURÉ) Fasciner, éblouir. *Ils étaient hypnotisés par cette beauté radieuse.*
Conjugaison [VOIR MODÈLE – **AIMER**]
h**yp**notiser.

hypnotiseur n. m.
Le ***p*** est prononcé dans la première syllabe [ipnɔtizœr] (et non *hynoptiseur).
Personne qui hypnotise. *Ce magicien est un hypnotiseur.*

hypnotisme n. m.
Le ***p*** est prononcé dans la première syllabe [ipnɔtism] (et non *hynoptisme).
Ensemble de techniques susceptibles de provoquer l'hypnose.

hypocrisie n. f.
Dissimulation, fausseté. *La franchise est préférable à l'hypocrisie.* **ANT.** loyauté, sincérité.
h**y**pocr**i**sie, un ***y*** et un ***i.***

hypocrite adj. et n. m. et f.
Qui a de l'hypocrisie, sournois. *Un sourire hypocrite.* **SYN.** faux. **ANT.** franc, loyal, sincère.
h**y**pocr**i**te.

hypoténuse n. f.
(MATHÉMATIQUES) Côté d'un triangle rectangle opposé à l'angle droit.
hypo**té**nuse.

hypothèse n. f.
Supposition. *Ce n'est qu'une hypothèse : nous n'avons aucune preuve.*
Locution
Dans l'hypothèse où. Si. *Dans l'hypothèse où vous viendriez...*
La locution est suivie du conditionnel.
hypot**hè**se, un accent grave contrairement à ***hypothétique.***

hypothétique adj.
1. Fondé sur une hypothèse. *Une analyse hypothétique.* **SYN.** supposé.
2. Qui n'est pas assuré. *Un succès hypothétique.* **SYN.** douteux, incertain.
hypot**hé**tique, un accent aigu contrairement à ***hypothèse.***

hystérie n. f.
Vive excitation qui peut aller jusqu'au délire. *Une attaque d'hystérie.*
h**y**stér**i**e, un ***y*** et un ***i.***

hystérique adj. et n. m. et f.
1. Qui est atteint d'hystérie.
2. Vivement excité. *Le groupe de musiciens a été accueilli par des cris hystériques.*
h**y**stér**i**que, un ***y*** et un ***i.***

h

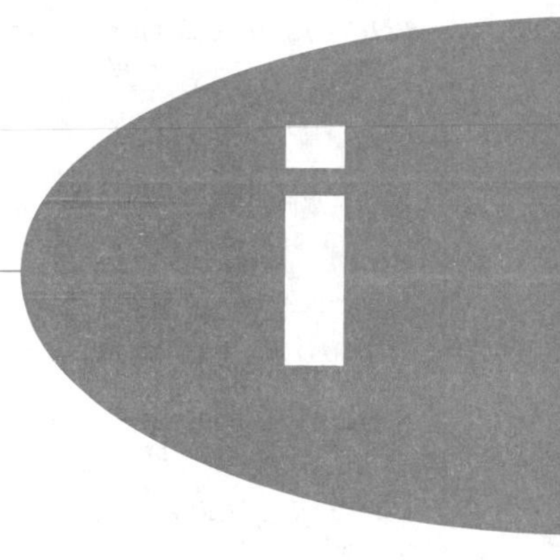

i n. m. inv.
Neuvième lettre de l'alphabet.

I
Chiffre romain dont la valeur est de 1.

ibis n. m.
Le **s** se prononce [ibis]; le mot rime avec ***lis.***
Échassier à longues pattes et à bec allongé qui vit en Afrique et dans les régions chaudes de l'Amérique. *Des ibis roses.*

iceberg n. m.
Le mot se prononce [isbɛrg] ou [ajsbɛrg].
Montagne de glace flottante. *Des icebergs. Le Titanic a heurté un iceberg et a sombré dans la mer.*
Ce mot a été emprunté à l'anglais qui l'a lui-même emprunté au norvégien *isberg* qui signifie « montagne de glace ».
La partie visible de l'iceberg ne représente que le dixième de son volume total.

ici adv.
Se dit du lieu où est la personne qui parle. *Viens ici : je t'attends.* **ANT.** ailleurs, là-bas.
En principe, l'adverbe ***là*** se dit d'un autre lieu. *Ici il pleut, là il neige.* Dans les faits, les deux adverbes sont souvent confondus. *Olivier ? Malheureusement il n'est pas ici* ou *il n'est pas là.*
Locutions
D'ici, locution adverbiale. De ce lieu. *Cette famille vient d'ici.*
D'ici à, locution prépositive. Dans un moment futur, à partir du moment où on parle. *D'ici à jeudi, la situation sera différente.*
L'omission de la préposition est courante. *D'ici demain, tout sera revenu à la normale.*
D'ici peu, locution adverbiale. Bientôt.
Ici et là, locution adverbiale. Par endroits. *Il a plu ici et là.*
Jusqu'ici, locution adverbiale. Jusqu'à maintenant. *Jusqu'ici, il s'est montré raisonnable, mais le demeurera-t-il ?*
Par ici, locution adverbiale. Dans cette direction. *Passe par ici, c'est plus court.*

icône n. f.
1. Peinture religieuse sur panneau de bois.
2. (INFORMATIQUE) Symbole graphique de certains logiciels.
Attention au genre féminin de ce nom : ***une*** icône.
ic**ô**ne, un accent circonflexe sur le ***ô.***

idéal, ale, als ou **aux** adj. et n. m.
Adjectif
1. Qui n'existe que dans l'imagination, la pensée. *Un monde idéal.* **SYN.** fictif, imaginaire, théorique.
2. Parfait. *Des résultats idéals* ou *idéaux, des conditions idéales.* **SYN.** optimal.
Nom masculin
1. Modèle parfait. *Un idéal de beauté.* **SYN.** perfection.
2. Ce qui donnerait entière satisfaction. *Atteindre son objectif, voilà l'idéal.*

idéalement adv.
Le **e** de l'avant-dernière syllabe ne se prononce pas [idealmɑ̃].
D'une manière idéale, parfaite.

idéaliser v. tr.
Donner un caractère idéal à quelqu'un, à quelque chose. *On a tendance à idéaliser les choses du passé.* **SYN.** embellir.
Conjugaison [VOIR MODÈLE – **AIMER**]

idéaliste adj. et n. m. et f.
Qui oriente sa vie vers un idéal élevé qui souvent ne peut être atteint. **SYN.** rêveur.

idée n. f.
1. Conception de l'esprit. *Une idée géniale. Ce sujet ne m'inspire pas, je n'ai pas d'idées.*
À l'idée que + indicatif ou conditionnel. *À l'idée que les enfants seront seuls, elle s'inquiète déjà.*
Avoir l'idée de + infinitif. *Elle a eu l'idée d'organiser un beau pique-nique.*
2. Aperçu. *Donne-moi une idée de ton projet.*
3. Illusion. *Tu te fais des idées : ce garçon ne m'intéresse pas du tout, Mélanie.*
Locutions
Changer d'idée. Changer d'avis. *Tu ne cesses de changer d'idée.*
Le nom s'écrit au singulier dans cette expression.
Idée fixe. Obsession, hantise.
J'ai idée que. Il me semble que, je pense que.
N'avoir pas idée de. Se dit de ce qui paraît excessif, extraordinaire. *On n'a pas idée de se lancer dans pareille aventure !* ou elliptiquement *A-t-on idée de se lancer ainsi !*

Perdre le fil de ses idées. S'embrouiller, ne plus savoir où on en est.
Se faire des idées. Avoir des illusions, s'imaginer des choses qui n'existent pas.

identification n. f.
Action d'identifier, de reconnaître quelqu'un, quelque chose. *L'identification d'un suspect.*
Forme fautive
*identification. Impropriété au sens de ***pièce d'identité.***

identifier v. tr., pronom.
Verbe transitif
Déterminer l'identité de quelqu'un, la nature de quelque chose. *Ève a identifié ce champignon : c'est une morille.*
SYN. reconnaître.
Verbe pronominal
Se mettre à la place de. *À cet âge, le jeune garçon s'identifie avec son père* ou *à son père.*
Le verbe se construit soit avec la préposition ***avec,*** soit avec la préposition ***à.***
Locution
Objet volant non identifié (OVNI). Objet observé dans l'atmosphère et dont la nature n'a pas été déterminée.
Formes fautives
*identifier. Anglicisme au sens de ***déterminer, établir, définir.*** *Nous devons déterminer* (et non *identifier) *nos priorités.*
*s'identifier. Anglicisme au sens de ***se nommer, donner son identité.***
Conjugaison [VOIR MODÈLE – **ÉTUDIER**]
Redoublement du ***i*** à la première et à la deuxième personne du pluriel de l'indicatif imparfait et du subjonctif présent. *(Que) nous identifiions, (que) vous identifiiez.*

identique adj.
Qui est tout à fait semblable. *Ces signatures sont identiques.*
SYN. pareil.
Ne pas confondre avec les mots suivants :
- ***semblable,*** de même nature, de même apparence ;
- ***similaire,*** à peu près semblable.

identité n. f.
1. Qualité d'une chose pareille à une autre. *Il y a une identité parfaite entre ces jumeaux.* SYN. conformité, similitude.
2. Ensemble des éléments qui permettent d'établir qu'une personne est bien ce qu'elle dit être. *Des cartes d'identité, des pièces d'identité.*

idiot, idiote adj. et n. m. et f.
Qui manque d'intelligence, stupide. *Une réponse idiote. L'idiot du village.* SYN. bête, imbécile, sot.
idio**t**, idio**te**.

idiotement adv.
De façon idiote.

idiotie n. f.
Le ***t*** se prononce comme ***s*** [idjɔsi]; le mot rime avec ***scie.***
1. Manque d'intelligence, stupidité. SYN. débilité.
2. Bêtise. *Je crois que j'ai fait une idiotie.* SYN. (FAMILIER) connerie, sottise.

idole n. f.
1. Statue, image d'une divinité. *Ce peuple adorait des idoles.*
2. (FIGURÉ) Personne qui est l'objet d'un culte passionné. *Ce chanteur est l'idole des jeunes.* SYN. vedette.
Attention au genre féminin de ce nom : ***une*** idole.

-ième suff.
Élément composant les nombres ordinaux, à l'exception de ***premier.***
Symbole ^{e}. *4e, 7e* (et non *4ième, 7ème). Au pluriel, *4es, 7es.*

igloo ou **iglou** n. m.
Les deux ***o*** se prononcent ***ou*** ; le mot rime avec ***glouglou.***
Habitation construite avec des blocs de glace ou de neige. *Des igloos* ou *des iglous bien construits par un Inuit.*

ignifuge adj. et n. m.
Qui a la propriété de rendre ininflammables des objets combustibles. *Un produit ignifuge. Un ignifuge nouveau. Ces rideaux ont été traités avec un ignifuge : ils ne peuvent pas prendre feu.*

ignifuger v. tr.
Rendre ininflammable. *Ces rideaux ont été ignifugés.*
Conjugaison [VOIR MODÈLE – **CHANGER**]
Le ***g*** est suivi d'un ***e*** devant les lettres ***a*** et ***o.*** *Il ignifugea, nous ignifugeons.*

ignoble adj.
1. Très mauvais, affreux. *Cet acte de vandalisme est ignoble.*
2. Dégoûtant, répugnant. *Ces prisonniers vivent dans des conditions ignobles.*

ignorance n. f.
1. Manque de connaissances, de culture générale. *Ce candidat a été refusé à cause de son ignorance.*
2. Fait d'ignorer quelque chose. *Léa était dans l'ignorance de son départ.*

ignorant, ante adj. et n. m. et f.
Qui manque de connaissances, de culture. *Clara étudie pour ne pas être ignorante. Ces ignorants ne pourront être admis.*

ignorer v. tr.
Ne pas savoir, n'être pas informé de. *J'ignore son nom. Il ignore que je suis venue. Elle ignorait que je pourrais l'aider.*
ANT. savoir.
Le verbe peut se construire avec un nom ou avec la conjonction ***que*** suivie de l'indicatif pour exprimer un fait réel, et du conditionnel, pour exprimer une possibilité. Le verbe peut aussi se construire avec la conjonction ***si*** suivie de l'indicatif. *Elle ignore si elle pourra venir ou non.*
Conjugaison [VOIR MODÈLE – **AIMER**]

iguane n. m.
Le ***u*** se prononce ***ou*** [igwan], comme dans le mot ***gouache.***
Reptile herbivore d'Amérique du Sud ayant l'allure d'un grand lézard. *L'iguane peut atteindre près de 2 m de longueur ; il ressemble à un animal préhistorique.*
Attention au genre masculin de ce nom : ***un*** iguane.

il pron. pers. m. (pl. *ils*)
1. Pronom personnel masculin de la troisième personne qui est toujours sujet du verbe. *Il aime. Ils adorent. Seront-ils là ?*
Au féminin ***elle,*** pluriel ***elles.***
2. Pronom personnel neutre de la troisième personne du singulier qui sert à introduire :
– un verbe impersonnel. *Il neige.*
– un verbe employé impersonnellement. *Il paraît qu'il fera beau demain.*
HOM. île, étendue de terre entourée d'eau.
VOIR TABLEAU – **PRONOM.**

île n. f.
Terre entourée d'eau. *Un chapelet d'îles. L'île Sainte-Hélène, l'île de Montréal.*
Le nom de la province canadienne s'écrit avec une majuscule et des traits d'union. *L'Île-du-Prince-Édouard.*
HOM. il, pronom personnel de la troisième personne.
VOIR TABLEAU – **GÉOGRAPHIQUES (NOMS).**

Île-du-Prince-Édouard n. f.
Abréviation ***Î.-P.-É.*** (s'écrit avec des points).

illégal, ale, aux adj.
Qui est contraire à la loi. *Des documents illégaux.* **ANT.** légal.
Ne pas confondre avec le mot ***illégitime,*** qui qualifie ce qui est contraire au bon droit, à la morale.

illégalement adv.
De façon illégale. *Ils ont agi illégalement.*
illégalement.

illégitime adj.
1. Contraire au bon droit, à la morale.
2. Non justifié. *Des soupçons illégitimes.* **ANT.** légitime.
Ne pas confondre avec le mot ***illégal,*** contraire à la loi.

illettré, ée adj. et n. m. et f.
1. (VIEUX) Qui a peu de connaissances littéraires, qui est ignorant.
Ce mot a un sens défavorable.
2. Qui ne sait ni lire ni écrire.
Le mot ***illettré*** peut être synonyme de ***analphabète***; il peut également désigner une personne qui manque de culture.

illicite adj.
Interdit par la morale ou par la loi. **SYN.** illégal, interdit. **ANT.** licite.

illimité, ée adj.
1. Infini. *Des ressources hydroélectriques illimitées.* **SYN.** immense.
2. Indéfini. *Une durée illimitée.* **SYN.** indéterminé. **ANT.** limité.

illisible adj.
Qu'on ne peut lire. *Son écriture est illisible.* **SYN.** indéchiffrable. **ANT.** clair, lisible.

illogique adj.
Qui n'est pas logique. *Sa conduite est illogique.* **SYN.** incohérent. **ANT.** logique.

illumination n. f.
1. Action d'illuminer. *Les illuminations de Noël.* **SYN.** éclairage.
2. Inspiration soudaine. *Il a eu une illumination, une idée de génie.*

illuminer v. tr., pronom.
Verbe transitif
1. Éclairer vivement. *Le feu d'artifice a illuminé le ciel pendant 30 minutes.*
2. (FIGURÉ) Donner un vif éclat à. *Ses yeux clairs illuminaient son visage.* **SYN.** briller.
Verbe pronominal
Devenir lumineux. *Lors des fêtes, la maison s'illuminait entièrement.*
Conjugaison [VOIR MODÈLE – **AIMER**]

illusion n. f.
1. Erreur de perception. *Des illusions d'optique. Cette photo donne l'illusion d'une forêt.*
2. Idée fausse. *Vous vous faites des illusions : la réalité est bien différente.* **SYN.** rêve.
Locution
Faire illusion. Tromper. *La belle apparence fait souvent illusion.*
Ne pas confondre avec le nom ***allusion,*** affirmation à mots couverts.

illusionner (s') v. pronom.
Se faire des illusions, se tromper. *Ils se sont illusionnés sur leurs chances de succès.* **SYN.** se leurrer.
Le verbe se construit avec la préposition ***sur.***
Le participe passé de ce verbe qui n'existe qu'à la forme pronominale s'accorde toujours avec le sujet du verbe.
Conjugaison [VOIR MODÈLE – **AIMER**]
illusio**nn**er.

illusionniste n. m. et f.
Personne habile à créer l'illusion à l'aide d'artifices, de tours de magie. *Ce magicien est un remarquable illusionniste.*
illusio**nn**iste.

illusoire adj.
Qui ne se réalise pas, chimérique. *Il est illusoire de croire que cette décision sera bien acceptée.*

illustrateur n. m.
illustratrice n. f.
Artiste qui illustre une publication.

illustration n. f.
Image destinée à illustrer un texte. *Des illustrations amusantes.*
Dessins, photographies, schémas, tableaux, caricatures peuvent servir d'illustrations.

illustre adj.
Très connu, célèbre. *Jean de La Fontaine est un illustre fabuliste.* **SYN.** fameux.

illustré, ée adj.
Orné d'illustrations. *Une édition illustrée.*

illustrer v. tr., pronom.
Verbe transitif
1. Orner (une publication, un imprimé, etc.) d'illustrations.
2. Rendre plus clair à l'aide de notes, de citations, etc. *Illustrer une règle par des exemples.*
Verbe pronominal
Se distinguer. *Ils se sont illustrés par leur courage.*
Conjugaison [VOIR MODÈLE – **AIMER**]
i**ll**ustrer.

îlot n. m.
1. Petite île.
2. Petit espace isolé. *Cette cour intérieure est un îlot de paix.*
îlot.

image n. f.
1. Représentation d'une personne, d'une chose. *Des livres d'images. L'image n'est pas claire : il faudrait régler le téléviseur.*
2. Reflet d'une personne produit par un miroir, une surface plane. *Narcisse aperçoit son image dans le miroir de l'eau calme.*
3. Métaphore, figure de style. *Quand on écrit « verser des torrents de larmes », c'est une image qui signifie « pleurer abondamment ».*
4. Ressemblance. *Cet enfant est l'image de sa grand-mère.* **SYN.** portrait.
5. Réputation. *L'image de marque d'une entreprise.*

imagé, ée adj.
Coloré, riche en images. *Un style imagé.*

imagerie n. f.
Ensemble d'images provenant de la même source, de même inspiration.

i

imaginable adj.
Qu'il est possible d'imaginer. *Cette réussite est imaginable.* **SYN.** concevable, possible. **ANT.** inimaginable.

imaginaire adj. et n. m.
Qui n'existe que dans l'imagination. *Un décor imaginaire. Un mal imaginaire.*
Ne pas confondre avec les mots suivants :
– ***fabuleux,*** qui tient de la fable, extraordinaire quoique réel ;
– ***légendaire,*** qui n'existe que dans les légendes.

imaginatif, ive adj. et n. m. et f.
Qui a beaucoup d'imagination.

imagination n. f.
1. Faculté de se représenter un objet en esprit. *Cette personne n'a aucune imagination.*
2. Créativité. *Ces concepteurs de bandes dessinées ont une imagination fertile.*

imaginer v. tr., pronom.
Verbe transitif
1. Se représenter mentalement, inventer. *Alex a imaginé un nouveau marteau.*
2. Avoir l'idée. *Ils avaient imaginé de planter des fleurs de toutes les variétés.*
Le verbe se construit avec la préposition ***de*** suivie de l'infinitif.
3. Supposer. *J'imagine qu'il finira par venir.*
Le verbe se construit généralement avec la conjonction ***que*** suivie de l'indicatif ou du conditionnel.
Ne pas imaginer + que. *Elle n'imagine pas que la chose soit si complexe.*
À la forme négative, le verbe se construit surtout avec le subjonctif.
Verbe pronominal
1. Se représenter par l'esprit. *Imagine-toi un magnifique voilier.* **SYN.** se figurer.
2. Croire à tort. *Elle s'imagine être la plus forte. Ils s'imaginent qu'ils sont les plus forts.*
Le verbe peut se construire avec un infinitif, avec l'indicatif ou le conditionnel.
1° Si le complément d'objet direct est placé avant le verbe, le participe passé s'accorde selon la règle d'accord du participe passé de la forme pronominale. *Les histoires qu'ils se sont imaginées.*
2° Si le complément d'objet direct est placé après le verbe, le participe passé est invariable. *Les enfants se sont imaginé des personnages. Elle s'est imaginé qu'elle gagnerait. Tu t'es imaginé finir à temps.*
Conjugaison [VOIR MODÈLE – **AIMER**]

imbattable adj.
Qui ne peut être battu. *Des champions imbattables.* **SYN.** invincible.
imba**tt**able.

imbécile adj. et n. m. et f.
Idiot. *Cet imprudent est un imbécile.* **SYN.** bête, stupide.
imbéci**l**e, un seul ***l.***

imbécillité n. f.
Stupidité, bêtise. *Cette affirmation est une imbécillité.* **SYN.** sottise.
imbéci**ll**ité, deux ***l.***

imbiber v. tr., pronom.
Verbe transitif
Remplir, imprégner d'un liquide. *Imbiber un chiffon d'un détergent.* **SYN.** tremper.
Verbe pronominal
Absorber un liquide. *L'éponge s'est imbibée d'eau.*
Conjugaison [VOIR MODÈLE – **AIMER**]

imbriquer v. tr., pronom.
Verbe transitif
Placer des choses de façon qu'elles se chevauchent. *Imbriquer des ardoises.*
Verbe pronominal
Être étroitement lié. *Les pièces de ce jeu s'imbriquent les unes dans les autres.*
Conjugaison [VOIR MODÈLE – **AIMER**]

imbuvable adj.
1. Au goût très mauvais. *Un café imbuvable.*
2. (FIGURÉ) Insupportable. *Ce garçon est imbuvable : il se prend pour un autre.* **SYN.** détestable.

imitable adj.
Qui peut être imité. *Sa signature est imitable.* **ANT.** inimitable.

imitateur, trice n. m. et f.
Personne qui imite autrui. *Jean-Guy Moreau est un excellent imitateur.*

imitation n. f.
1. Reproduction. *Une excellente imitation du maire.*
2. En matière imitée. *Un sac (en) imitation (de) crocodile.*
Locution
À l'imitation de, locution prépositive. À l'exemple de, comme.

imiter v. tr.
1. Reproduire, copier. *Ce fini imite le marbre.*
2. Prendre pour modèle. *Julie imite sa grande sœur.*
3. Contrefaire. *On a imité sa signature.* **SYN.** copier.
Conjugaison [VOIR MODÈLE – **AIMER**]

immangeable adj.
Les lettres ***im*** se prononcent ***in*** [ɛ̃mɑ̃ʒabl] comme dans ***imbuvable.***
Très mauvais au goût. *Ces spaghettis sont immangeables : ils sont trop cuits.*
imman**gea**ble.

immanquable adj.
Les lettres ***im*** se prononcent ***in*** [ɛ̃mɑ̃kabl].
Inévitable. *C'est immanquable, ils sont en retard.*

immanquablement adv.
Les lettres ***im*** se prononcent ***in*** [ɛ̃mɑ̃kabləmɑ̃].
Inévitablement. *Immanquablement, ils arrivent une fois que la cloche a sonné.*

immatriculation n. f.
Action d'inscrire le nom, le numéro d'une personne, d'une chose sur un registre. *Des plaques d'immatriculation* (et non des *licences). **SYN.** inscription.
immatriculation.

immatriculer v. tr.
Inscrire sur un registre public. *Il a immatriculé cette voiture au Québec.*
Conjugaison [VOIR MODÈLE – **AIMER**]
immatriculer.

immédiat, ate adj.
1. Instantané. *Un départ immédiat. Ce médicament donne un soulagement immédiat.* **SYN.** tout de suite.
2. Qui précède ou qui suit sans intermédiaire. *Un supérieur immédiat. Leurs voisins immédiats sont très discrets.*
Locution
Dans l'immédiat, locution adverbiale. Dans un avenir bref, pour le moment.
immédiat.

immédiatement adv.
Tout de suite. *Je viens immédiatement.* **SYN.** sur-le-champ.
immédiatement.

immense adj.
1. Extrêmement grand. *L'immense étendue du Canada en fait le pays le plus grand du monde après la Russie.* **SYN.** vaste.
2. Énorme. *Une immense fortune.* **SYN.** colossal, gigantesque.
immense.

immensément adv.
De façon immense. *Le Canada est immensément grand. Cette personne est immensément riche.*
immensément.

immensité n. f.
Caractère de ce qui est immense. *L'immensité de l'océan.*
immensité.

immerger v. tr.
Plonger entièrement dans un liquide. *On a immergé le scaphandrier dans le lac.*
Ne pas confondre avec les verbes suivants :
– ***émerger,*** surgir d'un liquide ;
– ***submerger,*** recouvrir complètement d'un liquide.
Conjugaison [VOIR MODÈLE – **CHANGER**]
Le ***g*** est suivi d'un ***e*** devant les lettres ***a*** et ***o.*** *Il immergea, nous immergeons.*
immerger.

immersion n. f.
Action de plonger un corps dans l'eau.
immersion.

immettable adj.
Les lettres ***im*** se prononcent ***in*** [ɛ̃mɛtabl] comme dans ***indésirable.***
Se dit d'un vêtement que l'on ne peut pas porter.
immettable.

immeuble n. m.
Grand bâtiment. *Un bel immeuble moderne.*
On préférera le mot ***immeuble*** ou ***édifice*** au mot ***bâtisse*** qui a parfois une valeur défavorable.

immigrant, ante adj. et n. m. et f.
Personne entrant dans un pays étranger pour s'y établir. *Le Québec a accueilli beaucoup d'immigrants au cours des dernières années.*
Ne pas confondre avec le nom ***émigrant,*** personne quittant son pays pour aller vivre à l'étranger.
immigrant.

immigration n. f.
Action de venir dans un pays pour s'y établir. *Le Québec favorise l'immigration : il accueille les immigrants et leur permet de vivre au Québec.*
Ne pas confondre avec le nom ***émigration,*** action de quitter son pays pour aller s'établir dans un autre pays.
immigration.

immigré, ée adj. et n. m. et f.
Personne qui vient habiter un nouveau pays après avoir quitté le sien. *Il n'est pas toujours facile pour une personne immigrée de s'adapter à son nouveau pays.*
Ne pas confondre avec le mot ***émigré,*** personne ayant quitté son pays pour s'installer dans un nouveau pays.
immigré.

immigrer v. intr.
Venir habiter un nouveau pays après avoir quitté le sien. *Cette famille du Liban a décidé d'immigrer au Québec.*
Ne pas confondre avec le verbe ***émigrer,*** quitter son pays pour aller s'établir à l'étranger.
Conjugaison [VOIR MODÈLE – **AIMER**]
immigrer.

imminent, ente adj.
Qui est tout près d'arriver. *Un effondrement imminent.* **SYN.** proche.
En principe, le mot ***imminent*** se dit d'une chose dangereuse, tragique, qui est sur le point de se produire ; dans les faits, cet emploi n'est pas toujours respecté. *Une guerre imminente, un départ imminent.*
Ne pas confondre avec **éminent**, qui est remarquable.
imminent.

immiscer (s') v. pronom.
Les lettres ***sc*** se prononcent ***s*** [imise].
Intervenir dans une affaire sans en avoir le droit. *Ils se sont immiscés dans nos affaires.*
Le participe passé de ce verbe qui n'existe qu'à la forme pronominale s'accorde toujours avec le sujet du verbe.
Conjugaison [VOIR MODÈLE – **AVANCER**]
immiscer.

immobile adj.
Sans mouvement. *Cette sentinelle est immobile.* **SYN.** fixe. **ANT.** mobile.

immobilier, ière adj. et n. m.
Adjectif
1. Composé d'immeubles. *Des propriétés immobilières.*
2. Relatif à un immeuble, à des immeubles. *Des ventes immobilières, des agents immobiliers.* **ANT.** mobilier.
Nom masculin
Ensemble des professions liées à la vente des immeubles. *Elle travaille dans l'immobilier.*

immobiliser v. tr., pronom.
Verbe transitif
Rendre immobile, arrêter le mouvement de. *Immobiliser sa bicyclette.*
Verbe pronominal
S'arrêter. *La voiture s'est immobilisée.*
Conjugaison [VOIR MODÈLE – **AIMER**]
immobiliser.

immobilité n. f.
État de ce qui est sans mouvement.
immobilité.

immoler v. tr., pronom.
Verbe transitif
Sacrifier. *Ces tribus immolaient des agneaux pour les offrir en sacrifice à leurs divinités.*
Verbe pronominal
Faire le sacrifice de sa vie. *Ils se sont immolés par le feu.*
Conjugaison [VOIR MODÈLE – **AIMER**]
immoler.

immonde adj.
Répugnant. *Un crime immonde.* SYN. ignoble, révoltant.
✎ **imm**onde.

immoral, ale, aux adj.
Contraire à la morale. *Des procédés immoraux.*
✎ **imm**oral.

immortaliser v. tr.
Rendre immortel dans la mémoire. *Ces tableaux ont immortalisé ce peintre.*
Conjugaison [VOIR MODÈLE – **AIMER**]
✎ **imm**ortaliser.

immortalité n. f.
Qualité de ce qui est immortel.
✎ **imm**ortal**i**té.

immortel, elle adj. et n. f.
Adjectif
1. Qui ne meurt jamais. *L'âme est immortelle.* SYN. éternel.
2. Dont la mémoire se perpétue à travers les siècles. *Mozart a composé des œuvres immortelles.*
Nom féminin
Plante dont les fleurs se conservent longtemps.
✎ **imm**orte**l**, **imm**orte**ll**e.

immuable adj.
Qui ne change pas. *L'immuable lever du soleil : jamais il ne fait la grasse matinée.* SYN. invariable. ANT. variable.
✎ **imm**uable.

immunisation n. f.
Action d'immuniser ; son résultat. *L'immunisation des enfants contre les maladies contagieuses est nécessaire.*
✎ **imm**unisation.

immuniser v. tr.
Préserver d'une maladie. *Ce vaccin l'immunisera contre la rougeole.*
Conjugaison [VOIR MODÈLE – **AIMER**]

immunité n. f.
1. Privilège des diplomates auxquels seules les lois de leur pays d'origine s'appliquent. *Immunité diplomatique.*
2. (MÉDECINE) État d'un organisme devenu réfractaire à certains agents qui causent des maladies.
✎ **imm**unité.

impact n. m.
Les lettres ***ct*** se prononcent [ɛ̃pakt].
1. Choc. *La force de l'impact a été très grande : la voiture a été réduite en miettes.*
2. (FIGURÉ) Effet, influence. *L'impact de cette campagne publicitaire a été très grand.*

impair, aire adj. et n. m.
Adjectif
Non divisible par deux. *Le 13 est un nombre impair.*
Nom masculin
Maladresse. *Il a commis un impair.* SYN. gaffe.
HOM. **imper**, forme abrégée de ***imperméable.***

impardonnable adj.
Qui ne peut être pardonné, excusé. *Je suis impardonnable : j'ai oublié notre rendez-vous. C'est une erreur impardonnable.* SYN. inexcusable.
✎ impardo**nn**able.

imparfait n. m.
(GRAMMAIRE) L'imparfait de l'indicatif exprime :
– Un **fait passé, inachevé** quand un autre a eu lieu. *Il pleuvait quand l'accident s'est produit.*
– Un **fait qui se prolonge dans le passé.** *À cette époque, on s'éclairait à la chandelle.*
– Un **fait qui se répète dans le passé.** *Le laitier venait tous les matins.*
– Une **formulation polie.** *Nous venions vous demander de nous aider.*
Après ***si,*** l'imparfait marque :
– Une **hypothèse présente** ou **future,** un souhait, un regret. *Ah ! si j'avais plus de temps* (et non si *j'aurais) !
– L'imparfait du subjonctif n'est pas d'emploi courant. On y recourt parfois dans un style relevé, généralement à l'écrit.
VOIR TABLEAU – **INDICATIF.**
VOIR TABLEAU – **PASSÉ (TEMPS DU).**

imparfait, aite adj.
1. Qui n'est pas parfait. *Un travail imparfait.* ANT. parfait.
2. Qui n'est pas achevé. *Une guérison imparfaite.* SYN. incomplet.

imparfaitement adv.
D'une manière imparfaite. *Il a répondu imparfaitement aux questions.*

impartial, ale, aux adj.
Équitable, juste. *Des juges impartiaux.* SYN. objectif. ANT. partial.
✎ impar**t**ial.

impartialité n. f.
Équité, justice. *Cet arbitre a fait preuve d'impartialité : il est tout à fait neutre et ne penche pas plus pour une équipe que pour une autre.* SYN. objectivité. ANT. subjectivité.
✎ impar**t**ia**l**ité.

impasse n. f.
1. Rue sans issue. SYN. cul-de-sac.
2. (FIGURÉ) Situation sans issue, dont on ne peut se sortir.
– Attention au genre féminin de ce nom : ***une*** impasse.

impassible adj.
Qui ne manifeste pas d'émotion. *Son visage est resté impassible.* SYN. calme, imperturbable.

impatiemment adv.
Le ***t*** se prononce ***s*** [ɛ̃pasjamɑ̃].
Avec impatience. *Elle attendait les vacances impatiemment.*
✎ impa**tiemm**ent.

impatience n. f.
Le ***t*** se prononce ***s*** [ɛ̃pasjɑ̃s].
Manque de patience. *Un soupir d'impatience.*
HOM. **impatiens**, plante annuelle.
✎ impa**tien**ce.

impatient, ente adj. et n. m. et f.
Le premier ***t*** se prononce ***s*** [ɛ̃pasjɑ̃, ɑ̃t].
Qui manque de patience. *Alex est un peu impatient. Ce sont des impatientes.*
✎ impa**tient.**

impatiente n. f.
Plante annuelle qui vit bien à l'ombre et fleurit tout l'été.
– On écrit aussi ***impatiens.***

impatienter v. tr., pronom.
Le ***t*** se prononce ***s*** [ɛ̃pasjɑ̃te].
Verbe transitif
Exaspérer, faire perdre patience. *Ces retards commencent à l'impatienter.*

Verbe pronominal
Perdre patience. *Sa copine s'est impatientée et est partie sans l'attendre.*
Conjugaison [VOIR MODÈLE – **AIMER**]
impa**tien**ter.

impeccable adj.
1. Sans défaut. *Une coiffure impeccable.* **SYN.** irréprochable.
2. (FAMILIER) Parfait. *Un exposé impeccable.*
impe**cc**able.

impénétrable adj.
1. Inaccessible. *Un territoire impénétrable.*
2. (FIGURÉ) Incompréhensible. *Une énigme impénétrable.* **SYN.** indéchiffrable, obscur.

impensable adj.
Auquel on ne peut penser. *Un refus impensable.* **SYN.** inconcevable, inimaginable.

imper n. m.
Abréviation familière de ***imperméable.*** *Acheter des impers.*
HOM. **impair**, maladresse.

impératif, ive adj.
1. Autoritaire. *Un ton impératif.*
2. Qui s'impose comme une nécessité absolue. *Il est impératif qu'elle soit présente.* **SYN.** obligatoire.

impératif n. m.
1. Exigence. *Les impératifs de l'école.*
En ce sens, le nom s'emploie généralement au pluriel.
2. (GRAMMAIRE) Mode qui exprime :
– Un **ordre**, un **conseil**, une **prière.** *Étudie tes leçons. Viens te joindre à nous.*
– Un **souhait**, un **désir.** *Passez de bonnes vacances.*
Ce temps ne comporte que trois personnes :
– Deuxième personne du singulier. *Aime.*
Attention, pas de ***s*** final pour les verbes se terminant en ***er.***
– Première personne du pluriel. *Aimons.*
– Deuxième personne du pluriel. *Aimez.*
1° Le verbe à l'impératif se joint par un trait d'union au pronom personnel qui le suit. *Raconte-lui cette histoire.* Si le verbe est intransitif, il n'est pas joint au pronom personnel par un trait d'union. *Viens te laver.*
2° Si le verbe à l'impératif est suivi de deux pronoms, le pronom complément d'objet direct s'écrit en premier lieu et deux traits d'union sont alors nécessaires. *Dis-le-moi.*
3° Devant les pronoms ***en*** et ***y*** non suivis d'un infinitif, les verbes du premier groupe (er) s'écrivent avec un ***s*** euphonique et se joignent aux pronoms ***en*** ou ***y*** par un trait d'union. *Donnes-en, entres-y.*

impératrice n. f.
1. Femme d'un empereur. *L'impératrice Joséphine était la femme de Napoléon.*
2. Souveraine. *L'impératrice Catherine II de Russie.*

imperceptible adj.
Qui ne peut être perçu par les sens. *Des sons imperceptibles.* **ANT.** perceptible.

imperfection n. f.
1. État de ce qui n'est pas parfait.
2. Défaut. *Il y a quelques imperfections dans ce travail.*

impérial, ale, aux adj.
Qui appartient à un empereur, à un empire. *Des attributs impériaux.*

impérieux, euse adj.
1. Autoritaire. *Un ton impérieux.*
2. Irrésistible. *Un désir impérieux de dormir.* **SYN.** pressant.
impérieu**x.**

impérissable adj.
Qui ne peut périr, durable. *Une œuvre impérissable, qui restera dans la mémoire à travers les siècles.* **SYN.** immortel.

imperméabiliser v. tr.
Rendre imperméable. *Imperméabiliser un coton.*
Conjugaison [VOIR MODÈLE – **AIMER**]

imperméable adj. et n. m.
Adjectif
Qui ne peut être pénétré par un liquide. *Des bottes imperméables.* **ANT.** perméable.
Nom masculin
S'abrège familièrement en ***imper.***
Vêtement pour la pluie. *Mets ton imperméable, on annonce de la pluie.*

impersonnel, elle adj.
Qui n'a pas de personnalité, banal. *Un ton impersonnel.*
Locution
Verbe impersonnel. Se dit d'un verbe qui ne s'emploie qu'à la troisième personne du singulier et dont le sujet demeure indéterminé. *Il neige, il vente,* etc.
VOIR TABLEAU – **VERBE.**

impertinence n. f.
Insolence. *Antoine a répondu avec impertinence.* **SYN.** effronterie, impolitesse.
impertin**en**ce.

impertinent, ente adj. et n. m. et f.
Insolent, effronté. *Un ton impertinent.* **SYN.** impoli.
impertin**ent.**

imperturbable adj.
Inébranlable, que rien ne peut émouvoir. *Malgré la surprise, elle est restée imperturbable.* **SYN.** impassible.

impétueux, euse adj.
Fougueux, tumultueux. *Un torrent impétueux.*

impitoyable adj.
Qui est sans pitié. *Ces guerriers barbares ont été impitoyables.* **SYN.** inhumain.

impitoyablement adv.
Sans pitié. *On a refusé impitoyablement sa demande.*

implacable adj.
Inflexible. *Une vengeance implacable.* **SYN.** acharné.

implantation n. f.
Action d'implanter ; fait d'être implanté. *L'implantation d'une nouvelle entreprise, l'implantation d'une idée nouvelle, d'un programme innovateur.*

implanter v. tr., pronom.
Verbe transitif
Établir de façon durable (dans un nouveau milieu). *Ils ont implanté une nouvelle usine.*
Verbe pronominal
Se fixer, s'installer. *Cette entreprise s'est implantée dans les Laurentides. Cet usage s'est implanté rapidement au Québec.* **SYN.** s'établir.
Conjugaison [VOIR MODÈLE – **AIMER**]

implication n. f.
1. Action d'impliquer dans une affaire criminelle.
2. Conséquence. *Les implications économiques d'une décision.*
3. Fait d'être impliqué, en parlant d'une personne. *L'implication des bénévoles a été remarquable.*

implicite adj.
Qui n'est pas clairement énoncé, mais qui peut être déduit.
Ne pas confondre avec le mot ***explicite,*** énoncé formellement.

implicitement adv.
D'une manière implicite.

impliquer v. tr., pronom.
Verbe transitif
1. Compromettre quelqu'un (dans une affaire fâcheuse). *Il est impliqué dans ce scandale* **SYN.** mêler.
En ce sens, le verbe s'emploie lorsqu'il s'agit d'une affaire désagréable, d'une situation de nature à causer des problèmes.
2. Supposer, comporter. *Cette grève implique la fermeture du casino.*
3. Avoir comme conséquence. *Lancer son entreprise implique beaucoup de travail.* **SYN.** imposer, obliger à.
4. Engager grandement dans une action de façon déterminée. *Être impliqué dans le mouvement écologique.*
Le verbe s'emploie souvent à la forme passive.
Verbe pronominal
Se donner à fond. *Ils se sont impliqués personnellement dans cette entreprise.*
Forme fautive
*impliquer. Impropriété au sens de ***concerner, intéresser, toucher, viser.*** *Donne ce document aux élèves concernés* (et non *impliqués).
Conjugaison [VOIR MODÈLE – **AIMER**]

implorer v. tr.
Supplier avec insistance. *Elle implorait son amie de l'aider.* **SYN.** prier.
Conjugaison [VOIR MODÈLE – **AIMER**]

impoli, ie adj. et n. m. et f.
Qui manque de politesse. *Ne soyez pas impolis.* **SYN.** grossier.

impoliment adv.
Avec impolitesse. *Ils n'ont pas répondu impoliment.* **SYN.** effrontément. **ANT.** poliment.

impolitesse n. f.
Ignorance ou mépris des règles de politesse. **SYN.** effronterie, sans-gêne.

impondérable adj. et n. m.
Adjectif
Difficile à prévoir, indéterminé. *Des conséquences impondérables.*
Nom masculin
(GÉNÉRALEMENT PLURIEL) Éléments difficiles à apprécier, mais néanmoins déterminants.

impopulaire adj.
Qui ne répond pas aux goûts du public.

importance n. f.
Caractère de ce qui est important. *L'importance d'une décision. Elle attache beaucoup d'importance à cette question.*
Locution
D'importance. De taille. *Une surprise d'importance.*

important, ante adj. et n. m.
Adjectif
1. Qui est d'un grand intérêt, d'une grande valeur, qui importe. *Une décision importante.*
2. Considérable. *Une somme importante.* **SYN.** grand.
3. Influent, prestigieux. *Un ministre important.*
Nom masculin
Essentiel. *L'important est d'être heureux.*
Locution
Faire l'important. Se donner des airs avantageux.

importateur n. m.
importatrice n. f.
Personne qui importe des biens et des services d'un autre pays.

importation n. f.
1. Action d'acheter des produits à l'étranger. *Faire l'importation de produits italiens.* **ANT.** exportation.
2. Produits achetés à l'étranger. *Des importations italiennes.*

importer v. tr., intr.
Verbe transitif direct
Acheter des produits étrangers. *Cette entreprise importe des matières premières d'Afrique.* **ANT.** exporter.
Verbe transitif indirect
Avoir de l'importance. *Il importe à Laura à réussir. Il importe de venir à temps.*
En ce sens, le verbe se construit avec la préposition ***à*** suivie d'un nom, avec la préposition ***de*** suivie de l'infinitif ou avec la conjonction ***que*** suivie du subjonctif. *Il importe que tu sois là.*
En ce sens, le verbe ne s'emploie qu'à la troisième personne du singulier ou du pluriel et à l'infinitif.
Verbe intransitif
Présenter de l'intérêt. *Peu importe ces noms* ou *peu importent ces noms. Qu'importe* ou *qu'importent les difficultés.*
Le verbe peut s'accorder ou rester invariable.
Locutions
N'importe comment, locution adverbiale. Par un moyen quelconque, sans soin. *Ils écrivent n'importe comment.*
N'importe lequel, laquelle, lesquels, lesquelles, locution pronominale. *N'importe laquelle de ces jeunes Françaises.*
N'importe où, locution adverbiale. En un lieu quelconque. *Elle veut aller n'importe où, là où il fait beau.*
N'importe quand, locution adverbiale. À tout moment. *Il peut arriver n'importe quand.*
N'importe quel, quelle, quels, quelles, locution adjective. Une personne, une chose quelconque. *N'importe quel garçon. N'importe quels fruits.*
Le verbe demeure invariable, mais l'adjectif indéfini s'accorde.
Conjugaison [VOIR MODÈLE – **AIMER**]

importun, une adj. et n. m. et f.
Qui vient mal à propos. *Un visiteur importun.* **SYN.** embêtant.

importuner v. tr.
Ennuyer, déranger. *Ces visites l'importunent.*
Conjugaison [VOIR MODÈLE – **AIMER**]

imposant, ante adj.
Qui impressionne par la grandeur, l'importance, la force. *Un édifice imposant. Ils ont été élus avec une majorité imposante.*
Ne pas confondre avec le participe présent invariable ***imposant.*** *Leurs supérieurs imposant leurs conditions, ils durent plier l'échine.*

imposer v. tr., pronom.
Verbe transitif direct
1. Faire payer un impôt. *Le gouvernement impose trop les Québécois.*
2. Exiger, dicter. *Imposer une tâche.* **SYN.** ordonner.
Verbe transitif indirect
En imposer à quelqu'un. Commander le respect. *Il en impose à ses élèves par sa science.* **SYN.** impressionner.
En ce sens, le verbe ne s'emploie que dans la locution citée.
Verbe pronominal
Se faire accepter. *Elle s'est imposée très vite.*
Conjugaison [VOIR MODÈLE – **AIMER**]

imposition n. f.
Action de faire payer un impôt. *Les taux d'imposition.*

impossibilité n. f.
Chose impossible. *Je suis dans l'impossibilité de venir.* **ANT.** possibilité.

impossible adj. et n. m.
Irréalisable. *Une tâche impossible. À l'impossible, nul n'est tenu.* (Proverbe) *Ils ont tenté l'impossible, mais ont échoué.*

imposteur n. m.
Personne qui se fait passer pour quelqu'un d'autre, pour ce qu'elle n'est pas. *Cette femme est un imposteur.* **SYN.** menteur, tricheur.
Ce nom n'a pas de forme féminine.

impôt n. m.
Contribution aux dépenses de l'État imposée aux particuliers, aux entreprises. *Impôt fédéral.*
imp**ô**t.

impotence n. f.
Invalidité. *Cet accident l'a condamné à l'impotence.*

imprécis, ise adj.
Qui manque de précision. *Des résultats imprécis.* **SYN.** flou, incertain, vague. **ANT.** précis.

imprécision n. f.
Manque de précision. *L'imprécision peut être source d'erreurs.*

imprégner v. tr.
1. Imbiber un corps d'un liquide. *Imprégner de solvant un chiffon.*
2. (FIGURÉ) Influencer. *On a imprégné ces étudiants de ces principes philosophiques.*
Conjugaison [VOIR MODÈLE – **POSSÉDER**]
Le **é** se change en **è** devant une syllabe muette, sauf à l'indicatif futur et au conditionnel présent. *J'imprègne,* mais *j'imprégnerai.*

imprenable adj.
Qui ne peut être pris. *Une forteresse imprenable.*
Locution
Vue imprenable. Vue qui ne peut pas être cachée par de nouveaux immeubles.

impression n. f.
1. Sentiment ou sensation résultant de l'effet d'un agent extérieur. *Une impression de calme, de froid.*
2. Opinion. *Donne-moi ton impression sur ce film.*
3. Reproduction d'un texte par l'imprimerie. *L'impression d'un ouvrage. Une impression en couleurs.*
Locutions
Avoir l'impression. Croire, s'imaginer que. *J'ai l'impression qu'il dit la vérité, de l'avoir déjà rencontré.*
Donner l'impression. Paraître. *Il donne l'impression d'être détendu, mais il est très inquiet.* **SYN.** sembler.
Faire impression. S'imposer fortement. *Vos exposés ont fait impression sur les participants.* **SYN.** frapper, impressionner.
Dans cette expression, le nom est invariable.
Faute d'impression. Erreur typographique. *Des fautes d'impression.*
Forme fautive
*être sous l'impression. Calque de l'anglais « to be under the impression that » pour ***avoir l'impression.***

impressionnable adj.
Facile à impressionner. **SYN.** émotif, sensible.

impressionnant, ante adj.
1. Émouvant, saisissant. *Ces trapézistes qui exécutent des numéros de voltige sont impressionnants.*
2. Imposant. *Les chutes Montmorency sont impressionnantes.* **SYN.** grandiose.
Ne pas confondre avec le participe présent invariable ***impressionnant.*** *Ces scènes impressionnant trop les enfants devront être supprimées.*
impressio**nn**ant.

impressionner v. tr.
1. Émouvoir, produire une forte impression sur. *Son courage nous a impressionnés.* **SYN.** frapper, toucher.
2. Intimider. *Ses grands airs ne m'impressionnent pas.*
Conjugaison [VOIR MODÈLE – **AIMER**]
impressio**nn**er.

imprévisible adj.
Impossible à prévoir. *Cet accident était imprévisible* (et non *incontrôlable). **SYN.** imprévu, inattendu. **ANT.** prévisible.

imprévoyance n. f.
Manque de prévoyance. **SYN.** étourderie. **ANT.** prévoyance.

imprévoyant, ante adj.
Qui manque de prévoyance. *Des voyageurs imprévoyants.* **ANT.** prévoyant.

imprévu, ue adj. et n. m.
Adjectif
Inattendu. *Des résultats imprévus. Une visite imprévue.*
Nom masculin
Ce qui n'a pas été prévu, qui est inattendu. *En cas d'imprévu, téléphonez-moi.*

imprimante n. f.
(INFORMATIQUE) Unité périphérique d'un ordinateur apte à imprimer des données. *Une imprimante (à) laser, une imprimante à jets d'encre.*

imprimé n. m.
1. Texte reproduit par l'imprimerie. *Le tarif postal des imprimés s'applique pour les journaux, les revues, les dépliants.*
2. Formulaire. *Des imprimés administratifs.*
3. Tissu orné d'un motif. *Un imprimé à fleurs.*

imprimer v. tr.
Reproduire des caractères, des dessins par les techniques de l'imprimerie. *Ce dictionnaire a été imprimé au Québec.*
Conjugaison [VOIR MODÈLE – **AIMER**]

imprimerie n. f.
1. Art d'imprimer les livres. *Des caractères d'imprimerie.*
2. Établissement où l'on imprime. *Cette imprimerie s'est automatisée.*

improbable adj.
Douteux, qui a peu de chances de se réaliser. **ANT.** probable.

improductif, ive adj.
Qui ne produit rien, qui produit peu. *Une terre improductive.*

imprononçable adj.
Impossible à prononcer. *Ce mot russe est imprononçable.*
✎ imprononçable.

impropre adj.
Qui n'est pas exact, qui ne convient pas. *Un terme impropre.*
VOIR **IMPROPRIÉTÉ.**

impropriété n. f.
Emploi incorrect d'un mot. *Au sens de* ***verrouiller, fermer à clé,*** *le verbe* ***barrer*** *est une impropriété.* **SYN.** erreur.

improvisation n. f.
Action, art d'improviser. *La Ligue nationale d'improvisation.*

improviser v. tr.
Faire une chose sans préparation. *Improviser un monologue.*
Conjugaison [VOIR MODÈLE – **AIMER**]

improviste (à l') loc. adv.
D'une manière imprévue, par surprise. *Il est arrivé à l'improviste.* **SYN.** subitement.

imprudemment adv.
La troisième syllabe se prononce ***da*** [ɛ̃prydamɑ̃].
De façon imprudente.
✎ imprudemment.

imprudence n. f.
1. Défaut d'une personne imprudente. *L'imprudence de ces écoliers est inquiétante.* **ANT.** prudence.
2. Action irréfléchie. *Traverser la rue sans regarder est une imprudence.* **SYN.** étourderie.

imprudent, ente adj. et n. m. et f.
Qui manque de prudence. *Des cyclistes imprudents.* **SYN.** casse-cou, étourdi.

impuissance n. f.
Impossibilité d'accomplir une chose. *Les sauveteurs étaient réduits à l'impuissance en raison de la tempête.*

impuissant, ante adj.
Incapable, inefficace. *Ils étaient impuissants devant l'ouragan.*

impulsif, ive adj. et n. m. et f.
Qui agit sous l'impulsion d'un instinct, sans réfléchir. *Elle est trop impulsive, elle commettra des erreurs.* **ANT.** réfléchi.

impulsion n. f.
1. Poussée. *Jules donne une impulsion à sa petite voiture.* **SYN.** élan.
2. Force, instinct qui pousse à agir. *Il a agi sous l'impulsion de la colère.* **SYN.** influence.

impunément adv.
Sans subir de punition. *Il ne pourra détourner des fonds impunément : on finira par l'attraper.*

impuni, ie adj.
Qui reste sans punition. *Ces malfaiteurs demeureront impunis tant qu'on ne les retrouvera pas.*

impur, ure adj.
Qui contient des matières étrangères. *Une eau impure.*

impureté n. f.
Présence d'un élément étranger dans quelque chose. *Il y a des impuretés dans cette eau : il faut la faire bouillir pour la rendre potable.*

imputer v. tr.
Attribuer la responsabilité d'une faute à quelqu'un. *On a injustement imputé ce crime à cette personne.* **SYN.** accuser.
Le complément d'objet direct du verbe se construit avec la préposition ***à.***
Conjugaison [VOIR MODÈLE – **AIMER**]

in- préf.
Élément du latin à valeur négative. *Inacceptable.*
Si le radical commence par un ***n,*** le ***n*** du préfixe demeure. *Innommable, innovateur.* Devant les consonnes ***l, m, r,*** le préfixe devient ***il-, im-, ir-.*** *Illogique, immobile, irresponsable.*

***in**
Anglicisme pour ***à la mode, en vogue.***

inabordable adj.
D'un prix élevé, exorbitant. *En hiver, les framboises sont inabordables.* **SYN.** cher.

inacceptable adj.
Que l'on ne peut accepter. *Ces conditions sont inacceptables.* **SYN.** inadmissible. **ANT.** acceptable.

inaccessible adj.
1. Dont l'accès est impossible. *Ces pics sont inaccessibles.*
2. Qu'on ne peut atteindre. *Des objectifs inaccessibles.* **SYN.** irréalisable.
✎ inaccessible.

inaccoutumé, ée adj.
Inhabituel. *Une visite inaccoutumée.* **ANT.** coutumier.

inachevé, ée adj.
Qui n'est pas achevé, fini. *Un dessin inachevé.* **SYN.** incomplet.

inactif, ive adj. et n. m. et f.
1. Qui n'a pas d'activité. *Un volcan inactif. Une personne inactive.*
2. Inefficace. *Un médicament inactif.*

inaction n. f.
Cessation de toute activité. *Ève n'aime pas l'inaction.* **SYN.** oisiveté.

inactivité n. f.
Absence d'activité. **SYN.** oisiveté.

inadaptation n. f.
Défaut d'adaptation. *Ces jeunes ont du mal à s'adapter à l'école : ils souffrent d'inadaptation.*
Locution
Inadaptation sociale. Défaut d'adaptation, global ou partiel, d'une personne à la normalité, soit parce qu'elle ne parvient pas à s'intégrer à la société, soit parce qu'elle refuse les valeurs sur lesquelles est fondée la société. (Recomm. off. OLF)

inadapté, ée adj. et n. m. et f.
Qui est incapable de s'adapter à un milieu en raison de difficultés de comportement.
Ne pas confondre avec le mot ***désadapté,*** celui qui n'est plus adapté à son milieu en raison de son évolution.

inadmissible adj.
Qu'on ne peut admettre. *Son comportement est inadmissible.* **SYN.** inacceptable, intolérable.

inadvertance (par) loc. adv.
Par distraction, par manque d'attention. **SYN.** par mégarde.

inanimé, ée adj.
1. Qui est sans vie. *Une matière inanimée. Des objets inanimés.*
2. Qui a perdu la vie ou la connaissance. *Elle tomba inanimée.* **SYN.** inconscient. **ANT.** animé.

inaperçu, ue adj.
Passer inaperçu. Ne pas être remarqué. *Les voleurs sont passés inaperçus.*

inappréciable adj.
Inestimable. *Votre aide est inappréciable.* **SYN.** précieux.
ina**pp**réciable.

inapte adj.
Incapable. *Ces personnes ont été jugées inaptes à faire ce travail.* **ANT.** apte.

inaptitude n. f.
Incapacité. *Son inaptitude à jouer du piano est évidente.*

inattaquable adj.
Qu'on ne peut attaquer, mettre en colère. *Ses arguments sont inattaquables.* **SYN.** irréprochable.
ina**tt**aquable.

inattendu, ue adj.
Imprévu. *Une visite inattendue.*

inattentif, ive adj.
Distrait. *Des élèves inattentifs.* **ANT.** attentif.

inattention n. f.
Manque d'attention. *Des fautes d'inattention.* **SYN.** distraction.

inauguration n. f.
Cérémonie d'ouverture. *L'inauguration d'une nouvelle bibliothèque.*

inaugurer v. tr.
1. Procéder à l'inauguration de quelque chose. *Ils ont inauguré la nouvelle école.*
2. Commencer, marquer le début de. *Inaugurer une nouvelle collaboration.* **SYN.** entreprendre.
Conjugaison [VOIR MODÈLE – **AIMER**]

inca adj. inv. et n. inv. en genre
Adjectif invariable
Relatif aux Incas. *Les coutumes inca.*
Nom invariable en genre
Les Incas ou *les Inca. Un Inca, une Inca.*
L'adjectif s'écrit avec une minuscule ; le nom, avec une majuscule.

incalculable adj.
1. Qu'on ne peut calculer. *Le nombre des grains de sable de cette plage est incalculable.*
2. Impossible à évaluer, très grand. *Des difficultés incalculables.*

incantation n. f.
Parole magique. *Le sorcier prononça des incantations.*

incapable adj. et n. m. et f.
Qui n'a pas l'aptitude à faire quelque chose. *Il est incapable de compter.*

incarcérer v. tr.
Mettre en prison. *On les a incarcérés pour trois ans.* **SYN.** emprisonner.
Conjugaison [VOIR MODÈLE – **POSSÉDER**]
Le **é** se change en **è** devant une syllabe muette, sauf à l'indicatif futur et au conditionnel présent. *J'incarcère,* mais *j'incarcérerai.*

incarner v. tr.
1. Personnifier. *Le Tartuffe de Molière incarne l'hypocrisie.* **SYN.** figurer.
2. Interpréter. *Cette comédienne incarna Hélène de Champlain.* **SYN.** jouer.
Conjugaison [VOIR MODÈLE – **AIMER**]

incassable adj.
Qui ne peut se casser. *Ces verres sont incassables.*

incendiaire adj. et n. m. et f.
Adjectif
Propre à causer un incendie. *Une bombe incendiaire.*
Nom masculin et féminin
Personne qui provoque volontairement un incendie. **SYN.** pyromane.
incendi**aire.**

incendie n. m.
Feu imporatnt qui cause des dégâts considérables. *Cet incendie a détruit deux maisons. Au mois d'août, il y a eu de nombreux incendies de forêt en raison de la sécheresse ; après plusieurs jours, les pompiers ont heureusement réussi à les maîtriser* (et non les *contrôler).
incendi**e.**

incendié, iée adj.
Détruit par le feu. *Une forêt incendiée.*

incendier v. tr.
Mettre en feu, détruire par le feu. *Malgré l'interdiction, des campeurs ont fait un feu de camp qui a incendié la forêt.*
Conjugaison [VOIR MODÈLE – **ÉTUDIER**]
Redoublement du ***i*** à la première et à la deuxième personne du pluriel de l'indicatif imparfait et du subjonctif présent. *(Que) nous incendiions, (que) vous incendiiez.*

incertain, aine adj. et n. m. et f.
1. Indéfini, imprécis. *Des résultats incertains.* **SYN.** indéterminé.
2. Variable. *Le temps est incertain, il pleuvra peut-être.*
3. Indécis. *Julie est incertaine ; elle ne sait pas quelle option choisir.*

incertitude n. f.
Indécision. *Julie n'a pas fait son choix : elle est encore dans l'incertitude.*

incessant, ante adj.
La deuxième syllabe se prononce **é** [ɛ̃sesɑ̃, ɑ̃t].
Continuel. *Des va-et-vient incessants.*

incident n. m.
Évènement imprévu d'importance secondaire. **SYN.** anicroche.
Ne pas confondre avec **accident**, évènement imprévisible, malheureux.

incinérateur n. m.
Appareil servant à incinérer les déchets.

incinérer v. tr.
Réduire en cendres. *Cette personne souhaite être incinérée après sa mort.*

i

Conjugaison [VOIR MODÈLE – **POSSÉDER**]
Le **é** se change en **è** devant une syllabe muette, sauf à l'indicatif futur et au conditionnel présent. *J'incinère,* mais *j'incinérerai.*

incise adj. et n. f.
(GRAMMAIRE) Proposition intercalée dans une phrase. *Je viendrai certainement, répondit-il, si j'en ai la possibilité.* Dans cette phrase, la proposition ***répondit-il*** est une incise. *Une proposition incise.*
Les verbes des propositions incises ont généralement le sens de « dire ». L'incise se met entre deux virgules.
Ne pas confondre avec **incisive**, dent.

inciser v. tr.
Faire une incision au moyen d'un instrument tranchant. *Inciser une gencive.*
Conjugaison [VOIR MODÈLE – **AIMER**]

incision n. f.
Coupure. *Le chirurgien lui a fait une petite incision pour enlever un grain de beauté.*

incisive n. f.
Dent. *Nous avons huit incisives.*
Ne pas confondre avec **incise**, proposition intercalée dans une phrase.

inciter v. tr.
Pousser. *Elle m'incita à accepter. On m'incite à la paresse.* **SYN.** encourager, entraîner, inviter.
Ce verbe se construit avec la préposition **à** suivie d'un nom ou d'un infinitif. *On incite quelqu'un à quelque chose.*
Conjugaison [VOIR MODÈLE – **AIMER**]

inclinaison n. f.
État de ce qui est incliné. *L'inclinaison du toit.*
Ne pas confondre avec **inclination**, penchant.

inclination n. f.
(LITTÉRAIRE) Penchant. *Elle a une inclination pour la poésie.* **SYN.** goût.
Ne pas confondre avec **inclinaison**, état de ce qui est incliné.

incliner v. tr., intr., pronom.
Verbe transitif
1. Rendre oblique ce qui est droit, faire pencher. *Le vent incline le voilier.*
2. Baisser. *Incliner la tête.*
Verbe intransitif
Être incliné. *La table incline un peu vers l'arrière.* **SYN.** pencher.
Verbe pronominal
1. Se baisser, se courber. *Elles se sont inclinées avec respect.*
2. (FIGURÉ) Se soumettre. *Ils se sont inclinés finalement et ont accepté la proposition.* **SYN.** céder, se résigner.
3. (FIGURÉ) (SPORTS) Perdre. *L'équipe des Castors s'est inclinée.*
Conjugaison [VOIR MODÈLE – **AIMER**]

inclure v. tr.
1. Introduire (dans). *Il inclut des illustrations dans son document.*
2. Comprendre, intégrer. *Les élèves que nous avons inclus dans le groupe sont très forts.*
Au participe passé, le verbe s'écrit ***inclus, incluse,*** à la différence de ***exclu, exclue,*** du verbe ***exclure.***
Conjugaison [VOIR MODÈLE – **INCLURE**]

inclus, use adj.
Compris. *Taxe incluse. Les piles sont incluses.* **ANT.** exclu.
La forme féminine de l'adjectif ***inclus*** est ***incluse,*** à la différence de celle de l'adjectif ***exclu*** qui fait ***exclue*** au féminin.
inclu**s,** un ***s*** même au singulier.

inclusivement adv.
En comprenant la chose dont on parle. *De la page 10 à 13 inclusivement.* **ANT.** exclusivement.

incognito adv. et n. m.
Le mot se prononce [ɛ̃kɔɲito].
Qui ne veut pas être reconnu. *Il voyage incognito. Garder l'incognito.*
Ce mot a été emprunté à l'italien où il signifie « inconnu ».
Ne pas confondre avec le mot ***anonyme,*** qui se dit d'un auteur inconnu, volontairement ou non.

incohérent, ente adj.
Le ***o*** est ouvert [ɛ̃kɔerɑ̃, ɑ̃t].
Qui manque de logique, d'unité, de cohésion. *Des paroles incohérentes.* **SYN.** absurde, illogique. **ANT.** cohérent.
inco**hé**rent.

incolore adj.
Qui n'a pas de couleur. *Un vernis incolore.*
incol**ore.**

incommode adj.
Peu pratique. *Cet escalier est incommode.*

incommoder v. tr.
Déranger, gêner. *Cette odeur de peinture les incommode.*
Conjugaison [VOIR MODÈLE – **AIMER**]

incomparable adj.
Sans pareil. *Ce paysage est incomparable.* **SYN.** admirable, remarquable, unique.

incompatible adj.
1. Qui ne peut s'accorder. *Des caractères incompatibles. Des groupes sanguins incompatibles.*
2. (MÉDECINE) Qui ne provoque pas de rejet du système immunitaire. *Des groupes sanguins incompatibles.*

incompétence n. f.
Manque de compétence. *Cette personne a atteint son niveau d'incompétence.*

incompétent, ente adj. et n. m. et f.
Qui n'est pas compétent. *Cet employé incompétent a été congédié.* **SYN.** incapable.

incomplet, ète adj.
Qui n'est pas complet. *Un devoir incomplet, un jeu de cartes incomplet.* **SYN.** partiel.

incompréhensible adj.
Qu'on ne peut comprendre. *Un mystère incompréhensible, une disparition incompréhensible.* **SYN.** inexplicable, mystérieux.

incompréhension n. f.
Incapacité à comprendre. *Martin souffre d'incompréhension, il se sent incompris.*

incompressible adj.
Qui ne diminue pas de volume. *L'eau est un fluide incompressible ; le gaz, un fluide compressible.*

incompris, ise adj. et n. m. et f.
Qui n'est pas compris. *Cette enfant est incomprise.*

inconcevable adj.
Le **e** central ne se prononce pas [ɛ̃kɔ̃svabl].

CONJUGAISON DU VERBE **INCLURE**

Indicatif

Présent
j' inclus
tu inclus
elle inclut
il inclut
nous incluons
vous incluez
elles incluent
ils incluent

Passé composé
j' ai inclus
tu as inclus
elle a inclus
il a inclus
nous avons inclus
vous avez inclus
elles ont inclus
ils ont inclus

Imparfait
j' incluais
tu incluais
elle incluait
il incluait
nous incluions
vous incluiez
elles incluaient
ils incluaient

Plus-que-parfait
j' avais inclus
tu avais inclus
elle avait inclus
il avait inclus
nous avions inclus
vous aviez inclus
elles avaient inclus
ils avaient inclus

Passé simple
j' inclus
tu inclus
elle inclut
il inclut
nous inclûmes
vous inclûtes
elles inclurent
ils inclurent

Passé antérieur
j' eus inclus
tu eus inclus
elle eut inclus
il eut inclus
nous eûmes inclus
vous eûtes inclus
elles eurent inclus
ils eurent inclus

Futur simple
j' inclurai
tu incluras
elle inclura
il inclura
nous inclurons
vous inclurez
elles incluront
ils incluront

Futur antérieur
j' aurai inclus
tu auras inclus
elle aura inclus
il aura inclus
nous aurons inclus
vous aurez inclus
elles auront inclus
ils auront inclus

Infinitif

Présent
inclure

Passé
avoir inclus

Subjonctif

Présent
que j' inclue
que tu inclues
qu' elle inclue
qu' il inclue
que nous incluions
que vous incluiez
qu' elles incluent
qu' ils incluent

Passé
que j' aie inclus
que tu aies inclus
qu' elle ait inclus
qu' il ait inclus
que nous ayons inclus
que vous ayez inclus
qu' elles aient inclus
qu' ils aient inclus

Imparfait
que j' inclusse
que tu inclusses
qu' elle inclût
qu' il inclût
que nous inclussions
que vous inclussiez
qu' elles inclussent
qu' ils inclussent

Plus-que-parfait
que j' eusse inclus
que tu eusses inclus
qu' elle eût inclus
qu' il eût inclus
que nous eussions inclus
que vous eussiez inclus
qu' elles eussent inclus
qu' ils eussent inclus

Conditionnel

Présent
j' inclurais
tu inclurais
elle inclurait
il inclurait
nous inclurions
vous incluriez
elles incluraient
ils incluraient

Passé
j' aurais inclus
tu aurais inclus
elle aurait inclus
il aurait inclus
nous aurions inclus
vous auriez inclus
elles auraient inclus
ils auraient inclus

Impératif

Présent
inclus
incluons
incluez

Passé
aie inclus
ayons inclus
ayez inclus

Participe

Présent
incluant

Passé
inclus, use
ayant inclus

Inimaginable. *Son attitude est inconcevable.*
Note : Ne pas confondre avec les mots suivants :
- ***bizarre,*** étonnant, singulier ;
- ***incroyable,*** difficile à croire ;
- ***invraisemblable,*** qui ne semble pas vrai.

inconfort n. m.
Manque de confort. *L'inconfort d'une tente.*
Orthographe : inconfor**t.**

inconfortable adj.
Qui n'est pas confortable. *Ce véhicule est inconfortable.*

inconnu, ue adj. et n. m. et f.
Adjectif
1. Qui n'est pas connu. *Un terme inconnu à tous, de tous.* **SYN.** ignoré.
2. Non déterminé. *Une destination inconnue.*
L'adjectif se construit avec les prépositions **à** ou ***de.***
Nom masculin et féminin
Étranger. *Elle a croisé un inconnu.*
Nom féminin
Variable mathématique. *Une équation à deux inconnues.*
Nom masculin
Ce qui n'est pas connu. *La peur de l'inconnu.*

inconsciemment adv.
De façon inconsciente.
Orthographe : incon**sc**iemment.

inconscience n. f.
1. Perte de connaissance. *Il est tombé et a glissé dans l'inconscience.*
2. Absence de réflexion. *Cette audace dénote de l'inconscience.* **SYN.** légèreté.
3. Folie. *Partir à cette heure ? C'est de l'inconscience.*
Orthographe : incon**sc**ience.

inconscient n. m.
Ensemble de phénomènes étrangers à la conscience.
Orthographe : incon**sc**ient.

inconscient, ente adj. et n. m. et f.
1. Qui a perdu connaissance. *Elle était inconsciente depuis quelques minutes.*
2. Spontané. *Un geste inconscient.* **SYN.** instinctif.
3. Qui n'a pas conscience de ses actes. *C'est une inconsciente.* **SYN.** fou, irréfléchi.
Orthographe : incon**sc**ient.

inconsolable adj.
Qui ne peut être consolé. *Elle a perdu sa bague et elle est inconsolable.*
Note : Cet adjectif se dit surtout d'une personne.

inconstance n. f.
Tendance à changer d'opinion, de sentiment. **SYN.** instabilité.

inconstant, ante adj. et n. m. et f.
Qui manque de constance, qui change souvent d'avis. *Christian est inconstant : il change souvent de copine.* **SYN.** changeant, instable, versatile.

incontestable adj.
Dont on ne peut douter, qui ne peut être contesté. *Son habileté est incontestable.* **SYN.** évident, indéniable, indiscutable.

incontrôlable adj.
Qui ne peut être vérifié. *Cet alibi est incontrôlable.*
Forme fautive
*incontrôlable. Anglicisme au sens de ***imprévisible, imprévu.***
Orthographe : incontr**ô**lable.

inconvenant, ante adj.
Contraire aux convenances, à la politesse. *Des propos inconvenants.* **SYN.** choquant, impoli.

inconvénient n. m.
Désavantage. *Les inconvénients du camping sont insignifiants alors que les avantages sont considérables.*

incorporer v. tr.
1. Mélanger. *Incorporer de la farine à une crème.*
2. Intégrer. *Une montre avec chronomètre incorporé.* **SYN.** insérer.
Conjugaison [VOIR MODÈLE – **AIMER**]

incorrect, ecte adj.
1. Fautif. *La réponse est incorrecte.* **SYN.** faux, inexact.
2. Impoli, grossier. *Ces propos sont incorrects.* **SYN.** inconvenant.

incorrectement adv.
D'une manière incorrecte. *Jules et Andréa ont écrit le mot* rythme *incorrectement : ils ont fait une faute d'orthographe.* **SYN.** mal.

incorrigible adj.
Qui ne peut être corrigé. *Ce livreur est incorrigible : il n'enlève pas ses bottes et salit toujours les parquets.*

incorruptible adj. et n. m. et f.
Qui demeure toujours honnête et juste. *Un agent incorruptible.*

incrédule adj. et n. m. et f.
Méfiant. *Les passants incrédules n'en croyaient pas leurs yeux : cet homme mesurait plus de 2,30 m.* **SYN.** sceptique.

incrédulité n. f.
Méfiance, doute. *C'est avec beaucoup d'incrédulité qu'on l'écouta raconter ses exploits de pêche : il exagère toujours.*

incriminer v. tr.
Accuser, blâmer. *On n'a pas incriminé ces personnes innocentes.*
Conjugaison [VOIR MODÈLE – **AIMER**]

incroyable adj. et n. m.
Difficile à croire. *Ce récit est incroyable.* **SYN.** étrange, surprenant.
Note : Ne pas confondre avec les mots suivants :
- ***bizarre,*** étonnant, singulier ;
- ***inconcevable,*** inimaginable ;
- ***invraisemblable,*** qui ne semble pas vrai.

incroyablement adv.
D'une manière incroyable. *Ces jeunes sont incroyablement talentueux.* **SYN.** énormément, extrêmement.

incroyance n. f.
Absence de croyance religieuse.

incroyant, ante adj. et n. m. et f.
Qui n'est pas croyant. *Les incroyants.*

incrustation n. f.
Action d'incruster ; ce qui est incrusté. *Des incrustations de bois précieux.*

incruster v. tr., pronom.
Verbe transitif
Appliquer une matière sur une autre pour l'orner. *Incruster d'or une reliure.*

Verbe pronominal
1. Adhérer fortement, s'implanter profondément. *La saleté s'est incrustée, il faudra bien frotter.*
2. (FAMILIER) (FIGURÉ) Imposer sa présence trop longuement. *Ces invités s'incrustent : je vais devoir leur préciser qu'il se fait tard.*
Conjugaison [VOIR MODÈLE – **AIMER**]

incubateur, trice adj. et n. m.
Qui favorise l'incubation des œufs. *Un appareil incubateur. Un incubateur perfectionné.*

incubation n. f.
1. Développement de l'embryon dans l'œuf. *L'incubation des œufs par la poule dure 21 jours.*
2. Période comprise entre l'infection d'un organisme et l'apparition de la maladie. *La période d'incubation de cette maladie est de cinq jours.*

inculpé, ée adj. et n. m. et f.
Personne présumée coupable.

inculper v. tr.
Accuser quelqu'un d'une faute. *On l'a inculpé de vol.*
Ne pas confondre avec le verbe ***inculquer,*** enseigner.
Conjugaison [VOIR MODÈLE – **AIMER**]

inculquer v. tr.
Enseigner. *Elle aimerait t'inculquer le respect et l'amour de la belle langue française.*
Ne pas confondre avec le verbe ***inculper,*** accuser quelqu'un d'une faute.
Conjugaison [VOIR MODÈLE – **AIMER**]

incurable adj. et n. m. et f.
Qui ne peut être guéri. *Ce malade est incurable.*

incursion n. f.
Invasion, irruption momentanée. *Les troupes ont fait une incursion en territoire ennemi.*

incurver v. tr., pronom.
Verbe transitif
Courber. *Incurver une pièce métallique.*
Verbe pronominal
Prendre une forme courbe. *À cet endroit, la route s'incurve.*
Conjugaison [VOIR MODÈLE – **AIMER**]

indécent, ente adj.
Inconvenant, scandaleux. *Elle porte un fuseau indécent.*
indéc**en**t.

indéchiffrable adj.
1. Illisible, que l'on ne peut déchiffrer. *Une écriture indéchiffrable.*
2. Impossible à comprendre. *Une énigme indéchiffrable.* **SYN.** incompréhensible, inexplicable.

indécis, ise adj. et n. m. et f.
Qui n'arrive pas à se décider. *Des clients indécis.* **SYN.** hésitant, incertain.

indécision n. f.
Hésitation. *Cette personne est dans l'indécision, elle n'arrive pas à faire un choix.* **SYN.** incertitude.

indéfendable adj.
Qu'on ne peut défendre. *Cette opinion est indéfendable.*

indéfini, ie adj.
Indéterminé. *Une longueur indéfinie.*
VOIR TABLEAU – **ARTICLE.**
VOIR TABLEAU – **INDÉFINI (ADJECTIF).**

indéfiniment adv.
D'une manière indéfinie, à jamais. *Éliane sera indéfiniment reconnaissante à son médecin : elle est maintenant hors de danger. Grâce à lui, elle est guérie.* **SYN.** à l'infini.

indéfinissable adj.
Difficile à définir. *Un parfum indéfinissable.* **SYN.** indéterminable.

indemne adj.
Le **e** final ne se prononce pas [ɛ̃dɛmn].
Sans dommage, sans blessure. *Il est sorti indemne de cet accident.*
inde**mn**e.

indemniser v. tr.
Dédommager. *Cette famille sera indemnisée pour son déménagement.*
Conjugaison [VOIR MODÈLE – **AIMER**]

indemnité n. f.
Somme accordée en compensation de frais engagés, en réparation d'un tort. *Une indemnité de déménagement, de licenciement.*

indéniable adj.
Qu'on ne peut nier. *Son talent est indéniable.* **SYN.** certain, incontestable, indiscutable.

indéniablement adv.
De façon indéniable.

indépendamment adv.
De façon indépendante. *Il agit indépendamment.*
Locutions
Indépendamment de, locution prépositive. En ne tenant pas compte de quelqu'un, de quelque chose. *Indépendamment de ces progrès, nous avons encore du chemin à parcourir.*
Indépendamment de, locution prépositive. En plus de. *Indépendamment de ses vacances, il a d'autres congés.*
indép**en**damment.

indépendance n. f.
1. Liberté. *Étienne tient à son indépendance.*
2. Autonomie. *L'indépendance d'un État.* **SYN.** souveraineté.
3. Absence de relation entre deux phénomènes.
indép**en**d**an**ce.

indépendant, ante adj.
1. Sans rapport. *Un phénomène indépendant de la météo.* **SYN.** sans relation.
En ce sens, l'adjectif se construit avec la préposition ***de.***
2. Libre, qui refuse la contrainte. *Un caractère indépendant.*
3. Autonome. *Le Québec sera-t-il indépendant un jour ?* **SYN.** souverain.
indép**en**d**ant.**

indépendantiste adj. et n. m. et f.
Partisan de l'indépendance. *Les indépendantistes du Québec.*
indép**en**d**an**tiste.

indescriptible adj.
Qu'on ne peut décrire. *Un désordre indescriptible.* **SYN.** inexprimable.
Ne pas confondre avec ***indestructible,*** qu'on ne peut détruire.

indésirable adj. et n. m. et f.
Se dit d'une personne dont la présence n'est pas désirée. *Ce sont des indésirables.*

L'adjectif indéfini (ou le déterminant indéfini) détermine un nom pour le marquer d'une manière plus ou moins vague. Il exprime une idée de quantité, une qualité indéterminée, une idée de ressemblance ou de différence.

Principaux adjectifs indéfinis

aucun	différents	même	quelque
autre	divers	nul	tel
certain	force	plusieurs	tout...
chaque	maint	quelconque	

Locutions indéfinies

assez de	le plus possible de	nombre de	quantité de
autant de	l'un et l'autre des	pas un des	un peu de
beaucoup de	n'importe lequel des	peu de	tant de
bien de, des	n'importe quel	plus d'un, une	trop de...

Note – Les locutions comprenant **de** ou **des** marquent une idée de quantité et sont toujours suivies d'un verbe au pluriel. *Beaucoup de personnes ont applaudi.*

i

L'adjectif indéfini (ou le déterminant indéfini) exprime :

UNE IDÉE DE QUANTITÉ

0 Une quantité nulle, ***zéro***

aucun, aucune, aucuns	*Martin n'a reçu aucun appel.*	VOIR **AUCUN.**
nul, nulle, nuls	*Nul chien n'a été aperçu.*	VOIR **NUL.**
pas un, pas une	*Pas une maison à l'horizon.*	

Note – Ces adjectifs indéfinis doivent toujours être accompagnés de ***ne, ne... jamais*** ou ***ne... plus***. Cependant, on ne peut employer les adverbes ***pas*** ou ***point***.

=1 Une quantité ***égale à un***

chaque	*Chaque élève a un crayon et un cahier.*	VOIR **CHAQUE.**
quelque	*Elle a quelque peine à lui faire confiance.*	VOIR **QUELQUE.**
un certain, une certaine	*Après avoir lu un certain temps, elle a dormi.*	VOIR **CERTAIN.**

+1 Une quantité indéfinie ***supérieure à un***

certains, certaines	*Certains jouets seront offerts.*	VOIR **CERTAIN.**
différents, différentes	*Différentes personnes étaient présentes.*	VOIR **DIFFÉRENT.**
divers, diverses	*Diverses épreuves auront lieu.*	VOIR **DIVERS.**
quelques	*J'ai vu quelques enfants.*	VOIR **QUELQUE.**
maints, maintes	*Tu l'as rencontré maintes fois.*	VOIR **MAINT.**

Note – Lorsque la quantité indéfinie est supérieure à ***un***, l'adjectif indéfini est obligatoirement au pluriel.

tout Une quantité ***totale***

tous, toutes	*J'ai essayé tous les patins.*	VOIR TABLEAU – **TOUT.**

suite ►

UNE QUALITÉ INDÉTERMINÉE		
n'importe quel ***n'importe lequel*** ***n'importe laquelle*** ***n'importe lesquels*** ***n'importe lesquelles***	*N'importe quelle personne peut entrer.*	VOIR **N'IMPORTE QUEL.**
quelconque, quelconques	*Il a acheté un ballon quelconque.*	VOIR **QUELCONQUE.**
tel, telle, tels, telles	*Si tu ajoutes telle quantité de sucre, ce sera délicieux.*	VOIR TABLEAU – **TEL.**
UNE IDÉE DE RESSEMBLANCE		
même	*Les élèves ont vu le même film, ont mangé les mêmes fruits que nous.*	VOIR TABLEAU – **MÊME.**
UNE IDÉE DE DIFFÉRENCE		
autre, autres	*Je te verrai un autre jour.*	VOIR **AUTRE.**

indestructible adj.
Qu'on ne peut détruire, très solide. *Une confiance indestructible, un béton indestructible.*
Ne pas confondre avec ***indescriptible,*** qu'on ne peut décrire.

indéterminable adj.
Indéfinissable. *Un air indéterminable.*

indéterminé, ée adj.
Qui n'est pas déterminé, indistinct. *Une date indéterminée.* **SYN.** incertain.

index n. m.
Le ***x*** se prononce [ɛ̃dɛks].
1. Deuxième doigt de la main.
2. Table alphabétique. *Des index thématiques et alphabétiques.*

indicateur n. m.
indicatrice n. f.
Personne qui donne des renseignements aux policiers contre de l'argent, des avantages. *Un indicateur de police.*

indicateur n. m.
Appareil de mesure. *Un indicateur de niveau d'essence.*

indicatif, ive adj. et n. m.
Adjectif
Qui indique. *À titre indicatif, je vous envoie notre dépliant.*
Nom masculin
(GRAMMAIRE) Mode du verbe indiquant l'état ou l'action d'une manière absolue. *Le présent de l'indicatif est le mode du réel, le mode des faits certains.*
VOIR TABLEAU – **INDICATIF.**
Locutions
Indicatif musical (et non *thème musical, chanson thème). Pièce musicale qui annonce une émission régulière de télévision, de radio. *Cet indicatif était celui de* Passe-partout.
Indicatif régional (et non *code régional). Ensemble de chiffres destiné à sélectionner une zone téléphonique et que l'on compose avant le numéro d'un correspondant.

indication n. f.
1. Renseignement. *Grâce à ses indications, j'ai pu trouver la bonne direction.*
2. Marque. *Le panneau porte une indication du chemin à suivre.*

indice n. m.
Signe. *Ces fautes sont un indice de son inattention.*
Attention au genre masculin de ce nom : ***un*** indice.

indien, ienne adj. et n. m. et f.
1. Qui habite l'Inde. *Un citoyen indien.*
2. Qui appartient aux populations autochtones de l'Amérique. En ce sens, on dit plutôt ***amérindien.***
L'adjectif s'écrit avec une minuscule ; le nom, avec une majuscule.

indifféremment adv.
La quatrième syllabe se prononce ***ra*** [ɛ̃diferamɑ̃].
Sans faire de différence. *Elle aime indifféremment la glace aux fraises ou au chocolat.*
indifférem**mm**ent.

indifférence n. f.
Insensibilité, absence d'intérêt. *L'indifférence de son amie attriste Étienne.* **SYN.** détachement, froideur.

indifférent, ente adj.
1. Sans intérêt. *Toutes ces propositions le laissent indifférent.*
2. Égal. *Ce choix m'est indifférent : j'aime aussi bien l'un que l'autre.*

indigène adj. et n. m. et f.
Se dit d'une personne née dans le pays où elle habite.

Mode du réel, des faits certains, l'indicatif permet de situer une action dans le temps par rapport à l'instant présent.

AXE DU TEMPS

passé — présent — futur

Autrefois, on s'écrivait. **Aujourd'hui,** on se téléphone. **Demain,** on emploiera l'inforoute.

L'indicatif est le mode le plus souvent utilisé ; il comprend un temps pour le **présent**, cinq temps pour le **passé** et deux temps pour le **futur**.

LE PRÉSENT

Ce temps exprime un **fait présent, actuel.**

Aujourd'hui il fait beau et on a congé : youpi !

Le présent traduit également :

– **une vérité éternelle, générale.**

Deux et deux font quatre.

– **un fait habituel.**

Les enfants partent tous les matins à 7 h 30 : les cours commencent à 8 h 30.

– **un fait historique.**

Maisonneuve fonde Montréal en 1642.

– **un passé récent.**

La partie de tennis se termine à l'instant.

– **un futur proche.**

Attends-moi, j'arrive dans quelques minutes.

VOIR TABLEAU – **PRÉSENT.**

LE PASSÉ

L'**imparfait** exprime :

– **un fait qui dure dans le passé.**

Autrefois, on s'éclairait à la chandelle.

– **un fait non achevé quand un autre a eu lieu.**

Il pleuvait quand nous sommes arrivés à Gaspé.

– **un fait habituel dans le passé.**

Tous les jours, le laitier nous livrait lait, beurre et œufs.

– **un fait hypothétique dans une subordonnée conditionnelle alors que le verbe de la principale est au conditionnel présent.**

Si j'avais su, je ne serais pas venu.

Le **passé simple** traduit :

– **un fait qui s'est produit il y a longtemps (passé lointain) et qui est complètement achevé.**

Le Vésuve entra en éruption en 79 après Jésus-Christ et ensevelit la ville de Pompéi.

suite

- Le passé est le temps du récit historique : il décrit des actions coupées du présent. Il s'emploie surtout dans la langue écrite, car la langue orale lui préfère le passé composé.

Le **passé composé** décrit :

– **un fait accompli,** qui a eu lieu avant le moment où l'on parle.

Ils ont bien travaillé.

Le **passé antérieur** traduit :

– **un fait passé** qui s'est produit immédiatement **avant un autre fait passé.**

Quand ils eurent terminé, ils partirent.

Le **plus-que-parfait** exprime :

– **un fait entièrement achevé** lors d'un autre fait passé.

Nous avions terminé nos exercices quand la cloche a sonné.

VOIR TABLEAU – **PASSÉ (TEMPS DU).**

LE FUTUR

Le **futur** exprime un fait qui aura lieu dans l'avenir.

Nous finirons bientôt. Marie-Ève aura 20 ans l'été prochain.

Il exprime également :

– **une vérité générale.**

Il y aura toujours des gagnants et des perdants.

– **une probabilité.**

L'automne sera beau, je crois.

– **un futur dans le passé.**

Vous assisterez ensuite à la victoire de notre équipe.

– **un impératif.**

Vous voudrez bien m'expliquer cette erreur.

– **un présent atténué par politesse.**

Tu comprendras que je ne pouvais te révéler ce secret.

Le **futur antérieur** traduit un fait qui devra en précéder un autre dans l'avenir.

Quand il aura terminé, il prendra des vacances.

Il peut également marquer :

– **un fait futur inévitable.**

Je ne suis pas inquiète, il aura conquis son auditoire en quelques minutes.

– **un fait passé hypothétique.**

Il ne s'est pas présenté, il se sera rendu à notre ancienne adresse.

VOIR TABLEAU – **FUTUR.**
VOIR TABLEAU – **CONCORDANCE DES TEMPS.**

indigestion n. f.
1. Indisposition causée par une mauvaise digestion.
2. (FIGURÉ) Dégoût de quelque chose par une trop grande abondance. *Une indigestion de mathématiques.*

indignation n. f.
Révolte, colère suscitée par une injustice, un affront, etc. *Ce refus a provoqué son indignation.*

indigne adj.
1. Qui ne mérite pas (quelque chose de favorable). *Cette personne est indigne de votre gentillesse.*
En ce sens, l'adjectif se construit avec la préposition ***de.***
2. Méprisable. *Des parents indignes.*

indigner v. tr., pronom.
Verbe transitif
1. Révolter, remplir d'indignation. *Cette proposition malhonnête a indigné le groupe.*
2. ***Être indigné que.***
La conjonction ***que*** est suivie du subjonctif. *Ils sont indignés que cette personne ait l'audace de les contredire.*
Verbe pronominal
Éprouver un sentiment de colère, de révolte. *Il s'indigne contre la bureaucratie. Elle s'indigna de voir son amie si gentille critiquée* ou *que l'on critique son amie si gentille.*
Le verbe se construit avec la préposition ***contre*** suivie d'un nom, avec la préposition ***de*** suivie de l'infinitif ou avec la conjonction ***que*** suivie du subjonctif.
Conjugaison [VOIR MODÈLE – **AIMER**]
Les lettres ***gn*** sont suivies d'un ***i*** à la première et à la deuxième personne du pluriel de l'indicatif imparfait et du subjonctif présent. *(Que) nous indignions, (que) vous indigniez.*

indigo adj. inv. et n. m.
Adjectif de couleur invariable
D'un bleu foncé avec des reflets violets. *Des tissus indigo.*
VOIR TABLEAU – **COULEUR (ADJECTIFS DE).**
Nom masculin
1. Bleu violacé.
2. Matière colorante.

indiquer v. tr.
1. Faire connaître, signaler. *Elle lui indiqua la route du village.* **SYN.** montrer.
2. Révéler, dénoter. *Cette écriture indique une certaine instabilité.* **SYN.** marquer, signaler.
Conjugaison [VOIR MODÈLE – **AIMER**]

indirect, ecte adj.
Qui n'est pas en ligne droite. *Un éclairage indirect. Une route indirecte.* **ANT.** direct.
Locution
Complément indirect. (GRAMMAIRE) Complément rattaché au verbe par l'intermédiaire d'une préposition.
Le complément indirect répond aux questions ***à qui? à quoi? de qui? de quoi? par qui? par quoi?*** Dans les phrases suivantes : *Julie parle à Catherine. Elle parle de Christian,* les noms *Catherine* et *Christian* sont des compléments d'objet indirect du verbe ***parler.***

indirectement adv.
D'une manière indirecte.

indiscipliné, ée adj.
Qui manque de discipline. *Des collégiens indisciplinés.* **SYN.** désobéissant.

indiscret, ète adj. et n. m. et f.
Sans discrétion, curieux. *Des questions indiscrètes.*

indiscutable adj.
Qu'on ne peut discuter. *Ce succès est indiscutable.* **SYN.** certain, indéniable, sûr.

indispensable adj.
1. Essentiel, vital. *L'eau est indispensable à la vie. Ce livre m'est indispensable.* **SYN.** nécessaire.
2. ***Il est indispensable de*** + infinitif. ***Il est indispensable que*** + subjonctif. *Il est indispensable de faire ceci. Il est indispensable que tu fasses ceci.*
La forme impersonnelle se construit avec ***de*** et l'infinitif ou avec ***que*** et le subjonctif.

indisposer v. tr.
1. Rendre légèrement malade.
2. Agacer. *Ces remarques désagréables ont indisposé le juge.* **SYN.** fâcher, mécontenter.
Conjugaison [VOIR MODÈLE – **AIMER**]

indisposition n. f.
Malaise léger.

indistinct, incte adj.
Les lettres ***ct*** se prononcent ou non au masculin [ɛ̃distɛ̃kt] ou [ɛ̃distɛ̃], contrairement au féminin où elles se prononcent toujours.
Imprécis, confus. *Des contours indistincts.* **SYN.** flou, vague.
indistin**ct.**

individu n. m.
1. Personne quelconque. *Cette ville compte 35 000 individus.* **SYN.** personne.
En ce sens, le nom a une valeur neutre.
2. Personne inconnue. *Deux individus ont pris la fuite.*
En ce sens, ce nom a une valeur défavorable.

individuel, elle adj.
1. Qui appartient à l'individu. *Une propriété individuelle.* **SYN.** personnel, privé.
2. À la disposition d'une seule personne. *Un siège individuel.*

individuellement adv.
D'une manière individuelle.

indivisible adj.
Qui ne peut être divisé, qui forme un tout. *Des éléments indivisibles.*

indolence n. f.
Insouciance, paresse. *Le chat s'étire avec indolence.* **SYN.** langueur, nonchalance.
indol**en**ce.

indolent, ente adj. et n. m. et f.
Insouciant, paresseux. *Une personne indolente.* **SYN.** fainéant, nonchalant.
Ne pas confondre avec le mot ***indolore,*** qui ne provoque aucune douleur physique.
indol**ent.**

indolore adj.
Qui ne provoque aucune douleur physique. *Ce traitement est indolore, on ne sent rien.*
Ne pas confondre avec le mot ***indolent,*** insouciant, paresseux.

indomptable adj.
Le ***p*** ne se prononce pas [ɛ̃dɔ̃tabl].

1. Qu'on ne peut dompter. *Un cheval indomptable.* **SYN.** sauvage.
2. (FIGURÉ) Qu'on ne peut maîtriser. *Un caractère indomptable.*

indonésien, enne adj. et n. m. et f.
Relatif à l'Indonésie. *Une coutume indonésienne. Un Indonésien, une Indonésienne.*
L'adjectif s'écrit avec une minuscule ; le nom, avec une majuscule.

indubitable adj.
Incontestable, qu'on ne peut mettre en doute. *Des témoignages indubitables.* **SYN.** certain, indiscutable, sûr.

indulgence n. f.
Facilité à pardonner. *Les fautifs auront besoin de son indulgence.* **SYN.** clémence, compréhension, tolérance.

indulgent, ente adj.
Clément, tolérant. *Il est indulgent envers les gourmands, mais non pour les gloutons.*
L'adjectif se construit avec ***envers*** ou ***pour.***

industrialisation n. f.
Action de doter une région d'établissements industriels.

industrialiser v. tr., pronom.
Verbe transitif
Doter d'établissements industriels.
Verbe pronominal
Être exploité industriellement. *Le Québec a commencé à s'industrialiser au début du siècle.*
Conjugaison [VOIR MODÈLE – **AIMER**]

industrie n. f.
1. Activité économique ayant pour objet la transformation des matières premières en produits finis.
2. Ensemble des entreprises d'un secteur. *L'industrie pharmaceutique, l'industrie du meuble.*
Forme fautive
*industrie. Impropriété au sens de ***entreprise, établissement industriel.***

industriel n. m.
industrielle n. f.
Chef d'industrie.

industriel, ielle adj.
Relatif à l'industrie. *Une entreprise industrielle.*

inébranlable adj.
Ferme, inflexible. *Il ne changera pas d'avis, il est inébranlable.* **SYN.** déterminé.

inédit, ite adj. et n. m.
1. Non publié. *Un récit inédit.*
2. Original. *Une façon inédite de faire de la publicité.* **SYN.** innovateur, nouveau.

ineffaçable adj.
La deuxième syllabe se prononce ***né*** [inefasabl].
Qui ne peut disparaître. *Un souvenir ineffaçable.*
ineffa**ç**able

inefficace adj.
La deuxième syllabe se prononce ***né*** [inefikas].
Qui n'agit pas. *Une mesure inefficace.*

inefficacité n. f.
La deuxième syllabe se prononce ***né*** [inefikasite].
Manque d'efficacité.

inégal, ale, aux adj.
1. Qui n'est pas uni. *Un sol inégal.*
2. Qui n'est pas égal. *Une lutte inégale.*

inégalable adj.
Qui ne peut être égalé. *Un musicien inégalable.* **SYN.** extraordinaire, remarquable, unique.

inégalé, ée adj.
Qui n'a pas été égalé. *Un record inégalé.*

inégalité n. f.
1. Défaut d'égalité, différence. *Des inégalités sociales.* **SYN.** déséquilibre.
2. Irrégularité. *Les inégalités de la route.*

inéluctable adj.
Inévitable. *Le raz-de-marée est inéluctable.* **SYN.** fatal.

inépuisable adj.
Qu'on ne peut épuiser. *Des ressources inépuisables.*

inerte adj.
Sans mouvement. *Le blessé gisait inerte.*

inertie n. f.
Le ***t*** se prononce ***s*** [inɛrsi]; le mot rime avec ***si.***
1. Résistance. *Une force d'inertie.*
2. Manque d'activité, d'énergie. *Impossible de le tirer de son inertie.* **SYN.** inaction, paresse.

inespéré, ée adj.
Inattendu. *Une participation inespérée.* **SYN.** imprévu.

inestimable adj.
Qui n'a pas de prix. *Une aide inestimable.* **SYN.** précieux.

inévitable adj.
Qu'on ne peut éviter. *Un accident inévitable.* **SYN.** fatal, inéluctable.

inexact, acte adj.
Au masculin, les lettres ***ct*** peuvent se prononcer ou non [inɛgzakt] ou [inɛgza], contrairement au féminin où ces lettres se prononcent toujours.
1. Qui n'est pas exact, faux. *Une orthographe inexacte.* **SYN.** erroné.
2. Qui n'est pas ponctuel. *Des employés inexacts.* **SYN.** retardataire.

inexactitude n. f.
1. Erreur. *L'inexactitude d'une réponse.* **SYN.** faute.
2. Manque de ponctualité. *Les élèves ont eu une retenue pour leur inexactitude : ils sont toujours en retard.*

inexcusable adj.
Impardonnable. *Votre erreur est inexcusable.*

inexistant, ante adj.
Qui n'existe pas. *Des ressources inexistantes.*

inexpérience n. f.
Absence d'expérience. *Son inexpérience lui compliquera la tâche.*

inexpérimenté, ée adj.
Sans expérience. *Une employée inexpérimentée.*

inexplicable adj.
Qu'on ne peut expliquer. *Son geste est inexplicable.* **SYN.** étrange, incompréhensible, mystérieux.

inexploré, ée adj.
Qui n'a pas encore été exploré. *Des forêts inexplorées.* **SYN.** vierge.

inexpressif, ive adj.
Qui est sans expression. *Des yeux inexpressifs.*

inexprimable adj.
Que les mots sont impuissants à traduire. *Une joie inexprimable, une angoisse inexprimable.* **SYN.** indescriptible.
Cet adjectif peut se dire d'une chose non matérielle, agréable ou désagréable.

inextricable adj.
1. Qu'on ne peut démêler, complètement embrouillé. *Un amas inextricable de fils électriques.*
2. (FIGURÉ) Compliqué, très embrouillé. *Une situation inextricable dont on peut difficilement se tirer.*

infaillible adj.
1. Qui ne peut se tromper. *Il est infaillible, il a toujours la bonne réponse.*
2. Qui a un effet assuré. *Un remède infaillible.* **SYN.** efficace, parfait.

infanterie n. f.
Partie d'une armée chargée de conquérir, d'occuper, de défendre le terrain.

infatigable adj.
Que rien ne fatigue. *Ces athlètes semblent infatigables.* **SYN.** (FAMILIER) increvable, résistant.
infati**ga**ble.

infect, ecte adj.
Les lettres ***ct*** se prononcent [ɛ̃fɛkt].
1. Répugnant, très sale. *Des prisons infectes.*
2. Dégoûtant, très mauvais. *Des repas infects.*
3. (FIGURÉ) Mauvais, ignoble. *Une conduite indigne, infecte.*

infecter v. tr., pronom.
Contaminer. *Ces saletés ont infecté sa plaie. Sa plaie pourrait s'infecter.*
Ne pas confondre avec **infester**, envahir, dévaster.
Conjugaison [VOIR MODÈLE – **AIMER**]

infection n. f.
Contamination par des microbes.

inférieur, eure adj. et n. m. et f.
1. Situé plus bas. *Les jambes sont les membres inférieurs, les bras, les membres supérieurs. Les jouets se trouvent à l'étage inférieur.* **ANT.** supérieur.
2. Plus petit. *Les résultats de cet élève sont inférieurs à la moyenne.* **SYN.** moindre.
En ce sens, l'adjectif se construit avec la préposition ***à.***
L'adjectif ***inférieur*** exprime une idée de comparaison, il n'est pas possible de l'employer au comparatif; par contre, l'emploi du superlatif est usité. *Les résultats sont très inférieurs.*

infernal, ale, aux adj.
1. Qui évoque l'enfer. *Un bruit infernal, une chaleur infernale.*
2. (FIGURÉ) Insupportable, endiablé. *Un adolescent infernal.*

infester v. tr.
Envahir, dévaster (en parlant d'insectes, d'animaux, de plantes nuisibles). *Des potagers infestés de pucerons et de mauvaises herbes.*
Ne pas confondre avec **infecter**, contaminer.
Conjugaison [VOIR MODÈLE – **AIMER**]

infidèle adj.
1. Inconstant, qui change souvent de sentiment et d'avis. *Des amis infidèles.*
2. Inexact. *Un résumé infidèle.*
infid**èle,** l'adjectif a la même forme au masculin et au féminin.

infidélité n. f.
Manque de fidélité.
infid**él**ité.

infiltration n. f.
Pénétration accidentelle d'un liquide. *Des infiltrations d'eau dans un mur.*

infiltrer (s') v. pronom.
Pénétrer peu à peu. *Les eaux se sont infiltrées dans les fondations de l'immeuble.*
À la forme pronominale, le participe passé du verbe s'accorde toujours en genre et en nombre avec le sujet.
Conjugaison [VOIR MODÈLE – **AIMER**]

infime adj.
Minuscule, très petit. *Une somme infime te sera demandée : 0,01 $.* **SYN.** minime.
L'adjectif comportant une valeur de superlatif, il est préférable de s'abstenir de l'employer avec ***plus, moins, très.***
Ne pas confondre avec l'adjectif ***infirme,*** atteint d'une infirmité.

infini, ie adj. et n. m.
Adjectif
1. Sans commencement et sans fin. *Un ciel infini, un espace infini, un temps infini.*
2. Très nombreux, considérable. *Le nombre des grains de sable de cette plage est infini.* **SYN.** incalculable.
3. Très grand, extrême. *Une patience et une bonté infinies.*
Nom masculin
Ce qui est sans limites. *L'infini ne sera jamais exploré.*
Locution
À l'infini, locution adverbiale. Sans fin, sans bornes. *On peut arroser le désert à l'infini, il demeurera sec.* **SYN.** indéfiniment.

infiniment adv.
1. Extrêmement. *Ces particules sont infiniment petites, elles sont microscopiques.*
2. Beaucoup, très. *Merci infiniment pour le beau bouquet.*

infinité n. f.
1. Quantité infinie. *Une infinité d'étoiles.*
2. Nombre considérable, très élevé. *Une infinité de promeneurs ont admiré ce paysage.*
L'accord du verbe ou de l'adjectif se fait avec le complément au pluriel des collectifs ***infinité, quantité, espèce, sorte,*** etc.
VOIR TABLEAU – **COLLECTIF.**

infinitif, ive adj. et n. m.
Adjectif
(GRAMMAIRE) Caractérisé par l'emploi de l'infinitif. *Une proposition infinitive comporte un verbe à l'infinitif.*
Nom masculin
(GRAMMAIRE) Mode impersonnel du verbe sans indication de personne (première, deuxième, troisième) ni de nombre (singulier, pluriel).
Dans le dictionnaire, c'est à l'infinitif que les verbes sont écrits : **aimer** v. tr., pronom.
VOIR TABLEAU – **INFINITIF.**

INFINITIF

L'infinitif exprime une idée d'action ou d'état sans indication de personne ni de nombre, sans relation à un sujet ; c'est un **mode impersonnel.**

L'infinitif s'emploie tantôt comme un **verbe,** tantôt comme un **nom.**

VERBE

Dans une **proposition indépendante,** l'infinitif exprime :

- Un **ordre**, un **conseil**. ***Ne pas exposer*** *à l'humidité.*
  Dans ce contexte, l'infinitif a valeur d'impératif. Sur les formulaires, dans l'affichage, on préférera le mode infinitif au mode impératif qui est plus autoritaire, moins poli.
- Une **narration**. *Et les invités d'**applaudir.***
  L'infinitif est précédé de ***de***.
- Une **question**, une **exclamation**. *Où **aller**? **Abandonner** la partie, jamais !*

TEMPS DE L'INFINITIF

Infinitif présent

Selon le temps du verbe de la principale, l'infinitif présent prend une valeur :

- de présent. *Les enfants sont en train de jouer.*
- de passé. *Elle vient de nager.*
- de futur. *Il va dormir.*

Après certains verbes (***devoir, espérer, souhaiter, promettre,*** etc.), l'infinitif présent exprime toujours un futur. *J'espère **réussir*** (que je réussirai).

Infinitif passé

Quel que soit le temps du verbe de la principale, l'infinitif passé a la valeur d'un passé.

- *Je pense **avoir atteint mon objectif*** (... que j'ai atteint...).
- *Je pensais **avoir atteint mon objectif*** (... que j'avais atteint...).
- *Je souhaite **avoir atteint mon objectif en décembre*** (... que j'aurai atteint...).
- *Je souhaitais **avoir atteint mon objectif en décembre*** (... que j'aurais atteint...).

Après certains verbes (***espérer, souhaiter,*** etc.), l'infinitif passé a la valeur d'un futur antérieur et permet d'alléger la structure de la phrase.

NOM

Certains infinitifs sont devenus de véritables noms : *le rire, le savoir-faire, le baiser, le déjeuner, le devoir, le sourire, le souvenir.*

Ces noms prennent la marque du pluriel s'ils sont simples ; s'ils sont composés, ils sont invariables. *Des rires, des savoir-vivre.*

L'infinitif nom peut remplir les fonctions du nom :

- **Sujet.** — ***Lire** me plaît.*
- **Attribut du sujet.** — *Partir c'est **mourir** un peu.*
- **Complément du nom ou du pronom.** — *Le temps de **jouer.***
- **Complément de l'adjectif qualificatif.** — *Apte à **réussir.***
- **Complément d'objet direct.** — *Tu préfères **courir.** Il aime **chanter, danser** et puis **rire.***
  Il est possible d'employer plusieurs infinitifs à la suite.
- **Complément d'objet indirect.** — *Préparez-vous à **partir.***
- **Complément circonstanciel.** — *Il faut travailler pour **réussir.** Avant de **partir,** préviens-moi.*

infirme adj. et n. m. et f.
Atteint d'une infirmité. *Elle est infirme : paralysée, elle doit se déplacer en fauteuil roulant. C'est un infirme.*
Le terme ***handicapé*** tend à remplacer ce mot.
Ne pas confondre avec l'adjectif ***infime,*** minuscule.

infirmerie n. f.
Local où l'on reçoit et soigne les malades. *Il y a une petite infirmerie à l'école où l'on peut recevoir les premiers soins.*

infirmier n. m.
infirmière n. f.
Personne qui soigne les malades. *Une infirmière diplômée.*

infirmier, ière adj.
Relatif aux soins donnés par les infirmiers et les infirmières. *Le personnel infirmier.*

infirmité n. f.
Déficience permanente d'une partie du corps.

inflammable adj.
Qui peut prendre feu. *Un tissu très inflammable.* ANT. ininflammable.
Attention au sens de ce mot : ne pas confondre la première syllabe de cet adjectif avec le préfixe privatif ***-in.***
Ne pas confondre avec le mot ***ininflammable,*** qui ne peut prendre feu.

inflammation n. f.
1. Action de s'enflammer, de prendre feu. *L'inflammation d'un tissu.*
2. (MÉDECINE) Irritation. *Une inflammation de la gorge.*
Bien que le nom provienne du verbe ***enflammer,*** il s'écrit avec les lettres ***in.***
infla**mm**ation, avec deux ***m.***

inflation n. f.
Phénomène économique caractérisé par la hausse du niveau des prix et la baisse de la valeur de la monnaie.

inflexible adj.
Rigide, impitoyable. *Une règle inflexible. Cette personne est inflexible : rien ne peut la faire changer d'avis.* ANT. souple.

infliger v. tr.
1. Imposer une sentence, une amende, une punition pour une faute, une infraction. *On lui a infligé une retenue parce qu'il n'avait pas fait sa recherche.* SYN. donner.
2. Faire subir quelque chose de pénible à quelqu'un. *Infliger du chagrin à quelqu'un.*
Attention à l'emploi de la forme pronominale avec le complément d'objet direct ***blessure*** au sens de « se blesser ». Si une personne s'inflige une blessure, elle se cause volontairement cette blessure, ce qui n'est généralement pas le cas. On dira plutôt ***recevoir une blessure, se blesser.***
Le verbe se construit avec la préposition ***à.*** *On inflige quelque chose à quelqu'un.*
Conjugaison [VOIR MODÈLE – **CHANGER**]
Le ***g*** est suivi d'un **e** devant les lettres ***a*** et ***o.*** *Il infligea, nous infligeons.*

influençable adj.
Qui peut être influencé. *Ces personnes sont un peu trop influençables : on peut les faire changer d'avis facilement.*
influen**ç**able.

influence n. f.
Action qu'exerce une personne sur quelqu'un ou quelque chose. *Son grand frère a beaucoup d'influence sur elle.*
Locutions
Sous l'influence de, locution prépositive. Sous l'effet de. *Il a agi ainsi sous l'influence de la colère.*
Sous l'influence de, locution prépositive. Au contact de. *Il a fait ce choix sous l'influence de ses copains.*
Ne pas confondre avec **affluence**, foule.
influ**en**ce.

influencer v. tr.
Agir sur l'esprit et la volonté d'une personne pour la convaincre. *Maxime influençait beaucoup ses camarades qui l'écoutaient toujours.*
Conjugaison [VOIR MODÈLE – **AVANCER**]
Le ***c*** prend une cédille devant les lettres ***a*** et ***o.*** *Il influença, nous influençons.*

influent, ente adj.
Important, qui a de l'influence. *Ce sont des femmes influentes.* SYN. puissant.

infographie n. f.
(INFORMATIQUE) Branche de l'informatique qui a pour objet la production automatique d'images et de dessins.
Ce néologisme a été formé à partir des mots ***informatique*** et ***graphique.***

infographiste n. m. et f.
Spécialiste de la production d'images et de dessins par ordinateur. *Pour produire le* Dictionnaire visuel, *Québec/Amérique a recruté des infographistes.*

informateur n. m.
informatrice n. f.
1. Personne qui recueille des informations.
2. Indicateur (de police).

informaticien n. m.
informaticienne n. f.
Spécialiste de l'informatique.

information n. f.
1. Ensemble de renseignements. *Recueillir de l'information sur un sujet. Le traitement de l'information.*
2. Évènement porté à la connaissance d'un public. *Une information de dernière heure* (et non un *scoop). SYN. nouvelle.
3. (AU PLURIEL) Actualités radiodiffusées ou télévisées. S'abrège familièrement en ***infos.***
Locutions
Réunion d'information. Rencontre destinée à communiquer des renseignements.
Séance d'information. Réunion dont le but est de diffuser des renseignements.
Voyage d'information. Déplacement servant à recueillir des renseignements.

informatique adj. et n. f.
Adjectif
Relatif au traitement automatisé de l'information. *Des procédés informatiques.*
Nom féminin
Science du traitement automatique de l'information.
L'informatique consiste à employer divers appareils (micro-ordinateur, écran, imprimante, etc.) que l'on regroupe sous le nom de *matériel* (en anglais, « hardware ») et de programmes qui font fonctionner ces appareils, les *logiciels* (en anglais, « software ») ; par exemple : le traitement de texte, les programmes de dessin, d'édition, les jeux électroniques.
Ce mot a été créé en 1962 à partir des mots ***information*** et ***automatique.***

informatisation n. f.
Action d'informatiser. *L'informatisation d'une production.*

informatiser v. tr.
Traiter l'information, organiser à l'aide de moyens automatisés. *Une comptabilité informatisée, une raffinerie informatisée.*
Conjugaison [VOIR MODÈLE – **AIMER**]

informe adj.
1. Sans forme précise. *Une masse informe.*
2. Imparfait, imprécis. *Une ébauche informe.*

informé, ée adj.
Averti, qui a de l'information. **SYN.** renseigné.

informer v. tr., pronom.
Verbe transitif
Renseigner, mettre au courant de quelque chose. *Elle a informé sa mère de sa décision.*
Le verbe se construit avec la préposition ***de*** suivie d'un nom. Il se construit aussi avec la conjonction ***que*** suivie de l'indicatif ou du conditionnel. *La directrice a informé les élèves que les cours se termineront le 10 juin. Il l'a informé qu'il prolongerait son séjour.*
Verbe pronominal
Se renseigner. *Informez-vous bien avant de faire votre choix.*
Suivi d'un nom, le verbe se construit avec les prépositions ***de*** ou ***sur.*** Le verbe se construit aussi avec la conjonction ***si*** suivie de l'indicatif ou du conditionnel. *Elle s'informe si tout est prêt, si vous accepteriez de venir.*
Conjugaison [VOIR MODÈLE – **AIMER**]

infos n. f. pl.
Abréviation familière de ***informations*** (radiodiffusées, télévisées).

infraction n. f.
Fait de ne pas respecter une loi, un règlement. *Le fait de brûler un feu rouge constitue une grave infraction au code de la route. Même les piétons peuvent commettre des infractions, en traversant à un feu rouge, par exemple.*
Ne pas confondre avec **effraction**, vol avec forcement d'une serrure, d'une fenêtre, etc.

infranchissable adj.
1. Qui ne peut être franchi. *Une distance infranchissable.*
2. Insurmontable. *Des difficultés infranchissables.*

infrarouge adj. et n. m.
(PHYSIQUE) Se dit des radiations qui sont en deçà du rouge dans la partie du spectre que l'on ne peut voir avec les yeux. *Des rayons infrarouges.*

infroissable adj.
Qui ne peut se froisser. *Un tissu infroissable.*
infroi**ss**able.

infructueux, euse adj.
Sans résultat. *Une recherche infructueuse.*

infuser v. tr.
Laisser tremper une substance dans un liquide bouillant afin d'en recueillir des éléments. *Infuser du thé, du tilleul et de la menthe.*
Conjugaison [VOIR MODÈLE – **AIMER**]

infusion n. f.
1. Action d'infuser. *L'infusion du thé.*
2. Liquide ainsi obtenu. *Une infusion de camomille.*

ingénier (s') v. pronom.
Chercher, s'efforcer. *Ils se sont ingéniés à construire un abri avec quelques bouts de bois.* **SYN.** tenter de.
Le participe passé de ce verbe qui n'existe qu'à la forme pronominale s'accorde toujours avec le sujet du verbe.
Le verbe se construit avec la préposition ***à*** suivie de l'infinitif.
Conjugaison [VOIR MODÈLE – **ÉTUDIER**]
Redoublement du ***i*** à la première et à la deuxième personne du pluriel de l'indicatif imparfait et du subjonctif présent. *(Que) nous nous ingéniions, (que) vous vous ingéniiez.*

ingénieur n. m.
ingénieure n. f.
Personne que sa formation scientifique ou technique rend apte à diriger certains travaux. *Un ingénieur civil. Une ingénieure industrielle, un ingénieur forestier.*

ingénieusement adv.
Habilement. *Un abri ingénieusement construit.* **SYN.** astucieusement.

ingénieux, ieuse adj.
Adroit, habile. *Un bricoleur ingénieux. Une trouvaille ingénieuse.* **SYN.** astucieux.

ingéniosité n. f.
Habileté à inventer des solutions. *Faire preuve d'ingéniosité et d'imagination.* **SYN.** adresse.
Ne pas confondre avec les noms suivants :
– ***finesse,*** possibilité de saisir les nuances ;
– ***talent,*** aptitude naturelle.

ingénu, ue adj.
Simple, naïf. *Un sourire ingénu.* **SYN.** sincère.

ingrat, ate adj et n. m. et f.
1. Qui manque de reconnaissance. *Étienne et Marie-Ève sont reconnaissants : ils ne sont pas des ingrats, ils sont loin d'être ingrats.*
2. Déplaisant, désagréable. *Une tâche ingrate, c'est éplucher des oignons, par exemple.*

ingratitude n. f.
Manque de reconnaissance, de gratitude.

ingrédient n. m.
Toute substance qui entre dans un mélange. *Des ingrédients divers composent ce gâteau.*

ingurgiter v. tr.
Avaler avidement. *Les coureurs assoiffés ingurgitaient des litres d'eau.*
Conjugaison [VOIR MODÈLE – **AIMER**]

inhabitable adj.
Qui ne peut être habité. *Un logement incendié inhabitable. Une région nordique inhabitable en raison du froid.* **ANT.** habitable.

inhabité, ée adj.
Qui n'est pas habité. *Cette maison est inhabitée depuis quelque temps. Une région polaire inhabitée.*

inhabituel, elle adj.
Non habituel. *Un fait inhabituel.* **SYN.** inaccoutumé, insolite.

inhaler v. tr.
Respirer une substance médicamenteuse ou chimique.
Conjugaison [VOIR MODÈLE – **AIMER**]

i

inhumain, aine adj.
Qui est étranger à tout sentiment de pitié, d'humanité. *Ce dictateur est inhumain.* **SYN.** dur, insensible.
Ne pas confondre avec les mots suivants :
– ***bestial,*** qui a la cruauté des bêtes féroces ;
– ***féroce,*** qui est sauvage et cruel par nature.
inh**u**main.

inhumer v. tr.
Mettre un corps en terre avec les cérémonies d'usage, dans la langue administrative. *Un permis d'inhumer.* **ANT.** exhumer.
Dans la langue courante, on emploie le verbe ***enterrer.***
Conjugaison [VOIR MODÈLE – **AIMER**]
inh**u**mer.

inimaginable adj.
Que l'on ne peut imaginer. *Une étendue inimaginable.* **SYN.** impensable, incroyable, invraisemblable. **ANT.** imaginable.

inimitable adj.
Qu'on ne saurait imiter. *Son style est inimitable.* **ANT.** imitable.

ininflammable adj.
Qui ne peut prendre feu. *L'amiante est ininflammable.* **ANT.** inflammable.
Ne pas confondre avec le mot ***inflammable,*** qui peut prendre feu.

inintéressant, ante adj.
Dépourvu d'intérêt. *Ce texte n'est pas inintéressant, mais il faudrait l'illustrer pour le rendre plus attrayant.*

ininterrompu, ue adj.
Continu dans l'espace ou dans le temps. *Des efforts ininterrompus.*
ininte**rr**ompu.

initial, ale, aux adj. et n. f.
Le ***t*** se prononce ***s*** [inisjal, o] ; le mot rime avec ***spécial.***
Adjectif
Premier, qui est au début. *La phase initiale. Des plans initiaux.* **SYN.** final.
Nom féminin
Première lettre majuscule d'un nom propre. *Ses initiales sont E. V.*

initiation n. f.
Les ***t*** se prononcent ***s*** [inisjasjɔ̃].
1. Révélation, admission à la connaissance de certains mystères religieux, de choses cachées.
2. Action d'enseigner, d'apprendre les rudiments d'une science. *Une initiation à la photographie.*
3. (FIGURÉ) Rituel imposé aux nouveaux étudiants. *Les nouveaux étudiants en droit ont dû se prêter à l'initiation : ils ont défilé dans les rues déguisés en Gaulois.*

initiative n. f.
Le premier ***t*** se prononce ***s*** [inisjativ].
Action de proposer ou d'entreprendre quelque chose. *Un esprit d'initiative. Voilà une excellente initiative.*
Ce nom se construit avec les prépositions ***sur, de.*** *Il a fait ce choix de sa propre initiative. C'est sur l'initiative de sa collègue que la démarche a été faite.*

initié, ée adj. et n. m. et f.
Le ***t*** se prononce ***s*** [inisje].
Qui a reçu une initiation. *Ils ont eu accès à des informations confidentielles : ce sont des initiés. Des membres initiés.*

initier v. tr., pronom.
Le ***t*** se prononce ***s*** [inisje].
Verbe transitif
Donner la connaissance (d'un art, d'une science, d'une profession, etc.). *Initier un enfant au ski.* **SYN.** apprendre, enseigner.
Verbe pronominal
Acquérir les rudiments (d'un art, d'une science). *S'initier à l'informatique.*
Le verbe se construit avec la préposition ***à.***
Forme fautive
*initier. Anglicisme au sens de ***lancer, instaurer, mettre en œuvre, amorcer.*** *On a instauré* (et non *initié) *une politique nouvelle.*
Conjugaison [VOIR MODÈLE – **ÉTUDIER**]
Redoublement du ***i*** à la première et à la deuxième personne du pluriel de l'indicatif imparfait et du subjonctif présent. *(Que) nous initiions, (que) vous initiiez.*

injectable adj.
Qui peut être administré par injection. *Un médicament injectable.*
Ne pas confondre avec le mot ***éjectable,*** qui peut être éjecté.

injecter v. tr.
Introduire par pression un liquide dans un organisme. *Injecter un médicament dans une veine.*
Ne pas confondre avec le verbe ***éjecter,*** projeter au dehors.
Conjugaison [VOIR MODÈLE – **AIMER**]

injection n. f.
Le ***t*** se prononce comme un ***s***, le mot rime avec ***tension.***
1. Action d'introduire un liquide dans un corps. *Une injection intraveineuse.*
2. Le produit injecté. *Une injection d'insuline pour une personne diabétique.*

injure n. f.
Insulte. *Vos injures n'atteignent pas le parapluie de mon indifférence.*

injurier v. tr.
Offenser par des insultes. *Des petits voisins l'ont injurié sans raison.*
Conjugaison [VOIR MODÈLE – **ÉTUDIER**]
Redoublement du ***i*** à la première et à la deuxième personne du pluriel de l'indicatif imparfait et du subjonctif présent. *(Que) nous injuriions, (que) vous injuriiez.*

injurieux, euse adj.
1. Insultant. *Ce qualificatif est injurieux.* **SYN.** blessant.
2. Qui constitue une injure.
Cet adjectif se construit généralement avec ***pour.*** *Ce commentaire est injurieux pour le témoin.*

injuste adj.
Qui est contraire à la justice, inéquitable. *Des décisions injustes.*

injustement adv.
De façon injuste. *Ils ont été traités injustement.*

injustice n. f.
Acte contraire à la justice. *L'expulsion de ces réfugiés est une injustice.*

injustifié, ée adj.
Qui n'est pas ou n'a pas été justifié. *Des décisions injustifiées.*

inlassable adj.
Infatigable, patient. *Il est inlassable : il n'est jamais fatigué de pêcher.* **SYN.** (FAMILIER) increvable.

inné, ée adj.
Naturel. *Un talent inné pour le dessin.*
inné.

innocemment adv.
La troisième syllabe se prononce ***sa*** [inɔsamɑ̃].
Avec innocence, sans vouloir de mal. *Je t'ai dit cela innocemment : je ne voulais pas te faire de peine, excuse-moi.*
innoc**emm**ent.

innocence n. f.
1. Pureté, ingénuité. *L'innocence d'un enfant.*
2. État de la personne qui n'est pas coupable. *Son innocence a été prouvée.* **ANT.** culpabilité.
innoc**en**ce.

innocent, ente adj. et n. m. et f.
1. Candide, pur. **SYN.** ingénu.
Cet adjectif se dit d'une personne ou d'une chose. *Il est innocent. Un sourire innocent.*
2. Crédule. *Pour croire une histoire pareille, il faudrait être bien innocent.* **SYN.** naïf, niais.
3. Qui n'est pas coupable. *Ils ont été déclarés innocents.* **ANT.** coupable.

innocenter v. tr.
1. Déclarer innocent. *Les accusés ont été innocentés.*
2. Absoudre d'un blâme.
Conjugaison [VOIR MODÈLE – **AIMER**]
innocenter.

innombrable adj.
Qui ne peut être dénombré, incalculable. *D'innombrables étoiles.* **SYN.** infini.

innovateur, trice adj. et n. m. et f.
Créateur, novateur. *Des projets innovateurs, des créations innovatrices.* **SYN.** nouveau.

innovation n. f.
Création. *Des innovations technologiques.* **SYN.** invention.

innover v. intr.
Introduire quelque chose de nouveau dans un domaine. *Il faut innover sans cesse en informatique sous peine d'être dépassé.*
Conjugaison [VOIR MODÈLE – **AIMER**]

inoculation n. f.
Introduction dans l'organisme d'un germe vivant. *L'inoculation d'un vaccin.*

inoculer v. tr.
Introduire dans l'organisme par inoculation (un virus, une maladie, etc.). *Inoculer un vaccin.*
Conjugaison [VOIR MODÈLE – **AIMER**]

inodore adj.
Sans odeur. *Ces fleurs sont inodores.* **ANT.** odorant.

inoffensif, ive adj.
Incapable de nuire, sans danger. *La couleuvre est inoffensive, contrairement à d'autres serpents dont la morsure est dangereuse.*
ino**ff**ensif.

inondation n. f.
Débordement d'un cours d'eau qui couvre les terres environnantes. *Les pluies abondantes ont fait monter le niveau des rivières et ont provoqué des inondations.*

inonder v. tr.
Recouvrir un endroit d'eau. *Au printemps, la rivière a inondé ces terres.*
Conjugaison [VOIR MODÈLE – **AIMER**]

inoubliable adj.
Qui ne peut être oublié. *Des amis inoubliables. Un livre inoubliable.* **SYN.** mémorable.

inouï, ïe adj.
Extraordinaire, prodigieux. *Des histoires inouïes.* **SYN.** étonnant, incroyable, invraisemblable.
inou**ï.**

inoxydable adj.
Qui résiste à l'oxydation. *Une bouilloire en acier inoxydable ne rouille pas.* **ANT.** oxydable.
ino**xy**dable.

inquiet, ète adj. et n. m. et f.
Qui ressent de l'inquiétude, de l'anxiété. *Sophie est inquiète de l'avenir, pour lui, sur son sort.* **SYN.** angoissé, soucieux. **ANT.** confiant, insouciant, serein, tranquille.
L'adjectif se construit avec les prépositions ***de*** ou ***pour.***

inquiéter v. tr., pronom.
Verbe transitif
Remplir d'inquiétude. *Son absence inquiète sa mère.* **SYN.** angoisser, tracasser.
Verbe pronominal
1. Éprouver de l'inquiétude, de l'angoisse, se tracasser pour quelqu'un, quelque chose. *Il s'inquiète pour elle, pour son avenir.*
Le verbe se construit avec la préposition ***pour*** suivie d'un nom. Il se construit également avec la préposition ***de*** suivie d'un nom ou d'un infinitif. *L'enseignant s'inquiète de l'absence d'un élève, de le voir absent.* Le verbe peut aussi se construire avec la locution **de ce que** suivie de l'indicatif ou du conditionnel. *Elle ne s'inquiète pas de ce qu'on peut penser* ou *qu'on pourrait penser.* Il peut enfin se construire avec la conjonction ***que*** suivie du subjonctif. *Elle s'inquiète qu'il soit si souvent absent.*
2. Avoir des inquiétudes à l'égard de quelqu'un, de quelque chose. *L'enseignant s'inquiète de l'absence d'un élève.*
Le verbe pronominal se construit également avec ***de, de ce que*** suivi de l'indicatif ou du subjonctif.
Conjugaison [VOIR MODÈLE – **POSSÉDER**]
Le ***é*** se change en ***è*** devant une syllabe muette, sauf à l'indicatif futur et au conditionnel présent. *J'inquiète,* mais *j'inquiéterai.*

inquiétude n. f.
Malaise causé par la crainte, l'anxiété, l'incertitude par rapport à un danger, à un évènement malheureux. *Son inquiétude grandit au fur et à mesure que l'heure passe et que les enfants ne sont pas rentrés.* **SYN.** angoisse, souci.

insaisissable adj.
Qu'on ne peut saisir. *Ces malfaiteurs semblent insaisissables : on ne réussit pas à les arrêter.*
insaisi**ss**able.

insalubre adj.
Malsain, mauvais pour la santé. *Un logement insalubre.*

insatisfaction n. f.
Mécontentement. *Cette décision a provoqué l'insatisfaction.*

insatisfait, aite adj. et n. m. et f.
Mécontent. *Des clients insatisfaits.*

inscription n. f.
1. Action d'inscrire. *L'inscription d'un étudiant à l'université.*
2. Résultat de cette action. *Cette inscription est difficile à déchiffrer. L'école a reçu plusieurs inscriptions pour les cours de photographie.*

inscrire v. tr., pronom.
Verbe transitif
Écrire, noter. *Inscris ton nom sur ton cahier.* **SYN.** marquer.
Verbe pronominal
1. Donner son nom pour un registre, une liste. *Julie et Olivier se sont inscrits* (et non *ont appliqué) *en droit.*
2. Apparaître. *Les renseignements demandés s'inscrivent à l'écran en quelques secondes.*
3. Faire partie de, se situer. *Cette activité s'inscrit bien dans le programme de la journée.*
Conjugaison [VOIR MODÈLE – **ÉCRIRE**]
INDICATIF PRÉSENT *J'inscris, tu inscris, il inscrit, nous inscrivons, vous inscrivez, ils inscrivent.* IMPARFAIT *J'inscrivais.* PASSÉ SIMPLE *J'inscrivis.* FUTUR *J'inscrirai.* **CONDITIONNEL** PRÉSENT *J'inscrirais.* **IMPÉRATIF** PRÉSENT *Inscris, inscrivons, inscrivez.* **SUBJONCTIF** PRÉSENT *Que j'inscrive.* IMPARFAIT *Que j'inscrivisse.* **PARTICIPE** PRÉSENT *Inscrivant.* PASSÉ *Inscrit, ite.*

insectarium n. m.
Les lettres ***um*** se prononcent ***om*** [ɛ̃sɛktarjɔm]; le mot rime avec ***aquarium.***
Établissement scientifique où l'on élève des insectes. *Des insectariums. Au Jardin botanique de Montréal, il y a maintenant un magnifique insectarium.*

insecte n. m.
Petit animal invertébré, articulé et à six pattes, doté parfois d'ailes. *L'araignée se nourrit d'insectes. Les fourmis et les maringouins sont des insectes.*

insecticide adj. et n. m.
Se dit d'un produit qui tue les insectes nuisibles.

insectivore adj. et n. m.
Se dit d'un animal qui se nourrit d'insectes. *La grenouille est insectivore. Le hérisson, la taupe sont des insectivores.*
Ne pas confondre avec les mots suivants :
- ***carnivore,*** qui se nourrit de chair ;
- ***frugivore,*** qui se nourrit de fruits ;
- ***granivore,*** qui se nourrit de graines ;
- ***herbivore,*** qui se nourrit d'herbe.
- ***omnivore,*** qui se nourrit de végétaux et d'animaux.

***insécure**
Anglicisme pour ***anxieux, inquiet.***

insécurité n. f.
Manque de sécurité. *L'insécurité règne dans ce quartier.*

insensé, ée adj. et n. m. et f.
1. Qui n'a pas de bon sens. *Ce choix est insensé, tout à fait déraisonnable.* **SYN.** absurde, déraisonnable.
2. (FAMILIER) Bizarre, extravagant. *Une dépense insensée.* **SYN.** fou.

insensibiliser v. tr.
Rendre insensible à la douleur. *Le dentiste a insensibilisé la mâchoire de Christian avant de réparer sa dent.* **SYN.** anesthésier.
Conjugaison [VOIR MODÈLE – **AIMER**]
ins**en**sibiliser.

insensible adj.
Dépourvu de sensibilité. *Claude joue les durs, mais il n'est pas insensible.* **SYN.** froid, indifférent.

insensiblement adv.
De façon insensible. *Les analyses ont montré que la ville de Venise s'était enfoncée insensiblement dans la mer au cours des ans.* **SYN.** peu à peu.

inséparable adj. et n. m. et f.
Que l'on ne peut séparer. *Ces amis sont inséparables. Ce sont des inséparables.*
Le nom s'emploie généralement au pluriel.

insérer v. tr., pronom.
Verbe transitif
Introduire quelque chose dans un ensemble. *Insérer un mot dans une phrase.*
Verbe pronominal
Se situer. *Ces recherches s'insèrent dans le prolongement de nos travaux.* **SYN.** s'intégrer.
Conjugaison [VOIR MODÈLE – **POSSÉDER**]
Le ***é*** se change en ***è*** devant une syllabe muette, sauf à l'indicatif futur et au conditionnel présent. *J'insère,* mais *j'insérerai.*

insigne n. m.
Emblème, signe distinctif. *Les scouts portent un insigne.*
Attention au genre masculin de ce nom : ***un*** insigne.
VOIR TABLEAU – **DOUBLETS.**

insignifiance n. f.
Caractère de ce qui est insignifiant, sans importance. *Ils perdent leur temps pour des insignifiances.*
insignifi**an**ce.

insignifiant, ante adj.
Sans intérêt, sans importance. *Ces problèmes me paraissent insignifiants.* **SYN.** négligeable.

insinuation n. f.
Sous-entendu. *Ses paroles étaient souvent des insinuations déplaisantes.*

insinuer v. tr., pronom.
Verbe transitif
Suggérer, sans affirmer de façon claire. *Que voulez-vous insinuer ? Je n'ai jamais fait cela.*
Verbe pronominal
Pénétrer (au propre et au figuré). *L'eau s'insinue dans les fissures. Le doute s'insinue en eux.*
Conjugaison [VOIR MODÈLE – **AIMER**]

insipide adj.
Sans saveur, fade. *Cette soupe est insipide.* **ANT.** sapide.

insistance n. f.
Action d'insister, obstination. *Anna invita Claire avec beaucoup d'insistance.*
insist**an**ce.

insistant, ante adj.
Qui insiste, pressant. *Anna a été insistante : elle voulait absolument que Claire vienne.*

insister v. intr.
1. Réclamer de façon pressante. *Il insiste pour que tu viennes.*
2. Mettre l'accent sur quelque chose. *Il faut insister* (et non *mettre l'emphase) *sur l'importance du projet.*
Conjugaison [VOIR MODÈLE – **AIMER**]

insolemment adv.
La troisième syllabe se prononce ***la*** [ɛ̃sɔlamɑ̃].
Avec insolence. *Mélanie a répondu insolemment à la directrice : elle a eu une retenue pour son manque de politesse.*
insol**emm**ent.

insolence n. f.
Manque de politesse, de respect. *La directrice n'aime pas l'insolence.* **SYN.** effronterie, impertinence.
insol**en**ce.

insolent, ente adj. et n. m. et f.
Effronté, impoli. *Des élèves insolents.* **SYN.** impertinent.
Ne pas confondre avec le mot ***insolite,*** étrange.
insol**ent.**

insolite adj. et n. m.
Étrange, inhabituel. *Un bruit insolite.* **SYN.** anormal.
Ne pas confondre avec le mot ***insolent,*** effronté, impoli.

insoluble adj.
1. Qu'on ne peut résoudre. *Un problème insoluble.*
2. Qui ne peut se dissoudre. *Un produit insoluble dans l'eau.*

insomnie n. f.
Difficulté à s'endormir. *Papa se réveille en pleine nuit et n'arrive plus à s'endormir : il souffre d'insomnie.*

insonoriser v. tr.
Aménager un local pour le rendre plus silencieux. *Il faudrait insonoriser ce bureau.*
Conjugaison [VOIR MODÈLE – **AIMER**]

insouciance n. f.
Nonchalance. *Martin fait preuve d'insouciance.*
insouci**an**ce.

insouciant, ante adj. et n. m. et f.
Qui ne se soucie de rien. *Ces jeunes sont insouciants : ils ne songent qu'à s'amuser.* **SYN.** nonchalant.
insouci**ant.**

insoutenable adj.
1. Qu'on ne peut justifier. *Une affirmation insoutenable.* **SYN.** inadmissible.
2. Intolérable. *Une douleur insoutenable.* **SYN.** insupportable

inspecter v. tr.
Examiner avec attention. *On doit inspecter les locaux, car la direction a reçu un appel à la bombe.* **SYN.** fouiller, surveiller.
Conjugaison [VOIR MODÈLE – **AIMER**]

inspecteur n. m.
inspectrice n. f.
Personne chargée de contrôler un service, une administration, une activité, etc.

inspection n. f.
Contrôle, examen attentif. *L'inspection des aliments.*

inspiration n. f.
1. Acte par lequel l'air est introduit dans les poumons. *La respiration se fait en deux temps : l'inspiration et l'expiration.* **ANT.** expiration.
2. Faculté de créer quelque chose, imagination. *Ce soir, Alain manque d'inspiration : il n'arrive pas à composer.*

inspirer v. tr., intr., pronom.
Verbe transitif
1. Faire pénétrer l'air dans ses poumons. *Inspirer de l'air.* **ANT.** expirer.
2. Faire naître une pensée, une émotion. *Cette scène inspire du chagrin à Nadia.* **SYN.** provoquer.
Verbe intransitif
Faire pénétrer dans la poitrine. *Il faut inspirer, puis expirer.*
Verbe pronominal
Emprunter des idées de quelqu'un, de quelque chose. *Ce peintre s'inspire des paysages de montagne.*
Conjugaison [VOIR MODÈLE – **AIMER**]

instabilité n. f.
Caractère de ce qui manque de stabilité. **ANT.** stabilité.

instable adj. et n. m. et f.
Qui n'est pas fixe, changeant. *Cette personne est instable, elle change souvent d'avis.* **SYN.** stable.

installation n. f.
1. Action d'installer, d'aménager quelque chose. *Procéder à l'installation d'un appareil de climatisation.*
2. (GÉNÉRALEMENT PLURIEL) Ensemble de biens, de bâtiments aménagés en vue d'un usage défini. *Des installations* (et non des *facilités) *industrielles.*

installer v. tr., pronom.
Verbe transitif
Disposer, placer. *Installer un appareil d'éclairage.* **SYN.** mettre, poser.
Verbe pronominal
S'établir quelque part. *Ils se sont installés à la campagne.*
Conjugaison [VOIR MODÈLE – **AIMER**]

instant n. m.
Moment très court. *Un instant, s'il te plaît : je te passe Martin.*
Locutions
À l'instant, locution adverbiale. Immédiatement, aussitôt. *Appelle-moi et je viens à l'instant.*
À tout instant, locution adverbiale. Sans cesse, continuellement. *Il appelle à tout instant.*
Dans cette expression, le nom s'écrit au singulier.
D'un instant à l'autre, locution adverbiale. Dans peu de temps. *Nous les attendons d'un instant à l'autre.*
En un instant, locution adverbiale. Très rapidement. *Elle s'est changée en un instant.*
Par instants, locution adverbiale. À certains moments. *Par instants, le blessé souffrait beaucoup.*
Le nom s'écrit au pluriel dans cette expression.

instantané, ée adj.
Bref, immédiat. *Le médicament a eu un effet instantané : Marjolaine s'est immédiatement sentie mieux.*
instanta**n**é.

instantanément adv.
Immédiatement. *Le médicament a guéri Marjolaine instantanément.* **SYN.** aussitôt.

instinct n. m.
Les lettres ***ct*** sont muettes [ɛ̃stɛ̃] ; le mot rime avec ***matin.***
1. Tendance naturelle des êtres vivants à faire quelque chose. *C'est par instinct que les castors construisent des barrages ou que la mouffette projette un liquide malodorant pour se protéger des ennemis.*
2. Disposition naturelle à faire quelque chose, intuition. *D'instinct, elle trouve ce qu'il faut dire à une personne triste pour la consoler.*
instin**ct.**

instinctif, ive adj.
La lettre **c** se prononce [ɛ̃stɛ̃ktif].

Qui n'est pas réfléchi, involontaire. *Une réaction instinctive.* **SYN.** automatique, impulsif, spontané.

instinctivement adv.
La lettre **c** se prononce [ɛ̃stɛ̃ktivmɑ̃].
Par instinct. **SYN.** spontanément.

instituer v. tr.
Établir, fonder. *Cet organisme a été institué en 1907.*
Conjugaison [VOIR MODÈLE – **AIMER**]

institut n. m.
Établissement de recherche scientifique ou d'enseignement. *L'institut Armand-Frappier.*

instituteur n. m.
institutrice n. f.
Personne chargée de l'enseignement général dans une classe primaire. (Recomm. off. OLF) *L'instituteur* (et non le *titulaire) *prépare sa classe.*
Le nom ***enseignant*** est un générique qui regroupe les professeurs (enseignement secondaire ou supérieur) et les instituteurs (enseignement primaire). *Instituteur, institutrice* sont les termes administratifs.

institution n. f.
1. (AU PLURIEL) Lois fondamentales. *Défendre ses institutions.*
2. Établissement privé d'enseignement. *Une institution pour jeunes filles.*

***instructeur**
Au sens de ***moniteur, entraîneur,*** ce nom est ancien.

instructif, ive adj.
Propre à instruire. *Une conférence instructive, un film instructif.* **SYN.** éducatif.

instruction n. f.
1. Enseignement. *Au Québec, l'instruction est gratuite jusqu'à l'université.* **SYN.** formation.
2. Savoir, culture. *Avoir une bonne instruction.* **SYN.** connaissances.
3. (AU PLURIEL) Ordres, explications. *Donner des instructions. Un manuel d'instructions.* **SYN.** directive.

instruire v. tr., pronom.
Verbe transitif
Enseigner, éduquer. *Ces enseignants ont instruit des centaines d'enfants.*
Verbe pronominal
Acquérir des connaissances. *Ils se sont instruits progressivement.* **SYN.** apprendre, étudier.
Conjugaison [VOIR MODÈLE – **CONDUIRE**]

instruit, ite adj.
Cultivé, qui a une bonne instruction. *Une personne instruite.*

instrument n. m.
Objet qui sert, dans un art ou une science, à effectuer certaines opérations. *Des instruments chirurgicaux, un instrument de musique. Le bistouri est un instrument, le marteau, un outil et la fourchette, un ustensile.*
Ne pas confondre avec les noms suivants :
– ***outil,*** objet utilisé directement par la main pour faire un travail ;
– ***ustensile,*** objet servant aux usages domestiques.

insuccès n. m.
Échec. *Malgré son insuccès, elle a poursuivi ses efforts.*
insucc**ès**.

insu de (à l') loc. prép.
Sans que la chose soit sue. *Ils sont partis à l'insu du propriétaire. Il est parti à son insu.*
ins**u**.

insuffisamment adv.
De façon insuffisante. *Fanny a mangé insuffisamment ce matin : elle a faim.*
insuffisa**mm**ent.

insuffisance n. f.
Manque. *Une insuffisance d'argent.*
insuffis**an**ce.

insuffisant, ante adj.
Qui ne suffit pas. *Des ressources insuffisantes. Nos réserves d'eau sont insuffisantes : il faut trouver une source.*
insuffis**ant.**

insuline n. f.
Hormone utilisée dans le traitement du diabète.

insultant, ante adj.
Qui offense, insulte. *Des propos insultants.* **SYN.** injurieux.
Ne pas confondre avec le participe présent invariable ***insultant.*** *Les joueurs insultant leurs rivaux, l'arbitre est intervenu.*

insulte n. f.
Parole blessante, injure. *La foule leur adresse des insultes.*

insulter v. tr.
Blesser par des paroles, des gestes méprisants. *Il l'a insulté publiquement.*
Conjugaison [VOIR MODÈLE – **AIMER**]

insupportable adj.
1. Intolérable. *Un chagrin, une douleur insupportable.* **SYN.** atroce.
2. Difficile à supporter. *Ces enfants sont insupportables : ils ne veulent rien entendre et n'en font qu'à leur tête.* **SYN.** turbulent.

insurmontable adj.
Qui ne peut être surmonté. *Des difficultés insurmontables.*

intact, acte adj.
Les lettres ***ct*** se prononcent au masculin et au féminin [ɛ̃takt]; le mot rime avec ***impact.***
Qui n'a subi aucune atteinte. *L'assiette est tombée, mais elle est intacte : elle ne s'est pas cassée.*
inta**ct.**

intarissable adj.
1. Qui ne s'épuise pas. *Une source intarissable.*
2. (FIGURÉ) Qui ne peut s'arrêter de parler. *François est intarissable sur les voyages.*
inta**r**issable.

intégral, ale, aux adj.
Entier. *Une édition intégrale qui regroupe tous les albums de Tintin.* **SYN.** complet, total.

intègre adj.
Honnête. *Ces policiers sont intègres.*
int**è**gre.

intégrer v. tr., pronom.
Verbe transitif
1. Faire entrer dans un ensemble. *Intégrer des mots dans un dictionnaire.* **SYN.** inclure.

2. Rattacher à une collectivité, à un milieu. *Cette structure permet d'intégrer les nouveaux arrivants à la société québécoise* ou *dans la société.*
Verbe pronominal
S'assimiler entièrement à un groupe. *La famille portugaise s'est bien intégrée.* **SYN.** s'adapter, faire partie de.
Conjugaison [VOIR MODÈLE – **POSSÉDER**]
Le **é** se change en **è** devant une syllabe muette, sauf à l'indicatif futur et au conditionnel présent. *J'intègre,* mais *j'intégrerai.*

intégrité n. f.
Honnêteté totale. *L'intégrité d'un employé.*
intégrité.

intellectuel, elle adj. et n. m. et f.
Adjectif
Qui se rapporte à l'intelligence, à l'esprit. *Un travail intellectuel.*
Nom masculin et féminin
Personne chez qui prédominent les choses de l'esprit. *Ce sont des intellectuels.*

intelligence n. f.
La deuxième syllabe se prononce **é** [ɛ̃teliʒɑ̃s].
Faculté de comprendre par l'esprit. *Une intelligence vive. Des tests d'intelligence.*
Locution
Intelligence artificielle. Système de programmes informatiques complexes aptes à résoudre certains problèmes de façon autonome, sans le concours des humains.
intelligence.

intelligent, ente adj.
La deuxième syllabe se prononce **é** [ɛ̃teliʒɑ̃].
Doué d'intelligence. *Marie Curie, qui a découvert la radioactivité, était très intelligente.* **ANT.** inintelligent.

intempérie n. f.
Mauvais temps. *Être à l'abri des intempéries, bien au chaud dans la maison.*

intense adj.
Extrême, considérable. *Un froid intense, une activité intense.*
Ne pas confondre avec le mot ***intensif,*** qui résulte d'un effort intense ou qui exige un effort soutenu.

intensif, ive adj.
Qui résulte d'un effort intense ou qui exige un effort soutenu. *Une culture intensive. Un cours intensif.*
Ne pas confondre avec le mot ***intense,*** extrême.

intensifier v. tr., pronom.
Verbe transitif
Rendre plus intense, plus actif. *Ils ont intensifié les échanges entre des jeunes du monde entier.* **SYN.** accroître, augmenter.
Verbe pronominal
Devenir plus intense. *Les rapports entre ces pays se sont intensifiés.* **SYN.** se renforcer.
Conjugaison [VOIR MODÈLE – **ÉTUDIER**]
Redoublement du ***i*** à la première et à la deuxième personne du pluriel de l'indicatif imparfait et du subjonctif présent. *(Que) nous intensifiions, (que) vous intensifiiez.*

intensité n. f.
1. Degré d'énergie, d'activité. *L'intensité d'un courant électrique.*
2. Caractère de ce qui est intense. *L'intensité de son jeu dramatique.* **SYN.** puissance.

intention n. f.
Volonté, désir de faire quelque chose. *De bonnes intentions de travail.*
Locutions
À l'intention de, locution prépositive. Pour. *J'ai acheté ce jouet à l'intention de Fanny.*
Avoir l'intention de. Projeter de. *Il a l'intention de prendre des vacances.*

inter- préf.
Élément du latin signifiant « entre » et qui exprime une relation, une réciprocité.
Les mots composés avec le préfixe ***inter-*** s'écrivent sans trait d'union. *Interurbain, international.*

interactif, ive adj.
(INFORMATIQUE) Se dit d'un mode de traitement de données qui permet une conversation entre un système informatique et un utilisateur, avec échange de questions et réponses.

intercaler v. tr.
Insérer, introduire une chose entre deux autres. *Intercale des pages blanches entre les parties de ton travail.*
Conjugaison [VOIR MODÈLE – **AIMER**]
intercaler.

intercepter v. tr.
1. Cacher, éclipser. *Ces stores interceptent les rayons lumineux.*
2. S'emparer d'une chose qui était destinée à quelqu'un. *Intercepter un message, une passe.*
Conjugaison [VOIR MODÈLE – **AIMER**]

interchangeable adj.
Se dit de ce qui peut se remplacer l'un l'autre sans inconvénient. *Des pièces interchangeables.*
interchangeable.

interculturel, elle adj.
Qui concerne les rapports entre diverses cultures. *Il faut accroître les communications interculturelles.*

interdiction n. f.
Action d'interdire quelque chose. *Les associations étudiantes ont obtenu une interdiction de fumer à l'étage des salles de cours.* **SYN.** défense.

interdire v. tr.
Défendre (quelque chose à quelqu'un). *Sa maman lui a interdit de partir quelques jours à la campagne.*
Conjugaison [VOIR MODÈLE – **DIRE**]
INDICATIF PRÉSENT *J'interdis, tu interdis, il interdit, nous interdisons, vous interdisez, ils interdisent.* IMPARFAIT *J'interdisais.* PASSÉ SIMPLE *J'interdis, vous interdîtes.* FUTUR *J'interdirai.* **CONDITIONNEL** PRÉSENT *J'interdirais.* **IMPÉRATIF** PRÉSENT *Interdis, interdisons, interdisez.* **SUBJONCTIF** PRÉSENT *Que j'interdise, que vous interdisiez.* IMPARFAIT *Que j'interdisse, que vous interdissiez.* **PARTICIPE** PRÉSENT *Interdisant.* PASSÉ *Interdit, ite.*
Le verbe ***interdire*** se conjugue comme ***dire*** à l'exception de l'indicatif présent et de l'impératif à la deuxième personne du pluriel : ***interdisez,*** contrairement à ***dites.***

interdit, ite adj.
1. Non autorisé. *Entrée interdite.*
2. Surpris. *Elle resta interdite, trop surprise pour répondre.*

intéressant, ante adj.
1. Digne d'intérêt. *Des lectures intéressantes.* **SYN.** captivant, passionnant.
2. Profitable. *Des profits intéressants.* **SYN.** rentable.

intéressé, ée adj.
Attaché à ses intérêts matériels. *Une attitude intéressée.* **SYN.** avide.

intéresser v. tr., pronom.
Verbe transitif
1. Inspirer de l'intérêt. *Ce livre a intéressé les élèves.*
2. Concerner. *Cette mesure intéresse les petites entreprises.* **SYN.** regarder, toucher.
Verbe pronominal
Avoir de l'intérêt pour. *Elle s'intéresse au cinéma. Ils se sont intéressés au reboisement des forêts.*
Conjugaison [VOIR MODÈLE – **AIMER**]

intérêt n. m.
1. Attention, curiosité qui inspire quelqu'un, quelque chose. *Il témoigne de l'intérêt pour elle. Elle lit ce roman avec beaucoup d'intérêt.*
2. Ce qui est utile, ce qui est important. *L'intérêt public, l'intérêt commun.*
3. Recherche par une personne de ce qui lui est profitable, de son avantage personnel, souvent de façon égoïste. *Agir par intérêt.* **SYN.** avantage.
En ce sens, le nom peut avoir une valeur défavorable.
4. Revenu tiré d'un capital. *Un intérêt de 8 %, un taux d'intérêt.*
Locutions
Avoir intérêt à. Trouver un avantage à. *Ils ont intérêt à travailler s'ils veulent atteindre leur but.*
Porter, témoigner de l'intérêt à. S'intéresser à. *Les jeunes ont pris intérêt à la protection de l'environnement.*
Dans ces expressions, le nom est au singulier.

***intérêts**
Anglicisme au sens de ***préférences, sujets de prédilection, choses préférées, champs d'intérêt.*** *Quels sont vos champs d'intérêt* (et non vos *intérêts) ?

intérieur, eure adj. et n. m.
Adjectif
Qui est au-dedans (par opposition à ***extérieur***). *Une cour intérieure.*
Nom masculin
1. La partie de dedans. *L'intérieur d'une école. Ils ont pénétré à l'intérieur de l'avion.*
2. L'endroit où l'on habite. *Un bel intérieur joliment décoré.* **ANT.** extérieur.

intérieurement adv.
1. Au-dedans. *De l'extérieur, tout semblait intact, mais intérieurement le bâtiment était noir de suie.*
2. En soi-même. *Loïc s'est dit intérieurement qu'il gagnerait la partie de tennis, s'il le voulait.*

interjectif, ive adj.
(GRAMMAIRE) Relatif à l'interjection. *Une locution interjective.*

interjection n. f.
VOIR TABLEAU – **INTERJECTION.**

interligne n. m.
Espace entre deux lignes. *Présentation à double interligne* (et non à *double espace) *ou à simple interligne.*
Attention au genre masculin de ce nom dans cette acception : ***un*** interligne.

interlocuteur, trice n. m. et f.
Personne qui converse avec une autre. *Des interlocutrices amusées.*

intermède n. m.
1. Interruption entre deux parties d'un spectacle. *Un intermède musical.* **SYN.** entracte.
2. (FIGURÉ) Temps intermédiaire. *Un intermède de paix entre deux attaques.*
Attention au genre masculin de ce nom : ***un*** intermède.

intermédiaire adj. et n. m. et f.
Adjectif
Qui est entre deux. *L'adolescence est une étape intermédiaire entre l'enfance et l'âge adulte.*
Nom masculin et féminin
Personne qui met en relation deux personnes, deux groupes. *Ils ont servi d'intermédiaires.*
Locution
Par l'intermédiaire de, locution prépositive. Au moyen de.
intermédi**aire.**

interminable adj.
Qui dure trop longtemps. *Un discours interminable.* **SYN.** long.

***intermission**
Anglicisme pour ***entracte.***

intermittent, ente adj.
Qui s'arrête et reprend à plusieurs reprises. *Pluie intermittente.* **SYN.** discontinu, irrégulier.

international, ale, aux adj.
Qui a lieu entre plusieurs nations (par opposition à ***national, intérieur***). *Des championnats internationaux.*
internatio**n**al.

internaute n. m. et f.
(NÉOLOGISME) Utilisateur du réseau Internet. *Si tu navigues dans Internet, alors tu es un ou une internaute.*

interne adj. et n. m. et f.
Adjectif
Qui est situé en dedans. *L'oreille interne.* **ANT.** externe.
Nom masculin et féminin
Élève logé et nourri dans un établissement scolaire. **SYN.** pensionnaire.

interner v. tr.
1. Enfermer dans une prison. **SYN.** emprisonner.
2. Faire entrer dans un hôpital psychiatrique. *Nelligan a été interné très jeune : on le disait fou.*
Conjugaison [VOIR MODÈLE – **AIMER**]

Internet n. m.
(NÉOLOGISME) Réseau informatique mondial. *Naviguer dans Internet* (et non dans *l'Internet). **SYN.** réseau Internet.
Ce nom est un nom propre ; il s'écrit donc avec une majuscule. Il s'emploie également en apposition. Une adresse Internet.

interpeller v. tr.
La troisième syllabe se prononce **e** ou **è**, [ɛ̃tɛrpəle] ou [ɛ̃tɛrpɛle].
Adresser la parole à quelqu'un pour lui demander quelque chose de façon brusque et autoritaire. *Un passant l'interpella de façon peu aimable. Ils ont été interpellés par les policiers.*
Ce verbe implique une façon de parler assez brusque qui a l'air de sommer de répondre.
Conjugaison [VOIR MODÈLE – **AIMER**]
Ce verbe garde les deux ***l*** à toutes les formes de la conjugaison.

interplanétaire adj.
Se dit de ce qui est, de ce qui a lieu entre les planètes. *Un voyage interplanétaire.*

interprétation n. f.
1. Explication d'une chose. *L'interprétation d'une loi.*

INTERJECTION

L'interjection est un mot, un groupe de mots qui exprime une réaction émotive de la personne qui parle (surprise, peur, joie, chagrin, etc.). Les multiples exclamations, tous les jurons imaginables rendent la création des interjections toujours vivante.

INTERJECTION

Les interjections peuvent être :

- des **noms.** *Ciel ! Courage ! Dame ! Flûte ! Miracle ! Silence !*
- des **verbes.** *Allez ! Suffit ! Tenez ! Tiens ! Voyons ! Va !*
- des **adverbes.** *Arrière ! Assez ! Bien ! Debout ! Enfin ! Hélas ! Non !*
- des **adjectifs.** *Bon ! Chic ! Las ! Mince ! Parfait ! Vite !*
- des **jurons.** *Diable ! Mamma mia ! Zut !*
- des **cris.** *Aïe ! Bis ! Chut ! Hourra ! Hue ! Olé !*
- des **onomatopées.** *Brrr ! Crac ! Hon ! Hum ! Psst !*
- des **locutions.** *À la bonne heure ! Au feu ! Au secours ! Par exemple ! D'accord !*

- On nomme ***locution interjective*** l'exclamation formée de plusieurs mots. *Mystère et boule de gomme !*

Les ***interjections*** et les ***locutions interjectives*** sont suivies du point d'exclamation et s'écrivent généralement avec une majuscule initiale.

QUELQUES INTERJECTIONS ET LOCUTIONS INTERJECTIVES

Adieu !
Ah !
Aïe !
Ainsi soit-il !
À la bonne heure !
Allez !
Allô !
Allons !
Arrière !
Assez !
Attention !
Au feu !
Au secours !
Bah !
Bien !
Bis !
Bon !
Bon Dieu !
Bonté divine !
Bravo !
Brrr !
Ça alors !

Chic !
Chut !
Ciel !
Courage !
Crac !
D'accord !
Dame !
Debout !
Diable !
Dieu !
Dommage !
Eh !
Eh bien soit !
En avant !
Enfin !
Est-ce Dieu possible !
Euh !
Flûte !
Gare !
Grâce !
Ha !
Ha ! Ha !

Halte !
Hé !
Hé bien !
Hé quoi !
Hein !
Hélas !
Heu !
Ho !
Ho ! Ho !
Holà !
Hop !
Hou !
Hourra !
Hue !
Hum !
Jamais !
Juste ciel !
Là !
Ma foi !
Malheur !
Mamma mia !
Merci !

Mince !
Minute !
Miracle !
Mon Dieu !
N'importe !
Nom d'un chien !
Non !
Ô... !
Oh !
Oh ! là ! là !
Ohé !
Oh ! hisse !
Olé !
Ouf !
Oui !
Ouste !
Pan !
Par exemple !
Parfait !
Pas possible !
Patience !
Pitié !

Psst !
Quoi !
Quoi donc !
Salut !
Silence !
Soit !
Stop !
Suffit !
Tant mieux !
Tant pis !
Tenez !
Tiens !
Tonnerre !
Très bien !
Tout beau !
Tout doux !
Va !
Vite !
Vive... !
Voilà !
Voyons !
Zut !

2. Façon dont une œuvre est jouée. *L'interprétation de cette chanson est originale.* **SYN.** exécution.
✎ interpré**t**ation.

interprète n. m. et f.
1. Personne qui fait la traduction orale et immédiate des paroles de quelqu'un dans une autre langue. *Elle est interprète à l'ONU.*
2. Personne qui exécute une œuvre (musicale, dramatique).
✎ interpr**è**te.

interpréter v. tr.
1. Expliquer. *Interpréter les paroles de quelqu'un. Ce geste peut être interprété de plusieurs façons : pour les uns, c'est une vengeance, pour les autres, un acte de courage.* **SYN.** commenter, comprendre.
2. Jouer une œuvre (musicale, dramatique). *Elle interprète Chopin.* **SYN.** exécuter.
Conjugaison [VOIR MODÈLE – **POSSÉDER**]
Le **é** se change en **è** devant une syllabe muette, sauf à l'indicatif futur et au conditionnel présent. *J'interprète,* mais *j'interpréterai.*

interrogatif, ive adj.
Qui marque l'interrogation. *Un regard interrogatif. Une locution interrogative.*
VOIR TABLEAU – **INTERROGATIF (PRONOM).**
VOIR TABLEAU – **INTERROGATIF ET EXCLAMATIF (ADJECTIF).**

interrogation n. f.
1. Question. *Cette décision risque de susciter des interrogations.* **SYN.** demande.
2. Ensemble de questions posées à un élève. *Demain, il y aura une interrogation écrite sur l'histoire.*
Locution
Point d'interrogation. Signe de ponctuation qui marque la fin de toute phrase interrogative directe.
☞ Si la phrase interrogative est inversée et que le pronom personnel commence par une voyelle, on intercale un ***t*** euphonique entre ce pronom et le verbe qui se termine par une voyelle ainsi qu'un trait d'union entre chacun des éléments. *A-t-elle joué ?*
VOIR TABLEAU – **PONCTUATION.**

interrogatoire n. m.
Ensemble de questions posées à quelqu'un. *Le policier a procédé à un interrogatoire.*
☞ Attention au genre masculin de ce nom : ***un*** interrogatoire.

interroger v. tr., pronom.
Verbe transitif
1. Questionner. *Interroger un candidat.*
2. Examiner, étudier attentivement. *Interroger le ciel pour voir s'il pleuvra.*
Verbe pronominal
Se poser des questions. *Il s'interrogeait sur son avenir.* **SYN.** réfléchir.
Conjugaison [VOIR MODÈLE – **CHANGER**]
Le ***g*** est suivi d'un ***e*** devant les lettres ***a*** et ***o.*** *Il interrogea, nous interrogeons.*

interrompre v. tr., pronom.
Verbe transitif
1. Rompre la continuité, arrêter. *La communication téléphonique a été interrompue. J'ai dû interrompre mon travail à l'ordinateur en raison d'une panne.*

PRONOM **INTERROGATIF**

Pronom relatif employé pour introduire une proposition interrogative directe ou indirecte. ***Qui frappe à la porte ? Dis-moi ce que tu dessines.***

FORMES SIMPLES

qui ? (pour les personnes)

que ? quoi ? (pour les choses)

FORMES COMPOSÉES

	masculin singulier	**féminin singulier**	**masculin pluriel**	**féminin pluriel**
– avec ***le***	*lequel ?*	*laquelle ?*	*lesquels ?*	*lesquelles ?*
– avec ***à***	*auquel ?*	*à laquelle ?*	*auxquels ?*	*auxquelles ?*
– avec ***de***	*duquel ?*	*de laquelle ?*	*desquels ?*	*desquelles ?*

FONCTIONS DU PRONOM INTERROGATIF

Sujet. *Qui vient dîner ce soir ? Sais-tu qui a découvert le Canada ? C'est Jacques Cartier en 1534.*

Attribut. *Dis-moi qui elle est ? Il ne sait pas ce que devient ce projet.*

Complément d'objet direct. *Dis-moi qui tu as vu ? Que voulez-vous ?*

Complément d'objet indirect. *À qui voulez-vous parler ? À quoi pensez-vous ?*

Complément circonstanciel. *Pour qui travaillez-vous ? De quoi est-elle atteinte ?*

VOIR TABLEAU – **PRONOM.**

2. Empêcher quelqu'un de poursuivre son activité. *Cesse de l'interrompre : il ne pourra jamais finir ses devoirs.* **SYN.** déranger.
3. Couper la parole à quelqu'un. *Je m'excuse de vous interrompre.*
Verbe pronominal
S'arrêter au cours d'une action. *Elles se sont interrompues pour écouter ses arguments.*
Conjugaison [VOIR MODÈLE – **FENDRE**]

interrupteur n. m.
Commutateur. *Éteindre la lumière à l'aide de l'interrupteur* (et non de la *switch).

interruption n. f.
Arrêt temporaire. *Il y a une interruption du spectacle en raison d'une manifestation.*

intersection n. f.
Endroit où deux routes se rencontrent. *À la prochaine intersection, il faut tourner à droite.* **SYN.** croisement.

intersidéral, ale, aux adj.
Qui est situé entre les astres. *Des espaces intersidéraux.*

interstellaire adj.
Qui est situé entre les étoiles. *Un espace interstellaire.*
interstell**aire.**

interurbain, aine adj. et n. m.
Adjectif
Se dit d'une communication téléphonique entre des villes. *Des appels interurbains.*
Nom masculin
Appel téléphonique. *Des interurbains coûteux* (et non des *longues distances). (S'abrège familièrement en ***inter***).

intervalle n. m.
1. Espace entre deux corps. *Ces fleurs sont plantées à un intervalle de 15 cm.*
2. Espace de temps entre deux périodes. *Un intervalle de 30 minutes.*
Locution
Par intervalles, locution adverbiale. De temps à autre. *Par intervalles, Maxime venait à la maison.* **SYN.** à l'occasion.
Attention au genre masculin de ce nom : ***un*** intervalle.
interva**ll**e.

intervenir v. intr.
1. Prendre part à quelque chose. *Ils sont intervenus à temps dans la discussion.* **SYN.** participer à.
2. Tenter de convaincre. *Il nous a offert d'intervenir auprès des autorités.*
3. Arriver. *Un accord est intervenu finalement.*
Ne pas confondre avec le verbe ***s'immiscer,*** s'ingérer.
Ce verbe se conjugue avec l'auxiliaire ***être.***
Conjugaison [VOIR MODÈLE – **VENIR**]

intervention n. f.
1. Action de s'interposer dans une situation, une action. *L'intervention rapide des pompiers a permis de sauver le bâtiment.*
2. Acte opératoire. *Une intervention chirurgicale.* **SYN.** opération.
Ne pas confondre avec le nom ***interversion,*** action d'inverser l'ordre.

interversion n. f.
Action d'inverser l'ordre. *L'interversion de deux lettres dans un mot.*
Ne pas confondre avec le nom ***intervention,*** action de s'interposer.

intervertir v. tr.
Changer l'ordre. *Les chiffres ont été intervertis.* **SYN.** inverser.
Conjugaison [VOIR MODÈLE – **FINIR**]

interview n. m. ou f.
Les lettres ***ew*** se prononcent ***ou*** [ɛ̃tɛrvju].
Entrevue avec une personne pour l'interroger sur ses projets, ses idées, etc., afin d'en diffuser le contenu. *Des interviews télédiffusés ou télédiffusées.* **SYN.** entretien.
Ce nom emprunté à l'anglais depuis plus de 100 ans est de genre masculin ou féminin.

interviewer v. tr.
Les lettres ***ew*** se prononcent ***ou*** [ɛ̃tɛrvjuve].
Soumettre quelqu'un à une entrevue. *Interviewer un écrivain sur son prochain livre.*
Conjugaison [VOIR MODÈLE – **AIMER**]

ADJECTIF **INTERROGATIF ET EXCLAMATIF**

Adjectif interrogatif

Déterminant indiquant que l'on s'interroge sur la qualité de l'être ou de l'objet déterminé. L'adjectif interrogatif s'accorde en genre et en nombre avec le nom déterminé.

Adjectif exclamatif

Déterminant qui sert à traduire l'étonnement, l'admiration que l'on éprouve devant l'être ou l'objet déterminé. L'adjectif exclamatif s'accorde en genre et en nombre avec le nom déterminé.

GENRE	NOMBRE		ADJECTIF INTERROGATIF	ADJECTIF EXCLAMATIF
masculin	singulier	quel	*Quel livre ?*	*Quel succès !*
féminin	singulier	quelle	*Quelle personne ?*	*Quelle maison !*
masculin	pluriel	quels	*Quels ballons ?*	*Quels amis !*
féminin	pluriel	quelles	*Quelles bicyclettes ?*	*Quelles vacances !*

VOIR TABLEAU – **ADJECTIF.**

intestin n. m.
Partie du tube digestif comprise entre l'estomac et l'anus. *L'intestin grêle, le gros intestin.*

intestinal, ale, aux adj.
De l'intestin. *Des problèmes intestinaux.*

intime adj. et n. m. et f.
Adjectif
1. Privé. *Des confidences intimes, un journal intime.*
2. Très proche. *Des amis intimes.*
Nom masculin et féminin
Ami. *Cette fête ne réunit que les intimes.*

intimidant, ante adj.
Qui intimide. *Des questions intimidantes.*
Ne pas confondre avec le participe présent ***intimidant.*** *Les questions intimidant les candidats, les résultats furent plutôt médiocres.*

intimider v. tr.
Rendre timide, troubler. *Ne vous laissez pas intimider par son sérieux.* **SYN.** impressionner, paralyser.
Conjugaison [VOIR MODÈLE – **AIMER**]

intimité n. f.
1. Caractère de ce qui est intime. *Il y a une grande intimité entre ces deux amies.*
2. La vie privée. *La cérémonie aura lieu dans la plus stricte intimité : seule la famille y assistera.*

intituler v. tr., pronom.
Verbe transitif
Donner un titre (à un livre, un chapitre, etc.). *Léa a intitulé sa recherche : « La mystérieuse mygale ».*
Verbe pronominal
Avoir pour titre. *Cet article s'intitule : « Alerte ! ».*
Conjugaison [VOIR MODÈLE – **AIMER**]

intolérable adj.
Insupportable. *Ces cris sont intolérables.*

intonation n. f.
Ton de la voix. *Une intonation chantante.*
into**n**ation.

intoxication n. f.
Empoisonnement. *Une intoxication alimentaire.*

intoxiquer v. tr.
Empoisonner. *Ces huîtres ont intoxiqué plusieurs personnes.*
Conjugaison [VOIR MODÈLE – **AIMER**]

intraduisible adj.
Impossible à traduire. *Un poème intraduisible.*

intraitable adj.
Inébranlable. *Elle est intraitable, rien ne la fera changer d'avis.*

intramusculaire adj.
Qui est à l'intérieur d'un muscle. *Une injection intramusculaire.*

intransigeance n. f.
Caractère intransigeant de quelqu'un, de quelque chose. *Les correcteurs ont fait preuve d'intransigeance.* **SYN.** sévérité.
intransi**gean**ce.

intransigeant, ante adj. et n. m. et f.
Qui n'accepte aucune concession. *Des adversaires intransigeants.* **ANT.** souple.
intransi**geant.**

intransitif, ive adj. et n. m.
(GRAMMAIRE) Verbe qui exprime une action qui ne s'applique qu'au sujet et qui n'a pas de complément d'objet direct ou indirect. ***Paraître*** *et* ***venir*** *sont des verbes intransitifs. Un verbe intransitif, un intransitif.*
VOIR TABLEAU – **VERBE.**

intransitivement adv.
(GRAMMAIRE) D'une manière intransitive. *Un verbe employé intransitivement.*

intraveineux, euse adj. et n. f.
Dans une veine. *Une injection intraveineuse. Une intraveineuse.*

intrépide adj.
Brave, hardi. *Les trappeurs intrépides.* **SYN.** courageux.

intrépidité n. f.
Bravoure, hardiesse. *L'intrépidité de ces coureurs des bois.*

intrigue n. f.
1. (AU PLURIEL) Manœuvres secrètes. *Des intrigues politiques.*
2. Trame (d'un récit, d'un film, d'une pièce de théâtre). *Une intrigue très prenante.* **SYN.** histoire.

intriguer v. tr., intr.
Verbe transitif
Exciter la curiosité. *Ce fait nous intrigue beaucoup. C'est en nous intriguant qu'il captive notre attention.*
Verbe intransitif
Comploter. *Il n'a cessé d'intriguer pour arriver à ses fins.*
Conjugaison [VOIR MODÈLE – **AIMER**]

introduction n. f.
Court texte explicatif rédigé généralement par un auteur pour présenter son texte.

introduire v. tr., pronom.
Verbe transitif
1. Faire entrer. *Introduire une clé dans une serrure.* **SYN.** insérer.
2. Faire adopter par l'usage. *Introduire une mode.* **SYN.** lancer.
Verbe pronominal
Pénétrer. *Ils se sont introduits par effraction dans ce bureau.* **SYN.** entrer.
Forme fautive
*introduire. Anglicisme au sens de ***présenter quelqu'un.***
Conjugaison [VOIR MODÈLE – **CONDUIRE**]
INDICATIF PRÉSENT *J'introduis, tu introduis, il introduit, nous introduisons, vous introduisez, ils introduisent.* IMPARFAIT *J'introduisais.* PASSÉ SIMPLE *J'introduisis.* FUTUR *J'introduirai.* **CONDITIONNEL** PRÉSENT *J'introduirais.* **IMPÉRATIF** PRÉSENT *Introduis, introduisons, introduisez.* **SUBJONCTIF** PRÉSENT *Que j'introduise.* IMPARFAIT *Que j'introduisisse.* **PARTICIPE** PRÉSENT *Introduisant.* PASSÉ *Introduit, ite.*

introuvable adj.
Impossible ou difficile à trouver. *Ce livre est introuvable.*

intuitif, ive adj. et n. m. et f.
Adjectif
Qui résulte d'une intuition. *Une perception intuitive.*
Nom masculin et féminin
Personne qui se fie à son intuition, qui pressent les choses.

intuition n. f.
Connaissance directe et immédiate qui ne s'appuie pas sur la raison. *Elle se fie à son intuition.* **SYN.** flair.
intui**tion.**

intuitivement adv.
Par intuition.

inuit, inuite adj. et n. m. et f.
Adjectif
Relatif aux Inuits. *La culture inuite, des objets inuits. Des Inuits.*
Nom masculin et féminin
Membre d'une nation autochtone du Canada qui habite au nord du 55e parallèle. *Au Québec, il y a près de 6 000 Inuits. Un Inuit, une Inuite.*
L'adjectif s'écrit avec une minuscule ; le nom, avec une majuscule.
Ce nom a fait l'objet d'une nouvelle recommandation officielle, le 24 avril 1993, en vue de simplifier la graphie au masculin, au féminin et au pluriel (antérieurement ***Inuk*** au singulier, ***Inuit*** au pluriel). L'adjectif est maintenant variable.

inuktitut n. m. inv.
Langue des Inuits. *Un livre écrit en inuktitut.*
Le nom de la langue s'écrit avec une minuscule.

inusable adj.
Qui ne peut s'user. *Un tissu inusable.* **SYN.** résistant.

inusité, ée adj.
Inhabituel. *Des démarches inusitées.* **SYN.** rare.

inutile adj.
Qui n'a pas d'utilité, non nécessaire. *Ces précautions sont inutiles.* **SYN.** superflu.

inutilisable adj.
Qui ne peut être utilisé. *Des livres inutilisables.*

inutilité n. f.
Manque d'utilité. *L'inutilité d'une démarche.*

invaincu, ue adj.
Qui n'a jamais été vaincu. *Des candidats invaincus.*

invalide adj. et n. m. et f.
Personne infirme ou malade, qui ne peut travailler.

invalidité n. f.
État d'une personne invalide. *Une invalidité temporaire.*

invariabilité n. f.
État, caractère de ce qui est invariable. *L'invariabilité des adverbes.*

invariable adj.
Qui ne varie pas. *Les participes présents sont invariables.*
Locution
Mot invariable. (GRAMMAIRE) Mot qui ne change pas de forme, de terminaison. *Les adverbes, les conjonctions, les prépositions sont des mots invariables.*

invariablement adv.
De façon invariable ; toujours. *Il est en retard invariablement.*

invasion n. f.
Entrée soudaine et massive. *Invasion de sauterelles.*
Ne pas confondre avec le nom ***évasion,*** action de s'échapper d'une prison, d'un lieu.

invectiver v. tr.
Injurier. *Invectiver des adversaires.*
Conjugaison [VOIR MODÈLE – **AIMER**]

invendable adj.
Qui ne peut être vendu. *Des produits invendables.*

inventaire n. m.
1. Dénombrement des marchandises d'une entreprise à une date donnée. *Dresser l'inventaire, procéder à l'inventaire. Fermeture pour cause d'inventaire.*
2. Relevé détaillé des marchandises d'une entreprise. *L'inventaire est tenu à jour de façon permanente.*

inventer v. tr.
Créer, trouver par des recherches, par l'imagination, ce qui n'existait pas avant. *Inventer un nouveau vaccin.* **SYN.** imaginer.
Ne pas confondre avec le verbe ***découvrir,*** trouver ce qui était encore inconnu. *Jacques Cartier a découvert le Canada.*
Conjugaison [VOIR MODÈLE – **AIMER**]

inventeur n. m.
inventrice n. f.
Personne qui a inventé quelque chose d'important dans le domaine scientifique, technique, etc. *Alexander Graham Bell est l'inventeur du téléphone.*

inventif, ive adj.
Ingénieux, qui a beaucoup d'idées. *Un esprit inventif.*

invention n. f.
1. Action d'inventer quelque chose. *Ce chercheur aimerait bien faire une invention importante.* **SYN.** création.
2. Chose inventée. *Les vaccins sont des inventions très utiles parce qu'ils nous protègent de certaines maladies.*

inverse adj. et n. m.
Adjectif
Qui est dans le sens contraire. *Nous avons croisé Martin qui venait en sens inverse : nous marchions vers l'ouest, et lui, vers l'est.* **SYN.** opposé.
Nom masculin
Le contraire. *Ils ont fait l'inverse de ce que j'avais prévu.*

inversement adv.
Vice versa.

inverser v. tr.
Changer le sens de quelque chose. *Inverser l'ordre des pages.*
Conjugaison [VOIR MODÈLE – **AIMER**]

inversion n. f.
1. Action de mettre dans un sens opposé.
Ne pas confondre avec le nom ***aversion,*** antipathie profonde.
2. (GRAMMAIRE) Construction d'une phrase où l'on donne aux mots un autre ordre que l'ordre habituel. *L'inversion du sujet dans une phrase interrogative : Quand viendras-tu ?*

invertébré, ée adj. et n. m.
Qui est sans colonne vertébrale, en parlant d'un animal. *Les insectes, les vers et les mollusques sont des invertébrés.*

investigation n. f.
Recherche systématique et approfondie. *Les policiers feront des investigations pour trouver les auteurs du vol.* **SYN.** enquête.

investir v. tr.
Placer des capitaux dans une affaire. *Ils ont investi tous les bénéfices dans cette entreprise.*
Conjugaison [VOIR MODÈLE – **FINIR**]

investissement n. m.
Capitaux investis dans une affaire. *Cet immeuble et ce terrain sont de bons investissements.* **SYN.** placement.

investisseur, euse adj. et n. m. et f.
Personne ou groupe qui investit des capitaux dans une entreprise. *De petits investisseurs.*

invincible adj.
1. Qui ne peut être vaincu. *Un guerrier invincible.* **SYN.** invulnérable.
2. Irrésistible. *Une invincible envie de rire.*
✎ invin**ci**ble.

invisibilité n. f.
Caractère de ce qui est invisible.

invisible adj. et n. m.
Qui échappe à la vue. *De l'encre invisible. Des particules invisibles.*

invitation n. f.
1. Action d'inviter. *Nous devrons faire nos invitations bientôt.*
2. Résultat de cette action. *Recevoir une invitation pour une fête.*

invité, ée n. m. et f.
Personne qui a reçu une invitation. *Nous aurons 20 invités.*

inviter v. tr.
1. Demander à quelqu'un de participer à quelque chose. *Inviter une amie à dîner.*
2. Inciter. *Le beau temps invite à la promenade.* **SYN.** pousser.
Conjugaison [VOIR MODÈLE – **AIMER**]

invivable adj.
Insupportable. *Cette personne acariâtre est invivable.*

involontaire adj.
1. Qui échappe au contrôle de la volonté. *Un geste involontaire.* **SYN.** automatique, machinal.
2. Qui agit ou se trouve dans une situation quelconque, sans le vouloir. *Être le témoin involontaire d'un crime.*

involontairement adv.
Sans le vouloir. *Si je t'ai fait de la peine, c'est bien involontairement.*

invraisemblable adj. et n. m.
Qui ne semble pas vrai. *Cette histoire est invraisemblable : on ne peut y croire.*
☞ Ne pas confondre avec les mots suivants :
– ***bizarre,*** étonnant, singulier ;
– ***inconcevable,*** inimaginable ;
– ***incroyable,*** difficile à croire.

invulnérable adj.
Qui ne peut être atteint. *Obélix est invulnérable.* **SYN.** invincible.

iode n. m.
Corps simple qui émet en bouillant des vapeurs violettes. *La teinture d'iode désinfecte les plaies.*
☞ Attention au genre masculin de ce nom : ***un*** iode.

Î.-P.-É
Abréviation de ***Île-du-Prince-Édouard.***

irakien, iraquien, ienne adj. et n. m. et f.
De l'Irak. *Le drapeau irakien, iraquien. Un Irakien, un Iraquien, une Irakienne, une Iraquienne.*
☞ L'adjectif s'écrit avec une minuscule ; le nom, avec une majuscule.
☞ La graphie ***iraqien*** est rare.

iranien, ienne adj. et n. m. et f.
De l'Iran. *Le pétrole iranien. Un Iranien, une Iranienne.*
☞ L'adjectif s'écrit avec une minuscule ; le nom, avec une majuscule.

iris n. m.
Le **s** se prononce [iris].
1. Plante donnant des fleurs bleues, violettes, blanches.
2. Partie colorée de l'œil. *L'iris vert de ses yeux.*

irlandais, aise adj. et n. m. et f.
Adjectif et nom masculin et féminin
D'Irlande. *Le drapeau irlandais. Un Irlandais, une Irlandaise.*
☞ L'adjectif s'écrit avec une minuscule ; le nom, avec une majuscule.
Nom masculin
Langue parlée en Irlande. *Parler l'irlandais.*
☞ Le nom de la langue s'écrit avec une minuscule.

ironie n. f.
Forme d'esprit qui consiste à dire le contraire de ce qui est vrai pour se moquer. *Dans ce monologue, ce comédien manie l'ironie avec brio : il déclare adorer Sophie alors que les spectateurs savent qu'il ne peut la supporter.*

ironique adj.
Où il y a de l'ironie. *Quand le comédien dit adorer Sophie, son ton est ironique.*

ironiquement adv.
De façon ironique.

iroquois, oise adj. et n. m. et f.
Adjectif
Qui appartient à la famille amérindienne des Iroquois. *Une coutume iroquoise.*
Nom masculin et féminin
Membre d'une grande famille amérindienne qui vivait au sud du Saint-Laurent et du lac Ontario. *Les Iroquois et les Iroquoises.*
☞ L'adjectif s'écrit avec une minuscule ; le nom, avec une majuscule.
Nom masculin
La langue des Iroquois. *L'iroquois est un ensemble de langues parlées par les Iroquois.*
☞ Le nom de la langue s'écrit avec une minuscule.

irréalisable adj.
Impossible à réaliser. *Un projet coûteux et irréalisable.*

irrécupérable adj.
Qui ne peut être récupéré. *Une voiture accidentée irrécupérable.*

irréel, elle adj. et n. m.
Qui est en dehors de la réalité. *Un paysage irréel.*

irréfléchi, ie adj.
Non réfléchi. *Un geste irréfléchi.* **SYN.** écervelé, étourdi.

irrégularité n. f.
Absence de régularité, caractère irrégulier. *Les irrégularités d'une route rendent le trajet pénible.*

irrégulier, ière adj.
1. Qui n'est pas régulier, symétrique. *Une forme irrégulière.*
2. Non conforme aux règles générales, au modèle grammatical. *Le verbe éclore est un verbe irrégulier.*

irremplaçable adj.
Qui ne peut être remplacé. *Une amie irremplaçable.* **SYN.** unique.
✎ irrempla**ç**able.

irréprochable adj.
Sans défaut, sans reproche. *Un travail irréprochable, une personne irréprochable.* **SYN.** parfait.

irrésistible adj.
À qui, à quoi on ne peut résister. *Un fou rire irrésistible.*

irrespirable adj.
Qui est dangereux à respirer. *Une atmosphère irrespirable.*

irrigation n. f.
Arrosage artificiel d'un sol. *En cas de sécheresse, l'irrigation est nécessaire.*

irriguer v. tr.
Arroser par irrigation. *Irriguer une vallée.*
Conjugaison [VOIR MODÈLE – **AIMER**]

irritable adj.
Susceptible, qui se fâche pour peu de chose. *Cette personne est irritable, elle se met en colère pour des riens.*

irritant, ante adj.
1. Agaçant, énervant. *Cette attente est irritante.* **SYN.** exaspérant.
2. (MÉDECINE) Qui cause de l'irritation. *Ce produit chimique est un irritant pour la peau.*

irritation n. f.
1. Colère. *Son irritation était causée par leur retard.*
2. (MÉDECINE) Inflammation. *Une irritation de la paupière.*

irriter v. tr.
1. Mettre en colère. *Il ne faut pas l'irriter, il peut devenir méchant.*
2. (MÉDECINE) Provoquer une inflammation. *Ce produit irrite la peau.*
Conjugaison [VOIR MODÈLE – **AIMER**]

irruption n. f.
Entrée soudaine et brutale de personnes dans un lieu. *Faire irruption dans une pièce.*
Ne pas confondre avec **éruption**, sortie brutale.

islam n. m.
La lettre ***m*** se prononce [islam].
1. Religion musulmane. *Le livre saint de l'islam est le Coran.*
En ce sens, le nom s'écrit avec une minuscule.
2. Ensemble des peuples musulmans. *Les pays de l'Islam.*
En ce sens, le nom s'écrit avec une majuscule.

islamique adj.
Relatif à l'islam. *Une fête islamique.*

islandais, aise adj. et n. m. et f.
Adjectif et nom masculin et féminin
D'Islande. *Le drapeau islandais. Un Islandais, une Islandaise.*
L'adjectif s'écrit avec une minuscule ; le nom, avec une majuscule.
Nom masculin
Langue parlée en Islande. *Il parle l'islandais.*
Le nom de la langue s'écrit avec une minuscule.

isocèle adj.
Qui a deux côtés égaux. *Des triangles isocèles.*
iso**cèle.**

isolant, ante adj. et n. m.
Adjectif
Qui isole. *Des substances isolantes. La laine est une substance isolante.*
Ne pas confondre avec le participe présent invariable ***isolant.*** *Nous n'utilisons que les matériaux isolant le mieux.*
Nom masculin
Matériau isolant.

isolation n. f.
Action d'isoler un corps contre le bruit, la chaleur, etc.

isolement n. m.
1. État d'une personne seule. *L'isolement de Philippe lui est pénible.* **SYN.** solitude.
2. État d'une chose isolée. *L'isolement d'une maison dans la forêt.*

isoler v. tr., pronom.
Verbe transitif
1. Mettre à l'écart. *Isoler un prisonnier.* **SYN.** séparer.
2. Protéger contre les influences, le froid, la chaleur. *Isoler une maison.*

EMPRUNTS À L'**ITALIEN**

De nombreux mots italiens se sont intégrés au français ; ils proviennent surtout des domaines de la musique, de l'art et de la cuisine.

Orthographe

Si le mot est francisé, il s'écrit avec des accents, s'il y a lieu, et prend la marque du pluriel. *Des scénarios, des trémolos, des opéras.*

Certains auteurs recommandent l'invariabilité des mots pluriels italiens tels que ***spaghetti, macaroni, ravioli***... Il apparaît plus pratique de considérer que ces mots sont maintenant francisés, et donc variables. *Des spaghettis, des macaronis, des raviolis.*

Quelques mots italiens francisés

bravo	fiasco	maestro	solo
brocoli	gnocchi	opéra	soprano
concerto	incognito	ravioli	spaghetti
confetti	lasagne	salami	ténor
dilettante	macaroni	scénario	trémolo

Tous ces mots francisés prennent la marque du pluriel.

L'italique, caractère typographique légèrement incliné vers la droite, permet d'attirer l'attention du lecteur sur un mot, un titre, une citation, une dénomination.

Dans un texte manuscrit ou dactylographié destiné à l'impression, on souligne d'un trait les mots qui doivent être composés en italique.

SE COMPOSENT EN ITALIQUE :

- **Titres d'œuvres** (livres, tableaux, journaux, revues, etc.)

Le mot initial du titre s'écrit avec une majuscule.

Martine a beaucoup aimé *Les grands sapins ne meurent pas*.
Le journal *Le Devoir*.
Connais-tu la chanson *J'aurais voulu être un artiste* de Luc Plamondon ?

- **Enseignes commerciales**

Citées intégralement, les inscriptions d'enseignes se composent en ***italique***; abrégées, elles seront composées en romain.

S'arrêter à l'*Auberge du Cheval blanc*.
Manger au Cheval blanc.

- **Noms de véhicules** (bateaux, avions, trains, engins spatiaux, etc.)

Les noms propres de véhicules se composent en ***italique***. Ces noms propres s'écrivent avec une capitale initiale au nom spécifique et à l'adjectif qui précède le nom.

Il a pris le *Concorde*.
Le lanceur de satellites *Ariane* est européen.

- **Notes de musique**

Les huit notes de musique se composent en ***italique***. Les indications qui peuvent accompagner les notes sont en ***romain***.

Une étude en *si* bémol.

- **Citations, mots en langue étrangère**

Les locutions latines, les citations, les mots, les expressions qui appartiennent à une langue étrangère sont composés en ***italique***.

Une déduction *a posteriori*.
C'est un véritable *one man show*.

- **Avis, indications au lecteur**

Si le texte (avant-propos, dédicace, etc.) n'excède pas 20 pages, il peut être composé en ***italique***. On utilise l'***italique*** pour attirer l'attention du lecteur à qui l'on s'adresse directement.

Suite à la page 24.

- **Devises**

Les devises sont toujours composées en ***italique***.

Je me souviens.
A mare usque ad marem.

Verbe pronominal
Se mettre à l'écart. *Ils se sont isolés pour mieux réfléchir.* **SYN.** se retirer.
Conjugaison [VOIR MODÈLE – **AIMER**]

israélien, ienne adj. et n. m. et f.
Le ***s*** se prononce ***s*** (et non *z) [israeljɛ̃, jɛn].
Qui se rapporte à l'État d'Israël.
L'adjectif s'écrit avec une minuscule ; le nom, avec une majuscule.

israélite adj. et n. m. et f.
Le ***s*** se prononce ***s*** (et non *z) [israelit].
Se dit d'une personne qui, par sa religion, appartient à la communauté juive.
VOIR **ISRAÉLIEN, HÉBREU.**

issu, ue adj.
Qui provient de. *Cette réforme est issue d'une nouvelle politique.*

issue n. f.
Lieu par où l'on sort. *Une issue de secours.* **SYN.** sortie.

isthme n. m.
Le ***t*** ne se prononce pas [ism].
Langue de terre qui sépare deux mers et relie deux terres.
Attention au genre masculin de ce nom : ***un*** isthme.
is**th**me.

italien, ienne adj. et n. m. et f.
Adjectif et nom masculin et féminin
D'Italie. *Le drapeau italien. Un Italien, une Italienne.*
L'adjectif s'écrit avec une minuscule ; le nom, avec une majuscule.
Nom masculin
Langue parlée en Italie. *Apprendre l'italien.*
Le nom de la langue s'écrit avec une minuscule.
VOIR TABLEAU – **ITALIEN (EMPRUNTS À L').**

italique adj. et n. m.
Adjectif
Se dit d'un caractère typographique légèrement incliné vers la droite. *Une lettre italique.*
Nom masculin
Caractère incliné vers la droite.
Locution
En italique(s). En caractères italiques.
Le nom ***italique*** est un collectif qui désigne l'ensemble des caractères italiques ; on écrit généralement ce mot au singulier. *Composer en italique.* Cette expression peut s'écrire au pluriel lorsque le nom ***lettres*** est sous-entendu. *Composer en (lettres) italiques.*
L'italique permet d'attirer l'attention du lecteur sur un mot, un titre, une citation. Dans un texte destiné à l'impression, on souligne d'un trait les mots qui doivent être composés en italique.
VOIR TABLEAU – **ITALIQUE.**

***item**
Anglicisme au sens de ***article, produit***. *Ces articles* (et non ces *items) *sont en souffrance.*

itinéraire n. m.
Trajet. *Tracer un itinéraire pour une randonnée dans le parc du Mont-Tremblant.*

itinérant, ante adj.
Qui se déplace pour exercer une fonction. *Des vendeurs itinérants, un ambassadeur itinérant, une exposition itinérante.*
Ne pas confondre avec le nom ***sans-abri,*** personne qui est sans logement.

ivoire adj. inv. et n. m.
Nom masculin
Matière blanche dont sont constituées les défenses de l'éléphant. *Une sculpture en ivoire.*
Adjectif de couleur invariable
De la couleur de l'ivoire. *Des lainages ivoire.*
VOIR TABLEAU – **COULEUR (ADJECTIFS DE).**
Attention au genre masculin de ce nom : ***un*** ivoire.

ivoirien, ienne adj. et n. m. et f.
De la Côte-d'Ivoire. *Le drapeau ivoirien. Un Ivoirien, une Ivoirienne.*
L'adjectif s'écrit avec une minuscule ; le nom, avec une majuscule.

ivre adj.
1. Qui a trop bu. *Ces fêtards sont ivres.* **SYN.** enivré, soûl.
2. Troublé par une passion, une émotion. *Ivre de joie, il se mit à crier.*

ivresse n. f.
Enivrement dû à l'alcool. *Son ivresse était visible, on lui proposa de prendre un taxi.*

***ivressomètre**
Impropriété pour ***alcootest.***

ivrogne, esse adj. et n. m. et f.
Personne qui s'enivre souvent ; alcoolique.

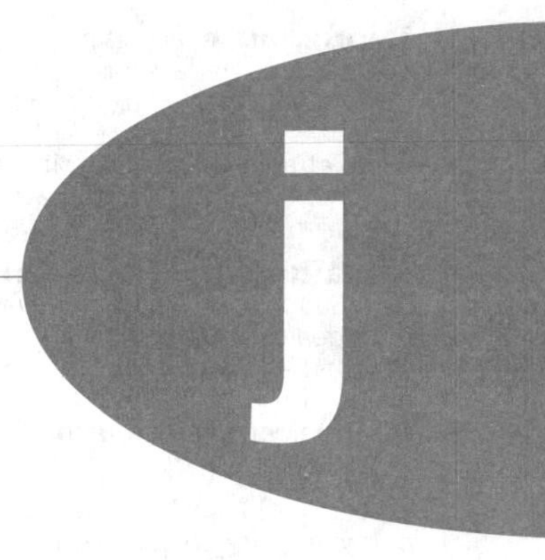

j n. m. inv.
Dixième lettre de l'alphabet.

jabot n. m.
Le ***t*** ne se prononce pas [ʒabo].
1. Poche placée sous la gorge des oiseaux où les aliments séjournent avant d'être digérés dans l'estomac. *Le jabot de la poule.*
2. Ornement plissé fixé au col d'une chemise. *Le jabot de dentelle est l'ancêtre de la cravate.*
jabo**t,** un ***t*** final.

jacassement n. m.
1. Cri de la pie.
2. Bavardage tapageur.

jacasser v. intr.
1. Crier, en parlant de la pie.
2. Bavarder d'une voix criarde, de façon malveillante. *Silence ! arrêtez de jacasser !*
Conjugaison [VOIR MODÈLE – **AIMER**]

jacinthe n. f.
Plante bulbeuse cultivée pour ses fleurs colorées et parfumées.
jacin**th**e.

***jack**
Anglicisme au sens de ***cric.***

jacquet n. m.
Le ***t*** ne se prononce pas [ʒakɛ].
Jeu de société qui s'apparente au trictrac. *Jouer au jacquet* (et non au *backgammon).
ja**cq**ue**t.**

jade n. m.
Pierre très dure dont la couleur varie du blanc au vert. *De beaux jades. Amélie a reçu un bracelet en jade.*
Attention au genre masculin de ce nom : ***un*** jade.

jadis adv.
Le ***s*** se prononce [ʒadis].
(LITTÉRAIRE) Il y a très longtemps. *Jadis les hommes vivaient dans des cavernes.*
Ne pas confondre avec les mots suivants :
– ***autrefois,*** dans un temps passé ;
– ***naguère,*** il y a peu de temps.

jaguar n. m.
Le ***u*** se prononce ***ou*** [ʒagwar].
Grand félin de l'Amérique du Sud au pelage fauve tacheté de noir, voisin de la panthère. *Les jaguars sont des carnassiers.*

jaillir v. intr.
1. Sortir violemment, en parlant d'un liquide. *Une source d'eau pure jaillit du sol.* **SYN.** gicler.
2. Apparaître brusquement. *Des étincelles jaillissent du brasier.* **SYN.** surgir.
Conjugaison [VOIR MODÈLE – **FINIR**]

jais n. m.
Les lettres ***ais*** se prononcent **è** [ʒɛ]; le mot rime avec ***jet.***
Pierre d'un noir brillant. *Noir comme du jais.*
HOM.
– **geai**, oiseau ;
– **jet**, distance parcourue par une chose lancée.
jai**s.**

jalon n. m.
1. Tige plantée en terre à titre de point de repère. *Poser des jalons pour mesurer un terrain.*
2. (FIGURÉ) Repère, grandes lignes. *Les jalons d'une recherche.*
Locution
Planter, poser des jalons. Établir les idées principales d'une recherche, d'un travail.

jalonner v. tr.
1. Disposer des repères. *Jalonner un terrain, un itinéraire.* **SYN.** baliser, délimiter.
2. Marquer. *Les étapes qui jalonnent sa carrière.*
Conjugaison [VOIR MODÈLE – **AIMER**]
jalo**nn**er.

jalouser v. tr.
Envier. *Il jalouse les enfants plus grands qui jouent dehors.*
Conjugaison [VOIR MODÈLE – **AIMER**]

jalousie n. f.
1. Envie. *Éprouver de la jalousie à l'égard de ceux qui ont du succès.*
2. Amour possessif. *Une scène de jalousie.*

jaloux, ouse adj. et n. m. et f.
Qui éprouve de la jalousie. *Cet enfant est jaloux de son frère, de lui. Il est jaloux qu'un autre lui ait été préféré.* SYN. envieux.
Cet adjectif se construit avec la préposition ***de*** suivie d'un nom, d'un pronom ou avec la conjonction ***que*** suivie du subjonctif.

jamaïquain ou **jamaïcain, aine** adj. et n. m. et f.
De la Jamaïque. *Une musique jamaïquaine, jamaïcaine. Un Jamaïquain, un Jamaïcain, une Jamaïquaine, une Jamaïcaine.*
L'adjectif s'écrit avec une minuscule ; le nom, avec une majuscule.
La graphie ***jamaïquain*** est la plus fréquente.

jamais adv.
1. Sens positif. En un temps quelconque, futur ou passé. *La plus jolie musique que j'aie jamais entendue.*
2. Sens négatif. À aucun moment. *Il ne joue jamais dehors. Je n'en ai jamais entendu parler.*
En ce sens, l'adverbe est accompagné d'une négation (*ne, sans*).
Locutions
À jamais, à tout jamais, locution adverbiale. Pour toujours. *Cette famille est partie à tout jamais.*
Au grand jamais, locution adverbiale. Jamais, quoi qu'il arrive.
C'est maintenant ou jamais. Il est temps de se décider à faire ou à ne pas faire quelque chose.
Jamais de la vie, locution adverbiale. Pas du tout.
Mieux vaut tard que jamais. Il vaut mieux faire quelque chose en retard que de ne pas le faire.
Si jamais, locution conjonctive. Si par hasard. *Si jamais tu vois Luc, dis-lui que je suis d'accord.*
jamai**s.**

jambe n. f.
Partie du membre inférieur de l'être humain comprise entre le genou et le pied. *De longues jambes. Je vais courir un peu pour me dégourdir les jambes.*
Locutions
À toutes jambes, locution adverbiale. Très vite. *Ils ont couru à toutes jambes pour ne pas manquer le train.*
Être dans les jambes de quelqu'un. Déranger, encombrer quelqu'un.
Prendre ses jambes à son cou. S'enfuir très rapidement.

jambette n. f.
(FAMILIER) Croc-en-jambe. *Christian m'a fait une jambette et je suis tombé.*
L'emploi du nom est courant au Québec dans la langue familière, mais il est vieilli dans l'ensemble de la francophonie.

jambière n. f.
Vêtement, équipement qui protège la jambe. *Les jambières de joueurs de hockey.*

jambon n. m.
Cuisse du porc, salée ou fumée pour être conservée. *Un sandwich au jambon.*

jante n. f.
Partie d'une roue sur laquelle le pneu est monté.
jante.

janvier n. m.
Premier mois de l'année. *Le 27 janvier.*
Les noms de mois s'écrivent avec une minuscule.
VOIR TABLEAU – **DATE.**

japonais, aise adj. et n. m. et f.
Adjectif et nom masculin et féminin
Du Japon. *Le drapeau japonais. Un Japonais, une Japonaise.*
L'adjectif s'écrit avec une minuscule ; le nom, avec une majuscule.
Nom masculin
Langue parlée au Japon. *Yamata parle le japonais.*
Le nom de la langue s'écrit avec une minuscule.

jappement n. m.
Cri du petit chien.
Pour les chiens de grande taille, on emploiera plutôt ***aboiement.***

japper v. intr.
Crier, en parlant du chien. *Ouaf ! Ouaf ! Cesse de japper, Filou !*
Pour les chiens de grande taille, on emploiera plutôt ***aboyer.***
Conjugaison [VOIR MODÈLE – **AIMER**]

jaquette n. f.
Couverture amovible d'un livre. *Le* Visuel *a une jaquette illustrée.*
Forme fautive
*jaquette. Impropriété au sens de ***chemise de nuit.***

jardin n. m.
1. Terrain où l'on cultive des légumes, des fleurs, etc. *Un jardin potager, un jardin d'agrément.*
2. Parc ouvert au public. *Les jardins de Métis sont réputés.*
Locutions
Jardin botanique. Lieu où l'on cultive des plantes diverses à des fins d'étude. *Le Jardin botanique de Montréal est un des plus importants au monde.*
Jardin d'enfants. Classe enfantine, maternelle, dans l'enseignement privé.

jardinage n. m.
Culture des jardins. *Le jardinage est un agréable passe-temps.* SYN. horticulture.

jardiner v. intr.
Travailler à un jardin. *Comme passe-temps, elle adore jardiner.*
Conjugaison [VOIR MODÈLE – **AIMER**]

jardinerie n. f.
Établissement commercial qui offre, en tout ou en partie, les biens et les services liés au jardin et au jardinage. (Recomm. off. OLF)

jardinier n. m.
jardinière n. f.
Personne dont le métier est de cultiver les jardins.

jardinière n. f.
Bac où l'on cultive des fleurs, des plantes vertes.

jargon n. m.
Langage spécialisé difficile à comprendre. *Le jargon des financiers.*
Ce mot a un sens plutôt défavorable et désigne la langue compliquée d'un art, d'une science que les personnes non spécialistes ne comprennent pas.

jarre n. f.
Grand vase de terre cuite. *Une jarre d'huile.*
Ne pas confondre avec les noms suivants :
– ***bocal,*** contenant de verre ;
– ***jatte,*** grand bol.

HOM. jars, mâle de l'oie.

jarret n. m.
1. Partie de la jambe située derrière l'articulation du genou, chez l'homme.
Ne pas confondre avec le nom ***mollet,*** partie postérieure de la jambe, entre le jarret et la cheville.
2. Articulation du membre postérieur, chez les quadrupèdes.
3. Morceau de boucherie. *Des jarrets de veau.*
Locution
Avoir des jarrets d'acier. (FIGURÉ) Être très bon marcheur.
jarr**et.**

jars n. m.
Le ***s*** ne se prononce pas [ʒaʀ]; ce mot rime avec ***jarre.***
Mâle de l'oie.
HOM. jarre, grand vase de terre cuite.
VOIR TABLEAU – **ANIMAUX.**
jar**s.**

jasette (avoir de la) loc.
(FAMILIER) Avoir la parole facile. *Monica a de la jasette.*

jasmin n. m.
Plante ornementale à fleurs très odorantes.

jatte n. f.
Grand bol; son contenu. *Mets les ingrédients dans la jatte et mélange le tout.*
Ne pas confondre avec les noms suivants :
– ***bocal,*** contenant de verre;
– ***jarre,*** grand vase.

jauge n. f.
Instrument de mesure. *La jauge d'essence indique que le réservoir est vide.*
jau**g**e.

jauger v. tr., intr.
Verbe transitif
1. Mesurer avec une jauge (le volume de). *Jauger un réservoir.*
2. (FIGURÉ) Évaluer les capacités (morales, intellectuelles, physiques) d'une personne. *L'examinateur la jaugea rapidement.* **SYN.** juger.
Verbe intransitif
Avoir une capacité de. *Un navire qui jauge 1 000 tonneaux.*
SYN. contenir.
Conjugaison [VOIR MODÈLE – **CHANGER**]
Le ***g*** est suivi d'un ***e*** devant les lettres ***a*** et ***o.*** *Il jaugea, nous jaugeons.*

jaunâtre adj.
Qui tire sur le jaune. *Des papiers jaunâtres.*
Cet adjectif a une valeur plutôt défavorable.
jaun**â**tre.

jaune adj., adv. et n. m. et f.
Adjectif de couleur
Qui est de la couleur du citron, de l'or. *Des robes jaunes.*
Employé seul, l'adjectif s'accorde; employé avec un nom ou un autre adjectif, il est invariable. *Des chapeaux jaune orange, jaune pâle.*
VOIR TABLEAU – **COULEUR (ADJECTIFS DE).**
Nom masculin
Couleur jaune. *Des jaunes lumineux.*
Employé comme nom, le mot ***jaune*** prend la marque du pluriel.
Nom masculin et féminin
Personne de race jaune, généralement d'origine asiatique. *Les Jaunes, les Blancs, les Noirs.*
En ce sens, le nom s'écrit avec une majuscule.
Adverbe
Rire jaune. Rire de façon forcée. *Ils ont ri jaune en voyant cette caricature.*
Pris adverbialement, le mot est invariable.

jaunir v. tr., intr.
Verbe transitif
Rendre jaune. *L'automne a jauni les feuilles.*
Verbe intransitif
Prendre une teinte jaune. *Le papier peint a jauni.*
Conjugaison [VOIR MODÈLE – **FINIR**]

jaunisse n. f.
Coloration jaune de la peau caractéristique des maladies du foie.

Javel (eau de) n. f.
Solution détersive et désinfectante. *Des eaux de Javel.*
Le mot ***Javel*** qui désignait un lieu est un nom propre; il s'écrit avec une majuscule et ne prend pas la marque du pluriel.

javelot n. m.
1. Longue tige de bois à pointe de fer qui servait d'arme anciennement.
2. Instrument de lancer, employé en athlétisme. *Le lancer du javelot est une discipline olympique.*
Ne pas confondre avec les noms suivants :
– ***dard,*** arme acérée;
– ***flèche,*** baguette munie d'un fer pointu.
javelo**t.**

jazz n. m.
Le ***j*** se prononce ***dj*** [dʒɑz].
Style musical des Noirs américains. *Un air de jazz.*

je pron. pers. m. et f.
Pronom personnel masculin et féminin de la première personne du singulier, qui est toujours sujet du verbe. *Je fais de la bicyclette, je lis.*
Le pronom s'élide devant une voyelle ou un ***h*** muet. *J'aime, j'honore.*
L'inversion du pronom ***je*** dans l'interrogation directe est de style littéraire. *Dois-je le dire?* Dans la langue courante, on recourt plutôt à l'expression *Est-ce que je dois le dire?*
VOIR TABLEAU – **PRONOM.**

jean, jeans n. m.
Le ***j*** se prononce ***dj*** et les lettres ***ea*** se prononcent ***i,*** [dʒin, dʒins].
1. Pantalon de toile. *Elle porte un jean* ou *un jeans. Il est en jean* ou *jeans.*
2. Toile qui sert à confectionner ce pantalon. *Un blouson en jean.*

jeannette n. f.
Fillette appartenant à un mouvement de guides (scoutisme).
Les jeunes scouts sont des louveteaux.

jeep n. f.
La lettre ***j*** se prononce ***dj*** ou ***j*** et les lettres ***ee, i*** [dʒip] ou [ʒip].
Véhicule tout terrain. *Des jeeps puissantes.*

jésuite adj. et n. m.
Membre de la Compagnie de Jésus. *Le père Bourgeois est un jésuite passionné de physique. Un collège jésuite.*

Le nom s'écrit avec une minuscule lorsqu'il désigne un membre de l'ordre religieux; quand il désigne la Compagnie de Jésus, il s'écrit avec une majuscule. *Les Jésuites ont joué un rôle important dans l'histoire du Québec.*

jet n. m.
1. Distance parcourue par une chose lancée. *À un jet de pierres.*
2. Mouvement d'un liquide qui jaillit. *Des jets d'eau, de lave.*
Locutions
D'un seul jet. D'un seul coup. *Elle a écrit sa lettre d'un seul jet.*
Premier jet. (FIGURÉ) Esquisse d'une œuvre.
Forme fautive
*jet. Anglicisme au sens de ***avion à réaction.***
HOM.
– **geai**, oiseau;
– **jais**, pierre d'un noir brillant.

jetable adj.
Terme général pour qualifier tout objet que l'on peut ou doit jeter après usage. (Recomm. off. OLF) *Des lames jetables* (et non *disposables).

jetée n. f.
Construction qui s'avance dans l'eau et qui est destinée à protéger un port. *Pêcher sur la jetée.*

jeter v. tr., pronom.
Verbe transitif
1. Envoyer quelque chose à une certaine distance de soi. *Jeter une pierre.* **SYN.** lancer.
2. Se défaire de (quelque chose). *Jeter de vieux journaux au recyclage. Ne jette pas ces vêtements, donne-les plutôt.* **SYN.** se débarrasser.
Verbe pronominal
1. Se lancer. *Elle s'est jetée à son secours.* **SYN.** se précipiter, sauter.
2. Déverser ses eaux, en parlant d'un cours d'eau. *Le Saguenay se jette dans le Saint-Laurent.*
Locutions
Jeter de la poudre aux yeux. (FIGURÉ) Éblouir, tromper.
Se jeter à l'eau. (FIGURÉ) Se lancer, expérimenter quelque chose de nouveau.
Ce verbe n'implique ni objectif précis à atteindre ni précaution pour viser.
Conjugaison [VOIR MODÈLE – **APPELER**]
Redoublement du ***t*** devant un ***e*** muet. *Je jette, je jetterai,* mais *je jetais.*

jeton n. m.
Petite pièce plate, généralement ronde, qui sert de monnaie. *Des jetons pour jouer.*

jeu n. m. (pl. *jeux*)
1. Divertissement. *Des jeux de société, des jeux vidéo.*
Attention au complément du nom ***jeu;*** celui-ci est au pluriel lorsqu'il désigne une série complète d'objets, un certain nombre d'éléments. *Un jeu de cartes, un jeu d'échecs, un jeu de clés.*
2. (AU PLURIEL) Ensemble de compétitions sportives. *Les Jeux olympiques* ou *les Jeux Olympiques.*
3. Manière de jouer. *Le jeu de ce pianiste est intéressant.*
Locutions
Avoir beau jeu. Se trouver dans des conditions idéales pour faire quelque chose. *Ils ont beau jeu de nous faire croire n'importe quoi.*
L'expression est toujours au singulier.
Cacher son jeu. (FIGURÉ) Dissimuler ses impressions.
D'entrée de jeu. Dès le début, d'emblée.
Faire le jeu de quelqu'un. Faciliter sa réussite.
Jeu d'enfant. Chose très facile.
Jeu de mots. Plaisanterie créée par la ressemblance entre divers mots.
Jouer gros jeu. (FIGURÉ) Investir beaucoup dans une affaire risquée.
Le jeu n'en vaut pas la chandelle. Cela n'en vaut pas la peine.
Les jeux sont faits. Le sort en est jeté, tout est décidé.
Règles du jeu. Conventions. *Il faut respecter les règles du jeu.*
Se piquer au jeu. Être captivé, s'obstiner malgré les échecs.
Vieux jeu. Démodé. *Ces principes sont vieux jeu.*
Cette expression est invariable.

jeudi n. m.
Quatrième jour de la semaine. *Bianca va magasiner tous les jeudis.*
Les noms de jour s'écrivent avec une minuscule et prennent la marque du pluriel. *Je viendrai tous les jeudis,* mais *je viendrai tous les lundi et jeudi de chaque semaine.* Attention à la construction de la dernière phrase où les noms de jours restent au singulier parce qu'il n'y a qu'un seul lundi et qu'un seul jeudi par semaine.
Locution
La semaine des quatre jeudis. Jamais.
VOIR TABLEAU – **JOUR.**

jeun (à) loc. adv.
Sans avoir mangé. *Pour cette analyse de sang, il faut être à jeun.*
à je**u**n, sans accent circonflexe.

jeune adj. et n. m. et f.
Adjectif
Qui n'est pas vieux. *Un jeune homme, une jeune fille.*
Nom masculin et féminin
Personne qui est dans sa jeunesse. *Ces jeunes sont très sympathiques.* **ANT.** âgé, vieux.
La place de l'adjectif est significative : un ***homme jeune*** est un homme non âgé et un ***jeune homme*** est un adolescent.
Ne pas confondre avec le nom ***jeûne,*** privation de nourriture.

jeûne n. m.
Privation de nourriture. *Certaines personnes pratiquent le jeûne à l'occasion.*
Ne pas confondre avec le mot ***jeune,*** qui n'est pas vieux.
je**û**ne.

jeûner v. intr.
Rester sans manger. *Voilà deux jours qu'ils jeûnent.*
Conjugaison [VOIR MODÈLE – **AIMER**]
je**û**ner.

jeunesse n. f.
Période de la vie entre l'enfance et la maturité. **ANT.** vieillesse.

***job**
Anglicisme pour ***travail, emploi.***

jockey n. m. et f.
Le nom se prononce [ʒɔke] ou [dʒɔke] ; il rime avec ***quai.***
Personne dont le métier est de monter les chevaux de course. *Des jockeys très habiles.*

jogging n. m.
Le mot se prononce à l'anglaise [dʒɔgiŋ].
Course à pied à petite allure. *Faire du jogging.*

joie n. f.
Émotion profonde et agréable, souvent courte et passagère. *Quelle joie de retrouver ses amis !*
Ne pas confondre avec les noms suivants :
– ***bonheur,*** état moral de plénitude qui comporte une idée de durée ;
– ***gaieté,*** bonne disposition de l'humeur ;
– ***plaisir,*** sensation agréable.

joindre v. tr., intr., pronom.
Verbe transitif
1. Unir, mettre ensemble. *Joindre les mains. Les enfants sautent à pieds joints sur le lit.* **SYN.** réunir.
2. Établir une communication entre. *Le pont joint les deux rives. J'ai réussi à le joindre* (et non *rejoindre) *au téléphone.*
3. Ajouter. *Joignez vos voix aux nôtres.*
En ce sens, le verbe se construit avec la préposition **à.**
4. Unir. *Joindre la jeunesse à la beauté, avec la beauté.*
En ce sens, le verbe se construit avec les prépositions ***à*** ou ***avec.***
Verbe intransitif
Se toucher sans laisser d'espace. *Les volets joignent mal.*
Verbe pronominal
Se réunir, participer à quelque chose. *Ils se sont joints aux amis de Luc pour organiser la fête.*
À la forme pronominale, le verbe se construit avec la préposition **à.**
Locution
Joindre les deux bouts. Équilibrer son budget.
L'expression *« joindre ensemble » est un pléonasme à éviter.
Ne pas confondre avec le verbe ***rejoindre,*** atteindre de nouveau après avoir été séparé.
Conjugaison [VOIR MODÈLE – **JOINDRE**]
Les lettres ***gn*** sont suivies d'un ***i*** à la première et à la deuxième personne du pluriel de l'indicatif imparfait et du subjonctif présent. *(Que) nous joignions, (que) vous joigniez.*

joint n. m.
1. Articulation, point de raccordement de deux éléments. *Un joint d'étanchéité dans un moteur.*
2. Espace entre des éléments joints. *Remplir les joints avec du plâtre, du mortier.*
3. (FAMILIER) Cigarette de haschisch, de marihuana.

jointure n. f.
Endroit des articulations où les os se joignent. *La jointure des doigts, du genou.*

joker n. m.
Le ***r*** est sonore [ʒɔkɛr] ou [dʒɔkɛr]; le nom se prononce à l'anglaise.
Carte à jouer. *Les jokers valent deux points.*

joli, ie adj.
Agréable à voir. *Une jolie fille, de jolies maisons, un joli jardin.* **SYN.** harmonieux.
Alors que l'adjectif ***beau*** comporte une idée de perfection, de grandeur, l'adjectif ***joli*** implique une idée de grâce, de gentillesse, de petitesse.

joliment adv.
1. D'une façon jolie. *Elle est joliment habillée.*
2. (FAMILIER) Très, beaucoup. *Elle a joliment travaillé pour élever ses nombreux enfants.*
jo**li**ment.

jonc n. m.
Le ***c*** est muet [ʒɔ̃]; le nom rime avec ***donjon.***
1. Plante des lieux humides. *Il y a des joncs dans la baie.*
2. Bague. *Des joncs en or.*
jon**c.**

joncher v. tr.
Couvrir le sol en quantité. *Des feuilles jonchaient l'herbe.* **SYN.** recouvrir.
Conjugaison [VOIR MODÈLE – **AIMER**]

jonction n. f.
Point où des choses se joignent. *À la jonction des deux chemins.* **SYN.** intersection, rencontre.

jongler v. intr.
1. Faire des tours d'adresse. *Le magicien jongle avec trois quilles.*
2. (FIGURÉ) Manier quelque chose avec habileté. *Elle jongle avec les chiffres.* **SYN.** jouer.
Forme fautive
*jongler. Impropriété au sens de ***réfléchir, songer.***
Conjugaison [VOIR MODÈLE – **AIMER**]

jongleur n. m.
jongleuse n. f.
Personne dont le métier est de jongler (dans un cirque, une foire, etc.).

jonque n. f.
Bateau plat à voiles utilisé en Extrême-Orient.

jonquille n. f.
Espèce de narcisse à fleurs jaunes odorantes. *Un bouquet de jonquilles.*

jordanien, ienne adj. et n. m. et f.
De Jordanie. *Le drapeau jordanien. Un Jordanien, une Jordanienne.*
L'adjectif s'écrit avec une minuscule ; le nom, avec une majuscule.

joual n. m.
Parler populaire du Québec. *Certaines pièces de Michel Tremblay sont écrites en joual.*
Ce nom a été créé d'après la prononciation populaire du nom ***cheval*** dans certaines régions du Québec.

joue n. f.
Partie du visage humain qui s'étend de la tempe à l'œil, jusqu'au menton. *De belles joues rouges.*

jouer v. tr., intr., pronom.
Verbe transitif direct
1. Mettre en jeu, lancer, déplacer. *Jouer une balle, un pion.*
2. Interpréter. *Il jouait un air connu.*
3. Risquer. *Il joue son poste, elle joue gros jeu.*
4. Feindre. *Ne jouez pas la surprise, vous étiez au courant.*
Verbe transitif indirect
1. Se divertir avec un jeu. *Jouer aux échecs, au ballon, au bridge.*
En ce sens, le verbe se construit avec la préposition **à.**
2. Se servir d'un instrument de musique. *Elle joue du piano.*
En ce sens, le verbe se construit avec la préposition **de.**
Verbe intransitif
Se distraire, se livrer à des jeux. *Cette petite ne pense qu'à jouer. Il joue avec son ordinateur. Les enfants jouaient avec le chien.* **SYN.** s'amuser, se divertir.
Verbe pronominal
1. S'interpréter. *Cette sonate se joue en duo.*
2. Se moquer de. *Il se joue des difficultés. Ils se sont joués de leur directeur.*

j

Indicatif

Présent

je	joins
tu	joins
elle / il	joint
nous	joignons
vous	joignez
elles / ils	joignent

Passé composé

j'	ai	joint
tu	as	joint
elle / il	a	joint
nous	avons	joint
vous	avez	joint
elles / ils	ont	joint

Imparfait

je	joignais
tu	joignais
elle / il	joignait
nous	joignions
vous	joigniez
elles / ils	joignaient

Plus-que-parfait

j'	avais	joint
tu	avais	joint
elle / il	avait	joint
nous	avions	joint
vous	aviez	joint
elles / ils	avaient	joint

Passé simple

je	joignis
tu	joignis
elle / il	joignit
nous	joignîmes
vous	joignîtes
elles / ils	joignirent

Passé antérieur

j'	eus	joint
tu	eus	joint
elle / il	eut	joint
nous	eûmes	joint
vous	eûtes	joint
elles / ils	eurent	joint

Futur simple

je	joindrai
tu	joindras
elle / il	joindra
nous	joindrons
vous	joindrez
elles / ils	joindront

Futur antérieur

j'	aurai	joint
tu	auras	joint
elle / il	aura	joint
nous	aurons	joint
vous	aurez	joint
elles / ils	auront	joint

Infinitif

Présent

joindre

Passé

avoir joint

Subjonctif

Présent

que	je	joigne
que	tu	joignes
qu'	elle / il	joigne
que	nous	joignions
que	vous	joigniez
qu'	elles / ils	joignent

Passé

que	j'	aie	joint
que	tu	aies	joint
qu'	elle / il	ait	joint
que	nous	ayons	joint
que	vous	ayez	joint
qu'	elles / ils	aient	joint

Imparfait

que	je	joignisse
que	tu	joignisses
qu'	elle / il	joignît
que	nous	joignissions
que	vous	joignissiez
qu'	elles / ils	joignissent

Plus-que-parfait

que	j'	eusse	joint
que	tu	eusses	joint
qu'	elle / il	eût	joint
que	nous	eussions	joint
que	vous	eussiez	joint
qu'	elles / ils	eussent	joint

Conditionnel

Présent

je	joindrais
tu	joindrais
elle / il	joindrait
nous	joindrions
vous	joindriez
elles / ils	joindraient

Passé

j'	aurais	joint
tu	aurais	joint
elle / il	aurait	joint
nous	aurions	joint
vous	auriez	joint
elles / ils	auraient	joint

Impératif

Présent

joins
joignons
joignez

Passé

aie joint
ayons joint
ayez joint

Participe

Présent

joignant

Passé

joint, ointe
ayant joint

En ce sens, le verbe se construit avec la préposition ***de.***
Forme fautive
*jouer les seconds violons. Calque de l'anglais « to play second fiddle » pour ***jouer un rôle secondaire.***
Conjugaison [VOIR MODÈLE – **AIMER**]

jouet n. m.
Objet destiné à amuser un enfant. *Des jouets ingénieux.*
Locution
Être le jouet de. Être victime de. *Elle a été le jouet d'une mauvaise plaisanterie.*

joueur, euse adj. et n. m. et f.
1. Qui joue. *Un joueur de hockey. Une joueuse de golf.*
2. Qui a la passion du jeu. *C'est un joueur : il ne peut s'empêcher d'acheter des billets de loterie.*
Locution
Beau, bon joueur. Personne qui s'incline avec élégance devant la victoire, la supériorité de l'adversaire. *Allons, montrez-vous bon joueur.* **ANT.** mauvais joueur.

joufflu, ue adj.
Qui a de grosses joues. *Une bambin joufflu.*
jou**ff**lu.

jouir v. tr. ind.
1. Profiter de, tirer plaisir de. *Jouir de la vie, jouir de la présence d'un ami.* **SYN.** apprécier, goûter.
2. Bénéficier de. *Jouir d'une bonne santé.* **SYN.** posséder.
En ce sens, le complément doit toujours désigner quelque chose d'agréable. *Jouir d'une bonne santé* (et non *jouir d'une mauvaise santé).
Le verbe se construit avec la préposition ***de.***
3. (DROIT) Avoir l'usage, la possession d'un bien, d'un droit.
Conjugaison [VOIR MODÈLE – **FINIR**]

joujou n. m. (pl. *joujoux*)
Jouet, dans le langage enfantin. *Des joujoux amusants.*

jour n. m.
VOIR TABLEAU – **JOUR.**

jour (à) loc. adv.
Mettre son carnet à jour (et non *à date).

journal n. m. (pl. *journaux*)
1. Registre. *Le journal de bord est le registre d'un navire.*
2. Livre où l'on note ses impressions, ses réflexions. *Écrire son journal intime.*
3. Publication quotidienne ou hebdomadaire relatant l'actualité. *Lire une information dans* (et non *sur) *un journal.*
4. Actualités radiodiffusées ou télévisées. *Le journal de 18 heures.*
Locution
Papier journal. Papier qui sert à l'impression des journaux.

journalisme n. m.
Métier de journaliste. *Le journalisme est parfois difficile.*

journaliste n. m. et f.
Personne dont le métier est de collaborer à la rédaction d'un journal. *Un journaliste financier.*

journée n. f.
Espace de temps entre le lever et le coucher du soleil. *Une journée de congé. Des journées ensoleillées.* **SYN.** jour.
Locution
À longueur de journée, locution adverbiale. Toute la journée. *Il lit à longueur de journée* (et non à la *journée longue).

joute n. f.
(FIGURÉ) Combat à cheval au Moyen Âge. *Lors des Médiévales de Québec, on a pu assister à des joutes spectaculaires.*
Locution
Joute oratoire. Concours oratoire, débat.
jou**t**e.

jovial, iale, iaux adj.
Enjoué. *Des tons joviaux.* **SYN.** joyeux.
Le pluriel ***jovials,*** bien que moins fréquent, est également attesté.

joyau n. m. (pl. *joyaux*)
1. Objet précieux. *À Londres, les joyaux de la couronne sont bien gardés.*
2. Chose de très grande valeur. *Cette sculpture en bois de Philippe Hébert est le joyau de notre collection.*

joyeusement adv.
Avec joie. *Les enfants chantent joyeusement : ils sont en vacances.*

joyeux, euse adj.
1. Qui éprouve de la joie. *De joyeux lurons.*
2. Qui donne de la joie. *Je vous souhaite un joyeux Noël.*

jucher v. tr., intr., pronom.
Verbe transitif
Placer très haut. *Elle a juché sa fille sur ses épaules.*
Verbe intransitif
Se mettre sur une branche, en parlant d'un oiseau. *Les faisans juchent sur les arbres.*
Verbe pronominal
Se percher. *L'oiseau s'est juché sur la branche.*
Conjugaison [VOIR MODÈLE – **AIMER**]

judaïsme n. m.
Religion des Juifs.
juda**ï**sme.

judiciaire adj.
Qui se rapporte à l'organisation de la justice. *Un casier judiciaire. Une erreur judiciaire.*
Ne pas confondre avec les mots suivants :
– ***juridique,*** qui se rapporte au droit ;
– ***légal,*** conforme à la loi.
judici**aire.**

judicieux, ieuse adj.
Sage, raisonnable. *Un choix judicieux.* **SYN.** sensé.
judicieu**x.**

judo n. m.
Sport de combat. *Pratiquer le judo. Mishima est ceinture noire de judo : c'est un judoka.*

judoka n. m. et f.
Personne qui pratique le judo. *Des judokas expérimentés.*
Ce nom conserve la même forme au masculin et au féminin.
judo**ka.**

juge n. m. et f.
Personne dont la profession est de rendre la justice et d'appliquer les lois.

jugement n. m.
1. Faculté de l'esprit qui permet de juger. *Vous avez fait preuve de beaucoup de jugement.* **SYN.** discernement.
2. Sentence d'un juge. *Le jugement a été sévère.* **SYN.** verdict.

JOUR

1. Division du temps qui comprend 24 heures. *Il y a 365 jours dans une année.*

Note – Dans son sens astronomique, le mot ***jour*** désigne le temps qui s'écoule entre le lever et le coucher du soleil, par opposition à la ***nuit.*** *Les jours commencent à allonger à compter de janvier.*

Locutions

- ***De jour en jour,*** locution adverbiale. De plus en plus, davantage. *Maxime grandit de jour en jour.*
- ***Du jour au lendemain,*** locution adverbiale. Très rapidement. *Du jour au lendemain, ces personnes ont changé d'avis.*
- ***Jour et nuit, le jour et la nuit,*** locutions adverbiales. Continuellement. *Ces restaurants sont ouverts jour et nuit.*
- ***Le jour J.*** Jour où doit avoir lieu un grand évènement, où l'on doit déclencher une attaque, une opération importante.
- ***Mettre à jour.*** Rendre actuel. *Le dictionnaire sera mis à jour tous les trois ans* (et non *mis à date).
  Note – Ne pas confondre avec la locution ***mettre au jour***, qui signifie « découvrir, révéler ». *Les archéologues ont mis au jour les fondations du premier immeuble.*
- ***Tous les jours,*** locution adverbiale. Chaque jour. *Paula vient tous les jours* (et non *à tous les jours).

Jours de la semaine

- Lundi, mardi, mercredi, jeudi, vendredi, samedi, dimanche.
  Orthographe • Les noms de jours s'écrivent avec une minuscule et prennent la marque du pluriel. *Je viendrai tous les lundis,* mais *je viendrai tous les jeudi et vendredi de chaque semaine.* Attention à la construction de la dernière phrase où les noms de jours restent au singulier parce qu'il n'y a qu'un seul jeudi et qu'un seul vendredi par semaine.
- Jour de la semaine + matin, midi, après-midi, avant-midi, soir. *Le cours a lieu tous les jeudis matin.*
  Orthographe • Dans cette construction, les noms ***matin, midi, après-midi, avant-midi, soir*** restent généralement au singulier parce que l'article défini est sous-entendu. *Tous les jeudis* (le) *matin.* Il est cependant à noter que certains auteurs admettent le pluriel.

Jours de fête

Les noms de fête s'écrivent avec une capitale initiale au nom spécifique et à l'adjectif qui le précède. *Le jour de l'An, le Nouvel An, le jour des Rois, le Mardi gras, le mercredi des Cendres, le Vendredi saint, Pâques, la fête des Mères, la fête du Travail, la Saint-Jean, la fête de la Confédération, la Toussaint, Noël.*

2. Clarté. *Le jour se lève.*

Locutions

- ***À contre-jour,*** locution adverbiale. Avec un éclairage insuffisant.
- ***Au petit jour,*** locution adverbiale. À l'aube.
- ***Au grand jour,*** locution adverbiale. À la connaissance de tous.
- ***Donner le jour à un enfant.*** (LITTÉRAIRE) Donner naissance à un enfant, mettre au monde un enfant.
- ***En plein jour,*** locution adverbiale. En pleine lumière, au milieu de la journée.
- ***Se faire jour.*** Apparaître. *Ces indications à la baisse se font jour de plus en plus.*
  Note – Dans cette expression, le nom ***jour*** est invariable.
- ***Sous un jour*** + adjectif, locution adverbiale. Sous un certain angle. *Ils verront la question sous un jour nouveau.*

3. Ouverture, orifice. *Il y a un peu de jour dans l'assemblage de cette fenêtre.*

À jours. *Brodé et ajouré. Des serviettes à jours.*

VOIR TABLEAU – **DATE.**

3. Opinion favorable ou défavorable. *Porter un jugement sur un livre.*

jugeote n. f.
Bon sens. *Hélas ! il manque de jugeote.*
jugeote, un seul ***t.***

juger v. tr., pronom.
Verbe transitif direct
1. Porter un jugement sur. *Ne le juge pas sur les apparences. Il le juge honnête.* **SYN.** évaluer.
2. Rendre la justice, régler une mésentente en qualité de juge. *Juger une affaire.*
Verbe transitif indirect
Apprécier. *Il n'est pas facile de juger de la hauteur de cet arbre.* **SYN.** apprécier.
En ce sens, le verbe se construit avec la préposition ***de.***
Verbe pronominal
Porter un jugement sur soi. *Elles se sont jugées perdues.* **SYN.** se croire, s'estimer.
Locution
Juger que. Estimer. *Elle juge que vous avez raison, que vous pourriez avoir raison. Elle ne juge pas que vous ayez raison.* **SYN.** considérer, croire.
Le verbe qui suit se met à l'indicatif ou au conditionnel dans un tour affirmatif, au subjonctif dans un tour négatif.
Conjugaison [VOIR MODÈLE – **CHANGER**]
Le ***g*** est suivi d'un ***e*** devant les lettres ***a*** et ***o.*** *Il jugea, nous jugeons.*

juif, juive adj. et n. m. et f.
Adjectif
Relatif aux Juifs. *La religion juive.*
L'adjectif s'écrit avec une minuscule.
Nom masculin et féminin
1. De religion juive. *Un juif pratiquant.*
En ce sens, le nom s'écrit avec une minuscule.
2. Appartenant au peuple juif. *Un Juif russe.*
En ce sens, le nom s'écrit avec une majuscule.
VOIR **HÉBREU.**

juillet n. m.
Septième mois de l'année. *Le 31 juillet, elle aura 20 ans.*
Les noms de mois s'écrivent avec une minuscule.
VOIR TABLEAU – **DATE.**

juin n. m.
Le mot se prononce [ʒɥɛ̃]. Au Québec, on prononce couramment [ʒɥœ̃].
Sixième mois de l'année. *Le 27 juin.*
Les noms de mois s'écrivent avec une minuscule.
VOIR TABLEAU – **DATE.**

jumeau, jumelle adj. et n. m. et f. (pl. *jumeaux*)
Se dit des enfants nés d'un même accouchement. *Des frères jumeaux, des sœurs jumelles. De vrais jumeaux, de faux jumeaux.*
Le nom peut s'employer au singulier. *Louis est le jumeau de Guy.*
Locution
Lits jumeaux. Se dit de deux lits disposés côte à côte.

jumeler v. tr.
1. Réunir et favoriser les échanges entre deux groupes, deux ensembles. *Les enseignants jumellent des classes.*
2. Associer des villes étrangères. *Jumeler Outremont et Le Vésinet* ou *avec Le Vésinet. Ce sont des villes jumelées.*
Conjugaison [VOIR MODÈLE – **AIMER**]
Redoublement du ***l*** devant un ***e*** muet. *Je jumelle, je jumellerai,* mais *je jumelais.*
jume**l**er.

jumelle n. f.
(GÉNÉRALEMENT PLURIEL) Instrument d'optique composé de deux lunettes. *Se servir d'une jumelle pour observer une course. Des jumelles de spectacle.*
Pour désigner l'instrument d'optique, ce nom s'emploie le plus souvent au pluriel, mais le singulier est possible.

jument n. f.
Femelle du cheval. *La jument rousse a eu un poulain.*
VOIR TABLEAU – **ANIMAUX.**

jungle n. f.
Les lettres ***un*** se prononcent ***un*** ou ***on,*** [ʒœ̃gl] ou [ʒɔ̃gl].
1. Forêt tropicale. *Les lions vivent dans la jungle.*
2. (FIGURÉ) Société où règne la loi du plus fort. *La jungle new-yorkaise.*

junior adj. inv. et n. m. et f.
Adjectif invariable en genre
Qui est destiné aux jeunes. *La mode junior.*
Nom masculin et féminin
Jeune, adolescent. *Les juniors adorent ce groupe.*

jupe n. f.
Partie de l'habillement féminin qui descend de la ceinture à la jambe. *Des jupes écossaises.*

jupon n. m.
Vêtement de dessous. *Un jupon de dentelle* (et non une *slip).

juré n. m.
jurée n. f.
Membre d'un jury.
Ne pas confondre avec le nom ***jury,*** ensemble des jurés.

jurer v. tr., intr., pronom.
Verbe transitif
Affirmer par serment. *Ils jurent qu'ils sont innocents.* **SYN.** attester.
Verbe intransitif
1. Blasphémer. *Il jure comme un charretier.* **SYN.** sacrer.
2. Être peu harmonieux. *Ce jaune jure avec ce rouge.* **SYN.** détonner.
Verbe pronominal
Se promettre. *Elle s'est juré qu'elle gagnerait son pari. Ils se sont juré amitié.*
Le participe passé est invariable puisque le pronom est un complément d'objet indirect.
Conjugaison [VOIR MODÈLE – **AIMER**]

juridique adj.
Qui se rapporte au droit. *Un conseiller juridique* (et non un *aviseur légal).
Ne pas confondre avec les mots suivants :
– ***judiciaire,*** qui se rapporte à l'organisation de la justice ;
– ***judicieux,*** sage, raisonnable ;
– ***légal,*** conforme à la loi.

juron n. m.
Exclamation dont on se sert pour jurer. *« Bout de Bobinette ! » est son juron préféré.*

jury n. m. (pl. *jurys*)
1. Ensemble des jurés, dans une affaire judiciaire. *Le jury est unanime : l'accusé est non coupable.*

2. Ensemble d'examinateurs. *Le jury a décerné le premier prix à cet ouvrage.*
Ne pas confondre avec le nom ***juré,*** membre d'un jury.

jus n. m.
Liquide contenu dans une substance végétale. *Je boirais bien un grand verre de jus de pamplemousse.*
Le complément du nom ***jus*** s'écrit surtout au singulier. *Du jus d'orange, de pomme, de tomate, de raisin.* Par contre, le complément est toujours au pluriel dans ***jus de fruits, jus de légumes.***

jusque conj. et prép.
VOIR TABLEAU – **JUSQUE.**

juste adj. et adv.
Adjectif
1. Équitable, conforme à la justice, à la règle. *Une personne juste.*
2. Exact. *Donner l'heure juste* (au propre et au figuré). *Une réponse juste.* **SYN.** faux.
Adverbe
1. Avec justesse. *Ils chantent juste. Elle a deviné juste.*
2. À l'instant. *Elle vient juste de partir.*
3. Précisément. *Il est 10 heures juste.* **SYN.** exactement.
Dans cet emploi, ***juste*** est un adverbe et il est donc invariable.
4. Seulement. *Il s'est juste arrêté quelques minutes.*
Locutions
Au juste. Exactement. *Il ne voyait pas au juste où l'on voulait en venir.*
Tout juste, locution adverbiale. À peine. *Paulo a recueilli tout juste 15 points.*
Pris adverbialement, l'adjectif est invariable.

justement adv.
1. Avec raison. *Il a été justement réprimandé.*
2. Précisément. *C'est justement ce qu'il fallait écrire.* **SYN.** exactement.
3. Avec justesse. *Cette phrase résume justement l'ouvrage.*

justesse n. f.
1. Qualité d'une chose conforme à ce qui doit être. *Chanter avec justesse.*
2. Précision, exactitude. *Il décrit la situation avec justesse. La justesse d'une description.*
Locution
De justesse, locution adverbiale. Tout juste, juste à temps.

justice n. f.
1. Équité, impartialité. *Il traite son personnel avec justice.*
2. Pouvoir de faire régner le droit. *La justice a le bras long.*
Locutions
Se faire justice (soi-même). Se venger.
Rendre justice à quelqu'un. Reconnaître ses mérites.

justification n. f.
Preuve, excuse. *Avez-vous des justifications pour cette absence ?*

justifier v. tr., pronom.
Verbe transitif
1. Excuser (une personne). *Justifier un collègue auprès de la direction.* **SYN.** défendre.
2. Faire reconnaître une chose comme légitime, vraie. *La fin justifie les moyens. Justifier une décision.* **SYN.** motiver.

JUSQUE

CONJONCTION

- ***Jusqu'à ce que,*** locution conjonctive. Jusqu'au moment où. *Elena cherchera jusqu'à ce qu'elle finisse par trouver.*

  Le verbe se construit au subjonctif pour marquer l'incertitude. Pour exprimer une idée de réalisation effective, on emploie la locution conjonctive ***jusqu'au moment où*** suivie de l'indicatif. *Yan cherchera jusqu'au moment où elle trouvera.*

- ***Jusqu'à tant que,*** locution conjonctive. (FAMILIER) Jusqu'à ce que.

  L'emploi de cette locution est courant au Québec dans la langue familière, mais elle est vieillie dans l'ensemble de la francophonie.

PRÉPOSITION

- La préposition marque une limite, un terme final de lieu ou de temps. *Ils iront jusqu'à Montréal. Elle travaillera jusqu'au soir.*

  La préposition se construit le plus souvent avec **à.** *Boris marcha jusqu'à la forêt. J'irai jusqu'au bout.* Elle peut aussi être suivie d'un adverbe ou d'une autre préposition. *Jusqu'ici, jusque chez lui.*

- ***Jusqu'aujourd'hui, jusqu'à aujourd'hui.*** Les deux formes sont également admises.

- ***Jusqu'alors.*** Jusqu'à ce moment. *Jusqu'alors, on s'était contenté de la lampe à huile.*

  On réservera à la description d'évènements passés l'emploi de cette locution. Pour le présent, on emploiera plutôt ***jusqu'à présent, jusqu'à maintenant.***

- ***Jusque*** + sujet ou complément d'objet direct. Y compris, même. *Il irait jusqu'à pleurer pour les convaincre.*

Verbe pronominal
Prouver son innocence, dégager sa responsabilité. *Vous n'avez pas à vous justifier.*
Conjugaison [VOIR MODÈLE – **ÉTUDIER**]
Redoublement du ***i*** à la première et à la deuxième personne du pluriel de l'indicatif imparfait et du subjonctif présent. *(Que) nous justifiions, (que) vous justifiiez.*

jute n. m.
Fibre textile grossière. *Confectionner une poche avec du jute.*
Attention au genre masculin de ce nom : ***le*** jute.

juteux, euse adj.
Qui contient beaucoup de jus. *Des oranges bien juteuses.*
juteu**x.**

juvénile adj.
Propre à la jeunesse. *Un enthousiasme juvénile.*

Forme fautive
*juvénile. Anglicisme au sens de ***mineur.*** *Le policier a cru qu'il s'agissait d'une mineure* (et non d'une *juvénile).
Le mot ***juvénile*** ne peut être qu'adjectif en français.
juvén**ile.**

juxtaposer v. tr.
Mettre une chose immédiatement à côté d'une autre. *Elle juxtapose des tissus, un imprimé et un papier peint* ou *l'imprimé au papier peint.*
Conjugaison [VOIR MODÈLE – **AIMER**]

juxtaposition n. f.
Action de juxtaposer. *La juxtaposition de plusieurs couleurs.*
SYN. assemblage.

k n. m. inv.
Onzième lettre de l'alphabet.

k
Symbole de ***kilo-.***

kaki adj. inv. et n. m.
Nom masculin
1. Fruit à pulpe molle. *Manger des kakis.*
2. Couleur brun jaunâtre. *Des kakis très jolis.*
Adjectif de couleur invariable
D'une couleur brun jaunâtre. *Des uniformes kaki.*
VOIR TABLEAU – **COULEUR (ADJECTIFS DE).**

kaléidoscope n. m.
Cylindre que l'on fait tourner et dans lequel des morceaux mobiles de verre de diverses couleurs composent des images symétriques et variées à l'aide d'un jeu de miroirs.
kal**éi**doscope.

kangourou n. m. (pl. *kangourous*)
Mammifère australien herbivore qui se déplace par bonds et dont la femelle a une poche ventrale qui lui permet d'abriter les petits après leur naissance, pendant environ six mois.

karaté n. m.
Sport de combat japonais. *Mishima est ceinture noire de karaté et de judo : c'est un karatéka et un judoka.*

karatéka n. m. et f.
Personne qui pratique le karaté. *Des karatékas chevronnés, chevronnées.*
Ce nom conserve la même forme au masculin et au féminin.

kayak n. m.
Canot de sport ou de compétition qui se manœuvre à la pagaie double. *Des kayaks légers, des kayaks de compétition.*

képi n. m.
Coiffure rigide munie d'une visière. *Des képis militaires.*

ketchup n. m.
Le mot se prononce à l'anglaise, [kɛtʃœp] ou [kɛtʃɔp], la première syllabe se prononce comme dans ***quête***, la seconde comme dans ***chope.***
Sauce à base de tomates. *Des ketchups épicés.*

kg
Symbole de ***kilogramme.***

kidnapper v. tr.
Enlever un enfant, une personne en vue d'obtenir une rançon.
On préférera ***enlever*** à ce verbe emprunté à l'américain.
Conjugaison [VOIR MODÈLE – **AIMER**]

kidnapping n. m.
Enlèvement d'un enfant, d'une personne en vue d'obtenir une rançon.
On préférera à ce nom emprunté à l'américain les noms ***enlèvement, rapt.***

kilo n. m.
Abréviation familière de ***kilogramme.*** *Perdre des kilos.*

kilo- préf.
Symbole ***k*** (s'écrit sans point).
1. Élément du grec signifiant « mille ».
Le préfixe ***kilo-*** sert à la composition du multiple décimal et se juxtapose immédiatement au symbole de l'unité. *Kilomètre, km ; kilogramme, kg.*
2. Préfixe qui multiplie par 1 000 l'unité qu'il précède.

kilogramme n. m.
Symbole ***kg*** (s'écrit sans point).
Unité de masse de 1 000 grammes. *Ce rôti pèse deux kilogrammes.*
Ce nom s'abrège familièrement en ***kilo.***

kilométrage n. m.
Nombre de kilomètres parcourus. *Au cours de ce voyage, nous avons fait beaucoup de kilométrage.*
Au Québec, on a employé jusqu'à l'adoption du système métrique le nom ***millage*** qui signifie « nombre de milles parcourus ».

kilomètre n. m.
Symbole ***km*** (s'écrit sans point).
Mesure de longueur de 1 000 mètres. *La prochaine ville est à dix kilomètres.*
Locution
Kilomètre par heure, kilomètre à l'heure. Cette expression s'abrège en ***km/h*** (s'écrit sans points).

kilo-octet n. m.
Abréviation ***ko*** (s'écrit sans points).
(INFORMATIQUE) Unité de capacité d'une mémoire égale à 1 024 octets. *Une disquette de 800 kilo-octets ou de 800 ko.*

kilowatt n. m.
Symbole ***kW*** (s'écrit sans point).
Unité de puissance de 1 000 watts.

kilt n. m.
Les lettres ***lt*** se prononcent, [kilt].
Jupe plissée en tissu écossais. *Des kilts colorés.*

kimono n. m.
Vêtement japonais à larges manches et qui se croise à l'avant. *De beaux kimonos et leur ceinture, des obis.*

kiosque n. m.
Petit pavillon de jardin. *Un kiosque à musique dans un jardin public.*
Locution
Kiosque à journaux. Abri pour la vente des journaux.

kit n. m.
Le ***t*** se prononce [kit].
Objet vendu en pièces détachées et que l'on peut assembler soi-même. *Des kits pour enfants. Des bibliothèques vendues en kit.*
Ce mot emprunté à l'anglais il y a une cinquantaine d'années est admis en français.

kiwi n. m.
Fruit à pulpe verte. *Des kiwis savoureux.*

klaxon n. m.
Le ***n*** se prononce ou non, [klaksɔn] ou [klaksɔ̃].
Avertisseur. *Des coups de klaxon.*

klaxonner v. tr., intr.
Verbe transitif
Faire fonctionner un klaxon à l'intention d'une personne, d'un véhicule. *Cesse de me klaxonner, je suis sur la piste cyclable !*
Verbe intransitif
Actionner un klaxon. *Il est interdit de klaxonner près des hôpitaux.*
Conjugaison [VOIR MODÈLE – **AIMER**]

***kleenex**
Marque déposée pour ***mouchoir de papier.***

km
Symbole de ***kilomètre.***

km/h
Symbole de ***kilomètre par heure, kilomètre à l'heure.***

knock-out adj. et n. m. inv.
Abréviation ***k.-o.***
Mise hors de combat d'un boxeur. *Ils sont knock-out.*

k.-o. adj. et n. m. inv.
Abréviation de ***knock-out.***

ko
Symbole de ***kilo-octet.***

koala n. m.
Mammifère grimpeur vivant en Australie. *Des koalas espiègles.*

***kodak**
Marque déposée désignant un appareil photographique de cette marque.

koweitien, ienne adj. et n. m. et f.
Du Koweit. *Le drapeau koweitien. Un Koweitien, une Koweitienne.*
L'adjectif s'écrit avec une minuscule ; le nom, avec une majuscule.

krach n. m. (pl. *krachs*)
Les lettres ***ch*** se prononcent ***k*** [krak].
Effondrement de la bourse.
HOM. **crac !**, interjection.
kra**ch.**

kW
Symbole de ***kilowatt.***

kyrielle n. f.
Suite interminable, très grand nombre. *Une kyrielle de demandes.*
k**y**rie**ll**e.

kyste n. m.
Tumeur ayant la forme d'une cavité et entourée d'une membrane.
k**y**ste.

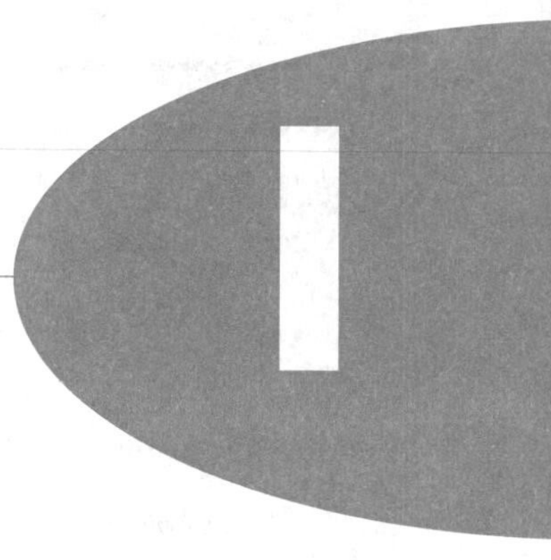

l n. m. inv.
Douzième lettre de l'alphabet.

l
Symbole de ***litre.***

L
Chiffre romain dont la valeur est de 50.
VOIR TABLEAU – **CHIFFRES ARABES.**
VOIR TABLEAU – **CHIFFRES ROMAINS.**

la pron. pers.
VOIR TABLEAU – **LE, LA, LES, PRONOMS PERSONNELS.**

la art. dét.
VOIR TABLEAU – **LE, LA, LES, ARTICLES DÉFINIS.**

la n. m. inv.
Sixième note de la gamme de ***do.***

là adv., interj.
VOIR TABLEAU – **LÀ.**

là-bas adv.
En un lieu situé plus loin. **ANT.** ici.
VOIR TABLEAU – **LÀ.**

labo n. m.
Abréviation familière de ***laboratoire.***

laboratoire n. m.
Ce nom s'abrège familièrement en ***labo.***
Local aménagé pour des expériences, des recherches scientifiques, des analyses, des essais, etc. *Pour les cours de chimie, de physique ou de biologie, on se rend parfois au laboratoire.*

laborieux, euse adj.
Qui demande beaucoup de temps et de travail. *Des recherches laborieuses.* **SYN.** fatigant, pénible.

labour n. m.
1. Travail de la terre. *Faire les labours.*
2. Terre labourée.

labourage n. m.
Action de labourer la terre.

labourer v. tr.
Retourner la terre avec la charrue.
Conjugaison [VOIR MODÈLE – **AIMER**]

laboureur n. m.
1. Personne qui laboure.
2. (VIEUX) Cultivateur.
Aujourd'hui, on emploie plutôt les noms ***agriculteur*** ou ***cultivateur.***

labrador n. m.
Chien de chasse à poil ras. *De beaux labradors.*
Le nom du chien s'écrit avec une minuscule, le nom géographique, avec une majuscule. *Le courant froid du Labrador.*

labyrinthe n. m.
1. Réseau compliqué de chemins, de couloirs dont il est difficile de sortir. *À la Ronde, le Palais des glaces est un labyrinthe de miroirs.* **SYN.** dédale.
2. (FIGURÉ) Ensemble de choses embrouillées difficiles à démêler. *Le labyrinthe des inscriptions au cégep.*
lab**y**rin**th**e.

lac n. m.
Grande étendue d'eau douce entourée de terre. *Le lac des Deux-Montagnes, le lac Noir. Les Grands Lacs.*
Ne pas confondre avec les noms suivants :
- ***bassin,*** pièce d'eau artificielle, réservoir ;
- ***étang,*** petite étendue d'eau peu profonde ;
- ***nappe,*** vaste étendue d'eau plane, souvent souterraine.
VOIR TABLEAU – **GÉOGRAPHIQUES (NOMS).**

laçage n. m.
Action de lacer. *Le laçage des patins peut être long.*
la**ç**age.

lacer v. tr.
Attacher avec un lacet. *Julia laçait ses chaussures.*
HOM. **lasser**, ennuyer.
Conjugaison [VOIR MODÈLE – **AVANCER**]
Le **c** prend une cédille devant les lettres ***a*** et ***o.*** *Il laça, nous laçons.*

lacet n. m.
Cordon qu'on passe dans des œillets pour attacher un vêtement, une chaussure, etc. *Défaire ses lacets.*
lace**t.**

ADVERBE

L'adverbe marque :

- **un lieu éloigné.** *Es-tu allé là ?*

  Dans cet emploi, ***là*** est en opposition à l'adverbe ***ici*** qui marque la proximité. Dans les faits, les deux adverbes sont souvent confondus. *Berthe, je ne suis là pour personne.*

- **un point d'arrêt.** *Restons-en là. Je ne croyais pas qu'on allait en venir là.*

Pour désigner un objet éloigné de la personne qui parle, l'adverbe ***là*** se joint par un trait d'union au nom qui le précède si celui-ci est précédé d'un adjectif démonstratif. *Ce livre-là, cette raquette-là.* Il se joint également par un trait d'union aux mots suivants : ***celui-là, celle-là, ceux-là, jusque-là, là-bas, là-dedans, là-dessous, là-haut.*** ANT. ci.

Locutions adverbiales

– ***Çà et là, par-ci, par-là.*** Par endroits. *Des fleurs sauvages poussent çà et là.*
L'expression ***çà et là*** s'écrit sans trait d'union, mais ***par-ci, par-là*** s'écrit avec des traits d'union.

– ***De là.*** De ce lieu-là, pour cette raison. *C'est de là qu'ils sont partis.*

– ***D'ici là.*** Entre ce moment et un autre moment postérieur. *J'attendrai votre retour, mais d'ici là donnez-moi de vos nouvelles.*
Cette locution s'écrit sans trait d'union.

– ***Jusque-là.*** Jusqu'à ce point. *La falaise est à 2 km d'ici, marcherez-vous jusque-là ?*

– ***Là-bas.*** Plus loin.

– ***Par là.*** Par ce lieu, par ce moyen. *Passons par là, ce sera plus court.*

INTERJECTION

Là ! L'interjection s'emploie pour apaiser, consoler. *Là, là ! Tout s'arrangera.*

Locutions interjectives

– ***Oh ! là ! là !*** Exclamation qui marque l'étonnement, l'admiration. *Oh ! là ! là ! Quel beau jardin.*
– ***Eh là !*** Interpellation. *Eh là ! Venez m'aider, s'il vous plaît.*
– ***Halte-là !*** Ordre de s'arrêter. *Halte-là !, leur cria le douanier.*

lâche adj. et n. m. et f.
1. Pas assez serré. *Un nœud lâche* (et non *lousse).
2. Peureux. *Il se tait devant l'adversaire ; c'est un lâche.*
3. Méprisable, vil. *Un geste lâche.* **SYN.** bas.
lâche.

lâchement adv.
Avec lâcheté. *On l'a lâchement attaqué par-derrière.*
lâchement.

lâcher v. tr., intr.
Verbe transitif
1. Desserrer. *Lâcher la bride.* **SYN.** détendre, relâcher.
2. Cesser de tenir. *Il a lâché la corde.* **SYN.** laisser.
3. Délaisser, abandonner. *Tu ne peux pas lâcher tes copains.*
Verbe intransitif
Céder. *Le câble a lâché.* **SYN.** se casser.
Conjugaison [VOIR MODÈLE – **AIMER**]
lâcher.

lâcheté n. f.
Manque de courage. *Par lâcheté, ils n'ont rien dit.*
lâcheté.

lâcheur, euse n. m. et f.
(FAMILIER) Personne qui abandonne ceux envers qui elle s'était engagée. *Philippe et Annie ne sont pas venus nous aider, ce sont des lâcheurs.*
lâcheur.

lacrymogène adj.
Qui provoque les larmes. *Un gaz lacrymogène.*
lacrymogène.

lacté, ée adj.
Relatif au lait. *Un régime lacté.*
Locution
Voie lactée. Bande blanchâtre formée par des milliers d'étoiles et qui fait le tour de la sphère céleste.
Le nom ***voie*** désigne de façon imagée la galaxie et s'écrit avec une majuscule ; le déterminant qui suit s'écrit avec une minuscule.
VOIR **ASTRE.**

lacune n. f.
Déficience, oubli, ce qui manque pour compléter une chose. *En géographie, ces élèves ont des lacunes.*
Ne pas confondre avec **lagune**, étendue d'eau séparée de la mer par un cordon littoral.

là-dedans, là-dehors, là-devant, là-derrière, là-dessus, là-dessous loc. adv.
Clara est cachée dans le placard : elle est cachée là-dedans.
Ces expressions s'écrivent avec un trait d'union, contrairement aux expressions ***en dedans, en dehors, en avant, en arrière, en dessus, en dessous*** qui s'écrivent sans trait d'union.
VOIR TABLEAU – **LÀ.**

lagon n. m.
Étendue d'eau située au centre d'un anneau de récifs de coraux.
Ne pas confondre avec le nom ***lagune,*** étendue d'eau séparée de la mer par un cordon littoral.

lagune n. f.
Étendue d'eau séparée de la mer par un cordon littoral.
Ne pas confondre avec les noms suivants :
– ***lacune,*** déficience, oubli ;
– ***lagon,*** étendue d'eau située au centre d'un anneau de récifs de coraux.

laïc, laïque n. m. et f.
Personne qui n'est pas un religieux (prêtre, moine, sœur, frère, etc.). *Le collège a recruté des laïcs.*
Le nom masculin est ***laïc,*** le nom féminin, ***laïque***; l'adjectif masculin ou féminin s'écrit ***laïque.***
VOIR **LAÏQUE.**
laïc.

laid, laide adj. et n. m.
Adjectif
1. Désagréable à la vue. *Une construction laide.*
2. Qui inspire le dégoût. *Un geste laid.*
Nom masculin
Laideur. *Le beau et le laid.*
HOM.
– **laie**, femelle du sanglier ;
– **lait**, liquide.
laid.

laideur n. f.
1. État de ce qui est laid à voir. *La laideur d'un insecte, d'un dépotoir.* **ANT.** beauté.
2. Caractère de ce qui est laid moralement. *La laideur d'un crime.*

laie n. f.
Femelle du sanglier.
HOM.
– **laid**, désagréable à la vue ;
– **lait**, liquide.
VOIR TABLEAU – **ANIMAUX.**

lainage n. m.
1. Étoffe de laine.
2. Vêtement en laine. *N'oublie pas d'apporter des lainages, car les nuits sont fraîches.*

laine n. f.
Poil doux et frisé des moutons et de certains animaux.
Locution
Laine d'acier. Tampon à récurer (pour les casseroles).

laïque adj.
1. Qui n'est pas un religieux. *Un enseignant laïque.*
2. Qui n'a pas de caractère religieux. *L'école laïque.*
L'adjectif s'écrit ***laïque*** au masculin et au féminin ; le nom masculin est ***laïc,*** le nom féminin, ***laïque.***
VOIR **LAÏC.**
laïque.

laisse n. f.
Lien avec lequel on attache un animal. *Tenir un chien en laisse.*

laisser v. tr., pronom.
Verbe transitif
1. Quitter. *Boris a laissé cet ami.*
2. Ne pas prendre. *J'ai laissé ma bicyclette et j'ai préféré marcher.*
3. Transmettre. *Il a laissé sa fortune à ses petits-enfants.*
4. Ne pas supprimer. *La traductrice a laissé certains mots anglais dans son texte.*
5. Ne pas empêcher. *Il me laisse dormir le samedi matin.* **SYN.** permettre.
Employé comme auxiliaire, ***laisser*** est suivi d'un verbe à l'infinitif.

Verbe pronominal
Être l'objet d'une action. *Laissez-vous aller, détendez-vous. Je me laisse faire.* **SYN.** se détendre.
Le participe passé de la forme pronominale suivi d'un infinitif s'accorde avec le complément d'objet direct lorsque celui-ci fait l'action exprimée par l'infinitif. *Elle s'est laissée vivre,* mais *elle s'est laissé conduire* (elle n'a pas fait l'action).
Locutions
Laisser tranquille. Ne pas ennuyer. *Laissez-nous tranquilles, laissez-la tranquille.*
Le mot ***tranquille*** s'accorde avec le complément du verbe.
Laissez dire, laissez faire. Ne pas contredire, ne pas intervenir.
Conjugaison [VOIR MODÈLE – **AIMER**]

laisser-aller n. m. inv.
On ne fait pas la liaison entre les deux éléments [leseale].
Négligence dans la tenue, le comportement. *Ces collègues font preuve de laisser-aller.*
Ce nom s'emploie au singulier.
laisse**r**-alle**r.**

laissez-passer n. m. inv. (pl. *laissez-passer*)
Permission d'entrer. *Des laissez-passer pratiques.*
Le premier élément de ce nom composé est un verbe à l'impératif qui exprime un ordre, un commandement.
laisse**z**-passe**r.**

lait n. m.
Liquide très nutritif sécrété par les glandes mammaires des mammifères. *Du lait de vache, de chèvre. Le lait maternel. Le lait est bon pour la santé.*
HOM.
– **laid**, désagréable à la vue;
– **laie**, femelle du sanglier.

laiterie n. f.
1. Lieu où se fait le traitement du lait.
2. Lieu où l'on vend des produits laitiers.

laitier n. m.
laitière n. f.
Personne qui vend du lait.

laitue n. f.
Plante potagère qui se mange en salade.

lama n. m.
Mammifère d'Amérique du Sud. *Des lamas, de la laine de lama.*

lambeau n. m. (pl. *lambeaux*)
Partie déchirée d'un vêtement, d'un corps. *Des lambeaux de tissu.*

lambin, ine adj.
(FAMILIER) Lent. *Cette petite est un peu lambine.*
lambin**.**

lambiner v. intr.
(FAMILIER) Traîner. *Ne lambine pas trop, nous sommes déjà en retard.*
Conjugaison [VOIR MODÈLE – **AIMER**]
lambiner.

lame n. f.
1. Morceau plat, assez mince et allongé. *Une lame de ciseau.*
2. Vague plate. *Des lames de fond.*
la**m**e.

lamelle n. f.
Petite lame très mince. *Des lamelles pour l'examen au microscope.*
la**m**e**ll**e.

lamentable adj.
Déplorable. *Ces échecs sont lamentables.* **SYN.** désolant, navrant. **ANT.** excellent.
lam**en**table.

lamentation n. f.
Plainte prolongée. *Tes lamentations nous exaspèrent.*
lam**en**tation.

lamenter (se) v. pronom.
Se plaindre, gémir. *Ils se sont lamentés sans arrêt.*
Le participe passé de ce verbe qui n'existe qu'à la forme pronominale s'accorde toujours avec le sujet du verbe.
Conjugaison [VOIR MODÈLE – **AIMER**]
lam**en**ter.

lampadaire n. m.
Appareil d'éclairage muni d'un long support vertical. *Montréal a remplacé ses lampadaires. Un lampadaire* (et non une *lampe de plancher) *éclairerait ce coin de la pièce.*
VOIR **LAMPE.**
lampad**aire.**

lampe n. f.
Appareil d'éclairage muni d'un pied, d'une base. *Une lampe de bureau, de table.*
Locution
Lampe de poche. Petit appareil d'éclairage portatif qui fonctionne avec des piles. *Une lampe de poche* (et non une *flashlight).

lampion n. m.
(VIEUX) Godet souvent en verre de couleur contenant une matière combustible et une mèche. *Faire brûler un lampion devant la statue de saint Joseph.*
lampion.

lance- préf.
Les noms composés avec le verbe ***lance-*** sont invariables; le premier élément ne prend pas la marque du pluriel, le second élément est toujours au pluriel.

lance n. f.
Arme pour attaquer. *Les guerriers romains portaient une lance et un bouclier.*

lancée n. f.
Élan, vitesse acquise. *Les cyclistes roulaient sur leur lancée.*
Locution
Continuer sur sa lancée. Poursuivre sa trajectoire grâce à l'élan initial.
Au Québec, on dit aussi en ce sens ***sur l'erre d'aller.***

lancement n. m.
1. Action de projeter. *Le lancement d'un satellite. Une rampe de lancement.*
2. Action de faire connaître au public une œuvre, une publication, un produit. *Le lancement d'un livre, d'un disque.*
Pour l'inauguration d'une exposition de peinture, on emploie le nom ***vernissage.***
Ne pas confondre avec le nom ***élancement,*** douleur aiguë et passagère.

lance-missiles n. m. inv. (pl. *lance-missiles*)
Engin servant à lancer des missiles.

lance-pierres n. m. inv. (pl. *lance-pierres*)
Instrument à deux branches muni d'une bande élastique qui sert à lancer des pierres. **SYN.** fronde.

lancer n. m.
Action de projeter au loin. *Des lancers de javelot, de poids, de disques. La pêche au lancer.*

lancer v. tr., pronom.
Verbe transitif
1. Jeter en avant avec force. *Lancer un ballon. À l'occasion, l'Etna lance des pierres.* **SYN.** projeter.
2. Faire connaître. *Lancer une mode, un auteur.*
Verbe pronominal
S'engager avec détermination dans une direction, une action. *Se lancer en affaires* (et non *partir en affaires). *Ces étudiants se sont lancés en affaires pour l'été.*
Conjugaison [VOIR MODÈLE – **AVANCER**]

lanceur, euse n. m. et f.
Nom masculin et féminin
Personne habile dans les lancers. *Une lanceuse de javelot, de disque. Un lanceur de baseball.*
Nom masculin
Fusée servant à lancer une charge dans l'espace.

lancinant, ante adj.
1. Qui fait souffrir par des élancements aigus. *Une douleur lancinante.*
2. Obsédant. *Un souvenir lancinant.*

langage n. m.
Emploi de mots pour exprimer sa pensée, pour communiquer oralement (parole) ou par écrit (écriture).
lan**ga**ge, sans ***u.***

langoustine n. f.
Petit crustacé dont la chair a bon goût.

langue n. f.
1. Organe charnu de la bouche. *Tirer la langue.*
2. Organe de la parole.
3. Parler, langage propre à un groupe social. *La langue française réunit dans une communauté linguistique tous les francophones.*
Locutions
Avoir la langue bien pendue. (FIGURÉ) Parler facilement.
Avoir un mot sur le bout de la langue. (FIGURÉ) Chercher un mot qui vous échappe.
Donner sa langue au(x) chat(s). (FIGURÉ) Renoncer à chercher.
Il faut tourner sept fois sa langue dans sa bouche avant de parler. (Proverbe) Il importe de penser avant de parler, de bien peser ses mots.
Ne pas savoir tenir sa langue. (FIGURÉ) Ne pouvoir garder un secret.
Se mordre la langue. (FIGURÉ) Regretter d'avoir trop parlé.
Une mauvaise langue, une langue de vipère. (FIGURÉ) Personne qui ne craint pas de médire, de calomnier.

languette n. f.
Pièce en forme de petite langue. *Tire sur la languette pour ouvrir la boîte.*

languir v. intr.
1. Manquer d'entrain, traîner en longueur. *La conversation languit.*
2. Attendre avec impatience. *Ne me fais pas trop languir.*
Conjugaison [VOIR MODÈLE – **FINIR**]
lan**guir.**

lanière n. f.
Courroie. *Des lanières de cuir servent à attacher les raquettes.*

lanterne n. f.
Fanal. *La porte d'entrée est éclairée par deux lanternes.*

laper v. tr.
Boire à coups de langue. *Le chat lapait son lait.*
Conjugaison [VOIR MODÈLE – **AIMER**]
la**p**er, un seul ***p.***

lapereau n. m. (pl. *lapereaux*)
Petit du lapin.
VOIR TABLEAU – **ANIMAUX.**
la**p**ereau.

lapin, ine n. m. et f.
Petit mammifère rongeur. *Le lapin glapit.*
VOIR TABLEAU – **ANIMAUX.**

lapiner v. intr.
Mettre bas, en parlant d'une lapine.
Conjugaison [VOIR MODÈLE – **AIMER**]

lapon, one adj. et n. m. et f.
De Laponie. *Une sculpture lapone. Un Lapon, une Lapone.*
L'adjectif s'écrit avec une minuscule ; le nom, avec une majuscule.
la**p**on, la**pon**e.

laque n. f.
1. Vernis. *Appliquer une laque sur un meuble.*
2. Produit servant à fixer la coiffure. *J'ai mis un peu de laque* (et non de *spray net).

laquelle adj. rel. et pron. rel. et interr.
VOIR **LEQUEL.**

laquer v. tr.
Recouvrir de laque. *Laquer un meuble.*
Conjugaison [VOIR MODÈLE – **AIMER**]

larcin n. m.
(LITTÉRAIRE) Petit vol furtif. *Les voyous ont commis des larcins.*
lar**c**in.

lard n. m.
Tissu gras du porc. *Des fèves au lard.* **SYN.** graisse.
la**rd.**

large adj., adv. et n. m.
Adjectif
1. Qui a une certaine étendue entre ses côtés, par opposition à la longueur. *Des épaules larges.*
2. Ample, vaste. *De larges étendues.* **SYN.** considérable, grand.
Nom masculin
1. Largeur. *Ce meuble a 45 centimètres de large.*
2. La haute mer. *L'air du large.*
Adverbe
Grandement. *Les fenêtres larges ouvertes.*
Malgré son emploi adverbial, le mot peut prendre la marque du pluriel dans cette expression. Dans les autres cas, il est invariable. *Ils ne voient pas large. Elle ouvrit large ses yeux.*
Locution
En long et en large. De toutes les façons, en détail. *Je lui ai expliqué la situation en long et en large.*
Forme fautive
*large. Anglicisme au sens de ***grand.*** *Une chemise de petite, moyenne ou grande* (et non *large) taille.

largement adv.
Abondamment, amplement. *Un panier largement garni de fruits.*

largesse n. f.
Générosité, don. *Les enfants ont bénéficié de ses largesses.*
Ne pas confondre avec le nom ***largeur,*** étendue d'une chose.

largeur n. f.
Étendue d'une chose dans le sens opposé à la longueur, à la hauteur, à l'épaisseur, à la profondeur. *Cette bibliothèque a 90 cm de largeur.*
Ne pas confondre avec le nom ***largesse,*** don.

larguer v. tr.
1. (MARITIME) Détacher. *Larguez les amarres.*
2. (AVIATION) Abandonner en cours de vol, laisser tomber. *Larguer du matériel.* **SYN.** lâcher.
Conjugaison [VOIR MODÈLE – **AIMER**]
Ce verbe s'écrit toujours avec un ***u,*** même devant les lettres ***a*** et ***o.*** *Il largua, nous larguons.*

larme n. f.
Liquide transparent et salé que sécrètent les glandes lacrymales pour humecter le globe oculaire.
Locutions
Larmes de crocodile. Chagrin feint.
Pleurer à chaudes larmes, fondre en larmes. Pleurer abondamment.

larmoyant, ante adj.
1. Qui larmoie en raison d'une allergie ou d'une irritation. *Des yeux larmoyants.*
2. (FIGURÉ) Pleurnichard. *Un plaidoyer, un ton larmoyant.*

larve n. f.
Premier stade de développement de certains animaux. *Qu'est-ce qu'une larve de papillon ? Une chenille.*

laryngite n. f.
Inflammation du larynx. **SYN.** mal de gorge.
lar**y**ngite.

larynx n. m.
Le ***x*** se prononce [larɛ̃ks].
Organe situé à l'arrière de la trachée-artère et qui est essentiel à la production de la voix.
lar**ynx.**

las, lasse adj.
Au masculin, le ***s*** ne se prononce pas [lɑ, lɑs].
1. Fatigué. *Elle est très lasse ce soir : elle a eu une dure journée.* **SYN.** faible.
2. (LITTÉRAIRE) Qui ne peut plus supporter quelqu'un, quelque chose. *Elle est lasse de l'entendre se plaindre.*

lasagne n. f.
Plat de pâtes alimentaires. *Des lasagnes gratinées.*
Ce nom s'emploie surtout au pluriel.

laser n. m.
Le ***r*** se prononce [lazɛr]; le nom rime avec ***désert.***
Amplification de radiations. *Des lasers puissants.* En apposition : *des rayons laser(s).*
Locutions
Disque laser. Disque destiné à être lu par un système optique au laser. On dit aussi : ***disque audionumérique, disque compact.***
Imprimante à laser. Imprimante dans laquelle un pinceau lumineux provenant d'un laser dessine sur une surface photosensible une image latente qui sera ensuite fixée à la chaleur.

lasser v. tr., pronom.
Verbe transitif
Ennuyer. *Ces exposés trop longs ont lassé les participants.*
Verbe pronominal
Devenir las de, en avoir assez de. *Elle s'est lassée de répéter la même chose.*
HOM. lacer, attacher avec un lacet.
Conjugaison [VOIR MODÈLE – **AIMER**]

lassitude n. f.
Fatigue. *Ils sont épuisés, ils éprouvent une grande lassitude.*
la**ss**itude.

lasso n. m. (pl. *lassos*)
Corde à nœud coulant. *Attraper un animal au lasso.*

latéral, ale, aux adj.
1. Qui est relatif aux côtés. *Des angles latéraux.*
2. Qui se trouve sur le côté. *Une ouverture latérale.*

latex n. m. inv. (pl. *latex*)
Le ***x*** se prononce [latɛks].
Suc laiteux sécrété par certains végétaux.

latin, ine adj. et n. m. et f.
Adjectif
1. (ANTIQUITÉ) Relatif à la Rome ancienne. *La civilisation latine, les auteurs latins.*
2. Qui appartient à une civilisation où la langue est d'origine latine. *Un tempérament latin.*
Nom masculin
La langue latine. *C'est l'heure du cours de latin. Le mot* agenda *a été emprunté au latin où il signifiait « ce que l'on doit faire ».*
Le nom de la langue s'écrit avec une minuscule.
VOIR TABLEAU – **LATIN (EMPRUNTS AU).**
Nom masculin pluriel
Peuple de l'ancien Latium. *Les Latins ont subi la domination étrusque.*
Nom masculin et féminin
Dont la langue, la culture est d'origine latine. *Les Français, les Espagnols, les Italiens sont des Latins. C'est un Latin, une Latine.*
Le nom s'écrit avec une majuscule.
Locution
Amérique latine. Amérique du Sud.
L'adjectif s'écrit avec une minuscule.

latino-américain, aine adj. et n. m. et f. (pl. *latino-américains, latino-américaines*)
De l'Amérique latine. *Une danse latino-américaine. Un Latino-Américain, une Latino-Américaine.*
L'adjectif s'écrit avec des minuscules; le nom, avec des majuscules.

latitude n. f.
1. Distance d'un lieu à l'équateur. *Les villes de Paris et de Québec sont à peu près à la même latitude : 48° de latitude Nord.*
La latitude d'un lieu s'exprime en degrés (°), minutes (') et secondes ('') d'angle; ces indications sont suivies du point cardinal (***Nord*** ou ***Sud***) qui s'écrit avec une majuscule, ***N.*** ou ***S.*** La longitude s'exprime de la même manière, mais les indications sont suivies du point cardinal ***Est*** ou ***Ouest***, selon le cas. *Cette ville est située à 48 degrés 12 minutes 8 secondes de latitude Nord* ou *à 48° 12' 8'' N.* Attention à la disposition : il n'y a pas d'espace entre le nombre et le symbole ni signe de ponctuation entre les unités.

Langue des anciens Romains, le latin constitue l'origine du français et de plusieurs autres langues.

- La plupart des emprunts au latin se sont modifiés pour s'intégrer au français : ils ont pris une **forme française**. *Ainsi, le mot latin « caballus » est devenu **cheval** en français.*
- D'autres emprunts faits par les savants des XIVe, XVe et XVIe siècles (formation savante) ont conservé une **forme voisine du latin**. *Le mot **parabole** vient du latin « parabola ». Le même mot latin a donné aussi le mot de formation populaire **parole.***
- Enfin, d'autres mots empruntés au latin ont conservé leur **forme originale**. *L'expression latine **nota bene** (que l'on abrège N.B.) signifie « notez bien ».*

MOTS LATINS INVARIABLES

cumulus
nimbus
nota
pater
requiem
tumulus
veto...

Certains mots empruntés au latin restent invariables : ces mots s'écrivent sans accents, malgré leur prononciation.

MOTS LATINS VARIABLES

Singulier latin	Pluriel latin
addendum	*addenda*
desideratum	*desiderata*
erratum	*errata*
maximum	*maxima*
minimum	*minima*
stimulus...	*stimuli...*

Certains mots gardent le pluriel latin et s'écrivent sans accents.

La tendance actuelle est de franciser les noms ***maximum, minimum*** en les écrivant au pluriel avec un ***s.*** Comme adjectifs, ils sont remplacés par ***maximal, ale, aux*** et ***minimal, ale, aux.***

MOTS LATINS FRANCISÉS

agenda
album
alibi
déficit
forum
médium
quatuor
quorum
quota
recto
référendum
solarium
spécimen
ultimatum
verso...

Certains mots empruntés au latin ont été francisés par leur usage fréquent.

Ces mots prennent la marque du pluriel et s'écrivent avec des accents s'il y a lieu.

Des médias électroniques.

En typographie soignée, les mots étrangers sont composés en italique. Dans des textes déjà en italique, la notation se fait en romain. Pour les textes manuscrits, on utilisera les guillemets.

LOCUTIONS LATINES

Locution	Signification
ad vitam æternam	pour toujours
a fortiori	à plus forte raison
a posteriori	fondé sur des faits
a priori	non fondé sur des faits
de visu	après l'avoir vu
et cætera	et les autres
ex æquo	au même rang
grosso modo	en gros
in extremis	au tout dernier moment
ipso facto	immédiatement
manu militari	par la force
modus vivendi	entente
nec plus ultra	ce qu'il y a de mieux
nota bene	notez bien
post-scriptum	écrit après
sine die	sans jour fixé
sine qua non	condition essentielle
statu quo	état actuel des choses
vice versa...	inversement

Ces locutions s'écrivent sans accents.

2. (FIGURÉ) Marge de manœuvre, liberté. *On nous laisse toute latitude pour agir.*
VOIR **LONGITUDE.**

latte n. f.
Pièce de bois longue et étroite. *Des lattes de bois.*

lauréat, ate n. m. et f.
Personne qui a remporté un prix. *De jeunes lauréates. Les lauréats du concours de piano.* **SYN.** gagnant, vainqueur.

laurier n. m.
Plante aromatique. *Une couronne de laurier, symbole de la victoire.*
Dans la Rome antique, les vainqueurs défilaient avec des couronnes de laurier. Depuis ce temps, le laurier est un symbole de victoire.
Locutions
Laurier-rose, laurier-cerise. *Des lauriers-roses, des lauriers-cerises.*
S'endormir sur ses lauriers, se reposer sur ses lauriers. (FIGURÉ) Ne plus faire d'efforts, après un succès, une victoire.

lavable adj.
Qui peut être lavé. *Ce pantalon est lavable.*

lavabo n. m.
Appareil sanitaire muni d'une cuvette et de robinets où l'on peut faire sa toilette. *Le lavabo de la salle de bains.*
Dans la cuisine, on parle plutôt de l'***évier.***

lavage n. m.
Action de laver. *Le lavage et le repassage du linge.* **SYN.** nettoyage.

lavande adj. inv. et n. f.
Nom féminin
Plante aromatique donnant de petites fleurs bleues au parfum délicat et frais.
Adjectif de couleur invariable
D'une couleur bleu mauve. *Des lainages lavande, bleu lavande.*
VOIR TABLEAU – **COULEUR (ADJECTIFS DE).**

lave n. f.
Matière en fusion qui jaillit des volcans en éruption. *Une coulée de lave.*

lave-auto n. m. (pl. *lave-autos*)
Portique de lavage automatique pour automobiles.

lave-glace n. m. (pl. *lave-glaces*)
Appareil qui envoie un jet de liquide sur le pare-brise d'un véhicule.

laver v. tr., pronom.
Verbe transitif
Nettoyer avec de l'eau. *Laver la vaisselle.*
Verbe pronominal
Nettoyer son corps. *Elle s'est lavée, elle s'est lavé les mains.*
Conjugaison [VOIR MODÈLE – **AIMER**]

lavette n. f.
1. Ustensile avec lequel on lave la vaisselle.
2. (FIGURÉ) Personne sans énergie, molle. *Joseph est une vraie lavette.*

laveur n. m.
laveuse n. f.
Personne dont le métier est de laver. *Laveur de vitres, de voitures.*

laveuse n. f.
Machine à laver.

lave-vaisselle n. m. inv. (pl. *lave-vaisselle*)
Machine à laver la vaisselle. *Des lave-vaisselle efficaces.*

layette n. f.
La première syllabe se prononce ***lè*** [lɛjɛt].
Trousseau à l'usage d'un nouveau-né.
la**y**ette.

le pron. pers.
VOIR TABLEAU – **LE, LA, LES, PRONOMS PERSONNELS.**

le art. déf.
VOIR TABLEAU – **LE, LA, LES, ARTICLES DÉFINIS.**

leader n. m.
Les lettres ***ea*** se prononcent ***i*** et le ***r*** est sonore [lidœr]; ce nom se prononce à l'anglaise, il rime avec ***bulldozer.***
1. Meneur. *Ces jeunes sont des leaders dans leur école : ils ont une bonne influence sur les élèves.*
2. Groupe, entreprise, produit qui domine dans son secteur. *Cette société est un leader en informatique.*
Ce nom, emprunté à l'anglais il y a plus d'un siècle et demi, est admis en français.

leadership n. m.
Les lettres ***ea*** se prononcent ***i*** [lidœrʃip].
Direction, position dominante. *Des leaderships.*
Ce nom, emprunté à l'anglais il y a plus d'un siècle, est admis en français.

lécher v. tr.
Passer la langue sur quelque chose. *Julia lèche une sucette à la tire d'érable.*
Locution
Un ours mal léché. Personne désagréable et mal élevée.
Conjugaison [VOIR MODÈLE – **POSSÉDER**]
Le ***é*** se change en ***è*** devant une syllabe muette, sauf à l'indicatif futur et au conditionnel présent. *Je lèche,* mais *je lécherai.*

lèche-vitrines n. m. inv.
Action de flâner en regardant les vitrines. *Faire du lèche-vitrines.* **SYN.** magasinage.

leçon n. f.
Enseignement théorique et pratique d'une science, d'un art. *Des leçons d'histoire, de dessin. Une leçon de piano, d'équitation. As-tu appris tes leçons pour demain ?*
le**ç**on.

lecteur, trice n. m. et f.
Personne qui lit pour son plaisir, son information. *Le courrier des lecteurs. C'est une lectrice de romans policiers.*

lecture n. f.
Art de lire. *La lecture est un agréable passe-temps.*

légal, ale, aux adj.
Qui est conforme à la loi. *Des contrats légaux.* **ANT.** illégal.
Ne pas confondre avec les mots suivants :
– ***judiciaire,*** qui se rapporte à l'organisation de la justice ;
– ***juridique,*** qui se rapporte au droit.

légalisation n. f.
Action de légaliser. *La légalisation de l'avortement.*

légaliser v. tr.
Rendre légal. *Légaliser une pratique jusqu'ici interdite.*
Conjugaison [VOIR MODÈLE – **AIMER**]

légalité n. f.
Caractère de ce qui est conforme au droit. *Ces personnes font des affaires en toute légalité.*

légendaire adj.
1. Qui n'existe que dans les légendes. *Une force légendaire.*
2. Bien connu. *Sa distraction est légendaire.* **SYN.** proverbial.
Ne pas confondre avec les mots suivants :
– ***fabuleux,*** qui tient de la fable, extraordinaire quoique réel ;
– ***imaginaire,*** qui n'existe que dans l'imagination.

légende n. f.
1. Récit populaire souvent merveilleux et reposant parfois sur un fondement historique. *La légende québécoise de la chasse-galerie.*
2. Texte explicatif d'une illustration, d'un plan, d'une carte géographique.

léger, ère adj.
1. Qui a peu de poids. *Une valise légère.*
2. Qui a peu de force. *Un parfum léger, un vent léger.*
3. Petit. *Un bruit léger.* **SYN.** faible.
Locution
À la légère, locution adverbiale. Sans réfléchir. *Ils ont pris cette décision à la légère, sur un coup de tête.*
lég**er,** lég**ère.**

légèrement adv.
1. De façon légère. *Ils étaient trop légèrement vêtus : ils ont pris froid.*
2. Un peu. *Elle était légèrement lasse.*

légèreté n. f.
1. Caractère de ce qui a peu de poids. *La légèreté d'une plume.*
2. Caractère de ce qui est peu grave. *La légèreté d'une faute.*
3. Imprudence. *Elle a fait preuve de légèreté dans cette affaire : elle n'a pas réfléchi suffisamment.* **SYN.** insouciance.
lég**è**reté.

légion n. f.
1. (ANTIQUITÉ) Corps de soldats romains.
2. Multitude. *Le pays est envahi par des légions de touristes à la belle saison.*
Lorsque le mot est employé comme collectif et qu'il est suivi d'un complément au pluriel, le verbe se met au singulier ou au pluriel suivant l'intention de l'auteur, qui veut insister sur l'ensemble ou la pluralité. *Une légion d'adolescents a envahi* ou *ont envahi la salle de cinéma.*
VOIR TABLEAU – **COLLECTIF.**

légitime adj.
1. Qui est reconnu conforme au droit. *Une union légitime.* **ANT.** illégitime.
2. Qui est conforme à la justice, à la raison. *Une cause légitime.*
3. Normal, justifié. *Médaillée olympique, Myriam Bédard éprouve une fierté bien légitime.* **SYN.** compréhensible.

léguer v. tr.
Donner ses biens par testament. *Sa marraine lui a légué une bague.* **SYN.** laisser.
Conjugaison [VOIR MODÈLE – **POSSÉDER**]
Ce verbe s'écrit toujours avec un ***u,*** même devant les lettres ***a*** et ***o.*** *Nous léguons, il légua.*
Le ***é*** se change en **è** devant une syllabe muette, sauf à l'indicatif futur et au conditionnel présent. *Je lègue,* mais *je léguerai.*

légume n. m.
Plante potagère. *Les radis, les concombres, les carottes sont des légumes.*

légumineuse adj. et n. f.
Adjectif
Dont le fruit est une gousse. *Une plante légumineuse.*
Nom féminin
Plante ayant pour fruit une gousse. *Les pois, les haricots sont des légumineuses.*

lendemain n. m.
1. Le jour qui suit le jour dont on parle. *Elle le vit le lendemain de son retour au pays.* **ANT.** veille.
2. Avenir. *Il faut songer au lendemain. Une histoire sans lendemain.*
3. Suite. *Les lendemains d'une escapade.*
Locution
Du jour au lendemain, locution adverbiale. Très rapidement.

lent, lente adj.
1. Qui n'est pas rapide. *La tortue est lente.* **ANT.** rapide.
2. Qui n'est pas vif. *Un esprit lent.* **ANT.** rapide.

lentement adv.
Avec lenteur. *Les arbres poussent lentement.*

lenteur n. f.
Manque de rapidité, de vivacité. *Sa lenteur est agaçante : il n'arrive jamais à finir à temps.*

lentille n. f.
1. Plante cultivée pour sa graine ; la graine elle-même. *Une soupe de lentilles aux épinards.*
2. Verre de contact. *Des lentilles cornéennes.*

léopard n. m.
Le **o** est ouvert [leɔpar].
Panthère tachetée d'Afrique. *Un manteau de faux léopard.*
léopar**d.**

lèpre n. f.
Maladie infectieuse et contagieuse.
l**è**pre.

lépreux, euse adj. et n. m. et f.
Qui est atteint de la lèpre.
l**é**preux.

lequel, laquelle adj. rel. et pron. rel., interr.
Pronom relatif
1. Après une préposition, au lieu de ***qui*** quand l'antécédent est un nom d'animal ou de chose. *La route vers laquelle nous allions.*
Quand l'antécédent est un nom de personne, on emploie ***qui.*** *La personne vers qui nous allions.*
2. Comme sujet ou complément d'objet direct pour éviter une équivoque. *J'ai vu une copie de ce tableau, laquelle était parfaitement conforme.*
3. Dans le style juridique ou administratif. *Ils ont interrogé deux personnes, lesquelles ont affirmé...*
Pronom interrogatif
1. (Interrogation indirecte) Le pronom est employé au sens de ***celui, celle qui*** ou ***que.*** *Dites-moi lequel des deux vous préférez.*
2. (Interrogation directe) Le pronom peut être sujet, attribut ou complément. *Lequel vient jouer ?* (sujet) *Laquelle êtes-vous ?* (attribut) *Lesquels choisissez-vous ?* (complément d'objet direct).
Employé au sens de ***quel est celui qui*** ou ***que, quelle est celle qui*** ou ***que ?,*** le pronom interrogatif marque un choix à arrêter entre deux ou plusieurs personnes, deux ou plusieurs choses.
Adjectif relatif
L'adjectif relatif se place devant un nom pour indiquer que l'on rattache à un antécédent la subordonnée qu'il introduit. *Une somme de 1000 $, laquelle somme servira à la bibliothèque des jeunes.*

LE, LA, LES, ARTICLES DÉFINIS

Déterminants employés pour désigner des personnes ou des choses dont le sens est complètement défini.

Ce déterminant s'emploie devant un nom qui désigne des personnes ou des choses connues, dont on a déjà parlé. *La pomme que j'ai mangée était délicieuse.*

Il s'agit précisément d'une pomme en particulier, celle qui a été mangée. S'il s'agissait de n'importe quelle pomme, on emploierait l'article indéfini. *Achète-moi une pomme.*

Formes simples

masculin	féminin		
le les	la les	singulier pluriel	***Le*** *chien de Martin,* ***la*** *bicyclette de Laurence,* ***les*** *amis de la classe.*

Formes contractées avec *de*

masculin	féminin		
du (de le) des (de les)	de la des (de les)	singulier pluriel	*Les outils* **du** *menuisier, les dossiers* **de la** *ministre, les noms* **des** *parents.*

Formes contractées avec *à*

masculin	féminin		
au (à le) aux (à les)	à la aux (à les)	singulier pluriel	*Nous irons* **au** *centre des loisirs,* **à la** *patinoire ou* **aux** *divers parcs de la ville.*

Élision et liaison

Les articles s'élident devant un mot commençant par une voyelle ou un ***h*** muet. *L'école, l'hommage.*

Cette élision ne se fait pas devant les adjectifs numéraux. *Le onze du mois, le huit de cœur, le un de la rue des Érables.*

Liaison

La liaison de l'article ***les*** avec le mot qui suit se fait si ce mot commence par une voyelle ou un ***h*** muet. *Les enfants (lézenfants), les hommes (lézommes).*

Omission

On ne répète pas l'article si deux adjectifs se rapportent au même nom. *La tendre et belle enfant.*

On peut omettre l'article dans certaines énumérations. *Orthographe, grammaire, typographie feront l'objet de tableaux.*

Les articles sont omis dans certaines expressions figées. *Des faits et gestes, sur mer et sur terre, blanc comme neige, avoir carte blanche...*

suite ►

Répétition

L'article est répété devant les noms joints par les conjonctions ***et, ou.*** *Les fruits et les légumes.*

Devant un superlatif

Quand la comparaison est établie avec des êtres ou des objets différents, l'article s'accorde en genre et en nombre avec le nom auquel il se rapporte. *Cette amie est la plus gentille de toutes ces personnes.*

Quand la comparaison porte sur des états distincts du même être ou du même objet, l'article est neutre et invariable. *C'est le matin qu'elle est le plus en forme.*

À la place du possessif

L'article défini s'emploie quand le nom employé sans adjectif désigne une partie du corps ou une faculté de l'esprit. *Il a mal à la tête. Elle s'est fracturé la jambe. Elle a perdu la tête.*

Attention, dans ces cas, on n'emploie pas l'adjectif possessif. *Il s'est cassé le bras* (et non *son bras).

L'article s'emploie généralement devant un complément de manière. *Ils marchent la main dans la main.*

VOIR TABLEAU – **LE, LA, LES,** PRONOMS PERSONNELS.

Ces mots sont composés du pronom interrogatif ***quel*** et de l'article défini. L'article défini employé avec les prépositions ***de*** ou ***à*** se contracte pour donner ***du*** et ***au.*** Voici les pronoms relatifs composés de ***quel*** .

SINGULIER	PLURIEL
lequel, laquelle	*lesquels, lesquelles*
duquel, de laquelle	*desquels, desquelles*
auquel, à laquelle	*auxquels, auxquelles.*

Tous ces composés s'écrivent en un seul mot, à l'exception de ***à laquelle, de laquelle.***

VOIR TABLEAU – **INTERROGATIF (PRONOM).**
VOIR TABLEAU – **PRONOM.**
VOIR TABLEAU – **RELATIF (ADJECTIF).**

les pron. pers.

VOIR TABLEAU – **LE, LA, LES, PRONOMS PERSONNELS.**

les art. déf.

VOIR TABLEAU – **LE, LA, LES, ARTICLES DÉFINIS.**

léser v. tr.
Causer du tort à quelqu'un. **SYN.** défavoriser.
Conjugaison [VOIR MODÈLE – **POSSÉDER**]
Le ***é*** se change en ***è*** devant une syllabe muette, sauf à l'indicatif futur et au conditionnel présent. *Je lèse,* mais *je léserai.*

lesquelles adj. rel. et pron. rel. et interr.

VOIR **LEQUEL.**

lesquels, lesquelles adj. rel. et pron. rel. et interr.

VOIR **LEQUEL.**

lessive n. f.
1. Savon pour laver le linge. **SYN.** détersif.
2. Blanchissage du linge ; linge lavé. *Un jour de lessive.*

lest n. m.
Les lettres ***st*** se prononcent [lɛst]; le nom rime avec ***peste.***
Matière lourde destinée à assurer la stabilité d'un navire, d'un ballon, etc. *Jeter du lest.*

letton, onne ou **one** adj. et n. m. et f.
Adjectif et nom masculin et féminin
De Lettonie. *Les forêts lettonnes, lettones. Un Letton, une Lettonne, Lettone.*
L'adjectif s'écrit avec une minuscule ; le nom, avec une majuscule.
Nom masculin
Langue balte parlée en Lettonie. *Uldis parle le letton.*
Le nom de la langue s'écrit avec une minuscule.

lettrage n. m.
Ensemble de lettres. *Le lettrage de cette affiche n'est pas très lisible.*

lettre n. f.
1. Caractère de l'alphabet.
2. Écrit transmis à un destinataire. *Acheter du papier à lettres. Géraldine aime bien recevoir une lettre de sa cousine de Belgique.*
Les lettres de l'alphabet étaient autrefois de genre féminin ; elles sont aujourd'hui de genre masculin. *Un **a**, un **b**, des **e**.*
Locutions
À la lettre, au pied de la lettre, locutions adverbiales. Exactement. *J'ai suivi tes instructions au pied de la lettre et malgré cela, j'ai raté mon coup.*
En toutes lettres, locution adverbiale. Au long, sans chiffres. *Dans certains documents importants, on écrit habituellement la date en toutes lettres : Le quatorze décembre mil neuf cent...*

Forme fautive
*lettres moulées. Impropriété pour ***caractères d'imprimerie, majuscules.***

leu n. m.
À la queue leu leu, locution adverbiale. À la file.
En ce sens, le nom ne s'emploie que dans l'expression citée.
Cette expression est une altération de « à la queue le loup ».

leucémie n. f.
Maladie du sang très grave caractérisée par une augmentation des globules blancs.

leucémique adj. et n. m. et f.
Qui est atteint de leucémie.

leur pron. pers. m. et f. inv.
Pronom personnel masculin et féminin de la troisième personne du pluriel. À eux, à elles. *Je leur dirai de venir.*
1° Ce pronom qui est complément indirect se place devant le verbe et il est invariable. *Je leur donne raison. Elle leur* (et non *leurs) *a dit.*
2° À l'impératif, il suit le verbe auquel il est joint par un trait d'union. *Offre-leur des billets.*
VOIR TABLEAU – **PRONOM.**

leur n. m. pl. et pron. poss. m. et f.
Pronom possessif masculin et féminin
Pronom possessif masculin et féminin de la troisième personne du pluriel. Qui est à eux, à elles.
Le pronom est toujours accompagné de l'article défini. ***Le leur, la leur, les leurs.*** *Ce pays est le leur, cette patrie, la leur. Ces amis sont les leurs.* Le mot ***leur*** s'emploie parfois en fonction d'attribut, sans article, comme un adjectif. *Ces mots sont leurs.*
VOIR TABLEAU – **PRONOM.**

LE, LA, LES, PRONOMS PERSONNELS

Les pronoms ***le, la, les*** remplacent un nom de personne, ou de chose déjà exprimé. *Quand Étienne sera de retour, préviens-le de notre arrivée prochaine. Ce film est excellent, je te le conseille.*

Les pronoms ***le, la, les*** accompagnent toujours un verbe *(je les aime)* à titre de *complément d'objet direct* ou *d'attribut du sujet*, tandis que les articles ou déterminants définis ***le, la, les*** accompagnent toujours un nom (*les personnes que j'aime*).

COMPLÉMENT D'OBJET DIRECT

Les pronoms personnels ***le, la, les*** s'emploient avec les verbes transitifs directs (on pose la question ***qui ? que ? quoi ?***) pour trouver le complément d'objet direct. Ces verbes se conjuguent avec l'auxiliaire ***avoir***.

Tu le regardes. Cette pomme, tu la mangeras à la récréation. Vous les avez lus pendant les vacances : ce sont de bons livres.

Pour les verbes transitifs indirects (on pose la question ***à qui ?***), ce sont les pronoms ***lui*** et ***leur*** qui sont employés. *Tu lui as parlé, tu leur as parlé* (à qui ?).

ATTRIBUT

Les pronoms personnels ***le, la, les*** sont attributs du sujet lorsqu'ils sont employés avec les verbes qui se conjuguent avec l'auxiliaire ***être***.

Le pronom s'accorde en genre et en nombre avec le sujet accompagné d'un article défini ou du démonstratif. *Ces fous de la vitesse, ils ne le sont plus.*

FORME

Les pronoms ***le, la*** s'élident devant un verbe commençant par une voyelle ou un ***h*** muet. *Je l'aime, tu l'honores.*

PLACE DU PRONOM

- Il se place généralement **avant** le verbe. *Ce vélo, je le veux.*
- Si le verbe est à l'impératif dans une construction affirmative, le pronom se place **après** le verbe auquel il est joint par un trait d'union. *Admirez-le.*
- Par contre, dans une construction négative, le pronom se place **avant** le verbe. *Ne l'admirez pas.*
- Si le verbe comporte plusieurs pronoms compléments, le complément d'objet direct se place **avant** le complément d'objet indirect et se joint au verbe et au complément d'objet indirect par des traits d'union. *Donne-le-moi.*

VOIR TABLEAU – **LE, LA, LES,** ARTICLES DÉFINIS.

Nom masculin pluriel
Leurs. Leurs parents, leurs proches, leurs amis. *Ils retrouveront les leurs demain.*
HOM. leurre, appât attaché à un hameçon.

leur adj. poss. m. et f.
1. Adjectif possessif de la troisième personne du pluriel et des deux genres.
2. Qui est à eux, qui leur appartient, qui est relatif à eux. *Ils adorent leur fille, leurs fils, leur maison, leur chien.*
L'adjectif s'accorde en nombre avec le nom déterminé, il s'accorde en personne avec le nom désignant le « possesseur » et représente au moins deux possesseurs, dont celui de qui l'on parle.
Nombre du possessif : l'adjectif possessif et le nom qu'il détermine s'écrivent au singulier ou au pluriel, selon le contexte. *Ils ont mangé leur pomme* (plusieurs possesseurs ont chacun un objet). *Elles ont dévoré leurs fruits* (plusieurs possesseurs ont chacun plusieurs objets).
VOIR TABLEAU – **POSSESSIF (ADJECTIF).**

leurre n. m.
1. Appât attaché à un hameçon pour attirer le poisson.
2. (FIGURÉ) Piège, tromperie. *Ces cadeaux somptueux ne sont que des leurres pour rouler les acheteurs.*
HOM. leur, adjectif possessif et pronom personnel.
leu**rr**e.

leurrer v. tr., pronom.
Verbe transitif
(FIGURÉ) Tromper par de faux espoirs. *Ce marchand malhonnête tente de leurrer ses clients.*
Verbe pronominal
S'illusionner. *Elle s'est leurrée sur leurs intentions.*
À la forme pronominale, le verbe se construit avec la préposition ***sur.***
Conjugaison [VOIR MODÈLE – **AIMER**]
leu**rr**er.

levain n. m.
Produit qui fait lever le pain. *Le levain fait lever la pâte du pain.*
lev**ain**, ***ain*** comme dans p**ain.**

levant, ante adj. et n. m.
Adjectif
Qui se lève, en parlant du soleil, de la lune. **ANT.** couchant.
Nom masculin
Lieu de l'horizon où le soleil se lève. **SYN.** est. **ANT.** ouest.

levée n. f.
1. Action d'élever. *Une levée de boucliers.*
2. Action de recueillir quelque chose. *La levée du courrier se fera à 9 h.*
Forme fautive
*levée de fonds. Calque de l'anglais « fund-raising » au sens de ***souscription, campagne de financement, collecte de fonds.***
HOM.
– **lever**, mouvoir de bas en haut ;
– **lever**, action de se lever.

lever n. m.
1. Action de se lever. *Le lever du soleil. Au lever et au coucher, prendre un comprimé.*
2. Action de hausser. *Le lever du rideau.*
HOM.
– **levée**, action d'élever ;
– **lever**, mouvoir de bas en haut.

lever v. tr., intr., pronom.
Verbe transitif
Faire mouvoir de bas en haut. *Élisa lève la main.*
Verbe intransitif
Commencer à sortir de terre, en parlant d'une plante. *Le maïs commence à lever.*
Verbe pronominal
1. Se mettre debout. *Levez-vous, je vous prie.*
2. Sortir du lit. *Elle s'est levée à 7 heures.*
Locutions
À main(s) levée(s). En levant la main. *Voter à main levée.*
Au pied levé. À l'improviste.
Lever l'ancre. (FIGURÉ) S'en aller.
Lever la séance. Déclarer que la séance est terminée.
Lever le camp. (FIGURÉ) Fuir.
Lever les doutes. Dissiper les soupçons.
Lever une difficulté. La faire cesser.
Ne pas confondre avec les verbes suivants :
– ***élever,*** placer à un niveau supérieur ;
– ***soulever,*** lever lentement à faible hauteur ;
– ***surélever,*** accroître la hauteur de quelque chose.
HOM.
– **levée**, action d'élever ;
– **lever**, action de se lever.
Conjugaison [VOIR MODÈLE – **LEVER**]
Le ***e*** se change en ***è*** devant une syllabe muette. *Il lève, mais il levait.*

levier n. m.
Tige pouvant tourner sur un point d'appui pour soulever des fardeaux. *Archimède prétendait pouvoir soulever le monde avec un levier pourvu qu'on lui fournît un point d'appui.*
Locution
Levier de commande. Manette de direction. *Les leviers de commande d'un bateau.*

lèvre n. f.
Chacune des deux parties qui forment le contour de la bouche. *Rouge à lèvres.*

levrette n. f.
Femelle du lévrier.

lévrier n. m.
Chien de chasse d'allure très rapide dont la femelle est la levrette.

lexique n. m.
1. Ensemble des mots d'une langue.
2. Ouvrage qui recense les termes d'une science, d'une technique et qui donne souvent l'équivalent dans une autre langue.

lézard n. m.
Petit reptile. *Un lézard femelle.*
Ne pas confondre avec le nom ***lézarde,*** fissure.
lézar**d.**

lézarde n. f.
Fissure dans un ouvrage de maçonnerie.
Ne pas confondre avec le nom ***lézard,*** petit reptile.

lézarder v. tr., pronom.
Verbe transitif
Crevasser. *L'explosion a lézardé le mur.*
Verbe pronominal
Se fendre en lézardes, en parlant d'un mur. *La muraille s'est lézardée.*
Conjugaison [VOIR MODÈLE – **AIMER**]

Indicatif

Présent

je lève
tu lèves
elle lève
il lève
nous levons
vous levez
elles lèvent
ils lèvent

Passé composé

j' ai levé
tu as levé
elle a levé
il a levé
nous avons levé
vous avez levé
elles ont levé
ils ont levé

Imparfait

je levais
tu levais
elle levait
il levait
nous levions
vous leviez
elles levaient
ils levaient

Plus-que-parfait

j' avais levé
tu avais levé
elle avait levé
il avait levé
nous avions levé
vous aviez levé
elles avaient levé
ils avaient levé

Passé simple

je levai
tu levas
elle leva
il leva
nous levâmes
vous levâtes
elles levèrent
ils levèrent

Passé antérieur

j' eus levé
tu eus levé
elle eut levé
il eut levé
nous eûmes levé
vous eûtes levé
elles eurent levé
ils eurent levé

Futur simple

je lèverai
tu lèveras
elle lèvera
il lèvera
nous lèverons
vous lèverez
elles lèveront
ils lèveront

Futur antérieur

j' aurai levé
tu auras levé
elle aura levé
il aura levé
nous aurons levé
vous aurez levé
elles auront levé
ils auront levé

Infinitif

Présent

lever

Passé

avoir levé

Subjonctif

Présent

que je lève
que tu lèves
qu' elle lève
qu' il lève
que nous levions
que vous leviez
qu' elles lèvent
qu' ils lèvent

Passé

que j' aie levé
que tu aies levé
qu' elle ait levé
qu' il ait levé
que nous ayons levé
que vous ayez levé
qu' elles aient levé
qu' ils aient levé

Imparfait

que je levasse
que tu levasses
qu' elle levât
qu' il levât
que nous levassions
que vous levassiez
qu' elles levassent
qu' ils levassent

Plus-que-parfait

que j' eusse levé
que tu eusses levé
qu' elle eût levé
qu' il eût levé
que nous eussions levé
que vous eussiez levé
qu' elles eussent levé
qu' ils eussent levé

Conditionnel

Présent

je lèverais
tu lèverais
elle lèverait
il lèverait
nous lèverions
vous lèveriez
elles lèveraient
ils lèveraient

Passé

j' aurais levé
tu aurais levé
elle aurait levé
il aurait levé
nous aurions levé
vous auriez levé
elles auraient levé
ils auraient levé

Impératif

Présent

lève
levons
levez

Passé

aie levé
ayons levé
ayez levé

Participe

Présent

levant

Passé

levé, ée
ayant levé

liaison n. f.
1. Association, enchaînement entre deux mots. *Quand on prononce les (z) amis, on fait une liaison entre l'article et le nom.*
VOIR TABLEAU – **LIAISON.**
2. Communication. *Nous sommes en liaison étroite. Une liaison aérienne.*

liane n. f.
Plante grimpante. *Dans la jungle, les singes se pendent aux lianes.*

liasse n. f.
Documents liés ensemble. *Une liasse de billets.*

libanais, aise adj. et n. m. et f.
Du Liban. *Le drapeau libanais. Un Libanais, une Libanaise.*
L'adjectif s'écrit avec une minuscule ; le nom, avec une majuscule.

libellule n. f.
Insecte à quatre ailes transparentes qui vit au bord de l'eau.
libe**ll**u**l**e.

libéral, ale, aux adj. et n. m. et f.
Adjectif
1. Favorable aux libertés individuelles.
2. Tolérant. *Des principes libéraux.*
Nom masculin et féminin
Personne qui professe des idées libérales.
Locution
Professions libérales. Professions de caractère intellectuel que l'on exerce de façon indépendante, généralement sous le contrôle d'une corporation professionnelle. *Les avocats, les médecins, les architectes, les ingénieurs, etc., exercent des professions libérales.*

libération n. f.
Action de rendre libre. *La libération des otages, une libération conditionnelle.*

libérer v. tr., pronom.
Verbe transitif
1. Remettre en liberté (un prisonnier). *Libérer un détenu.* **SYN.** relâcher.
2. Décharger d'une obligation. *Libérer quelqu'un d'une dette.* **SYN.** dégager.
Verbe pronominal
(ABSOLUMENT) Se rendre libre. *Je n'ai pu me libérer hier, mais je viendrai ce soir.*
Conjugaison [VOIR MODÈLE – **POSSÉDER**]
Le ***é*** se change en ***è*** devant un ***e*** muet, sauf à l'indicatif futur et au conditionnel présent. *Je libère,* mais *je libérerai.*

LIAISON

La liaison est l'action de prononcer la consonne finale d'un mot placé devant un mot commençant par une voyelle ou un ***h*** muet.

La liaison se fait TOUJOURS

Entre l'article et le nom. *Les* (z) *amis. Des* (z) *hôpitaux.*
Entre l'adjectif et le nom. *Les bons* (z) *amis. De beaux* (z) *habits.*
Entre le pronom et le verbe. *Nous* (z) *aimons. Je vous* (z) *aime. Vous* (z) *habitez la ville.*
Entre le verbe et le nom ou l'adjectif attribut. *Ils sont* (t) *amis, elles sont* (t) *honnêtes.*
Entre la préposition et le mot qui la suit. *Dès* (z) *aujourd'hui. Par* (r) *hasard*
Entre l'adverbe et le mot qui le suit. *Ils sont plus* (z) *aimables, très* (z) *honorables.*
Dans la plupart des locutions, des mots composés. *Petit* (t) *à petit. Tout* (t) *à l'heure.*

La liaison se fait PARFOIS

Entre le nom et le complément. *Les professeurs* (z) *en voyage.*
Entre le nom et l'adjectif. *Les fillettes* (z) *adroites, les garçons* (z) *habiles.*
Entre le nom qui est sujet et le verbe. *Les fillettes* (z) *ont joué. Elles* (z) *habillent leur chien.*
Entre le verbe et son complément. *Ils allèrent* (t) *au bois.*

La liaison ne se fait JAMAIS

Devant un nom commençant par un h aspiré. *Les / handicapés. Des homards.*
VOIR TABLEAU – **H ASPIRÉ ET H MUET.**
Après un mot se terminant par une consonne muette. *Le puits / et le seau.*
Après un signe de ponctuation. *Voici des fruits, / une assiette.*
Devant un adjectif numéral : ***un, onze, onzième, huit, huitième.*** *Vous avez / onze ans.*
Devant les mots étrangers commençant par ***y***. *Des / yaourts.*

En liaison : Les lettres ***s*** et ***x*** se prononcent ***z***. *Les* (z) *iris. Dix* (z) *oranges. Des* (z) *hivers.*
La lettre ***d*** se prononce ***t***. *Un grand* (t) *adolescent. Un grand* (t) *homme.*

liberté n. f.
Indépendance, pouvoir d'agir. *Liberté d'action, d'esprit, de pensée, de la presse, de réunion, du culte.*
Locutions
En liberté, en toute liberté, en pleine liberté, locutions adverbiales. Librement. *Tu pourras choisir en toute liberté.*

libraire n. m. et f.
Personne dont la profession est de vendre des livres.

librairie n. f.
Magasin où l'on vend des livres.
Ne pas confondre avec ***bibliothèque,*** édifice où sont conservées des collections de livres offertes à la consultation des abonnés.

libre adj.
Qui a la faculté d'agir ou de ne pas agir. *Étienne est libre de choisir la profession qui lui plaît : c'est lui seul qui décidera.* **SYN.** indépendant.

librement adv.
En toute liberté. *Tu prendras ta décision librement.*

libre-service n. m. (pl. *libres-services*)
Établissement commercial (magasin, poste d'essence, etc.) où le client se sert lui-même. *Des libres-services ouverts jour et nuit* (et non des *self-service).

***licence**
Anglicisme au sens de ***plaque*** (d'immatriculation).
Anglicisme au sens de ***permis*** (de conduire).
li**c**en**c**e.

licenciement n. m.
Rupture ou suspension du contrat de travail d'un salarié par l'employeur pour des raisons économiques ou disciplinaires.
li**c**enci**e**ment.

licencier v. tr.
Priver d'emploi un travailleur de façon temporaire ou permanente. *La direction a licencié 50 travailleurs pour quelques semaines.* **SYN.** congédier, mettre à pied.
Conjugaison [VOIR MODÈLE – **ÉTUDIER**]
Redoublement du ***i*** à la première et à la deuxième personne du pluriel de l'indicatif imparfait et du subjonctif présent. *(Que) nous licenciions, (que) vous licenciiez.*
li**c**en**c**ier.

lichen n. m.
Les lettres ***ch*** se prononcent ***k,*** le ***n*** est sonore [likɛn] ; ce nom rime avec le prénom anglais ***Ken.***
Plante croissant sur les pierres. *Des lichens.*
li**ch**en.

lichette n. f.
(FAMILIER) Petite quantité d'un aliment. *Une lichette de tire d'érable.*

licorne n. f.
Sorte de cheval fabuleux à longue corne unique au milieu du front. *Il ne manquait personne, pas même la jolie licorne.* (Chanson)

liège n. m.
Matière spongieuse très légère dont on fait des bouchons, des flotteurs, etc.

lien n. m.
1. Tout ce qui sert à attacher. *Un lien de cuir.* **SYN.** bande, fil.
2. (FIGURÉ) Tout ce qui unit des personnes entre elles. *Des liens amicaux.* **SYN.** attache, relation.
3. Ce qui relie des faits entre eux. *Ces évènements n'ont aucun lien : il n'y a aucun rapport entre eux.*

lier v. tr., pronom.
Verbe transitif
1. Attacher avec un lien quelqu'un, quelque chose. *Les jardiniers lient les rosiers grimpants aux treillis. Elle lie des gerbes de fleurs avec des rubans.*
Ne pas confondre avec le verbe ***ligoter,*** attacher solidement une personne pour la priver de l'usage de ses bras, de ses jambes.
2. Unir. *Cette épreuve les a liés.* **SYN.** rapprocher.
Verbe pronominal
S'attacher à quelqu'un. *Ils se sont rapidement liés d'amitié avec leurs camarades.* **SYN.** se rapprocher.
Locutions
Avoir les mains liées. (FIGURÉ) Être réduit à l'impuissance.
Fou à lier. (FAMILIER) Complètement fou.
Lier conversation. Engager un dialogue. *Ils ont lié conversation.*
Dans cette locution verbale, le nom demeure invariable.
Conjugaison [VOIR MODÈLE – **ÉTUDIER**]
Redoublement du ***i*** à la première et à la deuxième personne du pluriel de l'indicatif imparfait et du subjonctif présent. *(Que) nous liions, (que) vous liiez.*

lierre n. m.
Plante grimpante. *Le mur du garage est couvert de lierre.*
lie**rr**e.

lieu n. m. (pl. *lieux*)
1. Portion définie de l'espace. *Des lieux déserts.*
Le mot ***lieu*** est plus général et plus abstrait que le mot ***endroit.*** Dans la langue actuelle, il s'emploie surtout dans de nombreuses locutions figées.
2. Endroit déterminé. *Quel est votre lieu de destination ? Je vais à Rimouski.* **SYN.** place.
3. Place déterminée dans un ensemble, une succession.
Pris en ce sens, le nom ***lieu*** est au singulier dans de nombreuses expressions.
Locutions
Au lieu de, locution prépositive. À la place de. *Au lieu d'un parapluie, je prendrai un imperméable.*
Au lieu que + subjonctif, locution conjonctive. Cette locution signifie que l'action exprimée par le subjonctif n'a pas été accomplie, mais qu'elle a été remplacée par l'action exprimée par le verbe de la principale. *Au lieu que le remède produise un effet bénéfique, il a été nocif.*
Avoir lieu. Se produire. *En 1976, les Jeux olympiques ont eu lieu à Montréal.*
Donner lieu. Être cause de. *Les commentaires donneront lieu à de nombreux ajouts.*
En haut lieu, locution adverbiale. Auprès des autorités. *Attention, il se plaindra en haut lieu.*
En premier lieu, en dernier lieu, locutions adverbiales. D'abord, enfin.
En tous lieux, locution adverbiale. Partout.
Il y a lieu de + infinitif. Il faut. *Il y a lieu de se taire quand on ne dit que des bêtises.*
Lieu public. Lieu auquel le public peut accéder (parc, rue, magasin, restaurant, etc.).
Mettre en lieu sûr. Ranger à l'abri du danger.
S'il y a lieu, locution conjonctive. Si l'occasion se présente, le cas échéant.
Sur les lieux, locution adverbiale. Sur place.
Tenir lieu. Remplacer. *Cette loupe et les rayons du soleil tiendront lieu d'allumette.*

Vider les lieux. Quitter un endroit.
HOM. lieue, ancienne mesure de distance.

lieue n. f.
(ANCIENNEMENT) Mesure de distance. *Des bottes de sept lieues.*
Locution
Être à cent, à mille lieues de. Être très loin de. *Nous étions à mille lieues d'imaginer cela.*
HOM. lieu, portion définie de l'espace.
lieu**e**, un ***e*** final.

lièvre n. m.
Genre de rongeur à longues oreilles qui s'apparente au lapin.
La femelle du lièvre est la ***hase.***
VOIR TABLEAU – **ANIMAUX.**

***lifeguard**
Anglicisme pour ***maître nageur, maître nageuse, surveillant, surveillante de piscine, de plage.***

***lift truck**
Anglicisme au sens de ***chariot élévateur.***

ligament n. m.
Ensemble de fibres qui unit les os entre eux ou maintient en place des organes.

ligne n. f.
1. Trait. *Tracer des lignes.*
2. Direction continue dans un sens déterminé. *Marcher en ligne droite.*
3. Suite de caractères disposés de façon continue. *Il y a 15 lignes de texte.*
4. Trajet d'un service de transport en commun. *Des lignes d'autobus.*
5. Système de câbles assurant le transport de l'énergie électrique, les communications téléphoniques. *Une ligne électrique.*
Locutions
En première ligne, locution adverbiale. Au premier rang.
Être en ligne. Être en liaison téléphonique.
Faire entrer en ligne de compte. Tenir compte.
Hors ligne. Exceptionnel.
Ligne de conduite. Principes moraux.
Lire entre les lignes, (FIGURÉ) Comprendre à demi-mot.
Formes fautives
*être sur la ligne. Calque de l'anglais « to be on the line » au sens de ***utiliser une ligne téléphonique, la ligne est occupée, le poste est occupé.***
*fermer la ligne. Calque de l'anglais « to close the line » pour ***raccrocher*** (le récepteur du téléphone).
*ligne. Anglicisme au sens de ***domaine*** (d'emploi). *Dans quel domaine* (et non dans quelle *ligne) *êtes-vous ?*
*ligne de piquetage. Anglicisme pour ***piquet de grève.***
*ligne ouverte. Calque de l'anglais « open line » au sens de ***tribune téléphonique.***
*lignes. Anglicisme au sens de ***frontière.***
*ouvrir la ligne. Calque de l'anglais « to open the line » pour ***décrocher*** (le récepteur du téléphone).

lignée n. f.
1. Descendance. *Une longue lignée.*
2. Filiation spirituelle. *Une lignée de musiciens.*
ligné**e.**

ligoter v. tr.
Attacher solidement une personne pour la priver de l'usage de ses bras, de ses jambes.
Ne pas confondre avec le verbe ***lier,*** attacher avec un lien quelqu'un, quelque chose.
Conjugaison [VOIR MODÈLE – **AIMER**]
ligo**t**er.

ligue n. f.
Association. *Une ligue de hockey.*

liguer (se) v. pronom.
S'unir, s'allier contre quelqu'un, quelque chose. *Elles se sont liguées contre cette décision.*
Ce verbe se construit avec la préposition ***contre.***
Conjugaison [VOIR MODÈLE – **AIMER**]
Ce verbe s'écrit toujours avec un ***u,*** même devant les lettres ***a*** et ***o.*** *Il ligua, nous liguons.*

lilas adj. inv. et n. m.
Nom masculin
Arbuste produisant au printemps de belles grappes de fleurs violettes, mauves ou blanches. *Cueillir des lilas, du lilas.*
Adjectif de couleur invariable
De la couleur violet pâle du lilas. *Des écharpes lilas.*
VOIR TABLEAU – **COULEUR (ADJECTIFS DE).**
lila**s.**

lilliputien, ienne adj. et n. m. et f.
Minuscule. *Un personnage lilliputien.*
li**ll**iputien.

limace n. f.
Mollusque sans coquille.

lime ou **limette** n. f.
Petit citron de couleur verte.

lime n. f.
Outil abrasif. *Une lime à ongles.*

limer v. tr.
Polir avec une lime. *Elle lime ses ongles* ou *elle se lime les ongles.*
Conjugaison [VOIR MODÈLE – **AIMER**]

limier n. m.
1. Gros chien de chasse.
2. (FIGURÉ) Policier chargé de rechercher les malfaiteurs. *Ce détective est un fin limier.*
limi**er.**

limitation n. f.
Action de limiter. *La limitation de la vitesse est une mesure qui s'impose. La limitation des naissances* (et non le *contrôle).

limite n. f.
Fin, borne. *Les limites d'un terrain. Une limite d'âge.*
Locutions
À la limite, locution adverbiale. Dans un cas extrême.
Sans limites, locution adjective. Sans bornes, illimité. *Une ambition sans limites.*
Zone limite, cas limite, vitesse limite. (EN APPOSITION) Des zones limites, des cas limites, des vitesses limites.
En apposition, le nom ***limite*** prend la marque du pluriel et n'est pas joint à l'autre nom par un trait d'union.

limiter v. tr., pronom.
Verbe transitif
Donner des limites à. *Il faut limiter les dégâts.*
Verbe pronominal
S'imposer des limites, se restreindre. *Ils se sont limités à demander congé.*
Conjugaison [VOIR MODÈLE – **AIMER**]

limonade n. f.
Boisson composée de jus de citron et d'eau sucrée.

📯 Dans la francophonie, la ***limonade*** est une boisson gazeuse au goût de citron. La boisson composée de jus de citron est une ***citronnade.***
✏ limo**n**ade.

limousine n. f.
Voiture spacieuse possédant quatre portes ou plus et pouvant accueillir un grand nombre de passagers.

limpide adj.
Clair, pur. *Une eau limpide.* **SYN.** transparent.

limpidité n. f.
Qualité de ce qui est limpide. *La limpidité d'un cristal.* **SYN.** clarté, pureté.

lin n. m.
1. Plante cultivée pour ses fibres textiles.
2. Toile faite de fibres de lin.

linge n. m.
Chiffon, pièce de tissu. *Essuyer avec un linge humide. Une corde à linge.*
Locution
Linge de maison. Ensemble des articles textiles utilisés pour la cuisine, la table, la toilette, le lit. *Les draps, les serviettes, les nappes sont du linge de maison.*
Forme fautive
*linge. Au sens de ***vêtements,*** ce nom est ancien.

lingerie n. f.
1. Sous-vêtements et vêtements de nuit féminins. *De la belle lingerie.*
2. Lieu où l'on range le linge. *Les serviettes et les draps sont dans la lingerie.*

lingot n. m.
Morceau de métal fondu. *Des lingots d'or.*
✏ lingo**t.**

linguiste n. m. et f.
👄 Le ***u*** se prononce ***u*** (et non *ou) [lɛ̃gɥist].
Spécialiste de la linguistique.

linguistique adj. et n. f.
👄 Le ***u*** se prononce ***u*** (et non *ou) [lɛ̃gɥistik].
Adjectif
1. Propre à la langue, du point de vue de la langue. *Une communauté linguistique.*
2. Relatif à l'étude du langage.
Nom féminin
Étude scientifique du langage humain.

linoléum ou **lino** n. m.
Revêtement de sol. *Des linoléums résistants.*

linotte n. f.
Petit oiseau au plumage brun sur le dos, rouge sur la poitrine. *Le chant de la linotte est agréable.*
Locution
Tête de linotte. Personne écervelée. *Des têtes de linotte.* **SYN.** distrait, étourdi.
✏ lino**tt**e.

lion n. m.
1. Grand quadrupède carnivore au pelage fauve. *Le lion est le roi de la jungle.*
VOIR TABLEAU – **ANIMAUX.**
2. Mâle de la lionne.
3. Nom d'une constellation, d'un signe du zodiaque.
📯 Les noms d'astres s'écrivent avec une majuscule. *Elle est (du signe du) Lion, elle est née entre le 23 juillet et le 22 août.*
VOIR **ASTRE.**
Locution
La part du lion. Se dit d'un partage où le plus fort obtient la plus grande partie.

lionceau n. m. (pl. *lionceaux*)
Petit du lion et de la lionne. *Les lionceaux s'amusent comme des petits chiens.*
VOIR TABLEAU – **ANIMAUX.**

lionne n. f.
Femelle du lion. *Le petit de la lionne est le lionceau.*

liqueur n. f.
Boisson sucrée alcoolisée. *Une liqueur de framboise.*
📯 Le complément déterminatif se met généralement au singulier.
Forme fautive
*liqueur douce. Calque de « soft drink » au sens de ***boisson gazeuse.***

liquidation n. f.
Vente de marchandises à bas prix en vue d'un écoulement rapide. *Profitons des bons prix de la liquidation.*

liquide adj. et n. m.
Adjectif
Qui coule ou tend à couler. *Une sauce trop liquide.* **ANT.** gazeux, solide.
Nom masculin
Tout corps à l'état liquide. *Le lait est un liquide.* **ANT.** gaz, solide.
Locution
Argent liquide. Argent sous forme de billets et de pièces de monnaie.

liquide correcteur n. m.
⚜ Produit servant à corriger les erreurs d'écriture ou de frappe.

liquider v. tr.
1. Vendre à bas prix. *Ce magasin liquide ses vêtements d'été : il y a des rabais très intéressants.*
2. (FAMILIER) Régler une situation pénible. *Liquider une question.*
3. (FAMILIER) Éliminer. *Les motards ont liquidé le chef de la bande rivale.* **SYN.** tuer.
Conjugaison [VOIR MODÈLE – **AIMER**]

lire n. f.
Unité monétaire de l'Italie. *Des lires.*
📯 On peut aussi utiliser la graphie d'origine ***lira*** (au pluriel : *lire*).
HOM.
– **lire**, prendre connaissance d'un texte par la lecture ;
– **lyre**, instrument de musique.

lire v. tr., pronom.
Verbe transitif
1. Prendre connaissance d'un texte par la lecture. *Paulo et Geneviève lisent une bande dessinée. Que c'est agréable de lire un bon livre !*
2. (FIGURÉ) Déchiffrer. *Peut-on vraiment lire les lignes de la main ?*
Verbe pronominal
1. Être lu. *Ce roman se lit très facilement.*
2. Être visible, en parlant d'une pensée, d'un état d'âme. *La tristesse se lisait dans ses yeux.*

Locution
Lire entre les lignes. Comprendre ce qui est suggéré simplement, de façon non claire.
HOM.
– **lire**, unité monétaire de l'Italie ;
– **lyre**, instrument de musique.
Conjugaison [VOIR MODÈLE – **LIRE**]

lis ou **lys** n. m.
Le ***s*** se prononce [lis] ; le mot rime avec ***lisse.***
Plante bulbeuse à grandes fleurs blanches ; cette fleur elle-même.
Locution
Fleur de lys, fleur de lis. Le drapeau du Québec comporte quatre fleurs de lys. Dans cet ouvrage, l'icône de la fleur de lys marque les usages québécois.
L'orthographe ***lys*** est ancienne, mais elle subsiste dans la locution ***fleur de lys.***

lisibilité n. f.
Caractère de ce qui est lisible. *La lisibilité de ces lettres est très bonne.*

lisible adj.
Facile à lire. *Son écriture est bien lisible.*

lisiblement adv.
De façon lisible. *Écris plus lisiblement.*

lisière n. f.
1. Bord d'un tissu. **SYN.** bande.
2. Limite extrême. *La lisière de la forêt.* **SYN.** bordure.

lisse adj.
Uni. *Un sol très lisse.* **SYN.** égal. **ANT.** inégal, rugueux.
li**ss**e.

lisser v. tr.
Rendre lisse. *Le chat fait sa toilette et lisse ses poils brillants.*
Conjugaison [VOIR MODÈLE – **AIMER**]

liste n. f.
Série de mots, de chiffres placés à la suite les uns des autres. *Une liste de livres et de disques à acheter.*
Locution
Liste noire. Liste de noms de personnes considérées comme suspectes.

lit n. m.
Meuble sur lequel on se couche pour dormir. *Des lits jumeaux.*
Locutions
Aller au lit. Se coucher. *Quand on va à l'école, il ne faut pas aller au lit très tard.*
Au saut du lit. Au lever. *Au saut du lit, elle est de bonne humeur.*
Canapé-lit. Canapé transformable en lit. *Des canapés-lits pratiques.*
Garder le lit. Rester couché. *Alec est malade, il doit garder le lit pour quelques jours.*
Lit de camp. Petit lit démontable. *Des lits de camp pratiques.*

literie n. f.
Ensemble des articles dont se compose un lit. *Le sommier, le matelas, les oreillers, les draps, les couvertures font partie de la literie.*

lithographie n. f.
S'abrège familièrement en ***litho*** (s'écrit sans point).
Impression d'un dessin gravé sur une pierre calcaire.
li**th**ogra**ph**ie.

litière n. f.
1. Paille sur laquelle couchent les animaux dans les écuries, les étables, etc. *La litière du cheval.*
2. Matière absorbante sur laquelle les petits animaux domestiques font leurs besoins. *Claude, c'est à ton tour de changer la litière du chat.*

litre n. m.
Symbole ***l*** (s'écrit sans point).
Unité de mesure de volume. *Ce bassin contient approximativement 150 l* ou *150 litres.*
Le symbole s'emploie après un nombre en chiffres ; il ne prend pas la marque du pluriel et s'écrit sans point. Dans une fraction décimale, les dixièmes ne sont pas séparés de l'unité par le symbole. *150,5 l d'eau.*

littéraire adj.
1. Qui concerne la littérature. *Des études littéraires.*
2. Soigné, soutenu, en parlant du style, du niveau de langue. *Une langue littéraire.*
VOIR **NIVEAU.**
li**tt**éraire.

littérature n. f.
1. Ensemble des productions littéraires d'un pays. *La littérature française.*
2. Ensemble des ouvrages publiés sur une question. *Il existe une abondante littérature sur ce thème.* **SYN.** documentation.
Forme fautive
*littérature. Anglicisme au sens de ***dépliant, prospectus.***
li**tt**érature.

littoral, ale, aux n. m.
Rivage. *Des littoraux accidentés.*
li**tt**oral.

lituanien ou **lithuanien, ienne** adj. et n. m. et f.
Adjectif et nom masculin et féminin
De Lituanie. *Le folklore lituanien, lithuanien. Un Lituanien, Lithuanien, une Lituanienne, Lithuanienne.*
L'adjectif s'écrit avec une minuscule ; le nom, avec une majuscule.
Nom masculin
Langue parlée en Lituanie. *Elle parle le lituanien, lithuanien.*
Le nom de la langue s'écrit avec une minuscule.

***live**
Anglicisme au sens de ***en direct.***

livide adj.
Se dit d'un teint pâle, blafard. *Le blessé était livide.*

livraison n. f.
1. Action de livrer des marchandises. *Un délai de livraison de 15 jours.*
2. Numéro d'un périodique, d'une revue. *La livraison de juillet.*
Forme fautive
*livraison spéciale. Calque de l'anglais « Special Delivery » au sens de ***exprès, par exprès.***

livre n. f.
Symbole ***lb*** (s'écrit sans point).
1. Unité de masse valant 16 onces ou 0,453 kg. *Acheter un poulet de 3 lb, de trois livres. Une livre de beurre.*
Maintenant, les unités de masse sont exprimées selon le système métrique.

Indicatif

Présent

je	lis
tu	lis
elle	lit
il	lit
nous	lisons
vous	lisez
elles	lisent
ils	lisent

Passé composé

j'	ai	lu
tu	as	lu
elle	a	lu
il	a	lu
nous	avons	lu
vous	avez	lu
elles	ont	lu
ils	ont	lu

Imparfait

je	lisais
tu	lisais
elle	lisait
il	lisait
nous	lisions
vous	lisiez
elles	lisaient
ils	lisaient

Plus-que-parfait

j'	avais	lu
tu	avais	lu
elle	avait	lu
il	avait	lu
nous	avions	lu
vous	aviez	lu
elles	avaient	lu
ils	avaient	lu

Passé simple

je	lus
tu	lus
elle	lut
il	lut
nous	lûmes
vous	lûtes
elles	lurent
ils	lurent

Passé antérieur

j'	eus	lu
tu	eus	lu
elle	eut	lu
il	eut	lu
nous	eûmes	lu
vous	eûtes	lu
elles	eurent	lu
ils	eurent	lu

Futur simple

je	lirai
tu	liras
elle	lira
il	lira
nous	lirons
vous	lirez
elles	liront
ils	liront

Futur antérieur

j'	aurai	lu
tu	auras	lu
elle	aura	lu
il	aura	lu
nous	aurons	lu
vous	aurez	lu
elles	auront	lu
ils	auront	lu

Infinitif

Présent	*Passé*
lire	avoir lu

Subjonctif

Présent

que	je	lise
que	tu	lises
qu'	elle	lise
qu'	il	lise
que	nous	lisions
que	vous	lisiez
qu'	elles	lisent
qu'	ils	lisent

Passé

que	j'	aie	lu
que	tu	aies	lu
qu'	elle	ait	lu
qu'	il	ait	lu
que	nous	ayons	lu
que	vous	ayez	lu
qu'	elles	aient	lu
qu'	ils	aient	lu

Imparfait

que	je	lusse
que	tu	lusses
qu'	elle	lût
qu'	il	lût
que	nous	lussions
que	vous	lussiez
qu'	elles	lussent
qu'	ils	lussent

Plus-que-parfait

que	j'	eusse	lu
que	tu	eusses	lu
qu'	elle	eût	lu
qu'	il	eût	lu
que	nous	eussions	lu
que	vous	eussiez	lu
qu'	elles	eussent	lu
qu'	ils	eussent	lu

Conditionnel

Présent

je	lirais
tu	lirais
elle	lirait
il	lirait
nous	lirions
vous	liriez
elles	liraient
ils	liraient

Passé

j'	aurais	lu
tu	aurais	lu
elle	aurait	lu
il	aurait	lu
nous	aurions	lu
vous	auriez	lu
elles	auraient	lu
ils	auraient	lu

Impératif

Présent	*Passé*
lis	aie lu
lisons	ayons lu
lisez	ayez lu

Participe

Présent	*Passé*
lisant	lu, lue
	ayant lu

2. Unité monétaire de nombreux pays. *La livre sterling est l'unité monétaire de la Grande-Bretagne.*

livre n. m.

1. Assemblage de feuilles imprimées reliées. *Un livre de poche. Un livre joliment illustré.* SYN. volume.

2. Écrit reproduit à un certain nombre d'exemplaires. *Écrire un livre de poésie, un livre de géographie.*

Les titres d'ouvrages, d'œuvres d'art, les noms de journaux, de périodiques prennent une majuscule au nom initial. *Le Visuel, les Lettres de mon moulin, le Voyage dans le temps.*

1° L'article défini ne prend la majuscule que s'il fait partie du titre. *Le Matou, Le Devoir.*

2° Si un adjectif précède le substantif, tous deux prennent la majuscule. *Le Petit Chaperon rouge, le Petit Prince, le Bon Usage.*

3° Si un adjectif suit le substantif, il s'écrit avec une minuscule. *Les Femmes savantes.*

4° Si le titre est constitué de plusieurs mots clés, chacun s'écrit avec une majuscule. *La Grenouille et la Baleine. Le Lièvre et la Tortue.*

5° Lorsqu'un titre est constitué d'une phrase, seul le premier mot s'écrit avec une majuscule. *Vingt mille lieues sous les mers.*

livrée n. f.

1. Habit des domestiques masculins de certaines grandes maisons. *Le chasseur en livrée d'un grand restaurant.*

2. (ZOOLOGIE) Plumage ou pelage d'un animal. *La livrée est à l'oiseau ce que la robe est au cheval.*

livrer v. tr., pronom.

Verbe transitif

1. Remettre à quelqu'un quelque chose qui lui était destiné. *Martine livre des journaux.*

2. Trahir. *Le malfaiteur a livré le nom de ses complices.*

3. Confier. *Livrer ses secrets.* SYN. dévoiler, révéler.

Verbe pronominal

Se rendre. *Les malfaiteurs se sont livrés à la police.*

Locution

Se livrer à. Se consacrer. *Étienne se livre à son passe-temps préféré, le bricolage.*

Conjugaison [VOIR MODÈLE – **AIMER**]

livret n. m.

Petit livre, petit registre. *Un livret de banque.*

livreur n. m.

livreuse n. f.

Personne chargée de la livraison des marchandises.

lobe n. m.

Partie arrondie d'un organe. *Le lobe de l'oreille, les lobes du poumon.*

Attention au genre masculin de ce nom : ***un*** lobe.

local n. m. (pl. *locaux*)

Pièce d'un bâtiment destinée à un usage particulier. *La direction de l'école a aménagé un local pour les cours de dessin.*

Forme fautive

*local (téléphonique). Anglicisme au sens de ***poste*** (téléphonique).

local, ale, aux adj.

Relatif à un lieu, à une région. *Des coutumes locales, les usages locaux.*

localité n. f.

Petite ville. *Julia habite dans une localité des Laurentides.*

locataire n. m. et f.

Personne qui prend en location un appartement, une maison, un local. *Julie et Antoine ont loué un appartement : ils sont locataires de cet appartement et paient un loyer au propriétaire.*

VOIR **LOUER.**

location n. f.

1. Action de louer. *La location d'un appartement.*

2. Chose louée. *Une voiture de location.*

locomotion n. f.

Action de se déplacer d'un point à un autre. *Des moyens de locomotion : bicyclette, patins à roulettes, trottinette, planche à roulettes.* SYN. transport.

locomo**t**ion.

locomotive n. f.

1. Puissant véhicule de traction des trains. *Une locomotive électrique.*

2. (FIGURÉ) Élément moteur. *Ce concepteur est une locomotive dans son domaine.*

locution n. f.

VOIR TABLEAU – **LOCUTIONS.**

loge n. f.

1. Logement d'un concierge.

2. Partie cloisonnée d'un théâtre, d'une salle de spectacle, d'un stade. *Philippe a assisté à une partie de hockey dans une loge du Centre Molson de Montréal.*

Locution

Être aux premières loges. Être très bien placé pour observer quelque chose.

logement n. m.

1. Action de loger. *Donner le logement à des parents en voyage.* SYN. hébergement.

2. Appartement. *Un logement de huit pièces.*

loger v. tr., intr.

Verbe transitif

Héberger quelqu'un. *Elle logeait des étudiants dans sa grande maison.*

Verbe intransitif

Habiter un endroit (généralement de façon temporaire). *Ils logeaient à l'hôtel.*

Locution

Loger à la belle étoile. Dormir en plein air.

Formes fautives

*loger un appel téléphonique. Anglicisme pour ***faire un appel téléphonique.***

*loger une plainte. Anglicisme pour ***porter plainte.***

Conjugaison [VOIR MODÈLE – **CHANGER**]

Le ***g*** est suivi d'un ***e*** devant les lettres ***a*** et ***o.*** *Il logea, nous logeons.*

logiciel n. m.

(INFORMATIQUE) Ensemble des programmes destinés à effectuer un traitement particulier sur un ordinateur. *Commercialiser un logiciel.*

VOIR **MATÉRIEL.**

logique adj. et n. f.

Adjectif

1. Conforme à la logique, au bon sens. *Des arguments logiques.* SYN. juste, vrai.

2. Qui raisonne bien. *Julien est logique : il veut réussir, alors il travaille bien.*

Nom féminin

Science du raisonnement. *Étudier la logique.*

logiquement adv.
Avec logique.

logis n. m.
(LITTÉRAIRE) Demeure. **SYN.** habitation.

logo n. m.
Abréviation de ***logotype.***

logotype n. m.
S'abrège en ***logo*** (s'écrit sans point).
Dessin propre à une marque, à un produit, à une firme. *Des logotypes, des logos bien conçus.*

loi n. f.
1. Ensemble de règles qui précisent ce qui est permis et ce qui est interdit. *La loi exige que l'on ait 18 ans pour voter. Les lois sont adoptées par le Parlement : ce sont les députés qui votent les lois.*
2. Règle qui décrit des phénomènes de la nature et qui a été formulée par un ou des scientifiques. *La loi de la gravité.*
Locution
Faire la loi. Tenter de diriger tous et chacun sans y avoir droit. *Cesse de faire la loi : ce n'est pas toi qui commandes ici.*

LOCUTIONS

Groupe de mots ayant une fonction grammaticale particulière.

- La **locution verbale** joue le rôle d'un verbe. Elle est composée :
  - d'un verbe et d'un nom employé sans article.
    Avoir affaire. Avoir besoin. Avoir confiance. Avoir envie. Avoir faim. Avoir mal. Avoir peur. Avoir sommeil. Crier famine. Donner cours. Donner lieu. Entendre raison. Faire défaut. Faire face. Faire illusion. Faire pitié. Faire semblant. Lier conversation. Perdre patience. Porter bonheur. Prendre garde. Savoir gré.
  - d'un verbe et d'un adjectif.
    Tenir bon. Être quitte. Être mal venu.
  - de deux verbes.
    Laisser faire. Faire croire. Aller chercher. Faire faire. Faire tomber.
  - d'un verbe, d'une préposition et d'un nom.
    Avoir à cœur. Être d'accord. Passer sous silence.

À l'exception du verbe, les éléments composant une locution verbale sont généralement invariables. *Les enfants ont raison : ils doivent faire attention à cet accord.*

- La **locution adverbiale** a valeur d'adverbe.
  Tout à coup, à bâtons rompus.
- La **locution adjective** joue le rôle d'un adjectif.
  Un chercheur de talent. Un tableau de prix.
- La **locution nominale** ou **nom composé** joue le rôle d'un nom.
  Une pomme de terre, un arc-en-ciel.

VOIR TABLEAU – **NOMS COMPOSÉS.**

- La **locution pronominale** a valeur de pronom.
  Les autres. Ceux-là.
- La **locution prépositive** a valeur de préposition.
  Jusqu'à, en haut de.
- La **locution conjonctive** joue le rôle d'une conjonction.
  Afin que, jusqu'à ce que.
- La **locution interjective** a valeur d'interjection.
  Allons donc ! Beau dommage !

loin adv.
À une grande distance dans l'espace ou le temps. *Elles sont très loin déjà. Les vacances sont encore loin.*
Locutions
Aller trop loin. Exagérer, dépasser les bornes.
Au loin, locution adverbiale. À une grande distance.
De loin, locution adverbiale. D'une grande distance.
De loin en loin, locution adverbiale. À de longs intervalles d'espace ou de temps.

lointain, aine adj. et n. m.
Adjectif
Éloigné. *Une forêt lointaine.*
Nom masculin
Locution
Dans le lointain, au lointain, locutions adverbiales. À l'horizon, au loin.

loir n. m.
Rongeur hibernant d'octobre à avril. *Dormir comme un loir.*

loisir n. m.
(AU PLURIEL) Distraction pendant les temps libres. *Quels sont vos loisirs ? Un centre de loisirs.*
Locutions
À loisir, tout à loisir, locutions adverbiales. À son aise, sans hâte.

lombric n. m.
Le **c** se prononce [lɔ̃brik].
Ver de terre.

londonien, ienne adj. et n. m. et f.
De Londres. *Un Londonien, une Londonienne, la population londonienne.*
L'adjectif s'écrit avec une minuscule ; le nom, avec une majuscule.

long, longue adj., adv. et n. m.
Adjectif
1. Il marque une dimension par rapport à l'**espace** :
– Qui a une certaine dimension, dans le sens de la longueur. *Un long bec. De longs doigts.*

LOCUTIONS FIGÉES

Groupe de mots toujours employés ensemble qui ont un sens global différent des sens de chacun des mots qui le composent.

Main courante.	Partie supérieure d'une rampe d'escalier.
Pied de nez.	Grimace.
Coup de tête.	Décision impulsive.
Faire l'affaire.	Convenir.
Tirer d'affaire.	Aider, secourir.

On dit que ces locutions sont figées parce qu'on ne peut remplacer un mot par un autre dans ces expressions : on emploie toujours les mêmes mots. Ainsi dans les locutions qui suivent, on ne peut remplacer le nom ***sac*** par un synonyme comme ***cartable, serviette, sac à main.***

Exemples avec le mot ***sac*** :

Mettre dans le même sac.	Considérer sur le même pied.
Prendre quelqu'un la main dans le sac.	Le prendre en train de commettre un délit.
Vider son sac.	Dire la vérité, sans rien dissimuler.

Autres exemples :

Appeler un chat un chat.	Appeler les choses par leur nom.
Avoir les deux pieds dans la même bottine.	Manquer de débrouillardise.
Donner sa langue au chat.	Abandonner, capituler.
Il y a anguille sous roche.	Il y a une chose cachée que l'on soupçonne.
Le jeu n'en vaut pas la chandelle.	C'est une chose qui n'en vaut pas la peine.

☞ En ce sens, l'adjectif est souvent placé avant le nom auquel il se rapporte.
– Qui s'étend sur une grande distance. *Un long chemin.* **SYN.** étendu.
2. Il marque une dimension par rapport au **temps** :
– Qui dure longtemps. *Un long hiver. Une longue attente.*
Adverbe
Beaucoup. *Ils en savent long sur la question. Cela en dit long sur son état d'esprit.*
☞ 1° Comme adverbe, ce mot est invariable.
2° Il s'emploie surtout avec les verbes ***dire*** et ***savoir.***
Nom masculin
Longueur. *Ce mur a trois mètres de long.*
Locutions
À la longue, locution adverbiale. Avec le temps. *Elle finira par comprendre à la longue.*
Au long, tout au long, locutions adverbiales. Complètement, amplement. *Il m'a décrit tout au long la conversation.*
Chaise longue. Chaise sur laquelle on peut allonger les jambes. *Des chaises longues en bois.*
De long en large, en long et en large, locutions adverbiales. En n'omettant aucun détail. *Racontez-moi tout en long et en large.*
De longue haleine, locution adverbiale. À long terme. *C'est un travail de longue haleine.*
De longue main, locution adverbiale. Depuis longtemps. *Rassembler des données de longue main.*
De tout son long, locution adverbiale. En s'allongeant par terre. *Elle est tombée de tout son long.*
Long métrage. Film de longue durée.

longer v. tr.
1. Aller le long de quelque chose. *Il longeait le parc tous les matins en promenant son chien.*
2. Être le long de quelque chose. *Une piste cyclable longe le bord de l'eau.* **SYN.** border.
Conjugaison [VOIR MODÈLE – **CHANGER**]
Le ***g*** est suivi d'un ***e*** devant les lettres ***a*** et ***o.*** *Il longea, nous longeons.*

longévité n. f.
Durée de la vie. *La tortue a une longévité de 200 ans.*

longitude n. f.
Angle compris entre le méridien d'origine et le méridien d'un lieu.
☞ La longitude d'un lieu s'exprime en degrés (°), minutes (') et secondes ('') d'angle. Le point cardinal (***Est*** ou ***Ouest***) s'écrit avec une majuscule ***E.*** ou ***O.*** La latitude s'exprime de la même manière, mais les indications sont suivies du point cardinal ***Nord*** ou ***Sud***, selon le cas. *Cette ville est située à 75 degrés 15 minutes 28 secondes de longitude Ouest* ou *à 75° 15' 28'' O.*
☞ Attention à la disposition : il n'y a pas d'espace entre le nombre et le symbole ni de signe de ponctuation entre les unités.
VOIR **LATITUDE.**

long-métrage ou **long métrage** n. m. (pl. *longs-métrages, longs métrages*)
Film dont la durée dépasse une heure. **ANT.** court(-)métrage.

longtemps adv.
Pendant un long espace de temps. *Il y a bien longtemps que je t'attends.*
✎ lon**g**temps.

***longue (à la journée, la semaine, l'année)**
Anglicisme au sens de ***à longueur de*** (journée, semaine, année).

***longue distance**
Calque de l'anglais « long distance call » au sens de ***interurbain, appel interurbain.***

longuement adv.
Durant un long temps.

longueur n. f.
1. Dimension d'un objet considéré de l'une de ses extrémités à l'autre. *Cette table a 150 cm de longueur ou de long.*
2. Grandeur. *La mode adopte tous les ans une longueur différente pour les jupes.*
3. Durée du temps. *La longueur de l'émission est de 30 minutes.*
Locutions
À longueur de (journée, semaine, année...). Tout le long de. *Il s'ennuie à longueur d'année* (et non *à l'année longue).
Traîner en longueur. Durer trop longtemps.

longue-vue n. f. (pl. *longues-vues*)
Lunette d'approche. *Elle a pris sa longue-vue pour observer l'oiseau au fond du jardin.*

***look**
Anglicisme pour ***allure, style.***

lopin n. m.
Petit terrain. *Ses parents ont gardé un lopin de terre à la campagne, où ils cultivent quelques légumes.*
✎ lop**in.**

loque n. f.
1. Guenille, vêtement usé et déchiré. *Un vêtement en loques. Ton manteau tombe en loques, prends donc celui-ci.* **SYN.** haillon.
☞ En ce sens, le nom s'emploie généralement au pluriel.
2. (FIGURÉ) Personne sans ressources, détruite par la vie. *Une loque humaine.*

loquet n. m.
Pièce mobile de métal qui sert à garder fermée une porte.
✎ loque**t.**

lorgner v. tr.
1. Regarder avec insistance et envie. *Les curieuses lorgnaient la comédienne.*
☞ On lorgne plus efficacement avec une lorgnette (petite lunette d'approche) !
2. (FIGURÉ) Désirer ardemment. *Les enfants lorgnent les jouets présentés dans les belles vitrines de Noël.*
Conjugaison [VOIR MODÈLE – **AIMER**]
Les lettres ***gn*** sont suivies d'un ***i*** à la première et à la deuxième personne du pluriel de l'indicatif imparfait et du subjonctif présent. *(Que) nous lorgnions, (que) vous lorgniez.*

lorgnette n. f.
Petite lunette d'approche.
Locution
Regarder par le petit bout de la lorgnette. Exagérer l'importance d'un détail.

lors adv.
(VIEUX) Alors.
☞ Cet adverbe est vieilli et ne s'emploie plus que dans certaines expressions.
Locutions
Depuis lors, locution adverbiale. Depuis ce moment. *Elle a fait la connaissance de Xavier et, depuis lors, ne parle que de lui.*
Dès lors, locution adverbiale. Dès ce moment. *Dès lors que nous serons en vacances, nous partirons à la campagne.*

Lors de, locution prépositive. Au moment de. *Lors de notre rencontre, tu portais un chandail rouge.*

lorsque conj.
Quand, au moment où. *Lorsqu'il neige, les routes sont glissantes.*
Cette conjonction indique que deux actions ont lieu en même temps ; on dit alors qu'elles sont simultanées.
L'élision de ***lorsque*** ne se fait que devant les mots suivants : ***il, elle, en, on, un, une, ainsi.***

losange n. m.
Parallélogramme dont les côtés sont égaux. *Sa grand-maman lui a tricoté un chandail avec des losanges bleus.*
los**an**ge.

lot n. m.
Part attribuée à chacun. *L'héritage a été divisé en trois lots.*
Locution
Gros lot. Premier prix, dans une loterie. *On a gagné le gros lot !*
lo**t,** un ***t*** final.

loterie n. f.
Jeu de hasard. *Un billet de loterie.*

lotion n. f.
Le ***o*** est fermé [losjɔ̃] ; le ***o*** se prononce comme dans ***do***, le ***t*** se prononce comme un ***s***, le mot rime avec ***ascension***.
Liquide utilisé pour les soins de la peau, des cheveux. *Une lotion qui rend la peau très douce.*

lotus n. m.
Le ***o*** se prononce comme dans ***loterie*** et le ***s*** se prononce [lɔtys]; le nom rime avec ***cactus.***
Plante à fleurs bleues ou blanches qui s'apparente au nénuphar.

louable adj.
Qui mérite d'être loué. *Un effort louable.* **SYN.** méritoire.

louange n. m.
Compliment, félicitations. *La directrice a comblé de louanges les gagnants du concours.* **SYN.** éloge. **ANT.** critique.

louanger v. tr.
Décerner des louanges à quelqu'un. *La directrice a louangé les gagnants.* **SYN.** faire l'éloge de.
Conjugaison [VOIR MODÈLE – **CHANGER**]
Le ***g*** est suivi d'un ***e*** devant les lettres ***a*** et ***o.*** *Il louangea, nous louangeons.*

louche adj. et n. f.
Adjectif
Qui n'est pas ou ne semble pas honnête. *Des individus louches.* **SYN.** suspect.
Nom féminin
Grande cuillère à long manche destinée à servir le potage. *Plonge la louche dans la soupière et sers-moi une bonne soupe aux légumes bien chaude.*

loucher v. intr.
Avoir les yeux qui ne regardent pas tout à fait dans la bonne direction.
Conjugaison [VOIR MODÈLE – **AIMER**]

louer v. tr.
1. Souligner le mérite de quelqu'un. *Il faut louer le courage de cette personne qui a sauvé un enfant qui se noyait.* **SYN.** vanter.
2. Donner un bien en location. *Le propriétaire loue ses appartements 500 $ par mois à des étudiants.*
3. Prendre un bien en location. *Nous avons loué un chalet dans les Laurentides pour l'hiver.*
Conjugaison [VOIR MODÈLE – **AIMER**]

loufoque adj.
Farfelu. *Une situation loufoque.* **SYN.** bizarre, drôle.

loup n. m.
1. Mammifère sauvage et carnivore qui ressemble à un grand chien.
VOIR TABLEAU – **ANIMAUX.**
2. Mâle de la louve.
Locutions
À pas de loup, locution adverbiale. Furtivement.
Chien-loup. Des chiens-loups.
Entre chien et loup, locution adverbiale. Au crépuscule.
Faim de loup. Grand appétit.
Froid de loup. Froid intense.
Loup de mer. Vieux marin.

loupe n. f.
Lentille grossissante. *Julien étudie sa collection de timbres avec une loupe pour voir les plus petits détails.*

loup-garou n. m. (pl. *loups-garous*)
Être malfaisant qui, selon les légendes, errait la nuit sous l'apparence d'un loup.

lourd, lourde adj. et adv.
Adjectif
1. Difficile à soulever, à porter en raison de son poids. *Un fardeau très lourd.* **SYN.** pesant.
2. Pénible à faire, à supporter. *C'est une lourde tâche que je ne pourrai accomplir sans la collaboration de tous.* **SYN.** dur.
Adverbe
Beaucoup. *Ces boîtes ne pèsent pas lourd.*
Pris adverbialement, le mot est invariable.
Locution
Poids lourd. Camion.

lourdaud, aude adj. et n. m. et f.
Maladroit et lent. *Ces impolis sont des lourdauds.*

lourdement adv.
1. Pesamment. *Marcher lourdement.* **SYN.** maladroitement.
2. Beaucoup. *Ils se sont lourdement trompés.* **SYN.** énormément.

***lousse**
Anglicisme pour ***lâche*** (adjectif), ***mou*** (nom masculin). *Attache la chaloupe au quai en laissant un peu de mou* (et non de *lousse).

loutre n. f.
Petit animal à pelage brun recherché pour sa fourrure. *Dans nos forêts, il y a beaucoup de loutres.*
lou**t**re.

louve n. f.
Femelle du loup. *Le petit de la louve est le louveteau.*
VOIR TABLEAU – **ANIMAUX.**

louveteau n. m. (pl. *louveteaux*)
1. Petit du loup.
VOIR TABLEAU – **ANIMAUX.**
2. Jeune scout. *Des louveteaux sympathiques et serviables.*
Les jeunes scoutes sont des jeannettes.
louvet**eau.**

lover (se) v. pronom.
S'enrouler sur soi. *Sa petite chatte Maboule s'est lovée dans ses bras.*
Le participe passé de ce verbe qui n'existe qu'à la forme pronominale s'accorde toujours avec le sujet du verbe.
Conjugaison [VOIR MODÈLE – **AIMER**]

loyal, ale, aux adj.
Droit, franc. *Des employés loyaux.* **SYN.** fidèle.

loyauté n. f.
Honnêteté, droiture. *La loyauté des employés du magasin est très grande.* **SYN.** fidélité.
✎ lo**yau**té.

loyer n. m.
Prix d'une location. *Le loyer est de 500 $ par mois.*

lubie n. f.
Idée saugrenue. *La lubie de Boris, c'est d'escalader cette falaise.* **SYN.** caprice, envie, folie.
☞ Ne pas confondre avec le nom ***phobie,*** crainte.

lucarne n. f.
Petite fenêtre dans un toit.

lucide adj.
Qui comprend clairement les choses. *Un esprit lucide.*

lucidité n. f.
1. Qualité d'une personne qui analyse et comprend bien les choses. *Elle voit la situation avec lucidité.*
2. Raison. *Après cet accident, il n'avait pas toute sa lucidité.* **SYN.** conscience, esprit.

luciole n. f.
Insecte lumineux qui ressemble au ver luisant.
✎ lucio**l**e.

l

luette n. f.
Appendice charnu au fond de la bouche.

lueur n. f.
1. Lumière faible ou de courte durée. *Ils mangèrent à la lueur d'une bougie.*
2. Éclair. *Elle remarqua dans ses yeux une lueur amusée : ses yeux riaient.*
3. (FIGURÉ) Très petite quantité de quelque chose. *Une lueur d'espoir.* **SYN.** possibilité.

luge n. f.
Traîneau à patins. *Faire de la luge.*

lugubre adj.
Qui inspire la crainte, la tristesse. *Cette prison est lugubre.* **SYN.** sinistre, triste.

lui pron. pers. m. et f. sing.
Pronom personnel masculin et féminin de la troisième personne du singulier.
EMPLOIS
– Comme **complément d'objet indirect** en parlant des personnes, au sens de ***à lui, à elle.*** Il est masculin ou féminin lorsqu'il précède le verbe ou suit l'impératif. *Tu lui racontes l'histoire. Parlez-lui de moi.* Il est seulement masculin lorsqu'il suit le verbe qui n'est pas à l'impératif. *Je pense à lui.*
– Comme **complément d'objet direct** à la place de ***le.*** *Qui avez-vous retenu ? – Lui.*
☞ 1° Avec un **sujet déterminé** désignant une personne, on emploie ***lui.*** *Cet ami ne parle jamais de lui.*
2° Avec un **sujet indéterminé** désignant une personne, un pronom indéfini, un impersonnel, on emploie ***soi.*** *Chacun pour soi, cela va de soi.*
3° Avec un **sujet** désignant une **chose de genre masculin,** on emploie ***lui.*** *Le temps emporte avec lui l'insouciance.*
☞ Si le pronom désigne une personne de sexe féminin et que le complément suit le verbe, on emploie ***elle.*** *Je pense à elle.*
☞ En parlant des animaux, des choses, on utilise surtout ***en*** et ***y.*** *Cette maison était trop sombre, nous y avons ajouté des fenêtres.*
VOIR TABLEAU – **PRONOM.**

luire v. intr.
Briller. *Le soleil luit. Le plancher bien ciré luisait joliment.* **SYN.** briller.
Conjugaison [VOIR MODÈLE – **CONDUIRE**]
INDICATIF PRÉSENT *Je luis, tu luis, il luit, nous luisons, vous luisez, ils luisent.* IMPARFAIT *Je luisais.* FUTUR *Je luirai.* **CONDITIONNEL** PRÉSENT *Je luirais.* **IMPÉRATIF** PRÉSENT *Luis, luisons, luisez.* **SUBJONCTIF** PRÉSENT *Que je luise.* **PARTICIPE** PRÉSENT *Luisant.* PASSÉ *Lui.*
Le passé simple n'est plus usité. Le participe passé ne comporte ni forme féminine, ni pluriel.

luisant, ante adj.
Qui réfléchit la lumière, qui brille. *Des yeux luisants.* **SYN.** brillant.

lumière n. f.
1. Clarté du soleil. *Cette maison a de grandes fenêtres qui laissent pénétrer la lumière : elle est très claire.*
2. Clarté produite par une source lumineuse. *Cet appareil d'éclairage procure assez de lumière pour la lecture. Éteins la lumière ou allume-la, mais décide-toi.* **SYN.** éclairage.
3. (FAMILIER) (FIGURÉ) Personne brillante. *Ce garçon, ce n'est pas une lumière, il ne comprend jamais rien.*
☞ Cette image s'emploie surtout dans une phrase négative. Dans les bandes dessinées, la petite lumière symbolise une idée.
Forme fautive
*lumière. Anglicisme au sens de ***feu*** (de circulation).

luminaire n. m.
Appareil d'éclairage.
☞ Le mot ***luminaire*** est un terme générique qui convient pour nommer tous les types d'appareils d'éclairage : lampe, lampadaire, plafonnier, etc.
✎ lumin**aire.**

lumineux, euse adj.
1. Qui projette de la lumière. *Un chiffre lumineux.*
2. Clair. *Une chambre lumineuse.*
3. Brillant. *Une idée lumineuse.*

lunaire adj.
Qui appartient à la lune. *Le cycle lunaire, un décor lunaire.*

lunatique adj. et n. m. et f.
Distrait, toujours dans la lune. *Le professeur Tournesol est un lunatique.*

lunch n. m.
⇐ Le mot se prononce à l'anglaise [lœntʃ].
Repas léger. *Des lunchs* ou *lunches appétissants. Avez-vous apporté votre lunch ? Une boîte à lunch.*

lundi n. m.
Premier jour de la semaine. *Je vous verrai lundi.*
☞ Les noms de jour s'écrivent avec une minuscule et prennent la marque du pluriel. *Je viendrai tous les lundis,* mais *je viendrai tous les lundi et vendredi de chaque semaine.* Attention à la construction de la dernière phrase où les noms de jours restent au singulier parce qu'il n'y a qu'un seul lundi et qu'un seul vendredi par semaine.
VOIR TABLEAU – **JOUR.**

lune n. f.
Corps céleste qui tourne autour de la Terre et l'éclaire la nuit. *La Lune est pleine ce soir.*

Locution
Être dans la lune. (FIGURÉ) Être distrait. *Il n'écoutait pas, il était dans la lune.*
Les mots ***lune, soleil, terre*** s'écrivent avec une majuscule lorsqu'ils désignent la planète, l'astre, le satellite lui-même, notamment dans la langue de l'astronomie et dans les textes techniques ; ils s'écrivent avec une minuscule dans les autres utilisations. *La Lune tourne autour de la Terre. Un beau coucher de soleil, le clair de lune.*
VOIR **ASTRE.**

lunette n. f.
1. Instrument d'optique. *Une lunette astronomique, une lunette d'approche.*
2. (AU PLURIEL) Paire de verres destinés à corriger la vue. *Elle ne porte pas de lunettes, mais des verres de contact. Une paire de lunettes.*

lupin n. m.
Plante herbacée.

lurette (il y a belle) loc. adv.
(FAMILIER) Il y a longtemps. *Il y a belle lurette que je l'ai vu : cela doit bien faire cinq ans.*

luron, onne n. m. et f.
Personne joyeuse.
En principe, l'expression ***gai luron*** est un pléonasme, mais elle est maintenant admise par l'usage.

lustre n. m.
Appareil d'éclairage à plusieurs branches portant des lampes ou des bougies et qu'on suspend au plafond d'une salle à manger, d'une entrée, etc. *Un lustre de cristal éclaire la salle à manger.*

lustrer v. tr.
Faire briller. *Lustrer ses chaussures.*
Conjugaison [VOIR MODÈLE – **AIMER**]

luth n. m.
Le ***t*** se prononce [lyt].
Ancien instrument de musique à cordes.
lu**th.**

luthier n. m.
luthière n. f.
Personne qui fabrique des instruments de musique à cordes. *C'est le luthier qui fabrique les violons et les guitares.*

lutin n. m.
Petit être espiègle. *À Albertville, aux Jeux olympiques, de petits lutins ramassaient les fleurs lancées sur la patinoire.*

lutrin n. m.
Pupitre destiné à recevoir un document, un livre ouvert, pour en faciliter la lecture.

lutte n. f.
1. Sport de combat. *La lutte est une discipline olympique.*
2. Combat, efforts soutenus contre quelque chose d'abstrait. *Engager la lutte contre les pluies acides.* **SYN.** bataille.
Forme fautive
*lutte, combat à finir. Calques de « fight to a finish » pour ***lutte à mort, combat sans merci.***

lutter v. intr.
1. Combattre à la lutte.
2. Rivaliser. *Elles luttent de vitesse.*
3. S'efforcer de vaincre quelque chose. *Cette association lutte contre le racisme.* **SYN.** batailler, combattre.
En ce sens, le verbe se construit avec les prépositions ***contre*** ou ***pour.***
Conjugaison [VOIR MODÈLE – **AIMER**]

lutteur n. m.
lutteuse n. f.
Athlète qui pratique la lutte.

luxation n. f.
Déplacement anormal d'un os de son articulation. *Une luxation du coude.*
Ne pas confondre avec le nom ***foulure,*** entorse.

luxe n. m.
Abondance de biens de grande valeur. *Cette famille vit dans le luxe.*
Locution
De luxe, locution adjective. De grand prix. *Des produits de luxe.*

luxembourgeois, oise adj. et n. m. et f.
Du Luxembourg. *Le drapeau luxembourgeois. Un Luxembourgeois, une Luxembourgeoise.*
L'adjectif s'écrit avec une minuscule ; le nom, avec une majuscule.

luxer v. tr., pronom.
Verbe transitif
Provoquer la luxation de.
Verbe pronominal
Se démettre une articulation. *Elle s'est luxé la cheville.*
Conjugaison [VOIR MODÈLE – **AIMER**]

luxueux, euse adj.
Somptueux, de grand prix. *Une maison luxueuse.*

luxuriant, ante adj.
Abondant, en parlant de la végétation. *Une forêt luxuriante.*

lymphe n. f.
Liquide riche en lymphocytes circulant dans l'organisme par les vaisseaux lymphatiques.
Ne pas confondre avec le nom ***nymphe,*** divinité féminine, jeune fille gracieuse.
lym**ph**e.

lymphocyte n. m.
Globule blanc de petite taille qui joue un rôle important dans le système immunitaire.
lym**ph**oc**y**te.

lynx n. m.
Le ***x*** se prononce [lɛ̃ks].
Mammifère carnassier recherché pour sa fourrure.
Locution
Avoir des yeux de lynx. (FIGURÉ) Discerner le moindre petit détail. *Marie a des yeux de lynx : aucune faute d'orthographe ne lui échappe.*
lynx.

lyre n. f.
Instrument de musique à cordes pincées.
HOM.
– **lire**, prendre connaissance d'un texte par la lecture ;
– **lire**, unité monétaire de l'Italie.
lyre.

lys n. m.
Graphie ancienne de ***lis.*** *Une fleur de lys.*
VOIR **LIS.**

m n. m. inv.
Treizième lettre de l'alphabet.

m
Symbole de ***mètre.***
Symbole de ***milli-.***

M
Chiffre romain dont la valeur est de 1 000.
VOIR TABLEAU – **CHIFFRES ARABES.**
VOIR TABLEAU – **CHIFFRES ROMAINS.**

M.
Abréviation de ***monsieur.***

m²
Symbole de ***mètre carré.***

m³
Symbole de ***mètre cube.***

ma adj. poss. f. sing.
1. Adjectif possessif féminin de la première personne du singulier qui détermine le nom en indiquant le « possesseur » de l'objet désigné. Il s'accorde en genre et en nombre avec le nom déterminé. *Ma chambre.*
2. L'adjectif possessif s'accorde en personne avec le nom désignant le « possesseur ». Ainsi, l'adjectif possessif ***ma*** renvoie à un seul « possesseur » d'un être, d'un objet de genre féminin. *Voici ma bicyclette* (un seul possesseur) *et regarde notre nouvelle voiture* (plusieurs possesseurs).
Devant un nom féminin commençant par une voyelle ou un ***h*** muet, c'est la forme masculine ***mon*** qui est employée pour rendre la liaison plus harmonieuse entre l'adjectif possessif et le mot qui suit. *Mon amie, mon histoire.*
VOIR TABLEAU – **POSSESSIF (ADJECTIF).**

maboul, oule adj. et n. m. et f.
(FAMILIER) Fou. *Étienne et Ève ont une petite chatte folichonne nommée « Princesse Maboule ».*
maboul**.**

macabre adj.
Lugubre. *Ce film rempli de cadavres et de squelettes est trop macabre.*

macareux n. m.
Oiseau palmipède, voisin du pingouin.
macareu**x.**

macaron n. m.
1. Petit gâteau sec.
2. Insigne généralement de forme ronde. *Des macarons amusants.*
macar**on.**

macaroni n. m.
Pâtes alimentaires. *Des macaronis savoureux, du macaroni au gratin.*

mâcher v. tr.
1. Broyer avec les dents des aliments avant de les avaler. *Mâche bien ta viande sinon tu auras du mal à digérer.* **SYN.** mastiquer.
2. Garder longtemps dans la bouche, sans avaler. *Elle mâche toujours de la gomme.*
Locution
Ne pas mâcher ses mots. (FIGURÉ) Parler très franchement sans cacher sa pensée.
Conjugaison [VOIR MODÈLE – **AIMER**]
m**â**cher.

mâchicoulis n. m.
Le ***s*** ne se prononce pas [maʃikuli].
Corniche percée d'ouvertures au sommet des murs des châteaux forts.
m**â**chicouli**s.**

machin n. m.
(FAMILIER) Chose. *Je voudrais un machin comme ça.* **SYN.** truc.
On emploie ce mot lorqu'on ignore le nom exact de quelque chose, mais il est toujours préférable d'utiliser le terme juste et précis.

machinal, ale, aux adj.
Que l'on fait sans y penser, involontaire. *Des gestes machinaux.*

machine n. f.
Ensemble de mécanismes utilisant une énergie donnée afin de fournir un travail. *Une machine électrique. Une machine à laver.*
Ne pas confondre avec le nom ***appareil,*** instrument qui permet d'exécuter une opération matérielle.

Locution
Faire machine arrière. Reculer. *Ils font machine arrière.*
Note – Dans cette expression, le nom est invariable.
Forme fautive
*machine. Impropriété au sens de ***voiture, automobile.***

machine à écrire n. f.
Appareil dont on se sert pour transcrire un texte. *On abandonne peu à peu les machines à écrire pour les remplacer par des micro-ordinateurs.*

mâchoire n. f.
Os de la face portant les dents. *La mâchoire supérieure est fixe, la mâchoire inférieure est mobile.*
Orthographe : m**â**choire.

mâchonner v. tr.
Mâcher légèrement. *Éliane a l'habitude de mâchonner son crayon quand elle écoute les explications.* SYN. mordiller.
Conjugaison [VOIR MODÈLE – **AIMER**]
Orthographe : m**â**chonner.

maçon n. m.
maçonne n. f.
Personne qui exécute des travaux de maçonnerie.
Orthographe : ma**ç**on.

maçonnerie n. f.
Ouvrage composé de pierres, de briques unies par du mortier, du ciment, etc.
Orthographe : ma**ç**onnerie.

madame n. f. (pl. *mesdames*)
Abréviations ***Mme***, ***Mmes*** (s'écrivent sans point).
Titre de civilité donné aux femmes. *Madame Dubois sera là ce soir.*

madelinot, madelinienne adj. et n. m. f.
Des Îles-de-la-Madeleine. *Un Madelinot, une Madelinienne.*
Note – Le nom s'écrit avec une majuscule.
Note – La forme féminine ***madelinote*** n'est pas recommandée.

mademoiselle n. f. (pl. *mesdemoiselles*)
Abréviations ***Mlle***, ***Mlles*** (s'écrivent sans point).
Titre de civilité donné aux jeunes filles. *Au revoir, mademoiselle !*
Note – L'usage de donner le titre de ***mademoiselle*** aux femmes célibataires tend à vieillir ; on emploie plutôt ***madame,*** à moins que l'intéressée n'en fasse la demande.
VOIR **MADAME.**

madrier n. m.
Poutre. *Un camion a livré les madriers de la charpente.*

mafia ou **maffia** n. f.
Association secrète de malfaiteurs. *La mafia est un réseau d'origine italienne.*
Note – Le nom peut s'écrire avec un ou deux ***f.***

maganer v. tr.
(FAMILIER) Endommager, détériorer. *J'ai magané mes chaussures dans la boue.* SYN. abîmer, gâter.
Note – L'emploi du verbe est courant au Québec dans la langue familière, mais il est vieilli dans l'ensemble de la francophonie.
Conjugaison [VOIR MODÈLE – **AIMER**]

magasin n. m.
1. Établissement commercial. *Un magasin de disques.*
2. Lieu où l'on entrepose des produits, des matières premières, des pièces. *Le magasin de pièces d'une usine. Nous n'avons pas cet article en magasin.*
Locution
Grand magasin. Magasin comportant de nombreux rayons spécialisés.
Note – Par rapport à ***boutique,*** le ***magasin*** désigne un établissement d'une certaine importance.

magasinage n. m.
Action de faire des courses.

magasiner v. intr.
Faire des courses, des emplettes. *Huguette aime bien magasiner dans les petites boutiques de son quartier.*
Conjugaison [VOIR MODÈLE – **AIMER**]

magazine n. m.
1. Publication périodique généralement illustrée. *Maman est abonnée à un magazine de jardinage : elle en reçoit un par mois.*
2. Émission de radio, de télévision traitant régulièrement de certains sujets. *L'émission* Perfecto *est un magazine sur la mode.*
Orthographe : maga**z**ine.

mage n. m.
Nom masculin
Personne versée dans la magie, l'astrologie, les croyances qui ne reposent pas sur la science ou la raison.
Locution
Les Rois mages. Personnages qui, en suivant une étoile, se rendirent à Bethléem pour adorer Jésus dans sa crèche.

magicien n. m.
magicienne n. f.
Personne qui pratique la magie. *Michel le magicien.*

magie n. f.
1. Art de produire des effets apparemment inexplicables. *Des tours de magie étonnants.* SYN. féerie.
2. (FIGURÉ) Charme. *La magie des couleurs de l'automne.*

magique adj.
Qui se rapporte à la magie. *Une baguette magique.*

magnésium n. m.
Prononciation : Le ***u*** se prononce comme ***o*** [maɲezjɔm] ; le mot rime avec ***gomme.***
Métal blanc argenté. *Des magnésiums.*

magnétique adj.
Qui possède les propriétés de l'aimant. *L'attraction magnétique. Les cassettes comprennent une bande magnétique sur laquelle on peut enregistrer les sons.*

magnétisme n. m.
1. Ensemble des phénomènes relatifs aux aimants et aux champs magnétiques.
2. (FIGURÉ) Fascination exercée par quelqu'un sur son entourage. SYN. séduction.

magnétophone n. m.
Appareil d'enregistrement et de reproduction des sons, utilisant des bandes magnétiques. *Le journaliste a enregistré l'entrevue sur son magnétophone.*

magnétoscope n. m.
Appareil d'enregistrement et de reproduction des images et du son, utilisant des bandes magnétiques.

magnifique adj.
Admirable, grandiose. *Un magnifique paysage.*

magot n. m.
Somme d'argent économisée. *Cacher son magot.*
magot.

maharajah ou **maharadja** n. m.
La dernière syllabe se prononce ***ja*** ou ***dja,*** [maaraʒa] ou [maaradʒa].
Titre princier en Inde. *Des maharajahs.*

mai n. m.
Cinquième mois de l'année. *Le 29 mai.*
Les noms de mois s'écrivent avec une minuscule.
VOIR TABLEAU – **DATE.**

maigre adj.
1. Qui a très peu de graisse, trop mince. *Oscar est maigre comme un manche à balai.* **ANT.** gras.
2. Médiocre, insuffisant. *De maigres résultats.* **SYN.** faible, mince, pauvre.

maigreur n. f.
Absence de graisse. *La maigreur de cette adolescente est inquiétante.*

maigrir v. tr., intr.
Verbe transitif
Rendre maigre. *Ce costume le maigrit.*
Verbe intransitif
Devenir maigre. *Un régime pour maigrir. Elle a maigri.*
Conjugaison [VOIR MODÈLE – **FINIR**]

maille n. f.
Chacune des boucles nouées d'un tissu, d'un tricot, d'un réseau, etc. *Une maille à l'endroit, une maille à l'envers.*

mailler v. tr.
Relier à l'aide de mailles.
Conjugaison [VOIR MODÈLE – **AIMER**]

maillet n. m.
Petit marteau. *Le maillet du juge.*

maillon n. m.
Anneau d'une chaîne. *Les maillons d'un bracelet.*

maillot n. m.
Vêtement moulant qui couvre le haut du corps. *Porter un maillot de coton.* **SYN.** débardeur.
Locutions
Maillot de bain. Vêtement de bain. *Elle a toute une collection de maillots de bain.*
Maillot de corps. Sous-vêtement masculin couvrant le torse.

main n. f.
VOIR TABLEAU – **MAIN.**

main-d'œuvre n. f. (pl. *mains-d'œuvre*)
1. Travail de l'ouvrier. *Des frais de main-d'œuvre.*
2. Ensemble des salariés. *Une main-d'œuvre étrangère.*
L'emploi de ce nom est rare au pluriel.
main-d'œuvre, avec un trait d'union.

main-forte n. f. inv.
Assistance. **SYN.** aide.
Locution
Prêter main-forte, donner main-forte à quelqu'un. Aider.
Le nom ne s'emploie que dans ces expressions.
main-forte, avec un trait d'union.

maint, mainte adj. indéf.
(LITTÉRAIRE) Plusieurs. *Je l'ai aperçu maintes fois.*
Locution
À maintes reprises. Souvent.
m**aint.**

maintenance n. f.
Ensemble des opérations exécutées dans le but de maintenir un système ou une partie du système dans un état de fonctionnement normal. *Superviser la maintenance d'un avion.*
Ne pas confondre avec le nom ***entretien,*** action de maintenir en bon état.
Forme fautive
*maintenance. Anglicisme au sens de ***entretien.***

maintenant adv.
Actuellement, à présent. *Nous pouvons jouer maintenant, nous sommes en vacances.* **SYN.** présentement.
mainten**ant.**

maintenir v. tr., pronom.
Verbe transitif
1. Entretenir, conserver dans le même état. *Maintenir la discipline dans la classe.* **SYN.** garder.
2. Fixer. *Elle maintient ses longs cheveux par des peignes.* **SYN.** attacher, retenir.
Verbe pronominal
Durer, rester dans le même état. *L'eau se maintient au même niveau, il n'y aura pas d'inondation.*
Conjugaison [VOIR MODÈLE – **VENIR**]
INDICATIF PRÉSENT *Je maintiens, tu maintiens, il maintient, nous maintenons, vous maintenez, ils maintiennent.* IMPARFAIT *Je maintenais.* PASSÉ SIMPLE *Je maintins.* FUTUR *Je maintiendrai.* **CONDITIONNEL** PRÉSENT *Je maintiendrais.* **IMPÉRATIF** PRÉSENT *Maintiens, maintenons, maintenez.* **SUBJONCTIF** PRÉSENT *Que je maintienne.* IMPARFAIT *Que je maintinsse.* **PARTICIPE** PRÉSENT *Maintenant.* PASSÉ *Maintenu, ue.*

maintien n. m.
1. Attitude. *Un maintien souple.*
2. Action de conserver, de faire durer. *Assurer le maintien des lois.* **SYN.** conservation.
maint**ien,** sans ***t*** final.

maire n. m.
mairesse n. f.
Personne élue à la direction d'une administration municipale.
Le nom « mairesse » qui désignait la femme du maire est aujourd'hui désuet ou ironique ; cependant, on note que plusieurs femmes exerçant les fonctions de maire au Québec choisissent le titre de ***mairesse.*** Il est également possible d'employer le mot ***maire*** au féminin. *Madame la maire.*
HOM.
– **mer**, vaste étendue d'eau salée ;
– **mère**, femme qui a donné naissance à un ou plusieurs enfants.

mairie n. f.
1. Administration municipale.
2. Hôtel de ville.

mais conj.
Cette conjonction introduit une idée contraire, une restriction, une objection. *Il est intelligent, mais il n'a pas l'expérience voulue.*
La conjonction ***mais*** est généralement précédée d'une virgule.

maïs n. m.
Le ***s*** se prononce [mais] ; le mot rime avec ***hisse.***
1. Graminée dont les épis portent des grains durs. *Du maïs soufflé, du maïs éclaté* (et non du *popcorn). *En été, on peut manger du maïs sucré qui est délicieux.*

MAIN

Partie du corps humain, composée de cinq doigts, qui termine le bras et sert à toucher et à saisir.
Note – Dans les locutions dont il fait partie, le nom ***main*** s'écrit parfois au singulier, parfois au pluriel.

À main armée.	Les armes à la main.
À pleines mains, locution adverbiale.	Abondamment.
Avoir, tenir en main.	Avoir à sa disposition.
Avoir la main haute sur.	Diriger.
Avoir le cœur sur la main.	(FIGURÉ) Être très généreux.
Avoir les mains libres.	(FIGURÉ) Avoir toute latitude.
Avoir les mains pleines de pouces.	⚜ (FIGURÉ) Être maladroit.
Avoir sous la main.	Avoir à sa portée.
Changer de main.	Faire passer d'une main à une autre.
Changer de main(s).	Passer d'un propriétaire à un autre.
Coup de main.	Aide momentanée.
De la main à la main.	Sans intermédiaire.
De longue main.	Depuis longtemps.
De main de maître.	Avec habileté.
De main en main.	D'une personne à une autre.
De première main.	Directement, de source sûre.
De seconde main.	Indirectement.
Dessiner à main levée.	D'un seul trait.
En bonnes mains.	À une personne compétente.
En main(s) propre(s).	Dans les mains de la personne intéressée.
En un tour de main, locution adverbiale.	Rapidement.
En venir aux mains.	Se battre.
Faire des pieds et des mains.	(FIGURÉ) Multiplier les démarches.
Faire main basse sur quelque chose.	(FIGURÉ) Voler.
Fait, cousu main.	Fait à la main.
Forcer la main à quelqu'un.	Obliger quelqu'un.
Haut la main, locution adverbiale.	Facilement, avec autorité.
Haut les mains !	Sommation de lever les bras.
Homme de main.	Homme d'exécution.
Lever la main sur quelqu'un.	S'apprêter à le frapper.
Main courante.	Partie supérieure d'une rampe d'escalier.
Mettre la dernière main à quelque chose.	Terminer, achever quelque chose.
Mettre la main à la pâte.	(FIGURÉ) Participer, travailler soi-même.
Ne pas y aller de main morte.	Attaquer avec vivacité.
Passer la main.	Renoncer à une fonction.
Perdre la main.	Perdre l'habitude.
Poignée de main (pl. *poignées de main*).	Geste par lequel on serre la main de quelqu'un.
Porter la main sur quelqu'un.	Frapper quelqu'un.
Prendre en main(s) quelqu'un, quelque chose.	Se charger de quelqu'un, de quelque chose.
Prendre la main dans le sac.	(FIGURÉ) Prendre en flagrant délit.
Se faire la main.	S'exercer.
Se laver les mains de quelque chose.	(FIGURÉ) Dégager sa responsabilité.
Se prendre par la main.	S'obliger à faire quelque chose.
Sous la main, locution adverbiale.	À sa disposition.
Tendre la main à quelqu'un.	(FIGURÉ) Offrir son aide, son amitié.
Voter à main levée.	Exprimer son suffrage en levant la main.

2. ⚜ Le nom ***blé d'Inde*** s'emploie également en ce sens.
maïs.

maison n. f.
1. Bâtiment servant d'habitation. *Une maison de campagne.*
2. Établissement privé ou public. *Une maison d'édition, une maison de la culture.*
3. (EN APPOSITION) Fait à la maison, du chef. *Des spécialités maison.*
Dans cet emploi, le mot est invariable.

maisonnée n. f.
Ensemble de ceux qui habitent une maison. *La maisonnée est réunie pour fêter son succès.*

maisonnette n. f.
Petite maison.
maiso**nn**ette.

maître, maîtresse n. m. et f.
1. Personne qui possède l'autorité.
2. Personne qui enseigne un art, une science.
3. Titre donné aux avocats et aux notaires. Abréviations ***Me***; (au plur.) ***Mes*** (s'écrivent sans point). *Cher Maître, chère Maître.*
Locutions
Maître de dessin, de ballet, d'étude.
Le complément s'écrit au singulier.
Maître, maîtresse. (EN APPOSITION) Qui est important, le plus important. *Des pièces maîtresses, des atouts maîtres.*
Le nom mis en apposition prend la marque du pluriel et s'écrit sans trait d'union.
Maître, maîtresse d'école. Instituteur, institutrice.
Rester maître de soi. Se maîtriser.
Se rendre maître d'un lieu. S'en emparer.
Trouver son maître. S'incliner devant quelqu'un de supérieur.
HOM. mètre, unité de mesure de longueur.
maître, maîtresse.

maîtrise n. f.
1. Domination incontestée. *Ces corsaires avaient la maîtrise de la Méditerranée.*
2. Connaissance approfondie d'une question, d'une discipline, d'un sujet. *La maîtrise de la langue écrite.*
3. Grade universitaire sanctionnant le second cycle de l'enseignement supérieur. *Une maîtrise en chimie.*
Locution
Maîtrise de soi. Calme. **SYN.** sang-froid.
maîtrise.

maîtriser v. tr., pronom.
Verbe transitif
1. Se rendre maître de. *Maîtriser un cheval.*
2. Avoir une bonne connaissance de quelque chose. *Monica maîtrise l'espagnol : elle le parle couramment.*
3. Contenir. *Maîtriser un incendie* (et non *contrôler). *Maîtriser sa déception.*
Verbe pronominal
Se dominer. *Ils se sont maîtrisés et sont restés silencieux.* **SYN.** se contenir.
Conjugaison [VOIR MODÈLE – **AIMER**]
maîtriser.

majesté n. f.
1. Qualité de ce qui est revêtu d'un caractère de grandeur propre à inspirer l'admiration. *Une cérémonie remplie de majesté.* **SYN.** beauté, grandeur.
2. Titre donné aux souverains. *Sa Majesté la reine Élisabeth.*

majestueux, euse adj.
Imposant. *Le Saint-Laurent est un fleuve majestueux.* **SYN.** grandiose.

majeur, eure adj. et n. m. et f.
Adjectif
1. Plus grand, plus considérable. *La majeure partie des élèves est absente.*
2. Très important. *Un incident majeur.*
3. Qui a atteint la majorité. *Elle est majeure.*
Au Québec, c'est à 18 ans qu'on atteint la majorité.
Nom masculin et féminin
Personne qui a atteint la majorité. *Les majeurs ont le droit de voter.* **ANT.** mineur.
Nom masculin
Le troisième doigt de la main. *Le majeur est le doigt le plus long.*

majorette n. f.
Dans un défilé, jeune fille qui manie agilement un bâton de tambour-major.

majorité n. f.
1. Le plus grand nombre. *La majorité des participants a choisi* ou *ont choisi notre candidat.* **ANT.** minorité.
Après un nom collectif suivi d'un complément au pluriel, le verbe se met au singulier ou au pluriel suivant l'intention de l'auteur qui veut insister sur l'ensemble ou sur la pluralité.
VOIR TABLEAU – **COLLECTIF.**
2. Âge légal à partir duquel une personne jouit du libre exercice de ses droits. *La majorité est maintenant établie à 18 ans.*

majuscule adj. et n. f.
Lettre majuscule. Grande lettre, capitale. *Les noms propres s'écrivent avec une majuscule.* **ANT.** minuscule.
VOIR TABLEAU – **MAJUSCULES ET MINUSCULES.**

mal adj., adv. et n. m.
Adjectif
Contraire au bien. *C'est mal de tricher.*
Adverbe
Imparfaitement. *Ils écrivent mal, mais ils parlent bien.*
Employé comme adverbe, le mot est invariable.
Nom masculin
1. Ce qui est contraire au bien. *Ne pas faire le mal, faire le bien.*
2. Douleur. *Des maux de dents, de tête.*
Le pluriel du nom est ***maux.***
Locutions
Bon an, mal an. En faisant une moyenne entre les années. *Cette entreprise fait de bons profits bon an, mal an.*
Bon gré, mal gré. De gré ou de force.
Être mal en point. Être en mauvais état.
Faire mal. Causer une douleur. *Cette dent me fait mal.*
Mal de cœur. Envie de vomir. *Des maux de cœur.*
Mal de l'air, de mer. Malaise causé par les oscillations d'un avion, d'un bateau.
Mal du pays. Nostalgie.
N'être pas mal. Plutôt bien. *Cette amie n'est pas mal du tout, elle est jolie.*
Pas mal, locution adverbiale. (FAMILIER) Assez. *Elle a pas mal de cassettes.*
HOM.
– (du plur. ***maux***), mot, groupe de lettres exprimant une idée ;
– malle, coffre.

MAJUSCULES ET MINUSCULES

La majuscule sert à mettre en évidence les **noms propres**.

EMPLOI DE LA MAJUSCULE POUR SIGNALER UN NOM PROPRE

- Le nom de **Dieu**.
  Dieu, Notre-Seigneur, le Père éternel.

- Les noms de **personnes** (noms de famille, prénoms, surnoms).
  Félix Leclerc. Jean-Baptiste Poquelin, dit Molière.

- Les noms de **peuples.**
  Les Québécois, les Belges, les Suisses et les Français.

☞ Employés comme adjectifs, ces mots s'écrivent avec une minuscule. *Le drapeau québécois*. Attention, les noms d'adeptes de religions, de partis politiques, d'écoles artistiques, d'ordres religieux s'écrivent également avec une minuscule, contrairement aux noms de peuples. *Les chrétiens, les libéraux, les impressionnistes, les jésuites.*

VOIR TABLEAU – **PEUPLES (ÉCRITURE DES NOMS DE).**
VOIR **NÉO-.**

- Les noms d'**astres** (étoiles, planètes, constellations, comètes) et les signes du zodiaque.
  Le Soleil, Saturne, le Sagittaire.

VOIR **ASTRE.**

- Les noms de **points cardinaux**.
  L'Amérique du Sud. Boulevard René-Lévesque Ouest. Le pôle Nord.

VOIR TABLEAU – **POINTS CARDINAUX.**

m

- Les **noms géographiques.**
  Le Québec, Montréal, le Saint-Laurent.

VOIR TABLEAU – **GÉOGRAPHIQUES (NOMS).**

- Les noms de **rues**, les noms de **places**, de **monuments**.

  – Ces noms s'écrivent avec une majuscule au mot caractéristique et une minuscule au mot générique (rue, avenue, boulevard, jardin).
  La rue Notre-Dame, la statue de la Liberté.

  – Quand la désignation spécifique est composée de plusieurs éléments, ceux-ci sont reliés par des traits d'union.
  Elle habite avenue Antonine-Maillet, rue Saint-Jean-Baptiste.

- Les noms d'**établissements d'enseignement** (écoles, collèges, instituts...), de musées, de bibliothèques.

  – Les génériques de ces dénominations suivis d'un adjectif s'écrivent avec une majuscule.
  L'École polytechnique. La Bibliothèque nationale.

  – Les génériques suivis d'un nom propre s'écrivent avec une minuscule.
  Le collège Brébeuf. L'école Saint-Germain.

- Les noms d'**organismes** publics ou privés, de **sociétés**, d'**institutions**. On emploie généralement la majuscule au premier nom de ces diverses dénominations.

  L'Assemblée nationale, l'Office de la langue française, le Centre national de la recherche scientifique.

☞ Pour les noms de ministères, la règle diffère; en effet, c'est le nom du domaine d'activité spécifique qui s'écrit avec une majuscule, tandis que le nom ***ministère*** et les adjectifs de la désignation s'écrivent avec des minuscules. *Le ministère des Affaires culturelles, le ministère de l'Éducation.*

suite ►

- Les noms d'**évènements historiques**. Seuls le mot caractéristique de la désignation et l'adjectif qui le précède s'écrivent avec une majuscule, alors que le générique s'écrit avec une minuscule.
  La bataille des Plaines d'Abraham, la Renaissance, le Moyen Âge.

- Les noms de **fêtes** religieuses et nationales s'écrivent avec une majuscule au mot caractéristique et à l'adjectif qui le précède.
  Le jour de l'An, le Nouvel An, le jour des Rois, le Mardi gras, le mercredi des Cendres, le Vendredi saint, Pâques, la Saint-Jean, la fête du Travail, la Toussaint, Noël.

- Les titres d'**ouvrages**, d'**œuvres d'art**, les noms de **journaux**, de **périodiques** prennent une majuscule au premier nom et éventuellement à l'adjectif et à l'article qui le précède.
  Le *Visuel*, les *Lettres de mon moulin*, le *Petit Prince.*

EMPLOI DE LA MAJUSCULE POUR SIGNALER LE DÉBUT D'UNE PHRASE

- **Au premier mot d'une phrase.**
  La rencontre aura lieu le 29 mars. D'ici là, précisons nos projets.

- **Après les points d'interrogation, d'exclamation, de suspension** quand ces points terminent effectivement la phrase.
  Serez-vous présent ? Veuillez communiquer avec nous...

- **Après un deux-points introduisant :**
  - une **citation**. *Et celui-ci de répondre : « L'art d'aimer, je connais. »*
  - une **énumération** où les jalons énumératifs sont un numéro ou une lettre de classification suivi d'un point (*1., 2., A., B.*), d'un chiffre d'ordre (*1°, 2°*). *1. Introduction 2. Hypothèses...*

EMPLOI DE LA MINUSCULE

- Les **titres et dignités**.
  L'empereur, le roi, le président, le premier ministre.

- Les noms de **religions**.
  Le christianisme, le bouddhisme, le protestantisme, le judaïsme, l'islam.

- Les noms des **mois, des jours** de la semaine.
  Le mois de mars ; lundi, mardi.

- Les noms de **pays, de régions donnés aux produits** qui en sont originaires.
  Un champagne, un cheddar, un hollande, un médoc, un oka.

- Les noms de **langues**.
  Le français, l'anglais et l'espagnol.

- Les génériques des **noms géographiques**, des noms de **rues**, des **désignations administratives**.
  Montagne, lac, océan, mont, avenue, rue, école, collège.

m

malade adj. et n. m. et f.
Adjectif
Qui est en mauvaise santé, en mauvais état. *Éric ne peut sortir, il est malade.*
Nom masculin et féminin
Être vivant atteint d'une maladie. *Un grand malade.*

maladie n. f.
1. Mauvais état de l'organisme. *La rougeole est une maladie contagieuse.* **ANT.** santé.
2. Manie. *La maladie du classement.*

maladie transmise sexuellement
Sigle ***MTS*** (s'écrit avec ou sans points).
⚜ Maladie qui se transmet lors de relations sexuelles.
Note – Cette expression est employée au Québec. Dans la francophonie, on emploie l'expression ***maladie sexuellement transmissible*** (MST).

maladif, ive adj.
Qui est souvent malade. *Des personnes maladives.*

maladresse n. f.
1. Manque d'habileté. *Quelle maladresse ! Claire a cassé le beau vase.*
2. Action maladroite, bêtise. *Pierre a commis une maladresse.* **SYN.** bévue, (FAMILIER) gaffe.

maladroit, oite adj.
Qui manque d'adresse, incapable. *Claire et Pierre sont maladroits.* **SYN.** gauche, malhabile.

malais, aise adj. et n. m. et f.
Adjectif et nom masculin et féminin
De la Malaisie. *Le drapeau malais. Un Malais, une Malaise.*
Note – L'adjectif s'écrit avec une minuscule ; le nom, avec une majuscule.
Nom masculin
Langue officielle de la Malaisie et de l'Indonésie. *Apprendre le malais.*
Note – Le nom de la langue s'écrit avec une minuscule.

malaise n. m.
1. Sensation pénible. *Anna a eu un malaise, elle s'est évanouie.*
2. Sentiment de gêne. *Quand Jules a gaffé, il y a eu un malaise dans la classe.*

malard n. m.
⚜ Variété de canard.
Orthographe : malar**d.**

malaxer v. tr.
Mélanger, rendre homogène, souvent à l'aide d'un appareil.
Conjugaison [VOIR MODÈLE – **AIMER**]

malaxeur n. m.
Appareil, machine servant à malaxer.

malchance n. f.
Mauvaise chance, manque de chance. *Quelle malchance : le dernier métro vient de partir.*

malchanceux, euse adj. et n. m. et f.
Qui n'a pas de chance. *Luigi est malchanceux, il devra rentrer à pied : il a manqué son métro.*

malcommode adj.
1. ⚜ (FAMILIER) Turbulent, en parlant d'un enfant. **SYN.** agité, espiègle.
2. ⚜ (FAMILIER) Qui manque de patience, désagréable, en parlant d'un adulte. **SYN.** bourru.
Note – L'emploi de l'adjectif est courant au Québec dans la langue familière, mais il est vieilli en ce sens dans l'ensemble de la francophonie.

mâle adj. et n. m.
Adjectif
1. Masculin. *Un enfant mâle.*
2. Qui est relatif à l'homme. *Une démarche mâle.*
Nom masculin
Nom générique de tous les êtres animés de sexe masculin. *Le coq est le mâle de la poule.*

malédiction n. f.
Désastre qui semble lié au mauvais sort. *La malédiction touche cette équipe : un des joueurs s'est blessé, puis trois autres sont touchés.* **SYN.** fatalité, malchance, malheur. **ANT.** bénédiction.

mal-en-point ou **mal en point** loc. adj. inv.
En mauvais état. *Après cet accident, ils étaient très mal-en-point,* ou *mal en point.*
Note – La locution s'écrit avec ou sans trait d'union.

malentendant, ante n. m. et f.
Personne qui entend mal. *Les malentendants.*

malentendu n. m.
1. Erreur d'interprétation des paroles, des actes de quelqu'un. *Des malentendus fâcheux.* **SYN.** méprise.
2. Désaccord qui résulte de cette mauvaise interprétation.

malfaisant, ante adj. et n. m. et f.
Prononciation : Les lettres ***ai*** se prononcent **e** [malfəzɑ̃, ɑ̃t].
Qui cherche à nuire. *Des personnes malfaisantes.* **SYN.** mauvais, méchant.
Orthographe : malf**ai**sant.

malfaiteur n. m.
Prononciation : Les lettres ***ai*** se prononcent **è** [malfɛtœr].
Personne qui commet des actes criminels. *La police s'apprête à démanteler ce réseau de malfaiteurs.* **SYN.** bandit.
Orthographe : malf**ai**teur.

malformation n. f.
Infirmité à la naissance. *Le bébé est né avec cette malformation cardiaque.*

malgache adj. et n. m. et f.
Adjectif et nom masculin et féminin
De Madagascar. *Le drapeau malgache. Un Malgache, une Malgache.*
Note – L'adjectif s'écrit avec une minuscule ; le nom, avec une majuscule.
Nom masculin
Langue parlée à Madagascar. *Il parle le malgache.*
Note – Le nom de la langue s'écrit avec une minuscule.

malgré prép.
En dépit de. *Nous viendrons malgré la tempête de neige.*
Locution
Malgré tout. Quoi qu'il arrive.

malhabile adj.
Maladroit. *Il est trop malhabile pour construire cette maquette.* **SYN.** gauche. **ANT.** habile.
Orthographe : mal**h**abil**e.**

malheur n. m.
1. Situation pénible, triste. *Sébastien a perdu son père ; quel malheur !* **SYN.** épreuve.

2. Évènement fâcheux. *Paulo a eu le malheur d'être blessé.* **SYN.** malchance.
Locutions
Jouer de malheur. Être malchanceux. *Elles jouent de malheur : il n'y a plus de billets pour le spectacle.*
Porter malheur. Avoir une influence néfaste. *On dit que le nombre 13 porte malheur.*
Dans cette locution, le nom demeure invariable.

malheureux, euse adj. et n. m. et f.
1. Qui est dans le malheur, infortuné. *Sébastien est malheureux, il a perdu son papa.* **SYN.** triste.
2. Désastreux, regrettable. *Un évènement malheureux.*

malhonnête adj.
Qui n'est pas honnête. *Un vendeur malhonnête.* **ANT.** honnête.
malho**nn**ête.

malhonnêteté n. f.
Manque d'honnêteté. *La malhonnêteté d'un commerçant qui volait ses clients.*
malho**nn**êteté.

malice n. f.
Moquerie, raillerie sans méchanceté. *Elles plaisantent sans malice.*

malicieusement adv.
Avec malice.

malicieux, euse adj. et n. m. et f.
Espiègle, taquin. *Un regard malicieux.*

maligne
VOIR **MALIN.**

malin, igne adj. et n. m. et f.
Adjectif
Rusé, astucieux. *Il est très malin.*
En ce sens, l'adjectif a une connotation favorable et signifie souvent ***fin, intelligent.***
Nom masculin et féminin
Personne rusée. *C'est un petit malin : il a plus d'un tour dans son sac.*
Attention à la forme féminine de ce mot : mali**gne.**

malle n. f.
1. Coffre destiné à recevoir les effets qu'on emporte en voyage. *Nellie est pensionnaire ; elle a mis ses vêtements dans une malle.*
Ne pas confondre avec le nom ***valise,*** bagage que l'on porte à la main.
2. (VIEUX) Coffre d'une voiture. *La malle arrière* (et non pas la *valise) *est remplie de cadeaux.*
On emploie plutôt le nom ***coffre*** aujourd'hui en ce sens.
Forme fautive
*malle. Mot ancien au sens de ***poste, courrier.*** *Envoyer une lettre par la poste* (et non par la *malle).
HOM. mal, contraire au bien.

***maller**
Anglicisme pour ***mettre à la poste, poster.***

mallette n. f.
Petite valise pour le voyage, le travail.

malmener v. tr.
Maltraiter. *Julia n'accepte pas que les petits malmènent son chat.*
Conjugaison [VOIR MODÈLE – **LEVER**]
Le **e** se change en **è** devant une syllabe muette. *Il malmène, mais il malmenait.*

malodorant, ante adj.
Qui a une mauvaise odeur. *Une porcherie malodorante.*
malodorant, en un seul mot.

malotru, ue n. m. et f.
Personne impolie, vulgaire, grossière. *C'est une malotrue.*

malpropre adj. et n. m. et f.
Sale. *Tes mains sont malpropres : lave-les avant de passer à table.*
malpropre, en un seul mot.

malpropreté n. f.
Saleté. *Le savon viendra-t-il à bout de cette malpropreté ?*
malpropreté, en un seul mot.

malsain, aine adj.
1. Mauvais pour la santé. *Un climat malsain.*
2. Dangereux. *Une influence malsaine.*

maltraiter v. tr.
Traiter durement. *Ce chien a été maltraité, nous en prendrons soin.* **SYN.** brutaliser, malmener, rudoyer.
Conjugaison [VOIR MODÈLE – **AIMER**]
maltraiter, en un seul mot.

malveillance n. f.
Hostilité. *La malveillance de ces voyous qui brisent les carreaux est révoltante.*

malveillant, ante adj. et n. m. et f.
Méchant, qui cherche à nuire. *Ces voyous sont malveillants ; ils ne respectent pas la propriété d'autrui.*

maman n. f.
Mère, dans le langage des enfants, même devenus adultes.
Locutions
Belle-maman. Belle-mère. *Des belles-mamans gentilles.*
Grand-maman. Grand-mère. *Des grands-mamans trop indulgentes.*

mamelle n. f.
Organe des mammifères qui sécrète le lait. *Est-ce que l'éléphante a des mamelles ?*
ma**m**el**l**e.

mamelon n. m.
1. Bout du sein.
2. Colline.
ma**m**el**o**n.

mamie n. f.
Grand-mère, dans le langage des enfants.

mammifère adj. et n. m.
Adjectif
Qui porte des mamelles.
Nom masculin
Animal vertébré dont les femelles allaitent leurs petits à la mamelle. *La vache est un mammifère. Le dauphin est un mammifère marin.*
ma**mm**ifère.

mammouth n. m.
Le ***t*** se prononce [mamut].
Éléphant géant qui vivait il y a très longtemps. *Les mammouths mesuraient plus de 3 m de hauteur et avaient de longues défenses recourbées.*
ma**mm**ou**th.**

Man.
Abréviation de ***Manitoba.***

manager n. m.
Le ***r*** est sonore [manadʒɛr].
1. Imprésario d'un artiste.
2. Entraîneur d'un athlète, d'un champion professionnel.

manche n. m. et f.
Nom masculin
Partie d'un outil, d'un instrument par laquelle on le tient. *Le manche du marteau.*
Nom féminin
Partie du vêtement qui couvre le bras. *Une robe sans manches.*
Locutions
C'est une autre paire de manches. (FAMILIER) Ce n'est pas la même chose.
Manche à balai. Levier vertical du gouvernail de profondeur d'un avion. *Des manches à balai.*
Manche à balai. Dispositif de commande d'un jeu électronique, servant à déplacer un objet visualisé à l'écran.
Le manche à balai est utilisé surtout dans les logiciels de jeu.

manchette n. f.
1. Poignet de chemise à revers. *Des boutons de manchette.*
2. Titre en gros caractères à la première page d'un journal.

manchon n. m.
1. Rouleau creux généralement en fourrure où l'on met les mains. *Julie a un joli manchon de renard.*
2. Cylindre destiné à raccorder, à protéger.

m

manchot, ote adj. et n. m. et f.
Adjectif
Privé d'un bras, d'une main.
Nom masculin et féminin
Personne privée d'un bras, d'une main.
Locution
N'être pas manchot. Avoir de l'habileté. *Elle n'est pas manchote.*
mancho**t,** mancho**t**e.

manchot n. m.
Oiseau palmipède de l'Antarctique.
Ne pas confondre avec le nom ***pingouin,*** oiseau palmipède de l'Arctique.
mancho**t.**

mandarine n. f.
Fruit doux et parfumé du mandarinier ressemblant à une petite orange.

mandarinier n. m.
Arbre voisin de l'oranger qui donne les mandarines.

mandibule n. f.
1. Maxillaire inférieur.
2. Chacune des pièces buccales de l'oiseau, de l'insecte.
Attention au genre féminin de ce nom : ***une*** mandibule.

mandoline n. f.
Instrument de musique à cordes pincées.

manège n. m.
1. Exercices que l'on fait faire à un cheval pour le dresser.
2. Lieu où se font ces exercices.
3. Façon détournée de faire quelque chose. *Je comprends son manège.* **SYN.** intrigue, manœuvre.
Locution
Manège (de chevaux de bois). Attraction foraine où des animaux figurés, des véhicules, etc., qui servent de monture à des enfants, sont animés d'un mouvement circulaire. *Un beau manège* (et non un *merry-go-round).

manette n. f.
Levier de commande. *Abaisser la manette et l'avion perdra de l'altitude.*
ma**n**e**tt**e.

mangeoire n. f.
Auge où l'on donne à manger aux animaux.
mang**eoi**re.

manger v. tr., intr.
Verbe transitif
1. Avaler un aliment, afin de se nourrir. *Il mangeait du poulet.*
2. Ronger. *Un tricot mangé par les mites, mangé aux mites.*
Verbe intransitif
Absorber des aliments. *Il aime bien manger.*
Locutions
Manger le morceau. (FAMILIER) (FIGURÉ) Avouer.
Se laisser manger la laine sur le dos. (FAMILIER) (FIGURÉ) Se laisser dépouiller.
Conjugaison [VOIR MODÈLE – **CHANGER**]
Le ***g*** est suivi d'un ***e*** devant les lettres ***a*** et ***o.*** *Il mangea, nous mangeons.*

manger n. m.
1. (VIEUX) Acte de se nourrir. *Le boire et le manger.*
2. (FAMILIER) Repas. *Apporter son manger.*

mange-tout ou **mangetout** adj. et n. m. inv. (pl. *mange-tout, mangetout*)
Variété de haricot. *Des haricots mange-tout, des mange-tout.*

mangeur, euse n. m. et f.
Personne qui mange (beaucoup, peu, etc.). *C'est un gros mangeur de viande.*

mangouste n. f.
Mammifère carnivore qui se nourrit de serpents.

mangue n. f.
Fruit du manguier se rapprochant de la pêche et dont la pulpe est très parfumée.
man**gue.**

manguier n. m.
Arbre tropical produisant les mangues.
man**gui**er.

maniable adj.
Facile à manier. *Cette voiture est bien maniable.*

maniaque adj. et n. m. et f.
Adjectif
1. Atteint d'une manie, relatif à une manie.
2. Qui a une idée fixe. *C'est un correcteur maniaque.*
Nom masculin et féminin
Personne atteinte d'une manie. *Une maniaque de la propreté.*
mania**que.**

manie n. f.
1. Folie. *Il a la manie des grandeurs.*
2. Goût excessif de quelque chose. *La manie des pendules.*
3. Petites habitudes particulières. *Chacun a ses manies.*

manier v. tr.
Manipuler, utiliser. *Manier le pinceau avec adresse.*

Conjugaison [VOIR MODÈLE – **ÉTUDIER**]
Redoublement du ***i*** à la première et à la deuxième personne du pluriel de l'indicatif imparfait et du subjonctif présent. *(Que) nous maniions, (que) vous maniiez.*

manière n. f.
1. Façon, méthode. *Il a trouvé une nouvelle manière de planter ses fleurs.*
2. (AU PLURIEL) Façons habituelles d'agir en société. *Il a de bonnes manières.*
Locutions
À la manière de, locution prépositive. Comme, à l'imitation de.
De toute manière, locution adverbiale. Quoi qu'il arrive.
Dans cette locution, le nom s'écrit au singulier. Cependant, on écrira au pluriel l'expression ***de toutes les manières.*** *Nous avons abordé le sujet de toutes les manières possibles.*
De manière à + infinitif, locution prépositive. De façon à. *Nous avons pris la voiture de manière à arriver à temps.*
Cette construction exprime le but, la conséquence visée.
De manière que + subjonctif. *Il a tout préparé de manière que la fête soit réussie.*
Le verbe se construit au mode subjonctif lorsqu'on veut marquer une conséquence éventuelle.
De telle manière que + indicatif. De sorte que. *Toutes les provisions ont été congelées de telle manière qu'elles se conserveront.*
Le verbe se construit au mode indicatif lorsqu'on veut marquer une conséquence réelle, voulue ou non.
D'une manière ou d'une autre, locution adverbiale. Quoi qu'il arrive.

manifestant, ante n. m. et f.
Personne qui participe à une manifestation. *Des manifestants en colère.*
Ne pas confondre avec le participe présent invariable ***manifestant.*** *Les personnes manifestant leur indignation devront quitter la salle.*

manifestation n. f.
1. Expression, témoignage. *Des manifestations de joie.*
2. Démonstration populaire. *La manifestation contre le dégel des frais de scolarité s'est déroulée pacifiquement.*

manifester v. tr., intr., pronom.
Verbe transitif
Rendre évident, dénoter. *Elle manifeste beaucoup de bonne volonté.*
Verbe intransitif
Participer à une manifestation. *Les étudiants manifesteront devant le bureau du ministre.*
Verbe pronominal
Se faire connaître. *L'indignation commence à se manifester.*
Conjugaison [VOIR MODÈLE – **AIMER**]

manigance n. f.
Manœuvre secrète peu importante. *Malgré leurs manigances, ils n'ont pas fait élire leur candidat.* **SYN.** micmac.
manig**an**ce.

manigancer v. tr.
Préparer secrètement, comploter. *Que manigancez-vous? Nous ne manigançons rien du tout.*
Conjugaison [VOIR MODÈLE – **AVANCER**]
Le **c** prend une cédille devant les lettres ***a*** et ***o.*** *Il manigança, nous manigançons.*
mani**gan**cer.

manipulation n. f.
Action de manipuler. *La manipulation d'une substance explosive.* **SYN.** déplacement

manipuler v. tr.
Déplacer avec les mains. *Manipuler des objets fragiles.*
Conjugaison [VOIR MODÈLE – **AIMER**]

Manitoba n. m.
Abréviation ***Man.*** (s'écrit avec un point).

manitou n. m.
1. Esprit du bien (***grand, bon manitou***) chez les Amérindiens. *Des manitous bienveillants.*
2. Esprit du mal (***méchant manitou***) chez les Amérindiens.
3. (FAMILIER) Personne influente. *Le grand manitou de la télé, c'est-à-dire le président.*

manivelle n. f.
Levier coudé à l'aide duquel on imprime un mouvement de rotation. *Au début du siècle, c'est à la manivelle que l'on faisait démarrer les voitures.*
manive**ll**e.

manne n. f.
1. Insecte. *Au début de l'été, il y a beaucoup de mannes à l'Île-des-Sœurs.* **SYN.** éphémère.
2. Grand panier d'osier.
ma**nn**e.

mannequin n. m.
1. Personne qui présente des modèles de vêtements au public. **SYN.** modèle.
Signifiant à l'origine « petit homme », le nom ***mannequin*** est du genre masculin; cependant, dans l'usage québécois, il commence à s'employer au masculin et au féminin, selon le sexe de l'être désigné.
2. Forme humaine à membres articulés ou non. *La couturière utilise un mannequin pour ajuster les vêtements. L'étalagiste habille les mannequins de la vitrine.*

manœuvre n. f.
1. Action, manière de diriger le fonctionnement de. *Faire des manœuvres pour garer sa voiture.*
2. Exercice militaire. *Champ de manœuvre.*
3. Intrigue, machination. **SYN.** complot.
Locution
Fausse manœuvre. Opération mal appropriée ou mal exécutée.
man**œu**vre.

manœuvrer v. tr., intr.
Verbe transitif
Faire fonctionner. *Manœuvrer un volant, une voiture.*
Verbe intransitif
1. Exécuter des exercices militaires.
2. Effectuer une manœuvre sur un véhicule. *Manœuvrer pour entrer dans le port.*
3. Utiliser d'habiles détours pour arriver à ses fins. *Il faut bien manœuvrer : la partie est serrée.*
Conjugaison [VOIR MODÈLE – **AIMER**]

manoir n. m.
Habitation seigneuriale entourée de terres.

manquant, ante adj.
Qui manque. *Il faudra aviser les personnes manquantes.*
Ne pas confondre avec le participe présent invariable ***manquant.*** *Les personnes manquant à l'appel sont déclarées absentes.*

manque n. m.
1. Pénurie. *Le manque d'eau.*
2. Absence. *Un manque de goût, d'imagination.*

manqué, ée adj.
Raté. *C'est un garçon manqué.*

manquer v. tr., intr., impers., pronom.
Verbe transitif direct
1. Ne pas réussir. *Il a manqué son effet.* **SYN.** rater.
2. Laisser échapper. *Elle a manqué une bonne occasion.* **SYN.** rater.
3. Ne pas être à temps. *Il a manqué son avion.* **SYN.** rater.
4. Ne pas être présent à. *Les enfants ont manqué l'école en raison de la tempête de neige.*
Verbe transitif indirect
1. Faire défaut à. *Les forces manquaient à l'athlète : il a dû renoncer à poursuivre la course.*
En ce sens, le verbe se construit avec la préposition ***à.***
2. Ne pas avoir en quantité suffisante. *Nous manquons de médicaments.*
En ce sens, le verbe se construit avec la préposition ***de.***
Verbe semi-auxiliaire
Être sur le point de, faillir. *J'ai manqué (de) le frapper.* **SYN.** faillir.
L'emploi de la préposition ***de*** est de niveau plus relevé. Dans la langue courante, surtout oralement, l'omission de la préposition est plus fréquente.
Verbe intransitif
1. Être absent, en parlant d'une personne ; faire défaut, en parlant de quelque chose. *Cet employé manque trop souvent. L'argent manque.*
2. Faire cruellement défaut. *Vous nous avez beaucoup manqué.* **SYN.** s'ennuyer de.
Pour indiquer que l'on souffre de l'absence de quelqu'un, il importe de donner au verbe le bon sujet, c'est-à-dire la personne absente. *Vous m'avez manqué* (et non *je vous ai manqué). La construction fautive est un calque de l'anglais « I missed you » et a un sens différent en français. En effet, on présume que l'autre personne a souffert de notre absence, ce qui n'est pas nécessairement exact.
Verbe impersonnel
Être en moins.
Il manque quelques livres dans la bibliothèque.
Verbe pronominal
Se rater (en parlant de personnes qui devaient se rencontrer). *Ils se sont manqués de quelques minutes seulement.*
Conjugaison [VOIR MODÈLE – **AIMER**]

mante n. f.
1. Cape. *Une mante de fourrure.*
2. Insecte carnassier. *La mante religieuse.*
HOM. **menthe**, herbe potagère, bonbon.

manteau n. m. (pl. *manteaux*)
Vêtement porté par-dessus les autres vêtements pour se protéger des intempéries. *Des manteaux d'hiver.*

manucure n. m. et f.
Personne dont le métier est de donner des soins de beauté aux mains, aux ongles.
Forme fautive
*faire un manucure. Anglicisme au sens de ***faire les ongles.***
man**u**cure, (et non *manicure).

manuel, elle adj. et n. m.
Adjectif
Qui se fait avec les mains. *Un travail manuel.*
Nom masculin
Ouvrage destiné à l'enseignement. *Des manuels scolaires.*

manufacture n. f.
1. Établissement industriel où le travail à la main est prédominant. *Une manufacture de porcelaine.*
2. (VIEUX) Entreprise industrielle.
En ce sens, le nom est vieilli ; cependant le verbe ***manufacturer*** demeure courant.

manufacturer v. tr.
Faire subir une transformation industrielle. *Manufacturer des jouets.*
Conjugaison [VOIR MODÈLE – **AIMER**]

manufacturier, ière adj. et n. m.
Adjectif
Relatif à l'industrie. *Les techniques manufacturières.*
Nom masculin
(VIEUX) Industriel, constructeur, fabricant.
Si ce mot s'emploie couramment comme adjectif, le nom est par contre vieilli ; on lui préférera ***industriel, constructeur, fabricant*** selon le cas.

manuscrit, ite adj. et n. m.
Adjectif
Écrit à la main. *Une lettre manuscrite.*
Nom masculin
1. Texte écrit à la main.
2. Texte original écrit, dactylographié. *Il faut remettre le manuscrit avant le 15 juin.*
manuscri**t.**

***map**
Anglicisme au sens de ***carte*** (géographique).

mappemonde n. f.
Carte plane représentant le monde en deux hémisphères.
Ne pas confondre avec ***globe terrestre,*** sphère représentant le monde.
ma**pp**emonde.

maquette n. f.
1. Modèle réduit.
2. (IMPRIMERIE) Représentation schématique d'une mise en pages. **SYN.** modèle.
Ne pas confondre avec les noms suivants :
- ***canevas,*** plan, schéma d'un texte ;
- ***ébauche,*** première forme donnée à une œuvre ;
- ***esquisse,*** représentation simplifiée d'une œuvre destinée à servir d'essai.

maquettiste n. m. et f.
Personne chargée d'exécuter des maquettes. *Une maquettiste publicitaire.*
maque**tt**iste.

maquillage n. m.
1. Art de maquiller, de se maquiller.
2. Produits de beauté. *Agnès ne porte pas de maquillage.*
3. (FIGURÉ) Action de cacher les défauts de quelque chose. *Le maquillage de la rouille d'une carrosserie.*

maquiller v. tr., pronom.
Verbe transitif
1. Mettre en valeur le visage. *Rita maquille Léa avec de la poudre et un peu de rouge à lèvres.*
2. (FIGURÉ) Camoufler frauduleusement, déguiser. *Maquiller la vérité.* **SYN.** cacher.

Verbe pronominal
Se farder. *Elle s'est maquillée légèrement. Elle s'est maquillé les yeux.*
Attention à la place du complément d'objet direct pour l'accord du participe passé.
Conjugaison [VOIR MODÈLE – **AIMER**]
Les lettres ***ill*** sont suivies d'un ***i*** à la première et à la deuxième personne du pluriel de l'indicatif imparfait et du subjonctif présent. *(Que) nous maquillions, (que) vous maquilliez.*

maquilleur n. m.
maquilleuse n. f.
Spécialiste du maquillage.

marabout adj. et n. m.
Adjectif
Grincheux, irritable. *Attention à Luc, il est plutôt marabout ce matin.*
Nom masculin
Oiseau échassier parent de la cigogne.
marabou**t.**

maraîcher n. m.
maraîchère n. f.
Personne qui fait la culture des légumes.
mara**î**cher, un accent circonflexe sur le ***i.***

maraîcher, ère adj.
Relatif à la culture des légumes. *La culture maraîchère.*
mara**î**cher, un accent circonflexe sur le ***i.***

marais n. m.
Nappe d'eau stagnante de faible profondeur, envahie par la végétation aquatique. (Recomm. off. OLF)

marathon n. m.
1. Course à pied sur route d'environ 40 km. *Le marathon de Montréal attire tous les ans de nombreux coureurs.*
2. (FIGURÉ) Épreuve d'endurance, activité qui demande beaucoup de temps et d'énergie. *L'organisation de ce voyage a été un véritable marathon*
marat**h**on.

marathonien, ienne n. m. et f.
Personne qui participe à un marathon.
marat**h**onien.

marbre n. m.
Pierre calcaire très dure. *Des tables de marbre, en marbre.*

marbrer v. tr.
1. Marquer de veines pour donner l'apparence du marbre.
2. Faire des marques. *Des joues marbrées par le froid.*
Conjugaison [VOIR MODÈLE – **AIMER**]

marbrure n. f.
Imitation des veines du marbre. *Faire des marbrures sur une boiserie.*

marcassin n. m.
Petit du sanglier.
VOIR TABLEAU – **ANIMAUX.**

marchand n. m.
marchande n. f.
Personne qui fait profession d'acheter pour revendre avec bénéfice. *Le marchand de sapins fait de bonnes affaires en décembre.*

marchand, ande adj.
Relatif au commerce. *Une rue marchande qui compte plusieurs magasins de vêtements.*
Locutions
Galerie marchande. Galerie où se trouvent plusieurs établissements commerciaux.
Marine marchande. Marine commerciale (paquebots, cargos), par opposition à ***marine de guerre.***

marchandage n. m.
Action de marchander. **SYN.** négociation.

marchander v. tr.
Discuter le prix de quelque chose pour l'obtenir à meilleur compte. *Pour le principe, dans un marché, il faut toujours marchander un peu.* **SYN.** négocier.
Conjugaison [VOIR MODÈLE – **AIMER**]

marchandise n. f.
Produit destiné à la vente. *Le prix d'une marchandise.* **SYN.** article.

marche n. f.
1. Degré d'un escalier sur lequel on pose le pied pour monter ou descendre. *Attention à la marche !*
2. Action de marcher. *La marche est un excellent exercice. Des chaussures de marche.*
3. Action de marcher, considérée sous le rapport de l'allure, de la distance parcourue ou de la durée. *Les enfants sont allés faire une longue marche dans la campagne. Pour aller au village, il y a bien une heure de marche. Ils font de la marche rapide.*
4. (FIGURÉ) Moyen. *Je voudrais connaître la marche à suivre pour louer ce vélo.*
5. Cortège. *Marche militaire.*
Locution
En marche. En fonctionnement. *Le train est en marche.*
L'OLF a normalisé les termes français suivants : ***marche, arrêt*** pour traduire l'anglais « on, off ».
Forme fautive
*prendre une marche. Anglicisme au sens de ***faire une promenade, une randonnée à pied, faire un tour, faire une petite, longue marche.***

marché n. m.
1. Lieu public où des marchandises sont offertes à la vente. *Le marché Jean-Talon est pittoresque.*
2. Contrat d'achat ou de vente. *Nous avons fait un bon marché avec le fournisseur.*
Locutions
À bon marché, locution adverbiale. À bas prix. *Vendre à bon marché.*
Bon marché, locution adjective. Peu coûteux. *Des vêtements bon marché.*
Marché aux puces. Endroit où l'on vend toute sortes de choses d'occasion.
Marché noir. Vente clandestine. *Ces cigarettes ont été achetées au marché noir.*

marchepied n. m.
Marche ou suite de marches qui servent à monter dans un car, un train, etc.
marchepied, en un seul mot.

marcher v. intr.
1. Avancer sur ses pieds. *Elle marche trop vite pour moi. Ne marchez pas dans la rue, marchez plutôt sur le trottoir !*
L'expression ***marcher à pied,*** qui est une répétition de mots dont le sens est identique, est maintenant passée dans l'usage, mais on peut lui préférer ***aller à pied, marcher.***

☞ On marche sur le trottoir, sur une route, sur un boulevard, dans la rue, dans la forêt, dans la campagne, le long d'un ruisseau, à travers champs.
2. Se déplacer, en parlant d'un véhicule. *Cette voiture marche à 100 km à l'heure.* **SYN.** aller, rouler.
3. Faire des progrès, avoir de bons résultats. *Les affaires ne marchent pas bien en ce moment.*
4. Fonctionner, en parlant d'un mécanisme, d'une machine, d'un organe. *Sa radio ne marche pas.*
5. (FAMILIER) Accepter. *Je ne marche pas : cette affaire est peu sûre. Ça marche, c'est d'accord !*
En français, le verbe ***marcher*** est intransitif ; il ne peut être suivi d'un complément de distance comme en anglais. *Bianca fait 2 km pour aller à l'école* (et non *marche 2 km).
Locutions
Faire marcher quelqu'un. (FAMILIER) Faire croire quelque chose à quelqu'un pour rire, taquiner quelqu'un. **SYN.** rouler.
Marcher comme sur des roulettes. Marcher très bien, progresser rapidement.
Conjugaison [VOIR MODÈLE – **AIMER**]

marcheur, euse n. m. et f.
Personne qui marche, qui aime marcher. *C'est une grande marcheuse.*

mardi n. m.
Deuxième jour de la semaine. *Il doit les rencontrer le mardi 20 juin.*
☞ Les noms de jour s'écrivent avec une minuscule et prennent la marque du pluriel. *Je viendrai tous les mardis,* mais *je viendrai tous les mardi et vendredi de chaque semaine.* Attention à la construction de la dernière phrase où les noms de jour restent au singulier parce qu'il n'y a qu'un seul mardi et qu'un seul vendredi par semaine.
VOIR TABLEAU – **JOUR.**
Locution
La fête du Mardi gras.
☞ Les noms de fête s'écrivent avec une majuscule au nom spécifique ; l'adjectif qui suit s'écrit avec une minuscule.

mare n. f.
Petite étendue d'eau. *Trois petits canards se suivent dans la mare.*

marécage n. m.
Étendue de terrain imprégnée ou recouverte d'eau, occupée par une végétation d'arbustes. *Les oiseaux migrateurs apprécient les marécages.*

marécageux, euse adj.
1. Où il y a des marécages. *Des terres marécageuses.*
2. Qui vit dans les marécages. *Une plante marécageuse.*
✎ marécageu**x.**

marée n. f.
Mouvement périodique des eaux de la mer qui montent et baissent chaque jour de façon régulière. *La marée est haute, tout à l'heure elle baissera.*
Locutions
Contre vents et marées, contre vent et marée, locution adverbiale. Malgré tous les obstacles.
Marée noire. Arrivée sur un rivage d'une nappe de pétrole répandue accidentellement.
Raz de marée ou ***raz-de-marée.*** Vague immense qui déferle sur le rivage, généralement à la suite d'un tremblement de terre ou d'une éruption volcanique. *Des raz de marée, des raz-de-marée terrifiants.*
☞ Ce nom masculin est invariable.

marelle n. f.
Jeu d'enfants qui consiste à pousser un caillou avec le bout du pied dans des cases tracées sur le sol. *Jouer à la marelle.*
✎ ma**r**e**ll**e.

margarine n. f.
Graisse alimentaire. *Certaines personnes ont remplacé le beurre par de la margarine.*
✎ mar**ga**rine.

marge n. f.
1. Espace blanc autour d'un texte. *Écrire des notes dans la marge.*
2. Intervalle de temps ou d'espace. *La marge de manœuvre est grande. Prévoir une marge d'erreur.*
Locutions
En marge de, locution prépositive. À l'écart, à l'extérieur de. *Ils vivent en marge de la société.*
Marge bénéficiaire. Différence entre le prix de vente et le prix de revient.

margoulette n. f.
(FAMILIER) Mâchoire. *Attention de ne pas te casser la margoulette avec tes patins à roulettes.*

marguerite n. f.
Fleur blanche à cœur jaune. *Un bouquet de marguerites.*

mari n. f.
Abréviation familière de ***marihuana.***

mari n. m.
Homme uni à une femme par mariage.

mariage n. m.
1. Union légitime d'un homme et d'une femme. *Un mariage civil, religieux.*
2. (FIGURÉ) Rapprochement. *Le mariage des couleurs.* **SYN.** harmonie, mélange.

marié, ée adj. et n. m. et f.
Qui est uni à une autre personne par le mariage. *Des jeunes mariés.* **ANT.** célibataire.

marier v. tr., pronom.
Verbe transitif
1. Unir par le mariage. *Elle a marié sa fille à un médecin, avec un médecin.*
Le complément se construit avec les prépositions ***à*** ou ***avec.*** *Marier quelqu'un à ou avec quelqu'un.*
☞ Le verbe se conjugue avec l'auxiliaire ***avoir*** pour marquer l'action, l'auxiliaire ***être*** pour marquer l'état. *Ils sont mariés depuis 20 ans. Elle est mariée à un pharmacien.*
2. ⚜ (FAMILIER) Épouser. *Elle a marié son ami d'enfance.*
☞ Cet emploi est familier ; dans un style soigné, on préférera la forme pronominale.
Verbe pronominal
Épouser. *Elle s'est mariée avec un ami d'enfance.*
Conjugaison [VOIR MODÈLE – **ÉTUDIER**]

marihuana ou **marijuana** n. f.
Le ***h*** se prononce ***r*** et le ***u*** comme ***ou*** [marirwana] ou le ***h*** se prononce ***j*** et le ***u*** comme ***u*** [mariʒɥana].
S'abrège familièrement en ***mari.***
Chanvre indien employé comme drogue. *Fumer de la marihuana.*

marin, ine adj.
Adjectif
Qui se rapporte à la mer. *Les algues marines, du sel marin.*

Adjectif de couleur invariable
Bleu foncé. *Des vestes marine, des tricots bleu marine* (et non bleu *marin).
VOIR TABLEAU – **COULEUR (ADJECTIFS DE).**
L'adjectif simple ou composé est invariable et s'écrit sans trait d'union.

marin n. m.
Personne dont la profession est de naviguer. *« Marin d'eau douce ! » crie le capitaine Haddock.*
Ce nom n'a pas de forme féminine. *Florence ferait un bon marin.*

marina n. f.
Port de plaisance où sont amarrés voiliers et petits bateaux. *Des marinas à l'abri du vent.*

marinade n. f.
1. Mélange pour faire mariner. *Laissez tremper toute la nuit dans cette marinade.*
2. Aliment mariné. *Prendrez-vous quelques marinades ou quelques crudités ?*

marine n. f.
1. Art de la navigation sur mer.
2. Ensemble des marins et des navires d'un pays. *La marine marchande de Grèce.*

mariner v. tr., intr.
Verbe transitif
Faire macérer (de la viande, des poissons, etc.) dans une marinade.
Verbe intransitif
Baigner dans une marinade, en parlant d'un aliment.
Conjugaison [VOIR MODÈLE – **AIMER**]

maringouin n. m.
Espèce de moustique qui pique. *Au printemps, il y a beaucoup de maringouins dans l'île.*
maringouin.

marionnette n. f.
Petite figure qu'on fait mouvoir à l'aide de la main ou de fils. *Pépinot et Capucine ont été les marionnettes préférées de notre enfance.*
marionnette.

marionnettiste n. m. et f.
Personne qui manœuvre des marionnettes.
marionnettiste.

maritime adj.
1. Relatif à la navigation en mer. *Un chantier maritime.*
2. Qui est au bord de la mer. *Un pin maritime. Les Provinces maritimes.*
Les plantes maritimes se trouvent dans le voisinage de la mer, alors que les plantes marines vivent dans la mer (ex. : les algues).

marjolaine n. f.
Herbe aromatique.

mark n. m.
Unité monétaire allemande. *Des milliers de marks.*

marmaille n. f.
(FAMILIER) Ensemble bruyant de jeunes enfants.

marmelade n. f.
Fruits cuits avec du sucre. *De la marmelade d'oranges.*
Le complément se met généralement au pluriel.

Locution
En marmelade. (FIGURÉ) En piteux état. *J'ai les jambes en marmelade après cette course.* **SYN.** en compote.
marmelade.

marmite n. f.
Récipient fermé d'un couvercle et muni d'anses où l'on fait cuire des aliments. *Il y a un bon pot-au-feu dans la marmite.*
VOIR **CASSEROLE.**
marmite.

marmiton n. m.
Aide-cuisinier.

marmonnement n. m.
Murmure difficile à comprendre. *Ses marmonnements m'exaspèrent : je ne comprends pas ce qu'il dit.*

marmonner v. tr.
Prononcer à mi-voix des paroles confuses, souvent avec colère.
Ne pas confondre avec les mots suivants :
- ***chuchoter,*** dire à voix basse à l'oreille de quelqu'un ;
- ***marmotter,*** parler entre ses dents ;
- ***murmurer,*** prononcer à mi-voix des paroles confuses, surtout pour se plaindre ou protester.
Conjugaison [VOIR MODÈLE – **AIMER**]

marmot n. m.
(FAMILIER) Petit enfant. *Des marmots jouaient dans le parc.*
Ce nom ne s'emploie qu'au masculin, le féminin ayant un tout autre sens.
marmot.

marmotte n. f.
Rongeur qui passe l'hiver en hibernation. *Dormir comme une marmotte.*
VOIR TABLEAU – **ANIMAUX.**

marmotter v. tr.
Parler entre ses dents. *Qu'est-ce que tu marmottes ? Articule mieux pour qu'on puisse te comprendre.*
Ne pas confondre avec ***marmonner,*** prononcer à mi-voix des paroles confuses, souvent avec colère.
Conjugaison [VOIR MODÈLE – **AIMER**]
marmotter.

marocain, aine adj. et n. m. et f.
Du Maroc. *Le drapeau marocain. Un Marocain, une Marocaine.*
L'adjectif s'écrit avec une minuscule ; le nom, avec une majuscule.
marocain.

marquant, ante adj.
Mémorable. *Une date marquante.* **SYN.** remarquable.

marque n. f.
1. Signe particulier. *Faire une marque au crayon.* **SYN.** trait.
2. Trace, empreinte. *La marque d'un pneu sur le sol.*
Locutions
De marque. De qualité supérieure, de prestige. *Une image de marque.*
Marque de fabrication, de commerce. Label servant à distinguer les produits d'une entreprise, d'un commerce.

marquer v. tr.
1. Signaler. *Marquer les articles d'un trait.* **SYN.** indiquer.
2. Laisser une trace. *Ce verre a marqué la table.*
3. Faire connaître, exprimer. *Marquer sa reconnaissance, de l'intérêt.* **SYN.** manifester, montrer.
4. Réussir. *Marquer un but, un essai.*

5. Influencer. *Ton parrain t'a beaucoup marquée.*
Conjugaison [VOIR MODÈLE – **AIMER**]

marqueur, euse n. m. et f.
Nom masculin et féminin
(SPORTS) Joueur qui marque un but, un essai, etc.
Nom masculin
Gros crayon-feutre. *Inscris ton adresse sur le colis avec un marqueur vert.*

marquis, ise n. m. et f.
Nom masculin et féminin
Titre de noblesse venant entre celui de duc et celui de comte.
Nom féminin
1. Femme d'un marquis.
2. Auvent.

marraine n. f.
Personne qui tient un enfant (son filleul, sa filleule) lors du baptême et qui, dans une certaine mesure, en demeure responsable. *Elle est la marraine de Fanny.*
marraine.

marrant, ante adj. et n. m. et f.
(FAMILIER) Amusant. *Ce clown est très marrant.* **SYN.** comique, drôle, (FAMILIER) rigolo.

marre adv.
En avoir marre. (FAMILIER) Ne plus pouvoir supporter. *Elles en ont marre.* **SYN.** en avoir assez, (FAMILIER) en avoir ras le bol.

marrer (se) v. pronom.
(FAMILIER) S'amuser. *Ils se sont bien marrés.* **SYN.** rigoler, rire.
Le participe passé de ce verbe qui n'existe qu'à la forme pronominale s'accorde toujours en genre et en nombre avec le sujet du verbe.
Conjugaison [VOIR MODÈLE – **AIMER**]

m

marron adj. inv. et n. m.
Adjectif de couleur invariable
De la couleur brune du marron. *Des chaussures marron clair, des gants marron foncé.*
VOIR TABLEAU – **COULEUR (ADJECTIFS DE).**
Nom masculin
Fruit comestible du châtaignier. *Des marrons glacés.*
Dans la langue de la cuisine, on utilise le mot ***marron*** plutôt que ***châtaigne.***

marronnier n. m.
Arbre qui produit les marrons.
marronnier.

mars n. m.
Troisième mois de l'année. *Les 28 et 29 mars.*
Les noms de mois s'écrivent avec une minuscule.
VOIR TABLEAU – **DATE.**

marsouin n. m.
Mammifère cétacé voisin du dauphin.

marteau adj. inv. et n. m. (pl. *marteaux*)
Nom masculin
Outil composé d'une masse de métal et d'un manche pour frapper, enfoncer.
Adjectif invariable en genre
(FAMILIER) Un peu fou. *Elles sont marteaux.*

marteler v. tr.
Façonner à coups de marteau. *Il martèle un gobelet de cuivre.*
Conjugaison [VOIR MODÈLE – **CONGELER**]
Le **e** se change en **è** devant une syllabe muette. *Il martèle, il martelait.*
marteler.

martial, ale, aux adj.
Le ***t*** se prononce ***s*** [marsjal]; le mot rime avec ***partial.***
(LITTÉRAIRE) Relatif à la guerre; militaire. *Air de musique martiale.*
Locution
Arts martiaux. Sports de combat d'origine asiatique tels le judo, le karaté.

martien, ienne adj. et n. m. et f.
Adjectif
De la planète Mars.
Nom masculin et féminin
Habitant imaginaire de Mars.

martiniquais, aise adj. et n. m. et f.
De la Martinique. *Une danse martiniquaise. Un Martiniquais, une Martiniquaise.*
L'adjectif s'écrit avec une minuscule; le nom, avec une majuscule.

martin-pêcheur n. m. (pl. *martins-pêcheurs*)
Oiseau qui se nourrit de poissons.

martyr, yre n. m. et f.
Nom masculin et féminin
Personne qui a subi la torture, que l'on maltraite et tue. *Ces enfants sont des martyrs de la guerre. Sainte Cécile, patronne des musiciens, a été une martyre romaine.*
Nom masculin
Supplice, grande souffrance. *Souffrir le martyre.*
Attention à l'orthographe de ce deuxième sens : martyr**e,** un **e** final.
martyr.

martyriser v. tr.
Faire souffrir, maltraiter, tuer. *Les premiers chrétiens ont été martyrisés.*
Conjugaison [VOIR MODÈLE – **AIMER**]
martyriser.

mascarade n. f.
1. Déguisement. *La mascarade de l'Halloween.*
2. (FIGURÉ) Parade ridicule.

mascotte n. f.
Fétiche, porte-bonheur. *Ce toutou est la mascotte de la classe.*

masculin, ine adj. et n. m.
Adjectif
1. Qui est propre à l'homme, au mâle. *Un enfant de sexe masculin.*
2. Qui a les caractères de l'homme. *Elle a une voix masculine.*
Nom masculin
(GRAMMAIRE) Un des genres grammaticaux de la langue française qui s'applique aux noms d'êtres animés mâles et à de nombreux noms d'êtres inanimés. *Le frère, le romancier, le cheval, le renard sont des noms d'êtres animés qui ont le masculin pour genre. Le pont, le crayon et le ballon sont des noms d'êtres inanimés dont le genre est le masculin.*
VOIR TABLEAU – **GENRE.**

maskinongé n. m.
Poisson d'eau douce de la famille du brochet.
Ce nom est un amérindianisme.

masque n. m.
1. Appareil de protection du visage. *Masque d'oxygène, de soudeur, de plongée.*
2. Objet, tissu dont on se couvre le visage pour se déguiser. *Un masque de sorcière.*

masquer v. tr.
Dissimuler derrière un masque. *Les belles dames étaient masquées pour le bal. Un cambrioleur masqué.*
Conjugaison [VOIR MODÈLE – **AIMER**]

massacrant, ante adj.
Humeur massacrante. Humeur maussade. **SYN.** humeur de chien, mauvaise humeur.
Cet adjectif ne s'emploie que dans l'expression citée.
Ne pas confondre avec le participe présent invariable ***massacrant.*** *Les curieux regardaient impuissants les lions massacrant leur proie.*

massacre n. m.
Meurtre d'un grand nombre d'êtres vivants. *Cette guerre a entraîné d'horribles massacres.*

massacrer v. tr.
1. Tuer un grand nombre de personnes avec sauvagerie. *Cette peuplade a été massacrée.* **SYN.** assassiner.
2. (FIGURÉ) Détruire. *Ces opposants ont massacré notre projet.*
Conjugaison [VOIR MODÈLE – **AIMER**]

massage n. m.
Action de masser. *Un massage facial.*

masse n. f.
1. Grand nombre. *La masse des élèves a choisi* ou *ont choisi l'excursion en ski.*
L'accord du verbe ou de l'attribut se fait généralement avec le nom collectif qui est au singulier; il peut se faire avec le complément du pluriel si l'auteur veut insister sur l'idée de pluralité.
VOIR TABLEAU – **COLLECTIF.**
2. Quantité de matière d'un corps. *Le kilogramme est une unité de masse.*
3. Gros marteau de fer.

masser v. tr., pronom.
Verbe transitif
1. Disposer par masses. *Masser des troupes près des frontières.* **SYN.** grouper, réunir.
2. Pétrir différentes parties du corps avec les mains pour assouplir les tissus, les articulations, etc. *Se faire masser procure une immense détente.*
Verbe pronominal
1. Se grouper, en parlant d'un grand nombre de personnes. *La foule s'est massée devant l'immeuble en feu.*
2. Se frotter une partie du corps. *Elle se massait la cheville pour atténuer la douleur.*
Conjugaison [VOIR MODÈLE – **AIMER**]

masseur n. m.
masseuse n. f.
Personne dont la profession est de faire des massages.

massif n. m.
1. Ensemble montagneux non orienté qui se dégage du relief environnant. (Recomm. off. OLF)
Ne pas confondre avec les noms suivants :
– ***butte,*** petite colline ;
– ***colline,*** relief d'élévation modérée aux versants généralement en pente douce ;
– ***mont,*** importante élévation se détachant du relief environnant ;
– ***pic,*** sommet rocheux aux flancs escarpés.
2. Groupe d'arbres, d'arbustes ou de fleurs. *Des massifs de fleurs.*

massif, ive adj.
1. Lourd, épais. *Des traits massifs.* **SYN.** gros.
2. Plein. *De l'or massif.*
3. En grandes quantités. *Des doses massives d'antibiotiques sont venues à bout de sa maladie.*

massue n. f.
Bâton noueux servant à assommer.
Locution
Argument massue. (FIGURÉ) Argument très percutant. *Il lui servit des arguments massue qui la laissèrent sans réplique.*
Mis en apposition, le mot ***massue*** reste invariable.
massu**e.**

mastic n. m.
Mélange adhésif. *Nicolas, achète du mastic pour réparer le carreau, s'il te plaît.*
masti**c.**

mastication n. f.
Action de broyer les aliments avec les dents.

mastiquer v. tr.
1. Broyer les aliments avec les dents. *Mastiquez bien avant d'avaler.* **SYN.** mâcher.
2. Poser des joints de mastic. *Mastiquer une fenêtre.*
Conjugaison [VOIR MODÈLE – **AIMER**]

mastodonte n. m.
1. Mammifère fossile voisin de l'éléphant.
2. Personne ou chose énorme. *Cette grue est un mastodonte : elle est géante.*

mat, mate adj.
Le ***t*** se prononce au masculin comme au féminin [mat].
Qui ne brille pas. *Un noir mat. Il a la peau mate.*

mât n. m.
(MARITIME) Longue pièce dressée sur un navire et destinée à porter les voiles, les installations radioélectriques. *Un drapeau flotte sur le mât.*
mât, un accent circonflexe sur le ***a.***

matador n. m.
Torero chargé de mettre le taureau à mort, dans une corrida.
matado**r.**

match n. m. (pl. *matchs* ou *matches*)
Les lettres ***tch*** se prononcent [matʃ].
Compétition sportive. *Des matchs de tennis.*
Au Québec, on dit aussi ***joute.***

matelas n. m.
Sorte de vaste coussin qui couvre l'étendue d'un lit.
matela**s.**

matelot n. m.
Marin faisant partie de l'équipage d'un navire.
matelo**t.**

matériau n. m. (pl. *matériaux*)
1. Matière première. *Le bois est un matériau très utilisé.*
Dans la langue technique, ce nom est fréquemment employé ; dans la langue soutenue ou littéraire, on pourra préférer le nom ***matière.*** *Le marbre est une matière noble.*

m

2. (AU PLURIEL) Ensemble des matières entrant dans la construction des bâtiments (pierre, bois, etc.). *Des matériaux de construction de première qualité.*

matériel, elle adj. et n. m.
Adjectif
Qui est formé de matière. *Les biens matériels.* **ANT.** spirituel.
Nom masculin
1. Ensemble d'outils, d'instruments nécessaires à une exploitation. *Du matériel sophistiqué.*
2. (INFORMATIQUE) Ensemble d'éléments physiques employés pour le traitement des données, par opposition aux programmes et à la documentation correspondante (logiciel). *Du matériel informatique.*
Forme fautive
*matériel. Anglicisme au sens de ***tissu.***

maternel, elle adj.
Qui appartient à la mère. *La tendresse maternelle.*
Locution
Langue maternelle. La première langue apprise.

maternelle n. f.
École où l'on reçoit les jeunes enfants.

maternité n. f.
État de mère.

mathématicien n. m.
mathématicienne n. f.
Spécialiste des mathématiques.
✎ ma**thé**ma**ti**cien.

mathématique adj. et n. f.
Adjectif
Qui a trait aux mathématiques. *Les sciences mathématiques.*
Nom féminin
(GÉNÉRALEMENT PLURIEL) Science qui a pour objet la mesure et les propriétés des grandeurs. *Aimer les mathématiques. Un cours de mathématiques.*
☞ Ce nom s'abrège familièrement en ***math(s)*** et s'emploie généralement au pluriel.
✎ ma**thé**ma**ti**que.

mathématiquement adv.
1. Selon les méthodes des mathématiques.
2. Rigoureusement. *C'est mathématiquement exact.*
✎ ma**thé**ma**ti**quement.

math ou **maths** n. f. pl.
Le ***s*** ne se prononce pas [mat].
Abréviation familière de ***mathématiques.*** *Catherine est forte en maths.*

matière n. f.
1. Substance. *Des matières grasses.*
2. Contenu. *La matière d'un livre, d'un cours.* **SYN.** sujet, thème.
Locutions
Donner, être matière à. Être l'occasion, la cause de. *Ces écarts donnent matière à réflexion.*
En matière de, locution prépositive. En ce qui concerne. *En matière de sport.*
Entrée en matière. Introduction.
☞ Dans ces expressions, le mot ***matière*** demeure au singulier.
Matière grise. Cerveau.
Matières premières. Matières non encore transformées par le travail.
Table des matières. Liste schématique des parties d'un ouvrage.

matin n. m.
Début de la journée. *Elle part tous les matins. Il est rentré à 4 heures du matin.*
Locutions
Au petit matin, locution adverbiale. Très tôt, à l'aube.
De bon matin, locution adverbiale. De bonne heure.
Du matin au soir, locution adverbiale. Toute la journée.
Un beau matin, locution adverbiale. Un jour.
VOIR **TABLEAU - JOUR.**

matinal, ale, aux adj.
1. Qui est propre au matin. *Des bruits matinaux.*
2. Qui se lève tôt. *Vous êtes bien matinal aujourd'hui.* **SYN.** lève-tôt.

matinée n. f.
1. Période de temps comprise entre le lever du soleil et midi. *Une froide matinée.* **SYN.** ⚜ avant-midi.
2. Représentation d'un spectacle en après-midi, par opposition à la soirée.
Locution
Faire la grasse matinée. Se lever tard. *Le samedi, Alexandre aime bien faire la grasse matinée.*

matou n. m. (pl. *matous*)
Chat domestique mâle. *Un matou blanc surveille un coin du jardin.*
VOIR TABLEAU – **ANIMAUX.**

matraque n. f.
Bâton servant à frapper. *Les policiers se défendent parfois à coups de matraque.*
✎ matra**que.**

matricule n. m.
Numéro inscrit dans un registre. *Le matricule d'un prisonnier.*
Locution
Numéro matricule. Numéro sous lequel une personne est inscrite. *Des numéros matricules. Quel est le numéro matricule de ton dossier scolaire ?*

matronyme n. m.
Nom de famille transmis par la mère, par opposition à ***patronyme,*** qui est transmis par le père. *Leduc est un matronyme lorsqu'il s'agit du nom de la mère et Camille, un prénom.*
☞ Les matronymes s'écrivent avec une majuscule.
✎ matron**y**me.

mature adj.
Se dit d'un végétal, d'un animal parvenu à maturité.
☞ L'antonyme ***immature*** se dit d'un animal qui n'a pas atteint la maturité physique, d'une personne qui manque de maturité intellectuelle.
Forme fautive
*mature. Anglicisme au sens de ***mûr,*** en parlant d'une personne.

maturité n. f.
1. État des fruits mûrs.
2. État de ce qui a atteint son plein développement.
3. Sagesse, jugement acquis par l'expérience. *Elle n'a pas beaucoup de maturité, elle est encore très jeune de caractère.*

maudire v. tr.
1. Vouer au malheur, à l'enfer.
2. Détester quelqu'un, quelque chose. **SYN.** haïr.
Conjugaison [VOIR MODÈLE – **FINIR**]
INDICATIF PRÉSENT *Je maudis, tu maudis, il maudit, nous maudissons, vous maudissez, ils maudissent.* IMPARFAIT *Je maudissais.* PASSÉ SIMPLE *Je maudis.* FUTUR *Je maudirai.* **CONDITIONNEL**

PRÉSENT *Je maudirais.* **IMPÉRATIF** PRÉSENT *Maudis, maudissons, maudissez.* **SUBJONCTIF** PRÉSENT *Que je maudisse, qu'il maudisse.* IMPARFAIT *Que je maudisse, qu'il maudît.* **PARTICIPE** PRÉSENT *Maudissant.* PASSÉ *Maudit, ite.*

maudit, ite adj.
1. Sur qui la malédiction a été appelée. *Caïn fut maudit par son père.*
2. Détestable, exécrable. *Quel maudit temps !*
En ce sens, l'adjectif est généralement placé avant le nom.

maussade adj.
La première syllabe se prononce avec un **o** fermé [mosad], comme dans ***mot.***
1. De mauvaise humeur. *Maxime et Elena ne sont jamais maussades, ils sont toujours de bonne humeur.* **SYN.** grognon.
2. Triste. *Temps maussade.* **SYN.** ennuyeux.

mauvais, aise adj. et adv.
Adjectif
1. Qui n'a pas les qualités morales nécessaires (en parlant d'une personne). *C'est un mauvais citoyen.*
2. Qui dénote de la malveillance. *Un air mauvais.*
3. Désagréable. *Il est de mauvaise humeur.*
4. Qui présente un défaut (en parlant d'une chose). *Un mauvais produit, une mauvaise vue.* **SYN.** défectueux.
5. Faux. *C'est la mauvaise réponse.* **SYN.** erroné, incorrect, inexact.
6. Incommode, défavorable. *Il fait mauvais temps, recevoir une mauvaise nouvelle.*
7. Désagréable au goût, à l'odorat. *Ce café est très mauvais.*
Adverbe
Ces herbes sentent mauvais. Il fait mauvais. **ANT.** bon.
Pris adverbialement, le mot est invariable.

mauve adj. et n. f.
Nom féminin
Plante dont les fleurs sont d'un violet pâle. *Des mauves.*
Adjectif de couleur variable
De la couleur violet pâle de la mauve. *Des robes mauves.*
VOIR TABLEAU – **COULEUR (ADJECTIFS DE).**

max n. m.
Abréviation familière de ***maximum.*** *J'ai travaillé au max.*

maxi- préf.
Élément du latin signifiant « le plus grand ».
Les mots composés avec le préfixe ***maxi-*** s'écrivent avec ou sans trait d'union.

maxillaire adj. et n. m.
Adjectif
Qui se rapporte aux mâchoires.
Nom masculin
1. Mâchoire supérieure.
2. Os des mâchoires. *Le maxillaire inférieur.*
Attention au genre masculin du nom : ***un*** maxillaire.
maxi**ll**aire.

maximal, ale, aux adj.
Qui est au plus haut degré. *Des chiffres maximaux.*
L'emploi de l'adjectif ***maximal*** est à préférer à celui de l'adjectif d'origine latine ***maximum.***

maxime n. f.
Formule brève d'une réflexion, d'une règle de conduite très simple. *Les fables de La Fontaine sont riches en maximes : « La raison du plus fort est toujours la meilleure. »*

maximiser v. tr.
Donner la plus haute valeur possible à (une grandeur, une idée, etc.). *Luc essaie de maximiser ses chances de succès.*
Conjugaison [VOIR MODÈLE – **AIMER**]

maximum adj. et n. m. (pl. *maximums* ou *maxima*)
Le ***u*** se prononce ***o*** [maksimɔm] ; le mot rime avec ***homme.***
Adjectif
Qui est à son plus haut degré. *Des vitesses maximums.* **SYN.** maximal.
L'adjectif conserve la même forme au masculin et au féminin, mais prend la marque du pluriel. L'emploi de l'adjectif ***maximal*** est à privilégier.
Nom masculin
S'abrège familièrement en ***max*** (s'écrit sans point).
1. Limite supérieure. *Le maximum de vitesse est de 100 km/h.*
2. Le plus grand nombre. *Le maximum d'atouts pour réussir.*
Locutions
Au maximum, locution adverbiale. Au plus haut degré. *Il doit se concentrer au maximum.*
Au maximum, locution adverbiale. Au plus. *Je paierais cet article 100 $ au maximum.*
L'expression *au grand maximum est un pléonasme. Prendre garde à l'expression ***réduire au minimum*** (et non *au maximum).

mayonnaise n. f.
Sauce froide à base de jaune d'œuf et d'huile. *Un sandwich au jambon avec de la mayonnaise s.v.p.*
Employé en apposition, le nom est invariable. *Des crudités mayonnaise.*
ma**y**o**nn**aise.

mazout n. m.
Le ***t*** se prononce [mazut].
Combustible liquide utilisé pour le chauffage domestique et industriel. Il est improprement désigné au Québec par les expressions ***huile à chauffage; huile à fournaise; huile de chauffage; huile de fournaise.*** (Recomm. off. OLF)

M^e^
Abréviation de ***maître.***
L'abréviation du pluriel ***maîtres*** est ***M^es^.***

me pron. pers. m. et f. sing.
Pronom personnel masculin et féminin de la première personne du singulier. ***Me*** ne s'emploie que devant un verbe ou après le verbe à l'impératif, où il s'élide devant ***en*** ou ***y***. *Tu me donnes un livre. Donne-m'en un peu.*
EMPLOIS
– Complément d'objet direct
Le pronom représente la personne qui parle et indique qu'elle subit l'action faite par le sujet. *Il me regarde.*
Le pronom a la même fonction dans les verbes pronominaux réfléchis. *Je me suis intéressée à ce projet.*
– Complément d'objet indirect
Le pronom indique que la personne qui parle subit indirectement l'action faite par le sujet. *Il me parle.*
Le pronom a la même fonction dans les verbes essentiellement pronominaux. *Je me souviens.*
Le pronom s'élide devant une voyelle ou un ***h*** muet. *Il m'adore, tu m'honores.*
VOIR TABLEAU – **PRONOM.**

mécanicien n. m.
mécanicienne n. f.
Personne dont le métier est d'exécuter les réparations courantes sur des ensembles mécaniques.

mécanique adj. et n. f.
Adjectif
Qui est exécuté par, qui fonctionne grâce à un mécanisme. *Une tondeuse mécanique.*
Nom féminin
Science de la construction des machines. *Boris et Martine s'intéressent à la mécanique.*

mécanisme n. m.
Agencement de pièces disposées de façon à obtenir un résultat donné. *Régler un mécanisme d'horlogerie.*

méchamment adv.
Les deux ***m*** se prononcent comme un seul [meʃamɑ̃].
1. Avec méchanceté. **SYN.** durement.
2. (FAMILIER) Très. *Julie a été méchamment chanceuse : elle a gagné le grand prix du concours.* **SYN.** drôlement.
mécha**mm**ent.

méchanceté n. f.
1. Penchant à faire du mal. *Il a trahi ses associés par méchanceté.* **SYN.** dureté, malveillance. **ANT.** bonté, gentillesse.
2. Action, parole méchante. *Dire des méchancetés.*

méchant, ante adj. et n. m. et f.
Adjectif
1. (Après le nom) Porté au mal, cruel. *Attention ! chien méchant. Cette personne est bête et méchante.*
2. (FAMILIER) (Avant le nom) Extraordinaire. *Les amis ont organisé une méchante fête pour son départ.*
Nom masculin et féminin
(LITTÉRAIRE) Personne méchante. *Les bons et les méchants.*

mèche n. f.
1. Assemblage de fils destiné à brûler dans un appareil d'éclairage. *Une mèche de lampe à pétrole. La mèche d'un bâton de dynamite.*
2. Petite touffe de cheveux. *Il a toujours une mèche sur l'œil.*
3. Petite tige effilée. *Une mèche de perceuse électrique.*
Locution
Éventer, découvrir, vendre la mèche. (FIGURÉ) Révéler un secret. *Elle a éventé* (et non *éventré) *la mèche.*

méchoui n. m.
Mouton cuit à la broche. *Préparer des méchouis comme au Maroc et en Tunisie.*
méch**oui.**

méconnaissable adj.
Qu'on a peine à reconnaître. *Depuis son accident, elle est méconnaissable.*

méconnaître v. tr.
Ne pas reconnaître à sa juste valeur. *On méconnaît sa compétence.* **SYN.** ignorer, négliger.
Conjugaison [VOIR MODÈLE – **PARAÎTRE**]

méconnu, ue adj. et n. m. et f.
Qui n'est pas reconnu à sa juste valeur. *Un peintre méconnu.*

mécontent, ente adj. et n. m. et f.
Insatisfait. *Ces habitués du métro sont mécontents de la grève.* **SYN.** contrarié, fâché.

mécontentement n. m.
Insatisfaction. *Cette décision a suscité colère et mécontentement.*

mécontenter v. tr.
Rendre mécontent. *L'augmentation des taxes mécontente tout le monde.*
Conjugaison [VOIR MODÈLE – **AIMER**]

médaille n. f.
1. Pièce de métal qui représente un sujet de dévotion, d'estime. *Une médaille de la Vierge.*
2. Prix dans un concours, une exposition. *Recevoir la médaille d'or.*
3. Titre de nombreuses distinctions honorifiques. *Être titulaire d'une médaille militaire.*
Le nom ***médaille*** en ce sens s'écrit avec une minuscule, alors que le mot spécifique de la distinction honorifique s'écrit avec une majuscule.

médaillé, ée adj. et n. m. et f.
Décoré d'une médaille. *Myriam Bédard est médaillée d'or des Jeux olympiques de Lillehammer.*

médailler v. tr.
Décorer quelqu'un d'une médaille.
Conjugaison [VOIR MODÈLE – **AIMER**]

médaillon n. m.
Cadre, bijou de forme circulaire ou ovale dans lequel on place un portrait, des cheveux, etc.

médecin n. m. et f.
Personne titulaire du diplôme de docteur en médecine, qui exerce la médecine. *Un médecin spécialiste, un médecin consultant. Des médecins traitants. Elle est médecin de famille.*

médecine n. f.
Science qui a pour objet la conservation de la santé, le traitement des malades.

média n. m. (pl. *médias*)
Moyen de diffusion massive de l'information. (Recomm. off. OLF) *La presse, la radio, la télévision, la télématique, etc., sont des médias.*
Ce nom d'origine latine venu par l'intermédiaire de l'anglais est maintenant francisé : il s'écrit avec un accent aigu et prend la marque du pluriel.
Locution
Média de masse. Moyen de communication et d'information de masse.

médiatique adj.
Relatif aux médias. *Les moyens médiatiques.*

médical, ale, aux adj.
Relatif à la médecine. *Avoir une formation médicale. Des experts médicaux.*

médicalement adv.
Du point de vue de la médecine.

médicament n. m.
Substance destinée à soulager ou à guérir un malade.

médicamenteux, euse adj.
Qui renferme un médicament. *Un sirop médicamenteux.*

médiéval, ale, aux adj.
Relatif au Moyen Âge. *La poésie médiévale.*
En ce sens, l'adjectif ***moyenâgeux*** est vieilli, mais on l'emploie toujours au sens de ***vétuste, dépassé.***

médiocre adj.
1. De mauvaise qualité. *Un repas médiocre.*
2. Faible, sans talent. *Des élèves médiocres.*

note | orthographe | *forme fautive

médiocrité n. f.
Faiblesse, imperfection. *La médiocrité d'un livre.*

médisance n. f.
Propos vrais qui peuvent nuire à quelqu'un.
Ne pas confondre avec le nom ***calomnie,*** propos mensongers qui attaquent la réputation de quelqu'un.

méditatif, ive adj.
Pensif. *Un air méditatif.*

méditation n. f.
Réflexion. *Elle a un penchant pour la méditation.*

méditer v. tr., intr.
Verbe transitif
Réfléchir sérieusement à quelque chose. *Méditer un sujet.* **SYN.** songer à.
Verbe intransitif
Réfléchir attentivement. *Méditer sur une question.*
Conjugaison [VOIR MODÈLE – **AIMER**]

méditerranéen, enne adj. et n. m. et f.
Qui se rapporte à la Méditerranée. *Un paysage méditerranéen. Un Méditerranéen, une Méditerranéenne.*
L'adjectif s'écrit avec une minuscule ; le nom, avec une majuscule.
méditerranéen.

***médium**
Anglicisme au sens de ***moyen.*** *Désirez-vous une chemise de taille petite, moyenne* (et non *médium) *ou grande ?*

méduse n. f.
Animal marin de consistance gélatineuse. *Au bord de la mer, il y a parfois des méduses* (et non des *jelly fish).

***meeting**
Anglicisme pour ***rencontre.***

méfait n. m.
Action nuisible, mauvais coup. *Ces fêtards ivres ont commis plusieurs méfaits.*

méfiance n. f.
Doute, état d'une personne qui se méfie. *Elle éprouve de la méfiance à l'égard de cette personne trop aimable : elle ne lui fait pas confiance.* **ANT.** confiance.

méfiant, ante adj.
Qui est naturellement soupçonneux. *Une personne méfiante et prudente à l'excès.* **SYN.** craintif.

méfier (se) v. pronom.
1. Ne pas se fier à quelqu'un, à quelque chose. *Ils se sont méfiés de ces beaux discours, de ces vendeurs.* **SYN.** se défier.
En ce sens, le verbe se construit avec la préposition ***de.***
2. Rester sur ses gardes. *Méfiez-vous, vous pourriez y perdre beaucoup.* **SYN.** faire attention.
En ce sens, le verbe se construit sans complément.
Le participe passé de ce verbe qui n'existe qu'à la forme pronominale s'accorde toujours en genre et en nombre avec le sujet du verbe.
Conjugaison [VOIR MODÈLE – **ÉTUDIER**]
Redoublement du ***i*** à la première et à la deuxième personne du pluriel de l'indicatif imparfait et du subjonctif présent. *(Que) nous nous méfiions, (que) vous vous méfiiez.*

méga-octet n. m.
Symbole ***Mo*** (s'écrit sans point).
S'abrège familièrement en ***meg.***
(INFORMATIQUE) Un million d'octets. *Ce disque rigide a une capacité de trente méga-octets, de 30 Mo.*

mégarde (par)
Par erreur. *Ils ont interverti les noms par mégarde.* **SYN.** involontairement, sans faire exprès.

mégawatt n. m.
Symbole ***MW*** (s'écrit sans point).
Un million de watts. *Une consommation de 3 MW, de trois mégawatts.*

meg-, méga- préf.
1. Éléments du grec signifiant « grand ».
Les mots composés avec le préfixe ***méga-*** s'écrivent en un seul mot à l'exception de ceux dont le second élément commence par une voyelle. *Un mégajoule, un méga-octet.*
2. Symbole ***M*** (s'écrit sans point).
3. Préfixe qui multiplie par 1 000 000 l'unité qu'il précède. *Des mégawatts.*
VOIR TABLEAU – **MULTIPLES ET SOUS-MULTIPLES DÉCIMAUX.**
VOIR **MILLION.**

mégot n. m.
(FAMILIER) Bout de cigarette, de cigare. *Au moins, ne jette pas tes mégots à terre.*
mégo**t**.

meilleur, eure adj. et n. m. et f.
Adjectif
1. Comparatif de supériorité de ***bon.*** Plus habile, plus compétent, qui se qualifie plus qu'une autre personne, une autre chose. *Elle est meilleure skieuse que son amie. Il est de meilleure humeur qu'hier.* **ANT.** moins bon.
2. Superlatif de ***bon.*** Qui se classe au premier rang dans son genre. *Ce champagne est le meilleur.* **SYN.** excellent. **ANT.** pire.
Le verbe qui suit ***le meilleur, la meilleure*** se met au subjonctif. *Cette personne est la meilleure qui soit.*
Nom masculin
Ce qu'il y a de mieux. *Pour le meilleur et pour le pire. Elle a donné le meilleur d'elle-même.*
Nom masculin et féminin
Personne supérieure aux autres. *Seuls les meilleurs y parviendront.*
Locution
Avec la meilleure volonté. Malgré tous les efforts.
Formes fautives
*au meilleur de ma connaissance. Calque de l'anglais « to the best of my knowledge » au sens de ***autant que je sache.***
*avoir le meilleur sur quelqu'un. Calque de l'anglais « to get the better of someone » au sens de ***l'emporter sur quelqu'un.***
*être à son meilleur. Calque de l'anglais « to be at one's best » au sens de ***être au mieux, exceller.***

mélancolie n. f.
Tristesse vague, sans cause déterminée. **SYN.** (FAMILIER) déprime.

mélancolique adj.
Triste. *Un air mélancolique.* **SYN.** déprimé, sombre.

mélange n. m.
Combinaison, assemblage. *Faire un mélange d'ingrédients.* **SYN.** composé.
Forme fautive
*mélange (à gâteau, etc.). Anglicisme pour ***préparation pour gâteau,*** etc.

mélanger v. tr.
1. Assortir dans des proportions données. *Mélanger des couleurs.* **SYN.** combiner, mêler.
2. (FAMILIER) Confondre. *J'ai mélangé les noms des invités.*
Ne pas confondre avec le verbe ***mêler,*** mettre en désordre.

m

Conjugaison [VOIR MODÈLE – **CHANGER**]
Le ***g*** est suivi d'un ***e*** devant les lettres ***a*** et ***o.*** *Il mélangea, nous mélangeons.*

mélangeur n. m.
Appareil ménager servant à mélanger des denrées. *Doter la cuisine d'un mélangeur* (et non d'un *blender).

mêlant, ante adj.
⚜ (FAMILIER) Compliqué, embrouillé. *L'orthographe de ce mot est mêlante.*
☞ L'emploi de l'adjectif est courant au Québec dans la langue familière, mais il est vieilli dans l'ensemble de la francophonie.

mélasse n. f.
Matière sucrée brunâtre.

mêlée n. f.
Combat où deux groupes s'affrontent corps à corps. *Les joueurs se sont lancés dans la mêlée.* **SYN.** bataille.

mêler v. tr., pronom.
Verbe transitif
1. Mettre en désordre. *Mêler les pages d'un dossier.* **SYN.** embrouiller.
2. Unir. *Mêler la douceur à l'ironie.* **SYN.** combiner, joindre.
3. Mélanger. *Mêler du blanc et du noir, avec du noir. Mêler des tulipes à des roses.*
Le verbe se construit selon les cas avec les prépositions ***à*** ou ***avec.***
4. ⚜ Embrouiller, faire perdre le fil de ses idées à quelqu'un. *Avec tes questions, tu m'as mêlée.*
☞ En ce sens, l'emploi de ce verbe est courant au Québec dans la langue familière, mais il est vieilli dans l'ensemble de la francophonie.
Verbe pronominal
S'occuper de. *De quoi vous mêlez-vous? Elles se sont mêlées de nos affaires.*
☞ Ne pas confondre avec le verbe ***mélanger,*** assortir dans des proportions données.
Conjugaison [VOIR MODÈLE – **AIMER**]

mélèze n. m.
Arbre de la famille des conifères.
✎ mél**èze.**

méli-mélo n. m. (pl. *mélis-mélos*)
(FAMILIER) Fouillis, mélange complet.

mélodie n. f.
Suite de sons formant un air musical. *Pour composer une chanson, il faut ajouter des paroles à une mélodie.*

mélodieux, euse adj.
Harmonieux, qui charme l'oreille. *Sa voix est mélodieuse.*
✎ mélodieu**x.**

mélomane adj. et n. m. et f.
Qui apprécie la musique. *Les mélomanes ont aimé ce concert.*
✎ mélom**an**e.

melon n. m.
1. Plante rampante cultivée pour ses fruits.
2. Fruit sphérique dont la chair orangée ou vert clair a un goût sucré.
Locution
Melon d'eau. Pastèque, gros melon à pulpe rouge.
☞ Le ***cantaloup*** est un melon à côtes rugueuses.

membrane n. f.
Feuillet mince qui enveloppe certains organes. *Le tympan est une membrane de l'oreille.*
✎ membra**ne.**

membre n. m.
1. Chacune des quatre parties du corps des êtres animés qui se rattachent au tronc. *Les membres supérieurs des êtres humains sont les bras, les membres inférieurs, les jambes.*
2. Personne, groupe, pays faisant partie d'un ensemble, d'un groupe. *Les membres d'une association.*
☞ Attention, ce nom ne comporte pas de forme féminine. *Elle est un membre de ce conseil d'administration.*

même adj., adv. et pron.
VOIR TABLEAU – **MÊME.**

***même à ça**
Anglicisme pour ***même alors, malgré cela.***

mémère adj. et n. f.
Nom féminin
(FAMILIER) Vieille femme.
Adjectif et nom féminin
⚜ (FAMILIER) Se dit d'une personne très bavarde. *Michel est vraiment mémère. C'est une vraie mémère.*
☞ Cet adjectif ne comporte pas de forme masculine, mais il peut qualifier un homme aussi bien qu'une femme.

mémoire n. m. et f.
Nom féminin
1. Fonction biologique qui permet de conserver et de rappeler le souvenir du passé. *Ce monsieur a une excellente mémoire. Se rafraîchir la mémoire.*
2. (INFORMATIQUE) Dispositif qui permet l'enregistrement, la conservation et la restitution de données. *Ce disque a 100 méga-octets de mémoire.*
Nom masculin
1. Écrit où l'on résume une question. *Présenter un mémoire à une commission parlementaire.*
2. État détaillé des sommes dues à un entrepreneur, à un architecte, etc.
Locutions
Aide-mémoire. Résumé. *Des aide-mémoire utiles.*
À la mémoire de, locution prépositive. En l'honneur de, pour perpétuer le souvenir de.
De mémoire d'homme. Aussi loin que remonte le souvenir.
☞ Dans cette expression, le nom s'écrit au singulier.
Mémoire morte. (INFORMATIQUE) Mémoire dont le contenu ne peut être modifié ou effacé. *Ces instructions sont contenues dans la mémoire morte.*
Mémoire vive. (INFORMATIQUE) Mémoire dont les informations sont accessibles et modifiables. *À la mise hors tension, les informations de la mémoire vive s'effacent.*
Pour mémoire. À titre de renseignement.

mémorable adj.
Digne d'être conservé dans la mémoire. *Des exploits mémorables.* **SYN.** inoubliable.

mémoriser v. tr.
1. Fixer dans la mémoire. *Annie mémorise les verbes irréguliers.*
2. (INFORMATIQUE) Sauvegarder des données sur un support d'information. *Mémoriser des informations sur une disquette.*
Conjugaison [VOIR MODÈLE – **AIMER**]

menaçant, ante adj.
1. Agressif. *Un ton menaçant.*
2. Inquiétant. *Des nuages menaçants.* **SYN.** dangereux.
✎ mena**ç**ant.

MÊME, ADJECTIF INDÉFINI

- **Devant un nom** et précédé d'un déterminant (***le, la, les, un, une...***) :
  - il marque la ressemblance, l'identité.
    Elle a lu le même livre plusieurs fois. Il porte les mêmes chaussettes que lui. Une même amitié les réunit.
- **Après le nom :**
  - il insiste sur la personne ou la **chose dont on parle** et qu'il marque expressément.
    Ce sont les paroles mêmes qu'il a prononcées.
  - il marque une **qualité possédée au plus haut point**.
    Cette personne est l'intégrité même, elle est la sagesse et l'honnêteté mêmes.

  Il n'est pas toujours possible de distinguer l'adjectif de l'adverbe dans cet emploi. Selon l'intention de l'auteur, le mot s'accorde ou demeure invariable. *Il craignait sa colère, son silence mêmes* (au sens de ***eux-mêmes***) ou *sa colère, son silence même* (au sens de ***même son silence***).
- **Après un pronom :**
  - l'adjectif insiste sur l'identité de la personne.
    Moi-même, toi-même, lui-même, elle-même, soi-même, nous-mêmes, vous-mêmes, eux-mêmes, elles-mêmes.

  L'adjectif indéfini placé après le pronom s'accorde en nombre avec celui-ci et s'y joint par un trait d'union.

MÊME, PRONOM INDÉFINI

- Toujours employé avec un déterminant (***le, la, les, un, une...***), il marque :
  - **l'identité de la personne.**
    Ce sont toujours les mêmes qui osent parler.
  - **la permanence de sa façon d'être.**
    Elle est toujours la même.

Locution

Cela revient au même. Cela revient à la même chose.

MÊME, ADVERBE

Aussi, jusqu'à, y compris.

Même les plus habiles ne pourront réussir. Elle est aimable et même généreuse. Il ignorait même son nom.

Placé devant un nom, un adjectif, ou accompagnant un verbe, le mot est adverbe et, par le fait même, invariable.

Locutions

À même, locution prépositive. Directement à. *Boire à même la bouteille.*

De même, locution adverbiale. De même manière. *Nous devrions faire de même.*

De même que, locution conjonctive. Comme, ainsi que. *Elle sera là de même que ma cousine.*

Dans cette locution qui implique un **rapport de comparaison**, le verbe et l'attribut sont au singulier et la comparaison est généralement placée entre virgules. *Paul, de même que Pierre, est gentil.*

Être à même de **+** infinitif, locution adverbiale. Apte à, en mesure de. *Ils sont à même d'effectuer les calculs.*

Quand même, quand bien même, locutions conjonctives. Même si. *Quand bien même il neigerait à plein ciel, nous irons.*

Tout de même, locution adverbiale. Quand même. *Elle était malade, elle est sortie tout de même.*

menace n. f.
1. Attitude (parole ou geste) annonçant une intention hostile, une colère. *Ces gardes assurent la protection de ce diplomate qui a reçu des menaces de mort.*
2. Signe, présage qui fait craindre quelque chose. *Menaces d'orage.*
Locution
Sous la menace de, locution prépositive. Contraint par des menaces. *Il a signé ce document sous la menace d'une arme.*

menacer v. tr.
1. Chercher à intimider par des menaces. *Le directeur menaça son adjoint de congédiement.*
2. Risquer. *La pluie menace de tomber. La soirée menace d'être longue.*
En ce sens, le verbe se construit avec la préposition ***de*** suivie de l'infinitif.
Conjugaison [VOIR MODÈLE – **AVANCER**]
Le ***c*** prend une cédille devant les lettres ***a*** et ***o.*** *Il menaça, nous menaçons.*

ménage n. m.
1. Entretien d'une maison. *Faire le ménage.*
2. Homme et femme vivant ensemble. *Un ménage uni.*

ménagement n. m.
Égard, précaution. *On lui a appris la nouvelle avec le plus grand ménagement.*
Locution
Sans ménagement, locution adverbiale. Avec brutalité.
Dans cette expression, le nom s'écrit au singulier ou au pluriel.

m

ménager, ère adj. et n. f.
Adjectif
Relatif aux soins du ménage. *Les travaux ménagers.*
Nom féminin
Femme qui tient une maison. *Mme Papinette est une excellente ménagère.*

ménager v. tr., pronom.
Verbe transitif
1. Économiser. *Les enfants ménageaient leurs forces avant la longue promenade. Ménage tes sous pour t'acheter des patins à roulettes.*
2. Mesurer. *Ménagez vos paroles : vous dites n'importe quoi.* **SYN.** modérer.
3. Traiter avec égard. *Il faut la ménager, elle est très malade.*
4. Arranger. *Elle nous ménage une surprise.* **SYN.** organiser, préparer.
Verbe pronominal
Ne pas abuser de ses forces. *Il importe de vous ménager un peu.*
Locution
Ménager la chèvre et le chou. Tenter de ne pas déplaire à deux groupes opposés en ne se rangeant ni d'un côté ni de l'autre.
On sait que la chèvre dévore le chou à la première occasion ; ils sont donc ennemis.
Conjugaison [VOIR MODÈLE – **CHANGER**]
Le ***g*** est suivi d'un ***e*** devant les lettres ***a*** et ***o.*** *Il ménagea, nous ménageons.*

ménagerie n. f.
Lieu où l'on rassemble des animaux pour les présenter au public. *La ménagerie du cirque.*

mendiant, ante n. m. et f.
Personne qui demande la charité. *Ces mendiants ont froid et faim : il faut leur venir en aide.*

mendier v. tr., intr.
Verbe transitif
Rechercher avec insistance, demander à titre de don. *Mendier de la nourriture, des suffrages.* **SYN.** quémander.
Verbe intransitif
Demander l'aumône, la charité. **SYN.** quêter.
Conjugaison [VOIR MODÈLE – **ÉTUDIER**]
Redoublement du ***i*** à la première et à la deuxième personne du pluriel de l'indicatif imparfait et du subjonctif présent. *(Que) nous mendiions, (que) vous mendiiez.*

mener v. tr., intr.
Verbe transitif
1. Conduire en accompagnant. *Elle mène sa fille à l'école.* VOIR **AMENER, EMMENER.**
2. Conduire vers. *Ce sentier nous mènera à la forêt.*
3. Diriger, commander. *C'est Bruno qui mène le groupe.* **SYN.** conduire.
4. Assurer le déroulement de. *Mener une enquête, mener à bien une entreprise.*
Verbe intransitif
Avoir l'avantage sur un adversaire. *L'équipe mène par deux parties.*
Locution
Bien mener sa barque. (FIGURÉ) Diriger adroitement ses affaires.
Conjugaison [VOIR MODÈLE – **LEVER**]
Le ***e*** se change en ***è*** devant une syllabe muette. *Il mène, il menait.*

meneur, euse n. m. et f.
1. Personne qui mène. *Un meneur de jeu.*
2. Chef, personne qui a une autorité naturelle. *C'est un meneur.* **SYN.** dirigeant.

méninge n. f.
1. Chacune des membranes qui enveloppent le cerveau et la moelle épinière.
2. (FAMILIER) Esprit, cerveau. *Se creuser les méninges.*
Attention au genre féminin de ce nom : ***une*** méninge.

méningite n. f.
Inflammation des méninges.
ménin**gite.**

menotte n. f.
1. Petite main, dans le langage des enfants.
2. (AU PLURIEL) Bracelets de fer réunis par une chaîne que l'on met aux poignets des prisonniers. *Le policier a mis des menottes au voleur qu'il a arrêté.*

mensonge n. m.
Affirmation contraire à la vérité. *Dire que j'aime la tarte à la citrouille serait un mensonge : je déteste ce goût.*
Locution
Détecteur de mensonge. Appareil qui mesure certains phénomènes physiques en vue de déterminer si une personne dit la vérité ou non.
Dans cette expression, le nom ***mensonge*** s'écrit au singulier.

mensuel, elle adj. et n. m.
Adjectif
Qui a lieu, qui revient tous les mois. *Un loyer mensuel.*
Nom masculin
Publication qui paraît chaque mois. *Un mensuel économique.*

mensuellement adv.
Par mois, tous les mois. *Cette revue paraît mensuellement.*

mental, ale, aux adj.
1. Qui s'exécute par l'esprit. *Faire un rapide calcul mental.*
2. Relatif aux facultés intellectuelles. *Des troubles mentaux.*
Locution
Âge mental. État de développement des facultés intellectuelles.

mentalement adv.
Par la pensée. *Calculer mentalement.* **SYN.** intérieurement.
mentalement.

mentalité n. f.
Façon de penser, en parlant d'une personne, d'un groupe. *Jolie mentalité !*
mentalité.

menterie n. f.
(FAMILIER) Mensonge. *Raconter des menteries.*
L'emploi du nom est courant au Québec dans la langue familière, mais il est vieilli dans l'ensemble de la francophonie.

menteur, euse adj. et n. m. et f.
Qui ment. *Catherine dit la vérité : elle n'est pas menteuse.* **ANT.** franc.

menthe n. f.
Plante potagère odorante. *Des chocolats à la menthe.*
HOM. mante, cape.
menthe, attention au ***h.***

mention n. f.
Action de signaler oralement ou par écrit quelque chose. *La mention d'un accident.*
Locution
Faire mention. Souligner. *Ils ont fait mention de cet ouvrage à plusieurs reprises.*
Le nom ***mention*** est invariable dans cette expression.

mentionner v. tr.
Faire mention de. *Il a mentionné ce fait.* **SYN.** signaler.
Conjugaison [VOIR MODÈLE – **AIMER**]
mentionner.

mentir v. intr.
Faire un mensonge, affirmer quelque chose de faux. *Cette personne ment comme elle respire.* **SYN.** tromper.
Conjugaison [VOIR MODÈLE – **SORTIR**]
INDICATIF PRÉSENT *Je mens, tu mens, il ment, nous mentons, vous mentez, ils mentent.* IMPARFAIT *Je mentais.* PASSÉ SIMPLE *Je mentis.* FUTUR *Je mentirai.* **CONDITIONNEL** PRÉSENT *Je mentirais.* **IMPÉRATIF** PRÉSENT *Mens, mentons, mentez.* **SUBJONCTIF** PRÉSENT *Que je mente.* **PARTICIPE** PRÉSENT *Mentant.* PASSÉ *Menti.*
Le participe passé ne comporte pas de forme féminine.

menton n. m.
Partie saillante au bas du visage. *Menton fourchu. Un double menton.*

menu n. m.
Liste des plats servis dans un restaurant. *Ce plat n'est pas au menu.*

menu, ue adj. et adv.
Adjectif
Petit. *De menus objets, de menues dépenses.* **SYN.** fin, mince.
Adverbe
Finement. *Les carottes doivent être hachées menu.*
En ce sens, le mot est invariable.

menuet n. m.
Ancienne danse des XVIIe et XVIIIe siècles.
menu**et.**

menuiserie n. f.
Art de travailler le bois pour en faire des meubles, pour aménager des locaux.

menuisier n. m.
menuisière n. f.
Personne dont le métier est de travailler le bois.
Ne pas confondre avec le nom ***ébéniste,*** personne spécialisée dans la fabrication de meubles en bois de grande qualité.

méprendre (se) v. pronom.
Se tromper. *Elle s'est méprise sur son silence.*
Locution
À s'y méprendre. Au point de se tromper. *Les deux sœurs se ressemblent à s'y méprendre.*
Le participe passé de ce verbe qui n'existe qu'à la forme pronominale s'accorde toujours en genre et en nombre avec le sujet du verbe.
Conjugaison [VOIR MODÈLE – **APPRENDRE**]
Se conjugue comme le verbe ***prendre.***

mépris n. m.
1. Dédain, indifférence hautaine. *Avoir du mépris pour quelqu'un.*
2. Indifférence. *Le mépris du luxe.*
Locution
Au mépris de, locution prépositive. Sans tenir compte de. *Au mépris de sa vie, il entra dans la maison en feu pour secourir ses occupants.*
mépri**s,** un ***s*** final.

méprisable adj.
Qui mérite le mépris. *Ce vil individu est méprisable.* **ANT.** estimable.

méprisant, ante adj.
Qui montre du mépris. *Une attitude méprisante.* **SYN.** arrogant, hautain.

méprise n. f.
Erreur. *Vous avez le mauvais numéro, il y a eu une méprise.*

mépriser v. tr., pronom.
Verbe transitif
1. Juger quelqu'un indigne d'estime, d'attention. *Elle méprise ce profiteur.*
2. Dédaigner. *Il méprise les honneurs.* **SYN.** se désintéresser de.
Verbe pronominal
Ressentir du mépris pour soi. *Elles se sont méprisées. Il se méprisait d'avoir cru, pour avoir cru à ses belles paroles.*
Le complément peut être introduit par les prépositions ***de*** ou ***pour.***
Conjugaison [VOIR MODÈLE – **AIMER**]

mer n. f.
Vaste étendue d'eau salée. *Aller se baigner à la mer. La mer Atlantique. La mer des Antilles.*
Locutions
Ce n'est pas la mer à boire. (FIGURÉ) C'est un travail facile dont on peut prévoir la fin.
Fruits de mer. Coquillages, crustacés.
Haute mer, pleine mer. Partie de mer qui est éloignée des rivages.
Prendre la mer. S'embarquer, partir en mer à bord d'un bateau.

HOM.
– **maire**, personne élue à la direction d'une administration municipale ;
– **mère**, femme qui a donné naissance à un ou plusieurs enfants.

merci n. m. et f.
Nom masculin
Remerciement. *Mille mercis. Un grand merci. Merci pour tout !*
Le nom se construit avec la préposition ***de*** ou ***pour.*** *Merci de ton aide, merci pour ton cadeau.* Suivi d'un infinitif, il se construit avec ***de.*** *Merci d'être là.*
Nom féminin
(VIEUX) Grâce, pitié.
Locutions
Demander merci. Demander grâce.
Dieu merci ! Grâce à Dieu. **SYN.** heureusement.
Être à la merci de quelqu'un, de quelque chose. Dépendre de. *Les prisonniers sont à la merci des gardiens.*
Sans merci. Sans pitié. *L'enseignante est sans merci pour les fautes d'orthographe.*
merc**i.**

mercredi n. m.
Troisième jour de la semaine. *Le mercredi des Cendres. Le mercredi 17 mai.*
Les noms de jour s'écrivent avec une minuscule et prennent la marque du pluriel. *Je viendrai tous les mercredis,* mais *je viendrai tous les mercredi et vendredi de chaque semaine.* Attention à la construction de la dernière phrase où les noms de jour restent au singulier parce qu'il n'y a qu'un seul mercredi et qu'un seul vendredi par semaine.
VOIR TABLEAU – **JOUR.**

m

mercure n. m.
Métal d'un blanc argenté qui, à la température ordinaire, est liquide. *C'est avec le mercure qu'est indiquée la température dans un thermomètre.*

merde interj. et n. f.
Interjection
(VULGAIRE) L'interjection exprime la déception, la colère, l'indignation, etc. *Eh, merde !*
Nom féminin
(VULGAIRE) Excrément. *Une merde de chien souille le trottoir.*

mère n. f.
1. Femme qui a donné naissance à un ou plusieurs enfants. *Elle est la mère de quatre enfants. La fête des Mères.*
2. Supérieure d'une communauté religieuse. *La mère supérieure.*
Les titres religieux s'écrivent avec une minuscule. *Elle a prié mère Marie de l'Incarnation.*
Locutions
Maison mère. Établissement dont dépend un ordre religieux.
Pour une entreprise commerciale, on dit plutôt ***siège social.***
Mère poule. Mère qui entoure ses enfants exagérément. *Des mères poules.*
Reine mère, mère patrie.
Ces locutions, où le mot ***mère*** est en apposition, s'écrivent sans trait d'union.
HOM.
– **maire**, personne élue à la direction d'une administration municipale ;
– **mer**, vaste étendue d'eau salée.
VOIR **BELLE-MÈRE, GRAND-MÈRE.**

mère-grand n. f. (pl. *mères-grand*)
(VIEUX) Grand-mère. *La mère-grand du petit Chaperon rouge.*

merguez n. f.
Le ***z*** se prononce [mɛrgɛz].
Petite saucisse épicée. *Des merguez grillées.*
Attention au genre féminin de ce nom : ***une*** merguez.

méridien n. m.
Cercle théorique passant par les deux pôles terrestres. *Le méridien de Greenwich.*
Le ***premier méridien*** ou le ***méridien d'origine*** est celui à partir duquel on compte les degrés de longitude.
VOIR **LONGITUDE.**

meringue n. f.
Pâtisserie légère à base de blancs d'œufs battus.

merisier n. m.
Cerisier sauvage dont le bois est recherché en ébénisterie.

méritant, ante adj.
Se dit d'une personne qui a du mérite. *Ils sont bien méritants.*

mérite n. m.
1. Valeur. *Ils ont bien du mérite d'avoir réussi cela.*
2. Utilité, avantage. *Le mérite de ce choix, c'est de permettre à tous de voyager.*

mériter v. tr.
1. Être digne de récompense ou passible de châtiment. *Il mérite une récompense, il mérite une punition.*
Le verbe s'emploie en bonne et en mauvaise part.
2. Donner droit. *Cet effort mérite un avancement.* **SYN.** valoir.
3. Exiger. *Cette conclusion mérite réflexion. Cette demande mérite réponse.*
4. Valoir la peine de. *Ce roman mérite d'être lu.*
Forme fautive
*se mériter. Impropriété au sens de ***remporter, obtenir*** (un prix).
Conjugaison [VOIR MODÈLE – **AIMER**]

merle n. m.
Oiseau passereau voisin de la grive.
VOIR TABLEAU – **ANIMAUX.**

merveille n. f.
Chose admirable, étonnante. *Les sept merveilles du monde.*
Locutions
À merveille, locution adverbiale. Parfaitement. *Ce tailleur lui va à merveille. Elle se porte à merveille.*
Faire merveille. Obtenir des résultats remarquables. *Ces étudiants ont fait merveille au concours.*
Dans cette expression, le nom reste au singulier.
Promettre monts et merveilles. (FIGURÉ) Faire des promesses exagérées.

merveilleusement adv.
Admirablement, parfaitement.

merveilleux, euse adj. et n. m.
Adjectif
1. Digne d'une grande admiration. *Un merveilleux jardin.* **SYN.** excellent, exceptionnel, extraordinaire, magnifique.
2. Qui s'éloigne de ce qui est ordinaire, qui étonne. *Une légende merveilleuse.* **SYN.** fabuleux, magique, prodigieux.
Nom masculin
Ce qui est extraordinaire. *Le plus merveilleux dans tout ce qui m'arrive, c'est que tu puisses venir avec moi.*
merveilleu**x.**

mes adj. poss. pl.
1. Adjectif possessif pluriel de la première personne du singulier qui détermine le nom en indiquant le « possesseur » de l'objet désigné. Il s'accorde en genre et en nombre avec le nom déterminé. *Mes livres.*
2. L'adjectif possessif s'accorde en personne avec le nom désignant le « possesseur ». Ainsi, l'adjectif possessif ***mes*** renvoie à un seul « possesseur » de plusieurs êtres, de plusieurs objets. *Regarde mes patins à roulettes* (un seul possesseur) *et notre nouvelle tondeuse* (plusieurs possesseurs).
VOIR TABLEAU – **POSSESSIF (ADJECTIF).**

mésange n. f.
Petit oiseau au plumage parfois rehaussé de couleurs vives.
Attention au genre féminin de ce nom : ***une*** mésange.

mésaventure n. f.
Aventure désagréable. *Il lui est arrivé une mésaventure : on lui a volé son sac.* **SYN.** malchance.

mesdames n. f. pl.
Abréviation ***Mmes*** (s'écrit sans point).
VOIR **MADAME.**

mesdemoiselles n. f. pl.
Abréviation ***Mlles*** (s'écrit sans point).
VOIR **MADEMOISELLE.**

mésentente n. f.
Désaccord. *Il faut mettre fin à cette mésentente et redevenir amis.*

mésestimer v. tr.
Ne pas estimer à sa juste valeur. *La compétence de cette personne est mésestimée.* **SYN.** méconnaître.
Ne pas confondre avec le verbe ***sous-estimer,*** estimer au-dessous de sa valeur.
Conjugaison [VOIR MODÈLE – **AIMER**]

mesquin, ine adj.
Qui n'est pas généreux. *Malgré ses richesses, il est mesquin, il manque de générosité.*

mesquinerie n. f.
Avarice. *La mesquinerie de cette personne la rend antipathique.* **ANT.** générosité.

***mess**
Anglicisme au sens de ***désordre, confusion.***

message n. m.
Communication transmise par un messager. *Transmettre un message secret.*
Locution
Message publicitaire. Information transmise au consommateur afin de faire connaître et de vendre un produit. *Diffuser un message publicitaire* (et non un *spot, un *commercial).

messager, ère n. m. et f.
Personne chargée de transmettre un ou plusieurs messages.

messagerie n. f.
(GÉNÉRALEMENT PLURIEL) Transport rapide de marchandises. *Un entrepreneur de messageries.*
Locution
Messagerie électronique. (INFORMATIQUE) Courrier électronique.

messe n. f.
Office religieux. *Sa maman va à la messe le dimanche.*
Locutions
Faire des messes basses. (FAMILIER) Se chuchoter quelque chose à l'oreille.
Grand-messe. Messe chantée.

messie n. m.
Sauveur. *Jésus-Christ était le Messie. Un faux messie.*
Lorsque le nom désigne le Christ, il s'écrit avec une majuscule.
messi**e.**

messieurs n. m. pl.
Abréviation ***MM.*** (s'écrit avec un point).
VOIR **MONSIEUR.**

mesurable adj.
Qui peut se mesurer. *Une grandeur mesurable.*

mesure n. f.
1. Action de déterminer les dimensions. *Prendre la mesure d'une surface à l'aide d'une règle.*
2. Dimension déterminée par la mesure. *Les mesures de cette table sont de 60 cm de hauteur, 45 cm de largeur et 75 cm de longueur.*
3. Disposition que l'on prend pour agir. *Ce ne sont que des mesures préventives.*
4. Modération. *Elle agit avec mesure.*
Locutions
À mesure que, locution conjonctive. En même temps que.
Au fur et à mesure. En même temps et proportionnellement. *Répondez au fur et à mesure. Au fur et à mesure que les jours passent. Au fur et à mesure de vos progrès.*
La locution se construit avec ***que*** et l'indicatif, avec la préposition ***de*** et absolument.
Dans la mesure où. Pour autant que. *Dans la mesure où nos efforts seront couronnés de succès.*
Dans une certaine mesure. Jusqu'à un certain point.
Être en mesure de. Avoir les moyens nécessaires, pouvoir. *Ces élèves sont en mesure de réussir.*
Dans cette expression, le nom s'écrit au singulier.
La locution est suivie de l'infinitif.
Sur mesure. Fabriqué d'après les mesures de la personne même. *Un vêtement fait sur mesure.*
Le nom s'écrit au singulier le plus souvent, mais certains auteurs dont Grevisse l'écrivent aussi au pluriel. *Un chemisier sur mesures.*

mesurer v. tr., intr., pronom.
Verbe transitif
1. Évaluer une grandeur. *La pièce qu'il a mesurée a 22 m carrés.*
2. Déterminer l'importance de quelque chose. *Mesurer les pertes subies.*
Verbe intransitif
Avoir une dimension donnée. *Les deux mètres que ce mur avait mesuré avant de s'écrouler.*
Attention à l'accord du participe dans cette phrase : il s'agit d'un complément circonstanciel et non d'une complément d'objet direct ; « deux mètres » est la réponse à la question « combien ? » et non « quoi ? »
Verbe pronominal
1. Être mesurable. *Cette surface se mesure facilement.*
2. Lutter, se comparer. *Elle s'est mesurée à lui, avec lui.* **SYN.** affronter.
Conjugaison [VOIR MODÈLE – **AIMER**]

m

métal n. m. (pl. *métaux*)
Corps simple. *Un métal précieux. L'or, l'argent, le plomb, le cuivre, etc., sont des métaux.*

métallique adj.
1. Qui est fait de métal. *Un coffre métallique.*
2. Qui semble provenir du métal. *Un bruit métallique.*
✏méta**ll**ique.

métallurgie n. f.
Ensemble des techniques qui assurent la fabrication des métaux.
✏méta**ll**urgie.

métamorphose n. f.
1. Transformation radicale. *La métamorphose de la chenille en papillon.*
2. Évolution.
✏métamor**ph**ose.

métamorphoser v. tr., pronom.
Verbe transitif
Changer radicalement la forme, la nature de quelqu'un, de quelque chose. *Cette nouvelle coiffure l'a métamorphosée : on la reconnaît à peine !*
Verbe pronominal
Changer complètement de forme, d'état. *En quelques années, ces enfants se sont métamorphosés.*
Conjugaison [VOIR MODÈLE – **AIMER**]
✏métamor**ph**oser.

météo adj. inv. et n. f.
Adjectif invariable
Météorologique. *Des prévisions météo, les bulletins météo.*
Nom féminin
Abréviation familière de ***météorologie.***
(FAMILIER) Bulletin météorologique. *Il attend la météo pour prendre une décision.*

météore n. m.
Corps céleste lumineux qui passe dans le ciel. *Les étoiles filantes sont des météores.*
☞ Ne pas confondre avec le nom ***météorite,*** fragment minéral provenant de l'atmosphère qui tombe sur la Terre.
☞ Attention au genre masculin de ce nom : ***un*** météore.
✏météor**e.**

météorique adj.
Relatif à un météore.

météorite n. m. ou f.
(ASTRONOMIE) Fragment minéral provenant de l'atmosphère et tombant sur la Terre. *Une petite météorite a creusé un cratère dans le sol.*
☞ Ne pas confondre avec le nom ***météore,*** corps céleste lumineux qui passe dans le ciel.
☞ Ce nom s'emploie au masculin ou au féminin. *Un ou une météorite.*

météorologie n. f.
S'abrège familièrement en ***météo*** (s'écrit sans point).
Étude des phénomènes atmosphériques en vue de la prévision du temps.
✏mété**oro**logie.

météorologique adj.
Relatif à la météorologie. *Des prévisions météorologiques.*
✏mété**oro**logique.

météorologue ou **météorologiste** n. m. et f.
Spécialiste de la météorologie.

***meter**
Anglicisme pour ***compteur.***

méthode n. f.
1. Ensemble des moyens à utiliser pour atteindre un but. *Une méthode de travail.*
☞ Ne pas confondre avec le nom ***méthodologie,*** étude des méthodes.
2. Qualité qui consiste à procéder avec logique et ordre. *Il n'a pas beaucoup de méthode : il aurait intérêt à faire un plan avant de rédiger son travail.* **SYN.** organisation.
✏mét**h**ode.

méthodique adj.
Qui a de la méthode, de l'ordre. *Un élève méthodique.*
✏mét**h**odique.

méthodologie n. f.
1. Étude des méthodes scientifiques et techniques.
2. (ABUSIVEMENT) (SCIENCES) Manière de procéder ; méthode. *La méthodologie de la recherche scientifique est très sérieuse.*
✏mét**h**odologie.

méthodologique adj.
Relatif à la méthodologie.
✏mét**h**odologique.

méticuleux, euse adj.
Minutieux. *Une recherche méticuleuse des indices.* **SYN.** appliqué, consciencieux.
✏méticuleu**x.**

métier n. m.
1. Profession, travail dont on vit. *Il exerce un métier manuel, le métier de peintre, le métier d'ingénieur.*
2. Machine servant à la fabrication des textiles. *Un métier à tisser.*
3. Expérience, habileté technique. *Elle a du métier, elle ne manque pas de métier.*
Locution
Corps de métier. Ensemble de personnes qui exercent le même métier.

métis, isse adj. et n. m. et f.
Se dit d'une personne dont le père et la mère sont de races différentes. *Une jolie métisse.*
☞ Ne pas confondre avec les mots suivants :
– ***eurasien,*** se dit d'une personne née d'un Européen et d'une Asiatique ou d'un Asiatique et d'une Européenne ;
– ***mulâtre,*** se dit d'une personne née d'un Noir et d'une Blanche ou d'un Blanc et d'une Noire.

mètre n. m.
Symbole ***m*** (s'écrit sans point).
1. Unité de mesure de longueur. *Sa taille atteint maintenant 1,80 m et il n'a pas fini de grandir.*
2. Règle ou ruban gradué servant à prendre les mesures. *Un mètre de bois, de couturière.*
Locutions
Mètre à ruban. Mètre constitué d'un ruban métallique qui s'enroule dans un boîtier. *Se servir d'un mètre à ruban* (et non d'un *tape).
Mètre carré. Symbole m^2 (s'écrit sans point). Unité de superficie. *Le terrain mesure 300 m^2. Des mètres carrés.*
Mètre cube. Symbole m^3 (s'écrit sans point). Unité de volume. *Des mètres cubes.*
Mètre par seconde. Symbole ***m/s*** (s'écrit sans point). Unité de vitesse. *Des mètres par seconde.*

- La fraction décimale est indiquée par une virgule qui s'inscrit sans espace. Les fractions ne doivent pas être séparées de l'entier et le symbole de l'unité de mesure s'écrit après l'expression numérique. *15,5 m de hauteur.* Si le nombre est inférieur à un, la virgule décimale est précédée d'un zéro. *0,5 m de largeur.*
HOM. maître, personne qui possède l'autorité, qui commande.
mètre.

métrique adj.
Relatif au mètre, unité de mesure. *Des tonnes métriques.*
Locution
Système métrique. Système décimal de poids et mesures qui a le mètre pour base.

métro n. m.
Chemin de fer généralement souterrain qui dessert une grande ville. *Le métro de Montréal.*
- Le nom ***métro*** est l'abréviation de ***chemin de fer métropolitain,*** expression aujourd'hui vieillie.

métronome n. m.
Instrument qui sert à battre la mesure pour une exécution musicale.
métro**nome.**

métropole n. f.
Ville principale. *Montréal est la métropole du Québec, mais c'est Québec qui en est la capitale.*
- Ne pas confondre avec le nom ***capitale,*** ville où siège le gouvernement d'un État.
métro**pole.**

métropolitain adj.
Propre à une métropole. *L'autoroute métropolitaine.*

mets n. m.
Aliment. *La truite saumonée est un mets de choix.*
un met**s,** des met**s,** un ***s,*** au singulier comme au pluriel.

metteur en scène n. m.
metteure ou **metteuse en scène** n. f.
Personne qui réalise une œuvre au théâtre, au cinéma, à la télévision.

mettre v. tr., pronom.
Verbe transitif
Placer quelqu'un, quelque chose dans un lieu déterminé. *Il a mis son argent à la banque.*
Verbe pronominal
1. Se placer. *Elles se sont mises à la table.*
2. ***Se mettre*** + infinitif. Commencer à. *Il s'est mis à chanter. Elles se sont mises à rire.*
- À la forme pronominale et suivi d'un infinitif, le verbe joue le rôle d'un auxiliaire pour marquer le commencement d'une action.
Locutions
Mettons. (FAMILIER) Supposons. *Il lui faudrait quelques jours, mettons trois jours, pour terminer.*
Mettre à jour. Actualiser. *Le document doit être mis à jour* (et non *à date).
Mettre au jour. Découvrir, révéler. *Les archéologues ont mis au jour les fondations du premier immeuble.*
Mettre la charrue devant (avant) les bœufs. (FIGURÉ) Commencer par la fin, aller trop vite en besogne.
Mettre quelqu'un en demeure. Obliger quelqu'un à faire quelque chose.
Mettre sur pied. Monter, élaborer. *Ils ont mis sur pied une équipe très efficace.*
Mis à part. Excepté.
- Devant le nom, cette locution est généralement invariable. *Mis à part ces coquilles, tout est parfait.* Après le nom, le participe est variable. *Ces coquilles mises à part, le texte est parfait.*
Se mettre quelqu'un à dos. S'en faire un ennemi.
Se mettre en tête. S'imaginer, décider de. *Il s'est mis en tête de faire de l'informatique.*
Se mettre sur son trente et un. S'habiller pour sortir.
Forme fautive
*mettre au vote. Calque de l'anglais « to put to the vote » pour ***mettre aux voix.***
Conjugaison [VOIR MODÈLE – **REMETTRE**]
INDICATIF PRÉSENT *Je mets, tu mets, il met, nous mettons, vous mettez, ils mettent.* IMPARFAIT *Je mettais.* PASSÉ SIMPLE *Je mis.* FUTUR *Je mettrai.* **CONDITIONNEL** PRÉSENT *Je mettrais.* **IMPÉRATIF** PRÉSENT *Mets, mettons, mettez.* **SUBJONCTIF** PRÉSENT *Que je mette.* IMPARFAIT *Que je misse.* **PARTICIPE** PRÉSENT *Mettant.* PASSÉ *Mis, mise.*

meuble n. m.
Tout ce qui sert à l'aménagement de l'habitation, de locaux. *Acheter de nouveaux meubles.*

meubler v. tr.
1. Équiper de meubles. *Jérémy a meublé sa chambre avec des caisses d'oranges recyclées et un hamac.*
2. Remplir. *Pierre-Luc meuble bien ses loisirs : il pratique de nombreux sports et adore la musique.* **SYN.** occuper.
Conjugaison [VOIR MODÈLE – **AIMER**]

meuglement n. m.
Cri des bovins. *On entendait les meuglements des vaches et les hennissements des chevaux.*

meugler v. intr.
Crier, en parlant des bovins. *La vache meugle.*
Conjugaison [VOIR MODÈLE – **AIMER**]

meule n. f.
1. Lourde pierre dure servant à broyer, à moudre. *La meule d'un moulin à vent.*
2. Disque rugueux servant à aiguiser, à polir. *Le cordonnier aiguise les lames des patins à l'aide d'une meule.*
3. Grand fromage en forme de disque. *Une meule de gruyère.*
4. Amas de paille, de foin que l'on a récolté.

meuler v. tr.
Passer à la meule. *Meuler une surface rugueuse.*
Conjugaison [VOIR MODÈLE – **AIMER**]

meunier n. m.
meunière n. f.
Personne qui exploite un moulin à céréales ou une meunerie. *Meunier tu dors, ton moulin va trop vite.* (Chanson)

meurtre n. m.
Action de donner la mort de façon volontaire. *Il a été condamné pour meurtre.*
- Ne pas confondre avec les noms suivants :
- ***assassinat,*** meurtre préparé à l'avance ;
- ***homicide,*** action de tuer, volontairement ou non, un être humain.

meurtrier, ière adj. et n. m. et f.
Adjectif
Qui cause la mort. *Un accident meurtrier.*
Nom masculin et féminin
Personne qui a commis un meurtre.

Nom féminin
Petite ouverture pratiquée dans un mur fortifié. *Les guerriers lançaient des flèches par les meurtrières.*

meurtrir v. tr.
1. Blesser en laissant une marque. *Le genou d'Isabelle s'est meurtri.*
2. (FIGURÉ) Blesser. *Une âme meurtrie.* **SYN.** déchirer.
Conjugaison [VOIR MODÈLE – **FINIR**]

meurtrissure n. f.
Marque causée par un choc. *Ces poires ont des meurtrissures.*

meute n. f.
1. Bande de chiens dressés pour la chasse.
2. (FIGURÉ) Troupe de personnes à la poursuite de quelqu'un, de quelque chose, comme des chiens à la chasse. *La meute des admirateurs d'un chanteur.*
3. Troupe de louveteaux.

mexicain, aine adj. et n. m. et f.
Du Mexique. *Une musique mexicaine. Un Mexicain, une Mexicaine.*
L'adjectif s'écrit avec une minuscule ; le nom, avec une majuscule.

mezzanine n. f.
Les lettres ***zz*** se prononcent ***dza*** [mɛdzanin].
Petit étage intermédiaire entre deux plus grands. *Des mezzanines bien aménagées.*

mg
Symbole de ***milligramme.***

m

mi n. m. inv.
Troisième note de la gamme de ***do.***
HOM. mie, partie molle du pain.

mi- préf.
Adjectif
À demi. *La mi-mars.*
Adverbe
À moitié. *Des cheveux mi-longs. Ils sont à mi-distance entre la mer et la montagne.*
Pris adjectivement ou adverbialement, le préfixe ***mi-*** est invariable. Les mots composés avec ce préfixe sont féminins et les deux éléments sont joints par un trait d'union dans la plupart des cas.
Locution
Mi-figue, mi-raisin. Qui témoigne à la fois de la satisfaction et du mécontentement.
VOIR **DEMI.**

miaou n. m. (pl. *miaous*)
(FAMILIER) Cri du chat.

miaulement n. m.
Les lettres ***au*** se prononcent comme un ***o*** fermé [mjolmɑ̃].
Cri du chat.
mi**au**lement.

miauler v. intr.
Les lettres ***au*** se prononcent comme un ***o*** fermé [mjole].
Crier, en parlant du chat.
Conjugaison [VOIR MODÈLE – **AIMER**]

miche n. f.
Pain de campagne rond. *Une belle miche de pain frais.*

mi-chemin (à) loc. adv.
À la moitié de la route. *Ils se sont arrêtés à mi-chemin.*

mi-clos, -close adj.
À moitié clos. *Les paupières mi-closes, les yeux mi-clos.* **SYN.** entrouvert.
mi**-**clos, avec un trait d'union.

micmac, micmaque adj. et n. m. et f.
Se dit des Amérindiens d'une nation autochtone du Québec. *La culture micmaque, des projets micmacs. Un Micmac, une Micmaque.*
L'adjectif s'écrit avec une minuscule ; le nom, avec une majuscule.

micmac n. m.
Manigance, désordre. *Dans les nominations politiques, il y a toujours des micmacs. Sa chambre est un vrai micmac.*
Ce nom ne vient pas d'une langue amérindienne, mais du néerlandais où il signifie « mutin, rebelle ».

mi-corps (à) loc. adv.
Au milieu du corps. *Il avait de l'eau jusqu'à mi-corps.*

micro n. m.
1. Abréviation de ***microphone.***
2. (FAMILIER) Abréviation de ***micro-ordinateur.***

micro- préf.
Élément du grec signifiant « petit ».
1° Les mots composés du préfixe ***micro-*** s'écrivent en un seul mot, à l'exception de ceux dont le second élément commence par une voyelle. *Un microfilm. Des micro-ondes.*
2° Une tendance à écrire les mots formés avec ***micro-*** en un seul mot se dessine peu à peu. *Microélectronique.*

microbe n. m.
Organisme microscopique à l'origine des maladies infectieuses.

microbiologie n. f.
Science des micro-organismes.
La microbiologie comprend la bactériologie, la virologie, la mycologie.

microbiologiste n. m. et f.
Spécialiste de la microbiologie.

microélectronique n. f.
Branche de l'électronique qui traite des circuits intégrés.

microfiche n. f.
Photographie très réduite d'un document d'archives.

microfilm n. m.
Film composé de microfiches. *L'espion avait des microfilms.*

micro-informatique n. f.
Domaine de l'informatique relatif à la conception, la fabrication et l'utilisation des micro-ordinateurs.

micro-onde n. f.
Onde de très petite longueur.

micro-ondes n. m. inv. (pl. *micro-ondes*)
Four à micro-ondes. *Cette soupe se réchauffe en 50 secondes au micro-ondes.*

micro-ordinateur n. m. (pl. *micro-ordinateurs*)
S'abrège en ***micro*** (s'écrit sans point).
(INFORMATIQUE) Ordinateur construit autour d'un micro-processeur auquel est adjoint l'environnement, logiciel et matériel, nécessaire au traitement complet de l'information.

microphone n. m.
S'abrège en ***micro*** (s'écrit sans point).
Instrument servant à transformer et à amplifier le son.

microprocesseur n. m.
(INFORMATIQUE) Circuit intégré remplissant les fonctions de processeur et comportant les circuits de base suivants : unité arithmétique et logique, unité de commande et décodeur d'instructions.

microscope n. m.
Instrument d'optique permettant de grossir les objets très petits.

microscopique adj.
1. Qui est extrêmement petit. *Un corps microscopique.*
2. Qui s'effectue au moyen d'un microscope. *Un examen microscopique.*
3. Minuscule, de format très réduit. *Des jardins microscopiques décorent ces immeubles japonais.*

midi n. m.
Milieu du jour, douzième heure de la journée. *Le spectacle commencera à midi précis, à midi dix.*
Après le mot ***midi,*** on écrit les minutes en toutes lettres. *Midi vingt.* Par contre, si l'on utilise la notation en chiffres, *12 h,* on écrit alors les minutes en chiffres, *12 h 20.*
Attention au genre masculin de ce nom. *Il est midi et demi (12 h 30).*
VOIR TABLEAU – **JOUR.**

mie n. f.
1. Partie molle du pain. *Il faut manger la croûte aussi bien que la mie.*
2. (LITTÉRAIRE) (VIEUX) Amie. *Ma mie.*
HOM. mi, note de musique.

miel n. m.
Substance sucrée produite par les abeilles à partir du nectar des fleurs. *Une tartine de miel.*
VOIR **APICULTURE.**

mielleux, euse adj.
(PÉJORATIF) D'une douceur hypocrite. *Un ton mielleux.*
mielleu**x.**

mien, mienne n. m. pl. et pron. poss.
Pronom possessif de la première personne. *Le mien, la mienne, les miens, les miennes.* Pronom possessif de la première personne. Le pronom qui s'emploie toujours avec l'article défini doit se rapporter à un nom dont on a déjà parlé. *Ces enfants sont les miens. Vous n'avez pas votre voiture, prenez la mienne.*
Ce mot s'emploie parfois comme un adjectif possessif lorsqu'il est attribut du sujet. *Cette maison est mienne.* Il s'écrit alors sans article défini.
VOIR TABLEAU – **PRONOM.**
Nom masculin pluriel
Mes proches, ma famille. *Je me sens bien auprès des miens.*

miette n. f.
Petite parcelle. *Élise jette des miettes de pain aux oiseaux.*

mieux adj., adv. et n. m.
Adverbe de manière
1. Comparatif de ***bien.*** D'une façon plus avantageuse, plus favorable, plus accomplie. *Il chante mieux qu'elle, elle se porte mieux aujourd'hui, tu aimes mieux ce climat tempéré.*
Comme comparatif, l'adverbe se construit avec un verbe.
2. Superlatif absolu de ***bien.*** *Le livre le mieux écrit. C'est ce chanteur que j'aime le mieux. La fenêtre la mieux orientée de la maison.*
Le mieux que + subjonctif. *Le montage le mieux réussi que j'aie vu.*
Le verbe se met généralement au subjonctif ; on peut employer l'indicatif si l'on veut marquer davantage la réalité que la possibilité. *Le montage le mieux réussi qu'il a fait.*
Adjectif
Meilleur, plus convenable, plus agréable. *Je ne demande pas mieux. Ce roman est mieux que le précédent.*
Nom masculin
Ce qui est meilleur. *J'ai fait de mon mieux. Le mieux est de prendre l'initiative dès le début.*
Locutions
À qui mieux mieux, locution adverbiale. Chacun plus que l'autre. *Ils ont chanté à qui mieux mieux.*
Cette expression figée ne peut s'employer qu'avec un sujet au pluriel.
De mieux en mieux, locution adverbiale. D'une façon toujours plus favorable. *Il réussit de mieux en mieux.*
Des mieux.
1° L'adjectif ou le participe qui suit ***des mieux*** se met au pluriel et s'accorde en genre avec le sujet qui est déterminé. *Ce projet est des mieux préparés. Une maison des mieux construites.*
2° Si le sujet est indéterminé, l'adjectif ou le participe restent invariables. *La fraise est un fruit des mieux apprécié.*
Il vaut mieux, mieux vaut. Il est préférable de. *Il vaut mieux partir, mieux vaut partir.*
Le mieux, du mieux. Ces expressions sont synonymes. *Elle fait le mieux qu'elle peut, du mieux qu'elle peut.*
Le mieux du monde, locution adverbiale. Aussi bien qu'il est possible.
Mieux vaut tard que jamais. Il est préférable d'arriver en retard que de ne pas venir du tout.
Tant mieux !, locution interjective. Cela est bien. *Vous allez bien ? Tant mieux !*

mignon, onne adj.
1. Charmant, gracieux. *Elle est mignonne. Ce bébé est tellement mignon.* **SYN.** joli.
2. Aimable, serviable. *Soyez mignons, les enfants, ne parlez pas tous en même temps !* **SYN.** gentil.
migno**n,** migno**nn**e.

migraine n. f.
1. Douleur intense dans une partie de la tête.
2. Mal de tête.
migr**ai**ne.

migrateur, trice adj. et n. m.
Se dit des oiseaux qui se déplacent pour suivre les saisons. *Les hérons et les canards sont des oiseaux migrateurs. Des outardes migratrices.*

migration n. f.
Déplacement de certains animaux qui changent de climat suivant les saisons. *La migration des oies blanches.*
Pour désigner les déplacements de personnes, on emploie plutôt les mots ***émigration, immigration.***

mi-jambe (à) loc. adv.
À la hauteur du mollet. *Elle avait de l'eau jusqu'à mi-jambe, jusqu'à mi-jambes.*
La locution peut s'écrire au singulier ou au pluriel.

mijoter v. tr., intr.
Verbe transitif
1. Faire cuire lentement. *La grand-maman mijote un bon repas.*
2. (FIGURÉ) Préparer en secret. *Mijoter une blague.*

m

Verbe intransitif
Cuire à petit feu. *La soupe mijote.*
Conjugaison [VOIR MODÈLE – **AIMER**]
mijo**t**er.

mil
VOIR **MILLE.**

milieu n. m. (pl. *milieux*)
1. Centre d'un lieu, d'une chose. *Le milieu de la ville.*
2. Entourage. *Le milieu géographique, les milieux bien informés.*
Locutions
Au milieu de, au beau milieu de, en plein milieu de, locutions prépositives. Dans, parmi.
Le juste milieu. Ce qui est également éloigné de deux extrémités, de deux excès contraires.

militaire adj. et n. m.
Qui fait partie de l'armée. *Une marche militaire. Ce sont des militaires.*

***milk-shake**
Anglicisme pour ***lait fouetté.***

mille- préf.
Les mots composés avec ***mille-*** ont le plus souvent un second élément au pluriel, parfois au singulier. *Un mille-pattes, un mille-feuille.*

mille n. m.
Mesure de distance valant 5 280 pieds ou 1,6 km.
Ce nom prend la marque du pluriel.
Forme fautive
*sur son dernier mille. Calque de l'anglais « on his last mile » pour ***au bout du rouleau.***

mille adj. et n. m. inv.
VOIR TABLEAU – **MILLE, MILLION, MILLIARD.**

millefeuille n. m. (pl. *millefeuilles*)
Gâteau de pâte feuilletée. *Des millefeuilles délicieux.*
Le nom peut aussi s'écrire avec un trait d'union, mais la forme en un seul mot est à privilégier.

millénaire adj. et n. m.
Adjectif
Qui a mille ans au moins. *Une légende millénaire.*
Nom masculin
Période de mille ans.
Les nombres servant à marquer les millénaires s'écrivent en chiffres romains. *Le IIIe millénaire. On entrera bientôt dans le troisième millénaire.*
mi**ll**énaire.

mille-pattes n. m. inv. (pl. *mille-pattes*)
Insecte. *En fait, les mille-pattes n'ont que 42 pattes !*
mille-patte**s.**

millésime n. m.
Année figurant comme date sur les monnaies, certaines bouteilles de vin, etc.

milli- préf.
Symbole ***m*** (s'écrit sans point).
Préfixe qui multiplie par 0,001 l'unité qu'il précède. *Des millimètres.*
Les mots composés du préfixe ***milli-*** s'écrivent en un seul mot.
VOIR TABLEAU – **MULTIPLES ET SOUS-MULTIPLES DÉCIMAUX.**

milliard n. m.
Mille millions. *Des milliards de dollars.*
VOIR TABLEAU – **MILLE, MILLION, MILLIARD.**

milliardaire adj. et n. m. et f.
Qui possède un ou plusieurs milliards (d'unités monétaires). *Milliardaire en dollars.*

millième adj. num. et n. m. et f.
Abréviations : ***1 000e*** (millième), ***1 000es*** (millièmes).
Adjectif numéral ordinal
Nombre ordinal de mille. *La millième fois.*
Nom masculin
La millième partie d'un tout. *Les cent millièmes d'une quantité.*
Nom masculin et féminin
Personne, chose qui occupe le millième rang. *Elles sont les millièmes gagnantes.*
VOIR TABLEAU – **NOMBRES.**
VOIR TABLEAU – **NUMÉRAL (ADJECTIF).**

millier n. m.
1. Nombre de mille environ. *La pétition compte un millier de signatures.*
2. Grande quantité. *Des milliers de personnes seront présentes.*
1° Contrairement à l'adjectif ***mille,*** qui est invariable, le nom ***millier*** prend la marque du pluriel.
2° L'accord du verbe ou de l'adjectif se fait avec le complément au pluriel du nom.
VOIR TABLEAU – **COLLECTIF.**

milligramme n. m.
Symbole ***mg*** (s'écrit sans point).
Millième partie du gramme.

millilitre n. m.
Symbole ***ml*** (s'écrit sans point).
Millième partie du litre.

millimètre n. m.
Symbole ***mm*** (s'écrit sans point).
Millième partie du mètre.

million n. m.
Symbole ***M*** (s'écrit sans point).
Mille fois mille. *Le total s'élève à quinze millions de dollars.*
VOIR TABLEAU – **MILLE, MILLION, MILLIARD.**

millionième adj. et n. m.
Se dit de chaque partie d'un tout divisé en un million de parties égales.
millio**n**ième.

millionnaire adj. et n. m. et f.
Qui possède un ou plusieurs millions (d'unités monétaires). *Millionnaire en dollars.*
millio**nn**aire.

mime n. m. et f.
Artiste qui s'exprime par les attitudes et les gestes. *Cette mime est très expressive.*

mimer v. tr.
Reproduire par des gestes, à l'exclusion de la parole.
Conjugaison [VOIR MODÈLE – **AIMER**]

mimétisme n. m.
Propriété de certains animaux de prendre l'apparence, la couleur de leur milieu pour mieux se dissimuler. *Le mimétisme du caméléon.*

MILLE, adjectif numéral et nom masculin invariable

- **Adjectif numéral invariable.** Dix fois cent.
  Ils ont recueilli trois mille dons.

- **Nom masculin invariable**. Le nombre mille.
  Elle a dessiné des mille en chiffres dorés.
  - *Mille*, adjectif numéral ou nom, est toujours invariable. Dans la composition des nombres, l'adjectif numéral n'est pas lié par un trait d'union au chiffre qui le précède ni à celui qui le suit. *Six mille deux cent trente-deux.*
  - Ne pas confondre avec le nom masculin ***mille,*** mesure de distance valant 1,6 km. *Il a marché pendant plusieurs milles.*

- **Expression numérique**. 1 000 ou 10^3 (notation scientifique).
  Son symbole est **k** et le préfixe qui multiplie une unité par mille est ***kilo-***. VOIR **kilo-**.

- **Écriture des sommes d'argent**
  Généralement, on utilise l'expression numérique et on remplace le nom de l'unité monétaire par son symbole. Le symbole suit l'expression numérique et en est séparé par un espace.
  Le prix de cette voiture est de 18 000 $.
  - Si le nombre est écrit en toutes lettres, le symbole de l'unité monétaire ne peut être utilisé, il faut alors écrire le nom de l'unité monétaire au long. *Le prix est de huit mille dollars.*

VOIR TABLEAU – **SYMBOLES.**

m

MILLION, nom masculin

- **Nom masculin**. Comme le mot **milliard**, le mot **million** est un nom qui prend la marque du pluriel.
  Le total est de dix millions deux cent vingt mille.
  - Les adjectifs numéraux ***vingt*** et ***cent*** prennent la marque du pluriel s'ils sont multipliés par un nombre et ne sont pas suivis d'un autre adjectif numéral. Le mot ***million*** est un nom, on écrira donc : *Quatre-vingts millions de francs.*
  - En français, la marque du pluriel ne s'inscrit qu'à compter de deux unités. *La somme s'élève à 1,5 million de dollars.*

- **Expression numérique**. 1 000 000 ou 10^6 (notation scientifique).
  Son symbole est **M** et le préfixe qui multiplie une unité par un million est ***méga-***. VOIR **méga-**.

MILLIARD, nom masculin

- **Nom masculin**. Comme le mot **million**, le mot **milliard** est un nom qui prend la marque du pluriel.
  Le total s'élève à trois milliards, le nombre est de sept milliards cinq cent trente-sept mille.
  - Les adjectifs numéraux ***vingt*** et ***cent*** prennent la marque du pluriel s'ils sont multipliés par un nombre et ne sont pas suivis d'un autre adjectif numéral. Le mot ***milliard*** est un nom, on écrira donc : *Quatre-vingts milliards de francs.*
  - En français, la marque du pluriel ne s'inscrit qu'à compter de deux unités. *La somme s'élève à 1,5 milliard de dollars.*

- **Expression numérique.** 1 000 000 000 ou 10^9 (notation scientifique).
  Son symbole est **G** et le préfixe qui multiplie une unité par un milliard est ***giga-***. VOIR **giga-**.

mimique n. f.
1. Art de l'imitation par gestes.
2. Ensemble des gestes et des expressions qui accompagnent la parole. *Ses mimiques sont très amusantes.*

min
Symbole de ***minute.***

minable adj. et n. m. et f.
(FAMILIER) Médiocre, très mauvais. *Ces émissions télévisées sont minables.*

mince adj.
1. Qui n'a pas beaucoup d'épaisseur. *Un papier trop mince.* **SYN.** fin.
2. Élancé. *Elle est très mince.* **SYN.** svelte.

minceur n. f.
Caractère de ce qui est mince. *La minceur d'un film. La minceur de ces ballerines.*

mincir v. tr., intr.
Verbe transitif
Faire paraître plus mince. *Cette robe la mincit.* **SYN.** amincir.
Verbe intransitif
Devenir plus mince. *Elle a minci depuis l'an dernier.* **SYN.** amincir.
Conjugaison [VOIR MODÈLE – **FINIR**]

mine n. f.
1. Apparence. *Elle a bonne mine et j'ai mauvaise mine.* **SYN.** air, allure.
2. Lieu d'où l'on extrait des minéraux. *Une mine de diamants.*
3. (FIGURÉ) Ressource précieuse. *C'est une mine de renseignements.*
4. Engin explosif. *Ce terrain est rempli de mines qui peuvent exploser à tout moment.*
Locutions
Faire grise mine. Réserver un mauvais accueil.
Faire mine de. Faire semblant de. *Ils ont fait mine de partir, mais ils sont restés tout près.*
Mine de rien. Sans rien laisser paraître, de façon cachée. *Alors que la vendeuse était occupée par un client, mine de rien, le voleur s'empara d'un bijou sur le comptoir.*
Mine d'or. (FIGURÉ) Entreprise très rentable, trésor. *Cette comédie musicale est une mine d'or.*

minerai n. m.
Les lettres ***ai*** se prononcent **è** [minrɛ] ; ce nom rime avec ***forêt.***
Fragment de terrain contenant des minéraux. *Des minerais très riches.*
miner**ai.**

minéral, ale adj. et n. m. (pl. *minéraux*)
Adjectif
Relatif aux minerais. *Des sels minéraux.*
Nom masculin
Roche. *Des minéraux recherchés.*
Locution
Eau minérale. Eau qui contient des minéraux.

minéralogie n. f.
Étude des minéraux.

minet n. m.
(FAMILIER) Chat.

mineur n. m.
mineuse n. f.
Personne qui travaille à l'exploitation d'une mine. *Le travail de mineur est pénible.*

mineur, eure adj. et n. m. et f.
Qui n'a pas atteint l'âge de la majorité (18 ans). *Une enfant mineure. Ce bar est interdit aux mineurs.* **ANT.** majeur.

mini- préf.
1. Élément du latin signifiant « moins ».
2. Très petit, très bref. *Une minijupe.*

miniature n. f.
Peinture de très petite dimension.
Locution
En miniature. De format très réduit. *Un train en miniature.*
Le mot s'emploie également comme un adjectif et prend la marque du pluriel. *Des trains miniatures.*

miniaturisation n. f.
Action de miniaturiser. *La miniaturisation d'une voiture.*

miniaturiser v. tr.
Donner des dimensions très réduites à quelque chose.
Conjugaison [VOIR MODÈLE – **AIMER**]

minibus ou **minicar** n. m.
Petit car.

minier, ière adj.
Relatif aux mines. *L'industrie minière.*

mini-golf n. m. (pl. *mini-golfs*)
Golf miniature.

minijupe n. f.
Jupe très courte. *Porter la minijupe.*

minimal, ale, aux adj.
Qui constitue un minimum. *Des résultats minimaux. La vitesse minimale.*
L'emploi de la forme française de cet adjectif est à préférer à la forme latine ***minimum.***

minime adj.
Très petit, infime. *Des modifications minimes.*
À l'origine, l'adjectif était un superlatif qui signifiait « le plus petit » ; il a perdu ce sens et peut donc être précédé de ***plus, très,*** etc. *Le plus minime insecte.*

minimum adj. et n. m. (pl. *minimums*)
Nom masculin
Limite inférieure. *Le minimum que tu peux payer pour cet article, c'est 10 $.*
Adjectif
Minimal. *Des vitesses minimums.*
L'adjectif conserve la même forme au masculin et au féminin, mais prend la marque du pluriel. L'emploi de l'adjectif ***minimal*** est préférable.

ministère n. m.
Division administrative de l'État dirigée par un ministre. *Le ministère de l'Éducation.*

ministre n. m. et f.
Personne chargée de la direction d'un ministère. *Le premier ministre, la ministre de la Culture, le Conseil des ministres.*

minois n. m.
Frimousse, visage joli et charmant.
minoi**s.**

minoritaire adj.
Qui appartient à une minorité. *Ce parti est minoritaire.* **ANT.** majoritaire.

minorité n. f.
Le petit nombre. *Une minorité de partisans a voté,* ou *ont voté contre la proposition.* **ANT.** majorité.
Après un nom collectif suivi d'un complément au pluriel, le verbe se met au singulier ou au pluriel suivant l'intention de l'auteur qui veut insister sur l'ensemble ou sur la pluralité.
VOIR TABLEAU – **COLLECTIF.**

minou n. m. (pl. *minous*)
Petit chat, dans le langage enfantin.

minuit n. m.
1. Le milieu de la nuit.
2. Début de la première heure du jour (24 heures ou 0 heure).
Attention au genre masculin de ce nom. *Il est minuit et demi (0 h 30). Le dernier métro part à minuit précis.* Quand le nom ***minuit*** est sujet, le verbe s'accorde au singulier. *Minuit sonne.*

minuscule adj. et n. f.
Adjectif
Très petit. *Un minuscule oiseau.* **ANT.** géant, grand.
Nom féminin
Petite lettre. *Tu peux écrire ton nom en minuscule, seule la première lettre de ton prénom et du nom de famille s'écrivent en majuscule.* **ANT.** majuscule.
VOIR TABLEAU – **MAJUSCULES ET MINUSCULES.**

minutage n. m.
Action de minuter. *Le minutage d'une émission.*

minute n. f.
Symbole ***min*** (s'écrit sans point).
Unité de mesure de temps valant 60 secondes. *Je viens dans cinq minutes.*
1° La notation de l'heure réunit les indications des unités par ordre décroissant et avec un espace de part et d'autre de chaque symbole. *14 h 25 min* ou *14 h 25.*
2° Les symboles des unités de mesure n'ont pas de point abréviatif, ne prennent pas la marque du pluriel et ne doivent pas être divisés en fin de ligne. *C'est à 15 h 35 min que le train part.*
3° La fraction horaire n'étant pas décimale, il n'y a pas lieu d'ajouter un zéro devant les unités. *1 h 5* (et non *1 h 05).
VOIR TABLEAU – **HEURE.**

minuter v. tr.
Déterminer avec précision la durée d'une activité, définir un horaire de façon très précise. *Les élèves ont bien minuté la présentation de leurs exposés.*
Conjugaison [VOIR MODÈLE – **AIMER**]

minuterie n. f.
Appareil permettant d'établir ou de supprimer automatiquement le courant électrique. *Une cafetière dotée d'une minuterie.*

minutie n. f.
Le ***t*** se prononce ***s*** [minysi]; le mot rime avec ***scie.***
Soin, précision. *Étienne a fait les raccords électriques avec beaucoup de minutie.* **SYN.** application.
minu**t**ie.

minutieux, ieuse adj.
Le ***t*** se prononce ***s***.
Méticuleux, qui demande de la minutie. *C'est un travail minutieux que de souder ces raccords. Étienne est très minutieux.* **SYN.** soigné.

miracle n. m.
Évènement extraordinaire qui ne peut se produire naturellement.
Locutions
Par miracle. D'une façon inattendue, inespérée. *Ils ont échappé à la noyade par miracle.*
Solution miracle, recette miracle, remède miracle. (EN APPOSITION) Mis en apposition, le mot ***miracle*** prend la marque du pluriel et s'écrit sans trait d'union. *Des solutions miracles.*

miraculeusement adv.
D'une manière surprenante. *Ils ont été sauvés miraculeusement.*

miraculeux, euse adj.
Qui tient du miracle. *Une guérison miraculeuse.*

mirage n. m.
Illusion d'optique. *Dans le désert, on voit parfois des mirages : on croit apercevoir de l'eau alors qu'il n'y en a pas.*
Ne pas confondre avec le nom ***miroitement,*** éclat jeté par une surface polie ou réfléchissant la lumière.

mire n. f.
Repère de visée d'une arme à feu.
Location
Point de mire. (FIGURÉ) Personne, chose qui attire tous les regards. *Des points de mire.*
HOM. myrrhe, résine aromatique.

mirer v. tr., pronom.
Verbe transitif
Examiner à contre-jour. *Mirer des œufs.*
Verbe pronominal
1 (LITTÉRAIRE) Se regarder. *La jeune fille se mirait dans l'eau.*
2. (LITTÉRAIRE) Se refléter. *Les saules se mirent joliment dans le lac.*
Conjugaison [VOIR MODÈLE – **AIMER**]

mirobolant, ante adj.
(FAMILIER) Merveilleux, trop beau pour être vrai. *Des histoires mirobolantes.* **SYN.** extraordinaire, fabuleux.
mir**o**bol**a**nt.

miroir n. m.
Glace de verre destinée à refléter l'image des objets. *Prête-moi ton miroir, j'ai une poussière dans l'œil, je crois.*

miroitement n. m.
Éclat jeté par une surface polie ou réfléchissant la lumière. *Le miroitement du soleil sur le lac.* **SYN.** reflet, scintillement.
Ne pas confondre avec le nom ***mirage,*** illusion d'optique.

miroiter v. intr.
Briller. *Le soleil miroite dans l'eau.* **SYN.** étinceler, scintiller.
Locution
Faire miroiter. Chercher à convaincre à l'aide de promesses, parfois fausses. *Cet individu nous a fait miroiter des gros lots fabuleux qui n'existaient même pas.*
Conjugaison [VOIR MODÈLE – **AIMER**]

misanthrope adj. et n. m. et f.
Qui hait le genre humain. *Le héros du* Misanthrope *de Molière est très peu sympathique.*
misan**th**rope.

mis à part loc. prép.
Exception faite de. *Mis à part ses notes de géographie et d'histoire, ses résultats sont bons.*

Devant le nom, cette locution est généralement invariable. *Mis à part ces coquilles, tout est parfait.* Après le nom, le participe est variable. *Ces coquilles mises à part, le texte est parfait.*

mise n. f.
Action de mettre ; résultat de cette action. *Une mise en chantier.*
Locutions
De mise. Convenable, acceptable. *Ces paroles blessantes ne sont pas de mise ici.*
Mise à pied. Fin du contrat de travail.
Mise au point. Clarification. *C'est très confus, il faut faire une mise au point.*
Mise en liberté. Fin de l'emprisonnement d'une personne, d'un animal.
Mise en ondes. Action de diffuser à la radio ou à la télévision.
Dans cette expression, le complément est au pluriel.
Mise en plis. Action de coiffer les cheveux.
Dans cette expression, le complément est au pluriel.
Mise en scène. Réalisation d'une œuvre au théâtre, au cinéma, à la télévision.
Mise en service. Action de faire fonctionner.

miser v. tr.
Verbe transitif direct
Disposer comme enjeu. *Miser 100 $ sur un cheval.* **SYN.** gager, parier.
Verbe transitif indirect
Se fonder sur. *Miser sur la compétence d'un collaborateur.* **SYN.** compter sur.
Conjugaison [VOIR MODÈLE – **AIMER**]

misérable adj. et n. m. et f.
Qui est dans la misère, très pauvre. *Cette famille est misérable.* **SYN.** miséreux, pitoyable.

misérablement adv.
Dans la misère, la pauvreté. *Ils vivent misérablement.*

misère n. f.
Grande pauvreté. *Vivre dans la misère.* **SYN.** besoin.
Locutions
Avoir de la misère à. (FAMILIER) Avoir de la difficulté à faire quelque chose. *Sébastien a de la misère à se lever à 6 heures pour livrer les journaux.*
Chercher misère à quelqu'un. Adresser des reproches à.
De misère. Misérable. *Un salaire de misère.*

miséreux, euse adj. et n. m. et f.
Qui est extrêmement pauvre. *Il faut aider ces miséreux. Des sans-abri miséreux.* **SYN.** misérable.
miséreu**x**.

missile n. m.
Projectile téléguidé. *Cet avion a été détruit par un missile.*
mi**ss**i**l**e.

mission n. f.
1. Fonction confiée à quelqu'un. *Mission accomplie.*
2. Ensemble des personnes chargées d'entreprendre une action au nom d'un gouvernement, d'une organisation. *Une mission diplomatique, scientifique.*

missionnaire adj. et n. m. et f.
Nom masculin et féminin
Religieux chargé de convertir quelqu'un à une religion. *Les sœurs de l'Immaculée-Conception sont des missionnaires.*
Adjectif
Qui se rapporte aux missions, à la fonction de gagner des fidèles à une religion. *Des sœurs, des pères missionnaires.*
missio**nn**aire.

mitaine n. f.
1. Gant qui découvre le bout des doigts.
2. Partie de l'habillement qui couvre la main, sans séparation pour les doigts, sauf pour le pouce. **SYN.** moufle.
Ne pas confondre avec le nom ***gant,*** partie de l'habillement qui couvre la main et les doigts séparément.

mite n. f.
Insecte dont les larves rongent les lainages, les fourrures. *Un lainage mangé aux mites, par les mites.*
HOM. mythe, récit fabuleux.

mité, ée adj.
Rongé par les mites. *Ces lainages sont mités.*

mi-temps n. f. inv. (pl. *mi-temps*)
Dans les sports d'équipe, pause au milieu d'un match.
Locution
À mi-temps, locution adverbiale. À temps partiel. *Il travaille à mi-temps.*

miteux, euse adj.
D'aspect misérable. *Des logis miteux.* **SYN.** pitoyable.
miteu**x**.

mitigé, ée adj.
Nuancé, incertain. *Des réactions mitigées, parfois favorables, parfois défavorables.*

mitoyen, enne adj.
Qui appartient à deux propriétés et les sépare. *Un mur mitoyen, une allée mitoyenne.*
mito**y**en.

mitraillade n. f.
Décharge simultanée de plusieurs armes à feu.

mitraillage n. m.
Action de mitrailler.

mitrailler v. tr.
Tirer de nombreux coups de fusil, de mitrailleuse sur un objectif. *Mitrailler une voiture.*
Conjugaison [VOIR MODÈLE – **AIMER**]
Les lettres ***ill*** sont suivies d'un ***i*** à la première et à la deuxième personne du pluriel de l'indicatif imparfait et du subjonctif présent. *(Que) nous mitraillions, (que) vous mitrailliez.*

mitraillette n. f.
Arme portative à tir automatique. *Des tirs de mitraillettes.*

mitrailleuse n. f.
Arme à tir automatique. *Les mitrailleuses ne sont pas portatives.*

mi-voix (à) loc. adv.
D'une voix faible. *Parler à mi-voix.* **SYN.** à voix basse.

mixte adj.
Qui comprend des personnes des deux sexes. *Une classe mixte avec 13 filles et 12 garçons.*
mi**x**te.

ml
Symbole de ***millilitre.***

Mlle
Abréviation de ***mademoiselle.***
L'abréviation de mesdemoiselles est ***Mlles.***

MM.
Abréviation de ***messieurs.***

mm
Symbole de ***millimètre.***

Mme
Abréviation de ***madame.***
L'abréviation de ***mesdames*** est ***Mmes***.

Mo
Symbole de ***méga-octet.***

mobile adj. et n. m.
Adjectif
Qui peut se déplacer. *Une pièce mobile.* **ANT.** immobile.
Nom masculin
1. Raison. *Quel est le mobile du crime ?* **SYN.** motif.
2. Composition suspendue dont les éléments entrent en mouvement sous l'influence du vent ou d'un moteur. *Un joli mobile pour la chambre du bébé.*
3. Corps en mouvement. *Le mobile se déplace sur un rail.*

mobilier n. m.
Ameublement. *Un mobilier très moderne, rustique.*

mobiliser v. tr., pronom.
Verbe transitif
1. Ordonner aux hommes de se joindre à l'armée en cas de guerre.
2. Motiver. *Mobiliser les participants à une réunion.*
Verbe pronominal
Rassembler toute son énergie pour l'accomplissement de quelque chose. *Ils se sont mobilisés pour mener à bien les travaux entrepris.*
Conjugaison [VOIR MODÈLE – **AIMER**]

mobilité n. f.
Caractère de ce qui peut se mouvoir.

mobylette n. f.
Bicyclette à moteur. **SYN.** cyclomoteur.
Ce nom est une marque déposée passée dans l'usage et qui s'écrit maintenant avec une minuscule.
mo**by**lette.

mocassin n. m.
Chaussure plate, souple et sans lacets.

moche adj.
1. (FAMILIER) Laid, affreux. *Ces vêtements sont moches.*
2. (FAMILIER) Incorrect, mauvais. *C'est très moche de sa part de t'avoir laissé tomber.*

mode n. m. et f.
Nom masculin
1. Méthode. *Un mode d'emploi.*
2. (GRAMMAIRE) Forme verbale. *Le mode indicatif.*
3. Manière dont une action se fait. *Un mode de vie.*
Nom féminin
1. Façon de vivre, goûts d'une certaine époque. *La mode du rock and roll.*
2. Industrie du vêtement. *Travailler dans la mode.*
Locutions
À la mode, locution adjective. Au goût du jour. *Sa coiffure est à la mode.*
À la mode de, locution adjective. À la manière de. *À la mode de chez nous.*

modelage n. m.
Action de modeler. *Adèle aimait bien faire du modelage avec de la pâte à modeler colorée.*

modèle adj. et n. m.
Adjectif
Digne d'être imité. *Des étudiantes modèles.* **SYN.** exemplaire.
Nom masculin
1. Personne reproduite par l'art ou la photographie. *Dessin d'après un modèle.*
2. Exemple à suivre. *Un modèle de patience.*
Le nom n'a pas de forme féminine.
3. Objet qui peut être reproduit à de multiples exemplaires. *École modèle, entreprise modèle.*
En apposition, le nom prend la marque du pluriel et s'écrit sans trait d'union. *Des entreprises modèles.*
Locution
Modèle réduit. Maquette.

modeler v. tr., pronom.
Verbe transitif
1. Façonner. *De la pâte à modeler.*
2. Fixer d'après un modèle. *Elle modèle sa façon de travailler sur celle de ses camarades.* **SYN.** copier, imiter.
Verbe pronominal
Prendre pour modèle. *Elles se sont modelées sur ces scientifiques rigoureuses.* **SYN.** imiter.
Conjugaison [VOIR MODÈLE – **CONGELER**]
Le **e** se change en **è** devant une syllabe muette. *Il modèle, il modelait.*

modem n. m.
(INFORMATIQUE) Unité périphérique qui permet à un ordinateur de communiquer par ligne téléphonique. *Des modems fiables.*
Ce terme est une contraction des mots ***modulateur-démodulateur.***

modération n. f.
Réserve, retenue. *La modération de ses propos a étonné les participants.* **ANT.** excès.

modéré, ée adj.
1. Raisonnable, sans excès. *Un avis modéré.* **SYN.** sage.
2. À prix moyen. **ANT.** excessif, immodéré.
Ne pas confondre avec ***modeste,*** simple.

modérément adv.
Avec modération. *Ils ont mangé modérément.* **SYN.** sans excès, avec mesure.

modérer v. tr., pronom.
Verbe transitif
Tempérer. *Modère tes transports !* **SYN.** limiter, réduire.
Verbe pronominal
Se contenir, devenir raisonnable. *Ils se sont modérés et ont finalement accepté les propositions.* **SYN.** se retenir.
Conjugaison [VOIR MODÈLE – **POSSÉDER**]
Le **é** se change en **è** devant une syllabe muette, sauf à l'indicatif futur et au conditionnel présent. *Je modère,* mais *je modérerai.*

moderne adj. et n. m.
Adjectif
1. Actuel, nouveau. *Une maison très moderne.* **ANT.** ancien, vieux.
2. Qui est de son temps (personnes). *Mes parents sont très modernes.* **SYN.** à la mode. **ANT.** démodé, vieux jeu.
Nom masculin
Chose d'aujourd'hui. *Aimer le moderne.*

modernisation n. f.
Action de moderniser. *La modernisation de l'école s'impose.*

moderniser v. tr., pronom.
Verbe transitif
Rendre moderne, rénover. *Moderniser une cuisine, une façon de procéder.*
Verbe pronominal
Adopter les usages modernes. *L'enseignement s'est modernisé : on utilise maintenant les ordinateurs.*
Conjugaison [VOIR MODÈLE – **AIMER**]

modeste adj.
1. Qui est exempt de vanité. *Vous êtes trop modeste.* **SYN.** humble.
2. Simple, sans faste. *Un logement modeste.*
Ne pas confondre avec les mots suivants :
– ***modéré,*** à prix moyen ;
– ***modique,*** à bas prix.

modestie n. f.
Simplicité, réserve, pudeur. *Ces éloges ont blessé sa modestie.*

modification n. f.
Changement. *Apporter des modifications à un texte.* **SYN.** transformation.

modifier v. tr., pronom.
Verbe transitif
Changer. *Modifier l'aspect d'un immeuble.* **SYN.** transformer.
Verbe pronominal
Devenir différent. *Ses traits se sont modifiés.* **SYN.** changer, varier.
Conjugaison [VOIR MODÈLE – **ÉTUDIER**]
Redoublement du ***i*** à la première et à la deuxième personne du pluriel de l'indicatif imparfait et du subjonctif présent. *(Que) nous modifiions, (que) vous modifiiez.*

m

modique adj.
Bas, de peu de valeur. *Pour une modique somme, pour très peu, vous obtiendrez de jolis objets.*
Locution
Habitation à loyer modique (HLM). Immeuble réservé aux personnes ayant de faibles revenus.
Dans la francophonie, on emploie l'expression ***habitation à loyer modéré.***
Ne pas confondre avec ***modeste,*** simple.

modulaire adj.
1. Relatif à un module.
2. Construit à l'aide de modules.
modul**aire.**

modulateur, trice adj. et n. m. et f.
Dispositif permettant de moduler un signal.
Locution
Modulateur-démodulateur. (INFORMATIQUE) Modem.

modulation de fréquence n. f.
Abréviation ***MF*** (s'écrit généralement sans points).
1. Mode de transmission d'un signal.
2. Émission en modulation de fréquence.
Toutefois, l'abréviation internationale est ***FM.*** *La radio FM.*

module n. m.
1. Élément destiné à entrer dans la réalisation d'un ensemble par juxtaposition ou combinaison.
2. Élément d'un véhicule spatial. *Un module lunaire.*
Attention au genre masculin de ce nom : ***un*** module.

moduler v. tr.
1. Articuler. *Moduler des sons.*
2. Adapter. *Une méthode de recherche modulée selon des critères déterminés.*
Conjugaison [VOIR MODÈLE – **AIMER**]

moelle n. f.
Le ***e*** se prononce ***a*** [mwal].
Substance molle de l'intérieur des os.
mo**ell**e.

moelleux, euse adj.
Le ***e*** se prononce ***a*** [mwalø, øz].
Doux, confortable. *Un fauteuil moelleux.*
mo**ell**eu**x.**

mœurs n. f. pl.
Le ***s*** se prononce ou non, [mœrs] ou [mœr].
Coutumes, usages. *Les bonnes mœurs, des mœurs douteuses.*
Ce nom est toujours pluriel.

mohawk adj. et n. m. et f.
Se dit des Amérindiens d'une nation autochtone du Québec. *La culture mohawk, des projets mohawks. Un Mohawk, une Mohawk.*
L'adjectif s'écrit avec une minuscule ; le nom, avec une majuscule.
Les Mohawks étaient appelés autrefois ***Iroquois.***

moi pron. pers. m. et f.
Pronom personnel masculin et féminin de la première personne du singulier.
EMPLOIS
– **Complément d'objet direct.** *Écoutez-moi.*
– **Complément d'objet indirect.** *Il est à moi.*
– **Complément circonstanciel.** *Elle est chez moi.*
– **Complément du nom.** *En mémoire de moi.*
– **Complément de l'adjectif.** *Digne de moi.*
– **Attribut.** « *L'État, c'est moi.* » (Louis XIV)
– **Sujet pour renforcer le pronon *je*.** *Moi, j'ai dit cela ?*
Locutions
À moi ! À l'aide !
Chez moi. Dans ma maison.
La locution s'écrit sans trait d'union (*ils sont chez moi*), contrairement au nom masculin ***chez-moi*** qui s'écrit avec trait d'union (*mon chez-moi*).
Quant à moi. En ce qui me concerne.
VOIR TABLEAU – **PRONOM.**

moindre adj.
Plus petit en quantité, en qualité, en intensité. *C'est un moindre mal.*
L'adjectif peut être renforcé par ***beaucoup, bien,*** mais non par ***très.*** *Les inconvénients sont bien moindres que vous l'aviez pensé.*
Locutions
Le moindre. Superlatif absolu. Le plus petit.
Le moindre que + subjonctif. *Ce don est bien le moindre que vous puissiez faire.*
Le verbe se met généralement au subjonctif ; on peut employer l'indicatif si l'on veut marquer davantage la réalité que la possibilité. *Ce don est le moindre qu'il a fait.*
Moindre que + indicatif. *Cette quantité est moindre que celle qui avait été prévue.*

moindrement adv.
Le moins du monde.
Locution
Le moindrement. Tant soit peu. *S'il était le moindrement prudent, il prendrait cette précaution élémentaire.*

moine n. m.
Religieux qui vit en communauté à l'écart du monde.

moineau n. m. (pl. *moineaux*)
Oiseau passereau à livrée brune.
VOIR TABLEAU – **ANIMAUX.**

moins adv.
VOIR TABLEAU – **MOINS.**

mois n. m.
Chacune des 12 divisions de l'année.
Les noms de mois s'écrivent avec une minuscule. *Le mois de mai.*
VOIR TABLEAU – **DATE.**

moïse n. m.
Petit berceau. *Le nouveau-né a un joli moïse.*
moïse.

moisi, ie adj. et n. m.
Adjectif
Couvert de moisissure. *Du pain moisi. Cette brioche est moisie.*
Nom masculin
Ce qui est moisi, moisissure. *Il y a du moisi sur les confitures.*

moisir v. tr., intr.
Verbe transitif
Couvrir de moisissure. *L'humidité a moisi les papiers peints.*
Verbe intransitif
1. Se couvrir de moisissure. *Le pain a moisi.*
2. (FIGURÉ) Rester improductif. *Il y a des personnes qui moisissent dans certains emplois.*
Conjugaison [VOIR MODÈLE – **FINIR**]

moisissure n. f.
Mousse verdâtre formée de petits champignons. *Le pain est couvert de moisissure : il n'est plus bon.* **SYN.** moisi.

moisson n. f.
Récolte. *La moisson sera bonne cette année.*

moissonner v. tr.
Faire la récolte. *Le cultivateur moissonne son champ.*
Conjugaison [VOIR MODÈLE – **AIMER**]
moi**ss**o**nn**er.

moissonneur, euse n. m. et f.
Personne chargée de faire la moisson. *Les moissonneurs étaient furieux : les intempéries ont retardé leurs travaux.*

moissonneuse n. f.
Machine agricole qui sert à moissonner.
Locution
Moissonneuse-batteuse. Machine agricole servant à récolter les céréales. *Des moissonneuses-batteuses efficaces.*

moite adj.
Se dit de la peau recouverte de sueur. *Avoir les mains moites.*
L'adjectif conserve la même forme au masculin et au féminin.
m**oi**te.

moitié n. f.
Une des deux parties égales en lesquelles un tout est divisé. *Plus de la moitié des accidents sont dus* ou *est due à la négligence.*
Après un nom collectif suivi d'un complément au pluriel, le verbe se met au singulier ou au pluriel, suivant l'intention de l'auteur qui veut insister sur l'ensemble ou sur la pluralité.
VOIR TABLEAU – **COLLECTIF.**
Locutions
À moitié, locution adverbiale. À demi. *Le pichet est à moitié vide* ou *à moitié plein.*
À moitié chemin, locution adverbiale. Au milieu de l'espace à parcourir.
À moitié prix, locution adverbiale. Pour la moitié du prix.
Moitié-moitié. (FAMILIER) En deux parts égales. *Partageons moitié-moitié, d'accord ?*

moka n. m.
Gâteau aromatisé au café ou au chocolat. *Des mokas chauds avec de la crème glacée.*

mol
VOIR **MOU.**

molaire n. f.
Dent dont la fonction est de broyer. *Une molaire saine.*
mol**ai**re.

molécule n. f.
La plus petite portion d'un corps qui puisse exister à l'état libre. *La molécule est un groupement d'atomes.*
Attention au genre féminin de ce nom : ***une*** molécule.
mol**é**cule.

molette n. f.
Roulette dentée. *Une clé à molette.*
Ne pas confondre avec l'adjectif féminin ***mollette,*** qui est un peu mou.
mole**tt**e.

molle
VOIR **MOU.**

mollement adv.
Sans énergie.

mollesse n. f.
Indolence. *La mollesse de ces pachas est légendaire.* **SYN.** paresse, somnolence. **ANT.** énergie, fermeté.

mollet n. m.
Partie postérieure de la jambe, entre le jarret et la cheville.
Ne pas confondre avec le nom ***jarret,*** partie de la jambe située derrière l'articulation du genou, chez l'homme.

mollet, ette adj.
Un peu mou. *Un œuf mollet.*
Ne pas confondre l'adjectif féminin avec le nom ***molette,*** roulette dentée.

mollir v. intr.
1. Devenir mou. *La salade commence à mollir.* **SYN.** se ramollir.
2. (FIGURÉ) Faiblir, perdre de sa vigueur. *Sa volonté n'a jamais molli.*
Conjugaison [VOIR MODÈLE – **FINIR**]

mollo adv.
(FAMILIER) Doucement. *Allez-y mollo les amis, faites un peu moins de bruit.*

mollusque n. m.
Animal invertébré vivant le plus souvent dans une coquille protectrice.

moment n. m.
1. Instant bref. *Un moment, j'arrive !*
2. Temps. *Le moment présent. Voici le moment de partir.*
Locutions
À tout moment, locution adverbiale. Souvent. *Mes amis venaient me voir à tout moment.*

L'adverbe ***moins*** marque l'infériorité.

1. ***Moins*** + qualité.
Les bouleaux sont moins résistants que les chênes. Cet article est moins cher.

2. ***Moins de*** + quantité.
Ils sont moins de mille participants. Le film dure moins de deux heures.

3. ***Moins de deux*** + verbe.
Moins de deux ans séparent ces évènements.
1° Dans cette construction, le verbe se met au pluriel, malgré la logique.
2° Par contre, le verbe se met au singulier après l'expression ***plus d'un***. *Plus d'un étudiant a peiné sur ce travail.*

COMPARATIF de l'adverbe ***peu***

- ***Moins que*** + comparaison.
Elles sont moins grandes que leurs frères. Les jeunes s'inquiètent moins que leurs parents.

SUPERLATIF de l'adverbe ***peu***

- ***Le moins que*** + subjonctif.
Cette maison est la moins chère que nous puissions trouver.

Le verbe se met généralement au subjonctif ; on peut employer l'indicatif si l'on veut marquer davantage la réalité que la possibilité. *Cette maison est la moins chère que nous avons trouvée.*

m

- ***Des moins.***
1° L'adjectif ou le participe passé qui suit ***des moins, des plus, des mieux*** se met au pluriel et s'accorde en genre avec le sujet déterminé. *Cette personne est des moins compétentes. Un véhicule des moins performants.*
2° Si le sujet est indéterminé, l'adjectif ou le participe reste invariable. *Acheter ces titres miniers est des moins sûr.*

Locutions

– ***À moins de***, locution prépositive. *Sauf si.*
Cette locution peut se construire :
– avec un nom. *À moins d'un retard inattendu, il sera là bientôt.*
– avec un infinitif. *À moins de construire des écoles, nous manquerons de place.*

– ***À moins de***, locution prépositive. Au-dessous de. *À moins de 10 $, je peux l'acheter.*

– ***À moins que.*** À condition que. *À moins qu'il ne vienne ce soir, je crois qu'elle choisira un autre copain.*
Cette locution se construit avec le subjonctif.

– ***Au moins***, locution adverbiale. Au minimum. *Il a perdu au moins cinq kilos.*

– ***De moins en moins***, locution adverbiale. En diminuant graduellement.

– ***En moins de***, locution prépositive. Dans un moindre espace de temps. *En moins de quatre mois, ce sera terminé.*

– ***Moins... moins, moins... plus.*** *Moins il travaille, moins il réussit. Moins elle réussit, plus elle fait des efforts.*

– ***Ni plus ni moins que***, locution conjonctive. Exactement. *Je lui ai donné ni plus ni moins que 20 $.*

– ***Tout au moins, à tout le moins, pour le moins, au moins, du moins***, locutions adverbiales. *En tout cas.*
Ces locutions marquent une restriction. *S'il n'était pas très travailleur, au moins il était compétent et honnête.*

- Dans cette expression, le mot s'écrit généralement au singulier.
Au moment de, locution prépositive. Sur le point de. *Au moment de partir.*
Au moment où, locution conjonctive. Alors que. *Au moment où l'on ne s'y attend pas.*
Dans un moment, locution adverbiale. Bientôt, dans peu de temps.
Du moment que, locution conjonctive. Puisque. *Du moment que tu seras présent, je n'ai pas à te faire de compte rendu.*
La locution est suivie de l'indicatif.
D'un moment à l'autre, locution adverbiale. Dans un instant.
En ce moment, locution adverbiale. Actuellement, présentement.
Jusqu'au moment où, locution conjonctive. Jusqu'à ce que. *Il la suivit des yeux jusqu'au moment où elle se perdit dans la foule.*
La locution est suivie de l'indicatif ou du conditionnel pour marquer une réalisation réelle ou possible.
Par moments, locution adverbiale. À l'occasion.
- Dans cette expression, le mot s'écrit généralement au pluriel.
Sur le moment, locution adverbiale. Sur le coup, à l'instant même.

momentané, ée adj.
Qui ne dure qu'un moment. *Une fatigue momentanée.* **SYN.** passager.

momentanément adv.
Pendant un moment. *Je regrette, M. Dubois est momentanément absent.*

momie n. f.
Corps embaumé selon les procédés des anciens Égyptiens. *Les archéologues ont trouvé, en Égypte, des momies entourées de bandelettes dans des sarcophages.*

mon adj. poss. m. sing.
1. Adjectif possessif masculin de la première personne du singulier qui détermine le nom en indiquant le « possesseur » de l'objet désigné. Il s'accorde en genre et en nombre avec le nom déterminé. *Mon cahier.*
2. L'adjectif possessif s'accorde en personne avec le nom désignant le « possesseur ». Ainsi, l'adjectif possessif ***mon*** renvoie à un seul « possesseur » d'un être, d'un objet de genre masculin. *Regarde mon vélo* (un seul possesseur) *et notre nouvelle tondeuse* (plusieurs possesseurs).
- Devant un nom féminin qui commence par une voyelle ou un ***h*** muet, c'est aussi la forme masculine ***mon*** qui est employée pour rendre la liaison plus harmonieuse entre l'adjectif possessif et le mot qui suit. *Mon amie, mon histoire.*
VOIR TABLEAU – **POSSESSIF (ADJECTIF).**

monarchie n. f.
État gouverné par un roi. *En France, la monarchie a été abolie en 1789.* **SYN.** royauté.

monarque n. m.
Roi, souverain. *Ce monarque était aimé de ses sujets.*

monastère n. m.
Couvent habité par des moines ou par des religieuses.
monast**ère.**

monceau n. m. (pl. *monceaux*)
Tas. *Des monceaux de feuilles mortes.* **SYN.** amas, amoncellement.

mondain, aine adj. et n. m. et f.
1. Relatif à la vie de la société brillante, élégante. *Un dîner mondain.*
2. Qui sort beaucoup. *Elle n'est pas très mondaine.*

monde n. m.
1. Univers.
2. La Terre. *Faire le tour du monde.*
3. Société humaine. *Il y a beaucoup de monde ici.* **SYN.** gens.
4. Milieu. *Le monde du cirque.*
Locutions
Mettre au monde. Donner naissance à.
Pas le moins du monde, locution adverbiale. Pas du tout.
Pour rien au monde, locution adverbiale. À aucun prix.
Tout le monde. Tous. *Tout le monde est là.*
Cette locution à valeur collective se construit avec le verbe au singulier. *Tout le monde le sait.*
Venir au monde. Naître.

mondial, ale, aux adj.
Qui concerne le monde entier. *Des évènements mondiaux.*

mondialement adv.
Dans le monde entier. *Le Cirque du Soleil est connu mondialement.* **SYN.** universellement.

monétaire adj.
Qui se rapporte aux monnaies. *L'unité monétaire du Canada est le dollar.*

mongol, ole adj. et n. m. et f.
Adjectif et nom masculin et féminin
De Mongolie. *Le drapeau mongol. Un Mongol, une Mongole.*
- L'adjectif s'écrit avec une minuscule ; le nom, avec une majuscule.
Nom masculin
Langue parlée en Mongolie. *Elle parle le mongol.*
- Le nom de la langue s'écrit avec une minuscule.
- Ne pas confondre avec le mot ***mongolien*** qui qualifie une personne atteinte de mongolisme (trisomie 21).

mongolien, ienne adj. et n. m. et f.
Atteint d'une maladie très grave à la naissance, le mongolisme (trisomie 21).
- Ne pas confondre avec le mot ***mongol,*** relatif à la Mongolie.

moniteur n. m.
1. Appareil utilisé pour la surveillance des malades. *Un moniteur cardiaque.*
2. (INFORMATIQUE) Écran de visualisation.

moniteur n. m.
monitrice n. f.
Personne chargée d'enseigner certains sports. *Un moniteur de ski, une monitrice de voile* (et non un *instructeur).

monnaie n. f.
Pièce de métal servant d'instrument de paiement. *Avez-vous de la monnaie* (et non du *change) ?
Locutions
Fausse monnaie. Imitation de la monnaie légale.
Monnaie courante. Chose fréquente. *Dans cette ville, les agressions sont monnaie courante.*
- Cette expression demeure invariable.
Payer quelqu'un en monnaie de singe. Payer quelqu'un par de belles paroles, de fausses promesses.
Petite monnaie. Pièces métalliques.
Rendre à quelqu'un la monnaie de sa pièce. (FIGURÉ) Se venger.

Servir de monnaie d'échange. (FIGURÉ) Dans une négociation, servir d'instrument de règlement.

monologue n. m.
Scène où un personnage seul se parle à lui-même. *Cet humoriste a conçu des monologues très drôles.*

mononucléose n. f.
Maladie virale caractérisée par une fatigue extrême et prolongée.

monoparental, ale, aux adj.
Où il n'y a qu'un seul des deux parents, généralement la mère. *Une famille monoparentale.*

monopole n. m.
Secteur économique où il n'y a qu'une seule entreprise. *Au Québec, la vente de l'électricité est le monopole d'Hydro-Québec.*

monopoliser v. tr.
Prendre pour lui seul. *Benoît monopolise le téléphone : je ne peux pas appeler mes amis.* **SYN.** accaparer.
Conjugaison [VOIR MODÈLE – **AIMER**]

monorail n. m.
Se dit d'un chemin de fer à un seul rail. *Des monorails ultrarapides.*

monotone adj.
1. Qui est toujours sur le même ton. *Une voix monotone.*
2. Trop uniforme. *Ce paysage plat est monotone.*

monotonie n. f.
Uniformité ennuyeuse. *La monotonie de ce paysage est lassante. Un concert d'une grande monotonie.*

m

monsieur n. m. (pl. *messieurs*)
Abréviations ***M., MM.*** (s'écrivent avec des points).
Titre donné aux hommes. *Monsieur Roberge vous rencontrera demain.*

monstre adj. et n. m.
Nom masculin
1. Être légendaire terrifiant. *Y a-t-il un monstre dans le lac Memphrémagog ?*
2. Personne inhumaine. *Cette meurtrière est un monstre.*
Ce nom n'a pas de forme féminine.
Adjectif
(FAMILIER) Gigantesque. *On avait organisé des réunions monstres.* **SYN.** énorme.
Pris adjectivement, le nom prend la marque du pluriel.

monstrueux, euse adj.
1. Qui est propre à un monstre. *Une bête monstrueuse.*
2. Horrible. *Ces actes sont monstrueux.* **SYN.** affreux, effroyable, épouvantable.
monstrueu**x**.

mont n. m.
Importante élévation se détachant du relief environnant. (Recomm. off. OLF) *Le mont Tremblant, le mont Royal, le mont Everest.*
Dans les désignations géographiques, le nom ***mont*** est un générique qui s'écrit avec une minuscule, tout comme les mots ***baie, île, lac, mer, océan,*** etc.
Ne pas confondre avec les noms suivants :
– ***butte,*** petite colline ;
– ***colline,*** relief d'élévation modérée aux versants généralement en pente douce ;
– ***massif,*** ensemble montagneux non orienté qui se dégage du relief environnant ;
– ***pic,*** sommet rocheux aux flancs escarpés.

montage n. m.
Action d'agencer, d'assembler les pièces d'un dispositif, les images d'un film.

montagnais, aise adj. et n. m. et f.
Se dit des Amérindiens d'une nation autochtone du Québec. *La culture montagnaise, des projets montagnais. Un Montagnais, une Montagnaise.*
L'adjectif s'écrit avec une minuscule ; le nom, avec une majuscule.

montagnard, arde adj. et n. m. et f.
Adjectif
Relatif à la montagne. *Un refuge montagnard.*
Nom masculin et féminin
Personne qui habite la montagne. *Ces montagnards vivent en ermites.*

montagne n. f.
1. Relief élevé aux versants raides, occupant une grande superficie et appartenant à un système. (Recomm. off. OLF) *Les Laurentides sont une chaîne de montagnes. Les montagnes Rocheuses, les montagnes Vertes.*
Dans les désignations géographiques, le nom ***montagne*** est un générique qui s'écrit avec une minuscule, tout comme les mots ***baie, île, mer, océan,*** etc.
VOIR **MONT.**
2. ⚜ (FIGURÉ) Difficulté insurmontable. *Déménager, c'est une montagne pour maman.*
Locutions
Montagnes russes. Suite de montées et de descentes sur lesquelles un traîneau monté sur des rails glisse à vive allure. *Il y a d'énormes montagnes russes à la Ronde.*
Cette expression est toujours au pluriel.
Se faire une montagne de quelque chose. (FIGURÉ) Exagérer la difficulté de quelque chose. *Ne te fais pas une montagne de cette soirée.*
Soulever les montagnes. (FIGURÉ) Vaincre tous les obstacles. *La foi soulève les montagnes.*
VOIR TABLEAU – **GÉOGRAPHIQUES (NOMS).**

montagneux, euse adj.
Couvert de montagnes. *Une région montagneuse.*

montant n. m.
Chiffre auquel s'élève un compte, un paiement. *Le montant d'un compte.*
Ne pas confondre avec le nom ***somme,*** résultat d'une addition, quantité déterminée d'argent.
On écrira : *un chèque de* (et non *au montant de) *50 $.*

montée n. f.
1. Action de monter sur un lieu élevé. **SYN.** ascension, escalade.
2. Pente considérée de bas en haut. *Une montée rude.*
3. Voie en pente plus ou moins forte, conduisant à un lieu déterminé. (Recomm. off. OLF) *La montée Saint-Michel.*

monte-pente n. m. (pl. *monte-pentes*)
Dispositif servant à transporter les skieurs au sommet d'une pente. **SYN.** remonte-pente.

monter v. tr., intr., pronom.
Verbe transitif
Parcourir de bas en haut. *Elle a monté l'escalier.* **SYN.** grimper.
À la forme transitive, le verbe se conjugue avec l'auxiliaire ***avoir.***
Attention au pléonasme *monter en haut.

Verbe intransitif
1. Passer à un lieu plus haut que celui où l'on est. *Le chat est monté dans l'arbre.*
À la forme intransitive, le verbe se conjugue généralement avec l'auxiliaire ***être,*** sauf quand il exprime une augmentation de niveau ou de prix.
2. Se placer (dans un véhicule, un avion). *Je l'ai vu qui montait* (et non qui *embarquait) *dans la voiture. Il est monté dans l'avion avant-hier.*
3. S'élever. *Le chemin montait tout doucement.*
4. Atteindre un niveau, un prix plus élevé. *Les prix ont monté. Le lac a monté.*
En ce sens, le verbe se conjugue avec l'auxiliaire ***avoir.***
Verbe pronominal
S'élever, atteindre. *Le total se montait à 300 $.*
Locution
Se monter la tête. Se faire des idées.
Conjugaison [VOIR MODÈLE – **AIMER**]

monteur n. m.
monteuse n. f.
Personne qui effectue des opérations de montage.

montgolfière n. f.
(ANCIENNEMENT) Ballon dont la force ascensionnelle est fournie par de l'air chaud. *Tous les ans a lieu le festival des montgolfières de Saint-Jean-d'Iberville.*
mon**t**golfière.

montre n. f.
Petit instrument portatif qui indique l'heure. *Une montre automatique.*
La montre dotée d'un affichage à aiguilles est une ***montre analogique*** ; celle qui est dotée d'un affichage à cristaux liquides par chiffres et lettres est une ***montre numérique*** (et non *digitale).
Locutions
Faire montre de. Faire preuve de. *Elle a fait montre de beaucoup de jugement.* **SYN.** démontrer.
Faire montre de. Montrer en insistant. *Ils ont fait montre de leurs nouvelles richesses.* **SYN.** faire étalage de, étaler.
En ce sens, la locution a un sens défavorable.

montrer v. tr., pronom.
Verbe transitif
1. Faire voir. *Montrez-moi vos skis.*
2. Faire connaître. *Elle ne voulait pas lui montrer sa déception.* **SYN.** manifester.
3. Enseigner. *Il lui montre comment programmer.*
Verbe pronominal
Se révéler. *Elle s'est montrée à la hauteur de la tâche.*
Conjugaison [VOIR MODÈLE – **AIMER**]

monument n. m.
1. Ouvrage d'architecture ou de sculpture destiné à conserver le souvenir de quelqu'un ou de quelque chose. *Un monument égyptien.*
2. Édifice imposant par ses dimensions, son ancienneté. *Un monument historique.*

monumental, ale, aux adj.
1. Imposant. *Des immeubles monumentaux.*
2. Énorme, étonnant. *Une erreur monumentale.*

***mop**
Anglicisme pour ***vadrouille***, ***balai à franges.***
Au Québec, on emploie surtout le nom ***vadrouille.***

moquer (se) v. pronom.
1. Ridiculiser. *Tu t'es moqué de lui.*
2. Dédaigner. *Il se moque des honneurs.*
Locution
S'en moquer comme de l'an quarante. Ne faire aucun cas de.
D'après certains auteurs, cette expression tire son origine de l'an 1840, qui devait marquer la fin du monde, selon une croyance populaire ; d'autres sources donnent comme origine une déformation ancienne des mots ***Al Khoran*** (le Coran).
Le participe passé de ce verbe qui n'existe qu'à la forme pronominale s'accorde toujours en genre et en nombre avec le sujet du verbe.
Conjugaison [VOIR MODÈLE – **AIMER**]

moquerie n. f.
Action de tourner quelque chose, quelqu'un en ridicule. *Vos moqueries le laissent indifférent.* **SYN.** raillerie, sarcasme.

moquette n. f.
Tapis qui recouvre complètement le sol d'une pièce. *Poser une moquette* (et non un tapis *mur à mur).

moqueur, euse adj. et n. m. et f.
Ironique. *Un ton moqueur.* **SYN.** narquois, pince-sans-rire.

moral, ale, aux adj. et n. m.
Adjectif
1. Qui est conforme à la morale. *Des principes moraux.* **SYN.** correct, honnête.
2. Relatif à l'esprit. *Une certitude morale.*
Nom masculin
(Pl. ***morals***). Disposition d'esprit d'une personne, d'un groupe. *Avoir un excellent moral. Son moral est à zéro.*
HOM. **morale**, ensemble de règles de conduite.

morale n. f.
1. Ensemble de règles de conduite.
2. Leçon. *Ne me fais pas la morale. La morale de cette histoire est claire.*
HOM. **moral**, disposition d'esprit d'une personne, d'un groupe.

morceau n. m. (pl. *morceaux*)
Fragment. *Des morceaux de bois.* **SYN.** bout.
Locution
Mettre en morceaux. Détruire.

mordant, ante adj. et n. m.
Adjectif
1. Qui mord. *Un froid mordant.*
2. (FIGURÉ) Agressif. *Une réplique mordante.*
Nom masculin
Vivacité. *Un texte qui a du mordant.* **SYN.** caractère, piquant.

mordiller v. tr.
Mordre légèrement à plusieurs reprises. *Le chien Filou lui mordille l'oreille pour lui témoigner son affection.*
Conjugaison [VOIR MODÈLE – **AIMER**]
Les lettres ***ill*** sont suivies d'un ***i*** à la première et à la deuxième personne du pluriel de l'indicatif imparfait et du subjonctif présent. *(Que) nous mordillions, (que) vous mordilliez.*

mordre v. tr., intr.
Verbe transitif
Saisir, broyer avec les dents. *Le chien a mordu la petite.*
Verbe intransitif
Mordre dans. *Paulo a mordu dans une pomme.* **SYN.** croquer.

Locution
Se mordre les doigts de quelque chose. (FAMILIER) (FIGURÉ) Regretter. *Je me mords les doigts d'avoir oublié mon parapluie.*
Conjugaison [VOIR MODÈLE – **FENDRE**]
INDICATIF PRÉSENT *Je mords, tu mords, il mord, nous mordons, vous mordez, ils mordent.* IMPARFAIT *Je mordais.* PASSÉ SIMPLE *Je mordis.* FUTUR *Je mordrai.* **CONDITIONNEL** PRÉSENT *Je mordrais.* **IMPÉRATIF** PRÉSENT *Mords, mordons, mordez.* **SUBJONCTIF** PRÉSENT *Que je morde.* IMPARFAIT *Que je mordisse.* **PARTICIPE** PRÉSENT *Mordant.* PASSÉ *Mordu, ue.*

mordu, ue adj. et n. m. et f.
(FAMILIER) Qui raffole de. *Elle est mordue de théâtre. C'est un mordu d'alpinisme.* **SYN.** fou de.

morfondre (se) v. pronom.
Attendre longtemps en s'ennuyant. *Ils se sont morfondus pendant trois jours dans cet endroit perdu.*
Le participe passé de ce verbe qui n'existe qu'à la forme pronominale s'accorde toujours en genre et en nombre avec le sujet du verbe.
Conjugaison [VOIR MODÈLE – **FENDRE**]

morgue n. f.
1. (LITTÉRAIRE) Arrogance, mépris. *Vraiment ? répondit-il avec morgue.*
2. Lieu où l'on conserve momentanément des cadavres.

morne adj.
Terne. *Un texte morne.*

morose adj.
Triste, maussade. *Ces élèves sont moroses : elles manquent d'entrain.* **SYN.** sombre.
m**o**r**o**se.

morphine n. f.
Drogue puissante qui calme la douleur.
mor**ph**ine.

mors n. m.
Le ***s*** ne se prononce pas [mɔr]; le mot rime avec ***or.***
Pièce métallique placée dans la bouche du cheval pour le diriger.
Locution
Prendre le mors aux dents. Se dit d'un cheval qui s'emballe et, familièrement, de façon figurée, d'une personne qui s'emporte.
HOM. mort, décès.
mor**s**.

morse n. m.
1. Mammifère marin des régions arctiques dont le mâle se caractérise par des canines développées en défenses.
2. Code de signaux composés de points et de traits. *Un S.O.S. en morse.*

morsure n. f.
Meurtrissure causée par des dents. *La morsure de ce serpent est dangereuse.*

mort, morte adj. et n. m. et f.
Adjectif
Qui a cessé de vivre. *Cet oiseau est mort.*
Nom masculin et féminin
Personne qui ne vit plus. *Cet accident a fait des morts.*
Locution
Angle mort. Zone de visibilité inaccessible au conducteur lorsqu'il regarde dans le rétroviseur. *Un angle mort.*
HOM. mors, pièce métallique placée dans la bouche du cheval pour le diriger.

mort n. f.
Fin définitive de la vie. *Une mort violente.*
Locutions
À mort, locution adverbiale. De telle sorte qu'on en meurt. *Ils sont blessés à mort.*
À mort. (FIGURÉ) (FAMILIER) À l'extrême. *Je l'aime à mort.*
Arrêt de mort. Condamnation à mourir.
Avoir la mort dans l'âme. Être désespéré.
Mettre à mort. Exécuter.

mortalité n. f.
Nombre des personnes mortes d'une même maladie. *La mortalité causée par le sida a augmenté beaucoup.*
Locution
Taux de mortalité. Nombre de décès survenus au sein d'une population pendant une période donnée.
Forme fautive
*mortalité. Impropriété au sens de ***décès.***

mortel, elle adj. et n. m. et f.
Adjectif
1. Qui est sujet à la mort. *Les hommes sont mortels.*
2. Qui cause la mort. *Une maladie mortelle.*
Nom masculin et féminin
Être humain. *Le commun des mortels.*

mortellement adv.
1. D'une manière mortelle. *Il a été blessé mortellement.*
2. (FIGURÉ) (FAMILIER) Énormément. *Elle s'ennuie mortellement.* **SYN.** à mort, extrêmement.
morte**ll**ement.

mortuaire adj.
Relatif aux morts, aux services funèbres. *Un drap mortuaire.*

morue n. f.
Poisson des mers froides. *L'huile de foie de morue est riche en vitamines.*

morutier, ière adj. et n. m.
Adjectif
Relatif à la pêche à la morue. *L'industrie morutière.*
Nom masculin
1. Pêcheur de morue.
2. Bateau équipé pour la pêche à la morue.

mosaïque n. f.
Assemblage de petites pièces qui forment un dessin, un motif. *Certaines mosaïques romaines sont très bien conservées.*
mosa**ï**que.

mosquée n. f.
Temple consacré au culte musulman.
mosqué**e,** attention au **e** muet final.

mot n. m.
1. Groupe de lettres formant une ou plusieurs syllabes et exprimant une idée. ***Oui*** *est un mot de trois lettres.*
2. Courte lettre. *J'ai reçu un mot de lui qui m'apprenait son départ.* **SYN.** billet.
Locutions
À demi-mot, locution adverbiale. Par sous-entendus.
À mots couverts, locution adverbiale. De façon peu explicite.
Au bas mot, locution adverbiale. Au moins. *Ils sont 200 au bas mot.*
Avoir le dernier mot. L'emporter dans une discussion.
En un mot, locution adverbiale. Bref.

Le mot d'une énigme. La solution.
Mot à mot, locution adverbiale. Par cœur. *Elisa a appris son texte mot à mot.*
Ces expressions s'écrivent sans trait d'union.
Mot clé. Mot servant au classement d'un document. *Les termes* ***dictionnaire*** *et* ***langue française*** *sont des mots clés utilisés pour le catalogage du* Multi des jeunes.
VOIR **CLÉ.**
Mot pour mot, mot à mot, locutions adverbiales. Textuellement. *Je te rapporte ses paroles mot pour mot.*
Mots croisés. Jeu où l'on inscrit dans une grille horizontalement et verticalement des mots correspondant à des définitions.
L'amateur de mots croisés est un ***cruciverbiste.***
Prendre quelqu'un au mot. Accepter une chose à la première offre formulée en pensant qu'elle ne sera pas retenue.
Se donner le mot. Se concerter. *Ses amis se sont donné le mot pour souligner son anniversaire.*
HOM. maux, pluriel de ***mal.***

motard n. m.
(FAMILIER) Motocycliste. *Une bande de motards a fait exploser une bombe.*
motar**d.**

motel n. m.
Établissement hôtelier situé à proximité des routes.

moteur, trice adj. et n. m.
Adjectif
Qui donne le mouvement. *Des roues motrices.*
Nom masculin
Appareil servant à transformer une forme d'énergie en énergie mécanique. *Un moteur à explosion, un moteur à réaction.*

motif n. m.
1. Raison. *Pour quel motif as-tu changé d'avis ?* **SYN.** cause.
2. Dessin qui se répète. *Une serviette à motifs brodés.*
Locution
Sans motif. Sans raison. *Il l'a attaqué sans motif.*

motivation n. f.
Force qui pousse à agir. *Ariane ne manque pas de motivation pour ses études : elle est déterminée à réussir.*

motiver v. tr.
1. Servir de motif, justifier. *Les raisons qui ont motivé son choix.*
2. Inciter à l'action. *Il importe de motiver le personnel.* **SYN.** mobiliser.
Conjugaison [VOIR MODÈLE – **AIMER**]

moto n. f.
Abréviation familière de ***motocyclette.***
Véhicule motorisé à deux roues. *Des courses de moto. Des motos rutilantes.*

motocyclette n. f.
S'abrège familièrement en ***moto.***
Véhicule motorisé à deux roues.

motocycliste adj. et n. m. et f.
Personne qui conduit une motocyclette. **SYN.** (FAMILIER) motard.

motoneige n. f.
Véhicule muni de skis et de chenilles destiné au transport sur la neige. *Des motoneiges très puissantes* (et non des *skidoos).
Le nom s'écrit en un seul mot et prend la marque du pluriel.

motoneigiste n. m. et f.
Personne qui conduit une motoneige ou qui pratique le sport de la motoneige.

motte n. f.
Petit morceau de terre compacte. *Le jardinier aplanit les mottes avec son râteau.*

mou ou **mol, molle** adj. et n. m. et f.
Adjectif
1. Qui change de forme facilement, qui s'enfonce quand on le touche. *Des caramels mous, un matelas mou.*
2. (FIGURÉ) Qui manque de volonté, d'énergie. *Ce garçon est trop mou : il n'arrive pas à agir.* **SYN.** faible. **ANT.** décidé, déterminé.
Devant une voyelle, l'adjectif masculin singulier s'écrit ***mol.*** *Un mol édredon. Des édredons mous.*
Nom masculin et féminin
Personne sans volonté, peu énergique. *C'est un mou : il n'arrive pas à se décider.*
Locution
Avoir du mou. Être lâche, en parlant d'un lien. *Il y a du mou* (et non du *lousse) *dans la corde.*

mouchard, arde n. m. et f.
(FAMILIER) Personne qui surveille quelqu'un en vue de le dénoncer. **SYN.** dénonciateur, rapporteur.
mouchar**d.**

mouche n. f.
Insecte. *Une mouche tsé-tsé.*
Locutions
Bateau-mouche. Bateau réservé aux promenades touristiques. *Des bateaux-mouches permettent de voir Montréal à partir du Saint-Laurent.*
Faire mouche. Toucher la cible. *Ils ont fait mouche et ont tué deux canards.*
Mouche noire. Insecte dont la piqûre est douloureuse.
Prendre la mouche. S'emporter.
Tue-mouches. Se dit d'un papier enduit de colle employé pour attraper les mouches.
Forme fautive
*mouche à feu. Calque de l'anglais « fire fly » pour ***luciole.***

moucher v. tr., pronom.
Verbe transitif
Évacuer des mucosités par le nez. *Moucher un petit.*
Verbe pronominal
Se débarrasser le nez des mucosités. *Ils se sont mouchés bruyamment. Mouche-toi, petit.*
Conjugaison [VOIR MODÈLE – **AIMER**]

moucheron n. m.
Petit insecte voisin de la mouche.

moucheter v. tr.
Marquer de petites taches. *Une truite mouchetée.*
Conjugaison [VOIR MODÈLE – **APPELER**]
Redoublement du ***t*** devant un **e** muet. *Je mouchette, je mouchetterai,* mais *je mouchetais.*

mouchoir n. m.
Petit linge qui sert à se moucher. *Sèche tes larmes : voici un mouchoir.*
Locutions
Grand comme un mouchoir de poche. (FIGURÉ) Minuscule. *Un jardin grand comme un mouchoir de poche.*
Mouchoir de papier. Utiliser des mouchoirs de papier (et non des *kleenex).

m

moudre v. tr.
Broyer des grains à l'aide d'un moulin. *Moudre du café, du poivre.*
Conjugaison [VOIR MODÈLE – **MOUDRE**]

moue n. f.
Grimace boudeuse. *Laurence fait la moue, elle n'est pas contente.*

mouette n. f.
Oiseau palmipède blanc vivant sur les côtes. *Les mouettes suivent les bateaux.*

mouffette n. f.
Petit mammifère noir et blanc qui, pour se défendre, peut projeter un liquide qui sent très mauvais. *La mouffette a arrosé la chatte Maboule : oh ! là ! là ! quelle odeur !* **SYN.** (FAMILIER) bête puante.
Ce nom s'écrit aussi avec un seul ***f, mouffette*** ou ***moufette.***

moufle n. f.
1. Partie de l'habillement qui couvre la main sans séparation pour les doigts, sauf pour le pouce.
Ne pas confondre avec le nom ***gant,*** partie de l'habillement qui couvre la main et les doigts séparément.
2. Mitaine.

mouiller v. tr., pronom., impers.
Verbe transitif
Tremper. *La pluie a mouillé mes cheveux.*
Verbe pronominal
(FAMILIER) Devenir humide, trempé. *Elle s'est mouillée, elle s'est mouillé les pieds.*
Attention à la place du complément d'objet direct pour l'accord du participe passé.
Verbe impersonnel
(FAMILIER) Pleuvoir. *Il mouille à boire debout, rentrons vite.*
L'emploi du verbe est courant au Québec dans la langue familière, mais il est vieilli en ce sens dans l'ensemble de la francophonie.
Conjugaison [VOIR MODÈLE – **AIMER**]
Les lettres ***ill*** sont suivies d'un ***i*** à la première et à la deuxième personne du pluriel de l'indicatif imparfait et du subjonctif présent. *(Que) nous mouillions, (que) vous mouilliez.*

moule n. m. et f.
Nom masculin
Corps solide creusé de manière à donner une forme particulière à la matière qu'on y introduit. *Des moules à biscuits en forme de cœur.*
Nom féminin
Mollusque à coquille d'un noir bleuâtre, dont la chair est comestible. *Des moules marinière.*

mouler v. tr.
Reproduire à l'aide d'un moule. *Mouler une colonne grecque.*
Conjugaison [VOIR MODÈLE – **AIMER**]

moulin n. m.
1. Machine servant à moudre, à broyer des grains. *Un moulin à café, à poivre, à céréales.*
2. Bâtiment où est installé un moulin à céréales. *Meunier, tu dors, ton moulin va trop vite.* (Chanson)
Formes fautives
*moulin. Impropriété au sens de ***papeterie, usine.***
*moulin à coudre. Impropriété au sens de ***machine à coudre.***

moulu, ue adj.
1. Qui a été broyé. *Du poivre moulu.*
2. (FIGURÉ) Fatigué. *Après la journée, elle était moulue.* **SYN.** éreinté.

moulure n. f.
Ornement servant d'encadrement aux ouvrages de menuiserie. *Une moulure dorée encadre le miroir.*

moumoute n. f.
(FAMILIER) Perruque, manteau de fourrure.

mourant, ante adj.
1. Qui est sur le point de mourir. *Ces accidentés sont mourants.*
2. (FIGURÉ) Qui fait mourir de rire. *Il est mourant : ses blagues sont très drôles.*

mourir v. intr., pronom.
Verbe intransitif
1. Cesser de vivre. *Il était déjà mort quand le médecin est arrivé. Cette plante est morte.* **SYN.** décéder, périr, succomber.
Ce verbe se conjugue avec l'auxiliaire ***être.***
2. Par exagération, éprouver fortement une sensation. *Je meurs de faim.*
Verbe pronominal
Être sur le point de mourir. *Elle se meurt.*
À la forme pronominale, le verbe ne se conjugue pas aux temps composés.
Conjugaison [VOIR MODÈLE – **MOURIR**]

mousquetaire n. m.
(ANCIENNEMENT) Cavalier de la Maison du Roi armé d'un mousquet.
mousquet**aire.**

mousqueton n. m.
Crochet d'alpinisme.

moussant, ante adj.
Qui produit de la mousse. *Des bains moussants.*

mousse n. m. et f.
Nom masculin
Jeune matelot. *Un mousse lavait les ponts.*
Nom féminin
1. Plante qui vit en touffes sur la terre humide, les rochers, les troncs d'arbres.
2. Écume. *La mousse d'une bière, du champagne.*
3. Produit moussant. *De la mousse pour le bain.*
4. Dessert. *De la mousse au chocolat.*

mousser v. intr.
Produire de la mousse. *Ce savon mousse beaucoup.*
Locution
Faire mousser. (FAMILIER) Mettre en valeur de manière exagérée. *Il en profite pour faire mousser ses réalisations.*
Conjugaison [VOIR MODÈLE – **AIMER**]

mousseux, euse adj. et n. m.
Adjectif
Qui produit de la mousse. *Un vin mousseux.*
Ne pas confondre avec le mot ***moussu,*** recouvert de mousse.
Nom masculin
Vin rendu mousseux par fermentation naturelle. *Un bon mousseux bien frais.*

moussu, ue adj.
Recouvert de mousse. *Une pierre moussue.*
Ne pas confondre avec le mot ***mousseux*** qui qualifie ce qui produit de la mousse.

Indicatif

Présent

je mouds
tu mouds
elle moud
il moud

nous moulons
vous moulez
elles moulent
ils moulent

Passé composé

j' ai moulu
tu as moulu
elle a moulu
il a moulu

nous avons moulu
vous avez moulu
elles ont moulu
ils ont moulu

Imparfait

je moulais
tu moulais
elle moulait
il moulait

nous moulions
vous mouliez
elles moulaient
ils moulaient

Plus-que-parfait

j' avais moulu
tu avais moulu
elle avait moulu
il avait moulu

nous avions moulu
vous aviez moulu
elles avaient moulu
ils avaient moulu

Passé simple

je moulus
tu moulus
elle moulut
il moulut

nous moulûmes
vous moulûtes
elles moulurent
ils moulurent

Passé antérieur

j' eus moulu
tu eus moulu
elle eut moulu
il eut moulu

nous eûmes moulu
vous eûtes moulu
elles eurent moulu
ils eurent moulu

Futur simple

je moudrai
tu moudras
elle moudra
il moudra

nous moudrons
vous moudrez
elles moudront
ils moudront

Futur antérieur

j' aurai moulu
tu auras moulu
elle aura moulu
il aura moulu

nous aurons moulu
vous aurez moulu
elles auront moulu
ils auront moulu

Infinitif

Présent

moudre

Passé

avoir moulu

Subjonctif

Présent

que je moule
que tu moules
qu' elle moule
qu' il moule

que nous moulions
que vous mouliez
qu' elles moulent
qu' ils moulent

Passé

que j' aie moulu
que tu aies moulu
qu' elle ait moulu
qu' il ait moulu

que nous ayons moulu
que vous ayez moulu
qu' elles aient moulu
qu' ils aient moulu

Imparfait

que je moulusse
que tu moulusses
qu' elle moulût
qu' il moulût

que nous moulussions
que vous moulussiez
qu' elles moulussent
qu' ils moulussent

Plus-que-parfait

que j' eusse moulu
que tu eusses moulu
qu' elle eût moulu
qu' il eût moulu

que nous eussions moulu
que vous eussiez moulu
qu' elles eussent moulu
qu' ils eussent moulu

Conditionnel

Présent

je moudrais
tu moudrais
elle moudrait
il moudrait

nous moudrions
vous moudriez
elles moudraient
ils moudraient

Passé

j' aurais moulu
tu aurais moulu
elle aurait moulu
il aurait moulu

nous aurions moulu
vous auriez moulu
elles auraient moulu
ils auraient moulu

Impératif

Présent

mouds
moulons
moulez

Passé

aie moulu
ayons moulu
ayez moulu

Participe

Présent

moulant

Passé

moulu, ue
ayant moulu

Indicatif

Présent		*Passé composé*		
je	meurs	je	suis	mort, te
tu	meurs	tu	es	mort, te
elle	meurt	elle	est	morte
il	meurt	il	est	mort
nous	mourons	nous	sommes	morts, tes
vous	mourez	vous	êtes	morts, tes
elles	meurent	elles	sont	mortes
ils	meurent	ils	sont	morts

Imparfait		*Plus-que-parfait*		
je	mourais	j'	étais	mort, te
tu	mourais	tu	étais	mort, te
elle	mourait	elle	était	morte
il	mourait	il	était	mort
nous	mourions	nous	étions	morts, tes
vous	mouriez	vous	étiez	morts, tes
elles	mouraient	elles	étaient	mortes
ils	mouraient	ils	étaient	morts

m

Passé simple		*Passé antérieur*		
je	mourus	je	fus	mort, te
tu	mourus	tu	fus	mort, te
elle	mourut	elle	fut	morte
il	mourut	il	fut	mort
nous	mourûmes	nous	fûmes	morts, tes
vous	mourûtes	vous	fûtes	morts, tes
elles	moururent	elles	furent	mortes
ils	moururent	ils	furent	morts

Futur simple		*Futur antérieur*		
je	mourrai	je	serai	mort, te
tu	mourras	tu	seras	mort, te
elle	mourra	elle	sera	morte
il	mourra	il	sera	mort
nous	mourrons	nous	serons	morts, tes
vous	mourrez	vous	serez	morts, tes
elles	mourront	elles	seront	mortes
ils	mourront	ils	seront	morts

Infinitif

Présent	*Passé*
mourir	être mort, te

Subjonctif

Présent			*Passé*			
que	je	meure	que	je	sois	mort, te
que	tu	meures	que	tu	sois	mort, te
qu'	elle	meure	qu'	elle	soit	morte
qu'	il	meure	qu'	il	soit	mort
que	nous	mourions	que	nous	soyons	morts, tes
que	vous	mouriez	que	vous	soyez	morts, tes
qu'	elles	meurent	qu'	elles	soient	mortes
qu'	ils	meurent	qu'	ils	soient	morts

Imparfait			*Plus-que-parfait*			
que	je	mourusse	que	je	fusse	mort, te
que	tu	mourusses	que	tu	fusses	mort, te
qu'	elle	mourût	qu'	elle	fût	morte
qu'	il	mourût	qu'	il	fût	mort
que	nous	mourussions	que	nous	fussions	morts, tes
que	vous	mourussiez	que	vous	fussiez	morts, tes
qu'	elles	mourussent	qu'	elles	fussent	mortes
qu'	ils	mourussent	qu'	ils	fussent	morts

Conditionnel

Présent		*Passé*		
je	mourrais	je	serais	mort, te
tu	mourrais	tu	serais	mort, te
elle	mourrait	elle	serait	morte
il	mourrait	il	serait	mort
nous	mourrions	nous	serions	morts, tes
vous	mourriez	vous	seriez	morts, tes
elles	mourraient	elles	seraient	mortes
ils	mourraient	ils	seraient	morts

Impératif

Présent	*Passé*	
meurs	sois	mort, te
mourons	soyons	morts, tes
mourez	soyez	morts, tes

Participe

Présent	*Passé*
mourant	mort, te
	étant mort, te

moustache n. f.
1. Poils qui poussent au-dessus de la lèvre supérieure de l'homme. *Ce policier a une grosse moustache noire* ou *de grosses moustaches noires.*
Le singulier et le pluriel peuvent s'employer.
2. Poils poussant autour de la gueule de certains animaux (chat, lapin, lion, etc.). *Les moustaches de ma chatte.*

moustachu, ue adj.
Qui porte une moustache. *Ce policier est moustachu.*

moustiquaire n. f.
Pellicule en toile métallique placée aux fenêtres et aux portes pour se préserver des moustiques.
Attention au genre féminin de ce nom : ***une*** moustiquaire.
mousti**qu**aire.

moustique n. m.
Insecte dont la femelle pique la peau pour se nourrir de sang. *En mai, il y a trop de moustiques dans l'île.*

moutarde n. f.
Plante dont la graine sert de condiment. *Veux-tu un sandwich jambon moutarde ?*

mouton n. m.
Mammifère ruminant élevé pour sa laine, sa chair et son lait, qui sert à la fabrication de fromages. *De jolis moutons blancs.*
La femelle du mouton est la ***brebis***; le petit, l'***agneau.***
VOIR TABLEAU – **ANIMAUX.**

moutonner v. intr.
Se couvrir de vagues et d'écume, en parlant de la mer. *La mer moutonne.*
Conjugaison [VOIR MODÈLE – **AIMER**]

mouvant, ante adj.
Se dit d'un sol qui n'est pas stable, où l'on peut s'enfoncer. *Des sables mouvants.*

mouvement n. m.
Déplacement d'un corps, changement de position. *Des mouvements de gymnastique.*
Locutions
Avoir un bon mouvement. Se montrer généreux.
Faux mouvement. Geste involontaire. *Elle a fait un faux mouvement et a renversé son verre.*

mouvementé, ée adj.
Agité, où il y a de l'action. *Une réunion mouvementée.*

mouvoir v. tr., pronom.
Verbe transitif
Mettre en mouvement, bouger. *Mouvoir ses jambes.*
Verbe pronominal
Se déplacer. *Ils se sont mus jusqu'ici. Pour des personnes paralysées, il est difficile de se mouvoir.*
Le participe passé masculin singulier s'écrit avec un accent circonflexe.
Conjugaison [VOIR MODÈLE – **ÉMOUVOIR**]
INDICATIF PRÉSENT *Je meus, tu meus, il meut, nous mouvons, vous mouvez, ils meuvent.* IMPARFAIT *Je mouvais.* PASSÉ SIMPLE *Je mus.* FUTUR *Je mouvrai.* **CONDITIONNEL** PRÉSENT *Je mouvrais.* **IMPÉRATIF** PRÉSENT *Meus, mouvons, mouvez.* **SUBJONCTIF** PRÉSENT *Que je meuve.* **PARTICIPE** PRÉSENT *Mouvant.* PASSÉ *Mû, mue.*

moyen n. m.
Façon de faire. *La fin ne justifie pas les moyens.* **SYN.** procédé.
Locutions
Avoir les moyens. Avoir les ressources matérielles ou intellectuelles. *Nous en avons les moyens.*
Moyen de pression. Procédé qui pousse l'adversaire à prendre position, à agir. *La grève est un moyen de pression.*
Moyens de transport. Modes de locomotion. *La voiture, le train, l'avion sont des moyens de transport.*
Par le moyen de, au moyen de, locution prépositive. À l'aide de. *Elle l'a prévenu au moyen d'un télégramme.*
Perdre ses moyens. Ne plus savoir quoi faire.

moyen, enne adj.
1. Qui se situe entre deux extrêmes. *Une note moyenne, ni bonne ni mauvaise.*
2. De type courant. *Une voiture moyenne.*
Locution
Moyen Âge. Période historique qui s'étend du ve au xve siècle.
Dans les désignations des époques historiques, le nom spécifique et l'adjectif qui le précède s'écrivent avec une majuscule. L'expression s'écrit sans trait d'union.

moyenâgeux, euse adj.
1. (VIEUX) Relatif au Moyen Âge.
En ce sens, l'adjectif est vieilli ; on emploie aujourd'hui ***médiéval,*** qui n'a pas de sens négatif.
2. Vieillot, démodé. *Des pratiques moyenâgeuses.*
moyen**â**geux.

moyenne n. f.
Proportion intermédiaire. *La moyenne des résultats de la classe est de 76 %. Es-tu dans la moyenne ?*
Locutions
En moyenne. En calculant une moyenne. *Elle a obtenu 78 % : elle est un peu au-dessus de la moyenne.*
Moyenne arithmétique de* n *nombres. Quotient de la somme de ces nombres par ***n.***

moyennement adv.
D'une manière moyenne. *Ils sont moyennement contents des résultats.* **SYN.** à demi, modérément.

MTS
Sigle de ***maladie transmise sexuellement.***
Appellation utilisée au Québec.
VOIR **MALADIE TRANSMISE SEXUELLEMENT**

mucosité n. f.
Sécrétion des muqueuses. *Libère-toi de ces mucosités en te mouchant.*
Le nom s'emploie au singulier et au pluriel.

mue n. f.
Changement de peau, de poil, de voix. *La mue des serpents et des jeunes gens.*
mu**e.**

muer v. intr., pronom.
Verbe intransitif
1. Changer de poil, de plumage, de peau, en parlant des animaux. *Les serpents muent.*
2. Changer de voix, en parlant des jeunes gens. *Étienne a mué, il a maintenant une voix grave.*
Verbe pronominal
Se transformer. *Une colère qui s'est muée en éclats de rire.*
SYN. se changer.
Conjugaison [VOIR MODÈLE – **AIMER**]

m

muet, ette adj. et n. m. et f.
Qui n'a pas l'usage de la parole. *Cette jeune fille est sourde et muette. C'est une muette.*

muffin n. m.
Ce nom se prononce à l'anglaise [mœfin].
Petit gâteau. *Du café et des muffins.*

mufle n. m.
Extrémité du museau de certains animaux. *Le mufle du chien est humide.*
mu**f**le, un seul ***f.***

mugir v. intr.
1. Meugler, crier en parlant du buffle, des bovins. *Les vaches mugissaient doucement.* **SYN.** beugler.
2. (FIGURÉ) Produire un son sourd. *Les sirènes mugissaient dans la nuit.*
Conjugaison [VOIR MODÈLE – **FINIR**]

mugissement n. m.
Meuglement, cri du buffle, des bovins. **SYN.** beuglement.

muguet n. m.
Plante à petites fleurs blanches et odorantes. *Un bouquet de muguet.*
mugue**t.**

mulâtre, mulâtresse adj. et n. m. et f.
Personne née d'un Noir et d'une Blanche ou d'un Blanc et d'une Noire.
Ne pas confondre avec les mots suivants :
– ***eurasien,*** se dit d'une personne née d'un Européen et d'une Asiatique ou d'un Asiatique et d'une Européenne;
– ***métis,*** se dit d'une personne dont le père et la mère sont de races différentes.
L'adjectif **mulâtre** conserve la même forme au masculin et au féminin; cependant, le nom féminin est ***mulâtresse.***

mule n. f.
Animal femelle né d'un âne et d'une jument ou d'un cheval et d'une ânesse.
Locutions
Chargé comme une mule, comme un mulet. Encombré de paquets.
Tête de mule. Personne entêtée.

mulet n. m.
Animal mâle né d'un âne et d'une jument. *Elle était chargée comme un mulet.*
mule**t.**

multi- préf.
Élément du latin signifiant « beaucoup, plusieurs ».
Les mots composés avec le préfixe ***multi-*** s'écrivent sans trait d'union. *Multicolore, multiethnique.*

multicolore adj.
Qui a un grand nombre de couleurs. *Un tableau multicolore.*
multico**lore.**

multimédia adj. et n. m.
Adjectif
Qui concerne plusieurs médias. *Une diffusion multimédia, des messages multimédias* (radio, télévision, presse, affiches).
Nom masculin
Ensemble des techniques qui combinent plusieurs moyens de communication de l'information. *Le disque optique compact du* Visuel *est un multimédia qui comprend du texte, des sons, des images fixes et animées.*
Ce mot a été formé à partir des mots latins ***multi*** « plusieurs » et ***media*** « moyen ».

multimilliardaire adj. et n. m. et f.
Qui possède un ou plusieurs milliards (d'unités monétaires). *Multimilliardaire en dollars.*

multimillionnaire adj. et n. m. et f.
Qui possède un ou plusieurs millions (d'unités monétaires). *Multimillionnaire en dollars.*

multinational, ale, aux adj. et n. f.
Adjectif
Qui concerne plusieurs pays. *Des accords multinationaux.*
Nom féminin
Entreprise qui a des activités dans plusieurs pays. *La société Quebecor est une multinationale.*

multiple adj. et n. m.
Adjectif
Nombreux, divers. *Nous avons eu de multiples appels.*
Nom masculin
Nombre obtenu par la multiplication d'un élément par un autre. *Les nombres 10, 15, 20, 25 sont des multiples de 5.*
VOIR TABLEAU – **MULTIPLES ET SOUS-MULTIPLES DÉCIMAUX.**

multiplicateur, trice adj. et n. m.
(MATHÉMATIQUES) Nombre par lequel on multiplie.

multiplication n. f.
1. Accroissement. *La multiplication des lapins.* **SYN.** augmentation.
2. Opération mathématique visant à obtenir un produit. *Ex. : 2 x 3 = 6, la multiplication de 2 par 3 donne un produit égal à 6.*

multiplier v. tr., pronom.
Verbe transitif
1. Augmenter le nombre, la quantité de. *Multiplier les démarches.* **SYN.** accroître.
2. Faire une multiplication. *Si tu multiplies 10 par 3, tu obtiens le nombre 30.*
Verbe pronominal
1. Se reproduire *Les mauvaises herbes se multiplient très rapidement.* **SYN.** s'accroître, se développer.
2. Se produire en grand nombre. *Les dérapages se sont multipliés en raison du verglas.*
Conjugaison [VOIR MODÈLE – **ÉTUDIER**]
Redoublement du ***i*** à la première et à la deuxième personne du pluriel de l'indicatif imparfait et du subjonctif présent. *(Que) nous multipliions, (que) vous multipliiez.*

multitude n. f.
1. Très grand nombre. *Sa collection comporte une multitude d'insectes qui sont tous étiquetés.* **SYN.** quantité.
2. Foule. *La multitude des participants était gagnée d'avance.*
Avec le collectif précédé de l'article défini, le verbe se met le plus souvent au singulier; il se met le plus souvent au pluriel lorsque le collectif est précédé de l'article indéfini.
VOIR TABLEAU – **COLLECTIF.**

municipal, ale, aux adj.
Relatif à l'administration d'une municipalité. *Des conseillers municipaux.*

municipalité n. f.
Division territoriale administrée par un conseil municipal. *La municipalité d'Outremont.*

munir v. tr., pronom.
Verbe transitif
Doter, pourvoir de ce qui est nécessaire, utile. *Vous devez être munis d'un passeport.* **SYN.** équiper.
Verbe pronominal
Prendre avec soi. *Se munir d'un parapluie.*
Conjugaison [VOIR MODÈLE – **FINIR**]

munitions n. f. pl.
Ensemble des projectiles nécessaires au chargement des armes à feu. *Les chasseurs ont emporté des munitions (des balles et des cartouches).*
Le nom s'emploie au pluriel.

muqueuse n. f.
Membrane qui tapisse certaines cavités du corps. *La muqueuse buccale est toujours humide.*

mur n. m.
Ouvrage de maçonnerie qui soutient une construction, qui entoure un immeuble. *Un mur de pierres.*
Locutions
Entre quatre murs. À l'intérieur.
Mettre quelqu'un au pied du mur. (FIGURÉ) Forcer une personne à se décider, à agir.
Se heurter à un mur. (FIGURÉ) Rencontrer un obstacle infranchissable.
Ne pas confondre avec les noms suivants :
– ***muraille,*** mur épais et élevé ;
– ***rempart,*** muraille fortifiée entourant une ville.
HOM.
– **mûr**, fruit prêt à être cueilli et mangé ;
– **mûre**, fruit du mûrier.

mûr, mûre adj.
1. Se dit d'un fruit prêt à être cueilli et mangé. *Une poire bien mûre.*
2. Parvenu à maturité. *Une personne mûre* (et non *mature). **SYN.** raisonnable, réfléchi.
Locution
Après mûre réflexion. Après avoir longuement réfléchi.
HOM.
– **mur**, ouvrage de maçonnerie ;
– **mûre** , fruit du mûrier.
mû**r**, attention à l'accent circonflexe.

muraille n. f.
Mur épais et élevé servant de fortification. *La Grande Muraille de Chine est longue de 5 000 km.*
Ne pas confondre avec les noms suivants :
– ***mur,*** ouvrage de maçonnerie qui soutient une construction ;
– ***rempart,*** muraille fortifiée entourant une ville.
mura**ill**e.

mural, ale, aux adj.
Qui est fixé au mur. *Des revêtements muraux.*

mûre n. f.
Fruit du mûrier. *J'aime les mûres, mais je préfère les framboises.*
HOM.
– **mur**, ouvrage de maçonnerie ;
– **mûr**, fruit prêt à être cueilli et mangé.
m**û**re.

mûrement adv.
Avec beaucoup de réflexion. *Après avoir mûrement réfléchi, j'accepte ton offre.*
m**û**rement.

MULTIPLES ET SOUS-MULTIPLES DÉCIMAUX

- Les multiples et les sous-multiples sont formés à l'aide de préfixes qui se joignent sans espace aux unités de mesure. *Trois kilogrammes, un mégawatt, deux centimètres, quatre milligrammes.*
- Les symboles de ces préfixes se joignent de la même façon aux symboles des unités de mesure. *3 kg, 1 MW, 2 cm, 4 mg* (s'écrivent sans points).

	PRÉFIXE	SYMBOLE	EXPRESSION NUMÉRIQUE	NOTATION SCIENTIFIQUE
Multiples	giga-	G	1 000 000 000	10^{9}
	méga-	M	1 000 000	10^{6}
	kilo-	k	1 000	10^{3}
	hecto-	h	100	10^{2}
	déca-	da	10	10^{1}
			1	10^{0}
Sous-multiples	déci-	d	0,1	10^{-1}
	centi-	c	0,01	10^{-2}
	milli-	m	0,001	10^{-3}
	micro-	µ	0,000 001	10^{-6}
	nano-	n	0,000 000 001	10^{-9}

murer v. tr., pronom.
Verbe transitif
Fermer avec de la maçonnerie. *Murer une fenêtre.* **SYN.** boucher.
Verbe pronominal
(FIGURÉ) S'enfermer. *Se murer dans son silence.*
Conjugaison [VOIR MODÈLE – **AIMER**]

muret n. m.
Petit mur. *Un muret de pierres délimite les champs.*
✎ mure**t.**

mûrier n. m.
Arbre à fruits noirs qui produit les mûres.
✎ m**û**rier.

mûrir v. tr., intr.
Verbe transitif
Rendre mûr. *Le soleil a mûri ces pêches. L'expérience les a mûris.*
Verbe intransitif
1. Devenir mûr. *Les tomates mûrissent rapidement.*
2. Acquérir de la maturité. *Ces adolescentes ont mûri, elles sont plus raisonnables.*
Conjugaison [VOIR MODÈLE – **FINIR**]
✎ m**û**rir.

murmure n. m.
1. Paroles prononcées à voix basse. *Les murmures des copines distraient Annick.* **SYN.** chuchotement.
2. Bruit sourd et continu. *Le léger murmure d'un ruisseau dans la forêt.*

murmurer v. tr., intr.
Verbe transitif
Dire à voix basse (quelque chose). *Elle lui murmura un secret.* **SYN.** chuchoter.
Verbe intransitif
Prononcer à mi-voix des paroles confuses, surtout pour se plaindre ou protester. **SYN.** (FAMILIER) bougonner, grogner.
☞ Ne pas confondre avec les mots suivants :
– ***chuchoter,*** dire à voix basse à l'oreille de quelqu'un ;
– ***marmonner,*** prononcer à mi-voix des paroles confuses, souvent avec colère.
Conjugaison [VOIR MODÈLE – **AIMER**]

muscle n. m.
Organe composé de fibres qui permet le mouvement, chez les êtres animés. *Ses muscles sont bien développés.*

muscler v. tr.
Développer les muscles.
Conjugaison [VOIR MODÈLE – **AIMER**]

musculaire adj.
Qui est propre aux muscles. *Un effort musculaire.*

musculation n. f.
Ensemble d'exercices destinés à développer les muscles. *Des exercices de musculation. Marc-André fait de la musculation tous les jours : il est très musclé.*

musculature n. f.
Ensemble des muscles du corps humain. *La musculature de Marc-André est bien développée.*

museau n. m. (pl. *museaux*)
Partie de la tête de certains animaux comprenant la gueule et le nez. *Le museau de la vache.*
☞ Pour le cheval, on dit plutôt le ***nez***; pour le cochon, le sanglier, on dit aussi le ***groin.***

musée n. m.
Établissement où sont exposées des collections d'œuvres d'art, d'objets scientifiques, historiques, etc. *Le Musée des beaux-arts.*
✎ musé**e,** attention au **e** muet final.

museler v. tr.
Mettre une muselière à un animal. *Ce chien est féroce, il faudrait le museler.*
Conjugaison [VOIR MODÈLE – **APPELER**]
Redoublement du ***l*** devant un **e** muet. *Je muselle, je musellerai,* mais *je muselais.*

muselière n. f.
Appareil qui recouvre le museau de certains animaux pour les empêcher de mordre.
✎ muse**l**ière.

musical, ale, aux adj.
Qui appartient à la musique. *Des thèmes musicaux. Une comédie musicale.*

musicien n. m.
musicienne n. f.
Personne dont la profession est de composer ou d'interpréter de la musique.

musique n. f.
1. Art de combiner les sons, quant à leur mélodie, leur rythme, leur harmonie. *Composer de la musique. Le piano et le violon sont des instruments de musique.*
2. Œuvre musicale. *La musique classique.*

musulman, ane adj. et n. m. et f.
Adjectif
Qui est propre à l'Islam. *Le monde musulman.*
Nom masculin et féminin
Qui professe la religion islamique. *Les musulmans et les chrétiens.*
☞ L'adjectif et le nom s'écrivent avec des minuscules.

mutin, ine adj.
Espiègle. *Un air mutin.* **SYN.** coquin, gamin, taquin.

mutiner (se) v. pronom.
Se rebeller. *Les prisonniers se sont mutinés contre les autorités pénitentiaires.*
☞ Le participe passé de ce verbe qui n'existe qu'à la forme pronominale s'accorde toujours en genre et en nombre avec le sujet du verbe.
Conjugaison [VOIR MODÈLE – **AIMER**]

mutinerie n. f.
Rébellion. *Il y a eu une mutinerie à la prison.*

mutisme n. m.
Attitude d'une personne qui se réfugie dans le silence.

mutuel, elle adj.
Fondé sur l'échange de sentiments qui se répondent. *Une estime mutuelle entre les membres d'une équipe.*

mygale n. f.
Araignée pouvant atteindre plus de 15 centimètres et dont la morsure est douloureuse. *La mygale est terrifiante.*
✎ m**y**gale, attention au ***y.***

myope adj. et n. m. et f.
Adjectif
Atteint de myopie. *Olivier est myope et devra porter des lunettes ou des lentilles.*

Nom masculin et féminin
Personne qui ne voit pas bien les objets éloignés. *C'est un myope, une myope.*
myope.

myopie n. f.
Défaut de l'œil qui distingue mal les objets éloignés. *Alain doit porter des lunettes à cause de sa myopie.*
myopie.

myosotis n. m.
Le ***s*** se prononce [mjozɔtis].
Plante donnant de petites fleurs bleues.
Attention au genre masculin de ce nom : ***un*** myosotis.
myosotis.

myriade n. f.
Une très grande quantité. *Une myriade de bénévoles ont participé à la collecte des dons. Des myriades d'étoiles illuminent le ciel.*
Ne pas confondre avec le nom ***pléiade,*** groupe de personnes formant une élite.
Ce nom est toujours suivi d'un complément au pluriel et l'accord du verbe et de l'adjectif se fait avec le complément.
VOIR TABLEAU – **COLLECTIF.**
myriade.

myrrhe n. f.
Résine aromatique. *L'or, l'encens et la myrrhe des Rois mages.*
HOM. mire, repère de visée d'une arme à feu.
myrrhe.

mystère n. m.
Ce qui est caché, difficile à expliquer. *Cette disparition est un mystère inexpliqué.*
Locution
Faire des mystères. Prendre des précautions pour cacher quelque chose.
mystère.

mystérieusement adv.
D'une manière secrète. *Ils ont disparu mystérieusement.*
mystérieusement.

mystérieux, euse adj.
Qui est difficile à comprendre, caché. *Une lettre mystérieuse.*
SYN. énigmatique, incompréhensible, inexplicable, secret.
mystérieux.

mystification n. f.
Action de mystifier, tromperie.
mystification.

mystifier v. tr.
Abuser de la crédulité de quelqu'un, duper. *Ce fraudeur a mystifié mon voisin : il l'a roulé.*
Conjugaison [VOIR MODÈLE – **ÉTUDIER**]
Redoublement du ***i*** à la première et à la deuxième personne du pluriel de l'indicatif imparfait et du subjonctif présent. *(Que) nous mystifiions, (que) vous mystifiiez.*
mystifier.

mythe n. m.
1. Récit fabuleux, fable symbolique. *Le mythe du déluge est universel.*
2. Construction de l'esprit qui ne repose sur aucun fondement. *Cet attentat est un mythe, il n'a jamais eu lieu.*
HOM. mite, insecte.
mythe.

mythique adj.
Qui a rapport aux mythes. *Un récit mythique.*
mythique.

mytho- préf.
Élément du grec signifiant « fable ».
Les noms composés du préfixe ***mytho-*** s'écrivent en un seul mot. *Mythologie.*

mythologie n. f.
Histoire fabuleuse des dieux. *La mythologie grecque.*
mythologie.

mythologique adj.
Qui concerne la mythologie. *Les divinités mythologiques.*
mythologique.

n n. m. inv.
Quatorzième lettre de l'alphabet.

n.
Abréviation de ***nom.***

n'
VOIR TABLEAU – **NE, NON.**

N.
Abréviation du point cardinal ***nord.***

nacelle n. f.
Panier suspendu sous un ballon où prennent place les passagers. *Julien et Martine regardent la ville du haut de la nacelle.*
nacelle.

nacre n. f.
Matière dure et blanche à reflets irisés qui tapisse l'intérieur de la coquille de certains mollusques. *La nacre d'un coquillage.*
Attention au genre féminin de ce nom : ***une*** nacre.

nacré, ée adj.
Qui a l'éclat de la nacre. *Un vernis à ongles nacré.*

nage n. f.
Action ou manière de nager. *La brasse est une nage appréciée. Quelle nage est la plus rapide ? Le crawl est plus rapide que la brasse ou la nage papillon.*
Locutions
À la nage, locution adverbiale. En nageant. *Les amis ont traversé le petit lac à la nage.*
Être en nage. Être couvert de sueur. *Elles ont couru et sont en nage.*

nageoire n. f.
Membrane qui permet aux poissons et à certains animaux aquatiques de se déplacer et de se diriger dans l'eau. *Les phoques, comme les poissons, ont des nageoires.*
nag**eoi**re.

nager v. tr., intr.
Verbe transitif
Pratiquer une forme de nage. *Sais-tu nager la brasse ?*
Verbe intransitif
Se déplacer dans l'eau à l'aide de ses membres. *Elle nageait sous l'eau.*
Conjugaison [VOIR MODÈLE – **CHANGER**]
Le ***g*** est suivi d'un **e** devant les lettres ***a*** et ***o.*** *Il nagea, nous nageons.*

nageur, euse n. m. et f.
Personne qui nage. *Fanny est une bonne nageuse.*
Locution
Maître nageur, maître nageuse. Personne qui surveille des baigneurs, qui enseigne la natation. *Des maîtres nageurs* (et non des *life guards).

naguère adv.
(LITTÉRAIRE) Il y a peu de temps. *Naguère, on tapait les lettres à la machine, aujourd'hui, on emploie un micro-ordinateur.*
Ne pas confondre avec les mots suivants :
– ***autrefois,*** dans un temps passé ;
– ***jadis,*** il y a très longtemps.

naïf, ïve adj. et n. m. et f.
Adjectif
1. Se dit de ce qui est naturel, simple, spontané. *Des yeux rieurs et naïfs. Une réponse naïve.* **SYN.** candide, ingénu, jeune. **ANT.** malin.
2. Se dit d'une personne trop confiante, que l'on peut tromper facilement. *Ils sont trop naïfs : ils croient aux horoscopes.* **SYN.** crédule, niais, (FAMILIER) niaiseux.
Nom masculin et féminin
Personne trop confiante. *Cet escroc s'en prend aux naïfs.*
Le nom a une valeur négative.
naïf, le ***i*** s'écrit avec un tréma.

nain, naine adj. et n. m. et f.
Adjectif
D'une très petite taille. *Un pommier nain.*
Nom masculin et féminin
Personne dont la taille est très inférieure à la normale. **ANT.** géant.

naissance n. f.
1. Venue au monde. *La naissance d'une fille.*
2. (FIGURÉ) Début, commencement. *La naissance du printemps. Le Saint-Laurent prend naissance dans les Grands Lacs.*
Locution
Acte de naissance. Document officiel précisant la date, le lieu de naissance d'une personne, ainsi que le nom de ses parents. *Des actes de naissance, des extraits de naissance* (et non *certificats de naissance).

naissant, ante adj.
Qui vient de naître. *Des bébés naissants.*
Note : Ne pas confondre avec le participe présent invariable ***naissant.*** *Faut-il plaindre ou envier les bébés naissant un 29 février ?*

naître v. intr.
Venir au monde. *Il est né en 1974.* **ANT.** mourir.
Conjugaison [VOIR MODÈLE – **NAÎTRE**]
Ce verbe se conjugue avec l'auxiliaire ***être*** et prend un accent circonflexe sur le ***i*** devant un ***t.***
VOIR **NÉ.**

naïveté n. f.
1. Candeur, simplicité. **SYN.** ingénuité.
2. Excès de confiance. **SYN.** crédulité.
Orthographe : naïveté.

naja n. m.
Serpent très venimeux, appelé aussi ***cobra*** ou ***serpent à lunettes.*** *Des najas terrifiants.*
Note : Ne pas confondre avec le nom ***serpent à sonnette,*** qui est un ***crotale.***

naphtaline n. f.
Les lettres ***ph*** se prononcent ***f*** [naftalin].
Produit antimite. *Son manteau sent la naphtaline* (et non la *boule à mites).
Orthographe : na**ph**taline.

nappe n. f.
1. Linge dont on recouvre la table. *Une jolie nappe à carreaux.*
2. Vaste étendue d'eau plane, souvent souterraine. *Une nappe de pétrole.*
Note : En ce sens, ne pas confondre avec les noms suivants :
– ***bassin,*** pièce d'eau artificielle, réservoir ;
– ***étang,*** petite étendue d'eau peu profonde ;
– ***lac,*** grande étendue d'eau douce entourée de terre.
Orthographe : na**pp**e.

napper v. tr.
Recouvrir un mets d'une sauce, d'une crème, etc. *Napper un gâteau de crème fouettée.*
Conjugaison [VOIR MODÈLE – **AIMER**]
Orthographe : na**pp**er.

napperon n. m.
Petite nappe individuelle. *Fanny a taché le napperon.*
Orthographe : na**pp**eron.

narcisse n. m.
Plante à fleurs blanches ou jaunes très odorantes. *Mon amie a cueilli un narcisse.*
Note : Attention au genre masculin de ce nom : ***un*** narcisse.
Orthographe : narci**ss**e.

narcotique adj. et n. m.
Se dit d'une substance qui provoque le sommeil. *Une plante narcotique. Le médecin lui a donné un narcotique.*

narguer v. tr.
Provoquer quelqu'un avec insolence. *Antoine narguait ses petits voisins.* **SYN.** braver, défier.
Conjugaison [VOIR MODÈLE – **AIMER**]
Ce verbe s'écrit toujours avec un ***u,*** même devant les lettres ***a*** et ***o.*** *Il nargua, nous narguons.*

narine n. f.
Chacune des deux ouvertures du nez. *Laurence s'est bouché les narines parce qu'elle trouvait que le fromage sentait mauvais.*
Orthographe : na**r**ine.

narquois, oise adj.
Moqueur, malicieux. *Un sourire narquois.* **SYN.** ironique.
Orthographe : nar**qu**ois.

narrateur n. m.
narratrice n. f.
Personne qui raconte. *Elle travaille comme narratrice dans une bibliothèque : elle raconte des histoires aux enfants.*

narratif, ive adj.
Qui raconte une histoire. *Un exposé narratif.*

narration n. f.
Récit détaillé. *Les élèves feront la narration de leurs vacances.*

narval n. m.
Grand mammifère marin, voisin de la baleine, qui vit dans les mers arctiques. *Les narvals sont des mammifères.*
Note : On l'appelait autrefois ***licorne de mer*** à cause de la longue dent (2 à 3 m) que porte le mâle.

NASA
Sigle de ***National Aeronautics and Space Administration.***

nasal, ale, aux adj.
1. Qui appartient au nez. *Une cloison nasale, des sons nasaux.*
2. Dont la prononciation comporte une résonance nasale. ***M*** et ***n*** sont des consonnes nasales.
HOM. (au plur.) naseau, narine de certains animaux.

naseau n. m. (pl. *naseaux*)
Narine de certains animaux (cheval, bœuf, etc.). *Bianca flatte les naseaux du cheval.*
Note : Ce mot s'emploie généralement au pluriel.
HOM. nasaux (plur. de ***nasal***), qui appartient au nez.
Orthographe : nas**eau.**

nasillard, arde adj.
Qui vient du nez. *Une voix nasillarde.*
Orthographe : nasi**ll**ard.

nasiller v. intr.
1. Parler du nez.
2. Crier, en parlant du canard.
Conjugaison [VOIR MODÈLE – **AIMER**]
Les lettres ***ill*** sont suivies d'un ***i*** à la première et à la deuxième personne du pluriel de l'indicatif imparfait et du subjonctif présent. *(Que) nous nasillions, (que) vous nasilliez.*
Orthographe : nasi**ll**er.

naskapi, ie adj. et n. m. et f.
Relatif aux Amérindiens d'une nation autochtone du Québec. *La culture naskapie, des projets naskapis. Un Naskapi, une Naskapie.*
Note : L'adjectif s'écrit avec une minuscule ; le nom, avec une majuscule.

nasse n. f.
Sorte de filet ou de panier en forme de cône servant à la pêche.
Note : La nasse servant à la pêche des homards est un ***casier.***
Orthographe : na**ss**e.

natal, ale, als adj.
1. Où l'on est né. *Des pays natals, la terre natale.*
2. Relatif à la naissance. *Des problèmes natals.*

Indicatif

Présent		*Passé composé*		
je	nais	je	suis	né, ée
tu	nais	tu	es	né, ée
elle	naît	elle	est	née
il	naît	il	est	né
nous	naissons	nous	sommes	nés, ées
vous	naissez	vous	êtes	nés, ées
elles	naissent	elles	sont	nées
ils	naissent	ils	sont	nés

Imparfait		*Plus-que-parfait*		
je	naissais	j'	étais	né, ée
tu	naissais	tu	étais	né, ée
elle	naissait	elle	était	née
il	naissait	il	était	né
nous	naissions	nous	étions	nés, ées
vous	naissiez	vous	étiez	nés, ées
elles	naissaient	elles	étaient	nées
ils	naissaient	ils	étaient	nés

Passé simple		*Passé antérieur*		
je	naquis	je	fus	né, ée
tu	naquis	tu	fus	né, ée
elle	naquit	elle	fut	née
il	naquit	il	fut	né
nous	naquîmes	nous	fûmes	nés, ées
vous	naquîtes	vous	fûtes	nés, ées
elles	naquirent	elles	furent	nées
ils	naquirent	ils	furent	nés

Futur simple		*Futur antérieur*		
je	naîtrai	je	serai	né, ée
tu	naîtras	tu	seras	né, ée
elle	naîtra	elle	sera	née
il	naîtra	il	sera	né
nous	naîtrons	nous	serons	nés, ées
vous	naîtrez	vous	serez	nés, ées
elles	naîtront	elles	seront	nées
ils	naîtront	ils	seront	nés

Infinitif

Présent	*Passé*
naître	être né, ée

Subjonctif

Présent			*Passé*			
que	je	naisse	que	je	sois	né, ée
que	tu	naisses	que	tu	sois	né, ée
qu'	elle	naisse	qu'	elle	soit	née
qu'	il	naisse	qu'	il	soit	né
que	nous	naissions	que	nous	soyons	nés, ées
que	vous	naissiez	que	vous	soyez	nés, ées
qu'	elles	naissent	qu'	elles	soient	nées
qu'	ils	naissent	qu'	ils	soient	nés

Imparfait			*Plus-que-parfait*			
que	je	naquisse	que	je	fusse	né, ée
que	tu	naquisses	que	tu	fusses	né, ée
qu'	elle	naquît	qu'	elle	fût	née
qu'	il	naquît	qu'	il	fût	ne
que	nous	naquissions	que	nous	fussions	nés, ées
que	vous	naquissiez	que	vous	fussiez	nés, ées
qu'	elles	naquissent	qu'	elles	fussent	nées
qu'	ils	naquissent	qu'	ils	fussent	nés

Conditionnel

Présent		*Passé*		
je	naîtrais	je	serais	né, ée
tu	naîtrais	tu	serais	né, ée
elle	naîtrait	elle	serait	née
il	naîtrait	il	serait	né
nous	naîtrions	nous	serions	nés, ées
vous	naîtriez	vous	seriez	nés, ées
elles	naîtraient	elles	seraient	nées
ils	naîtraient	ils	seraient	nés

Impératif

Présent	*Passé*	
nais	sois	né, ée
naissons	soyons	nés, ées
naissez	soyez	nés, ées

Participe

Présent	*Passé*
naissant	né, née
	étant né, ée

n

natalité n. f.
Rapport entre le nombre des naissances pour une période donnée et la population d'un pays. *Un taux de natalité élevé.*
Le taux de natalité se calcule par rapport à un groupe moyen de 1 000 habitants.

natation n. f.
Sport de la nage. *La natation est leur sport préféré.*

natif, ive adj. et n. m. et f.
Adjectif
Né à. *Elle est native de Montréal.*
Nom masculin et féminin
Personne originaire d'un lieu. *C'est un natif de la Beauce.*

nation n. f.
1. Groupement de personnes vivant dans un même pays et partageant la même culture, les mêmes traditions. *La nation québécoise.*
2. Pays. *L'Organisation des Nations Unies (ONU).*

national, ale, aux adj.
Qui concerne une nation en particulier. *Les Québécois célèbrent leur fête nationale le 24 juin. Les hymnes nationaux.*
na**tio**nal.

nationalisation n. f.
Action de nationaliser (une entreprise privée). **ANT.** privatisation.
na**tio**na**l**isation.

nationaliser v. tr.
Transférer à l'État la propriété d'une entreprise privée. *Les compagnies d'électricité ont été nationalisées par le gouvernement du Québec.* **ANT.** privatiser.
Ne pas confondre avec ***naturaliser***, accorder à un immigrant la nationalité d'un pays.
Conjugaison [VOIR MODÈLE – **AIMER**]
na**tio**na**l**iser.

nationaliste adj.
Qui est attaché à la nation à laquelle il appartient.
na**tio**na**l**iste.

nationalité n. f.
Fait pour une personne d'être membre d'une nation. *Ils sont de nationalité libanaise.* **SYN.** citoyenneté.
VOIR TABLEAU – **PEUPLES (NOMS DE).**
na**tio**na**l**ité.

nativité n. f.
1. Naissance de Jésus-Christ. *La nativité du Christ.*
2. Fête de Noël. *Fêter la Nativité.*
Pris absolument, le nom s'écrit avec une majuscule.

natte n. f.
1. Pièce d'un tissu fait de brins entrelacés. *Cette natte tissée avec de la corde sert de matelas au chien.*
2. Cheveux tressés. *Avec sa longue natte, elle a l'air d'une petite fille.* **SYN.** tresse.
na**tt**e.

natter v. tr.
Tresser en natte. *Sa maman a natté ses longs cheveux.*
Conjugaison [VOIR MODÈLE – **AIMER**]
na**tt**er.

naturaliser v. tr.
Donner à un immigrant la nationalité d'un pays.
Ne pas confondre avec **nationaliser**, transférer à l'État la propriété d'une entreprise privée.
Conjugaison [VOIR MODÈLE – **AIMER**]

naturaliste adj. et n. m. et f.
Se dit d'une personne qui étudie les plantes, les minéraux, les animaux. *Papi a déjà fait partie du groupe des Jeunes Naturalistes.*

nature adj. inv. et n. f.
Nom féminin
1. Ensemble des êtres et des choses qui composent l'univers. *Les beautés de la nature.* **SYN.** monde.
2. Ensemble des traits distinctifs, des propriétés d'un être. *La nature humaine. La nature de l'homme est de penser.*
Adjectif invariable
Préparé simplement, sans autres ingrédients. *Des fraises nature.*
Employé comme adjectif, le mot demeure invariable.
Locutions
Grandeur nature. De la taille réelle de l'être ou de l'objet. *Une affiche représentant une bicyclette grandeur nature.*
De toute nature, locution adverbiale. De toute sorte. *Il y avait des œuvres de toute nature.*
L'expression reste au singulier.
En nature, locution adverbiale. En objets réels et non en argent. *Les enfants ont reçu des prix en nature : de délicieux gâteaux, de beaux fruits.*
Nature morte. Tableau ayant pour sujet des objets inanimés (fleurs, fruits, etc.). *De jolies natures mortes.*

naturel, elle adj. et n. m.
Adjectif
1. Qui appartient à la nature. *Le vent et la pluie sont des phénomènes naturels.*
2. Normal. *C'est tout naturel, voyons !*
Nom masculin
Ensemble des qualités, des défauts ainsi que des caractères qu'une personne possède à sa naissance. *Il est d'un naturel généreux.*
Locutions
Au naturel. Sans préparation, simple et vrai.
Chassez le naturel et il revient au galop. (Proverbe) On peut changer de personnalité pour un moment, mais on finit toujours par montrer son vrai visage.

naturellement adv.
1. D'une manière naturelle. *Les cheveux de Madeleine sont naturellement bouclés.*
2. Évidemment. *Naturellement, mes parents sont d'accord.*

naufrage n. m.
Les lettres ***au*** se prononcent ***o*** ouvert ou fermé, [nɔfraʒ] ou [nofraʒ].
Perte d'un bateau par un accident de navigation.
Locution
Faire naufrage. Couler, en parlant d'un bateau. *Ces voiliers ont fait naufrage.*
Dans cette expression, le nom reste singulier.
n**au**frage.

naufragé, ée adj. et n. m. et f.
Les lettres ***au*** se prononcent ***o*** ouvert ou fermé, [nɔfraʒe] ou [nofraʒe].
Qui a fait naufrage.
n**au**fragé.

nauséabond, onde adj.
Qui sent très mauvais, qui donne la nausée. *Une odeur nauséabonde.* **SYN.** puant.
nauséabon**d.**

nausée n. f.
Envie de vomir. *La mer agitée lui donne la nausée.* **SYN.** mal de cœur.
nausé**e.**

-naute suff.
Élément du grec signifiant « navigateur ». *Un astronaute.*

nautique adj.
Les lettres ***au*** se prononcent ***o*** fermé [notik].
Relatif à la navigation de plaisance et aux sports pratiqués sur l'eau. *Du ski nautique.*

naval, ale, als adj.
Qui concerne les navires. *Des combats navals.*

navet n. m.
1. Plante dont la racine est employée comme aliment.
2. (FAMILIER) Film, pièce de théâtre, etc., sans valeur. *Ce film est un navet.*
nave**t.**

navette n. f.
1. Instrument utilisé sur un métier à tisser pour faire courir le fil de la trame entre les fils de la chaîne.
2. Véhicule qui circule entre deux points pour assurer la liaison. *Y a-t-il une navette* (et non un *shuttle) *entre les deux aéroports ?*
Locutions
Faire la navette. Faire des allers et retours fréquents, comme la navette du métier à tisser.
Navette spatiale. Véhicule spatial conçu pour assurer la liaison entre la Terre et une station orbitale.
nave**tt**e.

navigable adj.
Où l'on peut naviguer. *Un cours d'eau navigable.*

navigateur n. m.
navigatrice n. f.
1. (LITTÉRAIRE) Personne qui a fait de longs voyages en mer. *Jacques Cartier a été un grand navigateur : il est parti de Saint-Malo en France pour parvenir à Gaspé en 1534.*
2. Personne chargée de déterminer la route à suivre, dans un bateau, un avion.
navi**ga**teur.

navigation n. f.
1. Action de voyager sur mer ou sur les cours d'eau. *La navigation sur la voie maritime du Saint-Laurent.*
2. Circulation aérienne. *La navigation aérienne est interdite de minuit à 6 h dans ce secteur.*

naviguer v. intr.
1. Voyager sur mer ou sur les cours d'eau. *Ces marins ont navigué sur toutes les mers.*
2. (NÉOLOGISME) Utiliser Internet, l'explorer, y rechercher de l'information. (Recomm. off. OLF) *Étienne aime naviguer dans Internet* (et non *sur Internet).
Conjugaison [VOIR MODÈLE – **AIMER**]
Ce verbe s'écrit toujours avec un ***u,*** même devant les lettres ***a*** et ***o.*** *Il navigua, nous naviguons.*

navire n. m.
Grand bateau servant au transport maritime.
Le nom ***bateau*** désigne toute construction qui flotte et navigue, tandis que le nom ***embarcation*** ne désigne que de petits bateaux, destinés principalement au tourisme, aux loisirs nautiques (canots, chaloupes, voiliers, etc.).

navrant, ante adj.
Désolant. *Des résultats navrants.* **SYN.** attristant, décourageant.

navrer v. tr.
Désoler. *Je suis absolument navré de ce retard.* **SYN.** attrister, consterner, décourager.
Conjugaison [VOIR MODÈLE – **AIMER**]

nazi, ie adj. et n. m. et f.
Abréviation allemande de ***national-socialiste.*** *Des crimes nazis. Les nazis ont tué des millions de personnes.*

N.B.
Abréviation de ***nota bene*** qui signifie « notez bien ».

N.-B.
Abréviation de ***Nouveau-Brunswick.***

N.-É.
Abréviation de ***Nouvelle-Écosse.***

ne ou **n'**
VOIR TABLEAU – **NE, NON.**

né, née adj.
1. Qui est venu au monde. *Née à Montréal, elle vit maintenant à Québec.*
2. Nom + ***-né, -née.*** Qui a un talent inné dans un domaine. *C'est une pianiste-née, des informaticiens-nés.* **SYN.** de naissance.
Les mots composés avec le participe ***né, née,*** s'écrivent avec un trait d'union et prennent la marque du pluriel. *Une artiste-née, des artistes-nées, des premiers-nés, des derniers-nés.* Exception : ***nouveau-né*** dont le premier élément est généralement invariable. *Des nouveau-nés.*
HOM. nez, organe de l'odorat.

néanmoins adv.
Toutefois, malgré tout. *Elle a été injuste envers moi, néanmoins je lui pardonne.* **SYN.** cependant, pourtant.
né**an**moins.

néant n. m.
Ce qui n'existe pas. *Le météorite a explosé.*
né**ant.**

nébuleuse n. f.
(ASTRONOMIE) Amas d'étoiles.

nébuleux, euse adj.
1. Rempli de nuages. *Un ciel nébuleux.* **SYN.** couvert, nuageux.
2. (FIGURÉ) Obscur, confus. *Ton récit me semble un peu nébuleux.* **SYN.** imprécis.
nébuleu**x.**

nécessaire adj. et n. m.
Adjectif
Essentiel, indispensable. *Il est nécessaire de manger pour vivre. Les aptitudes nécessaires à cette fonction, pour faire ce travail.*
Nom masculin
1. Biens essentiels. *Le strict nécessaire.* **ANT.** accessoire, superflu.
2. Ce qui est important. *Faire le nécessaire pour finir à temps.*
3. Trousse. *Un nécessaire de couture.*
né**c**e**ss**aire.

nécessairement adv.
Inévitablement, obligatoirement.

NE, ADVERBE DE NÉGATION

Adverbe qui se place devant un verbe pour indiquer la négation et qui est généralement accompagné des mots ***pas, plus, point, jamais, aucun, aucunement, nul, nullement, personne, rien...***

*Elle **ne** part **pas**, il **ne** joue **plus** à la balle, ils **n'**ont **rien** mangé.*

L'adverbe s'élide devant une voyelle ou un ***h*** muet. *Elle **n'**aime pas les tomates, il **n'**habite plus là.*

Une phrase qui contient un adverbe de négation est une phrase négative.

Attention à la présence de l'adverbe élidé à la suite du pronom ***on*** qui ne s'entend pas à la lecture, mais qui doit figurer dans une phrase négative. *On **n'**avait pas besoin d'eux,* mais *on avait besoin de toi.*

- **Ne... que**, locution restrictive. Seulement.
  *Il **ne** lit **que** des bandes dessinées.*

- **Ne**, employé seul.

  – Dans certains proverbes, dans certaines expressions toutes faites.
  *Qui **ne** dit mot consent. Qu'à cela **ne** tienne.*

  – Avec les verbes ***savoir, cesser, oser, pouvoir, avoir,*** suivis de **que** interrogatif et d'un infinitif.
  *Il **ne** sait **que** dire. Elle **n'**a **que** faire de ses conseils.*

VOIR **RIEN.**

NON, ADVERBE DE NÉGATION

- **Emplois**

  – Dans une **réponse négative**.
  *Serez-vous présent ? **Non**.*
  ANT. oui.

  – Au début d'une **phrase négative**.
  ***Non**, je ne pourrai être là.*

  – Avec un **nom**.
  *C'est une pomme que j'aimerais, **non** une poire.*

  – Avec un **adjectif**, un **participe**.
  *Elle est gentille et **non** compliquée.*

  – Avec un **pronom**.
  *Vous êtes invités, mais **non** eux.*

  – Avec un **infinitif**.
  *Ils veulent manger et **non** boire.*

- **Locutions adverbiales**

  – ***Non plus.*** Pas davantage.
  *Tu n'as pas aimé ce film. Moi **non** plus.*

  – ***Non seulement... mais (encore).***
  *Il est **non** seulement habile, mais très expérimenté.*

NON, NOM MASCULIN INVARIABLE

Expression du refus. *Opposer un **non** catégorique, des **non**.*

nécessité n. f.
Ce qui est indispensable. *Je dois partir, c'est une nécessité.* **SYN.** obligation.
nécessité.

nécessiter v. tr.
1. Rendre nécessaire. *Une histoire qui nécessite une fin.*
2. Exiger. *Son état nécessite un traitement immédiat.* **SYN.** demander.
Conjugaison [VOIR MODÈLE – **AIMER**]

nectar n. m.
1. Suc des fleurs que butinent les abeilles.
2. Boisson des dieux de la mythologie grecque.
La nourriture des divinités de l'Olympe est l'***ambroisie.***

nectarine n. f.
Variété de pêche à peau lisse dont le noyau n'adhère pas à la chair.
VOIR **BRUGNON.**

néerlandais, aise adj. et n. m. et f.
Adjectif et nom masculin et féminin
Des Pays-Bas. *Le drapeau néerlandais. Un Néerlandais, une Néerlandaise.*
L'adjectif s'écrit avec une minuscule ; le nom, avec une majuscule.
Nom masculin
Langue parlée aux Pays-Bas. *Elle étudie le néerlandais.*
Le nom de la langue s'écrit avec une minuscule.

néfaste adj.
1. Désastreux. *Une période néfaste.*
2. Mauvais, nuisible. *Une influence néfaste.*

négatif, ive adj. et n. m.
Adjectif
Qui exprime une negation. *Une réponse négative.* **ANT.** affirmatif.
Nom masculin
(PHOTOGRAPHIE) Cliché. *Développer un négatif pour obtenir une photographie.*

négation n. f.
1. Action de nier.
2. (GRAMMAIRE) Mot qui sert à exprimer une négation.
La négation s'exprime au moyen d'adverbes de négation (***non, ne, pas, rien,*** etc.), de certains verbes (***nier, refuser,*** etc.). Attention à la juxtaposition des négations : deux négations valent une affirmation. *Je ne suis pas sans savoir* signifie « *je sais* ».
VOIR TABLEAU – **NE, NON.**

négligé, ée adj. et n. m.
Adjectif
Peu soigné. *Une allure négligée.*
Nom masculin
Tenue d'intérieur. *Elle portait un joli négligé en coton.*

négligeable adj.
Qui est sans importance. *Une somme négligeable.* **SYN.** insignifiant.
négli**gea**ble.

négligemment adv.
Les lettres ***em*** se prononcent ***a*** [neglizamã]; le mot rime avec ***savamment.***
Avec indifférence, sans soin.
négli**gemm**ent.

négligence n. f.
1. Fait de négliger quelqu'un, quelque chose. *Quelle négligence ! On ne nous a pas prévenus de son retour.*
2. Manque d'attention, de prudence. *Cette panne a été causée par la négligence d'un technicien.*
négli**gen**ce.

négligent, ente adj.
Qui manque d'attention, de prudence. *Des automobilistes négligents.*
Ne pas confondre avec le participe présent invariable ***négligeant.*** *Les gardiens négligeant leur surveillance seront rappelés à l'ordre.*

négliger v. tr., pronom.
Verbe transitif
Ne pas s'occuper d'une personne, d'une chose comme on le devrait. *Négliger sa santé, ses amis, son travail.*
Verbe pronominal
Se laisser aller, ne plus prendre soin de sa personne. *Elle s'est négligée depuis quelque temps.*
Conjugaison [VOIR MODÈLE – **CHANGER**]
Le ***g*** est suivi d'un **e** devant les lettres ***a*** et ***o.*** *Il négligea, nous négligeons.*

négociation n. f.
Ensemble de démarches entreprises en vue de parvenir à un accord, de conclure une affaire.

négocier v. tr., intr.
Verbe transitif
Discuter quelque chose en vue d'un accord. *Négocier l'achat de produits, d'une maison.* **SYN.** marchander.
Verbe intransitif
Mener une négociation. *Le syndicat négocie avec la direction.*
Conjugaison [VOIR MODÈLE – **ÉTUDIER**]
Redoublement du ***i*** à la première et à la deuxième personne du pluriel de l'indicatif imparfait et du subjonctif présent. *(Que) nous négociions, (que) vous négociiez.*

nègre, négresse adj. et n. m. et f.
Adjectif
Relatif à la race noire. *L'art nègre.*
Cet adjectif est vieilli et il a un sens défavorable ; on emploie plutôt ***noir, noire.***
Nom masculin et féminin
Personne de race noire.
Ce nom est vieilli et il a un sens défavorable ; on emploie plutôt ***noir, noire.***
L'adjectif féminin est ***nègre,*** tandis que le nom féminin est ***négresse.***
VOIR **NOIR.**

neige n. f.
Eau congelée qui tombe en flocons blancs légers. *Une tempête de neige, un bonhomme de neige.*
Locutions
Averse de neige. ⚜ Chute de neige, subite et abondante, quelquefois violente, mais de courte durée.
Banc de neige. ⚜ Amas de neige entassée par le vent ou par le déneigement.
Blanc comme neige. Innocent.
Classe de neige. Enseignement donné à la montagne au cours de l'hiver, où sont combinés leçons et exercices physiques (ski, luge, etc.).
Tempête de neige. Chute de neige abondante accompagnée de vents violents.

neiger v. impers.
Tomber, en parlant de la neige. *Il neigeait à plein ciel.*
Conjugaison [VOIR MODÈLE – **CHANGER**]
Le ***g*** est suivi d'un ***e*** devant la lettre ***a.*** *Il neigea.*

nénuphar n. m.
Plante aquatique à larges feuilles et à fleurs blanches ou jaunes.
✏ nénu**ph**ar.

néo- préf.
Élément du latin signifiant « nouveau ».
☞ Les mots auxquels le préfixe ***néo-*** est joint s'écrivent habituellement avec un trait d'union. *Le néo-classicisme.* S'il s'agit d'un nom de peuple, le mot s'écrit avec deux majuscules. *Un Néo-Zélandais.* Si le préfixe signifie « de souche récente », il s'écrit avec une minuscule. *Un néo-Québécois. Des néo-Canadiens.* Dans les deux cas, le préfixe ***néo*** est invariable, mais le deuxième élément prend la marque du pluriel.
VOIR TABLEAU – **PEUPLES (NOMS DE).**
☞ Par contre, les mots comportant le préfixe ***néo-*** s'écrivent en un seul mot. *Un néologisme, une expression néologique.*

néologie n. f.
Création de nouveaux mots par dérivation, par composition, par évolution de sens ou par tout autre procédé.
VOIR TABLEAU – **NÉOLOGISME.**

néologique adj.
Relatif au néologisme. *Une locution néologique.*

néologisme n. m.
VOIR TABLEAU – **NÉOLOGISME.**

néon n. m.
1. Gaz rare de l'atmosphère employé dans l'éclairage. *Le néon est un gaz incolore.*
2. Éclairage au moyen de tubes fluorescents. *Une enseigne au néon.*
3. Tube au néon. *Le néon est brûlé, il faut le remplacer.* **SYN.** tube fluorescent.

néo-zélandais, aise adj. et n. m. et f.
De la Nouvelle-Zélande. *Un paysage néo-zélandais. Un Néo-Zélandais, une Néo-Zélandaise.*
☞ L'adjectif s'écrit avec des minuscules ; le nom, avec des majuscules.
VOIR **NÉO-.**

népalais, aise adj. et n. m. et f.
Du Népal. *Le drapeau népalais. Un Népalais, une Népalaise.*
☞ L'adjectif s'écrit avec une minuscule ; le nom, avec une majuscule.

nerf n. m.
Le ***f*** ne se prononce pas [nɛr]; le mot rime avec ***air.***
1. Force, vigueur. *Avoir du nerf.*
2. Cordon conducteur de la sensibilité et du mouvement qui relie un centre nerveux à un organe.
3. (AU PLURIEL) Système nerveux. *Avoir les nerfs fragiles.*
Locutions
Avoir les nerfs (à vif). S'exciter, s'énerver à l'excès.
Avoir des nerfs d'acier. Avoir beaucoup de sang-froid, savoir garder son calme.
Crise de nerfs. Excès de nervosité, irritation.
Être à bout de nerfs, être sur les nerfs. Être tendu, surexcité.
Les nerfs ! ⚜ (FAMILIER) Du calme !

nerveux, euse adj. et n. m. et f.
1. Qui est relatif aux nerfs. *Le système nerveux.*
2. Énervé. *Elle est un peu nerveuse.* **SYN.** agité, excité, irritable.
✏ nerveu**x.**

nervosité n. f.
Surexcitation, énervement. *Sa nervosité grandit à mesure que l'attente se prolonge.*
✏ nerv**o**sité.

nervure n. f.
Ligne saillante. *Les nervures d'une feuille.*

n'est-ce pas ? adv. interr.
Expression servant à demander l'accord de quelqu'un sur ce qui vient d'être dit. *C'est joli ce paysage, n'est-ce pas ?*

net, nette adj. et adv.
Le ***t*** de la forme masculine se prononce [nɛt].
Adjectif
1. Propre. *Un vêtement net.*
2. Clair. *Un progrès très net, une réponse nette. Avoir les idées nettes.*
3. Précis. *Une image très nette.* **SYN.** distinct.
Adverbe
Tout d'un coup. *Ils ont cessé net de chanter. Cet incident m'a coupé net l'appétit.*
☞ Pris adverbialement, le mot ***net*** est invariable.
Locution
En avoir le cœur net. Être fixé au sujet de quelque chose.

nettement adv.
De façon nette. *Je n'arrive pas à distinguer nettement le nom ce bateau.* **SYN.** clairement, distinctement.

netteté n. f.
Précision. *Les critères ont été exprimés avec netteté.* **SYN.** clarté.

nettoyage n. m.
Action de nettoyer quelque chose. *Le nettoyage d'un vêtement.*

nettoyer v. tr.
Rendre net, propre. *Elle nettoie son tapis.*
Conjugaison [VOIR MODÈLE – **EMPLOYER**]
Le ***y*** se change en ***i*** devant un ***e*** muet. *Il nettoie, il nettoiera.* *Le* ***y*** est suivi d'un ***i*** à la première et à la deuxième personne du pluriel de l'indicatif imparfait et du subjonctif présent. *(Que) nous nettoyions, (que) vous nettoyiez.*

nettoyeur n. m.
⚜ Entreprise qui se charge de nettoyer, de repasser les vêtements, les tissus. *Papa a porté son pantalon chez le nettoyeur.*

nettoyeur n. m.
nettoyeuse n. f.
Personne qui nettoie. *Un nettoyeur de vitres, de planchers.*
SYN. laveur.

neuf adj. num. inv. et n. m. inv.
1° Le ***f*** se prononce [nœf] même devant une consonne. 2° Devant ***heures, hommes*** et ***autres,*** le ***f*** se prononce ***v.*** *Neuf heures* [nəvœr], *neuf hommes* [nəvɔm], *neuf autres* [nəvotr]. Dans tous les autres cas, la liaison se fait avec un ***f.*** *Neuf autobus* [nœfɔtɔbys].
Adjectif numéral cardinal invariable
Trois fois trois. *Neuf heures.*
Adjectif numéral ordinal invariable
Neuvième. *Le neuf janvier.*
Nom masculin invariable
Le nombre neuf. *Il dessine des neuf.*
VOIR TABLEAU – **NOMBRES.**
VOIR TABLEAU – **NUMÉRAL (ADJECTIF).**

NÉOLOGISME

Mot nouveau ou sens nouveau accordé à un mot existant.

Généralement, on crée un néologisme quand la langue ne dispose pas déjà d'un mot pour nommer une réalité nouvelle. La néologie illustre la créativité d'une langue qui invente un mot pour nommer une nouveauté plutôt que d'emprunter un terme à une autre langue.

Exemples de néologismes

autoroute électronique n. f.
Réseau de télécommunications permettant de transmettre de manière interactive des données informatiques, des images, des sons. **SYN.** inforoute.

baladeur n. m.
Radio ou lecteur de cassettes portatif muni d'écouteurs. *En cadeau, j'ai reçu un baladeur* (et non un *walkman).

décrocheur, euse n. m. et f.
Élève qui quitte l'école avant la fin de la période de l'obligation scolaire. (Recomm. off. OLF) *Ce n'est pas un décrocheur* (et non un *drop-out).

dépanneur n. m.
Établissement où l'on vend des aliments et une gamme restreinte d'articles de consommation courante et dont les heures d'ouverture s'étendent au-delà de l'horaire habituel des autres magasins. (Recomm. off. OLF)

internaute n. m. et f.
Utilisateur du réseau Internet. *Navigue dans Internet : soit un bon internaute, mais non un pirate informatique !*

Formation de néologismes à l'aide de racines grecques ou latines

Les néologismes scientifiques sont souvent créés à l'aide des préfixes, des suffixes d'origine grecque ou latine dont le sens est connu. Ainsi, dans le domaine du traitement électronique des données, le néologisme ***infographie,*** qui désigne une application de l'informatique à la représentation graphique et au traitement de l'image, est composé de ***info-***, élément du latin « informatio » signifiant « information », et de ***-graphie***, élément du grec « graphein » signifiant « écrire ».

Formation de néologismes par dérivation

- Radical + suffixe
  - ***Bureau*** + suffixe ***-tique*** = ***bureautique***, sur le modèle de ***mathématique, informatique***.
  - ***Didacti-*** + suffixe ***-ciel*** = ***didacticiel***, sur le modèle de ***logiciel***.
- Constitution de familles de mots
  Bureautique engendre ***bureauticien, bureautiser***.

Formation de néologismes par composition

- Préfixe + radical
  - Préfixe ***micro-*** signifiant « petit » + radical ***ordinateur*** = ***micro-ordinateur***.
  - Préfixe ***méga-*** signifiant « million » + radical ***octet*** = ***méga-octet***.
  - Préfixe ***télé-*** signifiant « à distance » + radical ***copieur*** = ***télécopieur.***
- Juxtaposition d'éléments pour composer un mot, une expression
  Banque de données, adresse électronique, courrier électronique.

VOIR TABLEAU – **NOMS COMPOSÉS.**
VOIR TABLEAU – **PRÉFIXE.**
VOIR TABLEAU – **SUFFIXE.**

neuf, neuve adj. et n. m.
Adjectif
1. Qui n'a pas encore servi. *Une chemise neuve.* **ANT.** vieux.
2. Original. *Une idée neuve.*
Nom masculin
1. Ce qui est neuf. *Aimer l'odeur du neuf.*
2. Ce qui est nouveau. *Y a-t-il du neuf à propos de l'explosion ?* **SYN.** nouvelles.
Locutions
À neuf, locution adverbiale. En redonnant l'apparence du neuf. *L'appartement a été décoré à neuf.*
De neuf, locution adverbiale. Avec du neuf. *Elle est habillée de neuf.*

neurologie n. f.
1. Étude du système nerveux.
2. Spécialité de la médecine qui s'occupe des maladies du système nerveux.

neurologique adj.
Relatif à la neurologie ou aux nerfs. *Un problème neurologique.*

neurologue ou **neurologiste** n. m. et f.
Médecin spécialiste de la neurologie. *Une neurologue.*

neurone n. m.
Cellule des centres nerveux.
Attention au genre masculin de ce nom : ***un*** neurone.
neuro**ne**.

neutraliser v. tr., pronom.
Verbe transitif
Empêcher d'agir, rendre inoffensif. *Le gardien a neutralisé les cambrioleurs.*
Verbe pronominal
Se contrebalancer, s'annuler. *Les effets se sont neutralisés.*
Conjugaison [VOIR MODÈLE – **AIMER**]

neutre adj. et n. m.
Adjectif
1. Qui s'abstient de prendre parti, qui n'est ni pour ni contre quelqu'un ou quelque chose. *La Suisse est neutre.* **SYN.** impartial.
2. Détaché. *Un ton neutre.*
Nom masculin
(GRAMMAIRE) Genre des mots d'une langue qui ne sont ni du genre masculin ni du genre féminin. *Le neutre du latin.*
Quelques mots français présentent les caractéristiques du neutre de certaines autres langues : le pronom ***il*** impersonnel, les pronoms ***ce, que, quoi, rien, tout,*** etc. Les adjectifs qui se rapportent à ces pronoms se mettent au masculin.

neuvième adj. num. et n. m. et f.
Abréviations : ***9e*** (neuvième), ***9es*** (neuvièmes).
Adjectif numéral ordinal
Qui vient après le huitième. *Les neuvièmes pages.*
Nom masculin
Neuvième partie d'un tout. *Les deux neuvièmes d'un groupe.*
Il n'y a pas de trait d'union entre l'adjectif numéral et le nom désignant la partie d'un tout.
Nom masculin et féminin
Personne, chose qui occupe le neuvième rang. *Ils sont les neuvièmes.*
VOIR TABLEAU – **NOMBRES.**
VOIR TABLEAU – **NUMÉRAL (ADJECTIF).**

neveu n. m. (pl. *neveux*)
Fils du frère ou de la sœur. *Des neveux turbulents.*
Le nom féminin est ***nièce.***

nez n. m.
Partie saillante au milieu du visage humain, organe de l'odorat.
Locutions
Avoir du nez. Avoir un bon odorat et, au figuré, de l'intuition.
Cache-nez. Écharpe destinée à couvrir le bas du visage. *Des cache-nez bien chauds.*
Mener quelqu'un par le bout du nez. (FIGURÉ) Avoir beaucoup d'influence sur quelqu'un.
Mettre le nez dans une affaire. Intervenir, se mêler d'une affaire.
Mettre le nez dehors. (FIGURÉ) Sortir.
Ne pas voir plus loin que le bout de son nez. Manquer de clairvoyance.
Nez à nez. Face à face. *Le voleur s'est trouvé nez à nez avec le gardien.*
Pour qualifier des concurrents à égalité, on emploiera plutôt l'expression ***coude à coude.***
Pied de nez. Grimace. *Des pieds de nez espiègles.*
Rire au nez de quelqu'un. (FIGURÉ) Se moquer de lui ouvertement.
HOM. né, qui est venu au monde.

ni conj.
1. Conjonction marquant l'union entre des éléments dans une phrase négative. *Elles ont skié sans bonnet ni gants. Il ne chante ni ne danse.*
Cette conjonction de coordination à valeur négative est l'équivalent de la conjonction ***et*** dans la phrase affirmative et sert à lier des adjectifs, des noms, des pronoms ou des propositions.
2. Conjonction réunissant plusieurs mots sujets ou compléments d'un verbe à la forme négative. *Ni les filles ni les garçons ne sont d'accord. Ils n'aiment ni les navets ni les carottes.*
La construction ***ni... ni...*** s'emploie avec la négation simple ***ne*** : on n'a pas à employer le deuxième élément habituel de la négation ***pas***. On ne met généralement pas de virgule entre les éléments de la négation.
Locution
Ni l'un ni l'autre, locution pronominale. Aucun des deux. *Ni l'un ni l'autre ne viendra.*
Avec cette locution pronominale indéfinie, l'accord du verbe peut se faire au singulier ou au pluriel. ***Ni l'un ni l'autre n'est arrivé*** ou ***ne sont arrivés***. Si le verbe précède la locution, il s'écrit obligatoirement au pluriel. ***Ils ne sont arrivés ni l'un ni l'autre.***
HOM. nid, construction façonnée par les oiseaux.

niais, niaise adj. et n. m. et f.
Naïf et sot. *Quels niais : on les a roulés de la plus belle façon !*
SYN. (FAMILIER) niaiseux, stupide.

niaiser v. tr., intr.
Verbe transitif
(FAMILIER) Embêter. *Oscar, cesse de nous niaiser, laisse-nous tranquilles.*
Verbe intransitif
(FAMILIER) Perdre son temps à ne rien faire, s'embêter. *Viens jouer avec moi, Julie, on va s'amuser au lieu de niaiser tout l'après-midi.*
Conjugaison [VOIR MODÈLE – **AIMER**]

niaiserie n. f.
Bêtise, sottise. *Tu nous embêtes avec tes niaiseries.*

niaiseux, euse adj. et n. m. et f.
(FAMILIER) Niais.

niche n. f.
1. Enfoncement pratiqué dans l'épaisseur d'un mur pour y placer une statue, un objet, etc.
2. Abri où couche un chien.

nicher v. intr., pronom.
Verbe intransitif
1. Construire son nid.
2. (FAMILIER) Loger. *Il niche chez elle.*
Verbe pronominal
1. Faire son nid. *Les oiseaux se sont nichés sur la plus haute branche de l'arbre.*
2. Se blottir, se placer. *Où s'est-elle nichée ?* **SYN.** s'installer.
Conjugaison [VOIR MODÈLE – **AIMER**]

nickel n. m.
Métal brillant inoxydable. *Les pièces de 5 cents sont en nickel.*
nic**k**el.

nicotine n. f.
Substance toxique contenue dans le tabac.

nid n. m.
1. Lieu où vivent des animaux. *Un nid de tamias rayés.*
2. Construction façonnée par les oiseaux pour y déposer leurs œufs. *Un nid d'hirondelle.*
Lorsqu'il s'agit d'un oiseau, le complément de ce nom s'écrit au singulier. Autrement, il s'écrit au pluriel. *Un nid de guêpes, de fourmis.*
HOM. ni, conjonction marquant l'union entre des éléments dans une phrase négative.
ni**d,** un ***d*** final.

nièce n. f.
Fille du frère ou de la sœur. *Fanny et Laurence sont de gentilles nièces.*
Le nom masculin est ***neveu.***

nier v. tr.
1. Dire qu'une chose n'est pas vraie. *Il nie avoir arrosé sa sœur. Il nie son mauvais coup.* **ANT.** affirmer.
Le verbe peut se construire avec l'infinitif ou avec un nom complément d'objet direct.
2. ***Nier que*** + subjonctif. *Il nie que cette personne soit venue.*
Cette construction est utilisée quand la négation n'est que supposée, le fait nié étant néanmoins vrai.
3. ***Nier que*** + indicatif. *Peut-on nier que l'eau est indispensable à notre survie ?*
Cette construction insiste sur le fait que la négation ne fait aucun doute.
Conjugaison [VOIR MODÈLE – **ÉTUDIER**]

nigaud, aude adj. et n. m. et f.
Stupide. *C'est un nigaud.* **SYN.** niais.
nig**aud.**

niveau n. m. (pl. *niveaux*)
1. Instrument qui sert à vérifier l'horizontalité d'un plan. *Le menuisier emploie un niveau pour que son meuble soit bien droit.*
2. Degré d'élévation par rapport à un plan horizontal de comparaison. *Le niveau de l'eau a monté.*
3. Plan horizontal d'un bâtiment. *Cet immeuble comporte 15 niveaux* (et non *planchers) *dont 3 sont souterrains.*
Alors que le mot ***étage*** désigne chacun des niveaux d'un immeuble situés au-dessus du rez-de-chaussée, le mot ***niveau*** permet une seule gradation depuis le dernier sous-sol jusqu'au dernier étage.
Locutions
Au niveau de, locution prépositive. À la même hauteur, à la portée de. *Au niveau de l'eau, au niveau de tous.*
Cette expression est employée abusivement au sens de ***en matière de, à propos de, dans le domaine de, en ce qui concerne, du point de vue de,*** etc.
Niveau de vie. Ensemble des biens que peut se procurer un individu, une famille, une population. *Le niveau de vie a monté, a baissé. Des niveaux de vie différents.*
Passage à niveau. Croisement d'une route et d'une voie ferrée. *Attention au passage à niveau* (et non à la *traverse de chemin de fer).

niveau de langue n. m. (pl. *niveaux de langue*)
Façon de s'exprimer en fonction des situations ou des personnes à qui on s'adresse. *Un niveau de langue familier.* **SYN.** registre.
• Ainsi les mots utilisés dans la langue parlée, ou lorsqu'on s'adresse à des amis, à des gens que l'on connaît bien sont souvent de **niveau familier.** ***Chouchou*** *est un nom de niveau familier par rapport à* ***favori. Se chamailler*** *est un verbe de niveau familier par rapport à* ***se disputer.***
• Les mots qui ne sont pas d'usage courant, qui s'emploient dans la langue écrite recherchée sont de **niveau littéraire.** ***Abîme*** *est un mot littéraire ; dans la langue courante, on dit plutôt* ***précipice ; naguère*** *est littéraire par rapport à* ***il y a peu de temps.***
• Quelques mots sont **vulgaires :** il vaut mieux les éviter dans la langue courante ou recherchée. ***Gueule,*** *pour désigner la bouche humaine, est un mot vulgaire.*
• Certains mots ne s'emploient plus maintenant ou ils ont changé de sens ; ils sont devenus **vieux.** *Ainsi le verbe* ***occire*** *s'employait autrefois, on dit aujourd'hui* ***tuer*** *; le nom* ***gazette*** *a été remplacé par* ***journal.*** *Le nom* ***habit*** *ne veut plus dire* ***costume,*** *il ne désigne plus que le vêtement de cérémonie masculin à longues basques.*
Dans cet ouvrage, les niveaux de langue sont soulignés par les mentions : (FAMILIER), (LITTÉRAIRE), (VIEUX), (VULGAIRE). En l'absence d'une mention, le niveau est neutre.

niveler v. tr.
Mettre de niveau. *Niveler un terrain.* **SYN.** égaliser.
Conjugaison [VOIR MODÈLE – **APPELER**]
Redoublement du ***l*** devant un ***e*** muet. *Je nivelle, je nivellerai,* mais *je nivelais.*
nivel**er**.

niveleuse n. f.
Engin de terrassement.
nivel**euse**.

n° ou N°
Abréviation de ***numéro.***
L'abréviation de ***numéros*** est ***n^os^*** ou ***N^os^.***

noble adj. et n. m. et f.
Adjectif et nom masculin et féminin
De la noblesse. *Elle est de sang noble. Les châteaux de la Loire étaient habités par des nobles.* **SYN.** aristocrate. **ANT.** mesquin, vulgaire.
Adjectif
Qui a de la dignité, qui est digne d'admiration. *Un geste noble.* **SYN.** digne, grand. **ANT.** bas.

noblesse n. f.
1. Qualité de la personne qui est noble. **SYN.** aristocratie.
2. Grandeur d'âme, dignité. **ANT.** bassesse, mesquinerie.

Locution
Noblesse oblige. Quiconque se prétend noble doit se conduire noblement.

noce n. f.
1. Fête donnée à l'occasion d'un mariage. *Aller à la noce. Un repas de noce.*
2. (AU PLURIEL) Mariage. *Un voyage de noces. Des noces d'or. En secondes noces.*

nocif, ive adj.
Nuisible. *Une substance nocive.* **SYN.** dangereux.
✎ no**c**if.

nocturne adj.
Qui a lieu la nuit. *Une marche nocturne.*

Noël n. m.
Fête qui commémore la naissance du Christ et qui est célébrée le 25 décembre. *Joyeux Noël. Un bel arbre de Noël. Des cadeaux de Noël donnés par le père Noël.*
☞ Le nom qui désigne la fête religieuse s'emploie au masculin et s'écrit avec une majuscule.
Locution
La Noël. La fête de Noël.
∽ Cette construction elliptique plus familière qui désigne la fête familiale ne s'emploie qu'au singulier. *Nous passerons la Noël à la montagne.*
✎ No**ë**l.

nœud n. m.
1. Enlacement serré d'un fil, d'une corde. *Des nœuds coulants. Porter un nœud de velours dans les cheveux.*
2. Point essentiel d'une intrigue. *Le nœud d'une pièce de théâtre.*
3. (MARINE) Unité de vitesse correspondant à un mille marin à l'heure. *Ce bateau file dix nœuds.*
4. Partie très dure à l'intérieur de l'arbre. *Les nœuds forment des cercles dans le bois.*
Locution
Nœud papillon. Nœud dont la forme rappelle celle du papillon et servant de cravate. *Des nœuds papillons* (et non des *boucles) *colorés.*
Forme fautive
*frapper un nœud. Anglicisme pour ***rencontrer un obstacle, avoir un problème.***

noir, noire adj. et n. m. et f.
Adjectif
Qui est de race noire. *Une femme noire.*
Nom masculin et féminin
Personne de race noire. *Ce sont des Noirs.*
☞ Ce mot a remplacé celui de ***nègre*** qui a une valeur défavorable.
☞ L'adjectif s'écrit avec une minuscule ; le nom, avec une majuscule.
Nom féminin
(MUSIQUE) Note qui vaut un quart de ronde.

noir, noire adj. et n. m.
Adjectif
1. Qui est obscur. *La maison est toute noire : il n'y a pas d'électricité.*
2. Sale. *Tu as les mains noires.*
3. Illégal, caché. *Le marché noir.*
Adjectif de couleur variable
De couleur très foncée. *Des cheveux noirs.*
Nom masculin
La couleur noire. *Ses cheveux sont d'un beau noir de jais.*

Locution
Noir de jais. Noir brillant comme la pierre qui porte le nom de ***jais.***
☞ Cet adjectif de couleur composé est invariable.
VOIR TABLEAU – **COULEUR (ADJECTIFS DE).**

noirceur n. f.
1. Caractère de ce qui est noir. *La noirceur de ses yeux.*
2. ⚜ Obscurité. *Revenez à la maison avant la noirceur.*

noircir v. tr., intr., pronom.
Verbe transitif
Colorer de noir. *La pollution a noirci la façade de l'immeuble.*
Verbe intransitif
Devenir noir. *Ces bananes commencent à noircir.*
Verbe pronominal
Devenir noir. *Le ciel se noircit.* **SYN.** s'assombrir.
Conjugaison [VOIR MODÈLE – **FINIR**]

noisette adj. inv. et n. f.
Nom féminin
Fruit du noisetier. *Pour manger la noisette, il faut briser sa coque qui est assez dure.*
Adjectif de couleur invariable
De la couleur brune des noisettes. *Des yeux noisette.*
VOIR TABLEAU – **COULEUR (ADJECTIFS DE).**
✎ noise**tt**e.

noix n. f. (pl. *noix*)
1. Fruit comestible du noyer. *Il a mangé une noix.*
2. Fruit de divers arbres. *Des noix de coco, de pistache. Des noix de cajou* (et non de *cachou).
✎ noi**x.**

noliser v. tr.
Louer un avion. *Noliser un avion.*
☞ Le verbe ***affréter*** s'emploie lorsqu'il s'agit de navires ; l'expression ***avion nolisé*** est l'équivalent français de l'anglicisme *charter.
Conjugaison [VOIR MODÈLE – **AIMER**]

nom n. m.
VOIR TABLEAU – **NOM.**
VOIR TABLEAU – **NOMS COMPOSÉS.**

nomade adj. et n. m. et f.
Qui n'a pas d'habitation fixe, qui mène une vie errante. *Une tribu nomade.* **ANT.** sédentaire.

nombre n. m.
Abréviation ***n**^{bre} (s'écrit sans point).
1. Quantité chiffrée. *Un nombre pair. Quel est le nombre d'élèves dans la classe ?*
☞ Ne pas confondre avec les mots suivants :
– ***chiffre***, signe qui sert à écrire un nombre ;
– ***numéro,*** qui marque le rang, l'ordre.
2. (GRAMMAIRE) Formes qui, dans les mots variables, rendent l'idée d'unité ou de pluralité. *Le français utilise deux nombres : le singulier et le pluriel.*
Locutions
Au nombre de, du nombre de, locutions prépositives. Parmi. *Est-il du nombre des blessés ?*
En nombre, locution adverbiale. En grande quantité. *Ils sont venus en nombre.*
Nombre de. Beaucoup. *Nombre de candidatures ont été retenues.*
☞ Après le collectif ***nombre de,*** le verbe se met au pluriel.
Sans nombre. D'une immense quantité, innombrable.
Un grand nombre de. *Un grand nombre de pommes était mûre* ou *étaient mûres.*

Après ce collectif suivi d'un complément au pluriel, le verbe se met au singulier ou au pluriel suivant l'intention de l'auteur qui veut insister sur l'ensemble ou sur la pluralité.
VOIR TABLEAU – **COLLECTIF.**
VOIR TABLEAU – **NOMBRES.**

nombreux, euse adj.
1. Qui est en grand nombre. *De nombreuses qualités.* **SYN.** abondant, considérable.
En ce sens, l'adjectif se place généralement avant le nom.
2. Qui comprend un grand nombre d'éléments. *Une famille nombreuse.*
En ce sens, l'adjectif se place généralement après le nom.
nombreu**x**.

nombril n. m.
Le ***l*** est généralement muet [nɔ̃bri]; le nom rime avec ***abri.***
Cicatrice au milieu du ventre, à l'endroit où était le cordon ombilical. **SYN.** ombilic.

nomination n. f.
1. Action de nommer quelqu'un à une fonction, à un poste.
2. Mention. *Obtenir une nomination pour un film.*

nommer v. tr., pronom.
Verbe transitif
1. Donner un nom. *Comment nommerez-vous votre fille ?* **SYN.** appeler, dénommer.
2. Donner un poste, une fonction à quelqu'un. *Le gouvernement l'a nommé président.*
Verbe pronominal
Avoir pour nom. *Il se nomme Pierre Dubois.* **SYN.** s'appeler.
Conjugaison [VOIR MODÈLE **AIMER**]

non adv.
VOIR TABLEAU – **NE, NON.**

non n. m. inv.
Expression du refus. *Répondre par un non catégorique. Des non décidés.* **ANT.** oui.
HOM. nom, mot servant à nommer les êtres animés et les choses.

non- préf.
Les mots composés avec le préfixe ***non-*** s'écrivent avec un trait d'union et peuvent prendre la marque du pluriel au dernier élément. *Des non-fumeurs, un non-sens.*
La négation ***non*** s'emploie sans trait d'union devant un adjectif ou un participe. *Une quantité non négligeable. Un peintre non figuratif.*

non-conformiste adj. et n. m. et f. (pl. *non-conformistes*)
Qui est indépendant, original. *Un projet non conformiste.*

nonchalance n. f.
Manque d'ardeur, paresse. **ANT.** ardeur, entrain, vivacité.
nonchal**an**ce.

nonchalant, ante adj.
Qui manque d'ardeur. *Des élèves nonchalants.* **SYN.** paresseux. **ANT.** ardent, vif.
nonchal**an**t.

non-fumeur, euse n. m. et f. (pl. *non-fumeurs*)
Nom masculin et féminin
Personne qui ne fume pas. *Ma sœur est une non-fumeuse.*
Locution
Restaurant non-fumeurs, bâtiment non-fumeurs... Lieu où il est interdit de fumer. *Un restaurant non-fumeurs.*
Dans cette construction, la préposition ***pour*** est sous-entendue (*un restaurant pour non-fumeurs*) et le nom composé s'écrit généralement au pluriel.

non-retour n. m. (pl. *non-retours*)
Point de non-retour. Point à compter duquel il n'est plus possible de revenir en arrière. *Points de non-retour.*

non-sens n. m. inv. (pl. *non-sens*)
Absurdité. *Cette décision est un non-sens.*
non-sens, avec un trait d'union.

***non-stop**
Anglicisme pour ***continu, ininterrompu.***

nord adj. inv. et n. m.
Abréviation ***N*** (s'écrit avec un point).
Un des quatre points cardinaux. *Dans une boussole, l'aiguille indique le nord.*
Locution
Perdre le nord. (FAMILIER) Perdre la tête.
1° Les noms des points cardinaux qui déterminent un pays, une région, une ville, un odonyme s'écrivent avec une majuscule. *L'Amérique du Nord, le Grand Nord, le Nord canadien, l'Organisation du traité de l'Atlantique Nord, le pôle Nord.*
2° Lorsque l'adjectif ou le nom indique une orientation, il s'écrit avec une minuscule. *Le vent du nord, marcher vers le nord. L'entrée nord d'un immeuble.*
VOIR TABLEAU – **POINTS CARDINAUX.**

nord-américain, aine adj. et n. m. et f. (pl. *nord-américains, nord-américaines*)
Le ***d*** est muet [nɔramerikɛ̃, ɛn].
D'Amérique du Nord. *Une coutume nord-américaine. Un Nord-Américain, une Nord-Américaine.*
L'adjectif s'écrit avec des minuscules, le nom, avec deux majuscules.

nord-coréen, éenne adj. et n. m. et f. (pl. *nord-coréens, nord-coréennes*)
De la Corée du Nord. *Le folklore nord-coréen. Un Nord-Coréen, une Nord-Coréenne.*
L'adjectif s'écrit avec des minuscules, le nom, avec deux majuscules.

nordique adj. et n. m. et f.
Adjectif et nom masculin et féminin
Qui est relatif aux pays du nord de l'Europe. *Le climat nordique. Un Nordique, une Nordique.*
L'adjectif s'écrit avec une minuscule ; le nom, avec une majuscule.
Adjectif
Au Canada, relatif aux régions situées les plus au nord. *Une expédition nordique.*

normal, ale, aux adj. et n. f.
Adjectif
Conforme à la norme, à la moyenne, à l'habitude. *Des poids normaux. C'est le tarif normal.* **SYN.** courant, habituel, ordinaire.
Nom féminin
État habituel. *Tout devrait revenir à la normale sous peu.*

normalement adv.
D'une manière normale.

norme n. f.
1. Règle juridique. *C'est la norme, c'est ce que prévoit la loi.*
2. Spécification technique d'un produit, d'un procédé. *Dans la construction, on doit respecter les normes de sécurité.*
3. Moyenne. *Ne pas s'écarter de la norme.*

NOM

Mot servant à nommer les êtres animés et les choses. *Un nom de famille, un nom d'oiseau.*

Dans cet ouvrage, l'abréviation de ***nom*** est ***n.***

Tous les mots de la langue peuvent devenir des noms si leur fonction est de désigner :

un nom commun	*une pêche*
un nom propre	*un camembert*
un verbe	*le baiser*
un adjectif	*le beau*
un pronom	*les leurs*
un adverbe	*les alentours*
une préposition	*le dessous*
une conjonction	*les toutefois*
un acronyme	*un laser*
une expression	*le qu'en-dira-t-on*

ESPÈCES DE NOMS

1. Noms communs et noms propres

- Les **noms communs** désignent une personne, un animal, une chose concrète ou abstraite qui appartient à une espèce. *Un jardinier, un chat, un arbre, la tendresse.*
- Les **noms propres** ne peuvent désigner qu'un seul être, qu'un seul groupe d'êtres, qu'un seul objet ; ils s'écrivent toujours avec une majuscule, car ils rendent individuel l'être ou l'objet qu'ils nomment. *Fanny, le Pacifique.*
- Types de noms propres :
  - Les **noms de personnes** (prénom, nom de famille, surnom). *Étienne, Laforêt, le pirate Maboule, Molière* (surnom de Jean-Baptiste Poquelin).
  - Les **noms de peuples**. *Les Québécois, les Français parlent français.*
    Les noms de peuples s'écrivent avec une majuscule, mais les adjectifs correspondants et les noms qui désignent une langue s'écrivent avec une minuscule.
  - Les **noms géographiques ou historiques**. *Le Canada, le mont Tremblant, la Renaissance.*
    VOIR TABLEAU – **GÉOGRAPHIQUES (NOMS).**
  - Les **noms d'astres**. *Le Soleil, Mercure, la Grande Ourse.*
    VOIR **astre**.
  - Les **noms d'œuvres**. *L'Île noire* (Hergé). *La Vraie Histoire du chien de Clara Vic* (Christiane Duchesne).
  - Les **dénominations**. *L'avenue des Érables, la Banque nationale du Canada. Le ministère de la Culture, le collège Brébeuf.*

VOIR TABLEAU – **MAJUSCULES ET MINUSCULES.**

suite ►

2. Noms individuels et noms collectifs

- Les **noms individuels** sont propres à un être, à un objet, mais peuvent se mettre au pluriel. *Un enfant, une table, des chats.*
- Les **noms collectifs** désignent un ensemble d'êtres ou d'objets. *Foule, groupe, multitude.*
  - Après un nom collectif suivi d'un complément au pluriel (par exemple : *la majorité des élèves, la foule des passants*), le verbe se met au singulier ou au pluriel suivant l'intention de l'auteur qui veut insister sur l'ensemble ou la pluralité. *La majorité des élèves a réussi* ou *ont réussi l'examen.*

VOIR TABLEAU – **COLLECTIF.**

3. Noms simples et noms composés

- Les **noms simples** sont formés d'un seul mot. *Feuille, boulevard.*
- Les **noms composés** sont formés de plusieurs mots. *Rouge-gorge, arc-en-ciel, hôtel de ville.*

VOIR TABLEAU – **NOMS COMPOSÉS.**

GENRE DU NOM

- Le **masculin**. *Un bûcheron, un chien, un tracteur, le courage.*
- Le **féminin**. *Une avocate, une lionne, une voiture, la candeur.*

VOIR TABLEAU – **GENRE.**

NOMBRE DU NOM

- Le nombre des noms est la propriété d'indiquer l'unicité ou la pluralité.
  - Le nom au **singulier** désigne un seul être, un seul objet. *Un adolescent, une rose.*
  - Le nom au **pluriel** désigne plusieurs êtres ou plusieurs objets. *Des touristes, des lilas, des groupes.*

VOIR TABLEAU – **PLURIEL DES NOMS.**

FONCTIONS DU NOM

- Le nom peut être : – sujet. *Le **chien** jappe.*
  – complément. *Il mange le **gâteau.** Le bord de la **mer.***
  – attribut. *Elle est **ministre.***
  – apposition. *La ville de **Québec.** Une clientèle **cible.***
  – apostrophe. ***Marisol,** viens dîner !*

HOM. non, expression du refus.

ÉCRITURE DES NOMBRES

En chiffres

- Dans la langue courante ainsi que dans les textes techniques, scientifiques, financiers ou administratifs, on a recours généralement aux chiffres arabes pour noter les nombres.

  Une distance de 253 km.

- Pour l'emploi des chiffres arabes ou romains, VOIR TABLEAU – **CHIFFRES ARABES** et TABLEAU – **CHIFFRES ROMAINS.**

En lettres

Cependant, dans les textes de nature poétique ou littéraire, dans certains documents à portée juridique où l'on désire éviter toute fraude ou toute modification, les nombres s'écrivent parfois en lettres.
Ex. : Sur un chèque, la somme d'argent est écrite :
– en chiffres arabes suivis du symbole de l'unité monétaire. *25 $.*
– puis en toutes lettres. *Vingt-cinq dollars.*

Avec ou sans trait d'union

Le trait d'union s'emploie seulement entre les éléments qui sont l'un et l'autre inférieurs à cent, sauf s'ils sont joints par la conjonction ***et***.

Dix-sept, trente-cinq, quatre-vingt-quatre, vingt et un, cent dix, deux cent trente-deux.

Accord des adjectifs numéraux

- Les **adjectifs numéraux cardinaux** déterminent les êtres ou les choses par leur NOMBRE.

  Ces adjectifs sont invariables, à l'exception de :
  – **un** qui peut se mettre au féminin. *Trente et une pommes.*

  – **vingt** et **cent** qui prennent la marque du pluriel s'ils sont multipliés par un nombre et s'ils ne sont pas suivis d'un autre adjectif numéral. *Quatre-vingts, trois cents, quatre-vingt-huit, trois cent deux, cent vingt.*

  (note) Alors que le mot ***mille*** est un adjectif numéral invariable, les mots ***millier, million, milliard, billion, trillion***... sont des noms qui, tout à fait normalement, prennent la marque du pluriel. *Des milliers de personnes, trois millions, deux milliards. Deux cents millions.*

- Les **adjectifs numéraux ordinaux** déterminent les êtres ou les choses par leur ORDRE.

  Ces adjectifs, formés du nombre cardinal auquel on ajoute la terminaison ***ième***, prennent tous la marque du pluriel.

  Les troisièmes pages, les quinzièmes places.

- Pour les abréviations des adjectifs numéraux ordinaux, voir le TABLEAU – **NUMÉRAL (ADJECTIF).**

PRINCIPAUX CAS D'EMPLOI DES NOMBRES EN LETTRES

- Les nombres exprimant une **durée :** âge, nombre d'années, de mois, de jours, d'heures, de minutes, de secondes. *La traversée est de sept heures. Il a quinze ans et demi.*
- Les **fractions d'heure** suivant les mots **midi** ou **minuit**. *Midi et quart, midi quarante-cinq, minuit et demi.*

(note) Si l'heure est notée en chiffres, les fractions d'heure ne peuvent être écrites en lettres. *Il viendra à 12 h 45.*

- Les nombres employés comme **noms**.

  Miser sur le neuf de cœur, passer un mauvais quart d'heure.

- Les nombres qui font partie de **noms composés**.

  Le boulevard des Quatre-Bourgeois, la ville de Trois-Rivières, un deux-mâts, un deux-points.

suite ►

Les fractions

Une fraction est composée d'un numérateur et d'un dénominateur. Le numérateur est un adjectif numéral cardinal qui suit la règle d'accord de ces adjectifs, tandis que le dénominateur est un nom qui prend la marque du pluriel.

Nous avons terminé les quatre cinquièmes de ce travail.
Dans la fraction ***huit trente-cinquièmes (8/35)****, le* ***numérateur*** *est 8, le* ***dénominateur****, 35.*

On ne met pas de trait d'union entre le numérateur et le dénominateur, par contre le numérateur ou le dénominateur s'écrivent avec un trait d'union, s'il y a lieu.

Vingt-huit millièmes (28/1000)
Trente cinquante-septièmes (30/57)

ÉCRITURE DES GRANDS NOMBRES

Chiffres	Lettres	Notation scientifique	Exemples
1 000	mille	$\mathbf{10^3}$	*Cette maison vaut trois cent cinquante mille dollars.*
1 000 000	un million	$\mathbf{10^6}$	*L'immeuble est évalué à trois millions de dollars.*
1 000 000 000	un milliard	$\mathbf{10^9}$	*Ce gouvernement dépense près de trois milliards de dollars par année.*
1 000 000 000 000	un billion	$\mathbf{10^{12}}$	*Une année-lumière représente une distance d'environ dix billions de kilomètres.*
1 000 000 000 000 000 000	un trillion	$\mathbf{10^{18}}$	*Le volume du soleil est d'environ un trillion et demi de kilomètres cubes.*

Représentation chiffrée de quatre trillions

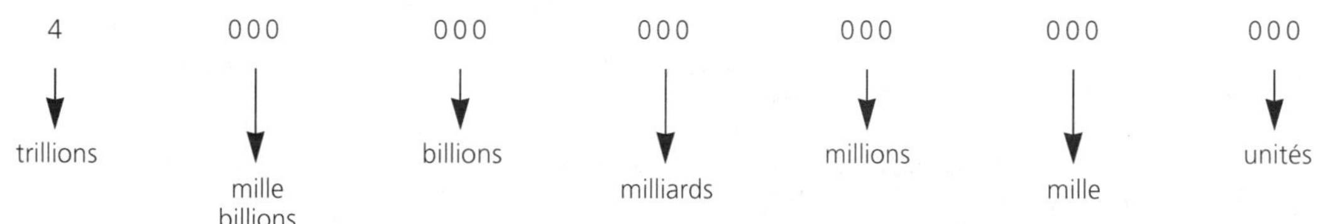

VOIR TABLEAU – **MULTIPLES ET SOUS-MULTIPLES DÉCIMAUX.**

NOMS COMPOSÉS

Les noms composés sont des mots formés de plusieurs éléments qui, ensemble, ont une nouvelle signification.

MODE DE FORMATION

- Association de plusieurs mots. *Taille-crayon, va-et-vient, pomme de terre.*
- Juxtaposition de mots simples et de préfixes. *Antibruit, micro-ordinateur.*

ORTHOGRAPHE

- Sans trait d'union. *Robe de chambre, chemin de fer.*
- Avec un ou des traits d'union. *Savoir-faire, garde-chasse, arc-en-ciel.*
- En un seul mot. *Paratonnerre, bonheur, madame, motoneige.*

ÉLÉMENTS COMPOSANTS

- **Nom** + **nom**
  - apposition. *Aide-comptable, description type, expérience pilote.*
  - complément déterminatif. *Chef-d'œuvre, hôtel de ville, maître d'école.*
- **Adjectif** + **nom, nom** + **adjectif.** *Premier ministre, haut-fond, amour-propre, château fort.*
- **Adverbe** + **nom.** *Avant-garde, haut-parleur, arrière-pensée, sous-sol.*
- **Nom** + **verbe.** *Album à colorier, ruban à mesurer, compte rendu.*
- **Nom** + **préposition** + **nom.** *Arc-en-ciel, pomme de terre.*
- **Préposition** + **nom.** *En-tête, pourboire.*
- **Verbe** + **nom.** *Passeport, taille-crayon, tire-bouchon, compte-gouttes, aide-mémoire.*
- **Verbe** + **verbe.** *Savoir-vivre, laissez-passer, va-et-vient.*
- **Proposition.** *Un je-ne-sais-quoi, le qu'en-dira-t-on.*

n

LE PLURIEL DES NOMS COMPOSÉS

- Noms composés **écrits en un seul mot.** Ils prennent la marque du pluriel comme les mots simples.
  Des paratonnerres, des passeports.

Font exception les noms ***bonhomme, madame, mademoiselle, monsieur, gentilhomme*** qui font au pluriel ***bonshommes, mesdames, mesdemoiselles, messieurs, gentilshommes***.

- Noms composés **de noms en apposition.** Ils prennent généralement la marque du pluriel aux deux éléments.
  Des aides-comptables, des descriptions types, des expériences pilotes.
- Noms composés **d'un nom et d'un complément du nom.** Le premier nom seulement prend la marque du pluriel.
  Des chefs-d'œuvre, des hôtels de ville, des maîtres d'école.
- Noms composés **d'un nom et d'un adjectif.** Ils prennent tous deux la marque du pluriel.
  Des premiers ministres, des hauts-fonds, des amours-propres, des châteaux forts.
- Noms composés **d'un nom et d'un mot invariable.** Le nom seulement prend la marque du pluriel.
  Des en-têtes, des arrière-pensées, des avant-gardes.
- Noms composés **d'un verbe et de son complément.** Le verbe reste invariable et le nom complément conserve généralement la même forme qu'au singulier.
  Des aide-mémoire, un compte-gouttes, des compte-gouttes.

Cependant, certains noms composés ont un nom complément qui prend la marque du pluriel. ***Des tire-bouchons, des taille-crayon(s)***. On consultera le nom composé à son entrée alphabétique.

- Noms composés avec le mot **garde-**
  - S'il est un nom, le mot ***garde-*** prend la marque du pluriel. *Des gardes-pêche, des gardes-chasse.*
  - S'il est un verbe, le mot ***garde-*** reste invariable. *Des garde-boue, des garde-fous.*
- Noms composés **de deux verbes, de propositions.** Ces noms sont invariables.
  Des savoir-faire, des laissez-passer, des va-et-vient, des je-ne-sais-quoi, des qu'en-dira-t-on.

norvégien, ienne adj. et n. m. et f.
Adjectif et nom masculin et féminin
De Norvège. *Le drapeau norvégien. Un Norvégien, une Norvégienne.*
L'adjectif s'écrit avec une minuscule ; le nom, avec une majuscule.
Nom masculin
Langue parlée en Norvège. *Il étudie le norvégien.*
Le nom de la langue s'écrit avec une minuscule.

nos
VOIR **NOTRE.**

nostalgie n. f.
Tristesse mélancolique. *La nostalgie du pays.* **SYN.** regret.

nostalgique adj.
Empreint de nostalgie. *Antonio est nostalgique quand il pense à son pays natal.* **SYN.** triste.

notable adj. et n. m. et f.
Adjectif
1. Digne d'être noté. *Des progrès notables.* **SYN.** appréciable.
2. Important.
Nom masculin et féminin
Personne qui a une situation sociale importante. *Les notables d'une ville.* **SYN.** personnalité.

notaire n. m. et f.
Personne qui prépare les actes, les contrats, les testaments, etc., les reçoit, les conserve pour leur donner un caractère d'authenticité. *Jean et Léa ont chargé la notaire de leur préparer un contrat de mariage.*

notamment adv.
Les deux **mm** se prononcent comme un seul [nɔtamɑ̃].
Entre autres. *Alexandra s'entend bien avec ses camarades, notamment avec Luce.* **SYN.** particulièrement, spécialement.
not**amm**ent.

notation n. f.
Action, manière de noter. *La notation scientifique des expressions numériques. Sais-tu lire la notation musicale ?*

note n. f.
1. Signe représentant les sons dans l'écriture musicale. *Je ne sais pas déchiffrer les notes dans ton cahier de musique.*
2. Son musical représenté par ce signe. *Une note de musique.*
3. Touche. *Une note gaie et colorée dans un décor sombre.*
4. Appréciation chiffrée de la valeur d'un travail. *Elle a obtenu de bonnes notes en latin et en histoire.*
5. Commentaire, indications brèves. *Prendre des notes de cours. Dans ce dictionnaire, les notes sont précédées par l'icône de la punaise ( ).*
6. Brève communication écrite, de nature administrative. *La directrice a fait parvenir une note à tous les enseignants.*
L'écrit transmis par un supérieur à ses subordonnés est une ***note de service.***
7. Total des dépenses faites à l'hôtel.
Au restaurant, c'est une ***addition,*** et dans un commerce, c'est une ***facture.***
Locutions
Être dans la note. (FIGURÉ) Avoir le style qui convient.
Faire une fausse note. (FIGURÉ) Commettre une maladresse.
Forcer la note. (FIGURÉ) Exagérer.
Prendre bonne note de quelque chose. Inscrire soigneusement un renseignement, un commentaire, etc.

noter v. tr.
1. Prendre note de quelque chose. **SYN.** inscrire.
2. Donner une note. *Il note sévèrement.* **SYN.** corriger.
Conjugaison [VOIR MODÈLE – **AIMER**]

notice n. f.
1. Brève étude placée en tête d'un livre pour présenter la vie et l'œuvre de l'auteur.
2. Exposé écrit très bref. *Une notice bibliographique.*
3. Ensemble d'indications relatives à un produit. *Une notice technique, une notice de montage.*

notion n. f.
Le **o** de la première syllabe est fermé [nosjɔ̃].
1. (AU PLURIEL) Connaissance élémentaire de quelque chose. *Il a des notions d'espagnol.* **SYN.** éléments, rudiments.
2. Idée qu'on a de quelque chose. *Elles s'amusaient beaucoup et ont perdu la notion du temps.* **SYN.** sens.
3. Objet abstrait de connaissance. **SYN.** concept.

notoire adj.
Qui est bien connu, évident. *C'est un bandit notoire, un fait notoire.* **SYN.** public, reconnu.

notoriété n. f.
Fait d'être connu, renommée. *Il est de notoriété publique que l'école Saint-Germain est une excellente école. Aujourd'hui, cet auteur jouit d'une grande notoriété.*

notre adj. poss. m. et f. (pl. *nos*)
1. Adjectif possessif de la première personne du pluriel et des deux genres.
2. Qui est à nous, qui nous appartient, qui est relatif à nous. *Notre maison, nos enfants.*
L'adjectif s'accorde en nombre avec le nom déterminé, il s'accorde en personne avec le nom désignant le « possesseur » et représente au moins deux possesseurs, dont celui à qui l'on parle.
VOIR TABLEAU – **POSSESSIF (ADJECTIF).**

nôtre n. m. et pron. poss. (pl. *nôtres*)
Pronom possessif
Pronom possessif de la première personne du pluriel et du genre masculin et féminin. Qui est à nous. *Ce pays est le nôtre, cette patrie, la nôtre. Ces amis sont les nôtres.*
Le pronom est toujours accompagné de l'article défini ; le mot ***nôtre*** s'emploie parfois en fonction d'attribut, sans article, comme un adjectif. *Ces pensées sont nôtres.*
VOIR TABLEAU – **PRONOM.**
Nom masculin
Nôtre. Ce qui nous appartient. *Nous devons y mettre du nôtre.*
Nom masculin pluriel
Nôtres. Nos parents, nos proches, nos amis. *Il n'est pas des nôtres. Soyez des nôtres.*
n**ô**tre.

nouer v. tr., pronom.
Verbe transitif
Lier par un nœud. *Nouer ses cheveux. Les commerçants ont noué des relations avec leurs fournisseurs.* **SYN.** attacher.
Verbe pronominal
Se former. *Une amitié s'est nouée entre eux. L'intrigue se noue vite dans ce roman.*
Conjugaison [VOIR MODÈLE – **AIMER**]

nougat n. m.
Confiserie.
nouga**t.**

n

nouille n. f.
(AU PLURIEL) Pâtes alimentaires. *Elle aime beaucoup les nouilles.*
Locution
Style nouille. Style décoratif du début du siècle.

nourrir v. tr., pronom.
Verbe transitif
Donner à manger. *Cette jeune maman nourrit bien son enfant.*
Verbe pronominal
Manger, s'alimenter. *Ces personnes semblent se nourrir d'amour et d'eau fraîche : elles ne mangent pas suffisamment.*
Conjugaison [VOIR MODÈLE – **FINIR**]
nou**rr**ir.

nourrissant, ante adj.
Nutritif. *Des céréales nourrissantes.*
Ne pas confondre avec le participe présent invariable ***nourrissant.*** *Les céréales nourrissant le plus sont le blé et le riz.*
nou**rr**issant.

nourrisson n. m.
Enfant en bas âge (de plus d'un mois et de moins de deux ans).
nou**rr**isson.

nourriture n. f.
Aliments dont on se nourrit. *Les gourmets apprécient la bonne nourriture.*
nou**rr**iture.

nous pron. pers. m. et f. pl.
Pronom personnel masculin et féminin de la première personne du pluriel.
EMPLOIS
– **Sujet.** *Nous viendrons demain.*
– **En apposition.** *Nous, nous sommes convaincus de ce fait, mais vous ne partagez pas cet avis.*
– **Complément d'objet direct.** *Regardez-nous.*
– **Complément d'objet indirect.** *Ce jardin est à nous.*
– **Complément circonstanciel.** *Venez chez nous.*
VOIR TABLEAU – **PRONOM.**

nouveau ou **nouvel, elle, eaux** adj. et n. m.
Adjectif
1. (Après le nom) Inédit, qui vient d'apparaître. *Des techniques nouvelles.*
2. (Devant le nom) Qui n'existe que depuis peu de temps. *Un nouveau jour vient de se lever. Des nouveaux mariés, des nouveaux venus, des nouveaux riches.*
Nom masculin
Développement, choses nouvelles. *Il n'y a rien de nouveau dans ce dossier.* **SYN.** neuf.
Locutions
À nouveau, locution adverbiale. À neuf, de manière différente. *Formulez la question à nouveau.*
De nouveau, locution adverbiale. Une fois de plus. *Il est tombé de nouveau après sa chute d'hier.*
Dans un nom géographique, un titre, l'adjectif qui précède le nom déterminant s'écrit avec une majuscule. *La Nouvelle-Orléans, le Nouveau Monde, le Nouveau Testament.*
1° Placé après le nom ou en fonction d'attribut, la seule forme employée est ***nouveau.***
2° Placé avant le nom et devant une voyelle ou un ***h*** muet, l'adjectif masculin s'écrit ***nouvel.*** *Un nouvel amour, le Nouvel An.*

Nouveau-Brunswick n. m.
Abréviation ***N.-B.*** (s'écrit avec des points).

nouveau-né, nouveau-née adj. et n. m. et f. (pl. *nouveau-nés*)
Qui vient de naître. *Une fille nouveau-née.*
Dans ce mot composé, le mot ***nouveau*** est généralement invariable, car il est pris adverbialement au sens de ***nouvellement.*** Seul le deuxième élément ***né*** prend la marque du féminin et du pluriel. Cependant certains auteurs accordent le premier élément.

nouveauté n. f.
1. Caractère de ce qui est nouveau. *La nouveauté de ces dessins.* **SYN.** originalité.
2. Innovation. *Ce produit est une nouveauté : il est à la fine pointe de la recherche.*
nouveaut**é.**

nouvelle n. f.
1. Premier avis d'un fait récent. *Une nouvelle de dernière heure, une nouvelle de première main.*
2. Renseignements sur une situation, informations. *J'ai eu de ses nouvelles. Écouter les nouvelles à la radio. Ils sont sans nouvelles d'eux depuis quelques mois.*
En ce sens, ce nom s'emploie au pluriel.
3. Court récit. *Elle a écrit une nouvelle fantastique.*
Locution
Pas de nouvelles, bonnes nouvelles. Quand tout va bien, on n'envoie pas de ses nouvelles.
nouve**ll**e.

Nouvelle-Écosse n. f.
Abréviation ***N.-É.*** (s'écrit avec des points).

nouvellement adv.
Récemment, depuis peu. *Valentin est nouvellement établi à Montréal : il vient de Russie.*

novembre n. m.
Onzième mois de l'année. *Le mardi 2 novembre.*
Les noms de mois s'écrivent avec une minuscule.
VOIR TABLEAU – **DATE.**

novice adj. et n. m. et f.
1. Débutant, inexpérimenté. *Une musicienne novice. Un travailleur novice.*
2. Personne qui fait l'apprentissage de quelque chose. *C'est un novice en la matière.*
novi**c**e.

noyade n. f.
Mort accidentelle par asphyxie dans l'eau.
no**y**ade.

noyau n. m. (pl. *noyaux*)
1. Partie centrale de certains fruits. *Des noyaux de pêches, de cerises.*
Lorsqu'il y a plusieurs graines, ce sont des ***pépins***; quand il n'y a qu'une graine, c'est un ***noyau.*** Ainsi, dans la pêche, la prune, l'abricot, etc., la partie dure qui est au centre du fruit se nomme le ***noyau.*** *Un noyau d'avocat, des noyaux de cerises, d'olives.*
2. Partie centrale. *Le noyau d'une cellule, de l'atome.* **SYN.** centre.
no**y**au.

noyé, ée adj. et n. m. et f.
Qui est mort par noyade.
HOM.
– **noyer**, mourir par asphyxie dans un liquide ;
– **noyer**, arbre.
no**yé**.

noyer v. tr., pronom.
Verbe transitif
1. Faire mourir par asphyxie dans un liquide. *Ces brutes ont tenté de noyer un chien.*
2. Faire disparaître dans un ensemble confus. *Ils ont noyé leurs explications dans une foule de détails inutiles.*
Verbe pronominal
Mourir asphyxié dans l'eau ou dans un autre liquide. *Ils ont failli se noyer.*
Locution
Se noyer dans un verre d'eau. (FIGURÉ) Se décourager à la moindre difficulté.
HOM.
– **noyé**, mort par noyade ;
– **noyer**, arbre.
Conjugaison [VOIR MODÈLE – **EMPLOYER**]
Le ***y*** se change en ***i*** devant un ***e*** muet. *Il noie, il noiera.*
Le ***y*** est suivi d'un ***i*** à la première et à la deuxième personne du pluriel de l'indicatif imparfait et du subjonctif présent. *(Que) nous noyions, (que) vous noyiez.*
noy**e**r.

noyer n. m.
Arbre qui produit les noix.
HOM.
– **noyé**, mort par noyade ;
– **noyer**, mourir par asphyxie dans un liquide.
noy**e**r.

nu n. m.
Œuvre (dessin, peinture, sculpture, photographie) d'après un modèle nu. *Les nus de Picasso.*
Locutions
À nu, locution adverbiale. Sans protection. *L'os est à nu.*
Mettre à nu. Dévoiler, mettre à découvert. *Les menteurs ont été mis à nu.*
HOM. nu, qui n'est couvert d'aucun vêtement.

nu, nue adj.
Qui n'est couvert d'aucun vêtement. *Anne-Marie dort nue en été.* **SYN.** déshabillé. **ANT.** habillé, vêtu.
Quand l'adjectif précède le nom, il est invariable et se joint à ce dernier par un trait d'union. *Ils sont nu-pieds.* Quand l'adjectif suit le nom, il s'accorde en genre et en nombre. *Ils sont pieds nus, tête nue.*
HOM. nu, œuvre d'après un modèle nu.

nuage n. m.
1. Masse vaporeuse de particules d'eau très fines qui flotte dans l'atmosphère. *Le ciel est couvert de nuages.*
Les dénominations de nuages composées du mot ***alto-*** s'écrivent en un seul mot. *Altocumulus, altostratus.* Les autres composés s'écrivent avec un trait d'union. *Cumulo-nimbus, cirro-cumulus, strato-cumulus, nimbo-stratus, cirro-stratus.*
Ne pas confondre avec les noms suivants :
– ***brouillard,*** amas de vapeurs d'eau qui flotte à proximité du sol (visibilité inférieure à 1 km) ;
– ***brume,*** brouillard léger (visibilité supérieure à 1 km) ; brouillard de mer ;
– ***buée,*** vapeur d'eau qui se condense sur une surface froide ;
– ***frimas,*** brouillard qui se congèle en tombant.
Si le ciel est clair, on peut écrire qu'il est ***sans nuage*** (sans aucun nuage) ou ***sans nuages*** (habituellement, il y a plusieurs nuages).
2. Amas d'aspect vaporeux. *Un nuage de poussière, de fumée, de sauterelles, de moustiques.*
Locution
Être dans les nuages. Être distrait.

nuageux, euse adj.
Couvert de nuages. *On annonce du temps nuageux.* **ANT.** clair.
nuageu**x**.

nuance n. f.
1. Tonalité d'une teinte. *Toutes les nuances de l'arc-en-ciel.*
2. Légère différence entre deux choses. *Avoir le sens des nuances.* **SYN.** finesse, subtilité.

nuancé, ée adj.
Rempli de nuances. *Une critique nuancée.* **ANT.** catégorique, tranché.

nucléaire adj. et n. m.
1. Relatif au noyau de la cellule. *Médecine nucléaire.*
2. Relatif au noyau de l'atome. *Centrale nucléaire.*
L'adjectif ***nucléaire*** tend à remplacer l'adjectif ***atomique*** pour qualifier l'énergie.
nuclé**ai**re.

nudisme n. m.
Doctrine prônant la vie en plein air dans un état de nudité complète.

nudiste n. m. et f.
Adepte du nudisme. *La plage de nudistes.*

nudité n. f.
1. État d'une personne nue.
2. Sobriété extrême. *La nudité d'un décor.*

nuée n. f.
1. (LITTÉRAIRE) Grand nuage.
2. Multitude (de personnes, d'animaux) envahissant un endroit. **SYN.** quantité.
Avec le collectif suivi d'un complément au pluriel, le verbe se met au singulier ou au pluriel, selon l'intention de l'auteur. *Une nuée de touristes se déversa ou se déversèrent dans l'hôtel.*

nuire v. tr. ind., pronom.
Verbe transitif indirect
1. Faire tort à quelqu'un. *Cette arrogance lui a nui.*
2. Constituer un danger (pour une chose). *La mauvaise visibilité nuisait aux déplacements.*
Le verbe se construit toujours avec la préposition ***à.***
Verbe pronominal
Se causer du tort. *Ils se sont nui en faisant ce choix.*
Le participe passé de ce verbe est invariable.
Conjugaison [VOIR MODÈLE – **CONDUIRE**]
INDICATIF PRÉSENT *Je nuis, tu nuis, il nuit, nous nuisons, vous nuisez, ils nuisent.* IMPARFAIT *Je nuisais.* PASSÉ SIMPLE *Je nuisis.* FUTUR *Je nuirai.* **CONDITIONNEL** PRÉSENT *Je nuirais.* **IMPÉRATIF** PRÉSENT *Nuis, nuisons, nuisez.* **SUBJONCTIF** PRÉSENT *Que je nuise.* IMPARFAIT *Que je nuisisse.* **PARTICIPE** PRÉSENT *Nuisant.* PASSÉ *Nui.*

nuisible adj.
Qui nuit à quelqu'un, à quelque chose. *Ces insectes sont nuisibles pour les cultures.* **SYN.** dommageable, néfaste.

nuit n. f.
1. Durée écoulée entre le coucher et le lever du soleil. *La nuit, tous les chats sont gris.* (Adage) **SYN.** noirceur.
2. Obscurité. *Il fait nuit.*

L'adjectif numéral est un déterminant qui indique le nombre précis des êtres ou des choses ou qui précise l'ordre des êtres, des objets dont on parle.

– Certains adjectifs numéraux sont simples.

Sept, douze, mille.

– Certains adjectifs numéraux sont composés.

Trente-deux (30+2)
Quatre-vingts (4x20)
Trois cents (3x100)

– Dans les adjectifs numéraux composés, le trait d'union s'emploie seulement entre les éléments qui sont l'un et l'autre inférieurs à cent et quand ces éléments ne sont pas joints par la conjonction ***et***. *Trente-huit, quatre-vingt-quatre, vingt et un, cent dix, deux cent trente-deux.*

• L'**adjectif numéral cardinal** détermine les êtres ou les choses par leur **NOMBRE**.

Ces adjectifs sont invariables à l'exception de :

– ***un*** qui peut se mettre au féminin.

Vingt et une écolières.

VOIR TABLEAU – **UN.**

– ***vingt*** et ***cent*** qui prennent la marque du pluriel s'ils sont multipliés par un nombre et s'ils ne sont pas suivis d'un autre adjectif numéral.

Six cents crayons, trois cent vingt règles, quatre-vingts feuilles, quatre-vingt-huit stylos.

VOIR **cent, mille, vingt**.
VOIR TABLEAU – **NOMBRES.**

• L'**adjectif numéral ordinal** détermine les êtres ou les choses par leur **ORDRE** : il indique le **RANG** dans une série.

Ces adjectifs qui prennent le genre et le nombre du nom qu'ils déterminent sont formés du nombre cardinal auquel on ajoute la terminaison ***ième*** (à l'exception de ***premier*** et de ***dernier***).

Les premières (1res) pages, les cinquièmes (5es) places.

Abréviations courantes :

Premier **1er**, première **1re**, deuxième **2e**, troisième **3e**, quatrième **4e** et ainsi de suite **100e, 500e, 1 000e**. Philippe **Ier**, **1re** année, **6e** étage.

– Les autres manières d'abréger ne doivent pas être retenues (*1ère, *2ème, *2ième, *2è...).

VOIR TABLEAU – **ADJECTIF.**

adjectifs numéraux	
un	1
deux	2
trois	3
quatre	4
cinq	5
six	6
sept	7
huit	8
neuf	9
dix	10
onze	11
douze	12
treize	13
quatorze	14
quinze	15
seize	16
dix-sept	17
dix-huit	18
dix-neuf	19
vingt	20
vingt et un	21
vingt-deux	22
...	...
trente	30
trente et un	31
trente-deux	32
...	...
quarante	40
quarante et un	41
quarante-deux	42
...	...
cinquante	50
cinquante et un	51
cinquante-deux	52
...	...
soixante	60
soixante et un	61
soixante-deux	62
...	...
soixante-dix	70
soixante et onze	71
soixante-douze	72
...	...
quatre-vingts	80
quatre-vingt-un	81
quatre-vingt-deux	82
...	...
quatre-vingt-dix	90
quatre-vingt-onze	91
...	...
cent	100
cent un	101
...	...
deux cents	200
deux cent un	201
...	...
neuf cent quatre-vingt-dix-neuf	999
...	...
mille	1000
mille un	1001
...	...
dix mille	10 000
dix mille un	10 001
...	...
cent mille	100 000

n

Locutions
De nuit, locution adverbiale. Pendant la nuit. *Ils voyagent de nuit.*
La nuit des temps. Époque très reculée.
Nuit blanche. Nuit passée sans dormir. *La petite avait la fièvre : elle a passé une nuit blanche.*
Nuit et jour, locution adverbiale. Constamment.

nul, nulle adj. et pron. indéf.
Adjectif qualificatif
1. Sans aucune valeur. *Une réponse nulle.*
2. Sans valeur, sans intérêt. *Un film complètement nul.*
Employé après le nom, le mot ***nul*** est un adjectif qualificatif.
Adjectif indéfini
(LITTÉRAIRE) Aucun. *Nul mineur ne sera admis. Sans nul doute.*
L'adjectif indéfini est placé avant le nom avec lequel il s'accorde en genre et en nombre et est toujours accompagné de la négation ***ne*** ou ***sans.***
Pronom indéfini
Personne. *Nul n'est prophète en son pays.* (Proverbe) En général, on a plus de succès à l'extérieur de son propre pays.
Le pronom s'emploie surtout au masculin en tête d'un proverbe, d'une maxime ; il est toujours accompagné de la négation ***ne.*** Dans la langue courante, on emploie plutôt ***personne.***

nullement adv.
Aucunement, pas du tout. *Cela ne me dérange nullement.*
L'adverbe se construit avec ***ne*** sauf en réponse elliptique à une question. *Cela vous dérange ? Nullement.*

nullité n. f.
1. Absence de toute valeur. *La nullité d'un contrat.*
2. Personne dénuée de valeur, de talent. *Ils ont tout raté : ce sont des nullités.* **SYN.** zéro.
nu**ll**ité.

numéral, ale, aux adj. et n. m.
Qui désigne un nombre. *Un système numéral.*
VOIR TABLEAU – **NUMÉRAL (ADJECTIF).**

numérateur n. m.
Terme d'une fraction placé au-dessus de la barre horizontale. Dans la fraction 3/5, le nombre 3 est le ***numérateur***, le nombre 5, le ***dénominateur.*** **ANT.** dénominateur.
VOIR TABLEAU – **NOMBRES**

numérique adj.
1. Qui est relatif aux nombres. *Une valeur numérique.*
2. Qui est représenté par un nombre. *Une montre numérique.*
La représentation de l'heure au moyen de chiffres mobiles est dite ***numérique*** (et non *digitale) ; au moyen d'aiguilles, ***analogique.***

numéro n. m.
Abréviation ***nº*** ou ***Nº*** (s'écrit sans point).
L'abréviation du pluriel ***numéros*** est ***nºs*** ou ***Nºs*** (s'écrit sans point).
1. Chiffre, nombre attribué à un objet dans une série. *Des numéros gagnants. Elle loge au numéro 6 de l'avenue de la Brunante.*
2. Élément d'une adresse qui sert à indiquer l'emplacement exact d'une maison ou d'un immeuble dans une voie de circulation. *Quel est le numéro* (et non le *numéro civique) *de son immeuble ?*
1° Précédé d'un article, le nom s'écrit au long.
2° Le nom ne s'abrège que devant un chiffre. *Nº 15.*
3° Le ***numéro*** marque le rang, l'ordre, alors que le ***chiffre*** désigne une quantité chiffrée.
4° Dans les numéros d'ordre, notamment des articles de code, lois, décrets, les matricules, les titres de valeur, les folios, les nombres se composent en chiffres arabes. *Le compte nº 4530, les articles nºs 15 et 16.*

numérotation n. f.
Manière dont des numéros se succèdent. *Il faut refaire la numérotation.*

numéroter v. tr.
Mettre un chiffre indiquant un ordre successif. *Numéroter des pages.*
Conjugaison [VOIR MODÈLE – **AIMER**]

nuque n. f.
Partie postérieure du cou. *Une coiffure qui dégage bien la nuque.*

nutrition n. f.
Transformation, assimilation des aliments dans l'organisme.
nutri**t**ion.

nutritionniste n. m. et f.
Spécialiste de la nutrition.
nutri**t**io**nn**iste.

nylon n. m.
Fibre synthétique, tissu obtenu à partir de ce produit. *Des nylons résistants, des bas de nylon.*
Ce nom est une marque déposée qui devrait s'écrire avec une majuscule. Cependant, ce mot est passé dans l'usage et s'écrit maintenant avec une minuscule.
n**y**lon.

nymphe n. f.
1. État qui précède l'âge adulte chez les insectes. *L'abeille est d'abord une larve, puis une nymphe.*
2. Divinité féminine.
3. Jeune fille gracieuse.
Ne pas confondre avec le nom ***lymphe,*** liquide organique.

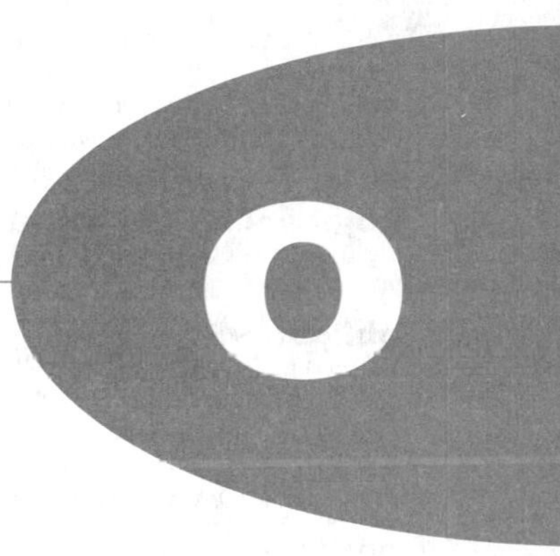

o n. m. inv.
Quinzième lettre de l'alphabet.

o
Abréviation de ***octet.***

ô interj.
1. Interjection qui sert à interpeller, à invoquer dans un style littéraire. *Ô mon Dieu !*
2. Interjection qui marque la surprise, la joie, la douleur, etc., dans un texte de niveau soutenu. *Ô te voilà !*
L'interjection ***ô,*** contrairement à ***oh !, ho !,*** n'est jamais immédiatement suivie du point d'exclamation ; le signe de ponctuation est reporté à la fin de l'apostrophe, de la phrase.
VOIR **OH!, HO!**

O.
Abréviation du point cardinal ***ouest.*** *15, rue Laurier O.*

oasis n. f.
Le **o** est ouvert et le **s** final se prononce [ɔazis] , le mot rime avec ***saucisse.***
1. Lieu où il y a une source, de la végétation dans un désert. *Une oasis luxuriante.*
2. (FIGURÉ) Lieu calme et agréable qui contraste avec un milieu agité. *Ce jardin est une oasis de paix dans la ville bruyante.*
Attention au genre féminin de ce nom : ***une*** oasis.

obéir v. tr. ind.
Exécuter la volonté de quelqu'un. *Obéir à ses parents. Elle est obéie de tous. Cette enseignante sait se faire obéir.* **SYN.** écouter.
À la forme active, le verbe se construit toujours avec la préposition ***à.***
Conjugaison [VOIR MODÈLE – **FINIR**]

obéissance n. f.
Observation des règles, docilité.
obéiss**a**nce.

obéissant, ante adj.
Soumis, discipliné. *Ces enfants sont obéissants.*
Ne pas confondre avec le participe présent invariable ***obéissant.*** *Les enfants obéissant toujours à leurs parents sont rares.*

obèse adj. et n. m. et f.
Atteint d'obésité. *Des personnes obèses. Ces obèses ont du mal à se déplacer.* **SYN.** énorme, gros. **ANT.** maigre.
ob**è**se.

obésité n. f.
Excédent important de poids. *L'obésité n'est pas bonne pour la santé.* **SYN.** grosseur. **ANT.** maigreur.
ob**é**sité.

objecter v. tr.
1. Répondre, répliquer à l'aide d'un argument contraire. *On objecta que le projet était trop coûteux.*
2. Donner pour raison. *Objecter un mal de tête pour ne pas travailler.* **SYN.** prétexter.
Forme fautive
*s'objecter. Anglicisme au sens de ***s'opposer.***
Le verbe ***objecter*** ne s'utilise pas à la forme pronominale.
Conjugaison [VOIR MODÈLE – **AIMER**]

objectif, ive adj.
Neutre, sans parti pris. *Cet arbitre est objectif et parfaitement équitable à l'égard des deux équipes.* **SYN.** impartial, juste. **ANT.** partial, subjectif.

objectif n. m.
1. Système optique d'un instrument. *L'objectif d'une caméra.*
2. But à atteindre. *L'objectif est de répondre aux besoins des consommateurs.*
Locution
Avoir pour objectif. Viser. *Ils ont pour objectifs d'escalader cette montagne et de dormir dans le refuge.*
Dans cette expression, le nom ***objectif*** peut prendre la marque du pluriel s'il a plusieurs compléments.

objection n. f.
Raison de s'opposer à quelque chose. *Avez-vous des objections à ce que nous partions demain ?*

objectivité n. f.
Caractère de ce qui est neutre, sans parti pris, de ce qui est conforme à la réalité. *Les juges doivent faire preuve d'objectivité.* **SYN.** impartialité, neutralité.

objet n. m.
1. Toute chose. *Une collection de petits objets amusants.*

2. But. *Quel est l'objet de votre appel ?* **SYN.** motif, raison.
Locution
Avoir pour objet. Avoir pour but, pour motif. *Ces précautions ont pour objet d'éviter tout incident.*
Dans cette expression, le nom ***objet*** est invariable.

objet volant non identifié
Sigle ***ovni*** (s'écrit avec ou sans points).
VOIR **OVNI.**

obligation n. f.
1. Devoir. *L'obligation de porter assistance aux personnes en danger.* **SYN.** nécessité, responsabilité.
2. Prêt consenti à un gouvernement, à une entreprise qui donne des intérêts et qui est remboursable à une date déterminée. *Des obligations du gouvernement du Québec.*

obligatoire adj.
Exigé, nécessaire. *Un cours obligatoire.* **ANT.** facultatif, optionnel.

obliger v. tr.
1. Rendre obligatoire. *Maman nous obligeait à déjeuner avant d'aller à l'école.* **SYN.** exiger.
À la forme active, le verbe se construit avec la préposition ***à.*** *On l'oblige à se présenter à 9 heures.* À la forme passive, le verbe se construit avec la préposition ***de.*** *Il est obligé de tout recommencer.*
2. Faire plaisir, rendre service. *Vous m'obligeriez en acceptant de venir.*
Conjugaison [VOIR MODÈLE – **CHANGER**]
Le ***g*** est suivi d'un ***e*** devant les lettres ***a*** et ***o.*** *Il obligea, nous obligeons.*

oblique adj. et n. f.
Adjectif
Qui est de biais. *Des traits obliques.*
Nom féminin
Ligne oblique. *Une oblique relie les deux coins opposés d'un carré.*
Locution
En oblique, locution adverbiale. En diagonale.

obscène adj.
L'adjectif rime avec ***saine.***
Grossier, indécent. *Des gestes obscènes.*
ob**sc**ène.

obscénité n. f.
1. Caractère de ce qui est obscène. **SYN.** indécence.
2. Chose, parole grossière. *Dire des obscénités.* **SYN.** (FAMILIER) cochonnerie.
ob**sc**énité.

obscur, ure adj.
1. Sombre, noir. *Une maison obscure.* **SYN.** lumineux. **ANT.** clair.
2. Difficile à comprendre. *Le sens de cette phrase est obscur.* **SYN.** compliqué.
3. Inconnu. *Un auteur obscur dont personne n'a entendu parler.*

obscurcir v. tr., pronom.
Verbe transitif
Assombrir, réduire la lumière, l'éclat. *Ces stores obscurcissent la cuisine.*
Verbe pronominal
Devenir obscur. *La maison s'est obscurcie.* **SYN.** s'assombrir.
Conjugaison [VOIR MODÈLE – **FINIR**]
ob**sc**urcir.

obscurité n. f.
1. Absence de lumière, état de ce qui est obscur. *Dans l'obscurité, je n'arrivais pas à retrouver mes clefs.* **SYN.** noirceur.
2. (FIGURÉ) Manque de clarté, d'intelligibilité.

obsédé, ée adj. et n. m. et f.
Atteint d'une obsession, d'une idée fixe. *Il est obsédé par le désir d'avoir la plus haute note.*

obséder v. tr.
Préoccuper continuellement, poursuivre. *La peur d'une agression l'obsède.* **SYN.** tourmenter, tracasser.
Conjugaison [VOIR MODÈLE – **POSSÉDER**]
Le ***é*** se change en ***è*** devant une syllabe muette, sauf à l'indicatif futur et au conditionnel présent. *J'obsède,* mais *j'obséderai.*

observable adj.
Qui peut être observé. *Ces étoiles sont observables à l'œil nu.*

observateur, trice adj. et n. m. et f.
Adjectif
Curieux et perspicace. *Un esprit observateur. Une élève observatrice.*
Nom masculin et féminin
Personne qui observe sans intervenir. *Elle est une simple observatrice à cette réunion.* **SYN.** témoin.

observation n. f.
1. Action d'examiner attentivement. *L'observation des oiseaux.* **SYN.** étude, examen.
2. Remarque. *L'enseignant lui a fait des observations parce que son travail était bâclé.* **SYN.** réprimande, reproche.

observatoire n. m.
Établissement destiné aux observations astronomiques, météorologiques.

observer v. tr., pronom.
Verbe transitif
1. Suivre une règle. *Il observe la loi.* **SYN.** obéir à, respecter.
2. Examiner avec soin. *Observer les oiseaux.* **SYN.** étudier, regarder.
3. Remarquer. *Je vous fais observer qu'il a réussi brillamment.* **SYN.** noter.
Le verbe se construit avec le semi-auxiliaire ***faire.***
Verbe pronominal
Se surveiller, s'épier réciproquement. *Les adversaires se sont observés attentivement.*
Conjugaison [VOIR MODÈLE – **AIMER**]

obsession n. f.
Idée fixe. *L'obsession de la perfection.* **SYN.** hantise, manie.

obstacle n. m.
1. Ce qui gêne le passage. *Une course d'obstacles.*
2. (FIGURÉ) Problème. *Tous les obstacles ont été surmontés.* **SYN.** difficulté.
Locution
Faire obstacle à. S'opposer à. *Ils ont fait obstacle au projet.*
Dans cette expression, le nom reste invariable.

obstination n. f.
1. Entêtement. *L'obstination d'un enfant.* **SYN.** insistance.
2. Persévérance. *Elle a continué avec obstination.* **SYN.** ténacité.

obstiné, ée adj.
1. Entêté. *Ces garnements sont obstinés et indisciplinés.* **SYN.** têtu.
2. Persévérant. *Pour arriver à ses fins, il faut être obstiné.* **SYN.** décidé, déterminé, tenace, volontaire.

obstiner (s') v. pronom.
1. S'entêter. *Il s'obstine à dire qu'il a raison.*
2. Persévérer, continuer. *Il s'obstinait à poursuivre ses recherches. Elles se sont obstinées et elles ont réussi.*
Le participe passé de ce verbe qui n'existe qu'à la forme pronominale s'accorde toujours en genre et en nombre avec le sujet du verbe.
Le verbe se construit avec la préposition **à** suivie de l'infinitif ou avec la préposition **dans** suivie d'un nom. *Elle s'obstine à tenter de déchiffrer le message secret. Elles se sont obstinées dans l'examen détaillé de ces documents.*
Conjugaison [VOIR MODÈLE – **AIMER**]

obstruer v. tr.
Boucher. *Un camion renversé obstrue la route.* **SYN.** encombrer.
Conjugaison [VOIR MODÈLE – **AIMER**]

obtenir v. tr.
Parvenir à un résultat. *Ces élèves ont obtenu de bonnes notes. Elle obtiendra de finir un peu plus tôt. Ils ont obtenu qu'il vienne plus tôt.* **SYN.** remporter.
Le verbe se construit généralement avec un complément d'objet direct, la préposition **de** suivie de l'infinitif ou avec la conjonction **que** suivie du subjonctif.
Conjugaison [VOIR MODÈLE – **VENIR**]
INDICATIF PRÉSENT *J'obtiens, tu obtiens, il obtient, nous obtenons, vous obtenez, ils obtiennent.* IMPARFAIT *J'obtenais.* PASSÉ SIMPLE *J'obtins.* FUTUR *J'obtiendrai.* **CONDITIONNEL** PRÉSENT *J'obtiendrais.* **IMPÉRATIF** PRÉSENT *Obtiens, obtenons, obtenez.* **SUBJONCTIF** PRÉSENT *Que j'obtienne.* IMPARFAIT *Que j'obtinsse.* **PARTICIPE** PRÉSENT *Obtenant.* PASSÉ *Obtenu, ue.*

obtention n. f.
Action d'obtenir. *L'obtention d'un diplôme.*
obte**n**tion.

obtus, use adj.
1. (GÉOMÉTRIE) Se dit d'un angle qui est plus grand qu'un angle droit.
2. (FIGURÉ) Se dit d'une personne dont l'esprit est borné. **SYN.** (FAMILIER) bête, (FAMILIER) bouché, épais. **ANT.** ouvert, vif.

obus n. m.
Le ***s*** est muet [ɔby].
Projectile rempli d'explosif. *Pendant la guerre, des obus ont détruit des villes entières et fait de nombreuses victimes.*
obu**s**, attention au ***s*** final même au singulier.

occasion n. f.
Circonstance favorable. *Profiter de l'occasion. C'est l'occasion ou jamais. Allons-y !*
Locutions
À l'occasion, locution adverbiale. Parfois.
D'occasion, locution adverbiale. Qui n'est pas neuf, qui a déjà appartenu à quelqu'un d'autre. *Une voiture d'occasion.*

occasionnel, elle adj.
Qui arrive par hasard. *Une rencontre occasionnelle.*
occasio**nn**el.

occasionnellement adv.
Par occasion, parfois. *Je le rencontrais occasionnellement.* **ANT.** habituellement.
occasio**nn**ellement.

occasionner v. tr.
Causer, donner lieu à, entraîner. *La tempête a occasionné plusieurs accidents.* **SYN.** provoquer.
Conjugaison [VOIR MODÈLE – **AIMER**]
occasio**nn**er.

occident n. m.
1. Côté de l'horizon où le soleil se couche. *Le soleil se couche à l'ouest, à l'occident.*
Quand le nom désigne un point cardinal, il s'écrit avec une minuscule.
2. Ensemble des pays d'Europe de l'Ouest et d'Amérique du Nord. *Les pays de l'Occident.* **ANT.** Orient.
En ce sens, le nom s'écrit avec une majuscule.
VOIR TABLEAU **POINTS CARDINAUX.**

occidental, ale, aux adj. et n. m. et f.
Adjectif
1. Qui appartient à l'Occident. *Les États occidentaux, la vie occidentale.*
2. Qui est à l'ouest. *L'horizon occidental.*
L'adjectif s'écrit avec une minuscule ; le nom, avec une majuscule.
Nom masculin et féminin
(pl. *Occidentaux*) Les peuples d'Occident. *Les Québécois sont des Occidentaux.* **ANT.** Oriental.

occupant, ante adj. et n. m. et f.
Adjectif
Qui occupe un pays, un lieu.
Nom masculin et féminin
Habitant. *Des occupants paisibles.*

occupation n. f.
1. Travail, activité. *Elle a beaucoup d'occupations.* **SYN.** activité, affaire, ouvrage, tâche.
2. Action d'occuper une ville, un pays. *L'occupation d'un pays par un État ennemi.* **SYN.** invasion.

occupé, ée adj.
1. Qui est pris (par opposition à ***libre***). *La ligne téléphonique est occupée* (et non *engagée).
2. Que l'ennemi a envahi. *Des territoires occupés.*
3. Qui se consacre à une activité, à une tâche. *Elle est occupée à construire une maisonnette.*

occuper v. tr., pronom.
Verbe transitif
1. Remplir un espace ou une durée. *Le locataire occupe le premier étage. Ses études occupent la majeure partie de son temps.*
2. Se rendre maître d'un lieu par la force. *Les soldats occupent la ville.*
3. Donner du travail. *La ville occupe une trentaine de personnes à l'entretien des jardins.* **SYN.** engager.
4. Consacrer son temps à une activité. *Il occupe le poste de contremaître.* **SYN.** employer.
À la forme passive, le verbe se construit avec les prépositions **à** ou **par** (et non *avec) et le participe passé s'accorde toujours avec le sujet du verbe.
Verbe pronominal
1. *S'occuper* + *à*. Employer son temps à quelque chose. *Il s'occupe à bricoler.*
2. *S'occuper* + *de*. Se charger de. *Elle s'occupe des approvisionnements.*
Selon l'emploi des prépositions **de** ou **à,** le verbe a deux significations distinctes.
3. (ABSOLUMENT) Ne pas rester inactif. *Occupez-vous, ne restez pas là à ne rien faire.*
Conjugaison [VOIR MODÈLE – **AIMER**]
occu**pé**.

O

océan n. m.
Grande étendue d'eau salée. *L'océan Atlantique. L'océan Arctique.* **SYN.** mer.

océanique adj. et n. m.
Adjectif
Relatif à l'océan. *Un climat océanique.*
Nom masculin
Bateau qui navigue sur l'océan.

océanographe n. m. et f.
Spécialiste de l'océanographie.

océanographie n. f.
Étude de la mer, des profondeurs sous-marines.

ocelot n. m.
Mammifère carnassier à fourrure rousse tachetée.
ocelo**t.**

oct-, octa-, octi-, octo- préf.
Éléments du latin signifiant « huit ».
Les mots composés du préfixe ***octo-*** s'écrivent en un seul mot. *Octogone.*

octet n. m.
Abréviation ***o*** (s'écrit sans point).
(INFORMATIQUE) Ensemble de huit bits consécutifs traités comme un tout qui permet de représenter un caractère, une lettre, un chiffre ou un autre symbole. *Une disquette de 800 milliers d'octets, de 800 ko.*
Le nom ***octet*** est souvent précédé du symbole ***k*** qui multiplie l'unité par mille ou du symbole ***M*** qui multiplie l'unité par un million. *Un disque rigide de 20 méga-octets, de 20 Mo.*
octe**t.**

octobre n. m.
Dixième mois de l'année. *Le samedi 30 octobre.*
Les noms de mois s'écrivent avec une minuscule.
VOIR TABLEAU – **DATE.**

octogénaire adj. et n. m. et f.
Âgé d'au moins quatre-vingts ans.

octogonal, ale, aux adj.
Qui a huit angles. *Des immeubles octogonaux.*

octogone n. m.
Polygone à huit côtés. *Dans la signalisation routière, que signifie l'octogone rouge ? Un arrêt obligatoire.*

octroyer v. tr., pronom.
Verbe transitif
Accorder à titre de faveur. *On lui a octroyé quelques jours de congé.* **SYN.** attribuer, consentir, donner.
Verbe pronominal
S'attribuer quelque chose. *Ils se sont octroyé quelques jours de vacances.*
Conjugaison [VOIR MODÈLE – **EMPLOYER**]
Le ***y*** se change en ***i*** devant un ***e*** muet. *Il octroie, il octroiera.*

oculaire adj.
Relatif à l'œil. *Le globe oculaire.*
Locution
Témoin oculaire. Personne qui témoigne de ce qu'elle a vu de ses propres yeux.
ocu**l**aire.

oculiste adj. et n. m. et f.
Médecin spécialiste des anomalies de la vision.
Ne pas confondre avec les noms suivants :
– ***opticien,*** personne qui fabrique et vend des lunettes ;
– ***optométriste,*** personne qui pratique l'examen de la vue.

odeur n. f.
Sensation que produisent certains corps sur l'odorat. *La bonne odeur du pain qui cuit.* **SYN.** senteur.
L'odeur peut être bonne ou mauvaise, mais l'***arôme***, le ***parfum*** sont des odeurs agréables alors que la ***puanteur***, le ***relent*** sont des odeurs désagréables.

odieux, euse adj.
1. Méchant, cruel. *Un crime odieux.* **SYN.** ignoble.
2. Détestable, désagréable. *Ces paroles sont odieuses.* **SYN.** insupportable.
odieu**x.**

odorant, ante adj.
1. Qui a une bonne odeur. *Des roses odorantes.*
2. Qui a une odeur bonne ou mauvaise. *Ces fromages sont odorants.* **ANT.** inodore.

odorat n. m.
Sens par lequel on perçoit les odeurs. *L'odorat du chat est bien développé.*
odora**t.**

œil n. m. (pl. *yeux*)
Organe de la vue. *Avoir de bons yeux. Des yeux verts.*
Locutions
Avoir bon pied, bon œil. Être en bonne santé.
Avoir l'œil, avoir le compas dans l'œil. (FIGURÉ) Savoir évaluer, mesurer au premier coup d'œil.
Avoir l'œil sur quelqu'un. Surveiller étroitement quelqu'un.
Avoir les yeux plus grands que la panse ou ***le ventre.*** (FAMILIER) (FIGURÉ) Être trop gourmand.
Avoir les yeux sur quelqu'un ou ***quelque chose.*** Regarder avec intérêt quelqu'un, quelque chose. *Elle a l'œil sur ce joli meuble ancien.*
Avoir un œil au beurre noir, un œil poché. (FIGURÉ) Avoir un œil meurtri à la suite d'un coup.
Coup d'œil. Regard rapide. *En un coup d'œil, il comprit que tout était perdu.*
Crever les yeux, sauter aux yeux. Être évident. *Cela saute aux yeux qu'il est déçu.*
Entre les deux yeux. Fixement, franchement.
Être tout yeux, tout oreilles. Être très attentif.
Dans cette expression, ***tout*** est invariable.
Faire les gros yeux à quelqu'un. Le regarder sévèrement.
Faire les yeux doux à quelqu'un. Le regarder amoureusement.
Fermer les yeux sur quelque chose. Ne pas tenir compte de, feindre de ne pas voir, par connivence, par lâcheté.
Jeter de la poudre aux yeux. (FIGURÉ) Tenter d'éblouir par des apparences.
Les yeux fermés. (FIGURÉ) En toute confiance, en toute connaissance. *Je vous suis, les yeux fermés.*
Loin des yeux, loin du cœur. On oublie vite ceux qui sont absents.
Mauvais œil. Malchance.
Mon œil ! (FAMILIER) Interjection marquant le scepticisme.
Ne pouvoir fermer l'œil. (FIGURÉ) Être incapable de dormir.
Œil pour œil, dent pour dent. Formule qui pousse à une vengeance correspondant à celle de l'offense.
Ouvrir l'œil. (FIGURÉ) Exercer une surveillance étroite.
Pour les beaux yeux de quelqu'un. Pour lui faire plaisir.
Se mettre le doigt dans l'œil. (FIGURÉ) Faire erreur.

Sous les yeux, locution prépositive. En présence de. *Ce cambriolage a eu lieu sous ses yeux.*
Voir les choses d'un bon œil, d'un mauvais œil. Être favorable, défavorable à quelque chose.

œillère n. f.
Chacune des deux pièces de cuir destinées à obliger le cheval à regarder devant lui.
Locution
Avoir des œillères. (FIGURÉ) Être borné (comme le cheval obligé à regarder devant lui).

œillet n. m.
1. Trou à bords renforcés par où passe un lacet. *Ces patins comptent chacun 20 œillets.*
2. Fleur odorante.

œsophage n. m.
Les lettres **œ** se prononcent **é** [ezofaʒ].
Partie du tube digestif qui va du pharynx à l'estomac.
œso**ph**age.

œuf n. m. (pl. *œufs*)
Au pluriel, le ***f*** ne se prononce pas [ø]; le mot rime avec ***feu.***
Corps produit par les femelles des oiseaux et qui, lorsqu'il est fécondé, produit un embryon. *Un blanc d'œuf, un jaune d'œuf, des blancs d'œufs, des jaunes d'œufs. Des œufs à la coque, durs, brouillés, au plat.*

œuvre n. f.
1. Résultat d'une action. *Une bonne œuvre.*
2. Travail. *La cabane du jardin est l'œuvre de Papi.*
3. Production littéraire, artistique. *Une œuvre d'art.*
Locutions
Chef-d'œuvre. Œuvre capitale. *Des chefs-d'œuvre émouvants.*
Hors-d'œuvre. Petites entrées. *Des hors-d'œuvre délicieux.*
Main-d'œuvre. Ensemble des salariés. *La main-d'œuvre étrangère.*
Mettre en œuvre. Employer tous les moyens nécessaires à la réalisation de quelque chose. *Ils ont tout mis en œuvre pour finir à temps.*
Mise en œuvre. Mise en pratique. *La mise en œuvre d'une politique.* **SYN.** réalisation.

offense n. f.
Parole, geste, action qui fait de la peine, qui choque quelqu'un. *Il n'y a pas d'offense.* **SYN.** affront, injure, insulte.
off**en**se.

offenser v. tr., pronom.
Verbe transitif
Faire de la peine, choquer. *Ils ont offensé leurs amis par ces paroles malveillantes.* **SYN.** blesser, froisser, insulter, vexer.
Verbe pronominal
S'offenser de + nom ou infinitif. Se fâcher. *Tu t'offenses de la moindre remarque, de ne pas avoir été élu.*
Conjugaison [VOIR MODÈLE – **AIMER**]

offensif, ive adj.
Qui sert à attaquer. *Des armes offensives.* **ANT.** défensif.

offensive n. f.
Attaque. *Passer à l'offensive.* **ANT.** défense.
off**en**sive.

office n. m.
1. (VIEUX) Fonction.
2. Organisme officiel. *Adressez-vous à l'Office de la langue française.*
3. Cérémonie du culte. *L'office divin, l'office des morts.*
Locution
Faire office de. Tenir lieu de. *Ces pièces feront office de bureaux.* **SYN.** servir de.
Dans cette expression, le nom est invariable.
Forme fautive
*office. Anglicisme au sens de ***bureau, réception.***

Office de la langue française
Sigle ***OLF*** (s'écrit avec ou sans points).

Office national du film
Sigle ***ONF*** (s'écrit avec ou sans points).

officiel, elle adj.
Qui vient d'une autorité compétente. *Une recommandation officielle, une annonce officielle.* **ANT.** officieux.
Locution
Langue officielle. Langue d'un État. *Le français est la langue officielle du Québec, alors que l'anglais et le français sont les langues officielles du Canada.*

officier n. m.
officière n. f.
Titulaire d'une charge militaire.

officieux, euse adj.
De source sérieuse, mais non officielle. *Cette nouvelle est officieuse, elle n'a pas encore été annoncée par les autorités.* **ANT.** officiel.

offrande n. f.
Don de charité. *L'église a reçu de nombreuses offrandes.*

offre n. f.
Action d'offrir, proposition. *Une offre qu'il est impossible de refuser ; c'est une offre intéressante.*

offrir v. tr., pronom.
Verbe transitif
1. Présenter en cadeau. *Offrir des chocolats.* **SYN.** donner.
2. Proposer quelque chose à quelqu'un souvent en échange de quelque chose. *Je vous offre 5 000 $ pour cette voiture. Il a offert à son ami de prendre la relève. Elle s'est offerte à travailler avec eux.*
La construction avec la préposition ***de*** est la plus courante. La construction avec la préposition **à** suivie de l'infinitif est plus littéraire.
3. Présenter. *Cette suggestion offre de nombreuses possibilités.*
Verbe pronominal
S'accorder. *S'offrir quelques jours de vacances.*
Forme fautive
*offrir (un cours). Calque de « to offer a course » au sens de ***donner un cours.***
Conjugaison [VOIR MODÈLE – **OUVRIR**]
INDICATIF PRÉSENT *J'offre, tu offres, il offre, nous offrons, vous offrez, ils offrent.* IMPARFAIT *J'offrais.* PASSÉ SIMPLE *J'offris.* FUTUR *J'offrirai.* **CONDITIONNEL** PRÉSENT *J'offrirais.* **IMPÉRATIF** PRÉSENT *Offre, offrons, offrez.* **SUBJONCTIF** PRÉSENT *Que j'offre.* IMPARFAIT *Que j'offrisse.* **PARTICIPE** PRÉSENT *Offrant.* PASSÉ *Offert, erte.*

offusquer v. tr., pronom.
Verbe transitif
Choquer. *Il a offusqué ses parents avec cette attitude agressive.* **SYN.** déplaire à, fâcher, froisser, offenser.
Verbe pronominal
S'offusquer de + nom ou infinitif. Se fâcher de. *Elles se sont offusquées de ce commentaire, de n'avoir pas été consultées.* **SYN.** s'offenser, se vexer.
Conjugaison [VOIR MODÈLE – **AIMER**]

ogre, esse n. m. et f.
Personnage fabuleux, géant friand de chair humaine. *Manger comme un ogre.*

oh ! interj. et n. m. inv.
Interjection
Interjection servant à marquer l'étonnement, l'indignation, la colère, l'admiration, la douleur, etc. *Oh ! quelle idée géniale ! Oh ! quelle tristesse ! Oh ! là ! là !*
Ne pas confondre avec l'interjection marquant le rire, ***ha ! ha !*** et parfois ***ho ! ho !*** (pour le père Noël, par exemple).
Nom masculin invariable
Il poussait des oh ! et des ah !
Locution
Oh ! hisse ! Interjection exprimant un effort collectif pour tirer.
L'interjection est toujours suivie d'un point d'exclamation qui est repris à la fin de la phrase.
VOIR **Ô.**

ohé ! interj.
Interjection servant à appeler. *Ohé ! Venez par ici !*

oie n. f.
Oiseau palmipède au long cou, blanc ou gris. *Il y a des oies domestiques élevées pour leur chair, leur foie, et des oies sauvages. As-tu déjà vu les grandes oies blanches qui s'arrêtent au cap Tourmente lors de leurs migrations saisonnières ?*
Le petit de l'oie est l'***oison,*** le mâle de l'oie, le ***jars.***
VOIR TABLEAU – **ANIMAUX.**

oignon n. m.
Les lettres ***oi*** se prononcent ***o*** [ɔɲɔ̃]; le mot rime avec ***grognon.***
1. Plante à bulbe comestible dont l'odeur et le goût sont forts. *Une soupe à l'oignon.*
2. Bulbe. *Maman a planté des oignons de tulipe pour le printemps.*
Locutions
Aux petits oignons, locution adverbiale. Aux petits soins, parfaitement. *J'étais traité aux petits oignons.*
En rang d'oignons, locution adverbiale. En ligne droite.
S'occuper de ses oignons. (FAMILIER) Se mêler de ses affaires.

oiseau n. m. (pl. *oiseaux*)
Animal vertébré et ovipare dont le corps est revêtu de plumes, qui a deux pattes, deux ailes et qui peut voler. *Les moineaux, les hirondelles, les hérons, les aigles, les coqs, les oies sont des oiseaux.*
Locutions
Avoir un appétit d'oiseau. (FIGURÉ) Manger très peu. *Quand on a un appétit d'oiseau, on a souvent une taille de guêpe !*
À vol d'oiseau, locution adverbiale. Se dit d'une distance en ligne droite.
Être aux oiseaux. ⚜ (FAMILIER) Être très content. *Ils sont aux oiseaux, ils ont gagné.*
Petit à petit l'oiseau fait son nid. (Proverbe) À force de patience et de travail, on arrive au but.

oiseau-mouche n. m. (pl. *oiseaux-mouches*)
Très petit oiseau, appelé également ***colibri.***

oisif, ive adj.
Sans activité. *Il est resté oisif.* **SYN.** inactif, paresseux.

oisillon n. m.
Petit oiseau. *Les oisillons sont dans le nid.*
Ne pas confondre avec le nom ***oison,*** petit de l'oie.

oisiveté n. f.
État d'une personne inoccupée, inactive. *L'oisiveté est la mère de tous les vices.* (Proverbe qui signifie que quand on n'a rien à faire, on a le temps de faire des bêtises.) **SYN.** inaction.

oison n. m.
Petit de l'oie et du jars.
Ne pas confondre avec le nom ***oisillon,*** petit oiseau.
VOIR TABLEAU – **ANIMAUX.**

OK adj. inv., adv. et interj.
Adjectif et adverbe invariable
(FAMILIER) D'accord, c'est entendu, oui. *C'est OK. O.K. j'accepte.*
Ce mot emprunté aux Américains est devenu courant, même en français, mais il est familier; il s'écrit en majuscules avec ou sans points. Dans un style soigné, on lui préférera l'expression ***d'accord.***
Interjection
OK ! Cela me convient, c'est entendu.

okapi n. m.
Mammifère ruminant d'Afrique, voisin de la girafe, mais à cou plus court. *Les okapis sont de la taille d'une antilope.*

olé !
VOIR **OLLÉ!**

oléoduc n. m.
Conduite servant au transport des produits pétroliers. *Ils ont construit des oléoducs.*
Ce nom est construit sur le modèle de ***aqueduc.*** Pour le transport du gaz, on emploie le mot ***gazoduc.***

OLF
Sigle de ***Office de la langue française.***

olfactif, ive adj.
Relatif à l'odorat. *Une sensation olfactive.*

olivâtre adj.
Qui rappelle la couleur de l'olive. *Un teint olivâtre.*
VOIR TABLEAU – **COULEUR (ADJECTIFS DE).**
oliv**â**tre.

olive adj. inv. et n. f.
Nom féminin
Fruit de l'olivier dont on tire de l'huile. *Des olives vertes et des olives noires.*
Adjectif de couleur invariable
De la couleur verte de l'olive. *Des chapeaux olive, des soies vert olive.*
VOIR TABLEAU – **COULEUR (ADJECTIFS DE).**

oliveraie n. f.
Plantation d'oliviers.

olivier n. m.
Arbre dont le fruit est l'olive.
La branche d'olivier est le symbole de la paix.

ollé ! ou **olé !** interj.
Interjection espagnole qui sert à marquer l'encouragement.

olympiade n. f.
Jeux olympiques. *Les XVes olympiades.*
Le nom s'écrit avec une minuscule.

olympique adj.
1. Relatif aux Jeux olympiques. *Les athlètes olympiques.*
2. Conforme aux règles des Jeux olympiques. *Le ski est une discipline olympique.*

Locution
Jeux olympiques. Compétition sportive internationale qui a lieu tous les quatre ans. *Les Jeux olympiques de Montréal. Les Jeux olympiques d'été se sont tenus à Montréal en 1976, à Atlanta, en 1996.*
Logiquement, le nom devrait s'écrire avec une majuscule et l'adjectif avec une minuscule. *Les Jeux olympiques.* De nombreux auteurs écrivent cependant ***jeux Olympiques, Jeux Olympiques.***

ombilic n. m.
Le **c** se prononce [ɔ̃bilik].
Nombril.
ombi**l**ic.

ombilical, ale, aux adj.
Qui se rapporte à l'ombilic. *Des cordons ombilicaux.*

ombrage n. m.
1. Feuillage qui fait de l'ombre.
2. Ombre formée par le feuillage. *L'été, on apprécie l'agréable ombrage de la forêt.*
Attention au genre masculin de ce nom : ***un*** ombrage, ***une*** ombre.
Locutions
Faire, porter ombrage à quelqu'un. (LITTÉRAIRE) Causer de la jalousie.
Prendre ombrage de quelqu'un, quelque chose. (LITTÉRAIRE) Jalouser.

ombragé, ée adj.
Couvert d'ombre. *Un chemin ombragé.*

ombrager v. tr.
Donner de l'ombre, en parlant des feuillages. *Le chêne ombrageait le jardin.*
Conjugaison [VOIR MODÈLE – **CHANGER**]
Le ***g*** est suivi d'un **e** devant la lettre ***a.*** *Il ombragea.*

ombre n. f.
Zone sombre où le soleil, la lumière ne pénètre pas parce qu'une matière opaque l'en empêche. *Il fait bon à l'ombre de ce grand chêne.*
Locutions
Avoir peur de son ombre. (FIGURÉ) S'effrayer pour rien.
Dans l'ombre, locution adverbiale. À l'écart. *Ils travaillent dans l'ombre.*

ombrelle n. f.
Petit parasol. *Une jolie dame avec une ombrelle marchait dans le grand parc.*

omelette n. f.
Œufs battus et cuits dans la poêle. *On ne fait pas d'omelette sans casser des œufs.* (Proverbe)
ome**l**e**tt**e.

omettre v. tr.
Ne pas faire quelque chose, volontairement ou non. *Ils ont omis de nous prévenir.*
Conjugaison [VOIR MODÈLE – **REMETTRE**]

omni- préf.
Élément du latin signifiant « tout ».
Les mots composés avec le préfixe ***omni-*** s'écrivent en un seul mot. *Omnipraticien, omnivore.*

omnipraticien n. m.
omnipraticienne n. f.
Médecin généraliste. **SYN.** généraliste.

omnivore adj. et n. m. et f.
Qui se nourrit de végétaux et d'animaux. *L'homme et le cochon sont omnivores.*
Ne pas confondre avec les mots suivants :
- ***carnivore,*** qui se nourrit de chair ;
- ***frugivore,*** qui se nourrit de fruits ;
- ***granivore,*** qui se nourrit de graines ;
- ***herbivore,*** qui se nourrit d'herbe ;
- ***insectivore,*** qui se nourrit d'insectes.

omoplate n. f.
Os formant le haut de l'épaule.
Attention au genre féminin de ce nom : ***une*** omoplate.

on pron.
VOIR TABLEAU – **ON.**
VOIR TABLEAU – **PRONOM.**

once n. f.
Symbole ***oz*** (s'écrit sans point).
Unité de masse anglo-saxonne. *Il y a 16 onces dans une livre.*
L'once égale 28,35 grammes.
Locution
Une once de. (FAMILIER) Un soupçon, une petite quantité de. *Il n'y avait pas une once de méchanceté ou d'envie dans ses paroles.*

oncle n. m.
1. Frère du père ou de la mère. *Mon oncle Albert était très gentil.*
2. Parent, mari de la tante. *Oncle Albert, tu n'aurais pas dû !*
SYN. (FAMILIER) tonton.
En apostrophe, quand on s'adresse à la personne, on n'emploie pas l'adjectif possessif ; dans tous les autres cas, on peut faire précéder le nom de l'article ou de l'adjectif possessif.

onctueux, euse adj.
Velouté. *Un potage onctueux.* **SYN.** crémeux.
onctueu**x.**

onde n. f.
1. (LITTÉRAIRE) Eau.
2. Vibration. *Des ondes sonores.*
Locutions
Être sur la même longueur d'onde. Se comprendre.
Dans cette expression, le nom ***onde*** est au singulier.
Mettre en ondes. Régler les détails d'une émission avant sa diffusion ou son enregistrement.
Dans cette expression, le nom est toujours au pluriel.
Passer sur les ondes. Être diffusé à la radio. *Cette émission passera sur les ondes samedi.*

ondée n. f.
Averse. *Le sol est mouillé, il y a eu une ondée.*

on-dit n. m. inv. (pl. *on-dit*)
Racontar. *Peu m'importe les on-dit ou les qu'en-dira-t-on.*
SYN. rumeur.
Ce nom s'emploie surtout au pluriel.
on-dit, avec un trait d'union.

ondulation n. f.
Mouvement semblable à celui des ondes, qui s'élève et s'abaisse. *Les ondulations des vagues.*

onduler v. tr., intr.
Verbe transitif
Donner une forme en relief et en creux tour à tour, comme les vagues de la mer. *Onduler les cheveux.*

Verbe intransitif
Avoir un mouvement d'ondulation. *Le drapeau ondule sous le vent.*
Conjugaison [VOIR MODÈLE – **AIMER**]

*one-man-show

Anglicisme pour ***spectacle solo.***

ONF

Sigle de ***Office national du film.***

ongle n. m.

Partie cornée qui recouvre l'extrémité supérieure des doigts et des orteils. *Des ongles propres, du vernis à ongles.*
Nous avons des ***ongles***, les animaux, des ***griffes*** et certains rapaces tel l'aigle ont des ***serres.***
Locution
Payer rubis sur l'ongle. Payer complètement ce qui est dû.

onglet n. m.

Entaille où l'on peut introduire l'ongle, le doigt. *L'onglet d'un canif.*
onglet**t.**

onguent n. m.

Pommade. *Un onguent antibiotique.*
Ce nom est de genre masculin : ***un*** onguent.
ong**ue**nt, attention au ***u*** à la suite du ***g.***

ON

Pronom indéfini de la troisième personne du singulier, le pronom ***on*** peut remplacer, dans la langue familière ou orale, les pronoms personnels ***je, tu, il, elle, nous, vous, ils, elles***.

Le pronom ***on*** agit toujours comme ***sujet du verbe*** et l'accord de l'adjectif ou du participe passé se fait généralement au masculin singulier, à moins que le pronom ne représente un sujet féminin ou pluriel. Cependant, le verbe demeure toujours au singulier. *On est élu par l'ensemble des membres. On est bien conciliante aujourd'hui. On est tous égaux.*

EMPLOIS

- D'une façon indéfinie au sens de ***tout le monde, n'importe qui.***

  On a sonné ?

- Dans les proverbes au sens de ***chacun***.

  On n'est jamais si bien servi que par soi-même.

- Dans la langue familière, en remplacement de :
  - ***je***. Par modestie, l'auteur substitue le pronom indéfini, moins prétentieux que le ***nous***, au ***je***. *On a longuement étudié la question.*
  - ***tu***, ***vous***. *Alors, on a fait l'école buissonnière ?*
  - ***il, elle, ils, elles***. *Est-ce qu'on a été gentil avec toi, au moins ?*
  - ***nous***. *Hier, on est allé se promener, ou on est allés se promener.*

  L'adjectif, l'attribut ou le participe se met au genre et au nombre du sujet remplacé par ***on***. Cet emploi est de niveau familier ; dans un style plus soigné, on emploie le pronom ***nous***.

- Pour désigner l'auteur inconnu ou anonyme d'un renseignement.

  On m'a dit que les employés étaient mécontents. Des on-dit, le qu'en-dira-t-on.

1° Quand il y a plusieurs verbes coordonnés, le pronom doit être répété. *On lave les légumes, on les coupe, on les fait revenir dans du beurre.*
2° L'adjectif possessif et le pronom personnel renvoyant au sujet ***on*** sont généralement de la troisième personne. *On a toujours besoin d'un plus petit que soi.*
Cependant, si le pronom indéfini est employé pour un pronom de la première ou de la deuxième personne, les adjectifs possessifs ou les pronoms personnels pourront être de la première ou de la deuxième personne. *On se sent chez nous.*
3° Pour des raisons d'euphonie, surtout après les mots ***et, ou, où, que, à qui, à quoi, si,*** le pronom ***on*** est précédé de l'article élidé ***l'***. *Si l'on examinait cette question.* En tête de phrase, l'emploi de l'article est archaïque. *L'on m'a dit que...*
4° Quand la phrase est négative, l'adverbe de négation ***ne, n'*** ne peut pas être omis. *On n'arrive pas à l'attacher.*

onomatopée n. f.
Mot dont le son imite la chose dénommée (cri, bruit, etc.). *Coin-coin, atchoum, glouglou, tic tac, coucou, ronron, cocorico sont des onomatopées.*
La liste des onomatopées est infinie puisque celles-ci relèvent de la créativité des auteurs. Les bandes dessinées, tout particulièrement, font appel à ces mots sonores qui s'apparentent aux interjections et qui sont souvent suivis d'un point d'exclamation. *Boum ! Splatch ! zzz... Miam ! Snif... Vroum !*
Les verbes qui traduisent les cris d'animaux sont souvent conçus à partir d'onomatopées. *La vache meugle, le chat miaule, la colombe roucoule.*
onomato**p**ée, un seul ***p*** et un ***e*** muet à la fin.

Ont.
Abréviation de ***Ontario.***

Ontario n. m.
Abréviation ***Ont.*** (s'écrit avec un point).

ONU
Sigle de ***Organisation des Nations Unies.***

onyx n. m.
Le ***x*** se prononce [ɔniks].
Agate semi-transparente. *Un bel onyx.*
Attention au genre masculin de ce nom : ***un*** onyx.
on**yx.**

onze adj. num. inv. et n. m. inv.
Adjectif numéral cardinal invariable
Nombre qui vient après dix. *Il a onze ans.*
Adjectif numéral ordinal invariable
Onzième. *On peut lire à la page onze de ce livre...*
Nom masculin invariable
Le nombre onze. *Des onze lumineux.*
L'élision et la liaison sont interdites devant le mot ***onze.*** *Des colis de onze kilos. Le onze septembre.*
VOIR TABLEAU – **ÉLISION.**
VOIR TABLEAU – **LIAISON.**
VOIR TABLEAU – **NOMBRES.**
VOIR TABLEAU – **NUMÉRAL (ADJECTIF).**

onzième adj. et n. m. et f.
Abréviations : ***11e*** (onzième), ***11es*** (onzièmes).
Adjectif numéral ordinal
Nombre ordinal de onze. *La onzième fois.*
Nom masculin
Onzième partie d'un tout. *Les trois onzièmes d'un groupe.*
Nom masculin et féminin
Personne, chose qui occupe le onzième rang. *Elles sont les onzièmes.*
L'élision et la liaison sont interdites devant le mot ***onzième.*** *La onzième heure.*
VOIR TABLEAU – **NOMBRES.**
VOIR TABLEAU – **NUMÉRAL (ADJECTIF).**

opacité n. f.
Caractère de ce qui ne laisse pas passer la lumière. *L'opacité du bois, la transparence du verre.* **ANT.** transparence.
opa**c**ité.

opale n. f.
Pierre qui donne des reflets irisés et qui est utilisée en joaillerie.

opaque adj.
Qui n'est pas transparent, qui ne laisse pas passer la lumière. *Un acier opaque.*

opéra n. m.
Œuvre dramatique mise en musique et dont les paroles sont chantées. *Pavarotti interprète les grands airs d'opéra. Starmania est un opéra rock de Luc Plamondon.*

opérateur n. m.
opératrice n. f.
Personne qui fait fonctionner un appareil, qui effectue des opérations techniques. *Un opérateur de prise de vues. Elle est opératrice de saisie.*
Forme fautive
*opératrice. Anglicisme au sens de ***téléphoniste.***

opération n. f.
1. Mise en œuvre de moyens en vue d'atteindre un résultat. *Une opération publicitaire. Ce sont des robots qui exécutent la plupart des opérations de production d'une voiture.*
2. Intervention chirurgicale. *Une opération à cœur ouvert.*
3. Achat ou vente de valeurs. *Des opérations commerciales.*
4. Calcul d'une somme (addition), d'une différence (soustraction), d'un produit (multiplication) ou d'un quotient (division).
Locutions
Plan d'opérations. Suite programmée d'actions.
Dans cette expression, le nom ***opération*** se met au pluriel.
Table, salle d'opération. Dans ces expressions, le nom ***opération*** est au singulier.
Forme fautive
*en opération. Anglicisme au sens de ***en vigueur*** (loi, plan, programme), ***en activité, en exploitation*** (entreprise, usine, etc.), ***en service*** (transporteur public).

opératoire adj.
Relatif aux opérations chirurgicales. *Le bloc opératoire.*

opérer v. tr., pronom.
Verbe transitif
Pratiquer une opération chirurgicale sur quelqu'un. *Opérer une patiente de l'appendicite.*
Verbe pronominal
S'accomplir, avoir lieu. *Une étrange transformation s'est opérée en elle.* **SYN.** se faire, se produire.
Formes fautives
*opérer. Anglicisme au sens de ***faire affaire.***
*opérer une machine. Anglicisme au sens de ***faire fonctionner, actionner, conduire.***
*opérer un commerce. Anglicisme au sens de ***tenir boutique, tenir un commerce.***
*opérer une entreprise. Anglicisme au sens de ***diriger, exploiter, gérer.***
Conjugaison [VOIR MODÈLE – **POSSÉDER**]
Le ***é*** se change en ***è*** devant une syllabe muette, sauf à l'indicatif futur et au conditionnel présent. *J'opère,* mais *j'opérerai.*

ophtalmologie n. f.
Partie de la médecine qui traite des maladies de l'œil et des opérations pratiquées sur l'œil.
o**ph**talmologie.

ophtalmologiste ou **ophtalmologue** n. m. et f.
Spécialiste en ophtalmologie.
o**ph**talmologiste.

opinion n. f.
1. Avis. *Ne pas avoir d'opinion sur un sujet. As-tu changé d'opinion ?*
2. Jugement d'un groupe social. *L'opinion publique.*
Locution
Sondage d'opinion. Enquête sur certaines caractéristiques d'une population en vue d'étudier un marché potentiel, de prévoir un comportement politique, etc.

opossum n. m.
Mammifère d'Amérique de la taille d'un chat et qui est recherché pour sa fourrure. *Des opossums d'excellente qualité. Des manteaux d'opossum.*
o**p**ossum.

opportun, une adj.
Convenable, favorable. *Une circonstance opportune, les moments opportuns. Il serait opportun de ne pas rentrer trop tard.*
Locution
En temps opportun, locution adverbiale. En temps et lieu.

opportunité n. f.
1. Caractère opportun de quelque chose. *L'opportunité d'une mesure, d'une décision.*
2. Occasion favorable.
L'emploi du nom en ce sens est calqué de l'anglais, mais il est de plus en plus courant dans l'ensemble de la francophonie. On pourra préférer le nom ***occasion.*** *Profiter de l'occasion pour remercier quelqu'un.*

opposant, ante adj. et n. m. et f.
Adversaire. *Les opposants d'un régime.*
Ne pas confondre avec le participe présent invariable ***opposant.*** *Faire la liste des différends opposant les deux parties.*

opposé, ée adj. et n. m.
Adjectif
Situé en face, contraire. *Il a pris la direction opposée à celle qu'il devait suivre.*
Nom masculin
Inverse. *L'opposé d'une thèse.*
Locution
À l'opposé de, locution prépositive. Au contraire de.

opposer v. tr., pronom.
Verbe transitif
1. Mettre en opposition, face à face comme dans un combat. *La partie opposera les Castors et les Vautours.*
2. Comparer. *Il faut opposer les deux tissus pour juger de l'effet.*
Verbe pronominal
Se dresser contre, faire obstacle. *Elles se sont opposées vigoureusement à ce choix.* **SYN.** désapprouver, résister.
Conjugaison [VOIR MODÈLE – **AIMER**]

opposition n. f.
1. Action de faire obstacle à quelque chose. *L'opposition de la direction à ce voyage.* **SYN.** désaccord.
2. (POLITIQUE) Ensemble des élus qui ne sont pas du parti au pouvoir. *Former l'opposition officielle.*

oppressant, ante adj.
Qui oppresse. *Une humidité oppressante.*

oppresser v. tr.
1. Causer une gêne de la respiration. *Une bronchite l'oppressait.*
2. Étouffer sous un poids, une angoisse. *L'inquiétude l'oppresse.*
Ne pas confondre avec le verbe ***opprimer,*** persécuter, accabler par abus d'autorité.
Conjugaison [VOIR MODÈLE – **AIMER**]

opprimer v. tr.
Persécuter, accabler par abus d'autorité. *Les peuples opprimés.*
Ne pas confondre avec le verbe ***oppresser,*** étouffer sous un poids, une angoisse.
Conjugaison [VOIR MODÈLE – **AIMER**]

opter v. intr.
(LITTÉRAIRE) Faire un choix entre plusieurs possibilités. *Il a opté pour la médecine.*
Le verbe se construit avec la préposition ***pour.***
Ce verbe appartient à la même famille que le nom ***option.***
Conjugaison [VOIR MODÈLE – **AIMER**]

opticien n. m.
opticienne n. f.
Personne qui fabrique et vend des lunettes.
Ne pas confondre avec les noms suivants :
– ***oculiste,*** médecin spécialiste des anomalies de la vision ;
– ***optométriste,*** personne qui pratique l'examen de la vue.

optimal, ale, aux adj.
Qui est le meilleur possible. *Des résultats optimaux. Une solution optimale.*
Cet adjectif s'intègre mieux que l'adjectif emprunté au latin ***optimum.*** Étant un superlatif, l'adjectif ne peut s'employer avec un comparatif.

optimiser v. tr.
Déterminer parmi toutes les solutions d'un problème celle qui, compte tenu des contraintes, donne le meilleur résultat.
Conjugaison [VOIR MODÈLE – **AIMER**]

optimisme n. m.
Disposition à voir les bons côtés de la réalité. *Il faut faire preuve d'optimisme : tout va s'arranger.* **ANT.** pessimisme.

optimiste adj. et n. m. et f.
Enclin à percevoir les bons côtés d'une chose. **ANT.** pessimiste.

option n. f.
1. (DROIT) Promesse d'achat, de vente. *Avoir une option d'achat sur un bâtiment.*
2. Possibilité de choisir entre deux ou plusieurs choses. *Une matière à option.* **SYN.** choix.

optionnel, elle adj.
Facultatif. *Cette matière est optionnelle.* **ANT.** obligatoire.
optio**nn**el.

optique adj. et n. f.
Adjectif
Relatif à la vision. *Un lecteur optique.*
Nom féminin
1. Science de la lumière et de ses relations avec la vision.
2. Point de vue. *Une optique très pessimiste.* **SYN.** avis.
Locution
Illusion d'optique. Erreur de point de vue.

optométrie n. f.
Science qui a pour objet la mesure et la correction de la vue.

optométriste n. m. et f.
Opticien qui pratique l'examen de la vue.

or n. m.
Symbole ***Au*** (s'écrit sans point).
Métal précieux. *Des pièces d'or. Un collier en or.*

Locutions
Âge d'or. Époque fabuleuse (du passé ou de l'avenir).
Cœur d'or. Personne très généreuse.
Personne en or. Excellente personne.
Valoir son pesant d'or. Avoir une grande valeur.
HOM.
– **hors**, en dehors de;
– **or**, conjonction.

or conj.
1. La conjonction sert à mettre en relief un fait nouveau, une phrase qui contredit, dans une certaine mesure, ce qui précède. *On l'attendait jeudi; or, il n'arriva que le samedi.*
2. Elle sert aussi à introduire un argument, à lier les termes d'un raisonnement. *Les poissons vivent dans l'eau; or, le saumon est un poisson, donc le saumon vit dans l'eau.*
La conjonction est généralement suivie d'une virgule.
HOM.
– **hors**, en dehors de;
– **or**, métal précieux.

orage n. m.
Perturbation atmosphérique qui se caractérise par une pluie abondante, des éclairs et du tonnerre. *Le temps est à l'orage.*
L'expression *« orage électrique » est un pléonasme.
Ne pas confondre avec le nom ***averse,*** pluie subite, violente et de faible durée.
Locution
(FIGURÉ) Il y a de l'orage dans l'air. *Nervosité qui laisse présager une querelle.*

orageux, euse adj.
1. Qui annonce l'orage. *Un ciel orageux.*
2. (FIGURÉ) Mouvementé, agité. *Une assemblée orageuse.*

oral, ale adj. et n. m. (pl. *oraux*)
Adjectif
1. Relatif à la bouche. *Cet antibiotique est donné par voie orale sous forme de sirop.*
2. Parlé (par opposition à ***écrit***). *Une épreuve de français oral.*
Nom masculin
1. Examen oral. *Les oraux de fin d'année.*
2. La langue parlée. *L'oral et l'écrit.*

oralement adv.
D'une manière orale.

orange adj. inv. et n. f.
Nom féminin
Fruit comestible de l'oranger apprécié pour son jus. *Une orange bien juteuse. Un jus d'orange.*
Adjectif de couleur invariable
De la couleur jaune des oranges. *Des cartes orange.*
VOIR TABLEAU – **COULEUR (ADJECTIFS DE).**

orangé, ée adj. et n. m.
Adjectif
De la couleur obtenue par la combinaison du jaune et du rouge. *Des nuances orangées.*
VOIR TABLEAU – **COULEUR (ADJECTIFS DE).**
Nom masculin
Couleur de l'orange. *Des orangés très vifs.*
Contrairement à l'adjectif de couleur ***orange*** qui est invariable, l'adjectif ***orangé*** s'accorde en genre et en nombre avec le nom auquel il se rapporte.
HOM. oranger, arbre qui produit les oranges.

orangeade n. f.
Les lettres ***gea*** se prononce ***ja***; ce nom rime avec ***jade.***
Boisson à base de jus d'orange. *Une orangeade fraîche.*

oranger n. m.
Arbre qui produit les oranges. *As-tu déjà senti une fleur d'oranger?*
HOM. orangé, qui est de couleur orange.

orangeraie n. f.
Plantation d'oranges.

orang-outan ou **orang-outang** n. m. (pl. *orangs-outans, orangs-outangs*)
Les ***g*** ne se prononcent pas, le mot rime avec ***rang.***
Singe de grande taille à la fourrure assez longue et d'un brun roux.
Ce nom a été emprunté au malais, langue de la Malaisie et de l'Indonésie; il signifie « homme des bois ».

orateur n. m.
oratrice n. f.
1. Personne qui prononce un discours devant une assemblée.
SYN. conférencier.
2. Personne qui s'exprime bien et sait intéresser son auditoire. *C'est un excellent orateur.*

oratoire adj. et n. m.
Adjectif
Qui se rapporte à l'art de la parole en public. *L'art oratoire.*
Nom masculin
Chapelle. *L'oratoire Saint-Joseph.*
Locution
Joute oratoire. Concours oratoire, débat.

orbite n. f.
1. Cavité où est placé l'œil. *Des orbites creuses.*
2. Trajectoire décrite par un corps céleste.
Locution
Mise sur orbite. Lancement d'un satellite sur une orbite. *Des mises sur orbite ratées.*
Attention au genre féminin de ce nom : ***une*** orbite.

orchestration n. f.
Les lettres ***ch*** se prononcent ***k*** [ɔrkɛstrasjɔ̃].
1. Façon dont les parties d'un orchestre sont agencées.
2. Adaptation d'une œuvre musicale à l'orchestre.

orchestre n. m.
Les lettres ***ch*** se prononcent ***k*** [ɔrkɛstr].
1. Ensemble de musiciens qui exécutent de la musique. *Un concerto pour violon et orchestre.*
2. Dans une salle de spectacle, ensemble des places du rez-de-chaussée rapprochées de la scène.
Locution
Chef d'orchestre. Musicien qui dirige un orchestre.

orchestrer v. tr.
Les lettres ***ch*** se prononcent ***k*** [ɔrkɛstre].
1. (MUSIQUE) Adapter pour l'orchestre. *Orchestrer une chanson.*
2. (FIGURÉ) Organiser, coordonner une activité. *Orchestrer un colloque international.*
Conjugaison [VOIR MODÈLE – **AIMER**]

orchidée n. f.
Les lettres ***ch*** se prononcent ***k*** [ɔrkide] ; la deuxième syllabe se prononce comme le pronom ***qui.***
1. Plante donnant des fleurs recherchées pour leur beauté et leur parfum.
2. Fleur de cette plante.

O

ordinaire adj. et n. m.
Adjectif
1. Qui est dans l'ordre habituel. *Une semaine ordinaire.* **SYN.** courant, normal. **ANT.** extraordinaire.
2. Moyen. *Un papier ordinaire et un papier de luxe. Désirez-vous une viande de qualité ordinaire ou de qualité supérieure ? demande le boucher.* **SYN.** courant.
Nom masculin
Le degré moyen d'une chose. *Cette musicienne est au-dessus de l'ordinaire, elle sort de l'ordinaire.*
Locutions
À l'ordinaire, d'ordinaire, locutions adverbiales. Habituellement.
À son ordinaire, locution adverbiale. Comme d'habitude. *Comme à son ordinaire, il part très tôt le matin.* **SYN.** d'habitude.

ordinairement adv.
En général, habituellement. *Ordinairement, Fanny et Laurence vont à la campagne en fin de semaine ; à l'occasion, elles restent en ville.*

ordinal, ale, aux adj. et n. m.
Qui marque le rang dans une série, un ensemble. *Elle est quatorzième (ou 14e) sur vingt. L'adjectif numéral* ***quatorzième*** *est ordinal, alors que l'adjectif numéral* ***quatorze*** *est cardinal.*
VOIR TABLEAU – **NOMBRES.**
VOIR TABLEAU – **NUMÉRAL (ADJECTIF).**

ordinateur n. m.
(INFORMATIQUE) Appareil de traitement automatique de données. *Grâce à l'ordinateur, on peut faire des calculs compliqués en très peu de temps.*
✎ ordi**n**ateur.

ordonnance n. f.
1. Disposition, arrangement d'ensemble. *L'ordonnance d'une maison.*
2. Document contenant les recommandations d'un médecin ou d'un professionnel de la santé au sujet de médicaments, d'examens ou de soins. *Ce médicament ne se vend que sur ordonnance* (et non sur *prescription). *Voici mon ordonnance pour des verres de contact.*
✎ ordo**nn**ance.

ordonnée n. f.
(MATHÉMATIQUES) Coordonnée verticale qui sert à définir un point.
☞ Ne pas confondre avec le nom ***abscisse***, coordonnée horizontale qui sert à définir un point.

ordonner v. tr.
1. Donner un ordre. *Le policier a ordonné à cet automobiliste de s'arrêter. Il a ordonné qu'il s'arrête.* **SYN.** commander, exiger.
∽ Ce verbe se construit avec la préposition ***de*** suivie de l'infinitif ou avec la conjonction ***que*** suivie du subjonctif.
2. Mettre en ordre. *Ordonner des éléments de façon harmonieuse.* **SYN.** arranger, classer, ranger.
Conjugaison [VOIR MODÈLE – **AIMER**]

ordre n. m.
1. Disposition, arrangement. *Un ordre alphabétique. Les mots du dictionnaire sont placés selon l'ordre alphabétique ABCDEFGH... Placez-vous par ordre de grandeur : un ordre croissant.*
2. Disposition ordonnée, harmonieuse. *Tout est en ordre, j'ai tout rangé dans ma bibliothèque et dans mon placard.*
3. Norme, organisation sociale. *Rétablir l'ordre, rentrer dans l'ordre.*
4. Espèce. *Un sentiment d'un autre ordre.* **SYN.** catégorie, sorte, type.
5. Commandement. *Donner un ordre, un ordre de mission. Le capitaine de l'équipe a donné l'ordre aux joueurs de ne pas se bagarrer.*
Locutions
De premier ordre. D'excellente qualité.
Mot d'ordre. Consigne, directive. *Le mot d'ordre : pas de bagarre !*

ordure n. f.
1. (AU PLURIEL) Déchets. *L'enlèvement* ou *le ramassage* ou *la collecte* (et non la *cueillette) *des ordures.*
☞ En ce sens, le nom s'emploie au pluriel.
2. (FIGURÉ) Personne méprisable. *Ce trafiquant est une ordure.*
Locution
Benne à ordures. Camion servant au ramassage des ordures ménagères.

oreille n. f.
Organe de l'ouïe. *Placées de chaque côté de la tête, les oreilles nous permettent d'entendre les sons.*
Locutions
Avoir de l'oreille. Avoir une bonne ouïe pour la musique, pouvoir reconnaître les sons musicaux.
Boucle d'oreille. Bijou porté aux lobes des oreilles. *Des boucles d'oreilles.*
Dormir sur ses deux oreilles. (FIGURÉ) Être sans inquiétude.
Du bouche à oreille. Rumeur.
Être dur d'oreille. Avoir une mauvaise ouïe, ne pas entendre très bien.
Faire la sourde oreille. Faire semblant de ne rien entendre pour ne pas avoir à accepter une demande.
Ouvrir l'oreille. Écouter attentivement.
Prêter l'oreille. Écouter avec attention.

oreiller n. m.
Coussin destiné à soutenir la tête pendant le sommeil. *Une taie d'oreiller* (et non *tête d'oreiller).

oreillons n. m. pl.
Maladie contagieuse virale caractérisée par des maux d'oreille. *Attraper les oreillons.*
☞ Le nom de la maladie est toujours pluriel.

ores et déjà (d') loc.
(LITTÉRAIRE) Dès maintenant. *Cet auteur est d'ores et déjà très connu et apprécié.*

orfèvre n. m. et f.
Personne qui fabrique et vend des objets en métaux précieux. *Cette belle bague a été créée par une orfèvre.*

organe n. m.
1. Partie d'un corps organisé remplissant une fonction. *L'oreille est l'organe de l'ouïe. Une greffe d'organe.*
2. Mécanisme. *Un organe de transmission.*

organique adj.
1. Qui se rapporte aux organes. *Une maladie organique.*
2. Qui provient des êtres organisés. *Une substance organique. La chimie organique étudie les composés des éléments contenus dans les êtres vivants.*

organisateur n. m.
organisatrice n. f.
Personne qui est chargée de l'organisation d'un évènement, d'une activité. *C'est Pierre-Luc et Étienne qui sont organisateurs de l'exposition scientifique.*

organisateur, trice adj.
Qui organise. *Des comités organisateurs.*

organisation n. f.
1. Action d'organiser. *L'organisation d'une exposition.* **SYN.** coordination, direction, préparation.
2. Manière dont un corps est organisé. *L'organisation d'une école.* **SYN.** agencement.
3. Groupement à caractère public ou non, ayant pour objet la paix, l'amélioration de la condition humaine, etc. *L'Organisation des Nations Unies.* **SYN.** groupe.

Organisation des Nations Unies
Sigle ***ONU*** (s'écrit avec ou sans points).

organiser v. tr., pronom.
Verbe transitif
1. Préparer, régler dans un but précis. *Organiser une exposition, un voyage.* **SYN.** arranger, mettre sur pied.
2. ⚜ (FAMILIER) Rouler. *Il l'a organisé de la plus belle façon.* **SYN.** duper.
Verbe pronominal
Prendre les moyens nécessaires pour obtenir un résultat. *Ils se sont organisés pour venir.*
Conjugaison [VOIR MODÈLE – **AIMER**]

organisme n. m.
1. Tout corps organisé ayant une individualité propre. *Un organisme microscopique.*
2. (ABSOLUMENT) Le corps humain. *Les besoins de l'organisme.*
3. Ensemble organisé. *Un organisme gouvernemental.* **SYN.** organisation.

organiste n. m. et f.
Personne qui joue de l'orgue.

orge n. f.
Céréale. *Un pain d'orge, du sucre d'orge.*
Attention au genre féminin de ce nom : ***une*** orge.

orgelet n. m.
Inflammation de la paupière.
orgele**t.**

orgue n. m. et f.
Nom masculin
Instrument de musique à vent et à tuyaux, en usage dans les églises. *Un orgue harmonieux.*
Nom féminin pluriel
Les grandes orgues.
Au pluriel, le nom est féminin s'il désigne un instrument en insistant sur son ampleur ; si le mot désigne plusieurs instruments, il reste masculin.
Locution
Orgue de Barbarie. Appareil de musique portatif dont on joue au moyen d'une manivelle. *Le joueur d'orgue de Barbarie.*
L'expression s'écrit sans trait d'union et le mot ***Barbarie*** s'écrit avec une majuscule.

orgueil n. m.
1. Défaut de la personne qui se croit supérieure aux autres. **SYN.** arrogance, vanité. **ANT.** humilité, modestie.
En ce sens, le mot a un sens défavorable.
2. Fierté. *L'orgueil de bien connaître son métier.*
En ce sens, le mot a un sens favorable.
Locution
Faire l'orgueil de. Être un sujet de fierté. *Il fait l'orgueil de ses parents.*
org**uei**l.

orgueilleux, euse adj. et n. m. et f.
Qui manifeste de l'orgueil. *Il est trop orgueilleux pour admettre qu'il a tort.* **SYN.** arrogant, prétentieux, vaniteux. **ANT.** humble.
org**uei**lleu**x.**

orient n. m.
1. Côté de l'horizon où le soleil se lève. *Le soleil se lève à l'est, à l'orient.*
Quand le nom désigne un point cardinal, il s'écrit avec une minuscule.
2. Région située à l'est de l'Europe. *Le Moyen-Orient, l'Extrême-Orient.* **ANT.** Occident.
En ce sens, le nom s'écrit avec une majuscule.
VOIR TABLEAU – **POINTS CARDINAUX.**

oriental, ale, aux adj. et n. m. et f.
Adjectif
Qui appartient à l'Orient. *Des langues orientales, des usages orientaux.* **ANT.** occidental.
Nom masculin et féminin
Les peuples d'Orient. *Les Orientaux.*
Contrairement à l'adjectif, le nom prend une majuscule.

orientation n. f.
1. Détermination des points cardinaux d'un lieu. *Elle a le sens de l'orientation.*
2. Position de quelque chose par rapport aux points cardinaux. *L'orientation de cette maison favorise son ensoleillement.* **SYN.** exposition.
3. Action de choisir une voie particulière. *Avoir une orientation scientifique. L'orientation professionnelle.* **SYN.** spécialisation.

orienter v. tr., pronom.
Verbe transitif
1. Placer quelque chose dans une direction. *Orienter un édifice en direction du sud.* **SYN.** exposer.
2. Indiquer la direction à prendre. *Orienter un touriste vers la cathédrale. Orienter un élève vers les sciences pures.* **SYN.** diriger, guider.
Verbe pronominal
1. Déterminer les points cardinaux du lieu où l'on se trouve. *Elle est habile à s'orienter.* **SYN.** se repérer.
2. Choisir une voie. *Ils se sont orientés en médecine.*
Conjugaison [VOIR MODÈLE – **AIMER**]

orienteur n. m.
orienteuse n. f.
Personne qui se charge d'orientation professionnelle.

orifice n. m.
Ouverture. *Un orifice d'aération.* **SYN.** trou.
Attention au genre masculin de ce nom : ***un*** orifice.
o**r**ifice.

originaire adj.
Qui vient (d'un lieu). *Il est originaire de Gaspésie.* **SYN.** natif.
Ne pas confondre avec ***original***, qui est différent.

original, ale, aux adj. et n. m. et f.
Adjectif
1. Différent, hors de l'ordinaire. *Une idée originale.* **SYN.** neuf, nouveau.
2. Qui est le premier exemplaire. *Le dessin original. Les manuscrits originaux.*
3. Bizarre. **SYN.** curieux, étrange, spécial.
Nom masculin et féminin
Personne excentrique. *Ils ont une allure un peu bizarre : ce sont des originaux.*
Nom masculin
Premier exemplaire. *L'original d'un contrat, d'un texte.*
Ne pas confondre avec ***originaire***, qui vient d'un lieu.

originalité n. f.
Caractère de ce qui est original, neuf. *L'originalité d'une recherche.* **SYN.** nouveauté.

origine n. f.
1. Ce qui sert de point de départ, de commencement, de cause. *L'origine du monde est inconnue.* **SYN.** création, naissance.
2. Provenance. *Ce produit est d'origine française.*

orignal n. m. (pl. *orignaux*)
Grand mammifère ruminant vivant en troupeaux dans les forêts du Canada. *L'orignal mâle porte des bois.*
On l'appelle aussi ***élan d'Amérique.***

orme n. m.
Grand arbre à bois dur. *L'orme est un arbre majestueux qui peut atteindre 30 m.*
Attention au genre masculin de ce nom : ***un*** orme.

ornement n. m.
Ce qui sert à embellir, à décorer. *Une profusion d'ornements.* **SYN.** décoration.
ornem**en**t.

ornementer v. tr.
Décorer d'ornements. *Elle a ornementé la façade de beaux drapeaux.* **SYN.** enjoliver.
Conjugaison [VOIR MODÈLE – **AIMER**]
ornem**en**ter.

orner v. tr.
1. Embellir, décorer. *Orner un salon d'un bouquet de fleurs sauvages.* **SYN.** garnir, parer.
2. Servir d'ornement. *Des rosiers ornent le jardin.* **SYN.** agrémenter, rehausser.
Conjugaison [VOIR MODÈLE – **AIMER**]

ornithologie n. f.
Science des oiseaux. *Aimerais-tu faire partie d'un club d'ornithologie pour apprendre à connaître les oiseaux ?*
orni**th**ologie.

ornithologique adj.
Relatif à l'ornithologie, aux oiseaux. *Une réserve ornithologique.*
orni**th**ologique.

ornithologiste ou **ornithologue** n. m. et f.
Spécialiste de l'ornithologie.
orni**th**ologiste.

ornithorynque n. m.
Animal d'Australie. *L'ornithorynque a une forme bizarre : il a un bec de canard, une queue de castor et un corps de petit phoque.*
orni**th**or**y**nque.

orphelin, ine adj. et n. m. et f.
Enfant qui a perdu son père, sa mère ou les deux.
or**ph**elin.

orphelinat n. m.
Établissement qui recueille les orphelins.

orteil n. m.
Doigt de pied. *Son gros orteil est blessé.*
Attention au genre masculin de ce nom : ***un*** orteil.

orth(o)- préf.
Élément du grec signifiant « droit ». *Orthographe.*

orthodontie n. f.
Le ***t*** de la dernière syllabe se prononce ***s*** [ɔrtodɔ̃si].
Spécialité de l'art dentaire qui corrige la mauvaise disposition des dents.

orthodontiste n. m. et f.
Le ***t*** de la dernière syllabe se prononce ***t*** comme dans ***dentiste.***
Spécialiste de l'orthodontie. *Aller chez l'orthodontiste* (et non l'*orthodentiste).
ort**h**odontiste.

orthographe n. f.
Manière d'écrire un mot. *Une orthographe difficile. Des fautes d'orthographe.*
Ne pas confondre avec le nom ***épellation,*** action de décomposer un mot en lettres ou en syllabes.
Attention au genre féminin de ce mot : *une orthographe.*
Variantes orthographiques : Plusieurs mots ont des orthographes multiples, appelées ***variantes orthographiques.*** Ces mots qui sont souvent empruntés à d'autres langues peuvent s'écrire de deux façons, parfois davantage. Dans cet ouvrage, la première forme citée, qui est la plus courante, est à privilégier. Quelques exemples :

acupuncture	ou	***acuponcture***
béluga	ou	***bélouga***
cacatoès	ou	***kakatoès***
cari	ou	***carry, curry***
clé	ou	***clef***
cuiller	ou	***cuillère***
igloo	ou	***iglou***
cachère	ou	***cascher***
kayac	ou	***kayak***
lis	ou	***lys***
orang-outan	ou	***orang-outang***
paie	ou	***paye***
yaourt	ou	***yogourt, yoghourt***

VOIR TABLEAU – **ANOMALIES ORTHOGRAPHIQUES.**
ort**h**ogra**ph**e.

orthographier v. tr., pronom.
Verbe transitif
Écrire un mot suivant l'orthographe. *Orthographier un mot de façon exacte. Mal orthographier un verbe.*
Verbe pronominal
Être écrit selon l'orthographe. *Son nom s'orthographie avec un **s** final.*
Conjugaison [VOIR MODÈLE – **ÉTUDIER**]
Redoublement du ***i*** à la première et à la deuxième personne du pluriel de l'indicatif imparfait et du subjonctif présent. *(Que) nous orthographiions, (que) vous orthographiiez.*
ort**h**ogra**ph**ier.

orthographique adj.
Relatif à l'orthographe. *Un dictionnaire orthographique.*
orthographique.

orthopédie n. f.
Spécialité de la médecine qui traite les affections du squelette et des articulations.
orthopédie.

orthopédique adj.
Relatif à l'orthopédie. *Des chaussures orthopédiques.*
orthopédique.

orthopédiste adj. et n. m. et f.
Médecin spécialiste de l'orthopédie. *Grand-papa, qui avait une fracture de la hanche, a été opéré par un orthopédiste.*
orthopédiste.

os n. m.
Au singulier, le ***s*** se prononce [ɔs], le mot rime avec ***bosse***. Au pluriel, le ***s*** ne se prononce pas [o] ; le mot rime alors avec ***dos.***
Chacune des parties du squelette de l'homme et des animaux vertébrés. *L'humérus, le radius et le cubitus sont les os du bras.*
Locutions
En chair et en os, locution adverbiale. En personne. *J'ai rencontré cet acteur en chair et en os !*
Il ne fera pas de vieux os. Il ne vivra pas longtemps.
Mouillé jusqu'aux os. (FIGURÉ) Complètement trempé.
N'avoir que la peau et les os. (FIGURÉ) Être très maigre.
On dit aussi : n'avoir que la peau sur les os.
Tomber sur un os. (FAMILIER) Rencontrer un obstacle.
HOM.
– **au, aux**, articles contractés ;
– **eau**, substance liquide et transparente, sans couleur, sans odeur, sans goût ;
– **haut**, sommet.

oscar n. m.
(CINÉMA) Trophée décerné par l'Académie du cinéma en Californie. *Il a remporté trois oscars : c'est un excellent comédien.*

oscillation n. f.
Mouvement de va-et-vient d'un corps. *Les oscillations d'un pendule.*
oscillation.

osciller v. intr.
1. Se mouvoir tour à tour en deux sens contraires. **SYN.** se balancer.
2. (FIGURÉ) Hésiter. *Il oscille entre ces deux idées.*
Conjugaison [VOIR MODÈLE – **AIMER**]
osciller.

oser v. tr.
Le ***o*** est fermé [oze].
1. Risquer, avoir l'audace de. *Elle a osé s'habiller en panthère.*
2. Se permettre. *Si j'ose t'appeler, c'est que j'ai absolument besoin de ton aide.*
Avec ce verbe, la négation ***ne*** peut s'employer seule. *Je n'ose pas le croire* ou *je n'ose le croire.*
Conjugaison [VOIR MODÈLE – **AIMER**]

osier n. m.
Le ***o*** est fermé [ozje].
Saule à rameaux flexibles dont on fait de la vannerie. *Un fauteuil en osier.*

ossature n. f.
1. Ensemble des os. *Elle a une ossature solide.* **SYN.** squelette.
2. (FIGURÉ) Charpente. *L'ossature d'une cathédrale.*

osselet n. m.
1. Petit os.
2. (Au plur.) Petits os que les enfants lancent et rattrapent sur le dos de la main. *Jouer aux osselets.*

ossements n. m. pl.
Os décharnés et desséchés des cadavres. *Dans les oubliettes du château, on a trouvé des ossements.*

osseux, euse adj.
1. Propre aux os. *Une substance osseuse.*
2. Dont les os sont apparents. *Une main osseuse.*
osseux.

otage n. m.
1. Personne remise ou reçue pour garantir l'exécution d'une promesse, d'un traité, etc. *Il a servi d'otage.*
2. Personne enlevée pour obtenir ce que l'on exige. *Les terroristes retiennent un otage.*
Ce nom est toujours masculin.

otarie n. f.
Mammifère voisin des phoques. *Une otarie mâle, une otarie femelle.*
Ce nom n'a pas de forme masculine.

ôter v. tr.
1. Enlever. *Vous n'ôtez pas votre manteau ?* **SYN.** retirer.
2. Supprimer. *Ôter les mauvaises herbes du jardin.*
Conjugaison [VOIR MODÈLE – **AIMER**]
ôter.

otite n. f.
Inflammation de l'oreille. *L'otite est très douloureuse.*
otite.

ou conj.
VOIR TABLEAU – **OU, CONJONCTION.**

où adv. et pron.
VOIR TABLEAU – **OÙ.**

ouais ! interj.
(FAMILIER) (IRONIQUEMENT) Oui.

ouananiche n. f.
Variété de saumon d'eau douce. *Pêcher la ouananiche, l'ouananiche.*
Devant ce nom d'origine amérindienne qui signifie « le petit égaré », on peut faire l'élision ou non.

ouaouaron n. m.
Grenouille de très grande taille qui vit en Amérique du Nord. *Les enfants observent le ouaouaron, l'ouaouaron.*
Devant ce nom d'origine iroquoise signifiant « grenouille verte », on peut faire l'élision ou non.

ouate n. f.
Coton hydrophile. *Acheter de l'ouate, de la ouate, un tampon d'ouate.*
Devant ce nom, l'élision est facultative.

oubli n. m.
Fait de perdre le souvenir de quelqu'un, de quelque chose. *L'oubli d'une date, d'un nom.*

oublier v. tr., pronom.
Verbe transitif
1. Perdre le souvenir de quelqu'un, de quelque chose. *J'ai oublié cette formule mathématique.*
2. Ne pas penser à quelque chose. *J'ai oublié mon rendez-vous.*

~S~ Le verbe se construit avec un complément d'objet direct, avec la préposition **de** + infinitif. *Tu as oublié ton manteau ? Ils ont oublié de nous téléphoner.* Il se construit aussi avec la conjonction **que** généralement suivie de l'indicatif. *Ils ont oublié que c'était lundi.*

Verbe pronominal

1. Sortir de la mémoire. *Ces termes techniques s'oublient rapidement.*

2. Ne pas penser à soi, à ses intérêts.

Locution

Ne-m'oubliez-pas. Myosotis.

Conjugaison [VOIR MODÈLE – **ÉTUDIER**]

Redoublement du ***i*** à la première et à la deuxième personne du pluriel de l'indicatif imparfait et du subjonctif présent. *(Que) nous oubliions, (que) vous oubliiez.*

oubliette n. f.

Cachot souterrain des châteaux forts où l'on enfermait certains condamnés.

Note – Le nom s'emploie généralement au pluriel.

Locution

Jeter, mettre aux oubliettes. (FIGURÉ) Laisser de côté. *Le projet a été mis aux oubliettes.*

ouest adj. inv. et n. m.

Abréviation ***O.*** (s'écrit avec un point).

Un des quatre points cardinaux, orienté du côté du soleil couchant.

Note – Les noms des points cardinaux qui déterminent un pays, une région, une ville, un odonyme s'écrivent avec une majuscule. *L'Ouest canadien.*

Note – Lorsque l'adjectif ou le nom indique une orientation, il s'écrit avec une minuscule. *Un vent de l'ouest.*

Note – Dans une adresse, le point cardinal s'écrit avec une majuscule et suit le nom spécifique de l'odonyme. *Son bureau est au 555, boul. René-Lévesque Ouest.*

VOIR TABLEAU – **POINTS CARDINAUX.**

ouf ! interj.

Interjection marquant le soulagement. *Ouf ! J'ai terminé mes devoirs.*

OÙ

ADVERBE

- L'adverbe marque le **lieu** ou le **temps,** la **provenance,** la **cause** et ne s'emploie que pour des choses.

  Nous irons où il fait plus chaud.

  Note – Construit sans antécédent, le mot ***où*** est un adverbe.

- ***Où que***, locution conjonctive de concession. En quelque lieu que.

  D'où que vous m'appeliez, nous pourrons agir. Où que vous soyez, je vous rejoindrai.

Adverbe interrogatif

- Il s'emploie en début de proposition pour interroger sur le **lieu** où l'on est, où l'on va.

  Où êtes-vous ? Je me demande où elle part.

- Locutions
  - ***D'où ?*** De quel lieu. *D'où m'appelez-vous ?*
  - ***Par où ?*** Par quel lieu. *Par où passerez-vous ?*

PRONOM RELATIF

Quand il est précédé d'un antécédent, ***où*** est un pronom relatif employé avec les êtres inanimés au sens de ***lequel, laquelle***.

- Il marque le **lieu** où l'on est, où l'on va. Dans lequel.

  Le pays où il passe ses vacances.

- Il marque le **temps d'un évènement**. Pendant lequel.

  L'époque où l'on avait le temps de vivre.

HOM.

– **août**, huitième mois de l'année ;

– **houx**, arbrisseau ;

– **ou**, conjonction.

OU, CONJONCTION

La conjonction de coordination ***ou*** lie des mots ou des propositions de même nature. *Porter du vert ou du bleu. Nous irons à la campagne ou nous partirons en voyage.*

EMPLOIS

La conjonction ***ou,*** qui peut être remplacée par la locution conjonctive ***ou bien*** pour la distinguer du pronom relatif ou de l'adverbe ***où,*** marque :

- **Une alternative.**
  Le froid ou la chaleur. Il aimerait poursuivre ses études ou acquérir un peu d'expérience.
- **Un nombre approximatif.**
  Vingt-huit ou trente étudiants, c'est-à-dire environ une trentaine d'étudiants.
- **Une opposition entre deux membres de phrase.**
  Ou vous acceptez, ou vous cédez votre place.

  Dans une proposition négative, la conjonction ***ou*** est remplacée par ***ni***. *Elle ne lui a pas parlé ni écrit.*

ACCORD DU VERBE

- **Deux sujets au singulier.** Le verbe se met au pluriel ou au singulier suivant l'intention de l'auteur qui désire marquer la coordination ou l'absence de coordination.
  L'un et l'autre se dit ou se disent.

  Si la conjonction est précédée d'une virgule, le verbe se met au singulier, car la phrase exprime une absence de coordination : un élément ou un autre, non les deux. *L'inquiétude, ou le découragement, lui fit abandonner la recherche.*
- **Un sujet au singulier + un sujet au pluriel.** Le verbe se met au pluriel.
  Un chien ou des chats s'ajouteront à la famille.
- **Un sujet au singulier + un synonyme.** Le verbe se met au singulier.
  L'outarde ou bernache du Canada est une oie sauvage qui niche dans l'extrême Nord.

  Le synonyme s'emploie sans article.

ACCORD DE L'ADJECTIF

- L'adjectif qui se rapporte à deux noms coordonnés par ***ou*** se met au pluriel et au masculin si les noms sont de genres différents.
  Du coton ou de la toile bleus.
- L'adjectif qui se rapporte à un seul des deux noms coordonnés par ***ou*** s'accorde en genre et en nombre avec ce nom.
  Il achètera un gigot ou des viandes marinées.

Et/ou : à l'exception de contextes très particuliers, de nature technique ou scientifique, où il apparaît nécessaire de marquer consécutivement la coordination ou l'absence de coordination de façon très brève et explicite, l'emploi de la locution ***et/ou*** est inutile, la conjonction ***ou*** exprimant parfaitement ces nuances. À cet égard, l'accord du verbe avec des sujets coordonnés par ***ou*** est significatif, le pluriel marquant la coordination, le singulier, l'absence de coordination. Ainsi, dans l'énoncé ***Marie ou Benoît sont admissibles***, ils sont l'un et l'autre admissibles. Si l'on juge que l'énoncé n'est pas suffisamment explicite, on pourra recourir à une autre construction. *Les étudiants peuvent choisir les civilisations grecque ou latine ou les deux à la fois.*

HOM.
– **août**, huitième mois de l'année ;
– **houx**, arbrisseau ;
– **où**, adverbe et pronom relatif.

oui adv. et n. m. inv.
Adverbe
Particule affirmative. *Serez-vous des nôtres ce soir ? Oui, avec plaisir.* **ANT.** non.
Nom masculin invariable
Les oui du référendum se sont élevés à 49,4 % en 1995.
Locution
Pour un oui, pour un non. Sans motif valable.
L'élision ne se fait pas devant le mot ***oui,*** sauf dans un texte de niveau familier. *Des milliers de oui.*
HOM.
– **ouïe**, sens qui permet de percevoir les sons ;
– **ouïes**, branchies des poissons.
VOIR TABLEAU – **ÉLISION.**

ouïe n. f.
1. Sens qui permet de percevoir les sons.
2. Audition. *Perdre l'ouïe.*
HOM.
– **oui**, particule affirmative ;
– **ouïes**, branchies des poissons.
ou**ïe.**

ouïe ! ou ouille ! interj.
Ce mot rime avec ***citrouille*** [sitruj].
Interjection marquant la douleur, la surprise.

ouïes n. f. pl.
Branchies des poissons.
HOM.
– **oui**, particule affirmative ;
– **ouïe**, sens qui permet de percevoir les sons.
ou**ïes.**

ouistiti n. m.
Petit singe. *Des ouistitis. Le ouistiti a une longue queue.*
Devant ce nom, l'article ne s'élide pas.

oups ! interj.
Interjection qui exprime l'embarras à la suite d'une erreur, d'une gaffe. *Oups ! j'ai encore gaffé.*
L'interjection est toujours suivie d'un point d'exclamation.

ouragan n. m.
Vent très violent accompagné de pluie. *Un ouragan a dévasté les côtes de la Floride.*
Ne pas confondre avec les noms suivants :
– ***bourrasque,*** coup de vent violent et de courte durée ;
– ***cyclone,*** tempête caractérisée par un puissant tourbillon destructeur ;
– ***tornade,*** trombe de vent violent.

ourlet n. m.
Bord d'une étoffe replié et cousu. *Faire l'ourlet d'une jupe, d'un pantalon.* **SYN.** rebord.
ourle**t.**

ours n. m.
Le ***s*** se prononce au singulier et au pluriel [urs].
Mammifère carnivore de grande taille. *Un ours polaire.*
La prononciation avec un ***s*** muet est ancienne.
VOIR TABLEAU – **ANIMAUX.**

ourse n. f.
Femelle de l'ours.
VOIR TABLEAU – **ANIMAUX.**
Locution
La Grande Ourse. Constellation.
Les noms d'astres, de constellations, d'étoiles prennent une majuscule au nom spécifique ainsi qu'à l'adjectif qui le précède.

oursin n. m.
Animal marin garni de piquants dont certaines espèces sont comestibles.

ourson n. m.
Petit de l'ours.
VOIR TABLEAU – **ANIMAUX.**

oust ! ou ouste ! interj.
(FAMILIER) Interjection qui donne l'ordre de quitter un lieu.

outarde n. f.
Oiseau échassier migrateur, bernache du Québec. *Au cap Tourmente, on peut voir passer les outardes lors de leurs migrations.*

outil n. m.
Le ***l*** ne se prononce pas [uti]; le mot rime avec ***parti*** ou ***gentil.***
1. Objet utilisé directement par la main pour faire un travail. *Le marteau, le tournevis sont des outils courants. Le bistouri est un instrument, le marteau, un outil et la fourchette, un ustensile.*
2. (FIGURÉ) Moyen. *Les livres sont un des outils de la connaissance.*
Ne pas confondre avec les mots suivants :
– ***instrument,*** objet qui sert, dans un art ou une science, à effectuer certaines opérations ;
– ***ustensile,*** objet servant aux usages domestiques.
outi**l.**

outillage n. m.
Assortiment d'outils. *Un outillage industriel.*

outiller v. tr.
Équiper. *Cette entreprise est outillée de robots.*
Conjugaison [VOIR MODÈLE – **AIMER**]

outrage n. m.
Affront, injure. *On ne l'a pas attendu : c'est un véritable outrage, il est en furie.* **SYN.** insulte.

outrance n. f.
Exagération. *L'outrance de son comportement.* **SYN.** excès.
Locution
À outrance, locution adverbiale. Jusqu'à l'excès. *Il mange à outrance.*

outre prép.
1. En plus de. *Outre ses études, il travaille à temps partiel.*
2. ***Outre que*** + indicatif ou conditionnel. En plus du fait que. *Outre qu'il est incompétent, il est désagréable.*
Locutions
En outre, locution adverbiale. De plus. *En outre, elle partit deux semaines en vacances.*
Outre mesure, locution adverbiale. À l'excès, de façon exagérée. *Il dépense outre mesure.* **SYN.** exagérément.
Passer outre. Ne pas tenir compte. *Il passa outre à l'ordre donné.*

outre n. f.
Sac de cuir destiné à contenir un liquide. *Il a de l'eau fraîche dans son outre.*

outremer adj. inv.
D'un bleu intense. *Des oriflammes outremer, bleu outremer.*
HOM. outre-mer, de l'autre côté de la mer.

outre-mer adv.
De l'autre côté de la mer. *Une traversée outre-mer.*
HOM. outremer, bleu intense.

ouvert, erte adj.
1. Qui n'est pas fermé. *La fenêtre est ouverte. Il neige beaucoup : la route est-elle ouverte ?*
2. Où l'on peut entrer. *Ce magasin est ouvert le dimanche.* **ANT.** clos, fermé.
3. Apte à comprendre. *Un esprit ouvert.* **ANT.** borné, obtus.
4. Franc et direct. *Un visage ouvert.*
Locutions
À cœur ouvert, locution adverbiale. (FIGURÉ) Franchement.
À cœur ouvert, locution adverbiale. Se dit d'une opération chirurgicale sur un cœur vide de sang.
À bras ouverts, locution adverbiale. Chaleureusement.
Grand ouvert, locution adverbiale. Complètement ouvert. *Des fenêtres grandes ouvertes.*
Malgré cet emploi adverbial, l'adjectif ***grand*** prend la marque du féminin et du pluriel dans cette expression.

ouvertement adv.
Franchement. *Elle m'a parlé ouvertement.*

ouverture n. f.
1. Action d'ouvrir. *L'ouverture d'une porte.* **ANT.** fermeture.
2. État de ce qui est ouvert. *Les heures d'ouverture* (et non les heures *d'affaires).
3. Orifice, trou. *Agrandir les ouvertures d'un mur.*

ouvrable adj.
Jour ouvrable. Jour de la semaine où l'on peut travailler. *Tous les jours de la semaine sont des jours ouvrables, sauf le dimanche qui est un jour férié.* **ANT.** férié.

ouvrage n. m.
1. Travail. *Ne pas avoir d'ouvrage. Se mettre à l'ouvrage.* **SYN.** occupation, tâche.
Familièrement, on emploie parfois le nom au féminin pour désigner un travail soigné. *C'est de la belle ouvrage.*
2. Objet. *Un ouvrage de bijouterie.*
3. Texte publié. *Un ouvrage de référence. Quel est le sujet de cet ouvrage ?*

ouvrant, ante adj.
Qui ouvre. *Des toits ouvrants.*

ouvre-boîte n. m. (pl. *ouvre-boîtes*)
Ustensile servant à ouvrir les boîtes de conserves.
Le premier élément du mot composé ne prend pas la marque du pluriel parce que c'est un verbe. On écrit parfois ***un ouvre-boîtes.***

ouvre-bouteille n. m. (pl. *ouvre-bouteilles*)
Ustensile servant à décapsuler les bouteilles. **SYN.** décapsuleur.
Le premier élément du mot composé ne prend pas la marque du pluriel parce que c'est un verbe. On écrit parfois ***un ouvre-bouteilles.***

ouvrier, ière adj. et n. m. et f.
Qui fait un travail manuel. *Des ouvriers spécialisés. La force ouvrière.*

ouvrir v. tr., intr., pronom.
Verbe transitif
1. Faire que ce qui était fermé ne le soit plus. *Ouvrir la porte.*
2. Pratiquer une ouverture. *Ouvrir un chemin dans la neige.*
3. (FAMILIER) Mettre en marche. *Ouvrir la radio, la lumière, l'eau.*
Dans ces expressions familières, l'usage l'a emporté sur la logique.
Verbe intransitif
Être ouvert. *Cette fenêtre ouvre sur le jardin.*
Verbe pronominal
1. Devenir ouvert. *Les fleurs s'ouvrent à la chaleur.*
2. Donner sur. *La cuisine s'ouvre sur la forêt.*
Locutions
Ouvrir la bouche. Parler. *Ils n'ont pas ouvert la bouche de la soirée.*
Ouvrir la marche. Marcher en tête.
Ouvrir l'appétit. Donner faim.
Ouvrir les bras à quelqu'un. L'accueillir chaleureusement.
Ouvrir un commerce. L'établir, le fonder.
Conjugaison [VOIR MODÈLE – **OUVRIR**]

ovaire n. m.
Le ***o*** est ouvert [ɔvɛr].
Glande génitale féminine où se forment les ovules.
Attention au genre masculin de ce nom : ***un*** ovaire.

ovale adj. et n. m.
Le ***o*** est ouvert [ɔval].
Adjectif
D'une courbure allongée. *Une table ovale.*
Nom masculin
Contour du visage. *Elle a un bel ovale.*
Attention au genre masculin de ce nom : ***un*** ovale.
ova**le.**

ovation n. f.
Le ***o*** est ouvert [ɔvasjɔ̃].
Acclamation, applaudissements nombreux. *Une longue ovation debout* (et non une *standing ovation) *souligna la victoire du nouveau président.*

***overdose**
Anglicisme pour ***surdose.***

ovipare adj. et n. m.
Le ***o*** est ouvert [ɔvipar].
Se dit d'un animal qui pond des œufs. *Les oiseaux sont ovipares.*
ovipar**e.**

ovni n. m. (pl. *ovnis*)
Le ***o*** est ouvert [ɔvni].
Sigle de ***objet volant non identifié.***
Objet ou phénomène d'origine inconnue qui est observé dans le ciel. *À plusieurs reprises, on a signalé des soucoupes volantes et autres ovnis.*
Cet acronyme est l'équivalent français de l'américain ***UFO*** : « Unidentified Flying Object ».

ovovivipare adj. et n. m.
Les ***o*** sont ouverts [ɔvɔvivipar].
Se dit des animaux ovipares dont les œufs éclosent dans le corps de la femelle. *La vipère est ovovivipare.*
ovovivipar**e.**

ovule n. m.
Le ***o*** est ouvert [ɔvyl].
Cellule femelle produite par l'ovaire, destinée à être fécondée.
Attention au genre masculin de ce nom : ***un*** ovule.

oxyde n. m.
Composé provenant de la combinaison d'un corps avec l'oxygène.
Attention au genre masculin de ce nom : ***un*** oxyde.
o**xy**de.

Indicatif

Présent

j'	ouvre
tu	ouvres
elle	ouvre
il	ouvre
nous	ouvrons
vous	ouvrez
elles	ouvrent
ils	ouvrent

Passé composé

j'	ai	ouvert
tu	as	ouvert
elle	a	ouvert
il	a	ouvert
nous	avons	ouvert
vous	avez	ouvert
elles	ont	ouvert
ils	ont	ouvert

Imparfait

j'	ouvrais
tu	ouvrais
elle	ouvrait
il	ouvrait
nous	ouvrions
vous	ouvriez
elles	ouvraient
ils	ouvraient

Plus-que-parfait

j'	avais	ouvert
tu	avais	ouvert
elle	avait	ouvert
il	avait	ouvert
nous	avions	ouvert
vous	aviez	ouvert
elles	avaient	ouvert
ils	avaient	ouvert

Passé simple

j'	ouvris
tu	ouvris
elle	ouvrit
il	ouvrit
nous	ouvrîmes
vous	ouvrîtes
elles	ouvrirent
ils	ouvrirent

Passé antérieur

j'	eus	ouvert
tu	eus	ouvert
elle	eut	ouvert
il	eut	ouvert
nous	eûmes	ouvert
vous	eûtes	ouvert
elles	eurent	ouvert
ils	eurent	ouvert

Futur simple

j'	ouvrirai
tu	ouvriras
elle	ouvrira
il	ouvrira
nous	ouvrirons
vous	ouvrirez
elles	ouvriront
ils	ouvriront

Futur antérieur

j'	aurai	ouvert
tu	auras	ouvert
elle	aura	ouvert
il	aura	ouvert
nous	aurons	ouvert
vous	aurez	ouvert
elles	auront	ouvert
ils	auront	ouvert

Infinitif

Présent

ouvrir

Passé

avoir ouvert

Subjonctif

Présent

que	j'	ouvre
que	tu	ouvres
qu'	elle	ouvre
qu'	il	ouvre
que	nous	ouvrions
que	vous	ouvriez
qu'	elles	ouvrent
qu'	ils	ouvrent

Passé

que	j'	aie	ouvert
que	tu	aies	ouvert
qu'	elle	ait	ouvert
qu'	il	ait	ouvert
que	nous	ayons	ouvert
que	vous	ayez	ouvert
qu'	elles	aient	ouvert
qu'	ils	aient	ouvert

Imparfait

que	j'	ouvrisse
que	tu	ouvrisses
qu'	elle	ouvrît
qu'	il	ouvrît
que	nous	ouvrissions
que	vous	ouvrissiez
qu'	elles	ouvrissent
qu'	ils	ouvrissent

Plus-que-parfait

que	j'	eusse	ouvert
que	tu	eusses	ouvert
qu'	elle	eût	ouvert
qu'	il	eût	ouvert
que	nous	eussions	ouvert
que	vous	eussiez	ouvert
qu'	elles	eussent	ouvert
qu'	ils	eussent	ouvert

Conditionnel

Présent

j'	ouvrirais
tu	ouvrirais
elle	ouvrirait
il	ouvrirait
nous	ouvririons
vous	ouvririez
elles	ouvriraient
ils	ouvriraient

Passé

j'	aurais	ouvert
tu	aurais	ouvert
elle	aurait	ouvert
il	aurait	ouvert
nous	aurions	ouvert
vous	auriez	ouvert
elles	auraient	ouvert
ils	auraient	ouvert

Impératif

Présent

ouvre
ouvrons
ouvrez

Passé

aie ouvert
ayons ouvert
ayez ouvert

Participe

Présent

ouvrant

Passé

ouvert, erte
ayant ouvert

oxyder v. tr., pronom.
Combiner avec l'oxygène, transformer plus ou moins en oxyde. *L'oxygène oxyde les métaux. Le fer s'oxyde au contact de l'air : il rouille.*
Conjugaison [VOIR MODÈLE – **AIMER**]
o**xy**der.

oxygène n. m.
Gaz incolore formant la partie de l'air essentielle à la respiration. *Le plongeur prit une bouteille d'oxygène.*
Attention au genre masculin de ce nom : ***un*** oxygène.
o**xy**gène.

oxygéner v. tr., pronom.
Verbe transitif
Ajouter de l'oxygène à une substance.
Verbe pronominal
(FAMILIER) Respirer de l'air pur. *Il faut aller s'oxygéner à la campagne.*
Conjugaison [VOIR MODÈLE – **POSSÉDER**]
Le **é** se change en **è** devant une syllabe muette, sauf à l'indicatif futur et au conditionnel présent. *J'oxygène,* mais *j'oxygénerai.*

ozone n. m.
Le ***o*** de la deuxième syllabe se prononce comme dans les mots ***bonne*** ou ***zone,*** [ozɔn] ou [ɔzon].
Corps simple gazeux. *La couche d'ozone.*
Attention au genre masculin de ce nom : ***un*** ozone.
Locution
Trou d'ozone. Zone de l'atmosphère où l'on observe une diminution de la concentration en ozone.

p n. m. inv.
Seizième lettre de l'alphabet.

p.
Abréviation de ***page*** ou ***pages.***
L'abréviation ***pp.*** de ***pages*** est vieillie.

pacha n. m.
Gouverneur dans l'ancien empire turc.
Locution
Vie de pacha. (FIGURÉ) (FAMILIER) Vie nonchalante, dans le luxe.

pachyderme n. m.
Éléphant.
pa**chy**derme.

pacifique adj. et n. m.
1. Qui aime la paix, qui la recherche. *Un peuple pacifique.*
2. Paisible, tranquille. *Des rencontres pacifiques.*
Le nom et l'adjectif s'écrivent avec une majuscule lorsqu'ils désignent l'océan. *Le Pacifique, l'océan Pacifique.*

pacifiste adj. et n. m. et f.
Partisan de la paix. *Un mouvement pacifiste.*

pacotille n. f.
(PÉJORATIF) Marchandises sans valeur. **SYN.** camelote.
Locution
De pacotille. Sans valeur. *Des bijoux de pacotille.*

pacte n. m.
1. Traité, convention entre des pays. *Ces États ont conclu un pacte d'alliance.* **SYN.** entente, marché.
2. Accord entre des personnes. *Un pacte d'amitié.*

paella n. f.
Le nom se prononce à l'espagnole [paeja] ou [paela].
Plat espagnol composé de riz cuit avec des légumes, des crustacés, de la viande. *Des paellas aux crevettes.*
Ce nom vient d'un mot espagnol qui signifie « poêle ».
pae**ll**a.

paf ! interj.
Interjection qui marque un coup de feu, un bruit de chute.

pagaie n. f.
Petit aviron. *Dans le canot, on se sert de pagaies.*
Ne pas confondre avec le nom ***pagaille,*** désordre.
pag**aie**.

pagaille ou **pagaïe** n. f.
Ce nom rime avec ***paille.***
(FAMILIER) Désordre général. *On dirait qu'il y a eu un ouragan dans ce sous-sol : quelle pagaille !* **SYN.** fouillis.
Ne pas confondre avec le nom ***pagaie,*** petit aviron.
pag**aille,** pag**aïe**.

pagayer v. intr.
Ramer avec une pagaie. *Il pagaie avec vigueur pour remonter la rivière.*
Conjugaison [VOIR MODÈLE – **PAYER**]
Le ***y*** peut être changé en ***i*** devant un ***e*** muet. *Il pagaye, il pagaie.* Cette dernière forme est plus courante.
Le ***y*** est suivi d'un ***i*** à la première et à la deuxième personne du pluriel de l'indicatif imparfait et du subjonctif présent. *(Que) nous pagayions, (que) vous pagayiez.*

page n. f.
Abréviation ***p.*** (s'écrit avec un point).
1. Chacun des deux côtés d'un feuillet de papier. *Combien y a-t-il de pages dans ce dictionnaire ? Vous trouverez le numéro de téléphone du magasin dans les pages jaunes de l'annuaire.*
2. Les caractères qui remplissent la page. *Lire une page. Tu as écrit trois pages dans ton journal.*
Locutions
Être à la page. Être à la mode.
Mise en pages. Opération par laquelle on compose les pages.
On écrit parfois ***mise en page.***
Tourner la page. Recommencer à neuf en oubliant le passé.

page n. m.
(ANCIENNEMENT) Jeune noble placé auprès d'un souverain. *Le prince est parti chasser avec ses pages préférés.*
Attention au genre masculin du nom en ce sens.

pagination n. f.
Action de paginer. *Une pagination automatique.*

paginer v. tr.
Numéroter les pages d'un livre, d'un texte.
Conjugaison [VOIR MODÈLE – **AIMER**]

pagne n. m.
Morceau d'étoffe drapé autour de la taille et qui sert de culotte. *Tarzan ne portait qu'un pagne.*
Attention au genre masculin de ce nom : ***un*** pagne.

pagode n. f.
Temple asiatique.

paie ou **paye** n. f.
Orthographié avec ***i,*** le mot se prononce [pɛ] ; il rime avec ***paix.*** Orthographié avec ***y,*** il se prononce [pɛj] et rime avec ***corbeille*** : c'est la prononciation la plus courante.
Salaire d'un employé. *Un bulletin de paye, de paie.*

paiement n. m.
La première syllabe se prononce comme dans le mot ***paix*** [pɛmɑ̃]. Orthographié avec ***y,*** il se prononce [pɛjmɑ̃] et rime avec ***corbeille.***
1. Action de payer. *Un paiement par carte de crédit ou un paiement comptant ?*
2. Somme payée. *Un paiement de 10 $ par mois vous permet d'assister à tous les spectacles.*
Aujourd'hui ce nom s'orthographie plutôt ***paiement***; mais on peut aussi écrire ***payement.***

païen, ïenne adj. et n. m. et f.
Qui n'a pas de religion. *Les missionnaires de Nouvelle-France tentaient de convertir les païens à la religion chrétienne.*
païen.

paillasson n. m.
Petit tapis en fibres dures qui sert à s'essuyer les pieds devant une porte.
paillasson.

paille n. f.
1. Tige desséchée des céréales. *Une botte de paille.*
2. Paille tressée. *Des chapeaux de paille.*
3. Petit tuyau pour boire. *Un verre et des pailles, s.v.p.*
Locutions
Être sur la paille. (FIGURÉ) Être réduit à coucher sur la paille, être dans la misère.
Tirer à la courte paille. Tirer au sort.

paillette n. f.
Mince lamelle scintillante qu'on coud sur une étoffe. *Une robe brodée de paillettes.*

pain n. m.
Aliment composé d'une pâte de farine pétrie et cuite au four après fermentation. *Une miche de bon pain; une baguette de pain frais.*
Locutions
Avoir du pain sur la planche. (FIGURÉ) Avoir beaucoup de travail en perspective.
Pain doré. ⚜ Tranche de pain trempée dans un mélange d'œufs battus et rôtie dans la poêle. *Antoine et Annie ont mangé du pain doré nappé de sirop d'érable : c'était délicieux.*
Formes fautives
*pain brun. Calque de l'anglais « brown bread » au sens de ***pain bis, pain de son.***
*pain de blé entier. Calque de l'anglais « whole wheat bread » au sens de ***pain complet.***
HOM. pin, conifère.

pair, paire adj.
Se dit d'un nombre exactement divisible par deux. *Quatre est un nombre pair. Une page paire.* **ANT.** impair.
Locutions
Aller de pair. Aller ensemble. *Ces deux programmes vont de pair.*
Hors (de) pair. Sans égal, exceptionnel. *Nous avons recruté des collaborateurs hors pair.*
Ces locutions sont invariables.
HOM.
– **paire**, ce qui va par couple;
– **père**, celui qui a un ou plusieurs enfants;
– **pers**, couleur changeante.

paire n. f.
Couple. *Une paire de gants, une paire de lunettes.*
HOM.
– **pair**, exactement divisible par deux;
– **père**, celui qui a un ou plusieurs enfants;
– **pers**, couleur changeante.

paisible adj.
Calme, qui aime la paix. *Un lieu paisible, une vie paisible, un homme paisible.* **SYN.** pacifique, tranquille.

paître v. intr.
Brouter l'herbe. *Les vaches paissent dans le champ.*
Locution
Envoyer paître quelqu'un. (FIGURÉ) (FAMILIER) L'envoyer promener.
Conjugaison [VOIR MODÈLE – **PAÎTRE**]
Devant ***t,*** le ***i*** prend un accent circonflexe.

paix n. f.
1. Situation d'un pays qui n'est pas en état de guerre. *Une manifestation pour la paix dans le monde.* **SYN.** accord, entente. **ANT.** conflit, guerre.
2. Sérénité. *Être en paix avec sa conscience.* **SYN.** tranquillité.
3. Calme. *La paix de la campagne contraste avec l'agitation du centre-ville.*
Locutions
Avoir la paix. (FAMILIER) Être tranquille.
Faire la paix. (FIGURÉ) Se réconcilier.
Ficher la paix à quelqu'un. (FAMILIER) Laisser quelqu'un en repos, sans le déranger.

pakistanais, aise adj. et n. m. et f.
Du Pakistan. *Le drapeau pakistanais. Un Pakistanais, une Pakistanaise.*
L'adjectif s'écrit avec une minuscule; le nom, avec une majuscule.

palace n. m.
Hôtel luxueux. *Des palaces au bord de la mer.*

palais n. m.
1. Résidence d'un chef d'État, d'un souverain ou d'une personne très riche. *Le palais de Versailles, le palais de Buckingham.*
2. Vaste édifice. *Le Palais des congrès de Montréal.*
3. Partie supérieure de la bouche. *Pour imiter le bruit que fait un cheval en marchant, on fait claquer sa langue contre son palais.*
Locution
Palais de justice ou ***Palais.*** Bâtiment où les tribunaux rendent la justice.

pale n. f.
1. Extrémité d'un aviron.
2. Partie d'une roue à aubes, d'une hélice. *Les pales du ventilateur.*
HOM. **pâle**, peu coloré.
pale.

Indicatif

Présent

je pais
tu pais
elle / il paît
nous paissons
vous paissez
elles / ils paissent

Passé composé

(*n'existe pas*)

Imparfait

je paissais
tu paissais
elle / il paissait
nous paissions
vous paissiez
elles / ils paissaient

Plus-que-parfait

(*n'existe pas*)

Passé simple

(*n'existe pas*)

Passé antérieur

(*n'existe pas*)

Futur simple

je paîtrai
tu paîtras
elle / il paîtra
nous paîtrons
vous paîtrez
elles / ils paîtront

Futur antérieur

(*n'existe pas*)

Infinitif

Présent

paître

Passé

(*n'existe pas*)

Subjonctif

Présent

que je paisse
que tu paisses
qu' elle / qu' il paisse
que nous paissions
que vous paissiez
qu' elles / qu' ils paissent

Passé

(*n'existe pas*)

Imparfait

(*n'existe pas*)

Plus-que-parfait

(*n'existe pas*)

Conditionnel

Présent

je paîtrais
tu paîtrais
elle / il paîtrait
nous paîtrions
vous paîtriez
elles / ils paîtraient

Passé

(*n'existe pas*)

Impératif

Présent

pais
paissons
paissez

Passé

(*n'existe pas*)

Participe

Présent

paissant

Passé

(*n'existe pas*)

p

pâle adj.
1. Dont le teint a perdu ses couleurs. *Caroline a eu un accident : elle est très pâle, car elle est encore sous le choc.* **SYN.** blême.
2. Peu coloré. *Des gants bleu pâle.* **SYN.** clair.
Les adjectifs de couleur composés sont invariables. L'adjectif de nuance s'écrit sans trait d'union.
3. Sans éclat, terne. *Ce roman est une pâle imitation d'un livre qui avait eu beaucoup de succès.*
HOM. pale, extrémité d'un aviron.
p**â**le.

palestinien, ienne adj. et n. m. et f.
De Palestine. *Le drapeau palestinien. Un Palestinien, une Palestinienne.*
L'adjectif s'écrit avec une minuscule ; le nom, avec une majuscule.

paletot n. m.
Manteau masculin. *Un paletot d'hiver.* **SYN.** pardessus.
palet**ot.**

palette n. f.
1. Petite planche. *Une palette de bois.*
2. Planchette sur laquelle le peintre étale ses couleurs. *Une belle palette de couleurs.*
pale**tt**e.

pâleur n. f.
Caractère de ce qui est pâle. *La pâleur de son teint est inquiétante.* **SYN.** blancheur.
p**â**leur.

palier n. m.
Plate-forme dans un escalier. *En montant l'escalier, Nouni s'arrête au palier pour se reposer un peu.*
HOM. pallier, corriger.
pa**l**ier, un seul ***l.***

pâlir v. tr., intr.
Verbe transitif
Rendre pâle. *Le soleil a pâli la couleur de ces rideaux.*
Verbe intransitif
Perdre ses couleurs. *Il a pâli de colère. À la lumière du soleil, cet imprimé pâlira.* **SYN.** s'atténuer, s'estomper.
Conjugaison [VOIR MODÈLE – **FINIR**]
p**â**lir, un accent circonflexe sur le ***a.***

palissade n. f.
Clôture constituée de pieux plantés en terre. *Une palissade entourait le fort gardé par Dollard des Ormeaux.*
pa**l**i**ss**ade.

pallier v. tr.
Corriger quelque chose de manière incomplète, provisoirement. *Pour pallier ces inconvénients* (et non *à ces inconvénients), *voici ce que nous proposons.*
Le verbe se construit avec un complément direct et non avec la préposition ***à.***
Ne pas confondre avec le verbe ***remédier,*** apporter un remède à quelque chose de façon définitive.
HOM. palier, plate-forme dans un escalier.
Conjugaison [VOIR MODÈLE – **ÉTUDIER**]
Redoublement du ***i*** à la première et à la deuxième personne du pluriel de l'indicatif imparfait et du subjonctif présent. *(Que) nous palliions, (que) vous palliiez.*

palmarès n. m.
Le ***s*** se prononce [palmarɛs].
Liste des gagnants d'un concours, d'une compétition, etc. *Le palmarès de la chanson française.*

palme n. f.
1. Rameau de palmier. *La palme symbolise la victoire.*
2. Nageoire de caoutchouc qui accélère la vitesse du nageur. *Avec ces palmes, je nage très vite.*
Locution
Remporter la palme. Gagner.

palmé, ée adj.
1. Qui a la forme d'une main ouverte. *Une feuille palmée.*
2. Dont les doigts sont réunis par une membrane. *Le canard a des pieds palmés.*

palmeraie n. f.
Plantation de palmiers.

palmier n. m.
Arbre tropical à grandes feuilles palmées.

palmipède adj. et n. m.
Dont les pieds sont palmés. *Le canard est un palmipède.*

pâlot, otte adj.
Un peu pâle. *La petite est pâlotte ; serait-elle malade ?*
p**â**lo**t,** p**â**lo**tt**e.

palourde n. f.
Coquillage comestible.

palpable adj.
1. Qui peut être palpé. *Cette tumeur n'est pas palpable.* **ANT.** impalpable.
2. Clair, évident. *Des résultats palpables.* **SYN.** concret.

palper v. tr.
Examiner en explorant doucement avec la main. *Le médecin a palpé sa jambe douloureuse : heureusement, elle n'est pas fracturée.*
Conjugaison [VOIR MODÈLE – **AIMER**]

palpitant, ante adj.
1. Qui palpite. *Julien flatte les naseaux palpitants de son cheval.*
2. (FAMILIER) Passionnant. *Des histoires palpitantes.* **SYN.** excitant, prenant.
Ne pas confondre avec le participe présent invariable ***palpitant.*** *Ses paupières palpitant d'excitation, il se mit à crier.*

palpitation n. f.
1. Agitation anormale du cœur. *Il a eu des palpitations.*
2. Frémissements. *Les palpitations de ses narines.*
Ce nom s'emploie généralement au pluriel.

palpiter v. intr.
1. Être agité de frémissements.
2. Battre très fort, en parlant du cœur.
Conjugaison [VOIR MODÈLE – **AIMER**]

pâmer (se) v. pronom.
1. (LITTÉRAIRE) (VIEUX) Défaillir. *Elle se pâma, alors on tenta de la ranimer.*
2. Être rempli d'admiration. *Les visiteuses poussaient de petits cris d'admiration et se pâmaient devant les tableaux du salon.*
Locution
Se pâmer de rire. (FIGURÉ) Rire à s'évanouir. *Elles se sont pâmées de rire en écoutant les bonnes blagues de Benoît.*
Le participe passé de ce verbe qui n'existe qu'à la forme pronominale s'accorde toujours en genre et en nombre avec le sujet du verbe.
Conjugaison [VOIR MODÈLE – **AIMER**]
p**â**mer.

pâmoison n. f.
(PLAISANTERIE) Admiration extrême au bord de l'évanouissement. *Ils sont en pâmoison devant ce chanteur.*
pâmoison.

pampa n. f.
La première syllabe se prononce ***pan*** [pɑ̃pa].
Vaste plaine herbeuse de l'Amérique du Sud.

pamphlet n. m.
Petit écrit qui critique et attaque violemment quelqu'un.
Forme fautive
*pamphlet. Anglicisme au sens de ***dépliant, prospectus.***
pamphlet.

pamplemousse n. m.
Fruit comestible du pamplemoussier. *Un jus de pamplemousse.*

pamplemoussier n. m.
Arbre de la même famille que l'oranger, cultivé pour ses fruits juteux.

pan n. m.
Partie d'un vêtement, d'une paroi, etc. *Un pan coupé, des pans de mur, un pan de chemise.*
HOM. paon, oiseau au beau plumage.

pan- préf.
Élément du grec signifiant « tout ». *Panaméricain.*

panache n. m.
Aigrette, plumes d'une coiffure.
Locution
Avoir du panache. (FIGURÉ) Avoir de la prestance, une fière allure.

panais n. m.
Plante dont la racine est comestible.
panais.

panaméen, éenne adj. et n. m. et f.
Du Panama. *Le drapeau panaméen. Un Panaméen, une Panaméenne.*
L'adjectif s'écrit avec une minuscule ; le nom, avec une majuscule.

panaméricain, aine adj.
Qui concerne l'ensemble du continent américain.

pancarte n. f.
Affiche. *Les manifestants brandissent leurs pancartes. Le voisin a planté une pancarte où il est écrit « À louer » : il cherche des locataires.* **SYN.** écriteau.

pancréas n. m.
Le ***s*** se prononce [pɑ̃kreɑs]; le mot rime avec ***as.***
Glande du tube digestif.

panda n. m.
Le nom se prononce [pɑ̃da].
Mammifère noir et blanc qui ressemble à un ours. *Les pandas vivent dans les forêts de l'Inde et de la Chine.*

pané, ée adj.
Recouvert de chapelure. *Des croquettes de poulet panées.*

***panel**
Anglicisme pour ***table ronde, échantillon, groupe témoin.***

paner v. tr.
Recouvrir de chapelure avant de cuire. *Paner un filet de sole.*
Conjugaison [VOIR MODÈLE – **AIMER**]
paner.

panier n. m.
Récipient muni d'une anse qui sert à transporter des provisions, des marchandises. *Un panier de fruits. Un panier de paille.*
Locutions
Panier à salade. (FAMILIER) (FIGURÉ) Voiture destinée au transport des détenus ou des prévenus.
Panier de crabes. (FIGURÉ) Ensemble de personnes qui se combattent à l'intérieur d'un groupe.
Panier percé. (FAMILIER) (FIGURÉ) Personne à qui on ne peut faire de confidence, qui ne peut garder un secret.
Forme fautive
*panier. Impropriété au sens de ***corbeille*** (à papier).

panique n. f.
Frayeur subite accompagnée d'affolement. *Pas de panique : il faut évacuer l'immeuble sans s'affoler.*
Locution
Terreur, peur panique. Effroi violent et soudain.
L'adjectif ne s'emploie que dans ces expressions.

paniquer v. tr., intr.
Verbe transitif
(FAMILIER) Affoler. *L'examen oral le panique.* **SYN.** angoisser.
Verbe intransitif
(FAMILIER) Céder à la panique, perdre son sang-froid. *Ne panique pas, il y a certainement une solution.* **SYN.** s'affoler.
Conjugaison [VOIR MODÈLE – **AIMER**]

panne n. f.
Interruption, arrêt de fonctionnement. *L'ascenseur est en panne, hors service* (et non *hors d'ordre).
panne.

panneau n. m. (pl. *panneaux*)
1. Partie d'une construction. *Des panneaux de contreplaqué.*
2. Surface destinée à l'affichage. *Des panneaux-réclames, des panneaux de signalisation, des panneaux indicateurs.*
Locution
Tomber dans le panneau. (FIGURÉ) Être pris au piège.

panorama n. m.
Le ***o*** est ouvert [panɔrama].
Vue étendue d'un paysage. *Cette route comporte des panoramas magnifiques.*

panoramique adj.
1. Qui permet de contempler un vaste panorama. *De l'observatoire du mont Royal, on a une vue panoramique sur Montréal.*
2. Qui offre une excellente visibilité. *Une fenêtre panoramique.*

panse n. f.
(FAMILIER) Gros ventre. *Tu as l'appétit plus grand que la panse, disait la grand-maman à celui qui se servait trop copieusement.*

pansement n. m.
Compresse stérile destinée à être appliquée sur une plaie. *Un pansement antiseptique.*

panser v. tr.
1. Prendre soin, faire la toilette d'un animal. *Panser son cheval.*
Les animaux que l'on panse ne sont pas blessés, contrairement aux personnes.
2. Soigner une blessure en appliquant un pansement. *Panser le genou d'un enfant.* **SYN.** bander.
HOM. penser, réfléchir.
Conjugaison [VOIR MODÈLE – **AIMER**]

P

pantalon n. m.
Culotte à jambes longues. *Un pantalon de velours. Une fillette en pantalon.*
Le nom s'emploie aujourd'hui au singulier lorsqu'il désigne un seul vêtement.

panthère n. f.
Mammifère carnassier au pelage jaune moucheté de noir. *La panthère d'Afrique se nomme **léopard,** celle d'Amérique, **jaguar.***
panthère.

pantin n. m.
1. Personnage articulé dont on fait mouvoir les membres à l'aide d'un fil.
2. (FIGURÉ) Personne sans volonté, influençable. **SYN.** girouette, marionnette.

pantouflard, arde adj. et n. m. et f.
Casanier. *Son père est un peu trop pantouflard au goût de Laurent.*
pantouflard, un seul ***f.***

pantoufle n. f.
Chaussure d'intérieur. *Se mettre en pantoufles.*
pantoufle, un seul ***f.***

panure n. f.
Pain émietté. **SYN.** chapelure.

paon n. m.
Le ***o*** ne se prononce pas [pɑ̃].
Oiseau au beau plumage dont la queue, chez le mâle, peut se déployer en éventail.
VOIR TABLEAU – **ANIMAUX.**
HOM. pan, partie d'un vêtement, d'un mur.

paonne n. f.
Le ***o*** ne se prononce pas [pan].
Femelle du paon. *Le petit de la paonne est le paonneau.*
VOIR TABLEAU – **ANIMAUX.**

papa n. m.
Père, dans le langage des enfants, même devenus adultes. *Jouer au papa et à la maman.*

papal, ale, aux adj.
Du pape. *Des emblèmes papaux.*

papauté n. f.
Dignité du pape.

papaye n. f.
Les deux ***a*** se prononcent ***a*** [papaj]; le nom rime avec ***paille.***
Fruit comestible du papayer.

papayer n. m.
Arbre dont le fruit est la papaye.

pape n. m.
Chef de l'Église catholique. *Notre saint-père le pape. Sa Sainteté le pape.*

paperasse n. f.
(PÉJORATIF) Papiers administratifs. *Il y a toujours trop de paperasse* ou de *paperasses.*
Le nom peut jouer le rôle d'un collectif et s'écrire au singulier pour désigner un ensemble de documents; il peut aussi être orthographié au pluriel si l'on veut insister sur la pluralité.

papeterie n. f.
Le premier ***e*** est muet ou se prononce ***è,*** mais le deuxième ***e*** est muet, [paptri] ou [papɛtri].
1. Usine où l'on fabrique du papier. *Il exploite une papeterie* (et non un *moulin à papier).
2. Magasin où l'on vend des articles de bureau, des fournitures scolaires.
Forme fautive
*papeterie. Impropriété au sens de ***articles de bureau, papier à lettres.***

papetier, ière adj.
Relatif au papier. *Au Québec, l'industrie papetière est très importante.*

papier n. m.
1. Substance composée de fibres de bois agglomérées pour former une feuille mince. *Du papier à lettres, du papier journal, du papier d'emballage.*
2. Document écrit ou imprimé. *Il a perdu un papier important.*
3. (AU PLURIEL) (ABSOLUMENT) Papiers d'identité. *Montrez-moi vos papiers, s'il vous plaît.*
Locutions
Papier ciré. ⚜ Papier d'emballage, imprégné de cire, utilisé par exemple pour emballer les fromages. (Recomm. off. OLF)
Papier d'aluminium. Feuille très mince de ce métal.
Papier d'emballage. *Envelopper un colis dans du papier d'emballage* (et non du *papier brun).
Papier de soie. Papier très fin et translucide.
Papier de verre, papier-émeri. *Utiliser du papier-émeri* (et non du *papier sablé).
Papier hygiénique. *Un rouleau de papier hygiénique* (et non de papier *de toilette).
Papier mâché. Pâte de papier additionnée de colle. *Un jouet en papier mâché.*
Papier paraffiné. Papier d'emballage imprégné de paraffine, utilisé pour emballer différents produits, mais plus spécialement les viandes et les charcuteries. (Recomm. off. OLF)
Papier peint. Papier que l'on colle sur les murs. *Du papier peint fleuri.*
Formes fautives
*papier brun. Calque de l'anglais « brown paper » au sens de ***papier d'emballage.***
*papier de toilette. Calque de l'anglais « toilet paper » au sens de ***papier hygiénique.***
*papier sablé. Calque de l'anglais « sand-paper » au sens de ***papier de verre.***

papille n. f.
Petite éminence à la surface des muqueuses. *Les papilles gustatives.*

papillon n. m.
Insecte muni de quatre ailes aux couleurs diverses. *La chenille devient une chrysalide, puis un papillon.*
Locution
Nage papillon, brasse papillon, nœud papillon.
Dans les expressions où il est mis en apposition, le nom ***papillon*** est invariable et s'écrit sans trait d'union. *Des nœuds papillon.*

papillonner v. intr.
Voltiger d'idée en idée, de personne en personne, sans s'arrêter à aucune. **SYN.** s'éparpiller.
Conjugaison [VOIR MODÈLE – **AIMER**]

papotage n. m.
(FAMILIER) Bavardage, commérage. *Bianca n'aime pas les papotages.*
papo**t**age.

papoter v. intr.
(FAMILIER) Bavarder, parler trop, dire des choses insignifiantes.
Conjugaison [VOIR MODÈLE – **AIMER**]
papo**t**er.

paprika n. m.
Variété de piment. *Saupoudrer la purée de paprika.*

papyrus n. m.
Le ***s*** se prononce [papirys]; ce nom rime avec ***autobus.***
1. Plante dont les Égyptiens employèrent l'écorce comme support d'écriture.
2. Manuscrit écrit sur une feuille de papyrus. *Des papyrus bien conservés.*
pap**y**ru**s.**

paquebot n. m.
Grand navire de commerce servant surtout au transport des passagers. *Un paquebot transatlantique.*
Ne pas confondre avec les noms suivants :
- ***bateau,*** bâtiment, grand ou petit, qui navigue sur la mer ou sur les rivières.
- ***canot,*** petit bateau ;
- ***cargo,*** navire pour le transport des marchandises ;
- ***pétrolier,*** navire-citerne pour le transport du pétrole ;
- ***voilier,*** bateau à voiles ;
- ***yacht,*** bateau de plaisance.

paquebo**t.**

pâquerette n. f.
Petite marguerite à cœur jaune. *Un jardin rempli de pâquerettes.*
p**â**que**rette**, attention à l'accent circonflexe.

Pâques n. m. et f.
Nom masculin singulier
Fête chrétienne qui commémore la résurrection du Christ. *Cette année, Pâques est célébré le 15 avril.*
Malgré le ***s*** final, le nom est au masculin singulier (ellipse de ***jour de Pâques***) et s'emploie sans article et sans adjectif avec une majuscule initiale.
Nom féminin pluriel
Accompagné d'un adjectif, le nom est au féminin pluriel. *Faire ses Pâques, Pâques fleuries.*

paquet n. m.
1. Assemblage de choses attachées ou emballées ensemble. *Un paquet de gommes.*
2. Colis. *Expédition d'un paquet par avion.*
Locutions
Un paquet de. Une grande quantité de. *Elle a reçu un paquet de lettres. Il est tombé un paquet de neige.*
Mettre le paquet. Faire le maximum.
Un paquet de nerfs. (FAMILIER) Personne très agitée, très nerveuse.

paquet-cadeau n. m. (pl. *paquets-cadeaux*)
Emballage de fantaisie destiné aux présents. *Aimeriez-vous que je vous fasse des paquets-cadeaux ?*

par prép.
La préposition marque une relation de :
1. Distribution. Dans, selon. *Classer par groupes, par paires, par ordre alphabétique.*
Si le complément exprime le découpage d'un tout en plusieurs éléments, il se met au pluriel.
2. Lieu. À travers. *Passer par Trois-Rivières pour aller à Québec ou à Montréal. Regarder par le hublot.*
3. Temps. Au cours de. *Par une belle nuit étoilée.*
4. Fréquence. Pour chaque. *Il gagne 1 000 $ par mois.*
5. Cause. *Engourdi par le froid.*
6. Agent. *Ce roman a été écrit par une jeune femme.*
L'agent est l'auteur de quelque chose. Ex. : *La pomme est croquée par Julie.* Dans cette phrase, Julie est l'agent qui croque la pomme.
7. Instrument, moyen. *Voyager par avion.*
8. Manière. *Ils les ont vaincus par la ruse.*
Locutions
Par ailleurs, locution adverbiale. D'un autre côté, d'un autre point de vue.
Par-ci, par-là, locution adverbiale. Un peu partout. *Des fleurs poussent par-ci, par-là.*
Par-devant, par-derrière, par-dessus, par-dessous, locutions prépositives.
Ces locutions s'écrivent avec un trait d'union, mais les expressions ***par en bas, par en haut, par l'avant, par l'arrière, par ici,*** s'écrivent sans trait d'union.
Par instants, par moments, par intervalles, par périodes. Dans ces expressions, le complément s'écrit au pluriel.
Forme fautive
*par. Anglicisme au sens de ***sur.*** *Notre tapis mesure 3 m sur 4 m* (et non 3 m *par 4 m).

para-, pare- préf.
Éléments du grec signifiant « à côté de ». *Parascolaire.*

parachever v. tr.
Achever au plus haut point. **SYN.** (FAMILIER) fignoler, mettre au point, parfaire.
Conjugaison [VOIR MODÈLE – **LEVER**]
Le **e** se change en **è** devant une syllabe muette. *Il parachève, il parachevait.*

parachutage n. m.
Action de parachuter des personnes, des choses. *Le parachutage des vivres dans la région sinistrée.*

parachute n. m.
Appareil permettant de freiner la chute d'une personne ou d'un objet qu'on lance d'un avion.

parachuter v. tr.
Lancer d'un avion en vol une personne, une chose munie d'un parachute. *Les secouristes ont parachuté des provisions.* **SYN.** larguer.
Conjugaison [VOIR MODÈLE – **AIMER**]

parachutisme n. m.
Technique du saut en parachute.

parachutiste n. m. et f.
Personne qui pratique le parachutisme.

parade n. f.
1. Défilé militaire.
2. Cortège de personnes, défilé de chars décorés, etc., à l'occasion d'une fête, d'un évènement. *La parade du père Noël.*
3. Manière de parer un coup, à l'escrime. *Une habile parade.*
Forme fautive
*parade de mode. Anglicisme pour ***défilé de mannequins, de mode.***

P

parader v. intr.
1. Faire un défilé. *Les militaires paradent en uniforme.*
2. (FAMILIER) Faire étalage de son apparence, de son savoir, etc., pour attirer l'attention.
Conjugaison [VOIR MODÈLE – **AIMER**]

paradis n. m.
1. Dans la religion chrétienne, ciel. *Les saints vont au paradis.*
2. (FIGURÉ) Lieu enchanteur. *Cette propriété à la campagne, c'est un petit coin de paradis.*
Locutions
Être au paradis. (FIGURÉ) Se sentir très bien, être très heureux.
Paradis terrestre. Le jardin d'Adam et Ève lors de la création.
Vous ne l'emporterez pas en paradis. Vous serez puni.

paradoxal, ale, aux adj.
Contradictoire. *Ton choix est paradoxal : tu détestes les épinards et pourtant, c'est ce que tu commandes.*

paradoxe n. m.
1. Pensée, opinion contraire au bon sens.
2. Contradiction.

paraffine n. f.
Substance de consistance cireuse. *Grand-maman couvre les pots de confiture de paraffine afin de les conserver longtemps.*
para**ff**ine.

parages n. m. pl.
Environs. *Les enfants jouent dans les parages.* **SYN.** voisinage.

paragraphe n. m.
Subdivision d'un texte, marquée par un retour à la ligne au début et à la fin. *La composition de Fanny compte cinq paragraphes.*

paraguayen, enne adj. et n. m. et f.
Du Paraguay. *Le drapeau paraguayen. Un Paraguayen, une Paraguayenne.*
L'adjectif s'écrit avec une minuscule ; le nom, avec une majuscule.

paraître v. intr., impers.
Verbe intransitif
1. Devenir visible. *Les fleurs commencent à paraître.* **SYN.** se voir.
2. Être publié. *Le dictionnaire paraîtra à l'automne. Les ouvrages parus au printemps se vendent bien.* **SYN.** être édité.
3. Sembler, avoir l'apparence. *Martine parut contente.* **SYN.** avoir l'air.
En ce sens, le verbe joue le rôle de l'auxiliaire ***être*** et l'adjectif ou le nom qui suit est attribut du sujet.
4. Sembler avoir. *Éloi ne paraît pas son âge.* **SYN.** faire.
Verbe impersonnel
1. Il semble, on dit que. *Il paraît qu'il a gagné le gros lot.* **SYN.** paraît-il.
1° Le verbe se construit avec l'indicatif. Il se construit également avec le subjonctif si un adjectif précède la conjonction ***que.***
2° Dans une phrase négative, il se construit avec le subjonctif. *Il ne paraît pas qu'il puisse arriver à temps.*
3° Dans les phrases qui expriment une supposition, le verbe se construit avec le conditionnel. *Il paraît qu'elle serait malade.*
2. ***Il paraît que*** + conditionnel. *Il paraît qu'elle serait malade.*
Locution
À ce qu'il paraît. (FAMILIER) Paraît-il. *À ce qu'il paraît, ce chanteur est très gentil.*
Ne pas confondre avec le verbe ***apparaître,*** devenir brusquement visible, évident.
Conjugaison [VOIR MODÈLE – **PARAÎTRE**]

parallèle adj. et n. m. et f.
Adjectif
1. Se dit de droites qui ne se rencontrent pas.
2. (FIGURÉ) Qui suit la même direction, semblable. *Des chemins parallèles, des carrières parallèles.*
Nom masculin
1. Comparaison, rapprochement. *Faire un parallèle entre deux romans.*
2. Cercle imaginaire de la Terre servant à mesurer la latitude et qui est parallèle à l'équateur. *La ville de Montréal est située au 45e parallèle.*
VOIR **LATITUDE.**
Nom féminin
Droite parallèle à une autre. *Tracer une parallèle.*
pa**r**a**ll**è**l**e, un ***r***, deux ***ll***, un ***l.***

parallèlement adv.
1. D'une manière parallèle. *Deux sentiers tracés parallèlement.*
2. Simultanément. *Elle étudie l'anglais et l'espagnol parallèlement.* **SYN.** en même temps.
Locution
Parallèlement à, locution prépositive. De façon parallèle à. *Parallèlement à ses études, Simon fait partie d'un orchestre.* **SYN.** en même temps que.
pa**r**a**ll**è**l**ement.

parallélogramme n. m.
(GÉOMÉTRIE) Figure dont les côtés opposés sont égaux et parallèles. *Le rectangle est un parallélogramme.*
pa**r**a**ll**é**l**ogramme.

paralysant, ante adj.
Qui paralyse. *Des gaz paralysants.*
paral**y**sant.

paralysé, ée adj. et n. m. et f.
Adjectif
Atteint de paralysie. *Ses jambes sont paralysées.*
Nom masculin et féminin
Personne atteinte de paralysie. **SYN.** paralytique.

paralyser v. tr.
1. Frapper de paralysie.
2. (FIGURÉ) Empêcher d'agir. *La peur l'a paralysé.* **SYN.** arrêter.
Conjugaison [VOIR MODÈLE – **AIMER**]
paral**y**ser.

paralysie n. f.
1. (MÉDECINE) Perte de la fonction motrice.
La ***paraplégie*** est la paralysie des membres inférieurs ; la ***quadriplégie*** touche les quatre membres et l'***hémiplégie,*** un côté du corps.
2. (FIGURÉ) Arrêt complet. *La grève a causé la paralysie des transports en commun.* **SYN.** blocage.
paral**y**sie.

paralytique adj. et n. m. et f.
Adjectif
Atteint de paralysie. *Un malade paralytique.* **SYN.** paralysé.
Nom masculin et féminin
Personne atteinte de paralysie. *Une paralytique.*
paral**y**tique.

parapet n. m.
Le ***t*** ne se prononce pas [parapɛ]; ce nom rime avec ***paix.***

Indicatif

Présent

je parais
tu parais
elle paraît
il paraît
nous paraissons
vous paraissez
elles paraissent
ils paraissent

Passé composé

j' ai paru
tu as paru
elle a paru
il a paru
nous avons paru
vous avez paru
elles ont paru
ils ont paru

Imparfait

je paraissais
tu paraissais
elle paraissait
il paraissait
nous paraissions
vous paraissiez
elles paraissaient
ils paraissaient

Plus-que-parfait

j' avais paru
tu avais paru
elle avait paru
il avait paru
nous avions paru
vous aviez paru
elles avaient paru
ils avaient paru

Passé simple

je parus
tu parus
elle parut
il parut
nous parûmes
vous parûtes
elles parurent
ils parurent

Passé antérieur

j' eus paru
tu eus paru
elle eut paru
il eut paru
nous eûmes paru
vous eûtes paru
elles eurent paru
ils eurent paru

Futur simple

je paraîtrai
tu paraîtras
elle paraîtra
il paraîtra
nous paraîtrons
vous paraîtrez
elles paraîtront
ils paraîtront

Futur antérieur

j' aurai paru
tu auras paru
elle aura paru
il aura paru
nous aurons paru
vous aurez paru
elles auront paru
ils auront paru

Infinitif

Présent

paraître

Passé

avoir paru

Subjonctif

Présent

que je paraisse
que tu paraisses
qu' elle paraisse
qu' il paraisse
que nous paraissions
que vous paraissiez
qu' elles paraissent
qu' ils paraissent

Passé

que j' aie paru
que tu aies paru
qu' elle ait paru
qu' il ait paru
que nous ayons paru
que vous ayez paru
qu' elles aient paru
qu' ils aient paru

Imparfait

que je parusse
que tu parusses
qu' elle parût
qu' il parût
que nous parussions
que vous parussiez
qu' elles parussent
qu' ils parussent

Plus-que-parfait

que j' eusse paru
que tu eusses paru
qu' elle eût paru
qu' il eût paru
que nous eussions paru
que vous eussiez paru
qu' elles eussent paru
qu' ils eussent paru

Conditionnel

Présent

je paraîtrais
tu paraîtrais
elle paraîtrait
il paraîtrait
nous paraîtrions
vous paraîtriez
elles paraîtraient
ils paraîtraient

Passé

j' aurais paru
tu aurais paru
elle aurait paru
il aurait paru
nous aurions paru
vous auriez paru
elles auraient paru
ils auraient paru

Impératif

Présent

parais
paraissons
paraissez

Passé

aie paru
ayons paru
ayez paru

Participe

Présent

paraissant

Passé

paru, ue
ayant paru

Garde-fou. *Seul un parapet bordait le chemin au-dessus de la falaise.*
parap**et.**

paraplégie n. f.
Paralysie des membres inférieurs. *Il souffre de paraplégie : il ne peut marcher.*
VOIR **PARALYSIE.**

paraplégique adj. et n. m. et f.
Atteint de paraplégie. *Un athlète paraplégique. Une paraplégique.*

parapluie n. m.
Objet qui sert de protection contre la pluie. *Des parapluies télescopiques.*

parapublic, ique adj. et n. m.
Adjectif
Relatif au secteur parapublic. *Les hôpitaux sont des organismes parapublics. La gestion parapublique.*
Nom masculin
Secteur gouvernemental qui jouit d'une autonomie plus considérable que les ministères et organismes de l'Administration. *Les employés des hôpitaux appartiennent au parapublic.*

parascolaire adj.
Se dit d'une activité qui, même si elle se déroule dans le cadre de l'école, ne constitue pas un complément nécessaire à un enseignement. (Recomm. off. OLF) *Les cours de musique sont une des activités parascolaires de cette école.*

parasite adj. et n. m.
1. Organisme végétal ou animal qui vit aux dépens d'un autre organisme. *Un champignon parasite.*
2. Personne qui vit aux dépens d'une autre, de la société, alors qu'elle pourrait travailler. *Des parasites sans esprit d'initiative.*

parasol n. m.
Grand parapluie qui sert de protection contre le soleil. *De beaux parasols colorés.*

paratonnerre n. m.
Dispositif destiné à protéger un bâtiment de la foudre.

paravent n. m.
Ensemble de panneaux articulés qui sert à isoler quelque chose. *Des paravents joliment décorés.*

parc n. m.
1. Grand jardin. *Le parc Lafontaine, le parc des Braves.*
2. Vaste réserve où la flore, la faune sont protégées. *Un parc naturel, un parc national. Le parc des Laurentides.*
Locutions
Parc de stationnement. Terrain ou bâtiment réservé au stationnement des véhicules. (Recomm. off. OLF)
Parc industriel. Espace aménagé pour accueillir des entreprises de fabrication, de distribution et de services. (Recomm. off. OLF) *Le parc industriel de Laval.*

parcelle n. f.
Fragment, petite quantité d'une chose. *Je ne prendrai qu'une parcelle de ce beau gâteau.* **SYN.** morceau.

parce que loc. conj.
À cause de. *Ils ont remis l'expédition de ski parce qu'il fait trop froid.* **SYN.** car, comme, en raison de, vu que.
La locution conjonctive s'élide devant ***il, elle, ils, elles, on, un, une, à*** et le verbe se construit à l'indicatif ou au conditionnel suivant que l'on exprime une affirmation ou une supposition. *Elle est fatiguée parce qu'elle a mal dormi. Il est épuisé parce qu'il aurait trop travaillé.*

parchemin n. m.
1. Peau d'animal traitée pour l'écriture. *Aujourd'hui, le papier a remplacé le parchemin, mais demain, l'écran de l'ordinateur succédera peut-être au papier.*
2. Document écrit. *De vieux parchemins historiques.*

parcimonie n. f.
Économie excessive. *Robert distribue du gâteau avec parcimonie.* **SYN.** mesquinerie.
par**c**imonie.

parcomètre ou **parcmètre** n. m.
Appareil mesurant la durée de stationnement d'une automobile. *Mettre une pièce de monnaie dans le parcomètre, le parcmètre.*

parcourir v. tr.
1. Aller d'un lieu à un autre. *Vanessa a parcouru toute la Gaspésie.* **SYN.** traverser.
2. Faire un trajet. *La distance à parcourir est de 300 km.* **SYN.** accomplir, couvrir, faire.
3. Examiner rapidement. *Parcourir un article.* **SYN.** survoler.
Conjugaison [VOIR MODÈLE – **COURIR**]
INDICATIF PRÉSENT *Je parcours, tu parcours, il parcourt, nous parcourons, vous parcourez, ils parcourent.* IMPARFAIT *Je parcourais.* PASSÉ SIMPLE *Je parcourus.* FUTUR *Je parcourrai.* **CONDITIONNEL** PRÉSENT *Je parcourrais.* **IMPÉRATIF** PRÉSENT *Parcours, parcourons, parcourez.* **SUBJONCTIF** PRÉSENT *Que je parcoure.* IMPARFAIT *Que je parcourusse.* **PARTICIPE** PRÉSENT *Parcourant.* PASSÉ *Parcouru, ue.*

parcours n. m.
Trajet. *Le parcours de Québec à Montréal se fait en 2 h 30.*
parcour**s,** un ***s*** final.

pardessus n. m.
Manteau masculin. *Il a sali son pardessus en sautant pardessus une flaque d'eau.* **SYN.** paletot.
Ne pas confondre avec la locution prépositive ***par-dessus,*** qui signifie « au-dessus de ».

pardon n. m.
1. Action de pardonner. *Le pardon d'une offense. Je te demande pardon si je t'ai fait de la peine.*
2. Formule de politesse pour s'excuser ou pour faire répéter. *Pardon ? Je n'ai pas bien compris.*

pardonnable adj.
Qui peut être pardonné. *Une erreur pardonnable. Un étudiant pardonnable.*
L'adjectif se dit de personnes ou de choses.

pardonner v. tr.
Accorder le pardon, ne pas tenir rigueur à quelqu'un de quelque chose. *Léa a pardonné son oubli à Lulu.* **SYN.** excuser, oublier.
Le complément d'objet direct du verbe est une chose, le complément indirect, une personne. On pardonne quelque chose à quelqu'un.
Conjugaison [VOIR MODÈLE – **AIMER**]

pare- préf.
Les mots composés avec le préfixe ***pare-*** s'écrivent avec un trait d'union. Au pluriel, le préfixe ***pare-,*** qui est un verbe, demeure invariable, tandis que le second élément est parfois variable, parfois invariable. *Un gilet pare-balles, des pare-brise, un pare-chocs.*

pare-balles adj. inv. et n. m. inv. (pl. *pare-balles*)
Vêtement protégeant des balles. *Un gilet pare-balles, des gilets pare-balles.*

pare-brise n. m. inv. (pl. *pare-brise*)
Vitre avant d'un véhicule. *Des pare-brise incassables.*

pare-chocs n. m. inv. (pl. *pare-chocs*)
Dispositif placé à l'avant et à l'arrière d'un véhicule pour amortir les chocs. *Des pare-chocs en caoutchouc.*

pareil, eille adj., adv. et n. m. et f.
Adjectif
1. Semblable. *Elle a une voiture pareille à la sienne* (et non pareille *que la sienne, pareille *comme la sienne). **SYN.** identique, même.
L'adjectif se construit avec la préposition ***à*** et non avec ***que*** ou avec ***comme.***
2. Tel. *Je n'ai jamais eu une surprise pareille.*
Adverbe
(FAMILIER) De façon identique. *Les deux amies se coiffent pareil.* **SYN.** pareillement.
Pris adverbialement, le mot est invariable.
Nom masculin et féminin
Personne incomparable, sans égale. *Il n'a pas son pareil pour faire de bonnes salades. Tu n'as pas ta pareille pour interpréter cette chanson.*
Locutions
C'est du pareil au même. (FAMILIER) C'est la même chose.
Rendre la pareille à quelqu'un. Se venger. *Ces motards rendront la pareille à ceux qui les ont attaqués.*
Sans pareil. Sans égal. *Ces massages sont sans pareils pour la détente. Des framboises sans pareilles.* **SYN.** incomparable.
Dans cette expression, l'adjectif s'accorde avec le nom auquel il se rapporte ou peut rester invariable.

pareillement adv.
De la même manière. *Bonnes vacances ! – Et vous pareillement.* **SYN.** également.

parent, ente adj. et n. m. et f.
Adjectif
Qui a un lien de parenté. *Ils sont parents de loin.*
Nom masculin
Le père ou la mère. *Elle est parent unique : elle élève seule ses deux adolescents.*
Nom masculin pluriel
Le père et la mère d'une personne. *Je vous présente mes parents.*
Nom masculin et féminin
Membre de la même famille. *C'est une parente à moi.* **SYN.** proche.

parenté n. f.
1. Liens qui unissent les membres d'une famille. *Quel est votre lien de parenté avec elle ? – C'est ma sœur.*
2. Ensemble des parents d'une personne. **SYN.** famille, proches.
3. Ressemblance. *Il y a une parenté entre ces deux œuvres.* **SYN.** rapport.

parenthèse n. f.
VOIR TABLEAU – **PARENTHÈSES.**

parer v. tr., pronom.
Verbe transitif direct
1. (LITTÉRAIRE) Orner. *Elle avait paré ses cheveux de fleurs.* **SYN.** décorer, embellir.
2. Éviter un coup. *Parer une attaque.*
Verbe transitif indirect
S'occuper de, faire face à. *Nous devons parer d'abord à l'approvisionnement en eau, qui est insuffisant.*
En ce sens, le verbe se construit avec la préposition ***à.***
Verbe pronominal
1. Se vêtir avec élégance. *Pour le bal, elle s'est parée d'une belle cape de velours.*
2. Se protéger de. *Il porte un anorak bien chaud pour se parer du froid sibérien.*
Locution
Parer au plus pressé. Régler les problèmes les plus pressants, les plus graves.
Conjugaison [VOIR MODÈLE – **AIMER**]
Attention à la troisième personne du singulier de l'imparfait qui s'écrit sans accent circonflexe devant le ***t,*** contrairement au verbe ***paraître*** à l'indicatif présent.

pare-soleil n. m. inv. (pl. *pare-soleil*)
Écran protégeant des rayons du soleil. *Le soleil est aveuglant, il vaut mieux abaisser les pare-soleil de la voiture.*

paresse n. f.
Nonchalance qui empêche d'agir. *La paresse de mon chat.* **ANT.** effort, énergie.
pa**ress**e.

paresser v. intr.
Se laisser aller à la paresse. *Le dimanche, il est agréable de paresser un peu et de prendre son temps.*
Conjugaison [VOIR MODÈLE – **AIMER**]
pa**ress**er.

paresseusement adv.
D'une manière paresseuse. **ANT.** énergiquement.
pa**ress**eusement.

paresseux, euse adj. et n. m. et f.
Inactif, qui évite l'effort. **ANT.** énergique, travailleur.
pa**ress**eu**x.**

par exemple loc. adv.
Abréviation ***p. ex.*** (s'écrit avec des points)
Locution servant à citer un exemple destiné à illustrer, à expliquer. *Deux fois par jour, par exemple le matin et le soir.*

parfaire v. tr.
Parachever. *Parfaire une œuvre. Il a parfait sa formation aux États-Unis.*
Ce verbe se conjugue comme ***faire,*** mais il s'emploie seulement à l'infinitif et aux temps composés.
Conjugaison [VOIR MODÈLE – **FAIRE**]

parfait, aite adj. et n. m.
Adjectif
Idéal, absolu. *Le bonheur parfait.* **ANT.** imparfait.
Nom masculin
1. (LITTÉRAIRE) Perfection.
2. Crème glacée. *Un parfait à la pistache.*

parfaitement adv.
D'une manière parfaite. *Il parle parfaitement l'anglais et l'italien.*

P

PARENTHÈSES

La parenthèse est un bref commentaire inséré dans une phrase.

L'acériculture (culture de l'érable à sucre) est une des composantes particulières de l'agriculture québécoise.

L'élément intercalé peut être un mot, un groupe de mots ou une phrase et il n'est pas nécessairement entre parenthèses.

Les parenthèses sont le double signe de ponctuation ( ) qui signale une insertion dans une phrase.

Mettre un exemple entre parenthèses. Ouvrir, fermer une parenthèse.

1° Dans un passage déjà entre parenthèses, on emploie des crochets.

2° Dans un index alphabétique, une liste, les parenthèses indiquent une inversion destinée à faciliter le classement d'un mot, d'une expression. Ainsi, *géographiques (noms)* doit se lire *noms géographiques*.

3° Les parenthèses signifient également une possibilité de double lecture. *Exemple : antichoc(s)*. L'adjectif peut s'écrire ***antichoc*** ou ***antichocs***.

EMPLOIS

Citation
« *Je vous entends demain parler de liberté.* » (Gilles Vigneault)

Date
L'Exposition universelle de Montréal (1967) a été un énorme succès.

Donnée
Ce disque rigide (20 méga-octets) est très fiable.

Exemple
Les ongulés (ex. : éléphant, rhinocéros) sont des mammifères.

Explication
L'ornithorynque (mammifère monotrème) est ovipare.

Formule
L'eau (H_2O) est un composé d'oxygène et d'hydrogène.

Mention
Louis XIV (le Roi Soleil).

Renvoi
Les règles de la ponctuation (VOIR TABLEAU – **PONCTUATION.**).

Sigle, abréviation
L'Office de la langue française (OLF).

parfois adv.
Quelquefois, à l'occasion. *Elle le voit parfois le jeudi.* SYN. de temps à autre, de temps en temps.
parfois, en un seul mot.

parfum n. m.
Le *m* ne se prononce pas, ce nom rime avec *brun.*
Odeur agréable. *Le parfum du lilas.*
Ne pas confondre avec les noms suivants :
– *odeur,* sensation olfactive qui émane d'un corps ;
– *relent,* odeur désagréable.
parf**um.**

parfumé, ée adj.
Imprégné d'une odeur agréable. *Des sachets parfumés à la lavande.*

parfumer v. tr., pronom.
Verbe transitif
Imprégner d'une bonne odeur. *Elle a parfumé son armoire de lavande.*
Verbe pronominal
S'imprégner de parfum. *Elles se sont parfumées légèrement.*
Conjugaison [VOIR MODÈLE – **AIMER**]

parfumerie n. f.
1. Fabrication des parfums.
2. Boutique où l'on vend des parfums.

parfumeur n. m.
parfumeuse n. f.
Personne qui crée ou qui vend des parfums.

pari n. m.
Gageure selon laquelle on risque une somme d'argent en tentant de prédire quelque chose. *Des paris risqués. J'ai fait le pari que notre équipe gagnerait : elle a perdu, donc j'ai dû donner 1 $ à Luc.*
par**i.**

parier v. tr.
1. Faire un pari. *Je parie 10 $ sur cette équipe, sur ce cheval* ou *pour cette équipe, pour ce cheval.* SYN. jouer.
On peut parier une somme d'argent, quelque chose (complément d'objet direct). L'objet du pari est introduit par les prépositions *sur* ou *pour.* Le ou les autres parieurs sont généralement introduits par la préposition *avec. Il a parié avec ses collègues que Luc serait en retard.* La préposition *contre* s'emploie dans l'expression *parier à dix, quinze... contre un.*
2. (FIGURÉ) Affirmer qu'une chose se produira, être certain de quelque chose. *Je parie qu'il sera très intéressé.*
Conjugaison [VOIR MODÈLE – **ÉTUDIER**]
Redoublement du *i* à la première et à la deuxième personne du pluriel de l'indicatif imparfait et du subjonctif présent. *(Que) nous pariions, (que) vous pariiez.*

parieur, euse n. m. et f.
Personne qui aime parier.

parisien, ienne adj. et n. m. et f.
De Paris. *La région parisienne. Ce sont des Parisiens.*
L'adjectif s'écrit avec une minuscule ; le nom, avec une majuscule.

parka n. m. ou f.
Manteau court, souvent fourré, comportant un capuchon. *Des parkas de duvet.*
Ce nom vient de l'inuktitut et s'emploie généralement au masculin au Québec et au féminin, dans la francophonie.

***parking**
Anglicisme pour ***stationnement, parc de stationnement.***

parlé, ée adj.
Exprimé à l'aide de la parole (par opposition à ***écrit***). *Le journal parlé.*

parlement n. m.
1. Assemblée ou ensemble de deux assemblées qui exercent le pouvoir législatif. *Le siège du Parlement est à Québec.*
Si le nom désigne l'assemblée qui exerce le pouvoir législatif, le nom s'écrit avec une majuscule.
2. (PAR EXTENSION) Assemblée représentant un ensemble de pays. *Le Parlement européen.*

parlementaire adj. et n. m. et f.
Du Parlement. *Un régime parlementaire. Un parlementaire, une parlementaire.*

parlementer v. intr.
Négocier longuement en vue d'un accord. *Ils ont parlementé longtemps avant que le ravisseur libère ses otages.* SYN. discuter.
Conjugaison [VOIR MODÈLE – **AIMER**]

parler n. m.
1. Langage, manière de s'exprimer. *Un parler enfantin.*
2. (LINGUISTIQUE) Langue propre à un groupe, à une région. *Le parler des Madelinots est coloré.*

parler v. tr., intr., pronom.
Verbe transitif direct
Faire usage d'une langue. *Parler le français et l'anglais.*
Verbe transitif indirect
1. Exprimer sa pensée, ses sentiments. *Parler de musique, de cinéma. Je ne veux pas parler de ce sujet.*
En ce sens, le verbe se construit avec la préposition ***de.***
2. S'adresser à quelqu'un. *Parler à son ami, avec une amie. Il faudrait parler à la mère de ce garçon.*
En ce sens, le verbe se construit avec les prépositions ***à*** ou ***avec.***
Verbe intransitif
1. Articuler des mots. *Parler plus bas.*
2. S'exprimer. *Il parle bien.*
Verbe pronominal
1. Être parlé. *Le portugais se parle au Portugal et au Brésil.*
2. S'adresser la parole. *Nous nous sommes parlé longuement.*
Le participe passé de ce verbe est invariable, sauf lorsqu'il est employé à la forme pronominale au sens de « être parlé ». *La langue française s'est parlée dans toute l'Europe autrefois.*
Locutions
Cela ne vaut pas la peine d'en parler. Ce n'est pas important.
Parler à tort et à travers. Dire n'importe quoi.
Parler en l'air. Ne pas réfléchir avant de s'exprimer.
Forme fautive
*parler à travers son chapeau. Calque de l'anglais « to talk through one's hat » pour ***parler à tort et à travers.***
Conjugaison [VOIR MODÈLE – **AIMER**]

parleur, euse n. m. et f.
Personne qui parle beaucoup. *Grand parleur, petit faiseur, dit l'adage.*
Locution
Beau parleur. (PÉJORATIF) Personne qui fait de belles phrases, mais qui ne passe pas à l'action.

parloir n. m.
Lieu où l'on reçoit les visiteurs (dans un couvent, une prison).

parlote ou **parlotte** n. f.
(FAMILIER) Conversation insignifiante. *Elle fait la parlote avec la voisine.*

parmesan n. m.
Fromage à pâte dure de la région de Parme.

parmi prép.
Au milieu de. *Il est heureux d'être parmi les personnes retenues, parmi vous, parmi la minorité des élus.*
La préposition s'emploie devant un nom, un pronom au pluriel ou devant un collectif.

parodie n. f.
Caricature, imitation comique. *Ce comédien exécute des parodies très réussies.*

parodier v. tr.
Faire une parodie, imiter le style, le langage de quelqu'un en le ridiculisant. *Cet imitateur parodie le ministre à la perfection.*
Conjugaison [VOIR MODÈLE – **ÉTUDIER**]
Redoublement du ***i*** à la première et à la deuxième personne du pluriel de l'indicatif imparfait et du subjonctif présent. *(Que) nous parodiions, (que) vous parodiiez.*

paroi n. f.
1. Cloison entre deux pièces. *Des parois trop minces.*
2. Surface rocheuse verticale. *Les parois du gouffre.*
par**oi.**

paroisse n. f.
1. Territoire où s'exerce la juridiction d'un ministre du culte (curé, pasteur, etc.). (Recomm. off. OLF)
2. Ensemble des membres d'une paroisse. *Toute la paroisse est au courant.*

paroissial, ale, aux adj.
Relatif à la paroisse. *Des fêtes paroissiales.*

paroissien, ienne n. m. et f.
Membre d'une paroisse.

parole n. f.
1. Faculté d'exprimer la pensée par les mots. *Olivier a la parole facile.*
2. Promesse solennelle. *On peut lui faire confiance, nous avons sa parole. Parole d'honneur, je reviens vous chercher, a-t-il affirmé.* **SYN.** engagement, serment.
Locutions
Adresser la parole à quelqu'un. Parler à quelqu'un.
Couper la parole à quelqu'un. Interrompre quelqu'un.
De belles paroles. Promesses vaines.
Donner sa parole. S'engager solennellement.
La parole est d'argent, mais le silence est d'or. (Proverbe) Parfois, il est plus sage de se taire.
Prendre la parole. Commencer à parler.

paronyme adj. et n. m.
VOIR TABLEAU – **PARONYMES.**

paronymie n. f.
Caractère des mots paronymes.
paron**y**mie.

paroxysme n. m.
Le degré extrême (d'un sentiment, d'une sensation).
paro**xys**me.

parquer v. tr.
1. Mettre des animaux dans un parc. *Parquer des vaches dans un pré.*
2. Mettre en stationnement, garer. *Parquer sa voiture.* **SYN.** stationner.
Conjugaison [VOIR MODÈLE – **AIMER**]

parquet n. m.
Assemblage de lattes de bois qui recouvre le plancher d'une pièce. *Un beau parquet de chêne.*
Ne pas confondre avec le nom ***plancher,*** sol d'une pièce, séparation entre deux étages.
parque**t.**

parrain n. m.
1. Celui qui a la responsabilité morale d'un enfant, en cas de décès des parents. *Le parrain et la marraine, le filleul et la filleule.*
2. (FAMILIER) Chef d'une mafia.

parrainer v. tr.
Donner son soutien à, cautionner (une entreprise, une œuvre). *Ils ont accepté de parrainer notre campagne de sensibilisation.*
Conjugaison [VOIR MODÈLE – **AIMER**]

parsemer v. tr.
1. Jeter des choses çà et là. *Elle parsème ses cheveux de fleurs.*
2. Être répandu çà et là. *Les marguerites qui parsèment l'herbe.*
Conjugaison [VOIR MODÈLE – **LEVER**]
Le ***e*** se change en ***è*** devant une syllabe muette. *Il parsème, nous parsemons.*

part n. f.
1. Portion qui revient à quelqu'un. *Sa part représente le quart des profits.*
Après un nom collectif suivi d'un complément au pluriel, le verbe se met au singulier ou au pluriel suivant l'intention de l'auteur qui veut insister sur l'ensemble ou sur la pluralité. *Une part des propriétés sera vendue,* ou *seront vendues.*
VOIR TABLEAU – **COLLECTIF.**
2. Partie d'un tout destiné à être divisé. *Découper une tarte en quatre parts.*
La locution ***à parts égales*** est critiquée. On lui préférera ***à égalité de parts, en parts égales.***
Locutions
À part, locution adverbiale. Séparément. *Mettez ces produits à part.*
De la part de, locution prépositive. Au nom de. *De la part d'un ami qui vous veut du bien.*
De part en part, locution adverbiale. D'un côté à l'autre. *L'arbre a été traversé par une balle de part en part.*
De part et d'autre, locution adverbiale. De tous les côtés. *Ils sont venus de part et d'autre du pays.*
De toutes parts, de toute part, locution adverbiale. De partout. *Des insectes s'infiltraient de toutes parts.*
Les deux formes sont correctes, mais le pluriel est plus fréquent.
En bonne part, en mauvaise part, locutions adverbiales. Interpréter en bien, en mal. *À l'origine, le mot* ***aléa*** *s'employait en bonne ou en mauvaise part.*
Faire part de quelque chose à quelqu'un. Informer quelqu'un de quelque chose. *Tu lui as fait part de ton inquiétude.*
Mis à part, locution prépositive. À l'exception de. *Mis à part cette personne, tous ont accepté de participer.*
Dans cette expression, ***mis*** est invariable.
Nulle part, locution adverbiale. En aucun endroit. *Je ne le trouve nulle part.*
Pour ma part, locution adverbiale. Quant à moi. *Pour ma part, je lui donne raison.*
Prendre part à. Participer. *Ils prendront part à la fête.*

PARONYMES

Mots qui se ressemblent, mais qui n'ont pas la même signification.

Exemples :

abajoue et **bajoue**

abajoue Joue de certains animaux (singes, rongeurs) servant à mettre des aliments en réserve. *Cet écureuil a des glands dans ses abajoues.*

bajoue Joue pendante. *Les bajoues du vieux notaire.*

vénéneux Qui contient une substance toxique, en parlant des végétaux, des substances minérales. *Un champignon vénéneux.*

et

venimeux Qui contient du venin, en parlant d'un animal. *Un serpent venimeux.*

abaisser Amener à un point plus bas. *Abaisser une manette.*

et

baisser Amener à son point le plus bas. *Baisser un drapeau.*

éruption Sortie brutale. *Une éruption volcanique.*

et

irruption Entrée soudaine de personnes dans un lieu. *Faire irruption.*

Ne pas confondre avec les noms suivants :

- ***antonymes,*** mots qui ont une signification contraire :
  devant, derrière;
- ***homonymes,*** mots qui s'écrivent ou se prononcent de façon identique sans avoir la même signification :
  air, aire, ère, erre, hère;
- ***synonymes,*** mots qui ont la même signification ou une signification très voisine :
  gravement, grièvement.

QUELQUES EXEMPLES DE PARONYMES

accident	et	incident	nationaliser	et	naturaliser
amener	et	emmener	original	et	originaire
décade	et	décennie	prodige	et	prodigue
effraction	et	infraction	proscrire	et	prescrire
éminent	et	imminent	stalactite	et	stalagmite
lacune	et	lagune	usé	et	usagé
latitude	et	longitude	vénéneux	et	venimeux

VOIR TABLEAU – **ANTONYMES.**
VOIR TABLEAU – **HOMONYMES.**
VOIR TABLEAU – **SYNONYMES.**

Dans cette expression, le nom est invariable.
Quelque part, locution adverbiale. En quelque lieu. *Vous ai-je déjà vu quelque part ?*
Forme fautive
*part. (BOURSE) Anglicisme au sens de ***action.***

partage n. m.
Division d'une chose en plusieurs parts. *Le partage d'un gâteau en dix portions.* **SYN.** répartition.

partager v. tr., pronom.
Verbe transitif
1. Diviser une chose en plusieurs parts. *Nous partagerons un terrain en trois parties. Ils ont partagé les tâches entre les quatre colocataires.* **SYN.** répartir.
2. Participer à quelque chose. *Partager un repas, le chagrin d'un ami.*
3. Posséder, utiliser avec d'autres. *Partager une maison avec quelqu'un.*
En ce sens, le verbe se construit avec la préposition ***avec.***
Verbe pronominal
1. Répartir entre plusieurs. *Ils se sont partagé les profits.*
2. Répartir son temps. *Il se partage entre sa famille et son travail.*
Conjugaison [VOIR MODÈLE – **CHANGER**]
Le ***g*** est suivi d'un ***e*** devant les lettres ***a*** et ***o.*** *Il partagea, nous partageons.*

partance n. f.
Se dit d'un bateau, d'un avion, d'un train sur le point de partir. *Avion en partance.*
Locution
En partance pour. À destination de. *Ce bateau est en partance pour Marseille.* **SYN.** en provenance de.

partenaire n. m. et f.
Personne avec qui l'on est associé, lié. *Vous avez là une excellente partenaire.*

parterre n. m.
1. Partie d'un jardin où sont disposés des motifs floraux. *De grands parterres de tulipes entourent le petit lac.*
2. Dans une salle de spectacle, ensemble des places derrière l'orchestre. *Un fauteuil au parterre.*

parti n. m.
1. Groupe de personnes partageant une opinion, des intérêts, etc. *Un parti politique.*
Les noms de partis politiques prennent une majuscule. *Le Parti québécois, le Nouveau Parti démocratique.* Les noms des adeptes de partis politiques s'écrivent avec une minuscule. *Les libéraux, les conservateurs.*
2. Solution, façon de régler un problème. *Hésiter entre divers partis.*
Locutions
Parti pris. Préjugé, idée toute faite. *J'ai un parti pris contre la lutte : ce sport me paraît très violent.*
L'expression s'écrit sans trait d'union.
Prendre le parti de. Se décider en faveur de.
Prendre parti. Prendre position. *Elles ont pris parti pour une restructuration.* **SYN.** choisir.
Prendre son parti de quelque chose. Se résigner. *Il a pris son parti de ce congédiement et s'est décidé à déménager.*
Tirer parti de. Profiter. *Ils ont su tirer parti de la situation.* **SYN.** exploiter.
Dans ces expressions, le nom reste au singulier.

partial, ale, aux adj.
Le ***t*** se prononce comme un ***s*** ; l'adjectif rime avec ***glacial.***
Qui favorise quelqu'un, quelque chose au préjudice d'un autre, injuste. *Des avis partiaux.* **ANT.** impartial.
Ne pas confondre avec le mot ***partiel,*** incomplet.

partialité n. f.
Préférence injuste. **ANT.** impartialité.

participant, ante adj. et n. m. et f.
Personne qui participe (à une activité, une réunion, une compétition, etc.). *Les participants étaient enthousiastes.*
Ne pas confondre avec le participe présent invariable ***participant.*** *On a remercié tous les invités participant à la fête.*

participation n. f.
Action de participer, de collaborer à quelque chose. **SYN.** collaboration.

participe n. m.
VOIR TABLEAU – **PARTICIPE PASSÉ.**
VOIR TABLEAU – **PARTICIPE PRÉSENT.**

participer v. tr. ind.
Prendre part à. *Participer à une discussion. Alain participera à la fête.* **SYN.** s'associer, collaborer.
Le verbe se construit avec la préposition ***à.***
Conjugaison [VOIR MODÈLE – **AIMER**]

particularité n. f.
Caractéristique. *Des particularités intéressantes.*

particule n. f.
Très petite partie d'une matière, morceau microscopique de quelque chose. *Il y a des particules en suspension dans l'eau de la rivière.*

particulier, ière adj. et n. m.
Adjectif
1. Qui appartient en propre (à quelqu'un, à quelque chose). *Elle a une voix très particulière.* **SYN.** personnel, propre. **ANT.** commun, général.
2. Individuel, distinctif. *Des traits particuliers. Un cas particulier.* **SYN.** spécial.
3. Destiné à une ou quelques personnes. *Des cours particuliers* (et non des cours *privés) *de piano.*
Nom masculin
Personne privée. *Cet immeuble appartient à un particulier et non à une entreprise.*
Locutions
En particulier, locution adverbiale. Seul à seul, en privé. *J'aimerais vous parler en particulier.*
En particulier, locution adverbiale. Spécialement. *Elle adore les fruits, en particulier les framboises.*
Forme fautive
*particulier. Anglicisme au sens de ***soigneux, méticuleux, propre.***

particulièrement adv.
Spécialement, de façon particulière. *Alex aime particulièrement la crème glacée aux pistaches : c'est celle qu'il préfère.*

partie n. f.
1. Élément d'un ensemble. *Une partie des élèves.*
Après ***une partie de, une petite partie de, une grande partie de, la majeure partie de...,*** suivi d'un complément au pluriel, le verbe s'accorde avec le collectif ou avec le complément suivant l'intention de l'auteur qui veut marquer l'ensemble ou la pluralité. *La majeure partie des étudiants a refusé. Une grande partie des jardins ont été cultivés.*
VOIR TABLEAU – **COLLECTIF.**

2. Divertissement, jeu. *Une partie de hockey, une partie de cartes.*
Locutions
Faire partie de. Appartenir à. *Ils font partie de ce groupe.*
Dans cette expression, le nom reste au singulier.
Partie de sucres. Fête printanière qui se tient dans une érablière et au cours de laquelle on déguste les produits de l'érable.
Partie remise. Évènement différé. *Quel dommage que tu ne puisses venir à cette fête ! Ce sera partie remise, nous nous reprendrons une autre fois.*

partiel, elle adj.
1. Qui ne concerne qu'une partie d'un tout. *Voici la liste partielle des élèves de l'école : elle ne comprend pas les noms des élèves du secondaire.*
2. Incomplet. *Des résultats partiels.* **ANT.** complet, entier, total.
Locution
À temps partiel, locution adverbiale. Quelques heures par semaine. **ANT.** à temps complet, à temps plein.
Ne pas confondre avec le mot ***partial,*** injuste.

partiellement adv.
En partie. *Nous avons atteint nos objectifs partiellement : certains ont été atteints, d'autres pas.*

partir v. intr.
VOIR TABLEAU – **PARTIR.**

partisan, ane adj. et n. m. et f.
Adjectif
Qui témoigne d'un parti pris. *Une attitude partisane.*
Nom masculin et féminin
Personne favorable à. *C'est une partisane du nationalisme.*

partition n. f.
Le ***t*** de la dernière syllabe se prononce comme un ***s***, le mot rime avec ***direction.***
Ensemble des parties d'une composition musicale qui sont notées par écrit. *Il est difficile de jouer du piano sans partition.*

partout adv.
En tous lieux. *Je vous ai cherchés partout.*
partou**t.**

***party**
Anglicisme pour ***partie, surprise-partie, fête.***

parure n. f.
Ce qui décore, embellit. *Une parure de perles.* **SYN.** ornement.

parution n. f.
Le ***t*** se prononce comme un ***s***, le mot rime avec ***lotion.***
Fait d'être publié, en parlant d'un livre, d'un article. *La date de parution est indéterminée.*

parvenir v. intr.
1. Arriver à destination. *Il est parvenu au sommet de la montagne.*
2. (FIGURÉ) Atteindre le but fixé. *Elle est parvenue à le convaincre.* **SYN.** réussir.
3. Transmettre. *Étienne a fait parvenir une lettre à sa cousine au Liban.*
Conjugaison [VOIR MODÈLE – **VENIR**]
Le verbe se conjugue avec l'auxiliaire ***être.***

pas n. m.
1. Mouvement de mettre un pied devant l'autre pour marcher. *Il fait de grands pas, elle hâte le pas pour le suivre.*
2. Façon de marcher. *Un pas cadencé, un pas de gymnastique.*
3. Trace laissée par une personne en marchant. *Les enfants ont raconté avoir vu des pas dans la neige.*
Locutions
À pas de loup, locution adverbiale. Très doucement pour ne pas être entendu.
De ce pas, locution adverbiale. Immédiatement. *J'y vais de ce pas !*
Faire les premiers pas. Prendre l'initiative.
Faire un faux pas. Glisser en marchant. *Il a fait un faux pas et s'est tordu la cheville.*
Faire un faux pas. (FIGURÉ) Commettre une faute, une erreur.
Marquer le pas. (FIGURÉ) Ne pas progresser.
Mettre quelqu'un au pas. (FIGURÉ) Lui faire entendre raison.
Pas à pas, locution adverbiale. À pas lents.
Pas de la porte. Seuil.
Se tirer d'un mauvais pas. Trouver une solution à une situation difficile.

pas adv.
L'adverbe de négation est généralement précédé des particules de négation ***ne*** ou ***non.*** *Elle ne viendra pas. Non pas que je sois inquiète...*
VOIR TABLEAU – **NE, NON.**

passable adj.
Ni bon, ni mauvais, mais néanmoins satisfaisant. *Une note passable.* **SYN.** acceptable, moyen.

passage n. m.
1. Action de passer. *Un droit de passage. Passage interdit.*
2. Extrait d'un ouvrage que l'on cite. *Lisez ce passage, il est très beau.*
Locutions
De passage, locution adverbiale. Momentanément, pour un temps très court. *Elle est de passage à Québec.*
Passage à niveau. Croisement d'une route et d'une voie ferrée. *Des passages à niveau dangereux.*

passager, ère adj. et n. m. et f.
Adjectif
Qui dure peu longtemps. *Un malaise passager, vite disparu.* **SYN.** momentané, temporaire.
Ne pas confondre avec le mot ***passant,*** qui se dit d'un endroit où passe beaucoup de monde.
Nom masculin et féminin
Personne qui utilise un moyen de transport. *Il y a 325 passagers dans cet avion.* **SYN.** voyageur.

passant, ante adj. et n. m. et f.
Adjectif
Où il passe beaucoup de monde. *Une rue passante.* **SYN.** animé.
Ne pas confondre avec le mot ***passager,*** qui se dit d'une chose qui dure peu longtemps.
Nom masculin et féminin
Personne qui passe. *Les passants regardent les vitrines.*

passe n. m.
Abréviation familière du nom ***passe-partout.***

passe n. f.
Action de passer quelque chose à quelqu'un. *Faire une passe à un coéquipier pour qu'il marque un but.*
Locutions
Être dans une mauvaise passe. Se trouver en difficulté.
Être en passe de. Être sur le point de. *Ils sont en passe de réussir.*
Mot de passe. Mot secret par lequel on peut se faire reconnaître. *Des mots de passe connus.*

ACCORD DU PARTICIPE PASSÉ

1. Participe passé employé seul

ACCORD AVEC LE NOM AUQUEL IL SE RAPPORTE

Employé sans auxiliaire, le participe passé est comme un adjectif : il s'accorde en genre et en nombre **avec le nom auquel il se rapporte.**

Un garçon encouragé. Une élève décidée. Des spectateurs éblouis.

Si le participe passé se rapporte à des noms de genres différents, il se met au masculin pluriel. *Des adolescentes et des adolescents intéressés.*

2. Participe passé employé avec l'auxiliaire *être*

ACCORD AVEC LE SUJET DU VERBE

Employé avec l'auxiliaire ***être***, le participe passé est attribut du sujet : il s'accorde en genre et en nombre ***avec le sujet du verbe.***

La maison est aménagée avec goût. Les enfants sont emballés par ce jeu.

Si le verbe a des sujets de genres différents, le participe passé se met au masculin pluriel. *Julie et Olivier sont ravis d'être invités.*

2.1 Participe passé employé avec certains verbes d'état

ACCORD AVEC LE SUJET DU VERBE

Employé avec certains verbes d'état (***demeurer, paraître, sembler...***), le participe passé est attribut du sujet comme avec le verbe ***être*** : il s'accorde en genre et en nombre **avec le sujet du verbe.** *Ils semblent fatigués. Elles demeurent charmées par cette jolie mélodie. Les élèves paraissent captivés par ce film.*

3. Participe passé employé avec l'auxiliaire *avoir*

ACCORD AVEC LE COD QUI PRÉCÈDE LE VERBE

- Employé avec l'auxiliaire ***avoir***, le participe passé s'accorde en genre et en nombre **avec le complément d'objet direct** (COD) **s'il précède le verbe.**

  La pomme que j'ai mangée. Les amis que j'ai rencontrés.

  Pour trouver le complément d'objet direct, on pose la question ***qui ?*** ou ***quoi ?*** après le verbe. J'ai mangé ***quoi ? Que***, mis pour ***pomme***. J'ai rencontré ***qui ? Que,*** mis pour ***amis***.

- Le complément d'objet direct précède le verbe : accord du participe passé.

- Si le complément d'objet direct suit le verbe : participe passé invariable.

  J'ai mangé une pomme et j'ai rencontré des amis.
  J'ai mangé ***quoi ? Une pomme***. J'ai rencontré ***qui ? Des amis.***

- Si le verbe n'a pas de complément d'objet direct, le participe passé reste invariable.

  Martine et Vincent ont parlé à leurs amis. Les travaux de construction ont débuté.

Dans la première phrase, le verbe a un complément d'objet indirect. Martine et Vincent ont parlé ***à qui ?*** Dans la seconde phrase, il n'y a pas de complément : le participe passé reste invariable.

suite ►

CAS PARTICULIERS

3.1 Participe passé employé avec l'auxiliaire *avoir* et suivi d'un infinitif

– Le participe passé suivi de l'infinitif s'accorde en genre et en nombre avec le complément d'objet direct qui précède le verbe si celui-ci accomplit l'action marquée par l'infinitif.

Les oiseaux que j'ai entendus chanter.

J'ai entendu ***qui ? Que,*** mis pour ***oiseaux.***
On peut reformuler la phrase pour vérifier si l'infinitif traduit une action accomplie par le complément d'objet direct en employant la locution ***en train de*** suivie de l'infinitif. *J'ai entendu les oiseaux en train de chanter.*
Ce sont les oiseaux qui font l'action de chanter et le complément d'objet direct ***que,*** mis pour ***oiseaux*** précède le verbe : il y a donc accord du participe passé.

3.2 Participe passé des verbes impersonnels

Le participe passé des verbes impersonnels est toujours invariable.

Les explosions qu'il y a eu.

3.3 Participe passé précédé d'un collectif accompagné d'un complément au pluriel

Le participe passé s'accorde avec le collectif singulier (***classe, foule, groupe, multitude***...), ou avec le complément au pluriel, suivant l'intention de l'auteur qui veut insister sur l'ensemble ou sur la pluralité.

La multitude des touristes que j'ai vue ou *vus.*

VOIR TABLEAU – **COLLECTIF.**

3.4 Participe passé se rapportant aux pronoms *en* ou *le*

Le participe passé qui a pour complément d'objet direct le pronom ***en*** ou le pronom neutre ***le*** reste invariable.

J'ai cueilli des framboises et j'en ai mangé.

– Si le pronom ***en*** est précédé d'un adverbe de quantité (***autant, beaucoup, combien, moins, plus...***), le participe passé peut s'accorder en genre et en nombre avec le nom qui précède ou rester invariable. *Des limonades, combien j'en ai bues.*

3.5 Participe passé des verbes pronominaux

VOIR TABLEAU – **PRONOMINAUX.**

p

PARTICIPE PRÉSENT

Le participe présent exprime une action qui a lieu **en même temps** que l'action du verbe qu'il accompagne.

En jouant dehors, les enfants ont admiré le beau coucher de soleil.

Le participe présent pourrait être remplacé par une proposition subordonnée relative. *Les enfants qui jouaient dehors ont admiré le beau coucher de soleil.*

FORME

Le participe présent se termine toujours par ***-ant***. *Aimant, dormant, marchant, voyant.* Le participe présent des verbes du deuxième groupe [VOIR MODÈLE – **FINIR**] se termine par ***-issant***. *Finissant, bâtissant, polissant, remplissant.*

ACCORD

Le participe présent est **invariable**.

Autrefois, le participe présent était variable. En 1679, l'Académie française décidait qu'il serait dorénavant invariable.

CONSTRUCTION

Le verbe de la proposition et le participe présent doivent avoir le même sujet.

Il est fautif d'employer un participe présent qui ne se rapporte pas au sujet du verbe qu'il accompagne.

Exemple de construction fautive : *Affichant des prix trop élevés, les clients de ce commerce préfèrent acheter ailleurs.

Explication : Le sujet de la proposition est le nom **clients** alors que le participe présent se rapporte à **commerce**. Il faudrait plutôt écrire : *Les clients préfèrent acheter ailleurs parce que ce commerce affiche des prix trop élevés.*

PARTICIPE PRÉSENT ET ADJECTIF VERBAL

L'adjectif verbal joue le rôle d'un qualificatif ou d'un attribut : il exprime **une manière d'être**. Contrairement au participe présent invariable, l'adjectif verbal s'accorde en genre et en nombre avec le nom ou le pronom auquel il se rapporte. *Des livres passionnants, des résultats excellents.*

De nombreux adjectifs verbaux ont des orthographes différentes de celles du participe présent. On consultera l'adjectif verbal à son entrée alphabétique où les distinctions avec le participe présent correspondant sont données.

p

Exemples de différences orthographiques

PARTICIPE PRÉSENT		ADJECTIF VERBAL
adhérant	et	adhérent
communiquant	et	communicant
convainquant	et	convaincant
différant	et	différent
équivalant	et	équivalent
excédant	et	excédent
excellant	et	excellent
fatiguant	et	fatigant
influant	et	influent
intriguant	et	intrigant
négligeant	et	négligent
précédant	et	précédent
provoquant	et	provocant
somnolant	et	somnolent
suffoquant	et	suffocant
vaquant	et	vacant

Forme fautive
*passe. Au sens de ***laissez-passer, carte d'abonnement, billet de faveur,*** ce mot est ancien.

passe- préf.
Certains mots composés avec le préfixe ***passe-*** s'écrivent avec un trait d'union. *Un passe-partout.* D'autres s'écrivent en un seul mot. *Un passeport.* Le préfixe ***passe-*** étant un verbe, il ne prend pas la marque du pluriel.

passé n. m.
1. Temps qui a été. *Cette histoire appartient au passé.* **ANT.** futur. VOIR TABLEAU – **PASSÉ (TEMPS DU).**
2. Vie passée. *Elle a un passé difficile.* **ANT.** avenir.

passé prép.
Après, au-delà de. *Passé 17 heures, le magasin est fermé.* Placé en tête de phrase, le participe ***passé*** est considéré comme une préposition et demeure invariable.

***passé date**
Anglicisme pour ***périmé.***

***passé dû**
Calque de l'anglais « past due » pour ***échu, en souffrance.***

passe-montagne n. m. (pl. *passe-montagnes*)
Bonnet de laine qui couvre les oreilles et la nuque. **SYN.** cagoule.

PARTIR

VERBE INTRANSITIF

1. Quitter un lieu. **SYN.** s'en aller.

Partiras-tu à la campagne cet été ? Elle est partie en voyage.

Le verbe se conjugue avec l'auxiliaire ***être***.

2. Prendre le départ, se mettre en marche.

« Rien ne sert de courir : il faut partir à point. » (Jean de La Fontaine, « Le Lièvre et la Tortue »). *Le cheval est parti au galop. Papa n'arrive pas à faire partir le moteur.*

Le verbe ***partir*** est intransitif : il ne peut se construire avec un complément direct.
Ex. : On ne peut pas *partir une moto, on ***fait partir une moto***. On ne peut pas *partir une entreprise ou *partir une mode, ***on crée*** ou ***on lance une entreprise*** ou ***une mode.***

3. Se déclencher, en parlant d'une arme à feu ; jaillir, en parlant d'un projectile.

Faire partir un pétard, une fusée dans un feu d'artifice.

4. Avoir pour point de départ.

Cet avion part de Montréal pour aller à Chicoutimi.

5. Disparaître. **SYN.** s'enlever.

J'espère que cette tache d'encre partira au lavage.

Locutions

À partir de, locution prépositive. À compter de, dès (temps). *À partir du 1er décembre jusqu'à la fin du mois, les magasins sont ouverts tous les soirs.*

À partir de, locution prépositive. Après (lieu). *À partir de Sainte-Adèle, la route est fermée en raison de la tempête de neige.*

Formes fautives

*partir en affaires, partir une entreprise. Calques de l'anglais pour ***créer une entreprise, lancer une affaire, une entreprise, s'établir à son compte.***

*partir une mode. Calque de l'anglais pour ***lancer une mode.***

Conjugaison [VOIR MODÈLE – **SORTIR**]

INDICATIF PRÉSENT *Je pars, tu pars, il part, nous partons, vous partez, ils partent.* IMPARFAIT *Je partais.* PASSÉ SIMPLE *Je partis.* FUTUR *Je partirai.* **CONDITIONNEL** PRÉSENT *Je partirais.* **IMPÉRATIF** PRÉSENT *Pars, partons, partez.* **SUBJONCTIF** PRÉSENT *Que je parte.* IMPARFAIT *Que je partisse.* **PARTICIPE** PRÉSENT *Partant.* PASSÉ *Parti, ie.*

L'**IMPARFAIT** exprime :

– un **fait** qui dure **dans le passé.**
Autrefois, on s'éclairait à la chandelle.

– un fait **non achevé** quand un autre a eu lieu.
Il pleuvait quand nous sommes arrivés à Gaspé.

– un **fait habituel** dans le **passé**.
Quand il faisait beau, elles allaient toujours se baigner.

– un **fait hypothétique** qui pourrait se réaliser si la condition de la subordonnée était remplie.
Si j'économisais, je pourrais m'acheter un vélo.

Note – Le verbe de la principale est au conditionnel présent et la proposition subordonnée conditionnelle est introduite par la conjonction ***si***.

Le **PASSÉ SIMPLE** exprime :

– un **fait passé** qui s'est produit en un **temps précis** et qui est **complètement achevé**, sans continuité avec le présent.
C'est à l'automne qu'il vint nous rendre visite.
Note – Le passé simple décrit des actions coupées du présent qui ont un début et une fin (fait ponctuel), alors que le passé composé marque un fait, une action qui dure encore. Dans la langue parlée, le passé simple est peu employé et relève plutôt de la langue littéraire en raison de ses terminaisons trop difficiles. Oralement, et même par écrit, ce temps est remplacé plutôt par le passé composé ou par l'imparfait.

– un **fait historique**.
Madeleine de Verchères se battit courageusement contre les Iroquois.
Note – Le passé simple convient particulièrement à la narration dans le passé.

Le **PASSÉ COMPOSÉ** (ou **passé indéfini**) exprime :

– un **fait passé** à un moment déterminé qui demeure **en contact avec le présent**.
Mes grands-parents ont fait un potager et ont récolté de beaux légumes.
Note – À la différence du passé simple, le passé composé marque une durée qui dure encore, un fait passé dont les conséquences sont actuelles, dont le résultat est encore présent.

– une **vérité générale,** un **fait d'expérience** qui remonte au passé, mais qui est **toujours vrai.**
Les Beaucerons ont toujours eu l'esprit d'initiative.

– un **fait passé** dont les **conséquences** sont **actuelles**.
Il n'a pas eu le temps de déjeuner aujourd'hui.

– un **fait non encore accompli**, mais **sur le point de l'être**.
Je suis à vous dans quelques minutes, j'ai terminé.

– un **futur antérieur** avec ***si***.
Si tu n'as pas terminé tes devoirs, nous n'irons pas au cinéma.
Note – Le passé composé de la plupart des verbes est formé à partir du présent de l'indicatif de l'auxiliaire ***avoir*** auquel est ajouté le participe passé du verbe conjugué. *Sophie a joué. Antoine a couru.* Cependant, certains verbes intransitifs ou pronominaux se conjuguent avec l'auxiliaire ***être***. *Elle est née le 31 juillet 1976. Vincent s'est toujours souvenu d'elle.*

Le **PASSÉ ANTÉRIEUR** exprime :

– un **fait ponctuel** qui a **précédé un fait passé** (il a eu lieu avant cette action passée).
Dès qu'il eut remis son rapport, il se sentit en vacances.
Note – Peu utilisé, le passé antérieur s'emploie surtout dans une proposition subordonnée temporelle après une conjonction ou une locution conjonctive, ***lorsque, dès que, aussitôt que, quand, après que...,*** où il accompagne un verbe principal au passé simple.
Note – Le passé antérieur est formé à partir du passé simple des auxiliaires ***avoir*** ou ***être*** auquel est ajouté le participe passé du verbe conjugué.

Le **PLUS-QUE-PARFAIT** exprime :

– un **fait** entièrement **achevé** lors d'un **autre fait passé**.
Nous avions tout rangé quand nos parents sont rentrés.

p

passe-partout adj. inv. et n. m. inv. (pl. *passe-partout*)
Adjectif invariable
Qui convient en toute circonstance. *Une jupe passe-partout.*
Nom masculin invariable
Abréviation familière ***passe.***
Ce qui permet d'ouvrir plusieurs serrures.

passe-passe (tour de) loc.
Tour d'adresse. *Le magicien exécute des tours de passe-passe.*

passeport n. m.
Pièce d'identité officielle. *Il a un passeport français, elle a un passeport canadien.*
passeport, en un seul mot.

passer v. tr., intr., pronom.
Verbe transitif
1. Traverser. *Passer une rivière, le seuil d'une porte.*
2. Prêter. *Passe-moi ton dictionnaire.*
3. Employer. *Julien passe la tondeuse dans le jardin.* **SYN.** utiliser.
4. Mettre sur soi. *Passer un tricot.*
5. Subir une épreuve. *Je passerai mon examen de français le 20 mai.*
Verbe intransitif
1. Aller quelque part en traversant un lieu. *Passer par les montagnes. Passeras-tu par Trois-Rivières pour aller à Québec ?*
2. Disparaître, s'écouler. *Le temps passe trop vite.*
3. Être admis, réussir. *Fanny passera en 5e année bientôt. C'est formidable, j'ai passé !*
4. Être diffusé (à la télévision, au cinéma). *Cette émission passera à la télévision ce soir. Ce film ne passe plus dans les cinémas de Québec.*
Le verbe se conjugue avec l'auxiliaire ***avoir*** à la forme transitive. *Elle a passé ses vacances à la montagne.* Il se conjugue généralement avec l'auxiliaire ***être*** à la forme intransitive. *L'hiver est enfin passé.* L'emploi de l'auxiliaire ***avoir*** est un peu vieilli. *L'hiver a passé.*
Verbe pronominal
1. Avoir lieu. *L'histoire se passe au Moyen Âge.*
2. S'écouler. *Deux ans se sont passés.*
3. Se prêter. *Elles se sont passé des livres.*
Attention au participe passé qui reste invariable si le complément d'objet direct suit le verbe.
4. Se priver de. *Elles se sont passées de gâteaux.* **SYN.** s'abstenir.
Au sens de ***se priver, s'abstenir de,*** le participe passé s'accorde avec le sujet du verbe.
En ce sens, le verbe s'accorde avec le sujet du verbe
Locutions
En passant, locution adverbiale. Incidemment. *Soit dit en passant, j'avais prévu sa réaction.*
Passer pour. Être jugé comme. *Il passe pour un menteur.*
Passer tout droit. Dépasser par erreur sa destination, se lever en retard.
Passer un examen. Subir une épreuve d'évaluation (bien ou mal). *Je passerai mon examen de physique demain.*
Passer un sapin. (FAMILIER) Rouler quelqu'un. *Il nous a passé un sapin, il nous a eus.*
Forme fautive
*passer (une loi, un règlement). Anglicisme pour ***voter*** (une loi), ***établir*** (un règlement).
Conjugaison [VOIR MODÈLE – **AIMER**]

passereau n. m. (pl. *passereaux*)
Type d'oiseau. *L'alouette et le moineau font partie des passereaux.*

passerelle n. f.
Pont étroit réservé aux piétons. *Une passerelle d'avion.*

passe-temps n. m. inv. (pl. *passe-temps*)
Divertissement. *Des passe-temps intéressants* (et non des *hobbies). **SYN.** amusement, distraction, jeu.

passible adj.
Qui mérite une amende, une peine à la suite d'un délit, d'un crime. *Il est passible de dix ans d'emprisonnement.*

passif, ive adj.
1. Inactif. *Agis, ne reste pas passif !* **SYN.** amorphe, inerte. **ANT.** actif.
2. (GRAMMAIRE) Se dit de la forme verbale où le sujet subit l'action. *« L'orange est cueillie par l'enfant » est une forme passive.*

passif n. m.
1. (COMPTABILITÉ) Ensemble des dettes d'une personne. *L'actif et le passif.*
2. (GRAMMAIRE) La **voix passive** du verbe exprime l'action à partir de l'objet qui la subit, alors que la **voix active** considère l'action à partir du sujet qui la fait.
– À la **forme active** on écrira : *la fillette mange la pomme.*
– À la **forme passive,** les rôles sont inversés : *la pomme est mangée par la fillette.*
En principe, tous les verbes transitifs directs peuvent se construire au passif puisque c'est le complément d'objet direct de l'actif qui devient le sujet de la construction passive. Dans les faits, les verbes ***avoir*** et ***pouvoir*** ne peuvent être mis au passif. La voix passive se construit avec l'auxiliaire ***être*** et le participe passé s'accorde toujours avec le sujet du verbe.
VOIR TABLEAU – **VERBE.**

passion n. f.
1. Penchant irrésistible pour une personne. *Cette femme est sa passion.* **SYN.** adoration, amour.
2. Goût très vif pour quelque chose. *Il a la passion de l'informatique.*
Le nom qui désigne le supplice du Christ s'écrit avec une majuscule. *La semaine de la Passion.*

passionnant, ante adj.
Qui cause un vif intérêt. *Des documentaires passionnants.* **SYN.** captivant, excitant, intéressant, prenant.
Ne pas confondre avec le participe présent invariable ***passionnant.*** *La foule était nombreuse, les étudiants se passionnant pour ce chanteur.*
passio**nn**ant.

passionné, ée adj. et n. m. et f.
Adjectif
Ardent, fervent. *Une personne passionnée de cinéma.* **SYN.** mordu.
Nom masculin et féminin
Personne animée de passion. *C'est une passionnée de voile.*
passio**nn**é.

passionnément adv.
D'une manière passionnée. *Un peu, beaucoup, passionnément, à la folie.*
passio**nn**ément.

passionner v. tr., pronom.
Verbe transitif
Causer un vif intérêt. *Cette présentation a passionné l'auditoire.* **SYN.** captiver, intéresser.

P

Verbe pronominal
Éprouver une passion. *Il se passionne pour l'astronomie.*
À la forme pronominale, le verbe se construit toujours avec la préposition ***pour.***
Conjugaison [VOIR MODÈLE – **AIMER**]
passio**nn**er.

passoire n. f.
Ustensile destiné à filtrer, à égoutter des aliments.

pastel adj. inv. et n. m.
Adjectif de couleur invariable
Se dit d'une teinte atténuée, douce comme celle du pastel. *Des tons pastel. Des tricots bleu pastel.*
VOIR TABLEAU – **COULEUR (ADJECTIFS DE).**
Nom masculin
1. Crayon composé d'agglomérés de couleur. *Des pastels de toutes les couleurs.*
2. Œuvre exécutée au pastel. *Un pastel d'un paysage.*

pastèque n. f.
1. Plante cultivée pour son fruit volumineux à pulpe rose.
2. Ce fruit. *La pastèque est fraîche et sucrée.* **SYN.** melon d'eau.
pastè**que.**

pasteur n. m.
Ministre du culte protestant.

pasteuriser v. tr.
Chauffer un liquide alimentaire de façon à détruire les microbes tout en conservant son goût et sa valeur nutritive. *Pasteuriser du lait.*
Conjugaison [VOIR MODÈLE – **AIMER**]

pastille n. f.
Bonbon, médicament ayant une forme arrondie. *Une pastille de menthe.*

pastoral, ale, aux adj.
1. (LITTÉRAIRE) Qui appartient aux bergers. *Des chants pastoraux.*
2. Relatif à un pasteur spirituel.

patate n. f.
(FAMILIER) Pomme de terre.
Locution
Patate douce. Plante dont les racines comestibles ont un goût sucré. *La patate douce ressemble à la pomme de terre.*
Formes fautives
*patate sucrée. Calque de l'anglais « sweet potato » au sens de ***patate douce.***
*patates pilées. Impropriété pour ***purée*** (de pommes de terre).

pataud, aude adj. et n. m. et f.
Adjectif
Lourd, gauche. *Des manières pataudes.*
Nom masculin et féminin
Personne à l'allure lourde et maladroite. **SYN.** gauche.
patau**d.**

patauger v. intr.
Marcher dans l'eau, la boue. *Nous pataugeons dans la neige fondante.*
Conjugaison [VOIR MODÈLE – **CHANGER**]
Le ***g*** est suivi d'un **e** devant les lettres ***a*** et ***o.*** *Il pataugea, nous pataugeons.*

pâte n. f.
1. Mélange à base de farine que l'on pétrit. *Une pâte feuilletée.*
2. Substance plus ou moins consistante. *Une pâte d'amandes, une pâte de fruits. De la pâte dentifrice.*
3. (AU PLURIEL) Produits à base de semoule de blé dur. *J'adore manger des pâtes.*
Les différentes sortes de pâtes sont les nouilles, les coquillettes, les vermicelles, les spaghettis, les raviolis, etc.
Forme fautive
*pâte à dent. Calque de l'anglais « tooth paste » pour ***(pâte) dentifrice.***

pâté n. m.
Préparation de charcuterie. *Des pâtés de foie.*
Locutions
Pâté chinois. Mets composé de pommes de terre, de maïs et de viande hachée.
Pâté de maisons. Ensemble de maisons isolé par des rues. *Allons faire le tour du pâté de maisons* (et non du *bloc), *en marchant.*
HOM. pâtée, nourriture donnée à certains animaux.

pâtée n. f.
Nourriture donnée à certains animaux.
HOM. pâté, préparation de charcuterie.

patente n. f.
(FAMILIER) Chose quelconque. *À quoi sert cette patente ? C'est un petit appareil qui sert à presser les citrons.*
Forme fautive
*patente. Impropriété au sens de ***brevet, invention.***

patenter v. tr.
(FAMILIER) Bricoler, arranger tant bien que mal quelque chose. *Étienne a patenté un établi pour travailler le bois.*
Conjugaison [VOIR MODÈLE – **AIMER**]

patère n. f.
Support fixé à un mur, destiné à suspendre des vêtements.
Ne pas confondre avec le nom ***portemanteau,*** support sur pied auquel on suspend les vêtements.
pat**ère.**

paternel, elle adj.
Qui appartient au père. *La tendresse paternelle, un oncle paternel.*

paternité n. f.
1. État de père.
2. Qualité de créateur de quelque chose. *C'est à ce chef d'orchestre que revient la paternité de cette série de concerts.*

pâteux, euse adj.
Qui a la consistance molle de la pâte. *Un fruit pâteux.*
p**â**teux.

pathétique adj.
Qui émeut profondément. *Des adieux pathétiques.* **SYN.** bouleversant, émouvant, touchant.

patibulaire adj.
Sinistre, inquiétant, en parlant du visage. *Des motards aux mines patibulaires.*

patiemment adv.
Les lettres ***em*** se prononcent ***a*** [pasjamɑ̃] ; le ***t*** se prononce ***s.***
Avec patience. *Elle attendait patiemment son tour.*
pati**emm**ent.

patience n. f.
Le mot rime avec ***science***, le ***t*** se prononce ***s.***
1. Vertu qui permet de supporter avec résignation les contrariétés. *Ma patience a des limites : cesse de faire des bêtises !*
ANT. impatience.

2. Qualité de la personne qui persévère dans son effort, qui sait attendre. *Le chercheur doit faire preuve de patience pour mener à bien ses recherches.* **SYN.** détermination, persévérance.
3. Réussite (aux cartes). *Faire une patience.*
Locutions
Perdre patience. S'impatienter, refuser d'attendre davantage.
Prendre son mal en patience. Patienter.
pa**t**ience.

patient, ente adj. et n. m. et f.
Le ***t*** se prononce ***s.***
Adjectif
Qui fait preuve de patience. *Ils seront patients et vous attendront quelque temps.*
Nom masculin et féminin
Personne qui subit un examen, un traitement médical. *Le médecin doit visiter ses patients ce matin.*

patienter v. intr.
Le ***t*** se prononce ***s.***
Attendre avec patience. *Je patienterai encore quelques minutes.* **ANT.** s'impatienter.
Conjugaison [VOIR MODÈLE – **AIMER**]

patin n. m.
Patin à glace. Chaussure dont la semelle est pourvue d'une lame de métal pour glisser sur la glace. *Une paire de patins à glace pour jouer au hockey.*
Patin à roulettes. Chaussure dont la semelle est pourvue de roulettes pour rouler sur une surface dure. *Julien a reçu des patins à roulettes. As-tu déjà essayé le patin à roulettes ?*
Locution
Être vite sur ses patins. (FAMILIER) (FIGURÉ) Agir, prendre une décision rapidement.

patinage n. m.
1. Action de patiner (sur la glace, sur le sol). *Les championnats de patinage artistique.*
2. Dérapage (d'un véhicule).

patiner v. intr.
1. Glisser avec des patins. *Elle patine sur le lac gelé.*
2. Déraper. *La chaussée était glissante et la voiture a patiné.* **SYN.** glisser.
3. (FAMILIER) Éluder une question, éviter d'y répondre. *Ce politicien n'a pas répondu à la question du journaliste : il a patiné habilement et a parlé d'autre chose.*
Conjugaison [VOIR MODÈLE – **AIMER**]

patineur, euse n. m. et f.
Personne qui patine (sur la glace, sur un sol dur).

patinoire n. f.
Établissement où se trouve une piste de patinage. *Se rendre à la patinoire pour jouer au hockey.*

patio n. m.
Le ***t*** se prononce ***t*** ou ***s*** [patjo] ou [pasjo].
Cour intérieure. *Des patios ombragés.*

pâtir v. intr.
Subir un dommage, souffrir à cause de. *La culture des fruits et légumes a pâti du manque de soleil.*
Le verbe se construit avec la préposition ***de.***
Conjugaison [VOIR MODÈLE – **FINIR**]
p**â**tir.

pâtisserie n. f.
1. Gâteau. *Quelle pâtisserie choisir : une tartelette aux fraises ou un chou à la crème ?*
2. Établissement où l'on fabrique et vend des gâteaux. *La pâtisserie est fermée.*
p**â**tisserie.

pâtissier n. m.
pâtissière n. f.
Personne qui fabrique ou vend des pâtisseries.
p**â**tissier.

patois n. m.
Dialecte, parler local, avec un sens plutôt défavorable.

patriarche n. m.
1. Chef de certaines églises.
2. Vieillard à la tête d'une nombreuse famille.

patrie n. f.
Nation à laquelle on appartient. **SYN.** pays.

patrimoine n. m.
1. Biens familiaux.
2. Ensemble des richesses d'une collectivité. *La langue française fait partie de notre patrimoine.*
Locution
Patrimoine héréditaire. Caractères génétiques d'une personne.

patriote adj. et n. m. et f.
Qui aime sa patrie. *Ils sont très patriotes. Ce sont des patriotes.*
patri**ote.**

patriotique adj.
Qui est inspiré par l'amour de sa patrie. *Un chant patriotique.*

patron, onne n. m. et f.
1. Saint protecteur, sainte protectrice. *Saint Patrick est le patron de l'Irlande.*
2. Chef d'entreprise, supérieur hiérarchique. *Un patron efficace* (et non un *boss). *Une patronne bien renseignée.*

patron n. m.
Modèle de couture, d'artisanat, etc. *Tailler une robe d'après un patron.*

patronyme n. m.
Nom de famille transmis par le père, par opposition à ***matronyme,*** qui est transmis par la mère. ***Dubois*** *est un patronyme,* ***Pierre,*** *un prénom.*
Les patronymes s'écrivent avec une majuscule.
patron**y**me.

patrouille n. f.
Petit détachement de soldats, de personnes à qui l'on confie une mission de surveillance, de liaison, etc.

patrouilleur n. m.
Membre d'une patrouille.

patte n. f.
Membre assurant la marche chez l'animal. *La patte d'un chat.*
Pour les humains, on emploie plutôt le mot ***jambe.***
VOIR **PIED.**
Locutions
Pattes de mouche. Écriture illisible.
Graisser la patte à quelqu'un. (FIGURÉ) Le corrompre.
Marcher à quatre pattes. Marcher à l'aide de ses pieds et de ses mains.

P

Montrer patte blanche. (FIGURÉ) Donner le mot de passe, se faire reconnaître avant de pénétrer quelque part.

pâturage n. m.
Lieu où l'on fait paître le bétail. *Les vaches sont au pâturage.*
✎ pâturage.

pâture n. f.
1. Pâturage.
2. Nourriture. *Le pélican apporte la pâture à ses petits.*
✎ pâture.

paume n. f.
L'intérieur de la main, entre le poignet et les doigts.
✎ paume.

paupière n. f.
La première syllabe se prononce ***po*** avec un ***o*** fermé [popjɛr].
Membrane mobile de l'œil. *Viviane s'est mis de l'ombre à paupières.*

pause n. f.
Temps d'arrêt, silence. *Faire une pause de quelques minutes.*
HOM. pose, action de poser.

pause-café n. f. (pl. *pauses-café*)
(FAMILIER) Temps d'arrêt pour prendre le café.

pauvre adj. et n. m. et f.
Adjectif
1. Qui n'est pas riche. *Une personne pauvre.* **SYN.** démuni.
2. (Avant le nom) Malheureux, pitoyable. *Une pauvre femme.*
Selon la place de l'adjectif, le sens de ce mot varie : placé après le nom, l'adjectif signifie « qui a peu de biens », placé avant le nom, il signifie « pitoyable ».
Nom masculin et féminin
Personne qui manque du nécessaire. **SYN.** défavorisé.
L'adjectif conserve la même forme au masculin et au féminin, tandis que la forme féminine du nom est ***pauvresse.***

pauvrement adv.
1. D'une manière pauvre. *Il est pauvrement vêtu.* **SYN.** misérablement.
2. D'une manière insatisfaisante. *Cette œuvre a été pauvrement exécutée.* **SYN.** médiocrement.

pauvreté n. f.
1. Manque de nécessaire. *Ils vivent dans la pauvreté : ils ne peuvent manger à leur faim.*
2. Insuffisance, médiocrité. *La pauvreté de son vocabulaire.*

pavage n. m.
1. Action de paver. *Plusieurs ouvriers travaillent au pavage de la place Jacques-Cartier.*
2. Revêtement composé de pavés. *Le pavage d'une allée.*
Forme fautive
*pavage. Impropriété au sens de ***chaussée asphaltée, asphalte.***

pavaner (se) v. pronom.
Marcher avec affectation. *Elles se sont pavanées avec leurs fourrures.* **SYN.** se montrer, parader.
Le participe passé de ce verbe qui n'existe qu'à la forme pronominale s'accorde toujours en genre et en nombre avec le sujet du verbe.
Conjugaison [VOIR MODÈLE – **AIMER**]
✎ pavaner.

pavé n. m.
Bloc cubique qui sert au revêtement des voies, des sols.
Locution
Être sur le pavé. Être réduit à la misère, sans domicile.

paver v. tr.
Recouvrir de pavés le sol d'une voie de circulation, d'un lieu. *La cour intérieure a été pavée de pierres.*
Forme fautive
*paver. Impropriété au sens de ***asphalter.***
Conjugaison [VOIR MODÈLE – **AIMER**]

pavillon n. m.
1. Petit bâtiment isolé. *Un pavillon de lecture.*
2. Partie externe de l'oreille.

pavot n. m.
Plante dont on tire l'opium.
✎ pavot.

payant, ante adj.
1. Qu'il faut payer, non gratuit. *Des cartes d'abonnement payantes.*
2. Qui donne beaucoup d'argent. *Ce travail est très payant.*
SYN. rentable.

paye
VOIR **PAIE.**

payement
VOIR **PAIEMENT.**

payer v. tr., intr., pronom.
Verbe transitif
Acquitter une dette, donner de l'argent en échange d'un bien, d'un service. *Il a payé cette montre 100 $.*
Le complément d'objet direct peut désigner le prix, le bien ou le service obtenu, la personne à qui la somme est payée. *Elle paiera le manteau 400 $, elle paie son loyer, elle a payé son propriétaire.*
Verbe intransitif
1. (FAMILIER) Être rentable. *C'est un travail qui paie. Le crime ne paie pas.* (Proverbe)
2. Donner une somme d'argent à titre de paiement. *Je n'ai pas encore payé pour ce délicieux repas.*
Verbe pronominal
1. (FAMILIER) S'offrir quelque chose. *Ils se sont payé un bon repas. Elle s'est payé le luxe d'un petit voyage à Québec.*
Attention au participe passé qui demeure invariable si le complément d'objet direct suit le verbe : (ils se sont payé quoi ? un bon repas) (elle s'est payé quoi ? le luxe d'un petit voyage à Québec).
2. Prendre le paiement dû. *Payez-vous et gardez la monnaie, s.v.p.*
Locution
Se payer la tête de quelqu'un. (FAMILIER) Se moquer d'une personne. *Ils se sont payé sa tête avec plaisir.*
Conjugaison [VOIR MODÈLE – **PAYER**]
Le ***y*** peut être changé en ***i*** devant un ***e*** muet. *Il paye, il paie.* Cette dernière forme est la plus fréquente.
Le ***y*** est suivi d'un ***i*** à la première et à la deuxième personne du pluriel de l'indicatif imparfait et du subjonctif présent. *(Que) nous payions, (que) vous payiez.*

pays n. m.
1. Territoire d'une nation. *Ce pays est immense. Les États-Unis se situent au sud de notre pays.*
2. Région considérée du point de vue géographique. *Nous habitons un pays dont le climat est tempéré.* **SYN.** contrée, lieu.
3. Lieu d'origine. *Quand je pars en voyage longtemps, je m'ennuie de mon pays.* **SYN.** patrie.

Indicatif

Présent		*Passé composé*		
je	paie/paye	j'	ai	payé
tu	paies/payes	tu	as	payé
elle	paie/paye	elle	a	payé
il	paie/paye	il	a	payé
nous	payons	nous	avons	payé
vous	payez	vous	avez	payé
elles	paient/payent	elles	ont	payé
ils	paient/payent	ils	ont	payé

Imparfait		*Plus-que-parfait*		
je	payais	j'	avais	payé
tu	payais	tu	avais	payé
elle	payait	elle	avait	payé
il	payait	il	avait	payé
nous	payions	nous	avions	payé
vous	payiez	vous	aviez	payé
elles	payaient	elles	avaient	payé
ils	payaient	ils	avaient	payé

Passé simple		*Passé antérieur*		
je	payai	j'	eus	payé
tu	payas	tu	eus	payé
elle	paya	elle	eut	payé
il	paya	il	eut	payé
nous	payâmes	nous	eûmes	payé
vous	payâtes	vous	eûtes	payé
elles	payèrent	elles	eurent	payé
ils	payèrent	ils	eurent	payé

Futur simple		*Futur antérieur*		
je	paierai/payerai	j'	aurai	payé
tu	paieras/payeras	tu	auras	payé
elle	paiera/payera	elle	aura	payé
il	paiera/payera	il	aura	payé
nous	paierons/payerons	nous	aurons	payé
vous	paierez/payerez	vous	aurez	payé
elles	paieront/payeront	elles	auront	payé
ils	paieront/payeront	ils	auront	payé

Infinitif

Présent	*Passé*
payer	avoir payé

Subjonctif

Présent			*Passé*			
que	je	paie/paye	que	j'	aie	payé
que	tu	paies/payes	que	tu	aies	payé
qu'	elle	paie/paye	qu'	elle	ait	payé
qu'	il	paie/paye	qu'	il	ait	payé
que	nous	payions	que	nous	ayons	payé
que	vous	payiez	que	vous	ayez	payé
qu'	elles	paient/payent	qu'	elles	aient	payé
qu'	ils	paient/payent	qu'	ils	aient	payé

Imparfait			*Plus-que-parfait*			
que	je	payasse	que	j'	eusse	payé
que	tu	payasses	que	tu	eusses	payé
qu'	elle	payât	qu'	elle	eût	payé
qu'	il	payât	qu'	il	eût	payé
que	nous	payassions	que	nous	eussions	payé
que	vous	payassiez	que	vous	eussiez	payé
qu'	elles	payassent	qu'	elles	eussent	payé
qu'	ils	payassent	qu'	ils	eussent	payé

Conditionnel

Présent		*Passé*		
je	paierais/payerais	j'	aurais	payé
tu	paierais/payerais	tu	aurais	payé
elle	paierait/payerait	elle	aurait	payé
il	paierait/payerait	il	aurait	payé
nous	paierions/payerions	nous	aurions	payé
vous	paieriez/payeriez	vous	auriez	payé
elles	paieraient/payeraient	elles	auraient	payé
ils	paieraient/payeraient	ils	auraient	payé

Impératif

Présent	*Passé*	
paye/paie	aie	payé
payons	ayons	payé
payez	ayez	payé

Participe

Présent	*Passé*
payant	payé, ée ayant payé

Locutions
Être en pays de connaissance. Retrouver des personnes, des choses que l'on connaît bien.
Mal du pays. Nostalgie de son pays d'origine.
Voir du pays. Voyager beaucoup en traversant plusieurs pays.

paysage n. m.
1. Vue d'ensemble d'un site. *Ils admirent le paysage très pittoresque de la Gaspésie.*
2. Dessin, tableau représentant la nature. *Des paysages à l'aquarelle.*

paysager, ère adj.
Disposé comme un paysage. *Un jardin paysager, un aménagement paysager.*

paysan, anne adj. et n. m. et f.
1. Personne habitant la campagne.
2. ⚜ Habitant.

p.c.
Abréviation de ***pour cent.***

péage n. m.
Droit de passage. *Un poste de péage.*
VOIR **AUTOROUTE.**
✎ p**éa**ge.

***peanut**
Anglicisme au sens de ***cacahuète, arachide.***

peau n. f. (pl. *peaux*)
1. Revêtement du corps des animaux. *On fait des gants avec la peau du chevreau.*
2. Tissu qui recouvre le corps humain. *Elle a la peau très claire avec des taches de rousseur. Cette lotion rend la peau très douce.*
Locutions
Dans la peau de quelqu'un. (FIGURÉ) À sa place.
Être bien, mal dans sa peau. (FIGURÉ) Être à l'aise, mal à l'aise.
Faire peau neuve. (FIGURÉ) Changer d'apparence.
N'avoir que la peau et les os. (FIGURÉ) Être extrêmement maigre.
☞ On dit aussi : ***n'avoir que la peau sur les os.***
Risquer sa peau. (FAMILIER) (FIGURÉ) Mettre sa vie en danger.
HOM. pot, vase.

peccadille n. f.
☊ La première syllabe se prononce ***pé*** [pekadij].
Faute légère.
✎ pe**cc**adi**ll**e.

péché n. m.
Faute. *Il a avoué ses péchés à son confesseur.*
Locution
Péché mignon. Faiblesse, léger défaut. *La pâtisserie, c'est son péché mignon.*

pêche adj. inv. et n. f.
Nom féminin
1. Fruit du pêcher à noyau dur et dont la peau est veloutée. *De belles pêches mûres et bien juteuses.*
2. Action de pêcher. *La pêche à la ligne, la pêche au saumon.*
Adjectif de couleur invariable
D'un rose pâle légèrement doré. *Des collants pêche.*
VOIR TABLEAU – **COULEUR (ADJECTIFS DE).**

pécher v. intr.
Commettre une faute, un manquement à une règle.
☞ Ne pas confondre avec le verbe ***pêcher,*** prendre du poisson.
Conjugaison [VOIR MODÈLE – **CÉDER**]
Le ***é*** se change en ***è*** devant une syllabe muette, sauf à l'indicatif futur et au conditionnel présent. *Je pèche,* mais *je pécherai.*

pêcher v. tr.
1. Prendre ou chercher à prendre (du poisson, des animaux aquatiques). *Au printemps, il adore pêcher la truite.*
2. (FIGURÉ) (FAMILIER) Imaginer. *On se demande où il a pêché que nous avions congé demain.*
☞ Ne pas confondre avec le verbe ***pécher,*** commettre une faute.
Conjugaison [VOIR MODÈLE – **AIMER**]
Le verbe conserve son accent circonflexe sur le premier ***e*** à tous les modes et temps.
✎ p**ê**cher.

pêcher n. m.
Arbre dont le fruit est la pêche.

pécheur, pécheresse adj. et n. m. et f.
Personne qui commet des péchés.
☞ Ne pas confondre avec le nom ***pêcheur,*** celui qui pratique la pêche.
✎ p**é**cheur.

pêcheur n. m.
pêcheuse n. f.
Personne qui pratique la pêche par métier ou comme passe-temps. *Un pêcheur de crevettes.*
☞ Ne pas confondre avec le nom ***pécheur,*** celui qui commet des péchés.
✎ p**ê**cheur.

péd(i)-, péd(o)- préf.
Éléments du grec signifiant « enfant ». *Pédagogie, pédiatre.*

pédagogie n. f.
1. Science de l'éducation des enfants.
2. Art d'enseigner. *Martine voudrait étudier la pédagogie plus tard.*

pédagogique adj.
Relatif à la pédagogie. *Des méthodes pédagogiques.*

pédagogue n. m. et f.
Personne qui a le sens de l'enseignement. *C'est une excellente pédagogue.*

pédale n. f.
Levier actionné par le pied. *Les pédales d'une bicyclette, d'un orgue.*
Locution
Perdre les pédales. (FAMILIER) (FIGURÉ) Perdre son sang-froid.

pédaler v. intr.
Actionner une ou des pédales. *Antoine pédale très vite pour monter la côte.*
Conjugaison [VOIR MODÈLE – **AIMER**]

pédalier n. m.
Mécanisme d'une bicyclette comprenant les pédales, la roue dentée, etc.

-pède, -pédie suff.
Éléments du latin signifiant « pied ». *Quadrupède, orthopédie.*

pédestre adj.
Qui se fait à pied. *Une excursion pédestre.*

pédiatre n. m. et f.
Médecin spécialiste de la pédiatrie. *Anne voudrait devenir pédiatre.*
pédi**a**tre, sans accent circonflexe.

pédiatrie n. f.
Branche de la médecine qui traite les maladies des enfants.
pédi**a**trie, sans accent circonflexe.

pédicure n. m. et f.
Personne chargée des soins des pieds.

peigne n. m.
Instrument denté servant à coiffer, à retenir les cheveux. *Un peigne d'écaille. Se donner un coup de peigne.*

peigner v. tr., pronom.
Coiffer les cheveux avec un peigne. *Elle peignait sa copine avec soin. Elles se sont peigné les cheveux longuement. Elles se sont peignées.*
Attention à la place du complément d'objet direct pour l'accord du participe passé.
Conjugaison [VOIR MODÈLE – **AIMER**]
INDICATIF PRÉSENT *Je peigne, tu peignes, il peigne, nous peignons, vous peignez, ils peignent.* IMPARFAIT *Je peignais, tu peignais, il peignait, nous peignions, vous peigniez, ils peignaient.* **IMPÉRATIF** PRÉSENT *Peigne, peignons, peignez.* **SUBJONCTIF** PRÉSENT *Que je peigne, que tu peignes, qu'il peigne, que nous peignions, que vous peigniez, qu'ils peignent.* **PARTICIPE** PRÉSENT *Peignant.* PASSÉ *Peigné, ée.*
Les lettres ***gn*** sont suivies d'un ***i*** à la première et à la deuxième personne du pluriel de l'indicatif imparfait et du subjonctif présent. *(Que) nous peignions, (que) vous peigniez.*
Attention au passé simple de ce verbe, *peignai, peigna...* qui est à distinguer de celui de ***peindre*** qui se conjugue *peignis, peignit...*

peignoir n. m.
Robe de chambre légère, généralement en tissu éponge.

***peignure**
Mot ancien au sens de ***coiffure.***

peindre v. tr., pronom.
Verbe transitif
1. Recouvrir de peinture. *Il a peint* (et non *peinturé) *sa maison en blanc.*
2. Représenter des êtres, des choses à l'aide de la peinture, de l'écriture. *Elle a peint très joliment ce paysage.*
Ne pas confondre avec le verbe ***peinturer,*** barbouiller, peindre maladroitement.
Verbe pronominal
Se voir. *La tristesse se peignait dans ses yeux.* **SYN.** apparaître, se révéler.
Conjugaison [VOIR MODÈLE – **ÉTEINDRE**]
INDICATIF PRÉSENT *Je peins, tu peins, il peint, nous peignons, vous peignez, ils peignent.* IMPARFAIT *Je peignais, tu peignais, il peignait, nous peignions, vous peigniez, ils peignaient.* PASSÉ SIMPLE *Je peignis.* FUTUR *Je peindrai.* **CONDITIONNEL** PRÉSENT *Je peindrais.* **IMPÉRATIF** PRÉSENT *Peins, peignons, peignez.* **SUBJONCTIF** PRÉSENT *Que je peigne, que tu peignes, qu'il peigne, que nous peignions, que vous peigniez, qu'ils peignent.* IMPARFAIT *Que je peignisse.* **PARTICIPE** PRÉSENT *Peignant.* PASSÉ *Peint, peinte.*
Les lettres ***gn*** sont suivies d'un ***i*** à la première et à la deuxième personne du pluriel de l'indicatif imparfait et du subjonctif présent. *(Que) nous peignions, (que) vous peigniez.*
Attention au passé simple de ce verbe, *peignis, peignit...* qui est à distinguer de celui de ***peigner*** qui se conjugue *peignai, peignas, peigna...*

peine n. f.
1. Douleur morale, tristesse. *Tu as fait de la peine à Nellie en ne l'invitant pas.* **SYN.** chagrin.
2. Effort. *Il n'est pas au bout de ses peines. Elle s'est donné beaucoup de peine pour réunir ces documents.* **SYN.** mal.
3. Châtiment. *Sa peine est de 20 ans de prison.* **ANT.** condamnation.
Locutions
À grand-peine, locution adverbiale. Difficilement.
Cette locution s'écrit avec un trait d'union.
À peine, locution adverbiale. Depuis très peu de temps. *À peine sont-ils arrivés que les invités se mettent à chanter.*
La locution adverbiale entraîne souvent l'inversion du pronom sujet.
Avoir (de la) peine. Parvenir difficilement. *Ève a de la peine à garder son sérieux, elle va éclater de rire dans peu de temps.*
Être en peine de. Manquer de. *Il est en peine d'amis.*
Sans peine, locution adverbiale. Sans difficulté.
Se mettre en peine. S'inquiéter. *Ne te mets pas en peine pour cet échec : tu réussiras à la deuxième tentative.*
Sous peine de, locution prépositive. Sous la menace de (quelque chose de fâcheux). *Il doit réduire sa vitesse sous peine de perdre son permis de conduire.*

peiner v. tr., intr.
Verbe transitif
Chagriner. *Le départ de Paulo a peiné Annie.* **SYN.** attrister.
Verbe intransitif
Se donner du mal. *Comme il a peiné sur cette dissertation !*
Conjugaison [VOIR MODÈLE – **AIMER**]

peint, peinte adj.
Couvert de peinture. *Attention, la rampe est fraîche peinte.*

peintre n. m. et f.
1. Artiste qui exerce l'art de la peinture. *Une artiste peintre. Marc-Aurèle Fortin est un peintre québécois.*
2. Personne dont le métier consiste à appliquer de la peinture sur les murs, sur des surfaces. *Un peintre en bâtiment.*

peinture n. f.
1. Technique, art du peintre. *Elle fait de la peinture.*
2. Ouvrage de peinture. *Une peinture à l'huile.*
3. Action d'enduire une surface de couleur. *Peinture en bâtiment.*
4. Couche de couleur. *Une peinture au latex, à l'huile.*
Forme fautive
*peinture fraîche. Calque de l'anglais « wet paint » (sur une affiche) pour ***attention à la peinture.***

peinturer v. tr.
Barbouiller, peindre maladroitement. *Les enfants ont peinturé la cabane du jardin.*
Forme fautive
*peinturer. Mot ancien au sens de ***recouvrir de peinture, de couleur.*** On emploie plutôt le verbe ***peindre*** en ce sens.
Ne pas confondre avec le verbe ***peindre,*** recouvrir de peinture, représenter des êtres, des choses à l'aide de la peinture.
Conjugaison [VOIR MODÈLE – **AIMER**]

P

peinturlurer v. tr.
(FAMILIER) Barbouiller de peinture. *Elle lui a peinturluré le visage.*
Conjugaison [VOIR MODÈLE – **AIMER**]

péjoratif, ive adj.
Se dit d'un mot, d'un élément qui comporte un sens défavorable, qui se dit en mauvaise part. *Les mots **peureux, opportuniste** sont péjoratifs. Les terminaisons **-aille, -ard, -esque, -ailler, -asser** sont péjoratives.* **ANT.** mélioratif.

pékinois, oise adj. et n. m. et f.
Adjectif et nom masculin et féminin
De Pékin. *La population pékinoise. Un Pékinois, une Pékinoise.*
L'adjectif s'écrit avec une minuscule ; le nom, avec une majuscule.
Nom masculin
1. Langue parlée dans le nord de la Chine.
Le nom de la langue s'écrit avec une minuscule.
2. Petit chien.

pelage n. m.
Poils d'un animal. *Ce chien a un pelage soyeux.*

pêle-mêle adv.
Sans ordre, à l'envers. *Ses affaires sont pêle-mêle sur le lit.* **SYN.** en désordre, sens dessus dessous.

peler v. tr., intr.
Verbe transitif
Ôter la peau d'un fruit ou de certains légumes. *Maman pèle des tomates.*
Éplucher se dit surtout pour « enlever la pelure, l'écorce » (généralement d'un légume, d'une noix, etc.). *Antoine épluche des pommes de terre.*
Verbe intransitif
Perdre le dessus de la peau par plaques. *Après ce coup de soleil, sa peau a pelé.*
Conjugaison [VOIR MODÈLE – **CONGELER**]
Le **e** se change en **è** devant une syllabe muette. *Il pèle, il pelait.*

pèlerin, ine n. m. et f.
Nom masculin
Personne qui fait un pèlerinage.
Nom féminin
Cape. *Vêtue d'une pèlerine bleue, elle marche sous la pluie.*
p**è**lerin.

pèlerinage n. m.
Voyage fait par dévotion à un lieu consacré. *L'oratoire Saint-Joseph est un lieu de pèlerinage.*
p**è**lerinage.

pélican n. m.
Oiseau aquatique au long bec pourvu d'une poche dilatable où il garde de la nourriture pour ses petits.
péli**c**an.

pelle n. f.
1. Instrument destiné à la manutention. *Une large pelle pour ôter la neige.*
2. Engin de levage. *Une pelle mécanique.*

pelletage n. m.
La deuxième syllabe est muette [pɛltaʒ].
Action de pelleter, de déplacer quelque chose à l'aide d'une pelle.
pe**ll**etage.

pelletée n. f.
La deuxième syllabe est muette [pɛlte].
Contenu d'une pelle. *Elle a lancé à son frère une grosse pelletée de neige.*

pelleter v. tr.
Lorsque le ***t*** est doublé, la prononciation est « pel-let-te » [pɛlɛt], sur le modèle des verbes ***jeter*** (*je jette*), ***épousseter*** (*j'époussette*) ; toutefois, l'usage est de ne pas prononcer la deuxième syllabe : je « pel-te » [pɛlt].
Transporter avec la pelle. *Bianca pellette la neige qui s'est accumulée sur le trottoir.*
Conjugaison [VOIR MODÈLE – **APPELER**]
Redoublement du ***t*** devant un **e** muet. *Je pellette, je pelletterai,* mais *je pelletais.*

pelleterie n. f.
Les deuxième et troisième **e** sont muets [pɛltri].
1. Commerce des fourrures.
2. Les fourrures elles-mêmes.

pellicule n. f.
1. Membrane mince. *Une pellicule de plastique.*
2. Morceau de peau qui se détache du cuir chevelu. *Un shampooing contre les pellicules.*
3. (CINÉMA) (PHOTOGRAPHIE) Feuille mince et souple recouverte d'une couche sensible. *Une pellicule photographique.*
pe**ll**icu**l**e.

pelote n. f.
Le **e** de la première syllabe se prononce ou non, [pəlɔt] ou [plɔt].
1. Balle à jouer. *La pelote basque.*
2. Boule formée avec des fils, de la laine, etc.
pe**l**ote.

peloton n. m.
Le **e** de la première syllabe se prononce ou non, [pəlɔtɔ̃] ou [plɔtɔ̃].
1. Pelote. *Un peloton de laine.*
2. Groupe. *Le peloton de tête.*

pelotonner (se) v. pronom.
Le **e** de la première syllabe se prononce ou non, [pəlɔtɔne] ou [plɔtɔne].
Se blottir. *La chatte Maboule s'est pelotonnée dans les bras d'Étienne.*
Le participe passé de ce verbe qui n'existe qu'à la forme pronominale s'accorde toujours en genre et en nombre avec le sujet du verbe.
Conjugaison [VOIR MODÈLE – **AIMER**]

pelouse n. f.
Le **e** de la première syllabe se prononce ou non, [pəluz] ou [pluz].
Surface couverte de gazon.

peluche n. f.
1. Tissu à poils longs qui imite la fourrure. *Un lapin en peluche.*
2. Animal, jouet en peluche. *Les petits adorent les peluches.*

pelure n. f.
Le **e** de la première syllabe se prononce ou non, [pəlyr] ou [plyr].
Peau ôtée de certains fruits ou de certains légumes. *La pelure de la banane, de la pomme, de la poire, de l'oignon, de la pomme de terre.*
La peau plus épaisse de certains fruits est l'***écorce.*** *Des écorces d'orange, de citron.*

pemmican n. m.
Le **e** se prononce **é** ou **è** [pemikɑ̃] ou [pɛmikɑ̃].
Viande séchée apprêtée par les Amérindiens.

pénal, ale, aux adj.
Qui concerne les peines, les infractions qui entraînent des peines. *Des droits pénaux, le Code pénal.*

pénaliser v. tr.
Désavantager. *Cet échec scolaire l'a grandement pénalisé.*
Conjugaison [VOIR MODÈLE – **AIMER**]

pénalité n. f.
Peine, sanction.

penaud, aude adj.
Honteux. *Sébastien est tout penaud de ses quinze fautes d'orthographe.* **SYN.** embarrassé. **ANT.** fier.
pen**aud,** pen**aude**.

penchant n. m.
Inclination, goût. *Il a un penchant pour la musique.* **SYN.** faible.

pencher v. tr., intr., pronom.
Verbe transitif
Incliner d'un côté. *Penche un peu la tête.* **SYN.** courber.
Verbe intransitif
N'être pas vertical, en position d'équilibre. *Le mur penche.*
Verbe pronominal
1. S'incliner. *Ne te penche pas par la portière.*
2. Étudier. *Elle s'est penchée sur ce problème.*
Conjugaison [VOIR MODÈLE – **AIMER**]

pendaison n. f.
Action de mettre à mort une personne en la suspendant par le cou au moyen d'une corde. *La peine de mort est abolie au Canada : on ne condamne plus à la pendaison.*
Locution
Pendaison de crémaillère. Action de célébrer par un repas, une fête, une nouvelle installation.

pendant prép.
Durant, au cours de. *Il a neigé pendant l'hiver.*
Locution
Pendant que, locution conjonctive. *Elle fait ses devoirs pendant que son frère étudie.*
Cette locution indique que deux actions ont lieu en même temps, alors que la locution conjonctive ***tandis que*** marque l'opposition entre deux actions simultanées.
pend**an**t.

pendant n. m.
Contrepartie. *Cette œuvre est le pendant d'une création antérieure.*
Locution
Pendant d'oreille(s). Boucle d'oreille(s) à pendeloques.
Dans cette expression, le complément s'écrit au singulier ou au pluriel, ainsi que pour ***boucle d'oreille, boucle d'oreilles.***
pend**an**t.

pendant, ante adj.
Qui pend. *Elle est arrivée en courant, la langue pendante. Il marchait tranquillement les bras pendants.*
pend**an**t.

pendentif n. m.
Bijou suspendu au cou. *Un joli pendentif orné d'une perle.*
pend**en**tif.

penderie n. f.
Placard où l'on suspend des vêtements. **SYN.** garde-robe.

pendre v. tr., intr., pronom.
Verbe transitif
1. Attacher une chose par le haut, à distance du sol. *Pends ton manteau, Olivier.*
2. Mettre à mort une personne en la suspendant par le cou au moyen d'une corde. *On les a pendus pour trahison.*
Verbe intransitif
Tomber trop bas. *Son manteau pend d'un côté.*
Verbe pronominal
1. Se suspendre. *Les singes se sont pendus à une branche pour se balancer.* **SYN.** s'accrocher.
2. Se suicider par pendaison. *Profondément déprimée, elle s'est pendue.*
Locution
Être pendu aux lèvres de quelqu'un. (FIGURÉ) Écouter quelqu'un avec grand intérêt.
Conjugaison [VOIR MODÈLE – **FENDRE**]
INDICATIF PRÉSENT *Je pends, tu pends, il pend, nous pendons, vous pendez, ils pendent.* IMPARFAIT *Je pendais.* PASSÉ SIMPLE *Je pendis.* FUTUR *Je pendrai.* **CONDITIONNEL** PRÉSENT *Je pendrais.* **IMPÉRATIF** PRÉSENT *Pends, pendons, pendez.* **SUBJONCTIF** PRÉSENT *Que je pende.* IMPARFAIT *Que je pendisse.* **PARTICIPE** PRÉSENT *Pendant.* PASSÉ *Pendu, ue.*

pendu, ue n. m. et f.
Qui est mort par pendaison.

pendule n. m. et f.
Nom masculin
Balancier. *Le pendule d'une horloge.*
Attention au genre masculin de ce nom en ce sens : ***un*** pendule.
Nom féminin
Appareil de petite dimension qui indique l'heure. *Maman a placé une jolie pendule* (et non *une horloge) *sur la cheminée.*
Attention au genre féminin de ce nom en ce sens : ***une*** pendule.
Locution
Remettre les pendules à l'heure. (FIGURÉ) Faire le point, rétablir la vérité.
Ne pas confondre avec les noms suivants :
– ***coucou,*** appareil qui indique l'heure et dont la sonnerie imite le chant du coucou ;
– ***horloge,*** appareil de grande dimension servant à mesurer le temps et à indiquer l'heure ;
– ***réveille-matin*** ou ***réveil,*** appareil qui indique l'heure et qui peut sonner à une heure déterminée à l'avance.

pénétrer v. tr., intr.
Verbe transitif
1. Passer à travers, entrer profondément à l'intérieur. *L'eau a pénétré mes chaussures.* **SYN.** s'infiltrer dans, s'introduire dans, traverser.
2. Découvrir. *On a pénétré son secret.* **SYN.** découvrir, saisir, trouver.
Verbe intransitif
Entrer. *Elle eut un moment d'hésitation quand il pénétra dans la maison.*
Conjugaison [VOIR MODÈLE – **POSSÉDER**]
Le deuxième **é** se change en **è** devant une syllabe muette, sauf à l'indicatif futur et au conditionnel présent. *Je pénètre,* mais *je pénétrerai.*

pénible adj.
1. Difficile. *Il est pénible de devoir s'arrêter si près du but.* **SYN.** ardu, dur.

2. Douloureux, triste. *Son départ a été pénible : nous avions beaucoup de peine à nous séparer de lui. Perdre sa maison dans un incendie est bien pénible.* **SYN.** angoissant.

péniche n. f.
Bateau plat. *Les péniches de la Seine.*

pénicilline n. f.
Antibiotique. *La pénicilline* (et non *pénincilline) *combat les infections.*
orthographe : pén**i**ci**ll**ine.

péninsule n. f.
Vaste presqu'île. *La péninsule grecque. La péninsule ibérique comprend l'Espagne et le Portugal.*
note : Pris absolument, le nom qui désigne l'Espagne et le Portugal s'écrit avec une majuscule.

pénis n. m.
Le ***s*** se prononce [penis].
(ANATOMIE) Sexe de l'homme. **SYN.** verge.

pénitence n. f.
Punition. *Comme pénitence, tu copieras dix fois le mot « silence ».*
Locutions
Faire pénitence. Regretter une faute. **SYN.** se repentir.
Mettre en pénitence. Imposer une punition pour une faute. *Ces élèves ont été mis en pénitence en raison de leur agressivité.*

pénitencier n. m.
Prison où l'on offre aux détenus la possibilité de s'instruire et de travailler.
note : Le nom ***prison*** est le générique qui désigne tout lieu de détention.

pénombre n. f.
Faible lumière, peu après le coucher du soleil ou peu avant son lever. *Dans la pénombre, elle ne le reconnut pas.* **SYN.** ⚜ brunante, crépuscule, demi-jour.

pense-bête n. m. (pl. *pense-bêtes*)
(FAMILIER) Indication rappelant une tâche à accomplir. *Comme pense-bête, Léa a noué un ruban autour de son doigt pour ne pas oublier son rendez-vous chez le dentiste.*

pensée n. f.
1. Faculté de penser. *Le langage est l'expression de la pensée.* **SYN.** réflexion.
2. Idée. *À la pensée de son voyage prochain, Ève est très excitée.*
3. Fait d'avoir à l'esprit quelqu'un, quelque chose. *Je serai opérée à 9 h ; auras-tu une petite pensée pour moi ?*
4. Opinion, avis. *Je n'ose te dire le fond de ma pensée, ce que je pense vraiment, parce que tu serais fâché.*
Locution
Lire dans la pensée de quelqu'un. Deviner ce qu'il pense.

penser v. tr., intr.
Verbe transitif direct
1. Croire, avoir l'idée de, que. *Elle pense qu'il viendra, elle ne pense pas qu'il vienne.* **SYN.** estimer, imaginer, supposer.
Le verbe se construit avec le mode indicatif ou avec le mode subjonctif suivant le degré de certitude de la réponse.
2. Avoir l'intention de. *Je pense voyager sous peu.* **SYN.** compter, projeter.
En ce sens, le verbe se construit avec l'infinitif, sans préposition.
Verbe transitif indirect
Ne pas oublier. *Pense à son anniversaire !* **SYN.** se rappeler, songer, se souvenir.
En ce sens, le verbe se construit avec la préposition ***à.***
Verbe intransitif
Réfléchir. *Laisse-moi penser un peu avant de répondre.*
Locution
Faire penser. Évoquer, rappeler. *Ce château de sable me fait penser aux vacances ensoleillées à la mer.*
HOM. panser, soigner.
Conjugaison [VOIR MODÈLE – **AIMER**]

penseur, euse n. m. et f.
Personne qui pense. Le Penseur *de Rodin.* (Statue)

pensif, ive adj.
Songeur. *Paula est toute pensive : elle s'ennuie de ses grands-parents qui vivent en Italie.*

pension n. f.
1. Somme payée régulièrement à une personne. *Une pension de retraite.*
2. Petit établissement hôtelier. *Une pension de famille.*
Locutions
Demi-pension. Logement, petit déjeuner et un repas.
Pension complète. Logement, petit déjeuner et deux repas.

pensionnaire n. m. et f.
Personne qui prend pension dans un établissement scolaire, hôtelier, dans une famille. *Josée a été pensionnaire au pensionnat du Saint-Nom-de-Marie.* **SYN.** interne. **ANT.** externe.
orthographe : pensio**nn**aire.

pensionnat n. m.
Établissement scolaire qui accueille des élèves internes et externes. *Le pensionnat du Saint-Nom-de-Marie à Outremont.*
orthographe : pensio**nn**a**t.**

pensionner v. tr.
Doter d'une pension. *Pensionner un invalide de guerre.*
Conjugaison [VOIR MODÈLE – **AIMER**]
orthographe : pensio**nn**er.

penta- préf.
Élément du grec signifiant « cinq ». *Pentagone.*

pentathlon n. m.
Les lettres ***en*** se prononcent ***in*** [pɛ̃tatlɔ̃].
Compétition olympique comportant des épreuves de cross, d'équitation, de natation, d'escrime et de tir.
VOIR **DÉCATHLON.**
orthographe : pentat**h**lon.

pente n. f.
1. Inclinaison. *La rue est en pente.*
2. Terrain incliné. *Martin dévale les pentes enneigées en skis.* **SYN.** côte, descente.

penture n. f.
Ferrure destinée à soutenir une porte, une fenêtre.

pénurie n. f.
Manque, rareté. *Il y a une pénurie de médicaments dans les pays d'Afrique.*

pépiement n. m.
Cri du moineau, du poussin.
orthographe : pépi**e**ment, attention au **e** muet.

pépier v. intr.
Crier, en parlant des jeunes oiseaux.
Conjugaison [VOIR MODÈLE – **ÉTUDIER**]

pépin n. m.
Graine de certains fruits. *Il y a des pépins dans ces raisins et dans cette orange. Les pépins d'une pomme. Des clémentines sans pépins.*
Lorsqu'il y a plusieurs graines, ce sont des pépins; quand il n'y a qu'une graine, c'est un ***noyau.*** Ainsi, dans la pêche, la prune, l'abricot, etc., la partie dure qui est au centre du fruit se nomme le ***noyau.*** *Un noyau d'avocat, des noyaux de cerises, d'olives.*

pépinière n. f.
Lieu où l'on cultive de jeunes arbres destinés à être transplantés.
pépini**è**re.

pépiniériste n. m. et f.
Personne qui cultive de jeunes arbres destinés à être transplantés.
p**é**pini**é**riste.

pépite n. f.
1. Petite masse d'or à l'état brut.
2. Morceau. *Des biscuits aux pépites de chocolat.*

perçant, ante adj.
1. Vif et pénétrant. *Un froid perçant.*
2. Qui voit bien, brillant, en parlant des yeux. *Des yeux perçants.* **SYN.** pénétrant.
3. Aigu et puissant, en parlant d'un son. **SYN.** strident.
per**ç**ant.

perce- préf.
Les mots composés avec le préfixe ***perce-*** s'écrivent avec un trait d'union. Au pluriel, le préfixe ***perce-,*** qui est un verbe, demeure invariable, tandis que le second élément est parfois variable, parfois invariable. *Des perce-oreilles.*

percée n. f.
1. Passage. *Une percée dans la forêt.* **SYN.** chemin, trouée.
2. Développement important. *Une percée scientifique. La découverte de ce vaccin est une percée remarquable.*

perce-neige n. m. ou f. inv. (pl. *perce-neige* ou *perce-neiges*)
Fleur printanière. *Les perce-neige* ou *perce-neiges viennent de sortir !*
Ce mot est masculin ou féminin.

perce-oreille n. m. (pl. *perce-oreilles*)
Insecte.

perceptible adj.
Qui peut être saisi par les sens. *Un bruit à peine perceptible.* **ANT.** imperceptible.

perception n. f.
1. Acte par lequel l'esprit perçoit les objets. *La perception d'un son.*
2. Recouvrement. *La perception des comptes* (et non la *collection). **SYN.** rentrée.

percer v. tr., intr.
Verbe transitif
Trouer, pratiquer une ouverture. *Nous perçons ce mur pour ajouter une fenêtre.* **SYN.** ouvrir.
Verbe intransitif
1. Apparaître. *Le soleil perce à travers les nuages.*
2. Réussir, devenir connu. *Ce chanteur commence à percer.*
Conjugaison [VOIR MODÈLE – **AVANCER**]
Le ***c*** prend une cédille devant les lettres ***a*** et ***o.*** *Il perça, nous perçons.*

perceuse n. f.
Outil servant à percer. *Une perceuse électrique* (et non une *drill).

percevoir v. tr.
1. Saisir par les sens, par l'esprit. *Nous n'avons perçu aucun bruit. Percevoir la réalité de façon lucide.* **SYN.** discerner, sentir.
2. Recouvrer une somme, un impôt. *Le gouvernement perçoit des taxes sur les cigarettes.* **SYN.** encaisser.
Conjugaison [VOIR MODÈLE – **APERCEVOIR**]
INDICATIF PRÉSENT *Je perçois, tu perçois, il perçoit, nous percevons, vous percevez, ils perçoivent.* IMPARFAIT *Je percevais.* PASSÉ SIMPLE *Je perçus.* FUTUR *Je percevrai.* **CONDITIONNEL** PRÉSENT *Je percevrais.* **IMPÉRATIF** PRÉSENT *Perçois, percevons, percevez.* **SUBJONCTIF** PRÉSENT *Que je perçoive.* IMPARFAIT *Que je perçusse.* **PARTICIPE** PRÉSENT *Percevant.* PASSÉ *Perçu, ue.*

perchaude n. f.
Poisson d'eau douce de la famille de la perche.

perche n. f.
1. Poisson dont la chair est appréciée.
2. Longue pièce de bois, de métal. *Le saut à la perche.*
Locution
Tendre la perche à quelqu'un. (FIGURÉ) L'aider.

percher v. tr., intr., pronom.
Verbe transitif
(FAMILIER) Placer en un endroit élevé. *Pourquoi as-tu perché mon chapeau sur l'armoire ?* **SYN.** (FAMILIER) jucher.
Verbe intransitif
Se poser sur une branche, en parlant d'un oiseau.
Verbe pronominal
Se jucher. *Le chat s'est perché sur le toit.*
Conjugaison [VOIR MODÈLE – **AIMER**]

perchoir n. m.
Bâton sur lequel perche un oiseau. *Le perroquet est sur son perchoir.*

percolateur n. m.
Appareil qui sert à faire du café en grande quantité. *Le restaurant dispose d'un percolateur.*
Pour la maison, on emploie surtout le mot ***cafetière.***

percussion n. f.
Choc d'un corps contre un autre. *Le tambour, les cymbales, la caisse sont des instruments à percussion* ou *de percussion.*

percussionniste n. m. et f.
Musicien qui joue d'un instrument à percussion.

percutant, ante adj.
1. Qui produit un choc. *Un projectile percutant.*
2. (FIGURÉ) Frappant, qui retient l'attention. *Des discours percutants.* **SYN.** saisissant.

percuter v. tr., intr.
Verbe transitif
Heurter, frapper. *Le camion a percuté un réverbère.*
Verbe intransitif
Heurter avec violence. *La voiture percuta contre un mur.* **SYN.** frapper.
Conjugaison [VOIR MODÈLE – **AIMER**]

perdant, ante adj. et n. m. et f.
Personne qui perd. *Ce sont de bons perdants. Les équipes perdantes recevront un prix de consolation.* **SYN.** vaincu.

perdition n. f.
En perdition. En danger de faire naufrage, en parlant d'un navire. *Un voilier en perdition.*
En perdition. Qui est menacé de destruction. *Une économie en perdition.*
Lieu de perdition. Lieu moralement dangereux.

perdre v. tr., pronom.
Verbe transitif
1. Cesser d'avoir quelque chose de façon définitive. *Il est triste de perdre un ami. Andrée a perdu son parapluie dans le métro.*
Note – Ne pas confondre avec le verbe ***égarer,*** perdre momentanément.
2. Être vaincu. *Perdre la bataille.*
3. Gaspiller. *Ne perds pas ton temps : il est trop précieux.*
Verbe pronominal
S'égarer, ne plus retrouver son chemin. *Ils se sont perdus dans la forêt.*
Conjugaison [VOIR MODÈLE – **FENDRE**]
INDICATIF PRÉSENT *Je perds, tu perds, il perd, nous perdons, vous perdez, ils perdent.* IMPARFAIT *Je perdais.* PASSÉ SIMPLE *Je perdis.* FUTUR *Je perdrai.* **CONDITIONNEL** PRÉSENT *Je perdrais.* **IMPÉRATIF** PRÉSENT *Perds, perdons, perdez.* **SUBJONCTIF** PRÉSENT *Que je perde.* IMPARFAIT *Que je perdisse.* **PARTICIPE** PRÉSENT *Perdant.* PASSÉ *Perdu, ue.*

perdrix n. f.
Oiseau gallinacé estimé comme gibier.
VOIR TABLEAU – **ANIMAUX.**
Orthographe – perdri**x,** attention au ***x*** final au singulier comme au pluriel.

perdu, ue adj.
1. Égaré. *Les objets perdus.*
2. Inutile. *Toutes ces enquêtes, c'est du temps perdu.* **SYN.** gaspillé.
Locutions
À corps perdu, locution adverbiale. Sans se ménager.
C'est peine perdue. C'est inutile.
À temps perdu, locution adverbiale. Pendant les loisirs.
Objets perdus. Lieu où l'on rassemble les objets oubliés. *J'ai récupéré mes gants oubliés dans le métro aux objets perdus.*

père n. m.
1. Celui qui a un ou plusieurs enfants. *Le père d'Étienne et de Marie-Ève est médecin.*
2. Titre de civilité donné à un religieux.
Note – Le titre de civilité s'écrit avec une minuscule. *Le père Bourgeois.* Lorsqu'il désigne le pape, il s'écrit avec une majuscule. *Le Saint-Père.*
Locution
Père poule. Père qui entoure ses enfants exagérément. *Des pères poules.*
HOM.
– **pair**, exactement divisible par deux ;
– **paire**, couple ;
– **pers**, couleur changeante.

perfection n. f.
État de ce qui est parfait. **SYN.** excellence, idéal.
Locution
À la perfection, locution adverbiale. Parfaitement. *Il chante à la perfection.*

perfectionnement n. m.
1. Action d'améliorer, de mettre au point quelque chose. *Le perfectionnement d'une imprimante.*
2. Action de donner de la formation au personnel d'une entreprise, d'un organisme. *Des cours de perfectionnement.*

perfectionner v. tr., pronom.
Verbe transitif
1. Améliorer, mettre au point quelque chose. *Étienne veut perfectionner son programme informatique.*
2. Donner une meilleure formation à quelqu'un.
Verbe pronominal
Améliorer ses connaissances, progresser. *Marie-Ève voudrait se perfectionner en anglais avec Lenny.*
Conjugaison [VOIR MODÈLE – **AIMER**]

perforation n. f.
1. Ouverture accidentelle d'un organe. *Une perforation de l'estomac.*
2. Trou. *Cette carte a reçu des perforations.*

perforer v. tr.
Trouer. *L'appareil a perforé la pièce de métal.* **SYN.** percer.
Conjugaison [VOIR MODÈLE – **AIMER**]

performance n. f.
1. Résultat obtenu dans une épreuve sportive, équestre, etc. *La performance de ce jeune coureur automobile a été remarquable.*
2. Exploit, succès. *Dix sur dix, quelle performance !* **SYN.** prouesse.

performant, ante adj.
Se dit d'une personne, d'une chose qui obtient d'excellents résultats en fonction des moyens mis en œuvre. *Les nouveaux ordinateurs sont très performants.*

péri- préf.
Élément du grec signifiant « autour ».
Les mots composés du préfixe ***péri-*** s'écrivent sans trait d'union. *Périmètre, périphérie.*

péril n. m.
Prononciation – Le ***l*** se prononce [peril] ; le mot rime avec ***cil.***
(LITTÉRAIRE) Danger immédiat et très grave. *Le navire est en péril. La chaussée glissante a mis en péril la vie de plusieurs automobilistes.*
Locutions
Au péril de sa vie. En risquant sa vie.
À vos risques et périls. En acceptant de subir les conséquences qui découlent d'un acte.

périlleux, euse adj.
Prononciation – Le mot rime avec ***glorieux.***
Dangereux. *Cet exercice de haute voltige est périlleux. Un saut périlleux.*
Orthographe – péri**ll**eu**x.**

périmé, ée adj.
N'être plus valide. *Mon passeport est périmé* (et non *passé date). *Ces produits laitiers sont périmés : ils ne sont plus bons à manger.*

périmer (se) v. pronom.
Devenir dépassé. *Le matériel informatique se périme rapidement.*
Note – Le participe passé de ce verbe qui n'existe qu'à la forme pronominale s'accorde toujours en genre et en nombre avec le sujet du verbe.
Conjugaison [VOIR MODÈLE – **AIMER**]

périmètre n. m.
1. Contour d'une figure plane. *La circonférence est le périmètre d'un cercle.*
2. Zone qui s'étend autour d'un point. *Les policiers ont établi un périmètre de sécurité autour de l'incendie.*
périm**è**tre.

période n. f.
Espace de temps. *Une période de repos.*

périodicité n. f.
Fréquence.

périodique adj. et n. m.
Adjectif
Qui revient à intervalles réguliers. *Des activités périodiques.*
Nom masculin
Revue qui paraît régulièrement. *La revue* Science et Vie *est un périodique.*

péripétie n. f.
Le ***t*** se prononce ***s*** [peripesi]; le mot rime avec ***si.***
Incident, évènement. *Un voyage rempli de péripéties.*
péripé**t**ie.

périphérie n. f.
1. Surface extérieure d'un volume. *La périphérie d'un cercle.*
2. Banlieue, quartiers situés autour d'une ville. *Ils habitent à la périphérie de Montréal.*

périphérique adj. et n. m.
Adjectif
Qui est situé à la périphérie. *Des quartiers périphériques.*
Nom masculin
(INFORMATIQUE) Matériel relié à une unité centrale de traitement et qui sert à l'entrée ou à la sortie de données. *Le clavier, l'imprimante, la souris sont des périphériques.*

périple n. m.
Voyage d'exploration par voie maritime autour du monde, d'un continent.
Au sens de ***randonnée, de voyage sur terre,*** l'emploi de ce nom est critiqué.

périr v. intr.
(LITTÉRAIRE) Mourir de façon violente. *Ils ont péri dans un incendie.*
Le verbe se conjugue avec l'auxiliaire ***avoir.***
Conjugaison [VOIR MODÈLE – **FINIR**]

périscope n. m.
Appareil optique permettant à l'équipage d'un sous-marin en plongée de voir à la surface de la mer.

périssable adj.
Se dit de marchandises qui ne durent pas, qui ne se gardent pas longtemps. *Les fruits et les légumes sont des denrées périssables.*

perle n. f.
1. Petite boule de nacre brillante et dure qui se forme dans certains mollusques. *Un collier de perles.*
2. (FIGURÉ) Personne de grande valeur. *Mademoiselle Julie est une perle; c'est une perle rare.*
3. Erreur. *Collectionner les perles dans les lettres aux journaux.* **SYN.** sottise.

perler v. intr.
Former des gouttes. *La sueur perlait sur son front.*
Conjugaison [VOIR MODÈLE – **AIMER**]

permanence n. f.
Continuité, caractère de ce qui est permanent.
Locution
En permanence, locution adverbiale. Sans interruption. *Cette pharmacie est ouverte en permanence.*
perman**en**ce.

permanent, ente adj.
Stable, qui dure constamment. *Elle a des maux de tête de façon permanente.*

permanente n. f.
Traitement qui fait onduler les cheveux de façon durable. *On lui a fait une permanente très souple.*

perméable adj.
Qui peut être traversé par un liquide, un gaz, etc. *Un matériau perméable qui n'assure pas l'étanchéité.* **ANT.** étanche, imperméable.

permettre v. tr., pronom.
Verbe transitif
Autoriser, accorder. *L'école permet la consultation des dictionnaires. Je te permets d'aller au cinéma ce soir. Il permet que j'aille au cinéma.* **SYN.** approuver, tolérer, vouloir. **ANT.** défendre, empêcher, interdire.
Le verbe se construit avec un nom, avec l'infinitif ou avec la conjonction ***que*** suivie du subjonctif.
Verbe pronominal
S'accorder. *Les vacances qu'il s'est permises* mais *les vacances qu'il s'est permis de prendre. Elle s'est permis de prendre des vacances.*
Conjugaison [VOIR MODÈLE – **REMETTRE**]
INDICATIF PRÉSENT *Je permets, tu permets, il permet, nous permettons, vous permettez, ils permettent.* IMPARFAIT *Je permettais.* PASSÉ SIMPLE *Je permis.* FUTUR *Je permettrai.* **CONDITIONNEL** PRÉSENT *Je permettrais.* **IMPÉRATIF** PRÉSENT *Permets, permettons, permettez.* **SUBJONCTIF** PRÉSENT *Que je permette.* IMPARFAIT *Que je permisse.* **PARTICIPE** PRÉSENT *Permettant.* PASSÉ *Permis, ise.*

permis n. m.
Autorisation officielle écrite. *Julien aura bientôt son permis de conduire.*

permission n. f.
Autorisation. *Avec votre permission, j'aimerais sortir ce soir.* **SYN.** approbation, consentement.

perpendiculaire adj. et n. f.
Qui forme un angle droit avec une droite. *La rue que vous cherchez est perpendiculaire à cette avenue. Tracer une perpendiculaire.*
perp**en**dicul**ai**re.

perpétuel, elle adj.
Continuel, éternel. *Un mouvement perpétuel, qui ne s'arrête jamais.*

perpétuellement adv.
Toujours. *Cet enfant est perpétuellement dans la lune.* **SYN.** constamment.

perpétuité (à) loc. adv.
Pour toujours.

perplexe adj.
Hésitant, indécis. *Cette remarque la laissa perplexe.*

p

perplexité n. f.
Incertitude, indécision. *Elle regardait le nouveau venu avec perplexité.*

perquisition n. f.
Recherche ordonnée par la justice. *Police ! C'est une perquisition.*

perquisitionner v. tr., intr.
Faire une perquisition. *Perquisitionner dans un laboratoire. Perquisitionner un lieu.*
Conjugaison [VOIR MODÈLE – **AIMER**]

perron n. m.
Plate-forme extérieure à laquelle on accède par quelques marches, située au niveau de l'entrée principale d'une maison, d'un immeuble. *Le perron est décoré de petits sapins illuminés.*

perroquet n. m.
Oiseau au plumage coloré capable d'imiter la parole humaine. *Un perroquet mâle, un perroquet femelle.*
VOIR TABLEAU – **ANIMAUX.**
pe**rr**oquet.

perruche n. f.
Petit perroquet à longue queue qui ne parle pas.
VOIR TABLEAU – **ANIMAUX.**
pe**rr**uche.

perruque n. f.
Coiffure postiche. *Le vent a arraché sa perruque. Le père Noël portait une barbe et une perruque blanches.*

pers adj. m.
Le ***s*** ne se prononce pas [pɛr] ; le mot rime avec ***père.***
D'une couleur changeante, entre le bleu et le vert, en parlant des yeux. *Des yeux pers.*
HOM.
– **pair**, exactement divisible par deux ;
– **paire**, couple ;
– **père**, celui qui a un ou plusieurs enfants.
VOIR TABLEAU – **COULEUR (ADJECTIFS DE).**

p

persan, ane adj. et n. m. et f.
Adjectif et nom masculin et féminin
De la Perse. *Des tapis persans.*
Aujourd'hui, on emploie plutôt le mot ***iranien*** lorsqu'il qualifie ou désigne une personne.
Nom masculin
Langue parlée en Iran. *Soraya parle le persan.*
Le nom de la langue s'écrit avec une minuscule.
Locution
Chat persan. Chat à la fourrure longue et soyeuse.
VOIR **IRANIEN.**
pers**an,** persa**n**e.

perse adj. et n. m. et f.
De l'ancienne Perse.

persécuter v. tr.
Martyriser, tourmenter. *Les premiers chrétiens ont été persécutés par les Romains.*
Conjugaison [VOIR MODÈLE – **AIMER**]

persévérance n. f.
Ténacité. *La persévérance vient à bout de tous les obstacles.*
SYN. entêtement, obstination.

persévérer v. intr.
Continuer, durer. *S'il persévère dans ses efforts, il réussira.*
Conjugaison [VOIR MODÈLE – **POSSÉDER**]
Le deuxième ***é*** se change en ***è*** devant une syllabe muette, sauf à l'indicatif futur et au conditionnel présent. *Je persévère,* mais *je persévérerai.*

persil n. m.
Le ***l*** ne se prononce pas [pɛrsi]; le mot rime avec ***si.***
Plante dont les feuilles sont employées comme assaisonnement.

persistance n. f.
Constance, continuité, durée. *La persistance du mauvais temps est ennuyeuse; voilà huit jours qu'il n'a pas fait beau.*

persistant, ante adj.
Qui persiste. *Une grippe persistante, un arbre à feuillage persistant.*
Ne pas confondre avec le participe présent invariable ***persistant.*** *Les employés persistant à arriver en retard recevront un avertissement.*

persister v. intr.
1. Persévérer. *Ils ont persisté dans leur effort.* **SYN.** s'obstiner.
2. Continuer. *Je persiste à croire que nous finirons à temps.*
3. Durer. *Le malaise persiste.* **SYN.** continuer.
Conjugaison [VOIR MODÈLE – **AIMER**]

personnage n. m.
1. Personne illustre. *Ce roi est un grand personnage de l'histoire.*
2. Rôle joué par un acteur. *Il y a six personnages dans ce film.*

personnaliser v. tr.
Rendre personnel. *Des services personnalisés. Des lettres personnalisées.*
Ne pas confondre avec le verbe ***personnifier,*** incarner.
Conjugaison [VOIR MODÈLE – **AIMER**]

personnalité n. f.
1. Ensemble des traits qui caractérisent une personne. *Il a une forte personnalité. Des tests de personnalité.*
2. Personnage important. *Il y aura un défilé auquel assisteront plusieurs personnalités.*

personne n. f. et pron. indéf.
Nom féminin
1. (GRAMMAIRE) Forme de la conjugaison d'un verbe suivant que le sujet est de la première personne (celui qui parle), de la deuxième personne (celui à qui l'on parle) ou de la troisième personne (celui dont on parle). *Il y a trois personnes du singulier et trois personnes du pluriel.*
2. Individu. *Il a rencontré trois personnes très intéressantes.*
Le nom peut être accompagné d'une indication numérale, contrairement au nom ***gens.***
Pronom indéfini
1. Sens positif. Quelqu'un, quiconque. *Il travaille mieux que personne.*
Le pronom est considéré comme masculin même s'il se rapporte à une femme et il est toujours au singulier.
2. Sens négatif. Nul, aucun. *Je n'ai vu personne. Il n'y a jamais personne qui soit d'accord. Personne n'est venu.*
1° Le pronom est accompagné d'une particule négative ***ne, ni, jamais, plus, rien,*** mais jamais de ***pas, point.*** Il peut se construire également avec la préposition ***sans.*** *Il est parti sans parler à personne.*

2° L'adjectif ou le participe qui se rapporte au pronom indéfini se met au masculin singulier. Si le pronom est sujet d'un verbe, celui-ci se met au singulier.

Locutions
Comme personne. Mieux que tout autre. *Vous l'avez observé comme personne.*
En la personne de. Représenté par. *Nous remercions la municipalité en la personne de son maire ici présent.*
En personne. Personnifié. *Ils sont l'honnêteté en personne.*
Dans cette expression, le nom ***personne*** est invariable.
Grande personne. Adulte.
Personne morale. Entreprise à laquelle la loi reconnaît une existence distincte de celle de ses membres.

personnel, elle adj.
Qui concerne une personne en propre. *Ces informations sont personnelles. La brosse à dents, le peigne sont des objets personnels.*
La mention ***PERSONNEL*** que l'on inscrit sur une enveloppe pour préciser le caractère confidentiel d'un envoi s'écrit au masculin singulier.

personnel n. m.
Ensemble des employés d'une entreprise, d'un organisme, etc. *Le personnel de cette entreprise est très compétent.*

personnellement adv.
1. De façon personnelle. *Il est personnellement responsable de cet accident.*
2. Quant à moi, à mon avis. *Personnellement, je crois qu'il a raison.*

personne-ressource n. f. (pl. *personnes-ressources*)
Personne ayant acquis des connaissances par l'expérience ou la formation dans un domaine particulier, et à laquelle on fait appel pour toute question relevant de ce domaine. (Recomm. off. OLF)

personnifier v. tr.
Incarner, donner une figure humaine à un être inanimé, abstrait. *Dans cette pièce, elle personnifie la justice.*
Ne pas confondre avec le verbe ***personnaliser,*** rendre personnel.
Conjugaison [VOIR MODÈLE – **ÉTUDIER**]
Redoublement du ***i*** à la première et à la deuxième personne du pluriel de l'indicatif imparfait et du subjonctif présent. *(Que) nous personnifiions, (que) vous personnifiiez.*

perspective n. f.
1. Façon de représenter en trois dimensions. *Quelle belle perspective !*
2. Idée de quelque chose qui va arriver. *À la perspective de devoir lui parler, elle s'inquiète.*
Locution
En perspective, locution adverbiale. En vue. *J'ai beaucoup de travail en perspective.* **SYN.** dans l'avenir.

perspicace adj.
Qui comprend rapidement, qui déduit avec justesse, apte à comprendre. *Pierre est très perspicace, on ne peut rien lui cacher.* **SYN.** intelligent.

perspicacité n. f.
Finesse d'esprit, subtilité. **SYN.** intelligence.

persuader v. tr., pronom.
Verbe transitif
Convaincre, décider. *Elle a persuadé François de venir. Ils tentent de persuader la direction que c'est la bonne décision.*
Verbe pronominal
(LITTÉRAIRE) Se rendre certain de. *Il s'est persuadé de la possibilité de son retour.*
Locutions
Être persuadé que. Être certain que, être convaincu que. *Je suis persuadé qu'il finira par réussir.*
Se persuader que. *Elles se sont persuadé* ou *elles se sont persuadées qu'il leur avait menti.*
Dans cette construction, l'accord du participe passé est facultatif : on peut considérer le pronom ***se*** soit comme un complément d'objet direct, soit comme un complément d'objet indirect, ce qui permet indifféremment d'accorder le participe ou de le laisser invariable. L'invariabilité est plus fréquente.
Conjugaison [VOIR MODÈLE – **AIMER**]

persuasif, ive adj.
Qui a le talent de persuader. *Elle est très persuasive : elle arrive toujours à convaincre ses amis de lui acheter des billets.* **SYN.** convaincant.

persuasion n. f.
1. Action de persuader. *Il vaut mieux employer la persuasion que la force.*
2. Art, don de persuader.

perte n. f.
Privation de quelqu'un, de quelque chose. *La perte d'un ami. La perte de ses clés.*
Locutions
À perte de vue, locution adverbiale. Aussi loin qu'on puisse voir. *Et par là, il y a des forêts à perte de vue.*
En perte de vitesse, locution adverbiale. Dont la vitesse est devenue insuffisante.
En perte de vitesse, locution adverbiale. (FIGURÉ) Qui a perdu de son prestige, de sa popularité.
En pure perte, locution adverbiale. Inutilement.

pertinence n. f.
Caractère de ce qui est pertinent, de ce qui convient. *La pertinence d'une étude, d'un commentaire.*
pertinen**c**e.

pertinent, ente adj.
Approprié, judicieux. *Ce commentaire est très pertinent.*

perturbation n. f.
Dérèglement. *Des perturbations atmosphériques.*

perturber v. tr.
Déranger, troubler. *Son intervention a perturbé la réunion.* **SYN.** désorganiser, troubler.
Conjugaison [VOIR MODÈLE – **AIMER**]

péruvien, ienne adj. et n. m. et f.
Du Pérou. *Le drapeau péruvien. Un Péruvien, une Péruvienne.*
L'adjectif s'écrit avec une minuscule ; le nom, avec une majuscule.

pervenche adj. inv. et n. m. et f.
Nom féminin
Fleur bleue. *Les pervenches sont des fleurs vivaces.*
Nom masculin
Couleur d'un bleu mauve. *Des pervenches superbes.*
Adjectif de couleur invariable
De la couleur bleu mauve de la pervenche. *Des peignoirs pervenche.*
VOIR TABLEAU – **COULEUR (ADJECTIFS DE).**

pervers, erse adj. et n. m. et f.
Le ***s*** ne se prononce pas à la forme masculine [pɛrvɛr].
Qui se plaît à faire le mal, méchant.

pervertir v. tr., pronom.
Verbe transitif
Corrompre, pousser à faire le mal.
Verbe pronominal
Se corrompre. *Avec leurs amis peu recommandables, ces personnes se sont perverties.*
Conjugaison [VOIR MODÈLE – **FINIR**]

pesamment adv.
Lourdement, sans grâce. *Il marche pesamment.*
pesa**mm**ent.

pesant, ante adj. et n. m.
Adjectif
1. Qui a un poids élevé, qui pèse lourd. *Une dalle de béton pesante.*
2. (FIGURÉ) Pénible à supporter. *Une atmosphère pesante et désagréable.*
3. Massif, sans grâce. *Une démarche pesante.* **ANT.** élégant, gracieux, léger.
L'adjectif ***pesant*** se dit surtout d'un objet qui par sa nature a un grand poids, tandis que l'adjectif ***lourd*** désigne un objet qui paraît avoir beaucoup de poids, qui est difficile à porter.
Nom masculin
Valoir son pesant d'or. (FIGURÉ) Avoir une grande valeur.

pesanteur n. f.
1. Caractère de ce qui a un poids. *Les corps sont de pesanteurs différentes.* **ANT.** apesanteur.
2. Caractère de ce qui pèse lourd. *La pesanteur d'un piano.* **SYN.** poids.

pèse- préf.
Les mots composés avec le préfixe ***pèse-*** s'écrivent avec un trait d'union et prennent la marque du pluriel au second élément. *Des pèse-personnes, des pèse-lettres.*

pesée n. f.
Action de déterminer le poids de quelqu'un, de quelque chose. *La pesée des ingrédients nécessaires à la préparation d'un gâteau.*

pèse-personne n. m. (pl. *pèse-personnes*)
Balance qui sert à peser une personne. *Des pèse-personnes à affichage numérique.*
Ne pas confondre avec les noms suivants :
– ***balance,*** terme générique utilisé surtout pour nommer l'instrument qui pèse des marchandises;
– ***bascule,*** appareil de pesage pour les objets lourds (camions, wagons, etc.).

peser v. tr., intr.
Verbe transitif
1. Déterminer le poids. *Les fruits que nous avons pesés.*
En ce sens, le participe passé s'accorde si le complément d'objet direct précède le verbe, selon la règle normale.
2. (FIGURÉ) Évaluer avec attention. *Il faut peser le pour et le contre de chaque solution.* **SYN.** estimer, juger.
Verbe intransitif
1. Avoir un poids. *Claude pèse 45 kilos. Les kilos que ces fruits ont pesé.*
En ce sens, le participe passé reste invariable puisqu'il s'agit d'un complément circonstanciel (*combien ?*).
2. Appuyer fortement sur quelque chose. *Pèse sur cette manette pour actionner le mécanisme.* **SYN.** pousser.
S'il s'agit d'un bouton, il n'est pas nécessaire d'appuyer fortement; on exerce une légère pression simplement. Dans ce cas, c'est le verbe ***presser*** qu'on emploie. *Presse le bouton et l'ordinateur se met en marche.*
En ce sens, le verbe se construit avec la préposition ***sur.***
3. (FIGURÉ) Avoir un poids trop lourd. *Ces mensonges pèsent sur sa conscience.*
En ce sens, le verbe se construit avec la préposition ***sur.***
4. Être pénible. *Cet examen me pèse : j'ai hâte d'en avoir terminé. La visite chez le dentiste pèse à Oscar.*
En ce sens, le verbe se construit avec la préposition ***à.***
Locutions
Ne pas peser lourd. (FIGURÉ) Ne pas avoir beaucoup d'importance. *Ces petits inconvénients ne pèsent pas lourd dans la balance; ce qui importe, c'est d'atteindre notre objectif.*
Peser dans la balance. Compter, avoir de l'importance.
Peser ses mots. Choisir ses mots avec soin.
Conjugaison [VOIR MODÈLE – **LEVER**]
Le ***e*** se change en ***è*** devant une syllabe muette. *Il pèse, il pesait.*

peso n. m.
Le ***e*** se prononce ***é*** et le ***s*** se prononce ***z*** ou ***s*** [pezo] ou [peso].
Unité monétaire de plusieurs pays (Chili, Colombie, Cuba, Mexique, Philippines, République dominicaine, Uruguay). *Compter des pesos.*

pessimisme n. m.
Opinion de la personne qui considère les choses du mauvais côté, qui croit que tout va mal et que l'avenir est sombre. *Il vaut mieux prendre les choses du bon côté et faire preuve d'optimisme que de pessimisme.* **ANT.** optimisme.

pessimiste adj. et n. m. et f.
Qui considère la réalité par son mauvais côté. **ANT.** optimiste.

peste n. f.
1. Grave maladie contagieuse.
2. (FIGURÉ) (FAMILIER) Enfant espiègle, personne détestable. *C'est une petite peste.*

pester v. intr.
Grogner, montrer sa mauvaise humeur. *Il ne cesse de pester contre son voisin.*
Conjugaison [VOIR MODÈLE – **AIMER**]

pesticide adj. et n. m.
Se dit d'un produit qui détruit les parasites animaux ou végétaux. *Il faut employer les pesticides avec ménagement afin de protéger notre environnement.*
pesti**c**ide.

pet n. m.
Les lettres ***et*** se prononcent ***ê*** [pɛ]; le mot rime avec ***lait.***
(FAMILIER) Gaz intestinal qui sort de l'anus avec bruit.

pétale n. m.
Chacune des parties de la corolle d'une fleur. *Des pétales violets.*
Attention au genre masculin de ce nom : ***un*** pétale.

pétanque n. f.
Jeu de boules. *« Lance le cochonnet ! » crie Jules, qui adore jouer à la pétanque.*

pétarade n. f.
Suite de bruits violents. *Les pétarades d'une motocyclette.*

pétarader v. intr.
Faire entendre une pétarade.
Conjugaison [VOIR MODÈLE – **AIMER**]

pétard n. m.
Petite charge d'explosif. *À la Saint-Jean, Étienne a fait exploser des pétards.*

péter v. tr., intr.
Verbe transitif
(FAMILIER) Briser, casser. *Il a pété sa bicyclette.*
Verbe intransitif
1. (FAMILIER) Faire un pet.
2. Faire un bruit sec et subit. *Les fusées ne cessaient de péter.* **SYN.** exploser.
Locutions
Péter le feu. (FIGURÉ) (FAMILIER) Être rempli d'énergie. *Aujourd'hui, je suis en forme : je pète le feu.*
Péter de. Déborder de. *Malgré ses 80 ans, il pète de santé.*
Conjugaison [VOIR MODÈLE – **POSSÉDER**]
Le **é** se change en **è** devant une syllabe muette, sauf à l'indicatif futur et au conditionnel présent. *Je pète,* mais *je péterai.*

pétillant, ante adj.
1. Qui pétille, qui est gazeux. *De l'orangeade pétillante.*
2. Qui brille avec éclat. *Des yeux pétillants.* **SYN.** brillant.
Ne pas confondre avec le participe présent invariable ***pétillant.*** *Les enfants s'exclamaient devant les branches pétillant dans la flambée.*

pétiller v. intr.
1. Éclater avec de petits bruits secs. *Le bois pétille dans le feu de joie.* **SYN.** crépiter.
2. Dégager des bulles. *Le champagne pétille dans les coupes.*
3. Briller. *À la vue de tous ces cadeaux, les yeux des enfants pétillaient.*
4. Faire preuve avec éclat. *Ses réponses pétillent d'intelligence et d'humour.*
Conjugaison [VOIR MODÈLE – **AIMER**]
Les lettres ***ill*** sont suivies d'un ***i*** à la première et à la deuxième personne du pluriel de l'indicatif imparfait et du subjonctif présent. *(Que) nous pétillions, (que) vous pétilliez.*

petit, ite adj. et n. m. et f.
Adjectif
1. Qui est au-dessous de la taille moyenne. *Elle est très petite pour son âge. Une petite maison.*
2. Jeune. *Un petit enfant. Quand j'étais petit...*
3. De faible quantité. *Une petite somme.*
4. De peu d'importance. *Nous avons un petit problème.* **ANT.** grand.
Nom masculin
1. Enfant. *Tu vas bien, ma petite ?*
2. Jeune animal. *Le petit du cerf et de la biche est le faon.*
3. Ce qui est petit.
Nom masculin et féminin
Personne de petite taille.
Locutions
En plus petit, locution adverbiale. De taille réduite, miniature.
L'infiniment petit. Les êtres microscopiques.
Petit à petit, locution adverbiale. Progressivement.

petit- préf.
Les mots composés avec le préfixe ***petit-*** et qui désignent un lien de parenté s'écrivent avec un trait d'union et prennent la marque du pluriel aux deux éléments. *Des petites-filles.*

petit écran n. m.
(FAMILIER) Télévision.

petite et moyenne entreprise n. f.
Sigle ***PME.*** *C'est une PME dynamique.*
Entreprise ne comportant généralement pas plus de 50 employés. *Des petites et moyennes entreprises dynamiques.*

***petite fève**
Impropriété au sens de ***haricot.***

petitesse n. f.
1. Faible dimension. *La petitesse de sa chambre.*
2. Mesquinerie, absence de grandeur d'âme. *La petitesse de ces personnes racistes est désolante.*

petit-fils, petite-fille n. m. et f. (pl. *petits-fils, petites-filles*)
Fils, fille d'un fils ou d'une fille, par rapport au grand-père, à la grand-mère. *Sa petite-fille s'appelle Fanny.*
Le nom qui désigne la fille du fils ou de la fille s'écrit avec un trait d'union. Attention, le nom ***fille*** peut être simplement qualifié par l'adjectif ***petite*** ; dans ce cas, les deux mots ne sont pas unis par un trait d'union. *Une petite fille jouait dans le jardin.*

pétition n. f.
Demande collective où figurent des signatures et qui est adressée à une autorité. *Signer une pétition pour l'interdiction de vendre des armes.*

petits-enfants n. m. pl.
Les enfants du fils ou de la fille, par rapport au grand-père, à la grand-mère.

pétoncle n. m.
Coquillage apprécié pour sa chair fine.
Attention au genre masculin de ce nom : ***un*** pétoncle.

pétrifier v. tr.
1. Changer en pierre. *Ces fossiles sont des insectes pétrifiés.*
2. (FIGURÉ) Rendre immobile par la surprise, la peur, l'émotion. *Cette insulte la pétrifia.* **SYN.** fixer, paralyser.
Conjugaison [VOIR MODÈLE – **ÉTUDIER**]
Redoublement du ***i*** à la première et à la deuxième personne du pluriel de l'indicatif imparfait et du subjonctif présent. *(Que) nous pétrifiions, (que) vous pétrifiiez.*

pétrin n. m.
1. Réceptacle dans lequel on pétrit le pain.
Le pain est composé principalement de farine et d'eau que l'on mêle pour obtenir une pâte collante.
2. (FIGURÉ) (FAMILIER) Situation embarrassante. *Ils sont dans le pétrin ; comment vont-ils s'en sortir ?*

pétrir v. tr.
Malaxer, mêler une substance à une autre pour faire de la pâte. *Pétrir du pain.*
Conjugaison [VOIR MODÈLE – **FINIR**]

pétrochimie n. f.
Science et industrie des produits chimiques dérivés du pétrole.

pétrochimique adj.
Relatif à la pétrochimie.

pétrole n. m.
Huile minérale naturelle employée comme source d'énergie. *Un puits de pétrole.*

pétrolier, ière adj. et n. m.
Adjectif
Relatif au pétrole. *L'industrie pétrolière.*
Nom masculin
Navire citerne servant au transport du pétrole. *Des pétroliers géants.*
Ne pas confondre avec les noms suivants :
– ***bateau,*** bâtiment, grand ou petit, qui navigue sur la mer ou sur les rivières ;
– ***canot,*** petit bateau ;
– ***cargo,*** navire pour le transport des marchandises ;
– ***paquebot,*** grand navire pour le transport des passagers ;
– ***voilier,*** bateau à voiles ;
– ***yacht,*** bateau de plaisance.

pétrolifère adj.
Qui contient du pétrole. *Des gisements pétrolifères.*

***pet shop**
Anglicisme pour ***animalerie.***

peu adv.
En petite quantité, en petit nombre. *Elle est peu aimable. Il mange peu. On la salua peu aimablement.*
L'adverbe modifie un adjectif, un verbe ou un autre adverbe.
Avec valeur de pronom
Un petit nombre de personnes, de choses. *Beaucoup de candidats se présentent, peu sont retenus.*
Avec valeur de nom
Le peu de. Une petite quantité suffisante. *Son succès malgré le peu de moyens reçus témoigne de son ingéniosité.*
Le peu de. Le manque, l'insuffisance. *Le peu d'audace qu'il a montré explique peut-être cet échec.*
Après la locution ***le peu de,*** le verbe se met au singulier :
– l'adjectif ou le participe passé se met au masculin singulier (il s'accorde avec ***peu***) si l'auteur veut insister sur l'insuffisance ;
– l'adjectif ou le participe passé s'accorde en genre et en nombre avec le complément si l'auteur veut signifier une quantité petite mais suffisante tout de même.
Peu de, un peu de. Une petite quantité de personnes, de choses. Peu d'*élèves sont admirés ainsi. Peu de poires sont mûres. Je prendrais bien un peu de gâteau, s'il te plaît.*
Après les locutions ***peu de*** et ***un peu de,*** le verbe s'accorde avec le complément ; l'adjectif et le participe passé s'accordent en genre et en nombre avec le complément.
Locutions
À peu près, locution adverbiale. Presque. *J'ai à peu près fini, j'arrive !*
De peu, locution adverbiale. Tout juste. *Tu l'as manqué de peu : il vient de partir.*
Peu à peu, locution adverbiale. Lentement. **SYN.** graduellement.
Peu après, locution adverbiale. Quelques minutes, quelque temps plus tard. *Ils sont arrivés peu après eux.*
Pour peu que, locution conjonctive. À la condition que.
La locution conjonctive est suivie du subjonctif. *Ils accepteront pour peu que vous les invitiez à l'avance.*
Quelque peu, locution adverbiale. Un peu. *Les enfants ont eu peur quelque peu.*
Sous peu, locution adverbiale. Bientôt. *Nous recevrons les colis sous peu.*
Un tout petit peu. Une très faible quantité.
Un peu, locution adverbiale. Légèrement, faiblement. *Alec est un peu fatigué après cette longue randonnée.*

peuplade n. f.
Petit groupement humain, dans une société primitive.

peuple n. m.
Ensemble de personnes habitant un même territoire et formant une même nation. **SYN.** société.
VOIR TABLEAU – **PEUPLES (ÉCRITURE DES NOMS DE).**

peupler v. tr., pronom.
Verbe transitif
Remplir un pays d'une population. *Au début de la colonie, on a peuplé ce pays avec des militaires.*
Verbe pronominal
Se remplir d'habitants. *Cette région se peuple lentement. Ce pays n'a commencé à se peupler qu'au XIXe siècle.*
Conjugaison [VOIR MODÈLE – **AIMER**]

peuplier n. m.
Attention à la prononciation de la première syllabe : ***peu*** (et non *pe) [pøplije].
Arbre de grande taille dont le bois léger est apprécié.

peur n. f.
Crainte violente, inquiétude. *La peur du noir.* **SYN.** (FAMILIER) frousse, trouille.
Locutions
Avoir peur que + subjonctif. Craindre que. *Il a peur que son chien morde* ou *ne morde un enfant.*
De peur que + subjonctif. Pour éviter que. *Elle a pris un parapluie de peur qu'il pleuve* ou *qu'il ne pleuve.*
Dans ces expressions, l'emploi de l'adverbe ***ne*** est facultatif.

peureux, euse adj. et n. m. et f.
Craintif. *Éléna et Boris ne sont pas peureux : ce petit chien ne les effraie pas.* **ANT.** brave.

peut-être adv.
Probablement. *Elle gagnera peut-être le gros lot.* **SYN.** possiblement.
Ne pas confondre avec la troisième personne du singulier du verbe ***pouvoir*** suivi de l'infinitif ***être*** qui s'écrivent sans trait d'union. *Il peut être absent.*
Placé en début de phrase, l'adverbe entraîne généralement l'inversion du sujet. *Peut-être viendra-t-il.*
Locution
Peut-être que, locution conjonctive. *Peut-être qu'il viendra.*
La locution conjonctive se construit avec l'indicatif ou le conditionnel.

p. ex.
Abréviation de ***par exemple.***

pharaon n. m.
Nom donné aux rois de l'Égypte ancienne. *Le pharaon Ramsès Ier.*
L'expression « pharaon égyptien » est redondante ; le nom s'écrit avec une minuscule.

phare n. m.
1. Projecteur lumineux fixé au sommet d'une tour afin de guider la navigation. *Un gardien de phare.*
2. Projecteur lumineux fixé à l'avant d'un véhicule. *Elle a oublié d'éteindre ses phares. Des phares antibrouillard.*
HOM. fard, maquillage.

pharmaceutique adj.
Relatif à la pharmacie. *Un produit pharmaceutique.*

pharmacie n. f.
1. Science de la préparation des médicaments.
2. Lieu où l'on vend les médicaments. *La pharmacie est ouverte tous les jours.*
3. Armoire où l'on range les médicaments. *Une armoire à pharmacie* ou *une pharmacie encastrée.*

pharmacien n. m.
pharmacienne n. f.
Personne qui prépare et vend des médicaments.

pharynx n. m.
Le mot rime avec ***lynx.***
Région du corps située entre la bouche et l'œsophage.
phar**ynx**.

phase n. f.
Chacune des périodes successives d'un phénomène. *Les phases d'une opération, les phases de la lune.*

phénoménal, ale, aux adj.
Étonnant, surprenant. *Il a une mémoire phénoménale.* **SYN.** extraordinaire.

phénomène n. m.
1. Fait observable. *Le phénomène des aurores boréales.*
2. Fait surprenant, personne extraordinaire. *Ce garçon est un vrai phénomène : il joue du violon remarquablement.*
phénom**è**ne.

phil(o)- préf.
Élément du grec signifiant « aimer ». *Philosophie.*

philatélie n. f.
Connaissance, art de collectionner les timbres-poste. *La philatélie est un passe-temps intéressant qui nous apprend la géographie.*
phila**té**lie.

philatélique adj.
Relatif à la philatélie. *Un club philatélique.*
phila**té**lique.

philatéliste n. m. et f.
Personne qui collectionne les timbres-poste.
phila**té**liste.

philippin, ine adj. et n. m. et f.
Des îles Philippines. *Le drapeau philippin. Un Philippin, une Philippine.*
L'adjectif s'écrit avec une minuscule ; le nom, avec une majuscule.

philo-
VOIR **PHIL(O)–.**

philosophe adj. et n. m. et f.
Les ***o*** sont ouverts [filɔzɔf].
1. Qui étudie, qui connaît la philosophie.
2. Qui pratique la sagesse et vit dans la sérénité.
philoso**ph**e.

ÉCRITURE DES NOMS DE **PEUPLES**

RÈGLES TYPOGRAPHIQUES

- Les **noms** de peuples, de races, d'habitants de régions, de villes sont des noms propres qui s'écrivent avec une **MAJUSCULE**.

  Les Québécois, les Canadiens, les Américains, les Chinois, les Européens.
  Les Noirs, les Blancs.
  Les Beaucerons, les Gaspésiens.
  Les Montréalais, les Trifluviens.

  La dénomination des habitants d'un lieu (continent, pays, région, ville, village, etc.) est un GENTILÉ.

  Les noms de peuples composés et reliés par un trait d'union prennent la majuscule aux deux éléments. *Un Néo-Zélandais, un Sud-Africain, un Nord-Américain.*

  Les mots auxquels le préfixe ***néo-*** est joint s'écrivent avec un trait d'union. *Un Néo-Zélandais.* S'il s'agit d'un gentilé, le mot s'écrit avec deux majuscules ; si le préfixe signifie « de souche récente », le préfixe s'écrit avec une minuscule. *Un néo-Québécois.*

- Les **adjectifs** de peuples, de races, de langues s'écrivent avec une **MINUSCULE**.

  Le drapeau québécois, la langue française, la cuisine italienne, la race blanche, le sens de l'humour anglais.

  Les noms de peuples composés qui comportent un adjectif s'écrivent avec une majuscule au nom et une minuscule à l'adjectif. *Les Canadiens anglais, les Basques espagnols.*

- Les **noms de langues** s'écrivent avec une **MINUSCULE**.

  Parler le français, l'anglais et l'espagnol.

VOIR TABLEAU – **PEUPLES (NOMS DE).**

NOMS DE **PEUPLES**

PAYS OU ÉTAT	GENTILÉ MASCULIN	GENTILÉ FÉMININ
Afghanistan	un Afghan	une Afghane
Albanie	un Albanais	une Albanaise
Algérie	un Algérien	une Algérienne
Allemagne	un Allemand	une Allemande
Angleterre	un Anglais	une Anglaise
Arabie saoudite	un Saoudien	une Saoudienne
Argentine	un Argentin	une Argentine
Australie	un Australien	une Australienne
Autriche	un Autrichien	une Autrichienne
Belgique	un Belge	une Belge
Birmanie	un Birman	une Birmane
Bolivie	un Bolivien	une Bolivienne
Brésil	un Brésilien	une Brésilienne
Bulgarie	un Bulgare	une Bulgare
Cambodge	un Cambodgien	une Cambodgienne
Cameroun	un Camerounais	une Camerounaise
Canada	un Canadien	une Canadienne
Chili	un Chilien	une Chilienne
Chine	un Chinois	une Chinoise
Chypre	un Cypriote, un Chypriote	une Cypriote, une Chypriote
Colombie	un Colombien	une Colombienne
Corée	un Coréen	une Coréenne
Côte-d'Ivoire	un Ivoirien	une Ivoirienne
Cuba	un Cubain	une Cubaine
Danemark	un Danois	une Danoise
Égypte	un Égyptien	une Égyptienne
Espagne	un Espagnol	une Espagnole
États-Unis	un Américain	une Américaine
Éthiopie	un Éthiopien	une Éthiopienne
Finlande	un Finlandais	une Finlandaise
France	un Français	une Française
Gabon	un Gabonais	une Gabonaise
Ghana	un Ghanéen	une Ghanéenne
Grèce	un Grec	une Grecque
Guadeloupe	un Guadeloupéen	une Guadeloupéenne
Guatemala	un Guatémaltèque	une Guatémaltèque
Guinée	un Guinéen	une Guinéenne
Haïti	un Haïtien	une Haïtienne
Hollande	un Hollandais	une Hollandaise
Hongrie	un Hongrois	une Hongroise
Inde	un Indien	une Indienne
Indonésie	un Indonésien	une Indonésienne
Iran	un Iranien	une Iranienne
Iraq	un Irakien, un Iraquien	une Irakienne, une Iraquienne
Irlande	un Irlandais	une Irlandaise
Islande	un Islandais	une Islandaise
Israël	un Israélien	une Israélienne
Italie	un Italien	une Italienne

suite ➤

Japon Jordanie	un Japonais un Jordanien	une Japonaise une Jordanienne
Kenya Koweit	un Kényan un Koweitien	une Kényane une Koweitienne
Liban Libye Luxembourg	un Libanais un Libyen un Luxembourgeois	une Libanaise une Libyenne une Luxembourgeoise
Madagascar Mali Maroc Mexique	un Malgache un Malien un Marocain un Mexicain	une Malgache une Malienne une Marocaine une Mexicaine
Népal Niger Nigéria Norvège Nouvelle-Zélande	un Népalais un Nigérien un Nigérian un Norvégien un Néo-Zélandais	une Népalaise une Nigérienne une Nigériane une Norvégienne une Néo-Zélandaise
Pakistan Panama Paraguay Pérou Philippines Pologne Portugal	un Pakistanais un Panaméen un Paraguayen un Péruvien un Philippin un Polonais un Portugais	une Pakistanaise une Panaméenne une Paraguayenne une Péruvienne une Philippine une Polonaise une Portugaise
Québec	un Québécois	une Québécoise
République Tchèque Roumanie Russie	un Tchèque un Roumain un Russe	une Tchèque une Roumaine une Russe
Sénégal Slovaquie Somalie Soudan Suède Suisse Syrie	un Sénégalais un Slovaque un Somali, un Somalien un Soudanais un Suédois un Suisse un Syrien	une Sénégalaise une Slovaque une Somalie, une Somalienne une Soudanaise une Suédoise une Suisse une Syrienne
Tanzanie Tchad Thaïlande Togo Tunisie Turquie	un Tanzanien un Tchadien un Thaïlandais un Togolais un Tunisien un Turc	une Tanzanienne une Tchadienne une Thaïlandaise une Togolaise une Tunisienne une Turque
Uruguay	un Uruguayen	une Uruguayenne
Venezuela Viêt-nam	un Vénézuélien un Vietnamien	une Vénézuélienne une Vietnamienne
Yougoslavie	un Yougoslave	une Yougoslave
Zaïre Zambie	un Zaïrois un Zambien	une Zaïroise une Zambienne

p

philosophie n. f.
Les *o* sont ouverts [filɔzɔfi].
1. Science qui étudie les grands problèmes de la vie.
2. Théorie, conception du monde.
3. Sagesse. *Il réagit avec philosophie.*
philoso**ph**ie.

philosophique adj.
Les *o* sont ouverts [filɔzɔfik].
Relatif à la philosophie. *Une attitude philosophique.*
philoso**ph**ique.

philtre n. m.
Boisson magique. *Un philtre d'amour, est-ce que cela existe vraiment ?*
HOM. **filtre**, dispositif destiné à filtrer.

phobie n. f.
Peur maladive. *Elle a la phobie des serpents.* SYN. dégoût, horreur.

phon-, phono- préf.
Éléments du grec signifiant « son ». *Phonétique.*

-phone, -phonie suff.
Éléments du grec signifiant « son ». *Téléphone, francophonie.*

phonétique adj. et n. f.
Adjectif
Relatif aux sons du langage. *L'alphabet de l'Association phonétique internationale (API).*
Nom féminin
Partie de la linguistique qui étudie les sons du langage.
Locution
Écriture phonétique. Mode d'écriture où des signes établis correspondent à des sons distincts.
La transcription phonétique d'un mot se met généralement entre crochets.

phoque n. m.
Mammifère vivant près des côtes arctiques. *Un phoque qui fait tourner des ballons sur son nez.*

phosphorescent, ente adj.
Les *o* sont ouverts et la troisième syllabe se prononce ***ré*** [fɔsfɔresɑ̃].
Qui est lumineux dans l'obscurité. *Les aiguilles de cette montre sont phosphorescentes.*
phosphore**sc**ent.

photo adj. inv. et n. f.
Le premier *o* est ouvert [fɔto].
Adjectif invariable
Relatif à la photographie, qui sert à photographier. *Des appareils photo.*
Nom féminin
Abréviation de ***photographie.*** *Un album de photos.*
VOIR **PHOTOGRAPHIE.**

photocopie n. f.
Les *o* sont ouverts [fɔtɔkɔpi].
1. Procédé de reproduction photographique d'un document. *Grâce à la photocopie, on peut avoir plusieurs exemplaires d'un document.*
2. Copie obtenue par ce procédé. *Il faut joindre deux photocopies de ton relevé de notes.*

photocopier v. tr.
Les *o* sont ouverts [fɔtɔkɔpje].
Reproduire un document par la photocopie. *Tu dois photocopier ta recherche en deux exemplaires.*
Conjugaison [VOIR MODÈLE – **ÉTUDIER**]
Redoublement du ***i*** à la première et à la deuxième personne du pluriel de l'indicatif imparfait et du subjonctif présent. *(Que) nous photocopiions, (que) vous photocopiiez.*

photocopieur n. m. ou **photocopieuse** n. f.
Les *o* sont ouverts [fɔtɔkɔpjœr] ou [fɔtɔkɔpjøz].
Machine à photocopier.

photogénique adj.
Se dit d'une personne qui paraît plus belle en photo qu'au naturel.

photographe n. m. et f.
Personne qui fait de la photographie par métier ou par plaisir.

photographie n. f.
Abréviation ***photo*** (s'écrit sans point).
1. Procédé permettant de fixer des images sur une surface. *Vincent aimerait étudier la photographie.*
2. Image ainsi obtenue. *Des photographies en couleurs, des photos d'identité.*
En ce sens, l'abréviation ***photo*** est couramment utilisée.

photographier v. tr.
Reproduire par la photographie. *Annie photographie le chien qui plonge.*
Conjugaison [VOIR MODÈLE – **ÉTUDIER**]
Redoublement du ***i*** à la première et à la deuxième personne du pluriel de l'indicatif imparfait et du subjonctif présent. *(Que) nous photographiions, (que) vous photographiiez.*

photographique adj.
Qui sert à la photographie. *Une pellicule photographique, un appareil photographique.*

photosynthèse n. f.
Transformation par les plantes du gaz carbonique de l'air à l'aide de l'énergie solaire.

phrase n. f.
Ensemble de mots ou de propositions ayant un sens complet.
Une phrase peut être constituée d'un seul mot (*Regarde !*), d'une seule proposition indépendante (*L'enfant regarde le chien.*). La phrase peut être composée de plusieurs propositions dont l'une exprime le fait principal et les autres, les faits subordonnés (*L'homme qui plantait des arbres avait raison.*).
VOIR TABLEAU – **PHRASE.**

physicien n. m.
physicienne n. f.
Spécialiste de la physique.

physionomie n. f.
Expression du visage. *Avoir une physionomie rieuse.* SYN. air.

physionomiste adj. et n. m. et f.
Qui a la mémoire des traits du visage et reconnaît facilement une personne déjà rencontrée.

physiothérapie n. f.
Traitement au moyen d'agents physiques : lumière, chaleur, exercice, etc. *Après sa fracture, la physiothérapie lui fera du bien.*

physique adj. et n. m. et f.
Adjectif
1. Qui se rapporte à la matière, à la nature. *Un phénomène physique.*

Ensemble de mots ou de groupes de mots (propositions) assemblés de façon logique pour exprimer un sens complet.

1° Le premier mot de la phrase s'écrit avec une majuscule.
2° Le dernier mot de la phrase est suivi : – d'un point (.) ;
– d'un point d'interrogation (?) ;
– d'un point d'exclamation (!) ;
– des points de suspension (...).

STRUCTURE DE LA PHRASE

La phrase peut être constituée :
— d'**un seul mot.** *Regarde !*
— d'**une seule proposition** indépendante. *Le chien joue avec le chat.*
— de **plusieurs propositions** dont l'une exprime le fait principal et les autres, les faits subordonnés. *L'homme qui plantait des arbres avait raison.*

VOIR TABLEAU – **PROPOSITION.**

TYPES DE PHRASES

1. La **phrase déclarative** transmet une information.

Les carottes sont cuites. Il ne fait pas froid.

1° La phrase déclarative peut être **affirmative :** le fait existe. *Le ciel est bleu.*
2° La phrase déclarative peut être **négative :** le fait n'existe pas. *Le ciel n'est pas vert.*

2. La **phrase interrogative** pose une question.

Viens-tu jouer avec moi ? Est-ce que tu aimes cette musique ?

1° La phrase **interrogative directe** se termine par un point d'interrogation (?).
2° La phrase **interrogative indirecte** comprend une question contenue dans une proposition subordonnée commençant par ***si*** ou par un adverbe, un adjectif ou un pronom interrogatif (**quand, combien, comment, pourquoi, quand, où, qui, lequel...**). *Je me demande pourquoi tu ne m'as rien dit.* La proposition subordonnée interrogative indirecte est généralement complément d'objet d'un verbe qui pose une question (**interroger, demander, questionner, dire...**) et elle ne se termine pas par un point d'interrogation. *Dis-moi combien coûtent ces patins.*

3. La **phrase exclamative** exprime un sentiment avec force.

Quel plaisir d'être en vacances ! Que cette bicyclette est belle !

La phrase exclamative peut exprimer la joie, l'admiration, l'étonnement, le regret, la tristesse, la peur... Elle se termine par un point d'exclamation.

4. La **phrase impérative** donne un ordre, une défense. Elle peut aussi exprimer un conseil, une demande, un souhait.

Soyez prudents en traversant la rue. Ne jetez pas vos papiers à terre. Donne-moi de tes nouvelles. Prête-moi ta gomme à effacer, s'il te plaît.

Le verbe de la phrase impérative est généralement à l'impératif. Il peut être aussi à l'indicatif ou à l'infinitif. *Tu regarderas bien en traversant la rue. Je vous demande de ne pas jeter vos papiers à terre. Ne pas stationner devant l'école.*

Certaines phrases impératives ne comprennent pas de verbe. *Chut !*

2. Qui a rapport au corps. *En général, les jeunes aiment bien l'heure de l'éducation physique.*
Nom masculin
Apparence extérieure. *Un physique de jeune homme.*
Nom féminin
Science des phénomènes naturels et des propriétés de la matière. *L'examen de physique était difficile.*
✎ ph**y**s**i**que.

piaffer v. intr.
1. Frapper la terre des pieds de devant, en parlant du cheval.
2. (FIGURÉ) Trépigner, frapper du pied. *Les enfants piaffent d'impatience.*
Conjugaison [VOIR MODÈLE – **AIMER**]

piailler v. intr.
Crier, en parlant des oiseaux.
Conjugaison [VOIR MODÈLE – **AIMER**]
Les lettres ***ill*** sont suivies d'un ***i*** à la première et à la deuxième personne du pluriel de l'indicatif imparfait et du subjonctif présent. *(Que) nous piaillions, (que) vous piailliez.*

pianiste n. m. et f.
Personne qui joue du piano. *C'est une pianiste de talent.*

piano n. m.
Instrument de musique à clavier dont les cordes sont frappées par de petits marteaux. *Des pianos à queue.*

pianoter v. intr.
1. Jouer du piano de façon maladroite. *Elle pianote distraitement.*
2. Taper sur un clavier de matériel informatique. *Pianoter sur l'ordinateur.* **SYN.** ⚜ (FAMILIER) pitonner.
Conjugaison [VOIR MODÈLE – **AIMER**]
✎ piano**t**er.

***piastre**
Mot ancien au sens de ***dollar canadien.***

pic n. m.
1. Sommet rocheux aux flancs escarpés. (Recomm. off. OLF)
☞ Ne pas confondre avec les noms suivants :
– ***butte,*** petite colline ;
– ***colline,*** relief d'élévation modérée aux versants généralement en pente douce ;
– ***massif,*** ensemble montagneux non orienté qui se dégage du relief environnant ;
– ***mont,*** importante élévation se détachant du relief environnant.
2. Outil servant à creuser la terre. *Ils ont préparé le sol au pic et à la pelle.*

pic (à) loc. adv.
1. Verticalement. *Cette paroi est à pic.* **SYN.** abruptement.
2. À propos. *Vous tombez à pic.*

pichenette n. f.
Chiquenaude. *Aïe, il m'a fait une pichenette, crie Sophie.*
☞ Au Québec, se dit également ***pichenotte.***

pichet n. m.
Récipient à anse. *Un pichet de vin.*

picorer v. tr.
Chercher sa nourriture, en parlant d'un oiseau. *Les poules picorent des graines.*
☞ Ne pas confondre avec le verbe ***picoter,*** causer des picotements.
Conjugaison [VOIR MODÈLE – **AIMER**]

picotement n. m.
Fourmillement. *Élise sent des picotements dans sa main.*

picoter v. tr.
1. Causer des picotements. *La fumée picote les yeux.*
2. Piquer avec le bec. *Une poule sur un mur qui picote du pain dur.* (Comptine)
☞ Ne pas confondre avec le verbe ***picorer,*** chercher sa nourriture, en parlant d'un oiseau.
Conjugaison [VOIR MODÈLE – **AIMER**]
✎ pico**t**er.

pictogramme n. m.
Représentation graphique symbolique. *Le pictogramme du métro de Montréal est composé d'un cercle et d'une flèche.*

pie n. f.
1. Oiseau à plumage blanc et noir. *La pie jacasse.*
VOIR TABLEAU – **ANIMAUX.**
2. (FIGURÉ) (FAMILIER) Personne bavarde. *Son frère est une pie, il adore bavarder.*

pièce n. f.
1. Partie d'un tout. *Une pièce d'un casse-tête.*
2. Partie d'une habitation. *Cette maison comporte huit pièces* (et non huit *appartements).
3. Morceau de métal plat servant de monnaie. *Des pièces de 25 cents.*
4. Ouvrage dramatique. *Des pièces de théâtre.*
Locutions
À la pièce, aux pièces. Se dit d'une personne payée proportionnellement au travail exécuté. *Elle travaille à la pièce.*
De toutes pièces, locution adverbiale. Complètement. *Cette histoire est inventée de toutes pièces.*
☞ Dans cette expression, le nom ***pièce*** se met toujours au pluriel.
Mettre en pièces. Détruire. *Le chien a mis en pièces la poupée.*
☞ Dans cette expression, le nom ***pièce*** se met toujours au pluriel.

pied n. m.
VOIR TABLEAU – **PIED.**

pied-d'alouette n. m. (pl. *pieds-d'alouette*)
Plante ornementale.

pied-de-poule adj. inv. et n. m. (pl. *pieds-de-poule*)
Adjectif invariable
Des tailleurs pied-de-poule.
Nom masculin
Se dit d'un tissu évoquant des pattes d'oiseau. *Des pieds-de-poule noirs et blancs.*

piédestal n. m. (pl. *piédestaux*)
Socle. *Des piédestaux ornés de motifs sculptés.*
Locution
Mettre quelqu'un sur un piédestal. (FIGURÉ) Lui témoigner une grande admiration qui n'est pas toujours mesurée.
✎ pi**é**destal, en un seul mot.

piège n. m.
1. Dispositif qui sert à prendre des animaux. *Un piège à renard.*
2. (FIGURÉ) Embûche. *Des questions pièges. Cette dictée était remplie de pièges.*
☞ Mis en apposition, le nom prend la marque du pluriel.
✎ pi**è**ge.

piéger v. tr.
1. Tendre un piège. *Le trappeur piégeait des renards.*
2. (FIGURÉ) Prendre au piège. *Ils ont été piégés par cette tactique.*

☞ note | ✎ orthographe | *forme fautive

1. Extrémité inférieure de la jambe de l'homme, de la patte des animaux qui ont des sabots (éléphant, cheval, bœuf, mouton, cerf, chameau, etc.).
Nouni a de petits pieds. Les pieds de devant du cheval.

2. Base, support.
Les pieds d'une table. Le pied d'une colonne.

3. Unité de mesure anglo-saxonne comportant 12 pouces et valant environ 30 cm.
Il mesure six pieds.

Le mot ***pied*** s'abrège ***pi*** (s'écrit sans point) s'il est précédé d'un nombre en chiffres. *Elle mesure 5 pi 6 po ou un peu plus. Le Canada a adopté le Système international d'unités (SI) : on compte désormais en mètres.*

Locutions

À pied. — En marchant. *Tous les jours, je vais à l'école à pied.*
L'expression ***marcher à pied*** qui est une répétition de mots dont le sens est identique est maintenant passée dans l'usage, mais on peut lui préférer ***aller à pied, marcher.***

À pied sec. — Sans se mouiller. *L'eau est haute : on ne peut traverser à pied sec.*
Cette expression s'écrit au singulier.

À pieds joints. — Les pieds réunis. *Ils ont sauté à pieds joints sur le matelas.*

Attendre quelqu'un de pied ferme. — Avec détermination, colère.

Au pied de la lettre. — Littéralement.

Au pied levé. — Sans préparation. *Il remplace l'acteur absent au pied levé.*

Avoir bon pied, bon œil. — Être encore agile, en forme (malgré l'âge).

Avoir les deux pieds dans la même bottine. — Manquer de débrouillardise, être maladroit.

Avoir pieds et poings liés. — Être réduit à l'impuissance.

Casser les pieds. — (FAMILIER) Ennuyer.

Comme un pied. — Très mal. *Il écrit, il joue comme un pied.*

Des pieds à la tête, de la tête aux pieds. — Complètement. *Elle s'est habillée de neuf de la tête aux pieds.*

Fouler aux pieds. — Mépriser.

Marcher sur les pieds de quelqu'un. — Chercher à l'évincer.

Mettre à pied. — Licencier.

Mettre les pieds dans le plat. — (FAMILIER) Gaffer.

Mettre les pieds (dans un lieu). — Y aller. *Je n'ai jamais mis les pieds dans ce théâtre.*

Mettre quelqu'un au pied du mur. — Le forcer à agir, à se décider.

Mettre sur pied. — Organiser.
Dans cette expression, le nom s'écrit au singulier.

Perdre pied, lâcher pied. — Perdre l'équilibre. *Il a perdu pied et est tombé.*

Perdre pied, lâcher pied. — (FIGURÉ) Être dans une situation difficile.

Pied de nez. — Grimace. *Des pieds de nez espiègles.*

Pieds nus, nu-pieds. — Attention à l'adjectif ***nu*** qui est invariable devant le nom (*elle est nu-tête*), variable après le nom (*elle est tête nue*).

Remettre quelqu'un sur pied. — Le guérir, le remettre d'aplomb.
Dans cette expression, le nom se met au singulier.

Se jeter aux pieds de quelqu'un. — Le supplier, l'implorer.

Se lever du pied gauche. — Être de mauvaise humeur.

Sur pied. — Levé, prêt. *Elle est sur pied dès 6 heures.*
Cette expression s'écrit au singulier.

Travailler d'arrache-pied. — Avec acharnement.
Cette expression s'écrit avec un trait d'union.

P

Conjugaison [VOIR MODÈLE – **PROTÉGER**]
Le **é** se change en **è** devant une syllabe muette, sauf à l'indicatif futur et au conditionnel présent. *Je piège,* mais *je piégerai.*

pierre n. f.
1. Corps dur et solide, matière minérale qu'on détache des rochers. *Un bloc de pierre.*
2. Fragment ou morceau de pierre. *Les voyous lui lançaient des pierres.*
Le nom ***roche*** est un générique qui désigne la masse de substances minérales, tandis que la ***pierre*** est le matériau tiré de la roche dont on se sert dans la construction. Le ***caillou*** est un fragment de pierre de petite dimension.
Locutions
Âge de pierre. Époque préhistorique.
En pierre. Dans cette expression, le nom est généralement au singulier. *Une belle maison en pierre.*
Pierre ponce. Roche volcanique. *Elle frotte ses pieds rugueux avec des pierres ponces pour les adoucir.*
Les deux éléments prennent la marque du pluriel.
Pierre précieuse. *Le diamant, le saphir, l'émeraude, le rubis sont des pierres précieuses.*

pierreries n. f. pl.
Pierres précieuses travaillées. *Ce diadème regorge de pierreries.*
Ce nom ne s'emploie qu'au pluriel.

pierrot n. m.
Personnage à la figure enfarinée des pantomimes.
pierro**t.**

piété n. f.
Dévotion religieuse fervente.
Ne pas confondre avec le nom ***pitié,*** sympathie pour la douleur d'autrui.
pi**é**té.

piétinement n. m.
1. Action de piétiner. *Le piétinement des marathoniens en attendant le signal du départ.*
2. (FIGURÉ) Fait de ne pas avancer, de ne pas progresser.

piétiner v. tr., intr.
Verbe transitif
Frapper avec les pieds. *Les chèvres ont piétiné le jardin.*
Verbe intransitif
1. Rester sur place. *Les coureurs piétinent en attendant le signal du départ.*
2. (FIGURÉ) Ne pas progresser. *Nous piétinons : aucun progrès depuis la dernière rencontre.*
Conjugaison [VOIR MODÈLE – **AIMER**]

piéton, onne adj. et n. m.
Adjectif
Réservé aux piétons. *Une rue piétonne.* **SYN.** piétonnier.
L'adjectif comporte une forme féminine.
Nom masculin
Personne qui va à pied. *Les piétons ont la priorité au feu vert.*
Le nom ne comporte pas de féminin, contrairement à l'adjectif.

piétonnier, ière adj.
Réservé aux piétons. *Des voies piétonnières.* **SYN.** piéton.

piètre adj.
Médiocre. *Ce tissu est de piètre qualité.* **SYN.** mauvais, quelconque.

pieu n. m. (pl. *pieux*)
Pièce de bois pointue. *Une clôture de pieux.*

pieuvre n. f.
Poulpe de grande taille. *La pieuvre a huit tentacules.*

pieux, pieuse adj.
Qui a de la piété. *Bianca est très pieuse.* **SYN.** religieux.

pige (à la) loc. adv.
Se dit d'un mode de rémunération à la ligne, à l'article, etc. *Un journaliste, une traductrice à la pige.*

pigeon n. m.
Oiseau granivore au plumage blanc, gris ou brun. *De beaux pigeons blancs.*
Le nom littéraire du pigeon est la ***colombe.***
VOIR TABLEAU – **ANIMAUX.**
Locution
Pigeon voyageur. *Des pigeons voyageurs.*
L'expression s'écrit sans trait d'union.

pigeonnier n. m.
Lieu où l'on élève des pigeons.
pigeo**nn**ier.

piger v. tr.
1. (FAMILIER) Comprendre. *Maxime n'a pas bien pigé l'explication.*
2. ⚜ (FAMILIER) Tirer, prendre au hasard. *Sébastien a pigé le sept et a gagné.*
Le verbe est couramment utilisé en ce sens au Québec et dans certaines régions de la francophonie, mais son emploi demeure régional.
Conjugaison [VOIR MODÈLE – **CHANGER**]
Le ***g*** est suivi d'un ***e*** devant les lettres ***a*** et ***o.*** *Il pigea, nous pigeons.*

pigiste n. m. et f.
Personne qui travaille à son compte et qui accepte des mandats de certaines entreprises. *Nous confierons cette révision à des pigistes.*

pigment n. m.
Substance colorée. *Cette peinture contient des pigments jaunes.*

pignon n. m.
1. Partie supérieure d'un mur, terminée en pointe. *La maison aux trois pignons.*
2. Roue d'engrenage.
3. Graine de la pomme de pin. *Une salade d'endives et de pignons.*

pile adv.
Exactement. *Nous partirons à 3 heures pile.* **SYN.** précisément.
Locutions
Tomber pile. (FAMILIER) Arriver à propos. *Tu tombes pile, nous te cherchions.*
S'arrêter pile. (FAMILIER) S'arrêter net.
Dans ces expressions, le mot ***pile*** est invariable.

pile n. f.
1. Entassement. *Une pile de livres.*
2. Appareil transformant de l'énergie chimique, solaire en électricité. *Il y a deux piles* (et non deux *batteries) *dans cette lampe de poche.*
3. Côté d'une pièce de monnaie qui ne porte pas une figure. **ANT.** face.
Locution
Pile ou face, locution adverbiale. Au hasard du côté sur lequel tombe une pièce lancée en l'air. *On jouait à pile ou face pour décider où aller manger.*

note | orthographe | *forme fautive

pileR v. tr.
Broyer avec un pilon. *Piler de l'ail.*
Forme fautive
*piler. Mot ancien au sens de ***marcher sur.***
Conjugaison [VOIR MODÈLE – **AIMER**]

pileux, euse adj.
Relatif aux poils. *Le système pileux.*

pilier n. m.
Colonne soutenant une construction.

pillage n. m.
Vol important, vandalisme. *Ce magasin a été l'objet d'un pillage : tout a été volé et détruit.*

pillard, arde adj. et n. m. et f.
Qui commet un vol. **SYN.** voleur.

piller v. tr.
Voler, saccager. *Des bandes armées ont pillé les magasins.*
Conjugaison [VOIR MODÈLE – **AIMER**]
Les lettres ***ill*** sont suivies d'un ***i*** à la première et à la deuxième personne du pluriel de l'indicatif imparfait et du subjonctif présent. *(Que) nous pillions, (que) vous pilliez.*

pilleur, euse n. m. et f.
Personne qui pille. **SYN.** voleur.

pilotage n. m.
Art de conduire un navire (dans un port, sur un cours d'eau où il est difficile de naviguer), de piloter un avion. *Des cours de pilotage. Un poste de pilotage.*

pilote n. m.
1. Personne qui conduit un navire, un avion, un engin, une voiture de course. *Julia voudrait devenir pilote d'avion. Sur le Saint-Laurent, les capitaines font appel à des pilotes pour les guider.*
2. Mis en apposition, ce mot signifie « expérimental ». *Des classes(-)pilotes, une usine(-)pilote, un rôle(-)pilote.* **SYN.** modèle.
Ces expressions peuvent s'écrire avec ou sans trait d'union ; le mot ***pilote*** prend la marque du pluriel.

piloter v. tr.
1. Conduire un navire, un avion, etc. *Sais-tu piloter ce voilier ?*
2. (FIGURÉ) Guider. *J'ai piloté mes invités à travers la ville.*
Conjugaison [VOIR MODÈLE – **AIMER**]
pilot**e**r.

pilotis n. m.
Le ***s*** ne se prononce pas [pilɔti].
Ensemble de pieux enfoncés dans un sol mouvant pour servir de base à une construction. *Une maison sur pilotis protégée des inondations.*
piloti**s,** un ***s*** final.

pilule n. f.
Médicament façonné en petite boule que l'on peut avaler. *Ces pilules sont des antibiotiques.*
Locutions
Dorer la pilule. (FIGURÉ) Présenter une chose désagréable sous un aspect favorable.
La pilule. (FAMILIER) Se dit d'un produit sous forme de comprimés qui empêche la fécondation. *Prendre la pilule pour limiter les naissances.*
pil**u**le.

piment n. m.
Plante potagère dont le fruit à saveur très piquante sert de condiment. *Ajouter un peu de piment rouge dans la sauce à spaghetti.*
Ne pas confondre avec le nom ***poivron,*** fruit du piment doux.

pimpant, ante adj.
Coquet et frais. *Une tenue pimpante.*

pin n. m.
Conifère élancé au feuillage persistant.
HOM. pain, aliment à base de farine.

pince n. f.
1. Outil composé de deux parties articulées destinées à saisir, à serrer des objets. *Jean-Pierre a emprunté mes pinces pour serrer un boulon.*
2. Partie des pattes de certains crustacés. *Des pinces de homard.*
3. Pli d'un vêtement. *Une jupe avec des pinces.*
Locution
Pince à linge. *Suspendre du linge à sécher avec des pinces à linge.*
Au Québec, on parle aussi d'***épingle à linge.***

pinceau n. m. (pl. *pinceaux*)
Ce mot rime avec ***sot.***
Ensemble de poils fixés à un manche dont on se sert pour appliquer de la peinture, de la colle, etc. *Le peintre doit nettoyer ses pinceaux.*

pincement n. m.
Action de pincer, de se pincer.
Locution
Un pincement au cœur. Serrement d'angoisse subite. *Elle a eu un pincement au cœur en reconnaissant son ancien copain.*

pincer v. tr.
1. Serrer avec une pince, avec les doigts. *Il m'a pincée ! crie la petite fille.*
2. (FAMILIER) Surprendre, attraper. *Pincer un voleur.*
Conjugaison [VOIR MODÈLE – **AVANCER**]
Le ***c*** prend une cédille devant les lettres ***a*** et ***o.*** *Il pinça, nous pinçons.*

pince-sans-rire adj. inv. et n. m. et f. inv. (pl. *pince-sans-rire*)
Personne qui fait des blagues en restant sérieuse. *Geneviève a le sens de l'humour et, en plus, elle est pince-sans-rire.*

pincette n. f.
1. Petite pince.
2. (AU PLURIEL) Instrument à deux branches employé pour manipuler les bûches dans une cheminée.
Locution
Ne pas être à prendre avec des pincettes. (FIGURÉ) Être de mauvaise humeur.

pingouin n. m.
Oiseau palmipède de l'Arctique à ailes courtes et à plumage noir et blanc.
Ne pas confondre avec le nom ***manchot,*** oiseau palmipède de l'Antarctique.

ping-pong n. m. inv. (pl. *ping-pong*)
Tennis de table. *Jouer au ping-pong.*
La personne qui pratique ce sport est un ou une ***pongiste.***

pinson n. m.
Oiseau apprécié pour son chant. *Les pinsons égaient la maison par leur chant mélodieux.*
Locution
Gai comme un pinson. De très bonne humeur.

pintade n. f.
Gallinacé au plumage sombre. *Une pintade mâle, une pintade femelle. Le petit de la pintade est le pintadeau. La pintade criaille.*

pinte n. f.
Unité de mesure de capacité anglo-saxonne qui vaut un quart de gallon ou 1,136 litre. *Une pinte de lait.*

pioche n. f.
Outil servant à creuser la terre.
Locution
Une tête de pioche. (FIGURÉ) Personne très têtue.

piocher v. tr.
1. Creuser à la pioche.
2. (FIGURÉ) Travailler avec acharnement. *Étienne pioche sa physique.* **SYN.** bûcher.
Conjugaison [VOIR MODÈLE – **AIMER**]

pion n. m.
Petite pièce du jeu d'échecs, du jeu de dames.
Locution
Damer le pion à quelqu'un. (FIGURÉ) Prendre l'avantage sur lui.

pionnier, ière n. m. et f.
1. Défricheur. *Les premiers colons en Nouvelle-France étaient des pionniers.*
2. (FIGURÉ) Personne qui ouvre une nouvelle voie. *Marie Curie a été une pionnière dans le domaine des substances radioactives.*

pipe n. f.
Appareil composé d'un tuyau et d'un fourneau contenant du tabac. *Fumer une pipe.*
Locution
Tirer la pipe à quelqu'un. ⚜ (FAMILIER) Se moquer de lui, s'amuser à ses dépens.

pipi n. m.
(FAMILIER) Urine. *Fais pipi avant d'aller jouer dehors !*

piquant, ante adj. et n. m.
Adjectif
1. Qui pique. *Sa barbe est piquante. Une sauce piquante.*
2. Mordant, vif. *Des paroles piquantes. Un entretien piquant.*
Nom masculin
1. Épine de certains végétaux, excroissance de certains animaux. *Les piquants de l'oursin, d'un cactus.*
2. Ce qui est amusant. *Le piquant de l'histoire, c'est que...*

pique n. m. et f.
Nom masculin
Une des couleurs du jeu de cartes. *Un sept de pique, un pique.*
Nom féminin
Arme dont la pointe est acérée.
✎ pi**que.**

pique-nique n. m. (pl. *pique-niques*)
Repas pris en plein air. *D'amusants pique-niques.*

pique-niquer v. intr.
Faire un pique-nique. *C'est agréable de pique-niquer dans la forêt.*
Conjugaison [VOIR MODÈLE – **AIMER**]

pique-niqueur, euse n. m. et f. (pl. *pique-niqueurs, pique-niqueuses*)
Personne qui participe à un pique-nique. *Ces pique-niqueurs ont une jolie vue du fleuve.*

piquer v. tr., intr., pronom.
Verbe transitif
1. Faire une piqûre. *Quel insecte l'a piqué ? Une guêpe.*
2. Coudre. *Piquer un vêtement à la machine.*
3. Parsemer. *Piquer un gigot de gousses d'ail.*
4. Produire une sensation. *Le vent froid pique la peau.*
5. Produire une impression vive. *Piquer la curiosité de quelqu'un. Il a été piqué au vif par cette remarque.* **SYN.** exciter.
6. (FAMILIER) Voler. *On m'a piqué mon crayon !*
Verbe intransitif
Présenter des pointes aiguës. *Sa barbe pique.*
Verbe pronominal
1. Se faire une piqûre. *Elle s'est piquée avec une épine de rosier.*
☞ Pris absolument, le verbe signifie « s'injecter un stupéfiant ».
2. Se fâcher. *Elle se pique de la moindre remarque.* **SYN.** se froisser, se vexer.
3. Se vanter. *Il se pique de connaître les bonnes manières.*
Locution
Se piquer au jeu. Se laisser prendre. *Ils se sont piqués à ce jeu de patience.*
Conjugaison [VOIR MODÈLE – **AIMER**]

piquet n. m.
Petit pieu. *Le chien est attaché à un piquet.*
Locutions
Piquet de grève. Groupe de grévistes assurant l'exécution des ordres de grève.
Planté comme un piquet. Immobile. *Viens nous aider au lieu de rester planté comme un piquet !*
✎ pique**t.**

piquetage n. m.
⚜ Manifestation collective de grévistes.

piqueter v. tr.
1. Jalonner de piquets.
2. ⚜ Faire du piquetage.
Conjugaison [VOIR MODÈLE – **APPELER**]
Redoublement du ***t*** devant un **e** muet. *Je piquette, je piquetterai,* mais *je piquetais.*

piqûre n. f.
1. Blessure faite par une pointe, un dard. *Une piqûre d'insecte.*
2. Injection faite avec une seringue munie d'une aiguille. *Le médecin m'a fait une piqûre pour me vacciner contre la grippe.*
3. Points de couture. *Faire une piqûre sur un revers.*
✎ pi**qû**re, attention à l'accent circonflexe sur le ***u.***

piranha n. m.
Petit poisson carnassier qui vit dans les eaux douces d'Amazonie. *Des piranhas voraces ont dévoré un mouton en quelques minutes : je ne voudrais pas leur servir de collation.*
✎ piran**h**a.

piratage n. m.
(INFORMATIQUE) Reproduction illégale. *Le piratage des logiciels se pratique couramment : c'est du vol.*

pirate n. m.
Bandit des mers. *À l'abordage ! crièrent les pirates redoutables.*
☞ Ne pas confondre avec le nom ***corsaire,*** capitaine autorisé à capturer les bateaux ennemis en temps de guerre.
Locutions
Pirate de l'air. Personne armée qui détourne un avion.

Pirate informatique. (NÉOLOGISME) Criminel informatique qui copie des logiciels sans autorisation, qui pénètre dans des réseaux ou des banques de données de façon illégale ou qui tente de contaminer des systèmes en y introduisant des virus informatiques.

pirater v. tr.
1. Reproduire quelque chose sans payer de droits. *Pirater une édition.* **SYN.** copier.
2. (INFORMATIQUE) Copier un fichier, un logiciel sans autorisation. *Ils ont piraté une banque de données.*
Conjugaison [VOIR MODÈLE – **AIMER**]

piraterie n. f.
Actes de pillage commis en mer contre un bateau, ses passagers ou sa cargaison. *L'abordage d'un bateau et l'emprisonnement de l'équipage constituent un acte de piraterie.*

pire adj. et n. m.
Adjectif
1. (COMPARATIF) Plus mauvais, plus pénible. *Des deux solutions possibles, vous avez choisi la pire. Ce sont des menteurs de la pire espèce.*
2. (SUPERLATIF) Le plus mauvais. *C'est le pire de tous.* **ANT.** meilleur.
Nom masculin
Ce qu'il y a de plus mauvais. *Pour le meilleur et pour le pire.*
Ne pas confondre avec le comparatif ***pis*** qui signifie « plus mal ».
Locution
Pas pire, pas trop pire. (FAMILIER) Assez bien, pas mal. *Comment as-tu trouvé l'examen ? Pas pire, il n'était pas trop difficile.*

pirogue n. f.
Embarcation rudimentaire creusée dans un arbre.

pirouette n. f.
1. Tour sur soi-même. *La gymnaste fait des pirouettes très réussies.*
2. (FIGURÉ) Volte-face. *Il répondit à cette question embarrassante par une pirouette.*

pis adj.
Le ***s*** final ne se prononce pas.
(COMPARATIF) (LITTÉRAIRE) Plus mal, plus grave. *Son état est pis que ce matin.* **ANT.** mieux.
Ne pas confondre avec le comparatif ***pire*** qui signifie ***plus mauvais.***
Locutions
Aller de mal en pis, locution adverbiale. S'aggraver.
Tant pis, locution adverbiale. Expression marquant la résignation. *Tant pis, nous n'irons pas en vacances.*
pi**s,** un ***s*** final.

pis n. m.
Le ***s*** ne se prononce pas [pi]; le mot rime avec ***tapis.***
Mamelle de la femelle en lactation. *Les pis de la vache.*
pi**s.**

pisci- préf.
Élément du latin signifiant « poisson ». *Pisciculture.*

piscicole adj.
Relatif à la pisciculture.
pi**sc**icole.

pisciculteur n. m.
piscicultrice n. f.
Personne qui fait l'élevage des poissons.
pi**sc**iculteur.

pisciculture n. f.
Élevage des poissons.
pi**sc**iculture.

piscine n. f.
Bassin de natation. *Faire creuser une piscine.*
pi**sc**ine.

pissenlit n. m.
Plante vivace à fleurs jaunes.
pi**ss**enli**t.**

pisser v. tr., intr.
Verbe transitif
(FAMILIER) Laisser échapper un liquide. *Le blessé pisse le sang.*
Verbe intransitif
(VULGAIRE) Uriner. **SYN.** (FAMILIER) faire pipi.
Conjugaison [VOIR MODÈLE – **AIMER**]

pistache adj. inv. et n. f.
Nom féminin
Graine verdâtre du pistachier. *De la glace aux pistaches.*
Adjectif de couleur invariable
De la couleur vert pâle de la pistache. *Des gants pistache, une écharpe vert pistache.*
VOIR TABLEAU – **COULEUR (ADJECTIFS DE).**

pistachier n. m.
Plante dont le fruit contient les pistaches.

piste n. f.
1. Trace. *Trouver les pistes du lièvre.*
2. Indice qui guide la recherche. *Les policiers ont une piste. Brouiller les pistes.*
3. Voie aménagée pour les avions. *Une piste d'atterrissage.*
Locution
Piste cyclable. Voie réservée aux cyclistes.
Forme fautive
*piste et pelouse. Calque de l'anglais « track and field » pour ***athlétisme.***

pistil n. m.
Le ***l*** se prononce [pistil] ; le mot rime avec ***fertile.***
Parties femelles d'une fleur.
Attention au genre masculin de ce nom : ***un*** pistil.

pistolet n. m.
1. Arme à feu à canon court. **SYN.** revolver.
2. (FIGURÉ) Personne bizarre. *C'est un drôle de pistolet.* **SYN.** énergumène, numéro.
pistol**et.**

piston n. m.
1. Pièce cylindrique d'une pompe, d'un moteur à explosion, d'un instrument de musique.
2. (FIGURÉ) Influence. *Il faut avoir du piston pour obtenir ce poste.* **SYN.** appui, protection.

piteux, euse adj.
1. Médiocre. *De piteux résultats.*
2. Déçu, triste. *Une mine piteuse.*
piteu**x.**

pitié n. f.
Sympathie pour la douleur d'autrui.
Locutions
Avoir pitié de quelqu'un. Plaindre quelqu'un.
Faire pitié. Inspirer la compassion.
Ne pas confondre avec le nom ***piété,*** dévotion religieuse.

piton n. m.
1. Clou dont la tête est en forme d'anneau.
2. Sommet d'une montagne isolée. *Des pitons rocheux.*
3. ⚜ (FAMILIER) Bouton. *Appuie sur le piton pour fermer cet appareil.*
HOM. python, serpent.

pitonner v. intr.
1. (ALPINISME) Planter des pitons.
2. ⚜ (FAMILIER) Utiliser un clavier d'ordinateur, une télécommande de téléviseur.
Conjugaison [VOIR MODÈLE – **AIMER**]

pitoyable adj.
1. Qui excite la pitié. *Ces petits affamés sont pitoyables.*
2. (FIGURÉ) Navrant, mauvais. *Des résultats pitoyables.*

pitre n. m.
Bouffon. *Arrête de faire le pitre !*

pitrerie n. f.
Bouffonnerie.

pittoresque adj. et n. m.
Adjectif
Qui frappe, charme par son originalité. *Les pittoresques auberges anglaises.*
Nom masculin
Caractère expressif et original. *Le pittoresque des petits villages gaspésiens.*
✎ pi**tt**oresque.

pivot n. m.
1. Axe. *Le pivot d'un levier.*
2. Élément clé. *L'entrepreneur est un des pivots de l'activité économique.* **SYN.** base, centre.
✎ pivo**t**.

pivoter v. intr.
Tourner sur un pivot ou comme sur un pivot. *Le soldat a pivoté sur ses talons et est reparti dans la direction contraire.*
Conjugaison [VOIR MODÈLE – **AIMER**]
✎ pivo**t**er.

pizza n. f.
Les lettres ***zz*** se prononcent ***dz*** [pidza].
Plat italien ressemblant à une tarte garnie de tomates, olives, fromage, etc. *Des pizzas succulentes.*

pizzeria n. f.
Les lettres ***zz*** se prononcent ***dz*** et le ***e*** se prononce ***é*** [pidzerja].
Restaurant où l'on sert des pizzas. *Des pizzerias en vogue.*
✎ pizz**e**ria, sans accent.

placard n. m.
Espace de rangement aménagé dans un mur et fermé par une porte, où l'on peut suspendre des vêtements. *Ton manteau est dans le placard.* **SYN.** ⚜ garde-robe, penderie.

placarder v. tr.
Coller un imprimé, une affiche, etc., sur un mur. *Ils ont placardé des affiches électorales sur tous les murs.*
Conjugaison [VOIR MODÈLE – **AIMER**]

place n. f.
1. Endroit, lieu. *Une place pour chaque chose, chaque chose à sa place.*
2. Espace découvert, généralement assez vaste, sur lequel débouchent plusieurs voies de circulation, la plupart du temps entouré de constructions et pouvant comporter un monument, une fontaine, des arbres ou d'autres éléments de verdure. (Recomm. off. OLF) *La place publique. La place Jacques-Cartier, la place d'Armes.*
☞ L'usage qui consiste à désigner par le mot ***place*** un immeuble ou un ensemble d'immeubles, commerciaux ou autres, est erroné.
3. Emploi, rang dans une hiérarchie. *La place d'honneur.*
Locutions
À la place de, locution prépositive. Au lieu de. *J'aimerais prendre ce livre à la place de celui que j'ai reçu.*
De place en place. Par-ci, par-là.
En place, locution adverbiale. À la place qui doit être occupée. *Mettre les couverts en place.*
Faire du sur place. Rester immobile. *Il fait du sur place.*
☞ L'expression peut aussi s'écrire avec un trait d'union ou en un seul mot. *Faire du sur-place, du surplace.*
Faire place. Céder sa place, être remplacé par. *L'hiver fait place au printemps.*
Ne pas tenir en place. Bouger constamment. *Les enfants ne tiennent pas en place.*
☞ Dans cette expression, le nom s'écrit au singulier.
Par places, locution adverbiale. Par endroits.
Remettre quelqu'un à sa place. Le rappeler à l'ordre.
Se mettre à la place de quelqu'un. S'imaginer dans la situation de quelqu'un.
Forme fautive
*place. Impropriété au sens de ***tour, complexe, édifice, centre.***

placement n. m.
Utilisation d'une somme d'argent à l'achat de valeurs mobilières ou immobilières en vue d'en tirer profit. *Il a fait de mauvais placements à la bourse et a perdu beaucoup d'argent.*

placer v. tr., pronom.
Verbe transitif
1. Mettre dans un lieu, à une place. *Placer ses livres dans son bureau.* **SYN.** disposer, ranger.
2. Situer. *Elle place ses enfants au-dessus de tout.*
3. Faire un placement. *Il a placé son argent en obligations.*
SYN. investir.
Verbe pronominal
Prendre une place, un rang. *Ils se sont placés en tête des participants.*
Forme fautive
*placer (un appel, une commande). Anglicisme pour ***faire*** (un appel), ***passer*** (une commande).
Conjugaison [VOIR MODÈLE – **AVANCER**]
Le **c** prend une cédille devant les lettres ***a*** et ***o.*** *Il plaça, nous plaçons.*

placide adj.
Paisible et doux. *Les vaches ont un regard placide.*

placoter v. intr.
⚜ (FAMILIER) Bavarder, faire des commérages. *Mes voisines adorent placoter.*
Conjugaison [VOIR MODÈLE – **AIMER**]
✎ placo**t**er.

plafond n. m.
1. Surface plane formant la partie supérieure d'un lieu couvert. *Un plafond décoré de moulures dorées.*

2. Limite supérieure, spatiale ou temporelle. *La tour de contrôle indique que le plafond est trop bas aujourd'hui pour voler.*

plafonner v. intr.
Atteindre un plafond, ne pas pouvoir dépasser un maximum. *Les profits plafonnent.*
Conjugaison [VOIR MODÈLE – **AIMER**]
plafo**nn**er.

plafonnier n. m.
Appareil d'éclairage fixé au plafond.
plafo**nn**ier.

plage n. f.
1. Rive d'une étendue d'eau, d'un cours d'eau. *Une plage de sable, de galets.*
2. Période de temps. *Des plages horaires dans une grille de programmes de radio.*
3. Espace gravé d'un disque. *Ce microsillon comporte quatre plages par face.*

plagier v. tr.
Copier une œuvre (littéraire, musicale, etc.).
Conjugaison [VOIR MODÈLE – **ÉTUDIER**]
Redoublement du ***i*** à la première et à la deuxième personne du pluriel de l'indicatif imparfait et du subjonctif présent. *(Que) nous plagiions, (que) vous plagiiez.*

plaider v. tr., intr.
Verbe transitif
Justifier par des raisons, des excuses. *Il a plaidé le découragement, la légitime défense.*
Verbe intransitif
1. Défendre une cause devant la justice. *L'avocat a plaidé pour lui.*
2. (FIGURÉ) Témoigner en faveur de. *Son travail acharné plaide en sa faveur.*
Conjugaison [VOIR MODÈLE – **AIMER**]

plaideur, euse n. m. et f.
Personne qui plaide.

plaidoirie n. f.
Action de plaider. *La plaidoirie de l'avocat a été émouvante.*
plaid**oi**rie

plaidoyer n. m.
1. Discours d'un avocat. *Son plaidoyer a convaincu les jurés.*
2. (FIGURÉ) Défense d'une cause, d'une idée.

plaie n. f.
Blessure. *Une plaie superficielle.*
Locution
Retourner le fer dans la plaie. (FIGURÉ) Raviver la souffrance, le chagrin de quelqu'un.

plaindre v. tr., pronom.
Verbe transitif
Avoir de la pitié pour quelqu'un. *Elle plaint ces enfants malades.*
Le verbe ***se plaindre*** suivi de ***que*** se construit généralement avec le subjonctif. *Elle se plaint qu'on l'ait ignorée.*
Le participe passé s'accorde avec le sujet du verbe. *Ils s'étaient plaints du retard.*
Verbe pronominal
Exprimer son mécontentement. *Ils se sont plaints de discrimination. Elle se plaint d'être allergique à la fumée, il se plaint qu'on ne puisse aérer la pièce.* **SYN.** se lamenter, protester.
Le verbe se construit avec la préposition ***de*** suivie d'un nom, d'un infinitif ou avec la conjonction ***que*** suivie du subjonctif.
Conjugaison [VOIR MODÈLE – **CRAINDRE**]
INDICATIF PRÉSENT *Je plains, tu plains, il plaint, nous plaignons, vous plaignez, ils plaignent.* IMPARFAIT *Je plaignais, tu plaignais, il plaignait, nous plaignions, vous plaigniez, ils plaignaient.* PASSÉ SIMPLE *Je plaignis.* FUTUR *Je plaindrai.* **CONDITIONNEL** PRÉSENT *Je plaindrais.* **IMPÉRATIF** PRÉSENT *Plains, plaignons, plaignez.* **SUBJONCTIF** PRÉSENT *Que je plaigne, que tu plaignes, qu'il plaigne, que nous plaignions, que vous plaigniez, qu'ils plaignent.* IMPARFAIT *Que je plaignisse.* **PARTICIPE** PRÉSENT *Plaignant.* PASSÉ *Plaint, plainte.*
Les lettres ***gn*** sont suivies d'un ***i*** à la première et à la deuxième personne du pluriel de l'indicatif imparfait et du subjonctif présent. *(Que) nous plaignions, (que) vous plaigniez.*

plaine n. f.
Étendue plate. *Les plaines de l'Ouest s'étendent à perte de vue.*

plainte n. f.
1. Lamentation. *Les plaintes d'un chat affamé.* **SYN.** cri, gémissement.
2. Expression du mécontentement d'une personne, d'un groupe. *Faire une plainte au propriétaire d'un immeuble.* **SYN.** protestation, reproche.
Locution
Porter plainte. Déposer une plainte contre quelqu'un auprès d'une autorité. *Ils ont porté plainte* (et non *logé une plainte).
HOM. plinthe, moulure.

plaintif, ive adj.
Gémissant. *Un ton plaintif.* **SYN.** pleurnichard.

plaire v. tr. ind., intr., impers., pronom.
Verbe transitif indirect
Être agréable, être une source de plaisir. *Cette jeune fille plaisait à François. Cette idée lui plaît. Le Livre* La Bergère de chevaux *a plu aux élèves.* **SYN.** fasciner.
Verbe intransitif
Susciter de l'attrait. *Cet auteur plaît beaucoup : il a un énorme succès.*
Verbe impersonnel
Il (me, te, etc.) plaît de. *Il (m', t', etc.) est agréable. Il lui plaît de venir. Vous plairait-il d'être présents ?*
Cette construction est de style soutenu ; dans la langue courante, on emploie plutôt ***ça (me, te, etc.) plaît.***
Verbe pronominal
1. S'aimer l'un l'autre. *Ils se sont plu tout de suite.*
2. Trouver du plaisir à se trouver dans un lieu. *Ils se plaisent dans cet endroit.*
3. Prendre plaisir à faire quelque chose. *Elle se plaît à lire.* **SYN.** aimer, apprécier.
En ce sens, le verbe se construit avec la préposition **à** suivie de l'infinitif.
Locution
S'il vous plaît (abréviation ***SVP*** ou ***svp***). Formule de politesse accompagnant une demande.
Le participe passé de ce verbe est toujours invariable.
Conjugaison [VOIR MODÈLE – **PLAIRE**]
Attention à l'accent circonflexe de la troisième personne du singulier : *il plaît.*

plaisant, ante adj.
1. Qui plaît, agréable. *Un lieu plaisant.* **SYN.** attrayant, gai.
2. Charmant. *C'est une dame très aimable et plaisante.*
3. Amusant, sympathique. *Ce film était très plaisant.* **SYN.** divertissant. **ANT.** déplaisant.

p

Indicatif

Présent	*Passé composé*
je plais	j' ai plu
tu plais	tu as plu
elle plaît	elle a plu
il plaît	il a plu
nous plaisons	nous avons plu
vous plaisez	vous avez plu
elles plaisent	elles ont plu
ils plaisent	ils ont plu

Imparfait	*Plus-que-parfait*
je plaisais	j' avais plu
tu plaisais	tu avais plu
elle plaisait	elle avait plu
il plaisait	il avait plu
nous plaisions	nous avions plu
vous plaisiez	vous aviez plu
elles plaisaient	elles avaient plu
ils plaisaient	ils avaient plu

Passé simple	*Passé antérieur*
je plus	j' eus plu
tu plus	tu eus plu
elle plut	elle eut plu
il plut	il eut plu
nous plûmes	nous eûmes plu
vous plûtes	vous eûtes plu
elles plurent	elles eurent plu
ils plurent	ils eurent plu

Futur simple	*Futur antérieur*
je plairai	j' aurai plu
tu plairas	tu auras plu
elle plaira	elle aura plu
il plaira	il aura plu
nous plairons	nous aurons plu
vous plairez	vous aurez plu
elles plairont	elles auront plu
ils plairont	ils auront plu

Infinitif

Présent	*Passé*
plaire	avoir plu

Subjonctif

Présent	*Passé*
que je plaise	que j' aie plu
que tu plaises	que tu aies plu
qu' elle plaise	qu' elle ait plu
qu' il plaise	qu' il ait plu
que nous plaisions	que nous ayons plu
que vous plaisiez	que vous ayez plu
qu' elles plaisent	qu' elles aient plu
qu' ils plaisent	qu' ils aient plu

Imparfait	*Plus-que-parfait*
que je plusse	que j' eusse plu
que tu plusses	que tu eusses plu
qu' elle plût	qu' elle eût plu
qu' il plût	qu' il eût plu
que nous plussions	que nous eussions plu
que vous plussiez	que vous eussiez plu
qu' elles plussent	qu' elles eussent plu
qu' ils plussent	qu' ils eussent plu

Conditionnel

Présent	*Passé*
je plairais	j' aurais plu
tu plairais	tu aurais plu
elle plairait	elle aurait plu
il plairait	il aurait plu
nous plairions	nous aurions plu
vous plairiez	vous auriez plu
elles plairaient	elles auraient plu
ils plairaient	ils auraient plu

Impératif

Présent	*Passé*
plais	aie plu
plaisons	ayons plu
plaisez	ayez plu

Participe

Présent	*Passé*
plaisant	plu
	ayant plu

plaisanter v. intr.
Blaguer, dire des choses pour amuser. *Elle est souvent en train de plaisanter : elle n'est pas très sérieuse.*
Locution
Ne pas plaisanter sur quelque chose. Prendre quelque chose très au sérieux. *Elle ne plaisante pas sur le respect des limites de vitesse.*
Conjugaison [VOIR MODÈLE – **AIMER**]

plaisanterie n. f.
Blague, farce. *Marie-Ève n'apprécie pas les mauvaises plaisanteries.*

plaisir n. m.
Sensation agréable. *Ce fut un plaisir de vous parler. Quel plaisir d'aller voir le Cirque du Soleil !*
Ne pas confondre avec les noms suivants :
– ***bonheur,*** état moral de plénitude qui comporte une idée de durée ;
– ***gaieté,*** bonne disposition de l'humeur ;
– ***joie,*** émotion profonde et agréable, souvent courte et passagère.
Locutions
Au plaisir ! Formule d'adieu. *Au plaisir ! Au plaisir de vous revoir !*
Avec plaisir. Formule de politesse marquant une acceptation. *J'accepte avec plaisir.*
Faire plaisir. Être agréable à. *Tes fleurs m'ont fait plaisir.*
Dans cette expression, le nom reste au singulier.
Par plaisir. Pour s'amuser. *J'irai patiner par plaisir.*
Selon son bon plaisir. Selon sa volonté, ses désirs.

plan, plane adj.
Plat. *Une surface plane.* **SYN.** uni.
HOM.
– **plan**, surface plane ;
– **plant**, végétal.

plan n. m.
1. Surface plane. *Un plan incliné.*
2. Représentation d'une ville, d'un réseau de communications. *Le plan de Montréal, le plan du métro.*
La ***carte*** est une représentation à échelle réduite d'une partie de la surface de la Terre.
3. Structure des idées directrices et des idées secondaires d'un écrit. *Avant de rédiger ta composition, il faut en établir le plan.*
4. Suite ordonnée d'actions en vue d'atteindre un objectif. *Un plan d'action.*
Locutions
À l'arrière-plan, locution adverbiale. Au dernier rang. *Tu vois Olivier à l'arrière-plan de la photo de classe ?*
La locution s'écrit avec un trait d'union.
Au premier plan, locution adverbiale. Qui vient en premier lieu. *La question du décrochage scolaire doit être au premier plan.*
Sur le plan de, locution prépositive. Au point de vue de. *Sur le plan du contenu, il est très fort, mais en ce qui a trait à la forme, il a des progrès à faire.*
On préférera la construction ***sur le plan de*** à celle de ***au plan de*** critiquée, mais de plus en plus courante.
Sur tous les plans, locution adverbiale. Pour tous les aspects.
HOM.
– **plan**, plat ;
– **plant**, végétal.

planche n. f.
1. Pièce de bois peu épaisse, plus longue que large, dont on se sert en menuiserie. *Des planches de pin.*
2. Surface de bois destinée à un usage particulier. *Une planche à repasser, une planche à dessin.*
3. (AU PLURIEL) Théâtre. *Monter sur les planches.*
4. Illustration. *Cette encyclopédie comporte des planches en couleurs.*
Locutions
Planche à roulettes. Planche montée sur quatre roues, sur laquelle on se déplace. *Faire de la planche à roulettes* (et non du *skateboard).
Planche à voile. Planche munie d'un mât, d'une dérive et d'une voile que l'on fait avancer sur l'eau.
Planche de salut. Moyen ultime de secours.

plancher n. m.
Sol d'une pièce, séparation entre deux étages. *Un plancher de pin. Un plancher de béton recouvert de moquette.*
Ne pas confondre avec le nom ***parquet,*** assemblage de lattes de bois qui recouvre le plancher d'une pièce.

plancton n. m.
Le **c** se prononce [plɑ̃ktɔ̃].
Ensemble des organismes microscopiques en suspension dans l'eau de mer ou dans l'eau douce. *Les baleines se nourrissent de plancton.*
plan**c**ton.

planer v. tr., intr.
Verbe transitif
Aplanir. *Planer une surface à l'aide d'un rabot.*
Verbe intransitif
1. Voler sans remuer les ailes, en parlant d'un oiseau ; voler sans l'aide des moteurs, en parlant d'un avion.
2. (FIGURÉ) Flotter de façon menaçante. *Une menace planait.*
Conjugaison [VOIR MODÈLE – **AIMER**]

planétaire adj.
1. Qui concerne les planètes. *Le système planétaire.*
2. Qui se rapporte à l'ensemble de la planète Terre. *Ils ont signé un accord planétaire.*
plan**étaire.**

planétarium n. m. (pl. *planétariums*)
Endroit où l'on recrée sur une voûte hémisphérique les mouvements des astres. *As-tu déjà visité le planétarium de Montréal ? C'est très intéressant.*
plan**é**tarium.

planète n. f.
Corps céleste qui tourne autour du Soleil. *La Terre, Jupiter, Vénus, Saturne sont des planètes.*
Les noms de planètes, de constellations, d'étoiles s'écrivent avec une majuscule. *La Galaxie, Mercure, Saturne.*
VOIR **ASTRE.**
plan**è**te.

planeur n. m.
Avion léger sans moteur, apte à planer.

planification n. f.
Action de planifier. *De la planification à long terme.*

planifier v. tr.
Établir un plan comportant les objectifs à atteindre et les moyens à mettre en œuvre pour y parvenir. *Nous devons planifier notre excursion en montagne.*

Conjugaison [VOIR MODÈLE – **ÉTUDIER**]
Redoublement du ***i*** à la première et à la deuxième personne du pluriel de l'indicatif imparfait et du subjonctif présent. *(Que) nous planifiions, (que) vous planifiiez.*

planquer v. tr., pronom.
Verbe transitif
(FAMILIER) Mettre à l'abri, cacher.
Verbe pronominal
(FAMILIER) Se cacher. *Les voleurs se sont planqués dans la forêt.*
Ce verbe est de niveau très familier. Pour un texte de registre plus soutenu, on emploiera plutôt ***se cacher, se mettre à l'abri.***
Conjugaison [VOIR MODÈLE – **AIMER**]

plant n. m.
Jeune plante que l'on vient de planter ou que l'on va replanter. *Des plants de tomates, de framboises.*
HOM.
– **plan**, plat ;
– **plan**, surface plane.

plantation n. f.
1. Action de planter. *La plantation d'un conifère.*
2. Terrain planté d'arbres, souvent d'une espèce particulière. *Une érablière est une plantation d'érables.*
3. Exploitation agricole des pays tropicaux.

plante n. f.
1. Végétal. *Les arbres, les arbustes, les herbes sont des plantes.*
2. Partie du pied de l'homme et de certains animaux. *La plante des pieds.*

planter v. tr., pronom.
Verbe transitif
1. Mettre en terre des graines ou des plants. *Planter des carottes et des haricots d'Espagne.* **SYN.** semer.
2. Enfoncer quelque chose dans une matière plus ou moins dure. *Planter des clous. Je vais planter les piquets de ma tente ici.* **SYN.** enfoncer.
Verbe pronominal
1. Se poster immobile devant quelqu'un. *Elle s'est plantée devant lui.*
2. (FAMILIER) Subir un échec. *Je prends toutes mes précautions et j'étudie pour ne pas me planter.*
Conjugaison [VOIR MODÈLE – **AIMER**]

planteur n. m.
planteuse n. f.
Agriculteur, agricultrice qui dirige une plantation tropicale.

plaquage n. m.
(SPORTS) Action de plaquer. *Ce joueur a été blessé lors d'un plaquage.*
HOM. **placage**, revêtement.
pla**qu**age.

plaque n. f.
1. Feuille (de métal, de verre, etc.). *Une plaque de cuivre.*
2. Pièce de métal portant des indications. *Une plaque d'immatriculation* (et non une *licence).
Locution
Plaque tournante. Centre important qui détermine une situation. *Pour le transport aérien, New York et Paris sont des plaques tournantes.*

plaquer v. tr.
1. Couvrir d'une couche de métal. *Des bijoux plaqués or. Le bijoutier plaque de l'or sur un bracelet.*
2. Appliquer fortement. *Il l'a plaqué contre le mur. Le joueur a été plaqué au sol.*
3. (FAMILIER) Abandonner. *Son petit ami l'a plaquée.* **SYN.** laisser tomber.
Conjugaison [VOIR MODÈLE – **AIMER**]

plaquette n. f.
1. Petite plaque. *La signalisation de l'école est indiquée sur des plaquettes de bois.*
2. Élément du sang. *Les plaquettes sanguines.*

plasma n. m.
Partie liquide du sang.

plastifier v. tr.
Recouvrir de plastique. *Plastifier un tissu, une carte.*
Conjugaison [VOIR MODÈLE – **ÉTUDIER**]
Redoublement du ***i*** à la première et à la deuxième personne du pluriel de l'indicatif imparfait et du subjonctif présent. *(Que) nous plastifiions, (que) vous plastifiiez.*

plastique adj. et n. m.
Adjectif
Relatif aux arts, à la beauté. *Les arts plastiques.*
Nom masculin
Matière synthétique qui peut être moulée. *Ce beurrier est en plastique.*
Locution
Chirurgie plastique. Chirurgie destinée à restaurer, à donner de belles formes.
plasti**que.**

plat n. m.
1. Récipient plat. *Un plat allant au four à micro-ondes.*
2. Mets. *Un plat de légumes, le plat du jour.*
3. Partie plate de certaines choses. *Le plat de la main.*
Locution
La vengeance est un plat qui se mange froid. (Proverbe) Il vaut mieux attendre un peu pour prendre sa revanche.

plat, plate adj.
Au masculin, le ***t*** est muet [pla].
1. Qui présente une surface sans relief, généralement horizontale. *Des cheveux plats, un toit plat, des souliers plats.*
2. Sans intérêt. *Ce qu'il dit est complètement plat.* **SYN.** ennuyeux, monotone, terne.
3. Non gazeux. *De l'eau plate.*
Locutions
À plat, locution adverbiale. Horizontalement. *Mettre un livre à plat.*
À plat ventre, locution adverbiale. Étendu sur le ventre. *Lire au soleil à plat ventre sur la plage : quel bonheur !*
Être à plat. Être dégonflé, en parlant d'un pneu.
Être à plat. (FIGURÉ) Être déprimé, épuisé, en parlant d'une personne.
pla**t,** pla**t**e.

plateau n. m. (pl. *plateaux*)
1. Surface plate sur laquelle on pose des verres, de la vaisselle, etc. *Un plateau de bois* (et non un *cabaret), *un plateau à fromages.*
2. Scène d'un théâtre.
3. (GÉOGRAPHIE) Étendue de pays plate dont l'altitude est supérieure à celle des environs. *Un plateau calcaire.*

platebande ou **plate-bande** n. f. (pl. *platebandes* ou *plates-bandes*)
Espace de terre garni de fleurs, d'arbustes. *Des platebandes fleuries* ou *des plates-bandes remplies de rosiers.*
Le nom composé s'écrit en un seul mot ou en deux mots liés par un trait d'union.

platée n. f.
Contenu d'un plat. *Le chien Rouki a dévoré sa platée.*

plateforme ou **plate-forme** n. f. (pl. *plateformes* ou *plates-formes*)
Surface plate. *Ils ont construit une plateforme* ou *plate-forme pour les musiciens.*
Le nom composé s'écrit en un seul mot ou en deux mots liés par un trait d'union.
plateforme, plate-forme, avec ou sans trait d'union

platine adj. inv. et n. m.
Nom masculin
Métal précieux. *Cette bague, est-ce du platine ou de l'or ?*
Adjectif de couleur invariable
Blond très clair. *Des cheveux platine.*
VOIR TABLEAU – **COULEUR (ADJECTIFS DE).**

platitude n. f.
Caractère de ce qui est plat, sans intérêt. *La platitude d'un cours, d'un film, d'une remarque.*

plâtre n. m.
1. Pâte dure faite à partir du gypse, employée comme revêtement ou pour immobiliser un membre fracturé. *François a une jambe dans le plâtre.*
2. Moulage de plâtre. *Les plâtres néo-classiques sont très populaires.*
plâtre.

plâtrer v. tr.
Enduire de plâtre. *Plâtrer une jambe fracturée.*
Conjugaison [VOIR MODÈLE – **AIMER**]
plâtrer.

plâtrier n. m.
Personne qui travaille le plâtre.
plâtrier.

plein, pleine adj., n. m. et prép.
Adjectif
1. Rempli au complet. *Un plein panier de fruits.*
2. Qui contient une grande quantité. *La rue est pleine de voitures. Une forêt pleine de gibier.* **SYN.** bondé.
3. Entier. *La Lune est pleine.*
Nom masculin
Caractère de ce qui est entier, complet. *Le plein, s.v.p., demande-t-il au pompiste.*
Préposition
Autant que la chose peut en contenir. *Il a des livres plein la maison, des sous plein les poches.*
Comme préposition, le mot est toujours invariable.
Locutions
À plein, locution adverbiale. Pleinement. *Les jeunes s'amusaient à plein.*
À plein temps, à temps plein, locutions adverbiales. Pendant la durée normale de travail (environ 35 heures par semaine).
Battre son plein. Être à son point culminant. *La fête battait son plein quand il s'est mis à pleuvoir.*
En plein, locution adverbiale. Complètement. *C'est en plein ça, vous avez la bonne réponse.*
En plein air, locution adverbiale. Dehors.
En pleine mer, locution adverbiale. Au large.
En plein soleil, locution adverbiale. Par un soleil éclatant, sans nuage.
Faire le plein. Remplir un réservoir d'essence complètement.
Tout plein, locution adverbiale. Beaucoup. *Il y avait tout plein de cadeaux autour de l'arbre de Noël.*
Pris adverbialement, le mot est toujours invariable.

plein air n. m.
Extérieur. *Les sports de plein air.*

pleinement adv.
Entièrement. *Nous sommes pleinement satisfaits de notre entente.*

plein-temps adj. inv. et n. m. inv.
Qui travaille à temps complet. *Des employés plein-temps. L'hôpital a recruté deux plein-temps.*
Par contre, l'expression ***à plein temps*** s'écrit sans trait d'union. *Il travaille à plein temps, à temps plein.*

pléonasme n. m.
Répétition inutile de mots qui ont le même sens.
Certains pléonasmes sont intentionnels quand l'auteur veut insister sur quelque chose. *Je l'ai entendu de mes oreilles* est un pléonasme voulu.
Voici quelques exemples de pléonasmes fautifs :
- *ainsi par exemple ;
- *ajouter en plus ;
- *comparer ensemble ;
- *hasard imprévu ;
- *monopole exclusif ;
- *monter en haut ;
- *panacée universelle ;
- *petite maisonnette ;
- *pléonasme redondant ;
- *première priorité ;
- *prévoir à l'avance ;
- *redemander de nouveau ;
- *tous sont unanimes.

pleur n. m.
(LITTÉRAIRE) Larme. *À l'annonce de l'accident, ce ne furent que pleurs et grincements de dents.* **SYN.** gémissement, lamentation, plainte.
Ce nom s'emploie généralement au pluriel.

pleurer v. tr., intr.
Verbe transitif
Déplorer. *Il pleure la perte d'un ami.* **SYN.** regretter.
Verbe intransitif
Répandre des larmes. *Elle pleure d'émotion, il pleure à chaudes larmes.*
Conjugaison [VOIR MODÈLE – **AIMER**]

pleurnichard, arde adj. et n. m. et f.
Qui a un ton plaintif, qui pleure sans raison.

pleurnichement n. m. ou **pleurnicherie** n. f.
Action de pleurnicher.

pleurnicher v. intr.
Se lamenter, pleurer sans raison. *Cesse de pleurnicher.* **SYN.** geindre.
Conjugaison [VOIR MODÈLE – **AIMER**]

pleurote n. m.
Champignon comestible.
pleurote.

p

pleuvoir v. impers., intr.
Verbe impersonnel
Tomber, en parlant de la pluie. *Il pleut à torrents, à verse, à boire debout.*
Attention à l'orthographe de l'expression ***à verse*** qui s'écrit en deux mots, contrairement au nom ***averse.***
Verbe intransitif
(FIGURÉ) Venir en abondance. *Les suggestions pleuvent; le comité aura l'embarras du choix.*
Conjugaison [VOIR MODÈLE – **PLEUVOIR**]
La forme impérative n'existe pas. Ce verbe ne se conjugue qu'à la troisième personne du singulier et du pluriel.

plexiglas n. m.
Le ***s*** se prononce [plɛksiglɑs].
S'abrège familièrement en ***plexi*** (s'écrit sans point).
Matière plastique employée comme verre de sécurité. *Une table de plexiglas.*
Ce nom est une marque déposée qui est passée dans l'usage et qui s'écrit maintenant avec une minuscule.
ple**x**igla**s.**

pli n. m.
1. Double épaisseur d'une étoffe, d'un papier, etc. *Les plis d'une jupe.*
2. Ondulation. *La peau ridée de son arrière-grand-mère fait des plis.* **SYN.** ride.
Locutions
Faux pli. Endroit où l'étoffe est froissée, mal ajustée.
Mise en plis. Action de donner aux cheveux les ondulations désirées.
Dans cette expression, le nom se met au pluriel.
Ne pas faire un pli. Être égal. *Ta remarque ne me fait pas un pli.*
Prendre un pli. Acquérir une habitude. *Trop tard, le pli était déjà pris.*

pliant, ante adj.
Qui se plie. *Des lits pliants.*
Ne pas confondre avec le participe présent invariable ***pliant.*** *Tous les jours, on pouvait voir les campeurs pliant leurs tentes à 5 heures.*

plier v. tr., intr., pronom.
Verbe transitif
1. Faire un pli. *Plier un papier en deux.*
2. Incliner, fléchir. *Plier le bras, les genoux.*
3. Rapprocher les unes des autres les parties de. *Plier des vêtements.*
Verbe intransitif
S'affaisser, se courber. *Les branches plient sous le poids des pommes.*
Ne pas confondre avec le verbe ***ployer,*** courber en abaissant.
Verbe pronominal
Se soumettre à quelqu'un, quelque chose. *Ils se sont pliés à ces exigences.*
Locution
Plier bagage. Partir. *Les locataires ont plié bagage sans payer leur loyer.*
Le nom s'écrit au singulier dans cette expression.
Conjugaison [VOIR MODÈLE – **ÉTUDIER**]
Redoublement du ***i*** à la première et à la deuxième personne du pluriel de l'indicatif imparfait et du subjonctif présent. *(Que) nous pliions, (que) vous pliiez.*

plinthe n. f.
Moulure au bas d'un mur. *Les plinthes sont en chêne.*
HOM. **plainte,** lamentation.
plint**h**e.

plisser v. tr., intr.
Verbe transitif
Marquer de plis. *Plisser un tissu.*
Verbe intransitif
Avoir des plis. *Ce chemisier plisse un peu à la taille.*
Conjugaison [VOIR MODÈLE – **AIMER**]

plomb n. m.
Le ***b*** ne se prononce pas.
Métal d'un gris bleuâtre. *Des soldats de plomb. De l'essence sans plomb.*
Locution
Sommeil de plomb. Sommeil très profond.
Forme fautive
*crayon de plomb. Anglicisme au sens de ***crayon à la mine.***
plom**b,** attention au ***b*** final.

plombage n. m.
Action de recouvrir de plomb. *Le plombage de cette dent est à refaire.*

plomber v. tr.
Appliquer du plomb à quelque chose. *Plomber une dent.*
Conjugaison [VOIR MODÈLE – **AIMER**]

plomberie n. f.
1. Travail d'installation et de réparation des conduites d'eau, de gaz d'une maison, d'un bâtiment. *Un entrepreneur de plomberie.*
2. Canalisations et installations sanitaires d'un bâtiment. *Réparer la plomberie.*

plombier n. m.
plombière n. f.
Personne qui exécute des travaux de plomberie.

plongée n. f.
Action de plonger sous l'eau. *Avec un tuba et des palmes, Julia fait de la plongée sous-marine.*

plongeoir n. m.
Tremplin. *La championne olympique sautera du plongeoir de trois mètres.*

plongeon n. m.
1. Action de sauter dans l'eau. *Marc a fait un plongeon en arrière.*
2. Chute de quelqu'un, de quelque chose qui tombe de très haut. *L'autobus a fait un plongeon dans le ravin.*

plonger v. tr., intr., pronom.
Verbe transitif
Enfoncer dans un liquide. *Plonger un récipient dans l'eau.* **SYN.** immerger.
Verbe intransitif
Sauter dans l'eau. *Marie-Lou plongea du tremplin de trois mètres.*
Verbe pronominal
S'absorber dans une activité. *Il s'était plongé dans son travail et ne se laissait distraire par rien.* **SYN.** se concentrer.
Conjugaison [VOIR MODÈLE – **CHANGER**]
Le ***g*** est suivi d'un ***e*** devant les lettres ***a*** et ***o.*** *Il plongea, nous plongeons.*

plongeur n. m.
plongeuse n. f.
1. Personne qui pratique la plongée sous-marine.
Ce nom tend à remplacer ***homme-grenouille.***
2. Personne qui plonge d'un tremplin. *Sylvie Bernier est une excellente plongeuse, elle a gagné la médaille d'or.*
3. Personne qui lave la vaisselle dans un restaurant.

ployer v. tr.
(LITTÉRAIRE) Plier. *Le saule ploie sous la lourdeur de ses branches.* **SYN.** courber.
Ne pas confondre avec le verbe ***plier,*** incliner, fléchir.
Conjugaison [VOIR MODÈLE – **EMPLOYER**]
Le ***y*** se change en ***i*** devant un ***e*** muet. *Il ploie, il ploiera.*
Le ***y*** est suivi d'un ***i*** à la première et à la deuxième personne du pluriel de l'indicatif imparfait et du subjonctif présent. *(Que) nous ployions, (que) vous ployiez.*

***plug**
Anglicisme pour ***prise de courant.***

pluie n. f.
1. Eau qui tombe par gouttes du ciel. *Une pluie abondante tombe sur la ville.*
2. (FIGURÉ) Ce qui tombe en abondance, comme la pluie. *Une pluie de confettis recouvrit les nouveaux mariés.*
Locution
Après la pluie, le beau temps. (Proverbe). Les désagréments sont passagers, tout finit par s'arranger.

plumage n. m.
Ensemble des plumes d'un oiseau. *Le perroquet a un plumage multicolore.*

plume n. f.
1. Production cutanée des oiseaux. *Des plumes d'autruche. Un oreiller de plumes* ou *de plume.*
Le nom se met au pluriel ou au singulier selon qu'il est envisagé de façon singulière ou collective.
2. Instrument pour écrire. *Autrefois, on écrivait avec des plumes d'oie. Prête-moi ta plume, dit la chanson.*
3. Pointe métallique montée sur un stylo et servant à écrire à l'encre. *La plume de mon stylo est dorée. Un stylo à plume.*
Forme fautive
*plume-fontaine. Calque de l'anglais « fountain pen » au sens de ***stylo à plume, stylo plume.***

plumeau n. m. (pl. *plumeaux*)
Petit balai pour l'époussetage.

plumer v. tr.
Arracher les plumes d'un oiseau. *Plumer une poule.*
Conjugaison [VOIR MODÈLE – **AIMER**]

plumier n. m.
Étui destiné à recevoir les crayons, les stylos, etc.

plum-pudding n. m. (pl. *plum-puddings*)
Le premier ***u*** se prononce ***ou*** ou ***o*** et le deuxième se prononce ***ou,*** [plumpudiŋ] ou [plɔmpudiŋ].
Gâteau aux fruits à l'anglaise.

CONJUGAISON DU VERBE **PLEUVOIR**

Indicatif

Présent	*Passé composé*
il pleut	il a plu
Imparfait	*Plus-que-parfait*
il pleuvait	il avait plu
Passé simple	*Passé antérieur*
il plut	il eut plu
Futur simple	*Futur antérieur*
il pleuvra	il aura plu

Infinitif

Présent	*Passé*
pleuvoir	avoir plu

Subjonctif

Présent	*Passé*
qu'il pleuve	qu'il ait plu
Imparfait	*Plus-que-parfait*
qu'il plût	qu'il eût plu

Conditionnel

Présent	*Passé*
il pleuvrait	il aurait plu

Impératif

Présent	*Passé*
(n'existe pas)	*(n'existe pas)*

Participe

Présent	*Passé*
pleuvant	plu ayant plu

plupart (la) n. f. et pron. indéf.
Nom féminin
Le plus grand nombre de personnes, la majorité.
Pronom indéfini
Beaucoup, le plus grand nombre. *La plupart seront de la fête.*
Le verbe se met au pluriel quand ***la plupart*** est construit sans complément et le participe passé s'accorde avec le complément sous-entendu. *La plupart seront retenus.*
Locution
La plupart du temps, locution adverbiale. Ordinairement, habituellement. *À Vancouver, il pleut la plupart du temps en hiver.*
1° ***La plupart*** + complément au pluriel. Le verbe se met au **pluriel** quand le collectif est suivi d'un complément au pluriel et le participe passé s'accorde avec le complément. *La plupart des électeurs se sont inscrits.*
2° ***La plupart*** + ***d'entre nous, d'entre vous.*** Le verbe se met à la troisième personne du pluriel et le participe passé s'accorde avec le complément pluriel. *La plupart d'entre nous ont été retenus.*
VOIR TABLEAU – **COLLECTIF.**

pluralité n. f.
Fait d'être plusieurs. *Ce nom collectif marque la pluralité.*

pluridisciplinaire adj.
Qui concerne plusieurs disciplines, plusieurs domaines. *Un groupe pluridisciplinaire.*
Ne pas confondre avec l'adjectif ***disciplinaire,*** qui se rapporte à la discipline, aux sanctions. *Des mesures disciplinaires.*
pluridisciplin**aire.**

pluriel, elle adj. et n. m.
Adjectif
(GRAMMAIRE) Qui exprime la pluralité. *Une forme plurielle.*
Nom masculin
(GRAMMAIRE) Forme d'un mot qui marque la pluralité, la multiplicité. *Il y a deux nombres en français : le singulier et le pluriel.*
VOIR TABLEAU – **PLURIEL DES NOMS.**

plurilingue adj. et n. m. et f.
Qui parle plusieurs langues. *Le papa d'Étienne est plurilingue : il parle le français, l'anglais, l'arabe et l'italien.* **SYN.** polyglotte.

plus adv. et n. m.
VOIR TABLEAU – **PLUS.**

plusieurs adj. indéf. et pron. indéf.
Adjectif indéfini
Un certain nombre. *J'ai acheté plusieurs fruits.*
Pronom indéfini
Un certain nombre de personnes. *Plusieurs sont en voyage.*
L'adjectif ou le pronom ***plusieurs*** est toujours au pluriel et conserve la même forme au masculin et au féminin.

plus-que-parfait n. m.
Le ***s*** se prononce [plyskəparfɛ].
(GRAMMAIRE) Le plus-que-parfait de l'indicatif exprime :
– un fait ponctuel ou habituel qui a précédé un fait passé. *Le spectacle était terminé quand nous sommes partis. Il avait neigé toute la journée quand nous avons quitté la ville.*
– un fait hypothétique. *Ah ! si j'avais su, j'aurais procédé autrement.*
VOIR TABLEAU – **INDICATIF.**
VOIR TABLEAU – **PASSÉ (TEMPS DU).**

plutôt adv.
1. De préférence. *Entre le ski et le patin, elle a opté plutôt pour le ski alpin.*
2. (FAMILIER) Assez. *Il est plutôt rapide, il fait plutôt froid.*
Locution
Plutôt que, locution conjonctive. *Catherine et Marie-Ève préfèrent aller nager plutôt que de regarder la télévision ou que jouer aux cartes.*
Suivie de l'infinitif, la locution conjonctive peut se construire avec ou sans la préposition ***de.***
Le verbe se met au singulier avec deux sujets coordonnés par ***plutôt que.*** *La fatigue, plutôt que la timidité, l'a amené à refuser l'invitation.*
HOM. plus tôt, avant.

pluvieux, euse adj.
Abondant en pluie. *Un climat pluvieux, une saison pluvieuse.*
pluvieu**x.**

***p.m.**
Abréviation du latin « post meridiem » servant à la notation de l'heure dans le système anglais. En français, on emploie plutôt *17 h* ou *5 h du soir* (et non *5 h a.m.).
VOIR TABLEAU – **HEURE.**

PME
Sigle de ***petite et moyenne entreprise.***

pneu n. m.
Garniture caoutchoutée d'une roue de véhicule, de bicyclette, etc. *Des pneus d'hiver, des pneus arrière.*

pneumatique adj.
1. Relatif à l'air.
2. Qui fonctionne à l'air comprimé. *Un marteau pneumatique.*
3. Qui se gonfle à l'air. *Un matelas pneumatique, un canot pneumatique.*

pneumonie n. f.
Inflammation du poumon. *Antoine a fait une pneumonie, il était fiévreux et toussait beaucoup.*

poche n. f.
1. Petit sac fixé à un vêtement. *Mettre les mains dans ses poches.*
2. Grand sac. *Une poche de farine.*
Locutions
Argent de poche. Monnaie pour les menues dépenses.
Connaître comme le fond de sa poche. (FIGURÉ) Connaître très bien quelqu'un, quelque chose.
Livre de poche. Livre de format réduit et d'un prix abordable. *Des livres de poche.*

pocher v. tr.
1. Meurtrir. *Pocher un œil à quelqu'un.*
2. Cuire un œuf sans sa coquille dans l'eau bouillante. *Pocher des œufs.*
Conjugaison [VOIR MODÈLE – **AIMER**]

pochette n. f.
1. Étui plat, petite enveloppe. *Une pochette de disque, une pochette d'allumettes.*
2. Petit mouchoir. *Une cravate avec pochette assortie.*

pochoir n. m.
1. Pièce découpée sur laquelle on frotte une brosse enduite d'encre, de couleur, pour obtenir un dessin, un motif.
2. Le dessin ainsi obtenu.

PLURIEL DES NOMS

Le nom se met au pluriel quand il désigne plusieurs êtres ou plusieurs objets. *Trois enfants. Cinq maisons.*

En français, la marque du pluriel ne s'inscrit qu'à compter de deux unités. *La somme s'élève à 1,5 million de dollars.*

Règles générales

- Le pluriel des noms se forme en ajoutant un **s** au singulier. *Un arbre, des arbres.*
- Les noms terminés au singulier par ***-s, -x, -z*** sont invariables. *Un refus, des refus, un prix, des prix, un nez, des nez.*
- Les noms terminés au singulier par ***-al*** font ***-aux*** au pluriel. *Un cheval, des chevaux.*

  EXCEPTIONS : ***avals, bals, cals, carnavals, chacals, festivals, navals, pals, récitals, régals.***
- Les noms terminés au singulier par ***-eau, -au, -eu*** font ***-eaux, -aux, -eux*** au pluriel. *Une eau, des eaux, un tuyau, des tuyaux, un feu, des feux.*

  EXCEPTIONS : ***landaus, sarraus, bleus, pneus.***
- Les noms terminés au singulier par ***-ail*** font ***ails*** au pluriel. *Un détail, des détails.*

  EXCEPTIONS : ***baux, coraux, soupiraux, travaux, vitraux.***

Les mots ***bercail, bétail*** ne s'emploient pas au pluriel.

- Les noms terminés au singulier par ***-ou*** font ***-ous*** au pluriel. *Un fou, des fous.*

  EXCEPTIONS : ***bijoux, cailloux, choux, genoux, hiboux, joujoux, poux.***

Certains mots ont un pluriel double : ***aïeul, ciel, œil, travail*** ; on consultera ces mots à leur entrée alphabétique.

PLURIEL DES NOMS COMPOSÉS

VOIR TABLEAU – **NOMS COMPOSÉS.**

PLURIEL DES NOMS PROPRES

- Les noms de peuples, de races, d'habitants de régions, de villes prennent la marque du pluriel. *Les Canadiens, les Noirs, les Beaucerons, les Trifluviens.*
- Les noms de famille sont généralement invariables. *Les Fontaine sont invités.*
- Les noms propres devenus des noms communs prennent la marque du pluriel.
- Les noms de marques commerciales sont invariables. *Des Peugeot, des Apple.*

Les noms déposés passés dans l'usage sont devenus des noms communs qui prennent la marque du pluriel et s'écrivent avec une minuscule. *Des aspirines, des linoléums, des stencils.*

PLURIEL DES NOMS D'ORIGINE ÉTRANGÈRE

- Les noms étrangers sont invariables. *Des* post-scriptum, *des* curriculum vitæ.
- Les noms d'origine étrangère francisés prennent la marque du pluriel. *Des agendas, des spaghettis.*

Le *s* ne se prononce généralement pas [ply] devant une voyelle ou un *h* muet ; toutefois, le *s* se prononce en liaison. *Plus (z) on donne. Il est plus (z) honnête que son ami.*

En mathématiques, ainsi que dans l'emploi comme nom, le *s* se prononce toujours. *Deux plus* [plys] *deux. Un plus* [plys] *et un moins.*

– Comparatif de supériorité

À un plus haut degré, davantage. *Elle est plus grande que son amie.*

– Superlatif relatif

1. Au plus haut degré. *Il est le plus gentil du monde.*
2. *Le, la plus... que.* *C'est la solution la plus intéressante que nous puissions imaginer.*

Le verbe se met généralement au subjonctif ; cependant, on peut employer l'indicatif si l'on veut marquer davantage la réalité que la possibilité. *C'est la solution la plus intéressante que nous avons trouvée.*

ADVERBE

Marque une addition, une quantité. *Deux tomates plus un concombre.*

NOM MASCULIN

1. Signe de l'addition. *Remplacer un plus par un moins.*
2. La plus grande quantité. *Le plus que nous puissions espérer.*

Locutions

D'autant plus... que, locution conjonctive. Encore plus.
Cette locution se construit avec l'indicatif ou le conditionnel. *Il est d'autant plus apprécié qu'il est compétent et juste.*

De plus en plus, locution adverbiale. Toujours davantage.

Des plus + adjectif. Parmi les plus. *Une personne des plus aimables.*
1° L'adjectif ou le participe qui suit ***des plus*** se met au pluriel et s'accorde en genre avec le sujet qui est déterminé. *Cette animatrice est des plus compétentes. Un véhicule des plus résistants.*
2° Si le sujet est indéterminé, l'adjectif ou le participe restent invariables. *Parler à des inconnus est des plus risqué.*

Ne... plus, locution adverbiale. Avec la négation, l'adverbe marque la cessation d'une action, d'un état. *Nous n'irons plus au bois.*

Ni plus, ni moins, locution adverbiale. Exactement.

On ne peut plus, locution adverbiale. Extrêmement.

Plus d'un, locution pronominale. Ce collectif est généralement suivi d'un verbe au singulier. *Plus d'un fut tenté. Plus d'un candidat est tombé dans le piège.*

Tout au plus, locution adverbiale. Pas davantage que.

podium n. m. (pl. *podiums*)
Le ***o*** est ouvert [pɔdjɔm].
Estrade sur laquelle montent les champions. *Élise et Sébastien étaient heureux de monter sur le podium.*

poêle n. m. et f.
Se prononce comme ***poil*** [pwal].
Nom masculin
Appareil de chauffage servant également à la cuisson. *Un poêle à bois.*
Nom féminin
Ustensile de cuisine plat, à long manche.
Ne pas confondre avec les noms suivants :
– ***casserole,*** récipient métallique muni d'un manche, parfois d'un couvercle ;
– ***chaudron,*** récipient assez profond à anse mobile.
Forme fautive
*poêle. Impropriété au sens de ***cuisinière.***
po**ê**le.

poêlon n. m.
La première syllabe se prononce ***poil*** [pwalɔ̃].
Casserole de métal, de terre allant au feu.
po**ê**lon.

poème n. m.
Le ***o*** est ouvert [pɔɛm].
Œuvre de poésie. *Émile Nelligan a écrit un poème intitulé « Soir d'hiver ».*
po**è**me.

poésie n. f.
Le ***o*** est ouvert [pɔezi].
1. Art du langage propre à exprimer des sensations, des sentiments, des idées à l'aide d'images, de sonorités et d'harmonie.
2. Pièce de vers, petit poème. *Réciter une poésie.*
3. Caractère de ce qui est beau, de ce qui touche la sensibilité. *La poésie d'un coucher de soleil.*
po**é**sie.

poète n. m. et f.
Le ***o*** est ouvert [pɔɛt].
Auteur, auteure qui fait de la poésie. *Félix Leclerc et Anne Hébert sont des poètes.*
po**è**te.

poétique adj.
Le ***o*** est ouvert [pɔetik].
Propre à la poésie. *Une œuvre poétique.*
po**é**tique.

poids n. m.
1. Masse. *Déterminer le poids d'un corps.*
2. Mesure de la masse. *Le poids de ces pommes est de 1,5 kg.*
3. (FIGURÉ) Ce qui pèse. *Le poids d'un travail à faire.*
4. (FIGURÉ) Influence, valeur. *Ce conseiller n'a pas beaucoup de poids à l'hôtel de ville.*
Locution
Poids lourd. Camion de fort tonnage destiné au transport des marchandises. *Des poids lourds.*
HOM. pois, plante grimpante cultivée pour ses graines.
poi**ds.**

poignant, ante adj.
La première syllabe se prononce ***poi*** [pwaɲɑ̃, ɑ̃t].
Émouvant. *Des adieux poignants.* **SYN.** bouleversant.

poignard n. m.
La première syllabe se prononce ***poi*** [pwaɲar].
Couteau à lame courte. *Les poignards sont interdits dans les transports en commun.*

poignarder v. tr.
La première syllabe se prononce ***poi*** [pwaɲarde].
Blesser, tuer avec un poignard.
Conjugaison [VOIR MODÈLE – **AIMER**]

poigne n. f.
La première syllabe se prononce ***poi*** [pwaɲ].
1. Force du poignet.
2. (FIGURÉ) Autorité. *Ce contremaître a de la poigne*

poignée n. f.
La première syllabe se prononce ***poi*** [pwaɲe].
1. Action de serrer la main de quelqu'un. *Une poignée de main, des poignées de main.*
2. Quantité que la main peut contenir. *Une poignée de bonbons, de billes.*
3. Petite quantité. *Une poignée de participants tenait bon* ou *tenaient bon.*
Après un nom collectif suivi d'un complément au pluriel, le verbe se met au singulier ou au pluriel suivant l'intention de l'auteur qui veut insister sur l'ensemble ou sur la pluralité.
4. Partie d'un objet conçue pour être prise avec la main. *La poignée d'un sac d'école.*
VOIR TABLEAU – **COLLECTIF.**

***poigner** ou **pogner**
Mot ancien au sens de ***saisir, prendre.***

poignet n. m.
La première syllabe se prononce ***poi*** [pwaɲɛ].
1. Articulation qui unit la main à l'avant-bras.
2. Partie du vêtement qui recouvre le poignet. *Les poignets de ta chemise sont sales.*
poigne**t.**

poil n. m.
1. Production de l'épiderme couvrant la peau. *Des poils roux.*
2. Ensemble des poils. *Ce chien a un beau poil ras.* **SYN.** fourrure, pelage.
Locution
Reprendre du poil de la bête. (FIGURÉ) Réagir, reprendre le dessus.

poilu, ue adj.
Qui a beaucoup de poils. *Nicolas est poilu.* **SYN.** velu.

poinçon n. m.
Instrument à pointe servant à percer.
poin**ç**on.

poinçonner v. tr.
1. Marquer d'un poinçon. *Poinçonner une pièce de monnaie.*
2. Perforer. *Le contrôleur poinçonna son billet.*
Conjugaison [VOIR MODÈLE – **AIMER**]
poin**ç**onner.

poing n. m.
Main fermée. *Montrer le poing.*
Locutions
Coup de poing. *Des coups de poing.*
Dans cette expression, le nom ***poing*** s'écrit au singulier.
Dormir à poings fermés. Dormir profondément.
Être pieds et poings liés. (FIGURÉ) Être réduit à l'inaction.
HOM. point, petite portion d'étendue.
poin**g,** attention au ***g*** final.

p

point adv. et n. m.
Nom masculin
1. Petite portion d'étendue. *Un point de départ, un point de chute.*
2. Signe en forme de petite marque ronde. *Le deux-points, le point-virgule, le point d'interrogation.*
VOIR TABLEAU – **PONCTUATION.**
3. Piqûre. *Faire quelques points à un vêtement. Un point de surjet.*
4. Degré. *Au point où nous en sommes.*
5. Unité d'une échelle de grandeurs. *Il a récolté 80 points pour sa dissertation.*
6. (TYPOGRAPHIE) Hauteur ou épaisseur du caractère qui s'exprime en points.
Adverbe
(LITTÉRAIRE) (VIEUX) Pas. *Il n'y a point de vent aujourd'hui.*
Locutions
À point, locution adverbiale. À propos. *Tout vient à point à qui sait attendre.*
À point, locution adverbiale. Se dit d'un mode de cuisson des viandes entre saignant et cuit. *Un steak à point* (et non *médium).
À point nommé, locution adverbiale. Au moment voulu.
Au dernier point, locution adverbiale. Extrêmement.
Au point que, à tel point que, à un point tel que, locutions conjonctives. Si bien que, à un tel degré que.
En tous points, locution adverbiale. Absolument, à tous les égards. *Je lui donne raison en tous points.*
Dans cette locution, le nom s'écrit au pluriel.
En tout point, locution adverbiale. Entièrement. *Ils sont identiques en tout point.*
Dans cette locution, le nom s'écrit au singulier.
Faire le point. Déterminer la position d'un navire en mer et, par extension, définir, analyser une situation.
Jusqu'à un certain point, locution adverbiale. Dans une certaine mesure.
***Mettre les points sur les* i.** Expliquer quelque chose, supprimer toute équivoque.
Mise au point. Réglage d'un appareil en vue d'obtenir une image très nette ; au figuré, clarification d'une question.
Point cardinal.
VOIR TABLEAU – **POINTS CARDINAUX.**
Point chaud. Zone dangereuse. *Les points chauds à surveiller.*
Point de non-retour. Étape où il n'est plus possible de revenir en arrière.
HOM. poing, main fermée.

pointage n. m.
1. Action de pointer. *Le pointage d'un revolver.*
2. Action de cocher une liste en vue d'un contrôle. *Une liste de pointage* (et non une *check list).

POINTS CARDINAUX

Abréviations :

est	***E.***
ouest	***O.***
nord	***N.***
sud	***S.***

L'écriture des noms de points cardinaux, ***nord, sud, est, ouest*** et de leurs dérivés ***midi, centre, occident, orient***... obéit à deux règles principales.

MAJUSCULE

Les points cardinaux s'écrivent avec une majuscule initiale lorsqu'ils servent à désigner spécifiquement un lieu géographique, ethnique, un odonyme.

Le Nord canadien, l'Amérique du Nord, le pôle Sud, les fleurs du Midi, rue Laurier Ouest, l'Orient et l'Occident. Il habite la Rive-Sud.

Les points cardinaux prennent une majuscule lorsqu'ils ne sont pas suivis d'un complément déterminatif introduit par la préposition ***de***. *Le Nord canadien*, mais *le nord des États-Unis.*

MINUSCULE

Les points cardinaux s'écrivent avec une minuscule quand ils sont employés comme noms ou comme adjectifs pour indiquer la direction, l'exposition.

Le vent du nord, une terrasse exposée au sud, la rive nord du Saint-Laurent.

Noms composés

Les points cardinaux composés s'écrivent avec un trait d'union.

Le nord-ouest du Québec.

Abréviations

Les noms de points cardinaux s'abrègent lorsqu'ils font partie de mesures de longitude et de latitude.

45° de latitude N.

***point aveugle**
Calque de l'anglais « blind spot » pour ***angle mort.***

point de vue n. m.
1. Opinion, avis. *À mon point de vue, il avait raison d'agir ainsi.*
2. Endroit d'où l'on découvre un paysage, une perspective intéressante. *Cette route de montagne comporte de beaux points de vue.* **SYN.** panorama, vue.
3. Le paysage ainsi aperçu.
4. (FIGURÉ) Perspective, aspect sous lequel on envisage une question. *Le point de vue économique.*
Locutions
À tout point de vue ou ***à tous points de vue,*** locution adverbiale. À tous les égards. *À tout point de vue, tu as raison.*
Au point de vue de, du point de vue de, locutions prépositives. En ce qui concerne. *Au point de vue de la terminologie* (et non *au point de vue terminologique).
Le complément de la locution prépositive ne doit pas être apposé, il est précédé d'un article défini.

pointe n. f.
Extrémité pointue d'une chose. *La pointe d'une épée, d'un crayon, d'un parapluie.*
Locutions
De pointe, locution adverbiale. À l'avant-garde. *Les technologies de pointe.*
En pointe, locution adverbiale. En forme de pointe.
Heure de pointe. Heure d'affluence, de consommation maximale.
Sur la pointe des pieds. En marchant très doucement pour ne pas être entendu.

pointer v. tr., intr.
Verbe transitif
1. Marquer d'un point. *Pointer des noms sur une liste.* **SYN.** cocher.
2. Diriger. *Pointer son doigt en direction du nord.*
Verbe intransitif
1. Commencer à paraître. *Le jour pointe.*
2. Se dresser en forme de pointe. *L'immeuble pointe vers le ciel.*
3. Enregistrer son heure d'arrivée et de départ.
Conjugaison [VOIR MODÈLE – **AIMER**]

pointillé n. m.
Trait composé de points. *Une section d'un formulaire délimitée par un pointillé.*

pointilleux, euse adj.
Tatillon, exigeant à l'excès. *Jules est trop pointilleux.* **SYN.** méticuleux.
pointilleu**x.**

pointu, ue adj.
1. Qui se termine en pointe. *Un toit pointu.*
2. Très spécialisé. *Un sujet de thèse très pointu.*

pointure n. f.
Dimension d'une chaussure, d'un gant, d'une coiffure. *Quelle pointure désirez-vous ?*
Le nom ***taille*** se dit surtout de la grandeur d'un vêtement.

point-virgule n. m.
Signe de ponctuation. *Des points-virgules trop nombreux.*
VOIR TABLEAU – **PONCTUATION.**

poire n. f.
Fruit du poirier. *Une tarte aux poires.*

poireau n. m. (pl. *poireaux*)
Plante potagère dont on mange le pied. *Un potage aux poireaux.*

poireauter v. intr.
(FAMILIER) Attendre. *Il m'a fait poireauter pendant deux heures.*
SYN. patienter.
Conjugaison [VOIR MODÈLE – **AIMER**]
poir**eau**ter.

poirier n. m.
Arbre fruitier qui produit les poires.

pois n. m.
Plante grimpante cultivée pour ses graines. *Des pois mange-tout, des pois chiches.*
Locution
À pois. Imprimé de petites pastilles. *Un chemisier à pois.*
HOM. poids, masse.
poi**s.**

poison n. m.
Substance toxique qui peut faire mourir ou rendre très malade. *Le curare et l'arsenic sont des poisons.*

poisseux, euse adj.
Gluant. *Lave-toi les mains, elles sont poisseuses.* **SYN.** collant.
poisseu**x.**

poisson n. m.
1. Animal aquatique à respiration branchiale. *Des poissons rouges.*
2. (AU PLURIEL) Nom d'une constellation, d'un signe du zodiaque.
Les noms d'astres s'écrivent avec une majuscule. *Elle est (du signe des) Poissons, elle est née entre le 20 février et le 20 mars.*
VOIR **ASTRE.**
Locution
En queue de poisson, locution adverbiale. Sans dénouement.

poissonnerie n. f.
Magasin où l'on vend du poisson, des fruits de mer.

poissonneux, euse adj.
Qui abonde en poisson. *Un lac poissonneux.*

poissonnier n. m.
poissonnière n. f.
Personne qui vend du poisson.

poitrail n. m. (pl. *poitrails*)
La partie de devant du corps du cheval.

poitrine n. f.
1. Partie avant du corps humain qui contient les poumons et le cœur. *Il berce son bébé contre sa poitrine.*
2. Seins de femme, gorge. *Une jolie poitrine.*

poivre n. m.
Condiment fait avec le fruit du poivrier. *Du poivre vert.*

poivrer v. tr.
Assaisonner de poivre. *Il poivre sa salade.*
Conjugaison [VOIR MODÈLE – **AIMER**]

poivrier n. m.
Arbuste dont les baies fournissent le poivre.

poivrière n. f.
Ustensile qui contient le poivre. **SYN.** poivrier.

poivron n. m.
Fruit du piment doux. *Des poivrons verts.*
Ne pas confondre avec le nom ***piment,*** condiment à saveur très piquante.

polaire adj.
Relatif aux pôles terrestres, situé près de ces pôles. *Les régions polaires, les mers polaires.*

pôle n. m.
1. Chacune des deux extrémités de l'axe de rotation de la Terre. *Le pôle Nord, le pôle Sud.*
Les noms génériques de géographie s'écrivent avec une minuscule, tandis que les points cardinaux s'écrivent avec une majuscule.
2. (FIGURÉ) Centre d'intérêt. *Cette ville dynamique est un pôle d'attraction.*
p**ô**le.

poli, ie adj.
1. Uni, luisant. *Un métal bien poli.* **SYN.** lisse.
2. Courtois, qui fait preuve de politesse. *Soyez poli, s'il vous plaît.* **ANT.** impoli.

poli n. m.
Éclat d'une chose lisse et brillante. *Le poli d'un plancher de chêne bien ciré.*
Forme fautive
*poli (à ongles, à chaussures). Anglicisme pour ***vernis*** (à ongles), ***cirage*** (à chaussures).

police n. f.
1. Administration chargée d'assurer le respect des lois, le maintien de l'ordre public. *Appelez la police, il y a un cambrioleur !*
2. Acte qui constate un contrat d'assurance. *Une police d'assurance.*
Forme fautive
*police. Impropriété au sens de ***policier.***
poli**c**e.

***policeman**
Anglicisme pour ***policier.***

***police montée**
Calque de l'anglais « mounted police » pour nommer la ***Gendarmerie royale du Canada.***

polichinelle n. m.
Personnage bouffon de la *commedia dell'arte.*

policier n. m.
policière n. f.
Personne qui travaille dans un service de police. *Ce policier* (et non cette *police) *est très courtois.*

policier, ière adj.
Relatif à la police. *Une enquête policière, un roman policier, des chiens policiers.*

poliment adv.
D'une manière courtoise. **ANT.** impoliment.
po**li**ment.

polio n. f.
Abréviation familière de ***poliomyélite.***

poliomyélite n. f.
Maladie caractérisée par des lésions de la moelle épinière entraînant des paralysies.
pol**i**om**y**él**i**te.

polir v. tr.
1. Rendre lisse et brillant. *Elle polit ses cuivres.* **SYN.** astiquer.
2. (FIGURÉ) (LITTÉRAIRE) Parfaire. *Polir une œuvre.* **SYN.** (FAMILIER) fignoler, perfectionner.
Conjugaison [VOIR MODÈLE – **FINIR**]
polir.

polissage n. m.
Action de polir. *Le polissage des souliers.*
po**l**issage.

politesse n. f.
Courtoisie, bienséance. *Elle le salua avec politesse.* **ANT.** effronterie, impolitesse.

politicien, ienne adj. et n. m. et f.
Personne qui fait de la politique.
Ce nom a parfois un sens défavorable.

politique adj. et n. f.
Adjectif
Relatif au gouvernement d'un État. *Un régime politique. Les institutions politiques.*
Nom féminin
1. Science, art de gouverner un État. *La politique intérieure d'un pays. Faire de la politique.*
2. Énoncé général ou énoncé de principes indiquant la ligne de conduite adoptée par un organisme privé ou public, dans un secteur donné, pour la gestion de ses affaires. (Recomm. off. OLF) *Une politique de la qualité de la langue.*

polka n. f.
Danse d'origine polonaise très rythmée. *Des polkas endiablées.*

pollen n. m.
Le ***n*** se prononce [pɔlɛn]; ce nom rime avec ***laine.***
Matière poudreuse produite par les étamines des plantes à fleurs, lesquelles constituent l'élément reproducteur mâle. *Les abeilles recueillent le pollen des fleurs.*
po**ll**e**n.**

polluant, ante adj. et n. m.
Adjectif
Qui pollue. *Ces produits sont polluants.*
Nom masculin
Substance qui cause une pollution. *Des polluants dangereux.*
Ne pas confondre avec le participe présent invariable ***polluant.*** *Il faudra sévir contre l'emploi de produits polluant les eaux.*
po**ll**uant.

polluer v. tr.
Salir, dégrader l'environnement. *Ces substances qui ne sont pas biodégradables polluent les cours d'eau.* **ANT.** dépolluer.
Conjugaison [VOIR MODÈLE – **AIMER**]

pollueur, euse adj. et n. m. et f.
Qui pollue. *Les pollueurs seront poursuivis.*

pollution n. f.
Dégradation d'un milieu naturel (eau, sol, air) par des substances, des déchets toxiques. *Il importe de réduire la pollution de l'environnement.*

polo n. m.
Le premier **o** est ouvert [pɔlo].
1. Jeu d'équipe analogue au hockey, qui se joue à cheval.
2. Chemise de tricot à col ouvert. *Des polos de couleurs vives.*

polonais, aise adj. et n. m. et f.
Adjectif et nom masculin et féminin
De Pologne. *Le drapeau polonais. Un Polonais, une Polonaise.*
L'adjectif s'écrit avec une minuscule ; le nom, avec une majuscule.
Nom masculin
Langue parlée en Pologne. *Elle étudie le polonais.*
Le nom de la langue s'écrit avec une minuscule.

poly- préf.
Élément du grec signifiant « nombreux ».
Les mots composés avec le préfixe ***poly-*** s'écrivent en un seul mot. *Polytechnique.*

polyclinique n. f.
Établissement médical où l'on traite différentes maladies.
pol**y**clinique.

polyglotte adj. et n. m. et f.
Qui parle plusieurs langues. *Un guide polyglotte qui parle le français, l'anglais, l'italien et l'espagnol.* **SYN.** plurilingue.
pol**y**glo**tte.**

polygone n. m.
Figure plane qui a plusieurs angles et plusieurs côtés.
pol**y**gone.

polynésien, enne adj. et n. m. et f.
De Polynésie. *Le folklore polynésien. Un Polynésien, une Polynésienne.*
L'adjectif s'écrit avec une minuscule ; le nom, avec une majuscule.

polystyrène n. m.
Matière synthétique. *Un emballage en polystyrène* (et non en *styrofoam).
pol**y**st**y**rène.

polytechnique adj.
Qui concerne plusieurs sciences, plusieurs techniques. *Éléna va à l'École polytechnique.*
Locution
École polytechnique. *Ces étudiants vont à Polytechnique.*
Si l'adjectif est employé seul, il prend alors une majuscule. *Elle est inscrite à Polytechnique.*

polyvalence n. f.
Caractère de ce qui est polyvalent.
pol**y**valence.

polyvalent, ente adj.
Qui a plusieurs fonctions différentes. *Un antibiotique polyvalent.*

polyvalente n. f.
École secondaire où sont dispensés à la fois l'enseignement général et l'enseignement professionnel. (Recomm. off. OLF) *La polyvalente Pierre-Laporte.*

pomiculteur n. m.
pomicultrice n. f.
Personne qui cultive des arbres donnant des fruits à pépins, surtout des pommiers.
po**m**iculteur, un seul ***m.***

pommade n. f.
Onguent. *Enduire de pommade.*
po**mm**ade.

pomme n. f.
Fruit du pommier. *Une belle pomme verte. Une tarte aux pommes.*

pomme de terre n. f.
Plante dont on mange les tubercules. *Une purée de pommes de terre* (et non des *patates pilées).
Locution
Pomme de terre en robe des champs, en robe de chambre. Pomme de terre cuite avec sa peau.
Les deux expressions se disent.

pommette n. f.
1. Petite pomme. *De la gelée de pommettes.*
2. Partie saillante de la joue, au-dessous de l'œil. *Ses pommettes rougissent sous le compliment.*

pommier n. m.
Arbre dont le fruit est la pomme. *Le terrain planté notamment de pommiers est un verger.*

pompage n. m.
Action de pomper (un liquide, un gaz). *Une station de pompage.*

pompe n. f.
1. (VIEUX) Faste, splendeur.
2. Machine dont la fonction est de faire circuler un liquide ou de l'air. *Une pompe à incendie, une pompe à air.*
3. Appareil servant à la vente des carburants. *Pompe à essence.*
Locutions
À toute pompe, à toutes pompes, locutions adverbiales. (FAMILIER) À toute vitesse.
En grande pompe, locution adverbiale. Avec splendeur et apparat.
Pompes funèbres. Entreprise chargée de l'organisation des funérailles.
Forme fautive
*pompe à gaz. Calque de l'anglais « gas pump » au sens de ***distributeur d'essence, pompe à essence.***

pomper v. tr.
Aspirer un liquide. *Il y a de l'eau dans la cale du bateau, il faut la pomper.*
Conjugaison [VOIR MODÈLE – **AIMER**]

pompier n. m.
pompière n. f.
Personne chargée de combattre les incendies.

pompiste n. m. et f.
Personne préposée à la distribution du carburant. *Pour gagner un peu d'argent pendant l'été, Marie-Lou et Antoine sont pompistes.*

pompon n. m.
Petite houppe. *Une tuque avec un pompon.*
po**m**po**n.**

pomponner v. tr., pronom.
Arranger avec soin et coquetterie. *Julia pomponne son chat. Elle s'est pomponnée pour le réveillon.*
À l'origine, le verbe signifiait « orner de pompons » !
Conjugaison [VOIR MODÈLE – **AIMER**]

poncho n. m.
Le nom se prononce à l'espagnole, le ***n*** est sonore et les lettres ***ch*** se prononcent ***tch*** [pɔntʃo].
Vêtement composé d'une couverture percée d'un trou au milieu pour y passer la tête. *Des ponchos colorés.*

ponctualité n. f.
Exactitude. *Ces élèves font preuve de ponctualité, ils sont toujours à l'heure.*

ponctuation n. f.
VOIR TABLEAU – **PONCTUATION.**

ponctuel, elle adj.
Qui est toujours à l'heure. *Il n'est pas ponctuel, il arrive toujours en retard.* **SYN.** exact.

PONCTUATION

SIGNES DE PONCTUATION

. le point
, la virgule
; le point-virgule
: le deux-points
? le point d'interrogation
! le point d'exclamation
... les points de suspension

SIGNES TYPOGRAPHIQUES

- le trait d'union
( ) les parenthèses
— le tiret
« » les guillemets
[ ] les crochets
/ la barre oblique
* l'astérisque

FONCTIONS DES SIGNES DE PONCTUATION ET DES SIGNES TYPOGRAPHIQUES

. LE POINT

ESPACEMENT
PAS D'ESPACE AVANT | UN ESPACE APRÈS

- Le point marque la fin d'une phrase.

  Les lilas sont en fleurs. Rendez-moi ce livre, svp.

  Note – Si l'abréviation est en fin de phrase, le point abréviatif et le point final se confondent.

- Le point s'emploie à la fin d'un mot abrégé dont on a retranché les lettres finales. ***M****. est l'abréviation de* ***Monsieur*** *et* ***Mme****, l'abréviation de* ***Madame****.*

  Note – L'abréviation ***Mme*** ne prend pas de point parce que la dernière lettre du mot est conservée.

, LA VIRGULE

ESPACEMENT
PAS D'ESPACE AVANT | UN ESPACE APRÈS

1. Énumération et juxtaposition

- La virgule sépare les noms et les adjectifs énumérés non unis par une conjonction (***et, ou, ni***).

  Achète des pommes, des poires, des oranges et des pamplemousses.

- La virgule sépare aussi les propositions juxtaposées.

  L'avion se pose, freine, s'immobilise.

2. Explication et apposition

- La virgule s'emploie devant des conjonctions exprimant la restriction (***mais, or, pourtant, cependant, néanmoins, toutefois****...*), l'explication (***à savoir, c'est-à-dire, par exemple, car, donc...***)

  Martine est malade, mais elle se soigne. Achète des légumes, par exemple des haricots, des carottes et du maïs.

- La virgule isole une explication.

  Le béluga, appelé aussi baleine blanche, vit dans les eaux arctiques.

  Note – On met une virgule au début et à la fin de l'explication : les virgules jouent ici le même rôle que les parenthèses.

- La virgule encadre également les mots mis en apposition.

  La directrice, Louise Dubois, accueillera les nouveaux élèves.

- La virgule signale les mots mis en apostrophe.

  Laurence, écoute-moi !

- La virgule met en relief la relative explicative.

  Ces jeunes sportifs, qui sont aussi de bons musiciens, participeront aux épreuves de tennis.

  Note – Pour distinguer la relative explicative de la relative déterminative, on vérifie si elle est essentielle à la compréhension de la phrase. La relative déterminative n'est pas encadrée de virgules. *Les jeunes sportifs qui ont été choisis lors des épreuves participeront aux Jeux du Québec.*

- La virgule isole une incise.

  Je termine cela, répondit-il, et j'arrive immédiatement.

suite ►

3. Mise en relief d'éléments placés en tête de phrase

- La virgule met en évidence un complément circonstanciel en début de phrase.

  L'an dernier, nos résultats ont été excellents.

- La virgule souligne une proposition subordonnée en début de phrase.

  Parce qu'il fait trop froid, nous avons remis notre excursion.

- La virgule se place après un marqueur de relation (***bref, d'abord, d'une part, d'autre part, du reste, en conclusion, en fait, enfin, en outre, en premier lieu, premièrement...***)

; LE POINT-VIRGULE

ESPACEMENT
PAS D'ESPACE AVANT | UN ESPACE APRÈS

- Le point-virgule sépare des propositions de même nature qui sont assez longues et qui ont généralement un lien logique.

  Ces jeunes filles adorent la lecture; leur vocabulaire est riche et elles écrivent bien.

- Le point-virgule s'emploie aussi entre chaque élément des énumérations introduites par le deux-points.

  La trousse de secours comprend :
  un thermomètre;
  des pansements;
  un onguent antibiotique.

: LE DEUX-POINTS

ESPACEMENT
UN ESPACE AVANT | UN ESPACE APRÈS

- Le deux-points annonce une citation.

  Et il répondit : « Ce fut un plaisir »

- Le deux-points introduit une énumération.

  Voici les articles que vous devez vous procurer : un canif, une gourde, un sac de couchage et des bottes de randonnée.

- Le deux-points annonce un exemple.

  Ex. : Les blés sont mûrs.

- Le deux-points exprime une relation logique de cause ou de conséquence entre deux propositions.

  Grand-papa est très savant : il est toujours en train de lire.
  Grand-maman est enrhumée : elle a pris froid lors d'une randonnée en forêt.

? LE POINT D'INTERROGATION

ESPACEMENT
PAS D'ESPACE AVANT | UN ESPACE APRÈS

- Le point d'interrogation se place à la fin d'une phrase interrogative.

  Comment ça va ? Auriez-vous de la tarte aux pommes ?

! LE POINT D'EXCLAMATION

ESPACEMENT
PAS D'ESPACE AVANT | UN ESPACE APRÈS

- Le point d'exclamation se place à la fin d'une phrase exclamative.

  Vous êtes là !

Après une interjection, on met un point d'exclamation. *Ha ! Ha !*

suite ►

... **LES POINTS DE SUSPENSION**

ESPACEMENT
PAS D'ESPACE AVANT | UN ESPACE APRÈS

- Les points de suspension marquent une énumération non achevée. *Les prépositions **à, de, par, pour**... servent à introduire un complément.*

  Note – On emploie soit les points de suspension soit l'abréviation ***etc.,*** mais non les deux à la fois.

- Les points de suspension indiquent que la phrase est inachevée.

  Tu imagines ce que je veux dire...

  Note – Les points de suspension se confondent avec le point final et sont toujours au nombre de trois.

- Les points de suspension marquent une hésitation.

  Il se nomme... euh... Antoine, je crois.

- **LE TRAIT D'UNION**

ESPACEMENT
PAS D'ESPACE AVANT | PAS D'ESPACE APRÈS

- Le trait d'union réunit les éléments des mots composés.

  Rez-de-chaussée. Jean-Pierre.

- Le trait d'union s'emploie dans les adjectifs numéraux composés quand les éléments sont l'un et l'autre inférieurs à ***cent*** et quand ils ne sont pas joints par la conjonction ***et***.

  Quatre-vingts, trente-sept.

- Le trait d'union unit le verbe et le sujet inversé, le verbe à l'impératif et le pronom personnel qui le suit.

  Aurai-je le temps de te voir? Donne-moi un peu de lait.

- Le trait d'union marque la coupure d'un mot en fin de ligne.

( ) **LES PARENTHÈSES**

	ESPACEMENT
ouvrante	UN ESPACE AVANT | PAS D'ESPACE APRÈS
fermante	PAS D'ESPACE AVANT | UN ESPACE APRÈS

- Les parenthèses, composées de deux signes (parenthèse ouvrante et parenthèse fermante), servent à intercaler dans une phrase un élément explicatif.

  *L'expression **tenir pour acquis** (du verbe **acquérir**) signifie...*

  Note – Après la parenthèse fermante, il n'y a pas d'espace avant un signe de ponctuation à l'exception du deux-points. *Il vient de Nicolet (Québec).*

- Les parenthèses encadrent un commentaire.

  L'école a informé les parents de la mise en vigueur (à compter du mois de mars) du nouveau règlement.

— **LE TIRET**

ESPACEMENT
UN ESPACE AVANT | UN ESPACE APRÈS

- Le tiret sert à séparer une explication, une remarque.

  Les joueurs d'échecs — les vrais mordus — s'exercent tous les jours.

- Le tiret indique le changement d'interlocuteur dans un dialogue.

  Le monarque s'avança vers son visiteur.
  « Que voulez-vous insinuer?
  — Je n'insinue pas, j'affirme ! »

- Le tiret marque également les éléments d'une énumération.

  Munissez-vous de bons outils :
  – marteau,
  – scie,
  – tournevis.

suite ►

« » LES GUILLEMETS

	ESPACEMENT	
ouvrant	UN ESPACE AVANT	UN ESPACE APRÈS
fermant	UN ESPACE AVANT	UN ESPACE APRÈS

- Les guillemets sont de petits chevrons doubles qui se placent au commencement (guillemet ouvrant) et à la fin (guillemet fermant) d'une citation, d'un dialogue, d'un mot, d'une locution que l'auteur désire isoler.

Tous les vendredis, elle lit la chronique « Plaisirs ».

Le réalisateur cria : « Silence, on tourne ! »

VOIR TABLEAU – **GUILLEMETS.**

[ ] LES CROCHETS

	ESPACEMENT	
ouvrant	UN ESPACE AVANT	PAS D'ESPACE APRÈS
fermant	PAS D'ESPACE AVANT	UN ESPACE APRÈS

- Les crochets servent à marquer une insertion à l'intérieur d'une parenthèse, la suppression d'un extrait [...], une explication spécifique. Dans cet ouvrage, la prononciation (selon l'Alphabet phonétique international) est indiquée entre crochets.

Crochet [krɔʃɛ].

/ LA BARRE OBLIQUE

ESPACEMENT	
PAS D'ESPACE AVANT	PAS D'ESPACE APRÈS

- La barre oblique est utilisée dans l'inscription des unités de mesure complexes abrégées, des fractions, des pourcentages, de certaines mentions.

Une vitesse de 125 km/h, 2/3, 85 %.

* L'ASTÉRISQUE

ESPACEMENT	
PAS D'ESPACE AVANT	UN ESPACE APRÈS

- L'astérisque indique un appel de note.

Le béluga est un mammifère marin.*

---

* *Le béluga est aussi appelé baleine blanche.*

Pour marquer un appel de note, l'astérisque se place après le mot, avec ou sans parenthèses.

VOIR TABLEAU – **ESPACEMENTS.**

ponctuer v. tr.
1. Inscrire les signes de ponctuation nécessaires dans un texte. *Prends garde à bien ponctuer tes phrases.*
2. Marquer, accentuer. *Il ponctuait chaque exclamation par un geste de la main.*
Conjugaison [VOIR MODÈLE – **AIMER**]

pondération n. f.
Sagesse, sens de la mesure. *Agir avec pondération.* **SYN.** réserve.

pondéré, ée adj.
Équilibré, modéré dans ses prises de position. **ANT.** excessif.

pondeuse adj. et n. f.
Se dit d'une femelle d'oiseau qui pond beaucoup d'œufs. *Cette poule est une bonne pondeuse.*

pondre v. tr.
Faire des œufs, en parlant des ovipares. *La poule a pondu trois beaux œufs. Les poissons aussi pondent des œufs.*
Conjugaison [VOIR MODÈLE – **FENDRE**]
INDICATIF PRÉSENT *Je ponds, tu ponds, il pond, nous pondons, vous pondez, ils pondent.* IMPARFAIT *Je pondais.* PASSÉ SIMPLE *Je pondis.* FUTUR *Je pondrai.* **CONDITIONNEL** PRÉSENT *Je pondrais.* **IMPÉRATIF** PRÉSENT *Ponds, pondons, pondez.* **SUBJONCTIF** PRÉSENT *Que je ponde.* IMPARFAIT *Que je pondisse.* **PARTICIPE** PRÉSENT *Pondant.* PASSÉ *Pondu, ue.*

poney n. m.
Le ***o*** est ouvert et les lettres ***ey*** se prononcent **è** ou ***é*** [pɔnɛ] ou [pɔne].

Cheval de petite taille. *Des poneys dociles.*
orthographe: pon**ey.**

pongiste n. m. et f.
Personne qui joue au ping-pong.

pont n. m.
Construction qui permet d'aller d'une rive à l'autre d'un cours d'eau, de traverser une voie ferrée, une route. *Un pont suspendu. Le pont Jacques-Cartier. Le Golden Gate est un pont suspendu.*
Locutions
Brûler, couper les ponts. (FIGURÉ) Rompre toute relation avec quelqu'un, s'interdire tout retour en arrière.
Faire le pont. (FIGURÉ) Prendre congé entre deux jours fériés.
Pont aérien. Liaison aérienne. *Un pont aérien de médicaments, de vivres pour les sinistrés.*

ponte n. f.
Action de pondre. *C'est l'époque de la ponte des œufs.*

pontife n. m.
Le pape de l'Église catholique. *Le souverain pontife.*

pontifical, ale, aux adj.
Relatif au pape, aux évêques. *Les ornements pontificaux.*

pont-levis n. m. (pl. *ponts-levis*)
Le ***s*** ne se prononce pas [pɔ̃lvi].
Pont qui se lève et s'abaisse. *Les ponts-levis des châteaux forts.*
orthographe: pont-levi**s.**

pop adj. inv.
Abréviation familière de ***populaire.*** *Des musiques pop. Un groupe pop.*

***popcorn**
Anglicisme pour ***maïs soufflé, maïs éclaté.***

popote n. f.
(FAMILIER) Cuisine. *Son papa aime faire la popote.*

populaire adj.
1. Qui concerne le peuple. *Le vote populaire.*
2. Qui plaît au grand public. *Une émission populaire.*
note: Ne pas confondre avec le mot ***populeux,*** qui se dit d'un endroit très peuplé.

populariser v. tr.
Faire connaître, vulgariser. *Hubert Reeves a popularisé l'astronomie.*
Conjugaison [VOIR MODÈLE – **AIMER**]

popularité n. f.
Caractère de quelqu'un ou quelque chose qui plaît, qui recueille la faveur populaire. *Ces humoristes ont une grande popularité.* **SYN.** renommée.

population n. f.
Ensemble des personnes qui habitent un pays, un lieu. *La population de l'agglomération de Montréal est de trois millions.*

populeux, euse adj.
Très peuplé. *Un quartier populeux.*
note: Ne pas confondre avec le mot ***populaire,*** qui concerne le peuple.
orthographe: populeu**x.**

porc n. m.
Le ***c*** est muet [pɔr].
1. Animal domestique omnivore qui est élevé pour sa chair. *Cette agricultrice élève des porcs.* **SYN.** cochon.
VOIR TABLEAU – **ANIMAUX.**
2. Viande de cet animal. *Des côtelettes de porc.*
3. (FIGURÉ) Personne malpropre et sans manières. *Ils se conduisent comme des porcs.*
HOM.
– **pore**, orifice de la peau ;
– **port**, endroit aménagé pour recevoir les bateaux.

porcelaine n. f.
Poterie très fine. *Une tasse de porcelaine.*
orthographe: porcel**ai**ne.

porcelet n. m.
Jeune porc.
VOIR TABLEAU – **ANIMAUX.**

porc-épic n. m. (pl. *porcs-épics*)
Les deux ***c*** se prononcent ***k,*** au singulier comme au pluriel : un, des [pɔrkepik].
Mammifère rongeur plus gros que le hérisson et dont le corps est recouvert de piquants.

porche n. m.
Construction destinée à abriter la porte d'entrée d'un édifice, d'une maison. *Attendez-moi sous le porche de l'immeuble, car il pleut.*

porcherie n. f.
1. Bâtiment où l'on garde les porcs.
2. (FIGURÉ) Lieu très sale.

pore n. m.
Orifice de la peau. *Ses pores sont dilatés.*
note: Attention au genre masculin de ce nom : ***un*** pore.
HOM.
– **porc**, animal domestique ;
– **port**, endroit aménagé pour recevoir les bateaux.

poreux, euse adj.
Dont les petits trous laissent passer l'eau. *La pierre ponce est poreuse.* **SYN.** perméable.

porno adj. et n. m.
Forme abrégée de ***pornographie, pornographique.*** *Des films pornos.*

pornographie n. f.
S'abrège familièrement en ***porno*** (s'écrit sans point).
Représentation de choses indécentes.

pornographique adj.
S'abrège familièrement en ***porno*** (s'écrit sans point).
Relatif à la pornographie. *Une revue pornographique.*

port n. m.
1. Endroit aménagé pour recevoir les bateaux. *Un port maritime, fluvial. Le port de Québec.*
2. Action de porter. *Le port d'armes est réglementé.*
Locution
Arriver à bon port. (FIGURÉ) Se rendre à destination sans difficultés.
HOM.
– **porc**, animal domestique ;
– **pore**, orifice de la peau.

portable adj.
1. Mettable. *Cette robe n'est plus portable.*
2. Qu'on peut porter, transporter, mais qui n'est pas conçu spécialement à cette fin. (Recomm. off. OLF) *Un micro-ordinateur portable.*
VOIR **PORTATIF.**
3. (INFORMATIQUE) Se dit d'un logiciel compatible avec plusieurs ordinateurs.

portage n. m.
⚜ Action de porter une embarcation (généralement un canot) d'un cours d'eau à un autre, souvent pour éviter une section non navigable. *Les scouts ont fait du portage pour contourner la chute.*

portant, ante adj.
Qui porte, qui sert de soutien dans une construction. *Un mur portant.*
Locutions
À bout portant, locution adverbiale. De très près. *Le malfaiteur a tiré à bout portant sur sa victime.*
Être bien, mal portant. Être en bonne, mauvaise santé. *Ils sont bien portants.*

portatif, ive adj.
Qui est conçu pour être facilement transporté avec soi. *Un micro-ordinateur portatif.*
VOIR **PORTABLE.**

porte n. f.
1. Ouverture pratiquée dans l'enceinte d'une ville, emplacement d'une ancienne porte. *La porte Saint-Jean.*
2. Ouverture pour entrer dans un lieu ou en sortir. *Ferme la porte à clé.*
Locutions
De porte en porte, locution adverbiale. De maison en maison. *Le facteur livre le courrier de porte en porte.*
Le nom ***porte-à-porte*** désigne le démarchage à domicile.
Mettre à la porte. Congédier. *Les retardataires ont été mis à la porte.*
Porte de sortie. (FIGURÉ) Échappatoire.
Porte(s) ouverte(s). Se dit d'une activité visant à informer le public par la visite, la présentation d'un organisme, d'un établissement d'enseignement, d'une entreprise. *Une journée portes ouvertes* ou *porte ouverte.*
Prendre la porte. Sortir.
Trouver porte close. Ne trouver personne.

porte- préf.
Les mots composés avec le préfixe ***porte-*** s'écrivent généralement avec un trait d'union. *Un porte-parole, un porte-clés, un porte-avions, un porte-bonheur,* mais *un portefeuille, un portemanteau.*
Le premier élément formé du verbe est invariable ; le second élément est généralement invariable et s'écrit tantôt avec un ***s,*** tantôt sans ***s,*** selon les cas. *Des porte-bonheur, un porte-bagages.*
Attention cependant au mot ***porte-fenêtre*** qui prend la marque du pluriel aux deux éléments, ***porte*** étant un nom.

porte-à-porte n. m. inv. (pl. *porte-à-porte*)
Démarchage à domicile. *Ces jeunes hommes font du porte-à-porte pour une œuvre de bienfaisance.*

porte-avions n. m. inv. (pl. *porte-avions*)
Navire de guerre aménagé pour le transport des avions et doté d'une plate-forme d'envol et d'atterrissage.

porte-bagages n. m. inv. (pl. *porte-bagages*)
Dispositif adapté à un cycle pour transporter des bagages.

porte-bébé n. m. (pl. *porte-bébés*)
1. Siège qu'on fixe sur les épaules pour porter un bébé.
2. Dispositif qui sert à transporter un bébé.

porte-bonheur n. m. inv. (pl. *porte-bonheur*)
Objet qui est censé porter chance. *Le trèfle à quatre feuilles est un porte-bonheur.* **SYN.** amulette, fétiche. **ANT.** porte-malheur.

porte-clés ou **porte-clefs** n. m. inv. (pl. *porte-clés, porte-clefs*)
Anneau réunissant des clés.

porte-documents n. m. inv. (pl. *porte-documents*)
Serviette plate ne comportant qu'une seule poche. *Acheter un porte-documents en cuir.*
Pour désigner le sac à compartiments qui sert à porter des livres, des documents, on emploie plutôt le nom ***serviette***; le ***cartable*** est un sac d'écolier.

portée n. f.
1. Nombre de petits que les femelles des mammifères mettent bas en une fois. *Une portée de quatre chatons.*
2. Distance à laquelle un projectile peut être lancé. *Un canon à longue portée.*
3. (FIGURÉ) Force, efficacité. *Cet argument a eu beaucoup de portée.*
Locutions
À la portée de. Accessible. *Ce livre est à la portée de tous.* **SYN.** au niveau de.
Hors de portée. Inaccessible.

porte-fenêtre n. f. (pl. *portes-fenêtres*)
Fenêtre qui s'ouvre de plain-pied sur un balcon, une terrasse, un jardin. *Ces portes-fenêtres donnent accès à la plage.*
Attention à ce mot composé qui prend la marque du pluriel aux deux éléments, le mot ***porte*** étant ici un nom.

portefeuille n. m.
Étui à billets. *Des portefeuilles de cuir.*
Ne pas confondre avec le nom ***porte-monnaie,*** étui destiné à recevoir des pièces de monnaie.
portefeuille, en un seul mot.

porte-malheur n. m. inv. (pl. *porte-malheur*)
Personne, chose qui est censée porter malheur. *On dit que les chats noirs sont des porte-malheur.* **ANT.** porte-bonheur.

portemanteau n. m. (pl. *portemanteaux*)
Support sur pied auquel on suspend les vêtements.
Ne pas confondre avec le nom ***patère,*** support fixé à un mur, destiné à recevoir des vêtements.
portemanteau, en un seul mot.

portemine ou **porte-mine** n. m. (pl. *portemines, porte-mines*)
Crayon dans lequel on insère une mine.

porte-monnaie n. m. inv. (pl. *porte-monnaie*)
Étui destiné à recevoir des pièces de monnaie.
Ne pas confondre avec le nom ***portefeuille,*** étui à billets.

porte-panier n. m. inv. (pl. *porte-panier*)
⚜ Rapporteur, mouchard (principalement à l'école ou à la maison). *Ce panier percé est aussi un porte-panier.*

porte-parole n. m. et f. inv. (pl. *porte-parole*)
Représentant officiel. *Claire est ma porte-parole, elle parle en mon nom.*

porte-plume n. m. (pl. *porte-plumes*)
Petit instrument auquel on fixe une plume.
Aujourd'hui on emploie plutôt l'expression ***stylo à plume.***

porter v. tr., intr., pronom.
Verbe transitif
1. Tenir, soutenir. *Porter un cartable. Cette structure porte le toit de l'immeuble.*
2. Transporter. *Porter une lettre à la poste.*
3. Avoir sur soi. *Porter un pantalon, porter les cheveux longs, des lunettes.*
4. Apporter. *Porter assistance à quelqu'un, porter chance, porter intérêt.*
Verbe intransitif
Avoir pour objet. *Ces commentaires portent sur le dernier film de ce cinéaste.*
Verbe pronominal
1. Être en bonne ou en mauvaise santé. *Je me porte à merveille.* **SYN.** aller.
2. Être porté, en parlant d'un vêtement, d'une mode. *Le blanc se porte beaucoup en été. Les jupes se portent longues cette année.*
Locutions
Être porté à + infinitif. Avoir l'habitude de. *Il est porté à faire confiance à tout un chacun.*
Porter ses fruits, porter fruit. Donner de bons résultats. *La recherche a porté ses fruits. Les enquêtes ont porté fruit et les résultats sont très satisfaisants.*
Dans l'expression ***porter fruit,*** le nom ***fruit*** demeure toujours au singulier.
Conjugaison [VOIR MODÈLE – **AIMER**]

porte-savon n. m. (pl. *porte-savons* ou *porte-savon*)
Support destiné à recevoir le savon.

porte-serviettes n. m. inv. (pl. *porte-serviettes*)
Accessoire destiné à suspendre des serviettes.

portier n. m.
portière n. f.
Personne chargée d'ouvrir la porte (d'un immeuble, d'un hôtel, d'une voiture), et de surveiller les entrées et sorties.

portière n. f.
Porte d'une voiture, d'un train.
Le nom ***porte*** s'emploie également en ce sens.

portillon n. m.
Petite porte.

portion n. f.
Partie d'un tout. *Couper un gâteau en six portions égales.* **SYN.** part.

portique n. m.
1. Galerie ouverte soutenue par une colonnade. *Le portique d'une église.*
2. Barre horizontale soutenue par deux poteaux, à laquelle sont fixés des agrès de gymnastique.
Locution
Portique de sécurité. Dispositif de détection utilisé dans les aéroports pour éviter le transport d'armes.
Forme fautive
*portique. Impropriété au sens de ***vestibule.***

portoricain adj. et n. m. et f.
De Porto Rico. *Le drapeau portoricain. Un Portoricain, une Portoricaine.*
L'adjectif s'écrit avec une minuscule ; le nom, avec une majuscule.
portoricain, en un seul mot.

portrait n. m.
1. Représentation d'une personne par le dessin, la peinture, la photographie, etc. *Julien a donné son portrait à Hélène.*
2. (FIGURÉ) Description. *Ce livre d'histoire trace bien le portrait de Jeanne Mance, la fondatrice du premier hôpital de Montréal, l'Hôtel-Dieu.*

portrait-robot n. m. (pl. *portraits-robots*)
Dessin du visage d'un individu d'après les témoignages. *La presse a diffusé plusieurs portraits-robots de l'assassin.*

portugais, aise adj. et n. m. et f.
Adjectif et nom masculin et féminin
Du Portugal. *Le drapeau portugais. Un Portugais, une Portugaise.*
L'adjectif s'écrit avec une minuscule, le nom, avec une majuscule.
Nom masculin
Langue parlée principalement au Portugal et au Brésil. *Linda parle le portugais.*
Le nom de la langue s'écrit avec une minuscule.

pose n. f.
1. Action de poser, de mettre en place quelque chose. *La pose d'un store.*
2. Position du corps. *Gardez la pose, le petit oiseau va sortir.*
HOM. pause, temps d'arrêt.

posé, ée adj.
Calme et sérieux. *Héloïse est très posée.* **SYN.** réfléchi, sage.

poser v. tr., intr., pronom.
Verbe transitif
1. Mettre en place. *Poser des rideaux et des tableaux.* **SYN.** installer.
2. Formuler. *Poser une question.*
3. Soulever. *Cela pose un problème.*
Verbe intransitif
Servir de modèle. *Elle pose pour un peintre.*
Verbe pronominal
1. Revenir au sol, atterrir. *Les avions se sont posés sur la piste.*
2. Se placer. *Le chapeau se pose sur le côté de la tête.* **SYN.** se porter.
Forme fautive
*poser un geste. Impropriété au sens de ***faire un geste.***
Conjugaison [VOIR MODÈLE – **AIMER**]

poseur, euse adj. et n. m. et f.
Prétentieux. *Laisse tomber ce poseur désagréable.*

positif, ive adj. et n. m.
Adjectif
1. Certain, réel. *Un fait positif.*
2. Qui exprime une affirmation, par opposition à ***négatif.*** *La réponse est positive.*
Nom masculin
Ce qui est rationnel, pratique. *Nous voulons du positif, du concret.*
Forme fautive
*être positif que. Calque de l'anglais « to be positive that » au sens de ***être sûr, être convaincu.***

position n. f.
1. Emplacement de quelqu'un, de quelque chose. *La position d'un bateau, d'un meuble.* **SYN.** place.
2. Posture. *Une position détendue.* **SYN.** attitude, pose.
3. Rang. *Il est en bonne position pour se classer premier.*
4. Ensemble des idées, avis. *Quelle est ta position à ce sujet ?*

Locution
Prise de position. Action de prendre parti publiquement pour quelqu'un, pour quelque chose, de donner son avis, de professer une opinion. *Des prises de position étonnantes.*
Forme fautive
*position. Anglicisme au sens de ***emploi, situation.***

positivement adv.
D'une manière certaine, réelle. *Ils ont réagi positivement.*

posséder v. tr., pronom.
Verbe transitif
1. Avoir à soi. *Posséder un beau jardin.*
2. Connaître. *Posséder son sujet.*
3. Contenir. *Ce pays possède beaucoup de richesses naturelles.* **SYN.** renfermer.
Verbe pronominal
Se contenir. *Elle ne se possède plus.* **SYN.** se dominer, se maîtriser.
Conjugaison [VOIR MODÈLE – **POSSÉDER**]
Le **é** se change en **è** devant une syllabe muette, sauf à l'indicatif futur et au conditionnel présent. *Je possède,* mais *je posséderai.*

possesseur n. m.
Personne qui possède (un bien). **SYN.** propriétaire.
Ce nom n'a pas de forme féminine.

possessif, ive adj. et n. m.
Qui éprouve un désir de domination affective. *Il est trop possessif.*
VOIR TABLEAU – **POSSESSIF (ADJECTIF).**
VOIR TABLEAU – **PRONOM.**

possession n. f.
1. Le fait d'avoir un bien. *La possession d'une fortune. Les Fontaine sont entrés en possession de leur voilier.*
2. Le bien possédé. *Ce voilier est la possession des Fontaine.*
Locutions
Être en la possession de. Appartenir à. *Ce tableau est en la possession d'un collectionneur.*
Être en possession de. Posséder. *Un collectionneur est en possession du tableau.*
Prendre possession de. S'installer dans un lieu. *Ils ont pris possession de leur nouvelle maison.*

possibilité n. f.
1. Caractère de ce qui est possible. *Nous aurons la possibilité de visiter l'Italie cet été.* **ANT.** impossibilité.
2. Moyen, occasion. *Si tu as la possibilité de m'appeler, je te donnerai des nouvelles.*

possible adj. et n. m.
Adjectif
1. Qui peut être, qui peut se réaliser. *Malheureusement, il n'est pas encore possible de guérir le sida. Il est possible qu'elle vienne à temps.*
L'adjectif est suivi de la préposition ***de*** suivie de l'infinitif ou de la conjonction ***que*** suivie du subjonctif.
2. Qui peut exister. *Il faut gagner tous les points possibles.*
Quand il se rapporte à un nom, l'adjectif s'accorde avec ce nom.
Adjectif invariable
Le plus, le moins, le mieux, le meilleur... possible. Placé après un nom ou un adjectif pluriel accompagné d'un superlatif, l'adjectif est invariable. *Il faut aider le plus d'employés possible.* (On sous-entend : il faut aider le plus d'employés qu'il sera possible d'aider.). *Des encadrements les plus grands possible.* (On sous-entend : les plus grands qu'il sera possible de fabriquer.)
Nom masculin
Ce qui est possible. *Faire son possible.*
Locution
Dans la mesure du possible. Autant qu'il est possible.

possiblement adv.
Peut-être, vraisemblablement. *Il sera possiblement là.*

postal, ale, aux adj.
Relatif à la poste. *Des tarifs postaux.*

poste n. m. et f.
Nom masculin
1. Lieu où un militaire est affecté. *Être fidèle au poste.*
2. Emploi, fonction. *Un poste de chercheur, d'architecte, d'informaticien.*
3. Ensemble d'appareils, de dispositifs destinés à un usage particulier. *Un poste de télévision. Un poste d'essence.*
Nom féminin
Administration publique chargée de l'acheminement du courrier. *Un bureau de poste. La poste.*
Locutions
Poste (téléphonique). Ligne téléphonique intérieure. *Un poste téléphonique* (et non un *local, une *extension).
Poste de pilotage. Emplacement d'un avion réservé au pilote.
Poste frontière. Lieu servant à l'administration des douanes sur les limites territoriales d'un État. *Des postes frontière.*

***poster**
Anglicisme au sens de ***affiche.***

poster v. tr., pronom.
1. Mettre à la poste. *Je dois aller poster cette lettre* (et non *maller).
2. Disposer des soldats, des policiers, etc., à un poste de surveillance. *Poster un gardien à l'entrée de la banque.*
Conjugaison [VOIR MODÈLE – **AIMER**]

postérieur, eure adj.
1. Qui vient après. *Une date postérieure à sa naissance.*
2. Qui est derrière. *La partie postérieure de la jambe.* **ANT.** antérieur.
L'adjectif étant un comparatif, il ne peut être employé avec ***plus, moins.***

postérité n. f.
1. (LITTÉRAIRE) Descendants.
2. Les générations à venir.

posthume adj.
Qui a lieu après la mort de quelqu'un. *Une décoration posthume.*
pos**th**ume.

postiche adj. et n. m.
Adjectif
Artificiel, faux. *Des cheveux postiches.*
Nom masculin
Perruque.
Attention au genre masculin de ce nom : ***un*** postiche.

postier n. m.
postière n. f.
Personne qui travaille à la poste.

post-scriptum n. m. inv. (pl. *post-scriptum*)
Attention à la prononciation [pɔstskriptɔm].
Abréviation ***P.-S.*** (s'écrit avec des points).
Note ajoutée au bas d'une lettre, après la signature. *Il a ajouté à la fin de sa lettre : P.-S. – Écris-moi vite !*

Indicatif

Présent		*Passé composé*		
je	possède	j'	ai	possédé
tu	possèdes	tu	as	possédé
elle	possède	elle	a	possédé
il	possède	il	a	possédé
nous	possédons	nous	avons	possédé
vous	possédez	vous	avez	possédé
elles	possèdent	elles	ont	possédé
ils	possèdent	ils	ont	possédé

Imparfait		*Plus-que-parfait*		
je	possédais	j'	avais	possédé
tu	possédais	tu	avais	possédé
elle	possédait	elle	avait	possédé
il	possédait	il	avait	possédé
nous	possédions	nous	avions	possédé
vous	possédiez	vous	aviez	possédé
elles	possédaient	elles	avaient	possédé
ils	possédaient	ils	avaient	possédé

Passé simple		*Passé antérieur*		
je	possédai	j'	eus	possédé
tu	possédas	tu	eus	possédé
elle	posséda	elle	eut	possédé
il	posséda	il	eut	possédé
nous	possédâmes	nous	eûmes	possédé
vous	possédâtes	vous	eûtes	possédé
elles	possédèrent	elles	eurent	possédé
ils	possédèrent	ils	eurent	possédé

Futur simple		*Futur antérieur*		
je	posséderai	j'	aurai	possédé
tu	posséderas	tu	auras	possédé
elle	possédera	elle	aura	possédé
il	possédera	il	aura	possédé
nous	posséderons	nous	aurons	possédé
vous	posséderez	vous	aurez	possédé
elles	posséderont	elles	auront	possédé
ils	posséderont	ils	auront	possédé

Infinitif

Présent	*Passé*
posséder	avoir possédé

Subjonctif

Présent			*Passé*			
que	je	possède	que	j'	aie	possédé
que	tu	possèdes	que	tu	aies	possédé
qu'	elle	possède	qu'	elle	ait	possédé
qu'	il	possède	qu'	il	ait	possédé
que	nous	possédions	que	nous	ayons	possédé
que	vous	possédiez	que	vous	ayez	possédé
qu'	elles	possèdent	qu'	elles	aient	possédé
qu'	ils	possèdent	qu'	ils	aient	possédé

Imparfait			*Plus-que-parfait*			
que	je	possédasse	que	j'	eusse	possédé
que	tu	possédasses	que	tu	eusses	possédé
qu'	elle	possédât	qu'	elle	eût	possédé
qu'	il	possédât	qu'	il	eût	possédé
que	nous	possédassions	que	nous	eussions	possédé
que	vous	possédassiez	que	vous	eussiez	possédé
qu'	elles	possédassent	qu'	elles	eussent	possédé
qu'	ils	possédassent	qu'	ils	eussent	possédé

Conditionnel

Présent		*Passé*		
je	posséderais	j'	aurais	possédé
tu	posséderais	tu	aurais	possédé
elle	posséderait	elle	aurait	possédé
il	posséderait	il	aurait	possédé
nous	posséderions	nous	aurions	possédé
vous	posséderiez	vous	auriez	possédé
elles	posséderaient	elles	auraient	possédé
ils	posséderaient	ils	auraient	possédé

Impératif

Présent	*Passé*	
possède	aie	possédé
possédons	ayons	possédé
possédez	ayez	possédé

Participe

Présent	*Passé*
possédant	possédé, ée ayant possédé

postuler v. tr., intr.
Verbe transitif
Se porter candidat à un emploi. *Il a postulé* (et non *appliqué pour) *un poste d'informaticien.*
Verbe intransitif
Être candidat à une fonction. *Elle a décidé de postuler pour le poste de directrice.*
Conjugaison [VOIR MODÈLE – **AIMER**]

posture n. f.
Position du corps. *Une posture douloureuse.*
Locution
En bonne, mauvaise posture. Dans un contexte favorable, défavorable.

pot n. m.
1. Vase, récipient. *Un pot de fleurs, un pot à eau.*
2. ***Pot à*** + complément. Cette construction indique ce que le récipient est destiné à contenir. *Un pot à lait.*
3. ***Pot de*** + complément. Cette construction indique l'usage actuel du récipient. *Un pot de confitures.*
Locutions
À la fortune du pot, locution adverbiale. Simplement.
Découvrir le pot aux roses. Mettre à jour le secret d'une affaire.
HOM. peau, revêtement du corps humain.

potable adj.
1. Qualifie une eau qui peut être bue sans danger.
Ne pas confondre avec l'adjectif ***buvable,*** qui peut se boire, qui a un goût agréable.
2. (FAMILIER) Acceptable. *Ces résultats sont potables.* **SYN.** passable.

potage n. m.
Bouillon de viande ou de légumes. *Un potage aux carottes.*
Par rapport au nom ***potage,*** le nom ***soupe*** désigne un plat plus consistant, moins liquide et moins raffiné. *Une soupe aux pois.*

potager, ère adj. et n. m.
Adjectif
Se dit des plantes cultivées pour la cuisine. *Les asperges, les pommes de terre sont des plantes potagères.*

ADJECTIF **POSSESSIF**

L'adjectif possessif détermine le nom en indiquant le « possesseur » de l'être, de l'objet désigné.

On observe que l'adjectif possessif est loin de toujours exprimer la possession réelle. En effet, il n'établit souvent qu'une simple relation de chose à personne, qu'un rapport de dépendance, de familiarité, d'affinité, de proximité, etc. *Mon avion, ton hôtel, sa ville, nos invités, vos étudiants, leurs amis.*

- Il s'accorde en genre et en nombre avec le nom déterminé.

  Ta voiture, son ordinateur, nos livres.

- Il s'accorde en personne avec le nom désignant le possesseur :

– UN SEUL POSSESSEUR

	SINGULIER		PLURIEL
	masculin	féminin	
Première personne	*mon*	*ma*	*mes*
Deuxième personne	*ton*	*ta*	*tes*
Troisième personne	*son*	*sa*	*ses*

– PLUSIEURS POSSESSEURS

	SINGULIER	PLURIEL
Première personne	*notre*	*nos*
Deuxième personne	*votre*	*vos*
Troisième personne	*leur*	*leurs*

Devant un nom féminin commençant par une voyelle ou un ***h*** muet, c'est la forme masculine de l'adjectif qui est employée pour des raisons d'euphonie.

Mon amie, ton échelle, son histoire.

VOIR TABLEAU – **ADJECTIF.**

Nom masculin
Jardin où l'on cultive des légumes. *Grand-maman est allée cueillir des haricots dans son potager.*

pot-au-feu n. m. inv. (pl. *pot-au-feu*)
Bouilli de bœuf avec des légumes. *Des pot-au-feu succulents.*

pot-de-vin n. m. (pl. *pots-de-vin*)
Somme, cadeau donné pour obtenir une faveur.
Le nom s'écrit avec des traits d'union.

poteau n. m. (pl. *poteaux*)
Le premier ***o*** est ouvert [pɔto].
Pièce de bois dressée verticalement. *Des poteaux électriques ont été arrachés par l'ouragan.*
pot**eau.**

potelé, ée adj.
Dodu. *Ce bébé est bien potelé.* **SYN.** grassouillet.

potentiel, elle adj. et n. m.
Adjectif
Possible, virtuel. *Un succès potentiel.*
Nom masculin
Capacité théorique, ce qui existe en puissance. *Le potentiel électrique du Québec est immense.*
pot**ent**iel.

poterie n. f.
1. Céramique. *Julien étudie la poterie.*
2. Objet en céramique. *De la poterie décorative.*

potiche n. f.
Vase d'Extrême-Orient.

potier n. m.
potière n. f.
Personne qui fabrique et vend de la poterie.

potin n. m.
Commérage. *Bianca n'écoute pas les potins.*
Ce nom s'emploie généralement au pluriel.

potiner v. intr.
Faire des commérages.
Conjugaison [VOIR MODÈLE – **AIMER**]

potion n. f.
Le premier ***o*** est fermé [posjɔ̃].
Médicament liquide. *Obélix était tombé dans la potion magique.*

potiron n. m.
Grosse courge.

pot-pourri n. m. (pl. *pots-pourris*)
Morceau de musique légère composé de différents airs connus.

pou n. m. (pl. *poux*)
Parasite de l'homme. *Il a des poux dans les cheveux.*
HOM. pouls, battement artériel.

pouah ! interj.
Interjection marquant le dégoût. *Pouah ! quelle odeur !*
poua**h.**

poubelle n. f.
Récipient destiné à recevoir les ordures ménagères.

pouce n. m.
1. Le plus gros doigt de la main. *Se donner un coup de marteau sur le pouce.*
2. Douzième partie du pied, unité de mesure anglo-saxonne valant environ 2,5 centimètres.
Le nom ***pouce*** s'abrège ***po*** (s'écrit sans point) s'il est précédé d'un nombre en chiffres. *Elle mesure 5 pi 6 po, tandis qu'il mesure 6 pi.*
Locutions
Donner un coup de pouce à quelqu'un. Aider quelqu'un.
Faire du pouce. (FAMILIER) Faire signe aux automobilistes pour voyager gratuitement. **SYN.** auto-stop.
HOM. pousse, bourgeon.

pouding
VOIR **PUDDING.**

poudre n. f.
1. Substance en grains très fins. *Du chocolat en poudre.*
2. Produit de maquillage qui adoucit la peau. *Maman se met de la poudre sur le visage.*
3. Explosif. *De la poudre à canon.*
Locutions
Jeter de la poudre aux yeux. (FIGURÉ) Vouloir éblouir par des apparences.
Mettre le feu aux poudres. (FIGURÉ) Déclencher une catastrophe, le mécontentement jusqu'alors contenu.

poudrer v. tr.
Recouvrir de poudre. *Elle lui a poudré le visage.*
Conjugaison [VOIR MODÈLE – **AIMER**]

poudrerie n. f.
Neige poussée par des rafales de vent. *La route est fermée en raison de la poudrerie : la visibilité est nulle.*
Ne pas confondre avec le nom ***tempête de neige,*** chute de neige abondante.
En France, se dit ***blizzard.***

poudreux, euse adj. et n. f.
Adjectif
Qui ressemble à la poudre. *Une substance poudreuse.*
Nom féminin
Neige fraîchement tombée et profonde. *Skier dans la poudreuse.*

pouf n. m.
Siège rembourré, bas et sans dossier. *Des poufs.*

pouf ! interj.
Interjection marquant une explosion, une chute.

pouffer v. intr.
Pouffer (de rire). Éclater de rire malgré soi. **SYN.** s'esclaffer.
Conjugaison [VOIR MODÈLE – **AIMER**]

poulailler n. m.
Abri pour les poules. *Julien, va chercher quelques œufs dans le poulailler !*

poulain n. m.
Petit du cheval et de la jument.
VOIR TABLEAU – **ANIMAUX.**

poule n. f.
Femelle du coq élevée pour ses œufs et sa chair.
VOIR TABLEAU – **ANIMAUX.**
Locutions
Chair de poule. (FAMILIER) Peau hérissée. *Il a la chair de poule, il a froid.*
Poule mouillée. Personne craintive.

poulet n. m.
Petit de la poule. *Manger un poulet rôti.*
poule**t.**

poulette n. f.
Jeune poule. *La poulette grise a pondu dans la remise.*

pouliche n. f.
Jeune jument.
VOIR TABLEAU – **ANIMAUX.**

poulie n. f.
Engin de levage composé d'une roue à jante sur laquelle passe une corde, une chaîne.

poulpe n. m.
Pieuvre. *Les tentacules du poulpe.*
Attention au genre masculin de ce nom, contrairement à ***pieuvre*** : ***un*** poulpe.

pouls n. m.
Les lettres ***ls*** sont muettes [pu].
Battement artériel. *Son pouls est très rapide.*
HOM. pou, parasite de l'homme.
pou**ls.**

poumon n. m.
Organe de la respiration. *Une radiographie du poumon.*
L'adjectif correspondant à ce nom est ***pulmonaire.*** *Une radiographie pulmonaire.*

poupe n. f.
Arrière d'un bateau. **ANT.** proue.

poupée n. f.
Jouet en forme de petite figure humaine. *Elle joue à la poupée.*

poupon n. m.
1. Bébé.
2. Poupée représentant un bébé.

pouponnière n. f.
Établissement où l'on prend soin des nouveau-nés, des bébés.
pouponnière.

pour n. m. et prép.
Préposition
1. À la place de. *Il m'a prise pour une autre.*
2. En vue de, afin de. *Pour réussir, il faut travailler.*
3. À destination de. *Prendre l'avion pour Montréal.*
4. À cause de. *Cette voiture est appréciée pour sa faible consommation d'essence.*
5. En échange de. *J'ai acheté ce manteau pour 200 $.*
1° ***Pour*** + infinitif. Marque la cause. *Pour avoir aimé beaucoup, il a été très heureux.*
2° ***Pour*** + infinitif. Marque l'intention. *Faire de l'exercice pour être en forme.*
3° ***Pour*** + infinitif. Marque la concession. *Cette hypothèse, pour être exacte, n'explique pas tout.*
Nom masculin
Ce qui est favorable. *Le pour et le contre. Il y a du pour et du contre.*
Locutions
Pour ainsi dire. Si l'on peut s'exprimer ainsi.
Pour peu que, locution conjonctive. À la condition que. *Elle acceptera pour peu que vous parliez.*
Cette locution se construit avec le subjonctif.
Pour que, locution conjonctive. En vue de. *Je tiens à te prévenir à l'avance pour que tu puisses venir.*
Cette locution se construit avec le subjonctif.
Pour toujours. À jamais.

pourboire n. m.
Gratification donnée par un client. *Des pourboires généreux.*
pourboire, en un seul mot.

pour cent n. m.
S'abrège en ***p. c., p. cent, p. 100*** ou s'écrit avec le symbole **%.**
Le symbole est séparé par un espace du chiffre qu'il suit. *Les ventes ont grimpé de 25 %.*
1. Proportion par rapport à cent. *Le nombre d'élèves a augmenté de 25 %.*
2. Nom précédé d'un déterminant pluriel **+ *pour cent.*** Le verbe se met obligatoirement au pluriel et l'adjectif ou le participe se met au masculin pluriel. *Les vingt-deux pour cent des enfants sont inscrits au cours de natation.*
3. ***Pour cent*** + nom au singulier. Le verbe se met au singulier et l'adjectif ou le participe se met au singulier et s'accorde en genre avec le nom. *Vingt pour cent de la classe est d'accord et se montre enchantée de la décision.*
4. ***Pour cent*** + nom au pluriel. Le verbe se met au pluriel et l'adjectif ou le participe s'accorde en genre et en nombre avec le nom. *Soixante-cinq pour cent des personnes interrogées ont été retenues.*

pourcentage n. m.
Taux calculé sur cent unités.

pourchasser v. tr.
Poursuivre avec acharnement. *Pourchasser un cambrioleur.*
Conjugaison [VOIR MODÈLE – **AIMER**]

pourlécher (se) v. pronom.
Se passer la langue sur les lèvres à la pensée de quelque chose de délicieux ou d'agréable.
Locution
Se pourlécher les babines. (FAMILIER) Rêver à quelque chose de succulent.
Le participe passé de ce verbe qui n'existe qu'à la forme pronominale s'accorde toujours en genre et en nombre avec le sujet du verbe.
Conjugaison [VOIR MODÈLE – **POSSÉDER**]
Le ***é*** se change en ***è*** devant une syllabe muette, sauf à l'indicatif futur et au conditionnel présent. *Je pourlèche,* mais *je pourlécherai.*

pourparlers n. m. pl.
Discussion entre plusieurs États. *Entamer des pourparlers de paix.*
pourparlers, en un seul mot.

pourpier n. m.
Plante à petites fleurs multicolores dont les feuilles charnues sont comestibles.

pourpre adj. et n. m. et f.
Adjectif de couleur variable
D'un rouge violet. *Des soieries pourpres.*
VOIR TABLEAU – **COULEUR (ADJECTIFS DE).**
Nom masculin
Couleur rouge violet. *Des pourpres veloutés.*
Nom féminin
Matière colorante. *La pourpre est extraite d'un mollusque.*

pourquoi adv. et n. m. inv.
Adverbe
Pour quelle raison. *Pourquoi devrions-nous abandonner ?*
Nom masculin invariable
1. Raison, motif. *Chercher les pourquoi d'un geste.*
2. Interrogation. *Des pourquoi et des comment.*
Locution
C'est pourquoi. Introduit une explication. *Nous avons congé demain ; c'est pourquoi nous pouvons aller au cinéma ce soir.*

pourri, ie adj. et n. m.
Adjectif
1. Altéré, gâté. *Des fruits pourris. Une pomme pourrie* (et non *pourrite).
2. (FAMILIER) Rempli de. *Un garçon pourri de talent.*
Nom masculin
Ce qui est gâté. *Une odeur de pourri.*

pourrir v. tr., intr.
Verbe transitif
Gâter, altérer. *L'humidité a pourri le bois.*
Le verbe se conjugue avec l'auxiliaire ***avoir*** pour exprimer l'action.
Verbe intransitif
Se corrompre, se détériorer. *Les fondations ont commencé à pourrir. La pomme est pourrie* (et non *pourrite).
Le verbe se conjugue avec l'auxiliaire ***être*** pour exprimer l'état.
Conjugaison [VOIR MODÈLE – **FINIR**]

***pourrite**
Impropriété pour ***pourrie.***

pourriture n. f.
État de ce qui est pourri. **SYN.** putréfaction.
pou**rr**iture.

poursuite n. f.
1. Action de poursuivre une personne, un animal. *Ils sont à la poursuite des cambrioleurs, de gibier.*
2. Recherche continuelle. *La poursuite du bonheur.*
3. (DROIT) Procès. *Engager des poursuites judiciaires.*

poursuivre v. tr., pronom.
Verbe transitif
1. Action de courir après une personne, un animal pour l'atteindre. *Poursuivre un fugitif.* **SYN.** pourchasser.
2. Chercher à obtenir. *Poursuivre un but.*
3. (DROIT) Déposer une action en justice contre quelqu'un. *Poursuivre une personne, une entreprise devant les tribunaux.* **SYN.** accuser.
4. Continuer. *Poursuivre son chemin, ses études.*
Verbe pronominal
Suivre son cours. *Les recherches se poursuivent.* **SYN.** continuer.
Conjugaison [VOIR MODÈLE – **SUIVRE**]
INDICATIF PRÉSENT *Je poursuis, tu poursuis, il poursuit, nous poursuivons, vous poursuivez, ils poursuivent.* IMPARFAIT *Je poursuivais.* PASSÉ SIMPLE *Je poursuivis.* FUTUR *Je poursuivrai.* **CONDITIONNEL** PRÉSENT *Je poursuivrais.* **IMPÉRATIF** PRÉSENT *Poursuis, poursuivons, poursuivez.* **SUBJONCTIF** PRÉSENT *Que je poursuive.* IMPARFAIT *Que je poursuivisse.* **PARTICIPE** PRÉSENT *Poursuivant.* PASSÉ *Poursuivi, ie.*

pourtant adv.
Malgré cela, toutefois. *On nous avait annoncé du soleil, pourtant il pleut. Le prix de cette maison est très élevé, pourtant elle semble en mauvais état.* **SYN.** cependant, mais, néanmoins.
Cet adverbe marque l'opposition entre deux choses, deux propositions qui sont liées.

pourtour n. m.
Contour, bord. *Sur le pourtour du lac, il y a une piste cyclable.*

pourvoir v. tr., pronom.
Verbe transitif direct
Munir, garnir. *Pourvoir une école d'un laboratoire informatique. Une maison pourvue de tous les appareils modernes.* **SYN.** équiper.
Verbe transitif indirect
Fournir ce qui est nécessaire. *Il pourvoit aux besoins de ses parents âgés.* **SYN.** subvenir.
En ce sens, le verbe se construit avec la préposition ***à.***
Verbe pronominal
Se munir de. *Par prudence, il faudra se pourvoir de lampes de poche.* **SYN.** prendre.
Conjugaison [VOIR MODÈLE – **POURVOIR**]
Le ***y*** est suivi d'un ***i*** à la première et à la deuxième personne du pluriel de l'indicatif imparfait et du subjonctif présent. *(Que) nous pourvoyions, (que) vous pourvoyiez.*

pourvoirie n. f.
⚜ Établissement qui offre aux chasseurs et aux pêcheurs des installations et des services tels le logement, le transport, la location d'équipements et surtout la possibilité de pratiquer la chasse et la pêche sportive. (Recomm. off. OLF)

pourvoyeur, euse n. m. et f.
1. (VIEUX) Fournisseur de provisions.
2. ⚜ Personne à qui les pouvoirs publics ont accordé le droit d'exploiter une pourvoirie à des fins commerciales. (Recomm. off. OLF)

pourvu que loc. conj.
À condition que. *Pourvu qu'elle soit enfin d'accord. Pourvu qu'il ne fasse pas trop froid, on ira patiner demain.* **SYN.** du moment que, si.
Cette locution conjonctive, qui sert à présenter une condition nécessaire à l'accomplissement d'un fait, se construit avec le subjonctif.

pousse n. f.
1. Action de pousser. *La pousse des cheveux.*
2. Bourgeon. *Des pousses de bambou.*
HOM. **pouce**, le plus gros doigt de la main.

poussée n. f.
Pression. *Les policiers n'ont pu résister à la poussée de la foule en colère : les manifestants ont envahi l'hôtel de ville.*
Locutions
Donner une poussée. Action de faire pression sur quelqu'un, quelque chose. *Il a donné une poussée à sa sœur, qui est tombée.*
Poussée de fièvre. Accès soudain de fièvre.

pousser v. tr., intr., pronom.
Verbe transitif
1. Imprimer un mouvement à quelqu'un, à quelque chose en faisant pression. *Aide-nous à pousser la voiture en panne.*
2. Bousculer. *Cessez de pousser pour entrer dans l'autobus : il n'y a plus de place !*
3. Faire agir. *Elle pousse son fils à faire ses devoirs.* **SYN.** inciter, stimuler.
4. Faire avancer. *Le jardinier pousse une brouette remplie de terre.*
5. Produire. *Pousser un cri.* **SYN.** émettre.
Verbe intransitif
Croître. *L'herbe pousse. Mes cheveux ont poussé : ils sont trop longs.* **SYN.** se développer, grandir.
Verbe pronominal
1. Se déplacer. *Poussez-vous un peu, je vous prie.*
2. ⚜ (FAMILIER) Partir. *Il faut se pousser, les amis, on est en retard.*
Locution
Pousser quelqu'un à bout. Le mettre en colère.
Conjugaison [VOIR MODÈLE – **AIMER**]

Indicatif

Présent

je	pourvois
tu	pourvois
elle / il	pourvoit
nous	pourvoyons
vous	pourvoyez
elles / ils	pourvoient

Passé composé

j'	ai	pourvu
tu	as	pourvu
elle / il	a	pourvu
nous	avons	pourvu
vous	avez	pourvu
elles / ils	ont	pourvu

Imparfait

je	pourvoyais
tu	pourvoyais
elle / il	pourvoyait
nous	pourvoyions
vous	pourvoyiez
elles / ils	pourvoyaient

Plus-que-parfait

j'	avais	pourvu
tu	avais	pourvu
elle / il	avait	pourvu
nous	avions	pourvu
vous	aviez	pourvu
elles / ils	avaient	pourvu

Passé simple

je	pourvus
tu	pourvus
elle / il	pourvut
nous	pourvûmes
vous	pourvûtes
elles / ils	pourvurent

Passé antérieur

j'	eus	pourvu
tu	eus	pourvu
elle / il	eut	pourvu
nous	eûmes	pourvu
vous	eûtes	pourvu
elles / ils	eurent	pourvu

Futur simple

je	pourvoirai
tu	pourvoiras
elle / il	pourvoira
nous	pourvoirons
vous	pourvoirez
elles / ils	pourvoiront

Futur antérieur

j'	aurai	pourvu
tu	auras	pourvu
elle / il	aura	pourvu
nous	aurons	pourvu
vous	aurez	pourvu
elles / ils	auront	pourvu

Infinitif

Présent

pourvoir

Passé

avoir pourvu

Subjonctif

Présent

que	je	pourvoie
que	tu	pourvoies
qu'	elle / il	pourvoie
que	nous	pourvoyions
que	vous	pourvoyiez
qu'	elles / ils	pourvoient

Passé

que	j'	aie	pourvu
que	tu	aies	pourvu
qu'	elle / il	ait	pourvu
que	nous	ayons	pourvu
que	vous	ayez	pourvu
qu'	elles / ils	aient	pourvu

Imparfait

que	je	pourvusse
que	tu	pourvusses
qu'	elle / il	pourvût
que	nous	pourvussions
que	vous	pourvussiez
qu'	elles / ils	pourvussent

Plus-que-parfait

que	j'	eusse	pourvu
que	tu	eusses	pourvu
qu'	elle / il	eût	pourvu
que	nous	eussions	pourvu
que	vous	eussiez	pourvu
qu'	elles / ils	eussent	pourvu

Conditionnel

Présent

je	pourvoirais
tu	pourvoirais
elle / il	pourvoirait
nous	pourvoirions
vous	pourvoiriez
elles / ils	pourvoiraient

Passé

j'	aurais	pourvu
tu	aurais	pourvu
elle / il	aurait	pourvu
nous	aurions	pourvu
vous	auriez	pourvu
elles / ils	auraient	pourvu

Impératif

Présent

pourvois
pourvoyons
pourvoyez

Passé

aie pourvu
ayons pourvu
ayez pourvu

Participe

Présent

pourvoyant

Passé

pourvu, ue
ayant pourvu

p

poussette n. f.
Petite voiture d'enfant. *La maman promène le bébé dans sa poussette.*

poussière n. f.
Matière réduite en poudre très fine. *Un nuage de poussière.*
Locution
Mordre la poussière. Perdre lors d'un combat, d'une compétition ; échouer.

poussiéreux, euse adj.
1. Couvert de poussière. *Ces livres sont poussiéreux.*
2. (FIGURÉ) Vieilli, démodé. *Des méthodes poussiéreuses.*
✎ poussiéreu**x.**

poussin n. m.
Petit poulet. *Le poussin piaille.*
VOIR TABLEAU – **ANIMAUX.**

poutre n. f.
Grosse pièce de bois, de métal servant à la construction. *Les poutres d'une charpente.*

pouvoir v. tr., impers., intr.
Verbe transitif
1. Avoir la possibilité, le droit de faire quelque chose. *Julien peut aller jouer dehors : il a fini ses devoirs.*
2. Être capable de faire quelque chose. *C'est formidable, Fanny peut dessiner à l'ordinateur ! Si tu le peux, viens me voir.*
3. Avoir l'autorité de, être en mesure de. *La directrice peut décider de fermer l'école s'il y a une tempête de neige.*
Verbe impersonnel
Risquer, être possible. *Prends un parapluie, il peut pleuvoir aujourd'hui.*
À la forme impersonnelle, le verbe se construit toujours avec l'infinitif.
Verbe pronominal impersonnel
Il se peut que + subjonctif. *Il se peut que la randonnée soit remise à la semaine prochaine s'il pleut.* **SYN.** il est possible que.
Verbe intransitif
Être en mesure de. *Quand on veut, on peut, dit l'adage.*
Locutions
N'en pouvoir plus. Être épuisé, à bout de ressources. *Je n'en peux plus, il faut que je me repose un peu.*
On ne peut mieux, locution adverbiale. Parfaitement. *La fête était on ne peut mieux réussie.*
Cette locution figée exprime un superlatif, un très haut degré.
Conjugaison [VOIR MODÈLE – **POUVOIR**]
Le participe passé est invariable.
La forme impérative n'existe pas.
On peut utiliser la forme littéraire du verbe *(je puis)* dans la tournure interrogative. *Puis-je vous aider ?*

pouvoir n. m.
1. Faculté, possibilité. *Il a le pouvoir de refuser la proposition.*
2. Autorité. *Le pouvoir législatif. Un abus de pouvoir.*
3. Influence, possibilité de décider. *Elle recherche le pouvoir.*
Forme fautive
*pouvoir. Anglicisme au sens de ***puissance, énergie électrique.***

P^r^
Abréviation de ***professeur.***

prairie n. f.
Vaste pâturage. *Les vaches sont dans la prairie.* **SYN.** pré.
Locution
Les Prairies. Provinces canadiennes du Manitoba, de la Saskatchewan et de l'Alberta.
En ce sens, le nom s'écrit avec une majuscule.

praticable adj.
1. Réalisable. *Un programme praticable.* **SYN.** faisable.
2. Où l'on peut rouler. *Une route praticable.* **SYN.** carrossable. **ANT.** impraticable.

praticien, ienne n. m. et f.
1. Personne qui pratique un art, une science. *Les praticiens de la comptabilité.* **ANT.** théoricien.
2. Médecin, dentiste ou auxiliaire médical qui exerce son métier (par opposition à ***chercheur***).

pratiquant, ante adj. et n. m. et f.
Adjectif
Qui pratique sa religion. *Des catholiques pratiquants, non pratiquants.*
Nom masculin et féminin
Ce sont des pratiquants, des non-pratiquants.
À la forme négative, l'adjectif s'écrit sans trait d'union ; le nom, avec un trait d'union.
Ne pas confondre avec le participe présent invariable ***pratiquant.*** *Ne seront admises que les personnes pratiquant le droit.*

pratique adj. et n. f.
Adjectif
1. Relatif à l'action. *Des exercices et des travaux pratiques.*
2. Utile, ingénieux. *Un appareil, un guide pratique.* **SYN.** commode.
Nom féminin
Application des règles et des principes d'un art, d'une science, par opposition à ***théorie.*** *La pratique d'un sport, la pratique du droit.* **SYN.** exercice.
Locutions
En pratique, locution adverbiale. Dans les faits. *C'est très beau tous ces principes, mais en pratique, ce n'est pas facile à faire.* **SYN.** concrètement, en fait, pratiquement, en réalité.
Mettre en pratique. *Il a mis en pratique vos recommandations.* **SYN.** appliquer.
Forme fautive
*pratique. Anglicisme au sens de ***répétition, exercice.***

pratiquement adv.
1. Dans la pratique (par opposition à ***théoriquement***). *Comment fait-on pratiquement pour imprimer ce dessin ?*
2. (FAMILIER) Presque. *Il a pratiquement terminé.* **SYN.** pour ainsi dire.

pratiquer v. tr., pronom.
Verbe transitif
1. Suivre exactement les règles d'une religion.
2. Mettre en pratique. *Pratiquer la prudence.* **SYN.** appliquer.
3. Exercer (une profession, une activité). *Il pratique la médecine. Elle pratique le tennis toutes les semaines.*
4. Faire une opération manuelle. *Elle a pratiqué une intervention chirurgicale.*
Verbe pronominal
Être en usage. *Le ski se pratique beaucoup au Québec.*
Forme fautive
*pratiquer. Anglicisme au sens de ***répéter un rôle, s'entraîner à un sport.***
Conjugaison [VOIR MODÈLE – **AIMER**]

Indicatif

Présent

je	peux
tu	peux
elle / il	peut
nous	pouvons
vous	pouvez
elles / ils	peuvent

Passé composé

j'	ai	pu
tu	as	pu
elle / il	a	pu
nous	avons	pu
vous	avez	pu
elles / ils	ont	pu

Imparfait

je	pouvais
tu	pouvais
elle / il	pouvait
nous	pouvions
vous	pouviez
elles / ils	pouvaient

Plus-que-parfait

j'	avais	pu
tu	avais	pu
elle / il	avait	pu
nous	avions	pu
vous	aviez	pu
elles / ils	avaient	pu

Passé simple

je	pus
tu	pus
elle / il	put
nous	pûmes
vous	pûtes
elles / ils	purent

Passé antérieur

j'	eus	pu
tu	eus	pu
elle / il	eut	pu
nous	eûmes	pu
vous	eûtes	pu
elles / ils	eurent	pu

Futur simple

je	pourrai
tu	pourras
elle / il	pourra
nous	pourrons
vous	pourrez
elles / ils	pourront

Futur antérieur

j'	aurai	pu
tu	auras	pu
elle / il	aura	pu
nous	aurons	pu
vous	aurez	pu
elles / ils	auront	pu

Infinitif

Présent

pouvoir

Passé

avoir pu

Subjonctif

Présent

que	je	puisse
que	tu	puisses
qu'	elle / il	puisse
que	nous	puissions
que	vous	puissiez
qu'	elles / ils	puissent

Passé

que	j'	aie	pu
que	tu	aies	pu
qu'	elle / il	ait	pu
que	nous	ayons	pu
que	vous	ayez	pu
qu'	elles / ils	aient	pu

Imparfait

que	je	pusse
que	tu	pusses
qu'	elle / il	pût
que	nous	pussions
que	vous	pussiez
qu'	elles / ils	pussent

Plus-que-parfait

que	j'	eusse	pu
que	tu	eusses	pu
qu'	elle / il	eût	pu
que	nous	eussions	pu
que	vous	eussiez	pu
qu'	elles / ils	eussent	pu

Conditionnel

Présent

je	pourrais
tu	pourrais
elle / il	pourrait
nous	pourrions
vous	pourriez
elles / ils	pourraient

Passé

j'	aurais	pu
tu	aurais	pu
elle / il	aurait	pu
nous	aurions	pu
vous	auriez	pu
elles / ils	auraient	pu

Impératif

Présent

(n'existe pas)

Passé

(n'existe pas)

Participe

Présent

pouvant

Passé

pu
ayant pu

***pratiques (à toutes fins)**
Calque de « for all practical purposes » au sens de ***en pratique, pratiquement, en fait.***

pré- préf.
Élément du latin signifiant « en avant ».
Les mots composés avec le préfixe ***pré-*** s'écrivent en un seul mot. *Préretraite.*

pré n. m.
Étendue de terre qui sert au pâturage. *Les chevaux courent dans le pré.* **SYN.** prairie.

préalable adj. et n. m.
Adjectif
Qui doit être fait d'abord. *Une question préalable.* **SYN.** préliminaire.
Nom masculin
1. Ensemble de conditions qui doivent être remplies avant que des négociations n'aient lieu. *Le préalable du cessez-le-feu.*
2. Cours qui doit en précéder un autre dans le programme d'études d'un élève. (Recomm. off. OLF) *Il doit suivre ce préalable* (et non ce *prérequis).
3. Condition (âge, taille, aptitude physique, etc.) qui doit être remplie avant de commencer ou de poursuivre des études. (Recomm. off. OLF) *Les élèves seront informés des préalables* (et non des *prérequis).
Locution
Au préalable, locution adverbiale. D'abord. *Tu dois partir, mais mange un peu au préalable.* **SYN.** auparavant, avant.

précaire adj.
1. Dont la durée est incertaine. *Les postes à temps partiel sont souvent précaires.*
2. Fragile. *La paix est précaire dans cette région.* **ANT.** assuré, solide.
préc**aire.**

précaution n. f.
1. Mesure prise pour se garder contre quelque chose. *Il faut prendre ses précautions pour ne pas arriver en retard.*
2. Prudence. *Ces porcelaines sont fragiles : il faut les laver avec précaution.*

précédemment adv.
La lettre ***e*** se prononce ***a*** [presedamɑ̃].
Auparavant. *Le locataire a été prévenu précédemment de la fin du bail.* **SYN.** avant. **ANT.** après, ultérieurement.
précéd**emm**ent.

précédent, ente adj. et n. m.
Adjectif
Qui vient avant. *Les semaines précédentes.* **SYN.** antérieur. **ANT.** suivant.
Nom masculin
Exemple antérieur invoqué comme justification pour agir. *Il ne faudrait pas créer de précédent.*
Locution
Sans précédent, locution adjective. Jamais vu, unique. *Des résultats sans précédent.*
Le nom reste au singulier dans cette locution.
Ne pas confondre avec le participe présent invariable ***précédant.*** *Les jours précédant l'évènement furent très heureux.*

précéder v. tr.
1. Venir avant (dans le temps). *L'heure qui précéda son départ. Elle le précède dans le classement.*
2. Venir avant (dans l'espace). *Les athlètes canadiens précédaient les athlètes américains dans le défilé d'ouverture des Jeux olympiques.*
Conjugaison [VOIR MODÈLE – **POSSÉDER**]
Le deuxième **é** se change en **è** devant une syllabe muette, sauf à l'indicatif futur et au conditionnel présent. *Je précède,* mais *je précéderai.*

prêcher v. tr., intr.
Verbe transitif
Conseiller. *Prêcher la prudence.* **SYN.** recommander.
Verbe intransitif
Faire un sermon. *Cesse de prêcher, tu nous embêtes.*
Locution
Prêcher dans le désert. Ne pas être entendu.
Conjugaison [VOIR MODÈLE – **AIMER**]

précieux, euse adj.
1. Auquel on attache une grande valeur. *Ton amitié m'est précieuse.*
2. De grand prix. *Des pierres précieuses.*

précipice n. m.
Abîme. *L'alpiniste n'a pas peur des précipices. En montagne, on roule parfois au bord d'un précipice.* **SYN.** gouffre, ravin.
pré**c**ipi**c**e.

précipitamment adv.
À la hâte. *Ils sont partis précipitamment en oubliant de fermer à clé.* **SYN.** vite.
précipit**amm**ent.

précipitation n. f.
Grande hâte. *Il est parti avec précipitation.*
Locution
Précipitations (atmosphériques). (MÉTÉOROLOGIE) Pluie, neige, grêle. *On annonce d'importantes précipitations.*
En ce sens, le nom s'emploie au pluriel.

précipiter v. tr., pronom.
Verbe transitif
1. Projeter d'un lieu élevé. *Précipiter un agresseur du haut d'une falaise.*
2. Brusquer. *Il ne voudrait rien précipiter.* **SYN.** hâter.
3. Accélérer. *Précipiter son allure.*
Verbe pronominal
1. Tomber, se jeter d'un lieu élevé. *Les parachutistes se sont précipités dans le vide.*
2. Se hâter. *Elle s'est précipitée à son rendez-vous : enfin, elle pouvait retrouver son copain.*
Conjugaison [VOIR MODÈLE – **AIMER**]

précis, ise adj.
1. Exact. *À 2 heures précises, à midi précis.* **ANT.** imprécis.
2. Détaillé. *Les chiffres précis d'un compte.*
3. Clair, bien défini. *Il faut choisir des termes précis.*

précis n. m.
Résumé comportant les éléments essentiels d'une matière. *Un précis de biologie.* **SYN.** aide-mémoire.
préci**s.**

précisément adv.
1. Avec précision. *Compter précisément.* **SYN.** exactement, justement, rigoureusement.
2. Justement. *Il allait précisément sortir quand le téléphone sonna.*

préciser v. tr., pronom.
Verbe transitif
1. Exprimer d'une manière précise. *Préciser un projet, une somme.* **SYN.** déterminer, établir, fixer.
2. Rendre clair. *Préciser une impression.*
Verbe pronominal
Devenir clair, distinct. *Les faits se sont précisés.*
Conjugaison [VOIR MODÈLE – **AIMER**]

précision n. f.
1. Clarté, justesse. *Il s'exprime avec précision.*
2. Exactitude rigoureuse. *La précision d'un calcul.*

précoce adj.
1. Hâtif. *Ces tulipes sont précoces : elles fleurissent avant les autres.*
2. Dont la maturité, le développement se produit avant l'âge habituel. *Un enfant précoce.*
précoc**e**.

préconçu, ue adj.
(PÉJORATIF) Se dit d'un avis préétabli, d'une idée élaborée sans examen critique. *Une idée préconçue.*
précon**ç**u.

préconiser v. tr.
Recommander. *Préconiser une nouvelle façon de faire.* **SYN.** conseiller.
Conjugaison [VOIR MODÈLE – **AIMER**]

précurseur adj. m. et n. m.
Adjectif masculin
Qui annonce, qui précède. *Les signes précurseurs du printemps.*
Nom masculin
Celui qui innove, qui ouvre la voie. **SYN.** innovateur.
Ce mot ne s'emploie qu'au masculin.

prédateur, trice adj. et n. m.
(ZOOLOGIE) Se dit d'animaux qui se nourrissent de proies. *Le faucon est un prédateur. Une espèce prédatrice.*

prédécesseur n. m.
Personne qui a précédé quelqu'un dans une fonction, dans une dignité.
Ce mot ne s'emploie qu'au masculin.

prédiction n. f.
Annonce de ce qui doit arriver dans l'avenir. *Ses prédictions se sont réalisées.* **SYN.** prophétie.

prédire v. tr.
1. Annoncer ce qui doit arriver, par clairvoyance. *Peut-on vraiment prédire l'avenir ? Certains prétendent que oui ; d'autres en doutent.* **SYN.** prévoir.
2. Annoncer ce qui doit arriver par raisonnement, calculs, etc. *Il avait prédit cette catastrophe. Elle a prédit qu'il finira à temps.*
Conjugaison [VOIR MODÈLE – **DIRE**]
INDICATIF PRÉSENT *Je prédis, tu prédis, il prédit, nous prédisons, vous prédisez, ils prédisent.* IMPARFAIT *Je prédisais.* PASSÉ SIMPLE *Je prédis.* FUTUR *Je prédirai.* **CONDITIONNEL** PRÉSENT *Je prédirais.* **IMPÉRATIF** PRÉSENT *Prédis, prédisons, prédisez.* **SUBJONCTIF** PRÉSENT *Que je prédise.* IMPARFAIT *Que je prédisse.* **PARTICIPE** PRÉSENT *Prédisant.* PASSÉ *Prédit, ite.*
Le verbe se conjugue comme ***dire,*** sauf à la deuxième personne du pluriel du présent de l'indicatif et de l'impératif. *(Vous) prédisez.*

prédominance n. f.
Qualité de ce qui est supérieur, de ce qui domine. *La prédominance de cette équipe est évidente.* **SYN.** supériorité.
prédomin**a**nce.

prédominer v. intr.
Être le plus important, le plus répandu. *Dans ces pays, l'agriculture prédomine.*
Conjugaison [VOIR MODÈLE – **AIMER**]

préfabriqué, ée adj. et n. m.
Composé d'éléments préfabriqués. *Des maisons préfabriquées. Ces petits bâtiments rectangulaires sont du préfabriqué.*

préface n. f.
Texte de présentation d'un ouvrage qui n'est généralement pas rédigé par l'auteur et habituellement composé en italique.

préfacer v. tr.
Présenter par une préface. *Son ami préfaça son livre.*
Conjugaison [VOIR MODÈLE – **AVANCER**]
Le ***c*** prend une cédille devant les lettres ***a*** et ***o.*** *Il préfaça, nous préfaçons.*

préférable adj.
Qui mérite d'être choisi, jugé meilleur. *Les transports en commun sont préférables à la voiture pour réduire la pollution.*
Locution
Il est préférable. Il convient, il vaut mieux. *Il est préférable de bien réfléchir avant de prendre une décision. Il est préférable que tu viennes pour le prévenir.*
La locution se construit avec la préposition ***de*** suivie de l'infinitif ou du pronom ***que*** suivi du subjonctif.

préférablement adv.
De préférence. *Préférablement à ce gâteau, mange donc une pomme.*

préférence n. f.
Ce que l'on aime le plus. *Ma préférence va aux framboises.*
Locution
De préférence, locution adverbiale. Plutôt. *De préférence, j'aimerais le vendredi plutôt que le jeudi.*

préférer v. tr.
1. Aimer mieux. *Elle a préféré le roman au film qu'on en a tiré.*
Suivie de la conjonction ***que,*** le verbe se construit avec le subjonctif. *Il préfère que ses élèves soient curieux de tout.*
2. Choisir, opter pour. *Elle préfère fréquenter ce collège. Il préférera accepter ce poste plutôt que de perdre son emploi. La famille a préféré les vacances à la mer.*
En ce sens, le verbe se construit avec un nom ou avec l'infinitif.
3. ***Préférer que*** + subjonctif. *Il préfère que ses élèves soient curieux de tout.*
Conjugaison [VOIR MODÈLE – **POSSÉDER**]
Le deuxième ***é*** se change en ***è*** devant une syllabe muette, sauf à l'indicatif futur et au conditionnel présent. *Je préfère,* mais *je préférerai.*

préfixe n. m.
(LINGUISTIQUE) Élément qui se place au début d'un radical pour former une nouvelle unité lexicale. *Le préfixe* **re-** *marque la répétition : redire, refaire, reprendre.*
L'élément qui se place après un radical est un ***suffixe.***
VOIR TABLEAU – **PRÉFIXE.**

préhistoire n. f.
Histoire de l'humanité depuis ses origines jusqu'aux premiers textes écrits.

PRÉFIXE

Dans la composition des mots nouveaux, le français emprunte surtout au grec et au latin des préfixes ou des éléments qui sont joints à un radical pour former une nouvelle unité lexicale.

Ces préfixes présentent l'avantage d'être déjà connus et, ainsi, de favoriser la compréhension immédiate du néologisme.

Règles d'écriture

Les préfixes se soudent généralement au radical : on observe une tendance marquée à supprimer les traits d'union pour constituer des unités lexicales simples. Seule la rencontre de deux voyelles impose parfois le trait d'union.

Méga-octet, micro-ordinateur.

PRÉFIXES D'ORIGINE GRECQUE

PRÉFIXES	SENS	EXEMPLES
aéro-	« air »	*aérogare, aéroport*
agro-	« champ »	*agrochimie, agroalimentaire*
allo-	« autre »	*allophone*
amphi-	« en double »	*amphibie*
anti-	« contre »	*antibruit, antigel*
archéo-	« ancien »	*archéologie*
archi-	« degré extrême »	*archi-ennuyeux, archi-fou*
auto-	« de soi-même »	*autobiographie*
biblio-	« livre »	*bibliothèque*
bio-	« vie »	*biologie, bio-industrie*
cardi(o)-	« cœur »	*cardiologie*
cata-	« en dessous, en arrière »	*catacombe*
chir(o)-	« main »	*chiromancie*
cosmo-	« monde »	*cosmopolite*
grapho-	« écrire »	*graphologie*
hyper-	« au-dessus, au-delà »	*hypermarché*
kilo-	« mille »	*kilogramme*
meg-, méga-	« grand »	*mégajoule, méga-octet*
micro-	« petit »	*microfilm, micro-ondes*
mono-	« seul »	*monopole*
mytho-	« fable »	*mythologie*
néo-	« nouveau »	*néologisme*
orth(o)-	« droit »	*orthographe*
pan-	« tout »	*panaméricain*
para-, pare-	« à côté de »	*parascolaire*
penta-	« cinq »	*pentagone*
péri-	« autour »	*périmètre, périphérie*
phon-, phono-	« son »	*phonétique*
poly-	« nombreux »	*polytechnique*
pro-	« en faveur de »	*proaméricain*
psych(o)-	« âme »	*psychologie*
thermo-	« chaleur »	*thermomètre*
xén(o)-	« étranger »	*xénophobie*

suite ►

PRÉFIXES D'ORIGINE LATINE

PRÉFIXES	SENS	EXEMPLES
anglo-	« anglais »	*anglophone*
aqua-	« eau »	*aquarelle, aquatique*
audio-	« j'entends »	*audiovisuel*
bi(s)-	« deux fois »	*bilingue, bimoteur, bihebdomadaire*
calor-	« chaleur »	*calorifère*
co-	« avec »	*copropriété, coauteur, coédition*
dis-	« au travers de »	*disparaître, dissuader*
ex-	« antérieurement »	*ex-mari, ex-ministre*
extra-	« en dehors »	*extraterrestre*
franco-	« de langue, d'ascendance française »	*franco-ontarien*
inter-	« entre »	*interurbain, international*
mini-	« moins »	*minijupe*
multi-	« beaucoup, plusieurs »	*multicolore, multiethnique*
oct-, octa-, octi-, octo-	« huit »	*octogone*
omni-	« tout »	*omnipraticien, omnivore*
péd(i)-, péd(o)-	« pied »	*pédicure*
pisci-	« poisson »	*pisciculture*
pré-	« en avant »	*préretraite*
quadr(i)-	« quatre »	*quadrimoteur*
quinqu(a)-	« cinq »	*quinquennal*
quint-	« cinquième »	*quintuple*
rect(i)-	« droit »	*rectiligne*
rétro-	« en arrière »	*rétrograder*
sub-	« sous »	*subdiviser, subjectif*
super-	« au-dessus »	*superpuissance, superposer*
sur-	« au-dessus »	*surabondance, surdoué*
trans-	« à travers »	*transatlantique*
tri-	« trois »	*triangle, tricycle*
ultra-	« au-delà »	*ultrason, ultrasecret*
uni-	« un »	*unilingue*
vidéo-	« je vois »	*vidéocassette*

VOIR TABLEAU – **NÉOLOGISME.**

préhistorique adj.
1. Antérieur aux temps historiques. *Un homme préhistorique.*
2. (FIGURÉ) Désuet. *Un procédé préhistorique.*

préjudice n. m.
Tort, dommage. *J'espère que cette entente ne vous causera pas de préjudice.* **SYN.** avantage, bénéfice.
Locutions
Au préjudice de, locution prépositive. Au désavantage de. *La quantité ne doit pas s'obtenir au préjudice de la qualité.*
Porter préjudice à quelqu'un. Causer du tort à quelqu'un.
préjudi**ce.**

préjugé n. m.
Parti pris, opinion préconçue. *Il ne faut pas avoir de préjugés pour être juste.*

prélart n. m.
(FAMILIER) Revêtement de sol. **SYN.** linoléum.

prélasser (se) v. pronom.
Se reposer nonchalamment. *Elle s'est prélassée dans l'herbe.*
Le participe passé de ce verbe qui n'existe qu'à la forme pronominale s'accorde toujours en genre et en nombre avec le sujet du verbe.
Conjugaison [VOIR MODÈLE – **AIMER**]

prélèvement n. m.
1. Action de prélever. *Autoriser un prélèvement bancaire.*
2. Matière prélevée. *Un prélèvement de sang pour analyse.*
orthographe : prél**è**vement.

prélever v. tr.
1. Retrancher une certaine partie sur un total. *Le gouvernement prélève une somme sur notre salaire à titre d'impôt.* **SYN.** retirer.
2. Prendre un échantillon. *Le médecin a prélevé un peu de sang pour en faire l'analyse.*
Conjugaison [VOIR MODÈLE – **LEVER**]
Le **e** se change en **è** devant une syllabe muette. *Il prélève, il prélevait.*

préliminaire adj. et n. m. pl.
Adjectif
Qui précède la matière principale. *Un entretien préliminaire à l'engagement.*
Nom masculin pluriel
1. Ensemble des actes qui précèdent un traité. *Des préliminaires interminables.*
2. Entrée en matière.
note : Le nom est toujours au pluriel.

prélude n. m.
1. (MUSIQUE) Série de notes jouées en introduction. *Ce pianiste a magnifiquement interprété les* Préludes *de Chopin.*
2. (FIGURÉ) Ce qui précède quelque chose. *Le prélude à une collaboration.*
note : Ne pas confondre avec les noms suivants :
- ***commencement,*** début ;
- ***origine,*** ce qui sert de point de départ ;
- ***principe,*** ce qui désigne la cause première.

prématuré, ée adj. et n. m. et f.
Adjectif
1. Qui vient trop tôt. *Ce geste est prématuré.*
2. Né avant le temps normal. *Un bébé prématuré.*
Nom masculin et féminin
Enfant né avant le temps normal. *Les prématurés sont placés en incubateur.*

prématurément adv.
Avant le temps normal, trop tôt.

préméditer v. tr.
(PÉJORATIF) Préparer intentionnellement un crime, un acte répréhensible. *Préméditer un vol.*
Suivi de l'infinitif, le verbe se construit avec la préposition ***de.*** *Les cambrioleurs ont prémédité de faire exploser le coffre-fort.*
Conjugaison [VOIR MODÈLE – **AIMER**]

premier, ière adj. num. et n. m. et f.
Abréviations : ***1er*** (premier), ***1ers*** (premiers), ***1re*** (première), ***1res*** (premières).
Adjectif
1. Qui vient avant les autres. *Le premier homme, le premier jour de mai.*
2. Qui vient en tête. *Le premier prix.*
Adjectif numéral
1. L'adjectif numéral précède l'adjectif ***premier.*** *Les trois premiers jours* (et non les *premiers trois jours).
2. Qui est le meilleur. *Elle s'est classée première.*
Nom masculin et féminin
Personne, chose qui occupe le premier rang. *Elles sont les premières à arriver.*
Nom masculin
Premier étage. *Les accessoires sont en vente au premier.*
Locution
Le tout premier. L'adjectif ***premier*** s'accorde en genre et en nombre, le mot ***tout*** reste invariable au masculin, mais s'accorde au féminin. *Les tout premiers élèves, les toutes premières skieuses.*
VOIR TABLEAU – **NOMBRES.**
VOIR TABLEAU – **NUMÉRAL (ADJECTIF).**

premièrement adv.
Abréviation ***1°*** (s'écrit sans point).
En premier lieu. *Premièrement, fais un plan, puis rédige ton travail.*

premier-né, première-née adj. et n. m. et f.
Le premier enfant. *Des premiers-nés, des premières-nées.*
note : Les deux éléments du mot composé s'accordent en genre et en nombre.

prémolaire n. f.
Dent située entre les canines et les molaires.

prémunir v. tr., pronom.
Verbe transitif
Prendre des précautions pour se défendre contre quelque chose. *Prémunir un enfant contre un danger.* **SYN.** garder, protéger.
Verbe pronominal
Se garantir contre quelque chose. *Ils se sont prémunis contre le froid.* **SYN.** prendre ses précautions, se protéger.
Conjugaison [VOIR MODÈLE – **FINIR**]

prenant, ante adj.
Saisissant, émouvant. *Des intrigues prenantes, un film prenant.* **SYN.** captivant.

prendre v. tr., intr., pronom.
Verbe transitif
Comme ***faire, mettre, rendre,*** le verbe ***prendre*** est un des verbes les plus fréquemment utilisés du français.
1. Saisir. *Prendre un crayon et un papier.*
2. Absorber de la nourriture, une boisson. *Prendre un repas.* **SYN.** avaler.
3. Contracter. *Prendre un rhume.* **SYN.** (FAMILIER) attraper.
4. Choisir. *Prends la crème glacée aux pistaches, elle est très bonne.* **SYN.** préférer.
5. Utiliser. *Prendre sa bicyclette.*
6. Considérer comme. *Prendre quelqu'un pour un fou.*
Verbe intransitif
1. Choisir un chemin, une direction. *Prendre à droite.* **SYN.** tourner.
2. Épaissir. *La glace commence à prendre.* **SYN.** durcir.
3. Se mettre à brûler. *Les bûches ont pris feu.*
4. Réussir. *Une mode qui prendra.*
5. S'enraciner. *Cette plante a pris.*
Verbe pronominal
1. Se laisser attraper. *Elles se sont prises au jeu.*
2. Se saisir réciproquement. *Ils se sont pris par la main.*
3. S'accrocher. *Son chapeau s'est pris à une branche.*
4. Attaquer quelqu'un, lui attribuer une faute. *S'en prendre à son voisin.*
Locutions
À tout prendre, locution adverbiale. Tout bien réfléchi, après tout.
Prendre l'initiative. Agir.
Prendre part. Participer.
Prendre patience. Attendre patiemment.

Prendre sur soi. Rester calme, se contenir.
Prendre une bouchée. ⚜ (FAMILIER) Prendre un repas léger, manger un peu.
Formes fautives
*prendre la parole de quelqu'un. Calque de l'anglais « to take someone's word » pour ***se fier à la parole de quelqu'un.***
*prendre la part de quelqu'un. Calque de l'anglais « to take someone's part » pour ***prendre la défense de quelqu'un.***
*prendre pour acquis. Calque de l'anglais « to take for granted » pour ***tenir pour acquis.***
*prendre un cours. Calque de l'anglais « to take a course » pour ***suivre un cours.***
*prendre une chance. Calque de l'anglais « to take a chance » pour ***courir le risque, tenter sa chance.***
*prendre une marche. Calque de l'anglais « to take a walk » pour ***faire une promenade.***
Conjugaison [VOIR MODÈLE – **APPRENDRE**]
INDICATIF PRÉSENT *Je prends, tu prends, il prend, nous prenons, vous prenez, ils prennent.* IMPARFAIT *Je prenais.* PASSÉ SIMPLE *Je pris.* FUTUR *Je prendrai.* **CONDITIONNEL** PRÉSENT *Je prendrais.* **IMPÉRATIF** PRÉSENT *Prends, prenons, prenez.* **SUBJONCTIF** PRÉSENT *Que je prenne.* IMPARFAIT *Que je prisse.* **PARTICIPE** PRÉSENT *Prenant.* PASSÉ *Pris, prise.*

prénom n. m.
Nom précédant le patronyme et servant à distinguer chacun des membres d'une même famille. *Appeler quelqu'un par son prénom. Elle a pour prénom Raphaëlle.*

prénommer v. tr., pronom.
Verbe transitif
Donner pour prénom à quelqu'un. *Elle a prénommé sa fille Marie-Ève.*
Verbe pronominal
Avoir pour prénom. *Son fils se prénomme Étienne.*
Conjugaison [VOIR MODÈLE – **AIMER**]

préoccupation n. f.
1. Désir. *Sa préoccupation est de leur faire plaisir.*
2. Souci, inquiétude. *La maladie de son amie lui cause bien des préoccupations.*
👄 préo**cc**upation.

préoccuper v. tr., pronom.
Verbe transitif
Inquiéter. *Sa faiblesse me préoccupe.*
Verbe pronominal
1. S'inquiéter, avoir du souci au sujet de quelqu'un, de quelque chose. *Elle se préoccupe de sa santé.* **SYN.** se tourmenter.
∽ À la forme pronominale, le verbe se construit avec la préposition **de.**
2. S'intéresser à, prendre à cœur. *Ils se préoccupent du bien-être de leurs enfants.* **SYN.** se soucier. **ANT.** se désintéresser, se moquer.
Conjugaison [VOIR MODÈLE – **AIMER**]

préparatif n. m.
Arrangements en vue de quelque chose. *Des préparatifs de voyage.*
☞ Ce nom s'emploie généralement au pluriel.

préparation n. f.
1. Action de préparer. *La préparation d'un repas.*
2. Chose préparée. *Une préparation chimique.*

préparatoire adj.
Qui prépare. *Un cours préparatoire.*

préparer v. tr., pronom.
Verbe transitif
1. Disposer, organiser dans un but déterminé. *Préparer un spectacle.* **SYN.** organiser.
2. Former. *Préparer un étudiant à un examen.*
Verbe pronominal
1. Prendre les mesures qui s'imposent, faire le nécessaire pour être prêt, pour qu'une chose soit prête. *Je me prépare pour mon examen.*
2. Se disposer à. *Il se prépare à partir.* **SYN.** s'apprêter, être sur le point de.
3. Être imminent. *Un orage se prépare.*
Conjugaison [VOIR MODÈLE – **AIMER**]

prépondérant, ante adj.
Supérieur, qui joue un rôle majeur. *Une influence prépondérante.*

préposé n. m.
préposée n. f.
Personne subalterne chargée d'une fonction. *Une préposée aux renseignements.*

préposition n. f.
VOIR TABLEAU – **PRÉPOSITION.**

***prérequis**
Anglicisme pour ***qualifications préalables, préalable.***

près adv.
1. Proche. *Il habite tout près.*
2. De près. *Il regarde le papillon de près. L'arrivée des pompiers a suivi de près l'incendie.*
☞ Cette locution adverbiale marque la proximité de lieu ou de temps.
3. Un peu moins de. *Il y a près de 20 pommiers à côté de la maison.*
Locutions
À cela près, locution adverbiale. Excepté cela. *Il pratique tous les sports, à cela près qu'il déteste le curling.*
À peu de chose près, locution adverbiale. Presque complètement. *Elle a été remboursée à peu de chose près.*
À peu près, locution adverbiale. Approximativement. *Un total de 125 élèves à peu près.* **SYN.** environ.
Près de, locution prépositive. À proximité, dans le voisinage. *Elle se plaça près de moi. Il est près de midi.*
☞ Cette locution marque la proximité de lieu ou de temps.
Près de, locution prépositive. Environ. *Il y a près de 20 ans qu'il est venu dans ce pays.*
Près de + infinitif. Sur le point de. *Il était près de changer d'avis.*
∽ Cette expression ne doit pas être confondue avec ***prêt*** qui signifie « disposé à » et qui se construit avec la préposition ***à.*** *Il est prêt à changer d'avis.*
HOM.
– **prêt**, disposé à ;
– **prêt**, somme prêtée.

présage n. m.
Signe heureux ou malheureux par lequel on juge de l'avenir. *Cette éclaircie est un bon présage. Je ne crois pas qu'un chat noir soit un mauvais présage.*

présager v. tr.
Annoncer par des signes. *Ces réactions présagent une certaine opposition, ne présagent rien de bon.*
∽ Ce verbe se construit avec un complément d'objet direct.

PRÉPOSITION

La ***préposition*** est un mot invariable qui sert à introduire un complément, qu'il unit, par un rapport de temps, de lieu, de moyen, de manière, etc., à un mot complété (verbe, nom, adjectif...).

Quelques prépositions

à
Je viendrai à midi (temps).
Il habite à la campagne (lieu).
Se battre à l'épée (moyen).

de
Marcher de midi à minuit (temps).
Se rapprocher de la ville (lieu).
Une femme de tête (manière).

par
Passer par Trois-Rivières (lieu).
Travailler dix heures par jour (temps).
Voyager par goût (manière).

dans
Il arrivera dans une heure (temps).
Elle travaille dans un bureau (lieu).
Boire dans un verre (instrument).

en
Elle habite en Gaspésie (lieu).
En été (temps).
Une bague en or (matière).

pour
Partir pour la campagne (lieu).
Partir pour deux jours (temps).
Des bottes pour la pluie (destination).

Attention à certains mots qui sont tantôt des prépositions s'ils introduisent un complément, tantôt des adverbes s'ils n'en introduisent pas.

Il y a un chien ***derrière*** *l'arbre*. Le mot **derrière** introduit un complément circonstanciel : c'est une ***préposition.***

Les chiens sont restés ***derrière***. Le mot **derrière** n'introduit pas de complément : c'est un ***adverbe.***

Principales prépositions

à	chez	depuis	durant	hors	par	sans	sur
après	contre	derrière	en	jusque	parmi	sauf	vers...
avant	dans	dès	entre	malgré	pendant	selon	
avec	de	devant	envers	outre	pour	sous	

LOCUTION PRÉPOSITIVE

La ***locution prépositive*** est composée de plusieurs mots et joue le même rôle que la préposition : elle introduit un complément. *Un joli jardin a été aménagé* ***en arrière de*** *la maison.*

Les locutions prépositives introduisent toujours un complément. Attention à certaines locutions qui n'introduisent pas de complément et qui sont alors des locutions adverbiales.

Les enfants jouent en avant de l'école. La locution **en avant de** introduit un complément circonstanciel : c'est une ***locution prépositive.***

Regardez en avant. La locution **en avant** n'introduit pas de complément : c'est une ***locution adverbiale.***

Principales locutions prépositives

à cause de	à l'insu de	auprès de	de delà	en dehors de	par-delà
à condition de	à l'intention de	au prix de	de derrière	en dépit de	par-dessous
à côté de	à moins de	au sujet de	de dessous	en face de	par-dessus
à défaut de	à raison de	autour de	de dessus	en faveur de	par-devant
afin de	au cours de	au travers de	de devant	étant donné	par-devers
à force de	au-dedans de	aux dépens de	de façon à	face à	par rapport à
à l'abri de	au dehors de	aux environs de	de manière à	faute de	près de
à la façon de	au-dessous de	avant de	d'entre	grâce à	proche de
à la faveur de	au-dessus de	conformément à	de par	hors de	quant à
à la mode de	au-devant de	contrairement à	de peur de	jusqu'à	sauf à
à l'égard de	au lieu de	dans le but de	du côté de	le long de	vis-à-vis de...
à l'encontre de	au milieu de	d'après	en bas de	loin de	
à l'exception de	au moyen de	d'avec	en deçà de	par-dedans	
à l'exclusion de	au pied de	de chez	en dedans de	par-dehors	

Conjugaison [VOIR MODÈLE – **CHANGER**]
Le ***g*** est suivi d'un ***e*** devant les lettres ***a*** et ***o.*** *Il présagea, nous présageons.*

presbytère n. m.
Maison du curé dans une paroisse.
presb**y**tère.

prescription n. f.
1. Ordre détaillé, recommandation, conseil thérapeutique émanant d'un médecin.
Quand la prescription est sous forme écrite, il s'agit d'une ***ordonnance.***
2. Ordre détaillé.
Forme fautive
*prescription. Impropriété au sens de ***ordonnance*** (d'un médecin).

prescrire v. tr.
Ordonner, recommander. *Le médecin a prescrit des antibiotiques.*
Ne pas confondre avec **proscrire**, condamner, interdire.
Conjugaison [VOIR MODÈLE – **ÉCRIRE**]
INDICATIF PRÉSENT *Je prescris, tu prescris, il prescrit, nous prescrivons, vous prescrivez, ils prescrivent.* IMPARFAIT *Je prescrivais.* PASSÉ SIMPLE *Je prescrivis.* FUTUR *Je prescrirai.* **CONDITIONNEL** PRÉSENT *Je prescrirais.* **IMPÉRATIF** PRÉSENT *Prescris, prescrivons, prescrivez.* **SUBJONCTIF** PRÉSENT *Que je prescrive.* IMPARFAIT *Que je prescrivisse.* **PARTICIPE** PRÉSENT *Prescrivant.* PASSÉ *Prescrit, ite.*

présence n. f.
Le fait pour une personne, une chose d'être dans un lieu déterminé. *Comment expliquer la présence de cette personne ici ?*
Locutions
En présence, locution adverbiale. Face à face. *Les forces en présence.*
En présence de, locution prépositive. En face de. *Il a signé en présence d'un témoin.*
Faire acte de présence. Être présent pendant quelques instants seulement.

présent, ente adj. et n. m. et f.
Adjectif et nom masculin et féminin
Qui est dans le lieu dont on parle, dans le temps où nous sommes. *Le temps présent, elle est ici présente. Que les présents se lèvent. Il était présent à la réunion.* **ANT.** absent.
Contrairement à l'adjectif ***absent,*** l'adjectif ***présent*** peut se construire avec la préposition ***à*** suivie d'un nom de lieu. *Il était présent à la réunion.*
Nom masculin
1. Partie du temps correspondant au moment où l'on parle. *Vivre dans le présent.*
2. Cadeau. *De jolis présents.*
3. (GRAMMAIRE) Temps indiquant que l'action s'accomplit au moment où l'on parle. Le présent exprime également :
– Une vérité éternelle. *Le ciel est bleu. Deux et deux font quatre.*
– Un fait habituel. *Il part tous les matins à 7 h 30.*
– Un fait actuel. *Il neige.*
– Un futur proche. *Un instant je vous prie, je suis à vous dans quelques minutes.*
Locutions
À présent, locution adverbiale. Maintenant. *Il n'était pas là, mais il est arrivé à présent.*
À présent que, locution conjonctive. Maintenant que.
La locution s'emploie avec un verbe au présent. *À présent qu'elle est en vacances, elle peut aller jouer.* Quand le verbe est à un temps du passé, on préférera la locution conjonctive ***maintenant que.*** *Maintenant que le projet a été approuvé...*
Jusqu'à présent. Jusqu'à aujourd'hui. *Jusqu'à présent, on pouvait remettre des travaux écrits à la main. À compter d'aujourd'hui, on devra les faire à l'ordinateur.*

présentable adj.
Qui a un bon aspect. *Ce devoir n'est pas présentable, il est rempli de ratures.*

présentateur n. m.
présentatrice n. f.
Personne qui présente un spectacle, une émission, un produit.

présentation n. f.
1. Action de présenter. *Faire les présentations.*
2. Action de faire connaître. *La présentation d'un film.*
3. Manière de présenter. *Une présentation originale.*

présentement adv.
En ce moment, actuellement. *Présentement, elle est absente, mais elle arrivera bientôt.*
L'emploi de l'adverbe est courant au Québec, mais il est vieilli dans l'ensemble de la francophonie.

présenter v. tr., pronom.
Verbe transitif
1. Faire connaître une personne à une autre, en donnant son nom, sa qualité. *Permettez-moi de vous présenter mon frère.*
2. Offrir. *Présenter un siège à un invité.*
3. Montrer, exposer. *Présenter un nouveau produit, un projet, un film.*
Verbe pronominal
1. Se faire connaître à quelqu'un. *Je ne me suis pas présentée, je suis Paule Dubois.*
2. Se proposer. *Se présenter comme candidat.*
3. Subir. *Se présenter à un examen.*
4. Apparaître, survenir. *L'affaire se présente bien.*
Conjugaison [VOIR MODÈLE – **AIMER**]

présentoir n. m.
Dans un établissement commercial, dispositif à l'aide duquel les produits sont mis en valeur.

préservatif n. m.
Contraceptif masculin ; condom.

préservation n. f.
Action de préserver. *La préservation des espèces en voie de disparition.*

préserver v. tr.
1. Mettre à l'abri de, sauver d'un mal. *Cet imperméable te préservera de la pluie.*
2. (PAR EXTENSION) Protéger. *Il faut préserver l'environnement.*
Conjugaison [VOIR MODÈLE – **AIMER**]

présidence n. f.
1. Fait de présider. *Il est chargé de la présidence du colloque.*
2. Fonction de président. *Elle assure la présidence de cet organisme.*

président n. m.
présidente n. f.
Personne qui préside une assemblée, une société, un pays, etc. *Le président d'un organisme, la présidente d'un conseil d'administration. J. F. Kennedy a été président des États-Unis.*
présid**e**nt, contrairement au participe présent invariable, ***présidant.***

présider v. tr.
Verbe transitif direct
Remplir les fonctions de président. *Elle présidait la réunion.*
Verbe transitif indirect
Veiller à, organiser. *Il préside à l'organisation du colloque international.*
Au sens de ***veiller à,*** le verbe se construit avec la préposition ***à.***
Conjugaison [VOIR MODÈLE – **AIMER**]

presque adv.
À peu près. *Presque tous les élèves sont présents. Dans presque une heure, nous serons partis.*
L'élision ne se fait que devant le mot ***île.*** *Presqu'île.*
VOIR TABLEAU – **ÉLISION.**

presqu'île n. f.
Île reliée à la terre par une langue de terrain.
Lorsque cette presqu'île est d'une grande étendue, on emploie le nom ***péninsule.***

pressant, ante adj.
1. Urgent. *Un besoin pressant de médicaments.*
2. Insistant. *Une demande pressante.*

presse n. f.
1. Machine destinée à comprimer un corps ou à y laisser une impression. *Une presse à imprimer, une presse à perforer du métal.*
2. Le journalisme. *La liberté de la presse.*
Par extension, on dit également ***presse parlée, écrite, télévisée.***
3. (AU PLURIEL) Maison d'édition. *Les Presses universitaires.*
Locution
Mettre un livre sous presse. Le faire imprimer.

presse- préf.
Les mots composés avec le préfixe ***presse-*** s'écrivent avec un trait d'union. Au pluriel, le préfixe ***presse-*** qui est un verbe demeure invariable, tandis que le second élément est parfois variable, parfois invariable. *Presse-papiers.*

PRÉSENT

Le PRÉSENT exprime :

– un **fait actuel**, une **action présente**

Il fait soleil aujourd'hui ; elle est à la campagne dans son jardin.

L'action s'accomplit au moment où l'on parle.

Le PRÉSENT exprime également :

– une **vérité éternelle, générale**

Le ciel est bleu. Deux et deux font quatre.

Les proverbes, les maximes, les adages sont généralement au présent, car ils expriment des vérités permanentes. « *Rien ne sert de courir, il faut partir à point* » (La Fontaine). *Pierre qui roule n'amasse pas mousse.*

– un **fait habituel**

Les enfants partent tous les matins à 7 h 30 et reviennent à 16 h.

– un **fait historique**

Samuel de Champlain fonde Québec en 1608.

On l'appelle aussi le présent narratif, car il raconte l'histoire de façon vivante et la rattache à l'actualité.

Le PRÉSENT peut aussi traduire :

– un **passé récent**

La partie de hockey se termine tout juste.

– un **futur proche**

Attends-moi, j'arrive immédiatement.

Dans ces deux cas, la dimension passée ou future est indiquée à l'aide du verbe au présent accompagné d'une locution adverbiale pour le passé *(tout juste)* ou d'un adverbe pour le futur *(immédiatement).*

– une **action future** dans une subordonnée conditionnelle

Si tu économises un peu, tu pourras t'acheter des patins.

VOIR TABLEAU – **CONCORDANCE DES TEMPS.**

pressé, ée adj. et n. m.
Adjectif
1. Qui a été pressé pour en extraire le jus. *Une orange fraîchement pressée.*
2. Qui doit être fait sans délai. *Un travail pressé.* **SYN.** pressant, urgent.
Nom masculin
Ce qui est le plus important, le plus urgent. *Il faut parer au plus pressé.*

presse-citron n. m. (pl. *presse-citrons*)
Ustensile servant à extraire le jus des citrons, des oranges.
Ce nom composé était invariable, mais le mot ***citron*** prend maintenant la marque du pluriel selon la règle habituelle.

pressentiment n. m.
Sentiment instinctif d'un évènement à venir. **SYN.** intuition.

pressentir v. tr.
Deviner vaguement, avoir l'intuition que quelque chose se produira. *Pressentir un drame.* **SYN.** prévoir.
Conjugaison [VOIR MODÈLE – **SORTIR**]
INDICATIF PRÉSENT *Je pressens, tu pressens, il pressent, nous pressentons, vous pressentez, ils pressentent.* IMPARFAIT *Je pressentais.* PASSÉ SIMPLE *Je pressentis.* FUTUR *Je pressentirai.* **CONDITIONNEL** PRÉSENT *Je pressentirais.* **IMPÉRATIF** PRÉSENT *Pressens, pressentons, pressentez.* **SUBJONCTIF** PRÉSENT *Que je pressente.* IMPARFAIT *Que je pressentisse.* **PARTICIPE** PRÉSENT *Pressentant.* PASSÉ *Pressenti, ie.*

presse-papiers n. m. inv. (pl. *presse-papiers*)
Petit objet lourd posé sur des documents pour éviter qu'ils ne se dispersent. *Des presse-papiers amusants.*

presser v. tr., intr., pronom.
Verbe transitif
1. Serrer avec force pour extraire un liquide. *Presser un citron, des raisins.*
2. Exercer une pression. *Presser un bouton.*
Si l'on doit appuyer fortement sur quelque chose, on emploie alors le mot ***peser***. *Pèse sur cette manette pour actionner le mécanisme.*
3. Insister. *Je le pressai d'agir.*
4. Accélérer. *Presser le pas.* **SYN.** hâter.
Verbe intransitif
Être urgent. *Le temps presse, il faut partir. Voyons ! on a tout le temps : rien ne presse.*
Verbe pronominal
1. Se hâter. *Elles se sont pressées pour arriver à temps.*
2. Se serrer, se tasser. *Ils se sont pressés autour de leurs joueurs de hockey préférés.*
Conjugaison [VOIR MODÈLE – **AIMER**]

pression n. f.
1. Poussée. *Une pression de la main suffit.*
2. Contrainte morale. *Trop de pression s'exerce sur lui. Il est sous pression.*
3. (PHYSIQUE) Force qui agit sur une surface donnée. *La pression atmosphérique.*
Locutions
Bouton-pression ou *pression. Ce chemisier s'attache à l'aide de boutons-pression* (et non de *snap) ou *de pressions.*
Faire pression. Insister. *Ses parents ont fait pression sur elle pour qu'elle fasse ce choix.*
Dans cette expression, le mot ***pression*** demeure au singulier.

pressuriser v. tr.
Maintenir l'intérieur d'un avion à une pression définie.
Conjugaison [VOIR MODÈLE – **AIMER**]

prestance n. f.
Aspect imposant d'une personne.

prestation n. f.
1. (AU PLURIEL) Versements ou fournitures qui ont pour objet l'indemnisation d'un risque social ou qui, d'une façon plus générale, sont destinés à assurer la sécurité économique de leur bénéficiaire. (Recomm. off. OLF) *Les prestations de vieillesse.*
2. Action de se produire en public. *Les joueurs de cette équipe de football ont fait une excellente prestation.*

preste adj.
Prompt et agile. *Des acrobates prestes et bien exercés.* **SYN.** rapide, vif.

prestidigitateur, trice n. m. et f.
Personne qui a une grande dextérité manuelle et qui exécute des tours d'adresse.

prestige n. m.
1. Attrait exercé par une personne, une chose. *Une image de prestige.*
2. Pouvoir d'imposer le respect, l'admiration. *Le prestige de ce chercheur.*

prestigieux, ieuse adj.
Qui a du prestige. *Un chercheur prestigieux.*
prestigieu**x.**

présumé, ée adj.
Censé, réputé. *Il est présumé innocent.*

présumer v. tr.
Verbe transitif direct
Supposer, donner quelque chose comme probable. *Un symptôme qui laisse présumer une maladie grave.* **SYN.** croire.
Verbe transitif indirect
Compter trop sur. *Ne présumez pas trop de votre santé.* **SYN.** surestimer.
En ce sens, le verbe se construit avec la préposition ***de.***
Conjugaison [VOIR MODÈLE – **AIMER**]

prêt n. m.
1. Action de prêter quelque chose. *Le prêt d'une bicyclette.*
2. Somme prêtée pendant un certain temps. *La banque consent des prêts à un taux de 10 % par an.* **ANT.** emprunt.
Le terme anglais « loan » désigne le ***prêt*** et l'***emprunt,*** alors que le français dispose de deux noms distincts.
HOM.
– près, proche ;
– prêt, disposé à.

prêt, prête adj.
Dont la préparation est terminée. *Venez les enfants, le déjeuner est prêt !*
Locutions
Fin prêt. Tout à fait prêt. *Elles étaient fin prêtes.*
Dans cet emploi adverbial, le mot ***fin*** est invariable.
Prêt à. Disposé à, décidé à. *Ils sont prêts à vous suivre.*
HOM.
– près, proche ;
– prêt, somme prêtée.

prétendre v. tr., pronom.
Verbe transitif direct
Soutenir, affirmer. *Il prétend qu'on lui a volé sa voiture.* **SYN.** dire.

Le verbe se construit à l'indicatif dans une tournure affirmative. Dans une tournure négative, il se construit avec le subjonctif. *Il ne prétend pas qu'on lui ait volé sa voiture.*
Verbe transitif indirect
(LITTÉRAIRE) Souhaiter, désirer. *Cette personne peut prétendre à la direction.* **SYN.** vouloir.
En ce sens, le verbe se construit avec la préposition ***à.***
Verbe pronominal
Se dire. *Il se prétend avocat, mais je doute que ce soit vrai.* **SYN.** se déclarer.
Conjugaison [VOIR MODÈLE – **FENDRE**]
INDICATIF PRÉSENT *Je prétends, tu prétends, il prétend, nous prétendons, vous prétendez, ils prétendent.* IMPARFAIT *Je prétendais.* PASSÉ SIMPLE *Je prétendis.* FUTUR *Je prétendrai.* **CONDITIONNEL** PRÉSENT *Je prétendrais.* **IMPÉRATIF** PRÉSENT *Prétends, prétendons, prétendez.* **SUBJONCTIF** PRÉSENT *Que je prétende.* IMPARFAIT *Que je prétendisse.* **PARTICIPE** PRÉSENT *Prétendant.* PASSÉ *Prétendu, ue.*

prétendu, ue adj.
Supposé, présumé, mais non sûr. *C'est un prétendu guérisseur.*

prétentieux, euse adj. et n. m. et f.
Vaniteux, arrogant, qui prétend être ce qu'il n'est pas. *Cette personne est prétentieuse.*
prétentieu**x.**

prétention n. f.
1. Ambition. *Cette personne a la prétention de diriger le service.*
2. (PÉJORATIF) Vanité. *Il parle avec prétention.*
Locution
Sans prétention(s), sans aucune prétention. Très simple. *Venez dîner, ce sera sans prétention ou sans prétentions.*

prêter v. tr., pronom.
Verbe transitif direct
1. Mettre quelque chose à la disposition de quelqu'un pour un certain temps. *Prête-moi ton manteau. Olivier lui a prêté 1 $.* **ANT.** emprunter.
2. Attribuer. *On lui prête des intentions cachées.* **SYN.** supposer.
Verbe transitif indirect
Donner lieu à. *Cette phrase prête à confusion : elle est difficile à comprendre.* **SYN.** donner matière à.
Verbe pronominal
1. Être prêté. *Actuellement l'argent se prête à 10 % par an.*
2. Consentir. *Ne vous prêtez pas à cette farce.* **SYN.** accepter.
3. Être propice à. *Avec cette belle neige qui vient de tomber, le temps se prête au ski aujourd'hui.*
Locutions
Prêter attention à. Être attentif.
Prêter l'oreille. Écouter attentivement.
Prêter main-forte. Aider.
Conjugaison [VOIR MODÈLE – **AIMER**]

prêteur, euse n. m. et f.
Personne qui consent un prêt. **ANT.** emprunteur.

prétexte n. m.
Raison apparente dont on se sert pour cacher le véritable motif. *Il nous donna comme prétexte qu'il avait du travail et il refusa de venir nous aider.*
Locutions
Être prétexte à. *Les vacances sont prétexte à de belles excursions.*
Dans cette expression, le nom peut se mettre au pluriel si l'on considère une pluralité de prétextes. *Ces réunions sont prétextes à des échanges professionnels et à des rencontres agréables.*
Sous prétexte de, locution prépositive. En invoquant comme raison.
Sous (le) prétexte que, locution conjonctive. En prétendant que.
Le verbe se construit à l'indicatif. *La direction a refusé notre projet sous prétexte qu'il coûtait trop cher.*

prétexter v. tr.
Donner pour prétexte. *Il a prétexté une douleur à l'épaule pour ne pas jouer.*
Conjugaison [VOIR MODÈLE – **AIMER**]

prêtre n. m.
Membre du clergé.
pr**ê**tre.

preuve n. f.
1. Ce qui tend à établir la vérité d'un fait. *Une preuve d'innocence. « Ce petit bouquet de fleurs est la preuve de mon amitié », a écrit Florence à son copain François hospitalisé pour quelques jours.*
2. Raisonnement par lequel on vérifie l'exactitude d'un résultat mathématique. *Faire la preuve d'une addition par soustraction.*
Locutions
Faire preuve de. Démontrer. *Ils ont fait preuve de sang-froid.*
Dans cette expression, le nom est invariable.
Faire ses preuves. Montrer ses qualités, sa compétence.

prévenance n. f.
1. Action de prévenir les désirs de quelqu'un. *Tu es venue me chercher à la gare : quelle prévenance !* **SYN.** amabilité, délicatesse, gentillesse.
2. (AU PLURIEL) Attentions. *De délicates prévenances.*
préven**a**nce.

prévenant, ante adj.
Attentionné. *Sa nièce est bien prévenante envers elle : elle lui rend mille services.* **SYN.** aimable, délicat, gentil.
L'adjectif se construit avec les prépositions ***envers, pour*** ou la locution prépositive ***à l'égard de.***

prévenir v. tr.
1. Informer à l'avance. *Il faut prévenir maman que nous rentrerons plus tard. Préviens-la de notre retard.* **SYN.** avertir.
Si l'information porte sur l'avenir, l'emploi du verbe ***prévenir*** se justifie ; si l'information appartient au passé ou au présent, on emploiera plutôt ***aviser, informer.*** *Je dois vous informer qu'une décision a été prise.*
2. Éviter par des précautions. *Prévenir un incendie.*
Conjugaison [VOIR MODÈLE – **VENIR**]
INDICATIF PRÉSENT *Je préviens, tu préviens, il prévient, nous prévenons, vous prévenez, ils préviennent.* IMPARFAIT *Je prévenais.* PASSÉ SIMPLE *Je prévins.* FUTUR *Je préviendrai.* **CONDITIONNEL** PRÉSENT *Je préviendrais.* **IMPÉRATIF** PRÉSENT *Préviens, prévenons, prévenez.* **SUBJONCTIF** PRÉSENT *Que je prévienne.* IMPARFAIT *Que je prévinsse.* **PARTICIPE** PRÉSENT *Prévenant.* PASSÉ *Prévenu, ue.*

préventif, ive adj.
Qui a pour but de prévenir. *Un examen préventif, des mesures préventives contre le vol.*

prévention n. f.
Ensemble de mesures prises en vue d'éviter des accidents, des inconvénients. *La prévention routière.*

prévenu, ue adj. et n. m. et f.
Personne soupçonnée d'être coupable.

***preview**
Anglicisme pour ***bande-annonce.***

prévision n. f.
Appréciation de l'évolution des tendances passées et actuelles et de leurs conséquences futures. *Des prévisions météorologiques incertaines.*

prévoir v. tr.
1. Imaginer qu'une chose doit arriver. *Il avait prévu le désastre. Nous n'avions pas prévu cet orage.*
Suivi de la conjonction ***que,*** le verbe se construit avec l'indicatif. *Elle prévoit que les travaux commenceront en septembre.*
2. Organiser à l'avance. *Prévoir la construction d'un aéroport.* **SYN.** planifier, programmer.
Le verbe ***prévoir*** suivi de l'infinitif se construit aujourd'hui sans préposition. *Elle prévoit finir son travail demain.* La construction avec la préposition ***de*** est vieillie.
Locution
Comme prévu. Dans la langue soutenue, on écrira plutôt ***comme il était prévu, comme il est prévu.***
Conjugaison [VOIR MODÈLE – **VOIR**]
INDICATIF PRÉSENT *Je prévois, tu prévois, il prévoit, nous prévoyons, vous prévoyez, ils prévoient.* IMPARFAIT *Je prévoyais, tu prévoyais, il prévoyait, nous prévoyions, vous prévoyiez, ils prévoyaient.* PASSÉ SIMPLE *Je prévis.* FUTUR *Je prévoirai, tu prévoiras, il prévoira, nous prévoirons, vous prévoirez, ils prévoiront.* **CONDITIONNEL** PRÉSENT *Je prévoirais, tu prévoirais, il prévoirait, nous prévoirions, vous prévoiriez, ils prévoiraient.* **IMPÉRATIF** PRÉSENT *Prévois, prévoyons, prévoyez.* **SUBJONCTIF** PRÉSENT *Que je prévoie, que tu prévoies, qu'il prévoie, que nous prévoyions, que vous prévoyiez, qu'ils prévoient.* IMPARFAIT *Que je prévisse.* **PARTICIPE** PRÉSENT *Prévoyant.* PASSÉ *Prévu, ue.*
Le ***y*** est suivi d'un ***i*** à la première et à la deuxième personne du pluriel de l'indicatif imparfait et du subjonctif présent. *(Que) nous prévoyions, (que) vous prévoyiez.*

prévoyance n. f.
Qualité de la personne qui prend des précautions pour l'avenir. **SYN.** prudence.

prévoyant, ante adj.
Qui prend les précautions qui s'imposent. *Ils ont été prévoyants : ils ont pris des imperméables.* **SYN.** prudent. **ANT.** imprévoyant.

prier v. tr., intr.
Verbe transitif
1. S'adresser à Dieu, aux saints. *Prier saint Jude, le patron des causes désespérées.*
2. Solliciter, demander avec insistance, déférence. *Prier le ministre d'accéder à une demande.*
3. Inviter. *Le nouveau directeur prie les employés de venir le rencontrer à 20 heures.* **SYN.** demander.
Verbe intransitif
S'adresser à Dieu, aux saints par la prière. *Elle priait avec ardeur.*
Locution
Je vous en prie. Formule de politesse employée pour accompagner une demande, à la suite de remerciements. *Merci infiniment. – Je vous en prie* (et non *bienvenue).
Conjugaison [VOIR MODÈLE – **ÉTUDIER**]
Redoublement du ***i*** à la première et à la deuxième personne du pluriel de l'indicatif imparfait et du subjonctif présent. *(Que) nous priions, (que) vous priiez.*

prière n. f.
1. Acte religieux par lequel on s'adresse à Dieu, aux saints. *Réciter des prières.*
2. Demande pressante. *Adresser une prière au ministre.*
Locutions
À la prière de, locution prépositive. À l'invitation de. *Il est venu à la prière de son supérieur.*
Prière de... Formule de politesse marquant un commandement, une interdiction. *Prière de ne pas fumer.*

primaire adj.
1. Qui vient en premier dans le temps, qui occupe le premier degré. *L'ère primaire.*
2. Qui appartient à l'enseignement du premier degré. *École primaire.*
Employé comme nom, cet adjectif désigne l'enseignement du premier degré. *Pierre enseignait au primaire. Fanny terminera bientôt le primaire et commencera son secondaire.*
3. Fondamental. *Les couleurs primaires sont le bleu, le jaune et le rouge.*

prime n. f.
1. Somme d'argent payée à un employé en plus de son salaire normal, à titre d'encouragement, d'aide. *Une prime de rendement* (et non un *bonus).
2. Somme payée par l'assuré à son assureur. *Les primes d'assurance ont augmenté cette année.*
3. Ce qu'on donne en plus. *Et en prime, la maison vous offre un calendrier.*

primer v. tr.
Verbe transitif direct
Gratifier d'un prix, d'une récompense. *On a primé ces chevaux.*
Verbe transitif direct ou **indirect**
L'emporter sur. *Cet objectif prime tous les autres,* ou *sur tous les autres.*
En ce sens, le verbe se construit directement ou avec la préposition ***sur.***
Conjugaison [VOIR MODÈLE – **AIMER**]

primeur n. f.
Caractère de ce qui est nouveau.
Locution
Avoir la primeur de quelque chose. Être le premier à en être informé.

primitif, ive adj.
1. Qui est le premier, le plus ancien. *Les hommes primitifs de la Préhistoire.*
2. Initial. *La couleur primitive de ce tissu était le jaune, mais on l'a teint en orangé.*
3. Rudimentaire, très simple. *Une cabane primitive dans la forêt.*

primitivement adv.
À l'origine.

primordial, ale, aux adj.
Essentiel, très important. *Des faits primordiaux, d'une importance primordiale.*

prince n. m.
Fils d'un souverain, fils ou mari d'une princesse. *Le prince Albert de Monaco. Le prince Charles est le fils de la reine Élisabeth d'Angleterre.*
Les titres de noblesse s'écrivent avec une minuscule.
Locution
Bon prince, locution adverbiale. Conciliant, tolérant. *Elles se sont montrées bon prince.*
Cette locution adverbiale ne comporte pas de forme féminine.

princesse n. f.
Fille d'un souverain, fille ou femme d'un prince. *La princesse Stéphanie de Monaco, la princesse Diana.*

princier, ière adj.
Digne d'un prince, d'une princesse. *Un bal princier.*

principal, ale, aux adj. et n. m.
Adjectif
Qui est le premier, le plus important. *Les principaux chefs d'État du monde étaient réunis à cette occasion. Cette jeune comédienne a obtenu un rôle principal.*
Nom masculin
Ce qui est essentiel. *Le principal, c'est que vous soyez sains et saufs.*
Locution
Proposition principale. Proposition accompagnée de propositions subordonnées qui dépendent d'elle. *J'ai été voir le film* (proposition principale) *que tu m'avais recommandé* (proposition subordonnée).
VOIR TABLEAU – **PROPOSITION.**
Forme fautive
*principal. Mot ancien au sens de ***directeur, directrice*** (de collège, d'école).

principalement adv.
Surtout, particulièrement. *Nous avons cueilli des fruits, des pommes principalement.*

principauté n. f.
Petit État gouverné par un prince. *La principauté de Monaco.*
VOIR **PAYS.**

principe n. m.
1. Origine, cause première.
2. Règle générale qui guide la conduite, idée à laquelle on tient. *Cette façon de faire est contraire à ses principes. Nous ne pouvons accepter de cadeau de ce voleur, c'est une question de principe.*
Locutions
De principe, locution adjective. Général, sans définir les conditions précises. *Un accord de principe.*
En principe, locution adverbiale. Théoriquement, normalement.
Une question de principe. Qui résulte d'un principe.

printanier, ière adj.
Du printemps. *La fièvre printanière.*
printa**n**ier, avec un seul ***n.***

printemps n. m.
Saison qui succède à l'hiver et qui précède l'été. *Au printemps, il est agréable de voir les bourgeons et les premières fleurs.*

prioritaire adj.
Qui a la priorité, qui vient en premier. *Un dossier prioritaire.*

priorité n. f.
1. Droit de passer avant les autres. *Les ambulances et les pompiers ont la priorité dans les rues.*
2. Fait de passer avant toute autre chose. *Cette activité est de toute première importance : c'est une priorité pour nous.*
L'expression *« première priorité » est un pléonasme.

prise n. f.
1. Action de prendre, manière de saisir. *La prise d'une balle. Une prise de judo.*
2. Animal que l'on a pêché ou tué à la chasse. *Ce pêcheur a de belles prises : deux grosses truites.*
Locutions
En prise directe. (FIGURÉ) En étroite relation avec quelque chose.
Être aux prises avec. Combattre quelqu'un, quelque chose. *Les dirigeants sont aux prises avec la diminution des budgets.*
Lâcher prise. Abandonner la partie, renoncer à quelque chose.
Prise de bec. (FIGURÉ) Querelle, discussion animée.
Prise de courant, prise électrique. Dispositif électrique sur lequel on peut brancher des appareils.
Prise de position. Action de prendre parti publiquement pour quelqu'un, pour quelque chose, de donner son avis, de professer une opinion. *Des prises de position étonnantes.*
Prise de sang. Prélèvement sanguin. *On lui a fait une prise de sang pour savoir de quelle maladie il souffre.*

prisme n. m.
Figure géométrique qui a plusieurs faces parallèles à une même droite. *Un prisme de cristal.*

prison n. f.
1. Tout lieu où l'on retient quelqu'un prisonnier. *Il est en prison pour 15 ans.*
Le nom ***pénitencier*** désigne une prison où l'on offre aux détenus la possibilité de s'instruire et de travailler. Le ***bagne*** est la prison où l'on enferme les condamnés aux travaux forcés.
2. Peine d'emprisonnement.

prisonnier, ière adj. et n. m. et f.
1. Qui est détenu dans une prison. *Cet homme est un ancien prisonnier.*
2. Qui est privé de sa liberté. *Ces vedettes sont prisonnières de leurs succès : elles ne peuvent se promener seules là où elles aimeraient et sont toujours entourées de gardes du corps.*
priso**nn**ier.

privation n. f.
Action de priver, de se priver de choses essentielles. *Ces réfugiés ont souffert de privations : ils avaient bien peu à manger.*

privatisation n. f.
Action de vendre à l'entreprise privée ce qui était la propriété de l'État. **ANT.** nationalisation.

privatiser v. tr.
Action de procéder à la privatisation. *Privatiser un hôpital.*
ANT. nationaliser.
Conjugaison [VOIR MODÈLE – **AIMER**]

privé, ée adj.
Individuel, particulier. *Un jardin privé, des entretiens privés, une entreprise privée.* **ANT.** public.
Forme fautive
*cours privé. Anglicisme au sens de ***cours particulier.***

priver v. tr., pronom.
Verbe transitif
Enlever à quelqu'un, à quelque chose un avantage. *Priver les élèves de récréation. À cause de la tempête, les Montréalais ont été privés d'électricité pendant quelques heures.*
Verbe pronominal
Renoncer à. *Se priver de dessert pour maigrir.*
Conjugaison [VOIR MODÈLE – **AIMER**]

privilège n. m.
Avantage particulier. *Le gagnant aura le privilège de choisir son prix en premier.*

privilégier v. tr.
Avantager, favoriser. *Privilégier le recyclage du papier.*
Conjugaison [VOIR MODÈLE – **ÉTUDIER**]
Redoublement du ***i*** à la première et à la deuxième personne du pluriel de l'indicatif imparfait et du subjonctif présent. *(Que) nous privilégiions, (que) vous privilégiiez.*

prix n. m.
1. Valeur marchande d'un bien ou d'un service. *Le prix de cet article est de 25 $.*
Lorsque le prix comporte un symbole d'unité monétaire (***$, F, £***), l'expression numérique doit être écrite en chiffres. *Le prix est de 15 $.* Si le nombre est écrit en toutes lettres, l'unité monétaire s'écrit également au long. *Quinze dollars.*
2. Ce qu'il en coûte pour obtenir quelque chose. *Il a remporté la victoire, mais à quel prix ?*
3. Récompense. *Décerner un prix d'excellence, le prix Nobel, la distribution des prix.*
Locutions
À aucun prix, locution adverbiale. En aucun cas, jamais. *N'accepte à aucun prix de monter dans la voiture de quelqu'un que tu ne connais pas.*
À prix d'or, locution adverbiale. Très cher.
À tout prix, locution adverbiale. Coûte que coûte. *Olivier veut réussir à tout prix : il est prêt à faire tous les efforts nécessaires.*
Au prix de, locution prépositive. Moyennant, à la condition de. *C'est au prix de sa vie qu'il a sauvé cet enfant.*
Au prix fort. Sans réduction.
Hors de prix. Exorbitant. *Ces fruits sont hors de prix en ce moment.*
Sans prix. D'une valeur inestimable. *Pour moi, cet album de photos est sans prix, sa valeur est immense.*
Forme fautive
*prix d'admission. Anglicisme pour ***entrée.***

pro- préf.
Élément du grec et du latin signifiant « en faveur de ».
Les mots composés avec le préfixe ***pro-*** s'écrivent en un seul mot, sauf si le deuxième élément est un sigle. *Proaméricain, pro-PC.*

probabilité n. f.
1. Caractère de ce qui est probable. *La probabilité de son succès est grande.* **SYN.** possibilité.
2. Chance de réalisation d'un évènement. *Calcul des probabilités.*
Locution
Selon toute probabilité, locution adverbiale. Vraisemblablement.

probable adj.
Possible. *Son succès est probable.*
Locution
Il est probable que.
1° La locution impersonnelle se construit avec l'indicatif si l'action ou le fait est **probable.** *Il est probable qu'il fera beau ce soir.*
2° La locution impersonnelle se construit avec le subjonctif si l'action ou le fait est **improbable.** *Il est peu probable qu'il vienne ce soir* ou *il n'est pas probable qu'il vienne.*

probablement adv.
Vraisemblablement. **SYN.** peut-être, (FAMILIER) possiblement.

problème n. m.
1. Question à résoudre. *Un problème d'algèbre.*
2. Difficulté qu'il faut résoudre pour obtenir un résultat. *Les chercheurs se sont heurtés à des problèmes techniques et ils ont réussi à les régler.*
Locutions
Faire problème. (FAMILIER) Présenter des difficultés. *Ces refus feront problème.*
Dans cette expression, le nom demeure au singulier.
Pas de problème ou ***il n'y a pas de problème.*** (FAMILIER) Bien sûr, certainement. *Tu me prêtes ton crayon ? Pas de problème !*
Poser des problèmes. Entraîner des difficultés.
Sans problème, locution adverbiale. Facilement. *Nous avons trouvé le disque sans problème.*

procédé n. m.
1. Moyen utilisé pour parvenir à un résultat déterminé. *Un procédé chimique.*
2. Manière d'agir. *Un procédé discutable.* **SYN.** comportement, manières.
Locution
Échange de bons procédés. Services rendus réciproquement.

procéder v. tr. ind., intr.
Verbe transitif indirect
Exécuter, se mettre à. *Les architectes doivent maintenant procéder à la conception des plans de la nouvelle école.*
On emploie ce verbe lorsqu'il s'agit d'une activité complexe.
En ce sens, le verbe se construit avec la préposition **à.**
Verbe intransitif
Agir. *Il faut procéder de façon prudente pour ne pas blesser ces oiseaux.*
Conjugaison [VOIR MODÈLE – **POSSÉDER**]
Le **é** se change en **è** devant une syllabe muette, sauf à l'indicatif futur et au conditionnel présent. *Je procède,* mais *je procéderai.*

procédure n. f.
1. (DROIT) Manière de procéder en justice. *Engager une procédure de séparation.*
2. Ensemble des règles à suivre pour parvenir à un résultat. *Une procédure de recrutement.*

procès n. m.
Problème entre deux ou plusieurs parties soumis à un tribunal. *Le procès des motards a duré plusieurs semaines.*
procès.

procession n. f.
Cortège solennel. *Une procession aux flambeaux.*

processus n. m.
1. Suite des différentes phases d'un phénomène. *Un processus de paix.*
2. Développement progressif. *Un processus de croissance.*

prochain, aine adj. et n. m.
Adjectif
1. Le plus proche, dans le temps. *La semaine prochaine.*
2. Le plus rapproché, dans l'espace. *Tourne à droite au prochain feu.*
Lorsque l'adjectif ***prochain*** accompagne un adjectif numéral, il suit cet adjectif. *Les deux prochains jours* (et non les *prochains deux jours).
Nom masculin
(RELIGION) Autrui. *Il faut aimer son prochain.*
Locutions
À la prochaine (fois) ! (FAMILIER) À bientôt.
La prochaine. (FAMILIER) La station suivante. *Je descends à la prochaine.*

prochainement adv.
D'ici peu. *Nous nous verrons prochainement.* **SYN.** bientôt.

proche adj., adv., n. m. pl. et prép.
Adjectif
1. Qui n'est pas éloigné, dans le temps et dans l'espace. *L'heure du départ est proche. Ces maisons sont proches de la mer.*
2. Qui est peu différent. *Cette couleur est très proche de celle-ci.* **SYN.** semblable.
Adverbe
(VIEUX) Près. *Ils habitent tout proche.*
Pris adverbialement, le mot est invariable.
Nom masculin pluriel
Parents. *Retrouver ses proches à l'occasion d'une fête.*
Préposition
(FAMILIER) Près de. *Elles jouent proche d'ici.*
L'emploi de la préposition est courant au Québec, mais il est vieilli dans l'ensemble de la francophonie.

proclamation n. f.
Publication solennelle. *La proclamation des droits et libertés.*

proclamer v. tr.
Annoncer solennellement. *On a proclamé cet athlète vainqueur.*
Conjugaison [VOIR MODÈLE – **AIMER**]

procurer v. tr., pronom.
Verbe transitif
1. Fournir. *Procurer du travail à un ami.* **SYN.** donner.
2. Occasionner. *Il ne faudrait pas que cette décision vous procure des ennuis.* **SYN.** causer.
Verbe pronominal
Acquérir. *Se procurer des légumes frais.*
Conjugaison [VOIR MODÈLE – **AIMER**]

prodige n. m.
1. Phénomène extraordinaire. *Le télescope Hubble tient du prodige : il nous permet de découvrir des coins encore jamais explorés de l'univers.*
2. Personne, action extraordinaire. *Ce savant est un prodige : il a une intelligence remarquable. Des prodiges d'ingéniosité.*
Locution
Enfant prodige. Enfant extrêmement précoce. *Mozart était un enfant prodige.*
Ne pas confondre avec **prodigue**, dépensier.

prodigieusement adv.
Extrêmement. *Ce géant était prodigieusement fort.*

prodigieux, euse adj.
Qui tient du prodige. *Un musicien prodigieux.* **SYN.** fabuleux, génial.
prodigieu**x.**

prodigue adj.
1. Dépensier. *Un héritier prodigue.*
2. Qui distribue abondamment. *Être prodigue de paroles.*
Ne pas confondre avec **prodige**, personne extraordinaire.

prodiguer v. tr.
Donner, distribuer. *Prodiguer des soins.*
Conjugaison [VOIR MODÈLE – **AIMER**]
Ce verbe s'écrit toujours avec un ***u,*** même devant les lettres ***a*** et ***o.*** *Il prodigua, nous prodiguons.*

producteur n. m.
productrice n. f.
1. Personne, entreprise qui crée un bien ou un service (par opposition à ***consommateur***).
2. Personne qui assure le financement d'un film, la réalisation d'une émission de radio ou de télévision.

productif, ive adj.
Qui produit beaucoup. *Ce sol est productif.* **SYN.** fécond, fertile.

production n. f.
1. Action de produire ; fait de se produire. *La production de gaz toxiques.*
2. Action de présenter. *La production d'une pièce de théâtre.*
3. Biens créés, œuvres créées. *La production littéraire de la saison.*
4. Ensemble des activités qui permettent la création de biens ou de services. *La gestion de la production, des coûts de production élevés. La production d'électricité est considérable au Québec.*

produire v. tr., pronom.
Verbe transitif
1. Créer. *Ce peintre a produit un tableau merveilleux.*
2. Causer. *Cette défectuosité a produit un accident.* **SYN.** occasionner.
3. Assurer la production de biens, de services. *Cette entreprise produit des voitures. Ce laboratoire produira des vaccins.*
Verbe pronominal
Arriver, survenir. *Des séismes se sont produits.*
Conjugaison [VOIR MODÈLE – **CONDUIRE**]
INDICATIF PRÉSENT *Je produis, tu produis, il produit, nous produisons, vous produisez, ils produisent.* IMPARFAIT *Je produisais.* PASSÉ SIMPLE *Je produisis.* FUTUR *Je produirai.* **CONDITIONNEL** PRÉSENT *Je produirais.* **IMPÉRATIF** PRÉSENT *Produis, produisons, produisez.* **SUBJONCTIF** PRÉSENT *Que je produise.* IMPARFAIT *Que je produisisse.* **PARTICIPE** PRÉSENT *Produisant.* PASSÉ *Produit, ite.*

produit n. m.
1. Bien, service créé. *Les produits de la terre.*
2. Résultat d'une multiplication. *Le produit de 3 x 2 est 6.*

prof n. m. et f.
Abréviation familière de ***professeur.***

profanation n. f.
Action de profaner, de ne pas respecter quelque chose de sacré.

profane adj. et n. m. et f.
Adjectif et nom masculin et féminin
Qui n'est pas initié, qui ne s'y connaît pas. *Une profane en musique, mais un expert en informatique.*
Adjectif et nom masculin
Qui n'est pas religieux. *La musique profane.* **ANT.** sacré.

profaner v. tr.
Violer une chose sacrée. *Profaner une église.*
Conjugaison [VOIR MODÈLE – **AIMER**]

professeur n. m.
professeure n. f.
Abréviation ***P**r* (s'écrit sans point).
S'abrège familièrement en ***prof*** (s'écrit sans point).
Personne qui enseigne une science, un art, une technique. *Une professeure de biologie, un professeur de piano.*

profession n. f.
1. Occupation déterminée par laquelle on gagne sa vie. *Quelle est votre profession ? Électricien.* **SYN.** métier.
Le nom désigne également un métier de nature intellectuelle, scientifique. *Les professions libérales.*
2. Déclaration publique d'une croyance, d'une opinion. *Une profession de foi.*

professionnel, elle adj. et n. m. et f.
Adjectif
1. Relatif à une profession, à un métier. *Une formation professionnelle.*
2. De profession. *Un skieur professionnel.*
Nom masculin et féminin
Personne qui pratique une activité, un art, un sport, etc., afin d'en tirer une rémunération, par opposition à la personne qui l'exerce par agrément. *Un professionnel du golf, une professionnelle de la comptabilité.* **ANT.** amateur.
Locution
Secret professionnel. Interdiction légale de révéler des informations confidentielles obtenues dans l'exercice d'une profession.

profil n. m.
Le ***l*** se prononce [prɔfil]; ce mot rime avec ***fil.***
1. Contour latéral d'un visage (par opposition à ***face***). *Martine a un joli profil.*
2. Ensemble d'éléments caractéristiques. *Un profil de scientifique, un profil de carrière.*
Locution
De profil. Vu de côté. *On a dessiné son visage de profil.*

profit n. m.
1. Différence entre l'ensemble des gains d'une entreprise et l'ensemble de ses dépenses. *Un profit net. Faire de bons profits.* **SYN.** bénéfice. **ANT.** déficit.
2. Utilité, avantage. *Ces recherches nous seront d'un bon profit.*
3. Bénéfice. *L'entreprise a fait des profits.* **ANT.** perte.
Locutions
Au profit de, locution prépositive. Au bénéfice de. *Cette soirée est organisée au profit des enfants malades.*
Mettre à profit. Bénéficier de. *Elle a mis à profit cet enseignement.*
Tirer profit de. Profiter de. *Elle a tiré profit de ces cours.*
Dans cette expression, le nom reste au singulier.

profitable adj.
Qui procure un avantage ; utile. *Ces activités sont très profitables.* **SYN.** avantageux, rentable.

profiter v. tr. ind., intr.
Verbe transitif indirect
1. Tirer avantage de. *Ils profitent de leurs vacances.*
En ce sens, le verbe se construit avec la préposition ***de*** et aussi avec la locution ***de ce que.*** *Elle a profité de ce qu'il pleuvait pour étudier.*
2. Être utile. *Ses recherches ont beaucoup profité à ses étudiants.*
En ce sens, le verbe se construit avec la préposition ***à.***
Verbe intransitif
Se fortifier, grandir. *Les enfants ont bien profité au cours de l'été.*
Conjugaison [VOIR MODÈLE – **AIMER**]

profiteur, euse n. m. et f.
(PÉJORATIF) Personne qui abuse de la générosité d'autrui.

profond, onde adj., adv. et n. m.
Adjectif
1. Dont le fond est éloigné de la surface. *Un lac profond.*
Au Québec, on emploie aussi l'adjectif ***creux*** en ce sens.
2. Très grand. *Une transformation profonde.*
3. Difficile à pénétrer. *Un profond mystère.* **SYN.** mystérieux, obscur.
Adverbe
Profondément. *Ils ont creusé très profond.*
Pris adverbialement, le mot est invariable.
Nom masculin
Profondeur. *Il a été touché au plus profond de son cœur.*
profon**d.**

profondément adv.
1. D'une manière profonde. *Ils dormaient profondément quand les cambrioleurs sont entrés : ils n'ont rien entendu. Calme-toi, respire profondément.*
2. Extrêmement. *Il est profondément certain de ce fait.*

profondeur n. f.
1. Caractère de ce qui est profond. *La profondeur d'un gouffre. Les profondeurs de l'océan.*
2. Distance entre la surface du sol, de l'eau jusqu'au fond. *Les mineurs sont à 200 m de profondeur. Étienne a plongé à 35 m de profondeur près de Tadoussac.*
3. Dimension. *Une piscine qui a deux mètres de profondeur. La profondeur, la hauteur et la largeur d'une armoire.*
Au Québec, on emploie aussi le nom ***creux*** en ce sens.

profusion n. f.
Surabondance, quantité importante de choses. *Une profusion de fleurs. Des cadeaux à profusion.*

programmation n. f.
1. (INFORMATIQUE) Élaboration d'un programme informatique, d'un logiciel.
2. Organisation des programmes (cinéma, radio, télévision, etc.).

programme n. m.
1. Ensemble des matières d'un cours. *L'écologie est au programme du secondaire.*
2. Énumération des éléments d'un spectacle, d'un concert, d'un évènement. *Demandez le programme !*
3. Ensemble des émissions, des films, etc., qui seront présentés au cours d'une période. *À la télévision, le programme de la soirée est intéressant : il y a plusieurs émissions que j'aime.*
4. Ligne d'action. *Le programme d'un parti écologique.*
Forme fautive
*programme. Anglicisme au sens de ***émission*** (de télévision, de radio).
En français, le mot ***programme*** désigne un ensemble d'émissions, de films présentés au cours d'une période. *Le programme d'été d'un cinéma.*

programmer v. tr.
1. Établir un programme. *Programmer une émission radiophonique, un film.*

2. Élaborer un programme informatique, technique, etc. *À la maison, tout le monde, sauf papa, sait programmer le magnétoscope.*
3. Organiser à l'avance. *Nous avons programmé une escalade de la montagne, si le temps le permet.* **SYN.** prévoir.
Conjugaison [VOIR MODÈLE – **AIMER**]

programmeur n. m.
programmeuse n. f.
(INFORMATIQUE) Personne qui établit un programme informatique, un logiciel.

progrès n. m.
Développement, avancement. *Ève a fait de grands progrès en dessin.*
✎ progr**ès.**

progresser v. intr.
Faire des progrès. *Notre étude progresse.* **SYN.** avancer.
Conjugaison [VOIR MODÈLE – **AIMER**]

progression n. f.
1. Accroissement graduel. *La progression des travaux est constante.* **ANT.** régression.
2. Avance progressive. *La progression des explorateurs de l'Antarctique.*

progressivement adv.
D'une manière progressive. **SYN.** graduellement, peu à peu.

prohibitif, ive adj.
Se dit d'un prix très élevé qui empêche l'achat. *Le prix des figues fraîches est prohibitif.* **SYN.** excessif.

proie n. f.
1. Être vivant dont un prédateur s'empare. *Le chat a dévoré sa proie, un oisillon tombé du nid.*
2. (FIGURÉ) Victime. *Cette famille a été la proie des voleurs.*
Locution
Être en proie à. Livré à. *Il est en proie aux moqueries de ses camarades.*

projecteur n. m.
Appareil d'éclairage destiné à projeter un puissant rayon lumineux. *Les projecteurs éclairaient brillamment le chanteur.*

projectile n. m.
Corps lancé par une arme ou à la main. *Un projectile a fracassé la fenêtre.*
✎ projecti**le.**

projection n. f.
Action de projeter. *La projection d'un film.*

projet n. m.
1. Idée d'une chose que l'on se propose d'exécuter. *Nous avons de beaux projets pour cet été.*
2. Plan d'une œuvre d'architecture.
Forme fautive
*projet. Impropriété au sens de ***travaux, chantier, programme.***
✎ proje**t.**

projeter v. tr.
1. Lancer avec force. *Feu qui projette des brindilles enflammées.*
2. Transposer une image, des rayons lumineux sur une surface. *Projeter un film. L'arbre projette son ombre sur le sol.*
3. Faire un projet. *Ses parents projettent un voyage.* **SYN.** envisager.
Conjugaison [VOIR MODÈLE – **APPELER**]
Redoublement du ***t*** devant un ***e*** muet. *Je projette, je projetterai,* mais *je projetais.*

prolongation n. f.
1. Action de prolonger dans le temps, d'ajouter à une durée. *La prolongation d'une entente.*
2. Temps ajouté à une durée déterminée. *L'équipe a perdu lors de la prolongation.*
☞ Ne pas confondre avec le nom ***prolongement,*** accroissement en longueur, dans l'espace.

prolongement n. m.
1. Action de prolonger dans l'espace. *Le prolongement d'une route, du métro.*
2. Accroissement en longueur. *Ce passage piétonnier est le prolongement de l'avenue.*
☞ Ne pas confondre avec le nom ***prolongation,*** action de prolonger dans le temps, d'ajouter à une durée.

prolonger v. tr.
Augmenter la longueur, la durée de quelque chose. *Prolonger une autoroute. Il poursuit les recherches afin de prolonger la vie.*
Conjugaison [VOIR MODÈLE – **CHANGER**]
Le ***g*** est suivi d'un ***e*** devant les lettres ***a*** et ***o.*** *Il prolongea, nous prolongeons.*

promenade n. f.
1. Action de se promener. *Une promenade dans la forêt.* **SYN.** balade, excursion, randonnée.
2. Voie spécialement aménagée à l'intention des promeneurs. (Recomm. off. OLF) *La promenade Sussex à Ottawa.*

promener v. tr., pronom.
Verbe transitif
Déplacer, faire aller dans plusieurs endroits, pour le plaisir. *Elle promène ses enfants.*
Verbe pronominal
Faire une promenade. *Allons nous promener à la campagne.* **SYN.** se balader.
Locution
Envoyer promener quelqu'un. (PÉJORATIF) Se débarrasser d'une personne importune. *Il insistait, mais je l'ai envoyé promener.*
Conjugaison [VOIR MODÈLE – **LEVER**]

promeneur, euse n. m. et f.
Personne qui se promène. *Nous avons croisé des promeneurs qui profitaient du soleil.*

promesse n. f.
Engagement de faire quelque chose. *Elle a tenu sa promesse et nous a offert un beau voyage.*

promettre v. tr., pronom.
Verbe transitif
1. S'engager à faire quelque chose. *Je lui ai promis que j'écrirai tous les jours* ou *que j'écrirais quotidiennement.* **SYN.** assurer, garantir.
∽ Le verbe se construit à l'indicatif futur ou au conditionnel.
2. (FIGURÉ) Annoncer, faire espérer. *Ce ciel étoilé nous promet une belle journée.*
Verbe pronominal
1. Décider. *Elles se sont promis de ne pas succomber à cette tentation.*
∽ Le participe passé suivi de l'infinitif est invariable.
2. Espérer. *Je me promets beaucoup de repos et de plaisir.* **SYN.** compter sur.

Conjugaison [VOIR MODÈLE – **REMETTRE**]
INDICATIF PRÉSENT *Je promets, tu promets, il promet, nous promettons, vous promettez, ils promettent.* IMPARFAIT *Je promettais.* PASSÉ SIMPLE *Je promis.* FUTUR *Je promettrai.* **CONDITIONNEL** PRÉSENT *Je promettrais.* **IMPÉRATIF** PRÉSENT *Promets, promettons, promettez.* **SUBJONCTIF** PRÉSENT *Que je promette.* IMPARFAIT *Que je promisse.* **PARTICIPE** PRÉSENT *Promettant.* PASSÉ *Promis, ise.*

promontoire n. m.
Cap de grande dimension. *De ce promontoire, on aperçoit les îles au large.*
promontoi**re.**

promoteur n. m.
promotrice n. f.
Personne qui finance et dirige la construction d'immeubles. *Un promoteur immobilier.*

promotion n. f.
1. Nomination à un poste supérieur. *Elle a eu une promotion ; elle est maintenant vice-présidente.*
2. Ensemble de moyens mis en œuvre pour favoriser une cause. *La promotion des femmes.*
3. Stimulation des ventes. *Cet article est en promotion, son prix est réduit de 25 %.*
4. Ensemble des diplômés d'un établissement d'enseignement secondaire, collégial ou universitaire, ayant terminé, la même année, un programme d'études sanctionné par un même diplôme. (Recomm. off. OLF) *Elle est de la promotion des M.B.A. de 1982.*

promotionnel, elle adj.
Propre à favoriser la vente. *Un prix promotionnel.*

promouvoir v. tr.
1. Favoriser, encourager. *Promouvoir la recherche scientifique.* **SYN.** soutenir.
2. Donner une promotion à quelqu'un. *Elle a été promue à la tête de l'entreprise.*
Conjugaison [VOIR MODÈLE – **ÉMOUVOIR**]
Ce verbe n'est utilisé qu'au passé simple (*je promus*), à l'infinitif, au participe présent (*promouvant*), au participe passé (*promu, ue*) et aux temps composés.

prompt, prompte adj.
Le ***p*** peut se prononcer ou non, au masculin [prɔ̃p] comme au féminin [prɔ̃pt].
Rapide, expéditif. *Je vous souhaite un prompt rétablissement.*
prom**pt.**

prôner v. tr.
Vanter, recommander. *Ils prônent une grande ouverture d'esprit.*
Conjugaison [VOIR MODÈLE – **AIMER**]
pr**ô**ner.

pronom n. m.
VOIR TABLEAU – **PRONOM.**

pronominal, ale, aux adj.
(GRAMMAIRE) Se dit d'un verbe qui se conjugue avec deux pronoms de la même personne.
VOIR TABLEAU – **PRONOMINAUX.**

pronominalement adv.
(GRAMMAIRE) Comme verbe pronominal.

prononcer v. tr., pronom.
Verbe transitif
1. Articuler distinctement les sons. *Prononcer son nom.*
2. Débiter, dire. *Prononcer un discours.*
Verbe pronominal
Donner son avis. *Ils se sont prononcés en faveur de cette proposition* ou *pour cette proposition* ou *contre ce projet.*
Conjugaison [VOIR MODÈLE – **AVANCER**]

prononciation n. f.
Manière d'articuler. *Un défaut de prononciation.*
pronon**c**ia**t**ion.

propagande n. f.
Action exercée sur l'opinion en vue de propager une idée, une doctrine.
propa**gan**de.

propagation n. f.
Extension, progrès. *La propagation d'un incendie.*
propa**ga**tion.

propager v. tr., pronom.
Verbe transitif
Répandre, diffuser dans le public. *Propager de fausses nouvelles.*
Verbe pronominal
S'étendre, progresser. *L'infection s'est propagée aux membres inférieurs.* **SYN.** se répandre.
Conjugaison [VOIR MODÈLE – **CHANGER**]
Le ***g*** est suivi d'un ***e*** devant les lettres ***a*** et ***o.*** *Il propagea, nous propageons.*

propane n. m.
Gaz inflammable. *Pour le camping, Luc utilise une bouteille de propane.*

prophète, prophétesse n. m. et f.
Personne qui annonce l'avenir. *Les prophètes de la Bible.*
Lorsqu'il est question de Mahomet, le nom **prophète** s'écrit avec une majuscule. *Le Prophète qui fonda l'Islam.*
Locutions
Nul n'est prophète en son pays. (Proverbe) Il est plus difficile de se faire entendre dans son milieu qu'ailleurs.
Prophète de malheur. Personne qui prédit des choses désagréables.
pro**phè**te.

prophétie n. f.
Le ***t*** se prononce ***s*** [prɔfesi]; le nom rime avec ***si.***
Annonce d'un évènement futur. *Ses prophéties se sont réalisées.*
pro**phé**tie.

propice adj.
Favorable, opportun. *Un terrain propice à la culture.* **SYN.** bon, propre à.
propi**c**e.

proportion n. f.
1. Dimensions et rapport des parties entre elles. *Cet édifice a des proportions harmonieuses.*
2. Étendue. *L'incendie a pris des proportions effrayantes.*
Locutions
En proportion de, locution prépositive. Par rapport à.
Hors de proportion, locution adjective. Disproportionné.

proportionnel, elle adj.
Qui est en rapport de convenance avec quelque chose. *Le prix des pommes est proportionnel à leur poids.*

p

PRONOM

Le pronom est un mot qui représente généralement un nom ou une proposition. *Je te prête mon livre : prends-**en** grand soin et rends-**le** moi demain.*

Note – Les pronoms personnels ***en*** et ***le*** représentent le nom ***livre.***

1. PRONOM PERSONNEL

Le pronom personnel indique la personne du nom ou de l'objet dont il est question.

Personne	Nombre	Pronoms personnels sujets	Pronoms personnels compléments
1re	singulier	*je*	*me, moi*
2e	singulier	*tu*	*te, toi*
3e	singulier	*il, elle, on*	*le, la, lui, se, soi, en, y*
1re	pluriel	*nous*	*nous*
2e	pluriel	*vous*	*vous*
3e	pluriel	*ils, elles*	*ils, elles, les, leur, en, y*

La 1re personne est celle qui parle. *Je reviendrai demain. Regarde-moi.*

La 2e personne est celle à qui l'on parle. *Tu reviendras demain ? Regarde-toi.*

La 3e personne est celle dont on parle. *Elles reviendront demain ? Regarde-les.*

Note – Devant une voyelle ou un ***h*** muet, certains pronoms s'élident : ***j', m', t', l', s'***. *J'aime, je m'ennuie, il t'aime, tu ne l'aimes pas, ils s'habituent.*

2. PRONOM POSSESSIF

– Le pronom possessif représente un nom de personne ou d'animal en précisant le « possesseur ». *Votre chien est bien dressé ; le nôtre est très turbulent.*

– Comme l'adjectif possessif, le pronom possessif est loin de toujours marquer un rapport de possession ; il n'exprime souvent qu'une simple relation, qu'un lien de dépendance, d'affinité, de proximité, etc.

p

Note – 1° Il ne faut pas confondre le pronom personnel et le déterminant possessif. *Notre chatte est blanche ; la vôtre est noire.*

2° ***Notre*** est un déterminant possessif ; ***la vôtre*** est un pronom possessif qui remplace « votre chatte ». Le déterminant s'écrit avec un ***o***, le pronom possessif avec un ***ô*** et il est toujours précédé d'un article défini.

– Formes du pronom possessif :

• UN SEUL POSSESSEUR

	SINGULIER		PLURIEL	
	masculin	féminin	masculin	féminin
1re personne	*le mien*	*la mienne*	*les miens*	*les miennes*
2e personne	*le tien*	*la tienne*	*les tiens*	*les tiennes*
3e personne	*le sien*	*la sienne*	*les siens*	*les siennes*

• PLUSIEURS POSSESSEURS

	SINGULIER		PLURIEL
	masculin	féminin	
1re personne	*le nôtre*	*la nôtre*	*les nôtres*
2e personne	*le vôtre*	*la vôtre*	*les vôtres*
3e personne	*le leur*	*la leur*	*les leurs*

suite ►

3. PRONOM DÉMONSTRATIF

– Le pronom démonstratif représente un nom dont il prend le genre et le nombre et un déterminant démonstratif ; il sert à montrer la personne ou la chose désignée par ce nom. *Ces fleurs sont plus odorantes que celles-ci. C'est magnifique.*

– Formes du pronom démonstratif :

GENRE	SINGULIER		PLURIEL	
Masculin	*celui*	(celui-ci, celui-là)	*ceux*	(ceux-ci, ceux-là)
Féminin	*celle*	(celle-ci, celle-là)	*celles*	(celles-ci, celles-là)
Neutre	*ce*	(ceci, cela)		

4. PRONOM INDÉFINI

Le pronom indéfini représente une personne, une chose qu'il désigne d'une manière indéterminée, vague. *L'un dit oui, l'autre dit non. Nous n'avons rien mangé et nous n'avons vu personne.*

Pronoms indéfinis variables :
Aucun, certain, chacun, l'un, l'autre, le même, maint, nul, pas un, plus d'un, quelqu'un, tel, tout, un autre, un tel...

Pronoms indéfinis invariables :
Autrui, on, personne, plusieurs, quelque chose, quiconque, rien...

5. PRONOM RELATIF

Le pronom relatif représente un nom ou un pronom et introduit une proposition relative. *La ville dont je parle est Montréal. L'enfant qui court ressemble à ton frère. Ceux que j'ai vus paraissent excellents.*

Le nom ou le pronom représenté par le pronom relatif est l'antécédent.

Pronoms relatifs définis

– Formes simples : *qui, que, quoi, dont, où.*

– Formes composées

SINGULIER		PLURIEL	
masculin	féminin	masculin	féminin
lequel	*laquelle*	*lesquels*	*lesquelles*
duquel	*de laquelle*	*desquels*	*desquelles*
auquel	*à laquelle*	*auxquels*	*auxquelles*

– La forme du pronom relatif varie selon sa fonction dans la phrase.

Pronoms relatifs indéfinis. *Quel que soit le problème, on trouvera la solution.*

Quiconque, qui que, quoi que, quel que, qui que ce soit, quoi que ce soit que...

6. PRONOM INTERROGATIF

Le pronom interrogatif représente une personne, une chose que l'on ne connaît pas et sur laquelle porte l'interrogation. *Qui sont-ils ? Quel est ton nom ? Je me demande ce que tu veux.*

Interrogation directe : *qui, que, quoi, où, lequel, laquelle, lesquels, lesquelles.*

Interrogation indirecte : *ce qui, ce que, lequel, laquelle, lesquels, lesquelles.*

– Le pronom ***lequel*** représente une personne, une chose dont on parle et avec laquelle il s'accorde en genre et en nombre. *Lequel de ces disques préférez-vous ?*

VOIR TABLEAU – **QUE,** PRONOM.

PRONOMINAUX

Les verbes pronominaux sont accompagnés d'un pronom personnel (***me, te, se, nous, vous***) qui représente le sujet parce que ce sujet est à la fois l'auteur et l'objet de l'action.
Elle se regarde. Nous nous parlons.

☞ À l'infinitif, les verbes pronominaux sont toujours précédés du pronom ***se*** (***s'***). Certains verbes sont essentiellement pronominaux, c'est-à-dire qu'ils n'existent qu'à la forme pronominale (*se souvenir*); d'autres sont accidentellement pronominaux, c'est-à-dire qu'ils peuvent exister sous une forme non pronominale, mais ils deviennent pronominaux à l'occasion. Ex. : *Aimer* et *s'aimer, contempler* et *se contempler, parfumer* et *se parfumer.* Le pronom peut être complément d'objet direct ou indirect. *Ils se sont consultés, elles se sont succédé.*

LES VERBES PRONOMINAUX RÉFLÉCHIS

Les pronominaux sont réfléchis lorsque l'action qu'ils marquent a pour objet le sujet du verbe.
Elle s'est parfumée.

Les pronominaux réfléchis sont appelés **réciproques** lorsqu'ils marquent une action exercée par plusieurs sujets l'un sur l'autre, les uns sur les autres. Les pronominaux réciproques ne s'emploient donc qu'au pluriel.
Ils se sont écoutés, ils se sont battus.

LES VERBES PRONOMINAUX NON RÉFLÉCHIS

Les pronominaux non réfléchis sont accompagnés d'un pronom (***me, te, se,*** etc.) qui n'est pas un complément d'objet direct, mais qui fait partie de la forme verbale, pour ainsi dire.
S'apercevoir, s'approcher, s'avancer, se défier, se douter, s'écrier, s'endormir, s'envoler, s'évanouir, s'imaginer, se jouer, se moquer, s'ouvrir, se plaindre, se prévaloir, se repentir, se servir, se souvenir, se taire...

ACCORD DU PARTICIPE PASSÉ DES VERBES PRONOMINAUX

1. **Le participe passé des verbes pronominaux réfléchis ou réciproques** s'accorde avec le complément d'objet direct qui précède le verbe.
Elle s'est habillée.
Ils se sont regardés.

☞ Le participe passé des pronominaux réfléchis ou réciproques ne s'accorde pas avec le complément d'objet direct qui suit le verbe. *Ils se sont écrit des lettres. Tu t'es acheté des livres.* Si le verbe a un complément d'objet indirect, le participe passé ne s'accorde pas. *Elles se sont parlé.*

2. **Le participe passé des verbes pronominaux non réfléchis** (dont le pronom est sans fonction logique) s'accorde avec le sujet. *Les enfants se sont aperçus de son arrivée. Ils se sont approchés.*

☞ Exceptions : ***se complaire, se déplaire, se plaire, se rire***. *Les élèves se sont ri du conférencier.* Les participes passés de ces quatre verbes sont invariables.

3. **Le participe passé des verbes essentiellement pronominaux** (qui n'existent qu'à la forme pronominale) s'accorde en genre et en nombre avec le sujet du verbe.
Ils se sont abstenus de voter. Elles se sont absentées.

QUELQUES VERBES ESSENTIELLEMENT PRONOMINAUX

s'absenter	s'écrier	s'envoler	s'obstiner
s'abstenir	s'écrouler	s'époumoner	se prélasser
s'accouder	s'efforcer	s'éprendre	se raviser
s'accroupir	s'emparer	s'évanouir	se rebeller
s'acharner	s'empiffrer	s'exclamer	se réfugier
s'affairer	s'empresser	s'extasier	se repentir
s'agenouiller	s'en aller	s'immiscer	se soucier
s'aventurer	s'enfuir	se méfier	se souvenir
se blottir	s'enquérir	se moquer	se suicider...

p

proportionner v. tr.
Mettre en juste rapport. *Proportionner les éléments d'un édifice à l'ensemble des bâtiments.*
Conjugaison [VOIR MODÈLE – **AIMER**]

propos n. m.
Le premier ***o*** est ouvert [prɔpo].
1. (LITTÉRAIRE) Résolution. *Le ferme propos.* **SYN.** intention.
2. Conversation, phrase, écrit. *Des propos mensongers.* **SYN.** parole.
Locutions
À propos, locution adverbiale. À point, opportunément. *Elle est arrivée à propos.*
Le caractère d'une chose opportune est l'***à-propos.*** Le nom s'écrit avec un trait d'union.
À propos de, locution prépositive. Au sujet de.
À tout propos, locution adverbiale. À tout moment, sans cesse.

proposer v. tr., pronom.
Le premier ***o*** est ouvert [prɔpoze].
Verbe transitif
Faire connaître quelque chose, soumettre quelque chose au choix. *Je vous propose une randonnée à la montagne.* **SYN.** suggérer.
Verbe pronominal
Avoir le désir, la volonté de. *Ils s'étaient proposé d'aller à la campagne.*
Le participe passé suivi de l'infinitif est invariable.
Conjugaison [VOIR MODÈLE – **AIMER**]

proposition n. f.
Le premier ***o*** est ouvert [prɔpozisjɔ̃].
1. Offre. *Rejeter une proposition.*
2. (GRAMMAIRE) Groupe de mots formant une phrase ou un membre de phrase. *Une proposition indépendante.*
VOIR TABLEAU – **PROPOSITION.**

propre adj. et n. m.
1. Qui appartient à quelqu'un. *C'est sa propre maison.*
En ce sens, l'adjectif se place avant le nom.
2. Qui convient. *Le mot propre. Ce terrain est propre à la construction.*
En ce sens, l'adjectif se place après le nom.
3. Qui n'est pas sale. *Cette chemise est propre. Sa maison est propre comme un sou neuf.* **SYN.** impeccable, net.
Locutions
En mains propres, locution adverbiale. Personnellement. *Je lui ai remis le chèque en mains propres.*
En propre, locution adverbiale. Personnellement. *Cette voiture lui appartient en propre.*
Nom propre. Nom qui s'applique spécifiquement à une personne, à un groupe de personnes, par opposition à ***nom commun*** qui désigne une personne, une chose qui appartient à une espèce. *Les noms propres s'écrivent avec une majuscule. Étienne est un nom propre.*
VOIR TABLEAU – **NOM.**
Sens propre. Sens premier d'un mot. *Le mot **naissance** a pour sens propre « venue au monde » et pour sens figuré, « début, commencement ».*

propre-à-rien n. m. et f. (pl. *propres-à-rien*)
Personne incapable. *Ce sont des propres-à-rien, des voyous.*

proprement adv.
1. Avec netteté, soin. *Les élèves sont coiffés proprement.* **SYN.** convenablement, correctement, soigneusement.
2. Au sens propre du mot. *Le verbe **choquer** signifie proprement « faire subir un choc ».*
3. En propre.

propreté n. f.
Qualité de ce qui est propre, intègre. *La propreté de ses vêtements.*

propriétaire n. m. et f.
Personne qui possède un bien en propre. *La propriétaire d'un immeuble.*

propriété n. f.
1. Droit de disposer d'un bien possédé en propre. *Hélène a la propriété d'une maison.* **SYN.** possession.
2. Terrain, construction possédée en propre. *Il a de nombreuses propriétés.*
3. Caractère particulier. *Les propriétés chimiques d'un corps.* **SYN.** caractéristique.

propulser v. tr.
Projeter au loin. *Un missile propulsé par une fusée.*
Conjugaison [VOIR MODÈLE – **AIMER**]

proscrire v. tr.
Interdire. *Proscrire la consommation de la cocaïne.*
Ne pas confondre avec **prescrire**, ordonner, recommander.
Conjugaison [VOIR MODÈLE – **ÉCRIRE**]
INDICATIF PRÉSENT *Je proscris, tu proscris, il proscrit, nous proscrivons, vous proscrivez, ils proscrivent.* IMPARFAIT *Je proscrivais.* PASSÉ SIMPLE *Je proscrivis.* FUTUR *Je proscrirai.* **CONDITIONNEL** PRÉSENT *Je proscrirais.* **IMPÉRATIF** PRÉSENT *Proscris, proscrivons, proscrivez.* **SUBJONCTIF** PRÉSENT *Que je proscrive.* IMPARFAIT *Que je proscrivisse.* **PARTICIPE** PRÉSENT *Proscrivant.* PASSÉ *Proscrit, ite.*

prose n. f.
Langage qui n'est pas en vers. *Ce texte est en prose alors que ce poème est en vers.* **ANT.** vers.

prospecter v. tr.
Faire de la prospection. *Une entreprise prospecte la région pour découvrir de l'or.* **SYN.** rechercher.
Conjugaison [VOIR MODÈLE – **AIMER**]

prospection n. f.
1. Exploration de terrains en vue de découvrir des métaux, des minéraux. *Des prospections minières.*
2. Recherche systématique en vue de l'accroissement de la clientèle d'une entreprise.

prospectus n. m.
Les ***s*** se prononcent [prɔspɛktys].
Brochure publicitaire. *L'agence distribue des prospectus* (et non des *pamphlets). **SYN.** dépliant.

prospère adj.
Qui est dans un état de réussite, de développement. *Une entreprise prospère.* **SYN.** florissant, fructueux.
prosp**è**re.

prospérer v. intr.
Réussir, se développer. *Son entreprise a beaucoup prospéré.*
Conjugaison [VOIR MODÈLE – **POSSÉDER**]

prospérité n. f.
Activité fructueuse. *Santé, bonheur et prospérité sont les vœux du Nouvel An.* **SYN.** fortune, richesse, succès.

prosternation n. f.
Action de s'incliner.

La proposition est une phrase qui comprend un verbe conjugué (à l'indicatif, au conditionnel, au subjonctif ou à l'impératif). Il y a autant de propositions dans une phrase qu'il y a de verbes conjugués.
L'avion se prépare à toucher le sol. (Une proposition)
L'avion touche le sol et freine brusquement. (Deux propositions)

La proposition indépendante

La **proposition indépendante** possède un sens complet par elle-même. *Le train part dans quelques minutes.*

- 1° Une phrase peut comprendre plusieurs propositions indépendantes coordonnées ou juxtaposées. *Le chien jappe et le cheval hennit.* Les deux propositions indépendantes sont coordonnées par la conjonction de coordination ***et***.

2° *La voiture roule à vive allure, ralentit et s'immobilise.* Les deux premières propositions sont des indépendantes juxtaposées reliées par une virgule, tandis que la troisième proposition est une indépendante coordonnée à la deuxième par ***et.***

La proposition principale

La proposition qui ne dépend d'aucune autre, mais qui est accompagnée d'une ou de plusieurs propositions subordonnées, est une **proposition principale**. *Le facteur livre le colis* (proposition principale) *que nous attendions* (proposition subordonnée).

- Sans subordonnée, la proposition principale serait une proposition indépendante.

La proposition subordonnée

La proposition qui complète le sens de la principale est une **proposition subordonnée.**

Elle est reliée à la proposition principale par un pronom relatif (***qui, que, quoi, dont, où...***) ou par une conjonction, une locution conjonctive de subordination (***que, quand, si, lorsque, parce que...***).

Proposition subordonnée relative

La **proposition subordonnée relative** est introduite par un pronom relatif. *La pomme* [*que j'ai mangée*] *était délicieuse.* La proposition relative détermine le nom ***pomme.***

Proposition subordonnée conjonctive

La **proposition subordonnée conjonctive** est introduite par une conjonction ou une locution conjonctive de subordination.

FONCTIONS DE LA SUBORDONNÉE

- Complément déterminatif de l'antécédent. *Le train* [*qui part à l'instant*] *est à destination de Rome*.
- Complément d'objet direct. *Je pense* [*que cet avion n'ira pas loin*].
- Complément d'objet indirect. *Je vous préviens* [*que je pars demain*].
- Complément circonstanciel :
  - de temps. [*Quand le soleil brille*], *il fait plus chaud.*
  - de cause. *L'avion n'a pu décoller* [*parce qu'il y avait du brouillard*].
  - de but. *Couchons-nous tôt ce soir* [*pour que nous soyons en forme demain*].
  - de conséquence. *Tu as tellement couru* [*que tu es essoufflé*].
  - de concession. [*Quoiqu'il soit déjà tard*], *je viendrai.*
  - de comparaison. [*Comme on fait son lit*], *on se couche.*
  - de condition. [*S'il fait beau*], *nous irons nous promener.*

- Une phrase peut comprendre plusieurs propositions principales et subordonnées tant coordonnées que juxtaposées les unes aux autres.

protecteur, trice adj. et n. m. et f.
Qui protège. *Un casque protecteur. Cet abbé est le protecteur des sans-abri.*

protection n. f.
1. Action de défendre quelqu'un. *La protection de la jeunesse.* **SYN.** aide, secours.
2. Sauvegarder. *La protection de l'environnement.*

protège-cahier n. m. (pl. *protège-cahiers*)
Couverture qui sert à protéger un cahier.

protège-dents n. m. inv. (pl. *protège-dents*)
Appareil servant à protéger les dents des boxeurs, de certains sportifs.

protéger v. tr.
1. Préserver, aider. *Protéger une enfant.* **SYN.** défendre, secourir.
2. Garder à l'abri des inconvénients. *Cet auvent nous protège de la pluie, contre la pluie.*
Conjugaison [VOIR MODÈLE – **PROTÉGER**]
Le ***é*** se change en ***è*** devant une syllabe muette, sauf à l'indicatif futur et au conditionnel présent. *Je protège,* mais *je protégerai.*
Le ***g*** est suivi d'un ***e*** devant les lettres ***a*** et ***o.*** *Il protégea, nous protégeons.*

protéine n. f.
Matière qui entre dans la composition des êtres vivants. *Il y a des protéines dans le bœuf et dans les œufs.*

protestant, ante adj. et n. m. et f.
Qui appartient au protestantisme. *Les protestants.*
L'adjectif ainsi que le nom s'écrivent avec une minuscule.

protestantisme n. m.
Doctrine chrétienne qui ne reconnaît pas le pape.
Les noms de religions s'écrivent avec une minuscule.

protestataire adj. et n. m. et f.
Qui proteste.

protestation n. f.
Témoignage d'opposition. *Les manifestants faisaient entendre leurs protestations véhémentes.*

protester v. tr. ind., intr.
Verbe transitif indirect
Assurer avec force. *Il protesta de son innocence.*
Verbe intransitif
1. Prétendre avec vigueur. *Il protesta qu'il avait été induit en erreur.*
En ce sens, le verbe se construit avec la conjonction ***que*** suivie de l'indicatif.
2. S'opposer à. *Ils protestèrent contre ces mesures discriminatoires.* **SYN.** se plaindre de.
En ce sens, le verbe se construit avec la préposition ***contre.***
Conjugaison [VOIR MODÈLE – **AIMER**]

prothèse n. f.
Dispositif, appareil de remplacement. *Une prothèse dentaire. Un amputé qui porte une prothèse.*
pro**th**èse.

protocole n. m.
Les ***o*** sont ouverts [prɔtɔkɔl].
Ensemble de règles à observer en matière d'étiquette. *Le Service du protocole a réglé la cérémonie dans ses moindres détails.*
protoco**l**e.

prototype n. m.
Premier exemplaire d'un modèle (d'une machine, d'un véhicule, d'un logiciel) construit avant la fabrication en série.

proue n. f.
Avant d'un bateau.
L'arrière du bateau est la ***poupe.***
prou**e.**

prouesse n. f.
Exploit. *On nous a raconté ses prouesses.*

prouver v. tr.
1. Établir la vérité d'une chose. *Prouver son innocence.*
2. Démontrer. *Prouver sa bonne foi. Il a prouvé qu'il était innocent.* **SYN.** témoigner.
Conjugaison [VOIR MODÈLE – **AIMER**]

prov.
Abréviation de ***province.***

provenance n. f.
Origine. *Ce coucou est de provenance suisse.*
proven**an**ce.

provenir v. intr.
1. Venir de. *Cette lettre provient de sa mère.*
2. Être produit directement par. *Le vin provient de la vigne.*
Le verbe se conjugue avec l'auxiliaire ***être.***
Conjugaison [VOIR MODÈLE – **VENIR**]

proverbe n. m.
Formule exprimant une vérité d'expérience commune à un groupe. *Le dicton est souvent régional, alors que le proverbe connaît une diffusion plus étendue.*
Typographiquement, on compose les proverbes, les devises, les maximes comme des citations, c'est-à-dire en italique. Quelques proverbes :

Aide-toi, le ciel t'aidera.
Après la pluie, le beau temps.
Chacun son métier, les vaches seront bien gardées.
Il n'y a pas de fumée sans feu.
La nuit porte conseil.
L'appétit vient en mangeant.
Les bons comptes font les bons amis.
Mieux vaut tard que jamais.
Nul n'est prophète en son pays.
Petit à petit, l'oiseau fait son nid.
Pierre qui roule n'amasse pas mousse.
Qui ne risque rien n'a rien.
Qui s'y frotte s'y pique.
Qui va à la chasse, perd sa place.
Un tiens vaut mieux que deux tu l'auras.
Vouloir, c'est pouvoir.

proverbial, iale, iaux adj.
Qui tient du proverbe. *Des expressions proverbiales.*

providence n. f.
1. Secours divin.
Quand le nom désigne Dieu, il s'écrit avec une majuscule. *La divine Providence.*
2. Personne qui aide, protège. *Il est la providence des faibles.*
SYN. protecteur.
provid**en**ce.

providentiel, elle adj.
Le ***t*** se prononce ***s***, l'adjectif rime avec ***ciel.***
Qui arrive à propos. *Une aide providentielle.*
providen**t**iel.

p

CONJUGAISON DU VERBE **PROTÉGER**

Indicatif

Présent		*Passé composé*		
je	protège	j'	ai	protégé
tu	protèges	tu	as	protégé
elle	protège	elle	a	protégé
il	protège	il	a	protégé
nous	protégeons	nous	avons	protégé
vous	protégez	vous	avez	protégé
elles	protègent	elles	ont	protégé
ils	protègent	ils	ont	protégé

Imparfait		*Plus-que-parfait*		
je	protégeais	j'	avais	protégé
tu	protégeais	tu	avais	protégé
elle	protégeait	elle	avait	protégé
il	protégeait	il	avait	protégé
nous	protégions	nous	avions	protégé
vous	protégiez	vous	aviez	protégé
elles	protégeaient	elles	avaient	protégé
ils	protégeaient	ils	avaient	protégé

Passé simple		*Passé antérieur*		
je	protégeai	j'	eus	protégé
tu	protégeas	tu	eus	protégé
elle	protégea	elle	eut	protégé
il	protégea	il	eut	protégé
nous	protégeâmes	nous	eûmes	protégé
vous	protégeâtes	vous	eûtes	protégé
elles	protégèrent	elles	eurent	protégé
ils	protégèrent	ils	eurent	protégé

Futur simple		*Futur antérieur*		
je	protégerai	j'	aurai	protégé
tu	protégeras	tu	auras	protégé
elle	protégera	elle	aura	protégé
il	protégera	il	aura	protégé
nous	protégerons	nous	aurons	protégé
vous	protégerez	vous	aurez	protégé
elles	protégeront	elles	auront	protégé
ils	protégeront	ils	auront	protégé

Infinitif

Présent	*Passé*
protéger	avoir protégé

Subjonctif

Présent			*Passé*			
que	je	protège	que	j'	aie	protégé
que	tu	protèges	que	tu	aies	protégé
qu'	elle	protège	qu'	elle	ait	protégé
qu'	il	protège	qu'	il	ait	protégé
que	nous	protégions	que	nous	ayons	protégé
que	vous	protégiez	que	vous	ayez	protégé
qu'	elles	protègent	qu'	elles	aient	protégé
qu'	ils	protègent	qu'	ils	aient	protégé

Imparfait			*Plus-que-parfait*			
que	je	protégeasse	que	j'	eusse	protégé
que	tu	protégeasses	que	tu	eusses	protégé
qu'	elle	protégeât	qu'	elle	eût	protégé
qu'	il	protégeât	qu'	il	eût	protégé
que	nous	protégeassions	que	nous	eussions	protégé
que	vous	protégeassiez	que	vous	eussiez	protégé
qu'	elles	protégeassent	qu'	elles	eussent	protégé
qu'	ils	protégeassent	qu'	ils	eussent	protégé

Conditionnel

Présent		*Passé*		
je	protégerais	j'	aurais	protégé
tu	protégerais	tu	aurais	protégé
elle	protégerait	elle	aurait	protégé
il	protégerait	il	aurait	protégé
nous	protégerions	nous	aurions	protégé
vous	protégeriez	vous	auriez	protégé
elles	protégeraient	elles	auraient	protégé
ils	protégeraient	ils	auraient	protégé

Impératif

Présent	*Passé*	
protège	aie	protégé
protégeons	ayons	protégé
protégez	ayez	protégé

Participe

Présent	*Passé*
protégeant	protégé, ée
	ayant protégé

province n. f.
Abréviation ***prov.*** (s'écrit avec un point).
Division territoriale, de statut politique variable selon les pays. *Les provinces du Canada.*
Les noms génériques de géographie s'écrivent avec une minuscule. *La province de Québec.*

provincial, ale, aux adj. et n. m. et f.
Adjectif
Qui concerne une province. *Des accords provinciaux.*
Adjectif et nom masculin et féminin
Qui vit en province, qui est caractéristique de la province. *Des habitudes provinciales. Ce sont des provinciaux.*

provision n. f.
1. Réserve. *Le magasinier a des provisions de gommes à effacer et de crayons.*
2. Approvisionnement (alimentaire). *Faire ses provisions au supermarché.*
3. (BANQUE) Somme déposée à la banque pour garantir le paiement des chèques. *Un chèque sans provision* (et non *sans fonds).
Dans cette expression, le nom s'écrit au singulier.

provisoire adj.
Passager, pour un temps seulement. *Un poste provisoire, une solution provisoire.* **SYN.** temporaire.
provis**oire.**

provocant, ante adj.
1. Qui incite à la violence. *Un ton provocant.* **SYN.** agressif.
2. Qui excite le désir. *Une tenue provocante.* **SYN.** excitant.
Ne pas confondre avec le participe présent invariable ***provoquant.*** *On ne pouvait plus circuler, les motocyclistes provoquant de nombreux embouteillages.*

provocation n. f.
1. Action de provoquer.
2. Défi. *Cette décision constitue une véritable provocation.*

provoquer v. tr.
1. Exciter par des actes ou des paroles de défi. *Elle l'a provoqué et il a attaqué.*
2. (ABSOLUMENT) Exciter le désir. *Une voix qui provoque.*
3. Occasionner. *Cette décision a provoqué bien des réactions négatives.* **SYN.** causer, entraîner.
Conjugaison [VOIR MODÈLE – **AIMER**]

proximité n. f.
Voisinage. *La proximité des écoles est bien commode.*
Locutions
À proximité, locution adverbiale. Tout près. *Sa copine habite à proximité.*
À proximité de, locution prépositive. Près de. *Leur maison est à proximité du métro.*

prudemment adv.
Le **e** de la deuxième syllabe se prononce ***a*** [prydamɑ̃].
Avec prudence. *Traversez les rues prudemment.*
prud**emm**ent.

prudence n. f.
Qualité qui consiste à éviter tout danger, tout risque. *Jean et Lucie roulent à bicyclette avec la plus grande prudence.*

prudent, ente adj.
Avisé, prévoyant. *Colette et François sont prudents : ils regardent toujours à gauche et à droite avant de traverser la rue.*

prune n. f.
Fruit du prunier. *Ces prunes sont délicieuses.*

pruneau n. m. (pl. *pruneaux*)
Prune séchée. *Des céréales et des pruneaux.*

prunelle n. f.
Orifice de l'iris de l'œil. **SYN.** pupille.
Locution
Y tenir comme à la prunelle de ses yeux. Y tenir par-dessus tout.

prunier n. m.
Arbre cultivé pour son fruit, la prune.

P.-S.
Abréviation de ***post-scriptum.***

pseudonyme n. m.
Surnom. *Molière est le pseudonyme de Jean-Baptiste Poquelin.*
pseudon**y**me.

psitt ! ou **pst !** interj.
Interjection destinée à attirer l'attention.

psych(o)- préf.
Les lettres ***ch*** se prononcent ***k,*** sauf pour les mots ***psychisme, psychique.***
Élément du grec signifiant « âme ».
Les mots composés du préfixe ***psych(o)-*** s'écrivent en un seul mot. *Psychologie.*

psychédélique adj.
Relatif au psychédélisme. *Un rêve psychédélique.*
ps**y**chédélique.

psychédélisme n. m.
État provoqué par des hallucinogènes.
ps**y**chédélisme.

psychiatre n. m. et f.
Médecin spécialiste des maladies mentales.
ps**y**ch**i**atre, sans accent circonflexe.

psychiatrie n. f.
Partie de la médecine qui étudie et traite les maladies mentales.
ps**y**ch**i**atrie, sans accent circonflexe.

psychiatrique adj.
Relatif à la psychiatrie. *Un hôpital psychiatrique.*
ps**y**ch**i**atrique, sans accent circonflexe.

psychique adj.
Les lettres ***ch*** se prononcent ***ch*** (et non *k) [psiʃik].
Qui concerne la pensée, les états de conscience.
ps**y**ch**i**que.

psychologie n. f.
1. Étude scientifique des phénomènes psychiques.
2. Aptitude à comprendre les sentiments d'autrui.
ps**y**chologie.

psychologique adj.
Relatif à la psychologie. *Une analyse psychologique.*
ps**y**chologique.

psychologue adj. et n. m. et f.
1. Spécialiste de la psychologie.
2. Qui est apte à comprendre autrui. *Marie-Ève est très psychologue : elle devine ce que ressentent ses amis.*
ps**y**chologue.

puant, ante adj.
Dont l'odeur est désagréable. *Une bête puante.* SYN. nauséabond.
Locution
Bête puante. (FAMILIER) Mouffette.

puanteur n. f.
Odeur très désagréable. *La puanteur d'un fromage.*

pub n. f.
Le ***u*** se prononce ***u*** et le ***b*** est sonore [pyb]; ce nom rime avec ***club.***
Abréviation familière de ***publicité.***

puberté n. f.
Période de la vie au cours de laquelle l'enfant devient un adolescent.

public, ique adj. et n. m.
Adjectif
Qui concerne un groupe, une collectivité, une nation. *Les pouvoirs publics, la voie publique.*
Nom masculin
1. La population. *Cette chanteuse aime son public.*
2. Ensemble des lecteurs, des auditeurs, des spectateurs. *Il chante devant un public conquis d'avance.*
Locution
En public, locution adverbiale. En présence de plusieurs personnes. *Il a fait cette déclaration en public.*
Attention à la forme féminine de ce mot : publi***c,*** publi***que.***

publication n. f.
1. Action de publier. *La publication d'une encyclopédie.*
2. Ouvrage publié. *Des publications mensuelles.*

publicitaire adj.
Relatif à la publicité. *Un message publicitaire.*

publicité n. f.
1. Ensemble des moyens utilisés pour faire connaître une entreprise, un organisme, un produit, un service, à des fins commerciales ou sociales. *Anne est directrice de la publicité.*
2. Message, annonce, affiche, etc., à caractère publicitaire. *Une publicité percutante.*

publier v. tr.
1. Rendre public, divulguer. *Publier un avis, une nouvelle en exclusivité.*
2. Éditer un écrit. *Publier un auteur.*
Conjugaison [VOIR MODÈLE – **ÉTUDIER**]

publiquement adv.
En public. *Le président a déclaré publiquement qu'il refuserait de signer l'entente.*

puce n. f.
1. Insecte parasite vivant sur le corps des mammifères.
2. (INFORMATIQUE) Microplaquette qui comporte gravés sur elle les milliers de transistors et de diodes qui réalisent une fonction particulière dans un circuit intégré.
Le nom ***puce*** est un terme familier qui désigne l'élément actif d'un circuit intégré.
Locutions
Avoir la puce à l'oreille. (FIGURÉ) Être méfiant, intrigué.
Marché aux puces. Marché où l'on vend des objets d'occasion.

puceron n. m.
Petit insecte parasite. *Ce rosier est couvert de pucerons : il faut vaporiser un insecticide.*

pudding ou **pouding** n. m. (pl. *puddings, poudings*)
Gâteau garni de fruits. *Le pudding est le gâteau de Noël des Anglais.*

pudeur n. f.
1. Retenue, modestie. *Une pudeur d'adolescente.*
2. Délicatesse, respect. *Vous pourriez avoir la pudeur de vous taire.* SYN. réserve.
Locution
Attentat à la pudeur. (DROIT) Délit qui consiste à porter atteinte à la décence.

pudique adj.
Qui a de la pudeur. *Elle est très pudique.*

puer v. tr., intr.
Verbe transitif
Dégager l'odeur désagréable de. *Il pue l'ail.* SYN. empester.
Le participe passé de ce verbe est invariable.
Verbe intransitif
Sentir mauvais, empester. *Ce fromage pue.*
Conjugaison [VOIR MODÈLE – **AIMER**]

puéricultrice n. f.
Infirmière spécialiste de la puériculture.

puériculture n. f.
Art de soigner et d'élever les tout-petits.

puéril, ile adj.
Qui ne convient qu'à un enfant, qui manque de sérieux. *Ce comportement est puéril. Des idées puériles.*
puéri**l,** puéri**le**.

puis adv.
Ensuite. *Puis, il vint la trouver.*
L'expression *et puis ensuite est un pléonasme.
HOM. **puits**, excavation.

puiser v. tr.
1. Prendre de l'eau dans un puits ; par extension, prendre un liquide à l'aide d'un récipient.
2. (FIGURÉ) Tirer, extraire. *Puiser des renseignements d'une encyclopédie.*
Conjugaison [VOIR MODÈLE – **AIMER**]

puisque conj.
Comme, étant donné que. *Puisqu'il est absent, on demandera à son collègue de le remplacer.*
La conjonction se construit avec l'indicatif ou le conditionnel ; elle marque le motif, la cause dont la proposition principale est la conséquence.
L'élision se fait devant les mots suivants : ***il, elle, en, on, un, une, ainsi.***
VOIR TABLEAU – **ÉLISION.**

puissance n. f.
1. Force, énergie. *La puissance d'un moteur, la puissance d'un courant électrique.*
2. Pays puissant. *Les puissances et les superpuissances occidentales.*
Locutions
À la $n^{ième}$ puissance, locution adverbiale. (FAMILIER) À l'extrême.
En puissance, locution adjective. Virtuel, potentiel.
Puissance d'un nombre. Chaque degré auquel un nombre est élevé, lorsqu'il est multiplié par lui-même. *Élever un nombre à la puissance trois, deux puissance trois.*

puissant, ante adj. et n. m. et f.
Adjectif
1. Qui produit de grands effets. *Un vent puissant.* SYN. fort.

2. Qui a de la force, de l'intensité. *Une voix puissante.*
Nom masculin et féminin
Personne influente. *Les puissants de ce monde.*

puits n. m.
1. Excavation destinée à atteindre une nappe d'eau souterraine. *Un puits artésien. Aller chercher de l'eau au puits.*
2. Excavation destinée à l'exploitation d'un gisement. *Un puits de pétrole.*
HOM. **puis**, ensuite.
puits, un ***s*** final même au singulier.

pulluler v. intr.
1. Se multiplier rapidement, proliférer. *Les insectes pullulent dans ce coin humide* (et non *ce coin pullule d'insectes). **SYN.** fourmiller.
2. Être en grand nombre. *Les anglicismes pullulent dans ce texte.* **SYN.** abonder.
Conjugaison [VOIR MODÈLE – **AIMER**]
pu**ll**uler.

pulmonaire adj.
Relatif au poumon. *Une radiographie pulmonaire.*
pulmon**ai**re

pulpe n. f.
Partie charnue des fruits et des légumes. *La pulpe d'une orange.*
Forme fautive
*pulpe. Anglicisme au sens de ***pâte à papier.***

pulvériser v. tr.
1. Réduire en poudre, en miettes. *Pulvériser de la pierre.*
2. Projeter un liquide en fines gouttelettes. *Pulvériser un insecticide.* **SYN.** vaporiser.
3. Anéantir. *L'avion a été pulvérisé par une explosion.* **SYN.** écraser.
Conjugaison [VOIR MODÈLE – **AIMER**]

puma n. m.
Mammifère carnassier du groupe des félins. *Des pumas blessés.*

punaise n. f.
1. Insecte parasite de l'homme.
2. Petit clou à tête plate. *L'enseignant a fixé les photos sur le babillard avec des punaises.*
Dans cet ouvrage, l'icône de la punaise a le sens de ***note.***

punch n. m. (pl. *punchs*)
Le ***u*** se prononce ***o*** et le ***n*** est sonore, [pɔnʃ]; ce nom rime avec ***lunch.***
Boisson composée de jus de fruits et de rhum.

punir v. tr.
Infliger une peine pour une faute commise. *On a puni Sophie parce qu'elle a frappé un petit camarade.* **SYN.** châtier. **ANT.** récompenser.
Conjugaison [VOIR MODÈLE – **FINIR**]

punition n. f.
Peine infligée à l'auteur d'une faute. *Comme punition, elle a eu une retenue.* **ANT.** récompense.

punk adj. inv. et n. m. et f.
Le mot se prononce [pɔ̃k].
Adjectif invariable
Se dit de l'allure excentrique des punks. *Des coiffures punk.*
Nom masculin et féminin
Contestataire qui affiche une allure agressivement excentrique. *À Londres, les punks constituent un attrait touristique.*

L'adjectif est invariable, mais le nom prend la marque du pluriel.

pupille n. f.
Le mot rime avec ***pile*** ou avec ***famille***, [pypil] ou [pypij].
Orifice de l'œil, situé au centre de l'iris. *Des pupilles dilatées.* **SYN.** prunelle.

pupitre n. m.
Petit meuble présentant une surface inclinée. *Un pupitre d'écolier.*
Ne pas confondre avec le nom ***bureau,*** meuble comportant des tiroirs et une surface plate pour écrire.
pup**i**tre.

pur, pure adj. et n. f.
Adjectif
1. Qui est sans mélange. *Un jus d'orange pur, une étoffe pure laine.*
2. Qui est sans restriction. *C'est la pure vérité.* **SYN.** unique.
3. Chaste. **ANT.** impur.
Nom féminin
Personne fidèle à une doctrine, à un parti. *Les purs du parti écologique.*
Locution
Pur et simple, locution adjective. Absolu. *Un refus pur et simple.*

purée n. f.
Plat composé de légumes écrasés. *De la purée de légumes, de pommes de terre* (et non des *patates pilées).
Mis en apposition, le nom est invariable. *Des biftecks purée.*

purement adv.
Uniquement. *Faire une chose purement par générosité.*
Locution
Purement et simplement, locution adverbiale. Sans réserve ni condition.

pureté n. f.
1. Qualité de ce qui est pur. *La pureté de l'air à la montagne.*
2. Clarté, limpidité. *La pureté d'un son, d'un diamant.*

purger v. tr., pronom.
Verbe transitif
Épurer, nettoyer, extraire l'air de quelque chose. *Purger un radiateur.*
Verbe pronominal
Prendre un produit contre la constipation.
Locution
Purger une peine. (DROIT) Subir une peine de prison.
Conjugaison [VOIR MODÈLE – **CHANGER**]
Le ***g*** est suivi d'un ***e*** devant les lettres ***a*** et ***o.*** *Il purgea, nous purgeons.*

purification n. f.
Action de purifier.

purifier v. tr.
Rendre pur. *Les chercheurs ont réussi à purifier le mélange.*
Conjugaison [VOIR MODÈLE – **ÉTUDIER**]
Redoublement du ***i*** à la première et à la deuxième personne du pluriel de l'indicatif imparfait et du subjonctif présent. *(Que) nous purifiions, (que) vous purifiiez.*

purisme n. m.
1. (PÉJORATIF) Recherche excessive de la pureté du langage.
Ce nom a un sens défavorable.
2. Recherche de la conformité à un type idéal. *Le purisme architectural.* **ANT.** laxisme.

puriste adj. et n. m. et f.
(PÉJORATIF) Qui fait preuve de purisme.
Ce mot a un sens défavorable.

pur-sang n. m. inv. (pl. *pur-sang*)
Cheval de course de pure race.
Pris adjectivement, le mot s'écrit sans trait d'union. *Des chevaux pur sang.*

pus n. m.
Le ***s*** ne se prononce pas [py].
Liquide pathologique résultant d'une inflammation.
pu**s.**

***pusher**
Anglicisme au sens de ***revendeur de drogue, trafiquant de drogue.***

putois n. m.
Petit mammifère à odeur nauséabonde.

putréfaction n. f.
Pourriture.

putréfier v. tr., pronom.
Verbe transitif
Faire pourrir. *La chaleur a putréfié cette viande.*
Verbe pronominal
Tomber en putréfaction.
Conjugaison [VOIR MODÈLE – **ÉTUDIER**]
Redoublement du ***i*** à la première et à la deuxième personne du pluriel de l'indicatif imparfait et du subjonctif présent. *(Que) nous putréfiions, (que) vous putréfiiez.*

pygmée adj. et n. m. et f.
Personne de très petite taille appartenant à certaines races d'Afrique. *Un Pygmée, une Pygmée, une tribu pygmée.*
L'adjectif s'écrit avec une minuscule ; le nom, avec une majuscule.
p**y**gmé**e,** au masculin et au féminin.

pyjama n. m.
Le ***j*** se prononce ***j*** (et non *dj) [piʒama].
Vêtement de nuit composé d'un pantalon et d'une veste. *Des pyjamas de coton.*
p**y**jama.

pylône n. m.
Structure métallique destinée à supporter des câbles électriques aériens.
Attention au genre masculin de ce nom : ***un*** pylône.
p**y**l**ô**ne.

pyramidal, ale, aux adj.
En forme de pyramide. *Des toits pyramidaux.*
p**y**ramidal.

pyramide n. f.
1. Monument de l'ancienne Égypte qui servait de tombeau aux pharaons.
2. Entassement en forme de pyramide. *Des pyramides de fruits et de légumes mettent l'eau à la bouche.*
p**y**ramide.

pyrex n. m.
Verre très résistant pouvant aller au feu. *Des plats en pyrex.*
Ce nom déposé est passé dans l'usage et s'écrit maintenant avec une minuscule.

pyrogravure n. f.
Le ***o*** est ouvert [pirɔgravyr].
Gravure sur bois à l'aide d'une pointe métallique brûlante.
p**y**rogravure.

pyromane n. m. et f.
Le ***o*** est ouvert [pirɔman].
Personne atteinte de pyromanie. *Le pyromane qui avait mis le feu à trois immeubles a été arrêté.* **SYN.** incendiaire.
p**y**romane.

pyromanie n. f.
Le ***o*** est ouvert [pirɔmani].
Manie qui pousse certaines personnes à allumer des incendies.
p**y**romanie.

pyrotechnique adj.
Le ***o*** est ouvert [pirɔtɛknik].
Qui appartient à l'utilisation des explosifs pour les feux d'artifice. *Des pièces pyrotechniques.*
p**y**rotechnique.

python n. m.
Serpent de grande taille non venimeux qui étouffe ses victimes en les serrant dans ses anneaux. *La taille du python peut atteindre dix mètres.* **SYN.** boa constricteur.
HOM. **piton**, clou à tête en forme d'anneau ou sommet d'une montagne isolée.
p**y**t**h**on.

q n. m. inv.
Dix-septième lettre de l'alphabet.

QC
Symbole pour désigner le Québec dans le cas où l'on doit abréger.
Ce symbole doit être réservé à certains usages techniques (informatique, tableaux statistiques, etc.); dans la correspondance, il est toujours préférable d'écrire le nom au long. (Recomm. off. OLF)

QCM
Sigle de ***questionnaire à choix multiples.***

qq.
Abréviation de ***quelque.***

qqch.
Abréviation de ***quelque chose.***

qqn
Abréviation de ***quelqu'un.***

quadr(i)- préf.
Élément du latin signifiant « quatre ».
Les mots composés avec le préfixe ***quadri*** s'écrivent sans trait d'union. *Quadrimoteur.*

quadragénaire adj. et n. m. et f.
La première syllabe se prononce généralement ***ka,*** parfois ***koua,*** [kadraʒenɛr] ou [kwadraʒenɛr].
Dont l'âge est compris entre quarante et quarante-neuf ans.

quadrilatère n. m.
La première syllabe se prononce ***ka*** ou ***koua,*** [kadrilatɛr] ou [kwadrilatɛr].
1. (MATHÉMATIQUES) Polygone qui a quatre côtés. *Le carré, le rectangle, le losange sont des quadrilatères.*
2. Terrain qui a quatre côtés rectilignes.
quadrilat**è**re.

quadrillage n. m.
La première syllabe se prononce ***ka*** [kadrijaʒ].
Ensemble des lignes qui divisent une surface en carrés. *Un papier au quadrillage très fin.*

quadriller v. tr.
La première syllabe se prononce ***ka*** [kadrije].
Diviser en carrés. *Quadriller du papier. Des feuilles quadrillées.*

Conjugaison [VOIR MODÈLE – **AIMER**]
Les lettres ***ill*** sont suivies d'un ***i*** à la première et à la deuxième personne du pluriel de l'indicatif imparfait et du subjonctif présent. *(Que) nous quadrillions, (que) vous quadrilliez.*

quadrimoteur adj. m. et n. m.
La première syllabe se prononce ***ka*** ou ***koua,*** [kadrimɔtœr] ou [kwadrimɔtœr].
Avion qui possède quatre moteurs.

quadriphonie n. f.
La première syllabe se prononce ***koua*** [kwadrifɔni].
Technique de la reproduction sonore utilisant quatre sources.

quadriphonique adj.
La première syllabe se prononce ***koua*** [kwadrifɔnik].
De la quadriphonie. *Un enregistrement quadriphonique.*

quadriplégie n. f.
La première syllabe se prononce ***koua*** [kwadripleʒi].
(MÉDECINE) Paralysie des quatre membres.
VOIR **PARALYSIE.**

quadrupède adj. et n. m.
La première syllabe se prononce généralement ***ka,*** parfois ***koua,*** [kadrypɛd] ou [kwadrypɛd].
Animal qui a quatre pattes ou quatre pieds. *Le cheval est un quadrupède.*
Le mot ***quadrupède*** ne se dit que des mammifères, tandis que le mot ***tétrapode*** se dit de tous les animaux à quatre pattes.

quadruple adj. et n. m.
La première syllabe se prononce généralement ***ka,*** parfois ***koua,*** [kadrypl] ou [kwadrypl].
Adjectif
Qui vaut quatre fois une quantité. *Un quadruple rang d'élèves. Une quadruple portion de chocolat.*
Nom masculin
Quantité qui vaut quatre fois une quantité déterminée. *Douze est le quadruple de trois.*

quadrupler v. tr., intr.
La première syllabe se prononce généralement ***ka,*** parfois ***koua,*** [kadryple] ou [kwadryple].

Verbe transitif
Multiplier par quatre. *Quadrupler un nombre.*
Verbe intransitif
Devenir quatre fois aussi grand. *Ses investissements ont quadruplé.*
Conjugaison [VOIR MODÈLE – **AIMER**]

quadruplés, ées n. m. et f. pl.
✎ La première syllabe se prononce généralement ***ka,*** parfois ***koua*** [kadryple] ou [kwadryple].
Se dit de quatre enfants nés d'une même grossesse.

quai n. m.
1. Dans un port, partie du rivage aménagée pour assurer l'embarquement et le débarquement des passagers, le chargement et le déchargement des marchandises. *Une promenade sur les quais de Montréal.*
2. Plateforme longeant la voie (dans une gare, dans une station de métro) destinée à l'embarquement et au débarquement des voyageurs, au chargement et au déchargement des marchandises. *Pour Ottawa, embarquement au quai n° 7. Les quais de la station de métro.*

qualificatif, ive adj. et n. m.
Adjectif
Qui exprime, qui détermine la qualité. *Dans les sports, l'épreuve qualificative sert à choisir les joueurs, les équipes qui pourront concourir.*
Nom masculin
Terme qui qualifie, qui exprime la manière d'être. *Un qualificatif peu flatteur. L'expression* poule mouillée *est un qualificatif peu flatteur alors que l'adjectif* gentil *est un qualificatif flatteur.*
Locution
Adjectif qualificatif. (GRAMMAIRE) Adjectif qui exprime une qualité de l'être ou de l'objet désigné par le nom auquel il se rapporte et avec lequel il s'accorde.
VOIR TABLEAU – **ADJECTIF.**

qualifié, ée adj.
1. Qui a les qualités exigées. *Il n'est pas qualifié pour ce poste.* **SYN.** compétent.
2. Qui satisfait aux conditions exigées. *Une athlète qualifiée pour les Olympiques.*

qualifier v. tr., pronom.
Verbe transitif
1. Exprimer la qualité de, nommer. *On le qualifie de génial, de fou.* **SYN.** appeler.
✎ En ce sens, le verbe se construit avec la préposition ***de.***
2. Donner qualité de. *Sa formation et son expérience la qualifient pleinement pour ce poste.*
✎ En ce sens, le verbe se construit avec la préposition ***pour.***
3. Nommer, ne pas trouver assez de mots pour désigner quelque chose. *Sa conduite, qu'on ne saurait qualifier, est incompréhensible.*
✎ En ce sens, le verbe se construit sans attribut et il exprime un blâme.
Verbe pronominal
(SPORTS) Réussir les épreuves éliminatoires. *Ils se sont qualifiés pour la demi-finale.*
Conjugaison [VOIR MODÈLE – **ÉTUDIER**]
Redoublement du ***i*** à la première et à la deuxième personne du pluriel de l'indicatif imparfait et du subjonctif présent. *(Que) nous qualifiions, (que) vous qualifiiez.*

qualitatif, ive adj.
Qui se rapporte à la qualité. *Une analyse qualitative.* **ANT.** quantitatif.

qualité n. f.
1. Manière d'être (bonne ou mauvaise) d'une chose. *Un produit de bonne qualité.*
2. Ce qui fait le mérite de quelqu'un (par opposition à ***défaut***). *Elle a beaucoup de qualités.*
Locutions
Contrôle de la qualité. Vérification de la conformité d'un produit à sa définition ou à ses caractéristiques techniques.
Qualité de vie. Ensemble des conditions qui contribuent à créer une vie agréable.

quand adv. et conj.
Adverbe de temps
À quel moment. *Dis-moi quand je pourrai te revoir. Quand aura lieu la fête ?*
Conjonction de subordination
1. La conjonction unit une proposition subordonnée circonstancielle à la principale.
2. Lorsque. *Rentre quand il sera minuit.* **SYN.** au moment où.
☞ La conjonction marque un **rapport de temps.**
3. Chaque fois que. La conjonction marque la simultanéité. *Quand il pleut, ses articulations lui font mal.*
☞ La conjonction marque la **simultanéité de deux faits.**
4. Du moment que. *Quand il travaille, il réussit bien.* **SYN.** lorsque.
☞ La locution marque la **cause.**
Locutions
Quand même, locution adverbiale. Néanmoins, tout de même. *Tu n'es pas toujours très aimable, mais je t'aime quand même.*
Quand même, quand bien même, locutions conjonctives. Les conjonctions marquent l'opposition et se construisent avec le conditionnel. *Quand bien même vous insisteriez, je ne pourrais accepter votre proposition.*

quant à loc. prép.
Pour ce qui est de, en ce qui concerne une personne, une chose. *Quant à moi, je choisirai cette solution.*
✎ La locution prépositive est toujours suivie de la préposition ***à*** ou de l'article contracté ***au.***
Locution
Quant à faire (et non *tant qu'à faire). *Quant à faire, il préfère lire que de jouer aux cartes.*

quantitatif, ive adj.
Qui se rapporte à la quantité. *Une analyse quantitative.* **ANT.** qualitatif.

quantité n. f.
1. Caractère de ce qui peut être mesuré, compté. *Déterminer une quantité.*
2. Nombre d'unités qui sert à déterminer un ensemble d'éléments, une portion d'un tout. *Une quantité de huit oranges.*
☞ La ***quantité*** détermine le nombre des choses, tandis que la ***qualité*** définit leur valeur, leur manière d'être.
3. Un grand nombre, une multitude. *Une quantité de maisons a été rénovée* ou *ont été rénovées. Quantité de branches sont tombées.*

☞ note | ✎ orthographe | * forme fautive

Après un nom collectif suivi d'un complément au pluriel, le verbe se met au singulier ou au pluriel suivant l'intention de l'auteur qui veut insister sur l'ensemble ou sur la pluralité ; l'accord avec le complément au pluriel semble plus fréquent, surtout lorsque le collectif n'est pas précédé d'un article.

Locution

En quantité, locution adverbiale. En grand nombre. *Des appels en quantité.* **SYN.** en abondance, beaucoup, en masse.

VOIR TABLEAU – **COLLECTIF.**

quarantaine n. f.

1. Nombre approximatif de quarante. *Une quarantaine de personnes étaient présentes.*

Après un nom collectif suivi d'un complément au pluriel, le verbe se met au singulier ou au pluriel suivant l'intention de l'auteur qui veut insister sur l'ensemble ou sur la pluralité.

2. Âge de quarante ans environ. *Elle était dans la quarantaine.*

3. Isolement imposé à des personnes contagieuses. *« Si l'on devait mettre en quarantaine tous les hommes de 40 ans... »* (Philippe Clay)

quarante adj. num. inv. et n. m. inv.

Adjectif numéral cardinal invariable

Quatre fois dix. *Les quarante crayons verts. Quarante et un, quarante-deux.*

Adjectif numéral ordinal invariable

Quarantième. *Page quarante.*

Nom masculin invariable

Nombre quarante. *Un quarante écrit en chiffres dorés.*

Locution

S'en moquer comme de l'an quarante. (FAMILIER) S'en ficher complètement.

VOIR TABLEAU – **NOMBRES.**

VOIR TABLEAU – **NUMÉRAL (ADJECTIF).**

quarantième adj. num. et n. m. et f.

Abréviations : ***40**^e^* (quarantième) ; ***40**^es^* (quarantièmes).

Adjectif numéral ordinal

Nombre ordinal de quarante. *Le quarantième élève.*

Nom masculin

La quarantième partie d'un tout. *Les trois quarantièmes d'une quantité.*

Nom masculin et féminin

Personne, chose qui occupe le quarantième rang. *Elles sont les quarantièmes.*

VOIR TABLEAU – **NOMBRES.**

VOIR TABLEAU – **NUMÉRAL (ADJECTIF).**

quart n. m.

Quatrième partie d'un tout. *Elle a mangé les trois quarts de la tarte.*

Locutions

Quart d'heure. Quinze minutes. *Tous les quarts d'heure.*

Lorsque le nom ***quart*** fait partie d'une expression horaire, l'heure doit être indiquée en toutes lettres. *Il est sept heures moins le quart, neuf heures trois quarts.* Pour exprimer le **quart** après l'heure, on emploie **et** ou ***un.*** *Il est huit heures et quart, huit heures un quart.*

Trois quarts. L'expression s'écrit sans trait d'union. *Les trois quarts des personnes étaient opposés* ou *opposées.*

L'accord se fait avec l'expression numérale ou avec son complément.

quartette n. m.

Formation de quatre musiciens de jazz.

VOIR **QUATUOR.**

quartier n. m.

1. Portion d'une chose. *Un quartier de pomme, d'orange.*

2. Partie d'une ville. *Habiter un beau quartier, le quartier chinois de San Francisco ou de Montréal.*

Locutions

Ne pas faire de quartier. Massacrer tout le monde, traiter durement.

Quartier général. Poste de commandement d'une armée. *Des quartiers généraux.*

Ce terme s'abrège ***Q.G.***

quartz n. m.

Les lettres ***qua*** se prononcent ***koua*** et le ***z*** se prononce ***s*** [kwarts].

Roche cristallisée très dure que l'on retrouve dans la nature. *Le cristal de roche est un quartz.*

Locution

Montre à quartz. Montre comportant une lame de quartz.

quasar n. m.

La première syllabe se prononce ***koua*** ou ***ka,*** [kwazar] ou [kazar].

(ASTRONOMIE) Astre qui s'apparente à une étoile. *Les quasars.*

Ce néologisme est formé à partir de l'expression américaine « **quas**i-stell**ar** radio source ».

quasi adv.

La première syllabe se prononce ***ka*** [kazi].

Presque, à peu près.

Quasi + adjectif. *Un obstacle quasi infranchissable.*

L'expression s'écrit sans trait d'union.

Quasi + nom. *La quasi-totalité, la quasi-certitude.*

Ce mot composé s'écrit avec un trait d'union.

Quasi + adverbe ou pronom à valeur quantitative. *Ils étaient quasi autant qu'eux. Il n'y avait quasi personne.*

L'emploi de l'adverbe est courant au Québec, mais il est littéraire ou vieilli dans l'ensemble de la francophonie.

L'expression s'écrit sans trait d'union.

quasiment adv.

Presque. *Cette maison est quasiment en ruine. Tu pourrais quasiment être sa mère. Il est quasiment épuisé.*

L'emploi de l'adverbe est courant au Québec, mais il est littéraire ou vieilli dans l'ensemble de la francophonie.

quatorze adj. num. inv. et n. m. inv.

Adjectif numéral cardinal invariable

Treize plus un. *Quatorze heures.*

Adjectif numéral ordinal invariable

Quatorzième. *Le quatorze décembre.*

Nom masculin invariable

Nombre quatorze. *Des quatorze dorés.*

VOIR TABLEAU – **NOMBRES.**

VOIR TABLEAU – **NUMÉRAL (ADJECTIF).**

quatorzième adj. num. et n. m. et f.

Abréviations : ***14**^e^* (quatorzième) ; ***14**^es^* (quatorzièmes).

Adjectif numéral ordinal

Nombre ordinal de quatorze. *La quatorzième fleur.*

Nom masculin

La quatorzième partie d'un tout. *Les trois quatorzièmes d'une quantité.*

Nom masculin et féminin

Personne, chose qui occupe le quatorzième rang. *Elle est la quatorzième.*

VOIR TABLEAU – **NOMBRES.**

VOIR TABLEAU – **NUMÉRAL (ADJECTIF).**

quatrain n. m.
Strophe de quatre vers.

quatre adj. num. inv. et n. m. inv.
Adjectif numéral cardinal invariable
Trois plus un. *Quatre as.*
Adjectif numéral ordinal invariable
Quatrième. *Le quatre décembre.*
Nom masculin invariable
Nombre quatre. *Deux et deux font quatre. Des quatre géants.*
VOIR TABLEAU – **NOMBRES.**
VOIR TABLEAU – **NUMÉRAL (ADJECTIF).**

***quatre par quatre**
Calque de l'anglais « four by four » pour ***quatre roues motrices.***
– On dit ***quatre-quatre*** dans la francophonie.

quatre-vingt(s) adj. num. et n. m. inv.
Adjectif numéral cardinal
Quatre fois vingt. *Il a quatre-vingts ans, elle a quatre-vingt-deux ans.*
– L'adjectif numéral cardinal ***vingt*** s'écrit avec un ***s*** s'il est multiplié par un nombre et s'il n'est pas suivi d'un autre adjectif numéral.
Adjectif numéral ordinal invariable
Quatre-vingtième. *La page quatre-vingt. En mil neuf cent quatre-vingt-seize.*
– L'adjectif ordinal est invariable.
Nom masculin invariable
Nombre quatre-vingts. *Des quatre-vingts en lettres lumineuses.*
– 1° Attention aux nombres composés avec les mots ***million, milliard*** qui ne sont pas des adjectifs numéraux, mais des noms, et qui permettent donc la marque du pluriel à ***vingt*** si l'adjectif numéral est multiplié par un nombre. *Quatre-vingts millions de dollars.*

2° Après l'adjectif numéral, la conjonction ***et*** ne s'emploie pas devant ***un,*** contrairement à ***trente et un, quarante et un...*** *Quatre-vingt-un citrons, quatre-vingt-une tomates.*

3° Les adjectifs numéraux composés de ***quatre-vingt*** s'écrivent avec un trait d'union. *Quatre-vingt-deux, quatre-vingt-trois, quatre-vingt-dix, quatre-vingt-onze, quatre-vingt-dix-sept.*
VOIR TABLEAU – **NOMBRES.**
VOIR TABLEAU – **NUMÉRAL (ADJECTIF).**

quatre-vingtième adj. num. et n. m. et f.
Abréviations : ***80e*** (quatre-vingtième) ; ***80es*** (quatre-vingtièmes).
Adjectif numéral ordinal
Nombre ordinal de quatre-vingts. *La quatre-vingtième personne.*
Nom masculin
La quatre-vingtième partie d'un tout. *Les trois quatre-vingtièmes d'une quantité.*
Nom masculin et féminin
Personne, chose qui occupe le quatre-vingtième rang. *Elles sont les quatre-vingtièmes.*
VOIR TABLEAU – **NOMBRES.**
VOIR TABLEAU – **NUMÉRAL (ADJECTIF).**

quatrième adj. num. et n. m. et f.
Abréviations : ***4e*** (quatrième) ; ***4es*** (quatrièmes).
Adjectif numéral ordinal
Nombre ordinal de quatre. *La quatrième heure.*
Nom masculin et féminin
Personne, chose qui occupe le quatrième rang. *Elles sont les quatrièmes.*
– La quatrième partie d'un tout est un ***quart.***
VOIR TABLEAU – **NOMBRES.**
VOIR TABLEAU – **NUMÉRAL (ADJECTIF).**

quatrillion n. m.
Les ***l*** se prononcent comme dans ***million*** [katriljɔ̃].
Nombre égal à un million de trillions, 10^{24}.
– On écrit aussi ***quadrillion.***

quatuor n. m.
La syllabe ***qua*** se prononce ***koua*** [kwatɥɔr].
1. Composition musicale écrite pour quatre instruments. *Les quatuors à cordes de Beethoven.*
2. Formation de quatre musiciens classiques. *Former des quatuors.*
– Le ***quartette*** est une formation de quatre musiciens de jazz.

que, qu' conj. et pron.
VOIR TABLEAU – **QUE,** CONJONCTION.
VOIR TABLEAU – **QUE,** PRONOM.

Québec n. m.
Symbole ***QC*** (s'écrit sans point).
– Ce symbole doit être réservé à certains usages techniques (informatique, tableaux statistiques, etc.) ; dans la correspondance, il est toujours préférable d'écrire le nom au long. (Recomm. off. OLF)

québécisme n. m.
Attention à la prononciation de la troisième syllabe [kebesism] ; le mot rime avec ***anglicisme.***
Mot ou expression propre au français en usage au Québec. *Les noms* ***cabane à sucre, cégep, débarbouillette, dépanneur, motoneige, maskinongé, magasinage*** *sont des québécismes.*
– « Les québécismes doivent principalement servir à dénommer des réalités concrètes ou abstraites qui n'ont pas de correspondant ou qui ne sont pas encore dénommées en français, ou pour lesquelles les dénominations québécoises qui les expriment ont acquis un statut linguistique ou culturel qui les rend difficilement remplaçables. » *Énoncé d'une politique linguistique relative aux québécismes.* (Office de la langue française, Québec 1985)

québécois, oise adj. et n. m. et f.
Adjectif
1. Qui est du Québec. *L'histoire québécoise, le Parti québécois. Ils sont originaires de Sherbrooke, de Trois-Rivières et de Montréal, ils sont québécois.*
2. Qui est de la ville de Québec. *Il est originaire de Québec, il est québécois.*
Nom masculin et féminin
Un Québécois, une Québécoise.
– L'adjectif s'écrit avec une minuscule ; le nom, avec une majuscule.
Nom masculin
Le français en usage au Québec. *Il faudrait recenser tous les mots du québécois.*
– Le nom de la langue s'écrit avec une minuscule.
qu**é**b**é**cois.

quel, quelle adj. et pron.
VOIR TABLEAU – **QUEL.**

quelconque adj.
1. N'importe quel. *Des personnes quelconques.*
2. Banal, ordinaire, médiocre. *Des résultats quelconques, une quelconque organisation.*
– Placé avant le nom, l'adjectif a toujours un sens défavorable.

quelque adj. et adv.
VOIR TABLEAU – **QUELQUE.**

quel que, quelle que
VOIR TABLEAU – **QUEL.**

quelque chose pron. indéf.
Abréviation ***qqch.*** (s'écrit avec un point).
Une chose quelconque. *Donnez-moi quelque chose de très joli.*
Malgré le genre féminin du nom ***chose,*** la locution se construit avec un adjectif ou un participe au masculin singulier.

quelquefois adv.
Abréviation ***qqf.*** (s'écrit avec un point).
Parfois, en certaines occasions. *Il m'arrive quelquefois de le regretter.*
Ne pas confondre avec les mots ***quelques fois.*** *Je lui ai parlé quelques fois.*

quelqu'un, une, quelques-uns, unes pron. indéf.
Abréviation ***qqn.*** (s'écrit avec un point).
1. Une personne déterminée ou indéterminée. *Quelqu'un est passé. C'est quelqu'un de très gentil.*
2. Un certain nombre. *Parmi ces propositions, il y en avait quelques-unes de très pertinentes.*
Le pronom indéfini s'accorde en genre et en nombre avec le complément.
3. Une personne importante. *Cette dame, ce n'est pas n'importe qui, c'est quelqu'un.*
En ce sens, le pronom ne s'emploie qu'au masculin.
4. (AU PLURIEL) Un nombre indéterminé. *Quelques-uns acceptèrent.*

quémander v. tr.
Solliciter, demander avec insistance. *Elle ne cesse de quémander de l'argent.*
Conjugaison [VOIR MODÈLE – **AIMER**]

qu'en-dira-t-on n. m. inv. (pl. *qu'en-dira-t-on*)
Commérage. *Elle se moque du qu'en-dira-t-on et des on-dit.*
SYN. potin.

quenouille n. f.
1. Petit bâton entouré de laine, de chanvre, etc., dont on se servait pour filer.
2. Tige des roseaux.

querelle n. f.
Dispute. *Une querelle de famille.* **SYN.** désaccord.
Locution
Chercher querelle à quelqu'un. Le provoquer, l'attaquer.

quereller v. pronom.
La deuxième syllabe se prononce ***ré*** [kɘrele].
Se disputer avec quelqu'un. *Ils se sont querellés.*
Conjugaison [VOIR MODÈLE – **AIMER**]

quérir v. tr.
(LITTÉRAIRE) Chercher quelqu'un pour l'amener, quelque chose pour l'apporter. *Allez quérir le médecin.*

QUE, CONJONCTION

La conjonction de subordination ***que*** sert à introduire une proposition subordonnée complétive sujet, attribut, complément d'objet ou complément circonstanciel; elle marque le souhait, le commandement et accompagne le subjonctif. La conjonction sert également de corrélatif aux comparatifs.

Devant une voyelle ou un ***h*** muet, la conjonction s'élide. *Qu'il, qu'une.*

- La conjonction introduit une **proposition complétive.**
  Il importe que tu réfléchisses. Calmez-vous un peu que je vous explique.
- La conjonction introduit une **proposition circonstancielle.**
  Il faisait si froid que le ski était impossible.
- La conjonction accompagne le **subjonctif.**
  Qu'il pleuve ou qu'il vente, nous serons là.
- La conjonction introduit le **second terme d'une comparaison.**
  Il est plus grand que toi.
- La conjonction est en corrélation avec ***ne***... pour **marquer la restriction.**
  Il ne fait que critiquer.

Locutions conjonctives

afin que	bien que	puisque
ainsi que	dès que	quoique
avant que	encore que	tandis que...
après que	pourvu que	

VOIR TABLEAU – **CONJONCTION.**

QUE, PRONOM RELATIF MASCULIN ET FÉMININ

Le pronom relatif ***que*** relie une proposition subordonnée à un nom ou à un pronom (l'antécédent). *Les villes que vous avez visitées; celles que vous n'avez pas encore vues.*

Devant une voyelle ou un ***h*** muet, le pronom s'élide. *La montagne qu'il a escaladée. La promenade qu'Hélène fera.*

Fonctions du pronom

- Complément d'objet direct. *Les paysages que vous avez vus.*
- Attribut. *Le scientifique qu'il est.*
- Sujet. *La pluie que je vois tomber.*

  Le pronom relatif est sujet de l'infinitif.
- Complément circonstanciel. *Les années que nous avons vécu à la campagne.*

  Le pronom relatif est complément circonstanciel quand il a la valeur de ***où, dont, pendant lequel, durant lequel,*** etc.

QUE, PRONOM INTERROGATIF NEUTRE

Le pronom interrogatif ***que*** introduit une proposition interrogative.

Fonctions du pronom

1. Interrogation directe

- Complément d'objet direct. *Que dis-tu ?*

  La construction ***qu'est-ce que*** s'emploie également, mais elle est plus lourde.
- Attribut. *Qu'est ce parfum ?*
- Sujet d'un verbe impersonnel. *Que va-t-il arriver ?*

2. Interrogation indirecte

- Complément d'objet direct. *Je ne sais que décider.*
- Attribut. *Il ne sait que devenir.*

Locutions interrogatives

Qu'est-ce qui. *Qu'est-ce qui vous prend ?*
Qu'est-ce que. *Qu'est-ce que vous dites ?*

VOIR TABLEAU – **PRONOM.**

Conjugaison
Ce verbe ne s'emploie plus qu'à l'infinitif avec les verbes ***aller, envoyer, faire, venir.***

question n. f.
1. Interrogation. *Il n'a pas répondu à nos questions. Elle a posé* (et non *demandé) *une question pertinente.*
2. Problème, sujet d'étude. *C'est une question que le conseil devra trancher à sa prochaine réunion.*
3. *Il est question de* + infinitif. On songe à. *Il est question de construire un immeuble.* **SYN.** il est possible que.
4. (FAMILIER) ***Question*** + nom. En ce qui concerne. *Question cordialité, il remporte la palme !*
Locutions
En question. Dont on parle. *Le film en question est très bien structuré.*
Hors de question. Qui n'est pas à envisager. *Cette solution est hors de question.*
Mettre, remettre en question. Mettre en cause, soumettre à une discussion. *Les membres ont mis en question* (et non *questionner) *cette élection.* **SYN.** contester.

questionnaire n. m.
Série de questions auxquelles une personne doit répondre. *Les élèves devront répondre à un questionnaire. Remplir un questionnaire* (et non *compléter).
questio**nn**aire.

questionnaire à choix multiples
Sigle ***QCM***.
Questionnaire dans lequel les questions sont accompagnées de réponses entre lesquelles on doit choisir.

questionner v. tr.
Interroger quelqu'un. *L'enseignant questionne l'élève sur une déclinaison latine.*
Forme fautive
*questionner (une affirmation, un compte). Anglicisme pour ***mettre en doute, contester, remettre en question.***
Conjugaison [VOIR MODÈLE – **AIMER**]

quétaine adj.
(FAMILIER) De mauvais goût. *Des vêtements quétaines.*

quête n. f.
1. (LITTÉRAIRE) Recherche. *La quête du bonheur. La quête du sens.*
2. Action de recueillir des aumônes.
Locution
En quête de, locution prépositive. À la recherche de. *Se mettre en quête d'un restaurant.*

quêter v. tr., intr.
Verbe transitif
Solliciter avec insistance. *Quêter un avancement.*
Verbe intransitif
Recueillir des aumônes. *Quêter pour la faim dans le monde.*
Conjugaison [VOIR MODÈLE – **AIMER**]

queue n. f.
1. Prolongement de la colonne vertébrale de nombreux animaux. *Il a marché sur la queue du chien.*
2. (FIGURÉ) Extrémité. *La queue d'une pomme, d'une casserole, d'une comète.*

QUEL

QUEL, QUELLE, ADJECTIF INTERROGATIF

L'adjectif interrogatif ***quel, quelle*** questionne sur la qualité, la nature, l'identité d'une personne ou d'une chose et ne s'emploie que dans une phrase interrogative.

Quel bon vent vous amène ? Quelle amie as-tu rencontrée ? Quels fruits préférez-vous ? Quelles couleurs aimez-vous ?

Interrogation directe : *Quelle heure est-il ?*

Interrogation indirecte : *Expliquez-moi quels problèmes vous avez.*

QUEL, QUELLE, ADJECTIF EXCLAMATIF

L'adjectif exclamatif ***quel, quelle*** marque l'admiration, l'étonnement, la tristesse, etc., et ne s'emploie que dans une phrase exclamative.

Quelle surprise et quel plaisir de vous retrouver tous !

QUEL QUE, QUELLE QUE, ADJECTIF RELATIF

L'adjectif relatif en deux mots ***quel que, quelle que,*** placé immédiatement devant le verbe ***être*** au subjonctif, exprime une idée d'opposition.

Quelles que soient vos qualités, il vous faut travailler pour réussir.

L'adjectif relatif s'accorde en genre et en nombre avec le sujet du verbe. *Quels qu'ils soient, quelle que soit votre joie.*

L'adjectif relatif s'écrit en deux mots.

VOIR TABLEAU – **QUELQUE.**
VOIR TABLEAU – **ADJECTIF.**

QUELQUE, QUELQUES, ADJECTIF INDÉFINI MASCULIN ET FÉMININ

Abréviation ***qq.*** (s'écrit avec un point).

1. Devant un nom seul ou accompagné d'un adjectif, ***quelque*** est un adjectif indéfini qui signifie un certain nombre, une quantité indéterminée. L'adjectif indéfini ***quelque*** est variable.

J'ai apporté quelques fruits.

– L'adjectif indéfini ne s'élide que devant **un** et **une.** *Quelqu'un, quelqu'une.*

2. L'adjectif indéfini peut également avoir le sens de « un certain » dans la langue soutenue.

Son copain avait quelque peine à le suivre tant il roulait vite.

– En ce sens, l'adjectif se met au singulier.

QUELQUE, ADVERBE

1. Devant un adjectif, un participe passé ou un adverbe, ***quelque*** est un adverbe qui signifie ***si***; il est donc invariable.

Quelque rapides que vous soyez, quelque spécialisée qu'elle soit, quelque habilement que vous lui expliquiez.

2. Devant un adjectif numéral, un nombre, ***quelque*** est un adverbe qui signifie « environ », « à peu près » et qui est donc invariable.

Quelque 50 personnes ont participé au spectacle.

RÉSUMÉ

Construction	***quelque*** + nom au pluriel	***quelque*** + nom au singulier	***quelque*** + adjectif	***quelque*** + participe passé	***quelque*** + adverbe	***quelque*** + adjectif numéral
Nature	adjectif indéfini	adjectif indéfini	adverbe	adverbe	adverbe	adverbe
Sens	un certain nombre de	un certain	si, aussi	si, aussi	si, aussi	environ
Accord ou **invariabilité**	accord	invariabilité	invariabilité	invariabilité	invariabilité	invariabilité
Exemples	*Quelques pommes sont mûres.*	*Dans quelque temps.*	*Quelque aimables que soient ces personnes...*	*Quelque fatigués que nous soyons...*	*Quelque rapidement qu'ils courent...*	*Quelque cent participants étaient là.*

VOIR TABLEAU – **QUEL.**

3. File de personnes qui attendent leur tour. *Il y a une longue queue devant le cinéma. Faire la queue.*
Locutions
À la queue leu leu, locution adverbiale. À la file.
Cette expression est une altération de « à la queue le loup ».
N'avoir ni queue ni tête. Être dénué de sens.

queue-de-cheval n. f. (pl. *queues-de-cheval*)
Coiffure dans laquelle les cheveux sont attachés à l'arrière.
queue-de-cheval, avec des traits d'union.

qui pron.
VOIR TABLEAU – **QUI.**

quiche n. f.
Tarte aux œufs battus. *Une quiche lorraine.*

quiconque pron. rel., indéf.
1. Toute personne qui. *Il défie quiconque voudrait le contredire.*
2. N'importe qui, qui que ce soit. *Il est nécessaire à quiconque de connaître la loi.*

quiétude n. f.
(LITTÉRAIRE) Calme, tranquillité. *La quiétude de la forêt.*

quille n. f.
1. Pièce de bois en forme de bouteille que le joueur doit renverser avec une boule. *Jeu de quilles* (et non *bowling).
2. (MARINE) Pièce sur laquelle s'appuie la charpente d'un navire.

quincaillerie n. f.
1. Ensemble d'ustensiles, d'outils, de produits d'utilisation domestique, industrielle, etc.
2. Magasin où l'on vend ces produits.
quinc**aille**rie.

quincaillier n. m.
quincaillière n. f.
Personne qui tient une quincaillerie.
quinc**aillier.**

quinqu(a)- préf.
Élément du latin signifiant « cinq ». *Quinquennal.*

quinquagénaire adj. et n. m. et f.
La deuxième syllabe se prononce généralement ***ka,*** parfois ***koua,*** [kɛ̃kaʒenɛr] ou [kɛ̃kwaʒenɛr].
Dont l'âge est compris entre cinquante et cinquante-neuf ans. *Un quinquagénaire en pleine forme. Une personne quinquagénaire en 1995.*

quinquennal, ale, aux adj.
La deuxième syllabe se prononce ***ké*** [kɛ̃kenal].
1. Qui dure cinq ans. *Des plans quinquennaux.*
2. Qui a lieu tous les cinq ans. *Des réunions quinquennales.*
quinque**nn**al.

quint- préf.
Élément du latin signifiant « cinquième ». *Quintuple.*

quinte n. f.
Accès de toux prolongé. *Il était secoué par des quintes de toux* ou *des quintes violentes.*

quintillion n. m.
La dernière syllabe se prononce comme dans ***million*** [kɛ̃tiljɔ̃].
Un million de quatrillions, 10^{30}.

quintuple adj. et n. m.
Adjectif
Qui vaut cinq fois une quantité. *Un quintuple rang d'élèves. Une quintuple portion de framboises.*
Nom masculin
Quantité quintuple. *Cent est le quintuple de vingt.*

quintupler v. tr., intr.
Verbe transitif
Multiplier par cinq. *Quintupler son chiffre d'affaires.*
Verbe intransitif
Devenir cinq fois plus grand. *L'année dernière, les profits ont quintuplé.*
Conjugaison [VOIR MODÈLE – **AIMER**]

quintuplés, ées n. m. et f. pl.
Se dit de cinq enfants nés d'une même grossesse. *En 1934, la naissance des quintuplées Dionne suscita beaucoup d'intérêt.*

quinzaine n. f.
1. Nombre approximatif de quinze. *Une quinzaine de joueurs.*
2. (ABSOLUMENT) Période de quinze jours. *Nous travaillerons beaucoup au cours de la quinzaine.*

quinze adj. num. inv. et n. m. inv.
Adjectif numéral cardinal invariable
Quatorze plus un. *Quinze heures.*
Adjectif numéral ordinal invariable
Quinzième. *Le quinze décembre.*
Nom masculin invariable
Nombre quinze. *Des quinze lumineux.*
VOIR TABLEAU – **NOMBRES.**
VOIR TABLEAU – **NUMÉRAL (ADJECTIF).**

quinzième adj. num. et n. m. et f.
Abréviations : ***15e*** (quinzième) ; ***15es*** (quinzièmes).
Adjectif numéral ordinal
Nombre ordinal de quinze. *Le quinzième jour.*
Nom masculin
La quinzième partie d'un tout. *Les trois quinzièmes d'une quantité.*
Nom masculin et féminin
Personne, chose qui occupe le quinzième rang. *Elles sont les quinzièmes.*
VOIR TABLEAU – **NOMBRES.**
VOIR TABLEAU – **NUMÉRAL (ADJECTIF).**

quiproquo n. m.
Méprise au sujet d'une personne, d'une chose. *Des quiproquos* (et non *quipropos) *regrettables.* **SYN.** malentendu.
quipro**quo.**

quitte adj.
Libéré d'une obligation financière, morale. *Nous sommes quittes (de nos obligations) envers ce créancier.*
Locutions
En être quitte pour. N'avoir à subir que. *Ils en ont été quittes pour la peur.*
Quitte à, locution prépositive. Au risque de. Dans cette construction, le mot est invariable. *Ces étudiants ne font rien pendant deux mois, quitte à travailler comme des fous par la suite.*

quitter v. tr., pronom.
Verbe transitif
Abandonner un lieu, une activité. *La directrice a quitté son bureau pour quelques minutes. Elle a quitté son emploi et son pays.* **SYN.** laisser, partir.
Au sens de ***s'en aller, partir,*** la construction intransitive est vieillie *(il a quitté).*

QUI, PRONOM RELATIF MASCULIN ET FÉMININ

Le pronom relatif ***qui*** relie une proposition subordonnée à un nom ou à un pronom (l'antécédent). *L'amie qui m'a aidé est gentille. Ceux qui sont d'accord doivent lever la main.*

Le pronom relatif est du même genre et du même nombre que le nom ou le pronom qu'il représente (l'antécédent) ; le verbe, le participe passé, l'attribut s'accordent avec l'antécédent. *C'est elle qui est venue. Vous qui êtes partis, revenez.*

FONCTIONS DU PRONOM

- **Sujet.** *La colombe qui vole.*
- **Complément d'objet indirect.** *La personne à qui j'ai rêvé. La maison dont je rêve.*
  Pour les animaux et les êtres inanimés, on emploie le pronom ***dont*** qui convient également aux personnes.
- **Complément circonstanciel.** *L'ami avec qui je joue. Celui pour qui il travaille.*
  Sans antécédent, le pronom relatif a le sens de « quiconque ». *Regarde qui tu voudras. Qui vivra verra.*

Locutions

- ***Qui que ce soit*** (personne). Une personne quelconque. *Je ne parlerai pas à qui que ce soit.*
- ***Qui que ce soit qui.*** *Qui que ce soit qui vienne, je l'accueillerai.*
  Avec cette locution, le verbe se construit au subjonctif.
- ***Qui que.*** *Qui que vous soyez.*
  Cette construction qui exprime une concession se construit avec le subjonctif.
- ***Ce qui*** et ***ce qu'il.***
  Avec certains verbes qui admettent à la fois la construction personnelle et impersonnelle, les deux locutions s'emploient indifféremment. *Ce qui, ce qu'il importe. Il avait prévu ce qui arrive, ce qu'il arrive.*

q

QUI, PRONOM INTERROGATIF MASCULIN ET FÉMININ

Le pronom interrogatif ***qui*** introduit une proposition interrogative et a le sens de ***quelle personne ?*** *Qui vient prendre la relève ?*

Le verbe, le participe, le participe passé, l'attribut s'accordent généralement au masculin singulier.

FONCTIONS DU PRONOM

Interrogation directe	Interrogation indirecte
• Sujet. *Qui chante ainsi ?* • Attribut. *Qui es-tu ?* • Complément d'objet direct. *Qui a-t-il rencontré ?* • Complément d'objet indirect. *De qui parlez-vous ?*	• Attribut. *Rappelez-vous qui elle est.*

Locutions pronominales interrogatives

- ***Qui est-ce qui***. *Qui est-ce qui vient ?*
- ***Qui est-ce que.*** *Qui est-ce que j'entends ?*

QUOI, PRONOM RELATIF

Le pronom relatif neutre ***quoi*** ne peut représenter que des choses.

1. Avec un antécédent, il a le sens de ***lequel, laquelle, laquelle chose.***

Ce à quoi j'ai rêvé, c'est de partir en voyage.

L'antécédent est un pronom ou une locution neutre : ***ce, rien, quelque chose.*** Attention à l'emploi du pronom avec un verbe dont le complément est introduit par la préposition **de** (de quoi). *Le livre dont on a parlé* (et non *qu'on a parlé).

2. Sans antécédent, il a le sens de ***ce qui est nécessaire***.

Apportons-nous de quoi manger.

3. Il introduit une proposition concessive et a le sens de ***quelle que soit la chose que.***

Quoi que vous fassiez, il sera d'accord.

Cette locution se construit avec le subjonctif. Ne pas confondre avec la conjonction ***quoique*** qui signifie « bien que » et qui se construit aussi avec le subjonctif. *Quoique nous ayons leur accord.*

– ***Quoi qu'il en soit.*** En tout état de cause.

– ***Sans quoi.*** Sinon.

QUOI, PRONOM INTERROGATIF

1. Interrogation directe. Quelle chose ?

Devinez quoi ? Quoi de plus joli qu'un bouquet de roses ? À quoi rêves-tu ? De quoi a-t-on parlé ? Quoi de nouveau ?

2. Interrogation indirecte.

Il ne sait pas de quoi elle parle. Elle ne sait pas quoi conclure.

Quoi + adjectif qualificatif. *Quoi de plus charmant.*

Le pronom se construit avec la préposition ***de.***

QUOI, PRONOM EXCLAMATIF

Il marque la surprise, l'admiration, l'indignation.

Quoi ! vous avez osé ! Eh quoi ! admettrez-vous que vous avez tort ?

Verbe pronominal
Se séparer d'une personne. *Ils se sont quittés bons amis.*
Locution
Ne quittez pas. (AU TÉLÉPHONE) Le complément « l'écoute » est sous-entendu. *Allô ! ne quittez pas (l'écoute), je vous prie.*
Forme fautive
*quitter. Anglicisme au sens de ***démissionner.***
Conjugaison [VOIR MODÈLE – **AIMER**]

qui vive loc. interj. et n. m. inv.
Locution interjective
Cri d'une sentinelle qui entend un bruit, qui voit une personne. *Qui vive ?*
Nom masculin invariable
Être sur ses gardes. *Être sur le qui-vive.*
Le nom s'écrit avec un trait d'union.

***quiz**
Anglicisme au sens de ***jeu, jeu-questionnaire.***

quoi pron.
VOIR TABLEAU – **QUOI.**

quoique conj.
Malgré le fait que, bien que. *Quoiqu'il ait beaucoup de travail, il a décidé de prendre congé.* **SYN.** même si.
L'élision se fait devant les mots suivants : ***il, elle, en, on, un, une, ainsi ;*** le verbe se construit au subjonctif.
Ne pas confondre avec les mots ***quoi que*** au sens de ***quelle que soit la chose que.*** *Quoi que vous disiez...*

quolibet n. m.
Le mot se prononce [kɔlibɛ].
Raillerie malveillante. *La foule leur a crié des quolibets.*
quolibet.

quota n. m.
La première syllabe se prononce généralement ***ko,*** rarement ***kouo*** [kɔta] ou [kwɔta].
1. Limite quantitative. *Des quotas d'importation.*
2. Objectif à atteindre, norme de rendement. *Des quotas de vente, de production.*

quote-part n. f. (pl. *quotes-parts*)
Part, contribution. **SYN.** cotisation.

quotidien, enne adj. et n. m.
Adjectif
Qui a lieu tous les jours. *Une publication quotidienne.*
Nom masculin
1. Ce qui appartient à la vie de tous les jours. *Il faut s'échapper du quotidien à l'occasion.*
2. Journal qui paraît tous les jours. Le Devoir *est un quotidien du matin.*

quotidiennement adv.
Tous les jours. *Elle marche quotidiennement.*

quotient n. m.
Le ***o*** est ouvert [kɔsjɑ̃].
(MATHÉMATIQUES) Résultat d'une division. *Le quotient de 15 divisé par 5 est 3.*

quotient intellectuel n. m.
Sigle ***QI*** (s'écrit avec ou sans points).
Rapport du niveau intellectuel d'une personne à celui des personnes de son groupe d'âge.

r n. m. inv.
Dix-huitième lettre de l'alphabet.

rabâcher v. tr., intr.
Répéter sans cesse la même chose. *Il nous rabâche toujours la même histoire.* **SYN.** radoter, ressasser.
Comme ***radoter,*** le verbe ***rabâcher*** peut se construire avec un complément d'objet direct ou sans complément. *Elle ne cesse de rabâcher.*
Conjugaison [VOIR MODÈLE – **AIMER**]
rab**â**cher.

rabais n. m.
Diminution de prix. **SYN.** réduction.
Locution
Au rabais. À bon marché. *Une vente au rabais.*
rab**ais.**

rabaisser v. tr., pronom.
Verbe transitif
1. Ramener à une hauteur moindre. *Ces tableaux sont placés trop haut : il faudrait les rabaisser.* **SYN.** baisser.
2. (FIGURÉ) Déprécier, estimer à une valeur moindre. *Il s'emploie à rabaisser la compétence de ses collègues.*
Verbe pronominal
S'humilier. *Ils se sont rabaissés à accepter cet argent.*
Conjugaison [VOIR MODÈLE – **AIMER**]

rabat n. m.
Partie d'un vêtement, d'un article qui peut se replier. *Un sac à dos avec rabat.*

rabat-joie adj. inv. et n. m. et f. inv. (pl. *rabat-joie*)
Personne qui trouble la bonne humeur des autres par sa maussaderie. *Des rabat-joie incorrigibles. Elles sont rabat-joie.* **SYN.** trouble-fête.
Ce mot est invariable et s'écrit avec un trait d'union.

rabattre v. tr., pronom.
Verbe transitif
Rabaisser, remettre à plat. *Rabats ton capuchon, il ne pleut plus.*
Verbe pronominal
Se rabattre sur (quelqu'un, quelque chose). L'accepter, à défaut d'autre chose. *Il n'y avait plus de crème glacée, elles se sont rabattues sur les gâteaux.*
Locution
Rabattre le caquet à quelqu'un. Le faire parler avec davantage de simplicité.
Conjugaison [VOIR MODÈLE – **COMBATTRE**]
INDICATIF PRÉSENT *Je rabats, tu rabats, il rabat, nous rabattons, vous rabattez, ils rabattent.* IMPARFAIT *Je rabattais.* PASSÉ SIMPLE *Je rabattis.* FUTUR *Je rabattrai.* **CONDITIONNEL** PRÉSENT *Je rabattrais.* **IMPÉRATIF** PRÉSENT *Rabats, rabattons, rabattez.* **SUBJONCTIF** PRÉSENT *Que je rabatte.* IMPARFAIT *Que je rabattisse.* **PARTICIPE** PRÉSENT *Rabattant.* PASSÉ *Rabattu, ue.*

rabbin n. m.
Ministre du culte, dans une communauté juive.
ra**bb**in.

rabot n. m.
Outil de menuisier servant à rendre lisse la surface du bois.
rabo**t.**

rabotage n. m.
Action de raboter.
rabo**t**age.

raboter v. tr.
Rendre lisse une surface de bois avec un rabot.
Conjugaison [VOIR MODÈLE – **AIMER**]
rabo**t**er.

raboteux, euse adj.
Inégal, rempli de creux et de bosses. *Un chemin raboteux.*
rabo**t**eux.

rabougri, ie adj.
1. Se dit d'une plante qui croît difficilement. *Dans la toundra, les conifères sont rabougris.*
2. Petit, ratatiné. *Un chien rabougri.* **SYN.** chétif.

rabrouer v. tr.
Traiter avec rudesse, réprimander. *Elle s'est fait rabrouer de la plus belle façon.*
Conjugaison [VOIR MODÈLE – **AIMER**]

raccommodage n. m.
Action de raccommoder. *Le raccommodage des chaussettes.* **SYN.** reprisage.
ra**cc**o**mm**odage.

raccommoder v. tr., pronom.
Verbe transitif
Repriser, réparer des vêtements. *Papa raccommode ses chaussettes.* SYN. rapiécer.
Verbe pronominal
(FAMILIER) Se réconcilier. *Après cette querelle, les copains se sont raccommodés.*
Conjugaison [VOIR MODÈLE – **AIMER**]
✎ ra**cc**o**mm**oder.

raccompagner v. tr.
Ramener au point de départ. *Après la fête, je raccompagnerai votre petite fille.* SYN. reconduire.
Conjugaison [VOIR MODÈLE – **AIMER**]

raccord n. m.
Liaison entre deux éléments. *Un raccord de tuyauterie.*
✎ ra**cc**or**d.**

raccorder v. tr.
1. Faire un raccord. *Raccorder des tuyaux.* SYN. relier, réunir.
2. Servir de lien, permettre de communiquer. *Ce chemin raccorde les deux routes.* SYN. lier.
Conjugaison [VOIR MODÈLE – **AIMER**]
✎ ra**cc**order.

raccourci n. m.
Le chemin le plus court. *Chercher des raccourcis, prendre* ou *emprunter un raccourci. Vous irez plus vite par le raccourci.*
Locution
En raccourci, locution adverbiale. En résumé.
✎ ra**cc**ourci.

raccourcir v. tr., intr.
Verbe transitif
Rendre plus court. *Raccourcir une jupe. Ces illustrations permettent de raccourcir l'explication.* SYN. abréger.
Verbe intransitif
Devenir plus court. *Les jours raccourcissent à l'automne.*
Conjugaison [VOIR MODÈLE – **FINIR**]
✎ ra**cc**ourcir.

raccrocher v. tr., intr., pronom.
Verbe transitif
Accrocher de nouveau. *Raccrocher un tableau.*
Verbe intransitif
Interrompre brusquement une communication téléphonique. *Je n'ai pas eu le temps de la prévenir, elle avait raccroché.*
Verbe pronominal
1. Se retenir à quelque chose pour échapper à un danger. *Il a pu se raccrocher à une branche.*
2. Se rattacher. *Ton exemple ne se raccroche pas bien à l'idée directrice du paragraphe.* SYN. se lier, se rapporter.
Conjugaison [VOIR MODÈLE – **AIMER**]
✎ ra**cc**rocher.

race n. f.
1. Groupe de personnes présentant des caractères communs.
☞ Les noms de races s'écrivent avec une majuscule. *Un Blanc, une Noire, les Jaunes.*
2. Subdivision de l'espèce zoologique. *La race canine.*
Locution
De race. De race pure. *Des chiens de race.*

racé, ée adj.
1. De race pure, en parlant d'un animal. *Un cheval racé.*
2. D'une distinction naturelle, en parlant d'une personne. *Une jeune fille racée et gracieuse.*

rachat n. m.
Action de racheter quelque chose. *Le rachat d'actions à la bourse.*
✎ racha**t.**

racheter v. tr., pronom.
Verbe transitif
1. Acheter à nouveau. *Il faudra racheter de ces fruits ; ils étaient délicieux.*
2. Compenser. *Sa gentillesse rachète son insouciance.*
Verbe pronominal
Se réhabiliter après une faute, une erreur, se faire pardonner. *Elle s'est rachetée au prix de beaucoup d'efforts.* SYN. se rattraper.
Conjugaison [VOIR MODÈLE – **CONGELER**]
Le ***e*** se change en ***è*** devant une syllabe muette. *Je rachète,* mais *je rachetais.*

racial, iale, iaux adj.
Qui est relatif à la race. *Des conflits raciaux, la discrimination raciale.*
☞ Ne pas confondre avec le mot ***raciste,*** qui se dit d'une personne qui fait preuve de racisme.

racine n. f.
1. Partie par laquelle un végétal est fixé au sol.
2. (FIGURÉ) Base. *Les racines de Luigi sont italiennes.*
3. (LINGUISTIQUE) Élément de base d'un mot. *Les racines grecques et latines de plusieurs mots français.*
Locution
Racine d'un nombre. (MATHÉMATIQUES) Nombre qui, multiplié par lui-même une ou plusieurs fois, reproduit ce nombre. *La racine carrée d'un nombre.*

racisme n. m.
Attitude qui favorise un groupe racial en particulier et qui est hostile à d'autres groupes.
☞ Le mot ***racisme*** dénomme une hostilité à l'égard de certains groupes raciaux, alors que le mot ***xénophobie*** désigne la haine de tous les étrangers.

raciste adj. et n. m. et f.
Qui fait preuve de racisme, qui est hostile à certains groupes raciaux. *Des slogans racistes. Un, une raciste.*
☞ Ne pas confondre avec le mot ***racial*** qui se dit de ce qui est relatif à la race, ni avec le mot ***xénophobe*** qui qualifie une personne hostile à tous les étrangers.

***racket**
Anglicisme pour ***vol, escroquerie.***

raclée n. f.
1. (FAMILIER) Volée de coups. *Les voyous lui ont donné une raclée.*
2. (FAMILIER) (FIGURÉ) Défaite majeure. *Les sondages ne prédisaient pas une telle raclée pour ce candidat.*

racler v. tr.
Frotter avec vigueur, enlever en grattant. *Elle racle le fond de la casserole.* SYN. gratter.
Conjugaison [VOIR MODÈLE – **AIMER**]

raclette n. f.
Plat suisse composé de fromage fondu.

racontar n. m.
(FAMILIER) Rumeur, commérage. *Ce ne sont que des racontars, des cancans qui ne reposent sur rien.* SYN. cancan, potin.
✎ raconta**r.**

raconter v. tr.
1. Faire le récit de. *Il a une façon merveilleuse de raconter les histoires.* **SYN.** conter, narrer.
2. Inventer des histoires. *Il ne faut pas croire tout ce qu'on raconte.*
Conjugaison [VOIR MODÈLE – **AIMER**]

raconteur, euse n. m. et f.
Personne qui raconte bien. **SYN.** conteur.

radar n. m.
Appareil de détection permettant de localiser la présence d'un obstacle. *Ces navires sont équipés de radars.*
Le nom s'emploie également en apposition. *Des écrans radars.*
Le nom ***radar*** est l'acronyme de **Ra**dio **D**etecting **a**nd **R**anging.

rade n. f.
Grand bassin protégé de la mer, où les bateaux sont à l'abri.

radeau n. m. (pl. *radeaux*)
Plateforme flottante. *Des radeaux de fortune.*

radiateur n. m.
1. Appareil servant à diffuser la chaleur d'un système de chauffage.
Ne pas confondre avec le nom ***calorifère,*** système de chauffage central.
2. Appareil de refroidissement d'un moteur. *Le radiateur d'une voiture.*

radiation n. f.
Émission de rayons. *Les rayons X sont des radiations qui peuvent être très dangereuses.*

radical, ale, aux adj. et n. m.
Adjectif
Fondamental. *Des changements radicaux.* **SYN.** complet, total.
Nom masculin
(LINGUISTIQUE) Forme prise par la racine d'un mot. *Le radical du verbe **aimer** est **aim-,** tandis que la terminaison de l'infinitif est **-er.***

radicalement adv.
Totalement, absolument. *Les citoyens sont radicalement opposés à une hausse des taxes.* **SYN.** complètement, tout à fait.

radieux, ieuse adj.
1. Brillant. *Un soleil radieux.* **SYN.** éclatant.
2. (FIGURÉ) Rayonnant de bonheur. *Elle est radieuse aujourd'hui.* **SYN.** heureux.

radin, ine adj. et n. m. et f.
(FAMILIER) Avare, mesquin. *Je crois qu'elle est un peu radine* ou *radin. C'est un radin.*
Au féminin, on peut employer la forme féminine ou conserver la forme masculine.

radio adj. inv. et n. f.
Nom féminin
Abréviation de ***radiodiffusion.*** *J'ai entendu la nouvelle à la radio.*
Poste récepteur de radiodiffusion. *Ils vendent des radios portatives.*
Abréviation de ***radiographie.*** *Maude a fait une chute de cheval et elle s'est fracturé la jambe : on a fait une radio de sa jambe à l'hôpital.*
Adjectif invariable
Radiophonique. *Des publicités radio.*

radioactif, ive adj.
Qui se caractérise par sa radioactivité. *Ces substances sont dangereuses parce qu'elles sont radioactives.*

radioactivité n. f.
Propriété de certains éléments (radium, uranium, etc.) d'émettre des radiations semblables aux rayons X.

radiocassette n. f.
Appareil de radio muni d'un lecteur de cassettes. *Une radiocassette portative.*

radiodiffuser v. tr.
Transmettre par la radio. *Le débat sera radiodiffusé.*
Conjugaison [VOIR MODÈLE – **AIMER**]

radiodiffusion n. f.
S'abrège couramment en ***radio*** (s'écrit sans point).
Transmission par les ondes de nouvelles, de manifestations artistiques, sportives, etc.

radiographie n. f.
S'abrège familièrement en ***radio*** (s'écrit sans point).
1. Ensemble des techniques permettant de photographier la structure interne du corps à l'aide de rayons X.
2. Image ainsi obtenue. *Une radiographie des poumons, des radios pulmonaires.*

radiographier v. tr.
Photographier au moyen de rayons X. *Radiographier une jambe.*
Conjugaison [VOIR MODÈLE – **ÉTUDIER**]
Redoublement du ***i*** à la première et à la deuxième personne du pluriel de l'indicatif imparfait et du subjonctif présent. *(Que) nous radiographiions, (que) vous radiographiiez.*

radiologie n. f.
Science médicale traitant des applications des rayons X au diagnostic et au traitement des maladies.

radiologue ou **radiologiste** n. m. et f.
Spécialiste de la radiologie.

radiophonique adj.
Qui concerne la radiodiffusion. *Une émission radiophonique.*

radioréveil ou **radio-réveil** n. m. (pl. *radioréveils* ou *radios-réveils*)
Poste récepteur de radio muni d'un réveil.
Attention au genre masculin de ce nom : ***un*** radioréveil.

radis n. m.
Plante potagère cultivée pour ses racines. *Elle adore les radis sur une tartine avec du beurre.*
radi**s.**

radium n. m.
Élément de la famille de l'uranium doué d'une intense radioactivité. *Des radiums.*

radius n. m.
Le ***s*** se prononce [radjys].
Os de l'avant-bras. *Le radius et le cubitus.*

radotage n. m.
Propos où l'on répète souvent la même chose.

radoter v. tr.
1. Dire des choses sans suite, incohérentes.

2. Rabâcher, se répéter. *Il commence à radoter. Elle radote toujours les mêmes histoires.*
Comme ***rabâcher,*** le verbe ***radoter*** peut se construire avec ou sans complément. *Elle ne cesse de radoter.*
Conjugaison [VOIR MODÈLE – **AIMER**]
rado**t**er.

radoucir v. tr., pronom.
Verbe transitif
Rendre plus doux. *Tes encouragements l'ont radouci.* **SYN.** calmer.
Verbe pronominal
1. Devenir plus doux, en parlant de la température. *Le temps se radoucit.* **SYN.** se réchauffer.
2. Se calmer, devenir moins rude. *Ses paroles se sont radoucies.*
Conjugaison [VOIR MODÈLE – **FINIR**]

rafale n. f.
Coup de vent soudain. *Il y a de la poudrerie par rafales.* **SYN.** bourrasque.
ra**f**a**l**e, un seul ***f,*** un seul ***l.***

rafaler v. impers.
Souffler par rafales, en parlant du vent ; tourbillonner par rafales, en parlant de la neige. *Il fait très froid et le vent rafale.*
Ce verbe a été emprunté au vocabulaire de la marine.
Conjugaison [VOIR MODÈLE – **AIMER**]
ra**f**a**l**er, un seul ***f,*** un seul ***l.***

raffermir v. tr., pronom.
Verbe transitif
1. Rendre plus ferme. *Il raffermit ses muscles.* **SYN.** durcir.
2. (FIGURÉ) Fortifier. *Raffermir son autorité.* **SYN.** consolider, solidifier.
Verbe pronominal
Devenir plus solide, plus stable. *Ses jambes fracturées se sont raffermies et il peut maintenant marcher.*
Conjugaison [VOIR MODÈLE – **FINIR**]

raffinage n. m.
Action de rendre plus pur. *Le raffinage du pétrole.*

raffiné, ée adj.
1. Qui a subi l'opération du raffinage. *Du sucre raffiné.*
2. Délicat, recherché. *Des plaisirs raffinés.*

raffinement n. m.
Délicatesse, subtilité. *La décoration est remplie de raffinement.*

raffiner v. tr.
Procéder au raffinage d'une substance brute. *Raffiner le pétrole.*
Conjugaison [VOIR MODÈLE – **AIMER**]

raffinerie n. f.
Établissement industriel où s'effectue le raffinage (du pétrole, du sucre).

raffoler v. tr. ind.
Adorer, se passionner pour quelqu'un, quelque chose. *Les adolescentes raffolent de ce chanteur. Je raffole de la glace aux pistaches.* **SYN.** adorer.
Le verbe se construit avec la préposition ***de.***
Conjugaison [VOIR MODÈLE – **AIMER**]
ra**ff**o**l**er, deux ***f,*** un ***l.***

rafistolage n. m.
(FAMILIER) Action de rafistoler.

rafistoler v. tr.
(FAMILIER) Réparer de façon sommaire. **SYN.** (FAMILIER) bricoler.
Conjugaison [VOIR MODÈLE – **AIMER**]

rafraîchir v. tr., intr., pronom.
Verbe transitif
1. Rendre plus frais. *Le vent a rafraîchi l'air.* **SYN.** refroidir.
2. Renouveler, donner un nouvel éclat. *Il faudrait rafraîchir la décoration de cette maison.*
Verbe intransitif
Mettre au frais. *Mettre du vin à rafraîchir au réfrigérateur.*
Verbe pronominal
1. Devenir plus frais. *L'atmosphère s'est rafraîchie.*
2. Se procurer une sensation de fraîcheur. *Pour nous rafraîchir, allons nous baigner un peu.*
Locution
Rafraîchir la mémoire de quelqu'un. Lui rappeler des faits, lui permettre de se souvenir de quelque chose.
Conjugaison [VOIR MODÈLE – **FINIR**]
rafra**î**chir.

rafraîchissant, ante adj.
Qui rafraîchit, qui apaise la soif. *Des boissons rafraîchissantes.*
rafra**î**chissant.

rafraîchissement n. m.
1. Action de rendre, de devenir plus frais. *On annonce un rafraîchissement de la température.*
2. (AU PLURIEL) Boissons fraîches. *Servir des rafraîchissements.*
rafra**î**chissement.

ragaillardir v. tr.
Donner de la vigueur. *Ce vieil alcool l'a ragaillardi* (et non *regaillardi). *Cette bonne soupe chaude te ragaillardira.* **SYN.** fortifier, (FAMILIER) ravigoter, (FAMILIER) retaper, revigorer.
Conjugaison [VOIR MODÈLE – **FINIR**]
rag**aill**ardir.

rage n. f.
1. Maladie infectieuse transmissible à l'homme par morsure (du chien, du chat, etc.). *Les écureuils peuvent transmettre la rage.*
2. Mouvement violent de colère. *Cette remarque anodine a provoqué sa rage.* **SYN.** colère, fureur.
Locutions
Faire rage. Atteindre une grande violence. *La tempête de neige faisait rage.*
Rage de dents. Mal de dents très violent.

rageant, eante adj.
(FAMILIER) Qui provoque la colère. *Des retards rageants.* **SYN.** exaspérant, irritant.
Ne pas confondre avec le participe présent invariable ***rageant.*** *Devant tant de mauvaise foi, les deux protestataires capitulèrent tout en rageant intérieurement.*
rag**eant.**

rager v. intr.
(FAMILIER) S'irriter, se mettre en colère. *Les voyageurs rageaient de ne pouvoir décoller en raison du brouillard.*
Conjugaison [VOIR MODÈLE – **CHANGER**]
Le ***g*** est suivi d'un ***e*** devant les lettres ***a*** et ***o.*** *Il ragea, nous rageons.*

rageur, euse adj.
(FAMILIER) Qui trahit la colère. *Un ton rageur.*

rageusement adv.
Avec rage. *Il claqua la porte rageusement.*

ragot n. m.
(FAMILIER) Commérage. *Il ne faut pas écouter les ragots.* **SYN.** cancan, potin.
rago**t.**

ragoût n. m.
Plat de viande, de légumes, etc., cuits dans une sauce. *Du ragoût de veau.*
ragoût.

ragoûtant, ante adj.
Appétissant. *Ces plats ne sont pas ragoûtants, sont peu ragoûtants.* ANT. dégoûtant.
Cet adjectif s'emploie surtout dans une phrase négative.
ragoûtant.

raid n. m.
Le ***d*** se prononce [rɛd]; le mot rime avec ***raide.***
Expédition militaire menée en territoire ennemi. *Des raids punitifs.* SYN. attaque.
Ce mot emprunté à l'anglais depuis plus de 100 ans est admis en français.
HOM. **raide**, rigide, droit.

raide adj. et adv.
Adjectif
1. Rigide, droit. *Des cheveux raides.*
2. Très incliné. *Une pente raide.* SYN. abrupt, escarpé.
3. (FIGURÉ) Sans souplesse, inflexible. *Une attitude raide.*
Adverbe
D'un seul coup. *Des animaux tués raide.* SYN. brusquement.
Pris adverbialement, le mot est invariable ; cependant, dans la locution ***raide mort,*** le mot prend la marque du pluriel. *Ils sont tombés raides morts.*
Locution
Sur la corde raide. (FIGURÉ) Qui est en danger de déséquilibre, comme un funambule sur une corde tendue, qui est dans une situation périlleuse. *Ces financiers sont sur la corde raide : ils sont menacés de faillite.*
HOM. **raid**, expédition militaire.

raideur n. f.
État de ce qui n'est pas souple, de ce qui est difficile à plier. SYN. rigidité.

raidir v. tr., pronom.
Verbe transitif
Rendre raide. *Raidir ses muscles.*
Verbe pronominal
Devenir raide, plus dur, au propre et au figuré. *Ses muscles se sont raidis. La position de l'association s'est raidie.*
Conjugaison [VOIR MODÈLE – **FINIR**]

raie n. f.
1. Ligne, rayure. *Des raies vertes sur un fond blanc.* SYN. trait.
2. Ligne de séparation des cheveux. *Elle se coiffe avec une raie à gauche.*
3. Poisson de mer dont le corps aplati est en forme de losange et dont la chair est appréciée. *Une raie au beurre noir.*

rail n. m.
1. Voie ferrée. *Un rail en mauvais état. Des rails.*
2. Chemin de fer. *Transport par rail.*
Ce mot emprunté à l'anglais depuis près de 200 ans est admis en français.
Attention au genre masculin de ce nom : ***un*** rail.

railler v. tr.
Se moquer de, tourner en ridicule. *Ne raillez pas sa maladresse.* SYN. ridiculiser.
Conjugaison [VOIR MODÈLE – **AIMER**]
Les lettres ***ill*** sont suivies d'un ***i*** à la première et à la deuxième personne du pluriel de l'indicatif imparfait et du subjonctif présent. *(Que) nous raillions, (que) vous railliez.*
ra**ill**er.

raillerie n. f.
Moquerie. *Le pauvre Vincent a été l'objet de leurs railleries.* SYN. plaisanterie.
ra**ill**erie.

railleur, euse adj. et n. m. et f.
Adjectif
Moqueur, sarcastique. *Un ton railleur.* SYN. ironique.
Nom masculin et féminin
Personne qui aime à ridiculiser. *Des railleurs invétérés.*
ra**ill**eur.

rainette n. f.
Petite grenouille.
HOM. **reinette**, petite pomme à la peau tachetée.

rainure n. f.
Entaille longue et étroite. *Glissez la pièce dans la rainure.*

raisin n. m.
La première syllabe se prononce **rè** [rɛzɛ̃].
Fruit de la vigne. *Des raisins verts. Une grappe de raisins. Du pain aux raisins.*
Dans l'expression ***jus de raisin***, le nom s'écrit au singulier.

raison n. f.
1. Jugement, faculté de raisonner, sagesse. *Ce conducteur est très imprudent et roule très vite : a-t-il perdu la raison ?*
2. Motif, explication. *Quelles sont les raisons de ce retard ?* SYN. cause.
Locutions
Âge de raison. Âge auquel les enfants sont censés être raisonnables, environ sept ans.
À plus forte raison, locution adverbiale. Encore plus.
À raison de, locution prépositive. Au prix de, en proportion de. *Il travaille à raison de huit heures par jour.*
Avec raison, locution adverbiale. En connaissance de cause, à juste titre.
Avoir raison. Ne pas se tromper.
Avoir raison de. Vaincre, l'emporter sur un adversaire.
Comme de raison, locution adverbiale. (FAMILIER) Évidemment, il va sans dire. *Comme de raison, tu as encore perdu tes gants.*
L'emploi de cette expression est courant au Québec dans la langue familière, mais elle est vieillie dans l'ensemble de la francophonie.
En raison de, locution prépositive. En considération de, à cause de. *En raison de sa compétence, il a été désigné chef d'équipe.*
Faire entendre raison à quelqu'un. Le convaincre au lieu d'employer la force.
Non sans raison(s), locution adverbiale. Avec d'excellents motifs, de façon justifiée.
Plus que de raison, locution adverbiale. Plus qu'il n'est convenable. *Ils ont mangé plus que de raison.* SYN. trop.
Pour raison de, locution prépositive. Pour cause de. *Il a donné sa démission pour raison de santé.*
Raison de vivre. Ce qui donne un sens à la vie. *Ce travail, c'est sa raison de vivre.*
Sans raison, locution adverbiale. Sans motif.
Se faire une raison. Se résigner. *Il faut bien se faire une raison : on n'a pas toujours congé.*

raisonnable adj.
La première syllabe se prononce ***rè*** [rɛzɔnabl].
1. Sensé, doué de raison. *Allez les enfants, soyez raisonnables et faites moins de bruit. Ce choix est raisonnable.* **SYN.** sage.
2. Acceptable. *Un prix raisonnable.*

raisonnement n. m.
La première syllabe se prononce ***rè*** [rɛzɔnmɑ̃].
1. Action, manière de raisonner. *C'est par le raisonnement que j'en suis venu à cette conclusion.* **SYN.** logique, réflexion.
2. Enchaînement logique des idées. *Son raisonnement est juste.*

raisonner v. tr., intr., pronom.
La première syllabe se prononce ***rè*** [rɛzɔne].
Verbe transitif
Ramener quelqu'un à la raison, le convaincre de faire preuve de bon sens. *Il a cherché à raisonner les pirates de l'air, mais en vain.*
Verbe intransitif
Réfléchir. *Ne raisonnez pas, acceptez, je vous en prie.* **SYN.** penser.
Verbe pronominal
Écouter sa raison. *Ils se sont raisonnés et ont abandonné cette folle aventure.*
HOM. **résonner**, renvoyer un son en l'augmentant.
Conjugaison [VOIR MODÈLE – **AIMER**]

rajeunir v. tr., intr., pronom.
Verbe transitif
Faire paraître plus jeune. *Ces vêtements la rajeunissent.*
Verbe intransitif
Retrouver la vigueur, l'apparence de la jeunesse. *Elle a rajeuni et semble en pleine forme.*
À la forme intransitive, le verbe se conjugue avec l'auxiliaire ***avoir*** pour marquer le fait, avec l'auxiliaire ***être*** pour insister sur l'état. *Avec cette nouvelle coiffure, elle est rajeunie de cinq ans.*
Verbe pronominal
Se dire, se faire paraître plus jeune qu'on est. *Il cherche à se rajeunir.*
Conjugaison [VOIR MODÈLE – **FINIR**]

rajeunissement n. m.
Action de donner un caractère plus jeune.

rajouter v. tr.
Ajouter de nouveau. *Ne rajoute plus de sucre.* **SYN.** remettre.
Conjugaison [VOIR MODÈLE – **AIMER**]

rajustement ou **réajustement** n. m.
Remaniement des salaires en fonction de divers critères, notamment du coût de la vie. *Un rajustement* ou *un réajustement des salaires est prévu.*

rajuster ou **réajuster** v. tr.
1. Remettre en bon état, en ordre. *Rajuster ses cheveux.*
2. Corriger. *Rajuster le tir.*
Conjugaison [VOIR MODÈLE – **AIMER**]

râle n. m.
Bruit anormal de la respiration.
r**â**le.

ralenti, ie adj. et n. m.
Adjectif
Plus lent. *Une allure ralentie.* **ANT.** accéléré.
Nom masculin
Vitesse réduite d'un moteur.
Locutions
Au ralenti, locution adverbiale. (FIGURÉ) Doucement, à une allure réduite. *En vacances, nous vivons au ralenti.*
Au ralenti, locution adverbiale. À vitesse réduite, en parlant de la diffusion d'une bande vidéo ou audio. *Ce passage est au ralenti.*

ralentir v. tr., intr.
Verbe transitif
Diminuer la vitesse. *Ralentir son allure.* **ANT.** accélérer.
Verbe intransitif
Aller plus lentement. *On doit ralentir à proximité des écoles.* **ANT.** accélérer.
Conjugaison [VOIR MODÈLE – **FINIR**]

ralentissement n. m.
Diminution de vitesse, d'activité. *Le ralentissement des affaires.*

râler v. intr.
1. Faire entendre un râle.
2. (FAMILIER) Grogner, protester à tout propos. **SYN.** ronchonner, (FAMILIER) rouspéter.
Conjugaison [VOIR MODÈLE – **AIMER**]
r**â**ler.

râleur, euse adj. et n. m. et f.
(FAMILIER) Personne qui proteste toujours. *Cet homme, quel râleur !* **SYN.** (FAMILIER) rouspéteur.
r**â**leur.

ralliement n. m.
Rassemblement. *Un point de ralliement.* **SYN.** regroupement.
ra**ll**i**e**ment, attention au **e** muet de la deuxième syllabe.

rallier v. tr., pronom.
Verbe transitif
1. Rassembler. *Il rallie tous les membres de l'équipe.*
2. (FIGURÉ) Réunir pour une cause commune. *Elle a réussi à rallier tous les participants.* **SYN.** mettre d'accord, unir.
Verbe pronominal
Se mettre d'accord avec quelqu'un, quelque chose, alors qu'on était en désaccord. *Ils se sont ralliés à notre avis, à un point de vue.* **SYN.** se ranger .
Conjugaison [VOIR MODÈLE – **ÉTUDIER**]
Redoublement du ***i*** à la première et à la deuxième personne du pluriel de l'indicatif imparfait et du subjonctif présent. *(Que) nous ralliions, (que) vous ralliiez.*

rallonge n. f.
Ce qui sert à allonger. *Une table à rallonges. Une rallonge électrique* (et non une *extension).

rallonger v. tr., intr.
Verbe transitif
Rendre plus long en ajoutant une partie. *Elle rallongea sa jupe.*
Ne pas confondre avec le verbe ***allonger,*** rendre ou devenir plus long.
Verbe intransitif
Devenir plus long. *Les jours rallongent au printemps.*
Conjugaison [VOIR MODÈLE – **CHANGER**]
Le ***g*** est suivi d'un ***e*** devant les lettres ***a*** et ***o.*** *Il rallongea, nous rallongeons.*

rallumer v. tr., pronom.
Verbe transitif
Allumer de nouveau. *Rallume la bougie que le vent a soufflée.*

Verbe pronominal
Être allumé de nouveau. *Les incendies de forêt se sont rallumés en raison des vents forts.*
Conjugaison [VOIR MODÈLE – **AIMER**]

rallye n. m. (pl. *rallyes*)
Ce mot rime avec ***lit.***
Compétition où les automobilistes doivent rallier un point défini après s'être soumis à certaines épreuves.
Ce mot emprunté à l'anglais depuis plus de 100 ans est admis en français.
rall**ye**.

-rama suff.
Élément du grec signifiant « vue ». *Panorama, diaporama.*

ramage n. m.
1. Chant d'oiseaux. *« Si votre ramage se rapporte à votre plumage, vous êtes le phénix des hôtes de ces bois ».* (La Fontaine, « Le Corbeau et le Renard »)
2. (AU PLURIEL) Représentation de rameaux, de fleurs, etc., sur une étoffe.
ra**m**age.

ramassage n. m.
Action de ramasser. *Le ramassage du foin.*
Locution
Ramassage (scolaire). Transport par autobus des élèves qui fréquentent un établissement scolaire éloigné du lieu où ils habitent. **SYN.** transport scolaire.
ra**m**assage.

ramasser v. tr.
1. Recueillir ce qui est dispersé. *Nous ramasserons les devoirs demain matin.*
2. Épargner. *Elle ramasse son argent pour s'offrir des patins à roulettes.* **SYN.** économiser, mettre de côté.
3. Prendre par terre. *Cette personne a ramassé mon porte-monnaie et me l'a rendu. Maman ramasse des framboises dans son jardin.*
Conjugaison [VOIR MODÈLE – **AIMER**]
ra**m**asser.

rame n. f.
1. Longue pièce de bois servant à manœuvrer une embarcation. *Une paire de rames.*
2. File de wagons. *Une rame de métro.*

rameau n. m. (pl. *rameaux*)
Petite branche d'arbre. *Des rameaux d'olivier.*

ramener v. tr., pronom.
Verbe transitif
1. Amener de nouveau quelqu'un. *Il a ramené son copain chez nous.*
Comme ***amener,*** ce verbe s'emploie en parlant des personnes, alors que ***rapporter*** s'emploie avec un complément non animé.
2. Faire revenir quelqu'un au lieu d'où il est parti. *Elle a ramené sa fille à la maison.* **SYN.** reconduire.
Verbe pronominal
Se résumer. *Son discours se ramène à notre devise : protégeons la planète.*
Conjugaison [VOIR MODÈLE – **LEVER**]
Le **e** se change en **è** devant une syllabe muette. *Il ramène, il ramenait.*

ramer v. intr.
Manœuvrer les rames d'une embarcation. *Il rame vers le large avec vigueur.*
Conjugaison [VOIR MODÈLE – **AIMER**]

rameur, euse n. m. et f.
Personne qui rame.

ramification n. f.
Embranchement, division.

ramifier (se) v. pronom.
Se subdiviser. *À cet endroit où la route se ramifie, il faut aller à droite.*
Le participe passé de ce verbe qui n'existe qu'à la forme pronominale s'accorde toujours en genre et en nombre avec le sujet du verbe.

ramollir v. tr., pronom.
Verbe transitif
Rendre mou, plus faible. *La chaleur ramollit le beurre.*
Verbe pronominal
Devenir plus mou. *La glace s'est ramollie.*
Le verbe ***ramollir*** est plus courant que le verbe ***amollir.***
Conjugaison [VOIR MODÈLE – **FINIR**]
ramo**ll**ir.

ramoner v. tr.
Nettoyer une cheminée en enlevant la suie.
Conjugaison [VOIR MODÈLE – **AIMER**]
ramo**n**er.

ramoneur n. m.
ramoneuse n. f.
Personne dont le métier est de ramoner les cheminées. *Ces ramoneurs sont noirs de suie.*
ramo**n**eur.

rampe n. f.
1. Garde-corps placé le long d'un escalier pour servir d'appui. *La rampe est surmontée d'une main courante.*
2. Plan incliné (d'une rue, d'une route). *Une rampe d'accès.*
3. Rangée de projecteurs qui éclairent la scène d'un théâtre. *Les feux de la rampe.*

ramper v. intr.
Avancer lentement le ventre au sol. *Le serpent rampe.*
Conjugaison [VOIR MODÈLE – **AIMER**]

rancart (mettre au) loc. verb.
(FAMILIER) Jeter au rebut, abandonner. *Le projet d'agrandissement de l'école a été mis au rancart. La mise au rancart d'un projet.* **SYN.** se débarrasser.
Le nom ***rancart*** ne s'emploie que dans la locution verbale ***mettre au rancart*** ou dans l'expression ***mise au rancart.***
rancar**t.**

rance adj.
Qui a pris une saveur âcre, en parlant des corps gras. *Une huile rance. Ce beurre est rance.*

ranch n. m. (pl. *ranchs* ou *ranches*)
Grande exploitation agricole où l'on élève le bétail, aux États-Unis. *Ces cow-boys travaillent dans des ranchs* ou *des ranches immenses.*
Ce mot emprunté à l'américain il y a plus de 100 ans est admis en français.

rancœur n. f.
Amertume tenace et amère. *Cette injustice a causé de la rancœur et de la déception.* SYN. rancune.

rançon n. f.
1. Prix demandé, payé pour libérer un prisonnier, un otage. *Les ravisseurs ont demandé 100 000 $ de rançon.*
2. (FAMILIER) (FIGURÉ) Prix, contrepartie de quelque chose d'agréable. *Avoir à signer des autographes, c'est la rançon de la gloire.*
rançon.

rançonner v. tr.
Exiger une somme, des avantages pour relâcher une personne retenue prisonnière.
Conjugaison [VOIR MODÈLE – **AIMER**]

rancune n. f.
Colère, sentiment amer, désir de vengeance. *Elle n'éprouve pas de rancune, seulement de la déception.*
Locution
Sans racune. Formule de réconciliation. *Sans rancune ? Soyons amis à nouveau.*

rancunier, ière adj. et n. m. et f.
Qui a de la rancune. *Elle n'est pas rancunière. C'est un rancunier.*

randonnée n. f.
Promenade. *Une belle randonnée à bicyclette, une randonnée pédestre dans la forêt. Du ski de randonnée.* SYN. excursion.

rang n. m.
Le ***g*** ne se prononce pas ; le mot rime avec ***sang.***
1. Suite (de personnes, de choses) sur une même ligne. *Un rang d'élèves, un rang de perles.*
2. Place dans un ordre, une hiérarchie. *Ils sont au troisième rang.*
3. Portion de territoire, constituée d'une série de lots parallèles s'allongeant à partir d'une ligne, d'un cours d'eau ou d'un chemin et où, le cas échéant, s'alignent les habitations. (Recomm. off. OLF) *Les Fréchette habitent le septième rang.*
Locutions
Au rang de, locution prépositive. Parmi, au nombre de.
En rang d'oignon(s), locution adverbiale. En rang ou en file.
Mettre au rang de. Compter parmi.
Se mettre en rang, en rangs. Sur un, sur plusieurs rangs.
– Alors que la ***file*** est en longueur, le ***rang*** est en largeur.
Se mettre sur les rangs. Être candidat à un poste.
Serrer les rangs. Se rapprocher.
ran**g.**

rangée n. f.
Suite de personnes, de choses placées sur une même ligne, côte à côte. *Une rangée de chênes. Mon siège est dans la septième rangée.*

rangement n. m.
Action de mettre en ordre. *De temps à autre, il faut faire un peu de rangement.*

ranger v. tr., pronom.
Verbe transitif
Mettre de l'ordre (dans un lieu). *Ranger sa chambre.* SYN. ordonner, (FAMILIER) serrer.
– Ne pas confondre avec le verbe ***arranger,*** disposer selon un plan, un ordre.
Verbe pronominal
1. Se mettre en ordre, en rang. *Ils se sont rangés le long du mur.*
2. Se placer. *Où ces plats se rangent-ils ?*
3. (FIGURÉ) Se rallier sous l'autorité de quelqu'un. *Ils se sont rangés de notre côté, à notre avis.*
4. (ABSOLUMENT) S'assagir. *Elle finira bien par se ranger.*
Conjugaison [VOIR MODÈLE – **CHANGER**]
Le ***g*** est suivi d'un ***e*** devant les lettres ***a*** et ***o.*** *Il rangea, nous rangeons.*

ranimer v. tr., pronom.
Verbe transitif
Rendre l'ardeur, la vigueur, l'éclat. *Ranimer le feu dans la cheminée.*
– Le verbe ***réanimer*** s'emploie dans un contexte médical exclusivement. *Réanimer un blessé.*
VOIR **RÉANIMER.**
Verbe pronominal
1. Revenir à soi. *Elle s'est ranimée après un bref évanouissement.*
2. Reprendre une activité. *Le volcan s'est ranimé et il est en éruption à nouveau.*
Conjugaison [VOIR MODÈLE – **AIMER**]

rap n. m.
Style de musique au rythme martelé sur lequel sont récitées des paroles, improvisées ou non.

rapace adj. et n. m.
Adjectif
1. Se dit des oiseaux de proie.
2. (LITTÉRAIRE) Avide de gain. *Des motards dangereux et rapaces.*
Nom masculin
Oiseau carnivore. *Les vautours, les aigles sont des rapaces.*

rapailler v. tr.
(FAMILIER) Ramasser des objets dispersés. *Rapaille tes cahiers, tes livres, tu es déjà en retard pour l'école.*
Conjugaison [VOIR MODÈLE – **AIMER**]
Les lettres ***ill*** sont suivies d'un ***i*** à la première et à la deuxième personne du pluriel de l'indicatif imparfait et du subjonctif présent. *(Que) nous rapaillions, (que) vous rapailliez.*

rapatrier v. tr.
Faire revenir dans sa patrie. *Rapatrier les corps des victimes.*
Conjugaison [VOIR MODÈLE – **ÉTUDIER**]
Redoublement du ***i*** à la première et à la deuxième personne du pluriel de l'indicatif imparfait et du subjonctif présent. *(Que) nous rapatriions, (que) vous rapatriiez.*

râpe n. f.
Ustensile qui sert à réduire certaines substances en morceaux, en poudre. *Une râpe à fromage.*
r**â**pe.

râper v. tr.
Réduire une substance en morceaux à l'aide d'une râpe. *Des carottes râpées.*
Conjugaison [VOIR MODÈLE – **AIMER**]
r**â**per.

rapetisser v. tr., intr.
Verbe transitif
Rendre plus petit. *Rapetisser une robe.*
Verbe intransitif
Devenir plus petit. *Son pantalon a rapetissé au lavage.* SYN. rétrécir.
Conjugaison [VOIR MODÈLE – **AIMER**]

rapide adj. et n. m.
Adjectif
1. Qui va très vite. *Une voiture rapide, un chien rapide. Les enfants marchaient d'un pas rapide.*

2. Qui se fait sans délai. *Des réflexes rapides. Un calcul rapide.*
Nom masculin
1. Train qui ne s'arrête que dans les villes les plus importantes.
2. Partie d'un cours d'eau, souvent hérissée de rochers, où le courant devient rapide et agité par suite d'un resserrement du lit ou d'une faible augmentation de la pente. (Recomm. off. OLF) *Ils ont descendu les rapides en canot.*
En ce dernier sens, ne pas confondre avec les noms suivants :
– ***cascade,*** chute d'eau de faible débit, comportant ordinairement plusieurs paliers ;
– ***cataracte,*** chute d'un grand cours d'eau, dont la dénivelée est importante ;
– ***chute,*** masse d'eau tombant brusquement à l'emplacement d'une rupture de pente.
Les noms génériques de géographie s'écrivent avec une minuscule.

rapidement adv.
Avec rapidité. *Delphine est essoufflée parce qu'elle a grimpé au sommet de la montagne trop rapidement.*

rapidité n. f.
Grande vitesse. *La rapidité d'un avion. Il a renvoyé la balle avec rapidité.*

rapiécer v. tr.
Repriser en mettant une pièce. *Un pantalon rapiécé.* **SYN.** raccommoder.
Conjugaison [VOIR MODÈLES – **AVANCER** ET **POSSÉDER**]
Le **c** prend une cédille devant les lettres ***a*** et ***o.*** *Il rapiéça, nous rapiéçons.*
Le **é** se change en **è** devant une syllabe muette, sauf à l'indicatif futur et au conditionnel présent. *Je rapièce,* mais *je rapiécerai.*
rapi**é**cer.

rappel n. m.
1. Action de faire revenir quelqu'un, quelque chose. *Ce constructeur automobile a fait le rappel des pièces défectueuses.*
2. Évocation. *Le rappel des évènements marquants de la dernière année.* **SYN.** souvenir.
Locution
Rappel à l'ordre. Réprimande.

rappeler v. tr., pronom.
Verbe transitif
1. Faire revenir une personne, un animal. *Le Canada a rappelé son ambassadeur. Luc, rappelle ton Filou : il dérange les voisins.*
2. Appeler de nouveau. *Rappelle-moi demain.*
3. Évoquer. *Cela me rappelle mes vacances chez ma grand-mère.*
Verbe pronominal
Se souvenir de. *Elle se rappelle ce moment* (et non *de ce moment), *mais ne se rappelle pas son nom. Je me rappelle son beau visage. Les mots qu'elle s'est rappelés sont « monts et merveilles ».*
Suivi d'un pronom personnel, le verbe se construit avec la préposition ***de.*** *Te rappelles-tu de nous ?* Dans les autres cas, le complément de ce verbe se construit sans la préposition ***de,*** contrairement au verbe ***se souvenir de.***
Suivi de la conjonction ***que,*** le verbe se construit avec l'indicatif. *Nous nous sommes rappelé que la rentrée avait lieu le 5 septembre.*
Conjugaison [VOIR MODÈLE – **APPELER**]
Redoublement du ***l*** devant un **e** muet. *Je rappelle, je rappellerai,* mais *je rappelais.*

rapport n. m.
1. Exposé détaillé. *Ce rapport est bien fait.*
2. Lien entre des personnes, des choses. *Des rapports logiques. Votre remarque n'a aucun rapport avec ce qui a été dit.*
3. Relations entre des personnes. *Un rapport de parenté. Des rapports amicaux.*
Locutions
Avoir (un) rapport avec, à. Se rattacher, être lié à. *Ses mauvais résultats ont un rapport avec ses absences.*
En rapport avec, locution prépositive. Proportionné à. *Ce jardin est en rapport avec cette jolie maison : ils vont bien ensemble.*
Être en rapport avec quelqu'un. Communiquer avec quelqu'un. *Il y a longtemps que Luc n'est plus en rapport avec cet ami d'enfance.*
Mettre en rapport. Mettre en relation. *Mettez-moi en rapport avec un avocat.*
Par rapport à, locution prépositive. En relation avec, en fonction de. *Par rapport à moi, tu étudies très vite.*
Rapport à, locution prépositive. (FAMILIER) (VIEUX) À cause de.
Sous le rapport de, locution prépositive. Dans la perspective de, sous l'angle de. *Sous le rapport de la fiabilité, cet appareil est à recommander.*
Sous tous (les) rapports, locution adverbiale. À tous les égards, en tout point. *Une personne bien sous tous rapports.*

rapporter v. tr., pronom.
Verbe transitif
1. Apporter une chose de son lieu d'origine. *Il a rapporté des légumes frais de la campagne.*
2. Apporter une chose au lieu où elle était. *J'aimerais que tu me rapportes ce livre. Rapporte la balle, Fido !* **SYN.** rendre.
Comme ***apporter,*** le verbe se construit avec un complément non animé, alors que ***amener*** s'emploie en parlant des personnes.
3. Produire, donner un bon revenu. *Ces actions rapportent beaucoup.*
4. Faire le récit de ce qu'on a vu et entendu. *Antoine m'a fidèlement rapporté l'incident.* **SYN.** conter, raconter.
5. Raconter de façon indiscrète. *Arrête de tout rapporter au professeur !*
Verbe pronominal
Avoir rapport à. *Ces renseignements se rapportent à cet évènement.* **SYN.** concerner.
La forme pronominale se dit des choses et non des personnes.
Forme fautive
*se rapporter. Calque de « to report oneself » au sens de ***se présenter, rendre des comptes.***
Conjugaison [VOIR MODÈLE – **AIMER**]

rapprendre ou **réapprendre** v. tr.
Apprendre de nouveau. *Il te faut réapprendre tes verbes irréguliers.*
Conjugaison [VOIR MODÈLE – **APPRENDRE**]

rapprochement n. m.
1. Action de rapprocher.
2. Tentative de réconciliation.
3. Comparaison, rapport. *On peut faire un rapprochement entre ces œuvres.*

r

rapprocher v. tr., pronom.
Verbe transitif
Approcher de plus près. *Rapproche ta chaise du feu.*
Verbe pronominal
Devenir proche. *Ils se sont rapprochés de leurs parents, de leur objectif.*
Conjugaison [VOIR MODÈLE – **AIMER**]

rapt n. m.
Les lettres ***pt*** se prononcent [rapt]; le mot rime avec ***apte.***
Enlèvement d'une personne. *Des rapts nombreux.*
Les noms ***rapt*** et ***enlèvement*** sont à préférer à ***kidnapping.***

***raqué (être)**
Calque de « to be wrecked » pour ***être courbaturé, fatigué.***

raquette n. f.
1. Instrument de forme arrondie muni d'un manche pour jouer au tennis, au ping-pong.
2. Large semelle s'adaptant à la chaussure afin de faciliter la marche sur la neige molle.

raquetteur, euse n. m. et f.
Personne qui marche avec des raquettes sur la neige.

rare adj.
1. Inhabituel. *Un fait rare.*
2. Exceptionnel. *Une rare beauté, une pierre rare.*
3. (AU PLURIEL) Peu nombreux. *De rares spectateurs assistaient au spectacle.*

rarement adv.
Peu souvent. *Il vient rarement nous voir. Rarement venait-il au village voir ses vieux amis.* **ANT.** fréquemment, souvent.
Après cet adverbe placé en tête de phrase, le sujet est souvent inversé, surtout dans la langue soutenue. L'adverbe n'est pas accompagné de la particule de négation ***ne.***

rareté n. f.
Qualité de ce qui est rare, exceptionnel. *C'est sa rareté qui fait la valeur du diamant.*

ras, rase adj. et adv.
Adjectif
1. Dont le poil est coupé très court, tondu. *Il a la barbe rase.*
2. Rempli jusqu'au bord. *Une tasse rase de raisins.*
Adverbe
De très près. *L'herbe a été tondue très ras.*
Pris adverbialement, le mot est invariable.
Locutions
À ras bord, à ras bords, locution adverbiale. Très plein, jusqu'aux bords. *Il a rempli son verre à ras bord,.*
Dans cette locution, le nom s'écrit au singulier ou au pluriel.
Au ras de, à ras de, locutions prépositives. Au même niveau, à la surface de. *Au ras de l'eau, à ras de terre.*
En avoir ras le bol. (FAMILIER) En avoir assez.
Cette expression s'écrit sans trait d'union, mais le nom masculin invariable s'écrit avec des traits d'union.
VOIR **RAS-LE-BOL.**
En rase campagne. En terrain découvert.
Faire table rase. Faire abstraction de toute idée préconçue.

rasage n. m.
Action de raser.

rase-mottes n. m. inv. (pl. *rase-mottes*)
Se dit d'un vol au ras du sol. *Ces avions volent en rase-mottes.*

raser v. tr., pronom.
Verbe transitif
1. Couper les cheveux, la barbe, les poils tout près de la peau. *Le coiffeur l'a rasé.*
2. Passer tout près, frôler. *Un projectile l'a rasé, il a eu de la chance de ne pas être blessé.*
3. Démolir complètement. *Les promoteurs ont rasé cet immeuble ancien.* **SYN.** détruire, supprimer.
Verbe pronominal
Se couper les poils, la barbe avec un rasoir. *Ils se sont rasés de près.*
Conjugaison [VOIR MODÈLE – **AIMER**]

ras-le-bol n. m. inv. (pl. *ras-le-bol*)
(FAMILIER) Fait d'en avoir assez, d'être fatigué de quelqu'un, de quelque chose. *Le ras-le-bol des examens.*
Le nom s'écrit avec des traits d'union, contrairement à la locution. *En avoir ras le bol.*

rasoir n. m.
Instrument servant à raser les poils du visage. *Un rasoir électrique.*

rassasier v. tr., pronom.
Verbe transitif
Satisfaire l'appétit, les désirs de quelqu'un. *Ce repas les a rassasiés pleinement, ils ne peuvent plus rien avaler.*
Verbe pronominal
Combler sa faim, au propre et au figuré. *Je n'arrive pas à me rassasier de ce bon pain. Se rassasier de lectures passionnantes.*
Conjugaison [VOIR MODÈLE – **ÉTUDIER**]
Redoublement du ***i*** à la première et à la deuxième personne du pluriel de l'indicatif imparfait et du subjonctif présent. *(Que) nous rassasiions, (que) vous rassasiiez.*

rassemblement n. m.
1. Action de rassembler. *Sonner le rassemblement.*
2. Réunion d'un grand nombre de personnes. *Un rassemblement de 65 000 personnes pour un Québec français.*

rassembler v. tr., pronom.
Verbe transitif
Réunir. *Cette fête a rassemblé tous les camarades du collège.*
Verbe pronominal
Se grouper. *Ils se sont rassemblés en grand nombre sur la montagne.*
Ne pas confondre avec le verbe ***ressembler,*** avoir une ressemblance avec.
Conjugaison [VOIR MODÈLE – **AIMER**]

rasseoir v. tr., pronom.
Verbe transitif
Asseoir de nouveau.
Verbe pronominal
S'asseoir de nouveau. *Elles se sont rassises.*
Conjugaison [VOIR MODÈLE – **ASSEOIR**]

rassis, ise adj.
Qui commence à durcir, à se dessécher. *Du pain rassis, une brioche rassise.*
Attention à la forme féminine : rassi***se*** (et non *rassie).

rassurant, ante adj.
Qui est propre à redonner la confiance. *Ces réactions sont rassurantes, des propos rassurants qui nous tranquillisent.*
ANT. inquiétant.

Ne pas confondre avec le participe présent invariable ***rassurant.*** *Rassurant leurs parents inquiets, les enfants ont expliqué leur retard.*

rassurer v. tr.
Rendre la confiance, la tranquillité à quelqu'un. *Ces explications les ont rassurés.* **SYN.** tranquilliser.
Conjugaison [VOIR MODÈLE – **AIMER**]

rat n. m.
Rongeur très nuisible. *Il y a parfois des rats dans les égouts.*
La femelle du rat est une ***rate.***
VOIR TABLEAU – **ANIMAUX.**
ra**t.**

ratatiner v. tr., pronom.
Verbe transitif
Réduire la taille en déformant.
Verbe pronominal
Rapetisser en se desséchant, se flétrir. *Ces fruits se sont ratatinés.*
Conjugaison [VOIR MODÈLE – **AIMER**]

ratatouille n. f.
Mets provençal à base de tomates, d'oignons, de courgettes, etc.

rate n. f.
1. Organe du corps situé sous la partie gauche du diaphragme. *On dit que le rire dilate la rate.*
2. Femelle du rat.
VOIR TABLEAU – **ANIMAUX.**
ra**t**e.

râteau n. m. (pl. *râteaux*)
Instrument de jardinage servant à racler, à ratisser.
r**â**teau.

rater v. tr., intr.
Verbe transitif
Ne pas atteindre un but. *Il a raté son examen et devra se présenter à la reprise.* **SYN.** échouer à, manquer.
Verbe intransitif
Ne pas réussir. *L'affaire a raté.*
Conjugaison [VOIR MODÈLE – **AIMER**]

ration n. f.
Portion quotidienne de nourriture destinée à une personne, à un animal. *Donne à Rouki et à Filou leur ration d'eau et de viande pour la journée.*

rationner v. tr.
Limiter la quantité d'une denrée, d'un produit. *Ils ont dû rationner l'essence, car il y en avait très peu.*
Conjugaison [VOIR MODÈLE – **AIMER**]
ratio**nn**er.

ratissage n. m.
1. Action de ratisser. *Le ratissage des allées du jardin.*
2. Opération policière, militaire, de fouille méthodique d'un secteur. *Les policiers ont effectué le ratissage d'un quartier pour trouver des malfaiteurs.*
r**a**tissage, sans accent circonflexe, malgré ***râteau.***

ratisser v. tr.
1. Nettoyer minutieusement le sol avec un râteau. *Elle ratisse les allées du jardin.*
2. (FIGURÉ) Fouiller méthodiquement. *Les policiers ratissent la région à la recherche des fuyards.*
Conjugaison [VOIR MODÈLE – **AIMER**]
r**a**tisser, sans accent circonflexe, malgré ***râteau.***

raton n. m.
Raton laveur. Mammifère carnivore d'Amérique dont la fourrure est recherchée.
Au Québec, on appelle aussi cet animal ***chat sauvage.***
VOIR TABLEAU – **ANIMAUX.**

ratoureux, euse adj. et n. m. et f.
(FAMILIER) Se dit d'une personne astucieuse, rusée. **SYN.** malin.

rattacher v. tr., pronom.
Verbe transitif
1. Attacher de nouveau. *Elle a rattaché ses cheveux.* **SYN.** renouer.
2. Établir un rapport entre des personnes, des choses. *Il a rattaché cet indice à l'enquête en cours.* **SYN.** relier.
Verbe pronominal
Avoir un lien, une relation. *Nous croyons que ce fait se rattache au problème mentionné.* **SYN.** dépendre.
Conjugaison [VOIR MODÈLE – **AIMER**]

rattrapage n. m.
Action de rattraper.
Locution
Cours de rattrapage. Cours destiné à supprimer, à réduire un retard dans un apprentissage.
ra**tt**ra**p**age.

rattraper v. tr., pronom.
Verbe transitif
Attraper de nouveau, récupérer. *Elle a rattrapé son retard. Il a rattrapé son chien qui s'était enfui.*
Verbe pronominal
1. Se retenir.
2. Corriger une insuffisance. *Ils se sont rattrapés à temps et ont réussi l'examen.*
Conjugaison [VOIR MODÈLE – **AIMER**]
ra**tt**ra**p**er.

rature n. f.
Trait annulant un ou plusieurs mots. *Un texte truffé de ratures.*

raturer v. tr.
Biffer, rayer un mot. *L'enseignante n'accepte pas les copies raturées.*
Conjugaison [VOIR MODÈLE – **AIMER**]

rauque adj.
Rude, enroué, en parlant d'un cri, de la voix. *Julie a mal à la gorge et sa voix est rauque.*

ravage n. m.
1. Dégât, dommage. *L'ouragan a fait d'énormes ravages.*
2. Lieu de rassemblement hivernal de chevreuils (cerfs de Virginie), d'orignaux (élans).

ravager v. tr.
1. Faire des dégâts, endommager. *Les chèvres ont ravagé le jardin : elles ont tout mangé.* **SYN.** détériorer, saccager.
2. Détruire. *L'éruption volcanique a ravagé la petite ville voisine.*
Conjugaison [VOIR MODÈLE – **CHANGER**]
Le ***g*** est suivi d'un **e** devant les lettres ***a*** et ***o.*** *Il ravagea, nous ravageons.*

ravalement n. m.
Nettoyage de la façade d'un immeuble.

ravi, ie adj.
Enchanté. *Elle est ravie des résultats. Je suis ravie que vous puissiez venir.* **SYN.** content.

r

L'adjectif se construit avec la préposition ***de*** ; quand le complément est une proposition, il se construit avec la conjonction ***que*** ou la locution conjonctive ***de ce que*** suivie du subjonctif. *Je suis ravie que vous soyez là.*

ravigoter v. tr.
(FAMILIER) Donner de la vigueur, revigorer. *Ce café m'a ravigoté.* **SYN.** ragaillardir, (FAMILIER) retaper.
Conjugaison [VOIR MODÈLE – **AIMER**]
ravigo**t**er.

ravin n. m.
Dépression profonde d'un terrain formée par le passage d'un torrent.

ravioli n. m. (pl. *raviolis* ou *ravioli*)
Petit carré de pâte farcie de viande hachée. *Ce soir, on mangera des raviolis.*
Tout comme le mot ***spaghetti***, ce nom emprunté à l'italien est à l'origine au pluriel : il peut rester invariable, mais on a tendance de plus en plus à le franciser et donc à l'écrire avec un ***s*** au pluriel.

ravir v. tr.
1. (LITTÉRAIRE) Enlever de force. *Il a été ravi à l'affection des siens.*
2. Plaire beaucoup à. *Ce roman l'a ravi.* **SYN.** enchanter, enthousiasmer.
Locution
À ravir, locution adverbiale. À merveille. *Cette teinte lui va à ravir.*
Conjugaison [VOIR MODÈLE – **FINIR**]

raviser (se) v. pronom.
Changer d'avis. *Ils se sont ravisés et ont abandonné ce projet.*
Le participe passé de ce verbe qui n'existe qu'à la forme pronominale s'accorde toujours en genre et en nombre avec le sujet du verbe.
Conjugaison [VOIR MODÈLE – **AIMER**]

ravissant, ante adj.
Charmant, extrêmement joli. *Des tableaux ravissants.*

ravissement n. m.
Admiration, joie. *Les enfants regardaient le spectacle sur glace avec ravissement.* **SYN.** enchantement, enthousiasme.

ravisseur, euse n. m. et f.
Celui, celle qui enlève une personne de force.

ravitaillement n. m.
1. Action de ravitailler. *Un ravitaillement hebdomadaire.* **SYN.** approvisionnement.
2. Provisions, articles, etc., qui servent à ravitailler.

ravitailler v. tr., pronom.
Verbe transitif
Approvisionner. *Ce fournisseur ravitaille les bûcherons lorsqu'ils sont en forêt.*
Verbe pronominal
Se procurer ce qui est nécessaire. *Nous pourrons nous ravitailler au prochain village.* **SYN.** s'approvisionner, se fournir.
Conjugaison [VOIR MODÈLE – **AIMER**]
Les lettres ***ill*** sont suivies d'un ***i*** à la première et à la deuxième personne du pluriel de l'indicatif imparfait et du subjonctif présent. *(Que) nous ravitaillions, (que) vous ravitailliez.*

rayé, ée adj.
Qui porte des rayures. *Une chemise rayée bleu et blanc.*

rayer v. tr.
1. Faire des rayures sur un tissu, un papier, etc.
2. Détériorer par des rayures. *Il a rayé la table avec un couteau.* **SYN.** égratigner, érafler.
3. Barrer. *Rayer le nom d'un candidat sur une liste. Deux mots ont été rayés.* **SYN.** biffer.
4. Éliminer, exclure. *L'éruption de l'Etna a rayé de la carte ce petit village sicilien.*
Conjugaison [VOIR MODÈLE – **PAYER**]
La conjugaison peut se faire avec le ***y*** ou le ***i***. *Je raye, tu rayes. Je rayerai, je rayerais. (Je raie, tu raies. Je raierai, je raierais).* Toutefois, la forme en ***y*** est la plus courante.

rayon n. m.
1. Trait de lumière. *Un rayon de soleil.*
2. Radiation. *Des rayons X, des rayons infrarouges, des rayons ultraviolets.*
3. Droite reliant le centre d'un cercle à un point de la circonférence. *Les rayons d'une roue de bicyclette.*
4. Tablette d'une armoire, d'une bibliothèque. *Des rayons de livres.*
5. Partie d'un magasin. *Le rayon des jouets* (et non le *département).
Locutions
Rayon d'action. Zone d'activité. *Des rayons d'action très vastes.*
Rayon de soleil. (FIGURÉ) Personne ou chose qui enchante, qui égaie. *Ces fillettes sont les rayons de soleil de mamie et de papi.*

rayonnant, ante adj.
Radieux. *Annie est rayonnante de joie, elle a gagné le premier prix.* **SYN.** éclatant.
rayo**nn**ant.

rayonnement n. m.
1. Émission de radiations. *Le rayonnement du soleil.*
2. Diffusion, influence. *Le rayonnement d'une culture, d'une œuvre.*
rayo**nn**ement.

rayonner v. intr.
1. Se diffuser par rayonnement. *Le soleil rayonne sur la mer.* **SYN.** briller.
2. Traduire une grande joie. *Son visage rayonne de bonheur.*
3. Exercer son action sur une certaine étendue. *Cette compagnie aérienne rayonne dans le monde entier.*
Conjugaison [VOIR MODÈLE – **AIMER**]
rayo**nn**er.

rayure n. f.
1. Façon dont une chose est rayée. *De grandes rayures bleues.* **SYN.** trait.
2. Marque laissée par un objet pointu. *Ce cendrier a fait une rayure sur la table.* **SYN.** égratignure, éraflure.

raz-de-marée ou **raz de marée** n. m. inv. (pl. *raz-de-marée* ou *raz de marée*)
Le ***z*** ne se prononce pas.
Vague gigantesque provoquée par un tremblement de terre, une éruption volcanique.
Ce nom peut s'écrire avec ou sans traits d'union.

re-, ré- préf.
Élément du latin qui exprime une répétition (***refaire***), un mouvement vers un état antérieur (***revenir***).
Les mots composés du préfixe ***re-*** ou de sa variante ***ré-*** s'écrivent en un seul mot. *Réadaptation, réintégrer.*

ré n. m. inv.
Deuxième note de la gamme de ***do***.

réacteur n. m.
Moteur à réaction. *Cet avion est propulsé par quatre réacteurs.*

réaction n. f.
1. Action de réagir. *Les réactions des élèves à l'annonce de leur succès ont été enthousiastes.* **SYN.** réponse.
2. Mouvement qui a lieu en sens opposé d'un mouvement précédent. *Par réaction à l'étude, elle a choisi le sport.*
Locutions
En réaction à, contre, par réaction à, contre, locutions prépositives. En réponse à une action. *En réaction contre* ou *à la tradition familiale, il a opté pour la mécanique automobile.*
Moteur à réaction. Propulseur par lequel les gaz dirigés vers l'arrière impriment une poussée au véhicule vers l'avant. **SYN.** réacteur.

réadaptation n. f.
1. Action d'adapter à nouveau une personne qui n'était plus adaptée.
2. Traitement (massages, exercices, etc.) visant à réduire les inconvénients d'un accident, d'une maladie, etc., afin d'adapter à nouveau les muscles, les organes à leur fonction. *Après l'amputation de sa jambe, il a séjourné à l'Institut de réadaptation pour apprendre à marcher avec sa prothèse.*
Ne pas confondre avec le nom ***réhabilitation*** qui désigne l'action de faire recouvrer l'estime, la considération. La ***réadaptation*** est d'ordre physique, alors que la ***réhabilitation*** est d'ordre moral.

réadapter v. tr.
Adapter à nouveau. *Réadapter à la marche un garçon.* **SYN.** rééduquer.
Conjugaison [VOIR MODÈLE – **AIMER**]

réagir v. intr.
1. Répondre à une action antérieure. *Ils ont bien réagi à notre proposition.*
En ce sens, le verbe se construit avec la préposition **à.**
2. Être en désaccord avec quelqu'un, quelque chose. *Les parents ont réagi contre cette décision ; ils y sont opposés.*
En ce sens, le verbe se construit avec la préposition ***contre.***
3. Faire un effort pour résister. *Allons ! Il faut réagir. Réagir contre la bureaucratie.*
Conjugaison [VOIR MODÈLE – **FINIR**]

réalisable adj.
Que l'on peut réaliser. *Un projet réalisable.* **SYN.** faisable, possible.

réalisateur n. m.
réalisatrice n. f.
1. Personne chargée de la direction d'une émission de radio ou de télévision.
2. Personne chargée de la mise en scène d'un film.

réalisation n. f.
1. Action de rendre réel. *La réalisation d'un rêve.*
2. Action de réaliser. *La réalisation d'un film ou d'une série télévisée.*

réaliser v. tr., pronom.
Verbe transitif
1. Rendre concret, effectuer. *Réaliser un projet.* **SYN.** exécuter.
2. Être l'auteur, le metteur en scène d'un film, d'une émission de radio ou de télévision. **SYN.** créer, produire.
3. Comprendre, se rendre compte, prendre conscience de. *Antoine n'avait pas réalisé que son geste pouvait chagriner Delphine.* **SYN.** prendre conscience de.
Cet emploi calqué de l'anglais a été critiqué, mais il est maintenant passé dans l'usage.
Verbe pronominal
1. Devenir réel. *Nos souhaits se sont réalisés.* **SYN.** arriver.
2. S'épanouir. *Dans cette profession, elle s'est pleinement réalisée.*
Conjugaison [VOIR MODÈLE – **AIMER**]

réalisme n. m.
Attitude de la personne qui perçoit la réalité telle qu'elle est. *Il faut cesser de rêver et faire preuve de réalisme, de bon sens.* **ANT.** idéalisme.

réaliste adj. et n. m. et f.
Personne qui fait preuve de réalisme, qui a le sens des réalités. *Une attitude réaliste. Un, une réaliste.* **ANT.** irréaliste.

réalité n. f.
Ce qui existe. *Ne pas prendre ses désirs pour des réalités.* **SYN.** réel.
Locution
En réalité, locution adverbiale. Réellement. *Nous pensions terminer le travail demain ; en réalité, ce ne sera que dans trois jours.*

réanimation ou **ranimation** n. f.
(MÉDECINE) Ensemble des moyens pris pour rétablir les fonctions vitales d'une personne. *La réanimation cardiaque.*

réanimer v. tr.
Procéder à la réanimation d'une personne. *Tenter de réanimer un blessé.*
Le verbe ***réanimer*** s'emploie dans un contexte médical exclusivement, alors que le verbe ***ranimer*** signifie « rendre l'ardeur, la vigueur, l'éclat ».
Conjugaison [VOIR MODÈLE – **AIMER**]

réapparaître v. intr.
Apparaître de nouveau. *Le problème a réapparu* ou *est réapparu.*
Ce verbe se conjugue avec l'auxiliaire ***avoir*** ou, moins fréquemment, avec l'auxiliaire ***être.***
Conjugaison [VOIR MODÈLE – **PARAÎTRE**]

rébarbatif, ive adj.
1. Désagréable, sévère. *Un visage rébarbatif.*
2. Aride, difficile. *Un livre rébarbatif.*

rebelle adj. et n. m. et f.
1. Insoumis. *Des soldats rebelles. Les rebelles seront capturés.*
2. Hostile. *Ils sont rebelles à la discipline.* **SYN.** opposé, récalcitrant.
3. Tenace. *Une fièvre rebelle aux médicaments.*

rebeller (se) v. pronom.
Se révolter contre l'autorité légitime. *Ils se sont rebellés contre cette décision.*
Le participe passé de ce verbe qui n'existe qu'à la forme pronominale s'accorde toujours en genre et en nombre avec le sujet du verbe.
Conjugaison [VOIR MODÈLE – **AIMER**]

rébellion n. f.
1. Révolte. *Le capitaine a mis fin à la rébellion.* **SYN.** désobéissance.
2. Révolution. *La rébellion des Patriotes en 1837.*
rébellion.

rebiffer (se) v. pronom.
Refuser vivement. *Ils se sont rebiffés contre cette décision unilatérale.*
Note – Le participe passé de ce verbe qui n'existe qu'à la forme pronominale s'accorde toujours en genre et en nombre avec le sujet du verbe.
Conjugaison [VOIR MODÈLE – **AIMER**]

reboiser v. tr.
Planter des arbres sur un terrain déboisé. **ANT.** déboiser.
Conjugaison [VOIR MODÈLE – **AIMER**]

rebondi, ie adj.
Arrondi. *Des joues rebondies.* **SYN.** dodu, rond.

rebondir v. intr.
1. Faire des bonds après avoir touché le sol. *Ce ballon rebondit bien sur le sol* ou *contre le mur.*
2. (FIGURÉ) Avoir des répercussions imprévues. *Cette affaire a rebondi à l'étranger.*
Conjugaison [VOIR MODÈLE – **FINIR**]

rebondissement n. m.
Répercussion, développement. *Les rebondissements d'un scandale.* **SYN.** conséquence.

rebord n. m.
Bord de quelque chose, souvent en saillie. *Le rebord d'une piscine.* **SYN.** bordure.
Orthographe : rebor**d.**

rebours n. m.
Sens contraire.
Locutions
À rebours, locution adverbiale. À l'envers.
Compte à rebours. Comptage inversé qui aboutit au zéro marquant le départ. *Le compte à rebours a commencé : 5, 4, 3, 2, 1, 0, partez !*
Orthographe : rebour**s,** attention au ***s*** final.

rebouteux ou **rebouteur, euse** n. m. et f.
(FAMILIER) Personne qui, sans avoir de connaissances médicales, fait métier de remettre les luxations, de réduire les fractures.
Note – La graphie ***rebouteur*** est rare.

rebrousse-poil (à) loc. adv.
1. Dans le sens opposé à celui des poils. *Flatter un chien à rebrousse-poil.*
2. (FIGURÉ) Maladroitement. *Attention de ne pas le prendre à rebrousse-poil, il pourrait réagir négativement.*
Orthographe : **à rebrousse-poil,** avec un trait d'union.

rebrousser v. tr.
Relever les cheveux, les poils en sens contraire.
Locution
Rebrousser chemin. Revenir sur ses pas.
Conjugaison [VOIR MODÈLE – **AIMER**]

rébus n. m.
Prononciation : Le ***s*** se prononce [rebys]; le mot rime avec ***autobus.***
Jeu d'esprit, énigme. *Jouer aux rébus.*
Note – Ne pas confondre avec le nom ***rebut,*** déchet.
Orthographe : rébu**s.**

rebut n. m.
Déchet. **SYN.** ordure.
Locutions
De rebut, locution adjective. Sans valeur.
Mettre, jeter quelque chose au rebut. S'en débarrasser.
Note – Ne pas confondre avec le nom ***rébus,*** jeu d'esprit.

rebuter v. tr.
Dégoûter quelqu'un, déplaire à quelqu'un. *Ce travail la rebute.*
Conjugaison [VOIR MODÈLE – **AIMER**]

récalcitrant, ante adj.
Qui résiste avec entêtement. *Ces jeunes sont récalcitrants.*
SYN. rebelle.

récapitulatif, ive adj.
Qui sert à récapituler. *Une liste récapitulative.*

récapituler v. tr.
Reprendre, résumer. *Il récapitule ses tables de multiplication.*
Conjugaison [VOIR MODÈLE – **AIMER**]

récemment adv.
Prononciation : La deuxième syllabe se prononce ***sa*** [resamɑ̃].
Depuis peu de temps, dernièrement.
Orthographe : réc**emm**ent.

recensement n. m.
1. Dénombrement des habitants d'une ville, d'un pays. *Faire le recensement des électeurs.*
2. Inventaire d'éléments en vue d'en dresser un état.
Orthographe : re**c**en**s**ement.

recenser v. tr.
1. Dénombrer une population. *Ces personnes recensent les électeurs.*
2. Répertorier, dénombrer des personnes, des choses.
Conjugaison [VOIR MODÈLE – **AIMER**]
Orthographe : re**c**en**s**er.

récent, ente adj.
Qui existe depuis peu de temps. *Une édition récente.*

récepteur, trice adj. et n. m.
Adjectif
Qui reçoit. *Un poste récepteur.*
Nom masculin
Partie de l'appareil téléphonique permettant de parler et d'écouter.

réception n. f.
1. Action de recevoir. *La réception d'un colis.*
2. Accueil. *Ils ont fait bonne réception au nouvel ouvrage.*
3. Service chargé de l'accueil des visiteurs, des clients d'une entreprise, d'un hôtel, etc. *Adressez-vous à la réception.*
Locution
Accusé de réception. Avis confirmant qu'une chose a été reçue. *Des accusés de réception.*

réceptionniste n. m. et f.
Personne chargée de l'accueil des clients, des visiteurs (d'une entreprise, d'un hôtel, etc.).

réceptivité n. f.
Aptitude à recevoir des impressions, à admettre de nouvelles idées.

recette n. f.
1. Ensemble des sommes perçues par une entreprise pour une période donnée. *La recette de la journée est excellente.*
2. Description détaillée de la manière de préparer un mets. *Des recettes de cuisine.*
3. Moyen. *Quelle est la recette du bonheur ?*

recevoir v. tr.
1. Être mis en possession de ce qui est offert, donné, envoyé. *Recevoir une lettre.*
2. Accueillir. *Recevoir des amis.*
3. Être l'objet de quelque chose. *Recevoir un appel, des coups.*
Conjugaison [VOIR MODÈLE – **RECEVOIR**]

Indicatif

Présent		*Passé composé*		
je	reçois	j'	ai	reçu
tu	reçois	tu	as	reçu
elle	reçoit	elle	a	reçu
il	reçoit	il	a	reçu
nous	recevons	nous	avons	reçu
vous	recevez	vous	avez	reçu
elles	reçoivent	elles	ont	reçu
ils	reçoivent	ils	ont	reçu

Imparfait		*Plus-que-parfait*		
je	recevais	j'	avais	reçu
tu	recevais	tu	avais	reçu
elle	recevait	elle	avait	reçu
il	recevait	il	avait	reçu
nous	recevions	nous	avions	reçu
vous	receviez	vous	aviez	reçu
elles	recevaient	elles	avaient	reçu
ils	recevaient	ils	avaient	reçu

Passé simple		*Passé antérieur*		
je	reçus	j'	eus	reçu
tu	reçus	tu	eus	reçu
elle	reçut	elle	eut	reçu
il	reçut	il	eut	reçu
nous	reçûmes	nous	eûmes	reçu
vous	reçûtes	vous	eûtes	reçu
elles	reçurent	elles	eurent	reçu
ils	reçurent	ils	eurent	reçu

Futur simple		*Futur antérieur*		
je	recevrai	j'	aurai	reçu
tu	recevras	tu	auras	reçu
elle	recevra	elle	aura	reçu
il	recevra	il	aura	reçu
nous	recevrons	nous	aurons	reçu
vous	recevrez	vous	aurez	reçu
elles	recevront	elles	auront	reçu
ils	recevront	ils	auront	reçu

Infinitif

Présent	*Passé*
recevoir	avoir reçu

Subjonctif

Présent			*Passé*			
que	je	reçoive	que	j'	aie	reçu
que	tu	reçoives	que	tu	aies	reçu
qu'	elle	reçoive	qu'	elle	ait	reçu
qu'	il	reçoive	qu'	il	ait	reçu
que	nous	recevions	que	nous	ayons	reçu
que	vous	receviez	que	vous	ayez	reçu
qu'	elles	reçoivent	qu'	elles	aient	reçu
qu'	ils	reçoivent	qu'	ils	aient	reçu

Imparfait			*Plus-que-parfait*			
que	je	reçusse	que	j'	eusse	reçu
que	tu	reçusses	que	tu	eusses	reçu
qu'	elle	reçût	qu'	elle	eût	reçu
qu'	il	reçût	qu'	il	eût	reçu
que	nous	reçussions	que	nous	eussions	reçu
que	vous	reçussiez	que	vous	eussiez	reçu
qu'	elles	reçussent	qu'	elles	eussent	reçu
qu'	ils	reçussent	qu'	ils	eussent	reçu

Conditionnel

Présent		*Passé*		
je	recevrais	j'	aurais	reçu
tu	recevrais	tu	aurais	reçu
elle	recevrait	elle	aurait	reçu
il	recevrait	il	aurait	reçu
nous	recevrions	nous	aurions	reçu
vous	recevriez	vous	auriez	reçu
elles	recevraient	elles	auraient	reçu
ils	recevraient	ils	auraient	reçu

Impératif

Présent	*Passé*	
reçois	aie	reçu
recevons	ayons	reçu
recevez	ayez	reçu

Participe

Présent	*Passé*
recevant	reçu, ue
	ayant reçu

r

rechange n. m.
De rechange, locution adjective. Destiné à remplacer un élément de même type. *Des vêtements de rechange.*
De rechange, locution adjective. (FIGURÉ) De remplacement. *Une solution de rechange* (et non une *alternative).

réchapper v. intr.
Se tirer indemne d'une situation très dangereuse. *Il a réchappé d'un terrible accident. Je crois qu'elle en réchappera.*
Conjugaison [VOIR MODÈLE – **AIMER**]
✎ récha**pp**er.

recharge n. f.
Ce qui permet de recharger. *Une recharge de stylo à bille, une recharge de parfum* (et non un *refill).

rechargeable adj.
Qu'on peut recharger. *Un stylo à bille rechargeable.*
✎ recharg**ea**ble

recharger v. tr.
1. Charger de nouveau. *Il rechargea une batterie.*
2. Remettre une charge dans une arme.
Conjugaison [VOIR MODÈLE – **CHANGER**]
Le ***g*** est suivi d'un ***e*** devant les lettres ***a*** et ***o.*** *Il rechargea, nous rechargeons.*

réchaud n. m.
1. Petit appareil servant à chauffer ou cuire les aliments. *Un réchaud de camping.*
2. Ustensile servant à garder les plats chauds.
✎ réch**aud.**

réchauffement n. m.
Action de se réchauffer. *Assisterons-nous au réchauffement de la planète ?*

réchauffer v. tr., pronom.
Verbe transitif
1. Redonner de la chaleur. *Le soleil nous réchauffe. Réchauffer un plat.*
2. (FIGURÉ) Réconforter, ranimer. *Cet accueil réchauffe le cœur.*
Verbe pronominal
1. Redonner de la chaleur à son corps. *Elles n'arrivaient pas à se réchauffer. Elle s'est réchauffé les pieds. Elle s'est finalement réchauffée.*
☞ Attention à la place du complément d'objet direct pour l'accord du participe passé.
2. Devenir plus chaud. *Le temps s'est réchauffé.*
Conjugaison [VOIR MODÈLE – **AIMER**]

rêche adj.
Rude au toucher. *Un tissu rêche. Une peau rêche.* **SYN.** rugueux.
✎ r**ê**che.

recherche n. f.
1. Action de s'appliquer à trouver quelque chose, à l'obtenir. *André est à la recherche de ses clés. La recherche de la vérité.*
2. Travaux faits pour étudier une question. *Faire des recherches en biotechnologie.*
3. Raffinement. *Son appartement est décoré avec recherche.*
Locution
La recherche. Ensemble des travaux scientifiques qui tendent à la découverte de connaissances. *Un centre de recherche.*
☞ En ce sens, le terme ***recherche*** est un collectif et il s'écrit au singulier.

rechercher v. tr.
1. Chercher avec soin. *Il recherche la tranquillité.*
2. Faire des recherches, une enquête sur quelqu'un, quelque chose. *La direction de l'école recherche les auteurs de cette mauvaise plaisanterie.*
Conjugaison [VOIR MODÈLE – **AIMER**]

recherchiste n. m. et f.
⚜ Personne qui fait des recherches pour la radio, la télévision, le cinéma.

rechute n. f.
Réapparition d'une maladie. *Il est à nouveau fiévreux : il fait une rechute.*
✎ rech**u**te, sans accent.

récidive n. f.
Action de récidiver.

récidiver v. intr.
Commettre à nouveau une infraction, un crime après avoir déjà été condamné.
Conjugaison [VOIR MODÈLE – **AIMER**]

récidiviste adj. et n. m. et f.
(DROIT) Personne qui a commis à nouveau une infraction, un crime après une condamnation.

récif n. m.
Rocher ou suite de rochers à fleur d'eau, dans la mer. *Attention, le bateau va heurter un récif !*

récipient n. m.
Contenant. *Des récipients divers pour aller faire la cueillette des fraises.*
✎ récip**ient.**

réciproque adj.
Partagé de part et d'autre. *Une amitié réciproque lie ces deux copains.* **SYN.** mutuel.

récit n. m.
Histoire orale ou écrite d'un évènement, d'une aventure. *Un récit captivant.*
✎ réci**t.**

récital n. m. (pl. *récitals*)
Représentation musicale donnée par un seul artiste. *Un récital de piano.*

récitation n. f.
1. Action de réciter un texte que l'on connaît par cœur. *La récitation d'une fable de La Fontaine.*
2. Texte à apprendre par cœur. *Savoir sa récitation.*

réciter v. tr.
Dire à haute voix ce que l'on sait par cœur. *Réciter ses leçons.*
Conjugaison [VOIR MODÈLE – **AIMER**]

réclamation n. f.
1. Action de revendiquer quelque chose, de protester contre quelque chose. **SYN.** demande, plainte, protestation.
2. Action de s'adresser à une autorité pour faire reconnaître un droit.

réclame n. f.
(VIEUX) Publicité.
Locutions
En réclame. En réduction. *Ces produits sont en réclame cette semaine.* **SYN.** en promotion.
VOIR **SOLDE.**
Faire de la réclame. Faire de la publicité pour quelqu'un, quelque chose.

réclamer v. tr.
Demander avec insistance. *On réclame de la nourriture pour ceux qui ont faim.* **SYN.** exiger.
Conjugaison [VOIR MODÈLE – **AIMER**]

recoin n. m.
1. Coin caché. *Il a cherché dans tous les recoins de la maison, mais n'a rien trouvé.*
2. Ce qu'il y a de plus intime. *Les recoins de l'âme.* **SYN.** repli.

recoller v. tr.
Coller de nouveau. *Recoller les morceaux d'une assiette.*
Conjugaison [VOIR MODÈLE – **AIMER**]

récolte n. f.
1. Action de recueillir les produits de la culture. *La récolte des framboises.*
Pour la récolte des fruits, des fleurs, des légumes, on emploie aussi le nom de ***cueillette*** ; pour la récolte des céréales, on dit aussi la ***moisson.***
2. Les produits recueillis. *Cette année, la récolte est abondante.*
3. Action de recueillir quelque chose. *Les jeunes ont fait la récolte des paniers de Noël.* **SYN.** collecte.

récolter v. tr.
1. Faire la récolte de. *Récolter des pommes.*
2. (FAMILIER) (FIGURÉ) Recueillir quelque chose. *Vous risquez de récolter une retenue si vous ne remettez pas vos devoirs.*
Conjugaison [VOIR MODÈLE – **AIMER**]

recommandable adj.
Digne d'estime, qui mérite d'être recommandé. *Cette personne est peu recommandable.*

recommandation n. f.
1. Action de désigner une personne ou une chose à l'attention favorable de quelqu'un, en soulignant ses mérites, ses avantages. *Une recommandation enthousiaste.* **SYN.** appui, références.
2. Conseil, ordre. *Ma mère me fait toujours des recommandations quand je pars : sois prudent, me dit-elle.*
Locution
Recommandation officielle. Avis d'un organisme gouvernemental.
VOIR TABLEAU – **AVIS LINGUISTIQUES ET TERMINOLOGIQUES.**

recommander v. tr.
1. Vanter les qualités d'une personne, d'une chose. *Nos amis nous ont recommandé ce graphiste.*
2. Conseiller vivement. *Je vous recommande de ne pas perdre de temps. Nous recommandons la prudence à nos campeurs.*
Locution
Recommander un envoi postal. Payer une taxe postale spéciale pour garantir la livraison d'une lettre, d'un colis. *Il vaut mieux recommander* (et non *enregistrer) *ce colis.*
La mention ***recommandé*** s'écrit au masculin singulier. *Envoyer un paquet en recommandé.*
Conjugaison [VOIR MODÈLE – **AIMER**]

recommencer v. tr., intr.
Verbe transitif
Commencer de nouveau. *Recommencer son travail.* **SYN.** refaire, répéter, reprendre.
Suivi de l'infinitif, le verbe se construit avec la préposition ***à.*** *Le malade a recommencé à manger.*
Verbe intransitif
Se produire de nouveau. *La pluie recommence.*
Locution
Recommencer de plus belle. Recommencer avec plus d'ardeur.
Conjugaison [VOIR MODÈLE – **AVANCER**]
Le ***c*** prend une cédille devant les lettres ***a*** et ***o.*** *Il recommença, nous recommençons.*

récompense n. f.
Gratification, cadeau, don, etc., fait à quelqu'un en témoignage de reconnaissance, de satisfaction. *Ils ont obtenu des récompenses pour leur participation à ce concours. Une récompense de 1 000 $ sera offerte à la personne qui pourra donner des renseignements sur le chauffard.*

récompenser v. tr.
Donner une récompense à quelqu'un. *Récompenser des élèves d'avoir bien travaillé, de leur application.*
Conjugaison [VOIR MODÈLE – **AIMER**]

réconciliation n. f.
Action de mettre d'accord des personnes brouillées.

réconcilier v. tr., pronom.
Verbe transitif
1. Remettre d'accord des personnes. *J'ai réconcilié mon amie avec ses parents.*
2. Concilier des choses opposées. *Réconcilier études et loisirs.*
Le verbe se construit avec les prépositions ***avec*** ou ***et.***
Verbe pronominal
Se remettre d'accord. *Ils se sont finalement réconciliés.*
Conjugaison [VOIR MODÈLE – **ÉTUDIER**]
Redoublement du ***i*** à la première et à la deuxième personne du pluriel de l'indicatif imparfait et du subjonctif présent. *(Que) nous réconciliions, (que) vous réconciliiez.*

***reconditionner**
Anglicisme pour ***remettre en bon état, remettre à neuf, réusiner (un moteur).***

réconfort n. m.
Consolation. *Je vous remercie, vous m'avez apporté beaucoup de réconfort.* **SYN.** soutien.

réconfortant, ante adj.
Propre à réconforter. *Ces paroles sont réconfortantes.* **SYN.** encourageant, remontant.

réconforter v. tr., pronom.
Consoler, donner de la vigueur, de l'entrain. **SYN.** encourager, remonter, soutenir.
Conjugaison [VOIR MODÈLE – **AIMER**]

reconnaissance n. f.
1. Action d'identifier une personne, une chose. **SYN.** identification.
2. Action de reconnaître comme vrai, légitime. *La reconnaissance d'un droit, d'un gouvernement.*
3. Gratitude. *Il lui a témoigné beaucoup de reconnaissance. Voici un petit bouquet en reconnaissance de ce que vous avez fait pour moi.*

reconnaissant, ante adj.
Qui témoigne de la gratitude. *Elle est reconnaissante de son aide, ils sont reconnaissants envers leurs amis, à ses amis. Nous vous serions reconnaissants de nous confirmer votre participation avant le 15 avril.*
Cet adjectif suivi d'un nom se construit avec les prépositions ***de, envers*** ou ***à*** ; suivi d'un infinitif, il se construit avec ***de.***

reconnaître v. tr., pronom.
Verbe transitif
1. Identifier une personne, une chose. *Je le reconnais bien malgré toutes ces années, il n'a pas changé.*
2. Admettre comme vrai, légitime. *Elle reconnaît que c'est à vous de prendre cette décision. Ils reconnaissent qu'ils ont fait une erreur, avoir pris la mauvaise décision.*
3. Avouer. *Reconnaître ses torts.* **SYN.** confesser.
Verbe pronominal
1. Retrouver une ressemblance, une image. *François ne se reconnaît pas sur cette photo. Ils ne se sont pas reconnus après toutes ces années.*
2. Comprendre. *Il est parfois difficile de s'y reconnaître.*
3. Admettre quelque chose. *Se reconnaître coupable.*
Conjugaison [VOIR MODÈLE – **APPARAÎTRE**]

reconstituer v. tr.
Recréer. *Il faut reconstituer le décor de l'époque.*
Conjugaison [VOIR MODÈLE – **AIMER**]

reconstitution n. f.
Action de former à nouveau, de recréer une chose disparue. *Une reconstitution historique.*

record n. m.
1. Exploit sportif. *Battre un record. Établir de nouveaux records.*
2. (PAR APPOSITION) Jamais encore atteint. *Des résultats records, un chiffre record.*
Certains auteurs font du mot ***record*** apposé un adjectif invariable, mais on peut aussi le considérer comme un nom apposé qui prend la marque du pluriel.
Locution
En un temps record, locution adverbiale. Très rapidement.
Forme fautive
*record. Anglicisme au sens de ***dossier, archives, registre, disque.***

recoupement n. m.
Examen d'un fait par regroupement de données provenant de sources différentes.

recouper v. tr., pronom.
Verbe transitif
Couper de nouveau. *Elle a recoupé les cheveux de Laurence.*
Verbe pronominal
Coïncider. *Les histoires se recoupent.* **SYN.** correspondre.
Conjugaison [VOIR MODÈLE – **AIMER**]

recourber v. tr.
Courber par une extrémité. *Un bâton recourbé.*
Conjugaison [VOIR MODÈLE – **AIMER**]

recourir v. tr. ind., intr.
Verbe transitif indirect
1. Demander de l'aide à quelqu'un. *Recourir au médecin en cas d'urgence.*
2. Faire appel à. *Il devra recourir à un expert.* **SYN.** avoir recours à.
Les pronoms relatifs à employer avec ce verbe sont ***auquel, à laquelle, auxquels, auxquelles.*** *Le médecin auquel nous avons recouru est le Dr Lebeau. La technique à laquelle je recours est formidable.*
Verbe intransitif
Courir de nouveau. *Pour retrouver leur forme, Maud et Loïc recourent.*
Conjugaison [VOIR MODÈLE – **COURIR**]

recours n. m.
1. Action par laquelle on sollicite l'aide, le secours de quelqu'un. *Il n'y a aucun recours contre le vandalisme.*
2. Dernière ressource, dernier moyen auquel on recourt. *Vous êtes mon seul recours.*
Locutions
Avoir recours à quelqu'un, quelque chose. Demander de l'aide à quelqu'un, employer un moyen, quelque chose. *Ils ont eu recours aux pompiers pour éteindre l'incendie.* **SYN.** s'adresser.
En dernier recours. Lorsque tous les autres moyens sont épuisés.
recour**s.**

recouvrir v. tr.
Couvrir de nouveau. *La neige recouvrira bientôt le sol.*
Conjugaison [VOIR MODÈLE – **OUVRIR**]

récréatif, ive adj.
Divertissant. *Une soirée récréative.* **SYN.** amusant.

récréation n. f.
1. Divertissement. *Après cette longue journée de travail, nous avons besoin de récréation.* **SYN.** détente.
2. Temps d'arrêt entre les cours. *À 10 heures sonnait la récréation.*
Ce nom s'abrège familièrement ***récré.***

recréer v. tr.
Créer de nouveau. *Elle a recréé l'atmosphère des joyeuses rencontres de jadis.*
Ne pas confondre avec le verbe ***récréer,*** distraire, amuser.
Conjugaison [VOIR MODÈLE – **CRÉER**]

récréer v. tr., pronom.
Verbe transitif
(LITTÉRAIRE) Distraire, amuser. *Pour récréer les enfants, elle engagea un magicien.* **SYN.** divertir.
Verbe pronominal
(LITTÉRAIRE) Se divertir. *Ils se sont récréés en allant au spectacle.* **SYN.** se détendre .
Ne pas confondre avec le verbe ***recréer,*** créer de nouveau.
Conjugaison [VOIR MODÈLE – **CRÉER**]

récrire ou **réécrire** v. tr.
1. Écrire de nouveau. *Elle doit lui récrire la semaine prochaine.*
2. Rédiger d'une autre façon. *Récrire* ou *réécrire* (et non *rewriter) *un roman.*
Conjugaison [VOIR MODÈLE – **ÉCRIRE**]

recroqueviller (se) v. pronom.
Se replier, se blottir. *Ils se sont recroquevillés sur eux-mêmes.*
Le participe passé de ce verbe qui n'existe qu'à la forme pronominale s'accorde toujours avec le sujet du verbe.
Conjugaison [VOIR MODÈLE – **AIMER**]

recrudescence n. f.
La troisième syllabe se prononce ***dé*** [rəkrydesɑ̃s].
Reprise après une accalmie. *Nous notons une recrudescence des actes violents.* **SYN.** augmentation, retour.
recrude**sc**ence.

recrue n. f.
1. Jeune militaire qui vient d'être appelé au service.
2. (FIGURÉ) Personne qui vient s'ajouter à un groupe. *Nous avons de nouvelles recrues très intéressantes.*
Attention au genre féminin de ce nom : ***une*** recrue.

recrutement n. m.
Engagement d'un salarié, d'un cadre.
L'***embauchage*** se dit surtout pour un ouvrier.

recruter v. tr.
Engager du personnel. *L'école a recruté une bibliothécaire.*
Conjugaison [VOIR MODÈLE – **AIMER**]

rect(i)- préf.
Élément du latin signifiant « droit ». *Rectiligne.*

rectal, ale, aux adj.
Relatif au rectum. *Des thermomètres rectaux.*

rectangle n. m.
Parallélogramme à angles droits dont les côtés sont égaux deux à deux.

rectangulaire adj.
Qui a la forme d'un rectangle. *Un terrain rectangulaire.*

recteur n. m.
rectrice n. f.
Personne à la tête d'une université.

rectification n. f.
Correction. *La rectification d'une erreur.*

rectifier v. tr.
Corriger. *Il faudrait rectifier ces données qui sont inexactes.*
Conjugaison [VOIR MODÈLE – **ÉTUDIER**]
Redoublement du ***i*** à la première et à la deuxième personne du pluriel de l'indicatif imparfait et du subjonctif présent. *(Que) nous rectifiions, (que) vous rectifiiez.*

rectiligne adj.
Qui est en ligne droite. *Un jardin rectiligne.*

recto n. m.
Endroit d'une feuille de papier. *Les rectos sont paginés en nombres impairs.* **ANT.** verso.
Locution
Recto verso, locution adverbiale. Des deux côtés d'une feuille de papier. *Faire des impressions recto verso.*
Pris adverbialement, le mot est invariable.

rectum n. m.
Le ***u*** se prononce ***o*** [rɛktɔm].
Partie terminale de l'intestin. *Des rectums.*

reçu n. m.
Document prouvant que l'on a reçu quelque chose. *Pour récupérer mes chaussures chez le cordonnier, j'ai besoin du reçu qu'il m'a donné.*

recueil n. m.
Assemblage d'écrits de même nature. *Des recueils de récits de science-fiction.*
rec**uei**l.

recueillement n. m.
État d'une personne qui médite, qui se concentre de façon intense. **SYN.** méditation, réflexion.

recueillir v. tr., pronom.
Verbe transitif
1. Réunir, rassembler. *Il est chargé de recueillir les adresses de tous. Les dons qu'elle a recueillis seront versés à la fondation.*
2. Offrir l'hospitalité à quelqu'un qui est en difficulté. *Les voisins ont recueilli cette famille dont la maison a brûlé.* **SYN.** accueillir, héberger.
Verbe pronominal
Réfléchir, méditer. *Elle voudrait se recueillir quelques minutes dans la petite maison de campagne de son enfance.* **SYN.** se concentrer .
Conjugaison [VOIR MODÈLE – **CUEILLIR**]
INDICATIF PRÉSENT *Je recueille, tu recueilles, il recueille, nous recueillons, vous recueillez, ils recueillent.* IMPARFAIT *Je recueillais, tu recueillais, il recueillait, nous recueillions, vous recueilliez, ils recueillaient.* PASSÉ SIMPLE *Je recueillis.* FUTUR *Je recueillerai.* **CONDITIONNEL** PRÉSENT *Je recueillerais.* **IMPÉRATIF** PRÉSENT *Recueille, recueillons, recueillez.* **SUBJONCTIF** PRÉSENT *Que je recueille, que tu recueilles, qu'il recueille, que nous recueillions, que vous recueilliez, qu'ils recueillent.* IMPARFAIT *Que je recueillisse.* **PARTICIPE** PRÉSENT *Recueillant.* PASSÉ *Recueilli, ie.*

recul n. m.
Mouvement en arrière. *Un mouvement de recul.*

reculé, ée adj.
1. Éloigné (dans l'espace). *Un endroit reculé.* **SYN.** isolé, retiré.
2. Éloigné (dans le temps). *Dans les temps reculés, on habitait dans des cavernes.* **SYN.** ancien.

reculer v. tr., intr.
Verbe transitif
1. Déplacer vers l'arrière. *Reculer la voiture pour sortir du garage.*
2. Retarder. *L'école a reculé la date de l'examen.* **SYN.** différer, reporter.
Verbe intransitif
1. Aller en arrière. *La voiture recule. Ils ont reculé pour mieux sauter.*
2. (FIGURÉ) Renoncer à quelque chose de difficile, de dangereux. *Nos concurrents ont reculé devant notre supériorité.* **SYN.** (FAMILIER) se dégonfler.
Conjugaison [VOIR MODÈLE – **AIMER**]

reculons (à) loc. adv.
1. En reculant. *Rouler à reculons.*
2. (FIGURÉ) À contrecœur. *Il s'est joint au groupe à reculons.*
à reculon**s**, toujours avec un ***s.***

récupération n. f.
Action de récupérer. *La récupération des déchets recyclables.*

récupérer v. tr., intr.
Verbe transitif
1. Retrouver (ce qu'on avait perdu). *J'ai récupéré le porte-monnaie qu'on m'avait volé.*
2. Recycler. *Récupérer du papier-journal.*
Verbe intransitif
Reprendre des forces. *Il commence à récupérer.* **SYN.** se remettre.
Conjugaison [VOIR MODÈLE – **POSSÉDER**]
Le **é** de la troisième syllabe se change en **è** devant une syllabe muette, sauf à l'indicatif futur et au conditionnel présent. *Je récupère,* mais *je récupérerai.*

recyclage n. m.
1. Formation nouvelle ou complémentaire. *Plusieurs techniciens auraient besoin d'un bon recyclage.* **SYN.** mise à jour, perfectionnement.
2. Action de soumettre une matière, des déchets à un nouveau traitement. *Le recyclage du papier.*

recycler v. tr., pronom.
Verbe transitif
Soumettre à un recyclage. *Recycler des bouteilles, des journaux.* **SYN.** récupérer.
Verbe pronominal
Mettre à jour sa formation, acquérir une nouvelle formation. *Elles se sont recyclées en suivant un stage de formation professionnelle.*
Conjugaison [VOIR MODÈLE – **AIMER**]

rédacteur n. m.
rédactrice n. f.
Personne qui participe à la rédaction des textes d'un journal, d'un livre, d'une revue, etc. *La rédactrice en chef du* Devoir.

rédaction n. f.
1. Action de rédiger. *La rédaction d'un journal de voyage.* **SYN.** écriture.
2. Composition. *Demain nous devons remettre une rédaction sur notre futur métier.* **SYN.** dissertation.
3. Ensemble des journalistes d'un journal, d'un périodique.

rédiger v. tr.
Écrire sous une forme déterminée. *Nous rédigeons une petite histoire.*
Conjugaison [VOIR MODÈLE – **CHANGER**]
Le ***g*** est suivi d'un ***e*** devant les lettres ***a*** et ***o.*** *Il rédigea, nous rédigeons.*

redire v. tr.
Verbe transitif direct
Dire à nouveau. *Elle lui redit sans cesse la même chose.* **SYN.** répéter.
Verbe transitif indirect
Blâmer, critiquer. *Il n'a rien à redire.*
En ce sens, le verbe ne s'emploie qu'à l'infinitif et avec la préposition ***à.***
Conjugaison [VOIR MODÈLE – **DIRE**]
Ce verbe se conjugue comme ***dire.*** *Vous redites* (et non *redisez).

redoubler v. tr., intr.
Verbe transitif direct
Répéter, recommencer. *Redoubler une classe.*
Verbe transitif indirect
Montrer encore plus de. *Redoubler d'ardeur et d'attention.*
En ce sens, le verbe se construit avec la préposition ***de.***
Verbe intransitif
Augmenter, recommencer de plus belle. *L'orage redoubla.*
Conjugaison [VOIR MODÈLE – **AIMER**]

redoutable adj.
Qui est à craindre. *C'est un concurrent redoutable.* **SYN.** dangereux, puissant, terrible.

redouter v. tr.
Craindre grandement. *Elle redoute sa méchanceté. Il redoute d'avoir à se présenter à la reprise.* **SYN.** avoir peur de, s'effrayer.
Conjugaison [VOIR MODÈLE – **AIMER**]

redressement n. m.
Action de redresser, de corriger une situation problématique. *Un plan de redressement.*

redresser v. tr., pronom.
Verbe transitif
1. Relever. *Elle a redressé la tête pour regarder les oiseaux au loin.*
2. Rendre droit. *Le dentiste a réussi à redresser les dents de Martine.* **SYN.** rectifier.
3. Rétablir à un niveau acceptable à la suite de difficultés, remettre dans la bonne voie. *Elle redressa la situation et rendit l'entreprise profitable.* **SYN.** corriger.
Verbe pronominal
1. Se relever. *Redressez-vous, la directrice arrive !*
2. (FIGURÉ) Reprendre sa progression après un fléchissement. *L'économie s'est redressée.*
Conjugaison [VOIR MODÈLE – **AIMER**]

réduction n. f.
1. Action de diminuer. *La réduction des prix.* **SYN.** diminution.
2. Terme général qui désigne une diminution accordée sur un prix. *Une réduction de 50 % sur les prix courants.* **SYN.** rabais.

réduire v. tr., pronom.
Verbe transitif
Diminuer. *Il faut réduire les frais.* **SYN.** limiter.
Verbe pronominal
1. Se limiter à. *Ses réserves se réduisent à quelques boîtes.* **SYN.** se borner à.
À la forme pronominale et en ce sens, le verbe se construit avec la préposition ***à.***
2. Se transformer en. *Les glaçons se sont réduits en eau.*
En ce sens, le verbe se construit avec la préposition ***en.***
Conjugaison [VOIR MODÈLE – **CONDUIRE**]
INDICATIF PRÉSENT *Je réduis, tu réduis, il réduit, nous réduisons, vous réduisez, ils réduisent.* IMPARFAIT *Je réduisais.* PASSÉ SIMPLE *Je réduisis.* FUTUR *Je réduirai.* **CONDITIONNEL** PRÉSENT *Je réduirais.* **IMPÉRATIF** PRÉSENT *Réduis, réduisons, réduisez.* **SUBJONCTIF** PRÉSENT *Que je réduise.* IMPARFAIT *Que je réduisisse.* **PARTICIPE** PRÉSENT *Réduisant.* PASSÉ *Réduit, ite.*

réduit n. m.
1. Petite pièce sombre, recoin.
2. ⚜ Sève d'érable réduite par l'évaporation. *À la cabane à sucre, il est agréable de goûter au réduit.*

réduit, ite adj.
1. Qui a subi une réduction, diminué. *Des prix réduits. Rouler à vitesse réduite.*
2. Construit à petite échelle. *Un modèle réduit d'un avion.*

rééduquer v. tr.
1. Donner une nouvelle éducation.
2. Soumettre une personne blessée, handicapée à un traitement, à des exercices afin qu'elle recouvre l'usage de ses facultés, de ses membres. *Rééduquer un accidenté de la route.* **SYN.** réadapter.
Conjugaison [VOIR MODÈLE – **AIMER**]

réel, elle adj. et n. m.
Adjectif
Qui existe véritablement. *Un danger réel, des progrès réels.* **SYN.** existant, vrai.
Nom masculin
Ce qui existe effectivement. *Le réel et l'irréel.* **SYN.** réalité. **ANT.** irréel.

réélection n. f.
Action de réélire. *La réélection du maire.*

réélire v. tr.
Élire de nouveau. *La députée a été réélue.*
Conjugaison [VOIR MODÈLE – **LIRE**]

réellement adv.
Vraiment. *Il est réellement venu.* **SYN.** effectivement, véritablement.

réexaminer v. tr.
Étudier à nouveau. *La question doit être réexaminée.* **SYN.** reconsidérer.
Conjugaison [VOIR MODÈLE – **AIMER**]

réexpédier v. tr.
1. Expédier de nouveau. *Nous avons réexpédié des médicaments dans ce pays en guerre.*
2. Retourner un envoi à son expéditeur. *La lettre a été réexpédiée parce que son destinataire est inconnu.*
Conjugaison [VOIR MODÈLE – **ÉTUDIER**]

réf.
Abréviation de ***référence.***

refaire v. tr.
1. Faire ce qu'on a déjà fait. *Refaire une lecture, un voyage.* **SYN.** recommencer, répéter.
2. Réparer. *Il faut refaire à neuf cet appartement.* **SYN.** restituer.
Conjugaison [VOIR MODÈLE – **FAIRE**]

référence n. f.
Abréviation ***réf.*** (s'écrit avec un point).
1. Action de renvoyer à une autorité, à un texte. *Des références bibliographiques.*
2. (AU PLURIEL) Attestations qui servent de recommandation à un candidat. *Avez-vous de bonnes références ? Prendre des références.*
Locutions
Ouvrage de référence, livre de référence. Ouvrage qui sert à la consultation. *Les dictionnaires sont des ouvrages de référence.*
Dans ces expressions, le nom ***référence*** s'écrit au singulier.
Référence bibliographique. La référence bibliographique – signalée dans le texte par l'appel de note – donne la source d'une citation. Elle peut apparaître au bas des pages, en caractères plus petits que ceux du corps du texte, à la fin des chapitres ou à la fin de l'ouvrage.

référendaire adj.
Relatif à un référendum. *Une campagne référendaire.*
référend**aire.**

référendum n. m. (pl. *référendums*)
La troisième syllabe se prononce ***rin*** ou ***ren,*** la quatrième, ***domme,*** [referɛ̃dɔm] ou [referɑ̃dɔm].
Vote de l'ensemble des citoyens d'un pays sur une question d'intérêt général. *Quand aura lieu le prochain référendum sur l'avenir du Québec ?*
Ce mot d'origine latine est francisé ; il s'écrit avec des accents et prend la marque du pluriel.

référer (se) v. pronom.
Se référer à. Se reporter à, s'appuyer. *Je me réfère à ce tableau comparatif.*
Conjugaison [VOIR MODÈLE – **POSSÉDER**]
Le deuxième **é** se change en **è** devant une syllabe muette, sauf à l'indicatif futur et au conditionnel présent. *Je me réfère,* mais *je me référerai.*

refermer v. tr., pronom.
Fermer ce qui se trouve ouvert. *Elle a refermé la porte. La porte s'est refermée.*
Conjugaison [VOIR MODÈLE – **AIMER**]

réfléchi, ie adj.
Sage, raisonnable. *Il est trop réfléchi pour agir sur un coup de tête.* **SYN.** prudent, sérieux. **ANT.** impulsif.
Locutions
Tout bien réfléchi. Après avoir étudié la question. *Tout bien réfléchi, je pars demain.*
Dans cette expression, l'adjectif s'écrit toujours au masculin singulier.
Verbe pronominal réfléchi. (GRAMMAIRE) Verbe où le sujet et le complément d'objet désignent la même personne, le même être. *Elle se regarde.*

réfléchir v. tr., intr., pronom.
Verbe transitif direct
Refléter. *Le miroir réfléchit la lumière du jour.*
Verbe transitif indirect
Songer à, penser. *Il réfléchit à la question posée. Réfléchissez aux suites de cette décision.*
Le verbe se construit avec la préposition **à** ; le pronom relatif que l'on utilise avec le verbe à la forme transitive indirecte est ***auquel, à laquelle, auxquels, auxquelles.*** *Le problème auquel je réfléchis est celui-ci.*
Verbe intransitif
Étudier une question, considérer une possibilité. *Laissez-moi un peu de temps pour réfléchir.* **SYN.** penser.
Verbe pronominal
Donner une image par réflexion. *La lumière du jour se réfléchit dans les miroirs.* **SYN.** se refléter.
Conjugaison [VOIR MODÈLE – **FINIR**]

réflecteur n. m.
Appareil destiné à réfléchir (la lumière, le son, etc.). *De puissants réflecteurs.*

reflet n. m.
1. Image réfléchie. *Le reflet des façades dans le fleuve.* **SYN.** réflexion.
2. Effet brillant produit par la lumière. *Ses cheveux ont des reflets roux.*
refle**t.**

refléter v. tr., pronom.
Verbe transitif
1. Réfléchir une image de façon atténuée. *Cette teinte chaude reflète la lumière.*
2. (FIGURÉ) Être un reflet de. *Son écriture reflète son caractère.* **SYN.** exprimer, traduire.
Verbe pronominal
Produire un reflet. *Le château se reflète dans l'eau.*
Conjugaison [VOIR MODÈLE – **POSSÉDER**]
Le **é** se change en **è** devant une syllabe muette, sauf à l'indicatif futur et au conditionnel présent. *Je reflète,* mais *je refléterai.*

réflexe n. m.
Réponse automatique à un stimulus. *Bianca a d'excellents réflexes et joue bien au tennis.* **SYN.** réaction.
r**é**flexe.

réflexion n. f.
1. Modification de la direction d'une onde qui rencontre un obstacle. *La réflexion de la lumière.*
2. Image réfléchie. **SYN.** reflet.
3. Action de réfléchir. *Elle demande un moment de réflexion.* **SYN.** concentration, méditation.
4. Remarque. *Il se passerait de ses réflexions sarcastiques.* **SYN.** observation.

r

RÉFÉRENCES BIBLIOGRAPHIQUES

Ensemble des renseignements relatifs à un texte publié sous la forme d'un livre ou d'un article et qui comprennent principalement le nom de l'auteur, le titre du document, l'éditeur et la date de publication.

Il importe de présenter et de ponctuer de façon uniforme les divers éléments des références bibliographiques.

La référence du livre est légèrement différente de la référence de l'article. Voici, dans l'ordre, les renseignements que ces références comprennent :

LIVRE

1. le nom de l'auteur ou des auteurs
2. le titre du livre
3. le lieu de publication
4. l'éditeur
5. la date de publication
6. le nombre de pages

ARTICLE

1. le nom de l'auteur ou des auteurs
2. le titre de l'article
3. le nom du périodique
4. le numéro de l'édition, du volume ou du périodique
5. la date de publication
6. l'indication des pages de l'article

RÉFÉRENCE D'UN LIVRE

DUCHESNE, Christiane. *La Vraie Histoire du chien de Clara Vic,* Montréal, Québec/Amérique, 1995, 128 p.

1. Nom et prénom de l'auteur
2. Titre
3. Lieu de publication
4. Éditeur
5. Date de publication
6. Nombre de pages

RÉFÉRENCE D'UN ARTICLE

ÉLIE MORIN, Marie-Claude. « Été en ville », *Le Graffiti,* vol.19, nº 8, 1er mai 1996, p. 17.

1. Nom et prénom de l'auteur
2. Titre de l'article
3. Nom du journal ou de la revue
4. Volume et numéro de l'édition
5. Date de publication
6. Page

- **Le nom de l'auteur**

Le nom de l'auteur est noté en majuscules; il est séparé par une virgule du prénom écrit en minuscules avec une majuscule initiale, et suivi d'un point.

LECLERC, Félix.

Dans la mesure du possible, le prénom sera écrit au long.

S'il y a deux ou trois auteurs, le nom et le prénom des autres auteurs sont écrits à la suite, dans l'ordre de la lecture cependant, et sont séparés par une virgule ou par la conjonction ***et.***

DUBÉ, Pierrette, Claude LAROSE.
ou
DUBÉ, Pierrette et Claude LAROSE.

suite ►

• **Le titre du livre**

Le titre est souligné et il est suivi d'une virgule. Si l'on dispose de caractères italiques (à l'ordinateur, par exemple), il est préférable d'écrire le titre en italiques plutôt que de le souligner. Le titre est écrit en minuscules, à l'exception de la majuscule initiale et des noms propres qui le composent.

La Bergère de chevaux, Le Trésor de Brion, Au lit, princesse Émilie !

VOIR TABLEAU – **MAJUSCULES ET MINUSCULES.**

• **Le titre de l'article**

Le titre d'un article est généralement placé entre guillemets après le nom de l'auteur. Il est suivi d'une virgule et on écrit ensuite le nom du périodique (journal, revue) qui est souligné ou, mieux encore, mis en italique.

TREMBLAY, Miville. « Baisse d'impôt de 15 % en Ontario », *La Presse*, 9 mai 1996, p. A1.

• **Le numéro de l'édition, du volume ou du périodique**

S'il y a lieu, on inscrira le numéro de l'édition après le titre du livre.

Le Bon Usage, 13e éd.

Pour un périodique, il importe de faire figurer le numéro du volume, s'il y a lieu, et le numéro du périodique.

Le Petit Rigolo, vol. 3, n° 5,

• **L'éditeur, le lieu et la date de publication**

Le lieu de la publication, noté en minuscules et suivi d'une virgule, précède le nom de l'éditeur et la date de publication.

Montréal, Québec/Amérique, 1996.

• **Le nombre de pages du livre**

345 p.

On utilise l'abréviation de page (p.). Quand l'ouvrage comprend plusieurs volumes, on écrit le nombre avant l'indication du nombre de pages à l'aide de l'abréviation ***vol.*** 2 vol., 345 p.

• **L'indication des pages d'un article**

La notation des pages d'un article est faite à l'aide de l'abréviation ***p.*** (et non plus pp.) suivie des numéros des première et dernière pages de l'article séparés par un trait d'union ou par la préposition ***à.***

p. 15-20 ou p. 15 à 20.

Locution
(Toute) réflexion faite. En ayant bien pesé la question.
Dans cette expression, le nom s'écrit au singulier.

réforme n. f.
Modification apportée en vue d'une amélioration. *La réforme de l'orthographe vise une simplification de l'écriture.*

reformer v. tr.
Former de nouveau, reconstituer.
Conjugaison [VOIR MODÈLE – **AIMER**]

réformer v. tr.
Corriger, modifier en vue d'une amélioration. *Réformer un programme scolaire.*
Conjugaison [VOIR MODÈLE – **AIMER**]

refouler v. tr.
Repousser, retenir. *Elle avait du mal à refouler ses larmes.*
SYN. contenir, réprimer.
Conjugaison [VOIR MODÈLE – **AIMER**]

refrain n. m.
1. Rappel de certains mots à la fin d'un couplet d'une chanson, d'une strophe d'un poème.
2. (FIGURÉ) Répétition constante. *On a eu droit au même refrain.* **SYN.** rengaine.

réfrigérateur n. m.
S'abrège familièrement en ***frigo.***
Appareil servant à prolonger la conservation des denrées à l'aide du froid.

Le nom ***frigidaire*** est une marque déposée qui tend à passer dans l'usage familier comme synonyme de ***réfrigérateur.***

réfrigération n. f.
Conservation par le froid (au-dessus du point de congélation).
Ne pas confondre avec le nom ***congélation,*** conservation des aliments par le froid (au-dessous du point de congélation).

réfrigérer v. tr.
Refroidir, soumettre à la réfrigération. *Ces produits doivent être réfrigérés.*
Conjugaison [VOIR MODÈLE – **POSSÉDER**]
Le **é** se change en **è** devant une syllabe muette, sauf à l'indicatif futur et au conditionnel présent. *Je réfrigère,* mais *je réfrigérerai.*

refroidir v. tr., intr.
Verbe transitif
1. Abaisser la température de. *Refroidir une boisson en y ajoutant des glaçons.* **SYN.** rafraîchir.
2. (FIGURÉ) Diminuer. *La réaction des amis a refroidi son enthousiasme.* **SYN.** réduire.
Verbe intransitif
1. Devenir plus froid. *Son café a refroidi.*
2. (FIGURÉ) Devenir moins vif. *Son ardeur a refroidi.*
Conjugaison [VOIR MODÈLE – **FINIR**]

refroidissement n. m.
1. Diminution de la chaleur. *La météo annonce un refroidissement marqué du temps.*
2. Action de prendre froid, d'attraper un rhume. *Couvrez-vous, vous pourriez être victime d'un refroidissement.* **SYN.** grippe, rhume.

refuge n. m.
Abri. *Un refuge pour les sans-abri.*

réfugié, ée adj. et n. m. et f.
Personne qui a fui son pays pour des raisons politiques, pour échapper à la guerre, à un danger. *Une personne réfugiée, des réfugiés politiques.*

réfugier (se) v. pronom.
Se rendre en un lieu, auprès de quelqu'un pour échapper à un danger. *Ils se sont réfugiés au Canada pour échapper à la police secrète de leur pays.*
Le participe passé de ce verbe qui n'existe qu'à la forme pronominale s'accorde toujours en genre et en nombre avec le sujet du verbe.
Conjugaison [VOIR MODÈLE – **ÉTUDIER**]
Redoublement du ***i*** à la première et à la deuxième personne du pluriel de l'indicatif imparfait et du subjonctif présent. *(Que) nous nous réfugiions, (que) vous vous réfugiiez.*

refus n. m.
Action de refuser. *Elle a dit non : c'est un refus clair et net.*
Locution
Ce n'est pas de refus. (FAMILIER) J'accepte volontiers.

refuser v. tr., pronom.
Verbe transitif
Ne pas accepter. *Le théâtre a refusé des spectateurs. Ces candidats ont été refusés.*
À la forme transitive et suivi d'un infinitif, le verbe se construit avec la préposition ***de.*** *Martine refuse de rester après l'école.*
Verbe pronominal
Ne pas consentir. *Les congés qu'elles se sont refusés. Ils se sont refusés à signer.*
À la forme pronominale et suivi d'un infinitif, le verbe se construit avec la préposition ***à.*** Attention à l'accord du participe passé qui se fait avec le sujet, sauf s'il y a un complément d'objet direct placé avant le verbe ; dans ce cas, l'accord se fait avec ce complément.
Conjugaison [VOIR MODÈLE – **AIMER**]

regagner v. tr.
Gagner de nouveau (ce qui était perdu). *Il a regagné l'estime de ses supérieurs.* **SYN.** récupérer, retrouver.
Conjugaison [VOIR MODÈLE – **AIMER**]

***regaillardir**
Impropriété pour ***ragaillardir.***

regain n. m.
Vigueur nouvelle, renouveau. *Un regain de ferveur.*
reg**ain.**

régal n. m. (pl. *régals*)
1. Mets très apprécié. *Ces gâteaux sont des régals.* **SYN.** délice.
2. (FIGURÉ) Grand plaisir. *Ce sera un régal de les retrouver.*

régaler v. tr., pronom.
Verbe transitif
Offrir un bon repas, procurer un plaisir à quelqu'un. *Régaler ses invités.*
Verbe pronominal
Faire un bon repas, avoir du plaisir. *Ils se sont régalés : tout était délicieux.*
Conjugaison [VOIR MODÈLE – **AIMER**]

regard n. m.
Action, manière de regarder. *Un regard expressif.*
Locutions
Au premier regard. Du premier coup d'œil.
Droit de regard. Possibilité de contrôler les actes de quelqu'un, quelque chose.
En regard, locution adverbiale. Vis-à-vis. *Texte avec illustration en regard.*
En regard de, locution prépositive. Comparativement à. *En regard de ce qui est déjà fait, il reste peu à accomplir.* **SYN.** par rapport à, relativement à.

regardant, ante adj.
(FAMILIER) Mesquin, avare. *Elle n'est pas regardante sur l'argent de poche.* **SYN.** chiche.

regarder v. tr., pronom.
Verbe transitif direct
1. Observer. *Elle regarde les enfants qui s'amusent.*
2. Considérer. *Nous allons regarder cette question.* **SYN.** examiner.
3. (LITTÉRAIRE) Considérer comme. *Ils l'ont toujours regardé comme leur fils.*
En ce sens, le verbe se construit avec la conjonction ***comme.***
4. Concerner. *Cette décision ne vous regarde pas.* **SYN.** intéresser, toucher.
Verbe transitif indirect
Tenir compte de, prêter attention à. *Regarder à la dépense.*
En ce sens, le verbe se construit avec la préposition ***à.***
Verbe pronominal
Être face à face et se voir. *Ils se sont regardés longuement.* **SYN.** se contempler .
Forme fautive
*regarder (bien, mal). Calque de l'anglais « it looks good, bad » au sens de ***les choses s'annoncent bien, mal.***
Conjugaison [VOIR MODÈLE – **AIMER**]

régate n. f.
Course de bateaux (généralement de voiliers). *Les régates sont un très joli spectacle.*
Ce nom s'emploie généralement au pluriel.
réga**t**e.

régime n. m.
1. Mode de vie en matière d'hygiène, de nourriture. *Un régime amaigrissant.*
2. Organisation politique. *Le régime parlementaire, le régime présidentiel.*
3. Grappe de fruits de certains arbres. *Un régime de bananes.*

régiment n. m.
Corps militaire.

région n. f.
1. Étendue de pays possédant des caractères particuliers qui lui confèrent une certaine unité. *Des régions polaires. Elle habite dans la région de Québec.*
2. Partie du corps. *Elle a une douleur dans la région dorsale.*

régional, ale, aux adj.
Relatif à une région. *La cuisine régionale, le français régional, des bureaux régionaux.*
régio**n**al.

régionale n. f.
Établissement d'enseignement secondaire desservant toute une région.

régionalisme n. m.
(LINGUISTIQUE) Expression, mot propre à une région, à un pays. *Les mots* babillard *et* cégep *sont des régionalismes québécois.*
VOIR **CANADIANISME, QUÉBÉCISME.**
régio**n**alisme.

régir v. tr.
1. Déterminer l'organisation de. *Les lois qui régissent les activités économiques.* **SYN.** encadrer.
2. Commander, gouverner. *Les personnes qui régissent l'entreprise Dubois sont d'habiles gestionnaires.* **SYN.** diriger .
Conjugaison [VOIR MODÈLE – **FINIR**]

registre n. m.
Attention à la première syllabe qui se prononce ***re*** (et non *ré) [rəʒistr].
1. Livre où l'on inscrit des données dont on veut conserver le souvenir. *Inscrire son nom sur* ou *dans un registre.* **SYN.** répertoire.
2. Étendue de la voix d'une personne qui chante. **SYN.** ton.
3. Niveau de langage. *Le mot* bouquin *appartient au registre familier.*

réglable adj.
Qu'on peut régler. *Un siège à hauteur réglable.*
r**é**glable.

réglage n. m.
Action de mettre au point un appareil, un mécanisme. *Le réglage du moteur est bien fait.* **SYN.** mise au point.
r**é**glage.

règle n. f.
1. Instrument servant à tracer une ligne droite, à mesurer une longueur. *Une règle métrique.*
2. (FIGURÉ) Norme, principe. *Procéder selon les règles. C'est la règle du jeu.* **SYN.** loi, règlement, usage.
Locutions
En bonne règle. Suivant l'usage.
En règle, dans les règles. Conforme aux normes, aux règlements.
En règle générale. Généralement.
Les règles de l'art. Manière habituelle de procéder.

règlement n. m.
1. Ensemble de règles. *C'est le règlement du collège.*
2. Code légal. *Un règlement sur l'affichage.*
3. Paiement. *Le règlement doit se faire dans les 30 jours.*
Locution
Règlement de compte(s). Vengeance. *C'est un règlement de comptes de la maffia.*

réglementaire adj.
Le ***é*** se prononce ***è*** [rɛgləmɑ̃tɛr].
1. Conforme au règlement. *Une tenue réglementaire.*
2. Relatif à un règlement. *Un texte réglementaire.* **SYN.** légal.
r**é**glementaire, malgré ***règlement.***

régler v. tr.
1. Fixer, établir. *Régler une question.*
2. Payer. *Régler une facture.* **SYN.** acquitter.
3. Mettre au point. *Régler un moteur.*
Conjugaison [VOIR MODÈLE – **POSSÉDER**]
Le ***é*** se change en ***è*** devant une syllabe muette, sauf à l'indicatif futur et au conditionnel présent. *Je règle,* mais *je réglerai.*

réglisse n. f.
Plante dont la racine sert à fabriquer une confiserie. *Un bâton de réglisse.*
Attention au genre féminin de ce nom : ***la*** réglisse.

règne n. m.
1. Période pendant laquelle un souverain est au pouvoir. *Le règne de Victoria dura 64 ans.*
2. Chacune des grandes divisions de la nature. *Le règne animal, le règne végétal et le règne minéral.*

régner v. intr.
1. Exercer le pouvoir comme roi, reine. *Les dix années que la reine a régné.*
Dans cette construction, le participe passé du verbe est invariable parce que le complément n'est pas un complément d'objet direct, mais un complément circonstanciel (pendant lesquelles).
2. Exister. *Il règne un désordre inouï dans cette maison.*
Conjugaison [VOIR MODÈLE – **POSSÉDER**]
Le ***é*** se change en ***è*** devant une syllabe muette, sauf à l'indicatif futur et au conditionnel présent. *Je règne,* mais *je régnerai.*

regorger v. intr.
Abonder. *Cette bibliothèque regorgeait d'ouvrages.*
Conjugaison [VOIR MODÈLE – **CHANGER**]
Le ***g*** est suivi d'un ***e*** devant les lettres ***a*** et ***o.*** *Il regorgea, nous regorgeons.*

regret n. m.
1. Chagrin, repentir. *Charles a du regret d'avoir commis une bêtise.* **SYN.** remords.
2. Déception. *Le regret de ne pas pouvoir prendre quelque jours de vacances.*
Dans la langue courante, on préférera l'expression ***avoir le regret de.***
Locutions
À regret, sans regret, locutions adverbiales. Malgré soi, sans hésitation. *Je pars de cet endroit à regret, sans regret.*
Dans ces expressions, le nom s'écrit au singulier.
Avoir le regret de. Être dans la nécessité de. *J'ai le regret de ne pouvoir accepter votre invitation.*
La locution est suivie de l'infinitif.

regrettable adj.
Déplorable, malheureux. *Cet incident est regrettable.*

regretter v. tr.
1. Ressentir l'absence, la mort de quelqu'un. *Elle regrette sa chère marraine.* **SYN.** pleurer.
2. Être désolé. *Il regrette de ne pouvoir être présent. Elle regrette qu'il ne puisse venir.* **SYN.** déplorer.
Le verbe se construit avec la préposition ***de*** suivie de l'infinitif ou avec la conjonction ***que*** suivie du subjonctif.
3. Se repentir de, déplorer. *Il regrette ses paroles trop dures.*
4. Être déçu ou mécontent de quelque chose. *Je regrette de ne pouvoir participer à la fête.*
Conjugaison [VOIR MODÈLE – **AIMER**]

regroupement n. m.
1. Action de regrouper. *Le regroupement des agriculteurs.*
2. Rassemblement. *Un regroupement de toutes les classes.*

regrouper v. tr.
Réunir pour former un groupe. *Le moniteur a regroupé les joueurs autour de lui.*
Conjugaison [VOIR MODÈLE – **AIMER**]

régularité n. f.
1. Qualité de ce qui est conforme aux règles. *La régularité d'un tournoi.*
2. Symétrie. *La régularité de ses traits.* **SYN.** harmonie.
3. Caractère régulier. *Julia travaille avec régularité, de façon uniforme.* **SYN.** uniformité.

régulier, ière adj.
1. Conforme aux règles. *Un verbe régulier.*
2. Qui ne varie pas, constant, continu. *Un horaire régulier.*
Forme fautive
*régulier. Anglicisme au sens de ***ordinaire, courant, normal, habituel.***

régulièrement adv.
Avec régularité. *Des copains jouent avec nous régulièrement.* **SYN.** habituellement.

réhabilitation n. f.
Action de faire recouvrer la considération d'autrui. *La réhabilitation d'un prisonnier.*
Ne pas confondre avec le nom ***réadaptation*** qui désigne un traitement visant à réduire les inconvénients d'un accident, d'une maladie, en adaptant à nouveau les organes à leur fonction. La ***réhabilitation*** est d'ordre moral, alors que la ***réadaptation*** est d'ordre physique.
Forme fautive
*réhabilitation. Anglicisme au sens de ***réadaptation*** (d'un handicapé).

réhabiliter v. tr., pronom.
Verbe transitif
1. Rétablir une personne dans ses droits.
2. Faire recouvrer l'estime d'autrui à. *Ces criminels peuvent-ils être réhabilités ?*
Verbe pronominal
Se racheter. *Ces anciens prisonniers se sont réhabilités.*
Conjugaison [VOIR MODÈLE – **AIMER**]

réhabituer v. tr.
Habituer de nouveau. *Cette activité réhabituera les enfants au travail scolaire.*
Conjugaison [VOIR MODÈLE – **AIMER**]

rehausser v. tr.
1. Rendre plus haut. *Il faudrait rehausser ce garde-fou.* **ANT.** rabaisser.
2. Faire ressortir, mettre en valeur. *Cette couleur rehausse son teint.* **SYN.** mettre en relief.
Conjugaison [VOIR MODÈLE – **AIMER**]
re**h**ausser.

rein n. m.
1. Chacun des deux organes qui filtrent certains déchets de l'organisme et produisent l'urine.
2. (AU PLURIEL) Partie inférieure de l'épine dorsale. *Papa a mal aux reins : son dos le fait souffrir.*
Locutions
Avoir les reins solides. (FAMILIER) Être capable de faire face à une épreuve.
Tour de reins. Mal de dos.

reine n. f.
1. Souveraine d'un royaume. *Élisabeth II est la reine du Royaume-Uni de Grande-Bretagne et d'Irlande.*
2. Femme d'un roi. *La reine Fabiola était l'épouse de Baudoin Ier, roi des Belges.*
Ce titre s'écrit avec une minuscule.
HOM.
– **rêne**, courroie de la bride d'un cheval ;
– **renne**, mammifère de la famille des cervidés.

reinette n. f.
Petite pomme dont la peau est tachetée.
HOM. **rainette**, grenouille.

rejaillir v. intr.
1. Jaillir avec force, en parlant d'un liquide. *La boue a rejailli sur elle.* **SYN.** éclabousser.
2. (FIGURÉ) Retomber, atteindre également. *Cette appréciation favorable rejaillit sur nous tous.*
Conjugaison [VOIR MODÈLE – **FINIR**]

rejet n. m.
1. Refus. *Le rejet d'une proposition.* **SYN.** abandon.
2. (MÉDECINE) Phénomène de défense immunitaire qui se produit après une greffe.
reje**t.**

rejeter v. tr.
1. Repousser, renvoyer. *Le pêcheur a rejeté la petite truite à l'eau.* **SYN.** relancer.
2. Refuser. *Cette suggestion a été rejetée.* **SYN.** éliminer, exclure.
Conjugaison [VOIR MODÈLE – **APPELER**]

rejeton n. m.
(FAMILIER) Enfant.

rejoindre v. tr.
1. Aller retrouver quelqu'un. *Elle a couru pour le rejoindre.*
2. Aboutir à un endroit. *Ce sentier rejoint la petite route.*
Conjugaison [VOIR MODÈLE – **JOINDRE**]

réjouir v. tr., pronom.
Verbe transitif
Rendre heureux, de bonne humeur. *Votre retour m'a réjoui énormément.* **SYN.** enchanter. **ANT.** attrister, désoler, peiner.
Verbe pronominal
Être heureux, éprouver de la satisfaction. *Il se réjouit des résultats obtenus, d'être là. La classe se réjouit que Martine ait été élue présidente.*
À la forme pronominale, le verbe se construit avec la préposition ***de*** suivie d'un nom ou d'un infinitif ou avec la conjonction ***que*** suivie du subjonctif.
Conjugaison [VOIR MODÈLE – **FINIR**]

réjouissance n. f.
1. Joie collective. *En signe de réjouissance, ils décorèrent et illuminèrent la maison.*
2. (AU PLURIEL) Fête, divertissement. *Voici le programme des réjouissances.* **SYN.** festivités.

réjouissant, ante adj.
Qui réjouit. *Une nouvelle réjouissante.* **ANT.** attristant.

relâche n. f.
1. (LITTÉRAIRE) Interruption momentanée d'une activité. *Prendre un peu de relâche.* **SYN.** pause.
2. Fermeture occasionnelle d'une salle de spectacle. *Le théâtre fait relâche tous les lundis.*
Locution
Sans relâche. Sans arrêt, sans répit.
Ce nom était de genre masculin ou féminin ; aujourd'hui l'emploi du masculin est vieilli et le féminin tend à l'emporter. Il est surtout employé dans des locutions où le genre n'est pas marqué. *Un moment de relâche, faire relâche, sans relâche.*
rel**â**che.

relâchement n. m.
1. Manque de fermeté. *Le relâchement des tissus.*
2. (FIGURÉ) Paresse, laisser-aller. *Vos travaux dénotent un certain relâchement.*
rel**â**chement.

relâcher v. tr., pronom.
Verbe transitif
1. Desserrer. *Relâcher ses muscles.* **SYN.** décontracter, détendre.
2. (FIGURÉ) Diminuer l'effort, la discipline. *Relâcher l'ardeur au travail.*
3. Libérer. *Relâcher des prisonniers.*
Verbe pronominal
1. Devenir moins tendu. *La peau s'est relâchée avec l'âge.*
2. (FIGURÉ) Perdre de sa vigueur. *La discipline s'est relâchée.* **SYN.** diminuer, faiblir, fléchir.
Conjugaison [VOIR MODÈLE – **AIMER**]
rel**â**cher

relais n. m.
Point intermédiaire entre deux autres. **SYN.** étape.
Locutions
Course de relais. Course par équipes où chaque coureur est remplacé à l'étape suivante par un coéquipier.
Prendre le relais. Succéder à quelqu'un dans un cours, une activité.
relai**s**, un ***s*** final même au singulier.

relancer v. tr.
1. Renvoyer. *Il lui relança la balle.*
2. Poursuivre. *Elle l'a prié de ne plus la relancer.*
3. Donner un nouvel essor. *Relancer l'économie.*
Conjugaison [VOIR MODÈLE – **AVANCER**]
Le ***c*** prend une cédille devant les lettres ***a*** et ***o.*** *Il relança, nous relançons.*

relater v. tr.
Rapporter un fait en détail. *On lui relata les circonstances de sa naissance.*
Conjugaison [VOIR MODÈLE – **AIMER**]

relatif, ive adj.
Qui se rapporte à quelque chose. *Des renseignements relatifs à l'immigration.*
VOIR TABLEAU – **PRONOM.**

relation n. f.
1. Rapport, lien. *On ne peut établir de relations entre ces deux évènements.* **SYN.** liaison.
2. Personne avec laquelle on est en rapport. *C'est une relation qu'il faut conserver.*
3. (AU PLURIEL) Connaissances, amis influents. *Il a beaucoup de relations dans ce milieu.*
Locution
En relation ou ***en relations.*** En rapport avec quelqu'un. *Elle est toujours en relation ou en relations avec son amie d'enfance.*
La forme au singulier est la plus fréquente.

relativement adv.
D'une manière relative. *Cette personne est relativement malade.* **SYN.** assez, plutôt.
Locution
Relativement à, locution prépositive. En ce qui concerne. *Relativement à ce voyage, nous attendons d'autres renseignements.* **SYN.** quant à.

ADJECTIF **RELATIF**

L'adjectif relatif se place devant un nom pour indiquer que l'on rattache à un antécédent la subordonnée qu'il introduit.

SINGULIER		PLURIEL	
masculin	féminin	masculin	féminin
lequel	*laquelle*	*lesquels*	*lesquelles*
duquel	*de laquelle*	*desquels*	*desquelles*
auquel	*à laquelle*	*auxquels*	*auxquelles*

Il a reconnu vous devoir la somme de 300 $, laquelle somme vous sera remboursée sous peu.

Les adjectifs relatifs sont d'emploi peu courant en dehors de la langue juridique ou administrative.

VOIR TABLEAU – **ADJECTIF.**
VOIR TABLEAU – **PRONOM.**

***relax**
Anglicisme pour ***décontracté, détendu, reposant.***

relaxant, ante adj.
Qui détend, qui favorise la relaxation. *Une musique relaxante.*

relaxation n. f.
Détente. *Des séances de relaxation.*

relaxer v. tr., pronom.
Verbe transitif
Détendre. *Relaxer ses muscles.* **SYN.** reposer.
Verbe pronominal
(FAMILIER) Se détendre, se reposer. *Nous nous sommes relaxés en nageant dans la mer.* **SYN.** se décontracter.
Conjugaison [VOIR MODÈLE – **AIMER**]

relayer v. tr., pronom.
Verbe transitif
Remplacer quelqu'un dans une activité, une course. *Relayer un coureur.*
Verbe pronominal
Se remplacer réciproquement. *Elles se sont relayées à son chevet.*
Conjugaison [VOIR MODÈLE – **PAYER**]
Le ***y*** peut se changer en ***i*** devant un ***e*** muet. *Je relaie (je relaye). Je relaierai (je relayerai).* Les formes en ***aie*** sont plus couramment utilisées que les formes en ***aye.***
Le ***y*** est suivi d'un ***i*** à la première et à la deuxième personne du pluriel de l'indicatif imparfait et du subjonctif présent. *(Que) nous relayions, (que) vous relayiez.*

relent n. m.
Odeur désagréable qui persiste. *Des relents de cigarettes et de mauvais gigares.*
Le ***relent*** est une mauvaise odeur alors que le ***parfum*** est une odeur agréable.
rel**ent.**

relevé n. m.
Le premier ou le deuxième **e** est muet, [rlǝve] ou [rǝlve].
Liste, résumé écrit. *Un relevé de notes, le relevé des compteurs.*

relève n. f.
1. Remplacement d'une personne ou d'une équipe par une autre. *Les infirmières de jour ont pris la relève de l'équipe de nuit auprès des malades.*
2. (FIGURÉ) Succession. *Il faut préparer la relève à la direction de l'entreprise.*

relever v. tr., pronom.
Le premier ou le deuxième ***e*** est muet [rlǝve] ou [rǝlve].
Verbe transitif direct
1. Mettre plus haut. *Relever les yeux.*
2. Souligner. *Relever des erreurs.* **SYN.** noter.
3. Remettre debout, rétablir. *Relever l'économie.* **SYN.** redresser.
Verbe transitif indirect
Dépendre. *Cette décision relève de l'éditeur.*
En ce sens, le verbe se construit avec la préposition ***de.***
Verbe pronominal
1. Se remettre debout. *Elles se sont relevées.*
2. Se relayer. *Ils se sont relevés avec ardeur.*
Conjugaison [VOIR MODÈLE – **LEVER**]
Le ***e*** se change en ***è*** devant une syllabe muette. *Je relève,* mais *je relevais.*

relief n. m.
Saillie. *Un motif gravé en relief. Le relief du sol.*
Locutions
En relief. Qui forme un relief. *Les lettres imprimées sont en relief.*
Mettre en relief. Mettre en valeur, faire ressortir.

relier v. tr.
1. Assembler, lier. *Relier les feuillets d'un livre.*
2. Faire communiquer. *Un pont qui relie deux rives.* **SYN.** faire raccorder, unir.
Conjugaison [VOIR MODÈLE – **ÉTUDIER**]
Redoublement du ***i*** à la première et à la deuxième personne du pluriel de l'indicatif imparfait et du subjonctif présent. *(Que) nous reliions, (que) vous reliiez.*

relieur n. m.
relieuse n. f.
Personne dont le métier est de relier des livres.

religieusement adv.
1. D'une manière religieuse.
2. Exactement. *Il comptait les points religieusement.* **SYN.** attentivement, méticuleusement.

religieux, euse adj. et n. m. et f.
Adjectif
Relatif à la religion. *Une cérémonie religieuse.*
Nom masculin et féminin
Personne qui fait partie d'une congrégation, d'un ordre religieux.

religion n. f.
Ensemble de doctrines et de pratiques ayant pour objet les rapports de l'âme humaine avec le sacré. *Elle est de religion catholique alors qu'Audrey est de religion protestante.*

relique n. f.
Ce qui reste d'un saint et qu'on vénère. *Ce fragment d'os est une relique du saint patron de cette chapelle.*

relire v. tr., pronom.
Verbe transitif
Lire de nouveau. *Les élèves ont relu cette bande dessinée avec plaisir.*
Verbe pronominal
Lire ce qu'on a écrit pour se corriger. *Relisez-vous pour ne pas laisser de fautes d'orthographe.* **SYN.** réviser.
Conjugaison [VOIR MODÈLE – **LIRE**]

reliure n. f.
1. Art de relier les livres. *La reliure d'art.*
2. Manière dont un livre est relié. *Une belle reliure en cuir vert.*
3. Couverture rigide. *Une reliure à trois anneaux* (et non un *cartable) *remplie de feuilles mobiles.*

reluire v. intr.
Briller. *Faire reluire l'argenterie. Les chandeliers reluisaient.*
Conjugaison [VOIR MODÈLE – **CONDUIRE**]

reluisant, ante adj.
1. Qui reluit. *Des meubles reluisants.*
2. (FIGURÉ) Brillant. *Un avenir pas très reluisant.*
En ce sens, l'adjectif ne s'emploie que dans une phrase négative.

remanier v. tr.
Modifier l'organisation, la composition. *Un texte remanié.* **SYN.** arranger, réorganiser.
Conjugaison [VOIR MODÈLE – **ÉTUDIER**]
Redoublement du ***i*** à la première et à la deuxième personne du pluriel de l'indicatif imparfait et du subjonctif présent. *(Que) nous remaniions, (que) vous remaniiez.*

remarquable adj.
Digne d'être remarqué, extraordinaire. *Une œuvre remarquable.*

remarque n. f.
Observation. *Une remarque désagréable. Des remarques judicieuses.* **SYN.** commentaire.

remarquer v. tr., pronom.
Noter. *Il a remarqué cette anomalie. Sa cicatrice se remarque à peine.* **SYN.** constater, observer.
Locution
Faire remarquer. Signaler. *Je vous fais remarquer que tous les membres sont opposés à cette décision.* **SYN.** souligner.
Conjugaison [VOIR MODÈLE – **AIMER**]

rembourrage n. m.
Action de rembourrer. *Le rembourrage d'un siège.*

rembourrer v. tr.
Garnir d'une matière. *Rembourrer un coussin de duvet.*
Conjugaison [VOIR MODÈLE – **AIMER**]

rembourreur n. m.
rembourreuse n. f.
⚜ Personne qui rembourre, recouvre meubles et sièges de tissus d'ameublement.

remboursement n. m.
Action de rembourser. *Le remboursement d'un emprunt.*
Locution
Contre remboursement (CR). Contre paiement à la livraison. *Un envoi contre remboursement* (et non *COD).

rembourser v. tr.
Rendre à quelqu'un l'argent prêté, dépensé. *L'entreprise lui rembourse ses frais de déplacement. Cet employé a été remboursé de ses frais. Les 100 $ qu'elle lui a remboursés.*
Conjugaison [VOIR MODÈLE – **AIMER**]

remède n. m.
1. Médicament. *Un remède contre le diabète.*
2. (FIGURÉ) Solution. *Il faut trouver un remède au décrochage.*
↝ Au sens figuré, le nom se construit surtout avec la préposition ***à.***
3. Ce qui sert à soulager une souffrance morale. *Un remède à la mélancolie, contre le désespoir.*
↝ La construction avec la préposition ***contre*** donne un sens plus fort au nom.

remédier v. tr. ind.
Apporter un remède à quelque chose de façon définitive. *Je crois qu'elle pourra remédier à ces absences.* **SYN.** corriger.
↝ Le verbe se construit avec la préposition ***à.***
Ne pas confondre avec le verbe ***pallier,*** corriger quelque chose de manière incomplète, provisoirement.
Conjugaison [VOIR MODÈLE – **ÉTUDIER**]
Redoublement du ***i*** à la première et à la deuxième personne du pluriel de l'indicatif imparfait et du subjonctif présent. *(Que) nous remédiions, (que) vous remédiiez.*

remerciement n. m.
Écrit, paroles par lesquels on témoigne de la reconnaissance. *Une lettre de remerciement.* **SYN.** merci.
remerci**e**ment.

remercier v. tr.
1. Témoigner sa reconnaissance. *Je vous remercie de la charmante soirée, pour votre gentille attention. Il la remercie de l'avoir attendu.*
↝ Le complément du verbe se construit généralement avec la préposition ***de*** et parfois avec la préposition ***pour.*** Si le verbe est suivi d'un infinitif, il se construit alors avec ***de.***
2. Congédier. *L'entreprise l'a remercié après quelques mois de travail.* **SYN.** renvoyer.
Conjugaison [VOIR MODÈLE – **ÉTUDIER**]
Redoublement du ***i*** à la première et à la deuxième personne du pluriel de l'indicatif imparfait et du subjonctif présent. *(Que) nous remerciions, (que) vous remerciiez.*

remettre v. tr., pronom.
Verbe transitif
1. Mettre une chose à la place qu'elle occupait. *Elle a remis le livre sur la table.*
2. Mettre de nouveau. *Elle a remis son imperméable.*
3. Confier. *Je vous remets le dossier.* **SYN.** donner, laisser.
4. Revenir, retrouver la santé, la paix. *Elle n'est pas encore remise de son accident.*
5. Reporter. *Ne remettez pas à demain ce que vous pouvez faire aujourd'hui.* **SYN.** différer, repousser, retarder.
Verbe pronominal
1. Se mettre de nouveau. *Elle s'est remise au tennis. Il s'est remis à courir.* **SYN.** recommencer.
2. Guérir. *Elle s'est remise de sa pneumonie.* **SYN.** récupérer, se rétablir.
3. ***S'en remettre à.*** Faire confiance à. *Elles s'en sont remises à leur avocat.* **SYN.** se fier.
Conjugaison [VOIR MODÈLE – **REMETTRE**]

remise n. f.
1. Diminution de prix accordée à un client important en fonction des quantités achetées en un lot. **SYN.** rabais, réduction.
2. Local où l'on range des objets. *Les outils de jardinage sont dans la remise.*
Forme fautive
*remise. Impropriété au sens de ***règlement*** (d'une facture, d'un compte).

remiser v. tr.
Ranger dans une remise. *On a remisé les meubles de jardin pour l'hiver.*
Conjugaison [VOIR MODÈLE – **AIMER**]

remontée n. f.
1. Action de monter de nouveau. *Ils ont effectué la remontée du mont Blanc.*
2. Action de regagner le terrain perdu. *Ils perdaient, mais ils ont réussi une belle remontée.*
Locution
Remontée mécanique. Installation utilisée par les skieurs pour remonter les pentes.

remonte-pente n. m. (pl. *remonte-pentes*)
Dispositif servant à tirer les skieurs au sommet des pentes. **SYN.** monte-pente.

remonter v. tr., intr.
Verbe transitif
1. Monter de nouveau. *Les enfants ont remonté l'escalier. Elles aimeraient remonter la rivière en kayak.*
2. Augmenter de nouveau. *Le prix de l'essence avait baissé; il remonte maintenant.*
3. Assembler de nouveau. *Pourras-tu remonter ce moteur une fois que tu l'auras réparé ?*
Verbe intransitif
1. Retourner en haut. *Remonte dans ta chambre, je t'appellerai quand ce sera prêt.*

Indicatif

Présent

je	remets
tu	remets
elle	remet
il	remet
nous	remettons
vous	remettez
elles	remettent
ils	remettent

Passé composé

j'	ai	remis
tu	as	remis
elle	a	remis
il	a	remis
nous	avons	remis
vous	avez	remis
elles	ont	remis
ils	ont	remis

Imparfait

je	remettais
tu	remettais
elle	remettait
il	remettait
nous	remettions
vous	remettiez
elles	remettaient
ils	remettaient

Plus-que-parfait

j'	avais	remis
tu	avais	remis
elle	avait	remis
il	avait	remis
nous	avions	remis
vous	aviez	remis
elles	avaient	remis
ils	avaient	remis

Passé simple

je	remis
tu	remis
elle	remit
il	remit
nous	remîmes
vous	remîtes
elles	remirent
ils	remirent

Passé antérieur

j'	eus	remis
tu	eus	remis
elle	eut	remis
il	eut	remis
nous	eûmes	remis
vous	eûtes	remis
elles	eurent	remis
ils	eurent	remis

Futur simple

je	remettrai
tu	remettras
elle	remettra
il	remettra
nous	remettrons
vous	remettrez
elles	remettront
ils	remettront

Futur antérieur

j'	aurai	remis
tu	auras	remis
elle	aura	remis
il	aura	remis
nous	aurons	remis
vous	aurez	remis
elles	auront	remis
ils	auront	remis

Infinitif

Présent

remettre

Passé

avoir remis

Subjonctif

Présent

que	je	remette
que	tu	remettes
qu'	elle	remette
qu'	il	remette
que	nous	remettions
que	vous	remettiez
qu'	elles	remettent
qu'	ils	remettent

Passé

que	j'	aie	remis
que	tu	aies	remis
qu'	elle	ait	remis
qu'	il	ait	remis
que	nous	ayons	remis
que	vous	ayez	remis
qu'	elles	aient	remis
qu'	ils	aient	remis

Imparfait

que	je	remisse
que	tu	remisses
qu'	elle	remît
qu'	il	remît
que	nous	remissions
que	vous	remissiez
qu'	elles	remissent
qu'	ils	remissent

Plus-que-parfait

que	j'	eusse	remis
que	tu	eusses	remis
qu'	elle	eût	remis
qu'	il	eût	remis
que	nous	eussions	remis
que	vous	eussiez	remis
qu'	elles	eussent	remis
qu'	ils	eussent	remis

Conditionnel

Présent

je	remettrais
tu	remettrais
elle	remettrait
il	remettrait
nous	remettrions
vous	remettriez
elles	remettraient
ils	remettraient

Passé

j'	aurais	remis
tu	aurais	remis
elle	aurait	remis
il	aurait	remis
nous	aurions	remis
vous	auriez	remis
elles	auraient	remis
ils	auraient	remis

Impératif

Présent

remets
remettons
remettez

Passé

aie remis
ayons remis
ayez remis

Participe

Présent

remettant

Passé

remis, ise
ayant remis

2. Revenir à l'origine. *Ce serait bien de voyager dans le temps et de remonter au siècle dernier.*
Locution
Remonter le moral à quelqu'un. L'encourager. **SYN.** réconforter, soutenir. **ANT.** redescendre.
Conjugaison [VOIR MODÈLE – **AIMER**]

remontrance n. f.
Réprimande. *Faire des remontrances à un élève indiscipliné.* **SYN.** blâme, reproche.
⌨ remontr**a**nce.

remontrer v. tr.
Montrer de nouveau quelque chose (à quelqu'un). *On lui a remontré le fonctionnement du système d'alarme.*
Locution
En remontrer à quelqu'un. Lui prouver qu'on est supérieur.
Le verbe ne s'emploie plus que dans cette expression qui a une valeur défavorable.
Conjugaison [VOIR MODÈLE – **AIMER**]

remords n. m.
Honte causée par la conscience d'avoir mal agi. **SYN.** regret, repentir.
⌨ remor**ds,** avec un ***s*** même au singulier.

remorquage n. m.
Action de remorquer. *Le remorquage d'une voiture en panne.*
Le ***touage*** désigne le remorquage d'un navire.

remorque n. f.
1. Traction exercée sur un véhicule à l'aide d'un autre. *Prendre une voiture en remorque.*
2. Véhicule sans moteur destiné à être tiré. *Une remorque de camion.*
Locutions
Être à la remorque. Rester en arrière. *Il est toujours à la remorque.*
Être à la remorque de quelqu'un. (FIGURÉ) Le suivre aveuglément.

remorquer v. tr.
Tirer un véhicule, un navire. *La dépanneuse a remorqué la voiture accidentée.*
Le verbe ***touer*** ne s'emploie qu'en parlant d'un navire, d'une embarcation.
Conjugaison [VOIR MODÈLE – **AIMER**]

remorqueur n. m.
Petit bâtiment dont la fonction est de remorquer les autres navires. *Elle aimait observer le travail des remorqueurs dans le port.*

remous n. m. (pl. *remous*)
1. Tourbillon de l'eau. *Les remous des rapides du Saint-Laurent.*
2. (FIGURÉ) Agitation. *Cette décision a provoqué beaucoup de remous.*
⌨ remou**s,** un ***s*** même au singulier.

rempart n. m.
Muraille fortifiée entourant une ville. *Les remparts de Québec.*

remplaçant, ante n. m. et f.
Personne qui en remplace une autre. *Elle a trouvé une remplaçante.*
⌨ rempla**ç**ant.

remplacement n. m.
Action de remplacer une personne, une chose. *Le remplacement d'une pile.* **SYN.** changement, substitution.

remplacer v. tr.
1. Agir pour quelqu'un à titre provisoire ou permanent. *Annie a remplacé Martine pendant son congé de maternité.*
2. Substituer une chose à une autre. *Nous remplaçons ce produit par celui-ci.* **SYN.** changer.
Conjugaison [VOIR MODÈLE – **AVANCER**]
Le ***c*** prend une cédille devant les lettres ***a*** et ***o.*** *Il remplaça, nous remplaçons.*

rempli, ie adj.
1. Plein. *Un jardin rempli de rosiers.* **ANT.** vide.
2. Occupé. *Une semaine bien remplie.*

remplir v. tr., pronom.
Verbe transitif
1. Rendre plein. *Remplis mon verre, j'ai soif.*
Ce verbe a aujourd'hui remplacé le verbe ***emplir*** qui est vieilli.
2. Ajouter les renseignements nécessaires. *Remplir un formulaire* (et non *compléter).
3. Exercer une activité. *Remplir une fonction, une mission.* **SYN.** accomplir, exercer.
4. Satisfaire à. *Sa candidature remplit toutes les conditions.*
Verbe pronominal
Devenir plein. *La piscine s'est remplie en trois jours.*
Conjugaison [VOIR MODÈLE – **FINIR**]

remplissage n. m.
1. Action de remplir. *Le remplissage d'une piscine.*
2. (FIGURÉ) Développement superflu. *Faire du remplissage*

remporter v. tr.
1. Reprendre. *Elle lui a demandé de remporter ses cadeaux.*
2. Gagner. *Il a remporté le premier prix.* **SYN.** obtenir.
Conjugaison [VOIR MODÈLE – **AIMER**]

remue-ménage n. m. inv. (pl. *remue-ménage*)
Agitation. *C'est le déménagement de l'été, le grand remue-ménage.*

remuer v. tr., intr., pronom.
Verbe transitif
Mettre en mouvement. *Le chien remue la queue en signe de satisfaction.* **SYN.** agiter.
Verbe intransitif
Changer de place. *Il ne cesse de remuer.* **SYN.** bouger.
Verbe pronominal
1. Se mouvoir. *Il est ankylosé, il a du mal à se remuer.*
2. (FAMILIER) Se hâter. *Remuez-vous un peu, nous n'aurons jamais terminé à temps.*
Locution
Remuer ciel et terre. (FIGURÉ) Mettre en œuvre tous les moyens nécessaires pour atteindre un objectif.
Conjugaison [VOIR MODÈLE – **AIMER**]

rémunération n. f.
Argent reçu pour prix d'un service, d'un travail.
VOIR **SALAIRE.**
⌨ ré**m**u**n**ération.

rémunérer v. tr.
Donner une rémunération. *Ce travail est bien rémunéré.* **SYN.** payer.

Conjugaison [VOIR MODÈLE – **POSSÉDER**]
Le **é** se change en **è** devant une syllabe muette, sauf à l'indicatif futur et au conditionnel présent. *Je rémunère,* mais *je rémunérerai.*
(orthographe) ré**m**u**n**érer.

renaissance n. f.
1. Nouvelle naissance. *Au printemps, c'est la renaissance de la nature.*
2. Au XVIe siècle en Italie et en Europe, renouveau littéraire, artistique, etc. *Les peintres de la Renaissance.*
(note) Lorsque ce nom désigne la période historique, il s'écrit avec une majuscule. *La Renaissance.*

renaître v. intr.
1. Naître de nouveau. *La nature renaît au printemps.*
2. Se produire à nouveau. *Le mécontentement risque de renaître.*
(note) Ce verbe n'a pas de participe passé.
Conjugaison [VOIR MODÈLE – **NAÎTRE**]

renard n. m.
Mammifère carnivore dont la fourrure est appréciée. *Des renards argentés.*
VOIR TABLEAU – **ANIMAUX.**

renarde n. f.
Femelle du renard.
VOIR TABLEAU – **ANIMAUX.**

renardeau n. m. (pl. *renardeaux*)
Petit du renard.
VOIR TABLEAU – **ANIMAUX.**

renchérir v. intr.
1. Faire une enchère supérieure, offrir davantage d'argent. *Elle refuse de poursuivre ; ils ont trop renchéri.*
2. Dire ou faire plus, aller plus loin. *Il renchérit sur tout ce que je dis.*
Conjugaison [VOIR MODÈLE – **FINIR**]

rencontre n. f.
Le fait, pour des personnes, des choses, de se trouver en contact. *Les copains ont organisé une rencontre au collège. La rencontre de deux cultures.*

rencontrer v. tr., pronom.
Verbe transitif
Se trouver en présence de quelqu'un de façon voulue ou par hasard. *Rencontrer une amie au restaurant.*
Verbe pronominal
1. Faire connaissance. *Il me semble que nous nous sommes déjà rencontrés.*
2. Se trouver en même temps au même endroit. *Ils se sont rencontrés au café par hasard.*
Formes fautives
*rencontrer (des besoins, des demandes). Anglicisme au sens de ***répondre à, satisfaire.***
*rencontrer (des conditions). Anglicisme au sens de ***satisfaire à, remplir.***
*rencontrer (des difficultés). Anglicisme au sens de ***éprouver.***
*rencontrer (un objectif). Anglicisme au sens de ***atteindre.***
Conjugaison [VOIR MODÈLE – **AIMER**]

rendement n. m.
1. Produit, travail fourni. *Le rendement de cette employée est excellent.*
2. Rapport entre les capitaux investis et les revenus qu'on en tire. *Cet investissement offre un bon rendement.* **SYN.** profit.

rendez-vous n. m. inv. (pl. *rendez-vous*)
Abréviation ***r.-v.***
Convention entre deux ou plusieurs personnes de se retrouver en un lieu donné et à un moment déterminé. *Cet agenda ne permet pas d'inscrire plus de trois rendez-vous* (et non *appointements, *engagements) *par jour. J'ai rendez-vous avec vous. Des rendez-vous chez le dentiste.*

rendormir v. tr., pronom.
Verbe transitif
Endormir à nouveau. *Lucie n'arrive pas à rendormir le bébé.*
Verbe pronominal
Se remettre à dormir. *La fillette s'est rendormie.* **ANT.** se réveiller.
Conjugaison [VOIR MODÈLE – **DORMIR**]

rendre v. tr., pronom.
Verbe transitif
1. Remettre à quelqu'un ce qui lui est dû. *Elle lui a rendu ce qu'elle lui avait emprunté. Il lui a rendu la monnaie.* **SYN.** rembourser.
2. Faire passer quelqu'un, quelque chose à un nouvel état. *Cette décision le rendit fou de rage.*
Verbe pronominal
1. Se livrer. *Ils se sont finalement rendus.* **SYN.** capituler.
2. Aller à un endroit défini. *Elles se sont rendues en Europe.*
Locutions
Rendre compte. Faire un compte rendu.
Se rendre à l'évidence. (FIGURÉ) Comprendre, accepter un fait. *Rendez-vous à l'évidence : vous avez perdu votre pari.*
Se rendre compte de. S'apercevoir, comprendre. *Elles se sont rendu compte de leur erreur.*
(note) Dans cette expression, le participe passé est invariable.
Se rendre maître de. Maîtriser. *Ils se sont rendus maîtres de la situation.*
(note) Le participe passé et l'attribut s'accordent avec le sujet du verbe.
Conjugaison [VOIR MODÈLE – **RENDRE**]

rendu, ue adj.
Parvenu à un certain endroit. *Vous voilà rendus à destination, après trois heures de voiture.* **SYN.** arrivé.

rêne n. f.
Courroie de la bride d'un cheval servant à le diriger. *Tenir les rênes solidement.*
HOM.
– **reine**, souveraine ;
– **renne**, mammifère de la famille des cervidés.
(orthographe) r**ê**ne.

renfermé adj. et n. m.
Adjectif
Secret, taciturne. *Il est très renfermé, peu communicatif.*
Nom masculin
Odeur désagréable d'un lieu mal aéré. *Cette pièce sent le renfermé.*

renfermer v. tr., pronom.
Verbe transitif
Contenir. *Cette histoire renferme un mystère.*
Verbe pronominal
Ne rien laisser paraître de ses sentiments. *Depuis cet incident, il s'est complètement renfermé sur lui-même.*
Conjugaison [VOIR MODÈLE – **AIMER**]

(note) note | (orthographe) orthographe | *forme fautive

Indicatif

Présent

je rends
tu rends
elle rend
il rend

nous rendons
vous rendez
elles rendent
ils rendent

Passé composé

j' ai rendu
tu as rendu
elle a rendu
il a rendu

nous avons rendu
vous avez rendu
elles ont rendu
ils ont rendu

Imparfait

je rendais
tu rendais
elle rendait
il rendait

nous rendions
vous rendiez
elles rendaient
ils rendaient

Plus-que-parfait

j' avais rendu
tu avais rendu
elle avait rendu
il avait rendu

nous avions rendu
vous aviez rendu
elles avaient rendu
ils avaient rendu

Passé simple

je rendis
tu rendis
elle rendit
il rendit

nous rendîmes
vous rendîtes
elles rendirent
ils rendirent

Passé antérieur

j' eus rendu
tu eus rendu
elle eut rendu
il eut rendu

nous eûmes rendu
vous eûtes rendu
elles eurent rendu
ils eurent rendu

Futur simple

je rendrai
tu rendras
elle rendra
il rendra

nous rendrons
vous rendrez
elles rendront
ils rendront

Futur antérieur

j' aurai rendu
tu auras rendu
elle aura rendu
il aura rendu

nous aurons rendu
vous aurez rendu
elles auront rendu
ils auront rendu

Infinitif

Présent

rendre

Passé

avoir rendu

Subjonctif

Présent

que je rende
que tu rendes
qu' elle rende
qu' il rende

que nous rendions
que vous rendiez
qu' elles rendent
qu' ils rendent

Passé

que j' aie rendu
que tu aies rendu
qu' elle ait rendu
qu' il ait rendu

que nous ayons rendu
que vous ayez rendu
qu' elles aient rendu
qu' ils aient rendu

Imparfait

que je rendisse
que tu rendisses
qu' elle rendît
qu' il rendît

que nous rendissions
que vous rendissiez
qu' elles rendissent
qu' ils rendissent

Plus-que-parfait

que j' eusse rendu
que tu eusses rendu
qu' elle eût rendu
qu' il eût rendu

que nous eussions rendu
que vous eussiez rendu
qu' elles eussent rendu
qu' ils eussent rendu

Conditionnel

Présent

je rendrais
tu rendrais
elle rendrait
il rendrait

nous rendrions
vous rendriez
elles rendraient
ils rendraient

Passé

j' aurais rendu
tu aurais rendu
elle aurait rendu
il aurait rendu

nous aurions rendu
vous auriez rendu
elles auraient rendu
ils auraient rendu

Impératif

Présent

rends
rendons
rendez

Passé

aie rendu
ayons rendu
ayez rendu

Participe

Présent

rendant

Passé

rendu, ue
ayant rendu

r

renfler v. tr., pronom.
Verbe transitif
Rendre bombé. *Ses muscles saillants renflent le tissu moulant.*
Verbe pronominal
Devenir plus rond. *La forme se renfle à la base.*
Conjugaison [VOIR MODÈLE – **AIMER**]

renflouer v. tr.
1. Remettre à flot un navire.
2. (FIGURÉ) Fournir des fonds pour sauver une entreprise. *Il faut renflouer cette librairie qui pourrait faire faillite.*
Conjugaison [VOIR MODÈLE – **AIMER**]

renfoncer v. tr., intr.
Verbe transitif
Enfoncer plus avant.
Verbe intransitif
⚜ (FAMILIER) Enfoncer. *Il est difficile de courir quand nos pieds renfoncent dans la neige.*
Conjugaison [VOIR MODÈLE – **AVANCER**]
Le ***c*** prend une cédille devant les lettres ***a*** et ***o.*** *Il renfonça, nous renfonçons.*

renforcer v. tr.
Rendre plus solide. *Il faudrait renforcer ces poutres pour mieux soutenir le plancher.* **SYN.** consolider, solidifier.
Conjugaison [VOIR MODÈLE – **AVANCER**]
Le ***c*** prend une cédille devant les lettres ***a*** et ***o.*** *Il renforça, nous renforçons.*

renfort n. m.
Augmentation du nombre de personnes, supplément de matériel. *Nous sommes débordés, envoyez-nous des renforts.*
Locution
À grand renfort de, locution prépositive. À l'aide d'une grande quantité de. *À grand renfort de paroles.*
✎ renfor**t.**

renfrogner (se) v. pronom.
Devenir maussade. *Ils se sont renfrognés en entendant ces commentaires négatifs.*
☞ Le participe passé de ce verbe qui n'existe qu'à la forme pronominale s'accorde toujours en genre et en nombre avec le sujet du verbe.
Conjugaison [VOIR MODÈLE – **AIMER**]

rengaine n. f.
Refrain trop souvent entendu. *On entend toujours la même rengaine.*
✎ reng**ai**ne.

rengainer v. tr.
Remettre une arme dans son étui. *Les policiers rengainèrent leur revolver.*
Conjugaison [VOIR MODÈLE – **AIMER**]
✎ reng**ai**ner.

rengorger (se) v. pronom.
Faire l'important. *Le député se rengorgeait devant les invités. Les élus se sont rengorgés sous les applaudissements.*
☞ Le participe passé de ce verbe qui n'existe qu'à la forme pronominale s'accorde toujours en genre et en nombre avec le sujet du verbe.
Conjugaison [VOIR MODÈLE – **CHANGER**]
Le ***g*** est suivi d'un ***e*** devant les lettres ***a*** et ***o.*** *Il se rengorgea, nous nous rengorgeons.*

reniflement n. m.
Action de renifler. *Des reniflements exaspérants.*
✎ reni**f**lement.

renifler v. tr., intr.
Verbe transitif
Sentir. *Renifler une bonne odeur.*
Verbe intransitif
Aspirer fortement par le nez. *Cesse de renifler, mouche-toi.*
Conjugaison [VOIR MODÈLE – **AIMER**]
✎ reni**f**ler.

renne n. m.
1. Mammifère ruminant de la famille des cervidés. *Des troupeaux de rennes.*
2. ⚜ Caribou.
HOM.
– **reine**, souveraine ;
– **rêne**, courroie de la bride d'un cheval.
✎ re**nn**e.

renom n. m.
Célébrité de quelqu'un, de quelque chose. *Un vin de renom, le renom d'un couturier.* **SYN.** renommée.
☞ Ce nom ne s'emploie que dans un sens favorable.
✎ reno**m.**

renommé, ée adj.
Réputé. *Une région renommée pour ses fromages.* **SYN.** célèbre, fameux.
✎ reno**mm**é.

renommée n. f.
Célébrité de quelqu'un, de quelque chose. *La renommée de cette artiste est très grande : c'est une vedette de la chanson. Ce village doit sa renommée à son festival de musique annuel.*
☞ Ce nom ne s'emploie que dans un sens favorable, alors que les noms ***notoriété, réputation*** se disent en bonne ou en mauvaise part.
✎ reno**mm**ée.

renommer v. tr.
Nommer de nouveau. *Elle a été renommée conseillère.*
Conjugaison [VOIR MODÈLE – **AIMER**]

renoncement n. m.
Fait de renoncer, sacrifice. *Le renoncement aux bons gâteaux est difficile.*
✎ renon**c**ement.

renoncer v. tr. ind.
1. Abandonner un droit sur quelque chose. *Ils ont renoncé à poursuivre, à une succession.*
2. Se priver de. *Renoncer aux plaisirs.*
⟡ Le verbe se construit avec la préposition ***à.***
Conjugaison [VOIR MODÈLE – **AVANCER**]
Le ***c*** prend une cédille devant les lettres ***a*** et ***o.*** *Il renonça, nous renonçons.*

renouer v. tr., intr.
Verbe transitif
Lier de nouveau ce qui était détaché. *Elle a renoué ses cheveux.*
Verbe intransitif
Rétablir des relations interrompues. *Renouer avec une amie d'enfance.* **SYN.** se réconcilier, se retrouver.
⟡ En ce sens, le verbe se construit avec la préposition ***avec.***
Conjugaison [VOIR MODÈLE – **AIMER**]

renouveau n. m. (pl. *renouveaux*)
1. (LITTÉRAIRE) Le printemps.
2. Renouvellement. **SYN.** regain, renaissance.

renouvelable adj.
Qui peut être renouvelé. *L'électricité est une énergie renouvelable.*
renouvelable.

renouveler v. tr., pronom.
Verbe transitif
1. Donner une nouvelle apparence, changer. *Renouveler son mobilier.*
2. Recommencer. *Renouveler une promesse.* **SYN.** refaire.
3. Prolonger. *Renouveler un bail, un passeport.*
Verbe pronominal
Se produire à nouveau. *Les éclairs se sont renouvelés.* **SYN.** se reproduire .
Conjugaison [VOIR MODÈLE – **APPELER**]
Redoublement du ***l*** devant un **e** muet. *Je renouvelle, je renouvellerai,* mais *je renouvelais.*

rénovation n. f.
Remise à neuf (d'un bâtiment, d'un local). *Des travaux de rénovation.* **SYN.** restauration.

rénover v. tr.
Aménager, remettre à neuf. **SYN.** restaurer.
Conjugaison [VOIR MODÈLE – **AIMER**]

renseignement n. m.
Indication, information. *C'est un renseignement qui nous sera très utile.*
Locution
À titre de renseignement. À titre informatif, à titre documentaire. *À titre de renseignement, je vous envoie notre brochure.*

renseigner v. tr., pronom.
Verbe transitif
Donner des indications. *Renseigner quelqu'un sur quelque chose.* **SYN.** informer.
Verbe pronominal
S'informer. *Il se renseigne sur les heures de départ du train.*
Conjugaison [VOIR MODÈLE – **AIMER**]

rentrée n. f.
1. Reprise de l'activité, après une interruption. *La rentrée des classes.*
2. Encaissement. *Des rentrées d'argent.* **SYN.** recette.

rentrer v. tr., intr.
Verbe transitif
Mettre à l'intérieur. *Rentrer sa voiture au garage, rentrer les foins.*
Verbe intransitif
1. Entrer de nouveau. *Je les aperçois, ils viennent de rentrer dans l'immeuble.* **ANT.** ressortir.
2. Revenir chez soi. *Elle a hâte de rentrer chez elle.*
3. Être compris dans. *Je n'arrive pas à rentrer tous ces livres dans mon cartable.* **SYN.** mettre.
Le verbe intransitif se conjugue avec l'auxiliaire ***être.*** *Elle est rentrée tôt.*
Ne pas confondre avec le verbe ***entrer,*** pénétrer, introduire.
Conjugaison [VOIR MODÈLE – **AIMER**]

renversant, ante adj.
Surprenant. *Une nouvelle renversante.* **SYN.** étonnant.

renverse n. f.
Tomber à la renverse. Tomber sur le dos. *Elle est tombée à la renverse et s'est blessée.*
Tomber à la renverse. (FIGURÉ) Être très étonné. *Nous sommes tombés à la renverse en apprenant cette nouvelle.*
De façon courante, le nom ne s'emploie que dans cette expression.

renversement n. m.
Changement complet, bouleversement. *Le renversement du gouvernement. Un renversement de situation.*

renverser v. tr.
1. Mettre à l'envers et répandre un liquide. *Renverser son verre.*
2. Faire tomber. *C'est un cycliste qui a renversé le piéton.*
3. (FIGURÉ) Surprendre beaucoup. *Cette décision les a renversés.* **SYN.** étonner.
Conjugaison [VOIR MODÈLE – **AIMER**]

renvoi n. m.
1. Action de renvoyer. *Le renvoi d'une lettre pour adresse incomplète.*
2. Congédiement. *On lui a signifié son renvoi.*
3. Indication dans un texte qui renvoie le lecteur à une explication. *Des renvois à des illustrations.*

renvoyer v. tr.
1. Envoyer de nouveau. *Il aimerait qu'on lui renvoie son livre.* **SYN.** retourner.
2. Faire se reporter. *Renvoyer le lecteur à l'étymologie d'un mot* (et non *référer).
3. Congédier quelqu'un, le chasser. *La direction du collège a dû renvoyer ces élèves incorrigibles.*
Conjugaison [VOIR MODÈLE – **ENVOYER**]

repaire n. m.
Refuge d'une bête sauvage, de malfaiteurs. **SYN.** antre.
HOM. repère, marque, jalon servant à une utilisation ultérieure.
repaire.

répandre v. tr., pronom.
Verbe transitif
1. Verser (un liquide), disperser quelque chose. *Répandre de l'eau, du sel sur la chaussée glacée.*
2. Produire. *Le rôti qui cuit répand une odeur agréable.* **SYN.** dégager.
3. Diffuser. *Répandre une nouvelle.* **SYN.** propager.
Verbe pronominal
1. Déborder. *L'eau de la baignoire s'est répandue sur le plancher.*
2. Envahir. *Les élèves se sont répandues dans la cour de récréation.*
3. Se propager. *La bonne nouvelle s'est répandue très vite.*
Conjugaison [VOIR MODÈLE – **FENDRE**]
INDICATIF PRÉSENT *Je répands, tu répands, il répand, nous répandons, vous répandez, ils répandent.* IMPARFAIT *Je répandais.* PASSÉ SIMPLE *Je répandis.* FUTUR *Je répandrai.* **CONDITIONNEL** PRÉSENT *Je répandrais.* **IMPÉRATIF** PRÉSENT *Répands, répandons, répandez.* **SUBJONCTIF** PRÉSENT *Que je répande.* IMPARFAIT *Que je répandisse.* **PARTICIPE** PRÉSENT *Répandant.* PASSÉ *Répandu, ue.*

répandu, ue adj.
Connu, courant. *Cet usage est très répandu.*

réparateur n. m.
réparatrice n. f.
Personne dont le métier est de réparer des objets, des appareils défectueux. *Un réparateur d'appareils électroménagers.*

r

réparation n. f.
Action de réparer ce qui est endommagé.

réparer v. tr.
Remettre quelque chose en bon état, en état de fonctionnement.
Conjugaison [VOIR MODÈLE – **AIMER**]

repartie ou **répartie** n. f.
Le premier **e** se prononce **é** [reparti].
Réplique. *Elle a le sens de la repartie* ou *répartie : elle trouve toujours quelque chose à répondre.*

repartir v. intr.
1. Partir de nouveau. *Vous arrivez trop tard : l'autobus vient de repartir.*
2. Retourner à l'endroit d'où l'on vient. *Ils sont repartis chez eux.*
Le verbe se conjugue avec l'auxiliaire ***être.***
Conjugaison [VOIR MODÈLE – **SORTIR**]
r**e**partir.

répartir v. tr.
Distribuer entre plusieurs personnes. *Répartir les profits entre les associés.* **SYN.** diviser.
Conjugaison [VOIR MODÈLE – **FINIR**]

répartition n. f.
Action de répartir, partage. *Une répartition égale des fruits entre les enfants.*

repas n. m.
Nourriture prise quotidiennement à des heures régulières. *Le repas du midi.*

repassage n. m.
Action de repasser du linge, des vêtements. *Le repassage d'une jupe.*

repasser v. tr., intr.
Verbe transitif
1. Presser du linge, des vêtements à l'aide d'un fer. *Je dois repasser ma chemise.*
2. Se remettre en mémoire, étudier. *Elle a repassé ses conjugaisons.* **SYN.** réviser, revoir.
Verbe intransitif
Passer de nouveau. *Repassez demain, nous aurons peut-être reçu le livre commandé.* **SYN.** revenir.
Conjugaison [VOIR MODÈLE – **AIMER**]

repeindre v. tr.
Peindre à neuf. *L'appartement a été repeint de* ou *en blanc.*
Conjugaison [VOIR MODÈLE – **ÉTEINDRE**]

repentir n. m.
Remords. **SYN.** regret.

repentir (se) v. pronom.
Regretter d'avoir fait une faute, une action. *Elles se sont repenties de ce geste. Les fautes dont ils se sont repentis.* **SYN.** se reprocher.
Le participe passé de ce verbe qui n'existe qu'à la forme pronominale s'accorde toujours en genre et en nombre avec le sujet du verbe.
Conjugaison [VOIR MODÈLE – **SORTIR**]
INDICATIF PRÉSENT *Je me repens, tu te repens, il se repent, nous nous repentons, vous vous repentez, ils se repentent.* IMPARFAIT *Je me repentais.* PASSÉ SIMPLE *Je me repentis.* FUTUR *Je me repentirai.* **CONDITIONNEL** PRÉSENT *Je me repentirais.* **IMPÉRATIF** PRÉSENT *Repens-toi, repentons-nous, repentez-vous.* **SUBJONCTIF** PRÉSENT *Que je me repente.* IMPARFAIT *Que je me repentisse.* **PARTICIPE** PRÉSENT *Se repentant.* PASSÉ *Repenti, ie.*

répercussion n. f.
Conséquence. *Les répercussions de l'évènement ont été très grandes.* **SYN.** effet, retombée.

répercuter v. tr., pronom.
Verbe transitif
Renvoyer dans une direction nouvelle. *Des murs qui répercutent la voix.*
Verbe pronominal
Avoir des conséquences directes. *La fatigue se répercute sur le moral.*
Conjugaison [VOIR MODÈLE – **AIMER**]

repère n. m.
Marque, jalon servant à une utilisation ultérieure. *Un point de repère.*
HOM. repaire, refuge d'une bête sauvage, de malfaiteurs.

repérer v. tr., pronom.
Verbe transitif
Localiser. *Repérer les lieux.* **SYN.** situer, trouver.
Verbe pronominal
Se retrouver grâce à des marques, des indications. *Elle s'est repérée dans la forêt grâce à ces traits sur les arbres.* **SYN.** se situer .
Conjugaison [VOIR MODÈLE – **POSSÉDER**]
Le **é** se change en **è** devant une syllabe muette, sauf à l'indicatif futur et au conditionnel présent. *Je repère,* mais *je repérerai.*

répertoire n. m.
Recueil de données classées de façon méthodique. *Un répertoire téléphonique.*
répertoir**e.**

répéter v. tr., pronom.
Verbe transitif
1. Redire. *Il répète sans cesse la même chose.*
2. Recommencer. *Répéter les mêmes gestes.*
3. S'exercer à dire, à exécuter ce qu'on devra faire en public. *Répéter une pièce de théâtre.* **SYN.** apprendre, repasser.
Verbe pronominal
1. Avoir lieu à nouveau. *Le festival se répétera tous les ans.* **SYN.** se reproduire.
2. Redire inutilement les mêmes choses. *Elle ne voudrait pas se répéter.*
Conjugaison [VOIR MODÈLE – **POSSÉDER**]
Le deuxième **é** se change en **è** devant une syllabe muette, sauf à l'indicatif futur et au conditionnel présent. *Je répète,* mais *je répéterai.*

répétition n. f.
1. Action de répéter un mot, un geste. *La répétition d'une phrase par un perroquet.*
2. Action de répéter une pièce, un morceau de musique, etc. *Nous avons une répétition ce soir.*

répit n. m.
Sursis, détente. *Ils apprécieraient quelques minutes de répit, ils courent depuis deux heures.* **SYN.** délai, interruption.
Locution
Sans répit, locution adverbiale. Sans arrêt. **SYN.** continuellement.
répi**t.**

repli n. m.
1. Double pli, sinuosité.
2. (FIGURÉ) Recul. *Le repli du dollar après une hausse marquée.* **SYN.** diminution.

replier v. tr., pronom.
Verbe transitif
Plier de nouveau. *Replier un ourlet.*
Verbe pronominal
Reculer. *Les soldats se sont repliés en désordre.*
Conjugaison [VOIR MODÈLE – **ÉTUDIER**]
Redoublement du ***i*** à la première et à la deuxième personne du pluriel de l'indicatif imparfait et du subjonctif présent. *(Que) nous repliions, (que) vous repliiez.*

réplique n. f.
1. Réponse. *Une réplique bien sentie.* **SYN.** repartie.
2. Reproduction. *La réplique est très réussie ; elle est difficile à distinguer de l'original.*

répliquer v. tr.
Répondre à ce qui a déjà été dit.
Conjugaison [VOIR MODÈLE – **AIMER**]

répondeur n. m.
Dispositif qu'on branche sur la ligne téléphonique et qui donne un message enregistré permettant aux correspondants de laisser un message. *Laisse-moi un message sur mon répondeur.*

répondre v. tr., intr.
Verbe transitif
Faire une réponse à ce qui est dit ou écrit. *Il devrait répondre à sa lettre sous peu. Elle lui a répondu* (et non *répond) *que tout était parfait.*
Verbe intransitif
Donner une réponse. *On ne répond pas : il n'y a personne.*
Conjugaison [VOIR MODÈLE – **FENDRE**]
INDICATIF PRÉSENT *Je réponds, tu réponds, il répond, nous répondons, vous répondez, ils répondent.* IMPARFAIT *Je répondais.* PASSÉ SIMPLE *Je répondis.* FUTUR *Je répondrai.* **CONDITIONNEL** PRÉSENT *Je répondrais.* **IMPÉRATIF** PRÉSENT *Réponds, répondons, répondez.* **SUBJONCTIF** PRÉSENT *Que je réponde.* IMPARFAIT *Que je répondisse.* **PARTICIPE** PRÉSENT *Répondant.* PASSÉ *Répondu, ue.*

réponse n. f.
Ce qui est dit ou écrit à quelqu'un qui a posé une question, qui a fait une demande. *Sa réponse a été affirmative.*

reportage n. m.
Compte rendu d'un journaliste destiné à être publié dans un journal, à être diffusé par la radio, la télévision.

reporter n. m. et f.
La dernière syllabe se prononce ***tère*** ou ***teur,*** [rəpɔrtɛr] ou [rəpɔrtœr].
Journaliste qui fait des reportages. *Des reporters talentueux.*

reporter v. tr., pronom.
Verbe transitif
1. Transporter, placer ailleurs. *Reporter une somme.*
2. Remettre à plus tard. *Les jeux ont été reportés de quelques mois.* **SYN.** différer.
Verbe pronominal
Se référer à. *Si l'on se reporte aux premiers énoncés.*
Conjugaison [VOIR MODÈLE – **AIMER**]

repos n. m.
Sommeil, détente. *Elle aurait besoin de repos.*
repo**s.**

reposant, ante adj.
Qui repose. *Une lecture reposante.* **SYN.** relaxant.

reposer v. tr., intr., pronom.
Verbe transitif
1. Replacer quelque chose dans sa position initiale. *Repose ce livre où tu l'as pris.*
2. Poser à nouveau. *Elle a osé reposer sa question une fois de plus.*
Verbe intransitif
(LITTÉRAIRE) Dormir. *Laissez-la reposer.*
Verbe pronominal
Se détendre, cesser de faire des efforts, de travailler. *Ils se sont reposés.* **SYN.** se délasser.
Locution
Reposer sur. Être établi sur. *Le projet repose sur des bases solides.*
Conjugaison [VOIR MODÈLE – **AIMER**]

repoussant, ante adj.
Affreux, répugnant. *Les tarentules sont repoussantes.*

repousse n. f.
Action de repousser. *La repousse des cheveux.*

repousser v. tr., intr., pronom.
Verbe transitif
1. Faire reculer. *Les policiers ont repoussé les curieux.* **SYN.** chasser.
2. Rejeter. *Repousser une demande.* **SYN.** refuser.
Verbe intransitif
Pousser de nouveau. *Ses cheveux repoussent très vite.*
Verbe pronominal
S'écarter mutuellement. *Les aimants se repoussent.*
Conjugaison [VOIR MODÈLE – **AIMER**]

répréhensible adj.
Qui est à blâmer. *Un geste répréhensible.* **SYN.** blâmable, condamnable.
répré**h**ensible.

reprendre v. tr., intr., pronom.
Verbe transitif
1. Prendre de nouveau. *Reprendrez-vous un peu de gigot ?*
2. Continuer une activité interrompue. *Elle la salua, car elle devait reprendre son travail.* **SYN.** recommencer.
3. Réprimander. *Reprendre un enfant qui dit des gros mots.* **SYN.** blâmer, corriger.
Verbe intransitif
Recommencer. *L'activité a repris.*
Verbe pronominal
Se ressaisir, se corriger. *Ils se sont repris à temps et ont remédié à leur problème.*
Conjugaison [VOIR MODÈLE – **APPRENDRE**]

représailles n. f. pl.
Riposte. *Des mesures de représailles.*
Le mot ne s'emploie qu'au pluriel.

représentant n. m.
représentante n. f.
1. Personne qui représente quelqu'un, qui a reçu le mandat d'agir en son nom.
2. Délégué.
3. Personne qui fait des affaires pour le compte d'une ou de plusieurs maisons de commerce. *Un représentant (de commerce), une représentante commerciale.*

représentation n. f.
1. Le fait de représenter la réalité par l'image, l'écriture, etc. *Une représentation très réaliste.*
2. Le fait de jouer une pièce, de donner un spectacle. *La représentation aura lieu à 20 heures.*

représenter v. tr., pronom.
Verbe transitif
1. Faire apparaître la réalité d'une manière concrète. *Le peintre a représenté ce paysage de façon réaliste.* **SYN.** dépeindre, exprimer.
2. Constituer. *Cette décision représente une nouvelle ouverture d'esprit.* **SYN.** être.
3. Remplacer. *Le président est représenté par son directeur général.*
Verbe pronominal
Imaginer. *Comment vous représentez-vous cette personne ?* **SYN.** figurer, voir.
Conjugaison [VOIR MODÈLE – **AIMER**]

réprimande n. f.
Blâme, reproche. *Ce retard lui vaudra une réprimande.* **SYN.** observation.

réprimander v. tr.
Blâmer, reprocher une faute à quelqu'un. *On l'a réprimandé pour son retard.* **SYN.** reprendre.
Conjugaison [VOIR MODÈLE – **AIMER**]

réprimer v. tr.
1. Contenir. *Elle avait du mal à réprimer un sourire.* **SYN.** cacher.
2. Châtier par des mesures sévères.
Conjugaison [VOIR MODÈLE – **AIMER**]

reprisage n. m.
Raccommodage. *Le reprisage des chaussettes.*

reprise n. f.
1. Action de reprendre. *La reprise d'une pièce, d'un film.*
2. Regain d'activité. *La reprise économique.* **SYN.** relance.
Locutions
À maintes reprises, à plusieurs reprises, à différentes reprises, locutions adverbiales. Plusieurs fois.

repriser v. tr.
Raccommoder. *Elle ne sait pas repriser correctement les chaussettes.*
Conjugaison [VOIR MODÈLE – **AIMER**]

reproche n. m.
Blâme, critique. *Je n'ai aucun reproche à te faire, tu as bien agi.*
Locution
Sans reproche(s). À qui l'on ne peut rien reprocher. *Ils sont sans reproche* ou *sans reproches.* **SYN.** irréprochable.

reprocher v. tr., pronom.
Verbe transitif
Attribuer une faute à quelqu'un, blâmer quelqu'un.
Verbe pronominal
Se blâmer, se considérer comme responsable. *Je me reproche de lui avoir parlé ainsi.*
Conjugaison [VOIR MODÈLE – **AIMER**]

reproducteur, trice adj.
Qui sert à la reproduction. *Les organes reproducteurs.*

reproduction n. f.
1. Action de reproduire, de se reproduire. *La reproduction humaine.*
2. Le fait de reproduire un texte, un son, une image. *Des procédés de reproduction.*

reproduire v. tr., pronom.
Verbe transitif
Imiter. *Reproduire un tableau.* **SYN.** rendre, représenter.
Verbe pronominal
1. Donner naissance à de nouveaux êtres. *Ils se sont reproduits en grand nombre.* **SYN.** se multiplier.
2. Se répéter. *Ces évènements se sont reproduits souvent.* **SYN.** recommencer.
Conjugaison [VOIR MODÈLE – **CONDUIRE**]

reptile n. m.
Vertébré rampant avec ou sans pattes. *Le serpent, le lézard, le crocodile sont des reptiles.*
✎ rept**ile.**

république n. f.
Mode de gouvernement. *Dans une république, le chef de l'État est un président.*
Note – Dans les désignations de pays, le mot s'écrit avec une majuscule s'il est suivi d'un ou de plusieurs adjectifs. *La République française.*
VOIR **PAYS.**

répugnance n. f.
Dégoût, répulsion. *La tarentule inspire de la répugnance. Des actes dégradants qui causent de la répugnance.*

répugnant, ante adj.
Qui inspire du dégoût, au propre et au figuré. *Un insecte répugnant. Des actes répugnants.* **SYN.** dégoûtant, hideux.
Note – Ne pas confondre avec le participe présent invariable ***répugnant.*** *Seuls les soldats répugnant à envahir la ville restaient.*

répugner v. tr. ind.
1. Faire horreur. *Elle répugne à devoir prendre cette décision. Il lui répugne d'agir ainsi.*
Le verbe se construit avec les prépositions **à** ou ***de.***
2. Inspirer du dégoût, de l'aversion. *Cette odeur lui répugne. Cet homme me répugne.* **SYN.** dégoûter.
Conjugaison [VOIR MODÈLE – **APPRÉCIER**]

réputation n. f.
Opinion publique favorable ou défavorable. *La réputation de ce restaurant est excellente.*
Locution
De réputation. Pour en avoir entendu parler. *De réputation, c'est un excellent professeur.* **SYN.** réputé.

réputé, ée adj.
Célèbre, connu. *Un vin réputé, une auberge réputée pour sa bonne table.* **SYN.** estimé, fameux.

requête n. f.
Demande. *Présenter une requête pour obtenir la libération d'une personne emprisonnée.*

requin n. m.
1. Poisson très vorace.
2. (FIGURÉ) Personne cupide. *Les requins de la finance.*

requis, ise adj.
Nécessaire, exigé. *Les conditions requises.* **SYN.** obligatoire.

rescapé, ée adj. et n. m. et f.
Personne qui a échappé à un accident, à un danger. *Des passagers rescapés. C'est une rescapée du terrible accident.* **SYN.** survivant.
✎ resca**p**é.

rescaper v. tr.
⚜ Sauver quelqu'un, le faire échapper à un danger, à une situation périlleuse. *Les marins ont rescapé les naufragés.*
Conjugaison [VOIR MODÈLE – **AIMER**]

rescousse n. f.
À la rescousse. À l'aide, au secours. *Des navires sont venus à la rescousse du voilier en difficulté.*
De façon courante, le nom ne s'emploie que dans cette expression.

réseau n. m. (pl. *réseaux*)
1. Ensemble de lignes de communication, de voies, etc., qui desservent une région. *Un réseau ferroviaire, routier, des réseaux téléphoniques, informatiques.*
2. Répartition des éléments d'une organisation ou d'une activité en différents points reliés les uns aux autres. *Démanteler un réseau de trafiquants de drogue.*
Locution
Réseau Internet. (NÉOLOGISME) Réseau informatique mondial qui permet de transmettre de manière interactive des données informatiques, des images, des sons. **SYN.** Internet.

réservation n. f.
Action de retenir une place (dans un hôtel, dans un avion, au théâtre, etc.). *Nous avons des réservations pour cette pièce de théâtre.*

réserve n. f.
1. Opposition, désaccord. *J'ai des réserves à l'égard de ce projet.*
2. Discrétion. *Il manque de réserve.*
3. Provision. *Accumuler des réserves en cas d'imprévu.* **SYN.** stock.
4. Territoire où la faune et la flore sont protégées. *Cette île est une réserve ornithologique* (et non un *sanctuaire).
Locutions
Avec réserve, avec des réserves, locutions adverbiales. Avec des doutes.
En réserve, locution adverbiale. De côté, à part. *Nous avons de l'eau en réserve.*
Réserve indienne. Territoire occupé par des Amérindiens.
Réserve faunique. Territoire constitué en vue de la protection de la faune, où la chasse et la pêche sont réglementées.
Sans réserve, locution adverbiale. Entièrement, sans exception. *Je recommande cette candidate sans réserve.*
Sous réserve de, locution prépositive. En envisageant la possibilité de. *Sous réserve de modifications de dernière heure, le programme est adopté.*
Sous toute réserve ou ***toutes réserves.*** Sans garantie, avec une possibilité d'inexactitude. *Ces données sont approximatives, je vous les transmets sous toute réserve* ou *toutes réserves.*

réservé, ée adj.
Discret dans ses actes, dans ses paroles. *Elle est très timide, très réservée.*

réserver v. tr.
1. Mettre de côté pour un usage particulier. *Réserver des livres à la bibliothèque.*
2. Destiner à. *Nous avons réservé un accueil enthousiaste à notre médaillé d'or.*
Locution
Se réserver le droit de. Conserver la possibilité. *Elle se réserve le droit de refuser la modification proposée.*
Conjugaison [VOIR MODÈLE – **AIMER**]

réservoir n. m.
Lieu, récipient où l'on conserve un liquide. *Un réservoir d'eau de pluie.*

résidant, ante adj. et n. m. et f.
Qui habite en un lieu. *Les résidants de Montréal ont un bon réseau de transport en commun.*
L'orthographe de ce mot est variable. L'OLF a recommandé la graphie ***résident, ente.*** Cependant, la graphie avec un ***a*** est cohérente avec la série de noms formés à partir d'un verbe du premier groupe : ***habitant (habiter), étudiant (étudier), participant (participer),*** etc. Dans la francophonie, on emploie plutôt le nom ***habitant*** en ce sens. En raison de la valeur défavorable qu'a parfois ce nom au Québec, on hésite à l'employer.
Ne pas confondre avec le participe présent invariable ***résidant.*** *Les personnes résidant au Québec bénéficient du régime d'assurance-maladie.*

résidence n. f.
Demeure, lieu d'habitation. *Une jolie résidence secondaire.*
La ***résidence*** est la demeure habituelle, tandis que le ***domicile*** est la demeure légale.

résidentiel, ielle adj.
Réservé aux habitations, par opposition à ***industriel, commercial.*** *Un quartier résidentiel* (et non *domiciliaire).
résiden**t**iel.

résider v. intr.
1. Habiter. *Il réside à Outremont.*
2. (FIGURÉ) Se trouver. *Voilà où réside le problème.* **SYN.** se situer.
Conjugaison [VOIR MODÈLE – **AIMER**]

résidu n. m.
Ce qui reste. *Des résidus de la combustion.*
résid**u.**

résignation n. f.
Soumission. *Il accepta cette nouvelle épreuve avec résignation.*

résigner (se) v. pronom.
Se soumettre. *Ils se sont résignés à déménager.* **SYN.** accepter, consentir.
Le participe passé de ce verbe qui n'existe qu'à la forme pronominale s'accorde toujours en genre et en nombre avec le sujet du verbe.
Conjugaison [VOIR MODÈLE – **AIMER**]

résine n. f.
Produit sécrété par certains arbres, notamment les conifères.

résineux, euse adj. et n. m.
Adjectif
Qui produit de la résine.
Nom masculin
Arbre qui produit de la résine. *Les conifères sont des résineux.*

résistance n. f.
1. Propriété par laquelle une force s'oppose à une autre. *La résistance de l'air.*
2. (FIGURÉ) Opposition. *Il leur opposa une résistance désespérée.*
résist**a**nce.

résistant, ante adj.
Qui résiste bien. *Des tissus très résistants.* **SYN.** solide, tenace.
Ne pas confondre avec le participe présent invariable ***résistant.*** *Les tissus résistant à l'usure sont appréciés.*
résist**a**nt.

résister v. tr. ind.
1. Ne pas céder, se maintenir. *Le barrage a bien résisté à la crue des eaux.*
2. Se défendre, s'opposer. *Ils ont résisté aux envahisseurs.*
Conjugaison [VOIR MODÈLE – **AIMER**]

résolu, ue adj.
Déterminé. *Ils sont résolus à le suivre.* **SYN.** décidé, prêt.

résolution n. f.
1. Action de résoudre. *La résolution d'un problème.*
2. Détermination. *Ils agissent avec beaucoup de résolution.*
3. Décision. *Il a pris de bonnes résolutions, notamment celle d'arrêter de fumer.*

résonance n. f.
1. Propriété de réfléchir le son. *Une caisse de résonance.*
2. (FIGURÉ) Écho, prolongement. *Ce concept a une nouvelle résonance.*
La graphie ***résonnance*** est vieillie.
réso**n**ance.

résonner v. intr.
Renvoyer un son en l'augmentant. *Les cloches résonnaient dans le soir.* **SYN.** retentir.
HOM. raisonner, ramener quelqu'un à la raison.
Conjugaison [VOIR MODÈLE – **AIMER**]
réso**nn**er.

résoudre v. tr., pronom.
Verbe transitif
1. Trouver une réponse, une solution. *Résoudre un problème.*
2. Décider. *Il a résolu de déménager. Elle est résolue à tout recommencer.*
Le verbe se construit avec les prépositions ***de*** ou ***à,*** selon le contexte.
Verbe pronominal
1. Se décider, être déterminé. *Il s'est résolu à faire un grand ménage.*
2. Accepter, se résigner. *Nous devons nous résoudre à partir, à ce que tout ne soit pas parfait.*
À l'infinitif, le verbe se construit avec la préposition ***à,*** suivie de l'infinitif ou avec ***à ce que,*** suivi du subjonctif.
Conjugaison [VOIR MODÈLE – **RÉSOUDRE**]
La forme du participe passé ***résous, résoute*** est vieillie, on dit plutôt ***résolu, résolue.***

respect n. m.
Les lettres ***ct*** ne se prononcent pas [rɛspɛ]. Attention à la liaison dans la locution ***respect (k) humain*** [rɛspɛkymɛ̃].
1. Déférence. *Traitez-le avec tout le respect qui s'impose.* **SYN.** politesse.
2. Le fait d'observer les règles imposées. *Le respect de la loi.*
3. (AU PLURIEL) Hommages. *Mes respects à votre père.*
Locutions
Respect humain. Crainte qu'on a du jugement d'autrui.
Tenir quelqu'un en respect. Le menacer d'une arme.

respectable adj.
1. Qui est digne de respect. *Une personne très respectable.*
2. Considérable. *Un âge respectable.* **SYN.** honorable.
Ne pas confondre avec le mot ***respectueux,*** qui témoigne du respect.

respecter v. tr., pronom.
Verbe transitif
1. Porter respect. *Il respecte énormément ce chercheur.*
2. Suivre (des règles). *Respecter le règlement.* **SYN.** obéir, suivre.
Verbe pronominal
Être fidèle à sa réputation, agir de façon à conserver l'estime de soi. *Cet article n'est pas digne d'un journal qui se respecte.*
Conjugaison [VOIR MODÈLE – **AIMER**]

respectif, ive adj.
Qui concerne chacun, chaque chose parmi plusieurs. *Ils parlent de leur poste respectif* ou *de leurs postes respectifs.*
L'adjectif peut s'employer au singulier ou au pluriel.

respectivement adv.
De façon respective. *Luc et Pierre sont âgés respectivement de 9 et 11 ans.*

respectueusement adv.
Avec respect. *Les enfants ont salué le curé respectueusement.*

respectueux, euse adj.
Qui témoigne du respect. **SYN.** poli.
Ne pas confondre avec le mot ***respectable,*** qui est digne de respect.

respiration n. f.
Action de respirer. *Une respiration rapide.*
Locution
Respiration artificielle. Ensemble des techniques visant à rétablir les fonctions respiratoires d'un blessé, d'un asphyxié. *On a pratiqué la respiration artificielle sur lui et on a réussi à le ranimer.*

respiratoire adj.
Qui sert à la respiration. *Le système respiratoire, les voies respiratoires.*
respiratoir**e.**

respirer v. tr., intr.
Verbe transitif
Absorber par la respiration. *Plutôt que de respirer l'air pollué, je préfère le bon air pur de la campagne.*
Verbe intransitif
1. Absorber l'oxygène dans l'air et rejeter le gaz carbonique, en parlant des êtres vivants. *Il respire difficilement.*
2. (FAMILIER) Prendre un peu de répit. *Laissez-moi respirer un peu.*
3. (FIGURÉ) Éprouver un vif soulagement après une inquiétude. *Ouf ! tout danger est écarté : nous respirons enfin.*
Conjugaison [VOIR MODÈLE – **AIMER**]

resplendir v. intr.
Briller avec éclat. *Le lac resplendit sous le soleil d'été.* **SYN.** luire.
Conjugaison [VOIR MODÈLE – **FINIR**]

resplendissant, ante adj.
Qui resplendit, rayonne. *Elle a une mine resplendissante.* **SYN.** brillant, éblouissant, éclatant, radieux.

responsabilité n. f.
Obligation de remplir un engagement, de répondre de quelque chose, d'en être responsable. *Elle a de lourdes responsabilités : elle élève seule ses trois enfants.*
Locution
Prendre ses responsabilités. Agir en respectant ses engagements, en acceptant les conséquences de ses actes.

responsable adj. et n. m. et f.
Adjectif
1. Qui doit s'occuper de quelqu'un et doit répondre de ses actes. *Les parents sont responsables de leurs enfants de moins de 18 ans.*
2. Qui est coupable de quelque chose et doit réparer les dommages causés. *Cet automobiliste qui a brûlé le feu rouge sera tenu responsable de l'accident.*
3. Conscient des conséquences de ses actes. **SYN.** pondéré, réfléchi.
Nom masculin et féminin
Autorité, personne qui a la possibilité de décider, qui a la responsabilité de quelque chose. *Cette décision concerne le responsable de l'unité administrative.*

ressaisir (se) v. pronom.
La première syllabe se prononce ***re*** (et non *rè) [rəsezir].

note | orthographe | *forme fautive

Indicatif

Présent	*Passé composé*
je résous	j' ai résolu
tu résous	tu as résolu
elle résout	elle a résolu
il résout	il a résolu
nous résolvons	nous avons résolu
vous résolvez	vous avez résolu
elles résolvent	elles ont résolu
ils résolvent	ils ont résolu

Imparfait	*Plus-que-parfait*
je résolvais	j' avais résolu
tu résolvais	tu avais résolu
elle résolvait	elle avait résolu
il résolvait	il avait résolu
nous résolvions	nous avions résolu
vous résolviez	vous aviez résolu
elles résolvaient	elles avaient résolu
ils résolvaient	ils avaient résolu

Passé simple	*Passé antérieur*
je résolus	j' eus résolu
tu résolus	tu eus résolu
elle résolut	elle eut résolu
il résolut	il eut résolu
nous résolûmes	nous eûmes résolu
vous résolûtes	vous eûtes résolu
elles résolurent	elles eurent résolu
ils résolurent	ils eurent résolu

Futur simple	*Futur antérieur*
je résoudrai	j' aurai résolu
tu résoudras	tu auras résolu
elle résoudra	elle aura résolu
il résoudra	il aura résolu
nous résoudrons	nous aurons résolu
vous résoudrez	vous aurez résolu
elles résoudront	elles auront résolu
ils résoudront	ils auront résolu

Infinitif

Présent	*Passé*
résoudre	avoir résolu

Subjonctif

Présent	*Passé*
que je résolve	que j' aie résolu
que tu résolves	que tu aies résolu
qu' elle résolve	qu' elle ait résolu
qu' il résolve	qu' il ait résolu
que nous résolvions	que nous ayons résolu
que vous résolviez	que vous ayez résolu
qu' elles résolvent	qu' elles aient résolu
qu' ils résolvent	qu' ils aient résolu

Imparfait	*Plus-que-parfait*
que je résolusse	que j' eusse résolu
que tu résolusses	que tu eusses résolu
qu' elle résolût	qu' elle eût résolu
qu' il résolût	qu' il eût résolu
que nous résolussions	que nous eussions résolu
que vous résolussiez	que vous eussiez résolu
qu' elles résolussent	qu' elles eussent résolu
qu' ils résolussent	qu' ils eussent résolu

Conditionnel

Présent	*Passé*
je résoudrais	j' aurais résolu
tu résoudrais	tu aurais résolu
elle résoudrait	elle aurait résolu
il résoudrait	il aurait résolu
nous résoudrions	nous aurions résolu
vous résoudriez	vous auriez résolu
elles résoudraient	elles auraient résolu
ils résoudraient	ils auraient résolu

Impératif

Présent	*Passé*
résous	aie résolu
résolvons	ayons résolu
résolvez	ayez résolu

Participe

Présent	*Passé*
résolvant	résolu, ue
	ayant résolu

r

Se maîtriser, retrouver son sang-froid. *Laissez-le se ressaisir un instant.*
Conjugaison [VOIR MODÈLE – **FINIR**]

ressasser v. tr.
La première syllabe se prononce ***re*** (et non *rè) [rəsase].
Revenir sans cesse sur les mêmes questions. **SYN.** rabâcher, répéter.
Conjugaison [VOIR MODÈLE – **AIMER**]
re**ss**a**ss**er.

ressemblance n. f.
La première syllabe se prononce ***re*** (et non *rè) [rəsɑ̃blɑ̃s].
Degré variable de similitude entre des personnes, des choses. *Il y a une grande ressemblance entre ces jumeaux.*
La ***ressemblance*** est une similitude partielle alors que l'***identité*** est une similitude absolue.

ressembler v. tr. ind., pronom.
La première syllabe se prononce ***re*** (et non *rè) [rəsɑ̃ble].
Verbe transitif indirect
Être partiellement semblable, avoir des traits communs. *Il ressemble à sa mère.*
Verbe pronominal
Offrir une ressemblance. *Les jours se suivent et ne se ressemblent pas. La mère et la fille se ressemblent comme deux gouttes d'eau.*
Le participe passé de ce verbe est invariable. *Elles se sont ressemblé jadis.*
Ne pas confondre avec le verbe ***rassembler,*** réunir.
Conjugaison [VOIR MODÈLE – **AIMER**]

ressentir v. tr., pronom.
La première syllabe se prononce ***re*** (et non *rè) [rəsɑ̃tir].
Verbe transitif
Éprouver plus ou moins vivement. *Il ressent une douleur à la nuque. La famille ressentait une grande affection pour ce jardinier.* **SYN.** sentir.
Verbe pronominal
Éprouver les suites de. *Il se ressent encore de cette mauvaise chute.*
À la forme pronominale, le verbe se construit avec la préposition ***de***. Le pronom relatif à employer est ***dont***. *La chute dont il se ressent.*
Conjugaison [VOIR MODÈLE – **SORTIR**]
re**ss**entir.

resserrer v. tr., pronom.
La première syllabe se prononce ***re*** (et non *rè) [rəsere].
Verbe transitif
Serrer davantage. *Il faut resserrer les cordages.*
Verbe pronominal
1. Se renfermer dans des limites plus étroites. *Les parois de la grotte se resserrent et on peut à peine y passer.*
2. (FIGURÉ) Devenir plus étroit. *La surveillance se resserre autour du suspect.*
Conjugaison [VOIR MODÈLE – **AIMER**]

ressort n. m.
La première syllabe se prononce ***re*** (et non *rè) [rəsɔr].
Pièce d'un mécanisme qui peut se tendre et se détendre d'une matière élastique et qui réagit après avoir été comprimée. *Les ressorts d'un matelas.*

ressortir v. intr., impers.
La première syllabe se prononce ***re*** (et non *rè) [rəsɔrtir].
Verbe intransitif
1. Sortir d'un lieu peu après y être entré. *Les passants entrent dans la boutique et ressortent avec un petit paquet.*
2. Paraître davantage. *Avec ce chemisier blanc, son teint bronzé ressort.* **SYN.** se détacher, trancher.
Verbe impersonnel
Se dégager. *Il ressort de cette étude que nos élèves ont beaucoup progressé.*
En ce sens, le verbe se construit avec la préposition ***de.***
Le verbe se conjugue avec l'auxiliaire ***être.***
Conjugaison [VOIR MODÈLE – **FINIR**]
INDICATIF PRÉSENT *Je ressors, tu ressors, il ressort, nous ressortons, vous ressortez, ils ressortent.* IMPARFAIT *Je ressortais.* PASSÉ SIMPLE *Je ressortis.* FUTUR *Je ressortirai.* **CONDITIONNEL** PRÉSENT *Je ressortirais.* **IMPÉRATIF** PRÉSENT *Ressors, ressortons, ressortez.* **SUBJONCTIF** PRÉSENT *Que je ressorte.* IMPARFAIT *Que je ressortisse.* **PARTICIPE** PRÉSENT *Ressortant.* PASSÉ *Ressorti, ie.*

ressource n. f.
La première syllabe se prononce ***re*** (et non *rè) [rəsurs].
1. Moyen, recours. *J'ai encore la ressource de choisir.* **SYN.** possibilité.
2. Moyens (techniques, matériels). *Notre école a un urgent besoin de ressources financières et informatiques. Des ressources hydroélectriques.*
Locutions
Personne-ressource. Personne ayant acquis des connaissances par l'expérience ou la formation dans un domaine particulier, et à laquelle on fait appel. *Des personnes-ressources compétentes.*
Ressources humaines. Personnel d'une entreprise, d'un organisme.
Sans ressource. Sans recours, sans remède.
Sans ressources. Sans argent.
Le nom s'écrit généralement au pluriel au sens de « sans argent », au singulier au sens de « sans recours, sans remède ».

ressusciter v. tr., intr.
La première syllabe se prononce ***ré*** (et non *rè) [resysite].
Verbe transitif
1. Ramener de la mort à la vie. *C'est un miracle : Jésus-Christ a ressuscité Lazare !*
2. (FIGURÉ) Faire renaître. *Ressusciter une ancienne coutume.*
Verbe intransitif
Revenir de la mort à la vie. *Le Christ est ressuscité.*
Conjugaison [VOIR MODÈLE – **AIMER**]
re**ss**u**sc**iter.

restant, ante adj. et n. m.
Adjectif
Qui reste. *Elle lui donnera les livres restants.*
Nom masculin
Ce qui reste. *Il réchauffe le restant du rosbif.* **SYN.** reste.

restaurant n. m.
Établissement où l'on sert des repas. *Un bon petit restaurant.*

restaurateur n. m.
restauratrice n. f.
1. Personne qui restaure (des tableaux, des meubles, des bâtiments, etc.).
2. Personne qui exploite un restaurant.

restauration n. f.
1. Réparation. *La restauration d'un immeuble.* **SYN.** rénovation.
2. Métier de restaurateur. *Il travaille dans la restauration.*

Locution
Restauration rapide. Cuisine à bon marché à consommer sur place ou à emporter. *La restauration rapide* (et non le *fast food).

restaurer v. tr., pronom.
Verbe transitif
1. Remettre en bon état, en respectant le style. *Ces maisons ont été bien restaurées.* **SYN.** rénover.
2. Remettre en honneur. *Restaurer la monarchie.* **SYN.** rétablir.
Verbe pronominal
Reprendre des forces en mangeant. *Pour poursuivre notre expédition, nous devons nous restaurer un peu.* **SYN.** manger.
Conjugaison [VOIR MODÈLE – **AIMER**]

reste n. m.
1. Ce qui demeure d'un ensemble quand on en a retranché une partie. *Le reste d'une somme, le reste de la commande* (et non la *balance). *Pour le reste de la journée, on pourra skier.*
2. (AU PLURIEL) Nourriture qui reste après un repas. *Grand-maman sait bien apprêter les restes.*
Le reste + complément au pluriel.
Après le collectif suivi d'un complément au pluriel, le verbe se met au singulier ou au pluriel suivant l'intention de l'auteur qui veut insister sur l'ensemble ou sur la pluralité. *Le reste des pommes a été dévoré* ou *ont été dévorées.*
Locutions
Au reste, du reste, locutions adverbiales. D'ailleurs. *Nous avons opté pour des photos sur place ; du reste, c'est plus économique.*
De reste, locution adverbiale. En surplus. *Ils ont des provisions de reste.*
Et le reste. Et les autres choses. *Nous avons apporté des pommes, des oranges et le reste.*
On emploie aussi en ce sens l'expression latine ***et cetera*** qui s'abrège ***etc.***

rester v. intr.
1. Demeurer dans un lieu. *Ils sont partis, elle est restée. Fréderic a dû rester au lit parce qu'il était malade.*
2. Continuer d'être. *Les paroles s'envolent, les écrits restent.* **SYN.** demeurer, durer, persister.
3. Se maintenir, persister. *Un problème reste : nous n'avons plus d'argent.* **SYN.** subsister.
4. (FAMILIER) Habiter, résider en un lieu. *Il restait à la campagne.* **SYN.** résider.
Le verbe s'emploie en ce sens au Québec et dans certaines régions de la francophonie.
Le verbe se conjugue avec l'auxiliaire ***être.***
Locutions
Ce qu'il reste, ce qui reste. Restant, solde.
Ces deux constructions sont admises.
Il reste. Il y a encore. *Il restait 3 $.*
Il reste que. Il est vrai que. *Il reste que ce sujet est très délicat.*
Cette construction est suivie de l'indicatif.
Conjugaison [VOIR MODÈLE – **AIMER**]

restreindre v. tr.
Réduire, limiter. *Il importe de restreindre les frais.* **SYN.** comprimer, diminuer.
Conjugaison [VOIR MODÈLE – **ÉTEINDRE**]
INDICATIF PRÉSENT *Je restreins, tu restreins, il restreint, nous restreignons, vous restreignez, ils restreignent.* IMPARFAIT *Je restreignais, tu restreignais, il restreignait, nous restreignions, vous restreigniez, ils restreignaient.* PASSÉ SIMPLE *Je restreignis.* FUTUR *Je restreindrai.* **CONDITIONNEL** PRÉSENT *Je restreindrais.* **IMPÉRATIF** PRÉSENT *Restreins, restreignons, restreignez.* **SUBJONCTIF** PRÉSENT *Que je restreigne, que tu restreignes, qu'il restreigne, que nous restreignions, que vous restreigniez, qu'ils restreignent.* IMPARFAIT *Que je restreignisse.* **PARTICIPE** PRÉSENT *Restreignant.* PASSÉ *Restreint, einte.*
Les lettres ***gn*** sont suivies d'un ***i*** à la première et à la deuxième personne du pluriel de l'indicatif imparfait et du subjonctif présent. *(Que) nous restreignions, (que) vous restreigniez.*

restriction n. f.
Action de réduire la quantité, l'importance de quelque chose. *La restriction des dépenses.*
Locution
Sans restriction, locution adverbiale. Sans limites. *À la bibliothèque de l'école on peut emprunter des livres sans restriction.*

résultat n. m.
1. Conséquence finale. *Le résultat d'une enquête.*
2. Solution. *Quel est le résultat de cette multiplication ?*

résulter v. intr.
Être la conséquence, découler de. *Cet échec résulte d'une insuffisance d'étude et d'exercices.*
Le verbe se conjugue avec l'auxiliaire ***avoir*** pour marquer l'action ; avec l'auxiliaire ***être,*** pour marquer l'état. *Qu'en est-il résulté ? Qu'a-t-il résulté de cette action ?* Le verbe ne s'emploie qu'à l'infinitif, à la troisième personne des autres temps et aux temps composés.
Conjugaison [VOIR MODÈLE – **AIMER**]

résumé n. m.
Compte rendu bref, sommaire. *Le résumé d'un livre.*
Locution
En résumé, locution adverbiale. En bref.

résumer v. tr., pronom.
Verbe transitif
Présenter de façon brève. *Résumer un livre.*
Verbe pronominal
Se limiter. *Son action se résume à la défense de cette cause.* **SYN.** se réduire .
Conjugaison [VOIR MODÈLE – **AIMER**]

résurrection n. f.
Retour de la mort à la vie. *La résurrection de Lazare.*
Le nom s'écrit avec une majuscule lorsqu'il désigne le retour à la vie du Christ. *Le mystère de la Résurrection.*
ré**s**u**rr**ection.

rétablir v. tr., pronom.
Verbe transitif
Remettre en bon état, en vigueur. *Rétablir l'électricité.* **SYN.** ramener.
Verbe pronominal
Retrouver la santé. *Elle avait une vilaine grippe, mais elle s'est rétablie.* **SYN.** récupérer, (FAMILIER) se retaper.
Conjugaison [VOIR MODÈLE – **FINIR**]

rétablissement n. m.
1. Action de rétablir quelque chose. *Le rétablissement de l'ordre.*
2. Retour à la santé. *Je vous souhaite un prompt rétablissement.* **SYN.** guérison.

retaper v. tr., pronom.
Verbe transitif
(FAMILIER) Remettre en bon état, en forme. *Retaper une maison de campagne.*

Verbe pronominal
(FAMILIER) Retrouver la santé. *J'aurais besoin de me retaper un peu, je ne me sens pas très bien.* **SYN.** récupérer, se rétablir.
Conjugaison [VOIR MODÈLE – **AIMER**]
retaper.

retard n. m.
Fait d'arriver après le moment prévu. *L'avion a deux heures de retard* (et non de *délai). **ANT.** avance.
Locutions
En retard, locution adverbiale. Après le moment fixé. *Mariette est en retard comme d'habitude.*
Sans retard, locution adverbiale. Le plus vite possible. *Je vous réponds sans retard.*

retardement n. m.
À retardement. Se dit d'un mécanisme réglé pour agir après un temps déterminé. *Une bombe à retardement.*
Le nom est vieilli et ne s'emploie plus que dans l'expression citée.

retarder v. tr., intr.
Verbe transitif
1. Remettre à plus tard. *La construction a été retardée de deux mois.* **SYN.** différer, repousser.
2. Provoquer un retard. *La panne d'électricité a retardé les voyageurs du métro.*
Verbe intransitif
1. Avoir du retard. *Cette montre retarde un peu.*
2. (FAMILIER) Avoir des idées démodées, ne pas être renseigné. *Tu retardes, mon pauvre ami, l'entreprise a été vendue il y a deux mois.*
Conjugaison [VOIR MODÈLE – **AIMER**]

retenir v. tr., pronom.
Verbe transitif
1. Maintenir en place, contenir. *Retenir un enfant pour qu'il ne tombe pas. Une barrette retient ses cheveux.*
2. Contenir. *Retenir les eaux d'une rivière.*
3. Faire demeurer. *Retenir un ami à dîner.*
4. Garder dans sa mémoire. *Elle a retenu son visage, son nom.* **SYN.** se rappeler, se souvenir.
Verbe pronominal
1. Se raccrocher à quelque chose pour ne pas tomber. *Ils se sont retenus à des branches.* **SYN.** s'accrocher.
2. Réprimer une envie. *Elle a eu du mal à se retenir de rire.* **SYN.** se contenir.
Conjugaison [VOIR MODÈLE – **VENIR**]

retentir v. intr.
Produire beaucoup de bruit. *Les cloches joyeuses retentissent.* **SYN.** résonner.
Conjugaison [VOIR MODÈLE – **FINIR**]

retentissant, ante adj.
1. Sonore. *Une voix retentissante.* **SYN.** bruyant.
2. (FIGURÉ) Qui fait beaucoup de bruit. *Des succès retentissants.* **SYN.** éclatant.

retentissement n. m.
Répercussion. *Les retentissements d'une affaire.* **SYN.** conséquence.
ret**e**nti**ss**ement.

retenue n. f.
1. Réserve, discrétion. *Elle a fait preuve de retenue et n'a rien répondu.*
2. Punition. *Les retardataires ont été menacés d'une retenue vendredi après-midi.*

réticent, ente adj.
Qui fait preuve de réticence, de réserve. *Elle n'a pas été réticente à nous informer.* **SYN.** hésitant.
L'adjectif se construit avec la préposition ***à.***
réti**cent**.

rétif, ive adj.
Récalcitrant, difficile. *Un cheval rétif.* **ANT.** docile.

rétine n. f.
Membrane de l'œil sensible à la lumière. *Un décollement de la rétine.*

retiré, ée adj.
Isolé. *Un endroit retiré.*

retirer v. tr., pronom.
Verbe transitif
1. Tirer vers soi. *Elle a retiré sa main.*
2. Ôter. *Retirer son manteau.* **SYN.** enlever.
3. Recueillir. *Ils ont retiré des intérêts de ce placement.* **SYN.** gagner.
Verbe pronominal
1. Cesser son activité, prendre sa retraite. *Ils se sont retirés après 40 ans de travail.* **SYN.** (FAMILIER) accrocher ses patins.
2. S'en aller. *Elle s'est retirée dans sa chambre.* **SYN.** s'isoler, partir.
Conjugaison [VOIR MODÈLE – **AIMER**]

retombée n. f.
1. Choses, substances qui retombent. *Des retombées radioactives.*
2. (FIGURÉ) Répercussions, conséquences. *Des retombées économiques.* **SYN.** effet.

retomber v. intr.
1. Tomber de nouveau.
2. Pendre, aller de haut en bas. *Sa longue chevelure retombe sur ses épaules.*
3. (FIGURÉ) Appartenir finalement à. *La décision retombe sur elle.*
Conjugaison [VOIR MODÈLE – **AIMER**]

retouche n. f.
Correction, modification. *La couturière fait une retouche* (et non une *altération) *au corsage.*

retoucher v. tr.
Apporter des retouches. *Retoucher un tableau.* **SYN.** corriger, remanier.
Conjugaison [VOIR MODÈLE – **AIMER**]

retour n. m.
Mouvement vers le point d'origine, au point de départ. *Il sera de retour vers 18 heures. Après les vacances, c'est le retour à l'école, la rentrée.*
Locutions
Aller et retour, aller-retour. *Elle a acheté deux billets d'aller-retour* ou *deux allers et retours* ou *deux allers-retours.*
En retour, locution adverbiale. En échange. *En retour de ce travail, que me proposez-vous ?*
Être de retour. Être rentré, revenu à l'endroit d'où l'on vient.
Sans retour, locution adverbiale. À jamais.

retourner v. tr., intr., pronom.
Verbe transitif
1. Renvoyer au point de départ. *Cette lettre a été retournée à l'expéditeur, l'adresse étant inexacte.*
2. Tourner dans un autre sens. *Il faudrait retourner la terre.* **SYN.** renverser.
À la forme transitive, le verbe se conjugue avec l'auxiliaire ***avoir.***

note | orthographe | *forme fautive

Verbe intransitif
1. Revenir. *Elle est retournée chez elle. Ils ne voudraient pas retourner dans l'enfer de la mine.*
2. Se rendre de nouveau dans un lieu. *Il lui faut toujours retourner à la campagne.*
À la forme intransitive, le verbe se conjugue avec l'auxiliaire ***être*** et se construit avec les prépositions ***à, dans*** ou ***chez.***
Verbe pronominal
Changer de position, regarder derrière soi. *Ils se sont retournés pour les saluer.*
Locution
S'en retourner. S'en aller. *Elles s'en sont retournées.* **SYN.** repartir.
Ne pas confondre le verbe ***se retourner,*** qui désigne le fait de regarder en arrière, avec le verbe ***se détourner,*** s'écarter, s'éloigner.
Forme fautive
*retourner (un appel téléphonique). Calque de l'anglais « to return a call » au sens de ***rappeler.***
Conjugaison [VOIR MODÈLE – **AIMER**]

retracer v. tr.
1. Tracer de nouveau. *Retracer une esquisse.*
2. Raconter, relater. *Il excellait à retracer les anecdotes les plus cocasses.* **SYN.** narrer.
Forme fautive
*retracer. Impropriété au sens de ***retrouver, localiser.***
Conjugaison [VOIR MODÈLE – **AVANCER**]

retrait n. m.
Action de retirer. *Le retrait d'une somme à la banque.*
Locution
En retrait, locution adverbiale. En arrière d'un alignement. *Place cette longue citation en retrait.*
retr**ait**.

retraite n. f.
1. État d'une personne qui, après un certain nombre d'années de travail, cesse son activité professionnelle et reçoit une pension. *Elles sont à la retraite ; il prendra une retraite anticipée.*
2. Rente versée à un retraité. *Des caisses de retraite.*

retraité, ée adj. et n. m. et f.
Qui est à la retraite.

retrancher v. tr., pronom.
Verbe transitif
Supprimer un élément d'un tout. *Retranche 3 de 10 et tu obtiens 7. Retrancher une citation d'un texte.* **SYN.** ôter, soustraire.
Le verbe se construit généralement avec la préposition ***de.***
Verbe pronominal
Se réfugier, se mettre à l'abri. *Ils se sont retranchés derrière une excuse administrative.* **SYN.** se protéger.
Conjugaison [VOIR MODÈLE – **AIMER**]

rétrécir v. tr., intr., pronom.
Verbe transitif
Diminuer l'ampleur, le volume. *Rétrécir un vêtement.*
Verbe intransitif
Devenir plus petit. *Ces tissus ne rétrécissent pas au lavage.* **SYN.** rapetisser.
Verbe pronominal
Perdre de l'ampleur. *La route se rétrécit à partir de cet endroit.*
Conjugaison [VOIR MODÈLE – **FINIR**]

rétro adj. inv.
Qui s'inspire d'un style qui date de la première moitié du XXe siècle. *La mode rétro.*

rétro- préf.
Élément du latin signifiant « en arrière ».
Les mots composés du préfixe ***rétro-*** s'écrivent en un seul mot. *Rétrograder.*

rétroactif, ive adj.
Qui agit sur ce qui est antérieur. *Une augmentation rétroactive au début de l'année.*

rétroaction n. f.
Information tirée d'une situation et utilisée pour le contrôle, la prévision ou la correction immédiate ou future de cette situation. *Il importe de recevoir la rétroaction* (et non le *feed-back).

rétrospective n. f.
1. Exposition récapitulative des œuvres d'un peintre, d'un auteur, etc. *Une magnifique rétrospective des impressionnistes.*
2. Présentation de l'ensemble des films d'un cinéaste. *Une rétrospective de Walt Disney.*

retrousser v. tr.
Relever vers le haut. *Retrousse ton pantalon pour traverser le ruisseau.*
Locution
Retrousser ses manches. Se mettre résolument au travail.
Conjugaison [VOIR MODÈLE – **AIMER**]

retrouvailles n. f. pl.
Fait de se retrouver, en parlant de personnes qui étaient séparées.
Ce mot ne s'emploie qu'au pluriel.

retrouver v. tr., pronom.
Verbe transitif
Trouver de nouveau ce qui était égaré, oublié. *Il a retrouvé son chapeau. Je n'arrive pas à retrouver le nom de ce petit restaurant.*
Verbe pronominal
Être de nouveau (dans un lieu, parmi des personnes, dans une situation qu'on avait quittés). *Qu'il est agréable de se retrouver chez soi après un long voyage !*
Conjugaison [VOIR MODÈLE – **AIMER**]

rétroviseur n. m.
Miroir permettant au conducteur d'un véhicule de voir en arrière.

réunion n. f.
1. Action de réunir, de regrouper. *La réunion de plusieurs éléments.* **SYN.** assemblage, rapprochement, union.
2. Assemblée de personnes. *La réunion a été fixée à 10 heures.* **SYN.** rencontre.

réunir v. tr., pronom.
Verbe transitif
1. Rapprocher ce qui est désuni, relier. *Ce pont réunit l'île à la terre. Réunir les parents et les enfants.* **SYN.** unir.
Le verbe se construit avec la préposition **à** ou avec la conjonction ***et.***
2. Rassembler. *Réunir des données, des preuves.*
Verbe pronominal
Se retrouver ensemble en un lieu. *Ils se sont réunis avec des collègues, entre amis.* **SYN.** se rencontrer.
Conjugaison [VOIR MODÈLE – **FINIR**]

r

réussir v. tr., intr.
Verbe transitif direct
1. Faire avec succès. *Réussir un plat, un portrait, un aménagement.*
2. Accomplir avec succès. *Elle a réussi son examen.*
En ce sens, le verbe peut également être transitif indirect et se construire avec la préposition ***à.***
Verbe transitif indirect
1. Obtenir un succès. *Elle a réussi à l'épreuve de français écrit.*
2. Parvenir à. *J'ai réussi à lui parler.*
Verbe intransitif
Avoir du succès. *Il a réussi dans la vie.*
Conjugaison [VOIR MODÈLE – **FINIR**]

réussite n. f.
Succès final, bon résultat. *Cette fête est une vraie réussite.*

revanche n. f.
Le fait de reprendre un avantage perdu. *Prendre sa revanche au tennis.*
Locution
En revanche, locution adverbiale. Par contre, en retour.

rêve n. m.
Images qui viennent à l'esprit pendant le sommeil.
Ne pas confondre avec les mots suivants :
– ***cauchemar,*** rêve pénible ;
– ***rêverie,*** images, associations qui viennent à l'esprit, alors qu'on est éveillé ;
– ***songe,*** rêve dont on tire des présages.

réveil n. m.
1. Passage de l'état de sommeil à l'état de veille. *Qu'il est agréable ce réveil en douceur avec le chant des oiseaux !*
2. Réveille-matin. *Régler le réveil à 6 h 30.*

réveille-matin n. m. ou **réveil** n. m. inv. (pl. *réveille-matin*)
Appareil qui indique l'heure et qui peut sonner à une heure déterminée à l'avance. *Des réveille-matin musicaux.*
Ne pas confondre avec les noms suivants :
– ***coucou,*** appareil qui indique l'heure et dont la sonnerie imite le chant du coucou ;
– ***horloge,*** appareil de grande dimension servant à mesurer le temps et à indiquer l'heure ;
– ***pendule,*** appareil de petite dimension qui indique l'heure.
réveil**le**-matin, réveil**l.**

réveiller v. tr., pronom.
Verbe transitif
Faire passer du sommeil à l'état de veille. *La sonnerie du téléphone l'a réveillé.* **SYN.** éveiller.
Verbe pronominal
Cesser de dormir. *Ils seront réveillés à l'aube.* **SYN.** s'éveiller.
Conjugaison [VOIR MODÈLE – **AIMER**]
Les lettres ***ill*** sont suivies d'un ***i*** à la première et à la deuxième personne du pluriel de l'indicatif imparfait et du subjonctif présent. *(Que) nous réveillions, (que) vous réveilliez.*

réveillon n. m.
Repas de fête pris à minuit à Noël et au jour de l'An.

réveillonner v. intr.
Participer à un réveillon.
Conjugaison [VOIR MODÈLE – **AIMER**]
réveillo**nn**er.

révélation n. f.
1. Action de faire connaître ce qui était inconnu, secret.
2. Personne, chose révélée. *Cet auteur est la révélation de l'année.*

révéler v. tr., pronom.
Verbe transitif
Faire connaître, découvrir ce qui était inconnu, secret. *Je vais vous révéler un grand secret.* **SYN.** dévoiler.
Verbe pronominal
Apparaître. *Son talent se révéla lentement. Ces données se sont révélées exactes.*
Conjugaison [VOIR MODÈLE – **POSSÉDER**]
Le deuxième **é** se change en **è** devant une syllabe muette, sauf à l'indicatif futur et au conditionnel présent. *Je révèle,* mais *je révélais.*

revendiquer v. tr.
Demander, réclamer avec insistance. *Revendiquer le droit de rester au Canada.* **SYN.** exiger.
Conjugaison [VOIR MODÈLE – **AIMER**]

revenir v. intr.
1. Venir de nouveau. *Reviendras-tu demain pour me voir ?*
Ce verbe se conjugue avec l'auxiliaire ***être.***
2. Rentrer. *Ils sont revenus de vacances.* **SYN.** retourner.
3. Coûter. *À combien revient ce vélo ?*
Locutions
N'en pas revenir. (FAMILIER) Être très étonné. *Il est arrivé à temps : je n'en reviens pas !*
Revenir à l'esprit. Se souvenir de. *Son nom me revient à l'esprit.*
Revenir sur (un sujet). Parler à nouveau d'un sujet.
Revenons à nos moutons. (FIGURÉ) Reprendre un sujet après avoir parlé d'autres choses.
Conjugaison [VOIR MODÈLE – **VENIR**]

revenu n. m.
Ce qui est perçu par un particulier en rémunération du travail ou rendement de rente, etc. *Elle a un revenu élevé.*
Lorsqu'il s'agit d'une entreprise, on utilise plutôt les termes ***bénéfice, produit d'exploitation.***

rêver v. tr., intr.
Verbe transitif direct
Voir en rêve. *Chaque nuit, je rêve la même chose. Je rêve que je marche sur un fil.*
Verbe transitif indirect
1. Voir en rêve. *Elle rêve souvent de son village natal. J'ai rêvé de lui.*
En ce sens, le verbe se construit avec la préposition ***de.***
2. Souhaiter. *Il rêve d'acheter une petite maison en Provence. Elle rêve d'un beau jardin.* **SYN.** désirer.
En ce sens, le verbe se construit avec la préposition ***de*** suivie d'un infinitif ou d'un nom, ou avec la préposition ***à*** suivie d'un nom. *Il rêve à une vie douce et tranquille.*
3. Imaginer. *À quoi rêves-tu ? Tu es encore dans la lune.* **SYN.** rêvasser, songer à.
En ce sens, le verbe se construit plutôt avec la préposition ***à.***
Verbe intransitif
1. Faire des rêves. *Il rêve beaucoup.*
2. Avoir des lubies. *Vous rêvez, mon cher, ce que vous dites est absurde.* **SYN.** (FIGURÉ) délirer.
Conjugaison [VOIR MODÈLE – **AIMER**]

réverbère n. m.
Appareil destiné à éclairer les rues. *L'allumeur de réverbères dans* Le Petit Prince *de Saint-Exupéry.*
réverb**ère.**

révérence n. f.
1. (LITTÉRAIRE) Respect. *Parler d'un maître avec révérence.*
2. Salutation qui consiste à s'incliner en fléchissant le genou. *Elle avait appris à faire la révérence.*
Locution
Tirer sa révérence. (FIGURÉ) Partir.

révérend, ende adj.
Titre de certains religieux. *Le révérend père Lacoste.*
Le mot s'écrit avec une minuscule.

révérer v. tr.
Respecter profondément. *Elle révère le fondateur de ce parti.* **SYN.** vénérer.
Conjugaison [VOIR MODÈLE – **POSSÉDER**]
Le deuxième **é** se change en **è** devant une syllabe muette, sauf à l'indicatif futur et au conditionnel présent. *Je révère,* mais *je révérerai.*

rêverie n. f.
Images, associations qui viennent à l'esprit alors qu'on est éveillé. **SYN.** imagination, songerie.
Ne pas confondre avec les mots suivants :
– ***cauchemar,*** rêve pénible ;
– ***rêve,*** images qui viennent à l'esprit pendant le sommeil ;
– ***songe,*** rêve dont on tire des présages.

revers n. m.
1. Envers d'une chose. *Le revers de la main.*
2. Partie d'un vêtement qui semble repliée du dessous. *Le revers d'un pantalon.*
3. Au tennis, coup de raquette donné à gauche pour un droitier et inversement.
rever**s**.

réversible adj.
Qui peut être utilisé, porté à l'envers. *Un imperméable réversible.*
r**é**versible.

revêtement n. m.
Ce qui recouvre. *Un revêtement de sol, des revêtements muraux.*

revêtir v. tr.
1. Couvrir d'un vêtement particulier. *Il a revêtu l'uniforme des Canadiens.* **SYN.** endosser, habiller.
2. Recouvrir. **SYN.** couvrir.
3. (FIGURÉ) Prendre un aspect, une apparence. *Les protestations revêtent une nouvelle forme : la pétition.*
Conjugaison [VOIR MODÈLE – **VÊTIR**]

rêveur, euse adj. et n. m. et f.
Qui se laisse aller à rêver. *Il est très convaincant, mais c'est un rêveur.*
r**ê**veur.

revigorer v. tr.
Donner une nouvelle vigueur à. *Ce bon repas nous a revigorés.* **SYN.** ragaillardir, (FAMILIER) ravigoter, remonter, (FAMILIER) retaper.
Conjugaison [VOIR MODÈLE – **AIMER**]
r**e**vigorer (et non *ravigorer).

revirement n. m.
Changement rapide et complet. *Cette décision est un revirement inattendu.* **SYN.** volte-face.

réviser v. tr.
1. Corriger un manuscrit, un texte destiné à la publication. **SYN.** revoir.
2. Remettre en bon état de marche, vérifier. *Faire réviser sa voiture.*
3. Revoir une leçon apprise. *Réviser ses verbes irréguliers.* **SYN.** repasser.
La forme ***reviser*** qui a existé concurremment à la forme actuelle est aujourd'hui vieillie.
Conjugaison [VOIR MODÈLE – **AIMER**]

réviseur n. m.
réviseure ou **réviseuse** n. f.
Personne qui fait la révision, la correction des textes destinés à l'impression.

révision n. f.
1. Correction d'un texte, d'une épreuve typographique.
2. Vérification. *Prendre rendez-vous pour la révision des 10 000 km de sa voiture.*
3. Action de revoir un sujet. *Faire ses révisions à la veille d'un examen.*
La forme ***revision*** qui a existé concurremment à la forme actuelle est aujourd'hui vieillie.

revivre v. tr., intr.
Verbe transitif
Vivre de nouveau quelque chose. *Il revivait constamment cet incident tragique.*
Verbe intransitif
1. Revenir à la vie. *Elle revit : la respiration artificielle a été miraculeuse.*
2. Réapparaître. *L'espoir revit enfin.* **SYN.** renaître, revenir.
Conjugaison [VOIR MODÈLE – **VIVRE**]

revoir v. tr., pronom.
Verbe transitif
1. Voir de nouveau. *Il a revu ce film avec plaisir.*
2. Réviser. *Les prévisions ont été revues à la lumière des données recueillies.* **SYN.** corriger, mettre à jour.
3. Retrouver. *Quelle joie de te revoir !*
Verbe pronominal
1. Se retrouver. *Ils se sont revus récemment.*
2. Voir de nouveau par la mémoire. *Elle se revoit alors qu'elle prenait le train pour la première fois.*
Conjugaison [VOIR MODÈLE – **VOIR**]

revoir (au) interj. et n. m. inv.
Formule de salutation signifiant « au plaisir de vous revoir, à bientôt ». *Au revoir ! Des au revoir amicaux. Ce n'est qu'un au revoir.*
On emploie ***au revoir*** pour saluer quelqu'un que l'on reverra, ***adieu*** pour prendre congé de quelqu'un que l'on ne reverra pas avant longtemps.

revoler v. intr.
Voler de nouveau. *Cet oiseau blessé pourra revoler bientôt.*
Forme fautive
*revoler. Impropriété au sens de ***jaillir, gicler.***
Conjugaison [VOIR MODÈLE – **AIMER**]

révoltant, ante adj.
Qui révolte, qui indigne. *Des pratiques révoltantes.* **SYN.** choquant.

révolte n. f.
1. Opposition vive et parfois violente d'un groupe à l'égard d'une autorité. *La révolte des Noirs en Afrique du Sud.*

2. Désaccord profond accompagné de colère contre quelqu'un, quelque chose. *Les nouvelles taxes ont provoqué la révolte des commerçants.*

révolté, ée adj. et n. m. et f.
Qui est en révolte, rebelle.

révolter v. tr., pronom.
Verbe transitif
Indigner, choquer. *Une telle inconscience les révoltait.* **SYN.** scandaliser.
Le verbe se construit avec la préposition ***contre.*** *Elle est révoltée contre cette décision injuste.* Suivi de l'infinitif, il se construit avec la préposition ***de.*** *Ils sont révoltés de voir les collègues profiter de la situation.*
Verbe pronominal
Se rebeller. *Ils se sont révoltés contre ces procédés.* **SYN.** s'indigner.
Conjugaison [VOIR MODÈLE – **AIMER**]

révolution n. f.
1. Rotation complète d'un corps autour d'un axe. *La révolution de la Terre autour du Soleil.*
2. Changement brusque et capital. *La révolution industrielle. La Révolution française a eu lieu en 1789.*

révolutionnaire adj. et n. m. et f.
Adjectif
1. Relatif à une révolution. *Des éléments révolutionnaires.*
2. Innovateur. *En 1960, l'informatique était une technique révolutionnaire.*
Nom masculin et féminin
Partisan de la révolution. *C'est un révolutionnaire dangereux.*
révolutio**nn**aire.

révolutionner v. tr.
Bouleverser. *Révolutionner les méthodes traditionnelles.* **SYN.** changer.
Conjugaison [VOIR MODÈLE – **AIMER**]

revolver n. m.
Le premier ***e*** se prononce ***é*** et le ***r*** est sonore [revɔlvɛr]; le mot rime avec ***vert.***
Pistolet à barillet. *Des revolvers volés.*
r**e**volver, malgré la prononciation.

revue n. f.
1. Inspection, examen attentif. *Une revue du matériel informatique.*
2. Publication périodique. *Une revue scientifique, sportive.*
Locution
Passer en revue. Examiner soigneusement tous les éléments d'un ensemble.

rez-de-chaussée n. m. (pl. *rez-de-chaussée*)
Le ***z*** ne se prononce pas [redʃose]; la première syllabe rime avec ***nez.***
Local situé au niveau de la rue. *Des rez-de-chaussée spacieux* (et non *premier plancher).
re**z**-de-chaussé**e.**

rhabiller v. tr.
Habiller de nouveau. *Vous pouvez vous rhabiller, l'examen est terminé.*
Conjugaison [VOIR MODÈLE – **AIMER**]
Les lettres ***ill*** sont suivies d'un ***i*** à la première et à la deuxième personne du pluriel de l'indicatif imparfait et du subjonctif présent. *(Que) nous rhabillions, (que) vous rhabilliez.*

rhinocéros n. m.
Mammifère pachyderme très massif qui porte une ou deux cornes sur le nez. *Un rhinocéros femelle qui barrit.*
VOIR TABLEAU – **ANIMAUX.**
r**h**inocéros.

rhubarbe n. f.
Plante à larges feuilles dont les tiges sont comestibles. *Une tarte à la rhubarbe.*
r**h**ubarbe.

rhum n. m.
Le ***u*** se prononce comme ***o*** et le ***m*** est sonore [rɔm]; le mot rime avec ***homme.***
Alcool de canne à sucre. *Le rhum des Antilles.*
Ne pas confondre avec le mot ***rhume,*** inflammation de la muqueuse nasale.

rhumatisme n. m.
Maladie des articulations. *Les articulations de grand-papa sont douloureuses : il souffre de rhumatisme.*
r**h**umatisme.

rhume n. m.
Inflammation de la muqueuse nasale. *Elle a attrapé un rhume. As-tu le rhume des foins?*
Ne pas confondre avec le mot ***rhum,*** alcool de canne à sucre.
r**h**ume.

ribambelle n. f.
(FAMILIER) Quantité importante. *Une ribambelle d'enfants.*
riba**m**be**ll**e.

ricanement n. m.
Moquerie. *Leurs ricanements et leurs paroles désagréables les rendent antipathiques.*

ricaner v. intr.
Rire de façon sarcastique. **SYN.** se moquer de.
Conjugaison [VOIR MODÈLE – **AIMER**]

riche adj. et n. m. et f.
Adjectif
Qui possède beaucoup de biens. *Ils sont immensément riches.* **SYN.** fortuné.
Nom masculin et féminin
Personne qui a beaucoup d'argent.
Locution
Riche en. Qui possède en abondance. *Un sous-sol riche en pétrole.*

richesse n. f.
1. Abondance de biens, de ressources. *Ce milliardaire jouit d'une grande richesse. La richesse du sous-sol en cuivre, en or.*
2. (AU PLURIEL) Objets de grand prix. *Les richesses d'un musée.* **SYN.** trésors.

ricocher v. intr.
Faire des ricochets. *Le galet a ricoché plusieurs fois.*
Conjugaison [VOIR MODÈLE – **AIMER**]

ricochet n. m.
Bond que fait une pierre lancée à la surface de l'eau.
ricoche**t.**

ride n. f.
Sillon de la peau qui se creuse avec l'âge. *Une lotion contre les rides.*

ridé, ée adj.
Qui a des rides. *Une peau ridée.*

rideau n. m. (pl. *rideaux*)
Pièce d'étoffe souvent plissée destinée à tamiser la lumière, à masquer quelque chose. *Des rideaux à volants.*
Locution
Grimper dans les rideaux. ⚜ (FAMILIER) S'énerver, monter sur ses grands chevaux.

rider v. tr., pronom.
Verbe transitif
Marquer de rides. *Le vent ride la surface du lac.*
Verbe pronominal
Se couvrir de rides. *Avec l'âge, la peau se ride.*
Conjugaison [VOIR MODÈLE – **AIMER**]

ridicule adj. et n. m.
Adjectif
1. Qui excite la dérision, la moquerie. *Un accoutrement ridicule.* **SYN.** risible.
2. Insensé. *C'est un projet ridicule.* **SYN.** absurde, saugrenu.
Nom masculin
Ce qui cause le rire. *Le ridicule ne tue pas, malgré ce que dit le proverbe. La peur du ridicule.*
ridicule.

ridiculiser v. tr., pronom.
Verbe transitif
Tourner en ridicule. *Les élèves ont ridiculisé le sujet de la dissertation.*
Verbe pronominal
Se rendre ridicule. *Ils se sont ridiculisés en affirmant cela.*
Conjugaison [VOIR MODÈLE – **AIMER**]

rien n. m. et pron. indéf.
Nom masculin
1. Peu de chose. *Un rien l'habille. Ils ont acheté cette maison pour un rien.*
2. (AU PLURIEL) Insignifiances. *S'attacher à des riens.*
En ce sens, le nom s'écrit au pluriel.
Pronom indéfini
1. Quelque chose (sans particule négative). *Il est incapable de rien dire* (de dire quoi que ce soit).
2. Aucune chose (avec ***ne*** ou ***sans***). *Elle n'a rien fait. Il a signé sans rien changer.*
3. Nulle chose (sans particule négative). *Il a fait ce voyage pour rien. Tous ses espoirs sont réduits à rien. Je l'ai eu pour rien.*
Locutions
Ce n'est pas rien. C'est beaucoup, c'est une chose considérable.
Ce n'est rien. C'est sans importance.
C'est moins que rien. (FAMILIER) Cela n'a aucune valeur.
Comme si de rien n'était, locution adverbiale. Comme si rien n'était arrivé.
Comme (un) rien, locution adverbiale. Très facilement.
En rien, locution adverbiale. Pas du tout.
En un rien de temps. Très rapidement.
Il n'en est rien. C'est faux.
Rien à rien, locution adverbiale. Absolument rien.
Rien que. Seulement.
Un rien de, locution adverbiale. Un petit peu.

rieur, rieuse adj. et n. m. et f.
Qui rit, enjoué. *Des écoliers rieurs.* **SYN.** gai.

rigide adj.
1. Peu flexible.
2. Sévère. *Un professeur très rigide.* **SYN.** strict.

rigidement adv.
D'une manière rigide.

rigidité n. f.
1. Raideur. *La rigidité d'une pièce de bois.*
2. Sévérité. *La rigidité des règles de cet établissement.*

rigolade n. f.
Divertissement. **SYN.** amusement, rire.
rigolade.

rigole n. f.
Petit canal creusé pour permettre l'écoulement de l'eau.
rigole.

rigoler v. intr.
1. (FAMILIER) Rire, se divertir. **SYN.** blaguer.
2. (FAMILIER) Plaisanter. *Tu rigoles, j'espère ?*
Conjugaison [VOIR MODÈLE – **AIMER**]

rigolo, ote adj. et n. m. et f.
(FAMILIER) Amusant. *C'est une rigolote. Des costumes rigolos.*

rigoureusement adv.
1. D'une manière catégorique. *Il est rigoureusement interdit de parler dans la bibliothèque.* **SYN.** absolument, strictement.
2. Minutieusement. *C'est rigoureusement vrai.* **SYN.** exactement.

rigoureux, euse adj.
1. Sévère, inflexible. **SYN.** rigide.
2. Précis. *Un examen rigoureux.*

rigueur n. f.
1. Grande dureté. *La rigueur du climat.*
2. Fermeté. *Le colonel compte faire preuve de rigueur dans la direction des troupes.*
3. Précision, exactitude. *La rigueur d'une démonstration.*
Locutions
À la rigueur, locution adverbiale. Au pis aller.
De rigueur. Obligatoire. *Ces exercices sont de rigueur.*
Ne pas tenir rigueur. Pardonner. *Je ne te tiendrai pas rigueur de ces mots qui ont dépassé ta pensée.*

rillettes n. f. pl.
Viande de porc, de lapin, d'oie ou de volaille hachée, cuite longuement dans sa graisse.

rime n. f.
Répétition d'un son à la fin de deux vers.
Locution
Sans rime ni raison. Absurde.

rimer v. intr.
Avoir le même son final. *Demoiselle rime avec belle.*
Locution
Cela ne rime à rien. Cela est dépourvu de sens.
Conjugaison [VOIR MODÈLE – **AIMER**]

rinçage n. m.
Action de rincer. *Le rinçage de la lessive.*
rinçage.

rince-bouche n. m. inv. (pl. *rince-bouche*)
Liquide aromatisé destiné à rafraîchir l'haleine.

rincer v. tr.
Nettoyer en lavant, passer dans l'eau claire. *Rincer des verres.*
Conjugaison [VOIR MODÈLE – **AVANCER**]
Le ***c*** prend une cédille devant les lettres ***a*** et ***o***. *Il rinça, nous rinçons.*

riposte n. f.
1. Réplique prompte.
2. Contre-attaque vigoureuse.

r

riposter v. intr.
1. Répondre vivement. « *Tu n'es pas invité. — Je ne serais pas venu* », *riposta Sébastien.* **SYN.** répliquer.
2. Lancer une riposte. *Les soldats ont riposté à cette nouvelle attaque.* **SYN.** contre-attaquer.
Conjugaison [VOIR MODÈLE – **AIMER**]

rire n. m.
Action de rire. *Un éclat de rire.*
Locution
Fou rire. Rire que l'on ne peut contenir. *Des fous rires.*

rire v. tr. ind., intr., pronom.
Verbe transitif indirect
Se moquer de. *Elle riait de lui.*
En ce sens, le verbe se construit avec la préposition ***de***. Le pronom relatif à employer est ***dont.*** *La personne dont il riait gentiment.*
Verbe intransitif
Manifester sa gaieté par des expirations saccadées. *Il rit aux éclats.* **SYN.** se marrer, (FAMILIER) rigoler.
Verbe pronominal
(LITTÉRAIRE) Se moquer. *Ils se sont ri de vous.*
À la forme pronominale, le verbe se construit avec la préposition ***de.***
Le participe passé ***ri*** ne comporte pas de forme féminine et il est invariable.
Locutions
Entendre à rire. Avoir le sens de l'humour.
Pour rire. À la blague. *Ne te fâche pas, ce n'était que pour rire.*
Conjugaison [VOIR MODÈLE – **SOURIRE**]
INDICATIF PRÉSENT *Je ris, tu ris, il rit, nous rions, vous riez, ils rient.* IMPARFAIT *Je riais, tu riais, il riait, nous riions, vous riiez, ils riaient.* PASSÉ SIMPLE *Je ris, tu ris, il rit, nous rîmes, vous rîtes, ils rirent.* FUTUR *Je rirai.* **CONDITIONNEL** PRÉSENT *Je rirais.* **IMPÉRATIF** PRÉSENT *Ris, rions, riez.* **SUBJONCTIF** PRÉSENT *Que je rie, que tu ries, qu'il rie, que nous riions, que vous riiez, qu'ils rient.* IMPARFAIT *Que je risse, que tu risses, qu'il rît, que nous rissions, que vous rissiez, qu'ils rissent.* **PARTICIPE** PRÉSENT *Riant.* PASSÉ *Ri.*
Redoublement du ***i*** à la première et à la deuxième personne du pluriel de l'indicatif imparfait et du subjonctif présent. *(Que) nous riions, (que) vous riiez.*

r

risée n. f.
Moquerie. *Habillé ainsi, il a été la risée de tous ses amis.*

risible adj.
Comique de façon involontaire. *Une affirmation risible.* **SYN.** grotesque, ridicule.

risque n. m.
Possibilité d'accident, de malheur. *L'entreprise est sans risque, ou sans risques. Vous courez un risque en partant seul en pleine nuit.*
Contrairement au mot ***chance,*** le mot ***risque*** ne s'emploie qu'avec un sens défavorable.
Locutions
À risque(s). Exposé à un danger. *C'est un voyage à risques.*
Au risque de, locution prépositive. En s'exposant à. *Le pompier a sauvé l'enfant au risque de sa vie.*
À vos risques et périls. En assumant toutes les conséquences.

risqué, ée adj.
Qui comporte des risques. *Cette affaire est trop risquée.* **SYN.** dangereux, périlleux.

risquer v. tr.
Verbe transitif direct
S'exposer à un risque, à un danger. *Ils risquent leur vie.*
Verbe transitif indirect
Être exposé à. *Le temps risque de changer.*
Le verbe transitif indirect se construit avec ***de*** et l'infinitif.
Ce verbe ne s'emploie qu'en parlant d'évènements non désirés, qui comportent une issue fâcheuse. On dira : *courir la chance de gagner le gros lot* (et non *risquer de gagner).
Conjugaison [VOIR MODÈLE – **AIMER**]

rite n. m.
Ensemble des règles qui fixent le déroulement d'une cérémonie liturgique ou non.

rivage n. m.
Bande de terre qui borde une mer. *Enfin, on aperçoit le rivage !*
Pour un lac, une rivière, on dira plutôt ***rive.***

rival, ale, aux adj. et n. m. et f.
Adjectif
Adversaire. *Des clans rivaux.*
Nom masculin et féminin
Concurrent, concurrente. *Les rivaux se sont affrontés.*
Locution
Sans rival, locution adjective. Inégalable.

rivaliser v. intr.
Lutter. *Rivaliser d'intelligence avec quelqu'un. Ils rivalisent pour obtenir la médaille d'or.* **SYN.** concurrencer.
Conjugaison [VOIR MODÈLE – **AIMER**]

rivalité n. f.
1. Situation de personnes qui visent un même but. *La saine rivalité des athlètes olympiques.* **SYN.** concurrence.
2. Opposition. *Ces deux employés sont en rivalité.*

rive n. f.
Bande de terre qui borde un lac, une rivière. *La rive sud du Saint-Laurent.*
Pour la mer, on dit plutôt ***rivage.***
Selon la Commission de toponymie du Québec, la région située devant Montréal, au sud du Saint-Laurent, s'écrit avec des majuscules et un trait d'union. *Rive-Sud* (désignation non officielle).

river v. tr.
1. Fixer avec un rivet. *River un parapet à un mur.* **SYN.** attacher.
2. (FIGURÉ) Attacher étroitement à. *Elles sont rivées à leur poste de télévision. Elle avait les yeux rivés sur lui.*
Locution
River son clou à quelqu'un. (FAMILIER) Le réduire au silence.
Conjugaison [VOIR MODÈLE – **AIMER**]

rivière n. f.
Cours d'eau d'une certaine importance qui se jette dans un fleuve. *La rivière Chaudière se jette dans le Saint-Laurent.*
Ne pas confondre avec les mots suivants :
– ***fleuve,*** cours d'eau important qui se jette dans la mer ;
– ***ruisseau,*** petit cours d'eau peu large ;
– ***torrent,*** cours d'eau de montagne, impétueux.
Locution
Rivière de diamants. (FIGURÉ) Collier de diamants.

rixe n. f.
Violente bataille.

riz n. m.
Céréale cultivée dans les terrains humides.
riz.

riziculture n. f.
Culture du riz.

rizière n. f.
Terrain où l'on cultive le riz.

roast-beef
VOIR **ROSBIF.**

robe n. f.
Vêtement féminin d'une seule pièce, composé d'un corsage et d'une jupe. *Une jolie robe de coton, une robe du soir.*
Locutions
Pomme de terre en robe de chambre, en robe des champs. Pomme de terre cuite au four avec sa peau.
Les deux expressions se disent.
Robe de chambre. Vêtement d'intérieur féminin ou masculin.

robinet n. m.
Appareil installé sur une canalisation et destiné à permettre, interrompre ou régler le passage d'un liquide (généralement de l'eau) ou d'un gaz. *Ouvrir, fermer le robinet.*
robine**t.**

robot n. m.
Le premier ***o*** est ouvert [rɔbo].
Appareil à commande électromagnétique pouvant se substituer à une personne pour l'exécution automatique de certaines tâches. *Dans la chaîne de montage, ce sont des robots qui assemblent les voitures.*
Locution
Portrait-robot. Portrait d'une personne recherchée, fait d'après les indications des témoins. *Des portraits-robots informatisés.*

robuste adj.
Solide, vigoureux. *Une santé robuste.* **SYN.** fort, résistant.

roc n. m.
Masse de pierre très dure. *Cette maison est bâtie sur le roc, elle ne bougera pas.*

rocaille n. f.
Aménagement paysager comportant des pierres entre lesquelles sont plantés des arbustes, des fleurs.

rocailleux, euse adj.
Rempli de pierres. *Un chemin rocailleux.*

rocambolesque adj.
Rempli de péripéties invraisemblables. *Une histoire rocambolesque.*

roche n. f.
1. Bloc important de minéraux très durs, masse de pierre. *Une grotte creusée dans la roche.*
2. (FAMILIER) Fragment de pierre. *Les garçons ont lancé des roches dans le lac.* **SYN.** caillou.
Le nom ***roche*** est un terme général qui désigne la masse de substances minérales, tandis que la ***pierre*** est le matériau tiré de la roche dont on se sert dans la construction. Le ***caillou*** est un fragment de pierre de petite dimension.
Locution
Il y a anguille sous roche. (FIGURÉ) Il y a quelque chose de louche.

rocher n. m.
Masse de pierre dure, généralement escarpée. *Escalader un rocher. Le rocher Percé.*

rock ou **rock and roll** adj. inv. et n. m.
Nom masculin
1. Musique rythmée d'origine américaine (vers 1955). *Aimer le rock.*
2. Danse à quatre temps sur cette musique. *Danser le rock and roll.*
Adjectif invariable
Relatif à cette musique. *Des opéras rock.*

rodéo n. m.
Festivités comportant divers jeux (maîtriser un cheval, un bœuf sauvage, etc.). *Des rodéos pittoresques.*
Ce nom espagnol est francisé : le ***e*** s'écrit avec un accent aigu et le mot prend la marque du pluriel.

roder v. tr.
Le ***o*** est ouvert [rɔde].
Mettre au point (un spectacle, un système). *Il faut roder la voiture : elle est neuve. Son spectacle a été bien rodé.*
Ne pas confondre avec le verbe ***rôder,*** aller et venir de façon suspecte.
Conjugaison [VOIR MODÈLE – **AIMER**]
ro**d**er.

rôder v. intr.
Le ***o*** est fermé [rode].
Aller et venir avec une intention suspecte. *Les policiers ont surpris des personnes qui rôdaient dans le jardin.*
Ce verbe a un sens défavorable.
Ne pas confondre avec le verbe ***roder,*** mettre au point.
Conjugaison [VOIR MODÈLE – **AIMER**]
r**ô**der.

rôdeur, euse adj. et n. m. et f.
Personne qui rôde. *Le chien de garde a fait fuir les rôdeurs.*
r**ô**deur.

rognon n. m.
Rein (de bœuf, de veau, de porc, etc.), dans le vocabulaire de la cuisine. *Des rognons sauce madère.*
Forme fautive
*rognon. Impropriété au sens de ***rein,*** en parlant d'une personne.

roi n. m.
Souverain d'un pays indépendant. *Charles deviendra-t-il roi d'Angleterre ?*
Ce titre s'écrit avec une minuscule. *Le roi Dagobert.* Pour désigner la fête de l'Épiphanie, le nom s'écrit avec une majuscule. *La fête des Rois.*

rôle n. m.
1. Personnage joué par un acteur. *Sylvie a eu un rôle : celui d'Alice au pays des merveilles.*
2. Influence. *Le Québec a joué un rôle capital dans cette entente.*
3. Fonction. *Le rôle de l'adverbe est de préciser ou de modifier le sens d'un mot.*

romain, aine adj. et n. m. et f.
Adjectif
Qui est relatif à l'ancienne Rome ou à la Rome actuelle. *L'Empire romain, l'architecture romaine. Les restaurants romains.*

Nom masculin et féminin
De Rome. *J'envie les Romains et les Romaines, car Rome est une ville magnifique.*
Contrairement à l'adjectif, le nom prend une majuscule.
Locution
Chiffres romains. Lettres capitales employées comme chiffres. *En chiffres romains, le 10 s'écrit X.*
VOIR TABLEAU – **CHIFFRES ARABES.**
VOIR TABLEAU – **CHIFFRES ROMAINS.**

roman n. m.
Œuvre d'imagination d'une certaine longueur où l'auteur s'attache à créer des personnages, à faire revivre des aventures, à décrire des mœurs. *Ce roman a passionné toute la classe.*

romancer v. tr.
Donner le caractère d'un roman à des faits réels. *La biographie romancée d'un explorateur.*
Conjugaison [VOIR MODÈLE – **AVANCER**]
Le ***c*** prend une cédille devant les lettres ***a*** et ***o.*** *Il romança, nous romançons.*

romancier n. m.
romancière n. f.
Personne qui écrit des romans.

romanesque adj.
1. Propre au roman. *Une intrigue romanesque.*
2. Sentimental, exalté. *Une passion romanesque.*

romantique adj.
1. Qui appartient au romantisme. *Un poète romantique.*
2. Qui possède les caractéristiques du romantisme : sensibilité, imagination, rêverie. *Un coucher de soleil romantique.*

romantisme n. m.
Mouvement artistique qui, rompant avec le classicisme, entend donner une place prépondérante à l'imagination et à la sensibilité.

romarin n. m.
Le ***o*** est ouvert [rɔmarɛ̃].
Plante aromatique.

rompre v. tr., intr., pronom.
Verbe transitif
(LITTÉRAIRE) Briser, séparer en deux. *Rompre le pain.*
Verbe intransitif
1. (LITTÉRAIRE) Céder brusquement. *Les liens ont rompu.*
2. Mettre fin à une relation. *Elle a rompu avec lui.* **SYN.** se quitter, se séparer.
Verbe pronominal
(LITTÉRAIRE) Se briser. *Les attaches se sont rompues.*
Locutions
À bâtons rompus, locution adverbiale. Sans suite. *Parler à bâtons rompus.*
Rompre le silence. Commencer à parler. *Elle s'est enfin décidée à rompre le silence.*
Conjugaison [VOIR MODÈLE – **FENDRE**]
INDICATIF PRÉSENT *Je romps, tu romps, il rompt, nous rompons, vous rompez, ils rompent.* IMPARFAIT *Je rompais.* PASSÉ SIMPLE *Je rompis.* FUTUR *Je romprai.* **CONDITIONNEL** PRÉSENT *Je romprais.* **IMPÉRATIF** PRÉSENT *Romps, rompons, rompez.* **SUBJONCTIF** PRÉSENT *Que je rompe.* IMPARFAIT *Que je rompisse.* **PARTICIPE** PRÉSENT *Rompant.* PASSÉ *Rompu, ue.*

ronchonner v. intr.
(FAMILIER) Bougonner, grogner. *Il n'est jamais content et ne cesse de ronchonner.* **SYN.** grommeler.
Conjugaison [VOIR MODÈLE – **AIMER**]

ronchonneur, euse adj. et n. m. et f.
Bougon. **SYN.** grognon.

rond, ronde adj. et n. m.
Adjectif
1. Circulaire. *Une table ronde.*
2. Entier, complet. *En chiffres ronds, c'est-à-dire sans fractions : 10 $ est un chiffre rond.*
3. Arrondi, courbé. *Le chat a le dos rond : il veut se faire caresser. Un ventre rond.*
Nom masculin
Cercle. *Tracer des ronds sur la patinoire.*
Locutions
Avaler tout rond. Avaler tout entier, d'une seule pièce. *Les petits gâteaux ont été avalés tout rond.*
Tourner rond. Fonctionner de façon normale. *Les moteurs tournent rond.*
Pris adverbialement, le mot est invariable.

ronde n. f.
1. Tournée de surveillance. *L'agent fait une ronde tous les quarts d'heure.*
2. Danse où les participants qui se tiennent la main sont disposés en cercle. *Faire une ronde tout autour de la Terre.*
3. (MUSIQUE) Note qui vaut deux blanches ou quatre noires.
Locution
À la ronde. Tout autour. *Il n'y a pas un restaurant ouvert à la ronde : tout est fermé.*

rondelle n. f.
1. Petite pièce ronde. *Une rondelle de métal.*
2. ⚜ Disque de caoutchouc dur que l'on utilise au hockey. *Il a lancé la rondelle dans le filet : c'est un but !*

rondement adv.
1. Sans façon. *Parler rondement.* **SYN.** franchement, simplement.
2. Rapidement. *L'affaire a été conclue rondement.* **SYN.** promptement.

rondin n. m.
1. Morceau de bois entier qu'on a laissé rond (par opposition à ***planches*** ou à ***quartier***).
2. ⚜ Bois rond. *Une cabane de bois rond, en rondins.*

rond-point n. m. (pl. *ronds-points*)
Carrefour circulaire. *Des ronds-points dangereux.*

ronflement n. m.
Bruit que l'on produit en ronflant. *Les ronflements du voisin m'empêchent de dormir.*
ron**f**lement.

ronfler v. intr.
1. Produire un bruit en respirant pendant le sommeil. *Est-ce que ton papa ronfle ?*
2. (FAMILIER) (FIGURÉ) Dormir profondément.
Conjugaison [VOIR MODÈLE – **AIMER**]
ron**f**ler.

ronfleur, euse n. m. et f.
Personne qui ronfle. *Ce ronfleur empêche les campeurs de dormir.*
ron**f**leur.

ronger v. tr.
Déchiqueter avec les dents. *Le chien ronge un os.* **SYN.** grignoter, gruger.
Conjugaison [VOIR MODÈLE – **CHANGER**]
Le ***g*** est suivi d'un ***e*** devant les lettres ***a*** et ***o.*** *Il rongea, nous rongeons.*

rongeur n. m.
Mammifère possédant deux incisives longues et fortes. *Le lapin, le castor, l'écureuil sont des rongeurs.*

***ronne**
Anglicisme pour ***tournée*** (du laitier, du facteur, etc.).

ronronnement n. m.
Action de ronronner. *Le ronronnement de son chat.*
ron**r**o**nn**ement.

ronronner v. intr.
Émettre un petit ronflement régulier. *Le chat ronronne avec bonheur.*
Conjugaison [VOIR MODÈLE – **AIMER**]
ron**r**o**nn**er.

rosace n. f.
Ornement, vitrail en forme de rose. *Les belles rosaces des cathédrales gothiques.*

rosbif n. m.
Le ***o*** est ouvert [rɔsbif].
Rôti de bœuf de première qualité. *Des rosbifs bien tendres.*
Cette forme francisée est à préférer à l'anglais « roast-beef ».

rose n. f.
Fleur odorante du rosier. *Un bouquet de roses blanches et de roses rouges.*
Locutions
À l'eau de rose. Fleur bleue, sentimental. *Un roman à l'eau de rose.*
Rose des vents. Figure circulaire à trente-deux divisions indiquant les points cardinaux.

rose adj. et n. m.
Nom masculin
Couleur rose. *Des roses délicats.*
Adjectif
De la teinte de la rose commune, intermédiaire entre le rouge et le blanc. *Des corsages roses.*
Cet adjectif de couleur prend la marque du pluriel lorsqu'il est simple ; composé, il est invariable. *Des gants rose pâle.*
VOIR TABLEAU – **COULEUR (ADJECTIFS DE).**
Locution
Voir la vie en rose. (FIGURÉ) Être optimiste.

rosé, ée adj.
Légèrement rose. *Une teinte rosée.*

roseau n. m. (pl. *roseaux*)
Plante aquatique. *Des roseaux se balançaient au vent.*

rosée n. f.
Petites gouttelettes d'eau qui se déposent par condensation de la vapeur. *La rosée du matin.*

roseraie n. f.
Jardin planté de rosiers. *La magnifique roseraie du Jardin botanique de Montréal.*

rosier n. m.
Arbrisseau épineux cultivé pour ses fleurs odorantes, les roses. *Un rosier grimpant.*

rosir v. tr., intr.
Verbe transitif
Teinter de rose. *Le froid a rosi ses joues.*
Verbe intransitif
Prendre une teinte rose. *Ses joues rosissent d'excitation.*
Conjugaison [VOIR MODÈLE – **FINIR**]

rossignol n. m.
Oiseau passereau dont le chant est agréable.
VOIR TABLEAU – **ANIMAUX.**

rot n. m.
Le ***t*** ne se prononce pas [ro]; le mot rime avec ***boléro.***
Sortie bruyante d'air par la bouche. *Le bébé va faire son petit rot.*
ro**t.**

rotatif, ive adj.
Qui tourne. *La douche a un jet rotatif. Des foreuses rotatives.*

rotation n. f.
1. Mouvement circulaire d'un corps autour d'un axe. *La rotation de la Terre autour du Soleil.* **SYN.** révolution.
2. (FIGURÉ) Roulement. *La rotation des stocks.*

roter v. intr.
(FAMILIER) Faire un rot.
Conjugaison [VOIR MODÈLE – **AIMER**]
ro**t**er.

rôti, ie adj. et n. m. et f.
Adjectif
Grillé. *Du poulet rôti.*
Nom masculin
Viande grillée au four, à la broche. *Un rôti de veau.*
Nom féminin
Tranche de pain grillée. *Des rôties avec de la confiture.*
SYN. toast.
L'emploi de ce nom est courant au Québec, mais il est vieilli dans la francophonie.

rotin n. m.
Genre de palmier dont on utilise la tige pour faire des meubles. *Des causeuses de rotin.*

rôtir v. tr., intr., pronom.
Le ***ô*** est ouvert [rɔtir].
Verbe transitif
Faire cuire en exposant au feu, à la chaleur. *Rôtir un poulet.*
SYN. griller.
Verbe intransitif
Cuire. *As-tu mis les brochettes à rôtir ?*
Verbe pronominal
Se faire bronzer au soleil. *Les vacanciers se rôtissent au soleil.*
Conjugaison [VOIR MODÈLE – **FINIR**]

rôtisserie n. f.
Le ***ô*** est ouvert [rɔtisri].
Restaurant spécialisé dans les viandes rôties. *Aller manger à la rôtisserie* (et non au *barbecue).

rôtissoire n. f.
Le ***ô*** est ouvert [rɔtiswar].
Appareil qui sert à faire griller les viandes.

rotule n. f.
Os du genou. *As-tu une fracture de la rotule ?*
✎ rotu**l**e.

rouage n. m.
Chacune des parties mobiles d'un mécanisme.

rouble n. m.
Unité monétaire de la Russie. *Des roubles.*

roucoulement n. m.
Cri du pigeon, de la tourterelle.

roucouler v. tr., intr.
Verbe transitif
Dire d'une façon langoureuse. *Roucouler des mots tendres.*
Verbe intransitif
Crier, en parlant du pigeon et de la tourterelle. *Le pigeon roucoule.*
Conjugaison [VOIR MODÈLE – **AIMER**]
✎ roucou**l**er.

roue n. f.
Disque rigide qui, en tournant sur un axe, est utilisé comme organe de déplacement. *Les roues avant, les roues arrière d'une voiture.*
Locution
Faire la roue. Exercice de gymnastique consistant à faire une pirouette sur les mains.
Forme fautive
*roue. Anglicisme au sens de ***volant*** (de véhicule automobile).
HOM. roux, d'une couleur orangée.

rouer v. tr.
Battre violemment. *Les pauvres passants ont été roués de coups.*
Conjugaison [VOIR MODÈLE – **AIMER**]

rouet n. m.
Machine qui sert à filer la laine, le lin, etc.

rouge adj., adv. et n. m.
Nom masculin
La couleur rouge. *Des rouges éclatants, des rouges à lèvres.*
Adjectif de couleur
D'une couleur semblable à celle du sang, du feu. *Des gants rouges.*
VOIR TABLEAU – **COULEUR (ADJECTIFS DE).**
☞ Cet adjectif de couleur prend la marque du pluriel s'il est simple ; composé, il est invariable. *Des bonnets rouge tomate.*
Adverbe
Pris adverbialement, le mot est invariable. *Ils voient rouge.*

rougeâtre adj.
Qui tire sur le rouge. *Une égratignure rougeâtre.*

rougeaud, aude adj.
Qui a le visage rouge.
VOIR TABLEAU – **COULEUR (ADJECTIFS DE).**
✎ rou**geaud.**

rouge-gorge n. m. (pl. *rouges-gorges*)
Oiseau passereau à gorge rouge.

rougeoiement n. m.
Reflet rouge. *Le rougeoiement du feu dans la cheminée.*
✎ rougeoi**e**ment.

rougeole n. f.
Maladie contagieuse de l'enfance.
✎ rougeo**l**e.

rougeoyer v. intr.
Produire des reflets rougeâtres. *La braise rougeoie dans la cheminée.*
Conjugaison [VOIR MODÈLE – **EMPLOYER**]
Le ***y*** se change en ***i*** devant un **e** muet. *Il rougeoie, il rougeoiera.*

rougeur n. f.
Coloration vive de la peau. *Il a de petites rougeurs au front.*

rougir v. tr., intr.
Verbe transitif
Teinter de rouge. *Elle a rougi ses lèvres.*
Verbe intransitif
Devenir rouge. *Il s'est mis à rougir en entendant ces éloges.*
Conjugaison [VOIR MODÈLE – **FINIR**]

rougissant, ante adj.
Qui rougit. *Des adolescents rougissants.* **SYN.** timide.
☞ Ne pas confondre avec le participe présent invariable ***rougissant.*** *Les feuilles rougissant à l'automne.*

rouille adj. inv. et n. f.
Nom féminin
Substance rougeâtre produite par l'oxydation du fer. *Il y a de la rouille sur cette chaîne qui retient le bateau au quai.*
Adjectif de couleur invariable
De la teinte brun rouge de la rouille. *Des chaussures rouille.*
VOIR TABLEAU – **COULEUR (ADJECTIFS DE).**

rouiller v. tr., intr., pronom.
Verbe transitif
Produire de la rouille. *L'humidité rouille le fer.*
Verbe intransitif
Se couvrir de rouille. *Cette chaise commence à rouiller.*
Verbe pronominal
(FIGURÉ) Perdre son habileté, sa force par manque d'activité. *Avec le temps, on se rouille.*
Conjugaison [VOIR MODÈLE – **AIMER**]
Les lettres ***ill*** sont suivies d'un ***i*** à la première et à la deuxième personne du pluriel de l'indicatif imparfait et du subjonctif présent. *(Que) nous nous rouillions, (que) vous vous rouilliez.*

roulant, ante adj.
Qui roule. *Des fauteuils roulants* (et non des *chaises roulantes).

rouleau n. m. (pl. *rouleaux*)
Cylindre. *Des rouleaux de papier.*

roulement n. m.
1. Mouvement de ce qui roule. *Le roulement de tonneaux.*
2. (FIGURÉ) Succession de personnes, de choses. *Le roulement du personnel.* **SYN.** changement.

rouler v. tr., intr., pronom.
Verbe transitif
Faire avancer quelque chose en le faisant tourner sur lui-même. *Rouler un baril.*
Verbe intransitif
Avancer sur des roues. *La voiture roulait à plus de 100 kilomètres à l'heure, à 100 km/h.* **SYN.** circuler.
Verbe pronominal
1. Se tourner. *Ils se sont roulés dans l'herbe.*

2. S'enrouler. *Les enfants se sont roulés sous l'édredon.* **SYN.** se blottir.
Conjugaison [VOIR MODÈLE – **AIMER**]

roulette n. f.
Petite roue. *Une table à roulettes.*

roulis n. m.
Le ***s*** est muet [ruli].
Mouvement d'oscillation latérale d'un bateau (à droite, à gauche). *Il y a trop de roulis pour manger.*
roulis**,** un ***s*** final même au singulier.

roulotte n. f.
1. Remorque aménagée pour servir de logement de camping.
2. Se dit aussi ***caravane.*** (Recomm. off. OLF)

roumain, aine adj. et n. m. et f.
Adjectif et nom masculin et féminin
De Roumanie. *Une athlète roumaine. Un Roumain, une Roumaine.*
L'adjectif s'écrit avec une minuscule ; le nom, avec une majuscule.
Nom masculin
Langue parlée en Roumanie. *Nadia parle le roumain.*
Le nom de la langue s'écrit avec une minuscule.

rouquin, ine adj. et n. m. et f.
(FAMILIER) Roux.
VOIR TABLEAU – **COULEUR (ADJECTIFS DE).**

rousseler v. tr., intr.
Se couvrir de taches de rousseur. *Elle est toute rousselée en été.*
Conjugaison [VOIR MODÈLE – **JETER**]

rousseur n. f.
Caractère de ce qui est roux. *La rousseur de ses cheveux.*
Locution
Tache de rousseur. Tache pigmentaire apparaissant sur certaines peaux très claires.

roussi n. m.
Odeur d'une chose qui commence à brûler.

roussir v. tr., intr.
Verbe transitif
Brûler superficiellement. *Le soleil d'août a roussi la prairie.*
Verbe intransitif
Devenir roux. *Avec le soleil, mes cheveux ont roussi.*
Conjugaison [VOIR MODÈLE – **FINIR**]

route n. f.
Abréviation ***r^te*** ou ***rte*** (s'écrit sans point).
Voie de communication large et fréquentée, de première importance par opposition au chemin, reliant deux ou plusieurs agglomérations. (Recomm. off. OLF) *Une jolie route de campagne.*
Locution
Faire fausse route. Se tromper de chemin ; au figuré, faire erreur. *Ils ont fait fausse route.*

routier, ière adj. et n. m.
Adjectif
Relatif aux routes. *La circulation routière, la sécurité routière.*
Nom masculin
Conducteur de camion effectuant de longs parcours. *Les routiers roulent souvent la nuit.*

routine n. f.
Longue habitude, usage consacré. *Elle déteste la routine.*
Locution
De routine. Habituel. *Un examen de routine.*

routinier, ière adj.
Habituel, répétitif. *Des activités routinières.*

rouvrir v. tr., intr.
Verbe transitif
Ouvrir de nouveau. *Rouvrir un restaurant* (et non *réouvrir).
On parle cependant de la ***réouverture*** de quelque chose.
Verbe intransitif
Être de nouveau ouvert. *C'est le printemps : le glacier Bilboquet est rouvert !*
Conjugaison [VOIR MODÈLE – **OUVRIR**]

roux, rousse adj. et n. m. et f.
Adjectif de couleur
D'une couleur orangée. *Un écureuil roux.*
VOIR TABLEAU – **COULEUR (ADJECTIFS DE).**
Nom masculin et féminin
Personne dont les cheveux sont roux. *Une jolie rousse.*
HOM. roue, disque rigide tournant sur un axe.

royal, ale, aux adj.
1. Du roi. *Des privilèges royaux.*
2. Digne d'un roi. *Une splendeur royale.* **SYN.** splendide.

royalement adv.
1. D'une manière royale.
2. Magnifiquement. *Ils ont été reçus royalement.*
3. (FAMILIER) Complètement. *Il s'en fiche royalement.* **SYN.** totalement.

royaume n. m.
Pays à régime monarchique.

royauté n. f.
Pouvoir royal.

ruban n. m.
Pièce de tissu longue et étroite. *Un ruban de velours noué dans les cheveux.*

rubéole n. f.
Maladie contagieuse.

rubis n. m.
Le ***s*** ne se prononce pas [rybi].
Pierre précieuse d'un rouge vif.
rubi**s.**

rubrique n. f.
1. Titre (d'un article). *Je voudrais insérer une annonce sous ou à la rubrique « Offres d'emploi ».*
Le mot se construit avec les prépositions ***sous*** ou ***à*** plutôt que ***dans.***
2. Article régulier sur un sujet particulier. *Tenir la rubrique informatique.*

ruche n. f.
1. Petit abri des abeilles.
2. Essaim d'abeilles.
r**u**che, sans accent circonflexe.

rucher n. m.
Ensemble de ruches.
r**u**cher, sans accent.

rude adj.
1. Rugueux. *Une barbe rude.*
2. Dur, pénible. *Un climat très rude.* **SYN.** difficile, rigoureux.
3. Brutal. *Une personne rude.* **SYN.** bourru, dur.

rudement adv.
1. Avec rudesse. *On la traite trop rudement.* **SYN.** brutalement, cruellement, durement.
2. (FAMILIER) Très. *Elle est rudement gentille.* **SYN.** beaucoup, terriblement.

rudesse n. f.
Défaut de ce qui est rude, pénible. **SYN.** brutalité, dureté.

rudimentaire adj.
Primitif, insuffisant. *Une habitation rudimentaire.*

rudoyer v. tr.
Traiter avec rudesse, brutaliser. *Ces pauvres orphelins ont été rudoyés.* **SYN.** malmener, maltraiter.
Conjugaison [VOIR MODÈLE – **EMPLOYER**]
Le ***y*** se change en ***i*** devant un ***e*** muet. *Il rudoie, il rudoiera.* Le ***y*** est suivi d'un ***i*** à la première et à la deuxième personne du pluriel de l'indicatif imparfait et du subjonctif présent. *(Que) nous rudoyions, (que) vous rudoyiez.*

rue n. f.
Voie de communication généralement bordée de bâtiments dans une agglomération. (Recomm. off. OLF) *Les garçons s'amusent dans la rue* (et non *sur la rue). *La rue Sainte-Catherine.*
(note) 1° Les noms génériques d'odonymes (***rue, avenue, boulevard, route,*** etc.) s'écrivent avec une minuscule. *Elle habite rue du Manoir.* L'article s'omet devant l'odonyme après les verbes ***habiter, aller, se rendre.***
2° Les noms de rues caractérisés par un adjectif numéral ordinal s'écrivent généralement en chiffres arabes et avec une majuscule. *La 18e Avenue, la 3e Rue.*

ruée n. f.
Foule de personnes qui se dirigent au même endroit. *La ruée vers l'or.*
(orthographe) ru**ée.**

ruelle n. f.
Petite rue étroite. *Les enfants jouent au hockey dans la ruelle.*

ruer v. intr., pronom.
Verbe intransitif
Jeter les pieds de derrière avec force, en parlant d'un cheval. *Attention, ce cheval rétif peut ruer.*
Verbe pronominal
Se précipiter, le plus souvent en grand nombre. *Les spectateurs se ruèrent vers la sortie.* **SYN.** foncer.
Conjugaison [VOIR MODÈLE – **AIMER**]

rugir v. intr.
1. Crier, en parlant du lion.
2. (FIGURÉ) Hurler.
Conjugaison [VOIR MODÈLE – **FINIR**]

rugissement n. m.
Cri du lion.

rugueux, euse adj.
Rude, raboteux. *Une surface rugueuse.*
(orthographe) rug**u**eux.

ruine n. f.
1. (GÉNÉRALEMENT PLURIEL) Débris d'une construction. *Les ruines d'un ancien château.*
(note) Le nom s'écrit au singulier dans les expressions ***tomber en ruine, être en ruine, menacer ruine.***
2. Perte des biens, faillite, destruction. *Cette grève peut entraîner la ruine de l'entreprise.*

ruiner v. tr., pronom.
Verbe transitif
1. Ravager. *Cet orage violent a ruiné les framboisiers.* **SYN.** détruire, dévaster.
2. Causer la perte de la fortune. *La hausse des taux d'intérêt les a ruinés.*
Verbe pronominal
1. Perdre ses biens. *Ils se sont ruinés en construisant cette usine.*
2. (FIGURÉ) Dépenser à l'excès. **SYN.** gaspiller.
Conjugaison [VOIR MODÈLE – **AIMER**]

ruineux, euse adj.
Très coûteux, prohibitif. *Ces travaux de restauration sont ruineux.*

ruisseau n. m. (pl. *ruisseaux*)
Petit cours d'eau peu large. *Des ruisseaux qui serpentent dans la campagne.*
(note) Ne pas confondre avec les noms suivants :
– ***fleuve,*** cours d'eau important qui se jette dans la mer ;
– ***rivière,*** cours d'eau qui se jette dans un fleuve ;
– ***torrent,*** cours d'eau de montagne, impétueux.
VOIR TABLEAU – **GÉOGRAPHIQUES (NOMS).**

rumeur n. f.
1. Bruit confus de voix.
2. Nouvelle qui se répand. *Ce n'est qu'une rumeur.*

ruminant n. m.
Mammifère ongulé qui possède un appareil digestif propre à la rumination. *Le bœuf, le mouton, la chèvre sont des ruminants.*

rumination n. f.
Mode de digestion selon lequel les aliments sont absorbés dans l'estomac et ramenés dans la bouche pour être mâchés à nouveau.

ruminer v. tr.
1. Pratiquer la rumination.
2. (FIGURÉ) Retourner dans sa tête. *Il a ruminé cette idée toute la nuit.* **SYN.** remâcher.
Conjugaison [VOIR MODÈLE – **AIMER**]

rupture n. f.
1. Cassure. *La rupture d'un câble a provoqué une panne.*
2. Interruption. *La rupture d'un contrat* (et non le *bris d'un contrat).
3. (FIGURÉ) Séparation brusque. *Sa rupture avec son fiancé.*

ruse n. f.
Moyen astucieux pour tromper l'adversaire. *Recourir à la ruse pour arriver à ses fins.* **SYN.** astuce, finesse, habileté, stratagème, subterfuge.

rusé, ée adj.
Astucieux, habile. **SYN.** fin.

ruser v. intr.
User de ruse. *L'équipe a rusé pour tromper ses adversaires et compter un but.*
Conjugaison [VOIR MODÈLE – **AIMER**]

***rush**
Anglicisme pour ***urgent.***

russe adj. et n. m. et f.
Adjectif et nom masculin et féminin
1. De Russie. *La révolution russe, les poètes russes. Un Russe, une Russe.*
2. (PAR EXTENSION) De l'ex-URSS. *Les fonctionnaires russes.*
L'adjectif s'écrit avec une minuscule ; le nom, avec une majuscule.
Nom masculin
Langue parlée en Russie. *Boris parle le russe.*
Le nom de la langue s'écrit avec une minuscule.

rustique adj.
1. Très simple. *Des meubles rustiques.*
2. Résistant, en parlant d'une plante. *Un rosier rustique.*

rutilant, ante adj.
Qui brille d'un vif éclat. *Des voitures rutilantes.*

rutiler v. intr.
Briller, étinceler. *L'argenterie fraîchement astiquée rutilait.*
Conjugaison [VOIR MODÈLE – **AIMER**]

r.-v.
Abréviation de ***rendez-vous.***

rythme n. m.
1. Cadence. *Marquer le rythme.* **SYN.** mesure, mouvement.
2. Alternance régulière. *Le rythme des saisons.*
3. Mouvement régulier. *Le rythme cardiaque.*
rythme.

rythmé, ée adj.
Qui a du rythme. *Une musique rythmée.*
rythmé.

rythmer v. tr.
Donner un rythme à. *Rythmer une mélodie.*
Conjugaison [VOIR MODÈLE – **AIMER**]
rythmer.

s n. m. inv.
Dix-neuvième lettre de l'alphabet.

s
Symbole de ***seconde.***

s.
Abréviation de ***siècle.***

S.
Abréviation de ***sud.***
VOIR TABLEAU – **POINTS CARDINAUX.**

$
Symbole de ***dollar.***
VOIR **DOLLAR.**

sa adj. poss. f. sing.
1. Adjectif possessif féminin de la troisième personne du singulier qui détermine le nom en indiquant le « possesseur » de l'objet désigné. Il s'accorde en genre et en nombre avec le nom déterminé. *Sa chambre.*
2. L'adjectif possessif s'accorde en personne avec le nom désignant le « possesseur ». Ainsi, l'adjectif possessif ***sa*** renvoie à un seul « possesseur » d'un être, d'un objet de genre féminin. *C'est sa bicyclette* (un seul possesseur). *Regarde leur nouvelle voiture* (plusieurs possesseurs).
Devant un nom féminin commençant par une voyelle ou un ***h*** muet, c'est la forme masculine ***son*** qui est employée pour rendre la liaison plus harmonieuse entre l'adjectif possessif et le mot qui suit. *Son amie, son histoire.*
VOIR TABLEAU – **POSSESSIF (ADJECTIF).**

sabbat n. m.
Le ***t*** ne se prononce pas [saba].
Repos hebdomadaire des juifs (le samedi).
sa**bb**at.

sablage n. m.
Action de sabler. *Le sablage d'une surface rugueuse.*

sable n. m.
Ensemble de petits grains produits par la désagrégation des roches. *Une plage de sable fin.*

sabler v. tr.
1. Recouvrir de sable. *Sabler la chaussée pour éviter qu'elle ne soit trop glissante.*
2. Nettoyer, rendre lisse à l'aide de sable ou d'une substance qui polit. *On devra sabler le plancher avant de le vernir.*
Conjugaison [VOIR MODÈLE – **AIMER**]

sablier n. m.
Appareil qui détermine le temps par l'écoulement du sable. *Un sablier de trois minutes, pour les œufs à la coque.*

sablonneux, euse adj.
Qui est couvert de sable ou qui contient du sable. *Un sol sablonneux.*

sabot n. m.
1. Grosse chaussure de bois. *Autrefois on portait des sabots à la campagne.*
2. Ongle des mammifères ongulés (cheval, bœuf, mouton, etc.).
sabo**t.**

sabotage n. m.
Action de saboter. *L'hypothèse d'un sabotage n'est pas écartée.*
sabo**t**age.

saboter v. tr.
Nuire au déroulement normal d'une activité, d'une installation, détériorer volontairement. *Ils ont saboté la centrale nucléaire.*
Conjugaison [VOIR MODÈLE – **AIMER**]
sabo**t**er.

sabre n. m.
Arme faite d'une lame plus ou moins recourbée, qui ne tranche que d'un côté.

sac n. m.
Sorte de poche ouverte par le haut. *Un sac de papier, de toile, de plastique.*
Locutions
Mettre dans le même sac. (FIGURÉ) Considérer sur le même pied, comme étant de même valeur.
Prendre quelqu'un la main dans le sac. (FIGURÉ) Le prendre en train de commettre un délit.
Sac à dos. Sac porté sur le dos. *Les sacs à dos ont remplacé les cartables.*
Sac (à main). Pochette destinée à transporter l'argent, les papiers, etc. *Un sac à main de cuir* (et non une *bourse, une *sacoche). *Des sacs à main pratiques.*

Sac d'écolier. ⚜ Cartable, serviette.
Sac de couchage. Enveloppe de tissu isolant dans laquelle on dort.
Vider son sac. (FIGURÉ) Dire la vérité, sans rien dissimuler.

saccade n. f.
Secousse brusque. *Le moteur fonctionne avec des saccades : il faudrait le régler.* **SYN.** soubresaut.
✎ sa**cc**ade.

saccadé, ée adj.
Agité de mouvements brusques, irréguliers. *Une démarche saccadée.*
✎ sa**cc**adé.

saccage n. m.
Ravage comprenant vol et dégâts importants.

saccager v. tr.
Ravager, détruire. *Les animaux ont saccagé le potager.*
Conjugaison [VOIR MODÈLE – **CHANGER**]
Le ***g*** est suivi d'un ***e*** devant les lettres ***a*** et ***o***. *Il saccagea, nous saccageons.*

sachet n. m.
Petit sac. *Un sachet de sucre, de chocolat au lait.*
✎ sache**t.**

sacoche n. f.
Sac de cuir, de toile forte. *Une sacoche de facteur, de cycliste.*
Forme fautive
*sacoche. Impropriété au sens de ***sac à main.***
✎ sa**c**oche.

sacre n. m.
1. Cérémonie religieuse de couronnement d'un roi, d'une reine, de consécration d'un évêque, d'un pape. *Le sacre de la reine.*
2. ⚜ Blasphème, juron composé d'un nom d'objet sacré (calice, ciboire, etc.). *Il est interdit de blasphémer, de dire des sacres ici.*
☞ Ce nom s'emploie aussi en ce sens dans certaines régions de la francophonie.

sacré, ée adj. et n. m.
Adjectif
1. Qui a un caractère religieux, qui concerne le culte divin. *Des lieux sacrés, des livres sacrés.* **ANT.** profane.
↝ En ce sens, l'adjectif se place après le nom.
2. (FAMILIER) Grand. *Une sacrée chance.* **SYN.** fameux, inouï.
↝ Placé avant le nom, l'adjectif s'emploie familièrement pour renforcer ce nom.
Nom masculin
Caractère de ce qui transcende l'humain. *Le sacré et le profane.*
Locution
Feu sacré. Ferveur, enthousiasme.

sacrement n. m.
Acte rituel établi par Jésus-Christ. *Le baptême, l'eucharistie sont des sacrements.*

sacrer v. tr., intr.
Verbe transitif
Conférer un caractère sacré. *Le pape a sacré un évêque.*
Verbe intransitif
⚜ Blasphémer, dire des sacres. *Il ne cesse de sacrer.*
☞ Ce verbe est vieilli, mais il est encore en usage au Québec et dans certaines régions de la francophonie.
Conjugaison [VOIR MODÈLE – **AIMER**]

sacrifice n. m.
1. Offrande rituelle. *Un sacrifice humain.*
2. Renoncement, privation volontaire. *Faire des sacrifices.*

sacrilège adj. et n. m.
Adjectif
Coupable de sacrilège. *Un vol sacrilège.*
Nom masculin
Profanation du sacré. *C'est un sacrilège que de voler dans une église.*

sadique adj. et n. m. et f.
1. Atteint de sadisme. *Un comportement sadique. Ce sont des sadiques.*
2. Cruel. *Un plaisir sadique.*

sadisme n. m.
Perversion qui fait éprouver du plaisir à faire souffrir.
☞ Ne pas confondre avec le nom ***masochisme,*** perversion qui fait éprouver du plaisir à souffrir.

safari n. m.
Expédition de chasse, de photographie, en Afrique. *Un safari photographique.*

sage adj. et n. m. et f.
Adjectif
1. Sensé, raisonnable. *C'est une sage décision.* **SYN.** équilibré, sérieux.
2. Tranquille, docile. *Cet enfant est très sage.* **SYN.** calme, obéissant.
Nom masculin et féminin
Personne qui fait preuve de sagesse.

sage-femme n. f. (pl. *sages-femmes*)
Femme dont la profession est de faire des accouchements.

sagesse n. f.
1. Raison, jugement. *Cette décision a été prise avec beaucoup de sagesse.*
2. Obéissance. *Cet enfant est d'une grande sagesse.* **SYN.** calme, docilité.

sagittaire n. m.
Nom d'une constellation, d'un signe du zodiaque. *Le signe du Sagittaire.*
☞ Les noms d'astres s'écrivent avec une majuscule. *Elle est (du signe du) Sagittaire, elle est née entre le 22 novembre et le 20 décembre.*
VOIR **ASTRE.**
✎ sagi**tt**aire.

sagouin, ouine n. m. et f.
Personne malpropre. *Vous avez certainement entendu parler de* La Sagouine *d'Antonine Maillet.*

saignant, ante adj.
1. Qui saigne.
2. Peu cuit, en parlant d'une viande. *Quelle cuisson désirez-vous : bleu, saignant, à point ou bien cuit ?*

saignement n. m.
Épanchement de sang. *Un saignement de nez.* **SYN.** hémorragie.

saigner v. intr.
Perdre du sang. *Elle saigne du nez souvent. Son genou saignait abondamment.*
Conjugaison [VOIR MODÈLE – **AIMER**]

saillant, ante adj.
👄 La première syllabe se prononce ***sa*** [sajɑ̃, ɑ̃t].

1. Qui avance. *Un visage aux pommettes saillantes.*
2. Qui frappe, qui est en évidence. *Des faits saillants.* **SYN.** frappant, marquant.
Ne pas confondre avec le participe présent invariable ***saillant.*** *Les muscles saillant sous la chemise.*

sain, saine adj.
1. Équilibré, normal. *Un jugement sain.*
2. Salubre. *Un climat sain.*
Locution
Sain et sauf. Hors de danger, sans dommage. *Elles sont saines et sauves, ils sont sains et saufs.*
Au pluriel, on ne fait pas la liaison entre l'adjectif et la conjonction.
HOM.
– **saint**, sacré ;
– **sein**, mamelle de la femme.

saint, sainte adj. et n. m. et f.
Adjectif
Abréviations ***St***, ***Ste***, ***Sts***, ***Stes***.
Qui est conforme à la loi divine, qui est consacré à Dieu. *Les lieux saints, l'Écriture sainte.*
Nom masculin et féminin
Personne canonisée. *Une statue de saint Joseph.*
HOM.
– **sain**, équilibré ;
– **sein**, mamelle de la femme.
VOIR TABLEAU – **SAINT, SAINTE,** ADJECTIF.

saint-bernard n. m. (pl. *saint-bernard* ou *saint-bernards*)
Chien de montagne, de forte taille dont la fourrure est blanche et rousse. *C'est un saint-bernard qui a retrouvé les skieurs ensevelis par la neige.*
Le nom s'écrit avec deux minuscules et un trait d'union.

sainteté n. f.
Caractère de ce qui est saint. *La sainteté d'une martyre.*

saisie n. f.
1. (DROIT) Acte par lequel une personne, une société qui a prêté une somme d'argent fait saisir les biens de la personne qui ne peut lui rembourser la somme prêtée.
2. (INFORMATIQUE) Enregistrement d'une information dans un ordinateur, généralement à l'aide d'un clavier et d'une souris. *Le clavier et la souris servent à la saisie des données.*

saisir v. tr., pronom.
Verbe transitif
1. Capturer. *Saisir un fuyard.* **SYN.** attraper, prendre.
2. Prendre vivement. *Il a saisi son bras. Saisir une occasion.*
3. Comprendre. *Avez-vous saisi le sens de ma question ?* **SYN.** (FAMILIER) piger.
4. (DROIT) Faire une saisie. *Ses meubles ont été saisis.*
5. (INFORMATIQUE) Introduire une donnée dans un ordinateur. *Les codes des produits vendus sont saisis à l'aide d'un lecteur optique.*
Verbe pronominal
Prendre, s'emparer de. *Elles se sont saisies de la bouée qu'on leur tendait.*
Conjugaison [VOIR MODÈLE – **FINIR**]

saisissement n. m.
Impression subite causée par le froid, la peur. *Il est resté muet de saisissement.*
sai**s**i**ss**ement.

saison n. f.
1. Chacune des quatre parties de l'année, d'une durée de trois mois. *Les saisons sont : le printemps, l'été, l'automne et l'hiver.*
Les noms des saisons s'écrivent avec des minuscules et sont tous de genre masculin.
2. Période de temps. *La saison des pluies, des fraises.*
Locutions
Belle saison. Été.
En toute(s) saison(s). Tout au long de l'année. *Ces arbustes fleurissent en toute saison* ou *en toutes saisons.*
Saison morte. Période d'inactivité (agricole, commerciale, etc.).

SAINT, SAINTE, ADJECTIF

Les noms des saints sont souvent utilisés pour dénommer des lieux, des villes, des rues, des bâtiments. Plusieurs noms de famille de chez nous comprennent l'adjectif ***saint*** ou ***sainte***. *Les Saint-André habitent la rue Saint-Louis à Saint-Roch-de-l'Achigan.*

L'adjectif ***saint*** ou ***sainte*** est généralement écrit au long aussi bien dans un nom de famille que dans un nom de ville ou de rue. On ne doit l'abréger (***St***, ***Ste***, ***Sts***, ***Stes***) que de façon exceptionnelle, en raison de contraintes d'espace.

- **Les noms de saints :** minuscule initiale sans trait d'union.

  Ils prient sainte Thérèse et saint Jean-Baptiste.

  Deux exceptions : *la Sainte Vierge, le Saint-Esprit.* Dans ces deux cas, l'adjectif s'écrit avec une majuscule. Il n'est pas lié au mot ***Vierge*** par un trait d'union alors que le nom ***Saint-Esprit*** s'écrit avec un trait d'union.

- **Les noms de famille :** majuscule initiale et trait d'union.

  Monsieur Saint-Pierre. Madame Sainte-Marie.

- **Les noms géographiques, les noms de rues, de bâtiments et de fêtes :** majuscule initiale et trait d'union

  Il habite à Saint-Georges, en Beauce. La rue Sainte-Catherine. L'oratoire Saint-Joseph. L'école Saint-Germain. On fêtera la Saint-Jean.

saisonnier, ière adj.
Propre à une saison. *Les décorations de Noël sont des articles saisonniers qui ne se vendent qu'en décembre.*
✎ saisonnier.

salade n. f.
1. Plante. *La laitue, la chicorée, la scarole, la romaine, etc., sont des salades.*
2. Mets composé de légumes, de feuilles, de plantes potagères, assaisonnés d'une vinaigrette, d'une mayonnaise. *Une salade de pommes de terre, de tomates, de lentilles, de poireaux. Une salade d'endive, de cresson, de homard, de poulet.*
Locution
Salade de fruits. Fruits coupés en morceaux et servis froids.
☞ Dans cette expression, le nom ***fruit*** s'écrit au pluriel parce qu'il désigne une multiplicité.

saladier n. m.
Plat dans lequel on sert la salade.

salaire n. m.
Argent reçu pour un travail. *Mon salaire est de 8 $ l'heure; comme je travaille 20 heures par semaine, je reçois 160 $ chaque semaine.*

salaison n. f.
Opération par laquelle on sale des produits alimentaires pour assurer leur conservation.

salamandre n. f.
Batracien qui ressemble à un lézard. *La salamandre fait penser à un animal préhistorique miniature.*

salami n. m.
Saucisson sec. *Des salamis épicés, manger du salami.*

salarié, ée adj. et n. m. et f.
Personne qui reçoit un salaire. *Les travailleurs salariés. Les salariés et les employeurs.*

salaud adj. m. et n. m.
Nom masculin
1. (FAMILIER) Homme méprisable. *Ce sont des salauds.*
2. ⚜ (FAMILIER) Personne malpropre.
☞ Le féminin de ce nom est ***salope.***
Adjectif masculin
1. (FAMILIER) Répugnant, méprisable.
2. ⚜ (FAMILIER) Sale.
3. ⚜ (FAMILIER) Sévère. *Un examen salaud.* **SYN.** difficile, (FAMILIER) vache.
✎ sal**aud.**

sale adj.
1. Malpropre. *Des mains sales.* **SYN.** crasseux.
☞ En ce sens, l'adjectif est placé après le nom.
2. (FAMILIER) Mauvais, désagréable. *Un sale coup.* **SYN.** méchant, vilain.
☞ En ce sens, l'adjectif se place avant le nom.
HOM. salle, pièce, local.

salé, ée adj.
1. Qui contient du sel. *De l'eau salée.*
2. Assaisonné de sel. *Des légumes salés.*

saler v. tr.
Saupoudrer de sel. *Tu as trop salé le potage.*
Conjugaison [VOIR MODÈLE – **AIMER**]

saleté n. f.
1. État de ce qui est sale. *Ce logement est d'une saleté épouvantable.* **SYN.** malpropreté. **ANT.** propreté.
2. Chose sale. *Tes bottes boueuses ont laissé des saletés sur le tapis.*
✎ saleté.

salière n. f.
Petit récipient destiné à contenir le sel. *La base de cette salière est un moulin à poivre.*

salir v. tr., pronom.
Rendre sale, malpropre. *La petite a sali sa robe.* **SYN.** barbouiller, tacher.
Conjugaison [VOIR MODÈLE – **FINIR**]

salive n. f.
Liquide produit par les glandes de la bouche.

saliver v. intr.
Produire de la salive. *À la vue de ces bons plats, il se met à saliver.*
Conjugaison [VOIR MODÈLE – **AIMER**]

salle n. f.
1. Pièce d'une maison. *Une grande salle à manger, une belle salle de séjour, une salle de bain(s)* (et non une *chambre de bains).
2. Local. *Une salle de concerts, une salle de conférences.*
☞ Dans ces expressions, le complément s'écrit au pluriel; il s'écrit au singulier dans les expressions *salle d'opération, salle d'étude, salle de bal, salle de classe, salle de jeu, salle de spectacle.* En ce qui a trait aux termes ***salle de jeu*** ou ***salle de jeux, salle de bain*** ou ***salle de bains,*** le complément déterminatif peut s'écrire au singulier ou au pluriel.
HOM. sale, malpropre.

salon n. m.
1. Pièce d'une maison. *Un grand salon où l'on reçoit les invités.*
2. Établissement commercial. *Un salon de thé, un salon de coiffure.*

salope n. f.
(VULGAIRE) Femme méprisable.
☞ Ce mot tient lieu de féminin au mot ***salaud.***

saloperie n. f.
1. (FAMILIER) Chose très sale, dégoûtante. *Enlève tes saloperies de poissons pourris d'ici, minet!* **SYN.** cochonnerie, saleté.
2. (FIGURÉ) Action mauvaise. *Cette injustice est une saloperie.*

salopette n. f.
Vêtement composé d'un pantalon et d'un haut à bretelles.
✎ salopette.

saltimbanque n. m. et f.
Personne qui fait des tours d'adresse sur la place publique, dans les foires. **SYN.** acrobate, équilibriste, funambule.

salubre adj.
Sain. *L'air de la campagne est plus salubre que celui de la ville.*

saluer v. tr.
1. Adresser une marque de politesse, de déférence à quelqu'un. *Saluez votre père de ma part.*
2. Accueillir. *Ils ont salué avec enthousiasme le nouveau chef.*
Conjugaison [VOIR MODÈLE – **AIMER**]

salut n. m.
1. Préservation de la vie. *Les passagers n'ont dû leur salut qu'à leur ceinture de sécurité.*

2. Bonheur éternel. *Le salut de l'âme.*
3. Salutation. *Faire un salut de la main. Salut ! Je te verrai demain !*
Locution
Planche de salut. (FIGURÉ) Ressource ultime.
salu**t**.

salutation n. f.
1. Salut solennel. *Salutations officielles.*
2. Formule de politesse qui termine une lettre. *Veuillez agréer, Madame la Présidente, l'assurance de ma considération très distinguée. Recevez, Monsieur, mes salutations les meilleures.*

salve n. f.
Décharge simultanée d'armes à feu. *Une salve de coups de canon.*
Locution
Salve d'applaudissements. Applaudissements nombreux.

samare n. f.
Fruit ailé de l'érable, de l'orme.
sama**r**e.

samedi n. m.
Sixième jour de la semaine. *Le samedi 24 juin.*
Les noms de jour s'écrivent avec une minuscule et prennent la marque du pluriel. *Je viendrai tous les samedis,* mais *je viendrai tous les jeudi et samedi de chaque semaine.* Attention à la construction de la dernière phrase où les noms de jour restent au singulier parce qu'il n'y a qu'un seul jeudi et qu'un seul samedi par semaine.
VOIR TABLEAU – **JOUR.**

samouraï n. m. ou **samurai** n. m. inv.
La dernière syllabe se prononce comme ***rail*** [samuraj] quelle que soit l'orthographe.
(ANCIENNEMENT) Guerrier japonais. *Des samouraïs* ou *des samurai inflexibles.*
sam**ou**ra**ï**, sam**u**ra**i**.

sanctification n. f.
Action de sanctifier.

sanctifier v. tr.
Rendre saint.
Conjugaison [VOIR MODÈLE – **ÉTUDIER**]
Redoublement du ***i*** à la première et à la deuxième personne du pluriel de l'indicatif imparfait et du subjonctif présent. *(Que) nous sanctifiions, (que) vous sanctifiiez.*

sanction n. f.
Mesure punitive. *Une sanction administrative.* **SYN.** punition.
Locution
Sanction des études. Reconnaissance officielle, au moyen d'un diplôme, du succès d'un élève ou d'une élève à un programme d'études. (Recomm. off. OLF) *Une sanction d'études* (et non une *certification).

sanctuaire n. m.
Lieu saint. *Le sanctuaire de l'oratoire Saint-Joseph.*
Forme fautive
*sanctuaire d'oiseaux. Impropriété au sens de ***réserve (naturelle).*** *Une réserve ornithologique* (et non un *sanctuaire d'oiseaux).

sandale n. f.
Chaussure légère composée d'une semelle retenue par des lanières. *Des sandales blanches.*
sanda**l**e.

sandwich n. m.
Tranches de pain entre lesquelles on met du poulet, du pâté, du fromage, etc. *Des sandwiches variés* ou *des sandwichs au jambon.*
Attention au genre masculin de ce nom : ***un*** sandwich.
Deux formes sont admises pour le pluriel : ***sandwiches*** (pluriel anglais), ***sandwichs.***

sang n. m.
Le ***g*** ne se prononce pas [sɑ̃].
1. Liquide qui circule dans les veines et les artères du corps humain. *Une prise de sang.*
2. Race, famille. *Être de sang noble, un cheval pur sang.*
Locutions
Avoir le sang chaud. Être colérique, fougueux.
Avoir quelque chose dans le sang. Être très doué ou passionné pour quelque chose.
Fouetter le sang. Stimuler.
Se faire du mauvais sang. S'inquiéter.

sang-froid n. m. inv. (pl. *sang-froid*)
Calme, présence d'esprit. *Au cours de l'incendie, il a fait preuve de beaucoup de sang-froid, il n'a pas perdu son sang-froid.*
Ce nom s'écrit avec un trait d'union.
san**g-**froid.

sanglant, ante adj.
Couvert de sang, où il y a beaucoup de sang. *Une guerre sanglante.*

sangle n. f.
Bande plate destinée à maintenir, à serrer. *Les sangles d'un parachute.*
s**an**gle.

sangler v. tr.
Serrer avec une sangle. *Il sangle la selle de son cheval.*
Conjugaison [VOIR MODÈLE – **AIMER**]
s**an**gler.

sanglier n. m.
Porc sauvage. *Les défenses du sanglier sont dangereuses.*
VOIR TABLEAU – **ANIMAUX.**
s**an**glier.

sanglot n. m.
Gémissement causé par une crise de larmes. *Éclater en sanglots.*
sanglo**t**.

sangloter v. intr.
Pousser des sanglots. *La petite s'est éraflé le genou et sanglote.*
Conjugaison [VOIR MODÈLE – **AIMER**]
s**an**glo**t**er.

sangsue n. f.
Le ***g*** est muet [sɑ̃sy].
Ver qui suce le sang des vertébrés.
san**g**su**e**.

sanguin, ine adj.
Relatif au sang. *Les vaisseaux sanguins. La pression sanguine.*

sanguinolent, ente adj.
Mêlé, teinté de sang. *Des traces sanguinolentes.*
s**an**guinol**e**nt.

sanitaire adj. et n. m.
Adjectif
1. Relatif à l'hygiène, à la santé. *Le service sanitaire.*

2. Se dit des appareils qui servent à la distribution et à l'évacuation de l'eau. *La baignoire, le lavabo, l'évier sont des appareils sanitaires.*
Nom masculin
Les installations sanitaires. *Les sanitaires de l'école ont été refaits.*

sans prép.
Cette préposition marque la privation, l'exclusion d'une personne, d'une chose. *Il est sorti sans manteau et sans gants.*
Note – Le nom qui suit la préposition s'écrit au singulier ou au pluriel selon le sens, la logique (un seul manteau, une paire de gants). *Une dictée sans fautes* (sans erreurs), *venez sans faute* (à coup sûr).
Locutions
Non sans. Avec beaucoup de. *Il a réussi non sans mal. Elle a réussi non sans avoir beaucoup travaillé.*
La locution prépositive est suivie d'un nom ou d'un infinitif.
Sans que, locution conjonctive. Cette locution marque une idée de concession négative, d'exclusion. *Il est parti sans qu'on puisse le retenir.*
La locution se construit avec le subjonctif.

sans- préf.
Les noms composés de la préposition ***sans-*** s'écrivent avec un trait d'union et sont invariables. *Des sans-abri.*

sans-abri n. m. et f. inv. (pl. *sans-abri*)
Personne sans logement. *L'hiver est très pénible pour les sans-abri.*
Note – Ne pas confondre avec le mot ***itinérant,*** qui se déplace pour exercer une fonction.

sans-allure adj. inv. et n. m. et f. inv. (pl. *sans-allure*)
(FAMILIER) Se dit d'une personne dénuée de jugement, de manières. *Quels écervelés, quels sans-allure !*

sans-cœur adj. inv. et n. m. et f. inv. (pl. *sans-cœur*)
(FAMILIER) Insensible. *Des personnes sans-cœur. Ces ingrats sont des sans-cœur.*

sans-dessein adj. inv. et n. m. et f. inv. (pl. *sans-dessein*)
(FAMILIER) Se dit d'une personne dénuée de bon sens, peu réfléchie. *Ce sont des sans-dessein, des écervelés : ils n'ont aucun jugement.*
Orthographe : sans-dess**ein**.

sans-gêne adj. inv. et n. m. et f. inv. (pl. *sans-gêne*)
Adjectif invariable
Effronté. *Des garçons sans-gêne.*
Nom masculin et féminin invariable
Personne impolie. *Ces invités sont des sans-gêne de la pire espèce.*

sans-logis n. m. et f. inv. (pl. *sans-logis*)
Personne sans logement.
Note – Le mot ***sans-abri*** est plus couramment utilisé aujourd'hui.

santé n. f.
État de l'organisme. *Être en bonne, en mauvaise santé.*

saoudien ou **séoudien, ienne** adj. et n. m. et f.
De l'Arabie saoudite. *Le pétrole saoudien. Un Saoudien, une Saoudienne.*
Note – L'adjectif s'écrit avec une minuscule ; le nom, avec une majuscule.
Note – La forme ***saoudien*** inspirée de l'anglais s'est finalement imposée.

saoul
VOIR **SOÛL.**

saper v. tr.
Miner. *Saper la confiance des employés.* **SYN.** ébranler, user.
Conjugaison [VOIR MODÈLE – **AIMER**]

saphir n. m.
Pierre précieuse de teinte bleue. *Des saphirs magnifiques.*
Orthographe : sa**ph**ir.

sapin n. m.
Arbre toujours vert de la famille des conifères. *Les feuilles du sapin sont des aiguilles. Un beau sapin de Noël.*
Locution
Se faire passer un sapin. (FAMILIER) Se faire rouler.

sapinage n. m.
Branches de conifères. *Elle a tressé une belle couronne avec du sapinage.*

sapinière n. f.
Forêt de sapins.

sarcasme n. m.
Raillerie, moquerie ironique.

sarcastique adj.
Railleur, ironique. *Un ton sarcastique.*

sarcelle n. f.
Canard sauvage.
Orthographe : sarce**ll**e.

sarcler v. tr.
Enlever les mauvaises herbes, les racines.
Conjugaison [VOIR MODÈLE – **AIMER**]

sarcophage n. m.
Tombeau de pierre. *Les sarcophages égyptiens contiennent les momies des pharaons.*
Orthographe : sarco**ph**age.

sardine n. f.
Poisson de petite taille. *Des sardines grillées.*
Locution
Être serrés comme des sardines. (FIGURÉ) Être à l'étroit. *À cette heure d'affluence dans le métro, nous étions serrés comme des sardines.*

sari n. m.
Vêtement féminin en Inde. *Des saris de soie.*
Orthographe : sa**r**i.

sarrasin n. m.
Céréale. *De la farine de sarrasin. Des crêpes de sarrasin.*

sarriette n. f.
Plante odoriférante.
Orthographe : sa**rr**iette.

sas n. m.
Prononciation : Le **s** final peut se prononcer ou non [sas] ou [sa].
1. Tamis à gros trous. *Passer de la farine au sas.*
2. Compartiment étanche qui permet la transition entre deux milieux dont les pressions sont différentes. *Le sas de la navette spatiale.*

satanique adj.
Diabolique. *Un homme satanique.* **SYN.** démoniaque.
Orthographe : sata**n**ique.

satellite n. m.
1. Astre qui gravite autour d'une planète. *La Lune est un satellite de la Terre.*
2. Engin placé par une fusée sur l'orbite de la Terre, d'une planète. *Des satellites artificiels, un satellite météorologique, une émission de télévision par satellite.*
satellite.

satiété n. f.
Le premier ***t*** se prononce ***s*** [sasjete]; le mot rime avec ***société.***
Le fait d'être rassasié, de ne plus avoir faim ni soif.
Locution
À satiété, locution adverbiale. Au point de satisfaire pleinement l'appétit. *Nous nous sommes régalés et nous avons mangé à satiété.*

satin n. m.
Étoffe brillante. *Une chemise de nuit en satin blanc.*

satiné, ée adj.
Qui est doux et lustré comme le satin. *Une peau satinée.*

satire n. f.
Caricature d'une situation, d'une personne.
satire.

satirique adj.
Qui caricature une situation, une personne, qui critique en se moquant. *Un texte satirique.*

satisfaction n. f.
1. Contentement, bien-être qui résulte de l'accomplissement d'un désir, d'une action. *Martine a eu la satisfaction d'être élue présidente de la classe.* SYN. plaisir.
2. Action de satisfaire. *La satisfaction des besoins du consommateur.*
Locutions
Donner satisfaction. Répondre à une exigence. *Ces nouveaux employés nous donnent pleinement satisfaction.*
Obtenir satisfaction. Gagner sa cause. *Ils ont obtenu satisfaction.*
Le nom reste au singulier dans ces locutions.

satisfaire v. tr., pronom.
Verbe transitif direct
Contenter, combler. *Tu as satisfait toutes mes demandes : je suis très content.*
Verbe transitif indirect
Répondre à une exigence. *Ces étudiants ont été admis, car ils satisfont à toutes les conditions.*
En ce sens, le verbe se construit avec la préposition ***à.***
Verbe pronominal
(ABSOLUMENT) Satisfaire ses besoins. *Les campeurs se sont satisfaits dans la forêt.*
À la forme pronominale, le verbe se construit avec les prépositions ***de*** ou ***avec.***
Conjugaison [VOIR MODÈLE – **FAIRE**]

satisfaisant, ante adj.
Les lettres ***ai*** se prononcent **e** [satisfəzɑ̃]; le mot rime avec ***faisan.***
Qui contente, suffisant. *Ces résultats sont satisfaisants.* SYN. acceptable, convenable.
Ne pas confondre avec le participe présent invariable ***satisfaisant.*** *Des desserts satisfaisant les plus gourmands.*

satisfait, aite adj.
1. Content. *Ils sont très satisfaits des progrès accomplis, d'apprendre qu'ils ont réussi.*
L'adjectif se construit également avec la conjonction ***que*** et le subjonctif ; on évitera la construction ***de ce que*** suivi de l'indicatif. *Je suis satisfaite que vous soyez d'accord.*
2. Réalisé. *Un désir satisfait.* SYN. assouvi, comblé.

sauce n. f.
Préparation liquide onctueuse qui accompagne un plat. *Une sauce à la crème.*

saucer v. tr.
1. (FAMILIER) Tremper dans la sauce, dans un liquide. *Saucer son pain dans la soupe.*
L'emploi du verbe est courant au Québec dans la langue familière, mais il est vieilli en ce sens dans l'ensemble de la francophonie.
2. Nettoyer la sauce d'une assiette avec un morceau de pain. *Gustave est un gourmand : il a saucé son plat avec un bout de pain pour ne rien laisser.*
Conjugaison [VOIR MODÈLE – **AVANCER**]
Le **c** prend une cédille devant les lettres **a** et **o.** *Il sauça, nous sauçons.*

saucette n. f.
(FAMILIER) Baignade rapide. *Les enfants n'ont fait qu'une saucette, l'eau était glacée.*

saucisse n. f.
Préparation de viande hachée et assaisonnée contenue dans un boyau. *Des saucisses grillées.*
saucisse.

saucisson n. m.
Préparation de viandes assaisonnées cuites ou fumées. *Du saucisson à l'ail, s.v.p. !*
saucisson.

sauf prép.
À l'exception de, à l'exclusion de. *Sauf Pierre et Paul, ils seront tous présents.* SYN. excepté.
Locution
Sauf que, locution conjonctive. Si ce n'est que, sous réserve de, que. *La journée a été excellente, sauf que nous avons manqué de nourriture.*
La locution introduit une proposition conditionnelle marquant une réserve, une exception, et se construit avec l'indicatif.

sauf, sauve adj.
1. Qui est hors de danger. *Elle a eu la vie sauve.* SYN. indemne, sauvé.
2. Intact. *Nous avons perdu, mais notre honneur est sauf.* SYN. préservé.
Locution
Sain et sauf. Hors de danger, sans dommage. *Elles sont saines et sauves, ils sont sains et saufs.*
Au pluriel, on ne fait pas la liaison entre l'adjectif et la conjonction.

sauge n. f.
Plante aromatique. *Elle assaisonne la sauce de sauge et de thym.*

saugrenu, ue adj.
Bizarre, inattendu. *Une suggestion saugrenue.* SYN. absurde.
L'adjectif s'emploie à propos d'une chose ; lorsqu'il est question d'une personne, on dit plutôt ***bizarre, farfelu.***

S

saule n. m.
Arbre qui pousse au bord des rivières, dans des lieux humides. *Un beau saule pleureur.*
saule.

saumon adj. inv. et n. m.
La première syllabe se prononce ***so,*** avec un **o** fermé [somɔ̃].
Nom masculin
Poisson dont la chair de teinte rose est très appréciée. *Du saumon fumé.*
Adjectif de couleur invariable
D'une teinte rose orangé. *Des chapeaux saumon.*
VOIR TABLEAU – **COULEUR (ADJECTIFS DE).**

saumoné, ée adj.
Dont la chair est rose comme celle du saumon. *Alex a pêché une truite saumonée.*
saumo**n**é.

saumoneau n. m. (pl. *saumoneaux*)
Petit saumon.
saumo**n**eau.

sauna n. m.
1. Bain de vapeur. *Un sauna nous ferait du bien.*
2. Pièce où l'on prend des bains de vapeur. *Cet hôtel met des saunas à la disposition des clients.*

saupoudrer v. tr.
La première syllabe se prononce ***so,*** avec un **o** fermé [sopudre].
Couvrir d'une substance en poudre. *Des framboises saupoudrées de sucre.*
Conjugaison [VOIR MODÈLE – **AIMER**]
saupoudrer (et non *sou).

-saure, -saurien suff.
Éléments du grec signifiant « lézard ». *Tyrannosaure, dinosaure.*

saut n. m.
Bond. *Cet athlète fait des sauts à la perche.*
Locution
Faire le saut. (FIGURÉ) Prendre une décision importante.
HOM.
– sceau, cachet ;
– seau, récipient ;
– sot, stupide.
sau**t**.

saute n. f.
Changement subit. *Des sautes d'humeur.* **SYN.** variation.

saute-mouton n. m. inv. (pl. *saute-mouton*)
Jeu. *Jouer à saute-mouton.*

sauter v. tr., intr.
Verbe transitif
1. Franchir par un saut. *Il saute un obstacle, une haie.*
2. Omettre quelque chose. *Elle a sauté un mot.*
Verbe intransitif
1. Bondir. *Il sautait de joie. As-tu déjà sauté en parachute ?* **SYN.** s'élancer.
2. Exploser. *La fusée a sauté.* **SYN.** éclater.
Locutions
Faire sauter. Faire revenir. *Faire sauter des légumes dans du beurre.*
Sauter aux yeux. (FIGURÉ) Apparaître clairement, être évident.
Le verbe se conjugue avec l'auxiliaire ***avoir.***
Conjugaison [VOIR MODÈLE – **AIMER**]

sauterelle n. f.
Insecte sauteur herbivore. *La nuée de sauterelles a dévoré les récoltes.*
saute**r**e**ll**e.

sautiller v. intr.
Faire de petits sauts. *Il sautillait et gambadait.*
Conjugaison [VOIR MODÈLE – **AIMER**]
Les lettres ***ill*** sont suivies d'un ***i*** à la première et à la deuxième personne du pluriel de l'indicatif imparfait et du subjonctif présent. *(Que) nous sautillions, (que) vous sautilliez.*

sauvage adj. et n. m. et f.
La première syllabe se prononce ***so,*** avec un **o** fermé [sovaʒ].
Adjectif
1. Se dit d'un animal qui n'est pas apprivoisé, qui vit en liberté. *Un cheval sauvage. Le lion est un animal sauvage.*
2. Qui pousse sans être cultivé. *Des framboisiers sauvages, du riz sauvage.*
3. Inhabité. *Une île sauvage.* **SYN.** désert.
4. (FIGURÉ) Farouche, solitaire. **SYN.** craintif, timide.
Nom masculin et féminin
(VIEUX) Primitif. *Les sauvages de Nouvelle-France. Un Sauvage, une Sauvage.*
Ce nom, qui ne s'emploie plus, a un sens défavorable.
Locution
Chat sauvage. Synonyme de ***raton laveur.***
Forme fautive
*sauvage. Impropriété au sens de ***autochtone, Amérindien.***

sauvagement adv.
La première syllabe se prononce ***so,*** avec un **o** fermé [sovaʒmɑ̃].
D'une manière sauvage. **SYN.** cruellement.

sauvagerie n. f.
La première syllabe se prononce ***so,*** avec un **o** fermé [sovaʒri].
Brutalité, férocité. **SYN.** cruauté.

sauvegarde n. f.
1. Protection, défense. *La sauvegarde du fait français.* **SYN.** préservation.
2. (INFORMATIQUE) Opération consistant à enregistrer des informations sur un support (disquette, disque rigide, etc.) en vue de les conserver.

sauvegarder v. tr.
1. Préserver, protéger. *Sauvegarder ses droits.* **SYN.** conserver, défendre.
2. (INFORMATIQUE) Enregistrer des informations sur un support en vue de les conserver. *Sauvegarder* (et non *sauver) *un fichier.*
Conjugaison [VOIR MODÈLE – **AIMER**]

sauve-qui-peut n. m. inv. (pl. *sauve-qui-peut*)
Panique générale. *Le bateau coulait : c'était le sauve-qui-peut.* **SYN.** affolement.

sauver v. tr., pronom.
Verbe transitif
1. Préserver quelqu'un d'un danger, de la mort. *Il lui a sauvé la vie. Ces adolescents ont sauvé les chatons de la noyade.*
2. Empêcher la destruction de quelque chose. *Sauver un immeuble historique de la démolition.*
3. Racheter. *L'excellent jeu des comédiens sauve cette pièce, dont le scénario est faible.*

Verbe pronominal
1. S'enfuir. *Ils se sont sauvés pendant que le gardien dormait.* **SYN.** s'échapper.
2. (FAMILIER) S'en aller. *Je suis en retard, je me sauve.* **SYN.** partir.
Forme fautive
*sauver. Anglicisme au sens de ***économiser, épargner, sauvegarder*** (un fichier).
Conjugaison [VOIR MODÈLE – **AIMER**]

sauvetage n. m.
Action de sauver. *Les pompiers ont réussi le sauvetage d'une famille dont la maison brûlait.*
Locution
Gilet ou ***ceinture de sauvetage.*** Accessoire gonflable ou garni d'une matière qui permet de rester à la surface de l'eau. *Mets ta ceinture de sauvetage si tu fais du ski nautique. Dans ce placard du bateau, tu trouveras des gilets de sauvetage.*
sauve**t**age.

sauveteur n. m.
Personne qui participe à un sauvetage. *Les sauveteurs ont retiré une fillette du puits où elle était tombée.*
Ce mot ne comporte pas de forme féminine.
Ne pas confondre avec le nom ***sauveur,*** personne qui sauve, qui libère.

sauvette (à la) loc. adv.
Rapidement, à la hâte. *Les cambrioleurs sont partis à la sauvette.*

sauveur n. m.
1. Jésus-Christ. *Le Sauveur.*
Lorsqu'il est construit sans complément et qu'il désigne Jésus-Christ, le nom s'écrit avec une majuscule.
2. Personne qui sauve, qui libère. *Les chercheurs qui ont mis au point ce médicament sont les sauveurs de nombreux malades.*
Ne pas confondre avec le nom ***sauveteur,*** personne qui participe à un sauvetage.

savane n. f.
1. Grande plaine à la végétation rare, dans la zone tropicale.
2. Terrain marécageux.
sava**n**e.

savant, ante adj. et n. m. et f.
Adjectif
1. Qui a beaucoup de connaissances en matière scientifique.
2. Qui sait beaucoup de choses dans un domaine. *Elle est très savante en informatique.* **SYN.** expert.
Nom masculin et féminin
Scientifique aux connaissances très étendues. *Les savants ne reçoivent pas suffisamment de fonds pour poursuivre leurs recherches. Hubert Reeves est un savant qui s'emploie à vulgariser l'astronomie.*
Ce nom s'emploie surtout pour désigner des spécialistes des sciences exactes ou expérimentales.
Locutions
Animal savant. Animal dressé. *Ce dauphin est un animal savant qui sait faire beaucoup de choses.*
Mot savant. Mot, souvent emprunté au grec ou au latin, employé dans un domaine scientifique, technique. *Le terme* étymologie *est un mot savant désignant la science qui recherche l'origine des mots.*

savate n. f.
Vieille chaussure, vieille pantoufle.
sava**t**e.

saveur n. f.
Qualité particulière perçue par le goût. *Ces fruits sont sans saveur. Une saveur amère, sucrée, salée.* **SYN.** goût.

savoir n. m.
Connaissances, érudition. *L'étendue de son savoir.* **SYN.** culture.

savoir v. tr.
1. Avoir la connaissance de, posséder une science ou un art. *Elle sait lire et compter. Il sait l'anglais. Tu sais tes leçons par cœur.* **SYN.** connaître. **ANT.** ignorer.
2. Pouvoir, avoir la possibilité de. *Je saurai terminer ce long travail.*
En ce sens, au conditionnel et à la forme négative, le verbe se construit sans l'adverbe de négation ***pas*** et il est suivi d'un infinitif. *Je ne saurais vous dire. Il ne saurait en être question.*
3. Être apte à, avoir le talent, la force de faire quelque chose. *Elle sait répartir les tâches, tu sais écouter.*
Locutions
À savoir, locution adverbiale. C'est-à-dire. *Il y a plusieurs types de supports d'information, à savoir la disquette, le disque rigide, etc.*
Cette locution, qui est précédée d'une virgule, introduit une énumération, une explication.
En savoir long sur quelqu'un, quelque chose. Être bien informé sur une personne, une chose.
Faire savoir. Informer, annoncer. *Je vous ferai* (et non *laisserai) *savoir la date de la prochaine rencontre.*
Je ne sais quoi, je-ne-sais-quoi. Chose difficile à définir, à exprimer. *Il se dégage de ce film un je ne sais quoi de tendre et de sympathique.* **SYN.** quelque chose.
Ce nom composé s'écrit avec ou sans traits d'union.
Ne vouloir rien savoir. Ne pas vouloir en entendre parler. *Elle ne veut rien savoir de cette histoire.*
Qui sait ? Peut-être. *Il viendra, qui sait ?*
Ne pas commettre l'erreur fréquente de remplacer le verbe ***savoir*** par ***ignorer.*** *Tu n'es pas sans savoir que la valeur des actions a beaucoup baissé.*
Conjugaison [VOIR MODÈLE – **SAVOIR**]

savoir-faire n. m. inv. (pl. *savoir-faire*)
Compétence, expérience. *Il nous a montré son savoir-faire.* **SYN.** habileté.

savoir-vivre n. m. inv. (pl. *savoir-vivre*)
Connaissance et pratique des règles de la politesse. *Il est impoli : il manque de savoir-vivre.* **SYN.** politesse.

savon n. m.
Produit employé pour le nettoyage. *Un savon de toilette. Un savon à barbe.*
Locution
Passer un savon à quelqu'un. (FAMILIER) Le réprimander.

savonnage n. m.
Nettoyage au savon. *Un bon savonnage et la tache partira.*
savo**nn**age.

savonner v. tr., pronom.
Nettoyer avec du savon. *Il a savonné son chandail taché. Elle s'est savonné les mains avec soin. Elle s'est savonnée.*
Attention à la place du complément d'objet direct pour l'accord du participe passé à la forme pronominale.

Indicatif

Présent

je sais
tu sais
elle sait
il sait

nous savons
vous savez
elles savent
ils savent

Passé composé

j' ai su
tu as su
elle a su
il a su

nous avons su
vous avez su
elles ont su
ils ont su

Imparfait

je savais
tu savais
elle savait
il savait

nous savions
vous saviez
elles savaient
ils savaient

Plus-que-parfait

j' avais su
tu avais su
elle avait su
il avait su

nous avions su
vous aviez su
elles avaient su
ils avaient su

Passé simple

je sus
tu sus
elle sut
il sut

nous sûmes
vous sûtes
elles surent
ils surent

Passé antérieur

j' eus su
tu eus su
elle eut su
il eut su

nous eûmes su
vous eûtes su
elles eurent su
ils eurent su

Futur simple

je saurai
tu sauras
elle saura
il saura

nous saurons
vous saurez
elles sauront
ils sauront

Futur antérieur

j' aurai su
tu auras su
elle aura su
il aura su

nous aurons su
vous aurez su
elles auront su
ils auront su

Infinitif

Présent

savoir

Passé

avoir su

Subjonctif

Présent

que je sache
que tu saches
qu' elle sache
qu' il sache

que nous sachions
que vous sachiez
qu' elles sachent
qu' ils sachent

Passé

que j' aie su
que tu aies su
qu' elle ait su
qu' il ait su

que nous ayons su
que vous ayez su
qu' elles aient su
qu' ils aient su

Imparfait

que je susse
que tu susses
qu' elle sût
qu' il sût

que nous sussions
que vous sussiez
qu' elles sussent
qu' ils sussent

Plus-que-parfait

que j' eusse su
que tu eusses su
qu' elle eût su
qu' il eût su

que nous eussions su
que vous eussiez su
qu' elles eussent su
qu' ils eussent su

Conditionnel

Présent

je saurais
tu saurais
elle saurait
il saurait

nous saurions
vous sauriez
elles sauraient
ils sauraient

Passé

j' aurais su
tu aurais su
elle aurait su
il aurait su

nous aurions su
vous auriez su
elles auraient su
ils auraient su

Impératif

Présent

sache
sachons
sachez

Passé

aie su
ayons su
ayez su

Participe

Présent

sachant

Passé

su, sue
ayant su

Conjugaison [VOIR MODÈLE – **AIMER**]
✎ savo**nn**er.

savonneux, euse adj.
Qui contient du savon. *Une eau savonneuse.*
✎ savo**nn**eux.

savourer v. tr.
1. Goûter avec plaisir. *Savourer un bon repas.* **SYN.** déguster.
2. (FIGURÉ) Apprécier quelque chose avec délices. *J'ai savouré ce roman merveilleux.*
Conjugaison [VOIR MODÈLE – **AIMER**]

savoureux, euse adj.
Qui a une saveur agréable. *Un gigot savoureux.*

saxophone n. m.
Instrument à vent.

saxophoniste n. m. et f.
Personne qui joue du saxophone.

saynète n. f.
(VIEUX) Sketch. *Au collège, nous organisions des saynètes amusantes.*
✎ s**ay**nète.

sc-
Ces lettres se prononcent ***s*** devant ***e*** ou ***i***, ***sk*** devant ***a, o, u.*** *Scène, scandale.*

scalpel n. m.
Bistouri. *Le chirurgien emploie un scalpel pour couper la peau.*
✎ scalp**el.**

scalper v. tr.
Arracher la peau du crâne et la chevelure. *Les Iroquois ont scalpé des missionnaires.*
Conjugaison [VOIR MODÈLE – **AIMER**]

scandale n. m.
1. Fait révoltant. *Ces enfants enchaînés qui travaillent, c'est un scandale !*
2. Affaire malhonnête. *Un scandale politique.*

scandaleux, euse adj.
Qui cause du scandale, qui choque. *Une injustice scandaleuse.*

scandaliser v. tr., pronom.
Verbe transitif
Susciter l'indignation, choquer. *Ces pratiques malhonnêtes les ont scandalisés.* **SYN.** indigner.
Verbe pronominal
S'offenser, se choquer. *Elle se scandalise de cette injustice.*
Conjugaison [VOIR MODÈLE – **AIMER**]

scaphandre n. m.
Vêtement étanche muni d'une bouteille à air comprimé qui permet à un plongeur d'évoluer sous l'eau. *Le capitaine Haddock a revêtu un scaphandre pour explorer les fonds marins.*
✎ sca**ph**andre.

scaphandrier n. m.
Plongeur muni d'un scaphandre. *Ce scaphandrier a exploré l'épave qui gisait à 30 m sous la surface de la mer.*
✎ sca**ph**andrier.

scarlatine adj. et n. f.
Maladie contagieuse de l'enfance. *Fièvre scarlatine* ou *scarlatine.*

sceau n. m. (pl. *sceaux*)
Le mot rime avec ***seau.***
Nom masculin
Cachet. *Des sceaux officiels.*
Locution
Sous le sceau du secret, locution adverbiale. Confidentiellement. *Je te confie cela sous le sceau du secret.*
HOM.
– **saut**, bond ;
– **seau**, récipient ;
– **sot**, stupide.

sceller v. tr.
1. Cacheter à l'aide d'un sceau. *Une lettre scellée d'un cachet.*
2. Fermer hermétiquement. *Sceller un récipient, une ouverture.*
HOM. seller, munir un cheval d'une selle.
Conjugaison [VOIR MODÈLE – **AIMER**]
✎ **sc**e**ll**er.

scénario n. m. (pl. *scénarios*)
Canevas d'une pièce, d'un film, d'une émission. *Des scénarios bien structurés.*
✎ **sc**énario.

scénariste n. m. et f.
Personne qui écrit des scénarios.

scène n. f.
1. Partie du théâtre où sont les acteurs. *Une scène tournante. Entrer en scène. Sortir de scène. Un metteur en scène.*
2. Le théâtre. *Les arts de la scène.*
3. Subdivision d'un acte. *Acte II, scène III.*
4. Séquence d'un film. *Cette scène est terrifiante.*
5. Lieu où se passe une action. *Les ambulanciers ont quitté la scène de l'accident.*
6. Dispute. *Ne fais pas de scène, je t'en prie : calme-toi.*
✎ **sc**ène.

scepticisme n. m.
Manque de confiance à l'égard de quelque chose. **SYN.** doute, incertitude, méfiance.

sceptique adj. et n. m. et f.
Qui ne croit pas à quelque chose. *Elle restait sceptique sur ses chances de succès.* **SYN.** incrédule, méfiant.
✎ **sc**eptique.

sceptre n. m.
Bâton de commandement, symbole de l'autorité suprême. *Le sceptre du roi est en or.*
Ne pas confondre avec le nom ***spectre,*** fantôme.
✎ **sc**eptre.

schéma n. m.
Dessin, représentation simplifiée. *Des schémas de fonctionnement. Julie a fait le schéma de la circulation sanguine.*
✎ **sch**éma.

schématique adj.
Simplifié. *Une description schématique.* **SYN.** synthétique.
✎ **sch**ématique.

schématiser v. tr.
1. Représenter à l'aide d'un plan, d'un dessin. *Julie a schématisé la circulation du sang.*
2. Simplifier, ramener à l'essentiel. *Schématiser la pensée d'un auteur.* **SYN.** synthétiser.
Conjugaison [VOIR MODÈLE – **AIMER**]
✎ **sch**ématiser.

S

sciage n. m.
Action de scier. *Le sciage de planches qui serviront à la construction d'une charpente.*
Locution
Bois de sciage. Bois scié qui est destiné à la construction, à la menuiserie.
⇒ s**c**iage.

scie n. f.
Outil dont la lame dentée est destinée à couper des matières dures. *Une scie à bois. Une scie à métaux.*
Locutions
En dents de scie. (FIGURÉ) En pointes successives, avec des hauts et des bas. *Des résultats en dents de scie.*
Scie à chaîne. Tronçonneuse. *Les bûcherons utilisent des scies à chaîne* (et non des *chain saw).
⇒ s**c**ie.

science n. f.
Ensemble de connaissances ayant un objet déterminé. *Les sciences naturelles, humaines, pures.*

science-fiction n. f. (pl. *sciences-fictions*)
Réalité imaginaire utilisant des données de la science. *Un film de science-fiction.*

scientifique adj. et n. m. et f.
Adjectif
1. Qui concerne les sciences. *La recherche scientifique, un terme scientifique.*
2. Conforme aux méthodes rigoureuses de la recherche. *Un travail scientifique, un esprit scientifique.*
Nom masculin et féminin
Savant spécialiste (d'une science expérimentale ou exacte). *Cette conférencière est une scientifique de renom.*

scier v. tr.
Couper avec une scie. *Scier du bois pour construire une table.*
Conjugaison [VOIR MODÈLE – **ÉTUDIER**]
Redoublement du ***i*** à la première et à la deuxième personne du pluriel de l'indicatif imparfait et du subjonctif présent. *(Que) nous sciions, (que) vous sciiez.*

scierie n. f.
Atelier où l'on scie le bois.
⇒ s**c**ierie.

S

scintillant, ante adj.
Qui scintille. *Des lumières scintillantes.* **SYN.** brillant, étincelant.
⇒ s**c**intillant.

scintillement n. m.
Action de scintiller. *Le scintillement d'un diamant.*
⇒ s**c**intillement.

scintiller v. intr.
Briller, étinceler. *Les étoiles scintillent.*
Conjugaison [VOIR MODÈLE – **AIMER**]
Les lettres ***ill*** sont suivies d'un ***i*** à la première et à la deuxième personne du pluriel de l'indicatif imparfait et du subjonctif présent. *(Que) nous scintillions, (que) vous scintilliez.*
⇒ s**c**intiller.

sciure n. f.
Poussière qui tombe du bois que l'on scie. *De la sciure de bois appelée aussi* ***bran de scie*** (et non *brin de scie).
⇒ s**c**iure.

scolaire adj.
Relatif ou propre aux écoles, à la vie des écoles, à l'enseignement qu'on y donne et aux élèves qui les fréquentent. (Recomm. off. OLF) *L'année scolaire* (et non *académique), *le travail scolaire. Des manuels scolaires.*
Locutions
Abandon scolaire. ⚜ Fait, pour un élève ou une élève, de quitter l'école avant la fin de la période de l'obligation scolaire. (Recomm. off. OLF)
Transport scolaire. ⚜ Opération par laquelle les élèves sont conduits à l'école et ramenés à la maison au moyen d'autobus scolaires. **SYN.** ramassage (scolaire).
⇒ scol**aire.**

scolarité n. f.
1. Durée des études accomplies par une personne. (Recomm. off. OLF)
2. Études scolaires. *Faire toute sa scolarité dans le même établissement.*

***scoop**
Anglicisme pour ***primeur, exclusivité.***

-scope, -scopie, -scopique suff.
Éléments du grec signifiant « examiner, observer ». *Microscope, radioscopie, télescopique.*

score n. m.
1. Marque, nombre de points obtenus par des équipes, des adversaires dans un match. *Le score final* (et non le *pointage) *est de 5 à 1.*
2. (FIGURÉ) Résultat (chiffré ou non) ; classement. *J'ai eu un bon score pour mon examen de géographie.*

scorpion n. m.
1. Animal invertébré portant en avant une paire de pinces et dont l'abdomen est terminé par un aiguillon venimeux. *La piqûre du scorpion est dangereuse.*
2. Nom d'une constellation, d'un signe du zodiaque.
☞ Les noms d'astres s'écrivent avec une majuscule. *Elle est (du signe du) Scorpion, elle est née entre le 23 octobre et le 21 novembre.*
VOIR **ASTRE.**

***scotch tape**
Anglicisme pour ***ruban adhésif.***

scout, oute adj. et n. m. et f.
Adjectif
Relatif au scoutisme. *Une équipe scoute.*
Nom masculin et féminin
Enfant, adolescent faisant partie d'un mouvement de scoutisme.
☞ Le nom féminin courant est ***guide.*** Les jeunes scouts sont des ***louveteaux*** ; les jeunes scoutes, des jeannettes.

scoutisme n. m.
Mouvement ayant pour but de parfaire la formation des jeunes garçons et des jeunes filles par des activités de groupe en plein air.

scrabble n. m.
Ce nom se prononce à l'anglaise [skrabəl] ou à la française [skrabl].
Jeu de société qui s'apparente aux mots croisés. *Des parties de scrabble bien enlevées. Des scrabbles de voyage.*
☞ Ce nom d'origine américaine est une marque déposée qui est passée dans l'usage. Il s'écrit avec une minuscule et prend un ***s*** au pluriel.

***scrap (mettre à la)**
Anglicisme pour ***mettre à la ferraille.***

scrupule n. m.
Hésitation à faire quelque chose pour des raisons morales.
Locutions
Avoir scrupule à faire quelque chose. Se demander si on doit faire quelque chose.
Une personne sans scrupule(s). Personne amorale, qui agit uniquement par intérêt.

scrupuleux, euse adj.
1. Qui éprouve des scrupules.
2. Correct, honnête. *Une comptabilité scrupuleuse.* **SYN.** consciencieux, méticuleux, strict.

scruter v. tr.
Examiner attentivement, observer. *Elle scrute le ciel à la recherche d'une étoile.*
Conjugaison [VOIR MODÈLE – **AIMER**]

scrutin n. m.
1. Vote au moyen de bulletins. *Un scrutin secret.*
2. Ensemble des opérations de vote. *Le scrutin du 30 octobre.*
✎ scrut**in.**

sculpter v. tr.
👄 Le ***p*** ne se prononce pas [skylte].
Façonner en taillant une matière dure. *Sculpter un buste dans une pièce de marbre.*
Conjugaison [VOIR MODÈLE – **AIMER**]

sculpteur n. m.
sculpteure ou **sculptrice** n. f.
👄 Le ***p*** ne se prononce pas [skyltœr].
Personne qui pratique l'art de la sculpture. *Le sculpteur Philippe Hébert est d'origine acadienne.*

sculpture n. f.
👄 Le ***p*** ne se prononce pas [skyltyr].
1. Art de sculpter. *Il fait de la sculpture et de la peinture.*
2. Œuvre du sculpteur. *Le Baiser de Rodin est une très belle sculpture.*

se pron. pers. m. et f.
Pronom personnel masculin et féminin de la troisième personne du singulier et du pluriel. *Elle se lave. Ils se regardent. Les fleurs se sont fanées.*
☞ Le pronom s'emploie comme complément d'objet direct.
☞ Le pronom s'élide devant les verbes commençant par une voyelle ou un ***h*** muet. *Elle s'inquiète. Elles s'habillent.*
VOIR TABLEAU – **PRONOM.**

séance n. f.
1. Réunion d'une assemblée. *Ouvrir la séance à 9 h.*
2. Temps consacré à une occupation, à une activité. *Une séance de travail.* **SYN.** période.
3. Spectacle. *L'enseignant a organisé une petite séance sur le thème de l'écologie.*
4. Projection d'un film. *Rendez-vous à la séance de 19 h 30 au cinéma Berri.*

seau n. m. (pl. *seaux*)
Récipient. *Des seaux d'eau.*
Locution
Pleuvoir à seaux. Pleuvoir abondamment.
☞ L'expression ***à siaux*** est vieillie.
HOM.
– **saut**, bond;
– **sceau**, cachet;
– **sot**, stupide.

sec, sèche adj., adv. et n. m.
Adjectif
1. Aride, sans humidité. *Un climat sec. Mon maillot est-il sec?*
ANT. humide.
2. Desséché. *Une peau sèche. Du pain sec.*
3. Insensible, tranchant. *Un ton sec.* **SYN.** dur, froid.
Adverbe
Brusquement. *Ils démarrent sec.* **SYN.** rapidement.
☞ Pris adverbialement, le mot est invariable.
Nom masculin
Ce qui est sans eau, sans humidité. *Il pleut à boire debout : mettez-vous au sec chez moi.*

sécateur n. m.
Ciseau pour la taille des arbustes. *Maman prend un sécateur pour cueillir ses roses.*
✎ sé**c**ateur.

séchage n. m.
Action de faire sécher. *Le séchage du bois.*
✎ **sé**chage.

sèche-cheveux n. m. inv. (pl. *sèche-cheveux*)
Appareil électrique destiné à faire sécher les cheveux. **SYN.** séchoir.

sèchement adv.
Avec dureté. *Elle lui répondit sèchement.* **SYN.** durement.
✎ s**è**chement.

sécher v. tr., intr.
Verbe transitif
Rendre sec. *Le soleil a séché mon maillot et mes cheveux.*
ANT. mouiller.
Verbe intransitif
Devenir sec. *Le linge séchait sur la corde. La peinture a-t-elle séché?*
Conjugaison [VOIR MODÈLE – **POSSÉDER**]
Le **é** se change en **è** devant une syllabe muette, sauf à l'indicatif futur et au conditionnel présent. *Je sèche,* mais *je sécherai.*
✎ **sé**cher.

sécheresse n. f.
👄 Le **é** se prononce **è** ou **é** [sɛʃrɛs] ou [seʃrɛs].
1. Aridité. *La sécheresse d'un climat.*
2. (FIGURÉ) Insensibilité, froideur. *La sécheresse de son ton.*
✎ **sé**cheresse.

sécheuse n. f.
⚜ Machine à sécher le linge. *Ils ont acheté une laveuse et une sécheuse.*

séchoir n. m.
1. Dispositif de suspension servant à faire sécher. *Un séchoir à lessive.*
2. Sèche-cheveux. *Un séchoir électrique.* **SYN.** sèche-cheveux.

second, onde adj.
👄 Le **c** se prononce ***g*** et le **e** de la première syllabe se prononce ou non, [səgɔ̃, ɔ̃d] ou [sgɔ̃, ɔ̃d].
Qui vient après le premier. *Cet enfant est leur second fils.*
Locution
De seconde main. Qui vient d'un intermédiaire. *Un renseignement de seconde main.*
☞ On emploie généralement l'adjectif ***second*** quand il n'y a que deux éléments; autrement, on utilisera plutôt ***deuxième.***

secondaire adj. et n. m.
Le **c** se prononce **g** et le **e** de la première syllabe se prononce ou non, [segɔ̃dɛr] ou [sgɔ̃dɛr].
Adjectif
1. Qui vient au second rang, accessoire. *Cette question est secondaire.*
2. Qui succède à l'enseignement primaire. *L'enseignement secondaire.*
3. ⚜ Qui donne l'enseignement secondaire. *Une école secondaire.*
Nom masculin
Enseignement qui suit l'enseignement primaire. *Les enseignants et les élèves du secondaire. Marie-Ève est en 3e secondaire.*

seconde n. f.
Le **c** se prononce **g** et le **e** de la première syllabe se prononce ou non, [səgɔ̃d] ou [sgɔ̃d].
Symbole **s** (s'écrit sans point).
Les symboles des unités de mesure n'ont pas de point abréviatif, ne prennent pas la marque du pluriel et ne doivent pas être divisés en fin de ligne. *Le train part à 15 h 35 min précises.*
1. Unité de mesure de temps correspondant à la soixantième partie de la minute. *Une durée de 15 secondes.*
La notation de l'heure réunit les indications des unités par ordre décroissant, sans interposition de virgule et avec un espace de part et d'autre de chaque symbole. *14 h 25 min 45 s précisément.*
2. (FIGURÉ) Moment. *Je viens dans quelques secondes.* **SYN.** instant.
VOIR TABLEAU – **HEURE.**

seconder v. tr.
Le **c** se prononce **g** et le **e** de la première syllabe se prononce ou non, [səgɔ̃de] ou [sgɔ̃de].
Aider. *Le personnel très compétent seconde la direction à merveille.*
Conjugaison [VOIR MODÈLE – **AIMER**]

secouer v. tr., pronom.
Verbe transitif
1. Agiter quelque chose à plusieurs reprises. *Elle secoue le pommier pour en faire tomber les pommes mûres.*
2. Ébranler. *Cette mauvaise nouvelle nous a secoués.*
Verbe pronominal
(FIGURÉ) Réagir. *Allons, secouez-vous, il ne faut pas vous décourager.* **SYN.** se reprendre.
Conjugaison [VOIR MODÈLE – **AIMER**]

secourir v. tr.
Venir au secours de, porter assistance à quelqu'un en difficulté. *François a secouru son voisin malade.* **SYN.** aider.
Conjugaison [VOIR MODÈLE – **COURIR**]
INDICATIF PRÉSENT *Je secours, tu secours, il secourt, nous secourons, vous secourez, ils secourent.* IMPARFAIT *Je secourais.* PASSÉ SIMPLE *Je secourus.* FUTUR *Je secourrai.* **CONDITIONNEL** PRÉSENT *Je secourrais.* **IMPÉRATIF** PRÉSENT *Secours, secourons, secourez.* **SUBJONCTIF** PRÉSENT *Que je secoure.* IMPARFAIT *Que je secourusse.* **PARTICIPE** PRÉSENT *Secourant.* PASSÉ *Secouru, ue.*

secourisme n. m.
Méthode de premiers soins aux blessés, aux malades.
secou**r**isme.

secouriste n. m. et f.
Membre d'une société de secours. *Les secouristes viennent en aide aux rescapés du naufrage.*
secou**r**iste.

secours n. m.
Assistance à quelqu'un qui est dans une situation dangereuse, difficile. *Demander du secours.* **SYN.** aide, soutien.
Locutions
Au secours ! Appel à l'aide. **SYN.** s.o.s.
De secours. En cas de nécessité. *Une sortie de secours, une roue de secours.*
secour**s.**

secousse n. f.
Agitation brusque qui secoue. *Après quelques secousses, le train s'est mis en mouvement à destination de Québec.*
Locution
Secousse sismique. Tremblement de terre.
Forme fautive
*une bonne secousse. Expression ancienne au sens de ***un bon moment.***

secret, ète adj. et n. m.
Adjectif
Qui est caché, confidentiel. *Un agent secret, des renseignements secrets.*
Nom masculin
1. Ce qui doit rester caché. *Garder un secret. Laurence a confié un secret à sa copine.*
2. Recette, moyen de réussir quelque chose. *Noumi a le secret des bons desserts. C'est un secret de fabrication.*
3. Discrétion totale. *Les concepteurs ont exigé le secret en ce qui a trait au procédé de fabrication.* **SYN.** silence.
Locutions
Dans le secret. Au courant, dans la confidence. *Êtes-vous dans le secret ?*
En secret, locution adverbiale. D'une manière secrète, confidentielle, sans témoins. **SYN.** en cachette.
Sous le sceau du secret. À la condition de garder le secret, de ne rien révéler.
Un secret de Polichinelle. Quelque chose que tout le monde sait.
secre**t,** secr**ète.**

secrétaire n. m.
Petit meuble sur lequel on peut écrire.

secrétaire n. m. et f.
Personne qui assume des fonctions administratives (correspondance, classement, etc.) dans un bureau.
Locutions
Secrétaire de rédaction. Personne chargée de la rédaction d'un journal, d'un ouvrage.
Secrétaire général, générale. Personne chargée de l'organisation générale d'une entreprise, d'un établissement public, d'un organisme.

secrétariat n. m.
1. Fonction, métier de secrétaire. *Assurer le secrétariat. Une école de secrétariat.*
2. Ensemble du personnel chargé des tâches administratives d'un organisme, d'un bureau.
secrétaria**t.**

secrètement adv.
En secret. *Ils se sont écrit secrètement.* **SYN.** en cachette.
secr**è**tement.

sécréter v. tr.
Produire une substance. *Le foie sécrète la bile.*
Conjugaison [VOIR MODÈLE – **POSSÉDER**]
Le **é** se change en **è** devant une syllabe muette, sauf à l'indicatif futur et au conditionnel présent. *Je sécrète,* mais *je sécréterai.*
sécréter.

secte n. f.
Groupement de personnes adeptes d'une même doctrine.

secteur n. m.
1. Domaine. *Un secteur d'activité. Un secteur de pointe. Le secteur privé et le secteur public.*
2. Division d'une entité territoriale créée à des fins administratives particulières. (Recomm. off. OLF) **SYN.** zone.
3. (ÉCONOMIE) Ensemble d'entreprises qui entrent dans la même catégorie. *Le secteur de la recherche pharmaceutique.* **SYN.** branche.
Locution
Secteur résidentiel. Secteur réservé à l'habitation. *Un quartier résidentiel* (et non *domiciliaire).

section n. f.
1. Subdivision d'un ensemble. *On a divisé le quartier en plusieurs sections.*
2. Partie d'un ouvrage. *La première section du livre expose la théorie alors que la seconde section propose des exercices.*

sectionner v. tr.
1. Diviser. *On a sectionné l'établissement en dix unités.*
2. Couper. *L'artère a été sectionnée.*
Le verbe s'emploie surtout pour désigner une coupure accidentelle.
Conjugaison [VOIR MODÈLE – **AIMER**]

séculaire adj.
1. Centenaire. *Ce bâtiment est trois fois séculaire : il existe depuis 300 ans.*
2. Qui existe depuis plusieurs siècles. *Un cèdre du Liban séculaire.*
sécul**aire.**

sécurisant, ante adj.
Qui donne un sentiment de sécurité. *Des paroles sécurisantes.* **SYN.** apaisant, réconfortant.
Ne pas confondre avec le participe présent invariable ***sécurisant.*** *Les précautions sécurisant les travailleurs.*

sécuriser v. tr.
Mettre en confiance, donner un sentiment de sécurité. *Ces mesures efficaces ont sécurisé les passagers.* **SYN.** apaiser, réconforter.
Ce verbe a un sens plus fort que celui de ***rassurer.***
Conjugaison [VOIR MODÈLE – **AIMER**]

sécuritaire adj.
Qui vise la sécurité publique. *Un chantier de construction sécuritaire.* **SYN.** sûr.
sécurit**aire.**

sécurité n. f.
1. Tranquillité d'esprit qui résulte de l'absence de danger. *Se sentir en sécurité.* **SYN.** confiance.
2. Organisation, mesures destinées à assurer la sécurité. *La sécurité routière.*
Le nom ***sécurité*** tend à remplacer ***sûreté*** en ce sens.
Locutions
De sécurité. Destiné à empêcher un accident. *Le port de la ceinture de sécurité est obligatoire.*
En sécurité. À l'abri du danger.
En (toute) sécurité. À l'abri du risque. *Confiez-nous votre argent en toute sécurité : vous ne courez aucun risque.*

sédentaire adj.
1. Qui ne comprend pas de déplacement, d'exercice. *Un travail sédentaire.*
2. Qui voyage peu. *Les gitans ne sont pas sédentaires.*
sédent**aire.**

séducteur, trice adj. et n. m. et f.
Adjectif
Qui cherche à séduire. *Un pouvoir séducteur.*
Nom masculin et féminin
Personne qui fait des conquêtes. *C'est un séducteur professionnel* (et non un *playboy).
Par rapport à l'adjectif ***séduisant*** qui a un sens favorable, le nom ***séducteur*** a souvent un sens défavorable.

séduction n. f.
1. Action de séduire. *Une tentative de séduction.*
2. Attrait. *La séduction du pouvoir.* **SYN.** agrément, atout.

séduire v. tr.
1. Conquérir, obtenir les faveurs de quelqu'un.
2. Charmer, fasciner. *Une idée qui le séduit beaucoup. Elle se laissa séduire par la beauté de ce paysage.* **SYN.** attirer, plaire.
Conjugaison [VOIR MODÈLE – **CONDUIRE**]
INDICATIF PRÉSENT *Je séduis, tu séduis, il séduit, nous séduisons, vous séduisez, ils séduisent.* IMPARFAIT *Je séduisais.* PASSÉ SIMPLE *Je séduisis.* FUTUR *Je séduirai.* **CONDITIONNEL** PRÉSENT *Je séduirais.* **IMPÉRATIF** PRÉSENT *Séduis, séduisons, séduisez.* **SUBJONCTIF** PRÉSENT *Que je séduise.* IMPARFAIT *Que je séduisisse.* **PARTICIPE** PRÉSENT *Séduisant.* PASSÉ *Séduit, ite.*

séduisant, ante adj.
1. Charmant. *Des personnes séduisantes.*
2. Enchanteur, attrayant. *Des idées séduisantes.* **SYN.** tentant.
VOIR **SÉDUCTEUR.**

segment n. m.
Partie, portion. *Un segment de droite, un segment de piston.*
segm**e**nt.

ségrégation n. f.
Action de mettre quelqu'un ou quelque chose à part. *La ségrégation raciale.* **SYN.** discrimination.
s**é**gr**é**gation.

seigle n. m.
Céréale. *Un pain de seigle.*
seigle.

seigneur n. m.
(ANCIENNEMENT) Maître. *Le seigneur d'un château.*
Lorsque le nom désigne Dieu, il s'écrit avec une majuscule. *Le Seigneur, Notre-Seigneur.*
Locutions
À tout seigneur tout honneur. Il faut rendre à chacun la dignité qui lui est due.
Grand seigneur. Personne qui vit dans la richesse.

seigneurie n. f.
(ANCIENNEMENT) Domaine seigneurial. *La seigneurie* (et non *seigneurerie) *de Vaudreuil.*
sei**gneurie.**

sein n. m.
Chacune des mamelles de la femme.
Locutions
Donner le sein. Allaiter. *La maman donne le sein à son bébé.*
Au sein de, locution prépositive. (LITTÉRAIRE) Au milieu de, à l'intérieur de. *Cette chanteuse a du succès au sein de la francophonie.*
HOM.
– **sain**, équilibré ;
– **saint**, sacré.

séisme n. m.
Tremblement de terre. *Le séisme récent de San Francisco a fait plusieurs victimes.*

seize adj. num. inv. et n. m. inv.
Adjectif numéral cardinal invariable
Quinze plus un. *Seize ans.*
Adjectif numéral ordinal invariable
Seizième. *Le seize décembre.*
Nom masculin invariable
Nombre seize. *Ils ont dessiné des seize.*
VOIR TABLEAU – **NOMBRES.**
VOIR TABLEAU – **NUMÉRAL (ADJECTIF).**

seizième adj. num. et n. m. et f.
Abréviations : ***16e*** (seizième), ***16es*** (seizièmes).
Adjectif numéral ordinal
Nombre ordinal de seize. *La seizième heure.*
Nom masculin
La seizième partie d'un tout. *Les trois seizièmes d'une quantité.*
Nom masculin et féminin
Personne, chose qui occupe le seizième rang. *Elles sont les seizièmes.*
VOIR TABLEAU – **NOMBRES.**
VOIR TABLEAU – **NUMÉRAL (ADJECTIF).**

séjour n. m.
Action de demeurer un certain temps en un lieu. *Ils ont fait un séjour de quelques semaines en Gaspésie.*
Locution
(Salle de) séjour. Pièce de la maison où l'on se tient généralement. *Il lit en écoutant de la musique dans la salle de séjour, dans le séjour.*

séjourner v. intr.
Résider temporairement dans un lieu. *Pendant l'été, ils séjournent à la montagne.*
Conjugaison [VOIR MODÈLE – **AIMER**]

sel n. m.
1. Substance blanche employée comme assaisonnement. *Mettre du sel sur ses frites.*
2. (FIGURÉ) Ce qui donne du piquant. *Le sel de la vie.*
HOM.
– **celle**, pronom démonstratif féminin singulier ;
– **selle**, siège du cavalier ;
– **selles**, excréments.

sélection n. f.
Choix des éléments qui répondent le mieux à certains critères.

sélectionner v. tr.
Choisir selon des critères définis en vue de ne retenir que les éléments les meilleurs. *Sélectionner des candidats.*
Conjugaison [VOIR MODÈLE – **AIMER**]
✎ sélectio**nn**er.

***self-service**
Anglicisme pour ***libre-service.***

selle n. f.
1. Siège du cavalier.
2. Petit siège. *La selle d'un vélo.*
3. (AU PLURIEL) Excréments. **SYN.** (FAMILIER) caca.
Locutions
Être bien en selle. Être bien affermi dans sa place.
Se remettre en selle. Se rétablir après une difficulté.
HOM.
– **celle**, pronom démonstratif féminin singulier ;
– **sel**, substance blanche employée comme assaisonnement.
✎ se**ll**e.

seller v. tr.
Munir un cheval d'une selle. *Elle sella sa jument et partit aussitôt rejointe par les autres cavaliers.*
HOM. **sceller**, cacheter à l'aide d'un sceau.
Conjugaison [VOIR MODÈLE – **AIMER**]

sellette n. f.
Petit siège de bois.
Locution
Être sur la sellette, (FIGURÉ) Être interrogé comme un accusé.
✎ se**ll**e**tt**e.

selon prép.
1. Conformément à, suivant. *Ce participe passé est accordé selon les règles.*
2. D'après. *Selon cet article, le film est excellent.*
Locutions
C'est selon. (VIEUX) Peut-être, ça dépend.
Selon que. Dans la mesure où. «*Selon que vous serez puissant ou misérable, les jugements de cour vous rendront blanc ou noir.*» (La Fontaine)
☞ Cette locution est suivie de l'indicatif.

semailles n. f. pl.
Action de semer les grains. *Le printemps est le temps des semailles.*
☞ Ce nom s'emploie toujours au pluriel.

semaine n. f.
Période de sept jours. *Elle travaille quatre jours par semaine. Il y a 52 semaines dans une année.*
Locutions
À la petite semaine. (FAMILIER) Au jour le jour.
Fin de semaine. ⚜ Samedi et dimanche. *De belles fins de semaine en perspective.* **SYN.** week-end.
La semaine des quatre jeudis. (FAMILIER) Jamais.

semblable adj. et n. m.
Adjectif
1. De même nature, de même apparence. *Ces deux voitures sont semblables.* **SYN.** comparable.
2. Qui ressemble à. *Une maison semblable à une autre.*
∽ L'adjectif se construit avec la préposition ***à.***
Nom masculin
Être humain. *Partager le sort de ses semblables.*
☞ Ne pas confondre avec les mots suivants :
– ***identique,*** rigoureusement, parfaitement semblable ;
– ***similaire,*** à peu près semblable.
☞ Les mots ***semblable*** et ***similaire*** sont des doublets.
VOIR TABLEAU – **DOUBLETS.**

semblant n. m.
Apparence. *Un semblant de bonne humeur.*

☞ note | ✎ orthographe | * forme fautive

Locutions
Faire semblant de. Faire comme si, donner l'apparence de. *Ils font semblant d'être malades.* **SYN.** feindre, simuler.
Le nom reste au singulier et la locution est suivie de l'infinitif.
Ne faire semblant de rien. Ne rien laisser paraître.

sembler v. intr., impers.
Verbe intransitif
Paraître, avoir l'air. *Ce plat semble délicieux.*
Verbe impersonnel
1. ***Il me semble*** + infinitif. Je crois. *Il me semble avoir entendu cela.*
2. ***Il semble que*** + indicatif ou conditionnel. Il est évident, probable que. *Il semble qu'il fera beau demain. Il semble que les ventes augmenteraient si les prix étaient plus bas.*
3. ***Il semble que*** + subjonctif. Il apparaît que. *Il semble que l'entreprise soit en difficulté.*
Selon le degré de certitude, le verbe se construit à l'indicatif, au conditionnel ou au subjonctif. À la forme négative, le verbe se construit généralement au subjonctif.
Locutions
À ce qui semble, à ce qu'il semble. Il paraît.
Comme bon vous semblera. Comme il vous plaira.
Sembler... à. Donner l'impression (à quelqu'un). *L'attente a semblé longue à Fanny.*
Conjugaison [VOIR MODÈLE – **AIMER**]

semelle n. f.
Pièce qui constitue le dessous d'une chaussure. *Ces chaussures sont imperméables : elles ont une semelle de caoutchouc.*
Locution
Ne pas lâcher quelqu'un d'une semelle. Rester tout près. *Il ne m'a pas lâché d'une semelle, il était toujours à côté de moi.*
seme**ll**e.

semence n. f.
Graine, substance fécondante. *Mettre des semences en terre au printemps.*
sem**e**nce.

semer v. tr.
1. Mettre en terre des graines qui sont destinées à germer. *Semer des fleurs, des tomates.* **SYN.** ensemencer.
2. (FAMILIER) Se débarrasser de quelqu'un qui vous suit, qui vous ennuie. *Le cambrioleur a semé les policiers.*
Locution
On récolte ce qu'on a semé. (Proverbe) Les résultats dépendent de nos actions.
Conjugaison [VOIR MODÈLE – **LEVER**]
Le **e** se change en **è** devant une syllabe muette. *Je sème, il semait.*

semestre n. m.
Période de six mois. *L'année comporte deux semestres.*

semestriel, ielle adj.
Qui a lieu deux fois par année, tous les six mois.
Ne pas confondre avec ***bisannuel,*** qui a lieu tous les deux ans, qui dure deux ans.

séminaire n. m.
1. Établissement où étudient les jeunes gens qui se destinent à la vie religieuse.
2. Réunion à caractère scientifique constituée d'un groupe restreint de personnes et généralement animée par un professeur, un chercheur ou un spécialiste. (Recomm. off. OLF)

semis n. m.
Le ***s*** ne se prononce pas [səmi].
Jeunes plants provenant de graines. *Nous irons bientôt chercher des semis à la pépinière pour les mettre en terre.*
semi**s**, un ***s*** final même au singulier.

sempiternel, elle adj.
(PÉJORATIF) Qui n'en finit pas. *Ses plaintes sempiternelles sont lassantes.* **SYN.** perpétuel.

sénégalais, aise adj. et n. m. et f.
Du Sénégal. *Un restaurant sénégalais. Un Sénégalais, une Sénégalaise.*
L'adjectif s'écrit avec une minuscule ; le nom, avec une majuscule.

sens n. m.
Le ***s*** final se prononce [sɑ̃s] sauf dans les locutions ***sens dessus dessous*** [sɑ̃tsytsu] et ***sens devant derrière*** [sɑ̃dvɑ̃dɛrjɛr].
1. Faculté de l'organisme de percevoir des sensations. *La vue, l'ouïe, le goût, l'odorat et le toucher sont les cinq sens.*
2. Jugement. *Le bon sens.* **SYN.** raison, sagesse.
3. Signification. *Le sens d'une expression.*
4. Raison d'être. *Donner un sens à sa vie.*
5. Direction. *En sens inverse.*
Locutions
À (mon, ton, etc.) sens. Selon moi, toi, etc. ; à mon, ton, etc., avis.
Avoir du bon sens. Être raisonnable. *Cette proposition a du bon sens.*
En dépit du bon sens, locution adverbiale. De manière déraisonnable.
En tous sens, locution adverbiale. Dans toutes les directions.
Sans bon sens. ⚜ À l'excès, d'une manière insensée. *Il dépense sans bon sens.*
Sens dessus dessous. À l'envers, en désordre. *La chambre est sens dessus dessous* (et non *sans dessus dessous).
Dans cette expression, le ***s*** final du mot ***sens*** ne se prononce pas.
Sens devant derrière. De telle sorte que ce qui devrait être devant est derrière.
Dans cette expression, le ***s*** final du mot ***sens*** ne se prononce pas.
Sens figuré. Signification d'un mot exprimée par une image. *Le sens figuré du verbe **survoler** est « examiner sommairement »; le sens propre, « voler au-dessus ».*
Sens interdit. Voie dans laquelle on ne peut s'engager.
Sens propre. Le premier sens d'un mot. *Le sens propre du mot **sel** est* « substance employée comme assaisonnement » ; son sens figuré, « ce qui donne du piquant ».
Sens unique. Voie où la circulation ne peut s'effectuer que dans la direction indiquée. *Cette rue est à sens unique* (et non est un *one way).
Sixième sens. Intuition.
Tomber sous le sens. Être évident, clair.

sensation n. f.
1. Information perçue par les sens. *Une sensation visuelle, olfactive, auditive.*
2. Impression. *Une sensation agréable.*
Locution
À sensation. De nature à attirer l'attention. *Les journaux à sensation, une nouvelle à sensation.*
Dans cette expression, le nom reste au singulier.

S

sensationnel, elle adj. et n. m.
Adjectif
1. Qui provoque de l'étonnement. *Un évènement sensationnel.*
2. (FAMILIER) Formidable. *Une équipe sensationnelle.* **SYN.** exceptionnel, remarquable.
Nom masculin
Ce qui cause de l'étonnement, de l'intérêt. *À la recherche du sensationnel.*
✎ sensationnel.

sensé, ée adj.
Qui est plein de bon sens, raisonnable. *Une décision sensée.* **SYN.** judicieux, sage.
HOM. **censé**, supposé, présumé.
✎ sensé.

sensibiliser v. tr.
Rendre sensible à quelque chose, faire prendre conscience (à quelqu'un de quelque chose). *Maman a sensibilisé les enseignants à ce problème.*
Conjugaison [VOIR MODÈLE – **AIMER**]

sensibilité n. f.
1. Faculté d'un organisme d'être sensible aux impressions.
2. Disposition d'une personne à ressentir profondément les impressions. *La grande sensibilité des poètes.*

sensible adj.
1. Apte à percevoir les sensations. *L'oreille des chiens est sensible à certains sons que nous n'entendons pas.*
En ce sens, l'adjectif se construit avec la préposition ***à.***
2. Qui est facilement ému, touché. *Une enfant très sensible.* **SYN.** émotif.
3. Perceptible. *Une amélioration sensible.*
4. Qui doit être traité avec un soin particulier. *Une question sensible.* **SYN.** délicat.

sensiblement adv.
1. À peu près, presque. *Ces vélos sont sensiblement pareils.*
2. D'une manière visible, appréciable. *Cette pièce est sensiblement plus grande que celle-ci.*

sensiblerie n. f.
Sensibilité excessive.
Ce nom a un sens défavorable.

sensualité n. f.
Tempérament d'une personne sensuelle.

sensuel, elle adj.
Qui est porté à rechercher ce qui flatte les sens. *Une personne sensuelle.*

sentence n. f.
1. (VIEUX) Maxime, adage.
2. Condamnation par jugement. *Le juge a rendu une sentence de trois ans d'emprisonnement.*
✎ sentence.

senteur n. f.
Odeur agréable. *Une senteur délicieuse de pain chaud.* **SYN.** parfum.

sentier n. m.
Chemin étroit à l'usage des piétons. *Suivre un sentier qui longe la côte.*
Locution
Sortir des sentiers battus. (FIGURÉ) Faire preuve d'originalité, d'imagination. *Il faut sortir des sentiers battus et innover.*
✎ sentier.

sentiment n. m.
1. Intuition sensible, impression. *Avoir le sentiment qu'un malheur va arriver.*
2. État affectif. *Un sentiment de bonheur.*
✎ sentiment.

sentimental, ale, aux adj.
1. Qui concerne la vie amoureuse. *Des problèmes sentimentaux.*
2. Romanesque, rêveur. *C'est une personne sentimentale.*
✎ sentimental.

sentinelle n. f.
Soldat qui assure la garde.
Bien qu'il désigne généralement un homme, ce nom est toujours féminin.

sentir v. tr., intr., pronom.
Verbe transitif
1. Percevoir par les sens. *Sentir une douleur lancinante, un parfum.*
2. Avoir conscience. *Tu sens que tu as raison, je sens qu'on me cache quelque chose.*
Le participe passé suivi de l'infinitif s'accorde parfois si le complément d'objet direct placé avant le verbe est aussi sujet de l'infinitif. *Les effluves que j'ai sentis passer.* Cependant, plusieurs auteurs considèrent qu'il fait corps avec l'infinitif et qu'il est invariable. *La tendresse qu'il a senti renaître.*
3. Répandre une odeur. *La cuisine sent le brûlé.*
Verbe intransitif
(ABSOLUMENT) Avoir une odeur désagréable. *Ce fromage commence à sentir.*
Verbe pronominal
1. Éprouver un sentiment, une impression. *Ils se sentent coupables, elle se sent jeune.*
2. ***Se sentir*** + infinitif. Avoir conscience de quelque chose. *Elles se sont senties faiblir. Ils se sont senti pousser par la foule.*
Le participe passé s'accorde avec le sujet qui fait l'action exprimée par l'infinitif. Il reste invariable si le sujet n'accomplit pas l'action exprimée par l'infinitif.
Locutions
Ne pas pouvoir sentir quelqu'un. Détester une personne. *Celle-là, je ne peux plus la sentir.*
Se faire sentir. Se manifester. *Les effets du médicament se font sentir.*
Sentir bon, mauvais. *Les pivoines sentent bon.*
Les adjectifs pris adverbialement sont invariables.
Conjugaison [VOIR MODÈLE – **SORTIR**]
INDICATIF PRÉSENT *Je sens, tu sens, il sent, nous sentons, vous sentez, ils sentent.* IMPARFAIT *Je sentais.* PASSÉ SIMPLE *Je sentis.* FUTUR *Je sentirai.* **CONDITIONNEL** PRÉSENT *Je sentirais.* **IMPÉRATIF** PRÉSENT *Sens, sentons, sentez.* **SUBJONCTIF** PRÉSENT *Que je sente.* IMPARFAIT *Que je sentisse.* **PARTICIPE** PRÉSENT *Sentant.* PASSÉ *Senti, ie.*

sépale n. m.
Chacune des pièces du calice de la fleur. *Des sépales soudés.*
Attention au genre masculin de ce nom : ***un*** sépale.

séparation n. f.
1. Action de séparer. *La séparation des bons et des mauvais fruits.*
2. Fait d'être séparé. *Une séparation qui dure depuis deux ans.*
3. Ce qui sépare. *Cette bibliothèque servira de séparation entre le bureau et la chambre.*

séparément adv.
À part l'un de l'autre. *Les complices ont été interrogés séparément.*

séparer v. tr., pronom.
Verbe transitif
1. Trier. *Il faudrait séparer les fruits trop mûrs des autres,* ou *d'avec les autres.*
Le verbe se construit avec ***de*** ou ***d'avec.***
2. Diviser. *Une clôture sépare les deux jardins.*
3. Désunir. *C'est une querelle qui les a séparés.* SYN. brouiller.
Verbe pronominal
1. Se quitter. *Ils se sont séparés bons amis.*
2. Se diviser. *Lorsque le sentier se sépare, prends à droite.*
Conjugaison [VOIR MODÈLE – **AIMER**]

sept adj. num. inv. et n. m. inv.
Le ***p*** ne se prononce pas, mais le ***t*** se prononce toujours, même devant une consonne [sɛt].
Adjectif numéral cardinal invariable
Six plus un. *Les sept péchés capitaux.*
Adjectif numéral ordinal invariable
Septième. *Le sept décembre.*
Nom masculin invariable
Nombre sept. *Des sept de cœur.*
VOIR TABLEAU – **NOMBRES.**
VOIR TABLEAU – **NUMÉRAL (ADJECTIF).**

septembre n. m.
Neuvième mois de l'année. *Le 5 septembre. L'anniversaire d'Huguette est le 21 septembre.*
Les noms de mois s'écrivent avec une minuscule.
VOIR TABLEAU – **DATE.**

septième adj. num. et n. m. et f.
Abréviations : ***7e*** (septième), ***7es*** (septièmes).
Adjectif numéral ordinal
Nombre ordinal de sept. *La septième heure.*
Nom masculin
La septième partie d'un tout. *Les trois septièmes d'une quantité.*
Nom masculin et féminin
Personne, chose qui occupe le septième rang. *Elles sont les septièmes.*
VOIR TABLEAU – **NOMBRES.**
VOIR TABLEAU – **NUMÉRAL (ADJECTIF).**

sépulcre n. m.
(LITTÉRAIRE) Tombeau.

sépulture n. f.
(LITTÉRAIRE) Lieu où repose le corps d'une personne morte. SYN. tombe.

séquelle n. f.
Incapacité qui demeure après une maladie. *Les séquelles d'un accident.* SYN. suites.
Ce nom s'emploie généralement au pluriel.
séque**ll**e.

séquence n. f.
Suite ordonnée d'images (dans un film). *Quelques séquences montraient les Laurentides.*
séqu**e**nce.

séquestration n. f.
Détention illégale d'une personne. SYN. emprisonnement.
s**é**questration.

séquestrer v. tr.
Emprisonner illégalement quelqu'un. *Les diplomates ont été enlevés et séquestrés.*
Conjugaison [VOIR MODÈLE – **AIMER**]
s**é**questrer.

séquoia n. m.
Le ***o*** est ouvert [sekɔja].
Conifère gigantesque originaire de Californie. *Des séquoias de 1 000 ans atteignent plus de 100 mètres de hauteur.*
s**é**quo**i**a, sans tréma.

séraphin n. m.
1. Ange. *Les séraphins et les chérubins.*
2. Avare (d'après Séraphin Poudrier, personnage de Claude-Henri Grignon). *C'est un vrai séraphin.*

serein, eine adj.
1. Clair, pur. *Un ciel serein.*
2. Tranquille, calme. *Un regard serein.* SYN. paisible.
HOM. **serin**, oiseau.
ser**ein.**

sérénade n. f.
Pièce musicale.
À l'origine, la ***sérénade*** était exécutée la nuit sous les fenêtres de la personne que l'on désirait honorer ; le nom avait pour antonyme ***aubade*** qui était un concert donné à l'aube.

sérénité n. f.
Tranquillité d'esprit, calme.

sergent n. m.
sergente n. f.
Sous-officier, sous-officière militaire. *Un sergent-chef.*

série n. f.
1. Suite. *Une série d'erreurs a eu lieu* ou *ont eu lieu.*
Après un nom collectif suivi d'un complément au pluriel, le verbe se met au singulier ou au pluriel suivant l'intention de l'auteur qui veut insister sur l'ensemble ou sur la pluralité.
VOIR TABLEAU – **COLLECTIF.**
2. Ensemble, catégorie. *Classer des insectes par séries.*

sérieusement adv.
1. D'une manière sérieuse. *Elle étudie sérieusement.* SYN. consciencieusement.
2. Vraiment. *Peut-on sérieusement envisager ce projet ?* SYN. véritablement.
3. Gravement. *Elle est sérieusement malade.*

sérieux, euse adj. et n. m.
Adjectif
1. Consciencieux. *Une étudiante sérieuse.*
2. Grave. *Un ton sérieux.*
3. Important. *Un problème de vol très sérieux.*
Nom masculin
1. Gravité. *Elle travaille avec beaucoup de sérieux.*
2. Solidité. *Le sérieux d'une proposition.*
Locution
Prendre au sérieux. Considérer, étudier avec attention. *Ce problème doit être pris au sérieux : on doit s'en occuper.*

serin n. m.
Petit oiseau à plumage jaune dont le chant est apprécié. *Un serin mâle, un serin femelle.*
HOM. **serein**, pur, calme.

S

seringue n. f.
Petite pompe à piston qui sert à injecter un liquide dans l'organisme. *Une seringue jetable. Il faut stériliser les seringues pour limiter la diffusion du sida.*

serment n. m.
Engagement solennel. *Prêter serment.*

sermon n. m.
1. Discours fait par un prêtre à l'église.
2. Réprimande ennuyeuse. *J'en ai assez de tes sermons.*

sermonner v. tr.
Réprimander, faire des reproches.
Conjugaison [VOIR MODÈLE – **AIMER**]
sermonner.

séropositif, ive adj. et n. m. et f.
Se dit d'une personne dont le sang contient des anticorps spécifiques, en particulier du sida. *Ces patients sont séropositifs, elle est séropositive.*

serpent n. m.
Reptile. *Le serpent à sonnette est très venimeux.*
VOIR TABLEAU – **ANIMAUX.**

serpenter v. intr.
Suivre une direction sinueuse, comme le serpent. *Un sentier qui serpente dans la forêt.*
Conjugaison [VOIR MODÈLE – **AIMER**]

serpentin n. m.
Petit ruban coloré qui se déroule lorsqu'on le lance. *Lancer des serpentins.*

serre n. f.
1. Abri vitré où l'on cultive des végétaux. *Grand-maman rêve d'une petite serre où elle ferait pousser des plantes tropicales.*
2. (AU PLURIEL) Griffes des oiseaux de proie. *Les serres d'un vautour.*

serré, ée adj. et adv.
Adjectif
1. Tendu. *Ces liens sont trop serrés.*
2. Dont les concurrents sont de force égale. *Un match de tennis très serré.*
Adverbe
Avec prudence. *Ils jouent serré, elle a calculé serré.*
Pris adverbialement, le mot est invariable.

serre-livres n. m. inv. (pl. *serre-livres*)
Accessoire qui sert à retenir des livres. **SYN.** appui-livres ou appuie-livres.

serrer v. tr., pronom.
Verbe transitif
1. Comprimer. *Serrer un nœud.*
2. Presser. *Je lui ai serré la main.*
3. (FAMILIER) Ranger. *Les enfants, serrez vos jouets !*
L'emploi du verbe est courant au Québec dans la langue familière, mais il est vieilli en ce sens dans l'ensemble de la francophonie.
4. Rapprocher. *Serrer les rangs.*
Verbe pronominal
Se rapprocher. *Ils se sont serrés les uns contre les autres pour se réchauffer.* **SYN.** se coller.
Locutions
Serrer le cœur, la gorge. Causer de l'angoisse, de l'émotion.
Serrer les dents. (FIGURÉ) Résister à la douleur.
Conjugaison [VOIR MODÈLE – **AIMER**]

serrure n. f.
Dispositif qui assure la fermeture d'une porte. *Elle fit tourner la clef dans la serrure.*
Locution
Serrure de sûreté. Serrure difficile à forcer.
serrure.

serrurier n. m.
serrurière n. f.
Personne qui installe et répare des serrures.
serrurier.

sertir v. tr.
Fixer une pierre dans une monture. *Un diadème serti de diamants. Des diamants sertis dans un diadème.*
Conjugaison [VOIR MODÈLE – **FINIR**]

sérum n. m.
Le ***u*** se prononce ***o*** [serɔm]; le mot rime avec ***Rome.***
1. Portion liquide du sang.
2. Solution saline qui s'apparente au plasma. *On a donné du sérum au malade.*

servante n. f.
(VIEUX) Domestique, bonne.
Ce nom est la forme féminine de ***serviteur.*** On dit plutôt aujourd'hui ***domestique, bonne.***

serveur n. m.
serveuse n. f.
Personne qui assure le service dans un restaurant.

serviabilité n. f.
Qualité d'une personne serviable.

serviable adj.
Qui aime à rendre service. *Un garçon serviable qui cherche toujours à se rendre utile.*

service n. m.
1. Aide. *J'aurais un petit service à te demander.* **SYN.** faveur.
2. Action de servir les clients. *Le service est efficace dans ce garage. On donne 15 % de l'addition pour le service au restaurant.*
3. Division administrative. *Le Service des ressources humaines, un chef de service.*
4. Assortiment d'objets. *Un service de vaisselle* (et non un *set).
5. Fonctionnement. *Le téléphone est en service. La distributrice est hors service* (et non hors *d'ordre).
Locution
Rendre service. Être utile à quelqu'un. *Tu m'as rendu service en me prêtant ta raquette : merci beaucoup.*

serviette n. f.
1. Linge dont on se sert pour s'essuyer. *Des serviettes de toilette, des serviettes de bain.*
2. Sac à compartiments qui sert à porter des livres, des documents. *Une serviette de cuir.*
L'écolier transporte ses livres et ses cahiers dans un ***cartable*** ou un ***sac à dos.***

servir v. tr., pronom.
Verbe transitif direct
1. S'acquitter d'une tâche auprès de quelqu'un. *Servir un client de façon efficace.*
2. Donner à manger. *Maman nous a servi du saumon et du riz.*
Verbe transitif indirect
1. Être utilisé. *Cette pièce sert de bureau.*
2. Être utile. *Ces cartes routières ont bien servi à Jules.* **SYN.** aider.

Le participe passé est invariable parce que le complément est indirect (*ont servi à Jules*).

Verbe pronominal

1. Faire usage. *Elle s'est servie de cet outil pour travailler le bois.* **SYN.** employer, utiliser.

2. Prendre d'un plat. *Je me suis servi deux fois du gâteau.*

3. S'approvisionner. *Ils se servent chez ce marchand de fruits et légumes.*

À la forme pronominale, le verbe se construit avec la préposition ***de.***

Locution

Ne servir de rien, à rien. Les deux constructions sont équivalentes, mais de niveau différent : la construction avec la préposition ***de*** est de style plus soutenu.

Conjugaison [VOIR MODÈLE – **SERVIR**]

serviteur n. m.

(VIEUX) Domestique.

Ce nom est la forme masculine de ***servante.*** On emploie plutôt aujourd'hui ***domestique.***

ses adj. poss. pl.

1. Adjectif possessif pluriel de la troisième personne du singulier qui détermine le nom en indiquant le « possesseur » de l'objet désigné. Il s'accorde en genre et en nombre avec le nom déterminé. *Ses livres.*

2. L'adjectif possessif s'accorde en personne avec le nom désignant le « possesseur ». Ainsi, l'adjectif possessif ***ses*** renvoie à un seul « possesseur » de plusieurs êtres, de plusieurs objets. *Regarde ses patins à roulettes* (un seul possesseur) *et leur nouvelle tondeuse* (plusieurs possesseurs).

VOIR TABLEAU – **POSSESSIF (ADJECTIF).**

session n. f.

1. Période d'activité d'un tribunal, d'une assemblée, etc. *La session parlementaire.*

2. Période de temps. *Une session d'examens.*

***set**

Anglicisme pour ***ensemble, manche*** (au tennis).

Anglicisme pour ***mobilier*** (de salle à manger, salon, etc.).

seuil n. m.

1. Pièce de bois, de métal, de pierre qui est au bas de l'ouverture d'une porte.

2. Entrée d'une maison, d'une pièce. *Franchir le seuil d'une maison.*

3. (FIGURÉ) Commencement, début. *Au seuil d'une nouvelle année.*

seul, seule adj. et n. m. et f.

Adjectif

1. Unique. *Elle est la seule femme du groupe.*

En ce sens, l'adjectif se place avant le nom.

2. Solitaire. *C'est un homme seul.* **SYN.** isolé.

En ce sens, l'adjectif se place après le nom.

3. Seulement. *Seuls de bons résultats pourront nous permettre de continuer.*

En ce sens, l'adjectif se place en début de phrase et s'accorde généralement avec le nom auquel il se rapporte.

Nom masculin et féminin

Une seule personne, la seule personne. *Elle est la seule à oser la contredire.*

Le verbe se construit avec l'indicatif dans le cas d'une affirmation, d'une certitude. Il se construit avec le subjonctif pour indiquer une possibilité. *Elle est la seule qui a collaboré. Ils sont les seuls qui puissent nous sortir de cette impasse.*

Locutions

À seule fin de, locution prépositive. Uniquement pour. *À seule fin d'épater la galerie.*

Seul à seul. En tête à tête. *Elles sont seule à seule.*

L'adjectif peut s'accorder ou rester invariable.

seulement adv.

1. Uniquement, sans autre chose. *Ils emportèrent seulement des livres. Ce cours se donne seulement le vendredi.*

2. Toutefois. *Elle nous avait prévenus, seulement personne n'a voulu la croire.*

Locution

Si seulement. Si au moins. *Si seulement on nous avait informés.*

sève n. f.

Liquide nutritif circulant dans les végétaux. *Recueillir la sève des érables pour faire du sirop.*

sève.

sévère adj.

1. Rigide, exigeant. *Un professeur très sévère.*

2. Qui blâme sans indulgence, dur. *Un châtiment sévère.*

3. Austère, sans décoration. *Un décor sévère.*

Forme fautive

*sévère. Anglicisme au sens de ***grave, considérable, difficile.*** *Des pertes considérables* (et non *sévères). *Une défaite grave* (et non *sévère).

sévèrement adv.

Avec sévérité. *Ce professeur corrige trop sévèrement.*

sévèrement.

sévérité n. f.

Dureté, rigueur. *Il corrige avec sévérité : il ne tolère pas la moindre erreur.* **ANT.** indulgence.

sévices n. m. pl.

Brutalités, actes cruels exercés sur quelqu'un qu'on a sous son autorité.

Attention au genre masculin de ce nom qui s'emploie toujours au pluriel.

sévir v. intr.

1. Exercer des ravages. *Le froid sévit depuis un mois.*

2. Traiter rigoureusement. *Il faudrait sévir contre ces abus.* **SYN.** punir.

En ce sens, le verbe se construit avec la préposition ***contre.***

Conjugaison [VOIR MODÈLE – **FINIR**]

sexe n. m.

1. Ensemble des caractères physiques et physiologiques propres aux mâles et aux femelles.

2. Ensemble des hommes, ensemble des femmes. *Le sexe masculin, le sexe féminin. L'égalité des sexes.*

3. Organes génitaux.

4. Sexualité.

sexisme n. m.

Discrimination fondée sur le sexe.

sexiste adj. et n. m. et f.

Personne qui fait preuve de sexisme. *C'est un sexiste incorrigible, une formulation sexiste.*

sextant n. m.

Instrument qui sert à mesurer les distances angulaires des astres, pour faire le point. *Des sextants et des boussoles.*

sextant.

S

Indicatif

Présent

je	sers
tu	sers
elle	sert
il	sert
nous	servons
vous	servez
elles	servent
ils	servent

Passé composé

j'	ai	servi
tu	as	servi
elle	a	servi
il	a	servi
nous	avons	servi
vous	avez	servi
elles	ont	servi
ils	ont	servi

Imparfait

je	servais
tu	servais
elle	servait
il	servait
nous	servions
vous	serviez
elles	servaient
ils	servaient

Plus-que-parfait

j'	avais	servi
tu	avais	servi
elle	avait	servi
il	avait	servi
nous	avions	servi
vous	aviez	servi
elles	avaient	servi
ils	avaient	servi

Passé simple

je	servis
tu	servis
elle	servit
il	servit
nous	servîmes
vous	servîtes
elles	servirent
ils	servirent

Passé antérieur

j'	eus	servi
tu	eus	servi
elle	eut	servi
il	eut	servi
nous	eûmes	servi
vous	eûtes	servi
elles	eurent	servi
ils	eurent	servi

Futur simple

je	servirai
tu	serviras
elle	servira
il	servira
nous	servirons
vous	servirez
elles	serviront
ils	serviront

Futur antérieur

j'	aurai	servi
tu	auras	servi
elle	aura	servi
il	aura	servi
nous	aurons	servi
vous	aurez	servi
elles	auront	servi
ils	auront	servi

Infinitif

Présent

servir

Passé

avoir servi

Subjonctif

Présent

que	je	serve
que	tu	serves
qu'	elle	serve
qu'	il	serve
que	nous	servions
que	vous	serviez
qu'	elles	servent
qu'	ils	servent

Passé

que	j'	aie	servi
que	tu	aies	servi
qu'	elle	ait	servi
qu'	il	ait	servi
que	nous	ayons	servi
que	vous	ayez	servi
qu'	elles	aient	servi
qu'	ils	aient	servi

Imparfait

que	je	servisse
que	tu	servisses
qu'	elle	servît
qu'	il	servît
que	nous	servissions
que	vous	servissiez
qu'	elles	servissent
qu'	ils	servissent

Plus-que-parfait

que	j'	eusse	servi
que	tu	eusses	servi
qu'	elle	eût	servi
qu'	il	eût	servi
que	nous	eussions	servi
que	vous	eussiez	servi
qu'	elles	eussent	servi
qu'	ils	eussent	servi

Conditionnel

Présent

je	servirais
tu	servirais
elle	servirait
il	servirait
nous	servirions
vous	serviriez
elles	serviraient
ils	serviraient

Passé

j'	aurais	servi
tu	aurais	servi
elle	aurait	servi
il	aurait	servi
nous	aurions	servi
vous	auriez	servi
elles	auraient	servi
ils	auraient	servi

Impératif

Présent

sers
servons
servez

Passé

aie servi
ayons servi
ayez servi

Participe

Présent

servant

Passé

servi, ie
ayant servi

sextuple adj. et n. m.
Qui vaut six fois autant. *Vingt-quatre est le sextuple de quatre. Un nombre sextuple.*

sextupler v. tr., intr.
Verbe transitif
Multiplier par six. *Sextupler le chiffre d'affaires.*
Verbe intransitif
Devenir six fois plus élevé. *La quantité de fruits recueillis a sextuplé.*
Conjugaison [VOIR MODÈLE – **AIMER**]

sexualité n. f.
1. Ensemble des caractères propres à un sexe.
2. Ensemble des phénomènes liés à l'instinct sexuel.

sexuel, elle adj.
Relatif au sexe. *Le plaisir sexuel, l'éducation sexuelle.*

sexuellement adv.
Du point de vue du sexe.
Locution
Maladie transmise sexuellement (MTS).

***sexy**
Anglicisme pour ***séduisant, suggestif.***

seyant, ante adj.
La première syllabe se prononce **è** [sɛjɑ̃, ɑ̃t].
Qui va bien. *Cette robe est très seyante.*

shampoing ou **shampooing** n. m.
Les lettres ***oing*** se prononcent ***oin*** [ʃɑ̃pwɛ̃] (et non *ou).
1. Lavage des cheveux avec du savon. *Se faire un shampoing,* ou *un shampooing.*
2. Liquide employé pour le lavage des cheveux. *Des shampoings très doux.*

shérif n. m.
Officier chargé de l'administration policière d'un État, d'un comté. *L'étoile du shérif.*

***shooter**
Anglicisme pour ***lancer, tirer,*** dans la langue des sports.

***shooter (se)**
Anglicisme pour ***se piquer, s'injecter*** (un stupéfiant).

***shopping**
Anglicisme pour ***magasinage, courses.***

***shopping center**
Anglicisme pour ***centre commercial.***

short n. m.
Culotte courte de sport. *Des shorts blancs. Elle est en short, elle porte un short vert.*
Ce nom emprunté à l'anglais il y a près de 100 ans est admis en français.

***show**
Anglicisme pour ***spectacle*** (de variétés).

si n. m. inv.
1. Septième note de la gamme de ***do.*** *Des si bémols.*
2. Condition, restriction. *Avec des **si,** on mettrait Paris dans une bouteille.*

si adv., conj.
VOIR TABLEAU – **SI,** ADVERBE ET CONJONCTION.

SI
Symbole de ***Système international*** (d'unités). *Des unités SI.*

siamois, oise adj. et n. m.
Adjectif et nom masculin
Chat siamois. Chat aux yeux bleus et à la fourrure claire d'origine asiatique. *Une petite chatte siamoise, un beau siamois.*
Adjectif
Frères siamois, sœurs siamoises. Jumeaux, jumelles rattachés l'un à l'autre par une partie de leur corps.
L'adjectif, qui signifiait autrefois « thaïlandais », ne s'emploie plus que dans la locution citée.

siau n. m. (pl. *siaux*)
(VIEUX) Seau.
Locution
Mouiller à siaux. (FAMILIER) (VIEUX) Pleuvoir à verse, à torrents, en grande abondance.
Cette expression est vieillie, mais elle s'emploie encore par plaisanterie.

sibérien, enne adj.
1. De Sibérie. *Le climat sibérien.*
2. (FIGURÉ) Très rigoureux. *Un froid sibérien.*

SIDA ou **sida** n. m.
Sigle de ***syndrome immuno-déficitaire acquis*** ou ***syndrome d'immunodéficience acquise.***
Maladie très grave, souvent mortelle, caractérisée par la disparition des défenses immunitaires de l'organisme. *Il est atteint du sida* ou *de sida.*
Le médecin spécialiste du sida est un, une ***sidatologue.*** La spécialité médicale qui traite le sida est la ***sidatologie.***

sidatique adj. et n. m. et f.
Personne atteinte de sida. (Recomm. off. OLF) **SYN.** sidéen.
Dérivé du sigle de la maladie, ce terme s'est implanté le premier. Il est synonyme de ***sidéen*** qui tend à le supplanter actuellement.

sidéen, enne adj. et n. m. et f.
Personne atteinte du sida. **SYN.** sidatique.

sidérer v. tr.
(FAMILIER) Stupéfier, ébahir. *Cette nomination l'a sidéré.* **SYN.** renverser.
Conjugaison [VOIR MODÈLE – **POSSÉDER**]

sidérurgie n. f.
Industrie de la fonte, de l'acier.

sidérurgique adj.
Relatif à la sidérurgie. *L'industrie sidérurgique.*

siècle n. m.
Abréviation ***s.*** (s'écrit avec un point).
1. Période de cent ans. *Le vingtième siècle ou le XXe siècle et bientôt le XXIe siècle. La construction de cette cathédrale se fit au XIIe et au XIIIe siècle, au cours des XIIe et XIIIe siècles.*
L'adjectif numéral s'écrit en toutes lettres ou se compose en chiffres romains (en petites capitales, si l'on dispose de ces caractères). Le nom s'écrit avec une majuscule dans les expressions le ***Grand Siècle*** (le siècle de Louis XIV, le XVIIe siècle), le ***Siècle des lumières*** (le XVIIIe siècle).
Le Ier siècle comprend l'an 1 à l'an 100, le IIe siècle va de 101 à 200... En l'an 2001, commencera le XXIe siècle.
2. (AU PLURIEL) (FAMILIER) Période très longue. *Il y a des siècles qu'on ne vous a reçus chez nous.* **SYN.** éternité.

siège n. m.
1. Meuble où l'on s'assoit.
2. Lieu où est située une entreprise, un organisme. *Le siège, le siège social d'une société* (et non la *maison-mère).

ADVERBE

Adverbe de quantité et d'intensité (suivi d'un adjectif ou d'un adverbe)

1. Aussi.

Elle n'est pas si naïve qu'on l'imagine. Il est rare de voir un garçon si gentil. Tu m'as demandé cette faveur si gentiment que j'ai dit oui.

L'adverbe s'emploie en corrélation avec ***que*** ou seul.

2. Tellement.

Il travaille si fort et il se repose si peu : des vacances lui feraient le plus grand bien. Elle chante si bien : c'est une merveilleuse cantatrice.

Adverbe d'affirmation

L'adverbe s'emploie pour contredire une question négative.

Ne participeront-ils pas à la fête ? Si, ils viendront.

Après une question affirmative, on emploie plutôt ***oui***.

CONJONCTION

1. La conjonction introduit une **condition** (verbe de la principale au **futur**). À condition que.

Si tu viens jouer avec nous, nous aurons du plaisir. S'il fait beau, nous irons nous promener.

La conjonction ***si*** ne perd son ***i*** (élision) que devant le pronom personnel masculin de la troisième personne au singulier ou au pluriel. *S'il venait, s'ils mangeaient,* mais *si elle venait.*

2. La conjonction introduit une **hypothèse** (verbe de la principale au présent ou au passé). S'il est vrai que.

Si l'informatique est un merveilleux outil, elle n'est pas encore tout à fait apprivoisée.

3. La conjonction introduit une **hypothèse** (verbe de la principale au conditionnel). Dans le cas où, à supposer que.

Si j'avais su (et non *si j'aurais su), *je ne serais pas venu.*

Attention, le verbe de la subordonnée est à l'**imparfait** et non au conditionnel. (Petit truc : les scies chassent les raies.)

4. La conjonction introduit une **concession**, une **restriction**.

– Même si.

Si les élèves ont fait des progrès, ils ne maîtrisent pas encore totalement cette matière.

– Quelque... que.

Si compétente que soit cette personne, elle peut se tromper.

5. La conjonction introduit une **interrogation indirecte**.

Elle se demandait s'il viendrait. Il se demande s'il ira.

On peut employer le conditionnel ou le futur après la conjonction ***si*** dans le style indirect.

6. La conjonction introduit une **proposition de conséquence**. De telle sorte que, tellement que, si bien que.

Elle est si sérieuse qu'on ne peut jamais la faire rire. Les neiges ont fondu si rapidement que les terres ont été inondées.

La locution conjonctive ***si... que*** se construit avec un adjectif ou un adverbe.

suite ►

Locutions

Avec des si, on mettrait Paris dans une bouteille. On peut supposer n'importe quoi, mais ce n'est pas nécessairement la réalité.

On n'est jamais si bien servi que par soi-même. Il vaut mieux se charger soi-même de quelque chose plutôt que de s'en remettre aux autres.

S'il vous plaît. Formule de politesse qui s'abrège ***s.v.p.*** ou ***S.V.P.*** *Deux croissants, s'il vous plaît, s.v.p.*

Si on peut dire. Pour ainsi dire. *Ces hommes d'affaires sont en réunion, si on peut dire. En fait, ils jouent aux cartes !*

3. Place, mandat d'un membre d'une assemblée. *Ce parti a obtenu des sièges aux élections législatives.*

siéger v. intr.
1. Faire partie d'une assemblée, d'un tribunal. *Elle siège au* (et non *sur le) *conseil d'administration de cette entreprise.*
2. Résider. *Le Parlement siège à Québec.*
Forme fautive
*siéger sur (un conseil, une commission, etc.). Impropriété au sens de ***siéger à, faire partie d'un conseil, être membre d'une commission,*** etc.
Conjugaison [VOIR MODÈLE – **PROTÉGER**]
Le **é** se change en **è** devant une syllabe muette, sauf à l'indicatif futur et au conditionnel présent. *Je siège,* mais *je siégerai.*

sien, sienne n. m. et pron. poss.
Pronom possessif de la troisième personne. *Le sien, la sienne, les siens, les siennes.* Le pronom qui s'emploie toujours avec l'article défini doit se rapporter à un nom dont on a déjà parlé. *Ces œuvres sont les siennes.*
Ce mot s'emploie parfois comme un adjectif possessif lorsqu'il est attribut du sujet. *Cette maison est sienne.* Il s'écrit alors sans article défini.
VOIR TABLEAU – **PRONOM.**
Nom masculin
Sa part. *Y mettre du sien.*
Locutions
Faire des siennes. (FAMILIER) Faire des bêtises.
Les siens. Ses proches.

sieste n. f.
Repos pris après le repas du midi. *Faire une petite sieste.*

sifflant, ante adj. et n. f.
Adjectif
Qui émet un sifflement. *Une respiration sifflante.*
Nom féminin
*Consonnes sifflantes. Les lettres **s** et **z** sont des sifflantes.*
si**ff**lant.

sifflement n. m.
Bruit aigu. *Le sifflement du vent.*
si**ff**lement.

siffler v. tr., intr.
Verbe transitif
1. Moduler en sifflant. *Siffler une ancienne chanson.*
2. Huer. *L'auditoire les a sifflés, le spectacle était médiocre.*
Verbe intransitif
1. Produire un son aigu avec la bouche, avec un sifflet. *Ce chanteur siffle très bien.*
2. Crier, en parlant du serpent, de la marmotte, du merle.
Conjugaison [VOIR MODÈLE – **AIMER**]

sifflet n. m.
Petit instrument avec lequel on siffle. *Le policier donne quelques coups de sifflet.*

sifflotement n. m.
Action de siffloter.
si**ff**lo**t**ement.

siffloter v. tr., intr.
Siffler doucement.
Conjugaison [VOIR MODÈLE – **AIMER**]
sifflo**t**er.

sigle n. m.
Abréviation constituée par les initiales de plusieurs mots et qui s'épelle lettre par lettre. *Les lettres INRS sont le sigle de **Institut national de la recherche scientifique.***
VOIR TABLEAU – **SIGLE.**

signal n. m. (pl. *signaux*)
Signe convenu. *Des signaux de détresse.*

signalement n. m.
Description physique d'une personne qu'on recherche. *On a donné le signalement de ce criminel aux policiers.*

signaler v. tr., pronom.
Verbe transitif
1. Souligner, marquer (par un signal). *Les impropriétés sont signalées par un astérisque. Rien à signaler.*
2. Attirer l'attention de. *On lui a signalé que des articles avaient disparu.*
Verbe pronominal
Se distinguer. *Elle s'est signalée par son audace.*
Conjugaison [VOIR MODÈLE – **AIMER**]

signalétique adj.
Qui donne la description, le signalement. *Une fiche signalétique.*

signalisation n. f.
Ensemble de signaux d'une voie de circulation. *Des panneaux de signalisation. La signalisation routière.*

S

- Le ***sigle*** est une abréviation constituée par les initiales de plusieurs mots et qui s'épelle lettre par lettre.

  *SRC (**S**ociété **R**adio-**C**anada), PME (**p**etite et **m**oyenne **e**ntreprise), CLSC (**c**entre **l**ocal de **s**ervices **c**ommunautaires) sont des sigles.*

- L'***acronyme*** est également composé des initiales ou des premières lettres d'une désignation, mais à la différence du sigle, il se prononce comme un mot.

  *ONU (**O**rganisation des **N**ations **U**nies), Cégep (**c**ollège d'**e**nseignement **g**énéral et **p**rofessionnel) et OVNI (**o**bjet **v**olant **n**on **i**dentifié) sont des acronymes.*

Points abréviatifs

La tendance actuelle est d'omettre les points abréviatifs. Dans cet ouvrage, les sigles et les acronymes sont notés sans points ; cependant, la forme avec points est généralement correcte.

Genre et nombre des sigles

Les sigles sont du genre et du nombre du mot principal de la désignation abrégée.

Le FMI (Fonds [masculin singulier] *monétaire international), la CSN (Confédération* [féminin singulier] *des syndicats nationaux).*

☞ À son premier emploi dans un texte, le sigle doit être précédé de la désignation au long.

BBC	British Broadcasting Corporation
CAO	Conception assistée par ordinateur
CÉCM	Commission des écoles catholiques de Montréal
CIA	Central Intelligence Agency
CLSC	Centre local de services communautaires
CRTC	Conseil de la radiodiffusion et des télécommunications canadiennes
GMT	Temps moyen de Greenwich
GRC	Gendarmerie royale du Canada
HAE	Heure avancée de l'Est
HEC	École des Hautes Études Commerciales
HNE	Heure normale de l'Est
INRS	Institut national de la recherche scientifique
MTS	Maladie transmise sexuellement (Canada)
OLF	Office de la langue française
ONF	Office national du film
PDG	Président-directeur général
PME	Petite et moyenne entreprise
RAMQ	Régie de l'assurance-maladie du Québec
SRC	Société Radio-Canada
STCUM	Société de transport de la Communauté urbaine de Montréal
TGV	Train à grande vitesse
TPS	Taxe sur les produits et services

VOIR TABLEAU – **ABRÉVIATION (RÈGLES DE L').**
VOIR TABLEAU – **ACRONYME.**

signaliser v. tr.
Munir d'une signalisation. *Signaliser un itinéraire.*
Conjugaison [VOIR MODÈLE – **AIMER**]

signataire n. m. et f.
Personne qui a signé un document. *Maman est la signataire de ce contrat.*
signat**aire.**

signature n. f.
1. Nom manuscrit d'une personne selon un tracé invariable, apposé à la fin d'un document, d'un acte, pour en attester l'exactitude. *Arrives-tu à lire cette signature ?*
2. Action de signer. *La signature du traité a eu lieu à Paris.*

signe n. m.
1. Indice, marque qui sert à représenter, à indiquer une chose. *Des signes de ponctuation.*
2. Geste. *Il a fait un signe de la main.*
3. Preuve, témoignage. *Ce petit cadeau est le signe de notre amitié.*
4. Division du zodiaque. *Elle est née sous le signe du Sagittaire.*
Locution
Donner signe de vie. Donner de ses nouvelles.
HOM. cygne, oiseau aquatique.

signer v. tr., pronom.
Verbe transitif
Apposer sa signature (sur un document, un tableau, etc.). *Le directeur a signé cette lettre.*
Dans le cas d'une œuvre d'art, on omet souvent la préposition. *Une sculpture signée Camille Claudel.*
Verbe pronominal
Faire le signe de la croix. *Elles se sont signées.*
Conjugaison [VOIR MODÈLE – **AIMER**]

signet n. m.
Petit ruban, petit carton qui sert à marquer une page.
signe**t.**

significatif, ive adj.
Qui traduit bien la pensée, l'intention. *Une phrase significative.*

signification n. f.
Sens. *La signification cachée de ce roman.*

signifier v. tr.
1. Avoir un sens. *Que signifie ce terme ?*
2. Faire savoir de façon formelle. *La direction lui a signifié son congédiement.* **SYN.** annoncer.
Conjugaison [VOIR MODÈLE – **ÉTUDIER**]
Redoublement du ***i*** à la première et à la deuxième personne du pluriel de l'indicatif imparfait et du subjonctif présent. *(Que) nous signifiions, (que) vous signifiiez.*

silence n. m.
1. État d'une personne qui se tait. *Elle a gardé le silence.*
2. Calme, absence de bruit. *Le silence de la nuit.*
Locution
Passer sous silence. Ne pas parler de quelque chose. *Il vaudrait mieux passer sous silence cette querelle.* **SYN.** taire.

silencieusement adv.
D'une manière silencieuse. *Claudie joue silencieusement pour ne pas éveiller son petit frère qui dort.*

silencieux, euse adj. et n. m.
Adjectif
1. Qui garde le silence. *Elle est restée silencieuse, elle n'a rien dit.* **ANT.** bavard.
2. Calme, sans bruit. *Une classe silencieuse, c'est rare !* **ANT.** bruyant.
Nom masculin
Dispositif destiné à réduire le bruit (de l'échappement, d'une arme à feu). *Un revolver muni d'un silencieux. Il faudra remplacer le silencieux* (et non le *muffler) *de votre voiture.*

silhouette n. f.
1. Forme générale. *Avoir une jolie silhouette.* **SYN.** allure, contour, ligne.
2. Dessin de profil. *Tracer des silhouettes.*
sil**h**oue**tt**e.

sillage n. m.
Trace que laisse un bateau derrière lui.
Locution
Dans le sillage de. (FIGURÉ) Sur la trace, à la suite. *Elle marche dans le sillage de son père.*
Ne pas confondre avec le nom ***sillon,*** rainure faite dans la terre labourée.
si**ll**age.

sillon n. m.
Fente, rainure faite dans la terre labourée. *Les sillons tracés par la charrue.*
Ne pas confondre avec le nom ***sillage,*** trace que laisse un bateau derrière lui.
si**ll**on.

sillonner v. tr.
1. Traverser et laisser une trace. *Un éclair a sillonné le ciel orageux.*
2. Parcourir en tous sens. *Il a sillonné les mers.*
Conjugaison [VOIR MODÈLE – **AIMER**]
si**ll**onner.

silo n. m.
Construction destinée à l'entreposage des produits agricoles. *Des silos de blé.*
si**l**o.

s'il vous plaît
Abréviation ***SVP, svp*** (s'écrit avec ou sans points).

simagrées n. f. pl.
Manières, grimaces. *Faire des simagrées. Arrête tes simagrées.*
simagr**ées.**

similaire adj.
Qui est analogue, à peu près semblable. *Des produits similaires.*
L'adjectif s'emploie sans complément. Avec un complément, on dira plutôt ***comparable à, analogue à.*** *Un article comparable à un autre.*
Ne pas confondre avec les mots suivants :
– ***identique,*** rigoureusement semblable ;
– ***semblable,*** de même nature, de même apparence.
Les mots ***similaire*** et ***semblable*** sont des doublets.
simil**aire.**

similitude n. f.
Ressemblance complète. *La similitude des traits de ces jumeaux est étonnante.*
simi**l**itude.

simple adj.
Placé avant le nom
Qui est uniquement, seulement. *C'est une simple question de bon sens, une simple formalité.*
Placé après le nom
1. Qui n'est pas compliqué. *C'est une personne toute simple.*

2. Sans cérémonie. *Ce sera un repas très simple.*
3. Qui n'est pas composé. *Un corps simple.*

simplement adv.
1. Sans recherche. *Ils étaient vêtus simplement.*
2. Seulement. *Je croyais qu'il y avait des loups, mais c'était simplement des chiens.*

simplicité n. f.
Qualité de ce qui est simple, peu compliqué, modeste.

simplification n. f.
Action de simplifier. *La simplification d'une fraction.*

simplifier v. tr.
Rendre moins compliqué, faciliter. *Il faut simplifier ce calcul.*
Conjugaison [VOIR MODÈLE – **ÉTUDIER**]
Redoublement du ***i*** à la première et à la deuxième personne du pluriel de l'indicatif imparfait et du subjonctif présent. *(Que) nous simplifiions, (que) vous simplifiiez.*

simulateur n. m.
Appareil qui reproduit des conditions réelles de fonctionnement. *Un simulateur de vol.*
simu**l**ateur.

simulation n. f.
1. Action de simuler. *On a assisté à la simulation du décollage de la navette spatiale.*
2. Représentation d'un phénomène à des fins expérimentales.
simu**l**ation.

simuler v. tr.
Faire semblant de. *Simuler un malaise.* **SYN.** feindre.
Conjugaison [VOIR MODÈLE – **AIMER**]
simu**l**er.

simultané, ée adj.
Qui a lieu en même temps. *Une interprétation simultanée.*

simultanément adv.
Au même instant. *Simultanément, les trapézistes se lancèrent dans l'espace.*

sincère adj.
Franc, vrai. *Sois sincère : dis-moi ce que tu penses vraiment.*
sinc**è**re.

sincèrement adv.
D'une manière sincère. *Je vous remercie bien sincèrement.*
sinc**è**rement.

sincérité n. f.
Qualité de ce qui est sincère, loyal. *Je vous le dis en toute sincérité.*
sinc**é**rité.

singe n. m.
Mammifère de l'ordre des primates qui ressemble beaucoup à l'homme. *Il est malin comme un singe.*
La femelle du singe est la guenon.
VOIR TABLEAU – **ANIMAUX.**

singer v. tr.
Imiter quelqu'un, le tourner en dérision. **SYN.** caricaturer.
Conjugaison [VOIR MODÈLE – **CHANGER**]
Le ***g*** est suivi d'un ***e*** devant les lettres ***a*** et ***o.*** *Il singea, nous singeons.*

singerie n. f.
Imitation gauche, grimace.

singularité n. f.
1. Originalité, étrangeté. **SYN.** particularité.
2. (AU PLURIEL) Manières bizarres, excentricité.

singulier, ière adj. et n. m.
Adjectif
1. (GRAMMAIRE) Qui est relatif à une seule personne (par opposition à ***pluriel***). *Un sujet singulier.*
2. Bizarre, étrange. *Un comportement singulier.* **SYN.** étonnant, rare.
3. (LITTÉRAIRE) Étonnant, admirable. *Un courage singulier.*
Nom masculin
(GRAMMAIRE) Catégorie grammaticale qui désigne un seul être, une seule idée, un seul objet. *Les entrées des dictionnaires sont au singulier.* **ANT.** pluriel.

singulièrement adv.
1. Particulièrement, principalement.
2. Beaucoup. *Ces paroles m'ont agacée singulièrement.* **SYN.** fortement.
3. Bizarrement. *Ils étaient singulièrement déguisés.*

sinistre adj. et n. m.
Adjectif
1. Effrayant, de mauvais augure. *Des lieux sinistres.*
2. Mortellement ennuyeux. *Cette réunion était sinistre.*
Nom masculin
Catastrophe qui cause des dommages (incendie, inondation, tornade, etc.).

sinistré, ée adj. et n. m. et f.
Adjectif
Qui a subi un sinistre. *La ville touchée par l'ouragan a été déclarée zone sinistrée.*
Nom masculin et féminin
Personne qui a été victime d'un sinistre.

sinon conj.
1. Autrement, dans le cas contraire. *Le dossier sera prêt demain, sinon nous devrons reporter la réunion.*
2. À l'exception de. *Sinon quelques touristes, les rues étaient désertes.* **SYN.** en dehors de, excepté, sauf.
sinon, en un seul mot.

sinueux, euse adj.
Tortueux. *Une route sinueuse.*

sinus n. m.
Le ***s*** final se prononce [sinys]; le mot rime avec ***autobus.***
Cavité de certains os de la face. *Des sinus douloureux.*

sinusite n. f.
Inflammation des sinus de la face.

sioux adj. et n. m. et f.
Ensemble d'ethnies amérindiennes. *Un chef sioux. Les Sioux.*
L'adjectif s'écrit avec une minuscule ; le nom, avec une majuscule.
Locution
Des ruses de Sioux. (FIGURÉ) Moyens habiles, astuces qu'on emploie pour arriver à ses fins.

siphon n. m.
1. Tuyau recourbé. *Il y a un siphon sous l'évier.*
2. Contenant sous pression servant à gazéifier un liquide.
si**ph**on.

siphonner v. tr.
Transvaser un liquide à l'aide d'un siphon.
Conjugaison [VOIR MODÈLE – **AIMER**]
si**ph**o**nn**er.

sire n. m.
Titre d'un souverain.
Le nom ***sire*** est le doublet de ***seigneur*** et de ***sieur.***

S

sirène n. f.
1. Être fabuleux à corps de femme et à queue de poisson. *Ulysse s'est laissé prendre au chant des sirènes.*
2. Appareil sonore produisant un son strident. *Une sirène d'alarme, une sirène d'ambulance.*
sirène.

sirop n. m.
Le ***p*** ne se prononce pas [siro].
1. Liquide concentré et sucré. *Du sirop d'érable, du sirop de framboise(s).*
2. Médicament. *Du sirop contre la toux.*
siro**p.**

sismique ou **séismique** adj.
Relatif aux tremblements de terre. *Une secousse sismique.*
Certains auteurs jugent que l'expression ***secousse sismique*** est un pléonasme, mais elle s'emploie couramment.

sismographe ou **séismographe** n. m.
Instrument servant à mesurer l'amplitude des tremblements de terre. *Le collège Brébeuf est doté d'un sismographe.*

site n. m.
1. Paysage. *Un site pittoresque, grandiose.*
2. Lieu géographique. *La protection des sites.*
3. Lieu occupé par une ville, un ensemble. *Un site urbain, un site archéologique.*
Locution
Site historique. Lieu où se sont déroulés des évènements d'importance historique ou qui renferme des biens ou des monuments historiques.

sitôt adv.
Aussi rapidement, aussi vite. *Sitôt levé, il se met au travail.*
Ne pas confondre avec les mots ***si tôt.*** *Il est venu si tôt que tous dormaient encore.*
Locutions
Sitôt dit, sitôt fait, locution adverbiale. Aussitôt. **SYN.** sur-le-champ.
Pas de sitôt, locution adverbiale. Avant longtemps. *Je crois qu'on ne le reverra pas de sitôt.*
sit**ô**t.

situation n. f.
1. Emplacement. *La situation de la ville sur un port.* **SYN.** position.
2. Condition. *La situation économique.*
3. Emploi, fonction. *Elle a une bonne situation.* **SYN.** travail.

situer v. tr., pronom.
Verbe transitif
Définir la situation dans l'espace ou le temps. *Je situerais cette ferme à proximité de Berthier. Cette région est située à l'est de Montréal.*
Verbe pronominal
1. Se trouver en un lieu. *L'action du film se situe au Québec.*
2. Se classer. *L'école se situe au premier rang pour son parc informatique.*
Conjugaison [VOIR MODÈLE – **AIMER**]

six adj. num. inv. et n. m. inv.
1° Le ***x*** ne se prononce pas devant une consonne ou un ***h*** aspiré. *Six tomates, six homards* [si]. 2° Le ***x*** se prononce ***z*** devant une voyelle ou un ***h*** muet. *Six oranges, six hommes.* 3° Comme nom, le ***x*** se prononce toujours ***s***; comme adjectif, la consonne finale se prononce ***s*** en fin d'expression.
Adjectif numéral cardinal invariable
Deux fois trois. *Six heures.*
Adjectif numéral ordinal invariable
Sixième. *La page six.*
Nom masculin invariable
Nombre six. *Des six de cœur.*
VOIR TABLEAU – **NOMBRES.**
VOIR TABLEAU – **NUMÉRAL (ADJECTIF).**

sixième adj. num. et n. m. et f.
Abréviations : ***6e*** (sixième), ***6es*** (sixièmes).
Adjectif numéral ordinal
Nombre ordinal de six. *La sixième heure.*
Nom masculin
La sixième partie d'un tout. *Les trois sixièmes d'une quantité.*
Nom masculin et féminin
Personne, chose qui occupe le sixième rang. *Elles sont les sixièmes.*
VOIR TABLEAU – **NOMBRES.**
VOIR TABLEAU – **NUMÉRAL (ADJECTIF).**

***skate-board**
Anglicisme pour ***planche à roulettes, rouli-roulant*** (marque déposée).

sketch n. m. (pl. *sketches*)
Petit spectacle comique. *Des sketches réussis.*
ske**tch.**

ski n. m.
1. Lame plate relevée à l'avant, destinée à glisser sur la neige, sur l'eau. *Aller en skis, à skis.*
2. Sport pratiqué à l'aide de ces lames. *Des cours de ski, une épreuve de ski, du ski nautique.*
Locutions
Ski alpin ou ***ski de piste.*** Ski pratiqué sur des pentes à forte dénivellation, par opposition à ***ski de fond.***
Ski de fond. Ski sur des parcours de faible dénivellation, par opposition à ***ski alpin.***
Ski de randonnée. Ski pratiqué hors des pistes balisées.

***skidoo**
Impropriété (marque déposée) au sens de ***motoneige.***

skier v. intr.
Aller en skis. *Nous avons beaucoup skié cet hiver, surtout quand la neige était poudreuse.*
Conjugaison [VOIR MODÈLE – **ÉTUDIER**]
Redoublement du ***i*** à la première et à la deuxième personne du pluriel de l'indicatif imparfait et du subjonctif présent. *(Que) nous skiions, (que) vous skiiez.*

skieur, euse n. m. et f.
Personne qui pratique le ski. *Des skieurs experts.*

slalom n. m.
Le ***m*** se prononce [slalɔm].
Descente en skis selon un tracé sinueux qui comporte des piquets qu'il faut contourner. *Il a gagné le slalom géant. Des slaloms réussis.*
slal**o**m.

slogan n. m.
Le ***n*** ne se prononce pas [slɔgɑ̃]; le mot rime avec ***gant.***
1. Devise. *« En avant ! », tel était notre slogan.*
2. Phrase publicitaire, formule frappante. *« Rouler sans ton casque, es-tu tombé sur la tête ? » est un bon slogan.*

***slow motion**
Anglicisme pour ***ralenti.***

S

***snack** ou **snack-bar**
Anglicisme pour ***casse-croûte.***

snob adj. et n. m. et f. inv. en genre
Le ***b*** se prononce [snɔb].
Qui fait preuve de snobisme. *Elles sont snobs. Des snobs désagréables.*

sobre adj.
1. Qui mange et boit sans excès.
2. Classique, simple. *Une robe très sobre.* **SYN.** discret.

sobriquet n. m.
Surnom. *Il porte le sobriquet de Tyrannosaure.*
sobriqu**et.**

sociable adj.
Qui est porté à vivre en groupe.

social, ale, aux adj.
Qui concerne la société. *Des changements sociaux, des classes sociales.*

société n. f.
1. Communauté humaine. *La société actuelle, vivre en société.*
2. Groupe de personnes ayant des intérêts communs. *Une société commerciale, une société secrète.* **SYN.** association, entreprise.

sociologie n. f.
Étude des sociétés humaines et des phénomènes sociaux.

sociologique adj.
Relatif à la sociologie. *Un phénomène sociologique.*

sociologue n. m. et f.
Spécialiste de sociologie.

soda n. m.
Le ***o*** est ouvert [sɔda].
Boisson gazéifiée. *Des sodas glacés.*

sœur adj. et n. f.
Nom féminin
1. Fille née de la même mère et du même père qu'une autre personne. *Une sœur aînée, une sœur cadette.*
Les noms ***belle-sœur*** et ***demi-sœur*** s'écrivent avec un trait d'union.
2. Titre de nombreuses religieuses. *Les sœurs des Saints-Noms de Jésus et de Marie.*
Les titres religieux s'écrivent avec une minuscule.
Adjectif
Se dit d'êtres qui ont beaucoup d'affinités. *Des âmes sœurs.*

sœurette n. f.
Petite sœur. *Elle a beaucoup d'affection et d'admiration pour sa sœurette.*
s**o**eurette.

sofa n. m.
Le **o** est ouvert [sɔfa].
Lit de repos dont on se sert aussi comme siège. *Des sofas moelleux.*

soi pron. pers. m. et f. sing.
Pronom personnel masculin et féminin de la troisième personne du singulier. Lui, elle. *Penser aux autres avant de penser à soi.*
Le pronom se dit des êtres animés et des objets ; il est toujours ***complément,*** sauf dans quelques expressions où il est **attribut.** *Rester soi, être soi, chacun pour soi, la confiance en soi, ne penser qu'à soi.*
Locutions
À part soi, locution adverbiale. Dans son for intérieur.
Cela va de soi. C'est tout naturel.
En soi. De par sa nature.
Prendre sur soi. Se dominer.
Soi-même. En personne. *Il faut tout vérifier soi-même.*
Sur soi. Sur sa personne. *Ne pas avoir son passeport sur soi.*
VOIR TABLEAU – **PRONOM.**

soi-disant adj. inv. et adv.
Adjectif invariable
Qui se prétend tel, sans l'être. *Des soi-disant aristocrates.*
L'adjectif toujours invariable se dit des personnes et il a un sens défavorable ; pour qualifier une chose, on emploie plutôt ***prétendu.*** *Une prétendue réussite.*
Adverbe
Supposément. *L'auto était soi-disant à lui.*

soie n. f.
Fil brillant produit par le ver à soie, étoffe faite de ce fil. *De magnifiques écharpes de soie.*

soierie n. f.
Tissu de soie. *De belles soieries de toutes les couleurs.*
soi**e**rie.

soif n. f.
1. Besoin de boire. *Elle avait soif et faim : on lui donna du jus et un peu de gâteau.*
2. (FIGURÉ) Désir passionné. *La soif du pouvoir.*

soigné, ée adj.
1. Ordonné, recherché. *Une tenue très soignée.* **SYN.** impeccable.
2. Exécuté avec soin. *Un travail soigné, une typographie soignée.*

soigner v. tr.
1. Avoir soin de quelqu'un, de quelque chose. *Soigner ses parents, soigner ses roses.*
2. Traiter. *Soigner un malade, soigner une grippe.*
Conjugaison [VOIR MODÈLE – **AIMER**]

soigneux, euse adj.
1. (VIEUX) Qui est fait avec soin. *Un travail soigneux.* **SYN.** appliqué, sérieux.
2. Ordonné et propre. *Une employée soigneuse.*

soin n. m.
1. Application donnée à une chose. *Il étudie avec soin.*
2. (AU PLURIEL) Moyens par lesquels on soigne (un malade). *Des soins attentifs, les premiers soins.*
Locutions
Être aux petits soins pour quelqu'un. Avoir des attentions délicates pour une personne.
Prendre soin de. Veiller sur.

soir n. m.
Fin du jour. *Un beau soir d'été.*
Couramment, le soir est la partie de la journée qui va de la fin de l'après-midi jusqu'à minuit.
VOIR TABLEAU – **JOUR.**

soirée n. f.
1. Partie de la journée comprise entre le coucher du soleil et le moment où l'on s'endort.
2. Réunion, fête qui a lieu le soir. *Une soirée d'information.*

soit adv. et conj.
⚞ Le ***t*** se prononce lorsque le mot est un adverbe [swat]. Le ***t*** ne se prononce pas devant une consonne ou un ***h*** aspiré lorsque le mot est une conjonction [swa]; il se prononce devant une voyelle ou un ***h*** muet [swat].
Conjonction
1. C'est-à-dire. *Deux lampes à 85 $, soit 170 $.*
2. En supposant. *Soit un triangle équilatéral.*
↝ En ce sens, la locution se place en tête de phrase.
Adverbe d'affirmation
Oui (affaibli). Cet adverbe marque une concession, un accord non enthousiaste. *Soit, je veux bien le croire.* **SYN.** d'accord, bon.
Locutions
Soit... soit. Ou bien... ou bien. *Soit un chien, soit un chat.*
Soit que... soit que, locution conjonctive.
↝ La locution se construit avec le subjonctif. *Soit qu'il vienne, soit qu'il parte.*
Un tant soit peu, locution adverbiale. Très peu. *Si elle était un tant soit peu prévoyante, elle prendrait un parapluie.*

soixantaine n. f.
1. Nombre approximatif de soixante.
2. Âge d'à peu près soixante ans. *Il est dans la soixantaine.*

soixante adj. num. inv. et n. m. inv.
Adjectif numéral cardinal invariable
Six fois dix. *Soixante heures.*
Adjectif numéral ordinal invariable
Soixantième. *La page soixante.*
Nom masculin invariable
Nombre soixante. *Des soixante peints en chiffres dorés.*
VOIR TABLEAU – **NOMBRES.**
VOIR TABLEAU – **NUMÉRAL (ADJECTIF).**

soixante-dix adj. num. inv. et n. m. inv.
Adjectif numéral cardinal invariable
Sept fois dix. *Soixante-dix heures.*
Adjectif numéral ordinal invariable
Soixante-dixième. *Le numéro soixante-dix.*
Nom masculin invariable
Nombre soixante-dix. *Des soixante-dix lumineux.*
VOIR TABLEAU – **NOMBRES.**
VOIR TABLEAU – **NUMÉRAL (ADJECTIF).**

soja ou **soya** n. m.
⚞ Le ***o*** est ouvert [sɔʒa] ou [sɔja].
Plante oléagineuse dont on extrait de l'huile et de la farine. *Des germes de soja, de soya.*

sol n. m.
Nom masculin
1. Partie de la surface de la terre. *Un hélicoptère vient de toucher le sol.*
2. Terre considérée quant à ses qualités productives. *Un sol fertile.*
3. Plancher. *Des revêtements de sol.*
Nom masculin invariable
Cinquième note de la gamme de ***do.*** *Une clé de* sol.
Locution
Sol natal. Patrie.
HOM. sole, poisson.

solage n. m.
⚜ Fondations d'un immeuble, d'une maison.
☞ L'emploi du nom est courant au Québec, mais il est vieilli en ce sens dans l'ensemble de la francophonie.

solaire adj.
1. Relatif au Soleil. *La lumière solaire, le système solaire.*
2. Qui protège du soleil. *Des crèmes solaires.*

solarium n. m.
⚞ La lettre ***u*** se prononce ***o*** [sɔlarjɔm]; le mot rime avec ***gomme.***
Lieu généralement vitré où la lumière solaire peut pénétrer. *Des solariums exposés au sud.*

soldat n. m.
soldate n. f.
Personne qui sert dans une armée.
✎ solda**t,** solda**t**e.

solde n. m. et f.
Nom masculin
1. Différence entre ce qu'on a et ce qu'on doit dans un compte. *Demander le solde* (et non la *balance) *d'un compte à la banque.*
2. Vente au rabais. *Ces articles sont en solde* (et non en *vente). **SYN.** liquidation.
3. (AU PLURIEL) Articles vendus au rabais. *Soldes de janvier. Des soldes avantageux.*
☞ Attention au genre masculin du nom au sens de ***vente au rabais.***
Nom féminin
Salaire des militaires. *On a augmenté la solde de ces soldats.*

solder v. tr., pronom.
Verbe transitif
Vendre au rabais. *Ces articles* (et non ces *items) *seront soldés le mois prochain.*
Verbe pronominal
Avoir pour résultat (bon ou mauvais). *La campagne d'information s'est soldée par une augmentation des inscriptions à l'école. Il ne faudrait pas que tous tes efforts se soldent par un échec.*
☞ À la forme pronominale, le verbe se construit généralement avec la préposition ***par***; il peut aussi se construire avec la préposition ***en.*** *Se solder en un déficit.*
Conjugaison [VOIR MODÈLE – **AIMER**]

sole n. f.
Poisson apprécié pour sa chair. *Des filets de sole bien apprêtés.*
HOM. sol, partie de la surface de la terre.
✎ sole.

soleil n. m.
1. Astre autour duquel gravite la Terre. *Le lever du soleil.*
2. Temps ensoleillé. *Il fait soleil aujourd'hui, il fait du soleil, il y a du soleil.*
Locution
Coup de soleil. Légère brûlure causée par le soleil. *Les rousses souffrent souvent de coups de soleil.*
☞ Les mots ***soleil, lune, terre*** s'écrivent avec une majuscule lorsqu'ils désignent la planète, l'astre, le satellite lui-même, notamment dans la langue de l'astronomie et dans les textes techniques; ils s'écrivent avec une minuscule dans les autres utilisations. *La Terre tourne autour du Soleil. Une éclipse de Soleil. Un beau coucher de soleil, le clair de lune.*
VOIR **ASTRE.**

solennel, elle adj.
⚞ La deuxième syllabe se prononce ***la*** [sɔlanɛl].
1. Qui se fait avec un grand sérieux. *Une communion solennelle. Une promesse solennelle.*
2. D'une gravité exagérée. *Un ton trop solennel.*
✎ sole**nn**el.

solidaire adj.
Se dit de personnes qui sont liées entre elles par des intérêts communs. *Il est resté solidaire du groupe. Elles étaient solidaires de la décision.*
Ne pas confondre avec le mot ***solitaire,*** qui qualifie une personne seule.

solidarité n. f.
1. Sentiment d'appartenance à un groupe, à une communauté, liens de fraternité entre des personnes. *La solidarité avec les grévistes, la solidarité entre les membres d'une équipe.* **SYN.** entraide.
Le nom se construit avec ***entre*** ou ***avec.***
2. Le fait d'être solidaire.

solide adj. et n. m.
Adjectif
1. Consistant (par opposition à ***liquide***). *Des aliments solides.*
2. Résistant, robuste. *Cette voiture est très solide.* **ANT.** fragile.
Nom masculin
Corps solide. *Les solides ne sont ni liquides ni gazeux.* **ANT.** fluide.

solidifier v. tr., pronom.
Verbe transitif
Rendre plus solide. *Solidifier un mur qui menaçait de s'écrouler.*
Verbe pronominal
Devenir solide. *Le béton se solidifie en séchant.*
Conjugaison [VOIR MODÈLE – **ÉTUDIER**]
Redoublement du ***i*** à la première et à la deuxième personne du pluriel de l'indicatif imparfait et du subjonctif présent. *(Que) nous solidifiions, (que) vous solidifiiez.*

solidité n. f.
Qualité de ce qui est solide. *La solidité de ces voitures est légendaire.* **ANT.** fragilité.

soliste n. m. et f.
Artiste qui interprète seul une pièce musicale. *La soliste a donné un concert remarquable.*

solitaire adj. et n. m. et f.
Adjectif
Seul. *Un garçon solitaire.* **SYN.** isolé.
Nom masculin et féminin
Personne qui vit seule, qui aime la solitude. *Elle habite en dehors du village : c'est une solitaire.*
Nom masculin
Diamant monté seul (sur une bague).
Ne pas confondre avec le mot ***solidaire,*** qui se dit de personnes liées par des intérêts communs.

solitude n. f.
État temporaire ou durable d'une personne seule. *Cette personne souffre de la solitude.* **SYN.** isolement.

solive n. f.
Pièce de charpente soutenue par les poutres et qui sert à supporter un plancher, un plafond, etc.
so**l**ive.

solliciter v. tr.
1. Prier avec insistance. *Elle sollicita l'appui de ses collègues. Solliciter une faveur.* **SYN.** demander.
2. Attirer, séduire. *Des vitrines magnifiques qui nous sollicitent constamment.*
Conjugaison [VOIR MODÈLE – **AIMER**]
so**ll**iciter.

sollicitude n. f.
Soin attentif, gentillesse. *Ces infirmières traitent les bébés de la pouponnière avec sollicitude.*
so**ll**icitude.

solo adj. et n. m.
Adjectif invariable en genre
Qui joue seul. *Des contrebasses solos.*
Nom masculin
Pièce musicale interprétée par un seul artiste. *Des solos de batterie excellents.*

solstice n. m.
Chacun des deux moments de l'année correspondant au jour le plus long et au jour le plus court. *Le solstice d'été (21 juin), le solstice d'hiver (21 décembre), dans l'hémisphère Nord.*
sol**st**ice.

soluble adj.
Qui peut se dissoudre dans un liquide. *Le chocolat en poudre est soluble dans le lait.*

solution n. f.
Du verbe *résoudre*
1. Résolution d'un problème donné, théorique ou pratique. *La solution d'un problème mathématique.*
2. Ensemble de décisions susceptibles de résoudre une difficulté. *Il faudrait trouver rapidement une solution.*
3. Dénouement, conclusion. *Aucune solution n'est intervenue dans l'enlèvement des diplomates.*
Du verbe *dissoudre*
4. Action de dissoudre un corps dans un liquide. *La solution du sucre dans l'eau.*
5. Liquide qui contient un corps dissous. *Une solution médicamenteuse.*

solvable adj.
Qui peut payer ses dettes. *Ce client est solvable.*

somali, ie ou **somalien, ienne** adj. et n. m. et f.
De Somalie. *Un film somali* ou *somalien. Un Somali, un Somalien, une Somalie, une Somalienne.*
L'adjectif s'écrit avec une minuscule ; le nom, avec une majuscule.

sombre adj.
1. Qui reçoit peu de lumière. *Une pièce sombre.* **SYN.** obscur.
2. Triste, morose. *Une humeur sombre.* **SYN.** taciturne.

sombrer v. intr.
Couler, en parlant d'un navire. *Le paquebot a sombré dans la mer agitée.*
Conjugaison [VOIR MODÈLE – **AIMER**]

sommaire adj. et n. m.
Adjectif
Très simple, court, rudimentaire. *Une explication sommaire.*
Nom masculin
Résumé. *Le sommaire d'un film.*
so**mm**aire.

sommairement adv.
En résumé. **SYN.** brièvement, rapidement.
so**mm**airement.

somme n. m. et f.
Nom masculin
Sieste. *Faire un petit somme.*

Nom féminin
1. Résultat d'une addition. *La somme de 100 et de 15 est 115.*
2. Quantité déterminée d'argent. *Vous n'y pensez pas : c'est une grosse somme !*
Ne pas confondre avec le nom ***montant,*** chiffre auquel s'élève un compte, un paiement.
Locution
En somme, somme toute, locutions adverbiales. En résumé.

sommeil n. m.
État d'une personne qui dort. *Avoir sommeil, tomber de sommeil.* **ANT.** veille.

sommeiller v. intr.
Dormir légèrement. *Le malade sommeille après une nuit d'insomnie.* **SYN.** somnoler.
Conjugaison [VOIR MODÈLE – **AIMER**]
Les lettres ***ill*** sont suivies d'un ***i*** à la première et à la deuxième personne du pluriel de l'indicatif imparfait et du subjonctif présent. *(Que) nous sommeillions, (que) vous sommeilliez.*

sommer v. tr.
Demander avec insistance de faire quelque chose. *Il a sommé les malfaiteurs de se rendre.* **SYN.** ordonner.
Conjugaison [VOIR MODÈLE – **AIMER**]

sommet n. m.
1. Partie la plus élevée de quelque chose. *Le sommet du mont Tremblant est enneigé. Es-tu monté au sommet de la tour du stade olympique ?*
2. (FIGURÉ) Degré le plus élevé. *Cette chanteuse est au sommet du palmarès : c'est elle qui vend le plus de disques au monde !*
3. (FIGURÉ) Conférence réunissant des chefs d'État. *Le Sommet de la francophonie. Une conférence au sommet.*
Lorsqu'il désigne la réunion des chefs d'État, le nom s'écrit avec une majuscule.

sommité n. f.
Spécialiste éminent. *Ce professeur est une sommité dans le domaine de la recherche médicale.*
so**mm**ité.

somnambule adj. et n. m. et f.
Personne qui, dans son sommeil, fait certains actes (par exemple, marcher). *Il est somnambule : il est sorti pieds nus dans la neige ! Une somnambule.*
somn**a**mbu**l**e, un seul ***l.***

somnifère n. m.
Médicament qui endort. *Prendre des somnifères.*

somnolence n. f.
État intermédiaire entre le sommeil et la veille. *Ce médicament peut provoquer de la somnolence.*
somno**l**ence.

somnolent, ente adj.
Qui est à moitié endormi. *Des spectateurs somnolents.*
somno**l**ent.

somnoler v. intr.
Dormir légèrement. *Catherine a somnolé pendant ce film long et ennuyeux.* **SYN.** sommeiller.
Conjugaison [VOIR MODÈLE – **AIMER**]
somno**l**er, un seul ***l.***

somptueux, euse adj.
Luxueux, splendide. *Un palais somptueux, une fête somptueuse.* **SYN.** magnifique, superbe.

son n. m.
1. Bruit produit par des vibrations. *Les sons d'un violon ou d'une guitare sont différents.*
2. Intensité sonore. *Règle le son et baisse-le un peu : on ne s'entend pas ici.*
3. Élément du langage parlé. *La prononciation est la manière dont les sons d'une langue sont articulés.*
4. Enveloppe des céréales. *Du pain de son.*
Locution
Au(x) son(s) de. En écoutant. *Ils patinent au son des valses viennoises.*
VOIR **ONOMATOPÉE.**

son adj. poss. m. sing.
1. Adjectif possessif masculin de la troisième personne du singulier qui détermine le nom en indiquant le « possesseur » de l'objet désigné. Il s'accorde en genre et en nombre avec le nom déterminé. *Son crayon.*
2. L'adjectif possessif s'accorde en personne avec le nom désignant le « possesseur ». Ainsi, l'adjectif possessif ***son*** renvoie à un seul « possesseur » d'un être, d'un objet de genre masculin. *Lenny promène son chien Zoé* (un seul possesseur), mais *Marie-Ève et Étienne jouent avec leur chat Maboule* (plusieurs possesseurs).
Devant un nom féminin commençant par une voyelle ou un ***h*** muet, c'est aussi la forme masculine ***son*** qui est employée pour rendre la liaison plus harmonieuse entre l'adjectif possessif et le mot qui suit. *Son amie, son histoire.*
VOIR TABLEAU – **POSSESSIF (ADJECTIF).**

sonate n. f.
Pièce de musique pour un ou deux instruments. *La sonate* Clair de lune *de Beethoven.*
sona**t**e, un seul ***t.***

sondage n. m.
Choix d'un certain nombre d'unités (échantillon) dans un groupe, dans le but d'étudier des caractéristiques de ce groupe. *Des sondages d'opinion indiquent que cette candidate sera élue.*

sonde n. f.
1. Instrument servant à mesurer la profondeur de l'eau, à connaître le fond marin.
2. Appareil servant à forer le sol.
Locution
Sonde spatiale. Engin destiné à étudier l'espace.

sonder v. tr.
1. Examiner à la sonde. *On a sondé le fleuve à cet endroit, à la recherche d'une épave.*
2. (FIGURÉ) Étudier attentivement. *Sonder les chances de succès d'une entreprise.* **SYN.** scruter.
3. Faire un sondage. *Sonder l'opinion.*
Conjugaison [VOIR MODÈLE – **AIMER**]

songe n. m.
(LITTÉRAIRE) Rêve dont on tire des présages. *En songe, il a vu un château habité par des lézards.*
Ne pas confondre avec les noms suivants :
– ***cauchemar,*** rêve pénible ;
– ***rêve,*** images qui viennent à l'esprit pendant le sommeil ;
– ***rêverie,*** images, associations qui viennent à l'esprit, alors qu'on est éveillé.

songer v. tr. ind.
1. Réfléchir à quelqu'un, à quelque chose. *Martine songe* (et non *jongle) *à son avenir.* **SYN.** penser à.

S

2. Avoir l'intention de. *Les élèves songent à acheter un hamster pour la classe.* **SYN.** envisager.
Le verbe se construit avec la préposition **à.**
Locution
Faire songer à. Faire penser à. *Cet enfant me fait songer à toi quand tu étais petit.*
Conjugaison [VOIR MODÈLE – **CHANGER**]
Le ***g*** est suivi d'un ***e*** devant les lettres ***a*** et ***o.*** *Il songea, nous songeons.*

songerie n. f.
Rêverie.

songeur, euse adj.
Pensif. *Ces réflexions la laissent songeuse. Un air songeur.*

sonner v. tr., intr.
Verbe transitif
Faire résonner. *Sonner les cloches. Les voisins ont sonné l'alarme quand ils ont vu la voiture en feu.*
Verbe intransitif
1. Émettre une sonnerie. *Le réveil a sonné, il est 8 heures.*
2. Actionner une sonnette. *On a sonné : va répondre, svp.*
Conjugaison [VOIR MODÈLE – **AIMER**]

sonnerie n. f.
Son produit par une sonnette. *La sonnerie du réveil.*

sonnet n. m.
Le ***t*** est muet [sɔnɛ].
Poème de 14 vers. *Les sonnets de Ronsard.*
son**n**e**t.**

sonnette n. f.
Instrument qui déclenche une sonnerie. *La porte d'entrée est munie d'une sonnette électrique.*
Ne pas confondre avec les noms suivants :
– ***bourdon,*** grosse cloche d'une cathédrale, d'une basilique ;
– ***carillon,*** groupe de petites cloches ;
– ***cloche,*** appareil sonore vibrant sous les coups d'un battant ;
– ***clochette,*** petite cloche.
son**n**e**tt**e.

sono n. f.
Abréviation familière de ***sonorisation.*** *La sono d'Étienne est puissante.*

sonore adj.
1. Qui produit un son, des sons. *Laisse un message après le signal sonore.*
2. Relatif au son. *Des effets sonores, un film sonore.*

sonorisation n. f.
S'abrège familièrement en ***sono*** (s'écrit sans point).
1. Action de munir d'une installation pour diffuser les sons.
2. Ensemble des appareils utilisés pour sonoriser un lieu.

sonoriser v. tr.
1. Ajouter des éléments sonores. *Sonoriser un diaporama.*
2. Munir d'une installation pour diffuser les sons.
Conjugaison [VOIR MODÈLE – **AIMER**]

sonorité n. f.
1. Qualité du son. *Une sonorité chaude et douce.* **SYN.** tonalité.
2. Acoustique d'un lieu.

soprano n. m. et f.
Le premier ***o*** est ouvert [sɔprano].
Personne qui a la plus aiguë des voix (de femme, de jeune garçon). *Des sopranos talentueuses.*

sorbet n. m.
Mets glacé à base de jus de fruits et ne contenant pas de lait ou de crème. *Un sorbet au citron.*
Ne pas confondre avec le nom ***glace,*** crème glacée.
sorbe**t.**

sorcellerie n. f.
Ensemble de pratiques magiques (incantation, maléfices, etc.).
sorce**ll**erie.

sorcier, ière n. m. et f.
Personne qui pratique la sorcellerie.
Ne pas confondre avec le nom ***sourcier,*** personne qui découvre des sources.

sordide adj.
1. Répugnant, sale et repoussant. *Des taudis sordides infestés de rats.*
2. (FIGURÉ) Qui provoque un dégoût moral. *Un crime sordide.*

sort n. m.
1. Maléfice. *Crois-tu vraiment que cette sorcière puisse jeter des sorts ?* **SYN.** sortilège.
2. (LITTÉRAIRE) Destin. *Le sort en a décidé autrement.* **SYN.** destinée.
Locutions
Faire un sort à quelque chose. (FAMILIER) Le consommer entièrement. *On a fait un sort au rôti.*
Le sort en est jeté. La décision est prise, de manière irrévocable.
Tirer au sort. Décider par le hasard. *On a tiré au sort le nom des gagnants.*
Le verbe a un sens positif, contrairement à ce que l'on croit généralement.

sortable adj.
Qui est présentable. *Cet enfant n'est pas sortable ; il est trop turbulent.*

sorte n. f.
1. Genre, catégorie d'êtres, de choses. *Une sorte d'oiseaux, des sortes de fleurs.*
En ce sens, le complément du nom se met au pluriel.
Le collectif a un sens favorable ou défavorable.
Sorte + complément. *Cette sorte de poires sont succulentes. Ces sortes d'arbres ne doivent pas être taillés.*
L'accord du verbe ou de l'adjectif se fait avec le complément au pluriel lorsque ***sorte*** a le sens de ***classe, type.***
VOIR TABLEAU – **COLLECTIF.**
2. ***Toute(s) sorte(s) de*** + nom au pluriel. De tous les genres. *Toutes sortes de voitures sont présentées.*
L'accord du verbe ou de l'adjectif se fait au pluriel.
3. Espèce. *Une sorte de comédie. Une sorte de voyou est entré.*
Le nom s'emploie aussi pour marquer une chose dont le caractère est mal défini. En ce sens, le complément du nom se met au singulier.
Locutions
De la sorte, locution adverbiale. Ainsi. *Ne crie pas de la sorte : tu réveilles le bébé.*
De (telle) sorte que, locution conjonctive. Si bien que.
La locution se construit avec l'indicatif pour marquer une conséquence réelle, un fait acquis. *Il a agi de telle sorte qu'il a gagné son pari.*
En quelque sorte, locution adverbiale. Pour ainsi dire. *Par la pensée, nous étions déjà là-bas en quelque sorte.*

sortie n. f.
1. Action de quitter un lieu. *À 4 h, c'est la sortie des élèves.*
2. Porte par laquelle on sort. *La sortie* (et non l'*exit) *est au fond à droite.*
3. (INFORMATIQUE) Ensemble d'informations traitées par l'ordinateur. *Les sorties* (et non *outputs) *apparaissent sous diverses formes : impression, affichage à l'écran, etc.*

sortilège n. m.
Sort jeté. *La gitane prétend agir par sortilèges : jette-t-elle de bons ou de mauvais sorts ?*
sortilège.

sortir v. tr., intr., pronom.
Verbe transitif
Mener ou mettre dehors. *Sortir son chien et son vélo.*
À la forme transitive, le verbe se conjugue avec l'auxiliaire ***avoir.*** *Elle a sorti son parasol.*
Verbe intransitif
1. Quitter un lieu. *Sortir de la maison.*
À la forme intransitive, le verbe se conjugue avec l'auxiliaire ***être***. *Elles sont sorties du bureau, ils sont sortis de leurs voitures.*
2. Commencer à paraître. *Les feuilles commencent à sortir.*
3. Être diffusé. *Ce livre vient de sortir.* **SYN.** paraître.
Verbe pronominal
Se tirer d'affaire. *Est-ce qu'il s'est sorti de ces difficultés ? Est-ce qu'il s'en est sorti ?*
Conjugaison [VOIR MODÈLE – **SORTIR**]

SOS n. m.
Signal international (traduction probable de « save our ship ») de détresse signifiant « au secours ».
Le signal est composé de trois points (s), trois traits (o), trois points (s) dans l'alphabet morse (... --- ...).

sosie n. m.
Le ***o*** est ouvert [sɔzi].
Personne qui ressemble beaucoup à quelqu'un. *Elle est le sosie de la princesse.*
Ce nom ne comporte pas de forme féminine.

sot, sotte adj. et n. m. et f.
Niais, borné. *Une question sotte.* **SYN.** bête, imbécile, stupide.
HOM.
– saut, bond ;
– sceau, cachet ;
– seau, récipient.
sot, sotte.

sottise n. f.
1. Manque d'intelligence et de jugement. **SYN.** bêtise, stupidité.
2. Action stupide, bête. **SYN.** ânerie, bévue, idiotie, imbécillité.

sou n. m.
1. Pièce de monnaie de peu de valeur. *Elle a payé ce vieux livre quelques sous.*
2. (FAMILIER) Cent (monnaie). *Le jus coûte 45 sous.*
Locutions
Être près de ses sous. Être avare. *Oncle Picsou est très près de ses sous.*
N'avoir pas le sou. Ne pas avoir d'argent, être pauvre.
HOM. soûl, ivre.

soubresaut n. m.
Le ***s*** de la troisième syllabe se prononce ***s*** (et non *z) [subʀəso]; le mot rime avec ***saut.***
Mouvement brusque d'une personne, d'une chose. *Les soubresauts de la voiture sur un mauvais chemin.*

souche n. f.
1. Partie du tronc d'un arbre qui reste en terre, quand l'arbre a été coupé.
2. Origine d'une famille. *Les Archambault sont de souche française.*

souci n. m.
1. Tracas, inquiétude. *Il a beaucoup de soucis.*
2. Importance attachée à quelque chose. *Elle a le souci du travail bien fait.*
Locutions
C'est le cadet de mes soucis. Cela ne me préoccupe pas du tout.
Se faire du souci. S'inquiéter. *Je me fais du souci pour eux : ils sont très âgés et malades.*

soucier (se) v. pronom.
S'inquiéter de. *Nous nous soucions beaucoup de vous et de votre famille. Elles se sont souciées de votre bien-être.*
Le participe passé de ce verbe qui n'existe qu'à la forme pronominale s'accorde toujours en genre et en nombre avec le sujet du verbe.
Le verbe se construit avec la préposition ***de.***
Locution
S'en soucier comme de l'an quarante. S'en ficher complètement.
Conjugaison [VOIR MODÈLE – **ÉTUDIER**]
Redoublement du ***i*** à la première et à la deuxième personne du pluriel de l'indicatif imparfait et du subjonctif présent. *(Que) nous nous souciions, (que) vous vous souciiez.*

soucieux, euse adj.
1. Qui a des tracas, des soucis. *Un air soucieux.* **SYN.** inquiet, préoccupé. **ANT.** insouciant.
2. ***Soucieux de*** + infinitif. Qui tient à faire quelque chose. *Elle est soucieuse de bien accomplir son travail.*

soucoupe n. f.
Petite assiette qui se place sous une tasse.
Locution
Soucoupe volante. Objet volant d'origine mystérieuse.
VOIR **OVNI.**

soudage n. m.
Action de souder. *Le soudage de pièces métalliques.*
Ne pas confondre avec le nom ***soudure,*** assemblage permanent de deux pièces de métal.

soudain, aine adj. et adv.
Adjectif
Subit, imprévu. *Une pluie soudaine.*
Adverbe
Tout à coup. *Soudain, il se mit à pleuvoir.* **SYN.** soudainement.

soudainement adv.
Tout à coup, brusquement.

souder v. tr., pronom.
Verbe transitif
Réunir par une soudure. *La rampe doit être soudée et fixée solidement.*
Verbe pronominal
Se réunir pour former un tout. *Ces blocs de glace se sont soudés.*
Conjugaison [VOIR MODÈLE – **AIMER**]

soudeur n. m.
soudeuse n. f.
Personne qui fait de la soudure.

soudure n. f.
1. Assemblage permanent de deux pièces de métal.

S

Indicatif

Présent

je	sors
tu	sors
elle	sort
il	sort
nous	sortons
vous	sortez
elles	sortent
ils	sortent

Passé composé

je	suis	sorti, ie
tu	es	sorti, ie
elle	est	sortie
il	est	sorti
nous	sommes	sortis, ies
vous	êtes	sortis, ies
elles	sont	sorties
ils	sont	sortis

Imparfait

je	sortais
tu	sortais
elle	sortait
il	sortait
nous	sortions
vous	sortiez
elles	sortaient
ils	sortaient

Plus-que-parfait

j'	étais	sorti, ie
tu	étais	sorti, ie
elle	était	sortie
il	était	sorti
nous	étions	sortis, ies
vous	étiez	sortis, ies
elles	étaient	sorties
ils	étaient	sortis

Passé simple

je	sortis
tu	sortis
elle	sortit
il	sortit
nous	sortîmes
vous	sortîtes
elles	sortirent
ils	sortirent

Passé antérieur

je	fus	sorti, ie
tu	fus	sorti, ie
elle	fut	sortie
il	fut	sorti
nous	fûmes	sortis, ies
vous	fûtes	sortis, ies
elles	furent	sorties
ils	furent	sortis

Futur simple

je	sortirai
tu	sortiras
elle	sortira
il	sortira
nous	sortirons
vous	sortirez
elles	sortiront
ils	sortiront

Futur antérieur

je	serai	sorti, ie
tu	seras	sorti, ie
elle	sera	sortie
il	sera	sorti
nous	serons	sortis, ies
vous	serez	sortis, ies
elles	seront	sorties
ils	seront	sortis

Infinitif

Présent

sortir

Passé

être sorti, ie

Subjonctif

Présent

que	je	sorte
que	tu	sortes
qu'	elle	sorte
qu'	il	sorte
que	nous	sortions
que	vous	sortiez
qu'	elles	sortent
qu'	ils	sortent

Passé

que	je	sois	sorti, ie
que	tu	sois	sorti, ie
qu'	elle	soit	sortie
qu'	il	soit	sorti
que	nous	soyons	sortis, ies
que	vous	soyez	sortis, ies
qu'	elles	soient	sorties
qu'	ils	soient	sortis

Imparfait

que	je	sortisse
que	tu	sortisses
qu'	elle	sortît
qu'	il	sortît
que	nous	sortissions
que	vous	sortissiez
qu'	elles	sortissent
qu'	ils	sortissent

Plus-que-parfait

que	je	fusse	sorti, ie
que	tu	fusses	sorti, ie
qu'	elle	fût	sortie
qu'	il	fût	sorti
que	nous	fussions	sortis, ies
que	vous	fussiez	sortis, ies
qu'	elles	fussent	sorties
qu'	ils	fussent	sortis

Conditionnel

Présent

je	sortirais
tu	sortirais
elle	sortirait
il	sortirait
nous	sortirions
vous	sortiriez
elles	sortiraient
ils	sortiraient

Passé

je	serais	sorti, ie
tu	serais	sorti, ie
elle	serait	sortie
il	serait	sorti
nous	serions	sortis, ies
vous	seriez	sortis, ies
elles	seraient	sorties
ils	seraient	sortis

Impératif

Présent

sors
sortons
sortez

Passé

sois	sorti, ie
soyons	sortis, ies
soyez	sorti, ies

Participe

Présent

sortant

Passé

sorti, ie
étant sorti, ie

Ne pas confondre avec le nom ***soudage,*** action de souder.
2. Matière employée pour souder.

souffle n. m.
1. Air rejeté par la respiration. *Peux-tu retenir ton souffle et plonger sous l'eau ?* **SYN.** bouffée.
2. Courant d'air. *On étouffe, il n'y a pas un souffle d'air.*
Locutions
À bout de souffle. Épuisé. *J'ai trop couru, je suis à bout de souffle.* **SYN.** essoufflé.
À couper le souffle. (FIGURÉ) Extrêmement étonnant.
sou**ff**le.

souffler v. tr., intr.
Verbe transitif
1. Expulser de l'air. *Souffler ses bougies d'anniversaire.*
2. Murmurer. *Elle lui a soufflé la réponse.*
Verbe intransitif
1. Déplacer l'air. *Le vent souffle fort et il neige.*
2. Respirer difficilement. *Au sommet, après la longue escalade, il soufflait beaucoup.* **SYN.** haleter.
3. S'arrêter pour reprendre haleine. *Laissez-moi souffler !*
Conjugaison [VOIR MODÈLE – **AIMER**]
sou**ff**ler.

soufflet n. m.
1. Gifle.
2. Appareil destiné à souffler de l'air pour attiser le feu.
sou**ff**le**t.**

souffleur n. m.
souffleuse n. f.
1. Personne qui souffle le verre.
2. Personne qui souffle les répliques au théâtre.
sou**ff**leur.

souffleuse n. f.
Chasse-neige muni d'un dispositif en forme d'hélice qui souffle la neige. *La souffleuse n'a pas encore dégagé la route.*

souffrance n. f.
Douleur physique ou morale. *La personne brûlée éprouve de terribles souffrances. La mort de son chat lui a causé beaucoup de souffrance et de chagrin.*
sou**ff**rance.

souffrant, ante adj.
Malade, qui ne se sent pas bien. *Elle est un peu souffrante.*
sou**ff**rant.

souffre-douleur n. m. inv. (pl. *souffre-douleur*)
Victime. *Elle est toujours le souffre-douleur de son frère.*
Attention au genre masculin de ce nom : ***un*** souffre-douleur.

souffrir v. tr., intr., pronom.
Verbe transitif
Endurer. *Elle ne peut la souffrir.* **SYN.** supporter.
Construit avec un complément circonstanciel de temps, le participe passé est invariable. *Les trois mois qu'elle a souffert* (« pendant lesquels »). Avec un complément d'objet direct qui précède le verbe, le participe passé s'accorde. *Les incompétents qu'elle a soufferts...*
Verbe intransitif
Ressentir une souffrance physique ou morale. *Il souffre du dos.*
Verbe pronominal
Se supporter. *Ils ne peuvent se souffrir : ils ne s'entendent pas bien.*
Conjugaison [VOIR MODÈLE – **OUVRIR**]
INDICATIF PRÉSENT *Je souffre, tu souffres, il souffre, nous souffrons, vous souffrez, ils souffrent.* IMPARFAIT *Je souffrais.* PASSÉ SIMPLE *Je souffris.* FUTUR *Je souffrirai.* **CONDITIONNEL** PRÉSENT *Je souffrirais.* **IMPÉRATIF** PRÉSENT *Souffre, souffrons, souffrez.* **SUBJONCTIF** PRÉSENT *Que je souffre.* IMPARFAIT *Que je souffrisse.* **PARTICIPE** PRÉSENT *Souffrant.* PASSÉ *Souffert, erte.*

soufre n. m.
Élément chimique de couleur jaune.
sou**f**re, un seul ***f.***

souhait n. m.
Vœu, désir. *J'aimerais réaliser mon souhait un jour : conduire un avion. Des souhaits de bon anniversaire.*
Locutions
À souhait, locution adverbiale. Selon les désirs de quelqu'un. *Il fait beau à souhait.*
À vos souhaits ! Formule de politesse à l'endroit d'une personne qui éternue.
souh**ait.**

souhaitable adj.
Désirable. *Ces changements sont souhaitables.*
souh**ai**table.

souhaiter v. tr.
1. Désirer. *Il souhaite qu'elle revienne vite. Elle souhaite acheter un ordinateur.* **SYN.** espérer, rêver de, vouloir.
2. Formuler un souhait. *Je vous souhaite un bon voyage. Je souhaite que tu sois présent pour mon anniversaire.*
Le verbe se construit avec le subjonctif ; suivi de l'infinitif, le verbe se construit sans préposition ou avec ***de.*** *Elle souhaite (de) le rencontrer. Je vous souhaite d'être choisi.*
Conjugaison [VOIR MODÈLE – **AIMER**]
souh**ai**ter.

soûl, soûle adj.
Le ***l*** est muet [su] à la forme masculine ; le mot rime avec ***sou.***
(FAMILIER) Ivre.
La graphie ***saoul, saoule*** est vieillie.
HOM. **SOU**, pièce de monnaie de peu de valeur.
so**û**l.

soulagement n. m.
Apaisement de la douleur, de la souffrance, disparition de l'inquiétude. *Ce sirop contre la toux m'a procuré du soulagement. J'ai réussi : quel soulagement !*

soulager v. tr., pronom.
Verbe transitif
1. Apaiser la souffrance. *Ce médicament vous soulagera.*
2. Calmer, débarrasser d'une inquiétude, d'un poids. *Cette bonne nouvelle m'a soulagé.* **SYN.** apaiser.
Verbe pronominal
Se procurer du soulagement.
Conjugaison [VOIR MODÈLE – **CHANGER**]
Le ***g*** est suivi d'un ***e*** devant les lettres ***a*** et ***o.*** *Il soulagea, nous soulageons.*

soûler v. tr., pronom.
(FAMILIER) Enivrer.
La graphie ***saouler*** est vieillie.
Conjugaison [VOIR MODÈLE – **AIMER**]
so**û**ler.

soulever v. tr., pronom.
Verbe transitif
1. Lever lentement à faible hauteur. *Soulever un meuble.*
Ne pas confondre avec les verbes suivants :
- ***élever,*** placer à un niveau supérieur ;
- ***lever,*** porter de bas en haut ;
- ***surélever,*** accroître la hauteur de quelque chose.
2. Inciter à la révolte.
3. Exposer. *Soulever un problème, une question.* **SYN.** poser.
4. Provoquer. *Ce film a soulevé l'enthousiasme du public.*
Verbe pronominal
1. Se lever légèrement. *Soulève-toi un peu et tu verras la mer de ton lit.*
2. Se révolter. *La foule s'est soulevée.* **SYN.** se rebeller.
Conjugaison [VOIR MODÈLE – **LEVER**]
Le ***e*** se change en ***è*** devant une syllabe muette. *Il soulève, il soulevait.*

soulier n. m.
Chaussure. *De bons souliers de marche.*
Ce nom s'emploie couramment au Québec, mais dans la francophonie, c'est le mot *chaussure* qui est le plus souvent employé.
Locution
Être dans ses petits souliers. (FIGURÉ) Être dans une situation embarrassante.

soulignage ou **soulignement** n. m.
1. Action de tracer une ligne sous un ou plusieurs mots.
2. Trait qui souligne.

souligner v. tr.
1. Tracer une ligne sous un mot, un groupe de mots. *Il faut que je souligne le titre du livre.*
2. (FIGURÉ) Mettre en évidence. *La directrice a souligné les progrès qu'ont faits Julien et Laurence.* **SYN.** signaler.
Conjugaison [VOIR MODÈLE – **AIMER**]

soumettre v. tr., pronom.
Verbe transitif
1. Imposer des règles. *Soumettre les réfugiés à un contrôle.* **SYN.** obliger.
2. Proposer au jugement d'une personne, d'un groupe. *Cette question a été soumise au comité. Nous devons soumettre le problème à cet expert.* **SYN.** présenter.
Verbe pronominal
Accepter une décision, obéir. *Ils se sont soumis à la directive.* **SYN.** se conformer.
À la forme pronominale, le verbe se construit avec la préposition ***à.***
Conjugaison [VOIR MODÈLE – **REMETTRE**]
INDICATIF PRÉSENT *Je soumets, tu soumets, il soumet, nous soumettons, vous soumettez, ils soumettent.* IMPARFAIT *Je soumettais.* PASSÉ SIMPLE *Je soumis.* FUTUR *Je soumettrai.* **CONDITIONNEL** PRÉSENT *Je soumettrais.* **IMPÉRATIF** PRÉSENT *Soumets, soumettons, soumettez.* **SUBJONCTIF** PRÉSENT *Que je soumette.* IMPARFAIT *Que je soumisse.* **PARTICIPE** PRÉSENT *Soumettant.* PASSÉ *Soumis, ise.*

soumis, ise adj.
Docile, obéissant. *Des animaux bien dressés, soumis devant leur maîtresse.*

soumission n. f.
Docilité, obéissance. *Ils ont fait preuve de soumission et ont fait ce qu'on leur demandait.*

soupape n. f.
1. Appareil ou dispositif qui peut s'ouvrir pour permettre le passage d'un liquide ou d'un gaz. *Une soupape de sûreté.*
2. (FIGURÉ) Moyen susceptible de calmer un mouvement violent. *Plutôt que de me mettre en colère, j'ai fait quelques longueurs dans la piscine : cet exercice m'a servi de soupape pour ne pas exploser !*

soupçon n. m.
1. Doute. *Les enquêteurs ont des soupçons sur ce commerçant.*
2. Une très petite quantité. *Je prendrais un soupçon de crème dans mon café.*

soupçonner v. tr.
1. Avoir des soupçons sur une personne, avoir l'impression qu'elle est coupable de quelque chose. *On le soupçonne d'être un trafiquant de drogue.* **SYN.** suspecter.
En ce sens, le verbe a généralement une valeur défavorable et a pour complément quelque chose de négatif, de mauvais.
2. Imaginer. *Nous étions loin de soupçonner une telle abondance.* **SYN.** deviner, se douter de.
Conjugaison [VOIR MODÈLE – **AIMER**]
soup**ç**o**nn**er.

soupçonneux, euse adj.
Méfiant, rempli de soupçons. *Un air soupçonneux.*
soup**ç**o**nn**eux.

soupe n. f.
Bouillon épaissi avec des légumes, du pain, etc. *De la soupe aux légumes, aux pois.*
Par rapport au mot ***potage,*** le nom ***soupe*** désigne un plat plus consistant, moins liquide et moins raffiné.

souper v. intr.
Prendre le repas du soir. *Tu resteras souper* ou *à souper, n'est-ce pas ? C'est du poulet rôti.*
En ce sens, le mot est vieilli dans la francophonie où l'on emploie plutôt le verbe ***dîner*** pour le repas du soir et ***déjeuner*** pour le repas du midi.
Locution
En avoir soupé de. (FAMILIER) En avoir assez de.
Conjugaison [VOIR MODÈLE – **AIMER**]

souper n. m.
Repas du soir. *J'aime bien avoir fini mes devoirs avant le souper.*
En ce sens, le mot est vieilli dans la francophonie où l'on emploie plutôt le nom ***dîner*** pour le repas du soir et ***déjeuner*** pour le repas du midi.

soupeser v. tr.
1. Soulever quelque chose pour juger de son poids.
2. (FIGURÉ) Évaluer. *Soupeser les arguments de chacun.* **SYN.** peser.
Conjugaison [VOIR MODÈLE – **LEVER**]
Le ***e*** se change en ***è*** devant une syllabe muette. *Il soupèse, il soupesait.*

soupir n. m.
Respiration bruyante. *Il pousse de gros soupirs.*

soupirail n. m. (pl. *soupiraux*)
Petite ouverture d'une cave, d'un sous-sol.

soupirer v. intr.
Pousser des soupirs. *Cesse de soupirer ainsi et prends ton courage à deux mains. Cœur qui soupire n'a pas ce qu'il désire.* (Proverbe)
Conjugaison [VOIR MODÈLE – **AIMER**]

souple adj.
1. Agile, flexible. *Cette contorsionniste est extraordinairement souple.*
2. (FIGURÉ) Qui peut s'adapter facilement à une situation.
souple.

souplesse n. f.
1. Agilité. *La souplesse d'un acrobate.*
2. (FIGURÉ) Flexibilité. *Elle a fait preuve de beaucoup de souplesse et s'est adaptée facilement à cette nouvelle école.*
souplesse.

source n. f.
1. Eau qui sort du sol. *Une source d'eau fraîche dans un petit bois.*
2. (FIGURÉ) Origine, cause. *La source de ce problème. Cette activité est une source de profits.*
3. Origine d'une information. *Citer ses sources.*
Locution
De source sûre. Se dit d'une nouvelle obtenue de personnes bien informées et à qui on peut se fier.

sourcier, ière n. m. et f.
Personne qui découvre des sources.
Ne pas confondre avec le nom ***sorcier,*** personne qui pratique la sorcellerie.

sourcil n. m.
Le ***l*** ne se prononce pas [sursi]; le nom rime avec ***si.***
Poils qui suivent l'arcade sourcilière, au-dessus de l'orbite. *Ses sourcils sont noirs. Un froncement de sourcils.*
Ne pas confondre avec le nom ***cil,*** poils qui bordent les paupières.

sourciller v. intr.
Laisser paraître sa surprise, sa colère ou sa joie. *Elle a sourcillé en entendant ces mots.*
Au sens propre, le verbe a le sens de « bouger les sourcils en signe de mécontentement, de plaisir, d'impatience », mais on l'emploie toujours au sens figuré.
Locution
Sans sourciller. En restant impassible. *Il a reçu la mauvaise nouvelle sans sourciller.*
Conjugaison [VOIR MODÈLE – **AIMER**]
Les lettres ***ill*** sont suivies du ***i*** à la première et à la deuxième personne du pluriel de l'indicatif imparfait et du subjonctif présent. *(Que) nous sourcillions, (que) vous sourcilliez.*

sourd, sourde adj. et n. m. et f.
Adjectif
1. Qui ne peut entendre ou qui n'entend pas bien. *Avec l'âge, il devient sourd.*
2. Étouffé. *Un bruit sourd.* **ANT.** sonore.
Nom masculin et féminin
Personne qui n'entend pas.
Locutions
Ce n'est pas tombé dans l'oreille d'un sourd. Le message a bien été reçu.
Dialogue de sourds. (FIGURÉ) Discussion entre des personnes qui ne s'entendent pas, qui ne sont pas d'accord.
Faire la sourde oreille. Ne pas vouloir entendre ou comprendre quelque chose.
Il n'est pire sourd que celui qui ne veut pas entendre. (Proverbe) Certains ne veulent pas comprendre et font semblant de ne pas entendre.
Sourd à. (FIGURÉ) Insensible. *Il est demeuré sourd à ses supplications.*
En ce sens, le verbe se construit avec la préposition ***à.***

sourdine n. f.
1. Petit appareil destiné à amortir les sons.
2. Dispositif qui supprime le son d'un téléviseur momentanément. *Mettre la sourdine* (et non le *mute) *pendant les messages publicitaires.*
Locutions
En sourdine, locution adverbiale. Sans bruit, faiblement. **SYN.** discrètement, doucement.
Mettre une sourdine à. Atténuer, taire.

sourd-muet, sourde-muette adj. et n. m. et f.
Personne qui ne peut ni entendre ni parler. *Des sourds-muets, des personnes sourdes-muettes.*
Le nom prend la marque du pluriel aux deux éléments.

souriant, ante adj.
Qui sourit. *Elle est toujours souriante.* **SYN.** aimable.

souriceau n. m. (pl. *souriceaux*)
Petit de la souris.
VOIR TABLEAU – **ANIMAUX.**

souricière n. f.
1. Piège à souris.
2. (FIGURÉ) Piège tendu. *Les malfaiteurs sont tombés dans la souricière.*

sourire n. m.
Mouvement des lèvres et des yeux de la personne qui sourit. *Un beau sourire. Un sourire radieux.*
Locutions
Être tout sourire(s). Être très souriant, parfois de façon feinte.
Dans cette expression, le nom peut être au singulier ou au pluriel.
Garder le sourire. Conserver sa bonne humeur, son optimisme malgré une difficulté.
sourire.

sourire v. tr. ind., intr.
Verbe transitif indirect
Plaire. *Cette randonnée sourit à Geneviève.* **SYN.** convenir.
À la forme transitive indirecte, le verbe se construit avec la préposition ***à.***
Verbe intransitif
Rire légèrement par un mouvement des lèvres et des yeux. *Elles ont souri en entendant ces mots. Ils se sont souri.*
Le participe passé est toujours invariable.
Conjugaison [VOIR MODÈLE – **SOURIRE**]
Redoublement du ***i*** à la première et à la deuxième personne du pluriel de l'indicatif imparfait et du subjonctif présent. *(Que) nous souriions, (que) vous souriiez.*

souris n. f.
1. Petit mammifère rongeur. *Une souris blanche. Quand le chat n'est pas là, les souris dansent.* (Proverbe)
VOIR TABLEAU – **ANIMAUX.**
2. (INFORMATIQUE) Dispositif qui, posé sur une surface et déplacé à la main, commande les mouvements d'un curseur. *La souris de l'ordinateur permet de dessiner.*
souris, avec un ***s*** au singulier comme au pluriel.

sournois, oise adj.
Hypocrite, qui ne montre pas ses sentiments. **ANT.** direct, franc.

S

Indicatif

Présent

je souris
tu souris
elle sourit
il sourit

nous sourions
vous souriez
elles sourient
ils sourient

Passé composé

j' ai souri
tu as souri
elle a souri
il a souri

nous avons souri
vous avez souri
elles ont souri
ils ont souri

Imparfait

je souriais
tu souriais
elle souriait
il souriait

nous souriions
vous souriiez
elles souriaient
ils souriaient

Plus-que-parfait

j' avais souri
tu avais souri
elle avait souri
il avait souri

nous avions souri
vous aviez souri
elles avaient souri
ils avaient souri

Passé simple

je souris
tu souris
elle sourit
il sourit

nous sourîmes
vous sourîtes
elles sourirent
ils sourirent

Passé antérieur

j' eus souri
tu eus souri
elle eut souri
il eut souri

nous eûmes souri
vous eûtes souri
elles eurent souri
ils eurent souri

Futur simple

je sourirai
tu souriras
elle sourira
il sourira

nous sourirons
vous sourirez
elles souriront
ils souriront

Futur antérieur

j' aurai souri
tu auras souri
elle aura souri
il aura souri

nous aurons souri
vous aurez souri
elles auront souri
ils auront souri

Infinitif

Présent

sourire

Passé

avoir souri

Subjonctif

Présent

que je sourie
que tu souries
qu' elle sourie
qu' il sourie

que nous souriions
que vous souriiez
qu' elles sourient
qu' ils sourient

Passé

que j' aie souri
que tu aies souri
qu' elle ait souri
qu' il ait souri

que nous ayons souri
que vous ayez souri
qu' elles aient souri
qu' ils aient souri

Imparfait

que je sourisse
que tu sourisses
qu' elle sourît
qu' il sourît

que nous sourissions
que vous sourissiez
qu' elles sourissent
qu' ils sourissent

Plus-que-parfait

que j' eusse souri
que tu eusses souri
qu' elle eût souri
qu' il eût souri

que nous eussions souri
que vous eussiez souri
qu' elles eussent souri
qu' ils eussent souri

Conditionnel

Présent

je sourirais
tu sourirais
elle sourirait
il sourirait

nous souririons
vous souririez
elles souriraient
ils souriraient

Passé

j' aurais souri
tu aurais souri
elle aurait souri
il aurait souri

nous aurions souri
vous auriez souri
elles auraient souri
ils auraient souri

Impératif

Présent

souris
sourions
souriez

Passé

aie souri
ayons souri
ayez souri

Participe

Présent

souriant

Passé

souri
ayant souri

S

sous prép.
1. La préposition marque une position inférieure dans l'espace. *Il s'est abrité sous l'auvent. Sous les murs, il y a des fondations de béton. Sous son manteau, elle porte un chandail.*
2. La préposition marque la dépendance. *Ce projet est sous la responsabilité de l'enseignant. Prendre quelqu'un sous sa protection.*
3. À l'époque de. *C'est sous René Lévesque que la Charte de la langue française a été adoptée.*
4. Moyennant, par le moyen de. *Sous la menace d'une retenue, les élèves turbulents se sont calmés.*
Locutions
Sous peu, locution adverbiale. Bientôt, dans peu de temps. *Ils arriveront sous peu.*
Sous prétexte de, locution prépositive. En donnant comme raison.

sous-bois n. m. (pl. *sous-bois*)
Végétation qui pousse sous les arbres d'une forêt. *Des sous-bois humides où poussent les fougères et les champignons.*
sous-bois, avec un trait d'union.

sous-entendre v. tr.
Suggérer quelque chose, sans l'exprimer clairement. *Que voulez-vous sous-entendre en l'accusant de paresse ?* **SYN.** insinuer.
Conjugaison [VOIR MODÈLE – **FENDRE**]
sous-entendre, avec un trait d'union.

sous-entendu, ue adj.
Non exprimé. *Quand je crie « Ici ! » à mon chien, le verbe* ***viens*** *est sous-entendu.*

sous-estimer v. tr.
Ne pas apprécier à sa juste valeur. *On sous-estime son courage.* **ANT.** surestimer, surévaluer.
Conjugaison [VOIR MODÈLE – **AIMER**]
sous-estimer, avec un trait d'union.

sous-louer v. tr.
1. Louer d'un locataire. *Pour l'été, nous avons sous-loué une maison.*
2. Louer à un sous-locataire. *Cette famille partie pour un an a sous-loué son appartement.*
Conjugaison [VOIR MODÈLE – **AIMER**]
sous-louer, avec un trait d'union.

sous-marin, ine adj. et n. m.
Adjectif
Qui est ou se fait sous la mer. *La plongée sous-marine.*
Nom masculin
1. Navire qui peut naviguer sous l'eau. *Des sous-marins nucléaires.*
2. ⚜ (FIGURÉ) Long sandwich.
sous-marin, avec un trait d'union.

sous-ministre n. m. et f.
⚜ Haut fonctionnaire qui seconde le ministre et qui est responsable de la gestion de l'ensemble du ministère.
sous-ministre, avec un trait d'union.

sous-multiple adj. et n. m.
Se dit d'une quantité contenue exactement dans une autre un certain nombre de fois. *Huit est un sous-multiple de trente-deux. Des sous-multiples décimaux.*
VOIR TABLEAU – **MULTIPLES ET SOUS-MULTIPLES DÉCIMAUX.**
sous-multiple, avec un trait d'union.

sous-peuplé, ée adj.
Peuplé insuffisamment. *Des régions sous-peuplées.* **ANT.** surpeuplé.
sous-peuplé, avec un trait d'union.

sous-plat n. m. (pl. *sous-plats*)
⚜ Pièce, support sur lequel on pose les plats chauds.
Le mot s'utilise aussi en Belgique.
sous-plat, avec un trait d'union.

sous-produit n. m. (pl. *sous-produits*)
Produit dérivé d'un autre produit. *Le vinyle est un sous-produit du pétrole.*
sous-produit, avec un trait d'union.

sous-sol n. m. (pl. *sous-sols*)
1. Partie de l'écorce terrestre située au-dessous de la terre végétale. *Le sous-sol québécois est riche en cuivre, en or, en fer, etc.*
2. Niveau inférieur d'un bâtiment. *Les enfants disposent d'une salle de jeu au sous-sol.*
sous-sol, avec un trait d'union.

sous-titre n. m. (pl. *sous-titres*)
1. Titre secondaire. *Le sous-titre du* Visuel *se lit ainsi :* Dictionnaire thématique.
2. (CINÉMA) Traduction du dialogue d'un film en version originale. *Un film en italien avec sous-titres français.*
sous-titre, avec un trait d'union.

soustraction n. f.
Action de retrancher d'un nombre un nombre plus petit. *Fais la soustraction suivante : 28 - 12. Combien reste-t-il ? 16.* **ANT.** addition.

soustraire v. tr., pronom.
Verbe transitif
1. Retrancher d'un nombre. *Si tu soustrais 12 du nombre 28, tu obtiens 16.* **SYN.** déduire, enlever. **ANT.** additionner.
2. Dérober. *On a soustrait des papiers importants.* **SYN.** ôter, voler.
Verbe pronominal
Échapper. *Se soustraire à une obligation.* **SYN.** manquer à.
À la forme pronominale, le verbe se construit avec la préposition ***à.***
Conjugaison [VOIR MODÈLE – **SOUSTRAIRE**]
Le passé simple et l'imparfait du subjonctif sont inusités. Le ***y*** est suivi d'un ***i*** à la première et à la deuxième personne du pluriel de l'indicatif imparfait et du subjonctif présent. *(Que) nous soustrayions, (que) vous soustrayiez.*

sous-vêtement n. m. (pl. *sous-vêtements*)
Vêtement de dessous. *Alix porte des sous-vêtements chauds pour skier.*

soutane n. f.
Longue robe du prêtre.

soute n. f.
1. Cale d'un navire. *Des marchandises et des provisions sont entreposées dans la soute du cargo.*
2. Niveau inférieur de la carlingue d'un avion. *La soute à bagages.*

soutenir v. tr., pronom.
Verbe transitif
1. Maintenir, supporter. *Cette poutre soutient la charpente.* **SYN.** porter.
2. Appuyer. *Soutenir* (et non *supporter) *des collègues.* **SYN.** aider, encourager.

S

Indicatif

Présent	*Passé composé*
je soustrais	j' ai soustrait
tu soustrais	tu as soustrait
elle soustrait	elle a soustrait
il soustrait	il a soustrait
nous soustrayons	nous avons soustrait
vous soustrayez	vous avez soustrait
elles soustraient	elles ont soustrait
ils soustraient	ils ont soustrait

Imparfait	*Plus-que-parfait*
je soustrayais	j' avais soustrait
tu soustrayais	tu avais soustrait
elle soustrayait	elle avait soustrait
il soustrayait	il avait soustrait
nous soustrayions	nous avions soustrait
vous soustrayiez	vous aviez soustrait
elles soustrayaient	elles avaient soustrait
ils soustrayaient	ils avaient soustrait

Passé simple	*Passé antérieur*
(n'existe pas)	j' eus soustrait
	tu eus soustrait
	elle eut soustrait
	il eut soustrait
	nous eûmes soustrait
	vous eûtes soustrait
	elles eurent soustrait
	ils eurent soustrait

Futur simple	*Futur antérieur*
je soustrairai	j' aurai soustrait
tu soustrairas	tu auras soustrait
elle soustraira	elle aura soustrait
il soustraira	il aura soustrait
nous soustrairons	nous aurons soustrait
vous soustrairez	vous aurez soustrait
elles soustrairont	elles auront soustrait
ils soustrairont	ils auront soustrait

Infinitif

Présent	*Passé*
soustraire	avoir soustrait

Subjonctif

Présent	*Passé*
que je soustraie	que j' aie soustrait
que tu soustraies	que tu aies soustrait
qu' elle soustraie	qu' elle ait soustrait
qu' il soustraie	qu' il ait soustrait
que nous soustrayions	que nous ayons soustrait
que vous soustrayiez	que vous ayez soustrait
qu' elles soustraient	qu' elles aient soustrait
qu' ils soustraient	qu' ils aient soustrait

Imparfait	*Plus-que-parfait*
(n'existe pas)	que j' eusse soustrait
	que tu eusses soustrait
	qu' elle eût soustrait
	qu' il eût soustrait
	que nous eussions soustrait
	que vous eussiez soustrait
	qu' elles eussent soustrait
	qu' ils eussent soustrait

Conditionnel

Présent	*Passé*
je soustrairais	j' aurais soustrait
tu soustrairais	tu aurais soustrait
elle soustrairait	elle aurait soustrait
il soustrairait	il aurait soustrait
nous soustrairions	nous aurions soustrait
vous soustrairiez	vous auriez soustrait
elles soustrairaient	elles auraient soustrait
ils soustrairaient	ils auraient soustrait

Impératif

Présent	*Passé*
soustrais	aie soustrait
soustrayons	ayons soustrait
soustrayez	ayez soustrait

Participe

Présent	*Passé*
soustrayant	soustrait, aite
	ayant soustrait

S

3. Affirmer. *Elle soutient que cette affirmation est exacte. Elle ne soutient pas que ce renseignement soit juste.* **SYN.** assurer.
À la forme affirmative, le verbe est suivi de l'indicatif. À la forme négative, le verbe est généralement suivi du subjonctif, parfois de l'indicatif.
Verbe pronominal
1. Se maintenir en position d'équilibre. *Elle n'arrive plus à se soutenir sur l'eau, elle va couler ! Au secours !*
2. S'entraider. *Ces personnes se sont toujours soutenues.* **SYN.** s'épauler.
Conjugaison [VOIR MODÈLE – **VENIR**]
INDICATIF PRÉSENT *Je soutiens, tu soutiens, il soutient, nous soutenons, vous soutenez, ils soutiennent.* IMPARFAIT *Je soutenais.* PASSÉ SIMPLE *Je soutins.* FUTUR *Je soutiendrai.* **CONDITIONNEL** PRÉSENT *Je soutiendrais.* **IMPÉRATIF** PRÉSENT *Soutiens, soutenons, soutenez.* **SUBJONCTIF** PRÉSENT *Que je soutienne.* IMPARFAIT *Que je soutinsse.* **PARTICIPE** PRÉSENT *Soutenant.* PASSÉ *Soutenu, ue.*

soutenu, ue adj.
1. Se dit d'un style, d'un langage qui évite toute familiarité, qui se maintient à un niveau élevé. *Un style, un registre soutenu* (par opposition à ***familier***). **SYN.** littéraire.
2. Constant. *Des efforts soutenus.* **SYN.** ininterrompu.
3. Accentué. *Un vert soutenu.* **ANT.** pâle.

souterrain, aine adj. et n. m.
Adjectif
Qui est sous la terre. *Une rivière souterraine.*
Nom masculin
Passage creusé sous la terre. *Un souterrain secret reliait l'église à ce bâtiment.*
soute**rr**ain.

soutien n. m.
Appui. *Ton amitié a été pour moi un soutien* (et non un *support) *précieux.* **SYN.** aide, encouragement.
sout**ien**.

soutien-gorge n. m. (pl. *soutiens-gorge* ou *soutiens-gorges*)
Sous-vêtement féminin servant à soutenir la poitrine. *Des soutiens-gorge de dentelle* (et non des *brassières).
Le premier élément du mot composé est le nom ***soutien*** qui prend la marque du pluriel et non le verbe ***soutient***; le deuxième élément peut prendre la marque du pluriel ou non.
sout**ien**-gorge.

souvenir n. m.
1. Mémoire. *Dans mon souvenir, mon école primaire était très grande.*
2. Choses, impressions que la mémoire a retenues. *J'ai de bons souvenirs de ce voyage.*
3. Petit cadeau touristique. *Pierre achète des souvenirs de cette ville, jolies babioles qu'il offrira à ses amis au retour.*

souvenir (se) v. pronom.
1. Se rappeler. *La devise du Québec est* Je me souviens.
Contrairement au verbe ***se rappeler,*** qui se construit sans préposition, le verbe ***se souvenir*** se construit avec ***de.*** *Ils se sont souvenus de leur promesse.*
2. Garder présent à la mémoire. *Je me souviens qu'il était là. Je ne me souviens pas qu'il soit venu.*
Suivi de la conjonction ***que,*** le verbe se construit avec l'indicatif dans une phrase affirmative, le subjonctif, dans une phrase négative.
Souviens-t'en (et non *souviens-toi-z-en), *souvenons-nous-en, souvenez-vous-en.*
Le participe passé de ce verbe qui n'existe qu'à la forme pronominale s'accorde toujours en genre et en nombre avec le sujet du verbe.
Conjugaison [VOIR MODÈLE – **VENIR**]
INDICATIF PRÉSENT *Je me souviens, tu te souviens, il se souvient, nous nous souvenons, vous vous souvenez, ils se souviennent.* IMPARFAIT *Je me souvenais.* PASSÉ SIMPLE *Je me souvins.* FUTUR *Je me souviendrai.* **CONDITIONNEL** PRÉSENT *Je me souviendrais.* **IMPÉRATIF** PRÉSENT *Souviens-toi, souvenons-nous, souvenez-vous.* **SUBJONCTIF** PRÉSENT *Que je me souvienne.* IMPARFAIT *Que je me souvinsse.* **PARTICIPE** PRÉSENT *Se souvenant.* PASSÉ *Souvenu, ue.*

souvent adv.
1. À de nombreuses reprises. *Jules a été souvent au cinéma ces derniers temps.* **ANT.** rarement.
2. Généralement. *Elle est souvent malade.*

souverain, aine adj. et n. m. et f.
Adjectif
1. Efficace, excellent. *Ce médicament est souverain contre les maux de tête* ou *pour la fièvre.*
2. Indépendant. *Un État souverain.*
Nom masculin et féminin
Roi, empereur, monarque. *La souveraine actuelle de l'Angleterre est Élisabeth II.*

souveraineté n. f.
1. Autorité suprême d'un souverain, du peuple dans une démocratie. *La souveraineté du peuple.*
2. Indépendance d'un État. *Le Québec accédera-t-il à la souveraineté ?*

soya
VOIR **SOJA.**

soyeux, euse adj.
Qui a l'aspect brillant de la soie, qui est fin et doux. *Une étoffe soyeuse.*

spacieux, euse adj.
Vaste, grand. *Une bibliothèque spacieuse.*
spa**c**ieux.

spaghetti n. m. (pl. *spaghettis*)
Les lettres ***gh*** se prononcent ***gu*** et le ***e*** se prononce ***é*** ou ***è,*** [spageti] ou [spagɛti].
Pâte alimentaire allongée. *Des spaghettis carbonara.*
spag**h**etti.

spasme n. m.
Contraction musculaire. **SYN.** crampe.

spatial, ale, aux adj.
Le ***t*** se prononce comme un ***s***, le mot rime avec ***spécial.***
Qui est relatif à l'espace. *Des engins spatiaux, une navette spatiale.*
spa**t**ial.

spécial, ale, aux adj.
1. Particulier. *Je n'ai rien de spécial à vous dire.*
2. Bizarre. *Ce vêtement est un peu spécial.* **SYN.** excentrique.
Formes fautives
*prix spécial. Anglicisme au sens de ***prix réduit.***
*spécial du jour. Anglicisme au sens de ***plat du jour, menu du jour.***
*spéciaux. Anglicisme au sens de ***soldes.***

spécialement adv.
D'une manière spéciale. *Bruno a acheté ce livre spécialement pour moi.* **SYN.** en particulier, particulièrement.

spécialisation n. f.
Fait de se spécialiser. *Choisiras-tu une spécialisation en géographie ?*

spécialiser v. tr., pronom.
Verbe transitif
Donner une formation précise.
Verbe pronominal
Acquérir des connaissances dans un domaine particulier. *Ils se sont spécialisés en histoire du Québec. Ces chercheurs se spécialisent dans la biologie moléculaire.*
À la forme pronominale, le verbe se construit avec les prépositions ***en*** ou ***dans.***
Conjugaison [VOIR MODÈLE – **AIMER**]

spécialiste adj. et n. m. et f.
1. Personne qui a reçu une formation poussée et qui a acquis une grande expérience dans un domaine particulier, surtout scientifique ou technique. *Une spécialiste de l'archéologie.* **SYN.** expert.
2. Médecin spécialisé dans un domaine précis (par opposition à un ***généraliste***). *Un neurochirurgien est un spécialiste, plus précisément un chirurgien du système nerveux.*

spécialité n. f.
1. Secteur d'études, d'activité auquel une personne se consacre. *Une spécialité en informatique.* **SYN.** branche, domaine.
2. Mets typique d'une région, d'un chef. *La spécialité du chef.*

spécifier v. tr.
Mentionner clairement, préciser. *As-tu spécifié la date de notre rendez-vous ?* **SYN.** indiquer.
Conjugaison [VOIR MODÈLE – **ÉTUDIER**]
Redoublement du ***i*** à la première et à la deuxième personne du pluriel de l'indicatif imparfait et du subjonctif présent. *(Que) nous spécifiions, (que) vous spécifiiez.*
spé**c**ifier.

spécifique adj.
Qui est propre à une espèce, à une chose. *Le goût spécifique de l'érable.* **ANT.** générique.
L'adjectif ***spécifique*** se construit avec la préposition ***de.*** *Les caractéristiques spécifiques d'un champignon.* Par contre, l'adjectif ***propre*** se construit avec la préposition ***à.*** *Les qualités propres à cette personne sont le dynamisme et la détermination.*
spé**c**ifique.

spécimen n. m.
Le ***n*** se prononce [spesimɛn]; le mot rime avec ***mène.***
Échantillon. *Des spécimens d'insectes bien conservés sont exposés à l'Insectarium.*
Ce mot d'origine latine est francisé ; il s'écrit avec un accent aigu et prend la marque du pluriel.

spectacle n. m.
1. Représentation (cinématographique, théâtrale, etc.). *Un spectacle de ballet, de musique.*
2. Secteur d'activité touchant le théâtre, le cinéma. *L'industrie du spectacle* (et non le *show business).
Locutions
Au spectacle de, locution prépositive. À la vue de. *Au spectacle de cette explosion, ils se mirent à crier au secours.*
Salle de spectacle(s). Dans cette expression, le nom ***spectacle*** se met au singulier ou au pluriel.

spectaculaire adj.
Impressionnant, frappant. *Un incendie spectaculaire, un succès spectaculaire.*
spectacul**aire.**

spectateur, trice n. m. et f.
Personne qui assiste à un spectacle. *Les spectateurs ont applaudi avec enthousiasme.*

spectre n. m.
1. Fantôme. *As-tu vu des spectres dans la Maison hantée de la Ronde ?*
2. Décomposition de la lumière solaire en couleurs allant du violet au rouge. *Les couleurs du spectre sont rouge, orangé, jaune, vert, bleu, indigo et violet.*
Ne pas confondre avec le nom ***sceptre,*** bâton de commandement, symbole de l'autorité.

***speech**
Anglicisme pour ***allocution, sermon.***

spéléologie n. f.
Étude scientifique des grottes, des gouffres.

spéléologue n. m. et f.
Spécialiste de la spéléologie. *Les spéléologues ont découvert des grottes préhistoriques.*

spermatozoïde n. m.
Cellule reproductrice mâle.
spermatozo**ï**de.

sperme n. m.
Liquide produit par les glandes reproductrices de l'homme.

sphère n. f.
Corps solide en forme de boule. *La sphère terrestre.*
Le nom ***sphère*** et ses composés ***atmosphère, stratosphère*** sont du genre féminin, alors que les noms ***hémisphère, planisphère*** sont du genre masculin.

sphérique adj.
Qui a la forme d'une sphère. *Un corps sphérique.* **SYN.** rond.

sphincter n. m.
Le ***c*** et le ***r*** sont sonores [sfɛ̃ktɛr].
Muscle qui resserre un orifice naturel. *Des sphincters.*

sphinx n. m.
Le ***x*** est sonore [sfɛ̃ks].
1. Dans l'Égypte ancienne, personne mythique à corps de lion et à tête humaine chargée de garder les tombeaux.
En ce sens, le nom s'écrit avec une minuscule ; le féminin peu usité de ce nom est ***sphinge.***
2. (FIGURÉ) Personne énigmatique.
s**ph**in**x.**

spirale n. f.
Courbe qui tourne autour d'un axe central, souvent en s'écartant de plus en plus. *La spirale d'une hélice de navire.*
Locution
En spirale. En colimaçon. *Un escalier en spirale.*

spirituel, elle adj.
1. Qui se rapporte à l'esprit. *La vie spirituelle.* **ANT.** matériel.
2. Qui a de l'esprit, drôle. *Une réponse spirituelle.* **SYN.** amusant, fin.

splendeur n. f.
Beauté merveilleuse, majesté. *La splendeur du château de Chenonceaux.*
spl**e**ndeur.

splendide adj.
Magnifique. *Un décor splendide.* **SYN.** merveilleux, somptueux.
splendide.

spongieux, euse adj.
Qui ressemble à l'éponge, qui s'imbibe comme elle. *Une pelouse spongieuse.*

spontané, ée adj.
1. Qui se fait de soi-même, sans cause extérieure. *Une réaction spontanée.* **SYN.** naturel.
2. Naturel, sincère. *Des personnes spontanées.*

spontanéité n. f.
Franchise, naturel. *Elle lui a répondu avec beaucoup de spontanéité qu'elle n'était pas d'accord.* **SYN.** sincérité.
spontanéité.

spontanément adv.
1. Naturellement, sans y être obligé. *Il m'a spontanément offert son aide.*
2. Avec spontanéité. *Annie caressa le chaton spontanément. Comment résister à une petite bête si adorable ?*
spontanément.

sport adj. inv. et n. m.
Nom masculin
Le sport. Ensemble des exercices physiques comportant des règles précises et qui sont pratiqués sous forme de jeux individuels ou collectifs. *Ces jeunes aiment le sport. La pratique du sport est bonne pour la santé.*
Un sport. Forme particulière de cette activité. *Le ski est son sport préféré.*
Adjectif invariable
1. Approprié pour le sport, en parlant d'une chose. *Des vêtements sport.*
2. Loyal, selon l'esprit du sport, en parlant d'une personne. *Ils ont été très sport dans la défaite et nous ont offert leurs félicitations.*
L'adjectif ne prend pas la marque du féminin ni du pluriel.

sportif, ive adj. et n. m. et f.
Adjectif
1. Relatif aux sports. *Une compétition sportive. Les émissions sportives.*
2. Qui aime le sport, respecte l'esprit du sport. *Des personnes sportives et en forme.*
Nom masculin et féminin
Personne qui pratique un sport. *Ces skieurs sont de grands sportifs.*

***spray net**
Anglicisme pour ***laque.*** *J'ai mis un peu de laque* (et non de *spray net) *sur mes cheveux.*

squash n. m.
Le ***u*** se prononce ***ou*** [skwaʃ].
Jeu de balle à l'intérieur d'une pièce fermée. *Il joue au squash et au tennis toutes les semaines.*

squelette n. m.
1. Ensemble des os des vertébrés. *Ce squelette illustré permet d'étudier l'anatomie humaine.*
2. (FIGURÉ) Plan, structure générale. *Le squelette d'un texte.*
squelette.

squelettique adj.
Qui ressemble à un squelette, très maigre. *Ces personnes squelettiques meurent de faim.*
squelettique.

S^t^, S^te^, S^ts^, S^tes^
Abréviations de ***Saint-, Sainte-, Saints-, Saintes-.***
VOIR TABLEAU – **SAINT, SAINTE,** ADJECTIF.

stabiliser v. tr.
Rendre stable. *Le barrage permet de stabiliser le niveau des cours d'eau.*
Conjugaison [VOIR MODÈLE – **AIMER**]

stabilité n. f.
Caractère de ce qui est stable. *La stabilité d'un véhicule. La stabilité d'une institution.* **SYN.** équilibre, solidité.

stable adj.
Qui est dans un état d'équilibre, durable. *Un échafaudage peu stable.* **SYN.** solide.

stade n. m.
1. Étape d'un développement. *À ce stade-ci* (et non *stage) *nous en sommes à l'expérimentation du produit.*
2. Enceinte servant aux manifestations sportives. *Le stade olympique de Montréal a reçu trois étoiles au classement du Guide Michelin.*
Ne pas confondre avec le nom ***stage,*** période d'apprentissage.

stage n. m.
Période d'apprentissage permettant à une personne de s'initier à l'exercice d'une profession, d'un métier. *Ces jeunes informaticiens aimeraient bien faire un stage dans cette entreprise innovatrice pour se perfectionner.*
Forme fautive
*stage. Anglicisme au sens de ***stade.***
Ne pas confondre avec le nom ***stade,*** étape d'un développement.

stagiaire adj. et n. m. et f.
Personne qui fait un stage. *Elle a été stagiaire dans une entreprise de conception de logiciels. Des étudiants stagiaires.*

stagnant, ante adj.
Les lettres ***gn*** se prononcent distinctement [stagnɑ̃, ɑ̃t].
1. Qui ne s'écoule pas. *Des eaux stagnantes.*
2. (ÉCONOMIE) Qui cesse de croître, ne fait pas de progrès. *Des chiffres d'affaires stagnants.*

stagner v. intr.
Les lettres ***gn*** se prononcent distinctement [stagne].
1. Ne pas couler, en parlant d'un liquide. *Dans cette baie, l'eau stagne et sent mauvais.* **SYN.** croupir.
2. (FIGURÉ) Ne pas progresser, aller au ralenti. *Les négociations stagnent depuis un mois.*
Conjugaison [VOIR MODÈLE – **AIMER**]

***stainless steel**
Anglicisme pour ***acier inoxydable.***

stalactite n. f.
Cône calcaire qui se forme sous la voûte d'une caverne. *Les stalactites ressemblent aux glaçons qui pendent des toits en hiver, mais comme elles sont en pierre, elles mettent des centaines d'années à se former.*
Pour se rappeler la distinction entre ***stalagmite*** et ***stalactite,*** il suffit de penser à ***m*** pour « monter » et à ***t*** pour « tomber ».
Attention au genre féminin de ce nom : ***une*** stalactite.
Ne pas confondre avec **stalagmite**, cône calcaire qui se forme sur le sol d'une caverne.

stalagmite n. f.
Cône calcaire qui se forme sur le sol d'une caverne.
Attention au genre féminin de ce nom : ***une*** stalagmite.
Pour se rappeler la distinction entre ***stalagmite*** et ***stalactite,*** il suffit de penser à ***m*** pour « monter » et à ***t*** pour « tomber ».
Ne pas confondre avec **stalactite**, cône calcaire qui se forme sous la voûte d'une caverne.

stalle n. f.
Compartiment d'un cheval dans une écurie. *Les stalles des chevaux viennent d'être nettoyées.*
sta**ll**e.

standard adj. et n. m. (pl. *standards*)
Adjectif
Courant, conforme à la norme. *Des prises électriques de format standard.*
L'adjectif peut s'accorder ou non au pluriel.
Nom masculin
Modèle, étalon. *Des standards adoptés par l'industrie électrique.*

standardiser v. tr.
Uniformiser, rendre standard. *On devrait standardiser les fiches électriques qui varient d'un pays à l'autre.*
Conjugaison [VOIR MODÈLE – **AIMER**]

station n. f.
1. Lieu d'arrêt des véhicules. *Une station de métro, une station de taxis.*
2. Ensemble des installations liées à la recherche scientifique, à la production d'émissions, etc. *Une station météorologique, une station spatiale, une station de télévision.*
Locution
Station de ski. Lieu pourvu d'importantes installations destinées à la pratique du ski et au séjour des skieurs. (Recomm. off. OLF) *Le mont Tremblant dispose d'une station de ski réputée.*

station libre-service n. f. (pl. *stations libre-service*)
Poste de distribution d'essence où le service est assuré par le client lui-même. *Une chaîne de stations libre-service.*
La forme abrégée ***libre-service*** est aussi très courante.
VOIR **STATION-SERVICE.**

stationnaire adj.
Qui est stable, qui n'évolue pas. *Son état est stationnaire.*
statio**nn**aire, deux ***n.***

stationnement n. m.
1. Action de stationner (un véhicule). *Avec cette petite voiture, le stationnement se fait plus facilement.*
2. Lieu réservé au stationnement de véhicules. *Laisser sa voiture dans un stationnement, dans un parc de stationnement* (et non un *parking).
statio**nn**ement.

stationner v. tr., intr.
Verbe transitif
(FAMILIER) Ranger un véhicule à l'écart de la circulation. *Où as-tu stationné la voiture ? Dans la cour.*
À la forme transitive, le verbe se conjugue avec l'auxiliaire ***avoir***. Dans le reste de la francophonie, le verbe est intransitif.
Verbe intransitif
S'arrêter dans un lieu. *Sa voiture est stationnée dans le garage souterrain.*
À la forme intransitive, le verbe se conjugue avec l'auxiliaire ***être.***
Conjugaison [VOIR MODÈLE – **AIMER**]
statio**nn**er.

station-service n. f. (pl. *stations-service*)
Poste de distribution d'essence où sont également assurés les services d'entretien courant des véhicules automobiles.
VOIR **STATION LIBRE-SERVICE.**

statisticien n. m.
statisticienne n. f.
Spécialiste de la statistique.

statistique adj. et n. f.
Nom féminin
1. Ensemble des méthodes permettant d'analyser l'information contenue dans diverses données chiffrées.
2. Ensemble de données chiffrées relatives à un domaine spécifique. *Des statistiques sur le nombre des naissances dans un pays.*
Adjectif
Relatif à la statistique. *Une analyse statistique.*

statue n. f.
Sculpture représentant une personne, un animal en entier. *Une statue de la Vierge Marie.*
Les dimensions d'une statue égalent la moitié au moins de la taille naturelle. Une sculpture qui a entre 25 et 80 cm de hauteur est une statuette et si sa hauteur est inférieure à 25 cm, on la nomme ***figurine.***
HOM. statut, ensemble de règles établies.
statu**e.**

statuette n. f.
Petite sculpture représentant une personne ou un animal et qui a entre 25 et 80 cm de hauteur. *Le sorcier manipule une statuette.*
VOIR **STATUE.**

stature n. f.
Taille. *Il était de stature imposante puisqu'il mesurait plus de 2 m.*

statut n. m.
1. (AU PLURIEL) Règles établies d'une société, d'un groupement. *Les statuts d'un parti politique, d'une société.*
2. Situation de fait dans la société. *Le statut de la femme.*
HOM. statue, sculpture représentant une personne, un animal.
statu**t.**

steak n. m. (pl. *steaks*)
Tranche de bœuf. *Des steaks saignants, à point* (et non *medium), *bien cuits. Du steak haché, un steak tartare bien relevé, un steak frites.*
Ce mot emprunté à l'anglais depuis plus de 100 ans est admis en français.

sténo n. f.
Abréviation de ***sténographie.*** *Elle connaît la sténo.*

sténodactylo n. m. et f.
Personne qui pratique la dactylographie et la sténographie. *Des sténodactylos très compétents.*
sténodact**y**lo, en un seul mot.

sténographie n. f.
Abréviation ***sténo*** (s'écrit sans point).
Écriture simplifiée qui permet de noter la parole à la vitesse de la prononciation normale. *Apprendre la sténographie.*
sténogra**ph**ie.

steppe n. f.
Vaste plaine à la végétation pauvre des régions semi-arides.
steppe.

stéréo adj. inv. et n. f.
Adjectif invariable
Abréviation de ***stéréophonique.*** *Des chaînes stéréo* (et non des *systèmes de son).
Nom féminin
Abréviation de ***stéréophonie.*** *Un concert diffusé en stéréo.*

stéréo- préf.
Les mots composés du préfixe ***stéréo-*** s'écrivent en un seul mot. *Stéréophonie.*

stéréophonie n. f.
Procédé de reproduction des sons qui donne l'impression qu'il y a plusieurs sources sonores.
stéréo**ph**onie.

stéréophonique adj.
Relatif à la stéréophonie. *Une chaîne stéréophonique.*
stéréo**ph**onique.

stéréotype n. m.
Idée toute faite, cliché. *Des stéréotypes sexistes. Certains livres contiennent des stéréotypes sexistes.*
stéréot**y**pe.

stérile adj.
1. Qui ne produit pas de fruits. *Une terre stérile.* **SYN.** aride, désertique. **ANT.** fécond, fertile.
2. Qui ne peut se reproduire. *Un homme stérile.*
3. Exempt de microbes. *Un pansement stérile.*
stéri**l**e.

stérilisation n. f.
Action de stériliser. *La stérilisation du lait pour le nouveau-né.*

stériliser v. tr.
1. Rendre stérile (une personne), l'empêcher de se reproduire.
2. Rendre stérile (une chose) par la destruction des microbes. *Le dentiste stérilise ses instruments chirurgicaux.*
Conjugaison [VOIR MODÈLE – **AIMER**]

stérilité n. f.
1. Impossibilité de se reproduire, pour un être vivant.
2. Absence de microbes.

sternum n. m. (pl. *sternums*)
Le ***u*** se prononce ***o*** [stɛrnɔm]; le mot rime avec ***nomme.***
Os plat de la partie antérieure de la poitrine.

stéthoscope n. m.
(MÉDECINE) Instrument médical qui permet d'écouter à l'intérieur du corps (le cœur, les poumons, etc.). *Le papa de Laurence a inventé un stéthoscope électronique.*
stét**h**oscope.

stimulant, ante adj. et n. m.
Adjectif
Qui incite, encourage. *Une rémunération stimulante.* **SYN.** motivant.
Nom masculin
Substance propre à accroître l'activité. *Ces médicaments sont des stimulants.* **SYN.** tonique.

stimuler v. tr.
1. Augmenter. *Stimuler la production d'une hormone.* **SYN.** activer.
2. Encourager. *Stimuler l'ardeur au travail.*
3. Exciter. *Le grand air stimule l'appétit.*
Conjugaison [VOIR MODÈLE – **AIMER**]
stimu**l**er.

stock n. m.
Marchandises en magasin. *Il faut réduire nos stocks* (et non *l'inventaire). **SYN.** provision, réserve.
Ce terme emprunté à l'anglais depuis plus de 125 ans est admis en français.
sto**ck.**

stocker v. tr.
Entreposer, mettre en stock. *Ces magasins ont stocké des articles en prévision de Noël.*
Conjugaison [VOIR MODÈLE – **AIMER**]
sto**ck**er.

stop interj. et n. m.
Le ***p*** se prononce [stɔp].
Nom masculin
1. Signal d'arrêt. *Les stops sont indiqués sur des panneaux de signalisation octogonaux rouges.* **SYN.** ⚜ arrêt.
Dans la francophonie, seul le mot ***stop*** est utilisé en ce sens.
2. (FAMILIER) Auto-stop. *Faire du stop.*
Au Québec, on emploie surtout l'expression familière ***faire du pouce.***
Interjection
Ordre d'arrêter. *Stop ! on ne passe pas.* **SYN.** halte.
Ce mot emprunté à l'anglais il y a plus de 200 ans est admis en français.
VOIR **AUTO-STOP.**

stopper v. tr., intr.
Verbe transitif
Arrêter. *Stoppez les moteurs ! Un énorme embouteillage nous a stoppés.* **ANT.** démarrer.
Verbe intransitif
S'arrêter. *Pour éviter un chien, nous avons stoppé brusquement.*
Conjugaison [VOIR MODÈLE – **AIMER**]
sto**pp**er.

stoppeur, euse n. m.
(FAMILIER) Auto-stoppeur. *Cette autoroute est interdite aux stoppeurs.*
sto**pp**eur.

store n. m.
Rideau ou panneau disposé devant une ouverture, qui s'enroule ou se replie. *Elle baissa le store.*

stratagème n. m.
Ruse, astuce. *Elle réussit à détourner son attention par un habile stratagème.*
strata**gème.**

stratégie n. f.
Art de planifier et de coordonner un ensemble d'opérations en vue d'atteindre un objectif. **SYN.** plan.
Alors que la ***stratégie*** porte surtout sur la conception d'actions coordonnées, la ***tactique*** concerne la mise en œuvre, l'exécution de la stratégie.

stratégique adj.
Relatif à la stratégie. *Une décision stratégique.*

stratosphère n. f.
Couche de l'atmosphère.
stratosph**ère.**

stratus n. m.
Le **s** final se prononce [stratys].
Bande de nuages. *Des stratus blanchâtres.*

stress n. m. inv.
Les **s** de la finale se prononcent [strɛs]; le mot rime avec ***tresse.***
Ensemble des réactions d'un organisme qui est soumis à diverses agressions. *Des stress éprouvants.* **SYN.** pression, tension nerveuse.
Ce mot scientifique emprunté à l'anglais est admis en français.

stressant, ante adj.
Qui cause un stress. *Un travail stressant, des conditions stressantes.* **SYN.** angoissant.

stresser v. tr.
Causer un stress, une tension. *Ils sont très tendus, trop stressés.* **SYN.** angoisser.
Conjugaison [VOIR MODÈLE – **AIMER**]

strict, icte adj.
Les lettres ***ct*** se prononcent au masculin comme au féminin [strikt].
1. Rigoureux, exact. *C'est la stricte vérité.*
2. Rigide. *Ce professeur est très strict sur cette question.* **SYN.** sévère.
3. Sobre, sans ornements. *Une tenue très stricte.*
Locution
Le strict nécessaire. Le minimum, l'essentiel.

strictement adv.
De manière stricte. *Une affaire strictement personnelle.* **SYN.** uniquement.

strident, ente adj.
Se dit d'un son aigu et perçant. *Une voix trop stridente.*
strid**e**nt.

strie n. f.
Fines rayures parallèles. *Les stries du revêtement de cette route réduisent le dérapage.*
Ce nom s'emploie généralement au pluriel.

strier v. tr.
Marquer de stries. *On a strié la chaussée pour réduire le dérapage.*
Conjugaison [VOIR MODÈLE – **ÉTUDIER**]
Redoublement du ***i*** à la première et à la deuxième personne du pluriel de l'indicatif imparfait et du subjonctif présent. *(Que) nous striions, (que) vous striiez.*

strophe n. f.
Partie d'un poème, composée d'un nombre déterminé de vers. *Une strophe de quatre vers est un* ***quatrain.***
stro**ph**e.

structure n. f.
Disposition, arrangement des parties d'un tout. *La structure d'un édifice, d'une œuvre littéraire, une structure hiérarchique.*

structuré, ée adj.
Qui est doté d'une structure. *Un récit bien structuré.* **SYN.** organisé.

structurer v. tr., pronom.
Verbe transitif
Organiser selon une structure. *Il faudrait structurer davantage votre analyse.*
Verbe pronominal
Se doter d'une structure. *Cette nouvelle organisation doit se structurer pour être plus efficace.*
Conjugaison [VOIR MODÈLE – **AIMER**]

studieusement adv.
Avec application. *Ils ont travaillé studieusement.*

studieux, euse adj.
Qui aime l'étude, appliqué. **SYN.** ⚜ travaillant.

studio n. m.
1. Atelier (d'artiste, de photographe). *Des studios ensoleillés.*
2. Locaux aménagés pour le tournage de films, l'enregistrement d'émissions de radio ou de télévision. *Des studios dotés de tout le matériel nécessaire.*
3. Petit appartement composé d'une seule pièce. *Il a loué un joli studio* (et non un *bachelor).

stupéfaction n. f.
Surprise, étonnement. *À la grande stupéfaction de tous, Marie-Ève se mit à chanter.*

stupéfait, aite adj.
Étonné, surpris. *Son air stupéfait fit rire tout le groupe.*

stupéfiant, ante adj. et n. m.
Adjectif
Étonnant. *Une nouvelle stupéfiante.* **SYN.** incroyable, renversant.
Nom masculin
Substance toxique qui produit l'inhibition des centres nerveux et peut provoquer l'accoutumance. *La vente des stupéfiants est réglementée.*

stupéfier v. tr.
Étonner vivement. *Ces résultats nous ont stupéfiés* (et non *stupéfaits). **SYN.** ahurir, sidérer.
Conjugaison [VOIR MODÈLE – **ÉTUDIER**]
Redoublement du ***i*** à la première et à la deuxième personne du pluriel de l'indicatif imparfait et du subjonctif présent. *(Que) nous stupéfiions, (que) vous stupéfiiez.*

stupeur n. f.
Étonnement profond, ahurissement. *Ils ont été frappés de stupeur en apprenant la nouvelle et sont restés muets.*

stupide adj.
1. Niais, abruti. *Une question stupide.* **SYN.** sot.
2. Absurde, insensé. *Cet entêtement est stupide.*

stupidement adv.
D'une manière stupide, sotte. **SYN.** bêtement.

stupidité n. f.
Bêtise. **SYN.** idiotie, imbécillité, sottise.

style n. m.
1. Manière d'exprimer sa pensée. *Le style d'un écrivain, d'un peintre.*
2. Ensemble des caractéristiques des œuvres d'art d'une époque. *Des meubles de style.*
3. (LINGUISTIQUE) Niveau de langue. *Un texte de style soutenu ou littéraire, de style familier.* **SYN.** registre.
VOIR **NIVEAU.**
4. Manière de se comporter. *Le style de vie de la nouvelle génération.*

styliser v. tr.
Représenter sous une forme décorative simplifiée. *Une fleur stylisée.*
Conjugaison [VOIR MODÈLE – **AIMER**]
sty**l**iser.

stylo n. m.
Porte-plume à réservoir d'encre. *Des stylos de toutes les couleurs.*
Locutions
Stylo à bille, stylo-bille. *Des stylos à bille, des stylos-billes jetables.*
Stylo à plume, stylo plume. *Des stylos à plume* (et non des *plumes-fontaines) *verts.*
Stylo correcteur. Tube rempli de liquide correcteur.
Stylo-feutre. *Des stylos-feutres noirs.*
✎ sty**l**o.

***styrofoam**
Anglicisme pour ***mousse de polystyrène.***

su, sue adj.
Qui est connu, appris. *Des déclinaisons bien sues.*

suave adj.
D'une douceur exquise. *Un parfum suave.* **SYN.** délicat, délicieux.

sub- préf.
1. Élément du latin signifiant « sous ».
2. Les mots composés avec le préfixe ***sub-*** s'écrivent en un seul mot. *Subdiviser, subjectif.*

subalterne adj. et n. m. et f.
Adjectif
Subordonné. *Un emploi subalterne.*
Nom masculin et féminin
Personne qui est soumise à l'autorité de quelqu'un, dans une structure hiérarchique.

subdiviser v. tr.
Diviser à nouveau. *On a subdivisé les groupes en équipes.*
Conjugaison [VOIR MODÈLE – **AIMER**]

subdivision n. f.
1. Action de subdiviser. *Effectuer la subdivision d'un groupe.*
2. Partie d'une division. *Les subdivisions d'un chapitre.*

subir v. tr.
1. Supporter. *Elle en a assez de subir ses sautes d'humeur.* **SYN.** endurer.
2. Être l'objet de quelque chose. *Il doit subir une opération cardiaque.*
↝ Le participe passé de ce verbe est ***subi, ie***; il ne doit pas être confondu avec l'adjectif ***subit, ite.***
Conjugaison [VOIR MODÈLE – **FINIR**]

subit, ite adj.
👄 Le ***t*** ne se prononce pas à la forme masculine [sybi].
Soudain. *Une mort subite.* **SYN.** brusque.
↝ Ne pas confondre avec le participe passé ***subi, ie*** du verbe ***subir.***
✎ subi**t**, subi**t**e.

subitement adv.
D'une manière subite. *Ils sont arrivés subitement.* **SYN.** brusquement.

subjectif, ive adj.
1. Personnel. *Les goûts sont toujours subjectifs.* **SYN.** individuel.
2. Influencé par la personnalité. *Votre perception est très subjective.* **ANT.** objectif.

subjectivité n. f.
Caractère de ce qui est subjectif. **ANT.** objectivité.

subjonctif n. m.
VOIR TABLEAU – **SUBJONCTIF.**

sublime adj. et n. m.
Adjectif
Extraordinaire, merveilleux. *Une interprétation sublime.* **SYN.** parfait.
Nom masculin
Ce qu'il y a de plus beau. *Elle recherche le sublime.*

submerger v. tr.
1. Recouvrir complètement d'un liquide. *Le bateau a été rapidement submergé par les flots.*
↝ Ne pas confondre avec les verbes suivants :
– ***émerger,*** surgir d'un liquide ;
– ***immerger,*** plonger dans un liquide.
2. (FIGURÉ) Envahir totalement. *Ils ont été submergés par les commandes.*
Conjugaison [VOIR MODÈLE – **CHANGER**]
Le ***g*** est suivi d'un ***e*** devant les lettres ***a*** et ***o.*** *Il submergea, nous submergeons.*

subordination n. f.
1. Dépendance d'une chose par rapport à une autre.
2. Hiérarchie établie entre des personnes qui dépendent les unes des autres. *Des liens de subordination.*
3. (GRAMMAIRE) Construction d'une phrase selon laquelle une proposition dépend d'une autre.
Locution
Conjonction de subordination. Conjonction unissant une proposition subordonnée à une proposition principale. ***Quand, que, comme*** *sont des conjonctions de subordination.*

subordonné, ée adj. et n. m. et f.
Adjectif
Qui dépend de quelqu'un, de quelque chose. *Une prime subordonnée au rendement.*
Nom masculin et féminin
Subalterne. *Le chef de service est le subordonné du directeur.*
Nom féminin
(GRAMMAIRE) Proposition qui dépend d'une proposition dont elle complète le sens. *Une subordonnée causale, relative.*

subséquemment adv.
👄 La troisième syllabe se prononce ***ka*** [sypsekamɑ̃].
Ultérieurement, par la suite. **SYN.** ensuite.

subsistance n. f.
👄 La deuxième syllabe se prononce ***zis*** [sybzistɑ̃s].
Ce qui sert à assurer l'existence matérielle. *Moyens de subsistance.*
✎ subsist**a**nce.

subsister v. intr.
👄 La deuxième syllabe se prononce ***zis*** [sybziste].
1. Continuer d'être, durer. *Cet usage ancien de 1 000 ans subsiste encore aujourd'hui.* **SYN.** demeurer, se maintenir, persister, rester.
2. Pourvoir à ses besoins. *Ce travail lui permet de subsister tant bien que mal.*
↝ Ne pas confondre avec le verbe ***substituer,*** remplacer une personne, une chose par une autre.
Conjugaison [VOIR MODÈLE – **AIMER**]

substance n. f.
1. Matière dont quelque chose est formé. *Des substances grasses.*
2. L'essentiel de. *Tirer la substance d'un entretien.*
Locution
En substance, locution adverbiale. En gros, en résumé.
✎ subst**a**nce.

substantiel, elle adj.
Le mot rime avec ***ciel.***
1. Nutritif. *Un repas substantiel.* **SYN.** nourrissant.
2. Important. *Des modifications substantielles.* **SYN.** considérable.
substan**t**iel.

substantif n. m.
(GRAMMAIRE) Mot ou groupe de mots qui désigne un être, une chose, une idée. **SYN.** nom.

substituer v. tr., pronom.
Verbe transitif
Remplacer une personne, une chose par une autre. *Il a substitué le chapeau bleu au chapeau jaune,* ou *il a remplacé le chapeau jaune par le chapeau bleu.*
Attention à l'ordre des mots et à l'emploi de la préposition, qui diffèrent de la construction propre au verbe ***remplacer.***
Ne pas confondre avec le verbe ***subsister,*** continuer d'être, durer.
Verbe pronominal
Prendre la place d'un autre. *Ils se sont substitués à leurs collègues absents.*
Conjugaison [VOIR MODÈLE – **AIMER**]

substitution n. f.
Remplacement. *La substitution du sucre par un peu de cassonade.*
substitu**t**ion.

subterfuge n. m.
Stratagème, ruse. *Un habile subterfuge.* **SYN.** astuce.

SUBJONCTIF

Le subjonctif exprime **une action considérée dans la pensée** plutôt que dans la réalité. Il est le mode :

- du **doute**. *Je doute qu'il puisse venir.*
- de **l'incertitude**. *Je ne crois pas qu'elle finisse son travail à temps.*
- de **la crainte**. *Mes parents craignent qu'il n'y ait pas assez de provisions.*
- de **la supposition**. *Il ne suppose pas qu'on bâtisse une maison dans un marécage.*
- du **souhait**. *Tu souhaites qu'ils réussissent.*
- de **la prière**. *Sa marraine prie pour que Lorraine guérisse.*
- de **la volonté**. *Elle exigera que les messages soient bien transmis.*
- de **l'interdiction**. *La direction interdit qu'on fasse du bruit après 22 heures.*

Locutions conjonctives

Certaines locutions conjonctives sont toujours suivies du subjonctif.

Rentre avant qu'il ne pleuve. De peur qu'on ne t'aperçoive. Quoi que tu dises. Qui que tu sois.

La locution conjonctive ***avant que*** se construit avec le subjonctif, mais la locution conjonctive ***après que*** se construit avec l'indicatif. *Après que vous aurez dormi un peu, vous vous sentirez mieux.*

On consultera les conjonctions et les locutions conjonctives à leur entrée alphabétique où les précisions sur le mode du verbe sont apportées.

Principales locutions conjonctives imposant le subjonctif

à condition que
afin que
à moins que
à supposer que
au lieu que
avant que
bien que
de crainte que
de façon que
de manière que

de peur que
en admettant que
en attendant que
encore que
en sorte que
jusqu'à ce que
malgré que
moyennant que
pour que
pourvu que

quel que
quelque... que
qui que
quoique
quoi que
sans que
si bien que
si peu que
soit que
supposé que...

VOIR TABLEAU – **CONCORDANCE DES TEMPS.**
VOIR TABLEAU – **INDICATIF.**
VOIR TABLEAU – **INFINITIF.**
VOIR **IMPÉRATIF.**

subtil, ile adj.
1. Fin, délicat. *Une réponse subtile.* **SYN.** adroit.
2. Perspicace. *Un esprit subtil qui a saisi tout de suite l'importance du dossier.*
3. Léger. *Un parfum subtil.* **SYN.** suave.
4. Difficile à percevoir. *Des distinctions trop subtiles.* **SYN.** fin, ténu.

subtiliser v. tr.
Dérober. *On lui a subtilisé son portefeuille.*
Conjugaison [VOIR MODÈLE – **AIMER**]

subtilité n. f.
1. Caractère de ce qui est subtil, fin.
2. Distinctions trop détaillées. *Les subtilités d'une démonstration.*

subvenir v. tr. ind.
Fournir ce qui est nécessaire à. *Peut-il subvenir aux besoins de sa famille ? Il a subvenu à tous ses besoins.* **SYN.** pourvoir.
Le verbe se conjugue avec l'auxiliaire ***avoir*** et se construit avec la préposition ***à.***
Conjugaison [VOIR MODÈLE – **VENIR**]
INDICATIF PRÉSENT *Je subviens, tu subviens, il subvient, nous subvenons, vous subvenez, ils subviennent.* IMPARFAIT *Je subvenais.* PASSÉ SIMPLE *Je subvins.* FUTUR *Je subviendrai.* **CONDITIONNEL** PRÉSENT *Je subviendrais.* **IMPÉRATIF** PRÉSENT *Subviens, subvenons, subvenez.* **SUBJONCTIF** PRÉSENT *Que je subvienne.* IMPARFAIT *Que je subvinsse.* **PARTICIPE** PRÉSENT *Subvenant.* PASSÉ *Subvenu.*

subvention n. f.
Somme accordée par l'État à une personne, une entreprise, un organisme. *Une subvention destinée à la recherche.*
subven**t**ion.

subventionner v. tr.
Accorder une subvention. *Ces établissements sont subventionnés par l'État : les élèves les fréquentent gratuitement.*
Conjugaison [VOIR MODÈLE – **AIMER**]

succéder v. tr. ind., pronom.
Verbe transitif indirect
1. Prendre la suite de. *Le fils succédera à son père.* **SYN.** remplacer.
2. Se produire après. *Le printemps succède à l'hiver.* **SYN.** suivre.
Le verbe transitif indirect se construit avec la préposition ***à***.
Verbe pronominal
1. Venir l'un après l'autre. *Les saisons se succèdent.*
2. Être à la suite. *Les maisons semblables se succèdent.* **SYN.** se suivre.
Le participe passé du verbe est toujours invariable. *Ils se sont succédé à la tête de l'entreprise.*
Les expressions *« se succéder l'un à l'autre, les uns aux autres » sont des pléonasmes.
Conjugaison [VOIR MODÈLE – **POSSÉDER**]
Le **é** se change en **è** devant une syllabe muette, sauf à l'indicatif futur et au conditionnel présent. *Je succède,* mais *je succéderai.*

succès n. m.
Réussite. *C'est l'étude qui permet d'avoir du succès aux examens.*
su**cc**ès.

successeur n. m.
Personne qui succède, succédera. *Elle est le successeur de son père.*
Ce nom ne comporte pas de forme féminine.

successif, ive adj.
Qui se suivent. *Des explosions successives.*

succession n. f.
1. Série. *Une succession d'évènements.* **SYN.** suite.
2. Transmission de l'héritage d'une personne après sa mort.

successivement adv.
L'un après l'autre. *Elle connut successivement Yves et Jean-Pierre.*

succomber v. tr. ind., intr.
Verbe transitif indirect
Céder à, ne pas résister. *Peut-être succomberez-vous à la tentation ?*
Le verbe se conjugue avec l'auxiliaire ***avoir.***
Verbe intransitif
1. (LITTÉRAIRE) Mourir. *Elle a succombé à une hémorragie.*
En ce sens, le verbe se construit avec la préposition ***à***.
2. (LITTÉRAIRE) Être accablé sous un fardeau. *Il a succombé sous le poids des difficultés.*
En ce sens, le verbe se construit avec la préposition ***sous.***
Conjugaison [VOIR MODÈLE – **AIMER**]
su**cc**omber.

succulent, ente adj.
Délicieux. *Une pâtisserie succulente.* **SYN.** excellent, savoureux.
su**cc**ulent.

succursale n. f.
Établissement, magasin qui dépend d'une entreprise. *Une succursale bancaire. Cette société possède deux succursales* (et non deux *branches).
su**cc**ursale.

***suce**
Impropriété pour ***tétine, sucette.***

sucer v. tr.
Aspirer dans la bouche. *Cet enfant suce son pouce.*
Conjugaison [VOIR MODÈLE – **AVANCER**]
Le ***c*** prend une cédille devant les lettres ***a*** et ***o.*** *Il suça, nous suçons.*

sucette n. f.
1. Petite tétine. *Le bébé pleure parce qu'il a perdu sa sucette* (et non sa *suce).
2. Friandise fixée à l'extrémité d'un bâtonnet. **SYN.** ⚜ suçon.

suçon n. m.
1. Marque laissée sur la peau par des baisers.
2. ⚜ Bonbon fixé à l'extrémité d'un bâtonnet. **SYN.** sucette.

sucre n. m.
Le ***r*** se prononce [sykr] (et non *suc).
1. Produit alimentaire extrait de la canne à sucre. *Du sucre d'érable, du sucre d'orge, du sucre candi.*
2. Morceau de sucre. *Du café avec deux sucres et un nuage de crème.*
Locutions
Faire les sucres. ⚜ Travailler à l'exploitation d'une érablière.
(Partie de) sucres. ⚜ Fête à l'érablière. *On ira aux sucres la semaine prochaine.*
Sucre à la crème. ⚜ Friandise préparée avec du sucre d'érable ou de la cassonade et de la crème.
Sucre du pays. ⚜ Sucre d'érable.

sucré, ée adj.
Qui a la saveur du sucre. *Un fruit sucré.* **SYN.** doux.

***sucre brun**
Calque de l'anglais « brown sugar » pour ***cassonade.***

sucrer v. tr.
Ajouter du sucre à quelque chose. *Sucrer un jus d'orange.*
Conjugaison [VOIR MODÈLE – **AIMER**]

sucrerie n. f.
1. Raffinerie de sucre.
2. (AU PLURIEL) Bonbons. *Elle ne peut résister aux sucreries.*

sucrier n. m.
Récipient destiné à contenir le sucre. *Un sucrier de porcelaine.*

sud adj. inv. et n. m.
Abréviation ***S.*** (s'écrit avec un point).
Un des quatre points cardinaux, opposé au nord. *Marcher vers le sud.*
Les noms des points cardinaux qui déterminent un pays, une région, une ville, un odonyme s'écrivent avec une majuscule. *L'Afrique du Sud, l'Amérique du Sud.*
Dans une adresse, le point cardinal s'écrit avec une majuscule et suit le nom spécifique de l'odonyme. *Son bureau est situé sur le boulevard Décarie Sud.*
Lorsque l'adjectif ou le nom indique une orientation, il s'écrit avec une minuscule. *La terrasse est orientée au sud.*
VOIR TABLEAU – **POINTS CARDINAUX.**

sud-américain, aine adj. et n. m. et f. (pl. *sud-américains, sud-américaines*)
De l'Amérique du Sud. *Un produit sud-américain. Un Sud-Américain, une Sud-Américaine.*
L'adjectif s'écrit avec des minuscules ; le nom, avec deux majuscules.

sud-coréen, enne adj. et n. m. et f. (pl. *sud-coréens, sud-coréennes*)
De la Corée du Sud. *Un chant sud-coréen. Un Sud-Coréen, une Sud-Coréenne.*
L'adjectif s'écrit avec des minuscules ; le nom, avec deux majuscules.

suède n. m.
Cuir fin d'aspect velouté. *Des gants de suède.* **SYN.** daim.
En ce sens, le nom s'écrit avec une minuscule ; le nom du pays s'écrit avec une majuscule.

suédois, oise adj. et n. m. et f.
Adjectif et nom masculin et féminin
De Suède. *Un design suédois. Un Suédois, une Suédoise.*
L'adjectif s'écrit avec une minuscule ; le nom, avec une majuscule.
Nom masculin
Langue parlée en Suède. *Ingrid parle le suédois.*
Le nom de la langue s'écrit avec une minuscule.

suer v. intr.
Transpirer. *Le thermomètre atteint 30 °C, nous suons à grosses gouttes.*
Conjugaison [VOIR MODÈLE – **AIMER**]

sueur n. f.
Transpiration. *Ils sont en sueur.*
Locution
Des sueurs froides. Peur très vive.

suffire v. tr. ind., impers., pronom.
Verbe transitif indirect
1. Être apte à satisfaire. *Elle ne peut suffire à la tâche. À chaque jour suffit sa peine.*
En ce sens, le verbe se construit avec la préposition ***à.***
2. Être en quantité suffisante. *Ce bois suffira pour le feu.*
En ce sens, le verbe se construit avec la préposition ***pour.***
Verbe impersonnel
Il faut simplement. *Il a suffi d'un bon bain chaud pour me réchauffer.*
À la forme impersonnelle, le verbe se construit avec la préposition ***de*** suivie d'un nom ou d'un infinitif ou avec la conjonction ***que*** suivie du subjonctif. *Il suffit de nous prévenir à l'avance. Il suffit que vous veniez demain.*
Verbe pronominal
N'avoir pas besoin des autres. *Elle s'est suffi à elle-même.*
Le participe passé ***suffi*** est toujours invariable.
Conjugaison [VOIR MODÈLE – **FRIRE**]
INDICATIF PRÉSENT *Je suffis, tu suffis, il suffit, nous suffisons, vous suffisez, ils suffisent.* IMPARFAIT *Je suffisais.* PASSÉ SIMPLE *Je suffis.* FUTUR *Je suffirai.* **CONDITIONNEL** PRÉSENT *Je suffirais.* **IMPÉRATIF** PRÉSENT *Suffis, suffisons, suffisez.* **SUBJONCTIF** PRÉSENT *Que je suffise.* IMPARFAIT *Que je suffisse.* **PARTICIPE** PRÉSENT *Suffisant.* PASSÉ *Suffi.*

suffisamment adv.
En quantité suffisante. *Il a suffisamment le temps de venir nous rejoindre.* **SYN.** assez.
su**ff**isa**mm**ent.

suffixe n. m.
(LINGUISTIQUE) Élément qui vient s'ajouter après le radical d'un mot pour en modifier le sens. *Le nom* ***fillette*** *est composé du mot* ***fille*** et d'un suffixe diminutif. Les mots ***microscope*** (instrument qui permet de voir les objets très petits) et ***télescope*** (instrument qui sert à l'observation des objets au loin) comprennent tous deux le suffixe ***-scope*** signifiant « examiner, observer ». **ANT.** préfixe.
VOIR TABLEAU – **SUFFIXE.**
su**ff**i**x**e.

suffocant, ante adj.
Qui gêne la respiration. *Une chaleur suffocante.* **SYN.** accablant, étouffant.
Ne pas confondre avec le participe présent invariable ***suffoquant.*** *Suffoquant dans la classe enfumée, les étudiants sortirent.*

suffoquer v. tr., intr.
Verbe transitif
Étouffer, faire perdre la respiration à. *La fumée le suffoquait.*
Verbe intransitif
Avoir du mal à respirer. *Il faudrait pratiquer la respiration artificielle : il suffoque.*
Conjugaison [VOIR MODÈLE – **AIMER**]
su**ff**oquer.

suggérer v. tr.
Faire penser, proposer. *Ils suggèrent de diffuser l'information à l'aide de la télématique.* **SYN.** conseiller.
Conjugaison [VOIR MODÈLE – **POSSÉDER**]
Le ***é*** se change en ***è*** devant une syllabe muette, sauf à l'indicatif futur et au conditionnel présent. *Je suggère,* mais *je suggérerai.*

suggestion n. f.
Attention à bien prononcer le ***t*** [sygʒɛstjɔ̃].
Proposition. *Voici quelques suggestions pour les vacances.* **SYN.** conseil.

SUFFIXE

Le **suffixe** est un élément qui se joint à la suite d'un radical pour former un dérivé.

Le **préfixe** est un élément qui se place au début d'un radical pour former un nouveau mot.

Dans la composition des mots nouveaux (néologismes), le français emprunte surtout au grec et au latin des suffixes ou des éléments qui sont joints à un radical pour former une nouvelle unité lexicale. Ces suffixes présentent l'avantage d'être déja connus et, ainsi, de favoriser la compréhension immédiate du néologisme.

	SUFFIXE	SENS	EXEMPLES
Suffixes de noms	***-age***	action	*défrichage, affichage*
	-ateur	agent	*dessinateur, accélérateur*
	-erie	spécialité	*animalerie, bijouterie*
	-ette	diminutif	*maisonnette, fillette*
	-isme	doctrine	*automatisme, socialisme*
	-ite	maladie	*appendicite, bronchite*
	-ité	qualité	*rapidité, vélocité*
	-on	diminutif	*chaton, ourson*
	-ure	ensemble	*toiture, voilure*
Suffixes d'adjectifs	***-able***	possibilité	*aimable, capable*
	-ais	origine	*français, montréalais*
	-âtre	péjoratif	*rougeâtre, douceâtre*
	-el	caractère	*spirituel, temporel*
	-ible	possibilité	*indestructible, risible*
	-ien	origine	*gaspésien, trifluvien*
	-ier	métier	*épicier, jardinier*
	-if	caractère	*actif, vif*
	-ois	origine	*chinois, québécois*
Suffixes de verbes	***-er***	action	*planter, couper*
	-ir	action	*finir, polir*
	-asser	péjoratif	*rêvasser, finasser*
	-iser	action	*informatiser, automatiser*
Suffixes d'adverbes	***-ment***	manière	*rapidement, calmement*
Suffixes d'origine grecque	***-cratie***	« puissance »	*aristocratie, démocratie*
	-graphie	« écriture »	*radiographie, télégraphie*
	-logie	« science »	*biologie, philologie*
	-onyme	« nom »	*toponyme, odonyme*
	-phile	« aimer »	*francophile, bibliophile*
	-phobe	« haïr »	*agoraphobe, claustrophobe*
	-scope	« examiner »	*microscope, télescope*
	-thérapie	« traitement »	*physiothérapie, chimiothérapie*
Suffixes d'origine latine	***-cide***	« tuer »	*homicide, régicide*
	-culture	« cultiver »	*apiculture, horticulture*
	-duc	« conduire »	*gazoduc, oléoduc*
	-fère	« qui porte »	*ombellifère, mammifère*
	-lingue	« langue »	*bilingue, multilingue*
	-vore	« manger »	*herbivore, omnivore*

VOIR TABLEAU – **NÉOLOGISME.**

S

suicidaire adj. et n. m. et f.
Adjectif
1. Qui est prédisposé au suicide. *Ce jeune homme a un comportement suicidaire.*
2. (FIGURÉ) Voué à l'échec. *Une entreprise suicidaire.* **SYN.** condamné.
Nom masculin et féminin
Personne prédisposée au suicide. *Un, une suicidaire.*
suicid**aire.**

suicide n. m.
Action de se donner la mort.

suicider (se) v. pronom.
Se donner la mort. *Ils se sont suicidés.*
Le participe passé de ce verbe qui n'existe qu'à la forme pronominale s'accorde toujours en genre et en nombre avec le sujet du verbe.
Conjugaison [VOIR MODÈLE – **AIMER**]

suie n. f.
Matière noire déposée par la fumée. *Après l'incendie, les murs étaient couverts de suie.*

suinter v. intr.
Transpirer, s'écouler goutte à goutte. *Des parois rocheuses qui suintent. L'eau suinte le long de la muraille.* **SYN.** dégoutter.
Conjugaison [VOIR MODÈLE – **AIMER**]

suisse adj. et n. m. et f.
De Suisse. *Un fromage suisse. Un Suisse, une Suisse.*
L'adjectif s'écrit avec une minuscule ; le nom, avec une majuscule.

suite n. f.
1. Série, succession. *Une suite de succès et d'échecs.*
En ce sens, le nom s'emploie généralement au singulier.
2. Résultat, conséquence. *Les suites d'une décision, d'un accident. Un malentendu qui n'a pas eu de suites.*
En ce sens, le nom s'emploie surtout au pluriel.
3. Ce qui vient après. *La suite d'un roman. Suite et fin d'un reportage.*
4. Cohérence. *Elle a de la suite dans les idées.*
5. Dans un hôtel, petit appartement. *Une suite au Ritz.*
Ce terme est réservé au domaine hôtelier ; il ne saurait désigner des locaux, des bureaux.
Locutions
À la suite de, locution prépositive. Après. *Le directeur parlera à la suite du président.*
À la suite de, locution prépositive. À cause. *À la suite de cette décision injuste, il décida de démissionner.*
Comme suite à. En réponse à. *Comme suite à votre demande du 15 avril, nous vous faisons parvenir...*
De suite, locution adverbiale. Cette locution marque l'idée d'une absence d'interruption. *Il a écrit trois lettres de suite.*
Donner suite à quelque chose. Faire en sorte qu'une chose ait un résultat. *Soyez assuré que nous donnerons suite à votre réclamation.*
Et ainsi de suite, locution adverbiale. En continuant ainsi.
Faire suite à. Succéder. *Les étapes de la correction et de la révision font suite à la rédaction.*
Dans cette expression, le nom ***suite*** est toujours au singulier.
Par la suite, locution adverbiale. Après cela. *Par la suite, ils s'excusèrent.*
Par suite de, locution prépositive. En conséquence de. *Par suite de la tempête, les bureaux sont fermés.*
Tout de suite, locution adverbiale. Immédiatement. *Il arrive tout de suite.*
L'emploi de l'expression ***de suite*** en ce sens est familier et régional.
Forme fautive
*suite. Anglicisme au sens de ***bureau, local.***

suivant, ante adj., n. m. et f. et prép.
Adjectif
Qui vient après. *La semaine suivante, la fois suivante.* **SYN.** prochain. **ANT.** précédent.
Nom masculin et féminin
Personne qui suit. *Au suivant ! À la suivante !*
Préposition
1. Conformément à. *Suivant ce philosophe...*
2. En fonction de. *Le prix augmente suivant le poids du fruit.*

suivi n. m.
Action de suivre, de surveiller l'accomplissement d'une activité. *Assurer le suivi d'une affaire.*

suivre v. tr., pronom.
Verbe transitif
1. Venir après, par rapport au lieu, au temps, au rang, etc. *Suivre un malfaiteur. La rentrée aura lieu le jeudi qui suit la fête du Travail.*
2. S'intéresser à quelqu'un, quelque chose. *Elle suit les variations de la bourse. Il suit l'affaire avec le plus grand intérêt.*
3. Assister régulièrement à quelque chose. *Suivre un cours* (et non *prendre un cours).
Verbe pronominal
Se succéder. *Les jours se suivent et ne se ressemblent pas. Ils se sont suivis à la direction de cette affaire.*
Locutions
Être suivi par. Être surveillé de près. *Il est suivi par des agents depuis deux semaines.*
En ce sens, le verbe se construit avec la préposition ***par.***
Être suivi de. Être accompagné. *Elle est suivie de ses jeunes enfants.*
En ce sens, le verbe se construit avec la préposition ***de.***
Conjugaison [VOIR MODÈLE – **SUIVRE**]

sujet, ette adj. et n. m.
Adjectif
Qui est susceptible de. *Ces formulations sont sujettes à révision.*
L'adjectif comporte une forme féminine. Comme nom, le mot ne s'emploie qu'au masculin.
Nom masculin
1. Ressortissant. *Ils sont sujets britanniques. Elle est sujet canadien.*
2. Cause, motif. *À quel sujet m'appelez-vous ? Un sujet de réflexion.*
3. Thème, question. *Le sujet de ce roman est l'amitié entre un homme et une baleine.*
4. (GRAMMAIRE) Être ou objet qui fait l'action du verbe (verbe d'action) ou dont l'état est actualisé par le verbe (verbe d'état). *La petite fille* (sujet) *mange une pomme. La pomme* (sujet) *est verte.*
VOIR TABLEAU – **SUJET.**
Locution
Au sujet de, locution prépositive. À propos de, relativement à. *As-tu des nouvelles au sujet de mon travail ?*

Indicatif

Présent	*Passé composé*
je suis	j' ai suivi
tu suis	tu as suivi
elle suit	elle a suivi
il suit	il a suivi
nous suivons	nous avons suivi
vous suivez	vous avez suivi
elles suivent	elles ont suivi
ils suivent	ils ont suivi

Imparfait	*Plus-que-parfait*
je suivais	j' avais suivi
tu suivais	tu avais suivi
elle suivait	elle avait suivi
il suivait	il avait suivi
nous suivions	nous avions suivi
vous suiviez	vous aviez suivi
elles suivaient	elles avaient suivi
ils suivaient	ils avaient suivi

Passé simple	*Passé antérieur*
je suivis	j' eus suivi
tu suivis	tu eus suivi
elle suivit	elle eut suivi
il suivit	il eut suivi
nous suivîmes	nous eûmes suivi
vous suivîtes	vous eûtes suivi
elles suivirent	elles eurent suivi
ils suivirent	ils eurent suivi

Futur simple	*Futur antérieur*
je suivrai	j' aurai suivi
tu suivras	tu auras suivi
elle suivra	elle aura suivi
il suivra	il aura suivi
nous suivrons	nous aurons suivi
vous suivrez	vous aurez suivi
elles suivront	elles auront suivi
ils suivront	ils auront suivi

Infinitif

Présent	*Passé*
suivre	avoir suivi

Subjonctif

Présent	*Passé*
que je suive	que j' aie suivi
que tu suives	que tu aies suivi
qu' elle suive	qu' elle ait suivi
qu' il suive	qu' il ait suivi
que nous suivions	que nous ayons suivi
que vous suiviez	que vous ayez suivi
qu' elles suivent	qu' elles aient suivi
qu' ils suivent	qu' ils aient suivi

Imparfait	*Plus-que-parfait*
que je suivisse	que j' eusse suivi
que tu suivisses	que tu eusses suivi
qu' elle suivît	qu' elle eût suivi
qu' il suivît	qu' il eût suivi
que nous suivissions	que nous eussions suivi
que vous suivissiez	que vous eussiez suivi
qu' elles suivissent	qu' elles eussent suivi
qu' ils suivissent	qu' ils eussent suivi

Conditionnel

Présent	*Passé*
je suivrais	j' aurais suivi
tu suivrais	tu aurais suivi
elle suivrait	elle aurait suivi
il suivrait	il aurait suivi
nous suivrions	nous aurions suivi
vous suivriez	vous auriez suivi
elles suivraient	elles auraient suivi
ils suivraient	ils auraient suivi

Impératif

Présent	*Passé*
suis	aie suivi
suivons	ayons suivi
suivez	ayez suivi

Participe

Présent	*Passé*
suivant	suivi, ie
	ayant suivi

S

🗣– En tête d'une lettre, d'une note, on emploie le mot ***objet*** pour définir le but de l'envoi.

sultan, ane n. m. et f.
(ANCIENNEMENT) Souverain de certains pays musulmans. *Le harem du sultan.*
✏ sulta**n,** sulta**n**e.

super adj. inv.
(FAMILIER) Extraordinaire, formidable. *Ces copines sont super.* **SYN.** extraordinaire, fabuleux, merveilleux.

super n. m.
Abréviation familière de ***supercarburant.*** *Quarante litres de super sans plomb.*

super- préf.
Élément du latin signifiant « au-dessus ».

superbe adj.
Merveilleux, magnifique. *Un jardin superbe.*

superbement adv.
Avec magnificence. *Ce jardin est superbement aménagé.*

supercarburant n. m.
Carburant dont l'indice d'octane est élevé.
🗣– Le nom s'abrège familièrement ***super.***

supercherie n. f.
Fraude. *Une habile supercherie.* **SYN.** tromperie.

superficie n. f.
Mesure de la surface. *Ce terrain a une superficie de 850 m^2.*
🗣– Ne pas confondre avec le mot ***surface,*** aire, étendue.
✏ superfi**c**ie.

superficiel, elle adj.
Qui est en surface, qui ne va pas au fond des choses. *Une connaissance superficielle du sujet.* **ANT.** profond.
✏ superfi**c**iel.

SUJET

FONCTIONS

- Le sujet désigne l'être ou l'objet qui **fait l'action du verbe** (verbe d'action).

  Maman a planté des fleurs. Qui a planté des fleurs ? ***Maman***.

- Le sujet désigne l'être ou l'objet qui se trouve dans **l'état exprimé par le verbe** (verbe d'état).

  Le chien Filou est gourmand. Qui est-ce qui est gourmand ? ***Le chien Filou.***

- Le sujet désigne l'être ou l'objet qui **subit l'action du verbe** (voix passive).

  La pomme est mangée par Julien. Qu'est-ce qui est mangée ? ***La pomme.***

🗣– Pour trouver le sujet d'un verbe, on pose la question ***qui est-ce qui ?*** (pour un être vivant), ***qu'est-ce qui ?*** (pour une chose). Attention : dans une question, l'ordre des mots est inversé. *Plante-t-elle des fleurs ?*

NATURE DU SUJET

Le sujet peut être :

– un **nom** commun ou propre ou un ***groupe nominal***.

__La table__ est ronde. __Jacques__ joue du piano. __La table du jardin__ est ronde.

– un **pronom**.

__Nous__ sommes d'accord. __Qui__ est là ? __Celle-ci__ est adorable.

– un ***infinitif***.

__Nager__ est bon pour la santé.

– une ***proposition***.

__Pierre qui roule__ n'amasse pas mousse.

VOIR TABLEAU – **COLLECTIF.**

ACCORD DU VERBE, DE L'ATTRIBUT, DU PARTICIPE PASSÉ

Il est important de connaître le sujet du verbe dans une phrase parce que c'est avec lui qu'on accorde le verbe, l'attribut ou le participe passé, s'il y a lieu.

Tu as bien dormi. (Le verbe est à la deuxième personne du singulier parce que le sujet est ***tu***.)

Elle est adroite. (L'attribut est au féminin singulier parce que le sujet du verbe est ***elle***.)

Les chats sont affamés. (Le participe passé est au masculin pluriel parce que le sujet du verbe est ***les chats***.)

superflu, ue adj. et n. m.
Adjectif
Inutile, qui est en trop. *Des achats superflus.*
Nom masculin
Ce qui excède le nécessaire. *Nous nous passerons de ces produits de luxe qui sont du superflu.*

supérieur, eure adj. et n. m. et f.
Adjectif
1. Qui est au-dessus, en haut (par opposition à ***inférieur***). *Le nombre d'exemplaires vendus est supérieur aux prévisions. Ils habitent à l'étage supérieur.*
L'adjectif se construit avec la préposition ***à.***
2. Qui surpasse en qualité, en mérite, en rang. *Ce film est supérieur à tout ce que ce cinéaste a fait jusqu'ici.* **ANT.** inférieur.
L'adjectif étant un comparatif, on ne peut l'employer avec ***le plus, le moins;*** cependant, il s'emploie avec ***très, si, de beaucoup.*** *Cet article est très supérieur au précédent.*
Nom masculin et féminin
1. (EN APPOSITION) La mère supérieure.
Les titres religieux s'écrivent avec une minuscule.
2. Personne qui se situe au-dessus d'une autre dans la structure hiérarchique. *Elle est sa supérieure hiérarchique, sa supérieure hiérarchique.*
3. Religieux, religieuse qui dirige un monastère, un couvent, etc. *La supérieure d'un couvent.*

supériorité n. f.
Qualité d'une personne, d'une chose qui est au-dessus des autres. *La supériorité de ce skieur est évidente.*

superlatif n. m.
VOIR TABLEAU – **SUPERLATIF.**

supermarché n. m.
Vaste magasin offrant des produits alimentaires et courants en libre-service. *Des supermarchés qui font partie d'une chaîne.*

superposable adj.
Que l'on peut superposer. *Des éléments superposables.*

superposer v. tr., pronom.
Verbe transitif
Poser l'un au-dessus de l'autre. *Superposer les sections d'une bibliothèque.*
Verbe pronominal
S'ajouter à. *Ces tables peuvent se superposer.*
Conjugaison [VOIR MODÈLE – **AIMER**]

supersonique adj. et n. m.
Adjectif
Se dit d'une vitesse qui dépasse celle du son. *Un avion supersonique.*
Nom masculin
Avion dont la vitesse est supérieure à celle du son. *Le Concorde est un supersonique.* **ANT.** subsonique.

superstitieux, euse adj.
Qui croit à certains présages favorables ou défavorables. *Les personnes superstitieuses ne passent jamais sous une échelle.*
super**sti**tieux.

superstition n. f.
Croyances et pratiques superstitieuses.
super**sti**tion.

superviser v. tr.
Contrôler, surveiller l'ensemble d'un travail. *Il supervise la production de ces articles.*
Conjugaison [VOIR MODÈLE – **AIMER**]

superviseur n. m.
superviseure n. f.
Personne chargée de contrôler un travail, des activités.
Le ***superviseur*** est généralement un cadre inférieur qui relève d'un ***chef de service.***

supervision n. f.
Action de superviser. *Elle assure une supervision efficace.* **SYN.** surveillance.

suppléance n. f.
Remplacement temporaire. *Cet enseignant fait de la suppléance.*
su**pp**léance.

suppléant, ante adj. et n. m. et f.
Qui remplace quelqu'un dans ses fonctions, sans être titulaire. *Professeur suppléant.*
su**pp**léant.

supplément n. m.
1. Partie qui s'ajoute à une chose déjà complète. *Les suppléments d'une encyclopédie.*
Ne pas confondre avec le nom ***complément,*** ce qui s'ajoute à une chose pour qu'elle soit complète.
2. Somme payée en plus. *Pour le toit ouvrant, vous devez payer un supplément.*
Locution
En supplément, locution adverbiale. En plus. *Et en supplément, la maison vous offre ce parfum.*

supplémentaire adj.
Qui est en plus de ce qui est normal, qui est ajouté à une chose déjà complète. *Engager des employés supplémentaires pour la période des fêtes.*
Locution
Heures supplémentaires. Ensemble des heures de travail exécutées en plus de l'horaire normal et généralement à salaire majoré. *Faire des heures supplémentaires* (et non du *surtemps, du temps supplémentaire, de l'*overtime).
supplément**aire.**

supplice n. m.
1. Ce qui cause une vive douleur, la mort. *Le supplice de la croix.*
2. (FIGURÉ) Grande souffrance morale. *Le supplice de l'attente.*

supplier v. tr.
Implorer, prier. *Il l'a suppliée de lui pardonner. Il supplie qu'on vienne l'aider.*
Suivi d'un infinitif, le verbe se construit avec la préposition ***de.*** Suivi de la conjonction ***que,*** il se construit avec le subjonctif.
Conjugaison [VOIR MODÈLE – **ÉTUDIER**]
Redoublement du ***i*** à la première et à la deuxième personne du pluriel de l'indicatif imparfait et du subjonctif présent. *(Que) nous suppliions, (que) vous suppliiez.*

support n. m.
Soutien. *Le support d'une corniche. Ces fondations de béton servent de support aux murs de l'immeuble.*
Formes fautives
*support. Impropriété au sens de ***cintre.*** *Mets ton manteau sur un cintre* (et non sur un *support).
*support. Anglicisme au sens de ***soutien, appui*** (moral), ***aide.*** *Nous avons besoin de votre appui, de votre soutien financier, de votre aide* (et non de votre *support) *pour continuer notre travail.*

S

SUPERLATIF RELATIF

- Le superlatif relatif exprime la qualité d'un être ou d'un objet **au degré le plus élevé** (supériorité relative) ou **au degré le moins élevé** (infériorité relative), en comparaison avec d'autres êtres ou objets.

  La rose est la plus belle de toutes les fleurs **(supériorité relative).**
  Le pissenlit est la moins appréciée des fleurs **(infériorité relative).**

Formation du superlatif relatif

- Le superlatif relatif est formé à l'aide de l'article défini et de certains adverbes : ***le plus, le moins, le mieux, le meilleur, le moindre, des plus, des mieux, des moins***.

  Le meilleur *des amis,* ***le moindre*** *de tes soucis.*

Article qui précède un superlatif relatif

- L'article reste neutre (masculin singulier) devant l'adjectif féminin ou pluriel si la comparaison porte sur **les différents états d'un être ou d'un objet.**

  C'est le matin qu'elle est ***le*** *plus en forme.*

- Si la comparaison porte sur **plusieurs êtres ou objets**, l'article s'accorde avec le nom auquel il se rapporte.

  Cette personne est ***la*** *plus compétente des candidates.*

Accord de l'adjectif qui suit un superlatif relatif

L'adjectif ou le participe qui suit le superlatif relatif ***des plus, des mieux, des moins*** se met au pluriel et s'accorde en genre avec le sujet déterminé.

Cette animatrice est des plus compétentes. Un véhicule des plus résistants.

SUPERLATIF ABSOLU

- Le superlatif absolu exprime la qualité d'un être ou d'un objet **à un très haut degré** (supériorité ou infériorité absolue), **sans comparaison avec** d'autres êtres ou objets.

  La pivoine est très odorante (supériorité absolue).
  La marguerite est très peu odorante (infériorité absolue).

Formation du superlatif absolu

- Le superlatif absolu est formé à l'aide des adverbes ***très, fort, bien...*** ou des adverbes en ***-ment : infiniment, extrêmement, joliment...***

  Un édifice très haut, un avion extrêmement rapide.

- Dans la langue familière, le superlatif absolu est formé des éléments ***archi, extra, hyper, super, ultra...***

  Elle est super gentille, ce copain est hyper sympathique.

VOIR TABLEAU – **ADJECTIF.**

supportable adj.
Tolérable. *Cette douleur n'est pas supportable.* **SYN.** endurable.

supporter v. tr., pronom.
Verbe transitif
1. Tolérer, endurer. *Elle a supporté trop longtemps ces mensonges.*
Suivi d'un infinitif, le verbe se construit avec la préposition ***de.*** Suivi de la conjonction ***que,*** il se construit avec le subjonctif. *Elle supporte qu'on vienne en retard, mais elle ne supporte pas de se faire insulter.*
2. Soutenir. *Ces fondations supportent l'édifice.*
Verbe pronominal
Se tolérer mutuellement. *Ils n'arrivent plus à se supporter.* **SYN.** s'endurer.
Forme fautive
*supporter (un candidat). Anglicisme au sens de ***appuyer, soutenir.***
Conjugaison [VOIR MODÈLE – **AIMER**]

supposé, ée adj.
Hypothétique. *Les auteurs supposés de cette fresque.*
Locution
Supposé que, locution conjonctive. En posant l'hypothèse que. *Supposé que les ventes s'accroissent de 15 %.*
Placé en tête de phrase, l'adjectif est invariable. La locution conjonctive se construit avec le subjonctif.
Forme fautive
*être supposé de. Calque de l'anglais « to be supposed to » au sens de ***être censé*** (faire quelque chose).
su**pp**osé.

***supposément**
Cet adverbe n'est pas consigné dans les dictionnaires. On emploiera plutôt ***hypothétiquement, prétendument, soi-disant,*** selon le sens.

supposer v. tr.
1. Poser comme hypothèse. *Supposons qu'il pleuve, allons-nous pique-niquer ?*
En ce sens, le verbe se construit avec le subjonctif.
2. Penser, admettre. *Je suppose qu'il a raison.* **SYN.** croire, présumer.
En ce sens, le verbe se construit avec l'indicatif.
3. Comporter comme condition. *La construction d'un château de glace suppose beaucoup de travail et du temps froid.* **SYN.** impliquer.
Conjugaison [VOIR MODÈLE – **AIMER**]
su**pp**oser.

supposition n. f.
Hypothèse. *Ce ne sont que des suppositions, non des faits.*
su**pp**osition.

suppositoire n. m.
Médicament introduit dans l'organisme par l'anus.
su**pp**osit**oire.**

suppression n. f.
Action de supprimer. *La suppression de certains passages d'un roman.*
su**pp**re**ss**ion.

supprimer v. tr., pronom.
Verbe transitif
1. Faire disparaître, retrancher. *Supprimer une scène de violence d'un film.* **SYN.** retirer.
2. Éliminer. *Les témoins de l'enlèvement ont été supprimés.* **SYN.** liquider, ôter, tuer.
Verbe pronominal
Se suicider.
Conjugaison [VOIR MODÈLE – **AIMER**]

suprématie n. f.
Le ***t*** se prononce ***s*** [sypremasi]; le mot rime avec ***assis.***
Supériorité, situation dominante. *La suprématie militaire d'un pays.* **SYN.** domination.
supréma**t**ie.

suprême adj.
Qui est au-dessus de tout. *Le pouvoir suprême. La Cour suprême.*
supr**ê**me.

sur- préf.
Élément du latin signifiant « au-dessus ».
Les mots composés avec le préfixe ***sur*** s'écrivent en un seul mot. *Surabondance, surdoué.*

sur prép.
1. En haut, au sommet de. *Sur le toit, sur la colline, sur la tête, sur un cheval.* **SYN.** au-dessus de. **ANT.** sous.
2. À la surface. *Sur la terre. Du rouge sur les lèvres.*
3. Dans la direction de. *Tourner sur la gauche.* **SYN.** vers.
4. Au sujet de. *Il fait des recherches sur le rôle de certaines hormones.*
5. D'après. *On ne peut juger sur les apparences. Je vous crois sur parole.*
6. Par rapport (à un nombre). *Sur dix personnes consultées, huit nous ont donné leur avis. Il a eu 16 sur 20 pour sa dissertation. Un tapis de 3 mètres sur 4 mètres* (et non de *3 mètres par 4 mètres).
Locutions
Sur ce, locution adverbiale. Cela étant dit. *Sur ce, il partit en claquant la porte.*
Sur l'heure, sur-le-champ, locutions adverbiales. Immédiatement.
La préposition entre dans la composition de certains toponymes ; elle s'écrit alors avec une minuscule et est jointe aux autres éléments par des traits d'union. *Vaudreuil-sur-le-Lac, Villers-sur-Mer.*

sur, sure adj.
Qui a un goût acide. *Une pomme sure.*
HOM. sûr, certain.
sur, pas d'accent circonflexe.

sûr, sûre adj.
1. Certain. *Il est sûr que nous arriverons à temps.* **SYN.** assuré.
À la forme affirmative, le verbe se construit avec l'indicatif. À la forme négative, le verbe se construit avec l'indicatif ou le subjonctif. *Je ne suis pas sûre qu'il arrivera* ou *qu'il arrive à temps.*
2. Qui ne comporte aucun danger. *Ils sont en lieu sûr.* **SYN.** sécuritaire.
3. Assuré, sans erreur. *Un jugement sûr.*
Locutions
À coup sûr, locution adverbiale. De façon certaine, immanquablement.
Bien sûr !, locution adverbiale. Assurément. *Bien sûr ! je suis d'accord.*
HOM. sur, qui a un goût acide.
s**û**r, s**û**re, avec un accent circonflexe.

surabondance n. f.
Très grande abondance. *À cette saison, il y a une surabondance de légumes.*

S

surabondant, ante adj.
Qui est très ou trop abondant. *Une production surabondante.*

surabonder v. intr.
Être très abondant. *Les publications de ce genre surabondent cette année.*
Conjugaison [VOIR MODÈLE – **AIMER**]

surajouter v. tr.
Ajouter en plus de ce qui a déjà été ajouté.
Conjugaison [VOIR MODÈLE – **AIMER**]

suralimenter v. tr.
Donner une alimentation trop riche en calories. *Suralimenter un enfant.*
Conjugaison [VOIR MODÈLE – **AIMER**]

surcharge n. f.
Excédent. *Une surcharge de travail.* **SYN.** surcroît, surplus.

surcharger v. tr.
Charger à l'excès. *Ces étudiants sont surchargés de lectures.*
Conjugaison [VOIR MODÈLE – **CHANGER**]
Le ***g*** est suivi d'un ***e*** devant les lettres ***a*** et ***o.*** *Il surchargea, nous surchargeons.*

surchauffer v. tr.
Chauffer à l'excès. *Cette maison est surchauffée.*
Conjugaison [VOIR MODÈLE – **AIMER**]

surcroît n. m.
Ce qui s'ajoute à quelque chose. *Un surcroît de travail.* **SYN.** supplément, surplus.
Locutions
De surcroît, par surcroît, locutions adverbiales. En supplément.
surcroît.

surdose n. f.
Dose excessive de médicament, de drogue. *Il a succombé à une surdose* (et non à une *overdose).

surdoué, ée adj. et n. m. et f.
Se dit d'une personne plus douée que la moyenne, dont le quotient intellectuel est très élevé.

surélever v. tr.
Accroître la hauteur de quelque chose. *Surélever une maison d'un étage.*
Ne pas confondre avec les verbes suivants :
– ***élever,*** placer à un niveau supérieur ;
– ***lever,*** porter de bas en haut ;
– ***soulever,*** lever lentement à faible hauteur.
Conjugaison [VOIR MODÈLE – **LEVER**]
Le **e** se change en **è** devant une syllabe muette. *Il surélève, nous surélevons.*

sûrement adv.
Certainement. *Nos résultats seront sûrement bons.*
sûrement.

surestimer v. tr.
1. Évaluer un bien, un service à un prix supérieur à son prix réel. **ANT.** sous-évaluer.
2. (FIGURÉ) Estimer une personne, une chose à une valeur trop élevée. *Elle a surestimé ses forces.*
Conjugaison [VOIR MODÈLE – **AIMER**]

sûreté n. f.
1. Qualité d'une personne, d'une chose sur qui on peut compter.
2. Sécurité publique. *Un attentat contre la sûreté de l'État.*
3. Adresse, habileté. *La sûreté de sa main de chirurgien.*
SYN. dextérité.
Locutions
De sûreté, locution adverbiale. De nature à assurer la sécurité. *Une chaîne de sûreté, un coffret de sûreté, des épingles de sûreté, une soupape de sûreté.*
En sûreté, locution adverbiale. À l'abri du danger.
VOIR **SÉCURITÉ.**
sûreté.

surévaluer v. tr.
Estimer au-dessus de sa valeur. *Cette maison est surévaluée.*
ANT. sous-évaluer.
Conjugaison [VOIR MODÈLE – **AIMER**]

surexcitation n. f.
Énervement. *Avec la fête, les enfants sont dans un état de surexcitation joyeuse.* **SYN.** nervosité.

surexciter v. tr.
Énerver, animer à l'excès. *Les élèves sont trop surexcités pour travailler sérieusement.*
Conjugaison [VOIR MODÈLE – **AIMER**]

surf n. m.
La lettre ***u*** se prononce ***eu*** et les lettres ***rf*** se prononcent [sœrf].
Sport consistant à se déplacer à l'aide d'une planche sur le sommet d'une vague.

surface n. f.
1. Partie extérieure d'un corps. *La surface de l'eau, du globe.*
2. (GÉOMÉTRIE) Aire, étendue. *La surface d'un carré.*
Ne pas confondre avec le nom ***superficie,*** mesure d'une surface.
3. Partie apparente d'une chose. *Il ne faut pas s'arrêter à la surface, il importe de creuser un peu.* **SYN.** apparence, dehors.

surfait, aite adj.
Dont on surestime la valeur. *Un spectacle surfait.* **SYN.** surestimé.

surgelé, ée adj. et n. m.
Se dit d'une substance alimentaire conservée par une congélation très rapide et à très basse température. *Des produits surgelés. Les surgelés sont largement utilisés aujourd'hui.*

surgeler v. tr.
Soumettre à une congélation à très basse température. *Cette coopérative agricole surgèle ses denrées périssables.*
Conjugaison [VOIR MODÈLE – **CONGELER**]
Le **e** se change en **è** devant une syllabe muette. *Il surgèle, il surgelait.*

surgir v. intr.
Apparaître brusquement. *Il n'a pu éviter cette voiture qui a surgi soudainement.* **SYN.** jaillir.
Conjugaison [VOIR MODÈLE – **FINIR**]

surhumain, aine adj.
Qui dépasse les possibilités habituelles de la personne humaine. *Vous demandez un effort surhumain.*

surir v. intr.
Devenir aigre. *Cette crème a suri.*
Conjugaison [VOIR MODÈLE – **FINIR**]
surir, sans accent.

sur-le-champ loc. adv.
Immédiatement. *On a sonné l'alarme et les pompiers sont arrivés sur-le-champ.*
✏ **sur-le-champ,** avec deux traits d'union.

surlendemain n. m.
Le jour qui suit le lendemain. *Il vint la voir le surlendemain de son arrivée.*

surmenage n. m.
Excès de travail. *Il souffre de surmenage : il a trop travaillé.*
✏ surme**n**age.

surmener v. tr., pronom.
Verbe transitif
Fatiguer, épuiser. *Il ne faut pas surmener les employés.*
Verbe pronominal
Travailler à l'excès. *Elles se sont surmenées et souffrent d'épuisement professionnel.* **SYN.** s'épuiser, se fatiguer.
Conjugaison [VOIR MODÈLE – **LEVER**]
Le ***e*** se change en ***è*** devant une syllabe muette. *Il surmène,* mais *il surmenait.*

surmonter v. tr.
Vaincre, dominer. *Tous les obstacles qu'ils ont surmontés. J'ai réussi à surmonter ma peur des serpents.* **SYN.** maîtriser.
Conjugaison [VOIR MODÈLE – **AIMER**]

surnager v. intr.
Rester à la surface. *Quelques débris surnageaient.*
Conjugaison [VOIR MODÈLE – **CHANGER**]
Le ***g*** est suivi d'un ***e*** devant les lettres ***a*** et ***o.*** *Il surnagea, nous surnageons.*

surnaturel, elle adj. et n. m.
Adjectif
Qui ne s'explique pas par les lois de la nature. *Des pouvoirs surnaturels.*
Nom masculin
Le sacré. *Crois-tu au surnaturel ?*

surnom n. m.
Nom ajouté ou substitué à certains patronymes et que l'usage a adopté.
Les noms et les adjectifs qui composent un surnom s'écrivent avec une majuscule et généralement sans trait d'union. *Richard Cœur de Lion. Guillaume le Conquérant.* Exceptions : *le Roi-Soleil, le Prince-Président.*

surnommer v. tr.
Donner un surnom. *On le surnommait le Matou.*
Conjugaison [VOIR MODÈLE – **AIMER**]

surpasser v. tr., pronom.
Verbe transitif
1. Être supérieur. *Elle a surpassé tous les autres candidats.* **SYN.** dépasser.
2. Excéder. *Ce travail surpasse ses capacités.* **SYN.** dépasser.
Verbe pronominal
Faire mieux qu'à l'ordinaire. *Les chefs se sont surpassés, le repas était délicieux.* **SYN.** se dépasser.
Conjugaison [VOIR MODÈLE – **AIMER**]

surpeuplé, ée adj.
Se dit d'un pays où la population est trop nombreuse par rapport à l'étendue, aux ressources. **ANT.** sous-peuplé.

surplomber v. tr.
Faire saillie au-dessus de quelque chose. *Cette promenade sur les rochers qui surplombent la mer l'a effrayé.*
Conjugaison [VOIR MODÈLE – **AIMER**]

surplus n. m.
Le ***s*** final ne se prononce pas [syrply].
Excédent. *Nous avons un surplus d'articles saisonniers.* **SYN.** reste.
Locutions
Au surplus, locution adverbiale. Du reste.
En surplus, locution adverbiale. En supplément.

surprenant, ante adj.
Étonnant. *Il est surprenant que nous n'ayons pas eu de ses nouvelles.* **SYN.** bizarre.
La construction impersonnelle ***il est surprenant que*** est suivie du subjonctif.

surprendre v. tr., pronom.
Verbe transitif
1. Prendre sur le fait. *Surprendre un malfaiteur.* **SYN.** (FAMILIER) pincer.
2. Étonner. *Cette nouvelle m'a surprise au plus haut point.*
Verbe pronominal
Se prendre soi-même sur le fait. *Je me surpris à rire de ces blagues.* **SYN.** s'étonner.
Le verbe se construit avec la préposition **à** suivie de l'infinitif.
Conjugaison [VOIR MODÈLE – **APPRENDRE**]
INDICATIF PRÉSENT *Je surprends, tu surprends, il surprend, nous surprenons, vous surprenez, ils surprennent.* IMPARFAIT *Je surprenais.* PASSÉ SIMPLE *Je surpris.* FUTUR *Je surprendrai.* **CONDITIONNEL** PRÉSENT *Je surprendrais.* **IMPÉRATIF** PRÉSENT *Surprends, surprenons, surprenez.* **SUBJONCTIF** PRÉSENT *Que je surprenne.* IMPARFAIT *Que je surprisse.* **PARTICIPE** PRÉSENT *Surprenant.* PASSÉ *Surpris, ise.*

surprise n. f.
1. Étonnement. *Quelle agréable surprise : je ne vous attendais pas.*
2. Cadeau inattendu. *Une petite surprise amusante.*

surprise-partie n. f. (pl. *surprises-parties*)
Fête inattendue pour la personne dont on célèbre généralement l'anniversaire.

sursaut n. m.
Mouvement brusque causé par la surprise, la frayeur. *Il s'éveilla en sursaut.*

sursauter v. intr.
Avoir un sursaut, un mouvement brusque causé par la surprise, la frayeur. *Son arrivée soudaine l'a fait sursauter.* **SYN.** tressaillir.
Conjugaison [VOIR MODÈLE – **AIMER**]

sursis n. m.
Le ***s*** final est muet [syrsi].
Répit, délai. *Quelques jours de sursis avant le retour au travail.*
✏ sursi**s**, un ***s*** final au singulier comme au pluriel.

surtout adv.
Particulièrement. *Parmi les fruits, j'aime surtout les fraises et les poires.* **SYN.** principalement, spécialement.

surveillance n. f.
Action de surveiller. *Hélène fait de la surveillance dans la cour de récréation.*

surveillant n. m.
surveillante n. f.
Personne chargée de surveiller, d'exercer la discipline, dans un établissement scolaire.

surveiller v. tr., pronom.
Verbe transitif
Observer attentivement, contrôler. *On doit surveiller les élèves dans la cour.*
Verbe pronominal
Être attentif à quelque chose. *À la suite d'une première réprimande, elles se sont surveillées.*
Forme fautive
*surveiller. Impropriété au sens de ***suivre, regarder.*** *Regarder une émission* (et non *surveiller).
Conjugaison [VOIR MODÈLE – **AIMER**]
Les lettres ***ill*** sont suivies d'un ***i*** à la première et à la deuxième personne du pluriel de l'indicatif imparfait et du subjonctif présent. *(Que) nous surveillions, (que) vous surveilliez.*

survenir v. intr.
Arriver à l'improviste, accidentellement. *Des incidents sont survenus.* **SYN.** se produire.
Ce verbe se conjugue avec l'auxiliaire ***être.***
Conjugaison [VOIR MODÈLE – **VENIR**]

survêtement n. m.
Vêtement molletonné porté sur une tenue de sport. *Ce survêtement* (et non ce *sweat-shirt) *est très agréable à porter.*

survie n. f.
Le fait de rester en vie. *Ces biologistes ont assuré la survie de cette espèce en voie de disparition.*
survi**e.**

survivance n. f.
Action de survivre. *La survivance de la langue française en Amérique du Nord.* **SYN.** survie.

survivant, ante adj. et n. m. et f.
Adjectif
Qui survit. *Les enfants survivants.*
Ne pas confondre avec le participe présent invariable ***survivant.*** *Les enfants survivant à leurs parents...*
Nom masculin et féminin
Personne qui a échappé à la mort. *Il y a quelques survivants du terrible accident.* **SYN.** rescapé.

survivre v. tr. ind., intr.
Verbe transitif indirect
Demeurer en vie, vivre plus longtemps que. *Ils ont survécu à ce terrible accident.*
Verbe intransitif
Vivre encore, subsister. *Elle a survécu malgré ses graves brûlures.*
Conjugaison [VOIR MODÈLE – **VIVRE**]

survol n. m.
1. Action de survoler. *Le petit avion a fait un survol de la région.*
2. (FIGURÉ) Examen sommaire. *Faire un survol de la matière.*

survoler v. tr.
1. Voler au-dessus. *Nous avons survolé la région de la Gaspésie.*
2. (FIGURÉ) Examiner sommairement. *Il n'a pu que survoler ce livre.*
Conjugaison [VOIR MODÈLE – **AIMER**]

susceptibilité n. f.
Caractère d'une personne susceptible, grande sensibilité. *Sa susceptibilité est trop grande : elle se fâche constamment.*
su**sc**eptibilité.

susceptible adj.
1. (ABSOLUMENT) Qui se vexe facilement. *Attention, il est très susceptible : la moindre remarque le met en colère.* **SYN.** ombrageux.
2. Qui est en mesure de. *Cette personne est susceptible de vous renseigner. Votre projet est susceptible de m'intéresser.* **SYN.** apte, capable.
3. Sujet à (en parlant d'une chose). *Un projet susceptible d'être amélioré. Le document est toujours susceptible de modifications.*
su**sc**eptible.

susciter v. tr.
Soulever, provoquer. *La nouvelle a suscité beaucoup de commentaires.* **SYN.** causer, occasionner.
Conjugaison [VOIR MODÈLE – **AIMER**]
su**sc**iter.

suspect, ecte adj. et n. m. et f.
Le ***c*** et le ***t*** ne se prononcent généralement pas au masculin, alors que dans ***abject,*** ils se prononcent toujours.
Douteux, qui inspire des soupçons. *Des personnes suspectes.*

suspecter v. tr.
Soupçonner. *Je les suspecte d'être affreusement jaloux.*
Conjugaison [VOIR MODÈLE – **AIMER**]

suspendre v. tr.
1. Fixer une chose de telle sorte qu'elle pende. *Suspendre des ballons au plafond.* **SYN.** accrocher.
2. Interrompre. *Il suspendra ses activités au cours de l'été.* **SYN.** arrêter.
Locution
Être suspendu aux lèvres de quelqu'un. L'écouter avec la plus grande attention.
Conjugaison [VOIR MODÈLE – **FENDRE**]
INDICATIF PRÉSENT *Je suspends, tu suspends, il suspend, nous suspendons, vous suspendez, ils suspendent.* IMPARFAIT *Je suspendais.* PASSÉ SIMPLE *Je suspendis.* FUTUR *Je suspendrai.* **CONDITIONNEL** PRÉSENT *Je suspendrais.* **IMPÉRATIF** PRÉSENT *Suspends, suspendons, suspendez.* **SUBJONCTIF** PRÉSENT *Que je suspende.* IMPARFAIT *Que je suspendisse.* **PARTICIPE** PRÉSENT *Suspendant.* PASSÉ *Suspendu, ue.*

suspens (en) loc. adv.
Le ***s*** final ne se prononce pas [syspɑ̃].
En attente, remis à plus tard. *La décision est en suspens.*
suspen**s,** un ***s*** final au singulier comme au pluriel.

suspension n. f.
1. Interruption. *La suspension des activités à la saison morte.* **SYN.** arrêt.
2. Manière dont un véhicule est soutenu, afin d'amortir les secousses de la route. *Cette voiture a une suspension hydraulique.*
3. Appareil d'éclairage suspendu au plafond. *Une jolie suspension ancienne.*
suspen**s**ion.

susurrer v. tr., intr.
Dire à voix basse. *Elle lui susurrait des mots doux. Il ne cessait de susurrer.* **SYN.** murmurer.
Conjugaison [VOIR MODÈLE – **AIMER**]
susu**rr**er.

suture n. f.
Action de coudre les lèvres d'une plaie ; le résultat de cette action. *Des points de suture.*
sutu**re**.

svelte adj.
Élancé, mince. *Elle est très svelte.*

SVP ou **svp**
Abréviation de ***s'il vous plaît.***

***sweat-shirt**
Anglicisme pour ***survêtement*** (molletonné).

syllabe n. f.
Groupe de consonnes et de voyelles qui se prononce d'une seule émission de voix. *Le mot* **sy-mé-trie** comporte trois syllabes.
Un mot formé d'une seule syllabe est un ***monosyllabe***; un mot composé de plusieurs syllabes est un ***polysyllabe.***
sy**ll**abe.

***syllabus**
Anglicisme au sens de ***plan de cours, sommaire.***
En français, ce terme appartient exclusivement au vocabulaire religieux pour désigner une liste de propositions émanant des autorités ecclésiastiques.

sylvicole adj.
Relatif à la sylviculture. *Une exploitation sylvicole.*
s**y**lv**i**cole.

sylviculteur n. m.
sylvicultrice n. f.
Personne qui exploite des forêts.
s**y**lv**i**culteur.

sylviculture n. f.
Exploitation des forêts.
VOIR **AGRICULTURE.**
s**y**lv**i**culture.

symbole n. m.
VOIR TABLEAU – **SYMBOLE.**

symbolique adj.
Qui sert de symbole. *Une portée symbolique, une représentation symbolique.*

symboliser v. tr.
1. Représenter par un symbole. *Le signe* ***x*** *en mathématiques symbolise la multiplication.*
2. Être le symbole de. *La fleur de lys a symbolisé la royauté française, mais elle fait partie du drapeau québécois.*
Conjugaison [VOIR MODÈLE – **AIMER**]

symétrie n. f.
1. Correspondance exacte entre les deux moitiés d'un tout. **SYN.** équilibre.
2. Proportion, ordre. *La symétrie d'un agencement.* **SYN.** harmonie. **ANT.** asymétrie, dissymétrie.
s**y**métrie.

symétrique adj.
Qui présente une parfaite symétrie. *Des constructions symétriques.*

sympathie n. f.
1. Penchant, bienveillance à l'égard d'une personne. *Témoigner de la sympathie à quelqu'un.*
2. (LITTÉRAIRE) Faculté de ressentir ce qui touche les autres.
Forme fautive
*sympathies. Anglicisme pour ***condoléances.*** *Offrir ses condoléances* (et non ses *sympathies).
s**y**mpat**h**ie.

sympathique adj.
1. Aimable, qui attire la sympathie. *Ces personnes sont particulièrement sympathiques.*
2. (FAMILIER) Agréable, en parlant d'une chose. *Un restaurant très sympathique.* **SYN.** plaisant.
s**y**mpat**h**ique.

sympathiser v. intr.
Éprouver de la sympathie pour quelqu'un. *Nous avons tout de suite sympathisé.*
Conjugaison [VOIR MODÈLE – **AIMER**]

symphonie n. f.
Composition musicale pour orchestre. *La neuvième symphonie de Beethoven.*
s**y**m**ph**onie.

symphonique adj.
Qui a le caractère d'une symphonie. *Un concert symphonique.*
s**y**m**ph**onique.

symptôme n. m.
Signe caractéristique d'une maladie, de quelque chose. *Des symptômes inquiétants, un symptôme avant-coureur.*
s**y**mpt**ô**me.

synagogue n. f.
Temple consacré au culte israélite.
Les noms d'édifices religieux s'écrivent avec une minuscule.
s**y**nagogue.

synchroniser v. tr.
Les lettres ***ch*** se prononcent ***k*** [sɛ̃kʀɔnize].
1. Établir un synchronisme entre différents éléments. *Des feux de circulation synchronisés.*
2. (CINÉMA) Mettre en concordance les images et le son d'un film. *Ce film est mal synchronisé.*
Conjugaison [VOIR MODÈLE – **AIMER**]
s**y**n**ch**roniser.

syndical, ale, aux adj.
Relatif à un syndicat. *Des délégués syndicaux.*
s**y**nd**i**cal.

syndicaliste adj. et n. m. et f.
Adjectif
Relatif aux syndicats, au syndicalisme.
Nom masculin et féminin
1. Adepte du syndicalisme.
2. Personne qui fait partie de l'organisation d'un syndicat, qui y joue un rôle actif.
Ne pas confondre avec le mot ***syndiqué,*** personne appartenant à un syndicat.
s**y**nd**i**cal**i**ste.

syndicat n. m.
Groupe de travailleurs qui s'unissent pour défendre leurs droits et leurs intérêts. *Un syndicat actif* (et non une *union).
s**y**nd**i**cat.

syndiqué, ée adj. et n. m. et f.
Membre d'un syndicat. *Les employés de cette entreprise ne sont pas syndiqués. Les syndiqués et les syndiquées sont satisfaits des conditions de travail.*
Ne pas confondre avec le nom ***syndicaliste,*** personne faisant partie de l'organisation d'un syndicat.
s**y**nd**i**qué.

SYMBOLE

Signe conventionnel constitué par :

– une lettre	h	(heure)
– un groupe de lettres	km	(kilomètre)
– un groupe de lettres et de chiffres	H_2O	(symbole chimique)
– un signe	$	(dollar)
– un pictogramme	✏	(piège orthographique, dans le *Multi des jeunes*)

Le symbole, indépendamment des frontières linguistiques, sert à désigner de façon très concise :
- un être
- une chose
- une grandeur
- une réalité

Les symboles s'emploient principalement dans les domaines scientifiques et techniques : symboles chimiques, mathématiques, symboles des unités monétaires, des unités de mesure.

- **Symboles chimiques**
  Ag (argent), ***C*** (carbone), ***N*** (azote), ***Na*** (sodium)

- **Symboles mathématiques**
  + (addition), **–** (soustraction), ***x*** (multiplication), **÷** (division)

- **Symboles d'unités de mesure**
  m (mètre), ***h*** (heure), ***t*** (tome), ***V*** (volt)

- **Symboles d'unités monétaires**
  $ (dollar), ***F*** (franc), ***£*** (livre sterling), ***Y*** (yen)

Note – Les symboles sont invariables et s'écrivent sans point abréviatif.

VOIR TABLEAU – **ABRÉVIATION (RÈGLES DE L').**

RÈGLES D'ÉCRITURE DES SYMBOLES DES UNITÉS DE MESURE

Les symboles des unités de mesure, qui sont les mêmes dans toutes les langues, sont invariables et s'écrivent sans point abréviatif.

35 kg, 20 cm, 12 s

Note – Les symboles des unités de mesure sont normalisés et doivent être écrits sans être modifiés.

Place du symbole

Le symbole se place après le nombre entier ou décimal et il en est séparé par un espacement simple.

0,35 m, 23,8 °C

Les sous-multiples d'unités non décimales s'écrivent à la suite sans ponctuation.

11 h 35 min 40 s

RÈGLES DÉCRITURE DES SYMBOLES DES UNITÉS MONÉTAIRES

Signes conventionnels qui désignent les monnaies internationales. ***F*** (franc), ***£*** (livre sterling).

Note – Les symboles des unités monétaires s'écrivent en majuscules, sans points abréviatifs et sont invariables.

Place du symbole

En français, le symbole de l'unité monétaire se place après le nombre et un espace, selon l'ordre de la lecture.

39,95 $, 25 ¢

SYNONYMES

Les synonymes sont des mots qui ont la même signification ou des sens très voisins.

VERBES SYNONYMES

Les verbes qui suivent expriment tous l'idée de « faire connaître », mais selon diverses nuances :

- ***indiquer*** faire connaître une personne, une chose, en donnant un indice (détail caractéristique) qui permet de la trouver ;
- ***montrer*** faire connaître en mettant sous les yeux ;
- ***signaler*** faire connaître en attirant l'attention sur un aspect particulier ;
- ***citer*** faire connaître en nommant une personne, une chose ;
- ***désigner*** faire connaître par une expression, un signe, un symbole ;
- ***nommer*** faire connaître par son nom ;
- ***révéler*** faire connaître ce qui était inconnu.

ADJECTIFS SYNONYMES

Les adjectifs qui suivent expriment tous l'idée de « ce qui est beau » à divers degrés :

- ***admirable*** beau à la perfection ;
- ***joli*** d'une beauté gracieuse et plaisante ;
- ***magnifique*** beau par sa grandeur et son éclat ;
- ***merveilleux*** d'une beauté surprenante, féerique ;
- ***splendide*** d'une beauté éclatante, rayonnante.

NOMS SYNONYMES

Les noms qui suivent désignent tous « un vêtement porté par-dessus les autres vêtements pour se protéger des intempéries » :

- ***anorak*** manteau à capuchon qui protège du vent et du froid ;
- ***cape*** manteau avec ou sans capuchon, ample et sans manches ;
- ***imperméable*** manteau qui protège de la pluie ;
- ***pelisse*** manteau doublé de fourrure ;
- ***paletot*** manteau d'homme, généralement en lainage chaud.

Ne pas confondre avec les noms suivants :

- ***antonymes,*** mots qui ont une signification contraire :
  devant, derrière ;
- ***homonymes,*** mots qui s'écrivent ou se prononcent de façon identique sans avoir la même signification :
  air, aire, ère, hère ;
- ***paronymes,*** mots qui présentent une ressemblance d'orthographe ou de prononciation sans avoir la même signification :
  acception (sens d'un mot), *acceptation* (accord).

VOIR TABLEAU – **ANTONYMES.**
VOIR TABLEAU – **HOMONYMES.**
VOIR TABLEAU – **PARONYMES.**

syndiquer v. tr., pronom.
Verbe transitif
Réunir en syndicat.
Verbe pronominal
Adhérer à un syndicat. *Ils se sont syndiqués.*
Conjugaison [VOIR MODÈLE – **AIMER**]
syn**di**quer.

synonyme adj. et n. m.
VOIR TABLEAU – **SYNONYMES.**

synonymie n. f.
Qualité des mots synonymes. *Un rapport de synonymie entre deux mots.*
synon**y**mie.

syntagme n. m.
(LINGUISTIQUE) Groupe de mots ayant une signification et une même fonction. *Un syntagme nominal, un syntagme verbal. Le nom composé **pomme de terre** est un syntagme.*

syntaxe n. f.
(GRAMMAIRE) Disposition des mots dans une proposition et des propositions dans une phrase conformément aux règles de la grammaire. *Les règles d'accord, l'emploi des prépositions, des modes relèvent de la syntaxe.*
synta**x**e.

syntaxique adj.
Relatif à la syntaxe. *Une construction syntaxique.*

synthèse n. f.
1. Vision globale qui résulte de l'organisation des connaissances en un tout cohérent. *Un esprit de synthèse.*
2. Préparation d'un composé à partir d'éléments. *Une synthèse chimique.*
3. Nom + ***synthèse.*** Qui constitue un résumé, un exposé d'ensemble. *Des études synthèses.*
Mis en apposition, le mot s'écrit sans trait d'union et les deux noms prennent la marque du pluriel.
synt**h**èse.

synthétique adj.
1. Qui fait la synthèse, qui résume. *Un tableau synthétique.*
2. Obtenu par synthèse chimique. *Des textiles synthétiques.*

syrien, ienne adj. et n. m. et f.
De Syrie. *Un avion syrien. Un Syrien, une Syrienne.*
L'adjectif s'écrit avec une minuscule ; le nom, avec une majuscule.

systématique adj.
1. Méthodique, selon un système. *Un classement systématique.*
2. Soutenu. *Des refus systématiques.*
3. (PÉJORATIF) Rigide. *Cette méthode est trop systématique, elle ne tient pas compte de la réalité.*
systématique.

système n. m.
1. Ensemble ordonné d'éléments qui assurent une fonction, qui concourent à un but. *Ils ont fait installer un système d'arrosage automatique pour le jardin. Le système respiratoire, un système de détection, un système informatique.*
2. Classification méthodique. *Le système métrique, le système international d'unités (SI).*
VOIR TABLEAU – **SYMBOLE.**
Forme fautive
*système de son. Calque de l'anglais « sound system » au sens de ***chaîne stéréo(phonique).***
système.

t n. m. inv.
1. Vingtième lettre de l'alphabet.
2. Lettre qui s'insère entre le verbe terminé par ***e, a*** ou ***c*** et le pronom sujet inversé (***il, elle, on***) pour rendre plus harmonieuse la liaison entre le verbe et le pronom. *Viendra-t-il? Chante-t-elle? Vainc-t-on?*
Le ***t*** est joint au verbe et au pronom par des traits d'union.

t
Symbole de ***tonne.***

t' pron. pers. m. et f.
1. Forme élidée de ***te*** devant une voyelle ou un ***h*** muet. *Il t'admire, elle t'honore.*
2. Forme élidée de ***toi*** devant ***en, y.*** *Garde-t'en bien, mets-t'y.*

ta adj. poss. f. sing.
1. Adjectif possessif féminin de la deuxième personne du singulier qui détermine le nom en indiquant le « possesseur » de l'objet désigné. Il s'accorde en genre et en nombre avec le nom déterminé. *Ta chambre.*
2. L'adjectif possessif s'accorde en personne avec le nom désignant le « possesseur ». Ainsi, l'adjectif possessif ***ta*** renvoie à un seul « possesseur » d'un être, d'un objet de genre féminin. *Ta bicyclette* (un seul possesseur) *me plaît beaucoup. J'aime bien la couleur de votre voiture* (plusieurs possesseurs).
Devant un nom féminin commençant par une voyelle ou un ***h*** muet, c'est la forme masculine ***ton*** qui est employée pour rendre la liaison plus harmonieuse entre l'adjectif possessif et le mot qui suit. *Ton amie, ton histoire.*
VOIR TABLEAU – **POSSESSIF (ADJECTIF).**

tabac n. m.
Le ***c*** ne se prononce pas [taba].
1. Plante dont les feuilles peuvent être fumées. *Cet agriculteur cultive le tabac.*
2. Produit obtenu avec les feuilles de tabac. *Du tabac blond.*

tabagie n. f.
Désigne un magasin de tabac et de journaux.

table n. f.
1. Meuble composé d'une surface plane posée sur des pieds et qui sert à divers usages. *Des tables de cuisine, une table à dessin, une table d'opération.*
2. Meuble composé d'un plateau sur lequel on pose la nourriture, les assiettes, les verres, les ustensiles servant aux repas. *Mettre la table, dresser la table, débarrasser la table ou desservir.*
3. La nourriture. *Dans sa famille, on apprécie la bonne table.*
4. Présentation d'informations dans un ordre méthodique. *Des tables de multiplication.*
Locutions
Table ronde. Réunion caractérisée par le principe d'égalité entre les participants, convoqués pour discuter d'un sujet précis. *Une table ronde* (et non un *panel).
Table des matières. Liste détaillée des questions traitées dans un texte, des chapitres, des illustrations, etc., et des pages auxquelles ils apparaissent.

tableau n. m. (pl. *tableaux*)
1. Œuvre exécutée sur une toile. *Des tableaux représentant des paysages d'automne.*
2. Représentation d'une chose. *Cette pièce trace le tableau de cette époque.* **SYN.** image, récit.
3. Ensemble de renseignements disposés d'une façon simplifiée. *Ce dictionnaire comprend plusieurs tableaux.*
4. Panneau servant à l'écriture, à l'affichage. *L'horaire des cours est inscrit au tableau.*
Locutions
Tableau d'affichage. Panneau servant à des avis, des annonces, des messages. **SYN.** babillard.
Tableau de bord. Ensemble des appareils destinés à diriger la marche d'un véhicule. *Le tableau de bord d'une voiture, d'un avion.*

tabler v. tr. ind.
Compter sur. *L'école table sur la participation des parents.* **SYN.** miser.
Le verbe se construit avec la préposition ***sur.***
Le participe passé est toujours invariable.
Conjugaison [VOIR MODÈLE – **AIMER**]

tablette n. f.
1. Planche posée horizontalement. *Une bibliothèque avec des tablettes réglables.* **SYN.** rayon.
2. Produit alimentaire de forme aplatie. *Une tablette de chocolat.*

Locution
Être (mis) sur une tablette. (FAMILIER) (Généralement dans la fonction publique). Être, rester à ne rien faire, être tenu à l'écart d'une activité, tout en étant payé. **SYN.** être (mis) sur la touche.
Forme fautive
*tablette. Impropriété au sens de ***bloc (de papier), bloc-notes.***

tablier n. m.
1. Vêtement de protection. *Claude porte un tablier pour faire la cuisine sans se salir.*
2. Plate-forme d'un pont. *Lors du tremblement de terre de San Francisco, le tablier d'un pont s'est effondré.*

tabou, e adj. et n. m.
Adjectif
Interdit, dont on ne peut parler. *Des questions taboues, des mots tabous.*
Certains auteurs considèrent que l'adjectif est invariable, mais la tendance actuelle est de lui donner la marque du genre et du nombre.
Nom masculin
Interdiction de caractère religieux, social. *Les tabous sexuels.*

tabouret n. m.
Petit siège qui n'a ni bras ni dos.
On s'assoit ***sur*** un tabouret, une chaise ; par contre, on s'assoit ***dans*** un fauteuil.

tache n. f.
1. Marque, trace. *Une tache de peinture, d'huile.* **SYN.** souillure.
2. Marque naturelle. *Un chien blanc avec des taches noires. Des taches de rousseur.*
Ne pas confondre avec le nom ***tâche,*** travail à accomplir.
ta**ch**e, sans accent.

taché, ée adj.
Sali. *Sa robe est tachée d'encre.* **SYN.** souillé.
taché.

tâche n. f.
Travail à accomplir. *Elle a la lourde tâche de convaincre les élèves de poursuivre leurs études.*
Ne pas confondre avec le nom ***tache,*** marque.
tâche.

tacher v. tr.
Salir, faire une ou des taches. *Il a taché son pantalon.* **SYN.** souiller.
Ne pas confondre avec le verbe ***tâcher,*** tenter de, s'efforcer de.
Conjugaison [VOIR MODÈLE – **AIMER**]
tacher, sans accent.

tâcher v. tr.
Verbe transitif direct
Tâcher que. Faire en sorte que, essayer. *Je tâcherai qu'on vous prévienne à temps.*
Le verbe suivi de la conjonction ***que*** se construit avec le subjonctif. *Tâchons qu'on soit fier de nous.*
Verbe transitif indirect
Tenter de. *Tâchez de venir, cela nous ferait tellement plaisir.* **SYN.** s'efforcer.
Suivi de l'infinitif, le verbe se construit avec la préposition ***de.***
Ne pas confondre avec le verbe ***tacher,*** salir, faire une ou des taches.
Conjugaison [VOIR MODÈLE – **AIMER**]
tâcher.

tacheter v. tr.
Parsemer de petites taches. *Une fourrure rousse tachetée de blanc.*
Conjugaison [VOIR MODÈLE – **APPELER**]
Redoublement du ***t*** devant un **e** muet. *Je tachette, je tachetterai,* mais *je tachetais.*

tacite adj.
Sous-entendu, non affirmé. *Un accord tacite.*
tacit**e,** au masculin comme au féminin.

taciturne adj.
Sombre, peu communicatif. *Il est d'humeur taciturne en se levant.* **SYN.** morose.

tacot n. m.
Le ***t*** final ne se prononce pas [tako].
(FAMILIER) Vieille voiture. *Il roule dans un tacot bruyant.*
taco**t.**

tact n. m.
Les lettres ***ct*** se prononcent [takt].
1. Sens du toucher qui perçoit les stimulations de la peau (contact, pression).
2. (FIGURÉ) Doigté, délicatesse. *Il a agi avec beaucoup de tact.* **SYN.** diplomatie.
Ne pas confondre avec le mot ***talc,*** poudre.

tactile adj.
Relatif au toucher. *Les sensations tactiles.*
tactil**e,** au masculin comme au féminin.

tactique adj. et n. f.
Adjectif
Relatif à la façon de mettre un plan à exécution. *Des opérations tactiques.*
Nom féminin
Art de mettre en œuvre, d'exécuter un plan, une stratégie.
La ***stratégie*** est antérieure à la ***tactique,*** elle est l'art de planifier et de coordonner un ensemble d'opérations en vue d'un objectif.

tahitien, enne adj. et n. m. et f.
Le ***t*** de la troisième syllabe se prononce ***s*** [taisjɛ̃, ɛn].
Adjectif et nom masculin et féminin
De Tahiti. *Une danse tahitienne. Un Tahitien, une Tahitienne.*
L'adjectif s'écrit avec une minuscule ; le nom, avec une majuscule.
Nom masculin
Langue parlée à Tahiti. *Maya parle le tahitien.*
Le nom de la langue s'écrit avec une minuscule.

taie n. f.
Enveloppe de tissu qui recouvre un oreiller. *Des taies (d'oreiller) brodées* (et non des *têtes).

taille n. f.
1. Action de tailler. *La taille des arbustes.* **SYN.** coupe.
2. Hauteur du corps humain. *Taille : 1 m 80. Il est de grande taille.* **SYN.** grandeur.
3. Partie du corps à la base du thorax. *Elle a la taille fine, une taille de guêpe.*
4. Dimension standard dans une série de confection. *La taille 10 ans.* **SYN.** grandeur.
Le nom ***taille*** se dit surtout de la grandeur d'un vêtement ; le nom ***pointure,*** de la dimension d'une chaussure, d'un gant, d'une coiffure.

Locutions
De taille, locution adverbiale. Important, considérable. *Tu as des appuis de taille.*
Être de taille à + infinitif. Être apte à. *Es-tu de taille à affronter ce concurrent ?*
VOIR **GRANDEUR.**

taille-crayon n. m. (pl. *taille-crayons*)
Instrument muni d'une petite lame pour tailler les crayons. *À la rentrée, on cherche son taille-crayon* (et non son *aiguisoir).

tailler v. tr., intr.
Verbe transitif
1. Rendre tranchant ou pointu. *Tailler un crayon.*
On ***taille*** le bois, mais on ***aiguise*** le métal.
2. Couper, donner une forme. *Tailler un arbuste en forme de pyramide, tailler des pierres.*
3. Couper dans une pièce d'étoffe des morceaux pour confectionner un vêtement.
Verbe intransitif
Faire une entaille. *Le cordonnier taille à même le cuir.*
Conjugaison [VOIR MODÈLE – **AIMER**]
Les lettres ***ill*** sont suivies d'un ***i*** à la première et à la deuxième personne du pluriel de l'indicatif imparfait et du subjonctif présent. *(Que) nous taillions, (que) vous tailliez.*

tailleur n. m.
1. Personne qui fait des vêtements sur mesure pour hommes et, par extension, pour femmes.
En ce sens, le féminin est ***couturière.***
2. Artisan, technicien qui taille quelque chose. *Un tailleur de pierres précieuses, de marbre.*
3. Vêtement féminin composé d'une veste et d'une jupe de même tissu. *Un tailleur de tweed.*
Locution
Tailleur-pantalon. Vêtement féminin composé d'une veste et d'un pantalon. *Des tailleurs-pantalons sport.*

taire v. tr., pronom.
Verbe transitif
Ne pas révéler ce que l'on n'est pas obligé de faire connaître. *Les secrets qu'il a tus. Taire son nom.*
Verbe pronominal
Garder le silence. *Les élèves se sont tus quand le cours a commencé.*
À la forme pronominale, le participe passé s'accorde avec le sujet s'il n'y a pas de complément d'objet direct. *Elles s'étaient tues,* mais *elles s'étaient tu la gravité de la situation.*
Conjugaison [VOIR MODÈLE – **PLAIRE**]
INDICATIF PRÉSENT *Je me tais, tu te tais, il se tait, nous nous taisons, vous vous taisez, ils se taisent.* IMPARFAIT *Je me taisais.* PASSÉ SIMPLE *Je me tus.* FUTUR *Je me tairai.* **CONDITIONNEL** PRÉSENT *Je me tairais.* **IMPÉRATIF** PRÉSENT *Tais-toi, taisons-nous, taisez-vous.* **SUBJONCTIF** PRÉSENT *Que je me taise.* IMPARFAIT *Que je me tusse.* **PARTICIPE** PRÉSENT *Taisant.* PASSÉ *Tu, tue.*
Le verbe se conjugue surtout à la forme pronominale.

talc n. m.
Les lettres ***lc*** se prononcent [talk].
Poudre. *Après son bain, elle se met du talc parfumé.*
Ne pas confondre avec le nom ***tact,*** doigté.
ta**lc.**

talent n. m.
Aptitude naturelle. *Il a beaucoup de talent pour la peinture. Cette personne a tous les talents.*
Ne pas confondre avec les noms suivants :
– ***finesse,*** possibilité de saisir les nuances ;
– ***ingéniosité,*** habileté à inventer des solutions.

talentueux, euse adj.
Qui a du talent.

talisman n. m.
Le ***n*** est muet [talismɑ̃].
Objet auquel on accorde des vertus magiques. *Des talismans mystérieux.*
talism**an.**

talon n. m.
1. Partie arrière du pied. *Son talon est douloureux.*
2. Partie de la chaussure sur laquelle repose le talon. *Porter des talons hauts, des talons plats.*
3. Partie d'une feuille de carnet, de registre qui demeure fixée à la souche lorsque la partie détachable (le ***volant***) est retirée. *Le talon d'un chèque.*
Locutions
Avoir l'estomac dans les talons. (FIGURÉ) Avoir une grande faim.
Être sur les talons de quelqu'un. Le suivre de près. *Les détectives sont sur les talons de ces trafiquants.*
Talon d'Achille. Point faible.
Tourner les talons. (FIGURÉ) Partir subitement.

talonner v. tr.
1. Suivre de près. *Les autres concurrents le talonnent.*
2. (FIGURÉ) Harceler. *Ses créanciers ne cessent de le talonner.*
Conjugaison [VOIR MODÈLE – **AIMER**]
ta**l**o**nn**er.

talus n. m.
Le ***s*** ne se prononce pas [taly].
Terrain en pente qui forme le côté d'une terrasse, le bord d'un fossé, etc. *Des talus recouverts de gazon.*
talu**s**, un ***s*** au singulier comme au pluriel.

tamanoir n. m.
Mammifère qui capture les fourmis à l'aide de sa langue effilée et visqueuse. **SYN.** fourmilier.

tambour n. m.
Instrument à percussion sur lequel on frappe avec des baguettes.
Locutions
Sans tambour ni trompette, locution adverbiale. Sans bruit.
Tambour battant, locution adverbiale. (FAMILIER) Rapidement.
Dans ces expressions, les noms sont au singulier.

tambourin n. m.
Petit tambour.

tambouriner v. tr., intr.
Verbe transitif
Jouer sur un tambourin. *Tambouriner un air populaire.*
Verbe intransitif
Faire un bruit répété. *La pluie tambourine sur les fenêtres.* **SYN.** frapper.
Conjugaison [VOIR MODÈLE – **AIMER**]
tambouri**n**er.

tamia n. m.
Petit écureuil au pelage roux rayé, originaire d'Amérique du Nord. *Les petits tamias sont très craintifs.* **SYN.** (FAMILIER) petit suisse.

t

tamis n. m.
Le *s* est muet [tami].
Passoire. *Un tamis à farine.*
Locution
Passer au tamis. (FIGURÉ) Trier soigneusement.
tami**s,** un *s* au singulier comme au pluriel.

tamiser v. tr.
1. Passer au tamis. *Tamiser de la farine.*
2. Laisser passer la lumière en partie. *Le rideau tamise les rayons du soleil.* **SYN.** voiler.
Conjugaison [VOIR MODÈLE – **AIMER**]

tampon n. m.
1. Bouchon. *Un tampon de liège.*
2. Ce qui amortit les heurts. *Servir de tampon entre les deux parties adverses.*
3. Nom + ***tampon.*** Qui permet d'absorber les chocs, les retards. *Des périodes tampons.*
Mis en apposition, le nom prend la marque du pluriel et s'écrit sans trait d'union.
4. Cachet. *Le tampon de la poste.*

tamponner v. tr., pronom.
Verbe transitif
1. Mettre un cachet. *On a tamponné cette enveloppe.*
2. Heurter violemment. **SYN.** frapper.
Verbe pronominal
Se heurter violemment. *Les trains se sont tamponnés.*
Conjugaison [VOIR MODÈLE – **AIMER**]

tamponneur, euse adj.
Autos tamponneuses. Petites voitures d'un parc d'attractions à bord desquelles on s'amuse à se tamponner.

tam-tam n. m. (pl. *tam-tams*)
Tambour africain utilisé comme instrument de musique ou pour la transmission de messages. *Le dimanche, il y a la fête des tam-tams sur le Mont-Royal.*
Seul le deuxième élément prend la marque du pluriel.

***tan**
Anglicisme pour ***bronzage.***

tandem n. m.
Le *m* se prononce [tɑ̃dɛm].
1. Bicyclette à deux places et à deux pédaliers. *Des tandems rapides.*
2. (FIGURÉ) Ensemble de deux personnes ou deux éléments liés par une fonction commune, un même but. *Ces collègues forment un tandem efficace.*

tandis que loc. conj.
Le *s* est muet [tɑ̃dikə].
1. Pendant le temps que. *Les voleurs se sont introduits tandis qu'elle dormait.* **SYN.** comme, pendant.
2. Alors que. *Elle est très compétente, tandis que sa collègue est inexpérimentée.*
Cette locution conjonctive se construit avec l'indicatif.

tangible adj.
1. Qui peut être touché. *Une enflure tangible.* **SYN.** palpable. **ANT.** intangible.
2. Sensible. *Des progrès tangibles.*
3. Évident. *Des résultats tangibles.* **SYN.** concret, réel.
ta**n**gible.

tango n. m.
Danse à deux temps. *Des tangos argentins.*

tanière n. f.
1. Retraite d'une bête sauvage. *Le loup est dans sa tanière.*
2. (FIGURÉ) Lieu retiré. *Luc est dans sa tanière à la campagne.*
ta**n**ière, un seul ***n.***

tank n. m.
(MILITAIRE) Char d'assaut.
Ce mot emprunté à l'anglais depuis 80 ans est admis en français.

tannant, ante adj. et n. m. et f.
Adjectif
1. (FAMILIER) Se dit de ce qui lasse, ennuie. *Il est tannant avec ses observations.* **SYN.** ennuyeux, fatigant.
2. Qui tanne, en parlant des peaux. *Des produits tannants.*
Adjectif et nom masculin et féminin
(FAMILIER) Se dit d'un enfant espiègle, turbulent.
ta**nn**ant.

tanné, ée adj.
1. Bruni par le soleil. *Il a un teint tanné.*
2. Qui a été tanné. *Une peau de chevreau tannée.*
3. (FAMILIER) Fatigué, dont la patience est à bout. *Elle est tannée de ce désordre perpétuel.* **SYN.** agacé.
ta**nn**é.

tanner v. tr.
1. Préparer les peaux avec du tanin pour en faire du cuir.
2. (FAMILIER) Importuner, agacer. *Ces plaintes constantes nous tannent.* **SYN.** ennuyer.
3. (FIGURÉ) Rendre hâlé. *Le soleil lui a tanné la peau.*
Conjugaison [VOIR MODÈLE – **AIMER**]
ta**nn**er.

tannerie n. f.
1. Industrie du tannage.
2. Action de tanner les peaux.
ta**nn**erie.

tanneur n. m.
tanneuse n. f.
Personne préposée au tannage des peaux.

tant adv.
1. Tellement, en si grande quantité. *Il a tant de livres qu'il ne sait plus où les ranger.*
2. ***Tant de*** + nom au pluriel. *Tant de pommes sont tombées au cours de l'orage.*
Le verbe, le participe ou l'attribut s'accorde avec le complément au pluriel.
Locutions
En tant que, locution conjonctive. Selon que, en qualité de. *Elle est là en tant que déléguée de son pays.*
Attention à l'erreur fréquente. *Il lui a parlé en tant que collègue* (et non *en temps).
Si tant est que, locution conjonctive. À supposer que. *Si tant est que vous soyez cité.*
La locution se construit avec le subjonctif.
Tant bien que mal, locution adverbiale. Avec difficulté, médiocrement. *Il a fini son travail tant bien que mal.*
Tant et plus, locution adverbiale. Beaucoup, énormément. *Au cours du mois dernier, il a plu tant et plus.*
Tant mieux, locution adverbiale. C'est très bien.
La locution marque que l'on est satisfait de quelque chose.
Tant pis, locution adverbiale. C'est dommage.
Cette locution marque le dépit, la déception résignée.
Tant que, locution conjonctive. Aussi longtemps que. *Tant que le ciel sera bleu.*

note | orthographe | *forme fautive

•S• La locution se construit avec l'indicatif.
Tant qu'à moi. ⚜ (FAMILIER) Pour ma part. *Tant qu'à moi, je suis totalement d'accord.*
Tant... que, locution conjonctive. Aussi bien que. *Il a répondu ceci tant par ignorance que par bêtise.*
(Un) tant soit peu. Si peu que ce soit. *Si vous aviez réfléchi un tant soit peu, tant soit peu.*

tante n. f.
1. Sœur du père ou de la mère. *Ma tante Éva était très gentille.*
2. Femme de l'oncle. *Tante Adèle, tu n'aurais pas dû !*
En apostrophe, quand on s'adresse à la personne, on n'emploie généralement pas l'adjectif possessif en même temps que le prénom. *Bonjour, tante Berthe* (et non *ma tante Berthe). Dans tous les autres cas, on peut faire précéder le nom de l'article ou de l'adjectif possessif. *Bonjour, ma tante.*
3. Surnoms familiers : ***tata, tati, tantine.***
HOM. **tente**, abri de toile.

tantine n. f.
Surnom familier de **tante.** *Bonjour, tantine !*

tantinet (un) loc. adv.
Un tantinet. Un tout petit peu. *Ces craintes sont un tantinet exagérées.*

tantôt adv.
1. ⚜ Bientôt, dans peu de temps. *Ils arriveront tantôt.*
2. ⚜ Il y a peu de temps. *Je l'ai vu tantôt.*
En ces sens, l'emploi de l'adverbe est courant au Québec et dans certaines régions de France et de Belgique, mais il est vieilli dans l'ensemble de la francophonie où il ne signifie que « cet après-midi ».
Locution
Tantôt... tantôt, locution adverbiale. Parfois... parfois. *Tantôt il adore, tantôt il déteste.*
La locution adverbiale exprime la succession, l'alternance.

tanzanien, ienne adj. et n. m. et f.
De Tanzanie. *Un Tanzanien, une Tanzanienne.*
L'adjectif s'écrit avec une minuscule ; le nom, avec une majuscule.

taon n. m.
Le ***o*** ne se prononce pas : [tɑ̃], comme dans ***paon*** et ***faon***; Le mot rime avec ***tant.***
Insecte piqueur. *Elle est allergique à la piqûre des taons.*
HOM. **temps**, durée.

tapage n. m.
1. Vacarme, désordre. *Elle ne peut dormir à cause du tapage.*
2. (FIGURÉ) Scandale. *Cette affaire a fait beaucoup de tapage.*
ta**p**age.

tapageur, euse adj.
1. Qui fait du bruit. *Des écoliers tapageurs.*
2. Voyant, criard. *Une voiture trop tapageuse à son goût.*
ta**p**ageur.

tapant, ante adj.
À l'instant même où sonne l'heure. *À midi tapant, à huit heures tapantes* ou *tapant.*
Lorsqu'il qualifie le nom ***heure,*** l'adjectif prend la marque du féminin pluriel ou reste invariable.
ta**p**ant.

tape n. f.
Coup de la main. *Une tape amicale.* SYN. claque, gifle.
ta**p**e.

tape-à-l'œil adj. inv. et n. m. inv. (pl. *tape-à-l'œil*)
Adjectif invariable
Voyant. *Des voitures tape-à-l'œil.*
Nom masculin invariable
Ce qui est destiné à frapper, à faire de l'effet. *Elle n'aime pas le tape-à-l'œil.*
tape**-**à-l'œil.

taper v. tr., intr., pronom.
Verbe transitif
Frapper. *Son frère l'a tapé.*
Verbe intransitif
1. Donner des coups. *Taper des mains et des pieds.*
2. Dactylographier. *Elle tape très vite.*
Verbe pronominal
(FAMILIER) Faire une tâche désagréable. *Et en plus, il faut se taper le ménage.*
Locutions
Taper dans l'œil. (FAMILIER) Plaire.
Taper sur les nerfs. (FAMILIER) Agacer.
Forme fautive
*taper (une ligne téléphonique). Anglicisme au sens de ***mettre sur écoute.***
Conjugaison [VOIR MODÈLE – **AIMER**]

tapir n. m.
Mammifère herbivore dont le nez est allongé en forme de trompe.

tapir (se) v. pronom.
Se cacher, se blottir. *Elle s'était tapie sous le lit par crainte de l'orage.*
Le participe passé de ce verbe qui n'existe qu'à la forme pronominale s'accorde toujours en genre et en nombre avec le sujet du verbe.
Conjugaison [VOIR MODÈLE – **FINIR**]

tapis n. m.
1. Pièce textile dont on couvre le sol. *Un tapis persan.*
2. Tissu qui recouvre une surface. *Un tapis de table, de billard.*
Locutions
Mettre un sujet sur le tapis. (FIGURÉ) Aborder un sujet, en amener la discussion.
Tapis roulant. Transporteur muni d'une surface plane et destiné à faciliter le déplacement de personnes, d'objets.
Forme fautive
*tapis mur à mur. Calque de l'anglais « wall to wall carpet » au sens de ***moquette.***
tapi**s.**

tapisser v. tr.
1. Orner de tapisseries, d'étoffes, de papier peint, etc., les murs d'une pièce. *La salle à manger est tapissée d'un imprimé fleuri.*
2. (FIGURÉ) Couvrir une surface. *Le lierre tapisse la façade de cette maison.*
Conjugaison [VOIR MODÈLE – **AIMER**]

tapisserie n. f.
1. Tissu d'ameublement. *Un fauteuil recouvert de tapisserie.*
2. Ouvrage d'art fait au métier, à l'aiguille. *Des tapisseries de haute lice.*
3. Papier peint, tissu tendu sur les murs. *Rajeunir la tapisserie de la chambre.*

taponnage n. m.
⚜ (FAMILIER) Hésitation, essais et tentatives. *Après un peu de taponnage, on a réussi à réparer le moteur.*

taponner v. intr.
⚜ (FAMILIER) Hésiter, faire des essais. *Arrête de taponner, choisis une fois pour toutes !*
Conjugaison [VOIR MODÈLE – **AIMER**]

tapoter v. tr.
Donner de petits coups légers et répétés. *Elle tapotait un petit tambour.*
Conjugaison [VOIR MODÈLE – **AIMER**]
✎ tapo**t**er, un seul ***t.***

taquin, ine adj. et n. m. et f.
Espiègle. *Colette aime faire des blagues : elle est taquine.* **SYN.** coquin, mutin.

taquiner v. tr.
Plaisanter, sans méchanceté. *C'est une blague, c'était pour te taquiner.* **SYN.** blaguer, rigoler.
Conjugaison [VOIR MODÈLE – **AIMER**]

taquinerie n. f.
Espièglerie. *Heureusement, il ne cessera jamais de faire des taquineries.* **SYN.** blague.

***taraud**
Impropriété au sens de ***écrou.***

tard adv.
Après le temps prévu. *Il est rentré très tard. Elle se couche tard.* **ANT.** tôt.
Locutions
Au plus tard, locution adverbiale. En ne dépassant pas (tel moment). *Votre demande doit nous parvenir le 29 avril au plus tard.*
Mieux vaut tard que jamais. (Proverbe) Il vaut mieux faire quelque chose en retard que de ne pas le faire.
Plus tard, locution adverbiale. Ultérieurement. *Ils seront là plus tard.* **ANT.** plus tôt.
Tôt ou tard, locution adverbiale. Un jour ou l'autre. *Nous y arriverons tôt ou tard.* **SYN.** inévitablement.

tarder v. intr., impers.
Verbe intransitif
1. Se faire attendre, prendre son temps. *Tu as tardé à venir, je t'attendais plus tôt.* **ANT.** se dépêcher, se hâter, se presser.
2. Être en retard. *Ne tarde pas, l'autobus passe à 8 h 15.*
Le verbe se construit sans complément ou avec la préposition **à** suivie de l'infinitif. *Nous ne tarderons pas à répondre à votre gentille invitation.*
Verbe impersonnel
Avoir hâte de, être impatient que. *Il me tarde de le retrouver. Il te tarde de le voir. Il lui tarde qu'elle soit de retour.*
À la forme impersonnelle, le verbe se construit avec la préposition ***de*** suivie de l'infinitif ou avec la conjonction ***que*** suivie du subjonctif.
Le verbe impersonnel marque l'impatience, la hâte, un désir pressant.
Locution
Sans tarder, locution adverbiale. Vite. **SYN.** rapidement.
Conjugaison [VOIR MODÈLE – **AIMER**]

tardif, ive adj.
1. Qui vient tard. *Des rosiers tardifs.* **ANT.** hâtif.
2. Qui a lieu tard. *Un souper tardif. Ne viens pas à une heure trop tardive.*

tarentule n. f.
Grosse araignée redoutée pour ses piqûres.
✎ tar**e**ntu**l**e, un seul ***l.***

tarif n. m.
Le ***f*** se prononce, [tarif].
Prix courant d'une marchandise, d'un service. *Le tarif est de 20 $ l'heure.*
✎ tari**f.**

tarir v. tr., intr., pronom.
Verbe transitif
Mettre à sec. *Tarir un puits.* **SYN.** assécher.
Verbe intransitif
1. (LITTÉRAIRE) Cesser de couler. *Nos grands fleuves ne tariront jamais.*
2. (FIGURÉ) Ne pas taire, ne pas cesser de dire. *Il ne tarit pas d'éloges sur ses amis.*
Verbe pronominal
S'épuiser, s'arrêter de couler. *La source s'est tarie.*
Conjugaison [VOIR MODÈLE – **FINIR**]
✎ ta**r**ir.

tarte adj. et n. f.
Nom féminin
Pâtisserie. *Une tarte au sucre, de bonnes tartes maison.*
Adjectif
(FAMILIER) Niais, peu dégourdi. *Ils sont tartes, ces visiteurs.* **SYN.** bête, idiot, ⚜ niaiseux.

tartelette n. f.
Petite tarte. *Une tartelette aux framboises.*

tartine n. f.
Tranche de pain recouverte de beurre, etc., ou destinée à l'être. *Une tartine de confiture ou de beurre d'arachide.*
Pour une tranche de pain recouverte de beurre, on dit aussi au Québec une ***beurrée.***

tartiner v. tr.
Étendre du beurre, du chocolat, de la confiture, etc., sur une tranche de pain.
Locution
À tartiner, locution adverbiale. Facile à étendre sur du pain. *Du fromage à tartiner.*
Conjugaison [VOIR MODÈLE – **AIMER**]

tas n. m.
1. Accumulation de choses non rangées. *Un tas de feuilles mortes, un tas de neige.* **SYN.** amas, amoncellement.
Ce mot est moins recherché que ***amas*** qui a la même signification.
2. (FAMILIER) Grand nombre. *Nous avons reçu un tas d'appels.* **SYN.** foule, quantité.

tasse n. f.
1. Récipient, généralement à anse, qui sert à boire. *Une tasse de porcelaine.*
2. Contenu d'une tasse. *Prendre une tasse de lait au chocolat.*

tasser v. tr., pronom.
Verbe transitif
Resserrer le plus possible. *Tasser des vêtements dans une valise.* **SYN.** comprimer.
Verbe pronominal
1. Se serrer les uns contre les autres. *Aux heures de pointe, les passagers doivent se tasser dans les voitures du métro.*
2. (FIGURÉ) S'arranger. *Ne vous inquiétez pas : les difficultés se tasseront avec le temps.* **SYN.** s'aplanir, s'atténuer.
Conjugaison [VOIR MODÈLE – **AIMER**]

tatami n. m.
Natte servant à couvrir le sol pour la pratique du judo, du karaté, etc. *Pour la sieste, les petits dorment sur des tatamis.*

tâter v. tr.
Verbe transitif direct
1. Toucher, palper. *Tâter une étoffe, tâter un membre blessé.*
2. (FIGURÉ) Étudier attentivement. *L'entreprise tâte ce nouveau marché.*
Verbe transitif indirect
Faire l'expérience de. *J'ai tâté de plusieurs métiers.* **SYN.** essayer, expérimenter.
En ce sens, le verbe se construit avec la préposition ***de.***
Locution
Tâter le terrain. (FAMILIER) (FIGURÉ) Étudier les circonstances, la situation avant de faire quelque chose.
Conjugaison [VOIR MODÈLE – **AIMER**]

tatillon, onne adj. et n. m. et f.
Minutieux à l'excès. *Elle est un peu tatillonne.* **SYN.** méticuleux, pointilleux.
Au féminin, on emploie également la forme du masculin. *Elle est très tatillon.* Le mot a un sens défavorable.
ta**till**on, sans accent.

tâtonnement n. m.
1. Action de tâtonner. *Des tâtonnements à la recherche de l'interrupteur.*
2. (FIGURÉ) Essai, tentative. *Après quelques tâtonnements, on a réussi à faire démarrer le moteur.*
tâto**nn**ement.

tâtonner v. intr.
1. Chercher en tâtant. *Il tâtonne dans l'obscurité, à la recherche de l'interrupteur.* **SYN.** palper.
2. (FIGURÉ) Procéder par essais, faire des tentatives. *À force de tâtonner, on a trouvé la solution.* **SYN.** essayer, expérimenter.
Conjugaison [VOIR MODÈLE – **AIMER**]
tâto**nn**er.

tâtons (à) loc. adv.
1. En tâtonnant dans l'obscurité. *Les campeurs marchaient à tâtons dans la nuit pour regagner leur tente.*
2. (FIGURÉ) Au hasard, de façon non systématique. *L'enquête avance à tâtons.*
à **tâ**ton**s**, toujours au pluriel.

tatou n. m. (pl. *tatous*)
Mammifère insectivore couvert d'une carapace.
Forme fautive
*tatou. Anglicisme au sens de ***tatouage.***

tatouage n. m.
1. Action de marquer la peau de façon permanente au moyen d'injections d'encre.
2. Résultat de cette action. *Elle a un petit tatouage (et non un *tatou) à la cheville représentant un dauphin.*

tatouer v. tr.
Tracer des dessins permanents sur le corps au moyen d'injections d'encre. *Il s'est fait tatouer une ancre. On a tatoué les anneaux olympiques sur le bras de cet athlète.*
Conjugaison [VOIR MODÈLE – **AIMER**]

taudis n. m.
Habitation misérable. *Ces logements sont de véritables taudis.*
taudi**s,** un ***s*** au singulier comme au pluriel.

taupe adj. inv. et n. f.
Nom féminin
Mammifère insectivore qui vit sous terre où il creuse des galeries.
Adjectif de couleur invariable
D'un beige grisâtre. *Des gants taupe.*
Locution
Myope comme une taupe. Personne dont la vision est faible.
t**au**pe.

taureau n. m. (pl. *taureaux*)
1. Mammifère ruminant, mâle de la vache, qui sert à la reproduction. *Une course de taureaux.*
VOIR TABLEAU – **ANIMAUX.**
2. Nom d'une constellation, d'un signe du zodiaque.
Les noms d'astres s'écrivent avec une majuscule. *Elle est (du signe du) Taureau, elle est née entre le 21 avril et le 21 mai.*
VOIR **ASTRE.**
Locution
Prendre le taureau par les cornes. (FIGURÉ) S'attaquer de front à une difficulté, à un problème.

taux n. m.
Proportion, pourcentage. *Un taux de réponse de 10 sur 20, de 50 %.*
Locution
Taux d'intérêt. Rapport entre l'intérêt annuel déterminé et la somme empruntée ou investie. *Un taux d'intérêt de 8 %.*
On emploie généralement le signe **%** précédé d'un espace pour exprimer les taux d'intérêt, les pourcentages, etc. *Un prêt hypothécaire à 9 %.*
taux, un ***x*** au singulier comme au pluriel.

taverne n. f.
1. Petit restaurant. *Une taverne grecque.*
2. Endroit où l'on boit surtout de la bière.

taxe n. f.
Argent payé au gouvernement par les personnes d'un pays. *Des taxes scolaires. Ce prix comprend-il les taxes?* **SYN.** impôt.

taxer v. tr.
Soumettre à une taxe. *Le gouvernement taxe les cigarettes et l'essence. Les produits de luxe sont taxés.*
Conjugaison [VOIR MODÈLE – **AIMER**]

taxi n. m.
Voiture de location avec chauffeur. *J'ai pris un taxi pour me rendre chez mon copain parce que ma valise était trop encombrante. Ce chauffeur de taxi est très aimable.*

tchadien, ienne adj. et n. m. et f.
Adjectif et nom masculin et féminin
Du Tchad. *Un Tchadien, une Tchadienne.*
L'adjectif s'écrit avec une minuscule; le nom, avec une majuscule.
Nom masculin
Groupe de langues africaines. *Étudier le tchadien.*
Le nom du groupe de langues africaines s'écrit avec une minuscule.

tchador n. m.
Voile porté par certaines musulmanes.

tchécoslovaque adj. et n. m. et f.
De Tchécoslovaquie. *Un peintre tchécoslovaque. Un Tchécoslovaque, une Tchécoslovaque.*

🖎 L'adjectif s'écrit avec une minuscule ; le nom, avec une majuscule. Aujourd'hui, on emploie surtout le mot ***tchèque*** ou le mot ***slovaque*** selon le peuple désigné.

tchèque adj. et n. m. et f.
Adjectif et nom masculin et féminin
De la République tchèque. *Un journal tchèque. Un Tchèque, une Tchèque.*
🖎 L'adjectif s'écrit avec une minuscule ; le nom, avec une majuscule.
Nom masculin
Langue slave parlée par les Tchèques. *Vaclav parle le tchèque.*
🖎 Le nom de la langue s'écrit avec une minuscule.

te pron. pers. m. et f. sing.
Pronom personnel masculin et féminin de la deuxième personne du singulier.
EMPLOIS
– **Complément d'objet direct**
Le pronom représente la personne à qui l'on parle et indique qu'elle subit l'action. *Je te vois.*
🖎 Le pronom a la même fonction dans les verbes pronominaux réfléchis. *Tu t'es intéressé à ce projet.*
– **Complément d'objet indirect**
Le pronom indique que la personne à qui l'on parle subit indirectement l'action faite par le sujet. *Je voudrais te parler.*
🖎 Le pronom a la même fonction dans les verbes essentiellement pronominaux. *Tu te souviens.*
🖎 Le pronom s'élide devant une voyelle ou un ***h*** muet. *Il t'adore, il t'honore.*
VOIR TABLEAU – **PRONOM.**

technicien n. m.
technicienne n. f.
Les lettres ***ch*** se prononcent ***k*** [tɛknisjɛ̃, tɛknisjɛn].
Personne qui connaît et applique la technique d'un art, d'un métier. *Une technicienne de laboratoire expérimentée. Un technicien en informatique.*

technique adj. et n. f.
Adjectif
1. Propre à une science, à un art. *Un terme technique.* **SYN.** spécialisé.
2. Qui concerne l'application de la théorie. *Un enseignement technique.* **SYN.** appliqué. **ANT.** théorique.
Nom féminin
Ensemble des procédés d'une science, d'un art, d'un métier. *La technique des peintres impressionnistes. Les techniques de cuisson de la brique.*

technologie n. f.
Les lettres ***ch*** se prononcent ***k*** [tɛknɔlɔʒi].
1. Étude des techniques et des procédés industriels.
2. Ensemble de connaissances théoriques et pratiques de nature scientifique dans un domaine technique. *Les nouvelles technologies de l'information. Les technologies de pointe.*

technologique adj.
Les lettres ***ch*** se prononcent ***k*** [tɛknɔlɔʒik].
Relatif à la technologie. *Les progrès technologiques.*

teckel n. m.
Basset à pattes très courtes.
te**ck**el.

***teenager**
Anglicisme pour ***adolescent.***

tee-shirt ou **t-shirt** n. m. (pl. *tee-shirts* ou *t-shirts*)
Les lettres ***ee*** se prononcent ***i*** et le ***i*** se prononce ***eu*** [tiʃœrt]. Ce nom se prononce à l'anglaise.
Maillot de coton à manches courtes et encolure ras du cou.
🖎 La chemise de sport en tricot à col ouvert est un ***polo.***

téflon n. m.
(Nom déposé) Substance qui a la propriété de résister à la chaleur et à l'usure, et de limiter l'adhérence. *Comme cette poêle est recouverte de téflon, les aliments ne collent pas pendant la cuisson.*
🖎 Ce nom est passé dans l'usage ; même s'il constitue une marque de commerce, il s'écrit maintenant avec une minuscule.

teindre v. tr., pronom.
Verbe transitif
Donner à quelque chose une couleur différente de celle qu'elle avait, à l'aide d'une teinture. *Teindre une étoffe. Hercule Poirot teignait ses moustaches en noir.*
Verbe pronominal
Donner à ses cheveux une couleur artificielle. *Elle s'est teint les cheveux* (et non *teindu).
Conjugaison [VOIR MODÈLE – **ÉTEINDRE**]
INDICATIF PRÉSENT *Je teins, tu teins, il teint, nous teignons, vous teignez, ils teignent.* IMPARFAIT *Je teignais, tu teignais, il teignait, nous teignions, vous teigniez, ils teignaient.* PASSÉ SIMPLE *Je teignis.* FUTUR *Je teindrai.* **CONDITIONNEL** PRÉSENT *Je teindrais.* **IMPÉRATIF** PRÉSENT *Teins, teignons, teignez.* **SUBJONCTIF** PRÉSENT *Que je teigne, que tu teignes, qu'il teigne, que nous teignions, que vous teigniez, qu'ils teignent.* IMPARFAIT *Que je teignisse.* **PARTICIPE** PRÉSENT *Teignant.* PASSÉ *Teint, teinte.*
Les lettres ***gn*** sont suivies d'un ***i*** à la première et à la deuxième personne du pluriel de l'indicatif imparfait et du subjonctif présent. *(Que) nous teignions, (que) vous teigniez.*

teint, e adj.
Qui a subi une teinture. *Des étoffes teintes. Des cheveux teints* (et non *teindus).

teint n. m.
Coloration du visage. *Elle a un teint de rousse. Il a un teint bronzé.*
Locution
Fond de teint. Maquillage qui donne au visage une couleur uniforme.
HOM. thym, plante aromatique.

teinte n. f.
1. Couleur. *Un tissu de soie dans de belles teintes de bleu.*
2. Nuance d'une couleur. *La teinte dorée de ses cheveux. Des demi-teintes.*
3. (FIGURÉ) Petite dose. *Une teinte d'ironie pouvait se lire dans ses yeux.* **SYN.** pointe.
teinte.

teinter v. tr.
Colorer légèrement. *Des lèvres teintées de rouge, des lunettes teintées.*
HOM. tinter, sonner.
Conjugaison [VOIR MODÈLE – **AIMER**]

teinture n. f.
1. Action de teindre. *La teinture des cheveux.*
2. Substance propre à teindre. *Une teinture végétale.*
teinture.

tel, telle adj. et pron.
VOIR TABLEAU – **TEL.**

tél.
Abréviation de ***téléphone.***

télé n. f.
Abréviation familière de ***télévision.*** *Je n'ai pas beaucoup de temps pour écouter la télé* (et non la *TV, la *tévé).

télécommande n. f.
Appareil permettant d'actionner à distance un mécanisme. *Un téléviseur muni d'une télécommande.*

télécommunication n. f.
Ensemble des procédés de communication à distance.

télécopie n. f.
Procédé de télécommunication associant la téléphonie et la reprographie et permettant de transmettre à distance un document graphique. *Le contrat a été envoyé par télécopie* (et non par *fax).

télécopieur n. m.
Système qui permet la télécopie. *Maintenant que ferait-on sans télécopieur* (et non sans *fax) ?

téléférique ou **téléphérique** n. m.
Système de transport par câbles aériens.
La graphie ***téléférique*** plus simple est à préférer.

télégénique adj.
Qui passe bien, qui a une belle apparence à la télévision. *Il est télégénique.*
télégéni**que.**

télégramme n. m.
Message transmis par télégraphe. *Vous avez reçu un télégramme d'Italie.*

télégraphe n. m.
Appareil permettant de transmettre des informations en les transformant en signaux électriques.

télégraphie n. f.
Transmission de signaux.

télégraphier v. tr.
Envoyer un télégramme.
Conjugaison [VOIR MODÈLE – **ÉTUDIER**]
Redoublement du ***i*** à la première et à la deuxième personne du pluriel de l'indicatif imparfait et du subjonctif présent. *(Que) nous télégraphiions, (que) vous télégraphiiez.*

télégraphique adj.
Expédié sous forme de télégramme. *Un message télégraphique.*
Locution
Style télégraphique. Concis, comme dans un télégramme.

téléobjectif n. m.
Objectif photographique qui permet d'obtenir une image agrandie d'objets éloignés. *Grâce à son téléobjectif, Martin a pu photographier des oiseaux qui volaient au loin.*

téléphérique
VOIR **TÉLÉFÉRIQUE.**

téléphone n. m.
Abréviation ***tél.*** (s'écrit avec un point).
1. Appareil servant à transmettre la voix à distance. *Un téléphone sans fil. L'annuaire du téléphone.*
2. Réseau téléphonique. *Nous avons pu communiquer par téléphone.*
Locution
Téléphone cellulaire. Système mobile de radiotéléphonie permettant l'accès à l'ensemble du réseau téléphonique.
Forme fautive
*téléphone. Erreur au sens de ***appel téléphonique, coup de téléphone.*** *J'ai fait un appel téléphonique* (et non un *téléphone).

téléphoner v. tr., intr.
1. Transmettre par téléphone. *On vient de me téléphoner la nouvelle.*
2. Parler au téléphone. *Téléphone-moi ce soir.*
Conjugaison [VOIR MODÈLE – **AIMER**]

téléphonique adj.
Relatif au téléphone. *Un réseau téléphonique, une conversation téléphonique.*

téléphoniste n. m. et f.
Personne chargée du service téléphonique.

téléroman n. m.
Feuilleton télévisé. *Ce téléroman est très populaire.*

télescope n. m.
Instrument d'optique qui sert à l'observation des astres.

télescopique adj.
1. Relatif au télescope. *Des photos télescopiques.*
2. Dont les éléments s'emboîtent les uns dans les autres. *Un siège télescopique.*

télésiège n. m.
Téléférique comportant des sièges suspendus. *Un télésiège quadruple.*

téléspectateur, trice n. m. et f.
Spectateur de la télévision. *Les téléspectateurs ont apprécié cette émission humoristique.*

téléthon n. m.
Émission télévisée dont l'objet est de recueillir des fonds pour une cause déterminée. *Le téléthon de la paralysie cérébrale.*
télét**h**on

téléviser v. tr.
Transmettre une émission par télévision. *Le journal télévisé.*
Conjugaison [VOIR MODÈLE – **AIMER**]

téléviseur n. m.
S'abrège familièrement en ***télé.***
Poste récepteur de télévision. *Acheter un nouveau téléviseur en couleurs.*
Mis en apposition, le nom ***couleur*** est invariable. *Un téléviseur couleur.*

télévision n. f.
S'abrège familièrement en ***télé*** (s'écrit sans point). *Allume la télé, notre émission va commencer !*
1. Ensemble des techniques qui permettent la transmission d'images et de sons à distance. *Une émission de télévision. Une chaîne de télévision, la télévision par câble. Tu regardes trop la télévision, viens jouer dehors avec nous.*
2. (FAMILIER) Téléviseur. *Ma télévision est défectueuse.*

tellement adv.
1. Beaucoup. *As-tu mal à la jambe ? Pas tellement.*
2. Très, énormément. *Elle était tellement contente quand elle a su qu'elle gagnait.*
3. Tant. *Ils sursautèrent, tellement l'explosion était forte.*

t

TEL, TELLE, ADJECTIF INDÉFINI

Pareil, semblable.

Je n'ai jamais entendu de telles bêtises. Un tel talent lui permettra de progresser rapidement.

Placé en début de proposition comme attribut, l'adjectif entraîne l'inversion du sujet. *Nous nous retrouvions tous autour de la table, car telle était sa volonté.*

ACCORD DE L'ADJECTIF

- ***Tel*** (non suivi de ***que)***. Ainsi que.

  Elle était tel un tigre. À vol d'oiseau, les lacs sont telles des gouttes d'eau.

  L'adjectif s'accorde **avec le nom qui suit.**

- ***Tel que.*** Ainsi que.

  Une amazone telle qu'un fauve. Les cavaliers surgirent tout à coup tels que des bêtes féroces.

  L'adjectif s'accorde **avec le nom auquel il se rapporte.**

- ***Tel quel.*** Sans changement.

  Ces amies, je les ai retrouvées telles quelles, semblables à ce qu'elles ont toujours été.

  La locution s'accorde en genre et en nombre **avec le nom auquel elle se rapporte.**

- ***Comme tel.*** En cette qualité.

  La langue officielle du Québec est le français et doit être reconnue comme telle par tous les Québécois.

  Dans les expressions **comme tel, en tant que tel,** l'adjectif s'accorde avec le nom auquel il se rapporte.

- Si grand.

  Il se battit avec un tel courage qu'il finit par vaincre.

- **Tel + nom** (sans article). Se dit de personnes, de choses qu'on ne peut désigner de façon déterminée.

  Ils viendront à telle heure, à tel moment. Je vous donnerai telle ou telle information.

- **Tel que + participe passé**. L'ellipse du verbe conjugué est à éviter, on préférera la construction *L'amendement a été adopté tel qu'il avait été proposé* à celle de *tel que proposé,* dans la langue soutenue.

- ***De telle sorte que,*** locution conjonctive. De telle manière que, à tel point que.

  Il a travaillé de telle sorte qu'il peut récolter aujourd'hui les fruits de ses efforts.

  La locution se construit avec l'indicatif.

t

TEL, PRONOM INDÉFINI SINGULIER

- (Litt.) Celui, quelqu'un.

  Tel est pris qui croyait prendre.

  Le pronom ne s'emploie qu'au singulier.

- ***Tel... tel.*** Celui-ci et celui-là.

  Tel aime la lecture, tel préfère le sport.

- ***Un tel, une telle, untel, unetelle.*** La locution remplace un nom propre qui n'est pas précisé.

  Madame Unetelle.

Locution
Tellement que, locution conjonctive. À tel point. *Ils ont tellement travaillé qu'ils sont épuisés.* **SYN.** au point que.
Quand la proposition principale est affirmative, le verbe se construit avec l'indicatif. Quand la principale est négative ou interrogative, le verbe se construit avec le subjonctif. *Est-il tellement occupé qu'il ne puisse se libérer ?*

téméraire adj.
Audacieux avec imprudence, irréfléchi. *Une escalade téméraire.* **SYN.** hardi, imprudent.
téméraire.

témérité n. f.
Imprudence, audace excessive.

témoignage n. m.
1. Rapport d'une personne sur ce qu'elle a vu ou entendu. *Des témoignages qui se recoupent.*
2. (DROIT) Déclaration faite par un témoin à la cour. *Un faux témoignage. Un témoignage d'expert.*
3. Marque, preuve. *Un témoignage d'affection, d'admiration.* **SYN.** signe.
Locution
Rendre témoignage à. Rendre hommage. *On a rendu témoignage à son courage et à sa détermination.*

témoigner v. tr., intr.
Verbe transitif direct
Manifester. *Il lui témoigne son affection.* **SYN.** exprimer.
Verbe transitif indirect
Témoigner de. Être la preuve de. *Toutes ces heures d'étude témoignent de sa volonté de réussir.* **SYN.** montrer, révéler.
En ce sens, le verbe se construit avec la préposition ***de.***
Verbe intransitif
(DROIT) Déclarer ; faire une déposition en justice. *Ils ont témoigné à la cour.*
Locution
Témoigner en faveur de quelqu'un, de quelque chose. (FIGURÉ) Plaider la cause de.
Conjugaison [VOIR MODÈLE – **AIMER**]
Les lettres ***gn*** sont suivies d'un ***i*** à la première et à la deuxième personne du pluriel de l'indicatif imparfait et du subjonctif présent. *(Que) nous témoignions, (que) vous témoigniez.*

témoin n. m.
1. Personne qui a vu ou entendu un fait et qui peut en faire rapport. *Le vol s'est déroulé en la présence de plusieurs témoins.*
Ce nom ne comporte pas de forme féminine. *Elle a été le témoin involontaire de cette scène.*
2. Personne qui témoigne en justice. *La cour a appelé plusieurs témoins.*
3. Témoignage, preuve. *Ces temples magnifiques sont les témoins d'une grande civilisation.*
4. Dispositif de contrôle. *Quand le témoin lumineux s'allume, le four est chaud.* **SYN.** voyant.
5. (EN APPOSITION) Repère. *Des groupes témoins.*
Mis en apposition, le nom prend la marque du pluriel et s'écrit sans trait d'union. *Des lampes témoins.*
Locution
Sans témoins. Seul à seul. *La conversation a eu lieu sans témoins, sans aucun témoin.*
Dans cette expression, le nom s'écrit généralement au pluriel s'il n'est pas accompagné des adjectifs ***aucun, nul.***

tempe n. f.
Côté du front. *Il a reçu un coup à la tempe.*
tempe.

tempérament n. m.
Caractère d'une personne, manière d'être. *Il a un tempérament chaleureux.*

température n. f.
1. Degré de chaleur ou de froid d'un lieu, d'un corps. *La température a baissé : il fait très froid en ce moment.*
Les degrés de température s'expriment avec un zéro supérieur **°.** *Il fait 37,5 °C.*
2. Degré de chaleur du corps humain. *Tu ne te sens pas bien : as-tu pris ta température ?*
Locution
Avoir de la température. Être fiévreux.
Ne pas confondre avec le nom ***temps,*** état de l'atmosphère.
Forme fautive
*température. Impropriété au sens de ***temps.*** *Un temps ensoleillé* (et non une *température).
VOIR **DEGRÉ.**

tempéré, ée adj.
Qui n'est ni trop chaud ni trop froid. *Un climat tempéré.*

tempête n. f.
Violente perturbation atmosphérique accompagnée de pluie ou de neige, de vents violents. *La tempête fait rage.*

tempête de neige n. f.
Chute de neige abondante accompagnée de vents violents. *Nous avons eu plusieurs tempêtes de neige au cours de cet hiver.*
Ne pas confondre avec le nom ***poudrerie,*** au Québec, neige poussée par des rafales de vent.

temple n. m.
Édifice consacré à une divinité. *Le temple du Soleil.*

temporaire adj.
Qui ne dure qu'un peu de temps, provisoire. *Cette solution est temporaire. Des emplois temporaires.* **SYN.** momentané, passager.

temporairement adv.
Provisoirement. *Le bureau est temporairement fermé.*

temps n. m.
1. La durée. *Le temps passe vite.*
L'unité de mesure de base est la ***seconde.***
VOIR TABLEAU – **HEURE.**
VOIR TABLEAU – **JOUR.**
2. Un certain moment. *Il reviendra dans quelque temps.* **SYN.** instant.
3. Époque. *Les temps modernes.* **SYN.** ère.
4. Période. *Le temps des récoltes. Le temps est venu de se lancer.*
5. État de l'atmosphère. *Il fait beau temps* (et non une belle *température). *C'est un vrai temps de chien.*
Ne pas confondre avec le nom ***température,*** degré de chaleur ou de froid d'un lieu, d'un corps.
6. (GRAMMAIRE) Série des formes verbales qui indique à quel moment s'accomplit l'action. *Le passé composé, l'imparfait, le présent, le futur sont des temps du verbe.*
VOIR TABLEAU – **FUTUR.**
VOIR TABLEAU – **PASSÉ (TEMPS DU).**
VOIR TABLEAU – **PRÉSENT.**

t

Locutions
À temps, locution adverbiale. Au bon moment. *Elle est arrivée à temps* (et non *en temps). **ANT.** en retard.
Au temps de, locution prépositive. *Au temps de ma jeunesse, racontait grand-papa, le laitier livrait son lait dans une voiture tirée par un cheval.* **SYN.** du temps de.
Au temps où, locution adverbiale. *Au temps où nous nous retrouvions tous dans la forêt pour cueillir des fraises sauvages.*
Avoir fait son temps. Être dépassé. *La machine à écrire a fait son temps.*
Bon temps. Plaisir, divertissement. *Se donner du bon temps.*
Dans le bon vieux temps, locution adverbiale. Cette locution marque une évocation nostalgique du passé.
De temps en temps, de temps à autre, locutions adverbiales. Parfois. *Il est agréable d'aller au cinéma de temps à autre.* **SYN.** à l'occasion.
De tout temps, locution adverbiale. Toujours.
Cette locution s'écrit au singulier.
En même temps, locution adverbiale. Simultanément, ensemble.
En tout temps, locution adverbiale. Quel que soit le moment.
Cette locution s'écrit au singulier.
Entre-temps, locution adverbiale. Dans l'intervalle. *Elle lui avait écrit, mais entre-temps il l'appela.*
Attention à l'orthographe : cette locution s'écrit avec un trait d'union.
La plupart du temps, locution adverbiale. Le plus souvent.
Quelque temps, locution adverbiale. Pendant un certain moment.
Temps partiel. Période inférieure à la durée normale de travail.
Temps plein. Période correspondant à la durée normale de travail, soit entre 35 et 40 heures par semaine.
HOM. **taon**, insecte piqueur.

tenace adj.
1. Déterminé, persévérant. *Elle est tenace, elle y arrivera.* **SYN.** décidé, volontaire.
2. (FIGURÉ) Dont on ne parvient pas à se défaire, à se débarrasser. *Une toux tenace, des préjugés tenaces.*
tenac**e**, au masculin comme au féminin.

ténacité n. f.
Persévérance, détermination. **SYN.** obstination.
t**é**nacité.

tenaille n. f.
Outil composé de deux branches mobiles qui se resserrent. *Les tenailles du dentiste.* **SYN.** pince.
Ce nom s'emploie généralement au pluriel.

tenant, ante n. m. et f.
Sportif qui détient un titre. *Elle est la tenante du championnat de ski. Ils sont les tenants de la coupe Stanley.*
Locution
D'un seul tenant. D'une seule pièce.

tendance n. f.
1. Prédisposition. *Une tendance à voir la vie du bon côté.* **SYN.** penchant.
2. Orientation. *Cette tendance politique est inquiétante.*
3. Direction. *Les tendances fondamentales de l'économie, de la démographie* (et non *trend).
Locution
Avoir tendance à. Être porté à. *Elle a tendance à se réveiller tôt.*
tend**a**nce.

tendon n. m.
Ensemble de fibres par lesquelles un muscle se rattache à un os.
t**e**ndon.

tendre v. tr., pronom.
Verbe transitif direct
1. Rendre droite une matière souple. *Tendre une étoffe. Je tends mon arc pour lancer une flèche.*
2. Déployer. *Tendre un piège.*
3. Avancer. *Tendre la main. Elle lui a tendu un livre.*
Verbe transitif indirect
1. Viser. *Des subventions tendant à favoriser la création d'entreprises.*
2. Avoir tendance à. *Cet enfant tend à négliger ses devoirs.*
Le verbe transitif indirect se construit avec la préposition **à** suivie d'un nom ou de l'infinitif.
Verbe pronominal
Devenir difficile en raison de pressions qui s'exercent. *Les relations entre ces deux pays se sont tendues.*
Locution
Tendre l'oreille. Écouter attentivement.
Conjugaison [VOIR MODÈLE – **FENDRE**]
INDICATIF PRÉSENT *Je tends, tu tends, il tend, nous tendons, vous tendez, ils tendent.* IMPARFAIT *Je tendais.* PASSÉ SIMPLE *Je tendis.* FUTUR *Je tendrai.* **CONDITIONNEL** PRÉSENT *Je tendrais.* **IMPÉRATIF** PRÉSENT *Tends, tendons, tendez.* **SUBJONCTIF** PRÉSENT *Que je tende.* IMPARFAIT *Que je tendisse.* **PARTICIPE** PRÉSENT *Tendant.* PASSÉ *Tendu, ue.*

tendre adj.
1. Rempli de tendresse et d'affection. *Des baisers très tendres pour ses enfants.* **SYN.** affectueux, aimant.
2. Qui se coupe facilement. *Une viande tendre.* **ANT.** dur.
3. Atténué, pâle. *Des couleurs tendres, vert tendre.* **ANT.** foncé.

tendrement adv.
Avec tendresse. *Elle les serre tendrement dans ses bras.* **SYN.** affectueusement.

tendresse n. f.
Sentiment d'affection, d'attachement. *Elle l'écoute et le regarde avec toute la tendresse du monde.*
Ne pas confondre avec le nom ***tendreté,*** caractère de ce qui est tendre, en parlant d'une substance.

tendreté n. f.
Caractère de ce qui est tendre, en parlant d'une substance. *La tendreté d'un gigot.*
Ne pas confondre avec le nom ***tendresse,*** sentiment d'affection, d'attachement.

tendu, ue adj.
1. Étiré, rendu droit. *Une corde bien tendue.*
2. Soumis au stress, à la tension. *Vous êtes trop tendu peut-être.* **SYN.** crispé. **ANT.** décontracté, détendu.
3. Difficile. *Des relations tendues.*

ténèbres n. f. pl.
(LITTÉRAIRE) Obscurité totale.
Ce nom ne s'emploie qu'au pluriel.

teneur n. f.
1. Contenu. *Connaissez-vous la teneur de ces articles ?*
2. Proportion d'un élément dans un mélange. *La teneur en alcool d'une boisson.*

tenir v. tr., intr., impers., pronom.
Verbe transitif direct
1. Avoir entre les mains. *Tenir un marteau. Ils tiennent la rampe de l'escalier.*
2. Maintenir. *L'ombre de cet arbre tient la maison au frais.* **SYN.** conserver, garder.
3. Détenir, posséder. *Je crois que vous tenez là une très bonne idée.* **SYN.** avoir.
4. Exercer une activité. *Cet acteur a bien tenu son rôle. Elle tient un magasin.*
Verbe transitif indirect
1. Être lié par un sentiment durable. *Elle tient beaucoup à lui.*
2. Vouloir fermement. *Je tiens à arriver avant le coucher du soleil. Nous tenons à ces disques.* **SYN.** résulter de.
En ce sens, le verbe se construit avec la préposition **à** suivie d'un nom ou d'un infinitif. Il peut aussi se construire avec la locution conjonctive ***à ce que*** suivie du subjonctif. *L'enseignante tient à ce que les leçons soient apprises.*
3. Ressembler. *Cet enfant tient de sa grand-mère.*
En ce sens, le verbe transitif indirect se construit avec la préposition ***de.***
Verbe intransitif
1. Être attaché, lié à quelque chose. *Ce bouton ne tient plus que par un fil.*
2. Résister. *Tenez bon, nous arrivons !* **SYN.** s'accrocher.
Verbe impersonnel
Il ne tient qu'à. Cela ne dépend que de. *Il ne tient qu'à lui que tout soit plus simple.*
Verbe pronominal
1. S'accrocher. *Il se tenait à une branche pour ne pas tomber dans le vide.*
2. Se prendre l'un l'autre. *Ils se sont tenus par le bras.*
Le participe passé s'accorde avec le sujet du verbe ; par contre, le participe passé reste invariable lorsque le complément suit le verbe. *Elles se sont tenu des discours incongrus. Ils se sont tenu la main.*
3. Être en un lieu. *Elle se tient à l'ombre : le soleil est brûlant.*
4. Demeurer en un certain état. *Je me tiens tranquille pour ne pas réveiller le bébé.* **SYN.** rester.
Locutions
Être tenu à, de. Être obligé de. *L'avocat est tenu au secret professionnel. Nous sommes tenus de signaler toute violence faite à un enfant.*
Savoir à quoi s'en tenir. Être fixé sur quelque chose. *J'ai hâte de savoir à quoi m'en tenir au sujet de l'excursion en forêt que nous ferons.*
Conjugaison [VOIR MODÈLE – **VENIR**]
INDICATIF PRÉSENT *Je tiens, tu tiens, il tient, nous tenons, vous tenez, ils tiennent.* IMPARFAIT *Je tenais.* PASSÉ SIMPLE *Je tins.* FUTUR *Je tiendrai.* **CONDITIONNEL** PRÉSENT *Je tiendrais.* **IMPÉRATIF** PRÉSENT *Tiens, tenons, tenez.* **SUBJONCTIF** PRÉSENT *Que je tienne.* IMPARFAIT *Que je tinsse.* **PARTICIPE** PRÉSENT *Tenant.* PASSÉ *Tenu, ue.*

tennis n. m.
Le ***s*** se prononce [tɛnis].
1. Sport qui se pratique à deux ou quatre joueurs et qui consiste à envoyer une balle avec une raquette par-dessus un filet. *Jouer au tennis. Une joueuse de tennis.*
2. Terrain où l'on pratique ce sport. *Ce collège dispose de beaux tennis extérieurs.* **SYN.** court.
Locution
Tennis de table. Ping-pong.
te**nn**is.

ténor n. m.
Chanteur qui a une voix très haute. *Des ténors talentueux.*

tension n. f.
1. État de ce qui est tendu. *La tension d'un câble.*
2. (GÉNÉRALEMENT PLURIEL) Désaccord, échanges tendus. *Il y a des tensions entre ces groupes à l'école.*
Locutions
Haute tension. Tension électrique de plusieurs milliers de volts. *Il ne faut pas s'approcher des câbles à haute tension : on peut s'électrocuter, c'est très dangereux.*
Tension artérielle. Pression exercée par le sang sur les parois des artères. *Certaines personnes ont une tension supérieure à la normale.* **SYN.** pression artérielle.
On dit familièrement ***avoir de la tension, faire de la tension.***
Tension nerveuse. Stress, énervement.
te**n**sion.

tentacule n. m.
Appendice mobile dont sont pourvus certains animaux. *Les tentacules visqueux de la pieuvre. La tarentule a-t-elle des tentacules ? Non, c'est la pieuvre qui en a plusieurs ainsi que l'escargot.*
Attention au genre masculin de ce nom : ***un*** tentacule.

tentant, ante adj.
Alléchant, séduisant. *Des offres tentantes. Ce gâteau est bien tentant.*

tentation n. f.
1. Désir qui pousse à faire quelque chose. *Ne pas résister à la tentation et manger un beau cornet de crème glacée.*
2. Séduction, attrait. *Les vitrines regorgent de tentations.*

tentative n. f.
Essai. *Une tentative d'évasion. Après plusieurs tentatives, les chercheurs ont réussi à découvrir un vaccin contre cette maladie.*

tente n. f.
Abri de toile. *Une tente pour le camping.*
Locution
Tente-caravane. Type de caravane pliante. *Des tentes-caravanes bien aménagées.*
HOM. tante, sœur du père ou de la mère.

tenter v. tr.
1. Constituer une tentation. *Vous ne devriez pas me tenter ainsi. Olivier est tenté par le nouveau disque de ce groupe.*
2. Essayer quelque chose de difficile. *Ils vont tenter l'escalade du mont Saint-Bruno et la traversée du lac Noir à la nage. Tentez votre chance : vous réussirez.*
Suivi de l'infinitif, le verbe se construit avec la préposition ***de***. *Tenter de trouver un médicament pour enrayer une maladie.*
Conjugaison [VOIR MODÈLE – **AIMER**]

tenture n. f.
Étoffe qui orne une fenêtre, un mur. *De lourdes tentures de velours.*

tenue n. f.
1. Manière de diriger. *La bonne tenue de cet établissement scolaire.* **SYN.** direction, organisation.
2. Manière de se conduire, de se vêtir. *Une tenue irréprochable, négligée.*
3. Uniforme, vêtements particuliers. *Tenue de combat, tenue de ski.*

t

Locutions
Tenue de route. Manière dont un véhicule tient la route.
Tenue des livres. Action de tenir la comptabilité d'une entreprise.

térébenthine n. f.
Résine de certains végétaux. *On utilise l'essence de térébenthine pour nettoyer les pinceaux, pour dissoudre les corps gras.*
✎ térében**th**ine.

terme n. m.
1. Fin, limite. *Le terme de notre randonnée sera le village de Val-Morin.*
2. Durée. *Le terme de ce contrat est de 20 ans.* **SYN.** période.
3. Expression, mot considéré par rapport à sa signification. *Des termes techniques, savants. Les termes* souris *et* imprimante *appartiennent au vocabulaire de l'informatique. Il est important d'employer les termes justes pour nommer les choses.*
4. Paroles prononcées. *Voici ses propres termes : sommes-nous des internautes ou des internouilles ?*
5. Rapports. *Être en bons termes, en mauvais termes avec quelqu'un.*
Note – Dans ces expressions, le nom s'écrit au pluriel.
Locutions
À court, moyen, long terme. Dans un temps court, moyen ou long.
Note – Dans ces expressions, le nom s'écrit au singulier.
Mener à terme. Achever. *Il a su mener à terme son ambitieux programme.*
Mettre un terme à. Faire cesser. *Il faudrait mettre un terme à ces discussions.*
Toucher à son terme. Se terminer. *L'aventure touche à son terme.*

terminaison n. f.
1. Extrémité. *Les terminaisons nerveuses.*
2. (GRAMMAIRE) Élément variable qui s'ajoute à la suite du radical d'un mot. *Les terminaisons des verbes en **-er.***
Note – Les terminaisons des verbes sont en vert dans les modèles de conjugaison de cet ouvrage.

terminer v. tr., pronom.
Verbe transitif
1. Finir. *As-tu terminé ton travail ? La grève est terminée.* **SYN.** achever.
2. Constituer la fin de quelque chose. *Une série de cascades termine le film.*
Verbe pronominal
Avoir pour dernier élément. *Un mot qui se termine par la lettre **z.** Un toit qui se termine en pointe. Ce film se termine bien.*
Conjugaison [VOIR MODÈLE – **AIMER**]

terminologie n. f.
Ensemble des mots spécialisés d'une science, d'un art. *La terminologie médicale, la terminologie de l'informatique.*

terminologique adj.
Qui se rapporte à la terminologie. *Une recherche terminologique, des travaux terminologiques.*

terminologue n. m. et f.
Spécialiste de la terminologie.

terminus n. m.
Prononciation : Le ***s*** se prononce [tɛrminys]; le mot rime avec ***sinus.***
Point d'arrêt d'une ligne de transport. *Terminus ! Tout le monde descend.*

terne adj.
Fade, sans éclat. *Des cheveux ternes, un style terne.*

ternir v. tr.
1. Rendre terne. *Ce produit a terni l'éclat du métal.*
2. (FIGURÉ) Salir, porter atteinte à. *Cet incident a terni sa réputation professionnelle.*
Conjugaison [VOIR MODÈLE – **FINIR**]

terrain n. m.
Espace de terre. *Acheter un terrain à la campagne. Des terrains vagues.*
Locutions
Sur le terrain. (FIGURÉ) Sur les lieux de l'action. *Les biologistes travaillent souvent sur le terrain.*
Terrain de camping. Espace aménagé pour les campeurs. *Des terrains de camping bien ombragés.*
Terrain de jeu ou ***terrain de jeux.*** Espace aménagé pour la pratique d'activités de récréation. *Des terrains de jeu* ou *des terrains de jeux magnifiquement entretenus.*

terrasse n. f.
1. Plateforme extérieure non couverte par un toit, terrain surélevé. *Un salon donnant sur une terrasse exposée au sud.*
2. Partie du trottoir devant un café, un restaurant, où sont disposées des tables et des chaises. *On mangera une salade à la terrasse du restaurant.*

terrasser v. tr.
1. Jeter à terre au cours d'un combat. *Les gardiens de sécurité ont terrassé le malfaiteur.*
2. (FIGURÉ) Abattre, atteindre brutalement. *Il a été terrassé par une crise cardiaque.*
Conjugaison [VOIR MODÈLE – **AIMER**]

terre n. f.
1. Matière qui recouvre le sol et que l'on peut cultiver. *Maman a rapporté des sacs de terre pour ses boîtes à fleurs.*
2. Sol sur lequel nous marchons. *La terre se couvre de végétation au printemps.*
3. Terrain cultivé. *Labourer la terre. Mettre des graines en terre.*
4. Milieu où vit l'humanité, les habitants de la planète. *Paix sur la terre aux hommes de bonne volonté.*
5. Planète du système solaire. *Nous habitons la Terre.*
Note – Les mots ***lune, soleil, terre*** s'écrivent avec une majuscule lorsqu'ils désignent la planète, l'astre, le satellite lui-même, notamment dans la langue de l'astronomie et dans les textes techniques ; ils s'écrivent avec une minuscule dans les autres utilisations. *La Terre tourne autour du Soleil. Le noyau de la Terre,* mais *un tremblement de terre.*
Locutions
À terre, par terre, locutions adverbiales. Sur le sol. *Il est tombé à terre, par terre.*
Note – Les deux expressions sont synonymes.
Remuer ciel et terre. (FIGURÉ) Prendre tous les moyens nécessaires pour atteindre un but.
Terre à terre, locution adjective. Qui se limite aux choses pratiques de la vie courante. *Des désirs terre à terre.* **SYN.** matériel. **ANT.** élevé, poétique.
Note – Dans cette expression, le nom reste au singulier.

Terre-Neuve n. f.
Abréviation ***T.-N.*** (s'écrit avec des points).

terre-neuve n. m. inv. (pl. *terre-neuve*)
Chien originaire de l'île de Terre-Neuve. *De beaux terre-neuve de pure race.*

terre-neuvien, ienne adj. et n. m. et f. (pl. *terre-neuviens*)
De Terre-Neuve. *Un Terre-Neuvien, une Terre-Neuvienne. Le littoral terre-neuvien.*
L'adjectif s'écrit avec des minuscules ; le nom, avec deux majuscules.

terrer (se) v. pronom.
1. Se cacher sous terre, en parlant d'un animal. *Le lièvre se terre prestement dans son terrier au moindre bruit.*
2. (FIGURÉ) Se réfugier dans un endroit isolé, sûr. *Ces fuyards se sont terrés dans les bois.* **SYN.** se cacher.
Le participe passé de ce verbe qui n'existe qu'à la forme pronominale s'accorde toujours en genre et en nombre avec le sujet du verbe.
Conjugaison [VOIR MODÈLE – **AIMER**]

terrestre adj.
1. De la Terre. *Un globe terrestre, l'écorce terrestre.*
2. Qui a lieu sur le sol (par opposition à ***aérien, maritime***). *Les transports terrestres.*

terreur n. f.
1. Effroi, frayeur extrême. *Depuis le vol à main armée qui a eu lieu, ces vendeurs vivent dans la terreur.* **SYN.** angoisse.
2. Être, chose qui provoque une grande peur. *Ces voyous sont la terreur du voisinage.*

terreux, euse adj.
1. Propre à la terre, de la couleur de la terre. *Un teint terreux.*
2. Mêlé de terre. *Des bottes terreuses.* **SYN.** boueux.

terrible adj.
1. Propre à inspirer de la terreur. *La tarentule est un animal terrible. Un crime terrible.* **SYN.** effrayant, épouvantable, horrible, terrifiant.
2. Très pénible, qui a une grande intensité. *Il fait un froid terrible, – 40 °C.*
3. (FAMILIER) Extraordinaire, remarquable. *Un film terrible.*

terriblement adv.
Extrêmement. *Il faisait terriblement froid. J'ai terriblement soif.*

terrien, ienne adj. et n. m. et f.
Adjectif
Relatif à la terre. *Un propriétaire terrien.*
Nom masculin et féminin
Personne qui habite la Terre (par opposition à ***extraterrestre, martien,*** etc.).

terrier n. m.
1. Cavité creusée dans la terre par certains animaux et qui leur sert d'abri. *Faire sortir un renard de son terrier.*
2. Chien qui était autrefois dressé pour la chasse aux animaux à terrier (lièvre, renard, etc.). *Un scottish-terrier.*

terrifiant, ante adj.
Propre à terrifier, à inspirer de l'horreur. *Des images terrifiantes.* **SYN.** effrayant, épouvantable, terrible.
Ne pas confondre avec le participe présent invariable ***terrifiant.*** *Ces images terrifiant les enfants ne devraient pas être diffusées.*

terrifier v. tr.
Effrayer vivement, causer de la terreur. *Ces cris les ont terrifiés.* **SYN.** épouvanter.
Conjugaison [VOIR MODÈLE – **ÉTUDIER**]
Redoublement du ***i*** à la première et à la deuxième personne du pluriel de l'indicatif imparfait et du subjonctif présent. *(Que) nous terrifiions, (que) vous terrifiiez.*

territoire n. m.
1. Étendue de terre sur laquelle vit une collectivité nationale. *Le territoire québécois.*
2. Zone occupée par un animal. *Le chien marque son territoire.*
te**rr**itoire.

Territoire du Yukon n. m.
Abréviation ***Yn*** (s'écrit sans point).

Territoires du Nord-Ouest n. m. pl.
Abréviation ***T. N.-O.*** (s'écrit avec des points et un trait d'union).

territorial, ale, aux adj.
Qui concerne un territoire. *Des eaux territoriales.*
te**rr**itorial.

terroriser v. tr.
1. Soumettre à un régime de terreur. *Des soldats ennemis qui terrorisaient la population.* **SYN.** terrifier.
2. (FIGURÉ) Intimider, épouvanter. *Un candidat terrorisé par le comité de sélection.* **SYN.** effrayer.
Conjugaison [VOIR MODÈLE – **AIMER**]

terrorisme n. m.
Ensemble d'actes de violence commis en vue de renverser le pouvoir établi, d'atteindre un but déterminé. *Le terrorisme ne peut se justifier.*

terroriste adj. et n. m. et f.
Qui pratique le terrorisme. *L'avion a été détourné par des terroristes.*

tes adj. poss. pl.
1. Adjectif possessif pluriel de la deuxième personne du singulier qui détermine le nom en indiquant le « possesseur » de l'objet désigné. Il s'accorde en genre et en nombre avec le nom déterminé. *Tes jouets.*
2. L'adjectif possessif s'accorde en personne avec le nom désignant le « possesseur ». Ainsi, l'adjectif possessif ***tes*** renvoie à un seul « possesseur » de plusieurs êtres, de plusieurs objets. *Fanny, joue avec **tes** animaux !* (un seul possesseur). *Fanny et Laurence, jouez avec **vos** animaux !* (plusieurs possesseurs).
VOIR TABLEAU – **POSSESSIF (ADJECTIF).**

test n. m.
Les lettres ***st*** se prononcent [tɛst] ; le mot rime avec ***est*** (point cardinal).
1. Examen destiné à évaluer certaines aptitudes d'une personne dans un domaine spécifique. *Passer un test de français, de mathématiques. Les élèves ont été soumis à des tests de fin d'année.* **SYN.** épreuve.
2. Évaluation de nature qualitative ou quantitative des caractéristiques de quelque chose. *Faire des tests de laboratoire.*
Ce nom s'emploie surtout en psychologie, en médecine, en statistique ; dans les domaines techniques, on emploiera de préférence ***épreuve, essai.***

testament n. m.
1. (DROIT) Acte par lequel une personne expose ses dernières volontés et prévoit à qui elle léguera ses biens après sa mort. *Grand-papa et grand-maman ont fait leur testament.*
2. Nom de deux des livres bibliques.

Le nom des livres bibliques s'écrit avec une majuscule ainsi que l'adjectif qui le précède. *L'Ancien Testament, le Nouveau Testament.*

tester v. tr.
1. Soumettre à un test. *Tester des candidats.*
2. Expérimenter. *Le pilote de course a testé un nouveau moteur.* **SYN.** essayer.
Conjugaison [VOIR MODÈLE – **AIMER**]

testicule n. m.
Glande génitale double des mâles qui produit les spermatozoïdes et qui sécrète l'hormone mâle.
Attention au genre masculin de ce nom : ***un*** testicule.

têtard n. m.
Petit de la grenouille. *La mare est remplie de têtards.*
VOIR TABLEAU – **ANIMAUX.**
têtard.

tête n. f.
VOIR TABLEAU – **TÊTE.**

tête-à-queue n. m. inv. (pl. *tête-à-queue*)
Demi-tour complet d'un véhicule. *La voiture a fait un tête-à-queue en raison du verglas.*

tête-à-tête n. m. inv. (pl. *tête-à-tête*)
Entretien particulier entre deux personnes. *Des tête-à-tête agréables.*
Le nom s'écrit avec des traits d'union.
Locution
En tête à tête, en tête-à-tête, locution adverbiale. Seul à seul. *Les amoureux étaient en tête à tête, en tête-à-tête.*
La locution s'écrit avec ou sans traits d'union.

***tête de violon**
Calque de l'anglais « fiddle head » pour ***crosse de fougère.***

tétée n. f.
1. Quantité de lait que tète le nouveau-né. *La jeune maman donne la tétée plusieurs fois par jour.*
2. Action de téter. *C'est l'heure de la tétée pour bébé Luc !*
tété**e.**

téter v. tr., intr.
Sucer le lait, en parlant d'un nourrisson, d'un jeune animal.
Conjugaison [VOIR MODÈLE – **POSSÉDER**]
Le **é** se change en **è** devant une syllabe muette, sauf à l'indicatif futur et au conditionnel présent. *Je tète,* mais *je téterai.*

tétine n. f.
Pièce de caoutchouc percée d'une ouverture et qui permet à l'enfant de boire au biberon. *On doit stériliser les tétines.*

têtu, ue adj.
Qui a la tête dure, qui change difficilement d'idée. *Elle est trop têtue pour se ranger à votre avis.* **SYN.** buté, entêté, obstiné.
Cet adjectif et les synonymes ***buté*** et ***entêté*** ont un sens défavorable, tandis que ***persévérant, tenace, volontaire*** ont un sens favorable.
têtu.

texte n. m.
1. Ensemble des mots d'un écrit. *Réviser un texte.*
2. Œuvre littéraire. *Un texte philosophique.*
Locution
Traitement de texte. (INFORMATIQUE) Ensemble des opérations telles que la saisie, la correction et la mise en forme, qui visent à établir un document à l'aide des techniques informatiques. *Un logiciel de traitement de texte jumelé à une banque de données.*
Dans cette expression, le mot ***texte*** est généralement au singulier, mais il peut s'écrire également au pluriel.

thaïlandais, aise adj. et n. m. et f.
De Thaïlande. *Une danse thaïlandaise. Un Thaïlandais, une Thaïlandaise.*
L'adjectif s'écrit avec une minuscule ; le nom, avec une majuscule.

thé n. m.
1. Feuilles du théier qui contiennent la théine. *Achetez-moi du thé, s.v.p.*
2. Boisson préparée avec les feuilles de thé. *Des salons de thé. Prendre un thé (au) citron.*
thé.

théâtral, ale, aux adj.
Qui a le caractère du théâtre. *Une représentation théâtrale. Des jeux théâtraux.*

théâtre n. m.
1. Édifice où l'on joue des ouvrages dramatiques, où l'on donne des spectacles. *Ce théâtre est trop petit, on doit l'agrandir.*
2. Art de l'acteur. *Il fait du théâtre.*
3. Ensemble des pièces d'un auteur. *Le théâtre de Michel Tremblay.*
4. (FIGURÉ) Lieu où se passent des évènements. *Cette région fut le théâtre d'un affrontement militaire.* **SYN.** scène.
Locution
Coup de théâtre. (FIGURÉ) Péripétie inattendue.

théier n. m.
Arbre cultivé pour ses feuilles.

théière n. f.
Récipient dans lequel on sert le thé. *Une belle théière de porcelaine.*
théière.

thématique adj.
Relatif à un thème. *Un index thématique. À l'Expo 67, il y avait des pavillons thématiques.*
thématique.

thème n. m.
Motif, sujet. *Le thème de son exposé est tout à fait actuel.*
thème.

théologie n. f.
Science qui a pour objet les questions religieuses.
théologie.

théorème n. m.
Proposition scientifique destinée à être rendue évidente au moyen d'une démonstration.
théorème.

théorie n. f.
Ensemble de connaissances abstraites d'idées, qui s'appliquent à un domaine particulier. **ANT.** pratique.

NOM FÉMININ

1. Partie supérieure du corps humain, partie supérieure ou avant du corps des animaux.
Cette personne a une blessure légère à la tête. Julien a aperçu la belle tête de son cheval.

2. Intelligence, jugement. **SYN.** cerveau, esprit.
Avoir une idée en tête. J'ai la tête pleine de chiffres.

3. Aspect du visage. **SYN.** face, figure.
Il a une bonne tête, il paraît sympathique.

4. Partie supérieure de quelque chose. **SYN.** sommet.
La foudre a frappé la tête du chêne.

5. Position dominante, direction.
Elle est à la tête de l'entreprise. Ce cycliste est en tête du peloton.

Locutions

Aller la tête haute. — (FIGURÉ) Être fier à juste titre.

À tue tête, locution adverbiale. — Très fort. *Ils criaient à tue tête.*

Avoir du front tout le tour de la tête. — ⚜ (FAMILIER) Être effronté, avoir du culot.

Avoir la tête dure. — Être têtu.

Avoir la tête sur les épaules. — (FIGURÉ) Être raisonnable.

Coup de tête. — Décision impulsive, sans réflexion. *Il est parti sur un coup de tête.*

Coûter les yeux de la tête. — Être très cher.

En avoir par-dessus la tête. — (FAMILIER) Être exaspéré par quelqu'un, par quelque chose. *Il en a par-dessus la tête de tous ces retards.* **SYN.** (FAMILIER) en avoir ras le bol.

En tête, locution adverbiale. — En mémoire. *Je n'ai pas son nom en tête.*
Ne pas confondre avec le nom masculin ***en-tête,*** dénomination officielle imprimée en tête d'un papier, qui s'écrit avec un trait d'union.

En tête de, à la tête de, locutions prépositives. — En avant de. *Le cycliste est en tête du peloton.*
Ces locutions s'écrivent sans trait d'union.

Faire la tête. — Être de mauvaise humeur.

N'en faire qu'à sa tête. — Ne pas tenir compte de l'avis des autres.

Ne pas être la tête à Papineau. — ⚜ (FAMILIER) Ne pas être très vif d'esprit.

Perdre la tête. — (FIGURÉ) Ne plus avoir toute sa raison, se montrer déraisonnable. **SYN.** (FAMILIER) perdre la boule.

Relever la tête. — (FIGURÉ) Reprendre de la confiance en soi, du courage.

Sans queue ni tête. — (FIGURÉ) Déraisonnable, sans jugement. *C'est un projet sans queue ni tête.*

Se creuser la tête. — (FIGURÉ) Chercher dans sa mémoire.

Se mettre dans la tête. — S'imaginer. *Comment as-tu pu te mettre cette idée dans la tête ?*

Se payer la tête de quelqu'un. — (FIGURÉ) Rire à ses dépens, s'en moquer.

Se taper la tête contre les murs. — (FIGURÉ) (FAMILIER) Être découragé.

Tenir tête. — Résister. *Les policiers tiennent tête aux manifestants.*

Tête baissée. — (FIGURÉ) Sans réfléchir.

Tomber sur la tête. — (FIGURÉ) Perdre l'esprit. *Es-tu tombé sur la tête ? Tu roules en vélo sans ton casque, c'est très dangereux.*

Locution
En théorie, locution adverbiale. De façon abstraite. **ANT.** en pratique.
thé orie.

théorique adj.
1. Qui appartient à la théorie. *Les fondements théoriques de cette recherche.*
2. Qui se limite à la théorie et manque de réalisme. *Une hypothèse purement théorique.* **ANT.** pratique.
En ce sens, l'adjectif a un sens défavorable.

théoriquement adv.
1. Selon la théorie (par opposition à ***pratiquement***). *Cette démonstration a été faite théoriquement, il faut maintenant en faire l'expérience.*
2. (FAMILIER) En principe. *Théoriquement, nous devrions être de retour à la fin du mois.*

-thèque suff.
Élément du grec signifiant « armoire ».
Les mots composés avec le suffixe ***-thèque*** s'écrivent en un seul mot. *Bibliothèque, discothèque.*

thérapeutique adj.
Qui est relatif au traitement des maladies. *L'efficacité thérapeutique d'un médicament.*
thérapeutique.

thermo- préf.
Élément du grec signifiant « chaleur ».
Les mots composés avec le préfixe ***thermo-*** s'écrivent en un seul mot. *Thermomètre.*

thermomètre n. m.
Instrument de mesure des températures. *Le thermomètre indique 40°, la malade est très fiévreuse.*
thermomètre.

thermos n. m. ou f.
Le ***o*** est fermé et le ***s*** se prononce [tɛrmos]; le mot rime avec ***hausse.***
Récipient isolant où l'on peut conserver un liquide à la même température pendant quelque temps. *Mettre du chocolat chaud dans un thermos.*
Ce nom est une marque déposée qui est passée dans l'usage et s'écrit maintenant avec une minuscule. Les auteurs ne s'entendent pas sur le genre de ce nom; au Québec, il est de genre masculin.
thermos.

thermostat n. m.
Le ***t*** final ne se prononce pas [tɛrmɔsta]; le ***o*** est ouvert et rime avec ***os.***
Appareil servant à régler la température. *Le thermostat de cette pièce est à 20 °C.*
thermostat.

thèse n. f.
1. Proposition énoncée, opinion dont on cherche à démontrer la vérité, à l'aide d'arguments. *Il défend la thèse de la fatalité qui veut que l'on soit incapable de modifier son destin.*
2. Recherche présentée pour l'obtention du grade de docteur. *Soutenir une thèse de doctorat.*
thèse.

thon n. m.
Poisson apprécié pour sa chair. *Une salade de thon.*
HOM. **ton**, hauteur de la voix, couleur.
thon.

thoracique adj.
Qui appartient au thorax. *La cage thoracique.*
thoracique.

thorax n. m.
Le ***x*** se prononce [tɔraks]; le mot rime avec ***axe.***
Partie du tronc qui contient les poumons et le cœur.
thorax.

***thriller**
Anglicisme pour ***film*** ou ***roman d'aventures, film*** ou ***roman policier, film*** ou ***roman fantastique.***

thuya n. m.
Le nom se prononce [tyja].
Conifère ornemental proche du genévrier. *Une haie de thuyas.* **SYN.** cèdre.

thym n. m.
Le ***m*** est muet [tɛ̃].
Plante aromatique. *Un gigot assaisonné de thym et de romarin.*
HOM. **teint**, coloration du visage.
thym.

tibia n. m.
Os long de la face interne de la jambe. *Le tibia et le péroné. Des tibias fracturés.*

tic n. m.
1. Mouvement involontaire répétitif. *Il a de nombreux tics : il bouge la tête de gauche à droite, fait des grimaces et cligne des yeux sans arrêt.*
2. Manie. *Elle a un tic de langage : elle ponctue chaque phrase du mot* tsé.
tic.

ticket n. m.
Le ***t*** final ne se prononce pas [tikɛ]; le mot rime avec ***coquet.***
Petit rectangle de carton qui sert de billet d'admission dans un véhicule public, une exposition, etc. *Des tickets de métro.*
SYN. billet.
Forme fautive
*ticket. Anglicisme au sens de ***contravention.***

tic-tac ou **tic tac** n. m. inv. (pl. *tic-tac, tic tac*)
Bruit d'un mécanisme d'horlogerie. *Les tic-tac* ou *tic tac d'une horloge.*
Le nom s'écrit avec ou sans trait d'union.

tiède adj.
1. Légèrement chaud. *Un potage tiède.*
2. (FIGURÉ) Qui manque d'enthousiasme. *Des applaudissements tièdes.*
tiède.

tiédeur n. f.
1. Caractère de ce qui est légèrement tiède.
2. (FIGURÉ) Manque d'enthousiasme. **SYN.** indifférence.
tiédeur.

tiédir v. tr., intr.
Verbe transitif
Rendre tiède. *Le lait frais a tiédi le café de maman.*
Verbe intransitif
Devenir tiède. *Ton café tiédit.*
Conjugaison [VOIR MODÈLE – **FINIR**]
tiédir.

t

tien, tienne n. m. pl. et pron. poss.
Pronom possessif de la deuxième personne. ***Le tien, la tienne, les tiens, les tiennes.*** Le pronom qui s'emploie toujours avec l'article défini doit se rapporter à un nom dont on a déjà parlé. *Ces enfants sont les tiens. Je n'ai pas ma voiture, prenons la tienne.*
Ce mot s'emploie parfois comme un adjectif possessif lorsqu'il est attribut du sujet. *Cette maison est tienne.* Il s'écrit alors sans article défini.
VOIR TABLEAU – **PRONOM.**
Nom masculin pluriel
Tes proches, ta famille. *Tu te sens bien près des tiens.*

tiers n. m.
1. Troisième partie d'un tout. *Les deux tiers des participants ont voté pour la proposition.*
Après ***le tiers*** **+** complément au pluriel, le verbe s'accorde généralement avec le complément, mais il peut s'accorder avec le collectif au singulier. *Le tiers des élèves ont réussi*, ou *a réussi.*
2. Troisième personne et, par extension, une personne étrangère. *Ce contrat doit être signé en présence d'un tiers.*

tige n. f.
1. Partie de la plante qui porte les feuilles. *La longue tige d'un rosier.*
2. Partie allongée et cylindrique de certains objets. *Une tige de métal.*

tignasse n. f.
(FAMILIER) Chevelure mal coiffée.
tigna**ss**e.

tigre n. m.
Grand mammifère carnassier dont le pelage roux est rayé de bandes noires. *Un tigre du Bengale.*
VOIR TABLEAU – **ANIMAUX.**

tigré, ée adj.
Marqué de rayures. *Une fourrure tigrée, un maillot tigré.*

tigresse n. f.
Femelle du tigre.
VOIR TABLEAU – **ANIMAUX.**

tilleul n. m.
1. Arbre cultivé pour son bois blanc et ses fleurs odorantes dont on tire une infusion.
2. Infusion calmante préparée avec des fleurs de tilleul. *Je prendrais une tasse de tilleul-menthe.*
ti**ll**eul.

timbale n. f.
1. Petit tambour.
Ne pas confondre avec le nom ***cymbale,*** instrument de musique à percussion.
2. Gobelet de métal. *Une timbale d'argent.*
timba**l**e.

timbre n. m.
Marque d'une entreprise, d'une administration qui est apposée à l'aide d'un instrument. *Un timbre marqué à l'encre* (et non une *étampe). **SYN.** cachet, tampon.
Locution
Timbre(-poste). Vignette attestant le paiement d'un envoi postal. *Des timbres-poste rares, des timbres de collection.*
Seul le nom ***timbre*** prend la marque du pluriel.
Couramment, on emploie surtout le nom ***timbre.***

timbré, ée adj.
1. Affranchi. *Une enveloppe timbrée.*
2. (FAMILIER) Légèrement fou. *Je crois qu'elle est un peu timbrée.*

timide adj. et n. m. et f.
Qui manque d'assurance, embarrassé. *Une enfant timide. C'est une grande timide.*

timidité n. f.
Manque d'assurance. **SYN.** embarras.

tintamarre n. m.
Vacarme, tapage. *Les pompiers, les policiers avec leurs sirènes hurlantes : quel tintamarre !*
tintama**rr**e.

tinter v. intr.
Produire des sons clairs qui se succèdent. *Une cloche qui tinta trois fois.*
HOM. **teinter**, colorer légèrement.
Conjugaison [VOIR MODÈLE – **AIMER**]

tir n. m.
Action de lancer un projectile au moyen d'une arme dans une direction déterminée. *Le tir du javelot est une discipline olympique.*

tirage n. m.
1. Nombre d'exemplaires imprimés en une fois. *Un tirage de 30 000 exemplaires* (et non *copies). *Une revue à grand tirage.*
2. Action de tirer au sort des numéros. *Le tirage d'un prix, d'une loterie.*

tirailler v. tr.
1. Tirer par petits coups dans diverses directions.
2. (FIGURÉ) Déchirer entre des possibilités contradictoires. *Il est tiraillé par les diverses possibilités qui s'offrent à lui.*
Conjugaison [VOIR MODÈLE – **AIMER**]
Les lettres ***ill*** sont suivies d'un ***i*** à la première et à la deuxième personne du pluriel de l'indicatif imparfait et du subjonctif présent. *(Que) nous tiraillions, (que) vous tirailliez.*

tire n. f.
Sucrerie obtenue par la réduction du sirop d'érable. *Il versa un peu de tire sur la neige et les enfants se régalèrent.*

tiré, ée adj.
Étiré par la fatigue. *Les traits tirés.*
Locution
Tiré à quatre épingles. (FIGURÉ) Vêtu avec soin.

tire-bouchonner ou **tirebouchonner** v. intr.
Plisser, former des tire-bouchons. *Des pantalons qui tire-bouchonnent* ou *tirebouchonnent.*
Conjugaison [VOIR MODÈLE – **AIMER**]

tire-bouchon ou **tirebouchon** n. m. (pl. *tire-bouchons* ou *tirebouchons*)
Instrument servant à déboucher les bouteilles.
Locution
En tire-bouchon. (FIGURÉ) En forme de spirale. *Le cochon a la queue en tire-bouchon.*

tire-d'aile (à) loc. adv.
1. Avec des coups d'ailes rapides. *Les oiseaux s'enfuirent à tire-d'aile.*
2. (FIGURÉ) Très rapidement.

tirelire n. f.
Petite boîte munie d'une fente dans laquelle on peut introduire une pièce de monnaie. *Des tirelires musicales* (et non des *banques).

t

tirer v. tr., intr., pronom.
Verbe transitif
1. Mouvoir vers soi. *Le remorqueur tire un navire. Tirer quelqu'un par le bras.*
2. Sortir. *Il a tiré deux billets de sa poche.*
3. Puiser. *Elle tirait l'eau du puits.*
4. Obtenir. *Tirer parti, tirer avantage, tirer profit de quelque chose, tirer satisfaction, tirer vengeance, etc.*
Ces expressions figées sont invariables.
5. Avoir son origine. *Ce fromage tire son nom de cette légende.* SYN. provenir, venir.
6. Obtenir un numéro gagnant. *Elle a tiré le gros lot.* SYN. gagner.
7. Tracer. *Tirer une ligne.*
8. Lancer un projectile au moyen d'une arme. *Ils ont tiré des flèches et des coups de feu.* SYN. projeter.
Verbe intransitif
1. Exercer une traction. *Tirer sur un câble.*
2. Être imprimé. *Une revue qui tire à 8 000 exemplaires.*
3. Envoyer un projectile avec une arme. *Ils ont tiré sur lui.*
Verbe pronominal
1. Régler un problème. *Je me suis tirée de cette situation difficile.*
En ce sens, le verbe se construit avec la préposition ***de.***
2. (FAMILIER) S'enfuir. *Les prisonniers se sont tirés : ils ont pris la clé des champs.*
Locutions
S'en tirer. Passer au travers, réussir. *Ils ont eu des difficultés, mais ils s'en tireront.*
Se tirer d'affaire, d'embarras. S'en sortir.
Tirer à bout portant sur quelqu'un. Tirer un coup de feu de très près.
Tirer au clair quelque chose. Clarifier une question.
Tirer la langue. Avancer la langue hors de la bouche.
Tirer la langue. (FIGURÉ) Se moquer de quelqu'un.
Tiré par les cheveux. (FIGURÉ) Compliqué et peu logique. *Votre explication est tirée par les cheveux.*
Tirer son chapeau. (FIGURÉ) Rendre hommage.
Conjugaison [VOIR MODÈLE – **AIMER**]

tiret n. m.
Petit trait horizontal identique au signe ***moins.***
Le tiret est suivi d'un espacement simple.
Emplois du tiret
• Dans un **dialogue,** le tiret annonce un changement d'interlocuteur. *« Serez-vous des nôtres ?*
– Avec le plus grand plaisir.
– Vous m'en voyez ravie. »
• **Jalons énumératifs.** *Les questions porteront sur :*
– l'orthographe ;
– la grammaire ;
– la ponctuation ;
– la syntaxe ;
– le vocabulaire.
• **Mise en relief** d'un membre de phrase, d'une incidente explicative. Dans cet emploi, le tiret au début et à la fin du membre de phrase est obligatoire au même titre que la parenthèse ouvrante et la parenthèse fermante. *Les participants au Sommet – pays occidentaux et orientaux – tenteront de se mettre d'accord sur cette importante question.*
VOIR TABLEAU – **ESPACEMENTS.**
VOIR TABLEAU – **PONCTUATION.**

tiroir n. m.
Partie d'un meuble qui coulisse. *Un tiroir secret.*

tisane n. f.
Infusion médicamenteuse, calmante, stimulante, etc. *Une tisane de tilleul.*
tisa**n**e.

tison n. m.
Reste d'une bûche qui a brûlé et qui est encore incandescente.

tisonnier n. m.
Instrument pour remuer les braises.
ti**s**o**nn**ier.

tisser v. tr.
Fabriquer des étoffes en entrelaçant les fils de la chaîne tendue sur un métier et ceux de la trame à l'aide d'une navette.
Conjugaison [VOIR MODÈLE – **AIMER**]

tisserand n. m.
tisserande n. f.
Personne qui tisse des étoffes.
tisseran**d.**

tissu n. m.
Étoffe tissée. *Des tissus de coton, de fibres synthétiques.*

titre n. m.
1. Désignation d'une œuvre. *Le titre d'un roman, d'un tableau, d'un film, d'un poème, d'une chanson.*
2. Phrase en gros caractères placée en tête d'un article de journal, d'un document. *Son nom apparaît en gros titre.*
3. Désignation de dignité, de grade universitaire, de fonction. *Des titres universitaires.*
VOIR TABLEAU – **FÉMINISATION DES TITRES.**
Locutions
À juste titre, locution adverbiale. Justement, avec raison.
À titre de, locution prépositive. Comme, en tant que. *Je suis ici à titre d'amie, à titre amical, à plus d'un titre.*
À titre gracieux, locution adverbiale. Gratuitement.
Rôle-titre. Rôle principal. *Des rôles-titres prestigieux.*
En apposition, le nom s'écrit avec un trait d'union et prend la marque du pluriel.

titrer v. tr.
Intituler, mettre pour titre. *Titrer un rapport.*
Conjugaison [VOIR MODÈLE – **AIMER**]

tituber v. intr.
Vaciller sur ses jambes. *Il était ivre et titubant.*
Conjugaison [VOIR MODÈLE – **AIMER**]

titulaire adj. et n. m. et f.
Nom masculin et féminin
Personne qui possède un titre, un contrat. *La titulaire d'une maîtrise.*
Adjectif et nom masculin et féminin
1. Qui possède juridiquement. *Cet adolescent est titulaire d'un permis de chasse. Le titulaire d'un permis de conduire.*
2. Qui a une fonction pour laquelle il a été nommé en vertu d'un titre. *Un professeur titulaire. Le titulaire d'une chaire de gestion des arts.*

T.-N.
Abréviation de ***Terre-Neuve.***

T. N.-O.
Abréviation de ***Territoires du Nord-Ouest.***

toast n. m.
1. Tranche de pain grillé. *Un toast avec de la confiture.* SYN. rôtie.

🔊 Cet emprunt à l'anglais qui date de plus de 100 ans est admis en français.
2. Action de boire à la santé de quelqu'un, au succès de quelque chose, etc. *Porter un toast, des toasts au bonheur des nouveaux mariés.*
🔊 Attention au genre masculin de ce nom : ***un*** toast.

***toasté**
Anglicisme au sens de ***grillé.***

toboggan n. m.
Les ***o*** sont ouverts et le ***n*** est muet [tɔbɔgɑ̃]; le mot rime avec ***gant.***
1. Traîneau fait de planches recourbées à l'avant dont on se sert pour descendre les pentes enneigées. **SYN.** ⚜ traîne sauvage.
2. Piste en pente du haut de laquelle les enfants se laissent glisser.
tobo**gg**an.

tofou n. m.
⚜ Produit alimentaire d'origine japonaise, à base de soya, se présentant comme du lait caillé. (Recomm. off. OLF)
🔊 On relève également la forme ***tofu*** pour ce mot emprunté à la langue japonaise.

toge n. f.
Robe, dans certaines professions. *La toge des magistrats, des avocats.*

togolais, aise adj. et n. m. et f.
Les ***o*** sont ouverts [tɔgɔlɛ].
Du Togo. *Une coutume togolaise. Un Togolais, une Togolaise.*
🔊 L'adjectif s'écrit avec une minuscule ; le nom, avec une majuscule.

toi pron. pers. m. et f.
Pronom personnel masculin et féminin de la deuxième personne du singulier.
EMPLOIS
– **Complément d'objet direct.** *Retiens-toi.*
– **Complément d'objet indirect.** *Il est à toi.*
🔊 Le pronom s'élide (il devient ***t'***) lorsqu'il est suivi de ***en*** ou de ***y***. *Olivier t'en parlera, François t'y rejoindra.*
– **Complément circonstanciel.** *Elle est chez toi.*
– **Complément déterminatif.** *En mémoire de toi.*
– **Complément de l'adjectif.** *Digne de toi.*
– **Attribut.** *Tu es toi-même.*
– **Sujet pour renforcer le pronom *tu*.** *Toi, tu as fais ça ?*
Locution
Chez toi. Dans ta maison.
🔊 La locution s'écrit sans trait d'union (*ils sont chez toi*), contrairement au nom masculin ***chez-toi*** (*ton chez-toi*).
🔊 Attention à l'accord du verbe de la proposition relative. *Toi qui le vois* (et non *voit).
VOIR TABLEAU – **PRONOM.**

toile n. f.
1. Tissu. *Un pantalon de toile, une nappe de toile.*
2. Pièce servant de support à une œuvre peinte, œuvre peinte sur toile. *Des toiles de Picasso.*
Locutions
Toile d'araignée. Réseau de fils tissés par l'araignée pour y prendre des insectes. *Une multitude de toiles d'araignée.*
Toile de fond. Décor de théâtre et, au figuré, cadre général. *Tracer la toile de fond d'un évènement.*

toilette n. f.
1. Ensemble des soins de propreté. *Faire sa toilette. Une trousse de toilette.*
2. Tenue. *Une jolie toilette.* **SYN.** vêtement.
3. (AU PLURIEL) Cabinet (d'aisances). *Où sont les toilettes, s'il vous plaît ? Aller aux toilettes* (et non *à la toilette).
🔊 En ce sens, le nom s'emploie au pluriel.
Forme fautive
*papier de toilette. Calque de l'anglais « toilet paper » pour ***papier hygiénique.***

toison n. f.
Lainage des moutons.

toit n. m.
1. Couverture d'un édifice. *Un toit en pente, un toit d'ardoises.*
2. (FIGURÉ) Habitation. *Ils sont à la recherche d'un toit.* **SYN.** logis, maison.
3. Partie supérieure d'un véhicule.

toiture n. f.
Ensemble du toit et de sa structure.

tôle n. f.
Métal en feuille obtenu par laminage. *Un toit recouvert de tôle.*
t**ô**le.

tolérable adj.
Admissible. *Cette erreur n'est pas tolérable.* **SYN.** supportable. **ANT.** intolérable.

tolérance n. f.
1. Respect des opinions politiques, sociales, religieuses différentes des nôtres. **ANT.** intolérance.
2. Indulgence. *Elle a fait preuve de tolérance.* **SYN.** compréhension. **ANT.** intolérance.

tolérant, ante adj.
Compréhensif. *Des instituteurs tolérants.* **SYN.** indulgent. **ANT.** intolérant.
🔊 Ne pas confondre avec le participe présent invariable ***tolérant.*** *Les parents tolérant de tels écarts sont rares.*

tolérer v. tr.
1. Permettre. *Tolérer des retards.* **SYN.** autoriser, permettre.
2. Supporter. *Elle a du mal à tolérer les bêtises de cette personne.* **SYN.** endurer.
🔊 Le verbe est suivi du subjonctif après ***que.*** *Elle tolère que vous arriviez en retard.*
Conjugaison [VOIR MODÈLE – **POSSÉDER**]
Le **é** se change en **è** devant une syllabe muette, sauf à l'indicatif futur et au conditionnel présent. *Je tolère,* mais *je tolérerai.*

tomahawk n. m.
Le dernier ***a*** se prononce ***o*** [tɔmaok].
Hache de guerre. *Les Amérindiens ont sorti leurs tomahawks.*
toma**hawk.**

tomate n. f.
1. Plante cultivée pour ses fruits. *Paul a hâte de planter ses tomates.*
2. Fruit de cette plante. *Un jus de tomate, de la sauce tomate.*
Locution
Être rouge comme une tomate. Avoir le teint très coloré en raison d'une émotion (colère, surprise, timidité, etc.).
to**m**a**t**e.

tombal, ale, als adj.
Pierre tombale. Monument qui recouvre une tombe.

tombant, ante adj.
Qui tombe. *Des épaules tombantes.*
Ne pas confondre avec le participe présent invariable **tombant.** *Ses cheveux tombant sur ses épaules lui donnaient un air angélique.*
Locution
À la nuit tombante. Au crépuscule, ⚜ à la brunante.

tombe n. f.
Lieu où un mort est enseveli.
Ne pas confondre avec les noms suivants :
– ***cercueil,*** caisse où l'on dépose le corps d'un mort pour le mettre en terre ;
– ***tombeau,*** monument funéraire.

tombeau n. m. (pl. *tombeaux*)
Monument imposant, construit sur une tombe. *Des tombeaux grandioses.*
Ne pas confondre avec le nom ***tombe,*** lieu où un mort est enseveli.
Locution
À tombeau ouvert, locution adverbiale. (FIGURÉ) Si vite qu'on risque la mort. *Ils roulaient à tombeau ouvert.*

tombée n. f.
(LITTÉRAIRE) Action de tomber. *La tombée des feuilles, du soir.*
Locution
Tombée du jour, tombée de la nuit. Crépuscule, ⚜ brunante.

tomber v. intr.
1. Être entraîné de haut en bas. *La petite fille est tombée de la balançoire. Elle est tombée par terre* ou *à terre.*
Le verbe se conjugue avec l'auxiliaire ***être.*** *Les feuilles sont tombées. Il est tombé de la neige.* L'emploi de l'auxiliaire ***avoir*** est vieilli.
2. ***Tomber*** + adjectif ou nom. Devenir subitement (amoureux, malade, etc.). *Il est tombé amoureux* (et non *tomber en amour). *La voiture est tombée en panne.*
Locutions
Laisser tomber. Abandonner.
Tomber (bien, mal). Arriver au bon, mauvais moment. *Tu tombes bien, toi : on a justement besoin d'un bon cuisinier.*
Tomber d'accord avec quelqu'un. Aboutir à la même conclusion. *Elles sont tombées d'accord.*
Tomber des nues. (FIGURÉ) Être très surpris.
Tomber de sommeil, de fatigue. Être épuisé.
Tomber en ruine. S'écrouler. *Cette maison abandonnée tombe en ruine.*
Conjugaison [VOIR MODÈLE – **AIMER**]

tome n. m.
Le ***o*** est ouvert [tɔm].
Chacun des volumes d'un même écrit qui en comprend plusieurs. *Un dictionnaire en neuf tomes. Le tome III d'une saga.*

ton n. m.
1. Hauteur moyenne de la voix, d'un son. *Un ton grave, un ton aigu.*
2. Inflexion de la voix. *Il l'a crié sur tous les tons. Elle parle d'un ton théâtral.*
3. Manière d'être. *Ces tenues sont de bon ton, de mauvais ton.*
4. Couleur considérée sous l'angle de son intensité. *Des tons pâles.*
Locutions
Donner le ton. Déterminer la mode, le bon usage.
Ton sur ton, locution invariable. Dans une même couleur, plus ou moins foncée. *Des imprimés ton sur ton.*
HOM. thon, poisson.

ton adj. poss. m. sing.
1. Adjectif possessif masculin de la deuxième personne du singulier qui détermine le nom en indiquant le « possesseur » de l'objet désigné. Il s'accorde en genre et en nombre avec le nom déterminé. *Ton cadenas.*
2. L'adjectif possessif s'accorde en personne avec le nom désignant le « possesseur ». Ainsi, l'adjectif possessif ***ton*** renvoie à un seul « possesseur » d'un être, d'un objet de genre masculin. *Tu promènes ton chien Zoé* (un seul possesseur). *Tes amis jouent avec leur chat Maboule* (plusieurs possesseurs).
Devant un nom féminin commençant par une voyelle ou un ***h*** muet, c'est aussi la forme masculine ***ton*** qui est employée pour rendre la liaison plus harmonieuse entre l'adjectif possessif et le mot qui suit. *Ton amie, ton histoire.*
VOIR TABLEAU – **POSSESSIF (ADJECTIF).**

tondeuse n. f.
Machine servant à tondre. *Une tondeuse électrique.*

tondre v. tr.
Couper à ras (les poils, la toison, etc.). *Il a tondu le gazon.*
Conjugaison [VOIR MODÈLE – **FENDRE**]
INDICATIF PRÉSENT *Je tonds, tu tonds, il tond, nous tondons, vous tondez, ils tondent.* IMPARFAIT *Je tondais.* PASSÉ SIMPLE *Je tondis.* FUTUR *Je tondrai.* **CONDITIONNEL** PRÉSENT *Je tondrais.* **IMPÉRATIF** PRÉSENT *Tonds, tondons, tondez.* **SUBJONCTIF** PRÉSENT *Que je tonde.* IMPARFAIT *Que je tondisse.* **PARTICIPE** PRÉSENT *Tondant.* PASSÉ *Tondu, ue.*

tonique n. m.
Médicament qui fortifie. *Prendre un tonique.*
to**n**ique.

tonitruant, ante adj.
Bruyant, qui fait un bruit de tonnerre. *Une voix tonitruante.*

tonne n. f.
1. Symbole ***t*** (s'écrit sans point).
2. Unité de mesure de masse équivalant à 1 000 kilogrammes.
3. ⚜ Unité de mesure équivalant à 2 000 livres.
Depuis l'adoption du SI, la tonne kilométrique est en usage au Canada.
4. (FAMILIER) (FIGURÉ) Grande quantité. *Pour les vacances, elle a emporté une tonne de livres.*

tonneau n. m. (pl. *tonneaux*)
1. Grand récipient cylindrique limité à chaque extrémité par un fond plat et destiné à contenir un liquide. *Des tonneaux de chêne.*
2. Contenu d'un tonneau. *Un tonneau de bière.*

tonner v. impers.
Gronder, en parlant du tonnerre. *Il tonnait très fort et les enfants étaient effrayés.*
Conjugaison [VOIR MODÈLE – **AIMER**]
to**nn**er.

tonnerre n. m.
1. Bruit qui accompagne la foudre. *Le grondement du tonnerre, des coups de tonnerre.*
2. (FIGURÉ) Grand bruit. *Un tonnerre d'acclamations.*
Locution
Du tonnerre. (FAMILIER) Remarquable. *Un chanteur du tonnerre.* **SYN.** formidable.

Forme fautive
*tonnerre. Impropriété au sens de ***foudre.*** *La foudre est tombée sur cet arbre* (et non *le tonnerre).
✏ to**nn**er**r**e.

tonte n. f.
Action de tondre. *La saison de la tonte des moutons.*

tonton n. m.
Surnom familier de **oncle.** *Notre tonton est particulièrement espiègle.*

topaze n. f.
Pierre fine de couleur jaune.

toponyme n. m.
VOIR TABLEAU – **GÉOGRAPHIQUES (NOMS).**

toponymie n. f.
1. Ensemble des noms de lieux d'une région, d'un pays, d'une langue.
2. (LINGUISTIQUE) Étude des noms de lieux et de leurs origines.
✏ topon**y**mie.

toponymique adj.
Relatif aux noms de lieux. *Un répertoire toponymique.*
✏ topon**y**mique.

toque n. f.
Coiffure de forme cylindrique. *La toque du chef. Une belle toque de castor.*
✏ to**que.**

toqué, ée adj. et n. m. et f.
Nom masculin et féminin
(FAMILIER) Légèrement fou. *C'est un toqué, un farfelu.* **SYN.** timbré.
Adjectif
Amoureux. *Elle est toquée de ce garçon.*

toquer (se) v. pronom.
(FAMILIER) Tomber amoureux de.
Le participe passé de ce verbe qui n'existe qu'à la forme pronominale s'accorde toujours avec le sujet du verbe.
Conjugaison [VOIR MODÈLE – **AIMER**]

torche n. f.
Flambeau rudimentaire. *Les marcheurs se sont fabriqué des torches avec des bâtons.*
Locution
Torche électrique. Lampe de poche.

torchon n. m.
Morceau de toile dont on se sert pour essuyer la vaisselle, pour nettoyer.
Locution
Le torchon brûle. (FIGURÉ) Mésentente. *Le torchon brûle entre la direction et les employés.*

tordant, ante adj.
(FAMILIER) Risible, amusant. *Cette imitation est tordante.* **SYN.** comique.

tordre v. tr., pronom.
Verbe transitif
1. Tourner quelque chose en sens contraire par ses deux extrémités. *Tordre du linge.*
2. Tourner violemment. *Maman, il m'a tordu le bras !*
Verbe pronominal
1. Plier violemment une articulation. *Elle s'est tordu la cheville.*
2. Se tortiller en tous sens. *Elle se tordait d'inquiétude.*
3. (FAMILIER) Rire bruyamment. *Ils se sont tordus au Festival Juste pour rire.* **SYN.** (FAMILIER) se marrer, rigoler.
Forme fautive
*tordre le bras à quelqu'un. Calque de l'anglais « to twist someone's arm » au sens de ***forcer la main à quelqu'un.***
Conjugaison [VOIR MODÈLE – **FENDRE**]
INDICATIF PRÉSENT *Je tords, tu tords, il tord, nous tordons, vous tordez, ils tordent.* IMPARFAIT *Je tordais.* PASSÉ SIMPLE *Je tordis.* FUTUR *Je tordrai.* **CONDITIONNEL** PRÉSENT *Je tordrais.* **IMPÉRATIF** PRÉSENT *Tords, tordons, tordez.* **SUBJONCTIF** PRÉSENT *Que je torde.* IMPARFAIT *Que je tordisse.* **PARTICIPE** PRÉSENT *Tordant.* PASSÉ *Tordu, ue.*

torero n. m. (pl. *toreros*)
Le ***e*** se prononce ***é*** [torero].
Celui qui combat les taureaux dans une corrida.
Ce nom d'origine espagnole s'écrit sans accent sur le ***e*** et prend la marque du pluriel.

tornade n. f.
Trombe de vent violent. *La tornade Clara a détruit plusieurs maisons et déraciné beaucoup d'arbres.*
Ne pas confondre avec les noms suivants :
– ***bourrasque,*** coup de vent violent et de courte durée ;
– ***cyclone,*** tempête caractérisée par un puissant tourbillon destructeur ;
– ***ouragan,*** vent très violent accompagné de pluie.
Locution
Comme une tornade. En coup de vent. *Ils sont passés comme une tornade.*

torpeur n. f.
Engourdissement. *La douce torpeur du sommeil.*

torpille n. f.
Engin explosif destiné à être lancé dans l'eau.

torpiller v. tr.
1. Faire exploser à l'aide de torpilles.
2. (FIGURÉ) Tenter de faire échouer quelque chose par des manœuvres secrètes. *Les opposants ont réussi à torpiller son projet.*
Conjugaison [VOIR MODÈLE – **AIMER**]
Les lettres ***ill*** sont suivies d'un ***i*** à la première et à la deuxième personne du pluriel de l'indicatif imparfait et du subjonctif présent. *(Que) nous torpillions, (que) vous torpilliez.*

torrent n. m.
Cours d'eau de montagne à forte pente. *Camper à proximité d'un torrent. Le torrent du Diable.*
Ne pas confondre avec les noms suivants :
– ***fleuve,*** cours d'eau important qui se jette dans la mer ;
– ***rivière,*** cours d'eau qui se jette dans un fleuve ;
– ***ruisseau,*** petit cours d'eau peu large.
Locution
À torrents. Beaucoup, en parlant de la pluie. *Il pleut à torrents.* **SYN.** à verse.
Dans cette expression, le nom s'écrit au pluriel.

torrentiel, elle adj.
Qui ressemble à un torrent, qui tombe abondamment. *Les pluies torrentielles ont provoqué des inondations dans les régions de Charlevoix et du Saguenay.*
✏ to**rr**en**t**iel.

torride adj.
Extrêmement chaud. *Un été torride.* **SYN.** brûlant, tropical.
✏ to**rr**ide.

t

torsade n. f.
Ornement tordu en hélice. *Une torsade de brocart avec des perles.*

torse n. m.
1. Buste. *Il a bombé son torse musclé.*
2. Figure humaine sans tête ni membres. *Un beau torse grec.*

tort n. m.
1. Action blâmable. *Il a eu le tort de ne pas tout dire ce qu'il savait.*
2. Dommage moral, mal. *Il lui a causé du tort.*
Locutions
À tort, locution adverbiale. Injustement, sans raison.
À tort et à travers, locution adverbiale. Sans discernement.
À tort ou à raison, locution adverbiale. Sans ou avec raison valable.
Avoir tort. Ne pas avoir raison, se tromper.
Donner tort à quelqu'un. Le blâmer, l'accuser.

torticolis n. m.
Le ***s*** est muet [tɔrtikɔli]; le mot rime avec ***colis.***
Contraction douloureuse d'un muscle du cou.
torticoli**s,** un ***s*** au singulier comme au pluriel.

tortiller v. tr., intr., pronom.
Verbe transitif
Tordre à plusieurs reprises. *Arrête de tortiller tes cheveux !*
Verbe intransitif
(FAMILIER) Remuer en se tournant sur soi-même. *Le poisson tortillait encore quand on a commencé à le cuire.*
Verbe pronominal
(FAMILIER) S'agiter en tous sens. *Les adolescentes se sont tortillées en chantant à tue-tête.*
Conjugaison [VOIR MODÈLE – **AIMER**]
Les lettres ***ill*** sont suivies d'un ***i*** à la première et à la deuxième personne du pluriel de l'indicatif imparfait et du subjonctif présent. *(Que) nous tortillions, (que) vous tortilliez.*

tortue n. f.
Reptile à quatre pattes et à carapace osseuse qui se déplace très lentement. *Le Lièvre et la Tortue* (fable de La Fontaine). *Certaines tortues vivent très longtemps.*
Locution
À pas de tortue, locution adverbiale. (FIGURÉ) Très lentement.

tortueux, euse adj.
Qui contient plusieurs détours. *Une route tortueuse.*

torture n. f.
1. Supplice. *Des instruments de torture.*
2. (FIGURÉ) Douleur morale ou physique. *Cette attente est une torture. Quand serons-nous fixés ?*
Locution
Mettre à la torture. (FIGURÉ) Tourmenter, angoisser. *Les examens le mettaient toujours à la torture.*

torturer v. tr., pronom.
Verbe transitif
1. Soumettre à des tortures. **SYN.** martyriser.
2. (FIGURÉ) Faire souffrir, tourmenter.
Verbe pronominal
Se tourmenter. *Ils ne cessent de se torturer.*
Locution
Se torturer le cerveau, l'esprit. S'interroger intensément.
Conjugaison [VOIR MODÈLE – **AIMER**]

tôt adv.
L'expression ***tôt ou tard*** se prononce avec ou sans liaison [totutar] ou [toutar].
De bonne heure. *Elle se lève tôt. Ne venez pas trop tôt.* **ANT.** tard.
Locutions
Au plus tôt, locution adverbiale. Pas avant. *Ils finiront au plus tôt le 12 juin.* **ANT.** au plus tard.
Tôt ou tard, locution adverbiale. Un jour ou l'autre.

total, ale, aux adj. et n. m.
Adjectif
Complet, entier. *Des données totales, des chiffres totaux.* **SYN.** général.
Nom masculin
Quantité totale. *Si nous faisons le total de toutes les contributions, nous obtenons 1 000 000 $.*
Locution
Au total, locution adverbiale. En définitive, somme toute, tout compte fait. *Ils ont beaucoup investi, mais au total, l'opération est une réussite.*
La construction avec le nom en début de phrase est de niveau familier. *Elles ont parlé très longtemps : total, elles se sont mises en retard.*

totaliser v. tr.
1. Additionner. *Totaliser des sommes partielles.*
2. Compter au total. *L'effectif de cette entreprise totalise 500 employés.*
Conjugaison [VOIR MODÈLE – **AIMER**]

totalité n. f.
L'ensemble, le tout. *La totalité des participants ont donné leur accord,* ou *a donné son accord.*
Après un nom collectif suivi d'un complément au pluriel, le verbe se met au singulier ou au pluriel suivant l'intention de l'auteur qui veut insister sur l'ensemble ou sur la pluralité.
VOIR TABLEAU – **COLLECTIF.**
Locution
En totalité, locution adverbiale. Complètement, intégralement. **SYN.** au complet.

totem n. m.
Le ***m*** se prononce [tɔtɛm]; le mot rime avec ***aime.***
1. Animal, objet qui constitue l'emblème protecteur d'un groupe.
2. Représentation de cet animal, de cet objet. *Les grands totems de la Colombie-Britannique.*

touage n. m.
Remorquage d'un navire.
Forme fautive
*touage. Impropriété au sens de ***remorquage*** (d'un véhicule).

toucan n. m.
Oiseau au plumage coloré et à gros bec. *De magnifiques toucans.*

touchant, ante adj.
Attendrissant, émouvant. *Des témoignages touchants, une scène touchante.*
Ne pas confondre avec le participe présent invariable ***touchant.*** *Les employés touchant une prime d'éloignement seront convoqués.*

touchant prép.
Concernant, au sujet de. *Quelques commentaires touchant cette question.*

touche n. f.
1. Chacun des leviers qui composent le clavier d'un piano, d'un ordinateur, etc. *Les touches d'ivoire d'un piano. La touche de recul, une touche programmable* (et non une *clé).
2. Manière d'appliquer la couleur, par petites quantités. *De petites touches de rouge et de jaune éclairaient le tableau.*
3. (FIGURÉ) Un peu de. *Sa présence espiègle met une touche de gaieté dans ce cadre sévère.*
Locution
Être (mis) sur la touche. (FIGURÉ) Être tenu à l'écart d'une activité, sans pouvoir de décision. *Après sa gaffe, cet ancien directeur a été mis sur la touche.*
Familièrement, au Québec, on dit ***être (mis) sur une tablette.***

toucher n. m.
Un des cinq sens à l'aide duquel on peut reconnaître la forme, la matière, la température, etc., d'un corps.

toucher v. tr., pronom.
Verbe transitif direct
1. Porter la main sur. *Toucher un tissu soyeux. Ne touche pas ce vase* ou *à ce vase.*
En ce sens, le verbe se construit directement ou avec **à.**
2. Recevoir (un chèque, un salaire, etc.). *Il touche son salaire le jeudi.*
3. Concerner. *Cette restructuration ne vous touche pas.*
4. Émouvoir. *Nous avons été très touchés de votre gentille lettre, par votre joli bouquet, de recevoir votre visite.*
En ce sens, le verbe se construit avec les prépositions ***de*** ou ***par.***
Verbe transitif indirect
1. Modifier. *Ne touche pas à mon dessin.*
2. Aborder. *Nous touchons à une question capitale.*
3. Atteindre. *Ils touchent au but.*
4. S'en prendre à. *Ne touche pas à mon copain.*
Le verbe transitif indirect se construit avec la préposition **à.**
Verbe pronominal
Être adjacent. *Nos deux terrains se touchent.*
Conjugaison [VOIR MODÈLE – **AIMER**]

touer v. tr.
Remorquer un navire.
Forme fautive
*touer. Impropriété au sens de ***remorquer*** (un véhicule).
Conjugaison [VOIR MODÈLE – **AIMER**]

touffe n. f.
Groupement de choses de même nature. *Des touffes d'herbe, des touffes de cheveux.*
tou**ff**e.

touffu, ue adj.
1. Qui est épais, bien garni. *Des cheveux touffus, du gazon touffu.*
2. (FIGURÉ) Dense. *Un texte très touffu.*
tou**ff**u.

toujours adv.
1. Sans cesse, continuellement. *Il a toujours faim.* **SYN.** constamment.
2. Éternellement. *La Terre tourne toujours autour du Soleil.*
3. Habituellement. *Il parle toujours au téléphone.* **SYN.** ordinairement.
Locutions
Comme toujours, locution adverbiale. Comme à son habitude. *Comme toujours, elle est en retard.*
Pour toujours, locution adverbiale. À jamais, à perpétuité. *Il est parti pour toujours.* **SYN.** définitivement.
Toujours est-il que. En tout cas. *Ils ont eu certaines difficultés à venir ; toujours est-il qu'ils sont arrivés avec deux jours de retard.*

toundra n. f.
Végétation arctique de mousses et de lichens.

toupet n. m.
Le ***t*** ne se prononce pas [tupɛ].
1. Petite touffe de cheveux qui surmonte le front.
2. (FAMILIER) (FIGURÉ) Culot, effronterie. *Il en a du toupet de me demander cela !*

toupie n. f.
Jouet qui tourne au moyen d'un ressort, d'une ficelle.
tou**p**ie.

tour n. m. et f.
Nom masculin
1. Mouvement circulaire. *J'aimerais bien faire le tour du monde. La Terre fait le tour du Soleil.*
2. Contour. *Tour de taille.* **SYN.** circonférence.
3. Mouvement qui exige de l'habileté. *Des tours de magie.*
4. Allure, tournure. *Cette affaire prend un mauvais tour.*
5. Rang successif. *Céder son tour. C'est à son tour de jouer.*
6. Promenade. *Allons faire un tour au village !*
Nom féminin
1. Immeuble construit en hauteur. *Une tour de contrôle, la tour de la Bourse.*
2. Construction en hauteur. *La tour Eiffel.*
Locutions
À double tour, locution adverbiale. En donnant deux tours de clé.
Attention au nom qui demeure singulier dans cette expression.
À tour de bras, locution adverbiale. Avec force. *Il frappa sur eux à tour de bras.*
À tour de rôle, locution adverbiale. Chacun à son tour.
En un tour de main, locution adverbiale. Très rapidement. VOIR **TOURNEMAIN.**
Jouer un (bon) tour. User d'un stratagème.
Tour à tour, locution adverbiale. Alternativement, l'un après l'autre.
Tour de force. Exploit. *Des tours de force admirables.*
Tour d'horizon. Observation de l'ensemble du panorama.
Tour d'horizon. (FIGURÉ) Examen général. *Faisons d'abord un tour d'horizon pour avoir un bon aperçu de la situation.*
Ces expressions s'écrivent sans traits d'union.

tourbe n. f.
Matière spongieuse formée par la décomposition de végétaux. *Employer de la tourbe pour faciliter la transplantation d'arbustes.*
Les plaques de terre couvertes d'herbe sont des ***plaques de gazon*** (et non de la *tourbe).
Forme fautive
*tourbe. Anglicisme au sens de ***gazon.***

tourbière n. f.
Formation végétale en terrain humide, résultant de l'accumulation de matières organiques partiellement décomposées. (Recomm. off. OLF)

tourbillon n. m.
Mouvement circulaire du vent, de l'eau, de choses. *Des tourbillons de sable poussés par le vent.*

t

tourbillonnant, ante adj.
Qui tourbillonne. *De l'eau tourbillonnante.*

tourbillonner v. intr.
Se déplacer en tournant rapidement. *Les danseurs tourbillonnaient élégamment.*
Conjugaison [VOIR MODÈLE – **AIMER**]

tourelle n. f.
Petite tour. *Un grand château décoré d'une multitude de gracieuses tourelles.*
✎ tou**r**el**l**e.

tourisme n. m.
1. Action de voyager par plaisir. *Faire du tourisme.*
2. Ensemble des activités ayant pour objet la satisfaction des besoins des touristes. *Le tourisme constitue une ressource économique importante.*

touriste n. m. et f.
Personne qui voyage par agrément. *Il y a de plus en plus de touristes européens qui visitent la région.*

touristique adj.
Relatif au tourisme. *L'industrie touristique.*

tourment n. m.
(LITTÉRAIRE) Souffrance physique ou morale. *Les tourments de la guerre.*

tourmente n. f.
(LITTÉRAIRE) Tempête violente et courte. *Il neige à plein ciel : c'est la tourmente.*

tourmenté, ée adj.
Angoissé. *Il est de caractère tourmenté.* **SYN.** inquiet.

tourmenter v. tr., pronom.
Verbe transitif
(LITTÉRAIRE) Faire souffrir. *Le remords le tourmente.* **SYN.** ronger.
Verbe pronominal
(LITTÉRAIRE) S'inquiéter. *Cette personne est portée à se tourmenter pour peu de chose.* **SYN.** se tracasser.
Conjugaison [VOIR MODÈLE – **AIMER**]

tournage n. m.
1. Action de façonner au tour. *Le tournage de colonnes de bois.*
2. (CINÉMA) Action de tourner un film. *Le tournage a duré trois mois.*

tournant adj. et n. m.
Adjectif
Qui tourne. *Des portes tournantes.*
Nom masculin
1. Endroit où une route change de direction. *Prenez à gauche au prochain tournant. Des tournants dangereux.*
2. (FIGURÉ) Changement de direction. *L'entreprise a pris un nouveau tournant.*
Locution
Attendre quelqu'un au tournant. (FIGURÉ) Se venger, quand l'occasion se présentera.

tourne- préf.
Les mots composés avec le préfixe ***tourne-*** s'écrivent avec ou sans trait d'union. Au pluriel, le préfixe ***tourne-,*** qui est un verbe, demeure invariable, tandis que le second élément est parfois variable, parfois invariable. *Des tourne-disques, des tournevis.*

tourne-disque n. m. (pl. *tourne-disques*)
Appareil servant à faire jouer des disques. *Les lecteurs de disques compacts remplacent peu à peu les tourne-disques* (et non les *tables tournantes).

tournedos n. m.
Le ***s*** est muet [turnədo].
Filet de bœuf coupé en tranches. *Des tournedos bien saignants.*
✎ **tournedos,** en un seul mot.

tournée n. f.
1. Voyage en plusieurs endroits. *Ce chanteur fera une tournée au Québec.*
2. (FAMILIER) Ensemble des consommations offertes par quelqu'un à ceux qui sont avec lui, dans un bar, au restaurant. *C'est ma tournée !*

tournemain (en un) loc. adv.
(LITTÉRAIRE) Très rapidement. *Elle a préparé sa valise en un tournemain.*
On dit aussi couramment ***en un tour de main.***
✎ **tournemain,** en un seul mot.

tourner v. tr., intr., pronom.
Verbe transitif
1. Faire pivoter. *Elle tourne la broche pour faire griller l'agneau.*
2. Placer dans une direction opposée. *Tourne tes skis à l'envers.* **SYN.** retourner.
3. Diriger vers. *Elle tourna les yeux vers lui.*
4. Filmer. *Tourner un film. Silence ! On tourne.*
Verbe intransitif
1. Se mouvoir en rond. *La Terre tourne autour du Soleil.*
2. Fonctionner. *Le moteur tourne rond.*
3. Changer de direction. *Il faudra bientôt tourner à gauche.*
Verbe pronominal
Changer de position, de direction. *Elles se sont tournées vers nous.*
Locutions
Se tourner les pouces. (FIGURÉ) Être inactif.
Se tourner vers quelque chose. (FIGURÉ) Orienter son activité en ce sens.
Tourner de l'œil. (FAMILIER) Perdre conscience.
Tourner en ridicule. Tourner en dérision.
Tourner la page. (FIGURÉ) Recommencer à neuf.
Tourner la tête à quelqu'un. (FIGURÉ) Griser ou séduire quelqu'un.
Tourner le dos à quelqu'un. (FIGURÉ) Le laisser tomber.
Tourner les pages d'un livre, d'une revue, etc. Le feuilleter.
Tourner sa langue sept fois dans sa bouche avant de parler. (FIGURÉ) Réfléchir longuement avant de dire quelque chose.
Conjugaison [VOIR MODÈLE – **AIMER**]

tournesol n. m.
Plante dont les fleurs se tournent vers le soleil. *Des tournesols en fleur.*

tournevis n. m.
Le ***s*** se prononce [turnəvis].
Outil servant à visser ou à dévisser des vis. *Ce tournevis s'adapte à tous les types de vis.*
✎ **tournevis,** en un seul mot.

tourniquet n. m.
Dispositif pivotant placé à une entrée, à une sortie, pour ne laisser passer qu'une personne à la fois. *Les tourniquets du métro.*
✎ tourniqu**et.**

tournoi n. m.
Épreuve sportive. *Des tournois de tennis.* **SYN.** championnat, compétition.

tournoyer v. intr.
Tourner en faisant plusieurs tours. *Le vent fait tournoyer les feuilles mortes.*
Conjugaison [VOIR MODÈLE – **EMPLOYER**]
Le ***y*** se change en ***i*** devant un ***e*** muet. *Il tournoie, il tournoyait.* Le ***y*** est suivi d'un ***i*** à la première et à la deuxième personne du pluriel de l'indicatif imparfait et du subjonctif présent. *(Que) nous tournoyions, (que) vous tournoyiez.*

tournure n. f.
1. Construction syntaxique. *Une tournure négative, impersonnelle.*
2. Évolution. *L'affaire prend une bonne tournure.*
Locution
Tournure d'esprit. Manière de penser.

tourterelle n. f.
Oiseau de la famille du pigeon, mais plus petit que ce dernier.
VOIR TABLEAU – **ANIMAUX.**

tourtière n. f.
1. Ustensile de cuisine destiné à la cuisson des tourtes ou des tartes.
2. Pâte de forme arrondie dans laquelle on met de la viande, du poisson, etc. *Faire cuire des tourtières pour le réveillon.*

tous pron. indéf.
VOIR TABLEAU – **TOUT.**

Toussaint n. f.
Fête du 1er novembre, en l'honneur de tous les saints. *Le congé de la Toussaint.*
Le nom de la fête s'écrit avec une majuscule.
Touss**aint.**

tousser v. intr.
Avoir un accès de toux. *Tu tousses beaoucoup : prends donc du sirop contre la toux.*
Conjugaison [VOIR MODÈLE – **AIMER**]

toussotement n. m.
Action de toussoter ; bruit produit en toussotant.
tou**ss**o**t**ement.

toussoter v. intr.
Tousser légèrement et souvent.
Conjugaison [VOIR MODÈLE – **AIMER**]
tou**ss**o**t**er.

toutefois adv.
Néanmoins, cependant. *Cette voiture est très rapide, toutefois elle consomme beaucoup d'essence.* **SYN.** mais, pourtant.
L'adverbe introduit une proposition qui vient s'opposer à la proposition ou à la phrase précédente.
toutefois, en un seul mot.

toutou n. m. (pl. *toutous*)
Chien, dans le langage des enfants. *De mignons toutous.*

tout-petit n. m. (pl. *tout-petits*)
Jeune enfant. *Ces tout-petits sont turbulents.* **SYN.** bébé.

tout-puissant, toute-puissante adj.
Qui a une très grande puissance. *Les dictateurs tout-puissants, les entreprises toutes-puissantes.*
Attention à l'accord de l'élément ***tout-*** qui ne se fait qu'au féminin ; lorsque l'adjectif qualifie un nom masculin, l'élément ***tout-*** est invariable.

tout-terrain adj. et n. m. (pl. *tout-terrains*)
Se dit d'un véhicule qui peut rouler sur tous les types de terrain. *Un vélo tout-terrain. Des tout-terrains puissants.*

tout, toute, toutes adj. ind., adv., n. m. et pron. indéf.
VOIR TABLEAU – **TOUT.**

toux n. f.
Expiration bruyante causée par une irritation. *Des quintes de toux, du sirop contre la toux.*
tou**x.**

toxicomane adj. et n. m. et f.
Atteint de toxicomanie.

toxicomanie n. f.
Habitude de se droguer avec des substances qui provoquent un état d'ivresse et de dépendance.

toxique adj. et n. m.
Adjectif
Qui empoisonne. *Une substance toxique.*
Nom masculin
Poison.

trac n. m.
Le ***c*** se prononce [trak]; le mot rime avec ***bric-à-brac.***
Angoisse ressentie avant d'agir, d'entrer en scène, etc. *Des tracs fous.*

tracas n. m.
Ennui, souci. *Cette affaire lui a causé bien des tracas.* **SYN.** difficulté, préoccupation, tourment.
traca**s,** un ***s*** au singulier comme au pluriel.

tracasser v. tr., pronom.
Verbe transitif
Donner du tracas. *Cette question la tracasse.* **SYN.** inquiéter, préoccuper.
Verbe pronominal
Se tourmenter. *Ne vous tracassez pas pour si peu.* **SYN.** s'inquiéter.
Conjugaison [VOIR MODÈLE – **AIMER**]
traca**ss**er.

tracasserie n. f.
Difficulté, complication inutile. *Des tracasseries administratives.*

trace n. f.
1. Marque, empreinte. *Il a laissé des traces de pas sur la neige. Une trace de brûlure.*
2. Indice, marque, reste. *On ne trouve pas trace de ce document.*
Locution
Marcher sur les traces de quelqu'un, suivre les traces de quelqu'un. (FIGURÉ) Suivre son exemple.

tracer v. tr.
1. Représenter au moyen de traits. *Elle traça son portrait.* **SYN.** dessiner.
2. Décrire. *Tracer un tableau réaliste de la situation.*
3. Marquer un lieu. *Ils ont tracé une route qui contourne la montagne.*
4. (FIGURÉ) Indiquer la voie à suivre. *Ses parents lui avaient tracé le chemin.*
Conjugaison [VOIR MODÈLE – **AVANCER**]
Le ***c*** prend une cédille devant les lettres ***a*** et ***o.*** *Il traça, nous traçons.*

trachée n. f.
Canal qui relie le larynx aux bronches et sert au passage de l'air.
trach**ée.**

tracteur n. m.
Véhicule servant principalement aux travaux agricoles.

traction n. f.
1. Action de tirer. *La traction d'une locomotive.*
2. Exercice de gymnastique. *Faire des tractions.*

TOUT, TOUTE, ADJECTIF INDÉFINI

1. Complet, entier. *Tout l'univers, toutes les plantes, tous les enfants.*

2. Chaque. *Il peut pleuvoir à tout moment, elle appelle tous les jours.*

3. Au plus haut point. *Ce paysage est de toute beauté.*

4. Tout le monde. *Tout Montréal était là.*

- Locutions avec ***tout*** singulier

à toute allure
à tout bout de champ
à toute épreuve
à toute force
à tout hasard
à toute heure
à tout propos
à toute vitesse
de tout cœur
de tout temps
en tout cas
en tout genre
en tout lieu
en toute saison
en tout temps
en toute franchise
en toute hâte
en toute liberté
tout à coup
tout feu tout flamme...

- Locutions avec ***tout*** pluriel

à tous égards
à tous coups
à toutes jambes
de toutes pièces
toutes proportions gardées
toutes réflexions faites
tous feux éteints
tous azimuts...

- Locutions avec ***tout*** singulier ou pluriel

à tout moment – à tous moments
de toute façon – de toutes façons
à tout point de vue – à tous points de vue
de tout côté – de tous côtés
de toute manière – de toutes manières
de toute part – de toutes parts
de toute sorte – de toutes sortes
en tout sens – en tous sens...

- ***Tout autre.*** N'importe quel. *Toute autre employée que moi aurait agi ainsi.*

  En ce sens, le mot tout est variable. Au sens de « complètement différent », il est invariable.

- ***Tout* +** titre d'œuvre. L'adjectif ne s'accorde que devant un titre féminin qui commence par un article défini. *J'ai lu tout* Phèdre. *Elle a lu toutes* Les Fleurs du mal. *Il lira toute* L'Énéide, mais *ils connaissent tout* Petits poèmes en prose *de Baudelaire.*

t

TOUT, NOM MASCULIN

La totalité. *Risquer le tout pour le tout. Le tout est de partir à temps.*

TOUT, TOUS, TOUTES, PRONOM INDÉFINI

Le ***s*** du pronom masculin pluriel se prononce [tus].

1. L'ensemble des personnes. *Il l'a répété à tous. Toutes étaient présentes. Je les prends tous.*

2. Toute chose. *C'est tout ou rien. Ils ont tout mangé. La nouvelle entreprise souhaite tout reconstruire.*

3. N'importe quoi. *Elle est préparée à tout. Prenez un peu de tout.*

suite

TOUT, ADVERBE

Entièrement, tout à fait. *Il est tout inquiet, la forêt est tout silence, les enfants sont tout mouillés.*

1° Devant un adjectif ou un participe, le mot ***tout*** pris adverbialement est normalement **invariable.** Cependant, pour l'harmonie de la phrase, le mot **s'accorde en genre et en nombre** devant un adjectif au féminin ou un participe passé féminin qui commence par une consonne ou un ***h*** aspiré. *Elle est tout inquiète, tout heureuse,* mais *elles sont toutes confuses, toutes hardies, toutes trempées.*

2° Devant un nom féminin qui commence par une voyelle ou un ***h*** muet, le mot ***tout*** pris adverbialement est invariable. *Elle est tout amabilité, il est tout harmonie.* Devant un nom féminin singulier qui commence par une consonne ou un ***h*** aspiré, le mot ***tout*** prend la marque du féminin, mais peut également rester invariable. *Il est toute douceur, toute honte.*

3° Devant un nom féminin pluriel, le mot ***tout*** reste invariable. *Des voiles tout soieries.*

- ***Tout*** **+** gérondif. En même temps que. *Tout en lisant, elle écoutait de la musique.*
- ***Tout*** **+** adverbe. Tout à fait. *Il lui répond tout net, tout court, tout juste, tout de travers.*
- ***Tout autre***. Complètement différent. *C'est une tout autre musique que vous jouez aujourd'hui.*

En ce sens, le mot tout est invariable. Au sens de « n'importe quel », il est variable.

Locutions adverbiales

Après tout	En définitive	*Après tout, nous sommes amis.*
Comme tout	Extrêmement	*Il est gentil comme tout.*
Du tout au tout	Complètement	*J'ai repris l'affaire du tout au tout.*
En tout	Sans rien omettre	*Combien vous doit-on en tout?*
Pas du tout	Nullement	*Vous ne me dérangez pas du tout.*
Tout à coup	Brusquement	*Tout à coup, il se mit à hurler.*
Tout à fait	Entièrement	*La maison est tout à fait neuve.*
Tout à l'heure	Dans quelques instants	*Ils seront là tout à l'heure.*
Tout de même	Néanmoins	*Il a refusé, j'y vais tout de même.*
Tout de suite	Immédiatement	*J'arrive tout de suite.*
Tout d'un coup	En une seule fois	*La tour s'est effondrée tout d'un coup.*

tradition n. f.
1. Doctrines, usages, etc., transmis d'âge en âge. *Le réveillon de Noël est une tradition dans notre famille.*
2. Faits historiques ou légendaires qui nous ont été transmis. *Selon la tradition, ces peuples seraient originaires d'Asie.*

traditionnel, elle adj.
1. Fondé sur la tradition. *Des chansons traditionnelles.*
2. Qui est passé dans l'usage. *Le repas traditionnel du dimanche.* **SYN.** habituel.
traditio**nn**el.

traducteur n. m.
traductrice n. f.
Personne qui a pour profession de traduire des textes d'une langue dans une autre. *Elle est traductrice du français à l'anglais dans une grande maison d'édition.*

traduction n. f.
1. Action de dire ou d'écrire dans une langue ce qui était exprimé dans une autre langue. *Une traduction de l'anglais au français. Une traduction simultanée.*
2. Version dans une autre langue du texte original traduit. *Lire une traduction d'un roman américain.*
3. (FIGURÉ) Expression. *Ces vers sont la traduction exacte de son état d'âme.* **SYN.** reflet, représentation.

traduire v. tr., pronom.
Verbe transitif
1. Exprimer dans une langue ce qui était énoncé dans une autre langue. *Traduire de l'espagnol en français.*
2. (FIGURÉ) Exprimer par le langage, par un art. *Ce tableau traduit fidèlement les paysages de la Gaspésie.* **SYN.** dépeindre, représenter.
3. Manifester. *Son visage rayonnant traduisait sa joie.* **SYN.** exprimer.
Verbe pronominal
Être exprimé. *Sa colère se traduisait par des cris rageurs.*
Conjugaison [VOIR MODÈLE – **CONDUIRE**]
INDICATIF PRÉSENT *Je traduis, tu traduis, il traduit, nous traduisons, vous traduisez, ils traduisent.* IMPARFAIT *Je traduisais.* PASSÉ SIMPLE *Je traduisis.* FUTUR *Je traduirai.* **CONDITIONNEL** PRÉSENT *Je traduirais.* **IMPÉRATIF** PRÉSENT *Traduis, traduisons, traduisez.* **SUBJONCTIF** PRÉSENT *Que je traduise.* IMPARFAIT *Que je traduisisse.* **PARTICIPE** PRÉSENT *Traduisant.* PASSÉ *Traduit, uite.*

trafic n. m.
Le **c** se prononce [trafik]; le mot rime avec ***pic.***
1. Ensemble des mouvements de véhicules sur un axe de circulation. *Le trafic ferroviaire, aérien, maritime, routier.*
2. Commerce illégal. *Le trafic des cigarettes et de l'alcool. Trafic d'armes et de drogues.*
Forme fautive
*trafic. Anglicisme au sens de ***circulation*** (des voitures).
trafic.

trafiquant, ante n. m. et f.
(PÉJORATIF) Personne qui fait un trafic. *Des trafiquants de drogues.*
trafiquant.

trafiquer v. tr., intr.
1. (FAMILIER) Modifier. *Ils ont trafiqué l'appareil téléphonique.*
2. (FIGURÉ) Manigancer, comploter. *Je ne sais pas ce qu'il est en train de trafiquer.*
Conjugaison [VOIR MODÈLE – **AIMER**]

tragédie n. f.
1. Œuvre dramatique. *Une tragédie grecque.* **ANT.** comédie.
2. (FIGURÉ) Évènement tragique. *La tragédie du Boeing 747 qui s'est abîmé dans la mer.* **SYN.** drame.

tragédien n. m.
tragédienne n. f.
Acteur, actrice qui interprète des tragédies.
VOIR **COMÉDIEN.**

tragique adj. et n. m.
Adjectif
1. Propre à la tragédie. *Une pièce tragique.*
2. Dramatique, terrible. *Un accident tragique.*
Nom masculin
1. La tragédie.
2. Drame, caractère dramatique. *Le tragique d'une situation.*

trahir v. tr., pronom.
Verbe transitif
1. Tromper la confiance de quelqu'un. *Cet espion a trahi son chef.*
2. Révéler. *Des tics trahissaient sa nervosité.*
Verbe pronominal
Laisser voir ce qu'on voulait tenir caché. *Ils se sont trahis en téléphonant à leur chef.*
Conjugaison [VOIR MODÈLE – **FINIR**]
trahir.

trahison n. f.
Action de trahir, résultat de cette action. *Commettre une trahison. Ces espions ont été condamnés pour trahison.*
trahison.

train n. m.
1. Suite de wagons tirés par une locomotive. *Le train de Québec.*
2. Allure. *Ils vont bon train. Un train d'enfer.*
3. ⚜ (VIEUX) Tapage. *Les enfants font trop de train.*
En ce sens, le nom est vieilli.
Locutions
À fond de train, locution adverbiale. À grande allure.
Boute-en-train. Personne de joyeuse compagnie. *Des boute-en-train animaient la fête.*
Être en train. Être de bonne humeur. *Il est très en train aujourd'hui et ne cesse de faire des blagues.*
Ne pas confondre avec le nom ***entrain*** qui s'écrit en un seul mot.
Être en train de. Cette expression marque une action en cours. *Il est en train de lire son journal.*
Train de bois. Assemblage de troncs de bois que l'on fait flotter sur un cours d'eau.
Train de vie. Ensemble des dépenses liées à un mode de vie. *Un grand train de vie.*

traîne n. f.
Le bas d'une robe, d'un voile qui traîne. *La longue traîne d'une robe de mariée.*
Locutions
À la traîne, locution adverbiale. En retard.
Traîne sauvage. ⚜ Traîneau fait de planches recourbées à l'avant dont on se sert pour descendre les pentes enneigées. *Les traînes sauvages dévalaient le mont Royal.* **SYN.** toboggan.
traîne.

traîneau n. m. (pl. *traîneaux*)
Petit véhicule à patins conçu pour glisser sur la neige. *Dévaler la pente enneigée sur un petit traîneau rouge.*
traîneau.

traînée n. f.
Long trait laissé sur une surface ou dans l'espace. *Une traînée de sable, la traînée lumineuse d'une comète.* **SYN.** sillage, trace.
Locution
Comme une traînée de poudre, locution adverbiale. Très rapidement. *La rumeur s'est répandue comme une traînée de poudre.*
traînée.

traîner v. tr., intr., pronom.
Verbe transitif
Tirer après soi. *Le voilier traîne une chaloupe.*
Verbe intransitif
1. Pendre. *Son manteau traîne à terre.*
2. Ne pas progresser. *Cette histoire traîne en longueur.* **SYN.** s'éterniser.
3. Être en désordre. *Des assiettes traînaient partout.*
Verbe pronominal
1. Marcher difficilement, progresser lentement. *Depuis cette opération, elle se traîne.*
2. Se prolonger inutilement. *Ce roman se traîne : je m'en suis lassée.*
Conjugaison [VOIR MODÈLE – **AIMER**]
traîner.

train-train ou **traintrain** n. m.
(FAMILIER) Routine. *Il faut savoir rompre le train-train.*

traire v. tr.
Extraire le lait des pis des vaches, des chèvres, etc.
Conjugaison [VOIR MODÈLE – **SOUSTRAIRE**]
INDICATIF PRÉSENT *Je trais, tu trais, il trait, nous trayons, vous trayez, ils traient.* IMPARFAIT *Je trayais, tu trayais, il trayait, nous trayions, vous trayiez, ils trayaient.* FUTUR *Je trairai.* **CONDITIONNEL** PRÉSENT *Je trairais.* **IMPÉRATIF** PRÉSENT *Trais, trayons, trayez.* **SUBJONCTIF** PRÉSENT *Que je traie, que tu traies, qu'il traie, que nous trayions, que vous trayiez, qu'ils traient.* **PARTICIPE** PRÉSENT *Trayant.* PASSÉ *Trait, traite.*
Ce verbe ne se conjugue pas au passé simple ni au subjonctif imparfait.
Le ***y*** est suivi d'un ***i*** à la première et à la deuxième personne du pluriel de l'indicatif imparfait et du subjonctif présent. *(Que) nous trayions, (que) vous trayiez.*

trait n. m.
1. Action de tirer un projectile. *Le javelot est une arme de trait.*
2. Traction. *Certains chevaux sont des animaux de trait.*
3. Ligne tracée d'un même mouvement. *Un trait noir, des traits hachurés.*
4. (AU PLURIEL) Lignes caractéristiques du visage. *Elle a de jolis traits.*
5. Caractéristique d'une personne, d'une chose. *Les traits distinctifs de cet auteur. Citer les traits saillants d'une rencontre.*
VOIR TABLEAU – **TRAIT D'UNION.**
trai**t**.

traite n. f.
1. Action de traire. *La traite des vaches.*
2. (HISTOIRE) Échange. *Les coureurs des bois faisaient la traite des fourrures en Nouvelle-France.*
Locution
D'une (seule) traite, locution adverbiale. Sans interruption.
Forme fautive
*c'est ma traite. Calque de l'anglais « this is my treat » pour ***c'est ma tournée.***

traité n. m.
1. Convention entre des États. *Un traité de libre-échange.*
2. Ouvrage où l'on traite d'un art, d'une science en profondeur. *Un traité d'astronomie.*

traitement n. m.
1. Ensemble de soins destinés à guérir, à soulager. *Un traitement préventif.*
2. Ensemble d'opérations. *Le traitement chimique d'une substance.*
3. Salaire d'un fonctionnaire.
Locution
Traitement de texte. (INFORMATIQUE) Ensemble des opérations telles que la saisie,la correction et la mise en forme, qui visent à établir un document à l'aide de techniques informatiques.
Dans cette expression, le nom ***texte*** est généralement au singulier, mais il peut s'écrire également au pluriel.

traiter v. tr., intr.
Verbe transitif direct
1. Agir d'une certaine manière. *Ils ont toujours bien traité leurs petits animaux familiers.*
2. Étudier de façon approfondie. *Traiter un sujet dans une thèse.*
3. Soigner. *On devra traiter Delphine avec des antibiotiques.*
4. Soumettre une substance à l'action d'un agent (chimique, physique, etc.) pour la modifier. *On a traité ce métal contre la rouille.*
Verbe transitif indirect
1. Qualifier. *Elle a traité le marchand de voleur.*
2. Avoir pour sujet, disserter sur. *De quoi traiterez-vous dans votre conférence ?* **SYN.** aborder, parler.
Le verbe transitif indirect se construit avec la préposition ***de.***
Verbe intransitif
Négocier en vue de conclure un marché. *Ils sont intéressés à traiter avec cette entreprise.*
Conjugaison [VOIR MODÈLE – **AIMER**]

traiteur n m
traiteuse n. f.
Personne qui prépare des repas, des plats à emporter et à consommer à domicile, à l'endroit où se donne une réception.

traître, esse adj. et n. m. et f.
Adjectif
1. Déloyal. *Il a été traître à sa patrie.*
2. Dangereux. *La glace noire est traître parce qu'on ne la voit pas.*
L'adjectif renforce la négation.
Nom masculin et féminin
Personne coupable d'une trahison. *Ces auteurs sont des traîtres.*
Locution
Pas un traître mot. Aucun mot.
traître.

trajectoire n. f.
Ligne décrite par un corps mobile. *La trajectoire d'un javelot.*

trajet n. m.
1. Fait de parcourir l'espace d'un point à un autre. *Il fit le trajet en voiture.*
2. Espace à parcourir d'un lieu à un autre. *Un trajet de 15 km.*
SYN. itinéraire, parcours.

***trâlée**
Mot ancien pour ***ribambelle*** (d'enfants).

trame n. f.
1. Fils qui croisent les fils de la chaîne.
2. Intrigue. *La trame d'un roman.*
tra**m**e.

tramer v. tr., pronom.
Verbe transitif
1. Tisser.
2. Comploter. *Ils trament une conspiration.* **SYN.** machiner.
Verbe pronominal
Être préparé en secret, en parlant d'un complot. *Qu'est-ce qui est en train de se tramer ?*
Conjugaison [VOIR MODÈLE – **AIMER**]

trampoline n. m.
1. Grande toile tendue par des ressorts sur laquelle on exécute des sauts.
2. Sport ainsi pratiqué. *Faire du trampoline.*
Attention au genre masculin de ce nom : ***un*** trampoline.

tranchant, ante adj. et n. m.
Adjectif
1. Qui peut couper. *Une lame tranchante.* **SYN.** coupant.
2. (FIGURÉ) Cassant, dur. *Il refusa d'un ton tranchant.*
Ne pas confondre avec le participe présent invariable ***tranchant.*** *Les enfants ne tranchant pas leur viande...*
Nom masculin
Le côté coupant d'un instrument. *Le tranchant d'un couteau.*
Locution
À double tranchant. (FIGURÉ) Qui peut se retourner contre son auteur. *Une arme, un stratagème à double tranchant.*

tranche n. f.
1. Morceau coupé finement. *Une tranche de pain. Du jambon en tranches.*
2. Disposition des nombres par groupes de trois chiffres. *Les tranches de chiffres s'écrivent sans ponctuation, ex. : 1 000 353.*
3. Partie d'un tout. *La première tranche des travaux commencera en avril.*

tranchée n. f.
Excavation pratiquée dans la terre.

t

trancher v. tr., intr.
Verbe transitif
1. Couper en tranches. *Elle a tranché du pain. Du jambon tranché mince.*
2. (FIGURÉ) Décider de façon définitive. *Nous avons tranché la question, nous n'y reviendrons pas.*
Verbe intransitif
1. Contraster. *Cette écharpe colorée tranchera bien sur ce tailleur marine.*
2. (FIGURÉ) Se détacher clairement. *Son professionnalisme tranche sur l'amateurisme de ses collègues.* **SYN.** se distinguer.
Conjugaison [VOIR MODÈLE – **AIMER**]

tranquille adj.
1. Calme. *Les élèves étaient tranquilles, pour une fois.* **SYN.** sage.
2. Serein, paisible. *Une vie tranquille. Un petit coin tranquille à la campagne.*
Locution
Laisser quelqu'un tranquille. Ne pas le déranger. *Laissez-moi tranquille, je voudrais lire.*

tranquillement adv.
1. D'une manière tranquille, doucement. *Il marchait tranquillement.* **SYN.** lentement.
2. Sereinement, paisiblement. *Elle jardine tranquillement : cela la détend beaucoup.*

TRAIT D'UNION

Signe en forme de trait horizontal qui se place à mi-hauteur de l'écriture, sans espace avant ni après, et qui sert principalement à unir les éléments de certains mots composés et les syllabes d'un mot divisé en fin de ligne.

Emplois

- Liaison des éléments de certains mots composés.

  Des sous-marins, un presse-citron, un garde-côte, le bien-être.

  Dans les mots composés avec un préfixe, il se dessine une tendance marquée à supprimer le trait d'union en vue de simplifier l'orthographe. On consultera les mots composés à leur entrée alphabétique où les renseignements sont donnés.

  VOIR TABLEAU – **NOMS COMPOSÉS.**

- Liaison des nombres inférieurs à ***cent*** qui ne sont pas reliés par la conjonction ***et***.

  Quatre-vingt-deux.

  VOIR TABLEAU – **NOMBRES.**

- Liaison des éléments spécifiques des toponymes.

  Le boulevard René-Lévesque.

  VOIR TABLEAU – **GÉOGRAPHIQUES (NOMS).**

- Liaison des prénoms, des patronymes.

  Marie-Ève. Philippe Dubois-Lalande.

- Liaison des formes verbales inversées.

  C'est ainsi, lui dit-il.

  VOIR TABLEAU – **SUJET.**

- Liaison de certains préfixes (***demi-, grand-, non-, sous-,*** etc.) à un nom.

  Une politique de non-ingérence. Un grand-père. Des néo-Québécois. Une demi-mesure.

  VOIR **ANTI-.**

- Coupure d'un mot en fin de ligne.

  *Ce dictionnaire comporte des tableaux relatifs aux difficultés ortho-
  graphiques.*

  VOIR TABLEAU – **DIVISION DES MOTS.**

tranquillisant, ante adj. et n. m.
Adjectif
Qui tranquillise. *Une musique tranquillisante.*
Nom masculin
Médicament qui atténue l'angoisse. *Il prenait des tranquillisants.*

tranquilliser v. tr., pronom.
Verbe transitif
Calmer. *Je les ai tranquillisés en leur racontant cette légende amusante.* SYN. rassurer, réconforter.
Verbe pronominal
Cesser d'être inquiet. *Voyons, tranquillisez-vous un peu, ce n'est pas bien grave.* ANT. affoler, inquiéter.
Conjugaison [VOIR MODÈLE – **AIMER**]

tranquillité n. f.
Calme, quiétude. *Il est agréable de marcher dans la tranquillité du matin.* SYN. paix, sérénité.

trans- préf.
Élément du latin signifiant « à travers ».
Les mots composés avec l'élément ***trans-*** s'écrivent en un seul mot. *Transatlantique, transcanadien.*

transaction n. f.
Opération commerciale ou boursière. *Beaucoup de transactions portaient sur ce titre boursier aujourd'hui.* SYN. échange, marché.

transatlantique adj. et n. m.
Adjectif
Qui assure la liaison maritime entre l'Europe et l'Amérique.
Nom masculin
Navire qui traverse l'océan Atlantique. *Ce transatlantique fait des croisières.*

transcanadien, ienne adj. et n. f.
Qui traverse le Canada, de l'Atlantique au Pacifique. *La route transcanadienne. Rouler sur la transcanadienne.*

transcontinental, ale, aux adj.
Qui traverse entièrement un continent. *Des modes de transport transcontinentaux. Une route transcontinentale.*

transcription n. f.
1. Action de transcrire, son résultat. *La transcription d'un manuscrit au micro-ordinateur.* SYN. saisie.
2. Écriture selon un autre mode d'expression. *Une transcription phonétique, une transcription en braille.*
transcrip**t**ion.

transcrire v. tr.
1. Copier de façon semblable ou selon une écriture différente. *Tu transcriras ta dissertation au propre.*
2. Faire une transcription. *Transcrire un mot selon la notation de l'Association phonétique internationale (API). Il a transcrit ce message codé en clair.*
Conjugaison [VOIR MODÈLE – **ÉCRIRE**]
INDICATIF PRÉSENT *Je transcris, tu transcris, il transcrit, nous transcrivons, vous transcrivez, ils transcrivent.* IMPARFAIT *Je transcrivais.* PASSÉ SIMPLE *Je transcrivis.* FUTUR *Je transcrirai.* **CONDITIONNEL** PRÉSENT *Je transcrirais.* **IMPÉRATIF** PRÉSENT *Transcris, transcrivons, transcrivez.* **SUBJONCTIF** PRÉSENT *Que je transcrive.* IMPARFAIT *Que je transcrivisse.* **PARTICIPE** PRÉSENT *Transcrivant.* PASSÉ *Transcrit, ite.*

transe n. f.
(LITTÉRAIRE) Vive inquiétude. *Les transes des candidats à un examen.* SYN. angoisse, appréhension.
Le mot s'emploie généralement au pluriel, sauf dans l'expression ***être en transe.***

transférer v. tr.
Transporter, selon les formalités requises. *Transférer le siège social d'une entreprise.*
Formes fautives
*transférer. Anglicisme au sens de ***muter, affecter à un autre poste.***
*transférer. Anglicisme au sens de ***prendre une correspondance*** (pour les transports en commun).
Conjugaison [VOIR MODÈLE – **POSSÉDER**]
Le ***é*** se change en ***è*** devant une syllabe muette, sauf à l'indicatif futur et au conditionnel présent. *Je transfère,* mais *je transférerai.*

transfert n. m.
1. Déplacement de personnes, de choses. *Un transfert de populations, de fonds.*
2. (DROIT) Action de transmettre un droit. *Des transferts de propriété, de titres boursiers.*
Formes fautives
*transfert. Anglicisme au sens de ***correspondance*** (pour les transports en commun).
*transfert. Anglicisme au sens de ***mutation.***

transfigurer v. tr.
Transformer quelqu'un, quelque chose de façon extraordinaire, en l'améliorant. *La joie transfigurait son visage : elle était radieuse.*
Conjugaison [VOIR MODÈLE – **AIMER**]

transformateur n. m.
S'abrège familièrement en ***transfo*** (s'écrit sans point).
Appareil électrique qui modifie la tension, l'intensité d'un courant électrique.

transformation n. f.
Changement, modification d'une forme en une autre. *La transformation de la sève d'érable en sirop.*

transformer v. tr., pronom.
Verbe transitif
Donner une nouvelle forme à une personne, à une chose. *L'adolescence l'a transformée. Transformer le bois en papier.* SYN. modifier.
Verbe pronominal
Changer d'apparence, de forme. *En quelques mois, les chiots se sont transformés en de beaux chiens.* SYN. devenir.
Conjugaison [VOIR MODÈLE – **AIMER**]

transfusion n. f.
Tranfusion de sang. Injection dans les veines d'une personne (le ***receveur***) du sang d'une autre personne (le ***donneur***).

transiger v. intr.
Faire un compromis, des concessions réciproques, afin de parvenir à un accord.
Forme fautive
*transiger. Impropriété au sens de ***faire des affaires, négocier.***
Conjugaison [VOIR MODÈLE – **CHANGER**]
Le ***g*** est suivi d'un ***e*** devant les lettres ***a*** et ***o.*** *Il transigea, nous transigeons.*

transit n. m.
Le ***s*** se prononce ***z*** et le ***t*** final est sonore [trɑ̃zit]; le mot rime avec ***frite.***

1. Passage de voyageurs, transport de marchandises à travers une région.
2. Passage de voyageurs, de marchandises en franchise des droits de douane. *Les passagers en transit pour la Suisse doivent se diriger vers la porte 35.*

transitif, ive adj.
(GRAMMAIRE) Se dit d'un verbe qui peut avoir un complément d'objet direct ou indirect. *Les verbes* ***aimer*** et ***penser*** *sont des verbes transitifs.*
– Un verbe est **transitif direct** s'il peut avoir un complément d'objet direct. *Le chien aime* (qui ?) *les enfants* (complément d'objet direct).
– Un verbe est **transitif indirect** si son complément est construit avec les prépositions ***à*** ou ***de.*** *Elle pense* (à qui ?) *à lui* (complément d'objet indirect). Il doute de tout.
VOIR TABLEAU – **VERBE.**

transition n. f.
1. Passage d'un état à un autre. *Une transition trop soudaine du froid au chaud.*
2. Charnière, manière de lier les parties d'un texte, d'un exposé. *Cette anecdote était une habile transition.*
3. Étape intermédiaire qui conduit d'un état à un autre. *La robotique s'est implantée sans transition dans cette entreprise.*

transitivement adv.
(GRAMMAIRE) Avec une construction transitive. *Le verbe* voir *se construit transitivement ou intransitivement.*

transitoire adj.
Provisoire. *Cette situation est transitoire.* **SYN.** passager.
✎ transit**oire.**

translucide adj.
Qui laisse passer la lumière, mais non la couleur, la forme des objets. *Du verre translucide.*
Ne pas confondre avec le mot ***transparent,*** qui laisse voir nettement les objets.

transmettre v. tr., pronom.
Verbe transitif
1. Céder la propriété. *Transmettre des actions.*
2. Léguer. *Il leur a transmis sa bibliothèque.* **SYN.** donner.
3. Communiquer. *Elle a transmis son message par téléphone.*
4. Contaminer. *On lui a transmis cette maladie très contagieuse.* **SYN.** donner.
Verbe pronominal
Se propager. *Cette infection se transmet par les moustiques.*
Conjugaison [VOIR MODÈLE – **REMETTRE**]

transmissible adj.
Contagieux. *Une maladie transmissible sexuellement.*

transmission n. f.
1. Action de transmettre, de léguer. *La transmission d'un bien.*
2. Action de transporter un signal d'un émetteur vers un récepteur. *La transmission des données, d'un message.* **SYN.** émission.
3. Ensemble des organes servant à communiquer la puissance aux roues motrices. *Cette voiture a une transmission automatique.*
Locution
Transmission par satellite, par voie hertzienne. Télécommunication.

transparaître v. intr.
1. Paraître au travers de quelque chose. *La peinture originale transparaît au travers de la laque.*
2. Être perçu. *Ses intentions ont transparu clairement.* **SYN.** apparaître, paraître.
Le verbe se conjugue avec l'auxiliaire ***avoir.***
Conjugaison [VOIR MODÈLE – **PARAÎTRE**]

transparence n. f.
1. Qualité de ce qui est transparent. *La transparence de l'eau.* **SYN.** limpidité. **ANT.** opacité.
2. (FIGURÉ) Clarté. *Les contribuables réclament plus de transparence dans la gestion des fonds publics.* **SYN.** limpidité.

transparent, ente adj. et n. m.
Adjectif
Qui laisse voir nettement les objets. *Un chemisier transparent.*
Ne pas confondre avec le mot ***translucide,*** qui laisse passer la lumière, mais non la couleur ni la forme des objets.
Nom masculin
1. Papier ligné que l'on place sous une feuille de papier afin d'écrire droit.
2. Feuille d'acétate de cellulose utilisée pour les rétroprojections. *Avec cette imprimante à laser, nous pouvons imprimer nos tableaux sur des transparents* (et non des acétates).

transpercer v. tr.
1. Passer au travers. *Une flèche lui transperça la jambe.* **SYN.** percer, traverser.
2. (FIGURÉ) Pénétrer. *Le froid nous transperçait.*
Conjugaison [VOIR MODÈLE – **AVANCER**]
Le ***c*** prend une cédille devant les lettres ***a*** et ***o.*** *Il transperça, nous transperçons.*

transpiration n. f.
1. Action de transpirer. *La transpiration permet de réduire la température du corps.*
2. Sueur. *Ce maillot sent la transpiration.*
Locution
En transpiration. En sueur. **SYN.** en nage.

transpirer v. intr.
1. Éliminer la sueur par la peau. *Les pauvres déménageurs transpiraient énormément.* **SYN.** suer.
2. (FIGURÉ) Commencer à être connu. *Cette information a transpiré à la suite de la dernière réunion.* **SYN.** se répandre.
Conjugaison [VOIR MODÈLE – **AIMER**]

transplantation n. f.
1. Action de replanter un végétal. *La transplantation de rosiers, de plants de tomates.*
2. (MÉDECINE) Action de transplanter un organe. *La transplantation d'un rein. Une transplantation cardiaque.*

transplanter v. tr.
1. Replanter une plante en un autre endroit. *Transplanter des conifères.*
2. (MÉDECINE) Greffer un organe. *On lui a transplanté un rein.*
Conjugaison [VOIR MODÈLE – **AIMER**]

transport n. m.
1. Action de transporter d'un lieu à un autre. *Des moyens de transport. Cette entreprise assure le transport des fruits et légumes vers les marchés d'alimentation.*
2. (AU PLURIEL) Déplacement de personnes, de choses à l'aide de divers moyens. *Les transports en commun, les transports maritimes et aériens.*

transporter v. tr., pronom.
Verbe transitif
Porter d'un lieu à un autre. *Transporter des colis.*
Verbe pronominal
Se rendre en un lieu. *Transportez-vous par l'imagination au bord de la mer.* **SYN.** se déplacer.
Conjugaison [VOIR MODÈLE – **AIMER**]

transporteur n. m.
Entreprise, personne qui se charge d'assurer le transport de personnes, de choses. *Air Canada est un transporteur aérien.*

transposer v. tr.
Modifier l'ordre de quelque chose. *En transposant les lettres du prénom MARIE, on peut former le mot AIMER.* **SYN.** intervertir.
Conjugaison [VOIR MODÈLE – **AIMER**]

transversal, ale, aux adj.
Oblique, perpendiculaire. *Des chemins transversaux. Au coin, prends la rue transversale.*

trapèze n. m.
1. Figure géométrique dont deux côtés opposés sont parallèles et inégaux.
2. Barre horizontale suspendue par ses extrémités. *Cet acrobate fait du trapèze volant.*
trap**è**ze.

trapéziste n. m. et f.
Gymnaste, acrobate qui fait du trapèze. *Les trapézistes du Cirque du Soleil.*
trap**é**ziste.

trappe n. f.
1. Piège creusé et dissimulé par des branchages ou piège à bascule. *Les animaux sont tombés dans la trappe. Des trappes à souris.*
2. Chasse à l'aide de pièges. *Ces Amérindiens font de la trappe : ils chassent le renard, le castor et le lièvre.*
3. Ouverture dans un plancher, un plafond, etc., donnant accès à un autre lieu. *Cette trappe permet d'accéder au grenier.*
tra**ppe,** contrairement au verbe ***attraper.***

trappeur n. m.
trappeuse n. f.
Personne qui vit de la chasse et fait le commerce de la fourrure. *En Nouvelle-France, les trappeurs pratiquaient la traite des fourrures. Aujourd'hui, il y a encore des personnes qui exercent le métier de trappeur.*
tra**pp**eur.

trapu, ue adj.
1. Gros et court. *Une personne trapue.*
2. Massif. *Une armoire trapue.*
tra**p**u.

traquenard n. m.
Piège. *Ils sont tombés dans un traquenard.*
traquen**ard.**

traquer v. tr.
Serrer de près, poursuivre. *La police a traqué les cambrioleurs : ils se sont rendus.*
Conjugaison [VOIR MODÈLE – **AIMER**]

traumatiser v. tr.
1. Provoquer une blessure. **SYN.** blesser.
2. Bouleverser émotivement de façon violente. *Ce drame les a traumatisés : ils sont en état de choc.*
Conjugaison [VOIR MODÈLE – **AIMER**]

traumatisme n. m.
1. Blessure. *Un traumatisme crânien.*
2. Choc émotif violent. *Il est difficile de se remette du traumatisme causé par les inondations catastrophiques au Saguenay.*

travail n. m. (pl. *travaux*)
1. Ensemble d'activités exécutées en vue de parvenir à un résultat. *Des travaux manuels, un travail de programmation. Olivier s'est mis au travail : il veut construire une cabane dans un arbre.* **SYN.** (FAMILIER) boulot, ouvrage, tâche.
2. Emploi. *Il a un travail à temps partiel. Ils sont sans travail.*
3. Recherche. *Catherine fait un travail sur Léonard de Vinci. Des travaux pratiques. Un travail de longue haleine.*

travaillant, ante adj.
(FAMILIER) Personne qui aime travailler, travailleur. *Ces élèves sont bien travaillants.* **SYN.** bûcheur, consciencieux. **ANT.** paresseux.

travailler v. tr., intr.
Verbe transitif
1. Façonner. *Il travaille le bois, elle travaille son style.*
2. Préoccuper. *Cette idée de partir en voyage le travaille.*
Verbe intransitif
Exercer une activité professionnelle, faire un travail. *Ils travaillent en informatique, elles travaillaient à temps plein. Julie travaille dans le jardin : elle arrache les mauvaises herbes.*
Conjugaison [VOIR MODÈLE – **AIMER**]
Les lettres ***ill*** sont suivies d'un ***i*** à la première et à la deuxième personne du pluriel de l'indicatif imparfait et du subjonctif présent. *(Que) nous travaillions, (que) vous travailliez.*

travailleur, euse adj. et n. m. et f.
Adjectif
Qui aime le travail. *Un étudiant travailleur.* **SYN.** bûcheur, consciencieux, travaillant.
Nom masculin et féminin
Personne qui exerce une profession. *Les travailleurs intellectuels, les travailleurs manuels. Ce garçon est un bon travailleur.*

travers n. m.
Défaut léger, bizarrerie. *Il a bien quelques travers, mais il est très sympathique.* **SYN.** imperfection.
Locutions
À travers, locution prépositive. Au milieu. *Le soleil passe à travers le feuillage.* **SYN.** par.
Au travers de, locution prépositive. De part en part. *Elle est passée au travers de la porte vitrée.*
De travers, locution adverbiale. Qui n'est pas droit, de façon oblique. *Ce tableau est posé de travers.*
De travers, locution adverbiale. (FIGURÉ) Avec malveillance, avec méfiance. *Elle le regarda de travers.*
De travers, locution adverbiale. Mal. *Tout va de travers en ce moment. Tu as écrit ces mots tout de travers.*
En travers de, locution prépositive. D'un côté à l'autre. *Il y avait une barrière en travers de la route.*

traverse n. f.
1. Pièce de bois, de métal qu'on met en travers d'une construction pour en assembler les éléments. *Les traverses d'une fenêtre.*
2. Chacune des poutres placées perpendiculairement à la voie, sous les rails, dont elle maintient l'écartement.
Locutions
Chemin de traverse. Raccourci.
Lieu de passage d'un fleuve, d'une rivière, d'un lac ou d'un bras de mer où l'on exploite un service de traversier. (Recomm. off. OLF) *La traverse de Saint-Siméon.*
Forme fautive
*traverse (de chemin de fer). Anglicisme au sens de ***passage à niveau.***

t

traversée n. f.
Action de traverser la mer, un cours d'eau, un espace. *La traversée du lac Saint-Jean à la nage. La traversée de l'Atlantique en solitaire, une traversée aérienne mouvementée.*

traverser v. tr.
1. Passer d'un côté à l'autre. *Traverser un lac à la nage. Il faut regarder à droite et à gauche avant de traverser une rue.*
2. Passer par. *Cette idée m'a traversé l'esprit. Il traverse une mauvaise passe.*
Conjugaison [VOIR MODÈLE – **AIMER**]

traversier n. m.
Navire spécialement conçu pour effectuer la traversée de passagers, de véhicules ou de wagons d'une rive à l'autre d'un fleuve, d'une rivière, d'un lac ou d'un bras de mer. (Recomm. off. OLF) *Prendre le traversier pour Lévis* (et non le *ferry, le *ferry-boat).

trébucher v. intr.
Faire un faux pas. *Il a trébuché sur un jouet.* **SYN.** buter.
Conjugaison [VOIR MODÈLE – **AIMER**]

trèfle n. m.
1. Plante fourragère. *Un trèfle à quatre feuilles.*
2. Une des couleurs du jeu de cartes. *Un sept de trèfle.*
tr**è**fle.

treillis n. m.
La première syllabe se prononce ***tré*** et le ***s*** est muet [treji].
Assemblage à claire-voie en bois, en métal, etc. *Des lierres et des clématites grimpent sur les treillis du jardin.*
treill**is**, un ***s*** au singulier comme au pluriel.

treize adj. num. inv. et n. m. inv.
Adjectif numéral cardinal invariable
Douze plus un. *Treize à la douzaine.*
Adjectif numéral ordinal invariable
Treizième. *Le treize décembre.*
Nom masculin invariable
Nombre treize. *Des treize en lettres fluorescentes.*
VOIR TABLEAU – **NOMBRES.**
VOIR TABLEAU – **NUMÉRAL (ADJECTIF).**

treizième adj. num. et n. m. et f.
Abréviations : ***13e*** (treizième), ***13es*** (treizièmes).
Adjectif numéral ordinal
Nombre ordinal de treize. *La treizième heure.*
Nom masculin
La treizième partie d'un tout. *Les trois treizièmes d'une quantité.*
Nom masculin et féminin
Personne, chose qui occupe le treizième rang. *Elles sont les treizièmes.*
VOIR TABLEAU – **NOMBRES.**
VOIR TABLEAU – **NUMÉRAL (ADJECTIF).**

tréma n. m.
Signe de ponctuation formé de deux points qui signale qu'une voyelle se prononce séparément plutôt que de changer de son en s'unissant à une autre voyelle (***e, i, u***). *Les lettres **oi** se prononcent différemment des lettres **oï**; froide,* mais *anthropoïde, astéroïde.*
Les majuscules prennent les accents, le tréma et la cédille lorsque les minuscules équivalentes en comportent. (Recomm. off. OLF)
tr**é**ma.

tremblement n. m.
Mouvement de ce qui tremble. *Le tremblement des feuilles sous le vent. Le tremblement de sa voix indique de l'inquiétude.* **SYN.** frémissement.
Locution
Tremblement de terre. Séisme. *Les tremblements de terre secouent souvent la Californie.*

trembler v. intr.
1. Être agité de mouvements répétés. *Ses mains ne tremblent pas du tout. Elle tremblait de froid. Le sol a tremblé.* **SYN.** s'agiter, remuer.
2. (FIGURÉ) Éprouver une violente crainte. *Ce réfugié tremble à l'idée de ne pouvoir rester au pays.* **SYN.** avoir peur, craindre.
1° Le verbe se construit avec la préposition ***de*** suivie de l'infinitif ou avec ***que*** suivi du subjonctif. *Elle tremble que l'on ne puisse pas le joindre à temps.*
2° Il en est ainsi pour les verbes exprimant une notion de crainte : ***appréhender, craindre, avoir peur, redouter.***
Conjugaison [VOIR MODÈLE – **AIMER**]

trembloter v. intr.
Trembler légèrement.
Conjugaison [VOIR MODÈLE – **AIMER**]
tremblo**t**er, un seul ***t.***

trémolo n. m. (pl. *trémolos*)
Tremblement de la voix. *Ne nous fais pas ta comédie avec des trémolos dans la voix.*
Ce nom d'origine italienne est francisé : il s'écrit avec un accent sur le ***e*** et prend la marque du pluriel.

trémousser (se) v. pronom.
Se tortiller. *Elles se trémoussaient en marchant. Ils se sont trémoussés.* **SYN.** s'agiter, remuer.
Le participe passé de ce verbe qui n'existe qu'à la forme pronominale s'accorde toujours avec le sujet du verbe.

tremper v. tr., intr., pronom.
Verbe transitif
Mouiller, imbiber d'un liquide. *Elle trempait son pain dans la soupe.* **SYN.** plonger.
Verbe intransitif
1. Demeurer quelque temps dans un liquide. *Il a mis les vêtements à tremper.*
2. (FIGURÉ) Participer à une affaire malhonnête, en être complice. *Tremper dans un complot.*
Verbe pronominal
Être très mouillé. *Ils se sont trempés en marchant sous la pluie.*
Conjugaison [VOIR MODÈLE – **AIMER**]

trempette n. f.
Préparation dans laquelle on trempe un aliment. *Une trempette aux fines herbes pour des crudités* (et non un *dip).
Locution
Faire trempette. (FAMILIER) Prendre un bain très court ou se baigner dans une eau peu profonde. *Nous avons fait trempette dans la rivière.*

tremplin n. m.
1. Planche sur laquelle un plongeur prend appui pour s'élancer dans l'eau. *Elle a plongé du tremplin de trois mètres.* **SYN.** plongeoir.
2. Piste aménagée pour les sauts acrobatiques en ski. *Le skieur s'élance du tremplin et fait une double vrille.*
trempl**in.**

trentaine n. f.
1. Nombre d'environ trente. *Une trentaine de participants assistaient* ou *assistait à la rencontre.*
Après un nom collectif suivi d'un complément au pluriel, le verbe se met au singulier ou au pluriel suivant l'intention de l'auteur qui veut insister sur l'ensemble ou sur la pluralité.
2. (ABSOLUMENT) Âge d'à peu près trente ans. *Elle n'a pas encore atteint la trentaine. Il est dans la trentaine.*

trente adj. num. inv. et n. m. inv.
Adjectif numéral cardinal invariable
Vingt-neuf plus un. *Trente heures. Trente et un, trente-sept.*
Adjectif numéral ordinal invariable
Trentième. *Le trente octobre.*
Nom masculin invariable
Nombre trente. *Des trente en chiffres lumineux.*
VOIR TABLEAU – **NOMBRES.**
VOIR TABLEAU – **NUMÉRAL (ADJECTIF).**

trentième adj. num. et n. m. et f.
Abréviations : ***30e*** (trentième), ***30es*** (trentièmes).
Adjectif numéral ordinal
Nombre ordinal de trente. *La trentième heure.*
Nom masculin
La trentième partie d'un tout. *Les quatre trentièmes d'une quantité.*
Nom masculin et féminin
Personne, chose qui occupe le trentième rang. *Elles sont les trentièmes.*
VOIR TABLEAU – **NOMBRES.**
VOIR TABLEAU – **NUMÉRAL (ADJECTIF).**

trépidant, ante adj.
1. Agité et rapide. *Des rythmes trépidants.*
2. (FIGURÉ) Qui est sans cesse en mouvement. *À New York et à Paris, la vie est trépidante.* **ANT.** calme, paisible.

trépied n. m.
Support à trois pieds. *Un trépied pour appareil photographique.*

trépigner v. intr.
Frapper des pieds contre le sol pour manifester sa colère, son impatience, sa joie, etc. *Nous trépignions d'impatience avant son arrivée.*
Conjugaison [VOIR MODÈLE – **AIMER**]
Les lettres ***gn*** sont suivies d'un ***i*** à la première et à la deuxième personne du pluriel de l'indicatif imparfait et du subjonctif présent. *(Que) nous trépignions, (que) vous trépigniez.*

très adv.
Extrêmement. *Cette jeune fille est très intelligente.*
1° L'adverbe ***très*** marque le superlatif absolu en se joignant à un adjectif (*il a fait très froid cet hiver*), à un adverbe (*la tortue avance très lentement*) ou à un participe passé employé comme un adjectif (*ce banquet a été très apprécié*).
2° Si le participe passé n'est pas employé comme un adjectif, on utilise plutôt l'adverbe ***beaucoup***. *Nous avons beaucoup aimé ce film* (et non *très aimé).

trésor n. m.
1. Bien précieux. *Les plongeurs ont découvert un trésor enfoui dans une épave depuis 300 ans : des pièces d'or, des pierres précieuses, des bijoux fabuleux dans un coffret.*
2. (FIGURÉ) Tout ce qui est précieux. *Ces enfants sont des trésors de tendresse et de joie de vivre.*

tressaillement n. m.
Brusque mouvement involontaire sous l'effet d'une émotion subite. **SYN.** frémissement.

tressaillir v. intr.
La première syllabe se prononce ***tré*** [tresajir].
Sursauter, frémir involontairement sous l'effet d'une émotion subite. *En entendant ce craquement sinistre, elle tressaillit.*
Conjugaison [VOIR MODÈLE – **TRESSAILLIR**]
Les lettres ***ill*** sont suivies d'un ***i*** à la première et à la deuxième personne du pluriel de l'indicatif imparfait et du subjonctif présent. *(Que) nous tressaillions, (que) vous tressailliez.*

tresse n. f.
Assemblage de trois mèches, de trois brins entrelacés. *Une belle tresse blonde.* **SYN.** natte.

tresser v. tr.
1. Former une tresse avec des cheveux. *Tous les matins, elle tressait ses cheveux. Elles se sont fait des tresses.* **SYN.** natter.
2. Fabriquer quelque chose en entrelaçant des fils, des joncs, etc. *Tresser le fond d'une chaise avec de la corde, de la paille ou des lanières de cuir (babiche).* **SYN.** entrecroiser.
Conjugaison [VOIR MODÈLE – **AIMER**]

tréteau n. m. (pl. *tréteaux*)
Support porté par quatre pieds. *Les deux tréteaux d'une table.*

treuil n. m.
Appareil servant à soulever des fardeaux.

trêve n. f.
Arrêt temporaire des combats entre deux camps opposés. **SYN.** cessez-le-feu.
Locutions
Sans trêve, locution adverbiale. Sans arrêt, de façon continue. *Ils ont marché sans trêve pour arriver au refuge avant la nuit.* **SYN.** continuellement.
Trêve de..., locution prépositive. Assez de. *Trêve de bavardages, il faut se mettre au travail !*
tr**ê**ve, un accent circonflexe.

tri- préf.
Élément du grec signifiant « trois ».
Les mots composés avec le préfixe ***tri-*** s'écrivent sans trait d'union. *Triangle, tricycle.*

tri n. m.
1. Action de choisir, de répartir. *Le tri des tomates bien mûres.* **SYN.** choix, sélection.
2. (INFORMATIQUE) Classement des informations selon un ordre donné. *Ce logiciel fait le tri alphabétique des données.*
tr**i**.

triade n. f.
Groupe de trois éléments. *Les nombres sont composés de triades* (ou tranches de trois chiffres) *séparées entre elles par un espace (de droite à gauche pour les entiers, de gauche à droite pour les décimales). 1 865 234,626 12.*

triage n. m.
Action de trier, de classer. *Le triage du bois. Une gare de triage.*

triangle n. m.
1. Figure géométrique à trois côtés. *Un triangle équilatéral.*
2. Instrument de percussion composé d'une tige d'acier pliée en triangle. *Annie frappe le triangle en cadence avec une baguette.*

t

Indicatif

Présent

je tressaille
tu tressailles
elle / il tressaille
nous tressaillons
vous tressaillez
elles / ils tressaillent

Passé composé

j'ai tressailli
tu as tressailli
elle / il a tressailli
nous avons tressailli
vous avez tressailli
elles / ils ont tressailli

Imparfait

je tressaillais
tu tressaillais
elle / il tressaillait
nous tressaillions
vous tressailliez
elles / ils tressaillaient

Plus-que-parfait

j'avais tressailli
tu avais tressailli
elle / il avait tressailli
nous avions tressailli
vous aviez tressailli
elles / ils avaient tressailli

Passé simple

je tressaillis
tu tressaillis
elle / il tressaillit
nous tressaillîmes
vous tressaillîtes
elles / ils tressaillirent

Passé antérieur

j'eus tressailli
tu eus tressailli
elle / il eut tressailli
nous eûmes tressailli
vous eûtes tressailli
elles / ils eurent tressailli

Futur simple

je tressaillirai
tu tressailliras
elle / il tressaillira
nous tressaillirons
vous tressaillirez
elles / ils tressailliront

Futur antérieur

j'aurai tressailli
tu auras tressailli
elle / il aura tressailli
nous aurons tressailli
vous aurez tressailli
elles / ils auront tressailli

Infinitif

Présent

tressaillir

Passé

avoir tressailli

Subjonctif

Présent

que je tressaille
que tu tressailles
qu'elle / qu'il tressaille
que nous tressaillions
que vous tressailliez
qu'elles / qu'ils tressaillent

Passé

que j'aie tressailli
que tu aies tressailli
qu'elle / qu'il ait tressailli
que nous ayons tressailli
que vous ayez tressailli
qu'elles / qu'ils aient tressailli

Imparfait

que je tressaillisse
que tu tressaillisses
qu'elle / qu'il tressaillît
que nous tressaillissions
que vous tressaillissiez
qu'elles / qu'ils tressaillissent

Plus-que-parfait

que j'eusse tressailli
que tu eusses tressailli
qu'elle / qu'il eût tressailli
que nous eussions tressailli
que vous eussiez tressailli
qu'elles / qu'ils eussent tressailli

Conditionnel

Présent

je tressaillirais
tu tressaillirais
elle / il tressaillirait
nous tressaillirions
vous tressailliriez
elles / ils tressailliraient

Passé

j'aurais tressailli
tu aurais tressailli
elle / il aurait tressailli
nous aurions tressailli
vous auriez tressailli
elles / ils auraient tressailli

Impératif

Présent

tressaille
tressaillons
tressaillez

Passé

aie tressailli
ayons tressailli
ayez tressailli

Participe

Présent

tressaillant

Passé

tressailli, ie
ayant tressailli

t

triangulaire adj.
Qui a la forme d'un triangle. *Un immeuble triangulaire.*
triangul**aire.**

tribord n. m.
Le côté droit d'un navire quand on regarde vers l'avant. *Des pirates à tribord.*
Pour se rappeler la place de bâbord et de tribord, il suffit de penser au mot ***batterie*** (***ba,*** à gauche, ***tri,*** à droite).

tribu n. f.
Groupement de plusieurs familles de la même peuplade autour d'un chef. *Une tribu huronne, les tribus montagnaises.*

tribulations n. f. pl.
Mésaventures, péripéties. *Les tribulations de ces touristes inexpérimentés.*

tribunal n. m. (pl. *tribunaux*)
Lieu où est rendue la justice. *Des tribunaux administratifs.*

tribune n. f.
1. Gradins. *Les tribunes du stade olympique.*
2. Estrade sur laquelle un ou des orateurs parlent.

tricher v. intr.
1. Tromper au jeu. *Jimmy ne cesse de tricher aux cartes : on ne peut lui faire confiance.*
2. Ne pas respecter une convention. *Il est interdit de tricher aux examens.*
Conjugaison [VOIR MODÈLE – **AIMER**]

tricherie n. f.
Action de tricher. **SYN.** tromperie.

tricheur, euse n. m. et f.
Personne qui a l'habitude de tricher.

tricolore adj.
Qui est de trois couleurs. *Le drapeau tricolore de la France : bleu, blanc, rouge.*
tricolor**e.**

tricot n. m.
1. Action de tricoter. *Elle aime faire du tricot, il préfère la cuisine.*
2. Tissu composé de mailles tricotées. *Un tricot de laine.*
3. Vêtement en tricot. *Un joli tricot pour les soirées fraîches.*

tricoter v. tr., intr.
Former des mailles avec un fil textile et des aiguilles. *Elle tricote une veste en laine.*
Conjugaison [VOIR MODÈLE – **AIMER**]
trico**t**er, un seul ***t.***

trictrac n. m.
Les **c** se prononcent [triktrak].
Jeu de dés, ancêtre du jaquet. *Des trictracs incrustés d'ivoire. Viens-tu faire un trictrac ? Je ne sais pas jouer au trictrac.*

tricycle n. m.
Vélo à trois roues.
tr**icy**cle.

trident n. m.
Fourche à trois dents. *Neptune a pour sceptre un trident.*

tridimensionnel, elle adj.
Qui a trois dimensions. *Une représentation tridimensionnelle sur écran où l'on voit l'effet de perspective, de profondeur.*
On emploie couramment l'abréviation ***3D.***

trier v. tr.
1. Sélectionner, choisir, particulièrement ce qui est meilleur. *Trier des fraises et des framboises pour faire des confitures.*
2. Classer. *Ce logiciel trie les mots par ordre alphabétique.*
Locution
Trier sur le volet. Faire une sélection très rigoureuse. *Nous avons trié nos candidats sur le volet.*
Conjugaison [VOIR MODÈLE – **ÉTUDIER**]
Redoublement du ***i*** à la première et à la deuxième personne du pluriel de l'indicatif imparfait et du subjonctif présent. *(Que) nous triions, (que) vous triiez.*

trilingue adj. et n. m. et f.
1. Qui parle trois langues. *Leur père est trilingue. Un, une trilingue.*
2. Qui est en trois langues. *Un lexique trilingue français-anglais-espagnol.*

trillion n. m.
Les ***l*** se prononcent comme un seul [triljiɔ̃].
Un milliard de milliards, soit 1 000 000 000 000 000 000 (notation scientifique 10^{18}). *Les échanges commerciaux ont totalisé trois trillions de dollars, 3 trillions de dollars.*
Le nom ***trillion*** est un nom (et non un adjectif numéral cardinal) ; il prend donc la marque du pluriel. *Trois trillions de dollars, 15 trillions de francs.*

trimbaler ou **trimballer** v. tr., pronom.
Verbe transitif
(FAMILIER) Transporter difficilement avec soi. *Elle devait trimbaler* ou *trimballer plusieurs colis.*
Verbe pronominal
(FAMILIER) Se déplacer. *Ils se trimbalaient* ou *se trimballaient avec toute la famille.*

trimestre n. m.
Période de trois mois. *Avec l'arrivée du mois de décembre, c'est presque la fin du premier trimestre scolaire.*

trimestriel, elle adj.
1. Qui dure trois mois. *Un cours trimestriel.*
2. Qui a lieu tous les trois mois. *Des relevés de notes trimestriels.*

tringle n. f.
Barre métallique qui sert à soutenir des rideaux, des voilages, etc. *La tringle du rideau de douche* (et non la *pole).
SYN. barre.
tr**in**gle.

trinité n. f.
1. Ensemble des trois personnes divines. *La Sainte-Trinité.*
En ce sens, le nom s'écrit avec une majuscule ainsi que l'adjectif qui le précède.
2. Groupe de trois éléments.

trio n. m.
1. Ensemble de trois musiciens. *Des trios de jazz.*
2. Groupe de trois personnes. *Un joli trio d'incompétents.*

triomphal, ale, aux adj.
1. Qui est un triomphe. *Des acclamations triomphales, des cris triomphaux. Un accueil triomphal.*
2. Qui constitue une réussite éclatante. *Un succès triomphal.*
Cet adjectif ne qualifie que des choses ; pour une personne, on emploiera plutôt ***triomphant.***
triom**ph**al.

triomphant, ante adj.
1. Qui est victorieux. *Des candidates triomphantes.* **SYN.** gagnant.

2. Qui exprime la victoire. *Des sourires triomphants.* **SYN.** éclatant, radieux.
Ne pas confondre avec le participe présent invariable ***triomphant.*** *Les candidats triomphant aux élections.*
triom**ph**ant.

triomphe n. m.
1. Victoire éclatante. *Le triomphe de Donovan Bailey à la course de 100 m aux Jeux olympiques d'Atlanta.*
2. Réussite remarquable. *Cette représentation théâtrale fut un triomphe.* **SYN.** succès.
triom**ph**e.

triompher v. tr. ind., intr.
Verbe transitif indirect
Remporter la victoire. *Les Castors de Nicolet ont triomphé de leurs adversaires, les Canards du lac Brôme.* **SYN.** battre.
Le verbe transitif indirect se construit avec la préposition ***de*** et non avec la préposition ***sur.***
Verbe intransitif
1. Exceller, avoir du succès. *Cette troupe a triomphé pendant plusieurs mois.*
2. Remporter la victoire. *C'est ce parti qui a triomphé aux élections.* **SYN.** gagner.
Conjugaison [VOIR MODÈLE – **AIMER**]

triple adj. et n. m.
Adjectif
Qui vaut trois fois autant. *La patineuse a fait un triple saut.*
Nom masculin
Quantité qui vaut trois fois une quantité déterminée. *Douze est le triple de quatre.*

tripler v. tr., intr.
Verbe transitif
Multiplier par trois. *Tripler une quantité. Nous avons 4 pommes; si on triple cette quantité, on obtient 12 pommes.*
Verbe intransitif
Devenir triple. *Les ventes ont triplé en décembre.*
Conjugaison [VOIR MODÈLE – **AIMER**]

triplés, ées n. m. et f. pl.
Se dit d'enfants jumeaux nés au nombre de trois. *Ils ont eu des triplés.*

triplex n. m.
Habitation comportant trois appartements. *Liliane habite le dernier étage d'un triplex.*

tripoter v. tr.
(FAMILIER) Tâter sans précaution, nerveusement. *Elle tripotait toujours ses cheveux.*
Conjugaison [VOIR MODÈLE – **AIMER**]
tripo**t**er.

triste adj.
1. Chagriné, peiné. *Il est triste depuis que sa copine l'a quitté.* **SYN.** affligé, malheureux. **ANT.** gai, joyeux.
2. Qui exprime la tristesse, qui n'est pas gai. *Une chanson triste.*
3. Qui cause du chagrin. *Nous avons une triste annonce à vous faire : votre copain est à l'hôpital.* **SYN.** désolant, pénible.
4. Sombre, maussade, en parlant du temps. *Les jours tristes de novembre.*

tristement adv.
D'une manière triste, pénible. *Ils se séparèrent tristement.*

tristesse n. f.
1. Peine, chagrin. *Il était dans un état de grande tristesse depuis l'accident de sa copine.* **ANT.** bonheur, gaieté, joie.
2. Caractère triste. *La tristesse d'un adieu, d'un jour pluvieux.*

troc n. m.
Le **c** se prononce [trɔk]; le mot rime avec ***roc.***
Échange en nature, sans usage de monnaie. *En Nouvelle-France, on pratiquait le troc avec les Amérindiens en échangeant des bijoux, des miroirs contre des fourrures.*
tro**c.**

trognon n. m.
Partie centrale d'un fruit, d'un légume dont on a retiré la partie comestible. *Un trognon de pomme.*

troïka n. f.
Traîneau russe attelé à trois chevaux. *Des troïkas qui glissent sur la neige.*
tro**ï**ka.

trois adj. num. inv. et n. m. inv.
Adjectif numéral cardinal invariable
Deux plus un. *Trois heures. Vingt-trois, trois cent deux.*
Adjectif numéral ordinal invariable
Troisième. *Le trois décembre.*
Nom masculin invariable
Nombre trois. *Il avait des trois de pique et de trèfle.*
VOIR TABLEAU – **NOMBRES.**
VOIR TABLEAU – **NUMÉRAL (ADJECTIF).**

troisième adj. num. et n. m. et f.
Abréviations : ***3e*** (troisième), ***3es*** (troisièmes).
Adjectif numéral ordinal
Nombre ordinal de trois. *La troisième heure.*
Nom masculin et féminin
Personne, chose qui occupe le troisième rang. *Elles sont les troisièmes.*
La troisième partie d'un tout est un ***tiers.*** *Les deux tiers d'un tout.*
VOIR **TIERS.**
VOIR TABLEAU – **NOMBRES.**
VOIR TABLEAU – **NUMÉRAL (ADJECTIF).**

trombe n. f.
1. Colonne d'eau tourbillonnante dans un cyclone.
2. Pluie très abondante. *Des trombes d'eau se sont abattues sur la région du Saguenay : il est tombé plus de 200 mm de pluie en quelques heures.*
Locution
Arriver, partir en trombe. Très vite.

trombone n. m.
1. Instrument à vent de la catégorie des cuivres. *Il joue du trombone.*
2. Petite agrafe servant à fixer des papiers et dont la forme ressemble à celle de l'instrument de musique. *Des trombones multicolores.*
Attention au genre masculin de ce nom : ***un*** trombone.
tro**m**bo**n**e, un seul ***n.***

trompe n. f.
Appendice nasal de l'éléphant, du tapir. *L'éléphant se sert de sa trompe pour aspirer l'eau.*

trompe-l'œil n. m. inv. (pl. *trompe-l'œil*)
Dessin, peinture qui donne l'illusion du relief. *Sur certains murs de la ville, on a peint des scènes en trompe-l'œil.*
Le nom invariable s'écrit avec un trait d'union.

tromper v. tr., pronom.
Verbe transitif
1. Mentir à quelqu'un, agir pour l'induire en erreur. *Ce vendeur nous a trompés, il a multiplié le prix par deux.* **SYN.** rouler.

2. Distraire momentanément. *Pour tromper l'attente, il lit une revue et pour tromper sa faim, il mange une pomme.*
3. Donner lieu à une erreur. *La ressemblance des immeubles l'a trompé.*
Verbe pronominal
Faire erreur. *Elles se sont trompées d'avion, ils se sont trompés de route, mais ils ont fini par se retrouver !*
Locution
Si je ne me trompe. Sauf erreur.
Conjugaison [VOIR MODÈLE – **AIMER**]

tromperie n. f.
Action de tromper. *Des petites tromperies sans importance.* **SYN.** tricherie.

trompette n. f.
Instrument à vent de la catégorie des cuivres. *Elle joue remarquablement de la trompette.*
Locution
Sans tambour ni trompette, locution adverbiale. Sans bruit.
Dans cette expression, les noms sont au singulier.

trompettiste n. m. et f.
Personne qui joue de la trompette.

trompeur, euse adj.
Qui peut donner lieu à une erreur. *Les apparences sont trompeuses.*

tronc n. m.
Le ***c*** final ne se prononce pas ; le mot rime avec ***rond.***
1. Partie principale d'un arbre, depuis le sol jusqu'aux branches. *L'immense tronc d'un séquoia.*
2. Partie du corps. *Le tronc massif d'un homme.*
tron**c,** un **c** final.

tronçon n. m.
1. Morceau coupé, brisé d'une chose plus longue que large. *Des tronçons de colonnes.* **SYN.** fragment.
2. Partie d'une voie de circulation. *Un nouveau tronçon de l'autoroute va être ouvert prochainement.*
tron**ç**on.

tronçonner v. tr.
Couper en tronçons. *Tronçonner du bois.*
Conjugaison [VOIR MODÈLE – **AIMER**]
tronço**nn**er.

tronçonneuse n. f.
Scie à moteur servant à découper des pièces de bois, des barres métalliques, etc. *Le bûcheron maniait sa tronçonneuse* (et non *chain saw) *avec adresse.*
tronço**nn**euse.

trône n. m.
1. Siège élevé du souverain. *Assise sur son trône, la reine Élisabeth préside la cérémonie.*
2. (FIGURÉ) Royauté. *Le trône d'Angleterre.*
tr**ô**ne.

trôner v. intr.
1. (FIGURÉ) Être disposé de manière à être bien visible. *Des photos de famille trônent sur son bureau.*
2. Siéger sur un trône. *Le Roi-Soleil trônait entouré de ses courtisans.*
3. Être à la place d'honneur, comme sur un trône. *Les vainqueurs trônaient sur le podium.*
Conjugaison [VOIR MODÈLE – **AIMER**]
tr**ô**ner.

trop adv.
Avec excès. *Tu étudies trop ? Je ne le pense pas.* **SYN.** exagérément.
Locutions
De trop, en trop, locutions adverbiales. En plus. *Il y a deux fauteuils de trop.*
En trop, locution adverbiale. En surplus. *As-tu des bagages en trop ?* **SYN.** en excédent .
Trop peu, locution adverbiale. Pas assez. *Il est trop peu économe.*
Trop... pour + infinitif, locution prépositive. Cette locution s'emploie pour exclure une hypothèse, une possibilité. *Il est trop prudent pour faire de la plongée seul* (il ne fait pas de plongée seul).
Trop... pour que, locution conjonctive. Marque la conséquence. *Ces produits sont trop coûteux pour qu'ils puissent être diffusés massivement.*
HOM. trot, allure du cheval.

trophée n. m.
Marque, témoignage d'une victoire. *Il a gagné un trophée au tennis.*
tro**phée,** attention au **e** muet final.

tropical, ale, aux adj.
1. Propre aux tropiques. *Des climats tropicaux.*
2. (FIGURÉ) Torride. *Une chaleur tropicale.*

tropique n. m.
Partie de la sphère terrestre parallèle à l'équateur, le long de laquelle le Soleil passe au zénith à chacun des solstices. *Le tropique du Capricorne est au sud de l'équateur, le tropique du Cancer est au nord.*
Ce nom s'écrit avec une minuscule.

troquer v. tr.
Échanger. *Il a troqué ses skis contre des patins à roulettes.*
Conjugaison [VOIR MODÈLE – **AIMER**]

trot n. m.
Le ***t*** final ne se prononce pas [tro]; le mot rime avec ***trop.***
Allure du cheval, entre le pas et le galop. *Les cavaliers allaient au trot dans la campagne.*
Locution
Au trot, locution adverbiale. (FIGURÉ) Vivement. *Au trot, les amis ! Nous sommes en retard.*
HOM. trop, avec excès.
tro**t.**

trotte n. f.
(FAMILIER) Longueur de chemin à parcourir. *Il y a une bonne trotte entre ces deux villages.*

trotter v. intr.
1. Aller au trot. *Ce cheval trottait élégamment.*
2. (FIGURÉ) Marcher vite et beaucoup. *Elles ont trotté toute la journée.*
3. (FIGURÉ) Passer de façon fugace. *Cette idée me trottait dans la tête à l'occasion.*
Conjugaison [VOIR MODÈLE – **AIMER**]

trotteur, euse n. m. et f.
Nom masculin et féminin
Cheval, jument dressée pour le trot. *C'est un excellent trotteur.*
Nom féminin
Petite aiguille des secondes. *La trotteuse d'une montre.*

trottiner v. intr.
Marcher rapidement et à petits pas. *La petite trottinait derrière sa maman.*
Conjugaison [VOIR MODÈLE – **AIMER**]
trottiner.

trottinette n. f.
Planche montée sur deux roues dont celle située à l'avant est orientée par un guidon.
trottinette.

trottoir n. m.
Partie latérale d'une rue qui est réservée aux piétons.
trottoir.

trou n. m. (pl. *trous*)
Ouverture dans un corps. *Le trou de la serrure, les trous du gruyère.*
Locution
Trou de mémoire. Oubli. *J'ai un trou de mémoire* (et non un *blanc).

troubadour n. m.
Poète médiéval qui écrivait en langue d'oc.
Ne pas confondre avec le nom ***trouvère,*** poète médiéval qui écrivait en langue d'oïl.

troublant, ante adj.
1. Étonnant, étranger. *La ressemblance entre ces personnes est troublante.*
2. Excitant. *Une voix troublante.*

trouble n. m.
1. Émotion, agitation. *En entendant sa voix, un trouble délicieux l'envahit.*
2. Anomalie de fonctionnement. *Des troubles respiratoires.* **SYN.** problème.
3. (AU PLURIEL) Désordre, agitation. *Des troubles politiques.*
Forme fautive
*avoir, faire du trouble. Anglicisme pour ***avoir des ennuis, faire des histoires, des difficultés.***

trouble adj.
1. Qui n'est pas limpide, qui est brouillé. *Des eaux troubles.*
2. Qui n'est pas net, suspect. *Cette explication semble trouble.* **SYN.** louche.

trouble-fête n. m. et f. inv. (pl. *trouble-fête*)
Personne qui dérange. *Ces trouble-fête sont détestables.*

troubler v. tr., pronom.
Verbe transitif
1. (LITTÉRAIRE) Déranger, perturber. *Ils ont été accusés d'avoir troublé l'ordre public.*
2. Interrompre. *Vos pleurs ont troublé son sommeil.* **SYN.** déranger.
3. Toucher, causer de l'inquiétude. *Cette nouvelle l'aura troublé certainement.* **SYN.** angoisser, inquiéter.
4. Émouvoir tendrement. *Il a été troublé par cet appel.*
Verbe pronominal
Perdre son sang-froid, être déconcerté. *Devant l'examinateur sévère, ils se sont troublés.*
Conjugaison [VOIR MODÈLE – **AIMER**]

trouée n. f.
Ouverture. *Il y a une belle trouée de ciel bleu entre les nuages.* **SYN.** percée.

trouer v. tr.
Percer. *À force de marcher, ils ont troué leurs chaussures. Des chaussettes trouées.* **SYN.** perforer.
Conjugaison [VOIR MODÈLE – **AIMER**]

trouille n. f.
(FAMILIER) Peur, inquiétude. *Quant on campe dans le bois, on a parfois la trouille.*

troupe n. f.
1. Groupe de militaires. *Une troupe armée.*
2. Rassemblement de personnes, de comédiens. *Une troupe de théâtre.*
Après un nom collectif suivi d'un nom au pluriel, le verbe se met au singulier ou au pluriel suivant l'intention de l'auteur qui veut insister sur l'ensemble ou sur la pluralité. *La troupe des militaires envahissait* ou *envahissaient la ville.*

troupeau n. m. (pl. *troupeaux*)
Groupe d'animaux domestiques qui sont élevés, nourris en un même lieu. *Des troupeaux de moutons et de vaches.*

trousse n. f.
Pochette, étui où est rangé un ensemble d'objets. *Une trousse de toilette, de voyage, une trousse à outils, à couture, à tricot.*
Locution
Aux trousses de quelqu'un. À sa poursuite. *Les créanciers sont à ses trousses.*

trousseau n. m. (pl. *trousseaux*)
Ensemble de vêtements. *Les trousseaux des jeunes mariées.*
Locution
Trousseau de clés. Ensemble de clés maintenues par un porte-clés.

trouvaille n. f.
Découverte. *Ils ont fait une belle trouvaille : un beau terrain où l'on pouvait camper.*

trouver v. tr., pronom., impers.
Verbe transitif
1. Découvrir ce que l'on cherchait. *Les enfants ont trouvé un trésor.*
2. Inventer. *Ce chercheur a trouvé un nouveau procédé.* **SYN.** créer, imaginer.
3. Obtenir. *J'ai trouvé un travail intéressant.*
4. Estimer, juger. *Elle trouve que vous avez raison. Elle ne trouve pas que vous ayez raison.* **SYN.** considérer.
Le verbe qui suit se met à l'indicatif ou au conditionnel dans une phrase affirmative, au subjonctif dans une phrase négative.
Verbe pronominal
1. Être situé en tel lieu. *Cette région se trouve au nord du fleuve.*
2. Se sentir. *Ils se sont trouvés mal.*
Verbe impersonnel
Il arrive que. *Il se trouve que vous avez tout à fait raison.* **SYN.** en fait.
Le verbe impersonnel se construit avec l'indicatif.
Conjugaison [VOIR MODÈLE – **AIMER**]

trouvère n. m.
Poète médiéval qui écrivait en langue d'oïl.
Ne pas confondre avec le nom ***troubadour,*** poète médiéval qui écrivait en langue d'oc.

truand n. m.
Malfaiteur. *Ce sont de dangereux truands.* **SYN.** bandit, voleur.
tru**and,** un ***d*** final.

truc n. m.
1. (FAMILIER) Procédé, astuce. *Ils ont trouvé un truc pour contourner la difficulté. Les trucs du métier.* **SYN.** moyen, stratagème.
2. (FAMILIER) Mot passe-partout qui sert à désigner une chose dont on ne sait pas le nom. *Ils ont acheté un truc formidable qui produit des sons étranges.* **SYN.** chose, machin.

truculent, ente adj.
Pittoresque, comique. *Le capitaine Haddock est un personnage truculent de Hergé.*

truelle n. f.
Spatule triangulaire. *La truelle du maçon.*
truel**l**e.

truffe n. f.
1. Champignon souterrain comestible très recherché.
2. Confiserie en forme de truffe. *De délicieuses truffes au chocolat.*
3. Nez de chien. *La truffe du chien est humide.*

truffer v. tr.
1. Garnir de truffes. *Ce foie gras est truffé.*
2. (FIGURÉ) Remplir. *Il a truffé son discours de blagues.* **SYN.** bourrer, parsemer.
Conjugaison [VOIR MODÈLE – **AIMER**]

truie n. f.
Femelle du porc. *Une truie dodue entourée de ses porcelets.*
VOIR TABLEAU – **ANIMAUX.**

truite n. f.
Poisson de rivière voisin du saumon dont la chair est appréciée. *Une truite mouchetée, saumonée.*
trui**t**e.

truquage ou **trucage** n. m.
(CINÉMA) Procédés techniques destinés à créer l'illusion d'une réalité fantastique.

truquer v. tr.
1. Arranger à son avantage, trafiquer. *Truquer des cartes, une photographie.*
2. Fausser. *Ces élections ont été truquées.*
Conjugaison [VOIR MODÈLE – **AIMER**]

truqueur n. m.
truqueuse n. f.
Au cinéma, à la télévision, technicien, technicienne qui fait des truquages.

tsar ou **tzar** n. m.
Le ***t*** se prononce ***t*** ou ***d,*** [tsar].
Titre donné à l'empereur de Russie et à certains souverains (Serbie, Bulgarie). *Alexandre II, tsar de Russie.*

tsarine ou **tzarine** n. f.
1. Impératrice de Russie. *Catherine II, la grande tsarine.*
2. Femme du tsar.

t-shirt
VOIR **TEE-SHIRT.**

tsigane ou **tzigane** adj. et n. m. et f.
Adjectif
Se dit d'un peuple venu de l'Inde qui mène une existence de nomade. *La musique tsigane.*
Nom masculin et féminin
Un Tsigane, une Tsigane.
L'adjectif s'écrit avec une minuscule ; le nom, avec une majuscule.
Nom masculin
Langue parlée par les Tsiganes.
Le nom de la langue s'écrit avec une minuscule.

tu pron. pers. m. et f. sing.
Pronom personnel masculin et féminin de la deuxième personne du singulier. ***Tu*** est toujours sujet du verbe. *Tu chantes bien. Viendras-tu demain ?*
Ce pronom ne peut être séparé du verbe que par un autre pronom personnel ou par ***ne, en, y.*** *Tu ne vois rien. Tu en jurerais. Tu y passeras. Tu lui donnes raison. Aimes-tu les roses ?*
Le pronom s'emploie aussi comme un nom. *Est-ce que je peux utiliser le tu ou préférez-vous le vous ?*
Locution
Être à tu et à toi avec quelqu'un. Le tutoyer, être intime.
VOIR TABLEAU – **PRONOM.**

tube n. m.
1. Tuyau cylindrique étroit. *Un tube en caoutchouc.*
2. Conduit naturel. *Le tube digestif.*
3. Contenant souple de forme cylindrique. *Un tube de dentifrice.*

tuberculeux, euse adj. et n. m. et f.
Adjectif
Relatif à la tuberculose.
Nom masculin et féminin
Personne atteinte de tuberculose.

tuberculose n. f.
Maladie infectieuse et contagieuse, le plus souvent des poumons.

tue-mouches adj. et n. m. inv. (pl. *tue-mouches*)
Se dit d'un papier enduit de colle employé pour attraper les mouches. *Des papiers tue-mouches.*

tuer v. tr., pronom.
Verbe transitif
Enlever la vie, faire mourir de façon violente. *Le cycliste a été tué dans un accident. Les chasseurs ont tué des perdrix.*
Verbe pronominal
1. Se suicider. *Elle s'est tuée pour ne pas lui survivre.*
2. Mourir accidentellement. *Ils se sont tués en faisant de l'alpinisme.*
3. (FIGURÉ) S'épuiser. *Elle se tue à la tâche.*
4. (FIGURÉ) S'évertuer à, tenter de. *Je me tue à vous le dire.*
En ce sens, le verbe est suivi de la préposition **à** et de l'infinitif.
Locution
Tuer le temps. Se divertir pour passer le temps sans ennui. **SYN.** se désennuyer.
Conjugaison [VOIR MODÈLE – **AIMER**]

tuerie n. f.
Action de tuer sauvagement.

tue-tête (à) loc. adv.
D'une voix très forte. *Les enfants criaient à tue-tête. Elle chantait à tue-tête dans sa douche.*
Cette locution est invariable.
tu**e**-tête

tueur, euse n. m. et f.
Meurtrier. *C'est un tueur et un trafiquant.* **SYN.** assassin.
Locution
Tueur à gages. Criminel payé pour commettre des meurtres.

t

tuile n. f.
1. Plaque de terre cuite servant à couvrir un édifice. *Un beau toit de tuiles rouges.*
Ne pas confondre avec le nom ***carreau,*** plaque de terre cuite, de pierre, etc., servant à revêtir le sol.
2. Petit biscuit. *Elle aime faire des tuiles aux amandes.*
3. (FAMILIER) Malchance. *Il pleut pour notre pique-nique : quelle tuile !*

tulipe n. f.
Plante donnant de belles fleurs ornementales. *Des bulbes de tulipes Angélique.*
tuli**p**e.

tuméfier v. tr.
Causer une enflure anormale. *Le coup a tuméfié son œil.*
Conjugaison [VOIR MODÈLE – **ÉTUDIER**]
Redoublement du ***i*** à la première et à la deuxième personne du pluriel de l'indicatif imparfait et du subjonctif présent.

tumeur n. f.
Augmentation anormale du volume d'un organe, d'un tissu, en raison d'une augmentation cellulaire anormale. *Une tumeur bénigne, une tumeur maligne.*
Attention au genre féminin de ce nom : ***une*** tumeur.

tumulte n. m.
Confusion, désordre bruyant. **SYN.** agitation, vacarme.

tumultueux, euse adj.
(LITTÉRAIRE) Agité, violent. *Le vaisseau a sombré dans les flots tumultueux de la mer.*

tunique n. f.
Corsage long. *Elle portait une tunique sur un pantalon.*

tunisien, ienne adj. et n. m. et f.
De Tunisie. *Un village tunisien. Un Tunisien, une Tunisienne.*
L'adjectif s'écrit avec une minuscule ; le nom, avec une majuscule.

tunnel n. m.
Voie souterraine destinée à permettre le passage de véhicules. *Le tunnel du métro, le tunnel sous la Manche.*
Ne pas confondre avec le nom ***viaduc,*** voie aérienne.
tu**nn**el.

tuque n. f.
Bonnet de laine. *Une belle tuque tricotée à la main.*

turban n. m.
Coiffure drapée autour de la tête. *Elle portait toujours un turban.*
turb**an.**

turbine n. f.
Dispositif doté d'une roue mobile actionnée par un fluide (eau, gaz, etc.). *Les turbines d'une centrale hydroélectrique.*

turbulence n. f.
Agitation de l'air. *Veuillez boucler vos ceintures, nous traversons une zone de turbulence.*
turbul**e**nce.

turbulent, ente adj.
Espiègle, remuant. *Les enfants étaient turbulents aujourd'hui.*
turbul**e**nt.

turc, turque adj. et n. m. et f.
Adjectif et nom masculin et féminin
De Turquie. *Un café turc. Un Turc, une Turque.*
L'adjectif s'écrit avec une minuscule ; le nom, avec une majuscule.
Nom masculin
Langue parlée en Turquie. *Aydin parle le turc.*
Le nom de la langue s'écrit avec une minuscule.
tur**c,** tur**que.**

turlupiner v. tr.
(FAMILIER) Tracasser, intriguer. *Cette histoire le turlupine.* **SYN.** tourmenter.
Conjugaison [VOIR MODÈLE – **AIMER**]

turluter v. tr., intr.
(FAMILIER) Fredonner. *Elle turlute des berceuses.*
Conjugaison [VOIR MODÈLE – **AIMER**]

turlututu ! interj.
Cette interjection marque la moquerie, un refus. *Turlututu chapeau pointu !*

turquoise adj. inv. et n. m. et f.
Nom féminin
Pierre fine d'un bleu tirant sur le vert. *Une broche ornée de turquoises.*
Nom masculin
Couleur turquoise. *Des turquoises lumineux.*
Adjectif de couleur invariable
De la couleur bleu-vert de la turquoise. *Des ceintures turquoise.*
VOIR TABLEAU – **COULEUR (ADJECTIFS DE).**

tuteur, tutrice n. m. et f.
1. Soutien légal d'un mineur. *Elle est la tutrice de cet enfant.*
2. Tige destinée à soutenir une plante. *Attacher les plants de tomates à des tuteurs.*

tutoiement n. m.
Action de tutoyer. *Le tutoiement convient aux personnes qui se connaissent bien.* **ANT.** vouvoiement.
tutoi**e**ment.

tutoyer v. tr., pronom.
Employer la deuxième personne du singulier pour s'adresser à quelqu'un. *Aujourd'hui, les enfants tutoient généralement leurs parents. Ils se tutoient.* **ANT.** vouvoyer.
Conjugaison [VOIR MODÈLE – **EMPLOYER**]
Le ***y*** se change en ***i*** devant un **e** muet. *Il tutoie, il tutoyait.*
Le ***y*** est suivi d'un ***i*** à la première et à la deuxième personne du pluriel de l'indicatif imparfait et du subjonctif présent. *(Que) nous tutoyions, (que) vous tutoyiez.*

tutu n. m.
Costume très court de danseuse, généralement garni d'un tissu léger. *De jolis tutus.*

tuyau n. m. (pl. *tuyaux*)
Attention à bien prononcer le son ***i*** [tɥijo].
1. Conduit tubulaire servant à faire passer un liquide, un gaz. *Des tuyaux de cuivre.*
2. (FAMILIER) Renseignement. *Il a un bon tuyau.*
Locutions
Tuyau d'arrosage (et non *boyau d'arrosage). Conduit flexible servant à arroser.
Tuyau d'incendie (et non *boyau d'incendie). Conduit flexible servant à acheminer l'eau de la borne d'incendie jusqu'au foyer d'incendie.

tuyauterie n. f.
Attention à bien prononcer le son ***i*** [tɥijotri].
Ensemble de tuyaux. *Une tuyauterie de cuivre.*

tweed n. m.
Les lettres ***ee*** se prononcent ***i*** et le ***d*** se prononce [twid].
Tissu de laine originaire d'Écosse servant à la confection des vêtements sport. *Une veste de tweed inusable. Des tweeds de qualité.*
Ce nom, emprunté à l'anglais depuis plus de 150 ans, est admis en français.

tympan n. m.
1. Membrane de l'oreille. *Tu vas lui crever le tympan avec ton vacarme.*
2. Partie d'un portail, dans les églises romanes ou gothiques.
t**y**mpan.

type n. m.
1. Classe, genre. *Voilà un type de vélos que j'aimerais.*
2. Nom + ***type.*** Qui sert de modèle. *Des descriptions types, des formules types.*
Mis en apposition, le nom prend la marque du pluriel et s'écrit sans trait d'union.
3. Ensemble de caractères distinctifs d'un groupe, d'une race. *Le type nordique, méditerranéen.*
4. (FAMILIER) Individu quelconque. *Il a vu un type entrer soudainement.*

typhon n. m.
Tourbillon marin d'une extrême violence.

typique adj.
Caractéristique. *Une réponse typique de cette personne.*
SYN. distinctif, original.

typo
Abréviation familière de ***typographie.***

typographe n. m. et f.
Personne qui exerce l'art de la typographie.

typographie n. f.
S'abrège familièrement en ***typo*** (s'écrit sans point).
1. Ensemble des techniques permettant de reproduire un texte au moyen de caractères en relief.
2. Manière dont un texte est imprimé. *La typographie de cet ouvrage est claire et soignée.*

typographique adj.
Relatif à la typographie. *Des caractères typographiques, des corrections typographiques.*

tyran n. m.
1. Dictateur, dirigeant qui abuse de son autorité.
2. (FIGURÉ) Personne autoritaire. *Un tyran domestique.*
t**y**ran, attention au ***y.***

tyrannique adj.
1. Qui tient de la tyrannie. *Le pouvoir tyrannique d'une dictature.*
2. Autoritaire et injuste. *Un patron tyrannique.*
t**y**ra**nn**ique.

tyrannosaure n. m.
Reptile dinosaurien qui atteignait plus de 15 mètres de long. *Le tyrannosaure est le plus grand carnivore qui ait jamais existé. Son toutou porte le surnom de « tyrannosaure ».*
t**y**ra**nno**s**au**re.

tyrolien, ienne adj. et n. m. et f.
Du Tyrol. *Une chanson tyrolienne. Les Tyroliens et les Tyroliennes.*
L'adjectif s'écrit avec une minuscule ; le nom, avec une majuscule.

tzar
VOIR **TSAR.**

tzarine
VOIR **TSARINE.**

tzigane
VOIR **TSIGANE.**

t

u n. m. inv.
Vingt et unième lettre de l'alphabet.

ukrainien, ienne adj. et n. m. et f.
Les lettres ***ai*** se prononcent **è** [ykrɛnjɛ̃, jɛ̃n].
Adjectif et nom masculin et féminin
De l'Ukraine. *Le folklore ukrainien. Un Ukrainien, une Ukrainienne.*
L'adjectif s'écrit avec une minuscule ; le nom, avec une majuscule.
Nom masculin
Langue parlée en Ukraine. *Boris parle l'ukrainien.*
Le nom de la langue s'écrit avec une minuscule.

ulcère n. m.
Lésion de la peau, d'une muqueuse qui ne cicatrise pas. *Un ulcère d'estomac.*
Attention au genre masculin de ce nom : ***un*** ulcère.
ulc**ère.**

ulcérer v. tr.
1. (MÉDECINE) Produire un ulcère.
2. (FIGURÉ) Irriter, blesser et mettre en colère. *Cette accusation injuste les ulcéra.* **SYN.** froisser.
Conjugaison [VOIR MODÈLE – **POSSÉDER**]
Le **é** se change en **è** devant une syllabe muette, sauf à l'indicatif futur et au conditionnel présent. *Il ulcère, nous ulcérerons.*

ultérieur, eure adj.
Qui arrive après. *La rencontre a été reportée à une date ultérieure.* **SYN.** postérieur. **ANT.** antérieur.
L'adjectif étant un comparatif, il ne se construit pas avec ***plus, moins.*** Par contre, il peut se construire avec ***très, peu, bien.*** *Des faits très ultérieurs au lancement de la fusée.*

ultimatum n. m.
Les lettres ***um*** se prononcent ***om*** [yltimatɔm]; le mot rime avec ***gomme.***
Ensemble de conditions posées dont le rejet peut entraîner un conflit, des difficultés, etc. *C'est un ultimatum : vous vous rendez ou nous attaquons.*
Ce nom d'origine latine est francisé et prend la marque du pluriel.

ultime adj.
Dernier, après quoi, il n'y a rien d'autre (dans le temps). *Un ultime désir.* **SYN.** final.
L'adjectif étant un superlatif, il ne peut se construire avec un comparatif.

ultra- préf.
Élément du latin signifiant « au-delà ».
1° Les mots composés avec le préfixe ***ultra-*** s'écrivent en un seul mot. *Ultrason, ultrasecret.*
2° Seuls les mots qui sont des créations de circonstance ou de fantaisie s'écrivent avec un trait d'union. *Ultra-pacifiste.*

ultramoderne adj.
Très moderne. *Un immeuble ultramoderne doté de tous les dispositifs électroniques possibles.*

ultrasensible adj.
Extrêmement sensible. *Une tête de lecture ultrasensible.*

ultrason n. m.
Son de fréquence très élevée que l'oreille ne peut entendre. *Les ultrasons servent aux échographies médicales, aux appareils de détection sous-marine (sonar).*

ultraviolet, ette adj. et n. m.
(PHYSIQUE) Se dit des radiations qui, dans le spectre, sont au-delà du violet et invisibles à l'œil humain. *Des rayons ultraviolets. Des ultraviolets.*

ululement ou **hululement** n. m.
Cri des oiseaux de nuit. *Le ululement des hiboux.*

ululer ou **hululer** v. intr.
Crier, en parlant des oiseaux de nuit.
Conjugaison [VOIR MODÈLE – **AIMER**]

un, une adj. num., art. indéf. et pron. indéf.
VOIR TABLEAU – **UN.**

unanime adj.
Qui marque un commun accord. *L'équipe de Sophie et de Hugo est le choix unanime de la classe : tous les élèves les ont choisis.*
Suivi de l'infinitif, l'adjectif se construit avec les prépositions **à** ou ***pour.*** *Elles sont unanimes à croire ou pour croire que ce choix est le meilleur.*

UN, UNE, ADJECTIF NUMÉRAL CARDINAL

Une unité.

Cette table mesure un mètre sur deux mètres. Elle a pris un café et deux croissants, il a pris une brioche.

1° L'adjectif ***un*** est le seul numéral à prendre la marque du féminin. *Dans cette classe, il y a vingt et une étudiantes.*

2° L'adjectif ***un*** se joint aux dizaines à l'aide de la conjonction ***et*** sans traits d'union. *Trente et un, cinquante et un.* Une seule exception : *quatre-vingt-un.*

3° L'adjectif ***un*** se joint aux centaines, aux milliers sans trait d'union et sans conjonction. *Cent un, mille un.*

4° La préposition ***de*** ne s'élide pas devant l'adjectif numéral dans les textes de nature scientifique, technique ou commerciale. *Une distance de un kilomètre, le total de un million de dollars.*

Locutions

Un par un, un à un, locutions adverbiales. Un seul à la fois.

Elles passeront une par une.

VOIR TABLEAU – **NOMBRES.**

UN, UNE, ADJECTIF QUALIFICATIF

Simple, unique.

La vérité est une et indivisible.

UN, UNE, ADJECTIF NUMÉRAL ORDINAL

Premier.

Chapitre un, acte un, page un. L'an deux mille un (2001).

L'adjectif numéral ordinal s'écrit généralement en chiffres romains ou en chiffres arabes. *Chapitre I, page 1.*

UN, NOM MASCULIN INVARIABLE

Chiffre qui exprime l'unité.

Le nombre 111 s'écrit avec trois un.

Devant le nom ***un***, l'article ***le*** ne s'élide pas. *Ils habitent le un de la rue des Érables.*

UNE, NOM FÉMININ

Première page d'un quotidien.

Cet article figure à la une du journal du soir.

UN, UNE, ARTICLE INDÉFINI

- L'article indéfini se rapporte à une personne, à une chose indéterminée ou non dénommée. C'est un déterminant qui fait partie du groupe nominal.
- L'article indéfini indique le nombre (un et non plusieurs), mais ne précise pas l'identité de l'être ou de la chose.

Il a rencontré un ami. Elle a vu un cheval et une jolie maison.

L'article s'accorde en genre et en nombre avec le nom auquel il se rapporte. Le pluriel de l'article est ***des***.

VOIR TABLEAU – **ARTICLE.**

UN, UNE, UNS, UNES, PRONOM INDÉFINI

- Quelqu'un, une certaine personne.

L'un de vous peut-il m'aider ?

suite ►

Locutions

- ***Une, une des…*** Quelqu'un parmi.

  L'une des participantes a appuyé la proposition. Les juges ont désigné un des champions.

  ⊃ En tête de phrase, on emploie généralement ***l'*** devant le pronom pour des raisons d'harmonie des sons.

- ***Un de ceux, une de celles qui, que***.

  Cette jeune étudiante est une de celles qui ont le plus travaillé.

  ⊃ Le verbe se met au pluriel.

- ***Un, une des* +** verbe au pluriel. Quelqu'un parmi.

  Un des auteurs qui se sont attachés à décrire cette situation.

  ⊃ Le participe passé ou l'attribut s'accorde avec le complément du pronom.

- ***Un, une des* +** verbe au singulier.

  Une des athlètes qui a été sélectionnée.

  ⊃ Le participe passé ou l'attribut s'accorde avec le pronom indéfini.

- ***L'un, l'une l'autre, les uns, les unes les autres***. Réciproquement.

  Ils s'aiment l'un l'autre. Elles s'aident les unes les autres

- ***L'un, l'une…, l'autre***. Celui-là, celle-là par opposition à ***l'autre***.

  L'une chante, l'autre danse. L'un accepte, tandis que l'autre refuse.

- ***L'un et l'autre***. Tous deux

  L'un et l'autre viendra ou *viendront.*

  ⊃ Le verbe se met au singulier ou au pluriel.

- ***L'un ou l'autre***. Un seul des deux.

  ⊃ Le verbe se met au singulier. *L'une ou l'autre sera présente.*

- ***Ni l'un, ni l'une ni l'autre***. Aucun des deux.

  Ni l'un ni l'autre n'a accepté ou *n'ont accepté.*

  ⊃ Le verbe se met au singulier ou au pluriel.

- ***Pas un***. Aucun.

  Pas un ne réussira.

  ⊃ Le pronom se construit avec ***ne***.

- ***Plus d'un, plus d'une***.

  Plus d'une étudiante était satisfaite.

  ⊃ Le verbe s'accorde au singulier avec le pronom indéfini, malgré la logique.

- ***Plus d'un, d'une* +** complément au pluriel.

  Plus d'un des candidats était déçu ou *étaient déçus.*

  ⊃ Le verbe se met au singulier ou au pluriel.

u

unanimité n. f.
Accord de tous. *Sophie et Hugo ont été élus à l'unanimité.*

uni, ie adj.
1. Uniforme, plane. *Un sol uni.* **SYN.** égal, lisse.
2. D'une seule couleur et sans motif. *Un tissu uni de couleur claire.* **ANT.** imprimé.
3. Qui sont liés. *Des amis très unis. Les États-Unis. L'Organisation des Nations Unies (ONU).*

uni- préf.
Élément du latin signifiant « un ».
Les mots composés avec le préfixe ***uni-*** s'écrivent en un seul mot. *Unilingue.*

unième adj. num.
Nombre ordinal de ***un*** qui ne s'emploie qu'à la suite des dizaines, centaines, etc. *Vingt et unième. Quarante et unième, cinquante et unième.* Une seule exception : *quatre-vingt-unième.*
Avec la conjonction ***et,*** l'adjectif ***unième*** s'écrit sans trait d'union.
VOIR TABLEAU – **NOMBRES.**
VOIR TABLEAU – **NUMÉRAL (ADJECTIF).**

unification n. f.
Action d'unifier, son résultat. *L'unification de l'Allemagne : auparavant, il y avait l'Allemagne de l'Ouest et l'Allemagne de l'Est ; maintenant, il y a un seul pays, l'Allemagne.*

unifier v. tr., pronom.
Verbe transitif
1. Faire l'unité de. *Cette enseignante a unifié la classe qui était partagée en deux clans.* **SYN.** unir.
2. Ramener à l'unité. *Les deux Allemagnes ont été unifiées.* **SYN.** fusionner, réunir.
3. Uniformiser. *Unifier les formats à l'aide d'une norme.* **SYN.** normaliser, standardiser.
Verbe pronominal
Devenir uni. *Ils se sont unifiés pour mieux résister.* **SYN.** s'unir.
Conjugaison [VOIR MODÈLE – **ÉTUDIER**]
Redoublement du ***i*** à la première et à la deuxième personne du pluriel de l'indicatif imparfait et du subjonctif présent. *(Que) nous unifiions, (que) vous unifiiez.*

unifolié, ée adj. et n. m.
Adjectif
Qui n'a qu'une feuille.
Nom masculin
Le drapeau canadien. *L'unifolié et le fleurdelisé.*

uniforme adj. et n. m.
Adjectif
1. Qui est régulier, sans changement. *Un horaire uniforme, un taux uniforme.*
2. Pareil. *Des tenues uniformes, des habitations uniformes.*
Nom masculin
Tenue obligatoire. *Un uniforme militaire. Les élèves doivent porter un uniforme bleu marine.*

uniformément adv.
D'une façon uniforme. *La neige recouvre uniformément la pelouse.*

uniformiser v. tr.
Rendre uniforme. *Uniformiser la taille des contenants.* **SYN.** standardiser.
Conjugaison [VOIR MODÈLE – **AIMER**]

uniformité n. f.
Nature de ce qui ne change pas de caractère, d'apparence. *L'uniformité du désert.* **SYN.** régularité.

unijambiste adj. et n. m. et f.
Personne qui n'a qu'une jambe. *Un skieur unijambiste. Une unijambiste.*

unilingue adj. et n. m. et f.
Qui parle une seule langue. *Ces étudiants sont unilingues : ils ne parlent que le français. Ces jeunes filles sont des unilingues anglophones.*

union n. f.
1. Combinaison de plusieurs éléments ensemble. *L'union de deux fermes a permis la création d'un grand domaine.* **SYN.** fusion, réunion.
2. Mariage, vie maritale. *Une union libre.*
3. Association, accord. *L'union fait la force.* (Proverbe)
Locution
Trait d'union. Signe qui sert à unir les éléments de certains mots composés, les syllabes d'un mot divisé en fin de ligne. *Des traits d'union nombreux.*
VOIR TABLEAU – **TRAIT D'UNION.**

unique adj.
1. Seul. *C'est leur unique enfant.*
En ce sens, l'adjectif est généralement placé avant le nom.
2. Sans égal, exceptionnel. *Ce paysage est unique au monde. Un fait unique.* **SYN.** incomparable.
En ce sens, l'adjectif est placé après le nom.

uniquement adv.
1. Seulement. *Son ambition, c'est uniquement d'atteindre le sommet : c'est son seul but.*
2. Exclusivement. *Cette pharmacie vend uniquement des médicaments : c'est rare !*

unir v. tr., pronom.
Verbe transitif
1. Mettre ensemble, assembler, rapprocher. *L'amitié qui unit ces deux personnes.* **SYN.** lier, réunir.
2. Relier plusieurs éléments. *À l'impératif, le pronom est uni au verbe par un trait d'union.*
3. Lier. *La conjonction unit la proposition à une autre proposition.* **SYN.** rattacher.
4. Réunir. *Unir la mesure et la sagesse.*
Le verbe se construit généralement avec **à** ou ***et*** lorsqu'il a pour complément des personnes ou des choses destinées à s'unir.
5. Allier. *Unir la fougue avec la raison.*
Cette construction avec la préposition **avec** s'emploie surtout pour les personnes ou les choses non destinées à s'unir.
Verbe pronominal
S'associer, s'allier. *Ces partenaires se sont unis pour être plus puissants. Ces travailleurs se sont unis avec les agriculteurs.* **SYN.** se joindre à.
Conjugaison [VOIR MODÈLE – **FINIR**]

unisexe adj.
Qui convient indifféremment aux hommes aux femmes. *Des vêtements unisexes.*

unisson n. m.
Harmonie, accord. *Ils acceptèrent à l'unisson.*

unitaire adj.
Relatif à une unité. *Un prix unitaire de 100 $: tous ces objets sont vendus au même prix.*
unit**aire.**

unité n. f.
1. Qualité de ce qui forme un tout. *L'unité du groupe est à refaire.*
2. Caractère de ce qui est unique (par opposition à ***pluralité***). *Généralement, on n'achète pas les œufs à l'unité ; ils sont emballés par 6 ou par 12.*
3. Nombre inférieur à dix. *Dans le nombre 732, le chiffre 2 correspond à celui des unités.*
4. Grandeur type servant de base à la mesure des autres grandeurs. *Les unités de mesure que nous utilisons appartiennent au SI.*
VOIR TABLEAU – **SYMBOLE.**
Locution
Unité monétaire. Unité de valeur définie par référence à l'emplacement géographique des autorités monétaires responsables. *Le dollar, le franc sont des unités monétaires.*

univers n. m.
1. Tout ce qui existe. *L'exploration spatiale repousse les limites de l'Univers.* **SYN.** monde.
En ce sens, le nom s'écrit avec une majuscule.
2. Le milieu particulier à une personne. *Son travail et sa famille constituent tout son univers.* **SYN.** monde.
3. Milieu réel ou moral. *Un univers poétique.*

universaliser v. tr.
1. Rendre universel. *Le réseau Internet universalise l'accès à certaines données.*
2. Diffuser.
Conjugaison [VOIR MODÈLE – **AIMER**]

universel, elle adj. et n. m.
Adjectif
1. Qui concerne l'Univers. *Gravitation universelle.*
2. Qui s'applique à tout. *La beauté est universelle.* **ANT.** individuel, particulier.
3. Qui concerne tous les pays. *L'Exposition universelle de Lisbonne.*
Nom masculin
Ce qui s'étend à tous les êtres, tous les objets. *L'universel.* **ANT.** particulier.

universitaire adj. et n. m. et f.
Adjectif
Relatif aux universités, à l'enseignement supérieur. *Des études universitaires, un grade universitaire, un diplôme universitaire.*
Nom masculin et féminin
Personne qui enseigne dans une université. *Des universitaires éminents.*
Forme fautive
*universitaire. Impropriété au sens de ***diplômé universitaire.***

université n. f.
Établissement public ou privé d'enseignement supérieur.
1° Les noms génériques d'établissements d'enseignement s'écrivent avec une minuscule. *L'université de Paris.*
2° Cependant, on doit respecter la graphie du nom officiel de l'établissement. Au Québec, le nom ***université*** s'écrit généralement avec une majuscule. *L'Université de Montréal, l'Université Laval, l'Université McGill.*

untel ou **un tel, unetelle ou une telle** n. m. et f.
Personne anonyme. *Mme Unetelle. J'ai croisé un tel.*

uranium n. m.
Le dernier ***u*** se prononce ***o*** [yranjɔm] ; le mot rime avec ***gomme.***
Symbole ***U*** (s'écrit sans point).
Métal radioactif naturel utilisé dans les usines nucléaires. *Les bombes atomiques ont été fabriquées avec de l'uranium.*

urbain, aine adj.
De la ville. *L'aménagement urbain, la population urbaine.*
ANT. rural.

urbanisme n. m.
Ensemble des connaissances et des pratiques guidant le processus de planification et de gestion des territoires urbains et ruraux.

urbaniste n. m. et f.
Spécialiste de l'urbanisme et de l'aménagement.

urgence n. f.
1. Caractère de ce qui est urgent. *L'urgence du problème. Des mesures d'urgence.*
2. Cas urgent. *C'est une urgence : il faut trouver un chirurgien.*
3. Service hospitalier qui reçoit les cas urgents. *Veuillez vous présenter à l'urgence de l'hôpital.*
Au Québec, le nom s'emploie au singulier en ce sens. Dans la francophonie, il s'emploie plutôt au pluriel. *Le Service des urgences d'un hôpital.*
Locution
D'urgence, de toute urgence, locutions adverbiales. Sans délai, immédiatement. *Elle doit être opérée d'urgence.*
urg**e**nce.

urgent, ente adj.
Qui ne peut être retardé, dont on doit s'occuper sans délai. *Une intervention urgente.* **SYN.** pressé.
urg**e**nt.

urger v. impers.
(FAMILIER) Être urgent, pressé. *Ça urge ! Appelez les pompiers !*
Conjugaison [VOIR MODÈLE – **CHANGER**]
Le ***g*** est suivi d'un **e** devant la lettre ***a.*** *Cela urgeait.*

urinaire adj.
Qui est relatif à l'urine. *Un conduit urinaire, les voies urinaires.*
urin**aire.**

urine n. f.
Liquide sécrété par les reins et éliminé à l'extérieur du corps.

uriner v. intr.
Évacuer l'urine. *Le médecin lui a demandé d'uriner dans une petite bouteille.* **SYN.** (VULGAIRE) pisser.
On emploie de façon courante l'expression familière ***faire pipi.***
Conjugaison [VOIR MODÈLE – **AIMER**]

urne n. f.
1. Vase décoratif de forme arrondie. *Une urne de marbre.*
2. Boîte où l'on dépose les bulletins de vote lors d'une élection.
Locution
Aller aux urnes. Aller voter.

urticaire n. f.
Réaction allergique caractérisée par de petits boutons sur la peau. *Quand Martin mange des crevettes il fait de l'urticaire : il a de petits boutons rouges qui sortent.*
Attention au genre féminin de ce nom : ***une*** urticaire.
urtic**aire.**

uruguayen, enne adj. et n. m. et f.
La troisième syllabe se prononce ***gouè*** [yrygwɛjɛ̃, ɛ̃n].
De l'Uruguay. *Un mets uruguayen. Un Uruguayen, une Uruguayenne.*
L'adjectif s'écrit avec une minuscule ; le nom, avec une majuscule.

USA
Abréviation de ***United States of America,*** dont l'équivalent français est ***É.-U.***

usage n. m.
1. Emploi d'une chose. *Il a perdu l'usage de la parole. Ils ont fait un usage abusif de cet appareil.* **SYN.** utilisation.
2. Façon habituelle de faire. *Il faut agir ainsi ; c'est l'usage !*
3. Emploi d'un mot, d'une construction conformément aux règles. *L'orthographe d'usage.*
Locutions
À l'usage de, locution prépositive. Destiné à. *Cet abécédaire est à l'usage des enfants.*
D'usage, locution adjective. Conforme aux règles. *Les formules d'usage.*
En usage, locution adjective. Utilisé de façon courante. *Ce terme n'est plus en usage.*
Faire usage de. Employer. *En cette matière, il faut faire usage de bon sens.* **SYN.** utiliser.
Il est d'usage de... Il convient de.

usagé, ée adj.
Qui a servi, mais qui est encore en bon état. *Un cartable usagé, mais toujours beau.*
Ne pas confondre avec le mot ***usé,*** détérioré par l'usure.
Forme fautive
*usagé. Anglicisme au sens de (marchandise) ***d'occasion.***

usager, ère n. m. et f.
1. Personne qui fait usage d'un service public ou du domaine public. *Les usagers du train, du métro.*
2. Utilisateur (d'une langue). *Les usagers du français, de l'anglais.*
VOIR **CONSOMMATEUR.**

usé, ée adj.
1. Abîmé par l'usure. *Des chaussures usées.*
Ne pas confondre avec ***usagé,*** qui a servi, mais qui est encore en bon état.
2. Banal, rebattu. *Un sujet usé, des plaisanteries usées.* **SYN.** démodé.
3. Affaibli. *Cet homme est très usé par la maladie.* **SYN.** épuisé.

user v. tr., pronom.
Verbe transitif
Abîmer par l'usure. *Elle a tellement marché qu'elle a usé ses chaussures.*
Verbe pronominal
Se détériorer à l'usage. *Ses vêtements se sont usés.*
Conjugaison [VOIR MODÈLE – **AIMER**]

usine n. f.
Établissement industriel où l'on transforme des matières premières en produits. *Une usine d'automobiles, de meubles.*

usiner v. tr.
1. Traiter une pièce à l'aide d'une machine-outil. *Usiner une hélice.*
2. Fabriquer dans une usine. *Usiner des appareils d'éclairage.*
SYN. façonner.
Conjugaison [VOIR MODÈLE – **AIMER**]

ustensile n. m.
Objet servant aux usages domestiques. *La passoire, la louche, les grands couteaux sont des ustensiles de cuisine. La fourchette est un ustensile, le bistouri, un instrument et le marteau, un outil.*
Ne pas confondre avec les noms suivants :
– ***instrument,*** objet qui sert, dans un art ou une science, à effectuer certaines opérations ;
– ***outil,*** objet utilisé directement par la main pour faire un travail.

usuel, elle adj.
Qui est courant. *Des pratiques usuelles. Les mots* ***élève, cégépien, étudiant*** *sont usuels ; le mot* ***péricardite*** *est savant, on ne l'emploie pas couramment.*

usure n. f.
Détérioration résultant d'un usage prolongé. *L'usure de ce moteur est anormale.*

utile adj.
Qui sert à quelque chose. *Des découvertes très utiles. Votre aide m'est utile.*
Locution
En temps utile, locution adverbiale. En temps opportun.

utilisable adj.
Qui peut être utilisé. *Cet outil est encore utilisable.*

utilisateur, trice n. m. et f.
Personne qui fait usage d'une machine, d'un appareil. *Les utilisateurs et les utilisatrices de l'informatique.*
VOIR **CONSOMMATEUR.**

utilisation n. f.
Action d'utiliser. *Les nombreuses utilisations médicales d'une découverte.*

utiliser v. tr.
1. Se servir de, faire usage de. *Ils utilisent souvent ces ouvrages de référence.* **SYN.** employer.
2. Tirer profit de. *Elle a utilisé un vieux chapeau à plume pour son déguisement.*
Conjugaison [VOIR MODÈLE – **AIMER**]

utilitaire adj.
Qui recherche l'utile. *Des études utilitaires.*
Locution
Véhicule utilitaire. Véhicule qui sert aux transports en commun, au transport des marchandises, par opposition à ***voiture de tourisme.***
utilit**aire.**

utilité n. f.
Qualité de ce qui est utile, de ce qui est propre à satisfaire un besoin. *L'utilité des mesures préventives. Votre contribution sera d'une grande utilité.*

V n. m. inv.
Vingt-deuxième lettre de l'alphabet.

v. ou **V.**
Abréviation de ***voir.***

V
Symbole de ***volt.***
Chiffre romain dont la valeur est de 5.
VOIR TABLEAU – **CHIFFRES ARABES.**
VOIR TABLEAU – **CHIFFRES ROMAINS.**

vacances n. f. pl.
Période d'arrêt des études, du travail. *Ils prendront leurs vacances en août. Bonnes vacances ! Les vacances de Noël. Vive les vacances, au diable les pénitences...* **SYN.** congé.
En ce sens, le nom s'emploie toujours au pluriel.
Locution
Les grandes vacances. Vacances scolaires d'été.
Forme fautive
*vacance (au singulier). Impropriété au sens de ***période de congé.*** *Elle a passé de belles vacances* (et non *une belle vacance).

vacancier, ière n. m. et f.
Personne en vacances dans un lieu autre que son domicile habituel. *Pendant l'été, les vacanciers envahissent les petits villages de la côte.*

vacant, ante adj.
Inoccupé. *Une maison vacante.* **SYN.** libre, vide.
Ne pas confondre avec le participe présent invariable ***vaquant.*** *Les employés vaquant à leurs occupations...*

vacarme n. m.
Tapage, grand bruit. *Le vacarme des klaxons était assourdissant.*

vaccin n. m.
Les deux ***c*** se prononcent ***ks*** [vaksɛ̃].
Culture d'un microbe qui, sous forme atténuée, est inoculée à une personne afin de la préserver de la maladie correspondante. *Un vaccin contre la rougeole, la méningite.*

vaccination n. f.
Les deux ***c*** se prononcent ***ks*** [vaksinasjɔ̃].
Administration d'un vaccin. *Une vaccination obligatoire.*

vacciner v. tr.
Les deux ***c*** se prononcent ***ks*** [vaksine].
Administrer un vaccin. *On a vacciné ces adolescentes contre la rubéole. Martin s'est blessé le pied avec un clou rouillé : il a dû se faire vacciner contre le tétanos.*
Locution
Être majeur et vacciné. (FIGURÉ) (FAMILIER) Être en âge de décider, de prendre ses responsabilités de façon autonome.
Conjugaison [VOIR MODÈLE – **AIMER**]

vache adj. et n. f.
Nom féminin
Femelle du taureau. *Les petits de la vache sont le veau et la génisse. La vache meugle ou beugle et vêle pour la mise bas.*
VOIR TABLEAU – **ANIMAUX.**
Adjectif
(FAMILIER) Sévère. *L'examen était très vache.* **SYN.** (FAMILIER) salaud.

vacherie n. f.
(FAMILIER) Méchanceté, chose désagréable. *Il lui a fait une vacherie.*

vacillant, ante adj.
Les ***ll*** se prononcent comme dans ***brillant*** [vasijɑ̃, ɑ̃t].
Chancelant. *La flamme vacillante des bougies.* **SYN.** clignotant, tremblant.
Ne pas confondre avec le participe présent invariable ***vacillant.*** *Vacillant sur leurs pauvres jambes, ils tentent de marcher.*

vacillement n. m.
Les ***ll*** se prononcent comme dans ***brillant*** [vasijmɑ̃].
Mouvement de ce qui vacille.

vaciller v. intr.
Les ***ll*** se prononcent comme dans ***brillant*** [vasije].
1. Ne pas être ferme, en équilibre. *Le chiot vacille sur ses pattes.* **SYN.** chanceler.
2. Trembler. *De grands flambeaux dont la flamme vacillait.* **SYN.** scintiller.
Conjugaison [VOIR MODÈLE – **AIMER**]
Les lettres ***ill*** sont suivies d'un ***i*** à la première et à la deuxième personne du pluriel de l'indicatif imparfait et du subjonctif présent. *(Que) nous vacillions, (que) vous vacilliez.*

va-comme-je-te-pousse (à la) loc.
N'importe comment. *Elle a rangé sa chambre à la va-comme-je-te-pousse.*
✎ **à la va-comme-je-te-pousse,** avec quatre traits d'union.

vadrouille n. f.
1. Instrument servant au nettoyage, sur un bateau.
2. ⚜ Instrument composé d'un manche sur lequel sont assemblées des fibres végétales ou synthétiques. *Passer la vadrouille* (et non la *mop).
☞ Dans la francophonie on emploie plutôt l'expression ***balai à franges.***

va-et-vient n. m. inv. (pl. *va-et-vient*)
Allées et venues continuelles d'une personne, d'une chose. *Des va-et-vient lassants. Le va-et-vient des avions.*
✎ **va-et-vient,** avec deux traits d'union.

vagabond, onde adj. et n. m. et f.
Adjectif
Instable. *Une imagination vagabonde, une vie vagabonde.* **SYN.** désordonné.
Nom masculin et féminin
Personne qui n'a pas de domicile fixe ni de métier. **SYN.** clochard, sans-abri.

vagabondage n. m.
1. Habitude de vagabonder sans domicile ni travail.
2. (FIGURÉ) État de l'esprit, de l'imagination qui passe d'une chose à une autre, sans se fixer.

vagabonder v. intr.
Se déplacer sans but déterminé. **SYN.** errer.
Conjugaison [VOIR MODÈLE – **AIMER**]

vagin n. m.
Organe génital interne de la femme, de la femelle des mammifères, qui fait communiquer la vulve avec l'utérus.

vaginal, ale, aux adj.
Relatif au vagin. *Des tissus vaginaux, la muqueuse vaginale.*

vagir v. intr.
1. Pleurer, en parlant du nouveau-né.
2. Crier, en parlant du crocodile, du lièvre.
Conjugaison [VOIR MODÈLE – **FINIR**]

vagissement n. m.
1. Cri du nouveau-né.
2. Cri du crocodile, du lièvre.

vague adj. et n. m. et f.
Adjectif
1. Imprécis, indéterminé. *Il nous a fait une réponse vague : il n'a pas voulu s'engager à venir.* **SYN.** confus, flou, incertain.
2. Dont on peut douter. *Ce ne sont que de vagues promesses.*
Nom masculin
Caractère de ce qui est imprécis, indéterminé. *Le vague de sa réponse. Rester dans le vague.*
Nom féminin
1. Mouvement de la surface de l'eau. *Le vent soulevait d'énormes vagues.*
2. (FIGURÉ) Mouvement massif soudain. *Des vagues de réfugiés qui demandent le droit de rester au pays.*
3. (FIGURÉ) Phénomène qui se propage subitement. *Des vagues d'attentats à la bombe.*
Locutions
Terrain vague. Terrain ni cultivé ni construit.
Vague à l'âme. Mélancolie.

vaguelette n. f.
Petite vague.

vaguement adv.
1. D'une manière imprécise, un peu. *On a vaguement décrit cette personne. Je le connais vaguement : je ne l'ai rencontré qu'une seule fois.*
2. D'une manière incertaine. *Ils ont vaguement promis de venir.*

vaillant, ante adj.
1. (LITTÉRAIRE) Courageux, brave. *De vaillants explorateurs.* **SYN.** valeureux.
2. Être en bonne forme. *Elle a été malade et n'est pas encore bien vaillante.*
Locution
N'avoir pas un sou vaillant. (LITTÉRAIRE) Être complètement démuni.

vain, vaine adj.
Qui reste sans résultat. *Les recherches ont été vaines : ils n'ont rien trouvé.* **SYN.** inutile. **ANT.** fructueux.
Locution
En vain. Inutilement.
HOM.
– vin, boisson ;
– vingt, dix-neuf plus un.

vaincre v. tr.
1. Triompher de. *Les Anglais ont vaincu les Français sur les plaines d'Abraham.* **SYN.** écraser.
2. Surmonter. *Ils vainquirent tous les obstacles.*
☞ Avec l'inversion du sujet ***il*** ou ***elle,*** on écrit *vainc-t-il.*
Conjugaison [VOIR MODÈLE – **VAINCRE**]
Le **c** du radical de l'infinitif se maintient au singulier du présent de l'indicatif et de l'impératif.

vaincu, ue adj. et n. m. et f.
Qui a subi une défaite. *L'équipe vaincue. Les vaincus sont rentrés dans leur pays.*

vainqueur adj. et n. m.
Adjectif
Victorieux. *L'athlète vainqueur de la course.* **SYN.** gagnant.
Nom masculin
Personne qui a remporté une victoire. *Napoléon, le vainqueur d'Iéna.*
☞ Ce mot ne comporte pas de forme féminine ; au féminin, dans l'emploi adjectival, on emploie généralement l'adjectif ***victorieuse.*** *L'équipe victorieuse.*

vair n. m.
(VIEUX) Fourrure blanche et grise d'un type d'écureuil, dit ***petit-gris.***
☞ Dans le conte de Perrault, Cendrillon perd sa petite pantoufle de ***verre*** ou de ***vair,*** selon les éditions.
HOM.
– ver, animal invertébré ;
– verre, récipient pour boire ;
– verre, substance transparente ;
– vers, assemblage de mots dans un poème ;
– vert, couleur verte.
✎ vair.

vaisseau n. m. (pl. *vaisseaux*)
1. Canal dans lequel le sang, la lymphe circule. *Les artères, les veines sont des vaisseaux sanguins.*
2. (LITTÉRAIRE) Navire capable de tenir la mer. *Un vaisseau fantôme.*
Locution
Vaisseau spatial. Engin des astronautes.
VOIR **BATEAU.**

☞ note | ✎ orthographe | * forme fautive

Indicatif

Présent

je vaincs
tu vaincs
elle vainc
il vainc
nous vainquons
vous vainquez
elles vainquent
ils vainquent

Passé composé

j' ai vaincu
tu as vaincu
elle a vaincu
il a vaincu
nous avons vaincu
vous avez vaincu
elles ont vaincu
ils ont vaincu

Imparfait

je vainquais
tu vainquais
elle vainquait
il vainquait
nous vainquions
vous vainquiez
elles vainquaient
ils vainquaient

Plus-que-parfait

j' avais vaincu
tu avais vaincu
elle avait vaincu
il avait vaincu
nous avions vaincu
vous aviez vaincu
elles avaient vaincu
ils avaient vaincu

Passé simple

je vainquis
tu vainquis
elle vainquit
il vainquit
nous vainquîmes
vous vainquîtes
elles vainquirent
ils vainquirent

Passé antérieur

j' eus vaincu
tu eus vaincu
elle eut vaincu
il eut vaincu
nous eûmes vaincu
vous eûtes vaincu
elles eurent vaincu
ils eurent vaincu

Futur simple

je vaincrai
tu vaincras
elle vaincra
il vaincra
nous vaincrons
vous vaincrez
elles vaincront
ils vaincront

Futur antérieur

j' aurai vaincu
tu auras vaincu
elle aura vaincu
il aura vaincu
nous aurons vaincu
vous aurez vaincu
elles auront vaincu
ils auront vaincu

Infinitif

Présent

vaincre

Passé

avoir vaincu

Subjonctif

Présent

que je vainque
que tu vainques
qu' elle vainque
qu' il vainque
que nous vainquions
que vous vainquiez
qu' elles vainquent
qu' ils vainquent

Passé

que j' aie vaincu
que tu aies vaincu
qu' elle ait vaincu
qu' il ait vaincu
que nous ayons vaincu
que vous ayez vaincu
qu' elles aient vaincu
qu' ils aient vaincu

Imparfait

que je vainquisse
que tu vainquisses
qu' elle vainquît
qu' il vainquît
que nous vainquissions
que vous vainquissiez
qu' elles vainquissent
qu' ils vainquissent

Plus-que-parfait

que j' eusse vaincu
que tu eusses vaincu
qu' elle eût vaincu
qu' il eût vaincu
que nous eussions vaincu
que vous eussiez vaincu
qu' elles eussent vaincu
qu' ils eussent vaincu

Conditionnel

Présent

je vaincrais
tu vaincrais
elle vaincrait
il vaincrait
nous vaincrions
vous vaincriez
elles vaincraient
ils vaincraient

Passé

j' aurais vaincu
tu aurais vaincu
elle aurait vaincu
il aurait vaincu
nous aurions vaincu
vous auriez vaincu
elles auraient vaincu
ils auraient vaincu

Impératif

Présent

vaincs
vainquons
vainquez

Passé

aie vaincu
ayons vaincu
ayez vaincu

Participe

Présent

vainquant

Passé

vaincu, ue
ayant vaincu

vaisselle n. f.
Ensemble des plats qui servent à l'usage de la table. *Un service* (et non un *set) *de vaisselle en porcelaine.*
✎ vaisse**ll**e.

val n. m. (pl. *vals, vaux*)
Petite vallée. **SYN.** vallon.
Locution
Par monts et par vaux, locution adverbiale. Partout.

valable adj.
1. Qui est réglementaire, qui a une valeur juridique. *Ce contrat est valable.*
2. Qui garde sa valeur. *Ces billets ne sont plus valables, ils sont périmés.*
3. Acceptable. *Cette raison est valable.*
4. Qui a une valeur. *Un roman valable.*

valet n. m.
1. Domestique, serviteur. *Un valet d'écurie.*
2. Aux cartes, figure qui vient après le roi et la dame. *Un valet de cœur.*
✎ vale**t.**

valeur n. f.
1. Qualités morales, intellectuelles d'une personne. *Une personne de valeur.* **SYN.** envergure, mérite.
2. Importance, qualité. *La valeur d'une œuvre.*
3. Ce que vaut une chose. *La valeur d'un placement. Des objets de grande valeur.*
Locution
Être de valeur. ⚜ (FAMILIER) Être dommage. *C'est de valeur, elle a perdu ses clés.*

valeureux, euse adj.
(LITTÉRAIRE) Brave. *De valeureux guerriers.* **SYN.** vaillant.

valide adj.
1. En bonne santé, vigoureux (par opposition à ***infirme***). *Les personnes valides.* **ANT.** invalide.
2. Qui est réglementaire. *Votre permis de conduire est-il valide ?*

valise n. f.
Sac de voyage qui se porte à la main. *Une valise à roulettes.* **SYN.** bagage.
☞ Ne pas confondre avec le nom ***malle,*** coffre destiné à recevoir les effets qu'on emporte en voyage.
Forme fautive
*valise. Impropriété au sens de ***coffre*** (de la voiture).

vallée n. f.
1. Dépression entre des montagnes, souvent arrosée d'un cours d'eau.
2. Bassin d'un fleuve. *La vallée du Saint-Laurent, du Niagara.*
☞ Les noms génériques de géographie s'écrivent avec une minuscule.
✎ va**ll**ée.

vallon n. m.
Petite vallée. *Le village est situé dans un vallon où coule une rivière.* **SYN.** val.
✎ va**ll**on.

valoir v. tr., intr., impers., pronom.
Verbe transitif
1. Justifier. *Ce paysage grandiose valait le détour. Cela ne vaut pas la peine d'en parler, c'est insignifiant.*
2. Correspondre, équivaloir. *Le chiffre romain V vaut 5.*
3. Procurer. *Les félicitations que ce travail lui a values.*
☞ En ce sens, le participe passé s'accorde avec le complément d'objet direct qui précède le verbe.
Verbe intransitif
1. Avoir une certaine valeur. *La somme que cette propriété a valu l'an dernier.* **SYN.** coûter.
☞ Le complément du verbe en ce sens est un complément circonstanciel (combien vaut la maison ?) et le participe passé est invariable.
2. Avoir une grande valeur (morale, intellectuelle). *Cette recherche vaut qu'on s'y arrête.*
Verbe impersonnel
Il vaut mieux, mieux vaut. Il est préférable. *Il vaudrait mieux tout reprendre de zéro. Mieux vaut tout recommencer.*
Verbe pronominal
Avoir la même valeur. *Les deux propositions se valent.*
Locutions
Vaille que vaille. Tant bien que mal.
Valoir la peine. Mériter qu'on fasse l'effort de. *Va voir ce film : il en vaut la peine.*
Conjugaison [VOIR MODÈLE – **VALOIR**]

valse n. f.
Danse à trois temps. *Les valses de Strauss.*

valser v. intr.
Danser la valse. *Les danseurs valsaient harmonieusement.*
Conjugaison [VOIR MODÈLE – **AIMER**]

valve n. f.
Petite soupape à clapet utilisée pour le gonflage d'un pneu, d'un ballon, etc.

vampire n. m.
Fantôme qui vient sucer le sang des vivants pendant leur sommeil, d'après la croyance populaire. *Ce film met en scène des vampires effrayants.*

vandale n. m. et f.
Personne qui détruit, mutile volontairement une œuvre d'art, un site, etc. *Ces voyous sont des vandales : ils ont peint des graffiti sur le socle du monument.*
✎ vandal**e.**

vandalisme n. m.
Acte de détruire, de mutiler des œuvres d'art, des édifices, etc.

vanille n. f.
👄 Les ***l*** se prononcent comme dans famille [vanij].
Fruit du vanillier dont on tire un parfum apprécié en pâtisserie. *Du yogourt à la vanille.*

vanillier n. m.
👄 Les ***l*** se prononcent comme dans famille [vanije].
Plante tropicale qui produit la vanille.
✎ vani**lli**er.

vanité n. f.
1. (LITTÉRAIRE) Vide, caractère de ce qui est vain. *La vanité de ces conversations frivoles.* **SYN.** insignifiance, néant.
2. Orgueil, prétention. *Ils ont trop de vanité pour avouer qu'ils ont fait erreur.*
Locution
Tirer vanité de. S'enorgueillir de. *Elles tirent vanité de leur succès rapide.*
☞ Dans cette locution, le nom est invariable.
Forme fautive
*vanité. Anglicisme au sens de ***meuble-lavabo.***

vaniteux, euse adj.
Prétentieux, rempli de vanité. **SYN.** suffisant.

Indicatif

Présent		*Passé composé*		
je	vaux	j'	ai	valu
tu	vaux	tu	as	valu
elle	vaut	elle	a	valu
il	vaut	il	a	valu
nous	valons	nous	avons	valu
vous	valez	vous	avez	valu
elles	valent	elles	ont	valu
ils	valent	ils	ont	valu

Imparfait		*Plus-que-parfait*		
je	valais	j'	avais	valu
tu	valais	tu	avais	valu
elle	valait	elle	avait	valu
il	valait	il	avait	valu
nous	valions	nous	avions	valu
vous	valiez	vous	aviez	valu
elles	valaient	elles	avaient	valu
ils	valaient	ils	avaient	valu

Passé simple		*Passé antérieur*		
je	valus	j'	eus	valu
tu	valus	tu	eus	valu
elle	valut	elle	eut	valu
il	valut	il	eut	valu
nous	valûmes	nous	eûmes	valu
vous	valûtes	vous	eûtes	valu
elles	valurent	elles	eurent	valu
ils	valurent	ils	eurent	valu

Futur simple		*Futur antérieur*		
je	vaudrai	j'	aurai	valu
tu	vaudras	tu	auras	valu
elle	vaudra	elle	aura	valu
il	vaudra	il	aura	valu
nous	vaudrons	nous	aurons	valu
vous	vaudrez	vous	aurez	valu
elles	vaudront	elles	auront	valu
ils	vaudront	ils	auront	valu

Infinitif

Présent	*Passé*
valoir	avoir valu

Subjonctif

Présent			*Passé*			
que	je	vaille	que	j'	aie	valu
que	tu	vailles	que	tu	aies	valu
qu'	elle	vaille	qu'	elle	ait	valu
qu'	il	vaille	qu'	il	ait	valu
que	nous	valions	que	nous	ayons	valu
que	vous	valiez	que	vous	ayez	valu
qu'	elles	vaillent	qu'	elles	aient	valu
qu'	ils	vaillent	qu'	ils	aient	valu

Imparfait			*Plus-que-parfait*			
que	je	valusse	que	j'	eusse	valu
que	tu	valusses	que	tu	eusses	valu
qu'	elle	valût	qu'	elle	eût	valu
qu'	il	valût	qu'	il	eût	valu
que	nous	valussions	que	nous	eussions	valu
que	vous	valussiez	que	vous	eussiez	valu
qu'	elles	valussent	qu'	elles	eussent	valu
qu'	ils	valussent	qu'	ils	eussent	valu

Conditionnel

Présent		*Passé*		
je	vaudrais	j'	aurais	valu
tu	vaudrais	tu	aurais	valu
elle	vaudrait	elle	aurait	valu
il	vaudrait	il	aurait	valu
nous	vaudrions	nous	aurions	valu
vous	vaudriez	vous	auriez	valu
elles	vaudraient	elles	auraient	valu
ils	vaudraient	ils	auraient	valu

Impératif

Présent	*Passé*	
vaux	aie	valu
valons	ayons	valu
valez	ayez	valu

Participe

Présent	*Passé*
valant	valu, ue ayant valu

V

vanne n. f.
Dispositif mobile d'une écluse, d'un barrage, servant à régler le débit de l'eau.
Forme fautive
*vanne. Anglicisme au sens de ***semi-remorque, fourgonnette.***

vannerie n. f.
Objets en osier, en rotin (paniers, corbeilles, meubles de jardin).

vantard, arde adj. et n. m. et f.
Qui a tendance à se vanter. *Elle passait pour une personne vantarde. Ce ne sont que des vantards.*

vantardise n. f.
Disposition habituelle à se vanter.

vanter v. tr., pronom.
Verbe transitif
Louer beaucoup, parfois avec excès, quelqu'un, quelque chose. *Catherine nous a vanté ta gentillesse.*
Verbe pronominal
1. Tirer vanité de. *Elles se sont vantées de connaître le ministre.* **SYN.** se glorifier.
2. Prétendre. *Il se vante d'être le premier.*
HOM. **venter**, faire du vent.
Conjugaison [VOIR MODÈLE – **AIMER**]

vapeur n. f.
Substance gazeuse produite par l'évaporation d'un corps en ébullition. *Une locomotive à vapeur. De la vapeur d'eau.*
Locution
À toute vapeur, locution adverbiale. À toute vitesse.

vaporisateur n. m.
Petit instrument de toilette servant à vaporiser un liquide, généralement du parfum.

vaporiser v. tr.
1. Faire passer un liquide à l'état gazeux.
2. Projeter en gouttelettes très fines. *Elle aime vaporiser un peu de parfum dans la maison.*
Conjugaison [VOIR MODÈLE – **AIMER**]

vaquer v. tr. ind.
S'occuper de. *Il pourra vaquer à ses affaires en toute tranquillité.*
Le verbe se construit avec la préposition ***à.***
Conjugaison [VOIR MODÈLE – **AIMER**]

varech n. m.
Les lettres ***ch*** se prononcent ***k*** [varɛk]; le mot rime avec ***bec.***
Algues marines vivant le long des côtes.
vare**ch.**

variable adj. et n. f.
Adjectif
1. Qui est susceptible de varier, de changer souvent. *À l'automne, le temps est très variable.* **SYN.** changeant, instable.
2. Qui est conçu pour se modifier, s'adapter. *Une chaise à hauteur variable.*
Nom féminin
(MATHÉMATIQUES) Terme d'une fonction auquel on peut attribuer des valeurs différentes.
Locution
Mot variable. (GRAMMAIRE) Mot qui change de forme pour s'accorder en genre, en nombre, selon la fonction grammaticale. **ANT.** mot invariable.

variante n. f.
Forme légèrement différente d'une forme usuelle. *La graphie* **tzigane** est une variante orthographique de ***tsigane.***
Ne pas confondre avec le nom ***variation,*** modification, changement.

variation n. f.
Modification, changement. *Les variations du temps.*
Ne pas confondre avec le nom ***variante,*** forme différente d'une forme usuelle.

varicelle n. f.
Maladie contagieuse caractérisée par des éruptions de boutons. *Quand on a la varicelle, il ne faut pas se gratter, sinon les boutons laisseront des cicatrices.*
varice**ll**e.

varié, ée adj.
Composé de parties, d'éléments divers. *Des produits variés.*

varier v. tr., intr.
Verbe transitif
Diversifier, changer. *Il faut savoir varier les distractions.*
Verbe intransitif
Changer fréquemment. «*Souvent femme varie.*» (Hugo) *Les prix varient constamment.*
Conjugaison [VOIR MODÈLE – **ÉTUDIER**]
Redoublement du ***i*** à la première et à la deuxième personne du pluriel de l'indicatif imparfait et du subjonctif présent. *(Que) nous variions, (que) vous variiez.*

variété n. f.
1. Type. *Des variétés de pêches et de prunes.*
2. Ensemble diversifié. *Ils vendent une variété de produits.* **SYN.** diversité.
3. (AU PLURIEL) Spectacle composé de chansons, de danses, etc. *Variétés télévisées. Un artiste de variétés.*

vase n. m. et f.
Nom masculin
Récipient. *Un vase de porcelaine. Des vases chinois.*
Attention à la construction : un ***vase à fleurs*** désigne un récipient destiné à recevoir des fleurs, tandis qu'un ***vase de fleurs*** désigne un récipient rempli de fleurs.
Nom féminin
Dépôt de terre stagnant au fond de l'eau. *Il a marché dans la vase : ses bottes sont boueuses.*

vaseline n. f.
Le ***e*** de la deuxième syllabe ne se prononce pas [vazlin].
Graisse incolore servant à la lubrification.

vaste adj.
1. D'une grande étendue. *Une vaste plaine s'étendait devant nous.*
2. Très grand, de grande envergure. *Un vaste projet de reconstruction.*
3. Spacieux, large. *Cet appartement est vaste.* **SYN.** grand, immense.

vaurien, ienne n. m. et f.
Garnement. *Viens ici, petit vaurien.* **SYN.** chenapan.
Le féminin est rare.
v**au**rien.

vautour n. m.
1. Oiseau rapace de grande taille qui se nourrit de chair animale morte.
2. (FIGURÉ) Personne dure et rapace.

vautrer (se) v. pronom.
1. S'étendre en se roulant. *Les cochons se vautrent dans la boue.*
2. S'étendre nonchalamment, à son aise. *Les enfants s'étaient vautrés dans les coussins de duvet.*
Le participe passé de ce verbe qui n'existe qu'à la forme pronominale s'accorde toujours en genre et en nombre avec le sujet du verbe.
Conjugaison [VOIR MODÈLE – **AIMER**]

veau n. m. (pl. *veaux*)
1. Petit de la vache. *Des veaux bien constitués.*
VOIR TABLEAU – **ANIMAUX.**
2. Viande de cet animal. *Des rôtis de veau.*

vécu, ue adj. et n. m.
Adjectif
Vrai. *C'est une histoire vécue.*
Nom masculin
L'expérience vécue. *Ne nous parlez plus de votre vécu.*
Ce nom appartient au vocabulaire de la psychologie. On évitera d'en abuser dans la langue courante, notamment dans l'expression *au niveau du vécu.

vedette n. f.
1. Petite embarcation rapide. *Une vedette de la marine.*
2. Personne très connue au cinéma, au théâtre, dans le monde du spectacle. *Jacques Brel était une grande vedette. Des produits-vedettes.*
En apposition, le nom ***vedette*** est lié par un trait d'union et prend la marque du pluriel.
Ce nom n'a pas de forme masculine.
Locution
Mettre en vedette. Mettre en valeur, en évidence. *Leurs noms ont été mis en vedette.*
Dans cette expression, le nom est invariable.

végétal, ale, aux adj. et n. m.
Adjectif
Qui appartient aux plantes, aux végétaux. *Le règne végétal, des aliments végétaux.*
Nom masculin
Plante. *Les arbres sont des végétaux.*

végétarien, enne adj. et n. m. et f.
Adjectif
Se dit d'un régime alimentaire qui exclut les viandes tout en permettant l'absorption du lait, du beurre, des œufs, etc.
Nom masculin et féminin
Personne qui adopte une alimentation végétarienne.

végétation n. f.
Ensemble des végétaux d'un lieu. *Dans cette contrée, la végétation est luxuriante.*

végéter v. intr.
(FIGURÉ) Être inactif, se développer difficilement. *Son entreprise végète.*
Conjugaison [VOIR MODÈLE – **POSSÉDER**]
Le ***é*** se change en ***è*** devant une syllabe muette, sauf à l'indicatif futur et au conditionnel présent. *Je végète, mais je végéterai.*

véhémence n. f.
Fougue, violence. *Il protesta avec véhémence qu'il était innocent.*
véh**é**m**e**nce.

véhément, ente adj.
Emporté, fougueux. *Une protestation véhémente.* **SYN.** violent.
véh**é**m**e**nt.

véhicule n. m.
Nom masculin
1. Engin servant à transporter des personnes, des choses. *L'automobile, le bateau, l'avion et même la bicyclette sont des véhicules.*
2. (FIGURÉ) Tout ce qui sert à transmettre. *La langue est le véhicule de la pensée.* **SYN.** canal.
Locution
Véhicule spatial. Engin destiné à voyager dans l'espace. *Des véhicules spatiaux en orbite.*
Forme fautive
*véhicule-moteur. Calque de l'anglais ***motor vehicle*** au sens de ***véhicule automobile.***
vé**h**icul**e.**

véhiculer v. tr.
Transporter. *Ils ont véhiculé ces marchandises par camion.*
Conjugaison [VOIR MODÈLE – **AIMER**]

veille n. f.
1. Action de veiller. *Il a passé de longues veilles à étudier.* **SYN.** soirée.
2. Jour qui précède celui dont on parle. *La veille de son départ.*
3. État d'une personne qui ne dort pas (par opposition à ***sommeil***). *Elle est en état de veille.*
4. Action de monter la garde, d'être aux aguets, au propre et au figuré. *Une veille efficace.*
Locution
Être à la veille de. Être sur le point de. *Souhaitons que les chercheurs soient à la veille de découvrir un vaccin contre le sida.*

veillée n. f.
1. Réunion de personnes entre le repas du soir et le coucher (surtout dans les campagnes). *Il y avait une veillée à la ferme.* **SYN.** soirée.
2. Action de veiller, nuit passée au chevet d'un malade, d'un mort.

veiller v. tr., intr.
Verbe transitif direct
Être au chevet de. *Veiller un malade.*
Verbe transitif indirect
1. Être attentif à. *Il a veillé à la bonne marche des travaux. On veillera à économiser les provisions.*
En ce sens, le verbe se construit avec la préposition ***à*** suivie d'un nom ou d'un infinitif ; il se construit aussi avec ***à ce que*** et le subjonctif. *Elle a veillé à ce que tout soit en ordre.*
2. Prendre soin, s'occuper de. *Veiller sur ses enfants.*
En ce sens, le verbe se construit avec la préposition ***sur.***
Verbe intransitif
Rester éveillé. *Il a l'habitude de veiller très tard pour lire.*
Conjugaison [VOIR MODÈLE – **AIMER**]
Les lettres ***ill*** sont suivies d'un ***i*** à la première et à la deuxième personne du pluriel de l'indicatif imparfait et du subjonctif présent. *(Que) nous veillions, (que) vous veilliez.*

veilleur n. m.
Veilleur de nuit. Gardien de nuit.

veilleuse n. f.
Petite lampe qui demeure allumée dans un endroit peu éclairé. *La nuit, la chambre du bébé est éclairée par une veilleuse.*

veinard, arde adj. et n. m. et f.
(FAMILIER) Chanceux. *Un joueur veinard. Quelle veinarde !*

veine n. f.
1. Vaisseau sanguin. *Les veines et les artères.*
2. (FAMILIER) Chance. *Elle a beaucoup de veine d'avoir connu cet ami.*

velcro n. m.
Bande de fermeture composée de deux rubans adhérant l'un à l'autre par leurs fibres textiles. *La poche s'attache à l'aide d'un velcro ou d'une fermeture velcro.*
Le mot est composé des noms **vel**ours et **cro**chet.

vêler v. intr.
Mettre bas, en parlant de la vache. *La vache rousse a vêlé.*
Le verbe conserve l'accent circonflexe à toutes les formes.
Conjugaison [VOIR MODÈLE – **AIMER**]

véliplanchiste n. m. et f.
Personne qui fait de la planche à voile. *Avec ce bon vent, les véliplanchistes glissaient rapidement sur la surface agitée du lac.*

vélo n. m.
1. Bicyclette. *Des vélos de course, de montagne.*
2. Cyclisme, pratique de la bicyclette. *Il aime bien faire du vélo. Aller à vélo, en vélo à l'école.*

vélodrome n. m.
Les ***o*** sont ouverts [velɔdrɔm].
Piste servant aux courses cyclistes. *Le vélodrome du stade a été démantelé.*
vélodro**m**e.

velours n. m.
Le ***s*** ne se prononce pas, [vəlur] ou [vlur].
Étoffe dont l'endroit est couvert de poils très serrés. *Un beau velours de soie. Un pantalon de velours côtelé* (et non de *corduroy).
velour**s.**

velouté, ée adj. et n. m.
Adjectif
Qui a la douceur, l'apparence du velours. *Une peau veloutée.*
Nom masculin
1. Qualité de ce qui est doux au toucher. *Le velouté d'un tissu.*
2. Potage onctueux. *Un velouté d'asperges.*

velu, ue adj.
Couvert de poils. *Une poitrine masculine velue.*

vendeur n. m.
vendeuse n. f.
Personne dont la fonction est de vendre, généralement dans un magasin. *Elles ont engagé deux nouvelles vendeuses. Un vendeur de voitures.*

V

***vendeur (bon)**
Anglicisme au sens de ***succès*** (de librairie, de vente).

vendre v. tr., pronom.
Verbe transitif
1. Céder la propriété d'un bien pour un certain prix. *Il a vendu sa voiture. Cette maison est à vendre.*
2. Trahir pour de l'argent. *Il a vendu ses complices.*
Verbe pronominal
1. Être offert sur le marché. *Ces produits de luxe se vendent moins bien en ce moment.* **SYN.** s'écouler.
2. Se mettre en valeur. *Ta modestie t'empêche de te vendre, de parler de tes réussites.*
Locution
Vendre la mèche. Révéler un secret.
Conjugaison [VOIR MODÈLE – **FENDRE**]
INDICATIF PRÉSENT *Je vends, tu vends, il vend, nous vendons, vous vendez, ils vendent.* IMPARFAIT *Je vendais.* PASSÉ SIMPLE *Je vendis.* FUTUR *Je vendrai.* **CONDITIONNEL** PRÉSENT *Je vendrais.* **IMPÉRATIF** PRÉSENT *Vends, vendons, vendez.* **SUBJONCTIF** PRÉSENT *Que je vende.* IMPARFAIT *Que je vendisse.* **PARTICIPE** PRÉSENT *Vendant.* PASSÉ *Vendu, ue.*

vendredi n. m.
Cinquième jour de la semaine. *Elle passera vendredi.*
Les noms de jour s'écrivent avec une minuscule et prennent la marque du pluriel. *Je viendrai tous les vendredis,* mais *je viendrai tous les jeudi et vendredi de chaque semaine.* Attention à la construction de la dernière phrase où les noms de jours restent au singulier parce qu'il n'y a qu'un seul jeudi et un seul vendredi par semaine.
Le nom de la fête chrétienne s'écrit avec une majuscule. *Le Vendredi saint.*
VOIR TABLEAU – **JOUR.**

vénéneux, euse adj.
Qui contient une substance toxique, en parlant des végétaux, des substances minérales. *Il ne faut pas manger des champignons vénéneux, car ils pourraient t'empoisonner.*
ANT. comestible.
Ne pas confondre avec ***venimeux***, qui contient du venin, en parlant d'un animal.

vénérable adj.
Digne de respect. *Un ministre vénérable présidait la séance.*
SYN. respectable.
Cet adjectif s'emploie souvent par plaisanterie.

vénération n. f.
Admiration profonde. *Une vénération pour sa marraine, Éva.*

vénérer v. tr.
Témoigner un profond respect à quelqu'un. *Elle vénérait sa marraine qui était une sainte.*
Conjugaison [VOIR MODÈLE – **POSSÉDER**]
Le ***é*** se change en ***è*** devant une syllabe muette, sauf à l'indicatif futur et au conditionnel présent. *Je vénère,* mais *je vénérerai.*

vénézuélien, ienne adj. et n. m. et f.
Du Venezuela. *Une chanson vénézuélienne. Un Vénézuélien, une Vénézuélienne.*
L'adjectif s'écrit avec une minuscule ; le nom, avec une majuscule.
v**é**n**é**zu**é**lien, avec des accents aigus alors que le nom du pays s'écrit sans accents.

vengeance n. f.
Désir de se venger en châtiant l'auteur de l'offense subie. *La vengeance est un plat qui se mange froid.*
Locution
Par vengeance. Dans l'intention de se venger. *Ils l'ont dénoncé par vengeance.*
veng**ea**nce.

venger v. tr., pronom.
Verbe transitif
Punir une offense en châtiant l'auteur. *Venger une injure. Venger sa famille d'un affront.*

Le verbe a pour complément d'objet direct la chose dont on a eu à souffrir ou la personne qui en a souffert.

Verbe pronominal

Se faire justice, exercer un châtiment. *Ils se sont bien vengés de lui.*

Conjugaison [VOIR MODÈLE – **CHANGER**]

Le ***g*** est suivi d'un ***e*** devant les lettres ***a*** et ***o.*** *Il vengea, nous vengeons.*

venimeux, euse adj.

Se dit d'un animal qui peut injecter du venin. *Le cobra est un serpent venimeux alors que la couleuvre n'est pas venimeuse.*

Ne pas confondre avec **véneneux**, qui contient une substance toxique, en parlant des végétaux.

venimeux.

venin n. m.

Substance toxique sécrétée par certains animaux. *Le venin de la vipère, du scorpion.*

veni**n,** un ***n*** final, malgré ***venimeux.***

venir v. intr.

1. Se transporter d'un lieu à un autre. *Elle viendra nous voir demain. Ils sont venus en avion.*

Le verbe ***venir*** comporte la notion d'un mouvement vers le lieu où l'on est, tandis que le verbe ***aller*** suppose qu'on part du lieu où l'on est pour se rendre ailleurs.

2. Provenir. *Ces belles pivoines viennent de la campagne. Le mot agenda vient du latin.*

En ce sens, le verbe se construit avec la préposition ***de.***

3. Atteindre, parvenir. *Cela ne m'était pas venu à l'esprit.*

SYN. arriver.

4. Naître, être produit. *Marie-Ève est venue au monde le 31 juillet 1976.*

5. ***Venir de*** + infinitif. Se produire tout juste, à l'instant même. *Le train vient de partir : vous l'avez raté de peu.*

Locutions

À venir, locution adjective. Futur. *Les jours à venir.*

La locution s'écrit en deux mots.

En venir à. Aller jusqu'à, en arriver à. *Ils en sont venus à se battre.*

Faire venir. Prier quelqu'un de se rendre à l'endroit où l'on est, demander, commander quelque chose.

Laisser venir. Laisser approcher. *Laissez venir à moi les petits enfants.* (Parole du Christ)

Laisser venir. Attendre sans se presser. *Nous devrions laisser venir les commentaires.*

Voir venir. Attendre, ne pas se presser. *Elle aime voir venir les évènements.*

Voir venir. Deviner les intentions de quelqu'un. *Je vous vois venir avec vos gros sabots.*

Conjugaison [VOIR MODÈLE – **VENIR**]

vent n. m.

Mouvement plus ou moins rapide d'une masse d'air qui se déplace suivant une direction déterminée. *Le vent du nord. La rose des vents.*

Locutions

À tout vent, locution adverbiale. De tous les côtés. *Je sème à tout vent.* (devise de Larousse) *Ils ont annoncé la nouvelle à tout vent.*

Avoir vent de quelque chose. Apprendre.

Contre vents et marées, contre vent et marée. (FIGURÉ) Malgré tous les obstacles.

Dans le vent, locution adverbiale. (VIEUX) À la dernière mode.

Il est amusant de constater que l'expression ***dans le vent*** est démodée : elle n'est plus dans le vent !

En coup de vent, locution adverbiale. Brusquement, rapidement.

Quel bon vent vous amène ? Quel est l'objet de votre visite ?

vente n. f.

1. Entente entre deux personnes par laquelle l'une (le vendeur) s'oblige à livrer une chose et l'autre (l'acquéreur), à la payer. *Un contrat de vente.*

2. Action de vendre. *La vente d'une voiture. La vente au détail, en gros.*

Locution

En vente. Se dit d'un bien destiné à être vendu. *Cette maison est en vente.*

Contrairement à l'anglais où le mot « sale » comporte deux sens distincts : « vente » et « vente au rabais », le nom français ne signifie que l'action de vendre. Pour désigner une vente où le prix des articles a été réduit, on emploiera plutôt ***vente au rabais, solde.***

Formes fautives

*vente. Impropriété au sens de ***vente au rabais, solde.***

*vente de garage. Calque de « garage sale » pour ***vente-débarras.***

*vente finale. Calque de l'anglais « all sales final » pour ***vente ferme.***

VOIR **RABAIS.**

vente-débarras n. f. (pl. *ventes-débarras*)

Mise en vente à prix réduits, par un particulier, sur sa propriété, d'objets divers dont il veut se défaire. (Recomm. off. OLF)

Ce nom remplace le calque *vente de garage.

venter v. impers.

Se dit du vent qui souffle. *Il vente énormément : il ne serait pas prudent de sortir en voilier.*

HOM. vanter, louer, célébrer.

Conjugaison [VOIR MODÈLE – **AIMER**]

venter.

venteux, euse adj.

Se dit d'un lieu, d'une période où il y a beaucoup de vent. *Ce cap est toujours venteux.*

ventilateur n. m.

1. Appareil servant à renouveler l'air d'un lieu (et non un *éventail).

2. Appareil assurant le refroidissement d'un moteur.

ventilation n. f.

Action de renouveler l'air d'un local. *La ventilation de cette salle de cours est insuffisante.*

ventiler v. tr.

Aérer. *Ventiler une chambre en ouvrant les fenêtres.*

Conjugaison [VOIR MODÈLE – **AIMER**]

ventouse n. f.

1. Organe de succion de certains animaux. *Les ventouses d'une sangsue.*

2. Dispositif de caoutchouc qui se fixe par vide partiel sur une surface plane. *Des fléchettes munies de ventouses.*

ventral, ale, aux adj.

Relatif au ventre. *Le kangourou a une poche ventrale.*

ventre n. m.

Abdomen. *As-tu mal au ventre parce que tu as mangé trop de chocolat ?*

Indicatif

Présent	*Passé composé*
je viens	je suis venu, ue
tu viens	tu es venu, ue
elle vient	elle est venue
il vient	il est venu
nous venons	nous sommes venus, ues
vous venez	vous êtes venus, ues
elles viennent	elles sont venues
ils viennent	ils sont venus

Imparfait	*Plus-que-parfait*
je venais	j' étais venu, ue
tu venais	tu étais venu, ue
elle venait	elle était venue
il venait	il était venu
nous venions	nous étions venus, ues
vous veniez	vous étiez venus, ues
elles venaient	elles étaient venues
ils venaient	ils étaient venus

Passé simple	*Passé antérieur*
je vins	je fus venu, ue
tu vins	tu fus venu, ue
elle vint	elle fut venue
il vint	il fut venu
nous vînmes	nous fûmes venu, ues
vous vîntes	vous fûtes venu, ues
elles vinrent	elles furent venues
ils vinrent	ils furent venus

Futur simple	*Futur antérieur*
je viendrai	je serai venu, ue
tu viendras	tu seras venu, ue
elle viendra	elle sera venue
il viendra	il sera venu
nous viendrons	nous serons venu, ues
vous viendrez	vous serez venu, ues
elles viendront	elles seront venues
ils viendront	ils seront venus

Infinitif

Présent	*Passé*
venir	être venu, ue

Subjonctif

Présent	*Passé*
que je vienne	que je sois venu, ue
que tu viennes	que tu sois venu, ue
qu' elle vienne	qu' elle soit venue
qu' il vienne	qu' il soit venu
que nous venions	que nous soyons venus, ues
que vous veniez	que vous soyez venus, ues
qu' elles viennent	qu' elles soient venues
qu' ils viennent	qu' ils soient venus

Imparfait	*Plus-que-parfait*
que je vinsse	que je fusse venu, ue
que tu vinsses	que tu fusses venu, ue
qu' elle vînt	qu' elle fût venue
qu' il vînt	qu' il fût venu
que nous vinssions	que nous fussions venus, ues
que vous vinssiez	que vous fussiez venus, ues
qu' elles vinssent	qu' elles fussent venues
qu' ils vinssent	qu' ils fussent venus

Conditionnel

Présent	*Passé*
je viendrais	je serais venu, ue
tu viendrais	tu serais venu, ue
elle viendrait	elle serait venue
il viendrait	il serait venu
nous viendrions	nous serions venu, ues
vous viendriez	vous seriez venu, ues
elles viendraient	elles seraient venues
ils viendraient	ils seraient venus

Impératif

Présent	*Passé*
viens	sois venu, ue
venons	soyons venus, ues
venez	soyez venus, ues

Participe

Présent	*Passé*
venant	venu, ue étant venu, ue

Locution
À plat ventre, locution adverbiale. Complètement allongé sur le ventre. *Ils sont à plat ventre.*
Cette locution est invariable et s'écrit sans trait d'union.

ventre de bœuf n. m.
Renflement de la chaussée causé par le dégel.
Le ***nid-de-poule*** est une dépression de la chaussée.

ventricule n. m.
Chacune des deux cavités du cœur. *Le ventricule gauche et le ventricule droit.*
Attention au genre masculin de ce nom : ***un*** ventricule.
ventricu**l**e.

ventriloque adj. et n. m. et f.
Personne qui peut parler en conservant la bouche fermée. *Un clown ventriloque. Une ventriloque.*

venu, ue adj. et n. m. et f.
Nom féminin
Action de venir, arrivée. *La venue du printemps.*
Adjectif
Être mal venu à, de + infinitif. Être peu qualifié pour. *Elle est mal venue à, de le critiquer.*
L'expression s'écrit en deux mots.
Nom masculin et féminin
1. ***Premier venu, première venue.*** N'importe qui. *Ils ne sont pas les premiers venus.*
2. Nouveau venu, nouvelle venue. Personne récemment arrivée. *Elles sont de nouvelles venues.*
Locution
Allées et venues. Déplacements. *On surveille ses allées et venues.*

ver n. m.
Animal invertébré. *Un ver de terre.*
HOM.
– **vair**, fourrure d'écureuil ;
– **verre**, récipient pour boire ;
– **verre**, substance transparente ;
– **vers**, assemblage de mots dans un poème ;
– **vert**, couleur verte.
v**er**.

véracité n. f.
Qualité de ce qui est vrai, conforme à la vérité. *La véracité d'un témoignage.* **SYN.** authenticité, exactitude, vérité.
L'adjectif correspondant est ***véridique.***

véranda n. f.
Galerie couverte. *Des vérandas fleuries.*

verbal, ale, aux adj.
1. Qui se fait de vive voix (par opposition à ***écrit***). *Des contrats purement verbaux.* **SYN.** oral.
2. (GRAMMAIRE) Relatif au verbe. *Des locutions verbales.*

verbalement adv.
Par la parole. *Je l'ai informé verbalement.* **SYN.** oralement.

verbe n. m.
1. (GRAMMAIRE) Mot qui, dans une phrase, exprime une action, un état. *Les désinences du verbe indiquent le mode, le temps, la personne de la conjugaison.*
VOIR TABLEAU – **VERBE.**
2. (LITTÉRAIRE) Expression de la pensée par les mots. *La magie du verbe.*

verbiage n. m.
Bavardage inutile. *Son verbiage m'exaspère.*

verdâtre adj.
Qui tire sur le vert. *Un teint verdâtre.*
verd**â**tre.

verdeur n. f.
Vigueur. *La verdeur de la jeunesse.*

verdict n. m.
La lettre ***c*** se prononce et le ***t*** se prononce ou non [vɛrdikt] ou [vɛrdik].
Jugement, décision. **SYN.** sentence.
verdi**ct.**

verdir v. tr., intr.
Verbe transitif
Donner une teinte verte. *Le peintre verdit les portes du garage.*
Verbe intransitif
1. Se couvrir de feuilles, de verdure. *Les arbres se mettent à verdir.*
2. (FIGURÉ) Devenir vert. *Il verdissait de peur à la vue de cet énorme chien.*
Conjugaison [VOIR MODÈLE – **FINIR**]

verdoyant, ante adj.
Qui devient vert, en parlant des végétaux. *Des arbres verdoyants.*

verdure n. f.
1. Couleur verte des plantes, des feuilles.
2. (LITTÉRAIRE) Ensemble des plantes, des feuilles, au printemps et en été. *Un décor de verdure.*

verge n. f.
1. Petite baguette flexible.
2. Pénis.
3. Unité de mesure de longueur correspondant à 0,914 m. *La verge comprend 3 pieds ou 36 pouces.*

verger n. m.
Terrain planté de pommiers, d'arbres fruitiers.

verglaçant, ante adj.
Se dit d'une pluie qui se congèle. *On annonce de la pluie verglaçante.*
vergla**ç**ant.

verglacé, ée adj.
Couvert de verglas. *Soyez prudent, la chaussée est verglacée.* **SYN.** glacé.

verglacer v. impers.
Faire du verglas. *Il verglaçait quand l'accident s'est produit.*
Conjugaison [VOIR MODÈLE – **AVANCER**]
Le ***c*** prend une cédille devant la lettre ***a.*** *Il verglaça.*

verglas n. m.
Le ***s*** est muet [vɛrglɑ].
Mince couche de glace causée par la congélation d'une pluie très fine au contact du sol.
vergla**s.**

véridique adj.
Se dit d'un texte, d'une affirmation, etc., conforme à la vérité. *Un témoignage véridique.* **SYN.** exact, vrai.
Le nom correspondant à cet adjectif est ***véracité.***

vérifiable adj.
Qui peut être vérifié. *Ces données sont vérifiables.*

VERBE

Élément essentiel de la phrase, le verbe en est le mot moteur ; il exprime l'action, l'état, le devenir d'un sujet.

GROUPE DES VERBES

Les verbes se répartissent en trois groupes :

Premier groupe

Les verbes qui se terminent à l'infinitif par ***-er***.

Aimer, avancer, changer, lever, posséder, appeler, congeler, créer, piéger, étudier, payer, employer, envoyer...

Deuxième groupe

Les verbes qui se terminent à l'infinitif par ***-ir*** et au participe présent par ***-issant***.

Aboutir, abrutir, affermir, agir, bannir, blêmir, bondir, choisir, divertir, éblouir, finir, investir...

Troisième groupe

– Tous les autres verbes qui se terminent à l'infinitif par ***-ir*** et au participe présent par ***-ant***.

Venir, acquérir, sortir, vêtir, ouvrir, cueillir, tressaillir, faillir, bouillir, dormir, courir, servir, fuir...

– Les verbes qui se terminent à l'infinitif par ***-oir***.

Apercevoir, voir, savoir, devoir, pouvoir, émouvoir, pleuvoir, falloir, valoir, recevoir, vouloir...

– Les verbes qui se terminent à l'infinitif par ***-re***.

Apprendre, fendre, combattre, remettre, éteindre, joindre, craindre, vaincre, soustraire, faire, plaire...

VOIR TABLEAU – **AUXILIAIRE.**

CONJUGAISON DU VERBE

Le verbe prend des formes variables pour marquer :

1. la **personne**, le **nombre**, le **genre** du sujet (première, deuxième, troisième personne, masculin et féminin, singulier et pluriel) ;
2. le **temps** auquel l'action se passe (présent, passé, futur) ;
3. le **mode**, la **manière** dont elle se présente (indicatif, conditionnel, subjonctif, impératif, infinitif, participe) ;
4. la **voix** selon que l'action est faite ou subie par le sujet (voix active et voix passive).

VOIR TABLEAU – **CONDITIONNEL.**
VOIR TABLEAU – **FUTUR.**
VOIR TABLEAU – **INFINITIF.**
VOIR TABLEAU – **PARTICIPE PASSÉ.**
VOIR TABLEAU – **PARTICIPE PRÉSENT.**
VOIR TABLEAU – **PASSÉ (TEMPS DU).**
VOIR TABLEAU – **PRÉSENT.**
VOIR TABLEAU – **SUBJONCTIF.**

V

VOIX DU VERBE

Alors que la **forme active** présente l'action par rapport au sujet qui la fait, la **forme passive** présente l'action par rapport à l'objet qui la subit.

L'enfant mange la pomme (voix active).
La pomme est mangée par l'enfant (voix passive).

Seuls les verbes transitifs directs peuvent se construire au passif.

suite ►

VERBES TRANSITIFS ET INTRANSITIFS

- Les **verbes transitifs directs** ont un complément **joint directement au verbe, sans préposition**.
  L'enfant mange la pomme.
  L'enfant mange quoi ? La pomme.
- Les **verbes transitifs indirects** ont un complément de même nature **relié indirectement au verbe par une préposition** (***à, de***, etc.).
  Il parle à sa sœur.
  Vous souvenez-vous de lui ?
  Il parle à qui ? À sa sœur. Vous vous souvenez de qui ? De lui.
- Les **verbes intransitifs** sont construits **sans complément d'objet direct ou indirect**.
  Le soleil plombe. L'herbe pousse.
- Les **verbes impersonnels** expriment un état qui ne comporte pas de sujet logique ; ils ne se construisent qu'**à la troisième personne du singulier**.
  Il neige à plein ciel et il vente.

VERBES PRONOMINAUX

- Le **verbe pronominal** est accompagné d'un pronom désignant le même être, le même objet que le sujet.
  Tu te laves. Elles se sont parlé.
- Le pronominal est **réfléchi** lorsque l'action porte sur le sujet.
  Bruno s'est coupé. Brigitte s'est blessée.
- Le pronominal est **réciproque** lorsque deux ou plusieurs sujets agissent l'un sur l'autre ou les uns sur les autres.
  Ils se sont aimés.

  Le verbe pronominal réciproque ne s'emploie qu'au pluriel.
- Le pronominal est **non réfléchi** lorsque le verbe exprime par lui-même un sens complet et que le pronom n'a pas de valeur particulière.
  S'en aller, s'évanouir, se douter de, se taire, se moquer, s'enfuir...

VOIR TABLEAU – **PRONOMINAUX.**

vérificateur n. m.
vérificatrice n. f.
Personne chargée d'examiner les états financiers d'une entreprise, d'un organisme en vue d'exprimer une opinion sur leur fidélité. *Les comptes seront soumis au vérificateur.*

vérification n. f.
1. Action de vérifier, d'examiner l'exactitude de quelque chose. *La vérification des passeports.*
2. Examen des registres et des documents comptables d'une entreprise, d'un organisme.

vérifier v. tr., pronom.
Verbe transitif
1. Examiner l'exactitude, l'authenticité, la conformité d'une chose. *On vérifie les registres comptables de cette entreprise.*
SYN. contrôler.
2. Prouver, confirmer. *Les résultats ont vérifié les prévisions.*
Verbe pronominal
Se révéler juste. *Nos hypothèses se sont vérifiées.*
Conjugaison [VOIR MODÈLE – **ÉTUDIER**]
Redoublement du ***i*** à la première et à la deuxième personne du pluriel de l'indicatif imparfait et du subjonctif présent. *(Que) nous vérifiions, (que) vous vérifiiez.*

véritable adj.
1. Réel, conforme à la vérité. *Ce cartable est en cuir véritable.*
2. Incontestable. *C'est un véritable génie, un véritable escroc.*
L'adjectif qui renforce une désignation souvent métaphorique se place avant le nom.

vérité n. f.
Qualité de ce qui est conforme à la réalité, de ce qui est vrai. *La recherche de la vérité.*
Locution
En vérité, locution adverbiale. Assurément.

vermicelle n. m.
Pâte alimentaire façonnée en fil mince. *Un potage avec du vermicelle, des vermicelles.*
Attention au genre masculin de ce nom : ***un*** vermicelle.
vermice**ll**e.

vermillon adj. inv. et n. m.
Adjectif de couleur invariable
Rouge vif. *Des soieries vermillon.*
VOIR TABLEAU – **COULEUR (ADJECTIFS DE).**
Nom masculin
Couleur rouge vif. *Des vermillons voyants.*

V

vermine n. f.
Collectif désignant des insectes nuisibles. *L'extermination de la vermine.*

vernir v. tr.
Recouvrir de vernis. *Vernir un parquet. Une table vernie.*
Conjugaison [VOIR MODÈLE – **FINIR**]

vernis n. m.
1. Enduit que l'on applique sur une surface pour la protéger, la rendre lisse, brillante. *Elle porte du vernis à ongles rouge.*
2. (FIGURÉ) Apparence. *Grattez un peu le vernis, vous risquez d'être déçu.*
✎ verni**s,** un **s** final au singulier comme au pluriel.

verre n. m.
1. Substance transparente dure et fragile que l'on obtient en faisant fondre un certain type de sable. *Le verre teinté d'un vitrail. Du verre taillé.*
2. Récipient pour boire. *Un verre à eau, des verres à vin.*
3. Contenu d'un verre. *Boire un verre d'eau. As-tu bu ton verre?*
☞ Par un procédé de langage, le nom du contenant peut aussi nommer le contenu.
4. Plaque de verre. *J'ai rayé le verre de ma montre.*
5. Verres qui corrigent la vision. *Grand-maman, qui est très myope, cherche toujours ses verres.* **SYN.** lunettes.
Locutions
Une tempête dans un verre d'eau. (FIGURÉ) Discussion, agitation qui se produit sans raison sérieuse.
Verres de contact. Lentilles correctrices qui s'appliquent directement sur la cornée. **SYN.** lentilles cornéennes.
☞ Les verres de contact ne sont pas en verre, mais en une matière plastique plus souple.
HOM.
– **vair**, fourrure d'écureuil;
– **ver**, animal invertébré;
– **vers**, assemblage de mots dans un poème;
– **vert**, couleur verte.

verrière n. f.
Paroi vitrée (toit, mur). *Le plafond s'ouvrait sur une grande verrière.*

verrou n. m. (pl. *verrous*)
Tige de fer qui coulisse afin de fermer une porte. *Pousser les verrous de sécurité. Tirer le verrou.*
Locution
Mettre quelqu'un sous les verrous. Le mettre en prison.
✎ un verr**ou,** des verrou**s.**

verrouiller v. tr., pronom.
Verbe transitif
Fermer à l'aide d'un verrou. *Avez-vous verrouillé la porte* (et non *barré)*?*
Verbe pronominal
S'enfermer. *Ils se sont verrouillés dans la forteresse.*
Conjugaison [VOIR MODÈLE – **AIMER**]
Les lettres ***ill*** sont suivies d'un ***i*** à la première et à la deuxième personne du pluriel de l'indicatif imparfait et du subjonctif présent. *(Que) nous verrouillions, (que) vous verrouilliez.*

verrue n. f.
Excroissance de la peau. *La sorcière avait une affreuse verrue sur le nez.*
✎ ver**r**u**e.**

vers prép.
1. En direction de. *Ils roulent vers la Gaspésie.*
2. À peu près (à tel moment). *Nous nous retrouverons vers midi.* **SYN.** environ.

vers n. m.
Assemblage de mots dans un poème. *Les fables de La Fontaine sont écrites en vers.*
HOM.
– **vair**, fourrure d'écureuil;
– **ver**, animal invertébré;
– **verre**, récipient pour boire;
– **verre**, substance transparente;
– **vert**, couleur verte.

versant n. m.
Chacune des deux pentes d'une montagne. *Skier sur le versant ensoleillé de la montagne.*

versatile adj.
Inconstant, changeant. *Cet employé est trop versatile; on ne pourra lui confier ce dossier.*
☞ Cet adjectif qui a un sens plutôt défavorable ne peut qualifier que des personnes.
Forme fautive
*versatile. Anglicisme au sens de ***aux talents variés*** (personne), ***tous usages, à tout faire, universel*** (objet).
✎ versatil**e.**

verse n. f.
À verse, locution adverbiale. Abondamment, en parlant de la pluie. **SYN.** à torrents.
☞ Le nom ne s'emploie que dans l'expression citée.

versé, ée adj.
Expérimenté dans la pratique d'un art, d'une science. *Il est versé en astronomie.* **SYN.** savant, spécialiste.

verseau n. m.
Nom d'une constellation, d'un signe du zodiaque.
☞ Les noms d'astres s'écrivent avec une majuscule. *Elle est (du signe) du Verseau, elle est née entre le 21 janvier et le 19 février.*
HOM. **verso**, envers d'une feuille de papier.
VOIR **ASTRE.**

versement n. m.
Action de verser une somme d'argent. *Cet achat peut se régler en plusieurs versements échelonnés sur un an.* **SYN.** paiement.

verser v. tr., intr.
Verbe transitif
1. Répandre, faire couler. *Verser du jus dans un pichet.*
2. Payer. *Verser une somme en espèces.*
Verbe intransitif
Tomber sur le côté. *Sous l'impact, la voiture a versé.* **SYN.** culbuter, se renverser.
Conjugaison [VOIR MODÈLE – **AIMER**]

verset n. m.
Brève maxime extraite d'un livre sacré. *Des versets de la Bible, du Coran.*
✎ verse**t.**

version n. f.
1. Traduction d'un texte d'une langue étrangère dans la langue de celui qui traduit (par opposition à ***thème***). *Une version latine, c'est-à-dire un texte en latin traduit en français.* **ANT.** thème.
2. Variante d'un texte, d'un programme informatique, d'un film. *C'est la version originale du film.*
3. Manière de raconter un fait. *La version du témoin semble exacte.* **SYN.** récit.

verso n. m. (pl. *versos*)
Envers d'une feuille de papier. *Voir la suite au verso. Les versos sont paginés en nombres pairs. Signer au verso* (et non *à l'endos) *d'un chèque.* **ANT.** recto.
Locution
Recto verso, locution adverbiale. Des deux côtés d'une feuille de papier. *Faire des impressions recto verso.*
Pris adverbialement, le mot est invariable.
HOM. verseau, nom d'une constellation.

vert, verte adj. et n. m.
Adjectif de couleur variable
Qui est de la couleur verte de l'herbe, des feuilles. *Des yeux verts, la mer verte.*
VOIR TABLEAU – **COULEUR (ADJECTIFS DE).**
Les adjectifs de couleur composés sont invariables. *Des robes vert tendre, vert amande, vert olive, vert pistache.*
Adjectif
Qui n'est pas mûr. *Ces fruits sont trop verts.*
Nom masculin
Couleur intermédiaire entre le bleu et le jaune. *Teindre une étoffe en vert.*
Locutions
Donner le feu vert à quelqu'un, quelque chose. (FIGURÉ) Autoriser, donner son accord.
Se mettre au vert. (FAMILIER) (FIGURÉ) Aller à la campagne.
HOM.
- **vair**, fourrure d'écureuil ;
- **ver**, animal invertébré ;
- **verre**, récipient pour boire ;
- **verre**, substance transparente ;
- **vers**, assemblage de mots dans un poème.

vert-de-gris adj. inv. et n. m. inv. (pl. *vert de gris*)
Adjectif de couleur invariable
D'un vert grisâtre. *Des toits vert-de-gris.*
VOIR TABLEAU – **COULEUR (ADJECTIFS DE).**
Nom masculin invariable
Dépôt verdâtre qui se forme sur le cuivre exposé à l'air.

vertébral, ale, aux adj.
Qui se rapporte aux vertèbres. *La colonne vertébrale, des disques vertébraux.*
vert**é**bral.

vertébré, ée adj. et n. m.
Adjectif
Qui a des vertèbres. *Les animaux vertébrés.*
Nom masculin
Animal pourvu d'une colonne vertébrale. *Le cheval est un vertébré alors que le ver est un invertébré.* **ANT.** invertébré.
vert**é**bré.

vertèbre n. f.
Chacun des os qui composent la colonne vertébrale. *Les vertèbres cervicales, lombaires.*
vert**è**bre.

vertical, ale, aux adj.
Perpendiculaire à l'horizon, debout. *Des stores verticaux.* **ANT.** horizontal.

vertige n. m.
1. Peur de tomber dans le vide. *Il ne peut grimper là-haut, il aurait le vertige.*
2. Perte d'équilibre, étourdissement. *Elle a des vertiges et a failli s'évanouir.*

vertigineux, euse adj.
1. Qui donne le vertige.
2. Très haut. *Le sommet de ce pont est à une hauteur vertigineuse.*
3. (FIGURÉ) Très élevé. *Des prix vertigineux.*

vertu n. f.
1. Qualité particulière. *Les vertus de ce médicament sont d'apaiser la douleur et de faire baisser la fièvre.* **SYN.** caractéristique.
2. (LITTÉRAIRE) Qualité morale. *La patience est une vertu difficile à pratiquer.*
Locution
En vertu de, locution prépositive. (DROIT) Par le pouvoir de, au nom de. *En vertu de la nouvelle loi, ces pratiques sont illégales.*
vert**u.**

vertueux, euse adj.
(VIEUX) Honnête, sage, moral. *Une demoiselle vertueuse.*

verve n. f.
Imagination créatrice, fantaisie. *Il est en verve ce soir. La verve d'un imitateur.* **SYN.** esprit.

verveine n. f.
1. Plante aromatique dont une espèce a des vertus calmantes.
2. Infusion. *Une tasse de verveine.*
verv**eine.**

vésicule n. f.
Organe en forme de petit sac. *La vésicule biliaire contient la bile.*
Attention au genre féminin de ce nom : ***une*** vésicule.

vessie n. f.
Partie du corps où s'accumule l'urine qui provient des reins.

veste n. f.
Vêtement court comportant des manches, ouvert à l'avant et qui se porte sur une chemise, un tricot. *Une veste de lainage, la veste d'un costume.*
Le vêtement court sans manches et ouvert à l'avant se nomme le ***gilet.***

vestiaire n. m.
Lieu où l'on dépose certains vêtements ou objets à l'entrée d'un théâtre, d'un musée, d'un établissement. *J'ai oublié mon parapluie au vestiaire du restaurant.*

vestibule n. m.
Pièce située à l'entrée d'un édifice, d'une maison.
vestibu**l**e.

vestige n. m.
1. Marque (d'une chose disparue). *Les vestiges d'un ancien château.* **SYN.** reste, ruine.
2. (FIGURÉ) Ce qui reste (d'une chose abstraite). *Les vestiges de la civilisation grecque.* **SYN.** reste, trace.
Le nom s'emploie généralement au pluriel.

vestimentaire adj.
Qui est relatif aux vêtements. *Une tenue vestimentaire.*
vestiment**aire.**

veston n. m.
Veste d'un complet masculin. *Un veston et un gilet assortis.*

vêtement n. m.
Tout ce qui sert à couvrir le corps humain. *Ils doivent acheter de nouveaux vêtements pour l'hiver.*

vétéran n. m.
1. Soldat qui a de longs états de service, ancien combattant. *Les vétérans de la dernière guerre.*
2. (FIGURÉ) Personne très expérimentée dans un domaine. *C'est un vétéran de la chirurgie à cœur ouvert.*
Ce nom ne comporte pas de forme féminine.
vétér**an.**

vétérinaire adj. et n. m. et f.
Adjectif
Qui est relatif aux soins donnés aux animaux. *La médecine vétérinaire.*
Nom masculin et féminin
Personne qui pratique la médecine des animaux. *Élodie voudrait devenir vétérinaire.*
vétérin**aire.**

vêtir v. tr., pronom.
Verbe transitif
(LITTÉRAIRE) Couvrir de vêtements. *Elle est toujours bien vêtue.*
Verbe pronominal
(LITTÉRAIRE) S'habiller. *Ils aiment se vêtir de couleurs vives.*
Conjugaison [VOIR MODÈLE – **VÊTIR**]

veuf, veuve adj. et n. m. et f.
Se dit de la personne dont le conjoint est mort. *Un veuf inconsolable, une veuve joyeuse.*

vexant, ante adj.
1. Irritant, contrariant. *Il est vexant de se faire réveiller à 6 h du matin le samedi par un coup de téléphone.*
2. Blessant. *Des remarques vexantes.*

vexation n. f.
Insulte, contrariété. *J'en ai assez de subir des vexations !* **SYN.** humiliation.

vexer v. tr., pronom.
Verbe transitif
Blesser, contrarier. *Il ne voulait pas vous vexer.* **SYN.** fâcher, insulter, irriter.
Verbe pronominal
Se fâcher, se formaliser. *Elles se sont vexées de ces commentaires désagréables.*
Conjugaison [VOIR MODÈLE – **AIMER**]

viaduc n. m.
Voie aérienne. *Le viaduc surplombe la voie ferrée.*
Ne pas confondre avec le nom ***tunnel,*** voie souterraine.
viadu**c.**

viande n. f.
Chair des animaux qui sert à la nourriture. *Elle préfère la viande blanche à la viande rouge.*

vibration n. f.
Mouvement qui oscille, tremblement. *Des vibrations sonores.*

vibrer v. tr., intr.
Verbe transitif
Modifier un corps par des vibrations. *Vibrer du béton.*
Verbe intransitif
1. Résonner, produire des vibrations. *Une cloche qui vibre.*
2. (FIGURÉ) Émouvoir, toucher. *Des chansons qui la faisaient vibrer.*
Conjugaison [VOIR MODÈLE – **AIMER**]

vicaire n. m.
Prêtre adjoint au curé dans une paroisse.

vice n. m.
1. (LITTÉRAIRE) Défaut. *La gourmandise est-elle un vice ?*
Dans la langue courante, on emploie plutôt le mot ***défaut.***
2. Défaut qui altère gravement la constitution d'une chose. *Un vice de construction.* **SYN.** défectuosité.
HOM. **vis**, tige filetée.

vice-président n. m.
vice-présidente n. f.
Personne au sommet de la hiérarchie, après le président, dans une entreprise, un organisme.

vice versa ou **vice-versa** loc. adv.
Le premier ***e*** se prononce ***é*** ou est muet, [viseversa] ou [visversa].
Réciproquement. *Disposer un carreau noir, puis un carreau blanc et vice versa.*
vi**c**e(-)ver**s**a.

vicieux, euse adj. et n. m. et f.
Rempli de mauvais penchants, qui aime faire le mal. *Un animal vicieux. Des vicieuses.* **SYN.** pervers.
Locution
Cercle vicieux. Raisonnement faux, qui tourne en rond.

victime n. f.
1. Personne qui souffre des agissements d'autrui, d'événements malheureux, ou par sa propre faute. *Il a été victime d'une injustice.*
2. Personne tuée ou blessée. *La route a fait plusieurs victimes au cours des derniers jours. Les victimes du sida.*

victoire n. f.
Succès militaire, sportif, etc. *Ils ont remporté la victoire.*
Locution
Crier, chanter victoire. Se glorifier d'un succès.

victorieux, euse adj.
1. Vainqueur. *L'armée victorieuse.*
2. Qui exprime un succès. *Air victorieux.*
L'adjectif féminin sert également de forme féminine à l'adjectif ***vainqueur.***

victuailles n. f. pl.
Vivres, provisions. *Il se chargera des victuailles.* **SYN.** nourriture.

vidange n. f.
Action de vidanger un réservoir. *Faire la vidange d'huile* (et non le *changement d'huile).
Forme fautive
*vidanges. Impropriété au sens de ***ordures.*** *Faire l'enlèvement des ordures* (et non la *cueillette des vidanges).

***vidangeur**
Impropriété au sens de ***éboueur.***

vide adj. et n. m.
Adjectif
1. Qui ne contient rien. *Ce mur est vide : décore-le avec une belle affiche.*
2. Dépourvu (d'idées, de sentiments). *Une citation vide de sens.*
3. Désert. *Un restaurant vide.*
Nom masculin
1. Espace qui ne contient pas d'air. *Faire le vide dans un contenant.*
2. Espace sans objet. *Regarder dans le vide.*
3. Néant. *Le vide de son existence.*
4. Sentiment de privation, d'isolement. *Votre absence laissera un grand vide.* **SYN.** solitude.

Indicatif

Présent

je	vêts
tu	vêts
elle / il	vêt
nous	vêtons
vous	vêtez
elles / ils	vêtent

Passé composé

j'	ai	vêtu
tu	as	vêtu
elle / il	a	vêtu
nous	avons	vêtu
vous	avez	vêtu
elles / ils	ont	vêtu

Imparfait

je	vêtais
tu	vêtais
elle / il	vêtait
nous	vêtions
vous	vêtiez
elles / ils	vêtaient

Plus-que-parfait

j'	avais	vêtu
tu	avais	vêtu
elle / il	avait	vêtu
nous	avions	vêtu
vous	aviez	vêtu
elles / ils	avaient	vêtu

Passé simple

je	vêtis
tu	vêtis
elle / il	vêtit
nous	vêtîmes
vous	vêtîtes
elles / ils	vêtirent

Passé antérieur

j'	eus	vêtu
tu	eus	vêtu
elle / il	eut	vêtu
nous	eûmes	vêtu
vous	eûtes	vêtu
elles / ils	eurent	vêtu

Futur simple

je	vêtirai
tu	vêtiras
elle / il	vêtira
nous	vêtirons
vous	vêtirez
elles / ils	vêtiront

Futur antérieur

j'	aurai	vêtu
tu	auras	vêtu
elle / il	aura	vêtu
nous	aurons	vêtu
vous	aurez	vêtu
elles / ils	auront	vêtu

Infinitif

Présent

vêtir

Passé

avoir vêtu

Subjonctif

Présent

que	je	vête
que	tu	vêtes
qu'	elle / il	vête
que	nous	vêtions
que	vous	vêtiez
qu'	elles / ils	vêtent

Passé

que	j'	aie	vêtu
que	tu	aies	vêtu
qu'	elle / il	ait	vêtu
que	nous	ayons	vêtu
que	vous	ayez	vêtu
qu'	elles / ils	aient	vêtu

Imparfait

que	je	vêtisse
que	tu	vêtisses
qu'	elle / il	vêtît
que	nous	vêtissions
que	vous	vêtissiez
qu'	elles / ils	vêtissent

Plus-que-parfait

que	j'	eusse	vêtu
que	tu	eusses	vêtu
qu'	elle / il	eût	vêtu
que	nous	eussions	vêtu
que	vous	eussiez	vêtu
qu'	elles / ils	eussent	vêtu

Conditionnel

Présent

je	vêtirais
tu	vêtirais
elle / il	vêtirait
nous	vêtirions
vous	vêtiriez
elles / ils	vêtiraient

Passé

j'	aurais	vêtu
tu	aurais	vêtu
elle / il	aurait	vêtu
nous	aurions	vêtu
vous	auriez	vêtu
elles / ils	auraient	vêtu

Impératif

Présent

vêts
vêtons
vêtez

Passé

aie vêtu
ayons vêtu
ayez vêtu

Participe

Présent

vêtant

Passé

vêtu, ue
ayant vêtu

V

vidéo adj. inv.
Qui est relatif à l'enregistrement et à la reproduction de l'image et du son sur un écran de visualisation. *Des cassettes vidéo, des écrans vidéo, une bande vidéo, des jeux vidéo.*
Cet adjectif est invariable.

vidéo- préf.
Élément du latin signifiant « je vois ».
Les mots composés du préfixe ***vidéo-*** s'écrivent en un seul mot. *Vidéocassette.*

vidéocassette n. f.
Cassette servant à l'enregistrement et à la reproduction de l'image et du son.

vidéoclip n. m.
Court film vidéo destiné à faire la promotion d'une chanson. *Les enfants raffolent des vidéoclips.* **SYN.** clip.

vider v. tr., pronom.
Verbe transitif
1. Rendre vide. *J'ai vidé mon bureau parce que je déménage.*
2. (FAMILIER) Épuiser. *Cet effort soutenu l'a vidé.*
Verbe pronominal
Se désemplir. *Les rues se sont vidées très rapidement.*
Locution
Vider les lieux. Partir d'un endroit.
Conjugaison [VOIR MODÈLE – **AIMER**]

vie n. f.
1. Fait d'être vivant. *Le merveilleux privilège de donner la vie.* **ANT.** mort.
2. Espace qui s'écoule entre la naissance d'une personne et sa mort. *Elle a eu une vie heureuse, une longue vie.* **SYN.** existence.
3. Vitalité, animation. *Cette discussion est pleine de vie.* **ANT.** ennui, morosité.
Locutions
À vie, locution adverbiale. Pour toute la durée de la vie. *Ce président est nommé à vie. Il est emprisonné à vie.*
En vie, locution adverbiale. Vivant.
Jamais de la vie. En aucune manière, jamais.
Ne pas donner signe de vie. Ne pas donner de ses nouvelles.
Forme fautive
*pour la vie. Calque de l'anglais « for life » au sens de ***à vie.***

vieil
VOIR **VIEUX.**

vieillard n. m.
Homme âgé.
La forme féminine ***vieillarde*** est rare et péjorative.

vieillerie n. f.
Objet usé, ancien. *Ce ne sont que des vieilleries.*

vieillesse n. f.
1. Dernière période de la vie normale. **ANT.** jeunesse.
2. État d'une personne âgée.

vieilli, ie adj.
1. Qui est âgé.
2. Qui ne s'emploie plus dans la langue courante, en parlant d'un mot, d'une expression, d'une construction. *Le nom* ***laboureur*** *au sens de « cultivateur » est vieilli.*
Dans cet ouvrage, les mots vieillis sont indiqués à l'aide de la mention (VIEUX).

vieillir v. tr., intr., pronom.
Verbe transitif
Rendre vieux, faire paraître vieux. *Cette coiffure la vieillit.* **ANT.** rajeunir.
Verbe intransitif
1. Devenir vieux. *Les adultes aimeraient bien arrêter de vieillir.* **ANT.** rajeunir.
2. Devenir démodé, perdre de son actualité. *Ce sujet n'a pas vieilli, il est toujours d'intérêt.*
Verbe pronominal
Se faire paraître, se dire plus vieux qu'on ne l'est en réalité. *Ne te vieillis pas ainsi, habille-toi à la dernière mode.*
Le verbe se conjugue avec l'auxiliaire ***avoir*** pour marquer l'action, avec l'auxiliaire ***être*** pour marquer l'état. *Elle a bien vieilli au cours de ces dernières années. Comme il est vieilli aujourd'hui !*
Conjugaison [VOIR MODÈLE – **FINIR**]

vieillot, otte adj.
Démodé, vieux. *Des tenues vieillottes.* **SYN.** désuet.

vierge adj. et n. f.
Adjectif
1. Qui n'a jamais eu de relations sexuelles.
2. Qui est intact. *Une feuille vierge, un casier judiciaire vierge.*
3. Qui n'a jamais été exploité, exploré. *Une terre vierge, des régions polaires vierges.*
Nom féminin
1. Femme qui n'a jamais eu de relations sexuelles.
2. Nom d'une constellation, d'un signe du zodiaque.
Les noms d'astres s'écrivent avec une majuscule. *Elle est (du signe de la) Vierge, elle est née entre le 23 août et le 22 septembre.*
VOIR **ASTRE.**
Locutions
Forêt vierge. Forêt tropicale qui n'a pas été explorée.
La Sainte Vierge, la Vierge. La Vierge Marie.
En ce sens, le nom s'écrit avec une majuscule.

vietnamien, ienne adj. et n. m. et f.
Adjectif et nom masculin et féminin
Du Vietnam. *La cuisine vietnamienne. Un Vietnamien, une Vietnamienne.*
L'adjectif s'écrit avec une minuscule ; le nom, avec une majuscule.
Nom masculin
Langue parlée par les Vietnamiens. *Thanh parle le vietnamien.*
Le nom de la langue s'écrit avec une minuscule.

vieux ou **vieil, vieille** adj.
1. Qui est avancé en âge. *Ce monsieur est très vieux. Cette tortue est très vieille : est-elle centenaire ?*
Placé avant un nom qui commence par une voyelle ou un ***h*** muet, l'adjectif masculin s'orthographie ***vieil.*** *Un vieil arbre.*
2. Ancien. *Une vieille maison. Le Vieux-Montréal.*

vif, vive adj. et n. m.
Adjectif
1. Agile, rempli de vitalité, rapide. *Une personne vive, marcher à pas vifs.* **SYN.** alerte, énergique, fringant, vigoureux.
2. Qui comprend facilement, qui a des idées rapidement. *Un esprit vif, une imagination vive.*
3. Éclatant, lumineux. *Des rouges vifs, des couleurs vives.*
4. Grand. *Un vif succès, sa vive reconnaissance.* **SYN.** considérable, prononcé.
5. Vivant. *Ils ont été brûlés vifs, elles ont été brûlées vives.*

En ce sens, l'adjectif ne s'emploie que dans certaines locutions figées.

Nom masculin

1. Point essentiel. *Entrer dans le vif du sujet.*
2. Point sensible. *Elles ont été piquées au vif par cette insulte.*
SYN. cœur.

Locution

De vive voix. En parlant. *Il me l'a dit de vive voix.*

vigie n. f.
Matelot chargé d'observer du haut d'un mât ou à l'avant d'un bateau. *Bateau à bâbord ! cria la vigie.*
Attention au genre féminin de ce nom, même s'il désigne généralement un homme : ***une*** vigie.

vigilance n. f.
Surveillance. *Les enfants ont trompé sa vigilance et sont allés dans le petit bois.* **SYN.** attention.

vigilant, ante adj.
Attentif, soigneux. *Des gardiens vigilants.*

vigne n. f.
1. Arbuste dont le fruit est le raisin. *On a planté quelques pieds de vigne dans le jardin.*
2. Plantation de vignes. *Dans les Cantons de l'Est, on peut visiter des vignes.* **SYN.** vignoble.

vigneron n. m.
vigneronne n. f.
Personne qui se consacre à la culture de la vigne et à la production du vin.
Ne pas confondre avec le nom ***vignoble,*** plantation de vignes.

vignoble n. m.
Plantation de vignes. *Un vignoble réputé.* **SYN.** vigne.
Ne pas confondre avec le nom ***vigneron,*** personne qui cultive la vigne.

vigoureux, euse adj.
1. Fort, énergique. *Des efforts vigoureux.*
2. Robuste, solide, sain. *Des bûcherons vigoureux.*

vigueur n. f.
Force, énergie. *Ils ont travaillé avec vigueur pour bêcher le jardin.* **SYN.** ardeur.

Locution

Entrée en vigueur. Date à partir de laquelle une loi, un règlement, etc., s'applique. *La date d'entrée en vigueur* (et non la *date effective) *est le 1er janvier.*

vilain, aine adj.
1. Qui n'est pas gentil. *Un vilain petit canard.*
2. Mauvais, en parlant du temps. *Un vilain temps.*
3. Désagréable à voir. *Il a de vilaines dents.*
Cet adjectif se place généralement avant le nom.

vilebrequin n. m.
Le **e** de la deuxième syllabe est muet [vilbrəkɛ̃].
Outil servant à percer des trous.
vilebrequin, un seul ***l.***

village n. m.
Regroupement de maisons et de petits commerces à la campagne, qui offrent une forme de vie communautaire. *Le village de Port-au-Persil.*

villageois, oise n. m. et f.
Habitant d'un village.
vill**ageois.**

ville n. f.
1. Regroupement de constructions plus ou moins important, dont les activités sont axées sur l'industrie, le commerce, les services et l'administration. *Les villes de Montréal et de Québec.*
2. Ensemble des habitants d'une agglomération urbaine. *Toute la ville en parle.*

villégiature n. f.
Séjour à la campagne, à la montagne, à la mer. *Ils vont en villégiature à la mer.*
vi**ll**égiature.

vin n. m.
Boisson obtenue par la fermentation du raisin. *Un bon vin blanc bien frais. Un vin mousseux.*
HOM.
– **vain**, inutile ;
– **vingt**, dix-neuf plus un.

vinaigre n. m.
Liquide acide provenant d'un vin fermenté. *Pour faire de la vinaigrette, on mélange de l'huile et du vinaigre.*

vinaigrette n. f.
Assaisonnement fait d'huile et de vinaigre pour la salade, les crudités, etc.

vingt adj. num. et n. m. inv.
La lettre ***g*** ne se prononce jamais. Le ***t*** ne se prononce pas devant une consonne, il se prononce devant une voyelle ou un ***h*** muet. *Vin(gt) corbeaux, vin(g)t arbres, vin(g)t hôpitaux.* Dans les adjectifs numéraux composés, le ***t*** se prononce toujours. *Vin(g)t-quatre.*

Adjectif numéral cardinal

Dix-neuf plus un. *Vingt heures.*
1° L'adjectif numéral prend la marque du pluriel s'il est multiplié par un nombre et s'il n'est pas suivi d'un autre adjectif de nombre. *Quatre-vingts feuilles, quatre-vingt-huit dollars.* Attention aux mots ***million, milliard*** qui ne sont pas des adjectifs numéraux, mais des noms. *Quatre-vingts millions.* Précédé de ***cent*** ou de ***mille,*** l'adjectif numéral est toujours invariable. *Cent vingt personnes.*
2° Dans les adjectifs numéraux composés, le trait d'union s'emploie seulement entre les éléments qui sont l'un et l'autre inférieurs à cent, sauf si ces éléments sont joints par la conjonction ***et.*** *Cent quatre-vingts. Vingt et un. Vingt-cinq.*

Adjectif numéral ordinal invariable

Vingtième. *Le vingt décembre. En mil neuf cent quatre-vingt.*
L'adjectif numéral ordinal est invariable.

Nom masculin invariable

Nombre vingt. *Des vingt en chiffres géants.*
HOM.
– **vain**, inutile ;
– **vin**, boisson.

VOIR TABLEAU – **NOMBRES.**
VOIR TABLEAU – **NUMÉRAL (ADJECTIF).**

vingtaine n. f.
Quantité approximative de vingt. *Une vingtaine d'invités seront présents. Une jeune fille d'une vingtaine d'années.*
Après ce collectif suivi d'un nom pluriel, le verbe se met généralement au pluriel.

vingtième adj. num. et n. m. et f.
Abréviations : ***20e*** (vingtième), ***20es*** (vingtièmes).

Adjectif numéral ordinal
Nombre ordinal de vingt. *La vingtième heure.*
Nom masculin
La vingtième partie d'un tout. *Les trois vingtièmes d'une quantité.*
Nom masculin et féminin
Personne, chose qui occupe la vingtième place. *Elles sont les vingtièmes.*
VOIR TABLEAU – **NOMBRES.**
VOIR TABLEAU – **NUMÉRAL (ADJECTIF).**

vinyle n. m.
Produit chimique servant à la fabrication de matières plastiques et de textiles artificiels.
✎ vi**n**y**le,** le *i* vient avant le ***y*** comme dans l'alphabet.

viol n. m.
1. Action de posséder une personne contre sa volonté. *Il a été condamné pour viol.*
2. Fait de violer, de profaner un lieu. *Le viol d'une sépulture.*
HOM. viole, ancien instrument de musique.

viole n. f.
Ancien instrument de musique. *La viole de gambe.*
HOM. viol, action de posséder une personne contre sa volonté.

violemment adv.
Les lettres ***em*** se prononcent ***am*** ; le mot rime avec ***galamment.***
Avec violence. *Elle ferma la porte violemment.*
✎ viole**mm**ent.

violence n. f.
1. Brutalité, contrainte. *Vol avec violence.*
2. Puissance. *La violence des vents était telle que des toits ont été emportés.* **SYN.** force, intensité.

violent, ente adj.
1. Brutal, coléreux. *Des gestes violents.* **SYN.** brusque.
2. Fort, intense. *Des vents violents, une violente tempête.* **SYN.** puissant.

violenter v. tr.
Obliger quelqu'un à faire quelque chose par la violence, la force. **SYN.** brutaliser.
Conjugaison [VOIR MODÈLE – **AIMER**]

violer v. tr.
1. Ne pas respecter. *Il a violé la loi.* **SYN.** transgresser.
2. Profaner un lieu. *La tombe du pharaon a été violée.*
3. Posséder une personne contre sa volonté.
Conjugaison [VOIR MODÈLE – **AIMER**]

violet, ette adj. et n. m.
Adjectif de couleur variable
D'une couleur intermédiaire entre le rouge et le bleu. *Des velours violets. Une teinte violette.*
VOIR TABLEAU – **COULEUR (ADJECTIFS DE).**
Nom masculin
Couleur violette. *Des violets épiscopaux.*

violette n. f.
Plante donnant de petites fleurs odorantes.

violon n. m.
1. Instrument de musique à cordes que l'on fait vibrer à l'aide d'un archet.
2. Violoniste. *Il est premier violon dans un orchestre.*
✎ vio**l**on.

violoncelle n. m.
Instrument de musique à cordes, plus grand et de son plus grave que le violon.
✎ vio**l**once**ll**e.

violoncelliste n. m. et f.
Musicien, musicienne qui joue du violoncelle.
✎ vio**l**once**ll**iste.

violoniste n. m. et f.
Musicien, musicienne qui joue du violon.
✎ vio**l**o**n**iste, un seul ***l***, un seul ***n.***

vipère n. f.
1. Serpent venimeux. *La morsure de la vipère est venimeuse. Au Québec, il n'y a pas de vipères et les couleuvres ne sont pas dangereuses.*
2. (FIGURÉ) Personne malveillante. *C'est une langue de vipère.*
✎ vip**è**re.

virage n. m.
1. Endroit où une route décrit une courbe. *Ce chemin de montagne est plein de virages.* **SYN.** courbe, tournant.
2. Changement d'orientation d'un véhicule. *Cet automobiliste a pris le virage trop vite, il a dérapé.*
Forme fautive
*virage en U. Calque de l'anglais « U turn » pour ***demi-tour.***

viral, ale, aux adj.
Qui se rapporte à un virus. *Des maladies virales.*

virement n. m.
Transfert de fonds d'un compte à un autre. *Faire des virements bancaires.*
Locution
Virement automatique. Opération consistant à déposer une somme directement dans un compte en banque. *Un virement automatique* (et non un *dépôt direct).
✎ vi**r**ement.

virer v. tr., intr.
Verbe transitif
1. Faire passer des fonds d'un compte à un autre. *Dans quel compte désirez-vous virer la somme ?*
2. (FAMILIER) Congédier. *Ils les a virés sans ménagement.*
Verbe intransitif
1. Avancer en tournant, en parlant d'un véhicule. *Virez à gauche à la prochaine intersection.* **SYN.** tourner.
2. Changer de nuance. *Ce vert a légèrement viré au jaune.*
Conjugaison [VOIR MODÈLE – **AIMER**]

virevolter v. intr.
Tourner rapidement sur soi. *Les papillons virevoltaient en tous sens.*
Conjugaison [VOIR MODÈLE – **AIMER**]

virginal, ale, aux adj.
Pur. *Des aspects virginaux. Un blanc virginal.*

virginité n. f.
1. Pureté.
2. État de celui ou celle qui n'a jamais eu de relations sexuelles.

virgule n. f.
1. Signe de ponctuation qui sert à séparer divers éléments d'une phrase. *La virgule marque un temps d'arrêt, une pause légère dans la phrase.*
VOIR TABLEAU – **ESPACEMENTS.**
VOIR TABLEAU – **PONCTUATION.**

2. Signe décimal qui sépare la partie entière et la partie décimale d'un nombre. *Il y a une virgule dans 15,5 kilomètres.*
VOIR TABLEAU – **NOMBRES.**

viril, ile adj.
Relatif à l'homme. *Une voix virile.* **SYN.** mâle.

virilité n. f.
Caractère viril.

virtuel, elle adj.
Qui est en puissance, potentiel.
Locution
Réalité virtuelle. Simulation d'un environnement à l'aide d'images en trois dimensions. *Avec ces lunettes, on peut visiter une station spatiale grâce à la réalité virtuelle.*

virtuose adj. et n. m. et f.
Artiste extrêmement habile et doué. *C'est un virtuose du piano, une virtuose du violon.*

virulence n. f.
Violence. *La virulence d'une critique.*
✎ virul**e**nce.

virulent, ente adj.
1. Nocif et violent. *Un poison virulent.*
2. Mordant et violent. *Des critiques virulentes contre le gouvernement.*
✎ virul**e**nt.

virus n. m.
👄 Le ***s*** se prononce [virys]; le mot rime avec ***cactus.***
Organisme microscopique agent de la contagion. *Le virus de la grippe.*

vis n. f.
👄 Le ***s*** se prononce [vis]; le mot rime avec ***vice.***
Tige filetée qui se fixe sans écrou. *Les tablettes de la bibliothèque ont été fixées à l'aide de vis. On pose des vis à l'aide d'un tournevis.*
🔊 Ne pas confondre avec le nom ***boulon,*** dispositif de fixation composé d'une tige et d'un écrou.
HOM. vice, défaut.

visa n. m.
Formule accompagnée d'un sceau, d'une signature apposée sur un document, un passeport pour le rendre valide. *Des visas obligatoires pour entrer dans ces pays.*

visage n. m.
1. Partie avant de la tête. *De frais visages d'enfants. Un beau visage.* **SYN.** face, figure.
2. Expression du visage. *Un visage radieux, un visage triste.*
3. (FIGURÉ) Aspect d'une chose. *Le vrai visage de la campagne québécoise.* **SYN.** image.

vis-à-vis adv.
Adverbe
Devant. *Il habite vis-à-vis.*
Locutions
Vis-à-vis de, locution prépositive. En face de. *L'école est vis-à-vis de la bibliothèque.*
Vis-à-vis de, locution prépositive. (FAMILIER) À l'égard de. *Cette personne a mal agi vis-à-vis de notre collègue.*
🔊 Dans un style soutenu, on préférera ***envers, à l'égard de.***

viser v. tr., intr.
Verbe transitif
1. Pointer une arme, un objet en direction d'un but, d'une cible. *Il avait visé le panier et il a réussi. Viser un canard sauvage.*
🔊 Le complément du verbe qui désigne la partie visée se construit avec la préposition ***à.*** *Le lanceur visa à la jambe.*
2. Tenter d'atteindre. *Elle vise la présidence, rien de moins.* **SYN.** chercher, désirer, rechercher.
3. Concerner. *Cette remarque vise l'ensemble du personnel.*
Verbe intransitif
Diriger quelque chose vers un point. *Tu as mal visé et tu as raté la cible.*
Locution
Se sentir visé. Se croire l'objet d'une attaque, d'une critique.
Conjugaison [VOIR MODÈLE – **AIMER**]

visibilité n. f.
Transparence de l'atmosphère qui permet de voir au loin. *Aujourd'hui, la visibilité est excellente : on peut apercevoir les montagnes au loin.*

visible adj.
1. Qui peut être vu. *Cette étoile est visible à l'œil nu.* **SYN.** observable. **ANT.** invisible.
2. Manifeste, évident. *C'est avec une satisfaction bien visible qu'il apprit la nouvelle.*

visiblement adv.
Manifestement. *Ils étaient visiblement émus.*

visière n. f.
Partie d'une coiffure qui fait saillie pour protéger le front et les yeux. *La visière d'une casquette.*

vision n. f.
1. Perception par l'organe de la vue ; la vue. *Un champ de vision.* **SYN.** vue.
2. Façon de concevoir quelque chose. *Une vision simpliste de la situation.* **SYN.** compréhension, perception.
3. Hallucination. *Elle a des visions maintenant : elle voit des serpents dans le salon et des araignées au plafond.* **SYN.** apparition.

visionnaire adj. et n. m. et f.
Qui peut imaginer avec exactitude le futur, l'évolution. *Dans* Objectif lune, *Hergé a prouvé qu'il était un visionnaire : il a conçu une fusée bien longtemps avant les premières fusées russes et américaines.*
✎ visio**nn**aire.

visite n. f.
Action d'aller voir quelqu'un, quelque chose. *La visite d'un ami, des visites médicales. Rendre visite à un parent. La visite de la ville.*

visiter v. tr.
1. Aller voir quelqu'un, lui faire une visite. *Le chirurgien visite ses patients tous les jours. Étienne visitera ses grands-parents à la campagne.*
2. Parcourir un lieu. *Visiter un musée, un pays étranger.* **SYN.** voir.
Conjugaison [VOIR MODÈLE – **AIMER**]

V

visiteur, euse n. m. et f.
1. Touriste. *Nous avons beaucoup de visiteurs américains au cours de l'été.*
2. Personne qui fait une visite. *Ce musée a reçu des milliers de visiteurs cette année.*

vison n. m.
1. Mammifère carnassier dont la fourrure est très appréciée. *Plusieurs fermes pratiquent l'élevage du vison.*
2. (PAR EXTENSION) Vêtement de vison. *Un magnifique vison.*

Indicatif

Présent	*Passé composé*
je vis	j' ai vécu
tu vis	tu as vécu
elle vit	elle a vécu
il vit	il a vécu
nous vivons	nous avons vécu
vous vivez	vous avez vécu
elles vivent	elles ont vécu
ils vivent	ils ont vécu

Imparfait	*Plus-que-parfait*
je vivais	j' avais vécu
tu vivais	tu avais vécu
elle vivait	elle avait vécu
il vivait	il avait vécu
nous vivions	nous avions vécu
vous viviez	vous aviez vécu
elles vivaient	elles avaient vécu
ils vivaient	ils avaient vécu

Passé simple	*Passé antérieur*
je vécus	j' eus vécu
tu vécus	tu eus vécu
elle vécut	elle eut vécu
il vécut	il eut vécu
nous vécûmes	nous eûmes vécu
vous vécûtes	vous eûtes vécu
elles vécurent	elles eurent vécu
ils vécurent	ils eurent vécu

Futur simple	*Futur antérieur*
je vivrai	j' aurai vécu
tu vivras	tu auras vécu
elle vivra	elle aura vécu
il vivra	il aura vécu
nous vivrons	nous aurons vécu
vous vivrez	vous aurez vécu
elles vivront	elles auront vécu
ils vivront	ils auront vécu

Infinitif

Présent	*Passé*
vivre	avoir vécu

Subjonctif

Présent	*Passé*
que je vive	que j' aie vécu
que tu vives	que tu aies vécu
qu' elle vive	qu' elle ait vécu
qu' il vive	qu' il ait vécu
que nous vivions	que nous ayons vécu
que vous viviez	que vous ayez vécu
qu' elles vivent	qu' elles aient vécu
qu' ils vivent	qu' ils aient vécu

Imparfait	*Plus-que-parfait*
que je vécusse	que j' eusse vécu
que tu vécusses	que tu eusses vécu
qu' elle vécût	qu' elle eût vécu
qu' il vécût	qu' il eût vécu
que nous vécussions	que nous eussions vécu
que vous vécussiez	que vous eussiez vécu
qu' elles vécussent	qu' elles eussent vécu
qu' ils vécussent	qu' ils eussent vécu

Conditionnel

Présent	*Passé*
je vivrais	j' aurais vécu
tu vivrais	tu aurais vécu
elle vivrait	elle aurait vécu
il vivrait	il aurait vécu
nous vivrions	nous aurions vécu
vous vivriez	vous auriez vécu
elles vivraient	elles auraient vécu
ils vivraient	ils auraient vécu

Impératif

Présent	*Passé*
vis	aie vécu
vivons	ayons vécu
vivez	ayez vécu

Participe

Présent	*Passé*
vivant	vécu, ue
	ayant vécu

V

visqueux, euse adj.
Collant. *Qui a laissé le pot de miel aussi visqueux ?* **SYN.** poisseux.
visqueux.

visser v. tr.
1. Fixer avec des vis. *On doit visser ces tablettes solidement.*
2. Fermer à l'aide d'un couvercle muni d'un pas de vis. *Vissez bien le bouchon de cette bouteille.*
Conjugaison [VOIR MODÈLE – **AIMER**]
visser.

visuel, elle adj.
Relatif à la vue. *La mémoire visuelle. Le* Visuel *est un dictionnaire entièrement illustré.*

vital, ale, aux adj.
1. Qui constitue la vie. *Des points vitaux, des signes vitaux.*
2. Essentiel. *Ces données sont vitales pour nous.* **SYN.** indispensable.

vitalité n. f.
Énergie, dynamisme. *Ces enfants ont une vitalité débordante.* **SYN.** vigueur.

vitamine n. f.
Substance indispensable à l'organisme. *On trouve de la vitamine C dans les oranges.*
vitamine.

vite adj. et adv.
Adjectif
(LITTÉRAIRE) Rapide. *Les coureurs les plus vites.*
Comme adjectif, le mot prend la marque du pluriel.
Adverbe
1. Rapidement. *Ils roulent trop vite. Le temps passe vite quand on s'amuse.* **SYN.** bientôt.
À titre d'adverbe, le mot est invariable.
2. Dans peu de temps. *Nous finirons vite.* **SYN.** bientôt.
Locution
Au plus vite, locution adverbiale. Sans tarder.

vitesse n. f.
1. Rapidité. *La vitesse de l'éclair.*
2. Allure. *À proximité de l'école, il faut rouler à faible vitesse.*
Locutions
À toute vitesse, locution adverbiale. Très rapidement.
En vitesse, locution adverbiale. Au plus vite. *Partez en vitesse, vous êtes en retard.*
Vitesse limite. Vitesse maximale permise sur une voie de circulation. *Des vitesses limites fixées à 100 km/h.*
Ces mots mis en apposition prennent tous deux la marque du pluriel et ne sont pas liés par un trait d'union.

vitrail n. m. (pl. *vitraux*)
Panneau de verre décoratif. *Les vitraux d'une église.*

vitre n. f.
Panneau de verre qui garnit une ouverture. *Remplacer la vitre cassée d'une fenêtre.*
Pour les vitres de la voiture, on emploie plutôt le nom ***glace.***

vitrerie n. f.
Commerce du vitrier. *La vitrine est fracassée ? Appelez la vitrerie Lebeau !*

vitreux, euse adj.
Sans l'éclat. *Un regard vitreux.* **SYN.** terne.

vitrier n. m.
Personne dont le métier est de travailler le verre, de poser les vitres.

vitrine n. f.
Partie d'un magasin, d'une boutique où les marchandises sont exposées derrière une vitre. *De magnifiques vitrines remplies de tentations.*
Locution
Lèche-vitrine. Action de flâner en regardant les vitrines. *Elle aime faire du lèche-vitrine.* **SYN.** magasinage.
On dit aussi ***lèche-vitrines.***

vivace adj.
1. Qui vit plusieurs années, en parlant des plantes (par opposition à ***annuel***). *Les marguerites sont des fleurs vivaces.*
2. Durable. *Une rancœur vivace.* **SYN.** tenace.
vivace.

vivacité n. f.
1. Entrain, rapidité à agir. **SYN.** ardeur.
2. Caractère qui réagit vite. *L'avocat répliqua avec vivacité.*

vivant, ante adj.
Qui vit. *Les êtres vivants.* **ANT.** mort.
Ne pas confondre avec le participe présent invariable. *Des animaux vivant dans la jungle.*

vive interj.
Formule d'acclamation. *Vive les vacances !*
Suivie d'un nom pluriel, l'interjection peut s'orthographier ***vivent.*** Cependant, elle demeure plutôt invariable.

vivement adv.
1. Avec vivacité, vigueur. *Ils se sont vivement opposés à ce projet de construction dans le parc.*
2. Vite. *Vivement les vacances ! J'ai hâte de me reposer.*

vivier n. m.
Étang aménagé pour y conserver des poissons vivants. *Il y a des truites dans ce vivier.*

vivifiant, ante adj.
Sain, qui donne de la vitalité. *Cet air pur est vivifiant.* **SYN.** stimulant.

vivifier v. tr.
Donner de la vigueur, tonifier. *L'air pur de la mer nous vivifiera.* **SYN.** fortifier, stimuler.
Conjugaison [VOIR MODÈLE – **ÉTUDIER**]
Redoublement du ***i*** à la première et à la deuxième personne du pluriel de l'indicatif imparfait et du subjonctif présent. *(Que) nous vivifiions, (que) vous vivifiiez.*

vivre v. tr., intr.
Verbe transitif
1. Profiter de l'existence. *Vivre sa vie comme on l'entend.*
2. Ressentir. *Les inquiétudes qu'il a vécues.* **SYN.** sentir.
En ce sens, le participe passé s'accorde puisqu'il s'agit d'un complément d'objet direct.
Verbe intransitif
1. Être en vie. *Ses grands-parents vivent toujours.* **SYN.** exister.
Le participe passé reste invariable si le verbe a un complément circonstanciel. *Les dix années qu'il a vécu auprès d'elle* (pendant lesquelles).
2. Durer. *« Et rose elle a vécu ce que vivent les roses, L'espace d'un matin. »* (Malherbe)
3. Habiter. *Ils vivent à la campagne.* **SYN.** résider.
Conjugaison [VOIR MODÈLE – **VIVRE**]

vivre n. m.
(AU PLURIEL) Aliments, provisions.

Locutions
Couper les vivres à quelqu'un. (FIGURÉ) Ne plus donner une aide pécuniaire.
Le vivre et le couvert. La nourriture et le logement.

vizir n. m.
(ANCIENNEMENT) Membre du conseil de certains pays islamiques, dont la Turquie.
Locution
Grand vizir. Premier ministre.

vocabulaire n. m.
1. Ensemble des mots d'une langue. *Il est intéressant d'étudier le vocabulaire français.*
2. Ensemble des mots que connaît une personne. *Son vocabulaire est riche et précis.*
3. Ensemble des termes d'un domaine. *Le vocabulaire de la gestion, de la médecine.*
4. Ouvrage qui comprend les mots d'une spécialité avec leurs définitions. *Un vocabulaire des sports.*

vocal, ale, aux adj.
Relatif à la voix. *Les cordes vocales.* **ANT.** instrumental.

vocalise n. f.
Exercice vocal, en chant. *La cantatrice fait des vocalises pour exercer sa voix.*

vocation n. f.
1. Aptitude particulière pour un domaine d'activité. *Ces jeunes ont une vocation théâtrale.* **SYN.** attirance, goût, talent.
2. Rôle particulier. *La vocation touristique de cette région.*

vodka n. f.
Eau-de-vie d'origine russe. *Des vodkas avec du jus de tomate.*

vœu n. m. (pl. *vœux*)
Souhait. *Nos vœux les meilleurs. Vous comblez mon vœu le plus cher.*
On offre, on adresse des vœux de bonheur. On fait, on formule le vœu que tout aille bien. On forme des vœux pour la réussite d'une entreprise.

vogue n. f.
Mode. *La vogue des pantalons fuseaux est revenue.* **SYN.** popularité.
Locution
En vogue. À la mode. *Les romans en vogue cet été.*

voguer v. intr.
(LITTÉRAIRE) Naviguer. *Et vogue le navire !*
Conjugaison [VOIR MODÈLE – **AIMER**]

voici prép.
1. La préposition indique une personne, une chose proche. *Voici notre maison et, plus loin, voilà celle de nos amis.*
Dans la langue courante, cette distinction n'est pas toujours respectée, la préposition ***voilà*** étant beaucoup plus utilisée que la préposition ***voici.***
2. La préposition désigne une chose dont il sera question par opposition à ***voilà*** qui renvoie à une chose dont on a parlé. *Voici ce qui arrivera.*
3. La préposition sert à désigner une chose qui commence à se produire (avec une valeur temporelle). *Voici l'orage qui commence. Voici venir les beaux jours.*
VOIR **VOILÀ.**

voie n. f.
1. Chemin. *La voie publique, la voie maritime, une voie ferrée, des voies de circulation.*
2. Mode de transport. *Par la voie des airs.*
3. (FIGURÉ) Direction. *La voie du succès.* **SYN.** chemin, route.
Locutions
Voie de circulation. Route. *Des voies de circulation très fréquentées.*
Voie lactée. Bande blanchâtre composée de milliards d'étoiles.
Le nom ***voie*** désigne par métaphore la Galaxie et s'écrit avec une majuscule ; le déterminant qui suit s'écrit avec une minuscule.
VOIR **ASTRE.**
Forme fautive
*voie de service. Calque de l'anglais « service road » au sens de ***voie de desserte.***
Les mots génériques des voies de circulation (***avenue, boulevard, chemin, côte, place, route, rue***) s'écrivent en minuscules et sont suivis du nom spécifique qui s'écrit avec une ou des majuscules. *L'avenue de la Brunante, le boulevard René-Lévesque, le chemin Saint-Louis, la place d'Armes, la rue du Manoir.*
Cependant, les voies de circulation caractérisées par un adjectif numéral ordinal s'écrivent avec une majuscule. *La 5e Avenue.*
Les abréviations usuelles sont ***av.*** (avenue), ***bd, b^{d}*** ou ***boul.*** (boulevard), ***ch.*** (chemin), ***pl.*** (place), ***rte*** ou ***r^{te}*** (route).
HOM. voix, ensemble de sons produits par les cordes vocales.

voilà prép.
1. La préposition indique une personne, une chose relativement éloignée (par opposition à ***voici***). *Voilà que nous apercevons le petit village où nous nous rendons.*
La distinction entre les prépositions ***voilà*** et ***voici*** n'est pas toujours respectée, ***voilà*** tendant à supplanter ***voici*** dans la langue courante.
2. La préposition renvoie à une chose dont il a été question (par opposition à ***voici,*** qui désigne une chose dont il sera question). *Eh bien voilà ce que je voulais vous confier.*
3. Il y a. *Voilà dix ans que je ne l'ai vu.*
Locutions
En veux-tu, en voilà !, locution adverbiale. (FAMILIER) En abondance. *Des framboises en veux-tu, en voilà (en v'là) !*
En voilà assez. Il est impossible d'en tolérer davantage.
VOIR **VOICI.**
voil**à.**

voile n. m. et f.
Nom masculin
1. Étoffe destinée à couvrir le visage ou la tête des femmes dans certaines circonstances. *Un voile de mariée.*
2. (FIGURÉ) Ce qui empêche de voir. *Il faudrait lever le voile qui nous dissimule la vérité.*
Nom féminin
Pièce de toile fixée au mât d'un bateau pour recevoir le vent. *Les marins ont hissé les voiles.*
Locutions
Faire voile. Naviguer. *Ils font voile vers la Bretagne.*
Dans cette expression, le nom reste invariable.
Mettre les voiles. (FAMILIER) Partir précipitamment.

voilé, ée adj.
1. Qui porte un voile. *Une femme voilée.*
2. (FIGURÉ) Dissimulé. *Le sens voilé d'un message.* **SYN.** caché.

voiler v. tr., pronom.
Verbe transitif
1. Couvrir d'un voile.
2. (LITTÉRAIRE) Cacher sous des apparences. *Voiler les faits.* **SYN.** dissimuler.

Verbe pronominal
Se couvrir d'un voile. *Elles se sont voilées pour entrer dans l'église.*
Conjugaison [VOIR MODÈLE – **AIMER**]

voilette n. f.
Petit voile fixé à la coiffure et qui cache partiellement le visage.

voilier n. m.
Bateau muni de voiles. *Un magnifique voilier à quatre mâts.*
Ne pas confondre avec les noms suivants :
– ***bateau,*** bâtiment, grand ou petit, qui navigue sur la mer ou sur les rivières ;
– ***canot,*** petit bateau ;
– ***cargo,*** navire pour le transport des marchandises ;
– ***paquebot,*** grand navire pour le transport des passagers ;
– ***pétrolier,*** navire-citerne pour le transport du pétrole ;
– ***yacht,*** bateau de plaisance.

voilure n. f.
Ensemble des voiles d'un navire.

voir v. tr., intr., pronom.
Verbe transitif direct
1. Percevoir par la vue. *De son bureau, on voit la cime des arbres.* **SYN.** apercevoir.
Le participe passé suivi d'un infinitif s'accorde en genre et en nombre avec le complément d'objet direct qui précède le verbe et qui fait l'action exprimée par l'infinitif. *Les enfants qu'elle a vus grandir,* mais *les arbres que j'ai vu couper.*
2. Être témoin d'un évènement. *Ils ont vu l'accident se produire.* **SYN.** assister à.
3. Visiter, parcourir. *Nous avons vu tous les châteaux de la Loire.* **SYN.** découvrir.
4. Rendre visite à. *Venez donc prendre le thé, il y a si longtemps qu'on ne vous a vus.*
5. (FIGURÉ) Constater. *Je vois que tu travailles fort.* **SYN.** s'apercevoir, comprendre, réaliser.
6. (FIGURÉ) Supporter. *Elle ne peut plus la voir, elle est si désagréable.* **SYN.** endurer.
En ce sens, le verbe ne s'emploie que dans une tournure négative.
Verbe transitif indirect
Veiller à. *Nous verrons à la qualité des travaux.*
En ce sens, le verbe se construit avec la préposition **à.**
Verbe intransitif
Percevoir par la vue. *Elle ne voit plus très bien.*
Verbe pronominal
1. Apercevoir sa propre image. *Elles se sont vues dans le miroir.*
2. Se regarder, se rencontrer. *Ils se sont vus, mais n'ont pas échangé une parole. Elles se voient une fois par mois.*
3. Être aperçu. *Cette étoile ne se voit qu'en été.*
Locutions
Avoir quelque chose à voir. Concerner, être en rapport avec. *Ces travaux n'ont rien à voir avec nous.*
Laisser voir. Révéler. *Il a laissé voir son véritable caractère.*
Pour voir. Afin d'essayer. *Allons-y pour voir.*
Voir. Le verbe sert à renvoyer à un autre mot, dans un dictionnaire, un texte. Abréviation ***v.*** ou ***V.***
Voir le jour. (LITTÉRAIRE) Venir au monde.
Voir loin. Prévoir. *C'est un visionnaire : il voit loin.*
Voir venir. Attendre avant de prendre une décision.
Voyons ! Formule d'encouragement, d'exhortation. *Voyons, soyez raisonnable !*
Conjugaison [VOIR MODÈLE – **VOIR**]
Le ***y*** est suivi d'un ***i*** à la première et à la deuxième personne du pluriel de l'indicatif imparfait et du subjonctif présent. *(Que) nous voyions, (que) vous voyiez.*

voirie n. f.
1. Ensemble des voies de communication publiques.
2. Entretien des voies publiques. *C'est la voirie qui se charge de déneiger les routes.*
voiri**e.**

voisin, ine adj. et n. m. et f.
Adjectif
1. Qui est proche, à proximité. *Des immeubles voisins.*
2. Qui présente des analogies. *La vigogne est un animal voisin du lama. Le sens voisin d'un mot.*
Nom masculin et féminin
Personne qui habite à proximité. *Nous avons de bons voisins.*

voisinage n. m.
Proximité. *Le voisinage de la mer. Elle habite dans le voisinage.*

voiture n. f.
1. Véhicule qui sert au transport des personnes, des choses. *La mère de François a acheté une petite voiture.*
Ce mot est de plus en plus utilisé pour remplacer le mot ***automobile.***
2. Véhicule roulant sur des rails et servant au transport des voyageurs. *En voiture ! Le train part dans une minute.*
Théoriquement, la ***voiture*** sert au transport des personnes par rail, alors que le ***wagon*** sert au transport des marchandises. Dans les faits, le mot ***wagon*** est employé pour des personnes et des choses.

voix n. f.
1. Ensemble de sons produits par les cordes vocales. *Une belle voix grave.*
2. (FIGURÉ) Appel, inspiration. *Entendre la voix de la raison.*
3. Expression d'une opinion, d'un vote. *Ce candidat a recueilli 4 000 voix.*
Locutions
De vive voix. En parlant. *Il me l'a dit de vive voix.*
Voix active, voix passive. (GRAMMAIRE) Forme prise par le verbe suivant que l'action est faite ou subie par le sujet.
VOIR TABLEAU – **VERBE.**
HOM. voie, chemin.
voi**x.**

vol n. m.
1. Déplacement aérien au moyen d'ailes. *Le vol des oiseaux.*
2. Trajet en avion. *Nous prendrons le vol* (et non l'*envol, l'*envolée) *de 15 heures.*
3. Action de s'emparer du bien d'autrui. *C'est un vol à main armée* (et non un *hold-up).
Locution
À vol d'oiseau, locution adverbiale. (FIGURÉ) En ligne droite.

volaille n. f.
Oiseau de basse-cour.

volant, ante adj. et n. m.
Adjectif
Qui peut voler. *Des poissons volants.*
Nom masculin
Dispositif qui assure la direction d'un véhicule. *Tourne le volant de la voiture* (et non le *steering) *pour éviter ce petit chien égaré !*

Indicatif

Présent

je	vois
tu	vois
elle	voit
il	voit
nous	voyons
vous	voyez
elles	voient
ils	voient

Passé composé

j'	ai	vu
tu	as	vu
elle	a	vu
il	a	vu
nous	avons	vu
vous	avez	vu
elles	ont	vu
ils	ont	vu

Imparfait

je	voyais
tu	voyais
elle	voyait
il	voyait
nous	voyions
vous	voyiez
elles	voyaient
ils	voyaient

Plus-que-parfait

j'	avais	vu
tu	avais	vu
elle	avait	vu
il	avait	vu
nous	avions	vu
vous	aviez	vu
elles	avaient	vu
ils	avaient	vu

Passé simple

je	vis
tu	vis
elle	vit
il	vit
nous	vîmes
vous	vîtes
elles	virent
ils	virent

Passé antérieur

j'	eus	vu
tu	eus	vu
elle	eut	vu
il	eut	vu
nous	eûmes	vu
vous	eûtes	vu
elles	eurent	vu
ils	eurent	vu

Futur simple

je	verrai
tu	verras
elle	verra
il	verra
nous	verrons
vous	verrez
elles	verront
ils	verront

Futur antérieur

j'	aurai	vu
tu	auras	vu
elle	aura	vu
il	aura	vu
nous	aurons	vu
vous	aurez	vu
elles	auront	vu
ils	auront	vu

Infinitif

Présent

voir

Passé

avoir vu

Subjonctif

Présent

que	je	voie
que	tu	voies
qu'	elle	voie
qu'	il	voie
que	nous	voyions
que	vous	voyiez
qu'	elles	voient
qu'	ils	voient

Passé

que	j'	aie	vu
que	tu	aies	vu
qu'	elle	ait	vu
qu'	il	ait	vu
que	nous	ayons	vu
que	vous	ayez	vu
qu'	elles	aient	vu
qu'	ils	aient	vu

Imparfait

que	je	visse
que	tu	visses
qu'	elle	vît
qu'	il	vît
que	nous	vissions
que	vous	vissiez
qu'	elles	vissent
qu'	ils	vissent

Plus-que-parfait

que	j'	eusse	vu
que	tu	eusses	vu
qu'	elle	eût	vu
qu'	il	eût	vu
que	nous	eussions	vu
que	vous	eussiez	vu
qu'	elles	eussent	vu
qu'	ils	eussent	vu

Conditionnel

Présent

je	verrais
tu	verrais
elle	verrait
il	verrait
nous	verrions
vous	verriez
elles	verraient
ils	verraient

Passé

j'	aurais	vu
tu	aurais	vu
elle	aurait	vu
il	aurait	vu
nous	aurions	vu
vous	auriez	vu
elles	auraient	vu
ils	auraient	vu

Impératif

Présent

vois
voyons
voyez

Passé

aie vu
ayons vu
ayez vu

Participe

Présent

voyant

Passé

vu, ue
ayant vu

volatil, ile adj.
Qui se transforme facilement en vapeur. *Une substance volatile.* **HOM. volatile**, oiseau domestique.
volati**l**.

volatile n. m.
Oiseau domestique. *La basse-cour regorgeait de volatiles.* **HOM. volatil**, qui se transforme facilement en vapeur.
volati**le**.

volatiliser v. tr., pronom.
Verbe transitif
Faire passer à l'état gazeux.
Verbe pronominal
Disparaître. *Les sommes se sont volatilisées.*
Conjugaison [VOIR MODÈLE – **AIMER**]

vol-au-vent n. m. inv. (pl. *vol-au-vent*)
Entrée de pâte feuilletée garnie d'une viande, d'un poisson en sauce. *Un vol-au-vent au poulet et aux champignons.*

volcan n. m.
Cratère situé sur une montagne, d'où s'échappent de la cendre, de la lave en fusion, etc.

volcanique adj.
Qui concerne les volcans. *Des boues volcaniques. Une éruption volcanique.*
volca**n**ique.

volée n. f.
1. Groupe d'oiseaux qui volent ensemble. *Une volée de canards sauvages.*
2. Suite de coups. *Ces voyous mériteraient une bonne volée.* **SYN.** raclée.
Locutions
À toute volée. Avec force. *Il lança le poids à toute volée.*
Dans cette expression, le nom est au singulier.
À la volée. Très rapidement.

voler v. tr., intr.
Verbe transitif
Dérober. *On leur a volé leur voiture.* **SYN.** (FAMILIER) piquer, subtiliser.
Verbe intransitif
Se déplacer dans l'air. *Ils volent à haute altitude.*
Conjugaison [VOIR MODÈLE – **AIMER**]

volet n. m.
Panneau de bois, de métal. *Les volets rouges d'une fenêtre.*
Locution
Trié sur le volet. Sélectionné de façon très rigoureuse.
vole**t.**

voleur, euse adj. et n. m. et f.
Personne qui vole ou qui a volé. *Ce sont des voleurs expérimentés.*

volière n. f.
Cage où l'on enferme les oiseaux. *Une belle volière remplie d'oiseaux tropicaux.*
volière.

volley-ball ou **volley** n. m. (pl. *volley-balls*)
Le mot se prononce à l'anglaise [vɔlɛbɔl].
Sport opposant deux équipes qui doivent se renvoyer un ballon par-dessus un filet. *Il excelle au volley-ball.*
voll**ey**-ball.

volontaire adj. et n. m. et f.
Adjectif
1. Qui se fait librement, par la volonté. *Un geste volontaire.* **SYN.** libre, voulu.
2. Déterminé. *C'est une personne très volontaire.* **SYN.** décidé.
Nom masculin et féminin
Personne qui propose librement ses services, notamment dans l'armée. *Y a-t-il des volontaires pour éplucher les pommes de terre ?*

volontairement adv.
Intentionnellement. *Il l'a volontairement frappé.* **SYN.** délibérément, exprès.

volonté n. f.
1. Intention ferme de faire ou de ne pas faire quelque chose. *Ils ont agi contre sa volonté.*
2. Détermination. *Ils ont beaucoup de volonté. Elle a une volonté de fer.*
3. (AU PLURIEL) Caprices. *Il faisait toutes ses volontés, ses quatre volontés.*
Locution
À volonté. Autant qu'on en désire. *Servez-vous à volonté.*

volontiers adv.
1. De bon gré, avec plaisir. *Je prendrais volontiers un jus bien frais.* **SYN.** certainement.
2. Facilement. *Elle le croit volontiers.*
volonti**ers.**

volt n. m.
Le ***o*** est ouvert [vɔlt].
Symbole ***V*** (s'écrit sans point).
Unité de mesure de force électromotrice. *Le courant est de 220 volts. La tension électrique est de 110 V* ou (elliptiquement), *de 110.*

voltage n. m.
(FAMILIER) Tension électrique. *Le voltage d'un appareil d'éclairage.*

volte-face n. f. inv. (pl. *volte-face*)
1. Revirement soudain. *Les marcheurs ont fait volte-face et sont revenus sur leurs pas.*
2. Changement d'avis, d'attitude. *Les volte-face du maire de la ville, qui a de nouveau annulé la décision prise la semaine dernière.*
volte-face, avec un trait d'union.

voltige n. f.
Acrobatie. *Un exercice de voltige périlleux.*

voltiger v. intr.
1. Voler en battant des ailes. *Une hirondelle voltigeait autour de sa petite maison.*
2. Flotter au gré du vent. *Les samares voltigent doucement.*
Conjugaison [VOIR MODÈLE – **CHANGER**]
Le ***g*** est suivi d'un **e** devant les lettres ***a*** et ***o.*** *Il voltigea, nous voltigeons.*

volubile adj.
Qui parle beaucoup. *Il n'est pas très volubile.* **SYN.** bavard.
volubil**e.**

volubilité n. f.
Aisance, abondance de la parole. *Ils racontèrent leur expédition avec une volubilité étourdissante.*

volume n. m.
1. Livre relié. *Une magnifique bibliothèque remplie de volumes anciens.*

2. Partie d'un ouvrage. *Un dictionnaire en trois volumes.* **SYN.** tome.
3. Étendue d'un corps à trois dimensions.
L'évaluation du volume (en mètres cubes) est le ***cubage,*** alors que la ***superficie*** est la mesure d'un corps à deux dimensions.
4. Intensité des sons. *Pourriez-vous baisser le volume du téléviseur, on ne s'entend plus.*
volume.

volumineux, euse adj.
Qui a un grand volume. *Des colis volumineux.* **SYN.** gros.

volupté n. f.
Plaisir des sens. *Elle plonge avec volupté dans la piscine d'eau fraîche.*

voluptueux, euse adj.
1. Qui exprime, qui inspire la volupté. *Une danse voluptueuse.* **SYN.** sensuel.
2. Qui procure du plaisir. *Des rêveries voluptueuses.* **SYN.** agréable, délicieux, doux.

vomir v. tr.
Le ***o*** est ouvert [vɔmir].
1. Rejeter par la bouche ce qui était dans l'estomac. **SYN.** rendre.
2. (FIGURÉ) Projeter. *Le volcan vomissait des matières en fusion.*
Conjugaison [VOIR MODÈLE – **FINIR**]

vomissement n. m.
Le ***o*** est ouvert [vɔmismɑ̃].
Action de vomir.
vomi**ss**ement.

vorace adj.
Qui mange avec avidité. *Un ours vorace.* **SYN.** glouton.
vora**ce.**

voracité n. f.
Avidité. *La voracité d'un loup affamé.* **SYN.** gloutonnerie.

vos
VOIR **VOTRE.**

vote n. m.
Acte par lequel une personne donne son opinion.

voter v. tr., intr.
Verbe transitif
Adopter par un vote majoritaire (une loi, une mesure, etc.). *Voter une loi.*
Verbe intransitif
Exprimer son opinion par un vote. *Le devoir du citoyen est d'aller voter.*
Conjugaison [VOIR MODÈLE – **AIMER**]

votre adj. poss. m. et f. (pl. *vos*)
1. Adjectif possessif de la deuxième personne du pluriel et des deux genres.
2. Qui est à vous, qui vous appartient, qui est relatif à vous. *Votre jardin, vos amis.*
L'adjectif s'accorde en nombre avec le nom déterminé, il s'accorde en personne avec le nom désignant le « possesseur » et représente au moins deux possesseurs, dont celui à qui l'on parle.
VOIR TABLEAU – **POSSESSIF (ADJECTIF).**

vôtre n. m. pl. et pron. poss. (pl. *vôtres*)
Pronom possessif
Pronom possessif de la deuxième personne du pluriel et du genre masculin et féminin. Qui est à vous. *Cette patrie est la vôtre. Ces collègues sont les vôtres.*
Le pronom est toujours accompagné de l'article défini ; le mot ***vôtre*** s'emploie parfois en fonction d'attribut, sans article, comme un adjectif. *Ces inquiétudes sont vôtres.*
VOIR TABLEAU – **PRONOM.**
Nom masculin pluriel
Vôtres. Vos parents, vos proches, vos amis. *Il n'est pas des vôtres.*
v**ô**tre.

vouer v. tr., pronom.
Verbe transitif
1. Mettre sous la protection de Dieu, d'un saint. **SYN.** consacrer.
2. Consacrer. *Vouer sa vie à la recherche.* **SYN.** dédier.
3. Destiner à un mauvais sort. *Ce projet est voué à l'échec.* **SYN.** condamner.
Le complément du verbe se construit avec la préposition ***à.***
Verbe pronominal
Il ne sait à quel saint se vouer. Il ne sait à qui recourir.
Conjugaison [VOIR MODÈLE – **AIMER**]

vouloir n. m.
(VIEUX) Volonté. *Selon son bon vouloir.*

vouloir v. tr.
1. Manifester sa volonté. *Il veut partir. Elle sait ce qu'elle veut. Nous voulons que vous restiez.* **SYN.** désirer, avoir l'intention de, tenir à.
Le verbe se construit avec un nom ou un infinitif ; il peut aussi se construire avec ***que*** et le subjonctif.
2. Souhaiter. *Ils voudraient gagner le gros lot. Claude Dubois chante « J'aurais voulu être un artiste »,* extrait de *Starmania* (Luc Plamondon et Michel Berger). **SYN.** désirer, rêver de.
3. Accepter. *Acceptez-vous de prendre Tristan comme époux ? Oui, je le veux.* **SYN.** consentir.
4. Demander. *Combien voulez-vous pour ce voilier ?* **SYN.** exiger.
Locutions
En veux-tu, en voilà !, locution adverbiale. (FAMILIER) En abondance.
En vouloir à quelqu'un. Avoir de la rancune contre quelqu'un. *Il lui en veut terriblement.*
Que veux-tu, que voulez-vous ? Ces locutions introduisent une excuse. *Que veux-tu que je fasse ?*
La locution est suivie de la conjonction ***que*** et du subjonctif.
Vouloir dire. Avoir le sens de. *Le mot d'origine amérindienne* ouaouaron *veut dire « grenouille verte ».* **SYN.** signifier.
Le verbe comporte deux formes à l'impératif et au subjonctif présent. La forme ***veuille, veuillez*** exprime une prière, un ordre atténué signifiant « je vous prie de vouloir ». *Veuillez me suivre, s'il vous plaît. Veuillez agréer, Madame, l'expression de mes salutations respectueuses.* Au subjonctif, la deuxième forme est rare : *que nous veuillons, que vous veuillez.*
Conjugaison [VOIR MODÈLE – **VOULOIR**]

vous pron. pers. m. et f. pl.
Pronom personnel masculin et féminin de la deuxième personne du pluriel.
EMPLOIS
– **Sujet.** *Vous acceptez de participer.*
– **En apposition.** *Vous, vous êtes persuadés d'avoir raison, mais nous croyons que vous êtes dans l'erreur.*
– **Complément d'objet direct.** *Parfumez-vous.*

Indicatif

Présent		*Passé composé*		
je	veux	j'	ai	voulu
tu	veux	tu	as	voulu
elle	veut	elle	a	voulu
il	veut	il	a	voulu
nous	voulons	nous	avons	voulu
vous	voulez	vous	avez	voulu
elles	veulent	elles	ont	voulu
ils	veulent	ils	ont	voulu

Imparfait		*Plus-que-parfait*		
je	voulais	j'	avais	voulu
tu	voulais	tu	avais	voulu
elle	voulait	elle	avait	voulu
il	voulait	il	avait	voulu
nous	voulions	nous	avions	voulu
vous	vouliez	vous	aviez	voulu
elles	voulaient	elles	avaient	voulu
ils	voulaient	ils	avaient	voulu

Passé simple		*Passé antérieur*		
je	voulus	j'	eus	voulu
tu	voulus	tu	eus	voulu
elle	voulut	elle	eut	voulu
il	voulut	il	eut	voulu
nous	voulûmes	nous	eûmes	voulu
vous	voulûtes	vous	eûtes	voulu
elles	voulurent	elles	eurent	voulu
ils	voulurent	ils	eurent	voulu

Futur simple		*Futur antérieur*		
je	voudrai	j'	aurai	voulu
tu	voudras	tu	auras	voulu
elle	voudra	elle	aura	voulu
il	voudra	il	aura	voulu
nous	voudrons	nous	aurons	voulu
vous	voudrez	vous	aurez	voulu
elles	voudront	elles	auront	voulu
ils	voudront	ils	auront	voulu

Infinitif

Présent	*Passé*
vouloir	avoir voulu

Subjonctif

Présent			*Passé*			
que	je	veuille	que	j'	aie	voulu
que	tu	veuilles	que	tu	aies	voulu
qu'	elle	veuille	qu'	elle	ait	voulu
qu'	il	veuille	qu'	il	ait	voulu
que	nous	voulions	que	nous	ayons	voulu
que	vous	vouliez	que	vous	ayez	voulu
qu'	elles	veuillent	qu'	elles	aient	voulu
qu'	ils	veuillent	qu'	ils	aient	voulu

Imparfait			*Plus-que-parfait*			
que	je	voulusse	que	j'	eusse	voulu
que	tu	voulusses	que	tu	eusses	voulu
qu'	elle	voulût	qu'	elle	eût	voulu
qu'	il	voulût	qu'	il	eût	voulu
que	nous	voulussions	que	nous	eussions	voulu
que	vous	voulussiez	que	vous	eussiez	voulu
qu'	elles	voulussent	qu'	elles	eussent	voulu
qu'	ils	voulussent	qu'	ils	eussent	voulu

Conditionnel

Présent		*Passé*		
je	voudrais	j'	aurais	voulu
tu	voudrais	tu	aurais	voulu
elle	voudrait	elle	aurait	voulu
il	voudrait	il	aurait	voulu
nous	voudrions	nous	aurions	voulu
vous	voudriez	vous	auriez	voulu
elles	voudraient	elles	auraient	voulu
ils	voudraient	ils	auraient	voulu

Impératif

Présent	*Passé*	
veux	aie	voulu
voulons	ayons	voulu
voulez	ayez	voulu

Participe

Présent	*Passé*
voulant	voulu, ue ayant voulu

V

🔊- Le pronom sert à s'adresser à plusieurs personnes ou à une personne que l'on vouvoie. On accordera le participe passé ou l'adjectif au singulier s'il s'agit d'une seule personne. *Vous étiez habillé de blanc.*
– **Complément d'objet indirect.** *Cette maison est à vous.*
– **Complément circonstanciel.** *Nous irons chez vous.*
VOIR TABLEAU – **PRONOM.**

voûte n. f.
1. Plafond de pierre fait en arc. *La voûte de la cathédrale est décorée de fresques.*
2. (LITTÉRAIRE) Ce qui recouvre, ce qui est en forme de berceau. *La voûte des arbres, la voûte étoilée.*
Forme fautive
*voûte. Anglicisme au sens de ***chambre forte.***
✎ vo**û**te.

voûté, ée adj.
Courbé. *Un dos voûté.*
✎ vo**û**té.

vouvoiement n. m.
Action de vouvoyer. *Le vouvoiement est parfois très agréable.* **ANT.** tutoiement.
✎ vouvoi**e**ment.

vouvoyer v. tr., pronom.
S'adresser à une personne en employant le pronom ***vous.*** *La possibilité de vouvoyer ou de tutoyer la personne à qui l'on s'adresse est une particularité de la langue française, entre autres.* **ANT.** tutoyer.
Conjugaison [VOIR MODÈLE – **EMPLOYER**]
Le ***y*** se change en ***i*** devant un **e** muet. *Il vouvoie,* mais *il vouvoyait.* Le ***y*** est suivi d'un ***i*** à la première et à la deuxième personne du pluriel de l'indicatif imparfait et du subjonctif présent. *(Que) nous vouvoyions, (que) vous vouvoyiez.*

voyage n. m.
1. Déplacement. *Un voyage d'affaires, un voyage en Italie, en avion. Bon voyage !*
2. Aller et retour d'un lieu à un autre. *Pour déménager, ils ont fait plusieurs voyages avec leur camionnette.*
Locution
Agent, agente de voyages. Personne qui exploite une agence de voyages.

voyager v. intr.
Faire des voyages. *Ils adorent voyager pour découvrir de nouvelles régions ensemble. Elle voyageait beaucoup.*
Conjugaison [VOIR MODÈLE – **CHANGER**]
Le ***g*** est suivi d'un **e** devant les lettres ***a*** et ***o.*** *Il voyagea, nous voyageons.*

voyageur, euse n. m. et f.
1. Personne qui voyage. *Des voyageuses infatigables.*
2. Passager d'un véhicule public. *Nous informons les voyageurs qu'il y a un retard de 20 minutes.*
Locution
Pigeon voyageur. Pigeon dressé pour revenir au lieu d'où il est parti. *Des pigeons voyageurs.*

voyant, ante adj. et n. m. et f.
Adjectif
Qui se voit de loin. *Des couleurs voyantes.*
Nom masculin et féminin
1. Personne qui a la vue. *Les voyants et les non-voyants.*
2. Personne qui prétend lire le passé, l'avenir. *Ils ont consulté une voyante pour voir ce que l'avenir leur réservait : elle leur a dit qu'ils finiront par vieillir (ils le savaient déjà !).*
Nom masculin
Témoin lumineux. *Le voyant du niveau d'huile. Des voyants utiles.*

voyelle n. f.
1. Son vocal. *Les six voyelles de l'alphabet français sont* ***a, e, i, o, u, y.***
2. Lettre qui représente ce son. *La voyelle* ***i*** *avec son point est sympathique.*
✎ voye**ll**e.

voyou adj. et n. m. (pl. *voyous*)
Adjectif
Espiègle, digne d'un voyou. *Un sourire voyou.*
🔊- L'adjectif s'emploie en bonne part : il a un sens favorable.
Nom masculin
Chenapan, vaurien. *De petits voyous.*
🔊- Ce mot ne comporte pas de forme féminine. Il a un sens plutôt défavorable, contrairement à l'adjectif.

vrac (en) loc. adv.
1. (FIGURÉ) En désordre. *Des vêtements en vrac.*
2. Sans emballage. *Des produits en vrac.* **SYN.** pêle-mêle.

vrai, vraie adj., adv. et n. m.
Adjectif
1. Véritable, conforme à la vérité. *Une histoire vraie.* **SYN.** authentique, véridique.
2. Réel. *Une vraie perle. Est-ce un vrai rosier ?*
Adverbe
Conformément à la vérité. *Ils disent vrai.*
🔊- Pris adverbialement, le mot est invariable.
Nom masculin
La vérité. *Départager le vrai du faux.*
Locutions
À vrai dire, à dire vrai, locutions adverbiales. Pour être sincère. **SYN.** franchement.
🔊- Ces deux locutions sont synonymes.

vraiment adv.
1. Véritablement. *Elles sont vraiment gentilles, ces bibliothécaires.* **SYN.** réellement.
2. Certainement. *Je pense vraiment qu'il avait raison.*
✎ vr**ai**ment.

vraisemblable adj.
Qui semble vrai, probable. *Des excuses vraisemblables.* **SYN.** possible.

vraisemblance n. f.
Apparence de vérité. *Ce film représente le Moyen Âge avec beaucoup de vraisemblance.*
✎ vrai**s**embl**a**nce.

vrille n. f.
1. Organe de certaines plantes telle la vigne qui s'enroule en hélice autour des tuteurs, des branches.
2. Petite mèche servant à faire des trous. *Le vilebrequin comprend une vrille à son extrémité.*
Locution
Descente en vrille. Chute d'un avion qui fonce vers le sol en tournant sur lui-même.

vrombir v. intr.
Produire un vrombissement. *L'avion vrombissait* (et non *vrombrissait) *déjà.* **SYN.** bourdonner.
Conjugaison [VOIR MODÈLE – **FINIR**]
✎ vro**m**bir.

vrombissement n. m.
Vibration produite par un mouvement de rotation rapide. *Le vrombissement* (et non *vrombrissement) *d'un moteur.*

vu prép.
Étant donné. *Vu leurs bonnes intentions, nous acceptons.*
Employé en tête de phrase, devant le nom, sans auxiliaire, le mot ***vu*** est invariable.
Locutions
Au vu et au su de tous, locution adverbiale. À la connaissance de tout le monde, au grand jour. SYN. ouvertement. ANT. à l'insu de.
Vu que, locution conjonctive. Étant donné que, attendu que. La locution se construit avec l'indicatif ou le conditionnel. *Vu que nous avons quelques jours, nous en profiterons pour nous reposer.*
Cette locution s'emploie toujours au Québec, mais elle est vieillie dans la francophonie.

vue n. f.
1. Faculté de voir. *Elle a une bonne vue.* SYN. vision.
2. Étendue de ce que l'on peut voir d'un point. *Une vue superbe sur la mer.* SYN. panorama, paysage.
3. Manière dont une chose se voit. *Une vue de profil.*
4. Idée. *Ce n'est qu'une vue de l'esprit.*
Locutions
À perte de vue, locution adverbiale. Aussi loin qu'on puisse voir. *Des champs à perte de vue.*
À première vue, locution adverbiale. Apparemment, dès le premier coup d'œil.
À vue d'œil, locution adverbiale. Sensiblement, très vite. *Les enfants changent à vue d'œil.*
De vue, locution adverbiale. Par la vue. *Elle le connaît de vue simplement.*
En vue, locution adjective. Connu. *Des personnes en vue.*
En vue de, locution prépositive. Afin de. *Elle travaille en vue de faire vivre ses parents.* SYN. pour.

vulgaire adj.
Commun, sans distinction. *Des paroles vulgaires.* ANT. distingué.
Locution
Nom vulgaire. Désignation courante. *Le mot* ***saint-Joseph*** *est le nom vulgaire du* ***bégonia.***
En ce sens, l'adjectif n'a pas de sens défavorable.
vulg**aire.**

vulgarisateur, trice adj. et n. m. et f.
Adjectif
Propre à vulgariser (des connaissances).
Ce mot a un sens favorable.
Nom masculin et féminin
Spécialiste de la vulgarisation scientifique. *Fernand Seguin était un remarquable vulgarisateur.*

vulgarisation n. f.
Action de rendre faciles à comprendre des connaissances techniques. *La vulgarisation scientifique.*
Ce nom a un sens favorable.

vulgariser v. tr.
Mettre à la portée de tous, rendre accessibles une science, un art. *Les enseignants doivent pouvoir vulgariser les connaissances scientifiques.* SYN. simplifier.
Ce verbe a un sens favorable.
Conjugaison [VOIR MODÈLE – **AIMER**]

vulgarité n. f.
Défaut d'une personne, d'une chose vulgaire. *Elle ne peut tolérer sa vulgarité.*
Ce nom a un sens défavorable.

vulnérable adj.
1. Qui peut être touché, blessé, fragile. *Un point vulnérable.*
2. Qui peut être attaqué, discuté. *Un témoignage vulnérable.*

vulve n. f.
Partie externe des organes génitaux de la femme et des femelles de mammifères.

w n. m. inv.
Vingt-troisième lettre de l'alphabet.

W
Symbole de ***watt.***

wagon n. m.
Le ***w*** se prononce ***v*** [vagɔ̃] comme dans ***vague.***
Véhicule de chemin de fer tiré par une locomotive. *Des wagons réfrigérés, des wagons de marchandises.*
Dans la langue des chemins de fer, le ***wagon*** sert au transport des marchandises, des animaux, tandis que la ***voiture*** sert au transport des personnes. Dans la langue courante cependant, le nom ***wagon*** s'emploie de plus en plus pour désigner tout véhicule ferroviaire tiré par une locomotive.

wagonnet n. m.
Le ***w*** se prononce ***v*** [vagɔnɛ].
Petit wagon servant au transport des minerais.
wagonne**t.**

***walkie-talkie** ou **talkie-walkie**
Anglicisme pour ***émetteur-récepteur portatif.***

***walkman**
Anglicisme pour ***baladeur.***

wapiti n. m.
Le ***w*** se prononce ***w*** [wapiti].
Grand cerf du Canada et de Sibérie. *Des wapitis aux tons fauves.*
Le nom ***wapiti*** est un mot d'origine algonquine signifiant « daim blanc ».

***waterproof**
Anglicisme pour ***imperméable, à l'épreuve de l'eau.***

watt n. m. (pl. *watts)*
Le ***w*** se prononce ***w*** [wat].
Symbole ***W*** (s'écrit sans point).
Unité de puissance électrique. *Cette ampoule est de 50 watts, de 50 W.*
wa**tt.**

week-end n. m.
Le ***w*** se prononce ***w,*** les lettres ***ee*** se prononcent ***i*** et les lettres ***nd*** sont sonores [wikɛnd].
Congé du samedi et du dimanche. *Ils partent à la campagne tous les week-ends.* **SYN.** fin de semaine.

western n. m.
Le ***w*** se prononce ***w*** et les lettres ***rn*** sont sonores [wɛstɛrn].
Film d'aventures se déroulant lors de la conquête de l'Ouest de l'Amérique du Nord. *D'excellents westerns remplis de cow-boys et d'Indiens.*

whisky n. m. (pl. *whiskies)*
Le ***w*** se prononce ***w*** [wiski].
Eau-de-vie d'origine écossaise obtenue par la distillation de grains (orge, avoine, seigle). *Des whiskies avec des glaçons.*
un w**h**isk**y,** des w**h**isk**ies.**

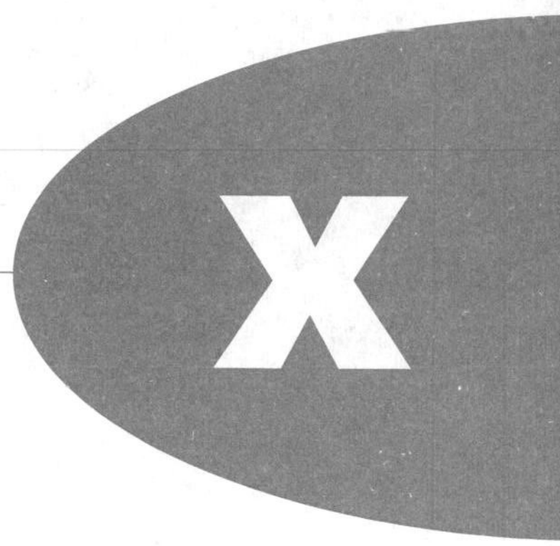

x n. m. inv.
Vingt-quatrième lettre de l'alphabet.

X
Chiffre romain dont la valeur est de 10.
VOIR TABLEAU – **CHIFFRES ARABES.**
VOIR TABLEAU – **CHIFFRES ROMAINS.**

X (rayons)
Radiations électromagnétiques. *Les radiographies sont prises au moyen de rayons X.*
Dans cette expression, la lettre ***x*** s'écrit toujours en majuscule.

xén(o)- préf.
Élément du grec signifiant « étranger ».
Les mots composés avec le préfixe ***xéno-*** s'écrivent en un seul mot. *Xénophobie.*

xénophobe adj. et n. m. et f.
Le ***x*** se prononce ***ks*** et les ***o*** sont ouverts [ksenɔfɔb].
Qui n'aime pas les étrangers, ce qui vient de l'étranger. *Ils ne sont pas xénophobes. Un xénophobe irréductible.*
Ne pas confondre avec le mot ***raciste*** qui se dit de ce qui est hostile à certains groupes raciaux.
xéno**ph**obe.

xénophobie n. f.
Le ***x*** se prononce ***ks*** et les ***o*** sont ouverts [ksenɔfɔbi].
Haine des étrangers, de ce qui est étranger.
Le mot ***xénophobie*** désigne la haine de tous les étrangers, alors que le mot ***racisme*** dénomme une hostilité à l'égard de certains groupes raciaux.
xéno**ph**obie.

xylophone n. m.
Le ***x*** se prononce ***ks*** [ksilɔfɔn].
Instrument de musique composé de lamelles de bois de longueur décroissante sur lesquelles on frappe avec des baguettes.
x**y**lo**ph**one.

y n. m. inv.
Vingt-cinquième lettre de l'alphabet.

y adv. et pron. pers. m. et f.
Adverbe de lieu
En cet endroit-là. *Allez-vous là-bas ? J'y vais. J'y suis, j'y reste.*
L'adverbe ***y*** se place après le pronom. *Dirige-nous-y.*
Pronom personnel masculin et féminin
1. À lui, à elle, à eux, à elles. *Cette personne a un bon jugement ; vous pouvez vous y fier.*
2. À cela. *C'est terminé : je ne peux y croire.*
Impératif + ***y.*** Placé après un impératif se terminant par une voyelle (***a, e***), l'adverbe ou le pronom ***y*** exige l'addition d'un ***s*** aux verbes qui n'en comportent pas afin de rendre la prononciation plus harmonieuse. Il est joint au verbe par un trait d'union. *Penses-y. Vas-y.*
VOIR TABLEAU – **PRONOM.**
Locutions
Il y a, locution verbale. Il existe. *Il y avait une fois...*
Il y va de, locution verbale. Telle chose en dépend. *Il y va de notre succès.*
Ça y est ! Locution verbale qui marque l'accomplissement d'un souhait, la fin d'une activité, etc. *Ça y est ! Il arrive.*
Y a-t-il ? Est-ce qu'il y a ? *Y a-t-il un volontaire pour manger ce gâteau ?*
Il n'y a pas de trait d'union entre le pronom ***y*** et le verbe ***avoir.***
L'élision et la liaison se font avec ce mot. *J'y vais. Vas-(z)y.*

y
Devant la plupart des mots commençant par ***y,*** l'élision ou la liaison ne se fait pas. *Le / yaourt, le / yacht.*
Dans cet ouvrage, les mots étrangers empêchant l'élision de la voyelle qui précède, ou la liaison entre deux mots, sont suivis de la mention (***y*** aspiré). Seuls quelques mots français commençant par ***y*** permettent l'élision ou la liaison. *Les(z)yeux.*

yacht (***y*** aspiré) n. m.
Le ***a*** se prononce comme un ***o*** ouvert ou fermé et les lettres ***cht*** se prononcent ***t*** [jɔt] ou [jot].
Navire de plaisance. *Des yachts luxueux.*
Ne pas confondre avec les noms suivants :
– ***bateau,*** bâtiment, grand ou petit, qui navigue sur la mer ou sur les rivières ;
– ***canot,*** petit bateau ;
– ***cargo,*** navire pour le transport des marchandises ;
– ***paquebot,*** grand navire pour le transport des passagers ;
– ***pétrolier,*** navire-citerne pour le transport du pétrole ;
– ***voilier,*** bateau à voiles.

yack ou **yak** (***y*** aspiré) n. m.
Ruminant à longue toison, voisin du buffle et qui vit au Tibet.

yaourt
VOIR **YOG(H)OURT.**

yen (***y*** aspiré) n. m.
Le ***n*** se prononce [jɛn].
Unité monétaire du Japon. *Des yens.*

yeti (***y*** aspiré) n. m.
Créature fabuleuse de l'Himalaya surnommée « l'abominable homme des neiges ». *Des yetis imaginaires.*

yeux n. m. pl.
Pluriel de œil. *Des yeux verts. « Des yeux bruns pour le jour, des yeux verts pour l'amour. »* (Jean-Pierre Ferland)
La liaison se fait avec ce nom.
VOIR **ŒIL.**

Yn
Abréviation de ***Territoire du Yukon.***

yoga (***y*** aspiré) n. m.
Discipline spirituelle et corporelle qui vise à libérer l'esprit par la parfaite maîtrise du corps. *Faire du yoga.*

yog(h)ourt ou **yaourt** (***y*** aspiré) n. m.
Au Québec, le nom se prononce le plus souvent ***yogour*** [jɔgur]. Dans la francophonie, il se prononce surtout ***ya-ourt*** (avec ou sans ***t*** final), [jaurt] ou [jaur].
Lait caillé ayant subi une fermentation particulière. *Des yaourts aux bleuets* ou *yoghourts ou yogourts.*

yougoslave (***y*** aspiré) adj. et n. m. et f.
De la Yougoslavie. *Un peintre yougoslave. Un Yougoslave, une Yougoslave.*
L'adjectif s'écrit avec une minuscule ; le nom, avec une majuscule.

yo-yo (***y*** aspiré) n. m. inv. (pl. *yo-yo)*
Jouet que l'on fait monter et descendre le long d'un fil enroulé. *Des yo-yo lumineux.*

z n. m. inv.
Vingt-sixième lettre de l'alphabet.

ZAC
Sigle de ***zone d'aménagement et de conservation.***

zaïrois, oise adj. et n. m. et f.
Du Zaïre. *Un costume zaïrois. Un Zaïrois, une Zaïroise.*
L'adjectif s'écrit avec une minuscule ; le nom, avec une majuscule.

zambien, ienne adj. et n. m. et f.
De la Zambie. *Une coutume zambienne. Un Zambien, une Zambienne.*
L'adjectif s'écrit avec une minuscule ; le nom, avec une majuscule.

zèbre n. m.
Mammifère ongulé voisin du cheval et dont la robe claire est marquée de bandes foncées. *Le zèbre hennit.*
VOIR TABLEAU – **ANIMAUX.**

zébrer v. tr.
Marquer de bandes foncées. *Un code zébré.* **SYN.** rayer.
Conjugaison [VOIR MODÈLE – **POSSÉDER**]
Le **é** se change en **è** devant une syllabe muette, sauf à l'indicatif futur et au conditionnel présent. *Je zèbre,* mais *je zébrerai.*

zébrure n. f.
Rayure semblable à celle du zèbre.

zébu n. m. (pl. *zébus)*
Type de bœuf de grande taille possédant une bosse sur le dos.

ZEC
Sigle de ***zone d'exploitation contrôlée.***

zélé, ée adj.
Qui fait preuve de zèle. *Un travailleur zélé.*
zélé.

zèle n. m.
1. Empressement pour une cause, une personne. **SYN.** dévouement.
2. Ardeur, application. *Martine étudie avec zèle.*
Locution
Faire du zèle. Affecter un dévouement excessif.
La locution a un sens défavorable.
zèle.

zénith n. m.
Le ***t*** se prononce [zenit] ; le mot rime avec ***vite.***
1. Point du ciel situé au-dessus d'un point d'observation. *Au pôle Nord, l'étoile Polaire est tout près du zénith.*
2. (FIGURÉ) Le plus haut degré que l'on puisse atteindre. *Il est au zénith du pouvoir.* **SYN.** sommet.
Le mot ***zénith*** vient d'une expression arabe signifiant « chemin au-dessus de la tête ».
zéni**th.**

zéro adj. num. inv. et n. m. (pl. *zéros)*
Adjectif numéral cardinal invariable
Aucun. *Elle a fait zéro faute d'orthographe dans son examen.*
Nom masculin
1. Valeur nulle d'une grandeur. *La réponse est zéro. Le degré zéro. Des zéros de conduite. Il fait 15 °C au-dessous de zéro* (et non *sous zéro ou *en bas de zéro).
2. Signe numérique en forme de ***0*** qui représente le chiffre zéro. *Des zéros en lettres lumineuses.*
VOIR TABLEAU – **NOMBRES.**
VOIR TABLEAU – **NUMÉRAL (ADJECTIF).**

zeste n. m.
1. Écorce d'un fruit. *Un zeste de citron.*
2. (FIGURÉ) Très petite quantité. *Un zeste de folie.* **SYN.** soupçon.
zest**e.**

zézaiement n. m.
Défaut de prononciation qui fait prononcer ***z*** au lieu de ***j.***
zéza**ie**ment.

zézayer v. intr.
Prononcer ***z*** au lieu de ***j.*** *Cet enfant zézaie un peu : il dit « ze vais zouer dehors » au lieu de « je vais jouer dehors ».*
SYN. zozoter.
Conjugaison [VOIR MODÈLE – **PAYER**]
Le ***y*** peut être changé en ***i*** devant un **e** muet. *Il zézaie, il zézaiera.*
Le ***y*** est suivi d'un ***i*** à la première et à la deuxième personne du pluriel de l'indicatif imparfait et du subjonctif présent. *(Que) nous zézayions, (que) vous zézayiez.*

zigzag n. m.
Succession d'angles, de tournants. *La rivière fait des zigzags.*
zigzag, en un seul mot.

zigzagant, ante adj.
Qui marche en zigzag, qui forme des zigzags comme l'éclair. *Des cheminements zigzagants.*
Ne pas confondre avec le participe présent invariable ***zigzaguant.*** *Ils roulaient en zigzaguant.*

zigzaguer v. intr.
Faire des zigzags en avançant. *Cette voiture zigzaguait.*
Conjugaison [VOIR MODÈLE – **AIMER**]
Ce verbe s'écrit toujours avec un ***u,*** même devant les lettres ***a*** et ***o.*** *Il zigzagua, nous zigzaguons.*

***zip** ou **zipper**
Anglicisme pour ***fermeture éclair, fermeture à glissière.***

zizanie n. f.
Discorde, dispute.
Locution
Semer la zizanie. Susciter des discussions, des querelles.
zizani**e.**

zodiaque n. m.
1. Zone de la sphère terrestre.
2. Zone divisée en 12 parties égales correspondant aux signes du zodiaque.
Les noms d'astres, de constellations s'écrivent avec une majuscule. *Bélier, Taureau, Gémeaux, Cancer, Lion, Vierge, Balance, Scorpion, Sagittaire, Capricorne, Verseau, Poissons.*
VOIR **ASTRE.**

zonage n. m.
Répartition d'un territoire en zones selon des critères particuliers (utilisation du sol, construction immobilière, activité industrielle ou commerciale). *Le zonage agricole.*

zone n. f.
1. Portion de territoire. *Une zone tropicale, littorale.* **SYN.** région.
2. Espace. *Une zone militaire, une zone de libre-échange.* **SYN.** secteur, section.
3. Domaine. *Des zones d'influence, une zone d'activité.*
Locution
Zone franche. Zone où les marchandises sont exemptées de droits de douane.
Forme fautive
*zone de touage. Calque de l'anglais « tow zone » au sens de ***zone de remorquage*** (enlèvement des voitures en infraction).
z**o**ne, sans accent circonflexe.

zoné, ée adj.
Qui a fait l'objet d'un zonage. *Une région zonée.*
z**o**né, sans accent circonflexe.

zone d'aménagement et de conservation n. f.
Sigle ***ZAC*** (s'écrit avec ou sans points).
Territoire établi par l'Administration pour la gestion des réserves fauniques. (Recomm. off. OLF)

zone d'exploitation contrôlée n. f.
Sigle ***ZEC*** (s'écrit avec ou sans points).
Territoire établi par l'État, destiné principalement au contrôle du niveau d'exploitation des ressources fauniques, et dont la gestion peut être déléguée à un organisme agréé. (Recomm. off. OLF)

zoner v. tr.
Faire le zonage de. *Le gouvernement a zoné ces terrains.*
Conjugaison [VOIR MODÈLE – **AIMER**]
z**o**ner, sans accent circonflexe.

zoo n. m.
Les lettres ***oo*** se prononcent comme un seul ***o,*** [zo] (et non *ou) ; le mot rime avec ***ciseau.***
Jardin zoologique. *Des zoos merveilleux pour les enfants.*

zoologie n. f.
Les deux ***o*** se prononcent [zɔɔlɔʒi].
Partie des sciences naturelles qui étudie les animaux.

zoologique adj.
Les deux ***o*** se prononcent [zɔɔlɔʒik].
Relatif à la zoologie, aux animaux. *Un jardin, un parc zoologique.*

zoologiste ou **zoologue** n. m. et f.
Les deux ***o*** se prononcent [zɔɔlɔʒist, zɔɔlɔg].
Spécialiste de la zoologie.

zozoter v. intr.
(FAMILIER) Zézayer.
Conjugaison [VOIR MODÈLE – **AIMER**]

zut ! interj.
(FAMILIER) Interjection marquant la colère, le dépit. *Zut ! j'ai raté mon autobus.*

zzz onomat.
Onomatopée marquant un léger sifflement et, au figuré, le sommeil.

BIBLIOGRAPHIE

BÉNAC, HENRI. *Dictionnaire des synonymes*, Paris, Hachette, 1975, 1026 p.

BERGERON, Marcel et Corinne KEMPA. *Vocabulaire d'internet*, Québec, Office de la langue française, 1995, 62 p.

BESCHERELLE 1. *L'art de conjuguer*, nouv. éd. ent. remise à jour, Montréal, Hurtubise HMH, 1985, 157 p.

BIRON, Monique. *Au féminin : guide de féminisation des titres de fonction et des textes*, Québec, Les Publications du Québec, 1991, 34 p. (Guides de l'Office de la langue française)

BLED, Odette et Édouard BLED. *Dictionnaire d'orthographe*, Paris, Hachette, 1985, 253 p.

BLOCH, Oscar et Walter von WARTBURG. *Dictionnaire étymologique de la langue française*, 8ᵉ éd., Paris, Presses universitaires de France, 1991, 682 p.

CAJOLET-LAGANIÈRE, Hélène, Pierre COLLINGE et Gérard LAGANIÈRE. *Rédaction technique et administrative*, 2ᵉ éd. rev. et aug., Sherbrooke, Éditions Laganière, 1986, 331 p.

CAJOLET-LAGANIÈRE, Hélène et Pierre MARTEL. *La qualité de la langue au Québec*, Québec, Institut québécois de la recherche sur la culture, 1995, 167 p. (Diagnostic nº 18)

CAPUT, J. et J.-P. *Dictionnaire des verbes français,* Paris, Larousse, 1988, 589 p.

CATACH, Nina. *Dictionnaire historique de l'orthographe française,* Paris, Larousse, 1995, 1327 p.

CATACH, Nina. *La Ponctuation,* Paris, Presses universitaires de France, 1994, 127 p. (Que sais-je ? nº 2818)

CELLARD, Jacques. *La vie du langage : Chroniques 1971-1975, Le Monde*, Paris, Le Robert, 1979, 298 p.

CELLARD, Jacques. *Le subjonctif : comment l'écrire ? quand l'employer ?* 3ᵉ éd. rev., Paris — Gembloux, Duculot, 1983, 87 p.

C'est-à-dire, Montréal, Société Radio-Canada, 1960-1992. (Bulletins et fiches)

CHARTRAND, Suzanne-G., *Pour un nouvel enseignement de la grammaire,* Montréal, Les Éditions Logiques, 1995, 417 p.

Code typographique : choix de règles à l'usage des auteurs et des professionnels du livre, 16ᵉ éd., Paris, 1989, 121 p.

COLIGNON, Jean-Pierre. *La ponctuation, art et finesse,* Paris, Éd. Éole, 1988, 95 p.

COLIGNON, Jean-Pierre. *Un point, c'est tout ! La ponctuation efficace,* Montréal, Les Éditions du Boréal, 1993, 119 p.

COLIN, Jean-Paul. *Dictionnaire des difficultés du français*, Paris, Dictionnaires Le Robert, 1990, 857 p. (Les Usuels)

COLPRON, Gilles. *Dictionnaire des anglicismes*, 2ᵉ éd., Montréal, Beauchemin, 1982, 199 p.

COMMISSION DE TOPONYMIE. *Répertoire toponymique du Québec*, Québec, Les Publications du Québec, 1987, 1900 p.

COMMISSION DE TOPONYMIE. *Noms et lieux du Québec : dictionnaire illustré*, Québec, Les Publications du Québec, 1994, 925 p.

COMMISSION DE TOPONYMIE. *Répertoire toponymique du Québec : supplément cumulatif 1993,* Québec, Les Publications du Québec, 1994, 324 p.

CORBEIL, Jean-Claude et Ariane ARCHAMBAULT. *Le Visuel : dictionnaire thématique français, anglais,* Montréal, Québec/Amérique, 1992, 896 p.

CORBEIL, Jean-Claude et Ariane ARCHAMBAULT. *Le Visuel : dictionnaire multimédia français, anglais, espagnol* (DOC) sous la direction infographique de François Fortin, Montréal, Québec/Amérique, 1996.

DAGENAIS, Gérard. *Dictionnaire des difficultés de la langue française au Canada*, 2ᵉ éd., Montréal, Les Éditions françaises, 1990, 525 p.

DARBELNET, Jean. *Dictionnaire des particularités de l'usage*, Québec, Presses de l'Université du Québec, 1986, 215 p.

Dictionnaire de linguistique et des sciences du langage, Paris, Larousse, 1994, 514 p.

Dictionnaire des synonymes, Paris, Dictionnaires Le Robert, 1990, 516 p.

Dictionnaire des termes officiels, textes législatifs et réglementaires, 7ᵉ éd., Paris, Délégation générale à la langue française, 1991, 306 p.

Dictionnaire du français plus, Montréal, Centre éducatif et culturel, 1988, 1273 p., 343 p.

Dictionnaire féminin-masculin des professions, des titres et des fonctions, Genève, Éditions Métropolis, 1991, 318 p.

Dictionnaire québécois d'aujourd'hui sous la direction de Jean-Claude Boulanger, 2ᵉ éd., Montréal, Dicorobert, 1993, 1856 p.

Dictionnaire encyclopédique Quillet, Paris, A. Quillet, 1977, 10 vol.

Dictionnaire Quillet de la langue française, Paris, A. Quillet, 1975, 4 vol.

DOPPAGNE, Albert. *La bonne ponctuation : clarté, précision, efficacité de vos phrases,* 2ᵉ éd. revue, Paris, Duculot, 1992, 112 p.

DOPPAGNE, Albert. *Majuscules, abréviations, symboles et sigles : pour une toilette parfaite du texte,* Paris — Louvain-la-Neuve, Duculot, 1991, 111 p.

DOURNON, Jean-Yves. *Dictionnaire d'orthographe et des difficultés du français*, éd. revue, Paris, Librairie générale française, 1987, 648 p. (Le livre de poche n° 7807)

DRILLON, Jacques. *Traité de la ponctuation française,* Paris, Gallimard, 1991, 472 p.

DUBOIS, Jean. *Lexis, dictionnaire de la langue française,* Paris, Larousse, 1989, 2109 p.

DUBUC, Robert. *En français dans le texte*, Montréal, Linguatech, 1994, 264 p.

DUBUC, Robert. *Objectif 200 : 200 fautes de langage à corriger*, Montréal, Éditions Ici Radio-Canada et Leméac, 1971, 133 p.

DUGAS, Jean-Yves. *Répertoire des gentilés (noms des habitants) du Québec*, Québec, Commission de toponymie, 1987, 258 p.

DULONG, Gaston. *Dictionnaire des canadianismes,* Montréal, Larousse Canada, 1989, 461 p.

DUPRÉ, P. *Encyclopédie du bon français dans l'usage contemporain : difficultés, subtilités, complexités, singularités,* Paris, Éditions du Trévise, 1972, 3 vol.

FOREST, Constance; FOREST, Louis. *Le Colpron, Le Nouveau Dictionnaire des anglicismes,* Montréal, Éditions Beauchemin, 1994, 289 p.

GADBOIS, Vital. *Écrire avec compétence au collégial,* Beloeil, Les Éditions La Lignée, 1994, 181 p.

GIRODET, Jean. *Pièges et difficultés de la langue française,* Paris, Bordas, 1988, 896 p.

GIRODET, Jean. *Savoir conjuguer tous les verbes français,* Paris, Bordas, 1987, 159 p.

GIRODET, Jean. *Savoir les règles de l'orthographe*, Paris, Bordas, 1989, 159 p.

GODIVEAU, Roland. *1000 difficultés courantes du français parlé. En syntaxe, vocabulaire et prononciation*, 2e éd., Paris — Gembloux, Duculot, 1986, 127 p.

GOURIOU, Ch. *Mémento typographique*, Paris, Hachette, 1973, 122 p.

Grand dictionnaire encyclopédique Larousse, Paris, Larousse, 1985, 15 vol.

Grand Larousse en 5 volumes, Paris, Larousse, 1992.

Grand Larousse de la langue française, Paris, Larousse, 1971-1978, 7 vol.

GREVISSE, Maurice. *Le bon usage : grammaire française*, 13e éd. refondue par André Goosse, Paris — Louvain-la-Neuve, Duculot, 1993, 1762 p.

GREVISSE, Maurice. *Précis de grammaire française*, 29e éd., Paris, Duculot, 1990, 291 p.

GREVISSE, Maurice. *Savoir accorder le participe passé : Toutes les règles avec des exercices et leurs corrigés*, 4e éd., Paris — Gembloux, Duculot, 1983.

GREVISSE, Maurice. *Quelle préposition ?*, 3e éd., Paris — Gembloux, Duculot, 1983. 107 p.

GREVISSE, Maurice et André GOOSSE. *Nouvelle grammaire française*, 2e éd., rév., Paris — Louvain-la Neuve, Duculot, 1989, 377 p.

GRISELIN, Madeleine et autres. *Guide de la communication écrite*, Paris, Dunod, 1992. 325 p.

GROUPE DIEPE. *Savoir écrire au secondaire*, Louvain, De Boeck, 1995, 273 p.

Guide du rédacteur de l'administration fédérale, Ottawa, Secrétariat d'État, 1983, 218 p.

GUILLOTON, Noëlle et Hélène CAJOLET-LAGANIÈRE. *Le français au bureau,* 4e éd., Québec, Les Publications du Québec, 1996, 400 p. (Guides de l'Office de la langue française)

HANSE, Joseph. *Nouveau dictionnaire des difficultés du français moderne*, 3e éd. établie d'après les notes de l'auteur avec la collaboration scientifique de Daniel Blampain, Paris — Gembloux, Duculot, 1994, 983 p.

JACOB, Roland et Jacques LAURIN. *Ma grammaire,* Montréal, Les Éditions françaises, 1994, 434 p.

JEAN, Georges. *Le plaisir des mots*, Paris, Gallimard, 1982, 352 p.

JOUETTE, André. *Dictionnaire de l'orthographe. Tous les pièges et difficultés de la langue française*, Paris, Nathan, 1989, 764 p.

LASSERRE, E. *Est-ce à ou de? Répertoire des verbes, adjectifs et locutions se construisant avec une préposition,* 15e éd., Lausanne, Payot, 1987, 63 p.

LAURENCE, Jean-Marie. *Les verbes en un clin d'œil : dictionnaire des verbes français,* Montréal, Guérin, 1981, 204 p.

LAURIN, Jacques. *Corrigeons nos anglicismes*, Montréal, Les Éditions de l'homme, 1975, 179 p.

LAURIN, Jacques. *L'orthographe en un clin d'œil,* Montréal, Les Éditions de l'homme, 1990, 288 p.

LEGENDRE, Renald. *Dictionnaire actuel de l'éducation,* 2e édition, Montréal, Guérin, 1993, 1500 p.

LENOBLE-PINSON, Michèle. *Anglicismes et subtituts français : l'esprit des mots,* Paris — Louvain-la-Neuve, Duculot, 1991, 172 p.

Le Nouveau Petit Robert : dictionnaire de la langue française, nouvelle édition remaniée et amplifiée sous la direction de Josette Rey-Debove et Alain Rey, Paris, Dictionnaires Le Robert, 1993, 2467 p.

Le Robert et Nathan : grammaire, Paris, Nathan, 1995, 383 p.

LÉTOURNEAU, Jocelyn. *Le coffre à outils du chercheur débutant : guide d'initiation au travail intellectuel,* Toronto, Oxford University Press,1989, 227 p.

MARTIN, J. C. *Guide pratique de français correct*, Montréal, Éditions Études Vivantes, 1990, 124 p.

NOËL, Colette et GERVAIS, Flore. *Problèmes orthographiques d'étudiants universitaires*, Québec, Conseil de la langue française, 1986, 155 p.

PATAR, Benoît. *Dictionnaire actuel de l'art d'écrire*, Montréal, Fides, 1995, 611 p.

PERGNIER, Maurice. *Les anglicismes, danger ou enrichissement pour la langue*, Paris, Presses universitaires de France, 1989, 214 p.

Petit Larousse illustré 1996, Paris, Larousse, 1777 p.

RAMAT, Aurel. *Le Ramat de la typographie*, Montréal, Aurel Ramat éditeur, 1994, 128 p.

OFFICE DE LA LANGUE FRANÇAISE. *Répertoire des avis linguistiques et terminologiques : mai 1979 - septembre 1989,* 3e éd. rev. et aug., Québec, Les Publications du Québec, 1990, 251 p.

Répertoire des voies publiques, Ville de Montréal, 1995, 66 p.

REY, Alain et Sophie CHANTREAU. *Dictionnaire des expressions et locutions,* nouv. éd. rev. et aug., Paris, 1990, 1036 p. (Les Usuels)

ROBERT, Paul. *Dictionnaire alphabétique et analogique de la langue française*, 2e éd. ent. rev. et enr. par Alain Rey, Paris, Le Robert, 1986, 9 vol.

ROBERT, Paul. *Le Petit Robert, Dictionnaire universel des noms propres,* nouvelle édition refondue et augmentée, Paris, Le Robert, 1994, 2259 p.

SAUVAGE, Claude. *Le français au fil du temps et des mots*, Montréal, Éditions Études Vivantes, 1990, 304 p.

SAUVÉ, Madeleine. *Observations grammaticales et terminologiques*, Montréal, Université de Montréal, 1989. (Fiches)

TELLIER, Christine, *Éléments de syntaxe du français,* Méthodes d'analyse en grammaire générative, Montréal, Presses de l'université de Montréal, 1995, 228 p.

THÉORET, Michel et André MAREUIL. *Grammaire du français actuel pour les niveaux collégial et universitaire,* Montréal, CEC, 1991, 557 p.

THERRIEN, Michel. *Code grammatical en tableaux,* 2e éd. revue et corrigée, Montréal, Brault et Bouthillier, 1991, 60 p.

THOMAS, Adolphe. *Dictionnaire des difficultés de la langue française*, Paris, Larousse, 1989, 435 p.

VILLERS, Marie-Éva de. *Vocabulaire du micro-ordinateur*, Office de la langue française, Québec, Les Publications du Québec, 1986, 66 p.

Vocabulaire de l'éducation, 2e édition, Québec, Les Publications du Québec, 1990, 229 p.

YAGUELLO, Marina. *En écoutant parler la langue*, Paris, Seuil, 1991, 124 p.

NORMES

ASSOCIATION CANADIENNE DE NORMALISATION. *Guide canadien de familiarisation au système métrique,* 3e édition, Rexdale, ACNOR, 1977, 54 p. (CAN3-Z234.1-76)

ASSOCIATION CANADIENNE DE NORMALISATION. *Représentation numérique des dates et de l'heure,* Rexdale, ACNOR, 1976, 9 p. (CAN3-Z234.4-76)

ASSOCIATION FRANÇAISE DE NORMALISATION. *Principes de l'écriture des nombres, des unités et des grandeurs,* PARIS, AFNOR, 1951, 20 P. (NF X 02-003)

BUREAU DE NORMALISATION DU QUÉBEC. *Le système international d'unités (SI) : définitions, symboles et principes d'écriture*, Québec, Bureau de normalisation du Québec, 1992, 115 p. (NQ 9990-901, 92-10-10)